MATTHIAS LEXERS

MITTELHOCHDEUTSCHES TASCHENWÖRTERBUCH

37. Auflage · Unveränderter Nachdruck

MATTHIAS LEXERS

MITTELHOCHDEUTSCHES

TASCHENWÖRTERBUCH

Mit
Berichtigungen zum unveränderten Neudruck des Hauptteils,
Nachträgen, unter Mithilfe von Dorothea Hannover und
Rena Leppin neubearbeitet und aus den Quellen ergänzt von
Ulrich Pretzel
und weiteren Berichtigungen (als loses Einlageblatt)

Siebenunddreißigste Auflage. Unveränderter Nachdruck

S. HIRZEL VERLAG STUTTGART

1986

Inhaltsverzeichnis

In diesem inhaltlich unveränderten (also text-
identischen) Nachdruck der 37. Auflage wurde
aus Gründen bibliographischer Genauigkeit lediglich der Wortlaut des Titelblattes den Gegeben-
heiten angepaßt.

ISBN 3-7776-0423-2

© 1986 S. Hirzel Verlag, Birkenwaldstaße 44, 7000 Stuttgart 1
Hergestellt bei: INTERDRUCK Graphischer
Großbetrieb Leipzig
Deutsche Demokratische Republik

VORWORT ZUR 3. AUFLAGE

Bei der ersten herausarbeitung des TASCHENWÖRTERBUCHES aus meinem HANDWÖRTERBUCHE hat mich das ängstliche bestreben, den vom herrn verleger festgesetzten umfang nicht zu überschreiten, in der auswahl des aufzunehmenden wortvorrates teilweise doch zu enge grenzen ziehen und auch viele nachträgliche streichungen vornehmen lassen, wodurch sich gar manche lücken und inkonsequenzen ergaben, die mir und anderen beim mehrjährigen gebrauche des buches aufgefallen sind. Ich habe mich deshalb bei der nun notwendig gewordenen dritten auflage der mühe einer umarbeitung des TWB. unterzogen, die sich zunächst und im allgemeinen auf die vervollständigung des wörterverzeichnisses aus dem HWB. und aus den inzwischen neueröffneten quellen, sodann im einzelnen auf eine genauere, vielfach verbesserte oder berichtigte wiedergabe der bedeutungen erstreckt. Nach beiden seiten hin kann nun das TWB. in der neuen gestalt auch als ein supplement und korrektiv des HWB. und im ganzen (von vielen unwesentlichen und selbstverständlichen kompositionen abgesehen) auch als ein repertorium des dermaligen mittelhochdeutschen sprachschatzes betrachtet werden.

Würzburg, im september 1885   M. L.

VORWORT ZUR 37. AUFLAGE

Am 20. November 1981 starb Ulrich Pretzel, der letzte der drei Bearbeiter, die Lexers Mittelhochdeutsches Taschenwörterbuch, Zentralwerk für den Unterricht in der älteren deutschen Philologie, seit Mitte der zwanziger Jahre betreut hatten. Er hatte durch zwei Nachträge (1959 und 1974) versucht, die Entwicklung in der Kenntnis über den mittelhochdeutschen Wortschatz lexikalisch aufzuarbeiten und Studierenden wie Lehrenden zur Verfügung zu stellen. Aus vielerlei Gründen war es ihm nicht vergönnt, zu Lebzeiten von Richard Kienast und Erich Henschel an eine Neubearbeitung des „Taschen-Lexers" heranzugehen; so mußte er sich auf jene Nachträge beschränken. Dadurch wurde jedoch die Benutzbarkeit dieses wichtigen Nachschlagewerkes der mittelhochdeutschen Lexikographie stark behindert; für die Studenten war und ist das Auffinden einzelner Lemmata sehr schwierig und zum Teil wegen unterschiedlicher Anordnung der Komposita zusätzlich erschwert. Es kommt hinzu, daß fortschreitende Erkenntnisse im Bereich der mittelhochdeutschen Lexikographie nur in den Nachträgen ihren Niederschlag finden konnten (ich verweise nur auf die Verbkomposita-Artikel). – Über alle Probleme, die sich mit der Überarbeitung von Lexers Mittelhochdeutschem Taschenwörterbuch seit 1930 (19. Auflage) ergeben haben, wird die Einleitung zur 38. Auflage dieses Wörterbuches Aufschluß geben.

Zur Überbrückung bis dahin erscheint nun noch einmal ein anastatischer Nachdruck als 37. Auflage, da die von Ulrich Pretzel eingeleiteten Arbeiten für eine Neufassung des Mittelhochdeutschen Taschenwörterbuches in einem einheitlichen Alphabet erst in den Anfängen steckten, als er aus dem Leben schied. – Der S. Hirzel Verlag hat Frau Dr. Leppin und mir mit den Mitarbeiterinnen Frau Dr. Dührsen und Frau Hepfer, die bereits unter Ulrich Pretzel an der Neubearbeitung des Taschenwörterbuches beteiligt waren, den Auftrag erteilt, innerhalb der nächsten fünf Jahre mit der 38. Auflage eine Neufassung vorzulegen. Wir hoffen, daß wir diesen Auftrag, trotz der Fülle des Materials, der Schwierigkeit der Recherchen bei den Nachträgen im Taschenwörterbuch und einer bekanntermaßen desolaten Personallage termingerecht erfüllen können und daß mit der 38. Auflage von Lexers Mittelhochdeutschem Taschenwörterbuch wieder ein Nachschlagewerk publiziert werden kann, das für Studierende wie für Lehrende neben den längst überholungsbedürftigen Werken von Lexer (Mittelhochdeutsches Handwörterbuch) und Benecke/Müller/ Zarncke eine Hilfe bei der Interpretation mittelhochdeutscher Texte bietet.

Die von uns übernommene Neuüberarbeitung von Lexers Mittelhochdeutschem Taschenwörterbuch will nicht nur die Ineinanderarbeitung der beiden Nachträge von 1959 und 1974 in den Hauptteil des Wörterbuches leisten, sondern vor allem alle Angaben zur Bedeutung, zur syntaktischen Verwendung wie zur Phraseologie überprüfen. Dabei ergeben sich sowohl Schwierigkeiten mit den stark kürzenden Übernahmen von Lexer aus Benecke/Müller/Zarncke und aus seinen eigenen Nachträgen (Mittelhochdeutsches Handwörterbuch, Bd. 3) als auch mit den in die verschiedenen Auflagen des Taschenwörterbuchs nach 1930 aufgenommenen Ergänzungen. – Wir werden nicht anstehen, Lemmata zu streichen, wenn wir für sie keine Belege in unserem Archiv oder in den gedruckten Quellenwerken finden; wir werden auch Bedeutungen herausnehmen, wenn sie sich auf eine spezielle Stelle beziehen und besser unter einer allgemeineren Bedeutung subsumiert werden können; wir werden im übrigen die Aufnahme von Lemmata auf die Literatur bis etwa 1490 beschränken und damit einen Teil der Nachträge aus Lexers Handwörterbuch ausschließen. – Aber hier gehe ich bereits in die Beschreibung unserer aktuellen Arbeit über – und damit über die Aufgabe dieses Vorwortes hinaus.

Wir wären den Benutzern dieser 37. Auflage dankbar, wenn sie uns ihre kritischen Beobachtungen am vorliegenden Werk – und zu unseren Plänen – mitteilten, damit wir sie für die Arbeit an der 38. Auflage nutzbar machen können.

Über das Verhältnis des Nachtrages zum Hauptteil dieses Wörterbuches gibt das Vorwort zum Nachtrag von Ulrich Pretzel von 1973 auf Seite 351 bis 353 Auskunft.

Hamburg, im Januar 1983   Wolfgang Bachofer

Abkürzungen.

abh. abhängig.
abl. ablaut, ablautend.
abs. absolut.
abstr. abstrakt.
acc. accusativ.
adj. adjektiv, adjektivisch.
adv. adverb, adverbial.
afz. altfranzösisch.
ags. angelsächsisch.
ahd. althochdeutsch.
akt. aktivisch.
alem. alemannisch.
alleg. allegorisch.
altn. altnordisch.
alts. altsächsisch.
an. anomal.
anv. anomales verb.
angegl. angeglichen.
anl. anlaut, anlautend.
ap. accusativ der person.
aphær. aphaeresis.
apok. apokope, apokopiert.
arab. arabisch.
as. accusativ der sache.
asp. aspiriert.
assim. assimiliert.
astr. astronomisch.
ausl. auslaut, auslautend.
bair. bairisch.
bed. bedeutung.
bergm. bergmännisch.
bes. besonders.
bildl. bildlich.
böhm. böhmisch.
card. cardinale.
cas. casus.
caus. causal, causativ.
coll. collectivum.
d. der, die, das etc., ding.
dass. dasselbe (=).
dat. dativ.
def. defin. definitiv.
dem. deminutiv; demonstrativ.
dgl. dergleichen.
d. h. das heißt.
d. i. das ist.
dir. direkt.
dp. dativ der person.
ds. dativ der sache.
eig. eigentlich, eigen.
ell. elliptisch.
enklit. enklitisch.
entst. entstellt.
etc. et cetera.
etw. etwas.
euphem. euphemistisch.
f. femininum.
fig. figürlich.
fing. fingiert.
flekt. flektierend, flektiert.
flex. flexion.

fut. futurum, futurisch.
fz. französisch.
gegens. gegensatz.
gek. gekürzt.
gen. genetiv, genetivisch.
got. gotisch.
gp. genetiv der person.
gr. griechisch.
gram. grammatisch.
gs. genetiv der sache.
hebr. hebräisch.
hd. hochdeutsch.
imper. inperativ.
ind. indikativ.
indef. indefinit.
indir. indirekt.
inf. infinitiv.
inkl. inkliniert.
inl. inlaut, inlautend.
instr. instrumental.
intens. intensivum.
interj. interjektion.
interr. interrogativ.
intr. intransitiv.
iron. ironisch.
is. isoliert.
iterat. iterativum.
jh. jahrhundert.
kelt. keltisch.
komp. komparativ.
kompos. komposition.
konkr. konkret.
konj. konjugation, konjunktiv,
    konjunktion.
kons. konsonant.
kontr. kontrahiert.
korrel. korrelativ.
lat. lateinisch.
liqu. liquida.
lok. lokal.
m. masculinum.
md. mitteldeutsch.
mfr. mittelfränkisch.
mfz. mittelfranzösisch.
mhd. mittelhochdeutsch.
mlat. mittellateinisch.
mnd. mittelniederdeutsch.
mnl. mittelniederländisch.
mrh. mittelrheinisch.
myst. mystisch, in der sprache
    der mystiker.
n. neutrum.
nachs. nachsatz.
nbf. nebenform.
nd. niederdeutsch.
ndrh. niederrheinisch.
neg. negation, negativ.
nhd. neuhochdeutsch.
nl. niederländisch.
nom. nomen, nominal, nomi-
    nativ.

n. pr. nomen proprium.
num. numerale.
o. od. oder.
obd. oberdeutsch.
obj. objekt, objektiv.
obsc. obscön.
opt. optativ.
ord. ordinale.
östr. österreichisch.
part. partic. participium, parti-
    cipisch.
pass. passivisch.
patron. patronymisch.
perf. perfektum.
pers. person, persönlich.
pl. plural.
port. portugiesisch.
pos. positiv.
poss. possessivum.
präd. prädikat, prädikativ.
präf. präfix, präfigiert.
prägn. prägnant.
präp. präposition.
präs. präsens.
prät. präteritum.
pron. pronomen, pronomina.
prov. provençalisch.
recipr. reciprok.
rechtl. rechtlich, in der rechts-
    sprache.
red. reduplizierend.
redv. reduplizierendes verb.
refl. reflexiv.
rel. relativ
rom. romanisch.
rotw. rotwälsch.
s. siehe, sache. satz.
schwäb. schwäbisch.
s. g. so genannt.
sing. singular.
slav. slavisch.
sp. spät.
span. spanisch.
spez. speziell.
st. stark (**stm. stf. stn.** starkes
    mascul., fem., neutr., **stswm.**
    schwaches masc. etc.; **stv.**
    starkes verb, **stswv.** starkes
    od. schwaches verb).
subj. subjekt, subjektiv.
subst. substantiv, substanti-
    visch.
suff. suffix, suffigiert.
sup. superlativ, superlativisch.
s. v. a. so viel als (=).
sw. schwach (**swm. swf. swn.**
    schwaches masc. etc.; **swstm.**
    swstf. swstn. schwaches oder
    starkes masc. etc.; **swv.**
    schwaches verb; **swstv.**

Tabellen der starken verba

I. klasse: ablautende verba

	1. sing. ind. praes.	1. plur. ind. praes.	1. sing. ind. praet.	2. sing. ind. praet.	1. plur. ind. praet.	partic. praet.
I. 1	stîge	stigen	steic	stige	stigen	gestigen
2	lihe	lihen	lêch	lihe	lihen	gelihen
II. 1	biuge	biegen	bouc	büge	bugen	gebogen
	suge	sugen	souc	süge	sugen	gesogen
2	biute	bieten	bôt	büte	buten	geboten
III. 1	binde	binden	bant	bünde	bunden	gebunden
2	hilfe	helfen	half	hälfe	hulfen	geholfen
IV.	nime	nemen	nam	næme	nâmen	genomen
V.	gibe	geben	gap	gæbe	gâben	gegeben
VI.	grabe	graben	gruop	grüebe	gruoben	gegraben

II. klasse: ehemals reduplizierende verba

I.	scheide	scheiden	schiet	schiede	schieden	gescheiden
II. 1	loufe	loufen	lief	liefe	liefen	geloufen
	houwe	houwen	hiu	hiuwe	hiuwen	gehouwen
2	stôze	stôzen	stiez	stieze	stiezen	gestôzen
III. 1	enblande	enblanden	enblient	enbliende	enblienden	enblanden
	hâhe	hâhen	hienc	hienge	hiengen	gehangen
2	halte	halten	hielt	hielte	hielten	gehalten
VI.	ruofe	ruofen	rief	riefe	riefen	geruofen
VII.	slâfe	slâfen	slief	sliefe	sliefen	geslâfen

â interj. 1. als wehruf, 2. angehängt an imperat. subst. u. partik. (*hœrâ! wâfenâ! neinâ!*); präfix zur bez. des gegensatzes, der trennung (*âgëz, âkust* etc.).

ab, abe s. *abe, aber.*

âbasel s. *âwasel.*

abbet, abet, abt stm. abt (lat. *abbas*).

abe, əb, ap, md. *ave* präp. mit dat. herab von, von weg; causat. wegen, ob; adv. herab, hinweg, von. bei verbis z. b. *abe brëchen* tr. abbrechen, niederreissen; abbruch tun, verkürzen, rauben. intr. sich losmachen. — *gân* abnehmen, in fortfall kommen; mit gs. etw. bleiben lassen; mit dp. gs. einem etwas versagen; *mir gêt abe* mit konjunktivsatz fehlen. — *nëmen* intr. u. pass. abnehmen, geringer werden, tr. abschaffen, abbrechen, vergüten; mit dp. as. es ihn entgelten lassen. — *rihten* abs. eine richtung nehmen; tr. eine richtung geben; ablenken, abbringen; ablegen, abschaffen, gutmachen, bezahlen. — *sagen* mit worten zurückweisen, versagen; fehde ankündigen. — *slahen* tr. abschlagen, abhauen; abschlachten; in abzug bringen, nachlassen; ersetzen, vergüten; zurückhalten, -schlagen; zurückweisen, verweigern; vertreiben, verbannen; intr. im preise fallen. — *spürn* tr. die spuren eines weggehenden wahrnehmen. — *stôzen* herabstossen, entfernen, abladen; brechen, abbrechen; absegeln (nämlich *daz schif ab st.*). intr. von der rechten fährte abweichen und falsche verfolgen (von jagdhunden). — *teilen* trennen, absprechen. — *tuon* refl. gs. aufgeben. — *wërden* entrückt, unsichtbar w. — *wërfen* abwerfen, abbrechen. refl. vom pferde steigen. — *wisen* abweisen; durch beweis entfernen; aussteuern. — *ziehen* intr. ans land ziehen, landen; mit dat. von einem wegziehen; verleumden. tr. ab-, zurückziehen, verweigern; die kleider auszuziehen, die haut abziehen, schinden; refl.

sich entkleiden, entwaffnen; sich losmachen, mit gen. verzichten.

abe-brëchen stn. verleumden; personif. *Abebrecherîe.* -bruch stm. abbruch, mangel; enthaltsamkeit; bergm. der abbau. -ganc stm. das hinabgehn, ein hinabführender weg; exkurs; abgang, mangel, lücke; beendigung; abfall vom holz. -gênde part. adj. abnehmend, alternd. -genge stn. ende. -gescheiden part. adj. myst. von allem äusserlichen losgelöst; subst. da-zu -*gescheidenheit* stf. -gezoc stn. verringerung. -günste, -günstecheit stf., md. *abe-, abgunst,* missgunst. -hære adj. kahl, abgeschabt, fadenscheinig. -heldic adj. abhängig, abschüssig. -hendic adj. aus der hand (besitz) gekommen, entwendet, geraubt. -kêr stm. abkehrung, ableitung. -kêre stf. abwendung; apostasie. -(ap)-lâʒ stm. n. ablass; schleuse. -læʒe adj. ablassend. -læʒec adj. nachlassbar, verzeihlich; nachlässig. -leite stf. das leiten auf eine falsche spur, verstellung; das abtreten von einem lehngute, die dabei zu bezahlenden gebühren. -leiter m. der auf eine falsche spur leitet. -libe, -libec adj. tot. -libe, -libunge stf. das ableben, der tod. -louf stm. ablauf; ort, wo das wild aus dem walde zu laufen pflegt.

âben swv. niedergehn (sonne).

âbenden swv. abend werden.

âbent, -des stm. abend; vorabend.

âbent-ëʒʒen stn. abendessen; das heil. abendmahl. -gâbe stf. a. der witwe, gegenüber der *morgengâbe* der jungen frau. -ganc stm. gang am abend; der abend. -halben adv. am abend. -lich adj. abendlich. -mâl stn. abendmahl. -rëgen stm. abend-, spätregen. *süeʒer a.* milder a. -rôt adj. rot wie der abend. -rôt stm., -rœte stf. abendröte. -schîn stm. abendschein. -sëgen stm. abendgebet. -spil stn. spiel am abend. -spîse stf. abendessen. -vröude stf. abendunterhaltung.

-wint stm. abendwind. -wirtschaft stf. gelage am abend.

aber, aver, afer, gekürzt *abe, ab, ave, av* adv. u. konj. wieder, abermals; hinwiederum, dagegen, aber. — oft nur um den fortschritt der rede zu bezeichnen.

âber adj. trocken und warm nach der nässe und kälte.

æber stn. ort, wo der schnee weggeschmolzen ist.

aber-âhte, stf. = *oberâhte.* -ban stm. dasselbe.

abe-rede stf. abrede, verabredung; ausrede, leugnung.

aberëlle, abrille, aprille swm. april (lat. *aprillis*).

aber-hâke swm. widerhaken. -list stm. wiederholter *list*; unklugheit. -wandel stm. schlechter lebenswandel; rückgang. -wette stn. f. pfand für die erfüllung eingegangener verpflichtungen. -zil stn. falsches ziel.

æberi stf. = *æber.*

abe-rinnec adj. flüchtig. -risel stm. das herabtröpfeln, fallen.

abern swv. = *avern,* wiederholen.

abe-rûm stm. was wegzuräumen ist; gang in die verbannung. -ruof stm. widerruf. -sage stf. aufkündigung der freundschaft, fehdebrief. -saz stm. verringerung, verschlechterung der münze. -schit stm. entscheidung, bescheid; sp. abscheiden. -slac stm. das aufhören, der abzug; erniedrigung der forderung; abschlagszahlung; das fallen des preises; dürres holz.

abesle s. *âwasel.*

abe-sliʒec adj. abgenutzt, zerstört. -snit stm. das abschneiden, der abschnitt.

abet s. *abbet.*

abe-sprunc stm. seitensprung. -tanz stm. das hinabtanzen; schlusstanz, kehraus. -teilic adj. unteilhaftig. -trac stm. wegnahme, defraudation; busse, entschädigung. -trit stm. rücktritt, widerruf; a. gewinnen schwinden. -(ge)troc stn. teuflisches Blendwerk. -trülle, -trüllee adj. abtrünnig. -trünne stf. abfall, apostasie. -trünne, -trün nic adj. abtrünnig. -val stm. ab-

fall; myst. loslösung vom irdischen. -vart stf. abfahrt; bei
der abfahrt aus dem gebiete
einer herrschaft zu entrichtende
gebühr. -wanc stm. das ab-,
zurückweichen. -wëc stm. abweg (s. *âwëc*). -wëhsel stm.
tausch. -wenke adj. ab-, zu-
rückweichend. -wërtic adj. abhanden; abwesend. -wësec adj.
abwesend. -wise stf.abweisung.
-wiser stm. abweiser. -witze stf.
unverstand, wahnsinn. -wort
stn. gegenrede. -wortic adj.
wortlos (von der stimme der
vögel). -ziht stf. verzichtleistung. -zuc, -zoc stm. der abzug, das aufhören; abbruch,
schaden. -zügec adj. abnehmend, in verfall kommend.
ab-gëʒʒec adj. vergesslich.
ab-, ap-got stn. m. abgott,
götzenbild. dem. *abgötelin*,
-götterie stf. abgötterei. -götte-
rier stm. der abgötterei treibt.
-gottinne stf. abgöttin.
ab-gründe stn. abgrund.
-gründec adj. abgrundtief.
-grunt stm. hölle.
ab-hin adv. hinab.
ab-holt adj. nicht gewogen.
ab-holz stn. abfallholz.
abit stm. ordenskleid (lat.
habitus).
ablâte = *oblâte.*
abrille swm. s. *aberëlle.*
ab-läge adj. matt, entkräftet.
ab-schabe swf. was beim schaben abfällt.
ab-schäch stn. abzugs-schach.
ab-site f. seite die von etw.
abliegt; abgelegene gegend.
absite, apsite stswf. über-
wölbter nebenraum in einer
kirche, überh. nebengebäude
(mlat. *absida* von gr. ἀψίς).
abt s. *abbet.*
â-bulge swf. zorn.
â-bunst stf. missgunst.
abyss, abysse stswm. abgrund, bes. der hölle (gr.
lat. *abyssus*).
ach, auch interj. ach; stn.
das weh.
achen, achzen swv. *ach* sagen,
ächzen.
Ach-vart stf. wallfahrt nach
Aachen.
ack stm. fauler geruch.
acker stm. n. ackerfeld; ein
längen- und flächenmass.
ackeran, eckeran, ecker stm.
n. frucht der eiche und buche.
acker-ganc stm. ackerbau.
-man stm., pl. -liute acker-
bauer. -schülle, -trappe, -zülle
swm. grober bauer. -teil stn.
bergm. mitbaurecht des grundherrn zu 1/₂₂.
ackern, eckern swv. ackern.
ackes, aks, ax, axt stf. axt.

adamas, adamast, adamant
stm. ein edelstein, besond.
diamant, aber auch magnet.
adel stn. m. geschlecht, edles
geschlecht, edler stand; bildl.
vollkommenheit.
adel-ar, adlar, adler swm.
-arn stm. edler *ar*, adler. -bære,
-haft adj. adelmässig, edel.
-heit stf. adel, würde. -hérre
swm. Edelherr (v. Christus)
-kint stn. freigebornes *k.* -kün-
ne stn. edles geschlecht. -(edel)-
-lich adj. edel, adelig; herrlich.
-riche adj. edel, von vornehmer
abstammung. -sun stm. frei-
geborner *s.* -vrouwe swf.,
-wip stn. freigeborne frau.
-vruoht stf. = *edeliu v.* -zart
stn. geliebte freigeborne.
adelec-heit, adelkeit stf. =
edelecheit.
adelie stf. edle abstammung.
aden-lich = *adellich.*
ader konj. oder; aber.
âder stswf. ader, bes. die pulsader; sehne, nerv, pl. eingeweide; bogensehne; saite;
seillitze. -læʒe stf. aderlass.
-slac stm. pulsschlag.
æderlin, æderl stn. dem. zu
âder.
æderin adj. aus seillitze gedreht.
ædern swv. mit *âdern* versehen.
adler s. *adelar.*
admirât stm. der titel des
kalifen; *admirâtinne* stf. gemahlin des kalifen; (mlat.
admiratus entst. aus *amiral*).
â-dœme adj. ungewöhnlich,
unziemlich.
afel stm. die eiternde materie in den geschwüren; entzündete stelle überhaupt.
äfern s. *avern.*
affalter s. *apfalter.*
affære, affer, effer stm. äffer,
nachahmer.
affe swm. affe, bildl. tor.
affëht, affehtic, affenlich,
effenlich adj. töricht.
affen swv. intr. zum narren
werden; tr. = *effen.*
affen-heit stf. torheit, albernheit. gaukelspiel. -spil stn.
gaukelspiel.
affine, effine stf. äffin.
after adj. hinter, nachfolgend.
after swm. after.
after, md. auch **ahter** präp.
mit dat. od. gen. hinten, hinter,
durch—hin; mit dat. nach, gemäss; mit acc. nach, hinter;
mit instr.: *after diu* nachher. —
adv. *dar after* hierauf.
after-belle stf. gesässbacken.
-bier stn. halbbier. -diuc stn.
nachgericht. -ërtac stm. mittwoch. -hâke swm. widerhaken.
-haʒ stm. *a. behalten* nach-

tragen. -huote stf. nachhut.
-kint stn. kindeskind. -kome
swm. nachkomme. -kösen swv.
verleumden. -köser stm. verleumder. -kunft stf. nachkommenschaft. -künne stn. dasselbe. -kür stf. nachwahl.
-lâʒen red. v. omittere -mân-
tac stm. dienstag. -rede stf.
nachrede. -riuwe stf. nach-
reue, nachweh, betrübnis. -slac
stm. schlag von hinten; abfallholz. -sprâche stf. nachrede.
-sprëchen stv. mit ap. verleumden. -teil stn. hinterteil;
nachteil. -voget stm. untervogt.
-wân stm. verkehrte meinung.
-wedel swf. d. buschichte
schwanz eines tieres. -wërt
adv. hinterwärts. -wette stn. f.
= *aberwette.* -wort stn. nachrede, verleumdung. -zal stf.
lügenhafte rede.
ageleiz, ageleiʒe adj. adv.
emsig, eifrig, schnell.
ageleiʒe stf. eifer, schnelligkeit; mühe, not.
agelster, alster, elster swf.
elster (s. *atzel*).
agene stf. agen stm. spreu;
kontrahiert âne, aine.
age-, aget-stein stm. bernstein und magnetstein.
â-getroc (?) stn. teuflisches
blendwerk. -gëʒ stf. vergessenheit. -gëʒʒel adj. vergesslich.
-gëʒʒele stf. vergesslichkeit.
agraʒ stm. art saurer brühe
(prov. *agras*, mlat. *agresta*).
â-gunst = *abegünste.*
ahe stf. fluss, wasser.
ahe-ganc stm., -runst stf.
wasserlauf, flussbett.
ahi interj. des schmerzes, des
verlangens, der verwunderung.
ahse stf. achse.
ahsel stswf. achsel, schulter;
teil der rüstung; in der bildl.
darstellung der verwandt-
schaftsgrade die geschwister.
-bein stn. schulter. -breit, -wit
adj. mit breiten schultern.
ahseln swv. geringschätzig
über die achsel ansehen.
aht stm. = *ahte* aufmerken.
aht, eht num. card. acht.
aht-bære, -bærlich adj. ach-
tungswert, angesehen, ansehnlich, stattlich. -bæren swv.
angesehen machen.
ahte, aht stf. act. meinung,
gesinnung, aufmerken, beachtung, berechnung. — pass. art
u. weise, verhältnis, geschlecht,
stand (*nâch ahte* in verhältnis
zu, nach art und lage; *ûʒ der
ahte* ohne standeswert, ohne
ansehen; *twingen ze rômi-
scher a.* zum gehorsam gegen
Rom zwingen).
ahte s. *ahtode.*

âht᷉ æhte stf. verfolgung, öffentl. gebotene verfolgung, acht; ein ausgesondertes und unter besondern rechtsschutz genommenes ackerland eines herrn, frondienst auf einem solchen.

ahtec, ehtic adj. von hohem ansehen.

æhtec, md. échtic adj. mit der âhte zu bestrafen.

ahtel stn. achtel, ein getreidemass.

ahten swv. merken auf, beachten, erwägen, sorgen (mit gen. acc., mit úf, umbe); nachrechnen, schätzen, ausschlagen; mit dp. einem etw. vermachen, namentl. durch testament; mîch ahtet, mir gilt, mich kümmert.

âhten, æhten swv. verfolgen, ächten, mit gen. u. acc.; âhten intr. als geächteter wohnen.

ahter md. u. nd. = after.

æhter, êhter stm. verfolger, feind; die acht vollziehender söldner; der geächtete.

ahterin, ehterin stf. der achte teil eines masses.

æhterinne stf. verfolgerin.

âhtesal, æhtesal stn. verfolgung, strafe.

æhte-schaz stm. geld das für die aufhebung der acht bezahlt wird.

aht-hêrre swm. einer von den acht (rats)herren.

ahtode, ahtede, ahte num. ord. der achte.

ahtunge stf. das achten, beachten, aufmerken; die meinung, das gutdünken; die schätzung, abschätzung.

âhtunge, æhtunge stf. feindliche verfolgung, ächtung; frondienst.

aht-valt, -valtec adj. achtfältig.

äht-wort f. weiderecht.

ah-zec, aht-zec num. card. achtzig. -zëhen num. card. achtzehn. -zëhende num. ord achtzehnte.

aine s. agene.

â-kambe stn. abfall beim flachsschwingen, beim weben, wollkämmen. -kôsen swv. sinnlos reden, schwatzen. -kraft stf. kraftlosigkeit, ohnmacht. -kreftic adj. kraftlos. -krût stn. unkraut.

aks s. ackes.

â-kust stf. m. arglist, tücke; begierde. -keit stf. dolus.

â-kust, -küstec adj. tückisch.

al, flekt. aller, alliu (elliu), allez adj. all, ganz, jeder.

᷉ !adv. ganz u. gar (bes. vor adj. adv. u. part. präs. zur verstärkung des begriffs).

al konj. wie sehr, obgleich.

al adj. ander (in alswâ, alde, alevanz u. ellende).

âl stm., pl. æle, aal.

alabaster stn. alabaster, ein daraus verfertigtes gefäss, in einem solchen befindliche salbe, balsam (lat. alabastrum).

alanc, alenc, aliuc adj. ganz, unversehrt; adv. ganz u. gar.

alant stm. f. ein fisch; das helmenkraut, eine würzh. pflanze (alantwîn, damit gewürzter wein).

â-laster stn. schmähung, schimpf; gebrechen, fehler.

âlat-spiez stm. glatter spiess ohne beil.

alb s. alp.

al-balde adv. verst. balde.

albe swstf. alpe; weideplatz auf einem berge.

albe stf. das weisse chorhemd der geistlichen (lat. alba).

albel stm. weissfisch (lat. albula).

alber stm. pappelbaum (it. albaro); dazu alberin adj.

al-bereite adj. adv. ganz bereit.

albernach stn. pappelgehölz.

al-betalle adv. verst. betalle, vollständig zusammen.

albiz s. elbiz.

al-dâ adv. verst. dâ.

alde, aid, alder konj. oder, sonst.

al-dort adv. verst. dort.

aldus adv. md. so, derart.

aldern pl. s. altern.

al-durch adv. u. präp. ganz durch.

âle swf. ahle.

al-êbenst adv. ganz gleichmässig; temp. gerade eben.

â-leibe stf. überbleibsel.

al-eine, -ein adv. u. konj. allein; obgleich, obschon (mit folg. konj. od. indik.).

alenc s. alanc.

alerm der ruf zu den waffen (fz. alarme).

ale-vanz stm. aus der fremde gekommener, hergelaufener schalk; possen, schalkheit, betrug; geschenk; gewinn (vgl. anvanz).

aif s. alp.

al-gater adv. insgesamt. -geliche adj. adv. verst. geliche. -gemeine adv. auf ganz gemeine weise, insgesamt. -gefihte stn. das weltgericht. -gerihte adv. geradewegs, alsbald, sogleich. -gewalt stf. allmacht; -gewaltec adj. allmächtig. -heit stf. totalitas. -hêr adv. ganz her. -hie adv. allhier.

alinc adj. s. alanc.

allec-heit, ellecheit stf. allgemeinheit, gesamtheit. -lich adj. ganz vollständig; allec-, ellecliche adv. = allîche.

allenthalben adv. auf allen seiten.

aller gen. pl. von al, vor superlat., adj. u. adv. zur verstärkung z. b. allerbest, -êrst (alrêst), -gërnest, -jœrgelich (alle jahre), -mannelich (jedermann). vor subst.: -hande jederart.

alles, als adv. ganz u. gar, immer fort; verneinend nalles.

alle-wëge adv. stets, immerhin. -wis adv. durchaus.

allez adv. immer, freilich, schon.

al-, el-lich adj. allgemein, gänzlich. -liche adv. durchgängig, insgesamt, vollständig, immer.

allieren swv. gleichstellen (fz. allier).

al-meinde, almende stf. n. gemeindetrift. -meist adv. meistens, der mehrzahl nach; hauptsächlich, besonders. -meistec adj. allermeist. -meister stm. sieger über alles.

almer stf., almerie stswf., dem. almerlin, almerl stn. schränkchen, kästchen (mlat. almaria, lat. armarium).

almuose stf., almûsene stswf. md., almuosen, armuosen stn. almosen (gr. lat. eleemosyna).

almuosenære, almûesener stm. der almosen gibt; der almosen empfängt. almuoserinne stf. a. des úfhabes, die als almosen von dem rest der mahlzeit empfängt.

almuz stn. chorkappe der geistlichen (mlat. almutium, s. armuz).

al-niuwe adj. ganz neu.

alôe stn. aloe, salbe daraus.

alp, alb stm. n. gespenstisches wesen, gehilfe des teufels; alp, das alpdrücken; alf tor, narr. -leich stm. spiel der elbe.

al-rëhte adv. ganz recht. -reite adv. alsbald. -rôt adj. durchaus rot.

alrûn stm. alrûne f. alraune.

als s. alles, allez, alsô.

al-sâ, -sô, -sô adv. sogleich.

-same, -sam adv. u. konj. ebenso, ebenso wie; wie wenn, als ob (mit konjunkt.). -samen adj. u. adv. alle zusammen.

alsô, alse, als adv. demonstr. messend; so, ebenso; vergleichend; so; auf vorhergehendes od. folgendes hindeutend: so, ebenso; erklärend: das heisst, nämlich; verstärkend: ganz. — relativ. messend: als, so — als, als ob; vergleichend: wie, als; bezeichnet: so war als, als ob; vergleichend u. bedingend (mit konj.): als, als ob; zeitliche beziehungen ausdrückend: wann, so oft als, so-

bald, als; örtlich: so weit als;
causal: weil.
al-sollch, -solch, -sölch verst.
solich.
alster s. *agelster.*
al-sus, -sust adv. in solchem
grade, auf solche weise.
als-wä adv. anderswo.
alt adj. alt, im gegensatz von
jung; bildl. stark, gewaltig;
traurig.
altære, altâre, álter, elter
stmn. altar (lat. *altare*).
alt-büeʒer stm. schuhflicker.
-erbe stn. altes erbgut. **-gris**
adj. vor alter grau. **-heit** stf.
alter, altertum. **-hêrre, -hërre**
swm.alter herr (auch als präd.
gottes); patriarch; ahnherr,
senator; senior einer geistl.
körperschaft. **-hiunisch** adj.
= *altvrenkisch.* **-lich** adj. ältlich, greisenhaft. **-man** stm.
alter, erfahrner mann. **-müede**
adj. altersmüde. **-riuʒe** swm.
schuhflicker. **-sëʒʒe** swm. der
seit langer zeit angesessene einwohner. **-snider** stm. flick-
schneider. **-sprochen** part. adj.
seit alter zeit gesprochen.
-vater stm. altvater, greis, patriarch. **-vorder** swm. vorfahr,
im pl. die voreltern. **-vrenkisch**
adj. altfränkisch, veraltet.
-vrouwe swf. matrone, bes. mutter des regierenden fürsten.
-wise adj. durch das alter erfahren.
alte swm. der alte (gott, vater); eine schachfigur (auch
rihter genannt).
alten swv. intr. alt werden.
alten swv. s. *elten.*
alter ʒ. *altœre.*
alter stn. menschengeschlecht,
welt, zeitalter; alte zeit; lebens-
stufe, höheres lebensalter.
alter-kleit stn. messgewand.
-stein stm. altarstein. **-tuoch**
stn. altartuch.
alter-müeterlin stn. gross-
mütterlein.
altern, aldern sw. pl. eltern,
vorgänger.
alters-eine adj. u. adv. ganz
allein, von der ganzen welt verlassen.
altiche swm. der greis.
altisc, eltisch adj. alt.
al-umbe präp. m. acc. u. adv.
ringsum, ringsumher. *a. gân*
umfassen.
alûn stm. alaun (lat. *alumen*).
alûnen swv. mit alaun gerben,
bildl. durchgerben, prügeln.
al-walte swm. allwalter.
-waltec, -weltec adj. allwaltend,
allmächtig. **-wâr** adj. völlig
wahr. **-wacre** adj. einfältig,
albern; schlicht, einfach; wertlos, ärmlich. **-wære** stf.
albernheit.

alz-ane, -an, alzen adv. =
allez ane immer fort, immer
noch, so eben.
al-ze adv. allzu.
alzegater adv. = *algater.*
al-zehant adv. alsogleich.
aʒ-zoges, -zuges, alzôs adv.
gen. in einem fort, durchaus.
â-maht stf. schwäche, ohnmacht.
â-mât stn. das zweite mähen,
das omet.
amatist s. *ametiste.*
ambahte, ambaech, ambehte,
ammeht, ambet, ammet, ambt,
ampt, amt stn. dienst, amt,
beruf; gottesdienst, messe;
schildes ambet ritterdienst,
-stand; amtsbezirk; lehn.
ambahten, ambehten, amb-
ten swv. dienen; mit einem
amte versehen.
am-bære s. *antbœre.*
ambehtære stm. diener, aufseher.
ambet-(amt-)man stm. pl.
-liute dienst-, amtmann.
âme, ôme stf. swm. n. ohm,
mass überh. (mlat. *ama*).
â-mehtec adj. ohnmächtig.
âmeiren swv. lieben (afz.
ameir).
âmeiʒe swfm. ameise.
âmen, æmen swv. visieren.
amer stm. ammer, ohreule
(mlat. *amarellus*).
âmer s. *jâmer.*
amesiere stf. quetschung.
amesieren swv. quetschen
(mlat. *amassare*).
ametiste, amatist swm. ame-
thyst (gr. lat. *amethystus*).
amie swf. die geliebte, gemahlin, buhle (afz.).
amiral, amiralt, emeral stm.
amiralde swm. kalif, fürst
(fz. *amiral* vom arab. *amiru'l
bahr* befehlshaber des meeres).
amis stm. n. der, als neutr.
auch die geliebte (afz.). dem.
amîsel.
amisen swv. als *amîs* behandeln, lieben.
am-man stm. verkürzt aus
ambet-man: diener, beamter,
bes. urteilsprechende gerichtsperson, bürgermeister. **-mei-**
ster, ammeister stm. bürgermeister.
amme ʒwf. mutter; amme;
pflegemutter; hebamme.
ammen swv. ein kind wərten;
pflegen überh.
ammolf stm. pflegevater.
amor, amûr stm. liebe, gott
der liebe (afz.).
ampære s. *antbœre.*
ampel, ampulle swf. lampe;
gefäss (lat. *ampulla*).

amt s. *ambahte.*
amûr s. *amor.*
amûren swv. lieben.
amûr-schaft stf. liebesver-
kehr.
an, ân s. *ane, âne.*
â-name swm. spitzname.
anavalz stm. amboss.
an-begin stm., **-beginne** stn.
anfang, beginn.
an-begrift stf. anfang.
an-behaft part. adj. ange-
heftet, anhaftend; verpflichtet.
an-bëtære stm. anbeter.
an-binde stf. anknüpfung.
an-biter stm. anbeter.
an-blic stm. anblick (act. u.
pass.).
an-bôʒ s. *anebôʒ.*
an-brunst stf. entzündung.
anc-lich adj. angsterweckend.
an-dâht stf. m. die worauf
gerichteten gedanken, aufmerksamkeit, erinnerung, besonders
das denken an gott, andacht;
busse, strafe; als titel geistl.
fürsten. **-dæhtec** adj. an etwas
denkend, eingedenk (mit gen.);
andächtig.
ande prät. s. *enden.*
ande swm. feind.
ande swm. stf. ant stm. f.
kränkung, die einem widerfährt, das dadurch verur-
sachte schmerzliche gefühl.
ande, ant adj. u. adv. schmerzlich, unleidlich; übel zu mute
(*mir ist, mir tuot ande nâch;
einem ande tuon* ihn in not
bringen).
andelange, -lage f. gewisse
art der übergabe, zahlung.
andelangen, -lagen swv. überantworten, überreichen.
anden swv. seinen zorn über
etwas betätigen, ahnden, rügen,
rächen; unpers. mit acc. kränken, schmerzen.
an-denke adj. an etw. (gen.)
denkend.
ander adj. der zweite; einer
von zweien; der folgende,
übrige; der andere mit dem
begriff der verschiedenheit; oft
nur pleonastisch.
ander-halben, -halp adv. auf
der andern seite; anderwärts.
-heit stf. gegens. zum *ich.*
-sît adv. = *anderhalp.* **-teil**
stn. hälfte. **-weide, -weit** adv.
zum zweiten mal; auf eine andere art; anderwärts. **-weiden,**
-weiten swv. wiederholen.
andern s. *antern* und *endern.*
anders, anderst adv. anders,
sonst, übrigens; noch einmal.
andert adv. = *anderhalp.*
anderunge, enderunge stf. änderung; wechsel (mondwechsel),
wankelmut; trennung in zwei
leiber.
and-ouge adv. gegenwärtig.

ane, an präp. räumlich: an, auf, in, gegen (mit dat. od. acc.); zeitlich: in, an (mit dat.), bis an (mit acc.), auch bei zeitl. adv. *an' hiute* heute, *an gestern* gestern; abstrakte verhältnisse ausdrückend (mit dat. od. acc.); an, in, von, mit. — adv. an, zu, hin, auf. bei verbis z. b. *ane arten* tr. einem von art zukommen. — *bâgen* scheltend anfahren. — *beherten* einem etw. abnötigen. — *binden* an binden bes. vom anbinden der fahne. — *biten* mit ap. anbeten; durch bitten von einem erreichen. — *bringen* mit dopp. acc. einem etw. beibringen, vererben; mit ap. anstiften, verleiten; denunzieren. — *dingen* eine forderung an jem. stellen, bes. gerichtlich; *sich ze reht andingen* sich ans gericht wenden. — *ertriegen* einem etw., ablisten. — *gân* intr. u. refl. anfangen, tr. an etwas gehn, es anfangen, sich an einen machen, angreifen. — *gëben* melden, verraten; *einem ein kleit an g.* es ihm anlegen. — *gewinnen* mit dat. besiegen, durch sieg etwas (acc.) abgewinnen, mit acc. passen, gebühren. — *grîfen* hand anlegen; geld angreifen. — *heben* beginnen, schöpfen, gründen; intr. u. refl. anfangen. — *langen* gerichtlich fordern, mahnen. — *lâzen* erfinden, angeben; loslassen, in bewegung setzen. — — *legen* anlegen, ankleiden; anzetteln, vorbereiten, veranschlagen; auferlegen; *gelt anl.* auf zinsen anlegen. — *lieben* unpers. mit dat. gefallen. — *liegen* tr. auf einen lügen, über ihn lügenhaftes aussagen. — *loufen* tr. auf einen zulaufen; anlaufen, angreifen, überfallen. — *nëmen* tr. festnehmen, arretieren; refl. mit acc., gen. od. infin. mit *ze* sich annehmen; übernehmen, unternehmen; sich aneignen, anmassen, ansprechen. — *reden* intr. anfangen zu reden; tr. anreden, ansprechen. — *sagen* ansagen, eingestehn; zusagen, versprechen; anklagen; *einen an s.* ihm zu wissen tun. — *schînen* tr. anscheinen, beleuchten; intr. an einem sichtbar werden; anfangen zu scheinen, anbrechen (vom tage). — *sëhen* ansehen, berücksichtigen. — *sigen* mit dp. besiegen. — *singen* intr. anfangen zu singen; tr. mit gesang feiern. — *slahen* an einem od. etwas schlagen, mit schlägen angreifen; durch schlagen befestigen; *vihe an s.* erbeuten, rauben; aussinnen,

anstiften; in anschlag bringen, berechnen. — *smieren* anlächeln. — *snîden* einem *ein kleit an sn.* auf den leib schneiden, anmessen. — *sprëchen* intr. anfangen zu sprechen; tr. mit acc. etw. als eigentum in anspruch nehmen; einen mit worten angehn (zurufend, bittend, fordernd od. herausfordernd, zur rechenschaft ziehend, beschuldigend od. anklagend), mit gs. od. präp.; weidm. aus der fährte eines wildes die art und grösse beurteilen. — *stân* bevorstehn; geziemen, passen; zu stehn kommen, kosten. — *stërben* mit ap. durch todesfall an jem. kommen. — *strîchen* anstreichen, salben; ein kleid anziehen, refl. sich putzen. — *strîten* tr. anfechten, beunruhigen; einem etw. *an str.* streitig machen; mit ap. u. gs. mit einem über etwas streiten. — *suochen* absol. sich anschmiegen, mit dopp. acc. bei jem. etwas suchen, ihn darum bitten; feindl. angreifen. — *tragen* tr. an od. zu einem tragen, an sich tragen, führen; anstellen, anstiften. — *tuon* anlegen, refl. sich ankleiden. — *vâhen* anfangen, beginne (mit acc., infin. mit od. ohne ze); unternehmen, betreiben; im rechtl. sinne: etw. durch ergreifung als eigentum ansprechen. — *vallen* intr. einfallen (von der witterung); ausschlagen, ausfallen; tr. zufallen, bes. durch erbschaft; überfallen, angreifen. — *vëhten* anfechten, beunruhigen, gegen einen kämpfen; mit dp. as. abgewinnen. — *vengen* intr. u. tr. anfangen. — *vüeren* tr. als kleid tragen; an etw. (acc.) führen. — *warten* tr. beobachtend auf einen schauen, ihn erwarten. — *wœten an* kleiden. — *zëmen* mit dat. anstehn, geziemen. — *ziehen* an etw. ziehen; an sich ziehen, anziehen, bekleiden mit; anklagen, beschuldigen; anspruch machen auf; sich etw., unternehmen; intr. anfangen zu ziehen, zuerst ziehen.

ane, an, ene swm. grossvater; urgrossvater. *alter a.* urahn.

ane swf. grossmutter.

âne s. *agene*.

âne, ân präp. ohne, ausser mit acc. gen.; konj. ausser; adv. allein, einsam; ledig, frei, beraubt (bei verb. *âne wërden*, *wësen, blîben*) mit vor- od. nachgesetztem gen., acc. *ænec* adj. los, ledig mit gen.

ane-, an-bôз stm. amboss.

ane-ganc stm. anfang; vorzeichen, das bei antritt des weges od. geschäftes entgegenkommt. -(an)-genge stnf. anfang; ursprung eines wortes, etymologie. -gengen swv. intrans. u. refl. anfangen; als vorzeichen entgegenkommen; anfangen machen.

ane-gin stm., -ginne stn. anfang.

ane-ginner stm. anfänger.

ane-, an-grif stm. angreifen, betastung; handhabe zum festhalten; empfang, umarmung; angriff des feindes.

ane-haber stm. anfänger.

ane-haft stm. anheftung; anhänglichkeit.

ane-, an-hanc stm. anhang, tau; begleitung, begleiter eines herrn.

ane-, an-hap stm. anfang, ursprung.

ane-, an-lâз stm. anfang, beginnen; punkt, von dem das wettrennen ausgeht; anreizung, gelegenheit; kompromiss.

ane-lich, enlich, ellich adj. ähnlich, gleich. -lichen swv. ähnlich sein, gleichen.

ane-ligende part. adj. bevorstehend.

ane-minne adj. lieblich, angenehm.

ane-müetic adj. *a. machen* exhilarare.

anen swv. ahnen, voraussehen, unpers. mit dat. od. acc.

ânen swv. intr. ledig, beraubt sein mit gen. — tr. u. refl. mit gs. entblössen, berauben; entäussern, verzichten.

an-enphenclich adj. sp. wohlgefällig.

an-erbe stn. angeerbtes gut.

an-erbe swm. nächster erbe.

ane-schiht stf. angelegenheit.

ane-siht stf., -sihte stn. anblick; angesicht.

anet-krût stn. dillkraut.

ane-trët, -trit stm. tritt, stufe, schemel; antritt, angriff; ort wo eingetreten wird, eingang. -vart stf. versuchung; anfall, angriff. -vëhte, -vëhtunge stf. anfechtung, angriff. -venge stn. anfang. -vluз stm. ausfluss, ursprung.

auge adv. enge, dicht anschliessend; mit ängstlicher sorgfalt; *ange tuon* mit dat. weh tun.

ange swmf. stachel, fischangel, türangel; schoss.

an-gehoerde stf. anhören; *zir a.*, so dass sie hören konnten.

angel stmf. stachel; fischangel; türangel; stift im messerhefte. -weide stf. angelköder.

angeln swv. mit der angel fischen.

angen swv. einengen.

anger stm. gras-, ackerland.

anger, enger stm. kornmade.

anger, enger stf. frohne; beladener bauernwagen (mlat. *angaria*).

angerlin, engerlin stn. kleiner anger.

an-gesiht stf., **-sihte** stn. das ansehen, anschauen; sehvermögen; angesicht, aussehen.

au-geslaht part. *mir ist a.* ich habe eine meiner art angemessene eigenschaft.

an-geslöufe stn. kleid, gewand.

angest stfm. bedrängnis; angst, furcht, besorgnis. **-bæɹe, -haft** adj. in gefahr, gefahrvoll, angst, besorgnis erregend. **-(engest)-lich** adj. gefährlich, schrecklich, ängstlich.

angesten swv. intr. in sorgen sein; tr., refl. ängstigen.

an-gieɀer stm. öffentl. messer der flüssigkeitsmasse.

angster stm. gefäss mit engem halse (mlat. *angustrum*).

angster stm. eine schweiz. scheidemünze.

an-gülte swm. mitschuldner.

au-habe stf. anfang, beginn.

an-halt stm. anhaltspunkt, ursache.

an-heber stn. anheber, **-stifter,** gründer.

au-heim, -heimes adv. zu hause.

an-hengelkeit stf. myst. adhaesio.

au-hërre swm. ahnherr, grossvater.

ænigen swv. = *âne* werden.

anke swm. butter.

anke swm. gelenk am fuss; genick.

anker, enker stm. anker (lat. *anchora*).

anker-haft stm. das festhalten des schiffes durch den anker.

ankern, enkern swv. ankern.

an-klëblicheit stf. myst. adhaesio.

an-lâge stf. anliegen, bitte; hinterhalt.

an-lege stf. was zur bekleidung dient; anlage von bauten; auflage, steuer.

an-legunge stf. anschlag, plan; festsetzung; geldanlegung, darlehn; steuer.

au-leite stf. anleitung; immission, einsetzung eines um schadenersatz klagenden in die beklagten güter; anschreibegebühren (bei kauf, verkauf etc.).

an-leiter stm. vollzieher einer immission.

an-louf stm. anlauf, feindl. angriff.

---

an-minne adj. lieb, angenehm.

an-næme adj. angenehm. **-licheit** stf. anmasslichkeit, selbstsucht.

an-neigic adj. neigend zu (dat.).

anphanc s. *antvanc.*

an-phliht stf. zuneigung.

an-rætec adj. *anr. werden* verraten werden.

an-reichunge stf. anspruch, forderung.

an-rihte stf. der tisch, auf dem die speisen angerichtet werden.

an-ris stn. das über den zaun auf fremden grund fallende.

au-sage swm. = *ursage.*

ans-, ens-boum stm. brückenbalken.

au-schin adj. augenscheinlich, deutlich, offenbar.

an-schin stm. deutlichkeit, verständnis.

au-schouwe stf. das anschauen; anblick; das aussehen. **-schouwede, -schouwunge** stf. myst. anschauung.

an-seige adj. mit dat. zudringlich, feindlich.

an-setzerinne stf. kellnerin.

an-sidel, -sëdel stmn. sitz, wohnsitz.

an-sihtec adj. ansichtig; ansehnlich,

au-siune, -sûne stn. angesicht.

an-siz stm. fester wohnsitz.

an-slac stm. anschlag aň ein brett, bekanntmachung; vorbereitung des schützen zum abschiessen; absicht, vorhaben; plan, entwurf, voranschlag; angebot; steuer.

au-slaht stf. geisselung.

anspan s. *eʒʒischban.*

an-sprâche stf. ansprache; anspruch, ansprechung, einspruch; anklage; darstellung einer gerichtlich zu verhandelnden sache. **-spræche, -spræchie** adj. angesprochen, angefochten; angeklagt; anklagbar. **-sprëcher** stm. ankläger.

an-spruch stm. anklage, einwand gegen die rechtmässigkeit des besitzes.

aust stf. wohlwollen.

an-stal stm. anstellung; waffenstillstand; *einen a. haben* bestellt sein.

an-stalt stf. richtung, beziehung *zuo;* einstellung (einer verhandlung).

an-stant stm. anstellung, amt; waffenstillstand, friede; anstand, hindernis.

an-starre stf. das anstarren.

an-stelle stf. aufschiebung, vertagung.

au-stentikeit stf. instantia.

---

an-stôɀ stm. angriff, anfechtung; grenze; das zu einem gute gehörige.

an-stœɀer stm. angrenzer.

an-strich stm. strich auf der geige.

ant s. *ande.*

ant stmf. enterich, ente.

au-tast stm. angriff; das recht vor gericht zu ziehen.

ant-bære, ambære, ampære stf. was entgegen getragen, dem anblick dargeboten wird: gebärde, aussehen; zeichen.

ant-, (an-)bæren swv. zeigen.

ante prät. s. *enden.*

antern, entern swv. nachahmen.

ant-, ent-heiɀ stm. gelübde, versprechen.

ant-lâɀ stm. n. ablass. **-læɀec** adj. remissus.

antlâɀ-tac stm. ablasstag, bes. gründonnerstag.

ant-lütte, -lütze, -litze stn. antlitz.

an-trac stm. anschlag.

an-trager stm. aufträger; anstifter; kuppler.

au-traht stf. das anfangen, anstellen; der angriff.

antreche, autrach, entrech, antreich, entreich swstm. enterich.

ant-reite stf. n. reihenfolge, ordnung. **-reiten** swv. ordnen, zurecht machen.

ant-sage, -segede stf. lossagung, abschlägige antwort.

ant-sæɀe adj. mutig.

ant-siht stf. anblick.

ant-vahs adj. mit langen haaren versehen.

ant-vanc, aupnanc, anepfanc stm. empfang.

ant-vrist m. ausdeuter, übersetzer. **-vristen** swv. deuten, übersetzen.

ant-wart, -wurt, -wirt stf. gegenwart.

ant- (od. ent-) warten, -werten, -würten, -wirten swv. übergeben, überantworten.

ant-wëder s. *eintwëder.*

ant-wërc stn. maschine zum zerstören (*entwürken*) bes. bei belagerungen, maschine überh. (bes. eine vorrichtung zum spannen der armbrust); berufsmäßige arbeit mit werkzeugen; das durch arbeit hervorgebrachte, das geschöpf.

ant-wërken swv. ein *antwërc* errichten, belagern.

ant-wich stm. neigung, biegung.

ant-würke swm. handwerker.

ant-wurt s. *antwart.*

ant-würte, -wurt stnf. antwort, im rechtlichen sinne die verteidigung des beklagten, rechenschaft.

ant-, ent-würten swv. antworten; verantwortlich sein, rechenschaft geben; sich gegen eine gerichtl. klage verteidigen. **ant-würter** stm. überbringer. **ant-würter** stm. antworter; verteidiger, beklagter. **ant-vâher** stm. anfänger, urheber, stifter. **an-val** stm. n. anfall, zutritt; feindlicher überfall; was anfällt, hinzukommt, zusatz, beigabe, accidens, qualitas; s. v. a. *anris*; anfall eines gutes durch erbschaft; lehnsanfall, nachfolgerecht, erbschaft überh.; abgabe des erben für eine verleihung des hofes; vorfallende, unvorhergesehene ausgabe. **an-vane** stm. anfang; ursacae; vindication eines gestohlnen gutes; gestohlnes gut, beute; laudemium. **an-vangen, -vengen** swv. angreifen; ein gestohlnes gut in beschlag nehmen; das laudemium entrichten. **an-vanz** stm. betrug (s. *alevanz*). **an-vellec** adj. anfallend, angreifend; ansteckend, krank; an-, zufallend. **an-vertigen** swv. anfallen, angreifen; vor gericht belangen. **an-vertiger** stm. ankläger. **an-walte** swm. anwalt; anstifter. **an-wande, -wende, -want** stf. grenze, grenzstreifen; acker, ackerbeet. **an-wander, -wender** stm. angrenzer, angrenzender acker. **an-weide** stf. anrecht auf die weide. **an-weigunge** stf. anfechtung, versuchung. **an-wêrt** stm. gleichkommender wert. **an-wiser** stm. anleiter; beiständer. **an-wisunge** stf. anweisung, leitung. **an-zal** stf. der dem einzelnen zufallende anteil, das verhältnis. **an-zannen** swv. subsannare. **anzeigunge** stf. zeichen, beweis; bezeichnung; anzeige, klage. **an-zeln** swv. um eine schuld ansprechen. **an-zie** adj. anfangend sauer zu werden, säuerlich. **an-zuc, -zoc** stm. anzug (im schachspiele); stellung von zeugen; vorwurf, beschuldigung; zugang, ankunft. **an-zünder** stm. anzünder; anstifter. **apfal-ter, affalter, affolter** stswf. apfelbaum.

apfel, epfel, öpfel stm. apfel; augapfel. **apfel-grâ, -gris** adj. apfelgrau. **-rôt** adj. rot wie ein apfel. **-stoc** stm. apfelbaum. **-(epfel-)trane** stmn. äpfelwein. **ap-got** s. *abgot*. **ap-lâz** s. *abelâz*. **apostel** stf. eine schrift, die ein unterrichter an einen höheren, an den appelliert worden ist, einreicht (mlat. *apostella*). **apotêke** swf. apotheke, spezereiladen (gr. lat. *apotheka*). **aprille** s. *aberëlle*. **apsite** s. *absite*. **ar** swm. adler, vgl. *arn*. **ärant** stm., **erande, erende, ernde, erne, ernt** stfmn. auftrag, botschaft, geschäft. **arbeit, arebeit, erebeit, erbeit** stfn(m). arbeit; das durch arbeit zu stande gebrachte, erworbene; mühe, mühsal, not die man leidet od. freiwillig übernimmt; kampfesnot; strafe kindesnöte. **arbeiten, arebeiten, erbeiten** swv. abs. arbeiten, mit anstrengung streben; tr. in *arbeit* bringen, bedrängen, plagen, kasteien; in gebrauch haben, gebrauchen; bearbeiten. — refl. sich mühen, anstrengen. **arbeiter** stm. arbeiter, handwerker. **arbeit-lich** adj. mühsal machend; mühselig, qualvoll. **-saelec** adj. durch od. bei mühsal beglückt; in steter not lebend. **-saelekeit** stf. mühsal, not. **-sam** adj. beschwerlich, mühselig. **are, arch** s. *arke*. **are** adj. arg, nichtswürdig, schlecht, böse (*a. gehôrt* schlimm zu hören); karg, geizig. **are, -ges** stn. böses, übel. **are-heit, arkeit** stf. böses. **-(ere)-lich** adj. = *arc.* **-list** stf. arglist, bosheit. **-wân** stm. verdacht, argwohn. **-waenee** adj. argwohn erregend, verdächtig; argwöhnisch. **-waenen** swv. argwöhnen. **-willen** swv. malignare. **arebeit** s. *arbeit*. **aremuz** s. *armuz*. **areweiz, arwiz, arwis, erweiz, erbeiz** stf. erbse. **argen** swv. *arc* sein; unpers. mit dat. od. acc. bedenklich sein, besorgt machen. **arke, are; arche, arch** stswf. arche (Noahs); fahrzeug überh.; kiste, bes. geldkiste; opferstock; vorrichtung zum fischfang; bundeslade (lat. *arca*). **ärkêr; ärkèr; erkaere, -er** stm. erker (bes. an der burg- oder stadtmauer). mlat. *arcora*.

arl stf. kleiner pflug, pflugmesser (aus slav. *aralo* ?). **arm, arn** adj. arm, besitzlos, dürftig mit *gen.* (*gotes arm* von gott verlassen. sehr arm); ärmlich, armselig, elend; von geringem stande, leibeigen. **arm, arn** stm. arm (von menschen u. tieren); ranken, zweige; wasserarm; meerbusen, meerenge. **arman** s. *armman*. **arm-boue** stm. armring. **-gröz** adj. armdick. **-golt** stn. armgeschmeide. **-isen** stn. armeisen (als fessel u. als teil der rüstung). **-rôr, -rœre** stnî. **armschiene. -schilt** stm. = *armgolt.* **-vol** stm. das umarmte. **armbrust, armst,** md. *armburst, armborst* stn. armbrust (mlat. *arcubalista*). **arne** stf. armut. **armec-, ermec-heit** stf. armut, ärmlichkeit, elend. **-lich** adj. ärmlich, elend. **arme-, erme-liche** adv. ärmlich, armselig. **armen** swv. arm sein od. werden; tr. mit gen. = *ermen.* **armen** swv. *mich armet* = *erburmet.* **armêne** stf. waffenschmuck. **arm-heit** stf. = *armecheit.* **arm-man, arman** stm. pl. *arm-liute,* armer mann, bes. der nicht freie bauer, der holde (auch dienender ritter); überh. armer mensch, bettler. **armonie** stf. harmonie. **armsal** stn. armut, elend; davon das adj. *armselic.* **armst** s. *armbrust.* **armuot** stf. armuote, ermuote, armet, ermet stn. armut; ärmliches besitztum; persönl. die armen (vgl. *ermde*). **armuz, aremuz** eine kopfbedeckung (s. *almuz*). **arn** s. *arm.* **arn** stm. adler. **arn** stv. s. *ern* swv. **arn** stm. ernte. **arnære, -er** stm. schnitter; taglöhner. **arne-bote** swm. bote (s. *ârant*) **arnen** swv. ernten, einernten, verdienen; entgelten, büssen für etw. (acc.); mit ap. entgelten lassen, strafen. **arnunge** stf. verdienst. **arraz, arras, harras** stn. leichtes wollengewebe, rasch (von der niederl. stadt *Arraz*). **arre** f. angeld (lat. *arrha, arra*). **ars** stm. arsch. **ars-belle** stf. = *afterbelle.* **art** stmf. ackerbau sowie dessen erträgnis, land; herkunft, abkunft; angeborne

eigentümlichkeit, natur; beschaffenheit, art (zu *ern*). —
kunst (lat. *artem*).
ar-, er-tac stm. erntetag, tagwerk zur erntezeit; als ackermass zwei morgen.
art-acker stm. bebaubarer
acker. **-lant** stn. ackerland.
arten swv. das land bebauen,
wohnen; abstammen, eine angestammte beschaffenheit haben; art annehmen, zunehmen,
gedeihen.
arwiʒ s. *areweiʒ*.
arzât, arzet stm. arzt (mlat.
archiater).
**arzâtie, arzâdie, arzetie, erze-
tie** stf. arznei; heilkunde.
arzâtien, arzetien swv. arznei geben.
arzâtinne, -în stf. ärztin.
arze s. *ërze*.
arzenie, erzenie = *arzatîe*.
arzen-, erzen-tuom stn. heilkunde.
âs stn. fleisch eines toten
körpers; fleisch zur fütterung
der hunde, falken; verächtl. für
körper u. als schimpfwort;
schlund?
â-sanc stm. das anbrennen,
die versengung. **-sangen** swv.
anbrennen.
asch stm. die esche; meton.
speer; kleines schiff; schüssel
(vgl. *esche*).
â-schaffen part. adj. missgestaltet.
asche swm. die äsche (fisch).
asche, esche swfm. asche.
aschen-brodele stm. küchenjunge. **-glas** stn. aus pottasche,
kieselerde usw. gefertigtes gemeines glas. **-(ascher-, -esche)-
-var** adj. aschenfarb.
asch-man stm. küchenknecht
od. bootsknecht (s. *asch*)?
â-schric stm. seitensprung;
versündigung. **-schrôt** stm. abgeschnittenes stück.
asch-tac stm. aschermittwoch.
âse, âsel swf. holzgestell oben
an einer wand.
asen swv. essen, abweiden;
refl. zu *âs* werden.
âsen swv. als aas wittern u.
verzehren.
â-setze adj. keinen sitz habend; nicht besetzt, leer. **-smac**
stm. schlechter geruch oder
geschmack. **-smec** adj. was den
geschmack verloren hat.
aspan s. *ezzischban*.
aspe f. espe.
aspindê, aspindei: das un-
verbrennliche *holz aspindê*,
wahrscheinlich der holzasbest,
das bergholz.
â-sprœche stf. wahnwitzige
rede. **-sprâchen** swv. töricht,
wahnwitzig sprechen.

assach stn. geschirr, gefäss.
ast stm. ast; querbalken des
kreuzes, des galgens.
astach stn. gipfel, äste und
zweige gefällter bäume.
astec, estic, astoht, astet adj.
mit ästen versehen.
â-stiure adj. ohne leitung,
unbesetzt. **-stiuren** swv. der
leitung berauben. **-swich** stm.
das heimliche weggehen, sich
wegstehlen; betrug, heimtücke.
-swine stm. was vom flachse
abgeschwungen wird; bildl.
eitle, wertlose sache, abfall,
abgang. **-teilec** adj. von der
teilnahme ausgeschlossen.
âtem, âten, âdem stm. atem;
lebenskraft, geist.
âtemen, ætemen swv. atmen.
âtem-zuc stm., **-zuht** stf.
atemzug.
atich, atech stm. attich.
-stein stm. stein mit arzneikraft.
atigêr s. *aʒigêr*.
âtmezen swv. atmen.
â-tropf n. dachtraufe.
atte swm. vater; der alte
überh.
atz, atze stm. speise, beköstigung; futter, gras; das
recht des lehnsherrn sich vom
lehnsträger mit leuten u. pferden bewirten zu lassen.
atzel swf. elster (s. *agelster*).
atzelêht adj. elsterartig.
atzen, etzen swv. speisen, beköstigen, abweiden.
atzunge stf. kost, speisung;
das dafür zu entrichtende geld;
pferdefutter; s. v. a. *atz* in
der letzten bedeut.; zwietracht,
streit.
av, ave s. *aber, abe.*
â-var adj. abfärbig, farblos.
âventiurære stm. der auf
ritterliche wagnisse auszieht;
umziehender kaufmann, ju-
welenhändler.
âventiure, âventiur stf. begebenheit bes. eine wunder-
bare; gewagtes beginnen mit
ungewissem ausgang; zufälliges
bes. glückliches ereignis, schicksal; ein gedicht davon, abschnitt
eines solchen gedichtes; die
quelle der höfischen dichter,
personif. die muse (fz. *aventure*,
lat. *adventura*).
âventiur-gelinge swm. gelingen durch zufall. **-geschiht**
stf. lauf der *aventiure*. **-lich**
adj. voll ungewöhnlicher dinge.
âventiuren swv. durch gefahrvolle unternehmungen aufs
spiel setzen, wagen; ritterliches
wesen treiben, refl. sich zu wun-
derbaren ereignissen gestalten.
avern, âvern, âfern swv. wiederholen; eine sache gehässig
wieder vorbringen, tadeln, rächen.

âverunge stf. wiederholung.
âvoy interj. ha sieh (*ah voi*).
âwasel, âwësel stm. totes
vieh, aas. — nbff. *âwëhsel,
abwëhsel, abasel, abesle, âwürsel;
âwürsen, -würhsen* stf.
â-wëc stm. abweg (s. *abewëc*);
devium.
â-wëgec adj. vom wege abgekommen.
â-wërt adj. wohlfeil, wertlos.
â-wichen stv. abweichen.
â-wicke stn. ab-, umweg.
— adj. invius.
â-wicken swv. vom wege abkommen, von der regel ab-
weichen.
â-wîse adj. töricht.
â-wîse stf. torheit; unart.
â-witze stf. unverstand, wahnsinn.
â-witzen swv. von sinnen
sein; gotteslästerlich reden.
âwürsen s. *âwasel.*
ax, axt s. *ackes.*
axlin stn. kleine axt.
âʒ stn. speise für menschen
und tiere.
æʒe, æʒec adj. essbar.
æʒen swv. ätzen, speisen.
âʒ-geil adj. am essen sich
freuend. **-rêht** stn. weiderecht.
aʒi-, ati-gêr stm. eine art
wurfspiess.

B

(vgl. auch *P*)

bâbe, bôbe f. altes weib (slav.).
bâbes, bâbest, bâbst stm.
papst; *der heiden bâbest* kalif.
(lat. *papas*).
bâbestie stf. papsttum, papst-
rang.
bæbest-lîch adj. päpstlich.
bâbest-rêht stn. päpstliches
recht und gericht.
bâbes-tuom stm. papsttum.
bac, -ckes stm. was auf einmal gebacken wird.
bâc, -ges stm. lautes schreien;
zank, streit; prahlerei.
bach stmf. bach.
bache swm. schinken, ge-
räucherte speckseite.
bachelen swv. erwärmen.
bachen, stv. I, 4 backen.
bachen-swin stn. schwein,
dessen schinken u. speckseiten
(*bachen*) geräuchert werden;
auch *bach-, bechenswin.*
backe swm. backe, kinnlade.
backen-boʒ stm. backenstreich. **-knus** stm. das zusammenstossen mit den backen.
-slac stm. = *-boʒ.*
badære, -er stm. der die im
badehaus badenden besorgt;
der arzt.
bade s. *bate.*
bade-gewant stn. badekleid.
-huot stm. badegewand, -hose.

-hûs stn. badehaus, badeanstalt. **-kappe** swf. bademantel. **-lachen** stn. tuch das man nach dem bade umnimmt. **-liute** pl. badegäste. **-(bat)-stube** swf. badestube, badehaus. **-volc** stn. badediener. **-warm** adj. lauwarm.

badelât stf. bad.

baden swv. prät. *badete bâte batte* part. praet. auch *gebaden*: baden.

baffen swv. schelten, zanken, bellen.

bâgen redv.2 u. sw. laut schreien, streiten; sich rühmen, mit gs.

bâg-stein stm. zankstein (den scheltende weiber um den hals tragen mussten).

bæhen, bæn swv. bähen, durch umschläge erwärmen.

bâht stn. unrat, kehricht, kot.

bal stm. gebelle, laut.

bal, -lles stm. ball, kugel; ballen.

balas, baleis, ballas, balax stm. eine art blasser oder auch ganz weisser rubine (fz. *balais*, mlat. *balasius*).

balc, -ges stm. balg, haut; verächtlich leib (auch als schelte); schwertscheide.

balde adv. mutig, kühn, dreist; schnell, sogleich.

baldec-heit stf. kühnheit.

baldekin, ballekin, bellekin stm. n. kostbarer aus seide und goldfäden moiréartig gewobener stoff aus *Baldac* (Bagdad), dann auch seidenstoff geringerer art; traghimmel (fz. *baldaquin*).

balden swv. intr. *balt* werden, eilen; froh sein über (gen.).

balderich, belderich stm. gürtel.

baldes adv. schnell.

bale stm. böses, unrecht.

balgen swv. intr. ringen, raufen.

bal-heit stf. unrecht, schlechtigkeit. **-hœric** adj. ungehorsam. **-munden** swv. für einen *balmunt* erklären, halten. **-munt** stm. ungetreuer vormund. **-rât** stm. falscher rat, böser anschlag. **-wahs** adj. stumpf.

balke swm. balken; wagebalken.

ballas s. *balas*.

balle swm. ball; ballen an füssen, händen, fingern; warenballen.

ballekin s. *baldekin*.

ballen swv. zu einem *bal* machen od. werden (refl.); abs. ball spielen; tr. niederwerfen.

ballinc s. *banlinc*.

balme swf. fels, felsenhöhle (mlat. *palma*).

balsame, balseme, balsem sw. (st.) mf. balsam (gr. lat. *balsamum*).

balsamite stf. balsampflanze (mlat. *balsamita*).

balsemen, balsmen swv. balsam geben; balsamieren; durch b. den geruch oder geschmack einer speise erhöhen.

balt (flect. *balder*) adj. kühn, mutvoll, tapfer, verwegen, schnell; mit gen. od. präp. kühn in, eifrig zu, schnell mit.

balteniere s. *paltenære*.

balt-heit stf. kühnheit. **-lich** adj. mutig, dreist; adv. schnell, voreilig; *balteclîche* adv. schnell.

balzieren swv. das haar in einen schopf zusammen wickeln.

bâm s. *boum*.

ban, -nnes stm. gebot unter strafandrohung; einberufung zum gericht, verbot bei strafe, die strafe selbst (bes. kirchl. bann); gerichtsbarkeit und deren gebiet.

ban, bane stfm. bahn, weg.

ban, bane stswm. untergang, verderben, tod.

baen s. *bœhen*.

ban-brief stm. achtbrief, bannbulle; gerichtliche urkunde. **-hêrre** swm. herr der gerichtsbarkeit. **-korn** stn. als steuer oder zins auferlegtes korn. **-lêhen** stn. vom *banhêrren* erteiltes lehn. **-mile** stf. bannmeile. **-tac** stm. frontag. **-teidinc** stn. banngericht, **-vaste** f. gebotener fasttag. **-vîre** stf. gebotener feiertag. **-vride** stm. = *banzûn*. **-wart, -e** stswm. wald-, flurschütz. **-win** stm. wein, den zu kaufen od. auszuschenken ausschliesslich erlaubt ist. **-zûn** stm. den bezirk (*ban*) begrenzender zaun.

banc stmf. bank, tisch; wechselbank; gerichtsbank; brot-, fleischbank; brustwehr. *bankshalben* adv. sp. unehelich.

banc-gëlt stn., **-zins** stm. bankzins (der brot- und fleischbänke). **-hart** stm. bastard. **-kleit** stn. bankdecke.

banc-heit stf. angst.

bande swf. binde, streifen.

banden swv. in bande legen; pfänden.

bandikeit stf. angst.

baneken, bângen swv. tr. umher tummeln; refl. sich durch bewegung erlustigen; intr. spazieren, gehn (rom. *banicare*).

banekie stf. erholung durch leibesübung, erlustigung.

banen swv. bahnen, zu einer bahn machen.

baner s. *baniere*.

baner-hêrre swm. bannerherr. **-meister, -vüerer** stm. bannerführer.

bange adv. bange.

bange swm. angst, sorge.

bangen swv. intr. bange werden; beängstigen, in die enge treiben.

baniere, banier, baner stfn. banner, fahne als führendes zeichen einer schar; fähnlein am speer; ein stück des weibl. kopfputzes (fz. *banière*).

bankeit stf. = *behendecheit*.

bankenie stf. = *banekîe*.

ban-lich adj. verderblich, schrecklich.

banlinc, ballinc, -ges stm. der verbannte.

bannen redv. 1 unter strafandrohung gebieten od. verbieten (*gebannen tage* gerichtstage, feiertage); in den bann tun.

banse m. f. weiter scheunenraum zur seite der tenne.

bant, -des stn. band; band zum schmucke; fessel; verband einer wunde; band, reif um ein fass; gebinde (bei salz); querbalken; band der verwandtschaft.

bant-âder f. sehne. **-knode** swm. bandknoten; **-(bint)-wide** stf. band aus flechtreisern.

bapel swf. kleine münze.

bar adj. nackt, bloss; leer, ledig, inhaltslos (mit gen.); sichtbar, offenbar, kund; (vor augen) aufgezählt, bar.

bar stf. die blösse.

bar stm. sohn; mann, freier mann (mlat. *barus, baro*).

bar stn. meistersängerisches lied.

bar, bâr stf. balken, schranke bes. querbalken im wappen: *sunder bar*, ohne beschränkung, unaufhörlich, unverzüglich.

bâr stfm. art u. weise, wie sich etw. zeigt.

bar-bein, -beinic adj. mit nackten beinen. **-habe** stf. barschaft. **-houbet, -höubtic** adj. mit entblösstem haupte. **-schaft** stf. bares geld. **-schenkel, -schinke** adj. mit blossen schenkeln. **-vuoz, -vüeze, -vüezic** adj. barfuss; swm. barfüssermönch.

barbel stn. s. v. a.

barbier, barbiere stfn. teil des helms vorm gesicht od. bedeckung des gesichts unterm helm, worin zwei löcher für die augen ausgeschnitten waren, visier (von fz. *barbe*, lat. *barba*).

barbieren swv. mit einer *barbiere* versehen.

barbîgan stf. teil der äussern befestigungswerke, aus denen ausfälle gemacht wurden (afz. *barbacane*).

barc, -ges stm. männliches verschnittenes schwein.

barchant, barchât, barchet stm. barchent (s. *barkân*).

barchâtin adj. aus barchent.

bærde stf. aussehen, benehmen, wesen.

bâre stswf. sänfte, bahre.

bære stf. die art u. weise wie etw. sich zeigt.

bære, ber stswf. traggestell, gestell auf einem karren.

bærec adj. fruchtbar.

barêl, parêl stn. pokal, becher; fässchen, flasche (afz. *bareil*).

bâren, bæren swv. auf die bahre legen.

bâren swv. ein äusseres erscheinen darbieten.

bâr-hobel stm. bahrdeckel. **-kleit** stn. totenkleid. **-tuoch** stn. tuch über die totenbahre.

barille *s. berille.*

barkân stm. barchent (mlat. *barracanus*, *barchanus*).

barke stswf. barke (fz. *barque*).

barkenære stn. führer einer barke.

bâr-, ber-lich adj. offenbar, unumwunden.

barm, barn stm. **barne** swm. schoss.

bar-man stm., pl. **-liute** eine art halbfreier, zinspflichtiger leute.

barmære stm. erbarmer.

barmde, bärmde, barme stf. barmherzigkeit.

barmec adj. erbarmend, mitleidig. **-heit** stf. barmherzigkeit. **-lich** adj. erbarmen erregend; erbarmend, barmherzig.

barmen swv. refl. sich erbarmen über; intr. mit dat. mitleid erregen, erbarmen.

barmenære stm. = *barmære*.

barm-heit stf. = *barmecheit*. **-herze, -herzec** adj. barmherzig; **-herzeclichen** adv. erbarmen erregend. **-herze** stf. = *barmde*.

barmunge stf. erbarmung, mitleiden.

barn stnm. kind, sohn.

barn swv. intr. *bar*, bloss sein; tr. bloss, kund tun.

barn stm. **barne** swm. krippe, raufe; s. v. a. *banse*.

barn, barne s. *barm*.

barnen swv. eine krippe machen; zur krippe gehn.

barragân stm. = *barkân*.

barre stf. riegel, schranke; querbalke des wappens (fz. *barre*).

bart stm. bart, schamhaar; s. v. a. *barbier*.

barte swf. beil, streitaxt.

barten swv. behauen.

barten-slac stm. beilschlag.

bart-hâr stn. bart.

bartoht adj. bärtig.

bâruc stm. titel des kalifen (hebr. *barûc* der gesegnete).

barûn stm. baron, grosser des reiches, geistl. oder weltl. herr (fz. *baron*, s. *bar*).

barûnîe stf. die gesamten *barûne*.

barwen swv. refl. sich zeigen.

barzen swv. strotzen, hervordrängen.

base swf. base, schwester des vaters.

bast stmn. rinde, bast; bildl. das geringste, nichts; der (mit band benähte) saum eines kleides; enthäutung und zerlegung des wildes.

bastart, basthart stm. unechtes kind u. übertr. unechtes zeug.

bâstin, bestin adj. von bast.

bast-list, -site stm. die kunst, art, ein wild zu zerlegen.

basûne s. *busîne.*

bat stm. hilfe, nutzen.

bat, -des stn. (pl. *diu bat* u. *beder*) das bad, badehaus.

batalje, batelle stf. kampf (fz. *bataille*).

bataljen, batellen swv. kämpfen.

bate, bade f. förderung, nutzen, gehörige menge.

bate, pate swm. pate.

bâte stf. bitte.

bate-lôs adj. hilflos.

baten swv. nützen, helfen.

batônje, batenje stf. betonie, schlüsselblume, zauberkraut (lat. *betonia*).

bat-wât stf. = *hersenier.*

batze swm. kleine münze der stadt Bern mit deren wappen (*betz* bär).

baz adj. komp. von *wol*; adv. besser, mehr.

bazze stf. gewinn, nutzen.

bazzen swv. besser werden, nützen, passen.

bazzer a. *bezzer.*

be-ahten swv. zählen, rechnen; zurechnen, zuteilen.

be-angsten swv. coangustare.

beben = *phedem.*

be-buosemen swv. als verwandten, als seinesgleichen anerkennen; als eigenmann in anspruch nehmen.

be-bûwen an. v. bebauen, anbauen.

bëch, pëch stn. pech; höllenfeuer (vgl. *pfich*). **bëchec** adj. d. *pechec pfuol* hölle.

bechelîn, bechel stn. kleiner bach.

becheln swv. refl. sich erwärmen, sonnen.

bechen-swîn s. *bachenswîn.*

becher stm. becher (mlat. *baccar*, afz *pechier*).

bëcher, bëcherer stm. pechsammler, -brenner.

bëch-var adj. pechschwarz. **-walle** stn., **-wëlle** f. hölle. **-wellec** adj. von pech wallend.

becke swm. bäcker.

becke stf. bäckerei, das recht zu backen; was auf einmal gebacken wird.

becke, becken stn. becken; wagschale; ein instrument der spielleute.

beckel-, becken-hûbe swf. beckenförmiger helm, pickelhaube (lat. *bacinum*).

beckelîn stn. dem. zu *backe* und *becke.*

beckelinc stm. backenstreich.

becker stm. bäcker.

be-dachen swv. mit einem dache versehen.

be-dagen swv. schweigen.

bedâht stm. f. bedächtige erwägung; bedenkzeit.

be-dâht part. adj. bedacht, besonnen; wozu (gen.) rasch entschlossen.

be-dæhtic adj. bedächtig.

be-dæhtnisse, -dæhtnus stf. bedächtige erwägung; das eingedenksein, gedächtnis.

be-danc stm. überlegung, nachdenken. **-keit** stf. nachdenklichkeit, trübsinn.

bêde s. *beide.*

be-decken swv. bedecken, zu-, verdecken.

be-dëlhen stv. verbergen.

bedêll, pedêll swm. gerichtsbote; pedell (mlat. *bedellus*).

be-demmen swv. eindämmen.

be-dempfen swv. dämpfen, ersticken.

be-denken swv. die gedanken auf etwas richten, etw. bedenken, ausdenken; wofür sorgen, besorgen; beschenken; mit speisen versorgen; einen in verdacht haben (gs.). — refl. sich besinnen, mit gen. sich wozu entschliessen; bei etw. (gen.) verdacht schöpfen.

bé-derbe s. *biderbe.*

be-dingelich adj. als bedingung gestellt; adv. bedingter weise.

be-dingen swv. dingen, werben; durch verhandlung gewinnen; versprochen erhalten; einem (acc.) bedingungen vorschreiben; protestieren, appellieren.

be-diutære stm. ausleger.

be-diute stf. auslegung, zeichen. **-liche** adv. zur auslegung, als erklärung.

be-diuten, -tiuten swv. tr. andeuten, verständlich machen, auslegen; anzeigen, mitteilen, urteilen; zur besinnung oder vernunft bringen, beruhigen. — refl. bedeuten, zu verstehn sein, sich zu erkennen geben.

be-diut-nisse stf.? bedeutung. *mit b. geleit sîn ze* bedeuten.

be-diuwen, -diewen swv. zum knechte machen, unterjochen.

be-dœnen swv. mit gesang erfüllen; besingen; einen meistersingerton erfinden, singen.

be-donren swv. mit donner, gewitter begleiten.

be-draben, -dreben swv. über einen trabend kommen; ertappen.

be-dræhen swv. anhauchen.

be-dræjen swv. zusammendrehen, drehend umwinden.

be-dranc stm. das drängen, bedrängen.

be-drangen, -drengen swv. bedrängen.

be-driezen stv. unpers. mit gen. zu viel, lästig dünken.

be-dringen stv. drängen, bedrängen; mit gewobenem zierat bedecken.

be-dröuwen swv. bedrohen.

be-drücken swv. niederdrükken, überwältigen.

be-dûht stf. kontemplation.

be-dunken swv. unpers. mit acc. u. gen. bedünken, dünken.

be-durf stm. bedürfnis, not.

be-dürfelich adj. nötig.

be-durfen, -dürfen an. v. bedürfen, nötig haben mit gen.

be-durftic adj. bedürftig mit gen.

be-dürnen swv. tr. mit dornen umstecken.

be-eiten, beiten swv. sieden, kochen.

beffen swv. schelten, zanken.

be-gäben swv. beschenken; zur hochzeit ausstatten.

be-gallen swv. mit galle versehen.

be-gagenen s. *begegenen.*

begân, -gên stv. tr. zu etw. hingehn, es erreichen, treffen, antreffen; für etw. sorgen; um etw. sorgen, es erwerben; etw. ins werk setzen, tun; festlich begehn, feiern; zu grabe geleiten, totenfeier halten; *begangen sin* betroffen, erschrocken, in verlegenheit sein. — refl. sich herumtreiben; mit gs. sich unterziehen; mit gen. od. mit *von, mit*; das leben führen, sich ernähren; etw. hinnehmen.

be-gancnisse, -gencnisse stnf. das tun und handeln, die lebensweise, lebensunterhalt, handel und gewerbe; leichenbegängnis, totenfeier.

be-garwe, -gerwe adv. ganz und gar, völlig.

be-gaten, md. *begaden* swv. tr. erreichen, treffen; übereinkommen; ins werk setzen, besorgen; einrichten, fügen; *ze grabe beg.* begraben; einem etw. *beg.* gewähren, verschaffen; refl. sich gesellen.

be-gëben stv. tr. beschenken; auf-, hingeben, von etw. ablassen, unterlassen, einen verlassen. — refl. in ein kloster gehn, part. *begëben* mönch oder nonne (vgl. *ergëben*); mit gen. aufgeben, entäussern.

be-gegene adv. entgegen.

be-gegenen, -gagenen, -geinen swv. begegnen; einem feindlich entgegentreten, widerstand leisten; mit ds. entsprechen, bedeuten.

bëgehart, bëghart stswm. begarde, laienbruder (mfz. *bégard*).

be-g(e)-nagen stv. benagen, anfeinden.

be-gënen s. *beginen.*

be-genüege stf. abundantia.

-genüegen swv. zufrieden stellen.

be-gër stf. begehren, bitte.

be-gërde, -gërlich s. *begir-.*

be-gërn, -girn swv. begehren.

be-gërunge stf. begehren, verlangen, wunsch.

begerwe s. *begarwe.*

be-gesten swv. schmücken.

be-gewaltigen swv. calumniari.

be-giezen stv. begiessen, angiessen, benetzen; mit fett bet. äufeln (*begozzen brôt*).

be-gift stf. ? = *gift.*

be-giften, -giftigen swv. begaben.

be-giht s. *bigiht.*

be-gihthaft adj. zur beichte bereit.

be-gin stmn., **-ginne** stn. anfang.

begine swf. begine, laienschwester (fz. *béguine*).

be-ginen, -gënen swv. gähnend, den rachen aufsperrend verschlingen.

be-ginnen stswv. anfangen, beginnen; mit gen. u. dat. aufschneiden, eröffnen; refl. anfangen.

be-ginst, -gunst stf. anfang.

be-gir stfn., **-girde, -gërde** stf. begehr, verlangen, begierde. **-girdec, -girec** adj., **-girdecliche** adv begierig; begehrenswert. **-girden, -girn** swv. = *begërn.* **-girlich, -gërlich** adj. begehrlich; begehrenswert; **-liche** adv. mit begierde, lüstern; inständig.

be-gitegen, -geitegen swv. begehren.

be-glimen stv. beleuchten.

be-gliten stv. ausgleiten.

be-glümen swv. md. trübe machen, hinters licht führen, überlisten.

be-gnäden swv. mit gnade beschenken; begnadigen; ein privilegium erteilen; almosen geben.

be-gougeln, -goukeln swv. durch *gougel* betrügen; bezaubern.

be-graben stv. begraben; eingraben, ciselieren.

be-graben swv. mit einem graben umgeben.

be-graft s. *bigraft.*

be-grasen swv. tr. ernähren, unterhalten; refl. sich sättigen, weiden; sich mit rasen bedecken.

be-grebede stf. begräbnis, begräbnisstätte.

be-grif stm. umfang, bezirk; umfang und inhalt einer vorstellung, begriff; das anlanden und der landungsort.

be-grifec adj. empfänglich, leichtfassend.

be-grifen stv. betasten; zusammenfassen, in worte fassen; verstehn (myst.); umfassen, -schliessen; durch einen eid binden, eidlich versprechen; erreichen, erfassen, ergreifen; *begriffen* entrückt; in angriff nehmen (z. b. einen bau); *sich begr. mit* sich befassen, handgemein werden mit.

be-griffenheit, -griffenlicheit stf. verständnis, begriffsvermögen.

be-griflich adj. fassbar; leicht fassend, begreifend.

be-grift stf. umfang; anfang.

be-grifunge stf. umfang; inhalt; verständnis.

be-grinen stv. anknurren.

be-grist part. ergraut.

be-grüejen swv. wachsen.

be-grüezen swv. begrüssen; im zweikampfe *begr.* herausfordern; gerichtlich ansprechen, anklagen.

be-gunnen v. an. gewähren mit as. od. gs.; refl. sich ernähren.

be-gunst s. *beginst.*

be-gürten swv. gürten, umgürten; in den geldgurt tun.

be-haben swv. erhalten, erwerben; in bestand erhalten, erretten; vorbehalten; zurückhalten; festhalten, behalten, behaupten; beweisen, beschwören; abstr. halten, erachten *vür*; mit *gen.* etw. behaupten.

be-hac, -hage adj. = *behagelich.*

be-hac stm. sp.; **-hage, -hege; -hagede, -hegede** stf. das gefallen, wohlgefallen, behagen.

be-haft part. zu *beheften* (besessen, umstrickt, verpflichtet, festgesetzt usw.).

be-hagel swv. wohlgefällig, angenehm; freudig, kühn.

be-hagelich, -hegelich adj. was behagt, wohlgefällig. **-hegelichkeit** stf. eingeschlossenheit; wohlgefallen.

be-hagen adj. frisch, freudig, in behagen befindlich.

be-hagen swv. behagen, gefallen; angemessen sein, zukommen mit dat. (md. auch mit acc.).

be-hagen swv. mit einem *hage* umgeben, einschliessen.

be-hähen stv. intr. hangen, hängen bleiben; tr. behängen.

be-halben swv. halbieren.

be-halt stmn. sicherer, heimlicher platz, aufenthalt; sicherheit.

be-haltære, -er stm. halter, beobachter; bewahrer, erlöser; *b. des landes* landpfleger.

be-halten, -halden stv. etw. für sich aufbewahren, aufbehalten; für sich behalten, verschweigen; in obhut haben, bewahren, rein erhalten; erretten, erlösen; beherbergen, bewirten; einhalten, beobachten; behaupten; vor gericht durch zeugen oder eid erhärten; absol. vor gericht gewinnen.

be-haltnisse stf. das halten, einhalten; erhaltung; vorbehalt; behauptung durch eidschwur; gewahrsam; sicherheit; gedächtnis.

be-haltunge stf. erhaltung, bewahrung; schutz gewährender ort; schutz, bewachung; verschlossener ort, behälter; inhalt.

be-hameln swv. verstümmeln; aufhalten, gefangen nehmen.

be-hande, -en adv. sogleich.

be-här adj. behaart.

be-hären swv. tr. einem die haare ausraufen.

be-harn swv. anrufen.

be-harten swv. widerstand leisten (s. *beherten*).

be-heben stv. etw. hinwegheben, wegnehmen; aufrecht halten; behalten, behaupten; im rechtl. sinne wie *behaben*; refl. sich behaupten, andauern.

be-heften swv. tr. zusammenheften, umstricken, einschliessen, belagern; womit anbinden, begaben; zu etw. anhalten, verpflichten, verbinden; zurückhalten, behaupten; in rechtl. sinne arrestieren. — refl. sich einlassen, beschäftigen; eine verbindung eingehen mit; mit gen. sich verbindlich machen. — intr. sich festsetzen.

beheg- s. *behag-*.

be-heiz stm., **-heiʒe** stf. verheissung.

be-heiʒen stv. mit dat. heissen, befehlen; verheissen.

be-hêlf stm. ausflucht, vorwand; fester ort, zuflucht.

be-hêlfe swm. gehilfe.

be-hêlfen stv. part. *beholfen* behilflich; refl. als hilfe brauchen.

be-hemmen swv. fangen, aufhalten.

be-hende adj. adv. mit geschick zu brauchen, passend; geschickt, schnell.

be-hendec adj. fertig, geschickt.

be-hendecheit stf. schnelligkeit; fertigkeit, geschicklichkeit; schlauheit, list; ausflucht, einrede.

be-henden swv. mit den händen berühren, betasten; einrichten, fügen.

be-henden, -hendigen swv. einhändigen.

be-henken swv. behängen.

be-herbergen swv. mit gästen versehen; beherbergen.

be-hêren swv. *hêr* machen; refl. mit gen. sich stolz über etw. erheben.

be-hern swv. mit heeresmacht überziehen, verwüsten; mit gen. berauben.

be-hêrren, -hêrren swv. als herr überwältigen; refl. sich einem herrn verpflichten, ihm den eid leisten.

be-herten swv. *herte* machen, sichern, erhalten, behaupten; erhärten, bewähren, kräftigen; durch *herte* (kampf, anstrengung) erzwingen. — intr. aushalten, andauern.

be-hêrz adj. beherzt, mutig.

be-hêrzet part. adj. dasselbe.

be-holf adj. helfend (vgl. *geholf*).

be-holfen s. *behêlfen*.

be-holn swv. erwerben; behaupten, bewahren.

be-horgen swv. beschmutzen.

be-houbeten swv. enthaupten; behaupten.

be-houwen stv. behauen (*mit den swerten b.* ausfechten); refl. sich verschanzen.

be-hüeten swv. tr. u. refl. behüten, bewahren vor, sich wovor hüten (part. *behuot*, sich hütend, vorsichtig; beschützt, bewahrt); verhüten, verhindern.

be-hügede, -hügnust stf. andenken, erinnerung.

be-hülfe stf. beihilfe.

be-hülfe, -hülfec, -hülfelich adj. behilflich.

be-hüllen, -hülsen swv. bedecken.

be-huof stm., md. *behûf*, ndrh. *behôf* geschäft, gewerbe; zweck, absicht; vorteil; wessen man bedarf, was nützlich, förderlich ist.

be-huofec adj. bedürftig, arm.

be-huoren swv. ausserehelich beschlafen.

be-hurden swv. durch hürden einschliessen.

be-hüren swv. knicken, niedertreten; belagern, belästigen, überwältigen.

be-hüren swv. durch kauf od. miete od. überh.) erwerben.

bê-hurt s. *bûhurt.*

be-hûsen swv. tr. mit einem hause versehen, häuslich festsetzen; mit einwohnern versehen; einsetzen, belehnen; ins haus aufnehmen, beherbergen. — intr. wohnen.

beide, bêde num. beide.

beiden(t)-halben(t), -halp adv. auf beiden seiten.

beie, beige s. *boije.*

beie swf. fenster (fz. *baie*).

beiel, beigel, beile, beil stmn. das untersuchen, visieren der fässer.

beigle swm. **beigler** stm. visierer.

bein stn. knochen; würfel; bein, schenkel (*stein und bein, totes und lebendiges; von kindes beine,* von jugend auf; *bein biegen,* niederknien; *ze beine gên,* tiefen eindruck machen, zu herzen gehn; *ze beine binden,* sich mit etw. belasten; gering achten).

bein-bêrge stf. beinschiene. **-gewant** stn. = beinwât. **-harnasch** stn. teil der rüstung, der die beine schützt. **-hose** swf. dasselbe. **-hûs** stn. beinhaus. **-schrôt** stm. knochenverletzung. **-suht** stf. podagra. **-wahs** stm. geschwulstiger auswuchs an den beinen der pferde. **-wât** stf. beinbekleidung.

beinlin, beinel stn. dem. zu *bein.*

beinin adj. von knochen.

beinzigen s. *einzec.*

beischerl, beischel stn. das obere eingeweide eines geschlachteten tieres.

beitære stm. gläubiger.

beite, beit stf. das zögern, hinhalten.

beiten swv. zögern, warten, harren (mit gen.); mit dp. frist geben, zeit gönnen.

beiten swv. zwingen, drängen, gewalt antun; refl. sich quälen; wagen mit gen.

beiten s. *beeiten.*

beitunge stf. warten, verzug; aufenthalt.

beit-vride stm. waffenstillstand.

beiz stn. falkenjagd (s. *beize*).

beizære, -er stm. der falke; der mit falken jagt.

beize stf. falkenjagd; das bereiten in einer scharfen, beissenden flüssigkeit; flüssigkeit in der pulver durch das *gebeizt* wird.

beizel stm. griffel, stichel.

beiȥelen swv. peinigen.

beiȥen swv. beizen; bildl. mürbe machen, (*alumbe* zu tode) peinigen; vögel mit falken jagen; s. v. a. *erbeizen*, vom pferde steigen.

beiȥ-hunt, -wint stm. hund zur falkenjagd.

be-jac, -ges stm. beute des jägers, des fischers; erwerb, errungenschaft, gewinn; sp. oft zur umschreibung.

be-jagen swv. erjagen, erringen, erwerben; refl. sich beschäftigen, sein leben führen, erhalten.

be-jaget, -jegde stn. erwerb.

be-jären swv. die jahre hinbringen.

be-jäzen swv. bejahen.

be-jëhen stv. bekennen, beichten; mit gs. zugestehn, nachfolgen in.

be-kallen swv. besprechen, beklagen.

bekant-heit stf. myst. erkenntnis. **-nisse, -kentnisse** stfn. wissen, glaube (*daz b. der juden* alle bekenner des jüd. glaubens); erkennung; kenntnis, erkenntnis; forschung; geständnis; zeugnis.

be-kebesen swv. durch unzucht schänden.

be-kelken swv. mit kalk auswerfen.

be-kennen swv. kennen, erkennen, mit den gedanken erfassen; mit dp. u. as. od. gs. einem etw. bekennen, bekannt machen; zu erkennen geben; *úf einen bek.* mit gen. wider ihn zeugen; refl. zur einsicht gelangen, bescheid wissen; mit gen. sich schuldig bekennen; *sich einem b.* sich ihm zu eigen geben.

be-kêrde, -kêre stf. umkehr, besserung (einer krankheit); geistl. umkehr, bekehrung, bes. der verzicht auf das weltl. leben u. die verpflichtung zum leben nach geistl. regel.

be-kêre adj. sich hinwendend.

be-kêrec adj. leicht zu wenden, lenksam.

be-kêren swv. tr. zu etw. hinwenden, umwenden, verwandeln; gut machen, entschädigen; zum rechten glauben bringen, bekehren; abwenden *von*; anwenden, verwenden. — refl. sich umwenden, verwandeln, bekehren; intr. wieder in den früheren zustand kommen, genesen.

be-kerkeln swv. einkerkern.

be-kêrunge stf. = *bekêrde*; entschädigung, vergütung.

be-kicken s. *be-quicken*.

be-kiesen stv. vernehmen.

be-kinen stv. keimen.

be-klagen swv. klagen über od. gegen mit acc. u. gen.

be-klamben,-klemben;-klammen, -klemmen swv. zusammenpressen.

be-klæren swv. *klâr* machen.

be-klæwen swv. mit klauen ergreifen.

be-klëben swv. haften bleiben, verbleiben.

be-klecken, -klicken swv. abreissen; beflecken.

be-kleiben swv. beschmieren, bestreichen; bildl. begaben.

be-klepfen swv. einen *klapf* beibringen; bezwingen.

be-kletzen swv. beschmutzen.

be-klibe stf. = *beklîbunge*.

be-klîben stv. haften bleiben, verbleiben; wurzel fassen, gedeihen; stecken bleiben, verkommen.

be-klîbunge stf. empfängnis.

be-klicken s. *beklecken*.

be-klimmen stv. umklammern, beklommen machen.

be-klip stm. haftung, dauer.

be-klüegen swv. fein machen.

be-klûtern swv. beflecken.

be-koberen swv. refl. sich zusammenfassen, erholen; sich verkehren in.

be-kôme adv. bequemlich (s. *bequâme*).

be-komen stv. intr. kommen, beikommen, gelangen; vorkommen, wachsen, gedeihen; sich zutragen, ereignen; zu sich kommen, sich erholen; mit dp. begegnen; zukommen, zuteil werden, widerfahren; zuhilfe kommen; geziemen; mit gs. erhalten, gewinnen, bekommen. — tr. *einen bek.* einholen; *den schaden bek.* verhüten. — refl. mit gen. zu etw. kommen, es erhalten.

be-kor stf. prüfung, kenntnis; versuchung. **-lich** adj. verführbar.

be-korn swv. schmecken, kosten, kennen lernen; mit gen., acc.; prüfen, versuchen mit acc., inf. — refl. sich prüfen; sich bemühen um (*nâch*), streben nach.

be-korunge, kornisse stf. das kosten; prüfung, versuchung.

be-kosten, -kostigen swv. die kosten bestreiten für; beköstigen, verproviantieren.

be-kræjen swv. bekrähen, krähend anschuldigen.

be-krâmen swv. beschenken, ausstatten.

be-kranken swv. schwach werden.

be-kreiȥen swv. umkreisen.

be-krenken swv. *kranc* machen, schwächen, verletzen.

be-krien swv. beschreien.

be-krimmen stv. zusammendrängen.

be-kristen swv. mit Christus versehen.

be-kritzen swv. ritzen, kratzen.

be-kriȥen stv. umkreisen.

be-kroijieren swv. durch ausruf kund tun.

be-krœnen swv. krönen.

be-kroten swv. belästigen.

be-kucken s. *bequicken*.

be-küelen swv. kühl machen.

be-kumbern, -kümbern swv. in not bringen, belästigen, beschimpfen; mit arrest belegen; beschäftigen; sich mit etw. (acc.) beschäftigen, es pflegen; refl. beschäftigen mit.

be-künden swv. verkünden.

be-kürn swv. zur prüfung herbeiziehen.

be-kürzen swv. verkürzen.

bël, -lles stm. das lauten der hunde.

be-laden stv. beladen; refl. mit gen. od. *mit*, auf sich nehmen, annehmen.

be-lanc stm., **-lange** stf. swm. das verlangen.

be-langen, blangen swv. unpers. lang dünken, langweilig sein mit gen.; verlangen, gelüsten mit gen., präp. od. nachs.; *mir belanget* mich verlangt, ich sehne mich. — tr. erlangen, erreichen; intr. ausreichen, sich erstrecken.

belâȥen, -lân stv. unterlassen; erlassen, nachlassen; überlassen.

bëlche swf. wasserhuhn.

belde stf. dreistigkeit.

belden swv. *balt* machen.

belderich s. *balderich*.

be-legen swv. belegen, besetzen; einschliessen, einhüllen; mit einem heere einschliessen, belagern.

be-lëger stn. belagerung.

be-lëgern, -ligern swv. belagern.

be-leidigen swv. verletzen, schädigen.

be-leit stn. geleite; pers. begleiter, begleiterin.

be-leiten swv. leiten, führen, geleiten, begleiten.

be-lemen swv. mit bleibender lähmung verletzen.

belgelîn, belgel stn. kleiner schlauch, sack; haut der blumenknospe, fruchtknoten; ohrtrommel; herzbeutel; nachgeburt.

bëlgen stv. III, 2 aufschwellen, refl. mit gen. zürnen.

be-lîben, bliben stv. im gleichen zustand bleiben, verharren; unterlassen werden, unterbleiben; tot bleiben; *b. lâȥen* (wofür auch einfaches

belíben) wovon abstehen, unterlassen. *ez belíbet an* es liegt an.

be-liegen stv. tr. von einem unwahre dinge sagen, ihn verleumden.

be-ligen stv. intr. liegen bleiben, ruhen; tot bleiben. — tr. beschlafen; belagern (part. *belēgen* belagert).

be-ligern s. *belēgern.*

be-lip stmn. das verbleiben, die ruhe.

be-listen, -listigen swv. durch *list* zu stande bringen; überlisten, täuschen.

be-liuhten swv. beleuchten, erleuchten, erhellen; erklären, offenbaren.

be-liumunden, -liumden swv. tr. einen in den ruf von etw. bringen.

be-liuten swv. mit geläut bezeichnen; bekannt geben; erläutern.

bélle, bílle swmf. hund, hündin (nur in kompos.).

bellekin s. *baldekin.*

béllen stv. III, 2 bellen (auch vom kalbe u. hirsch); keifen, zanken.

bellíż, belleż. belz stm. pelz (mlat. *pellicium*).

be-lœsen swv. losmachen, befreien (mit gen. od. *von*).

be-louchen swv. schliessen, verschliessen.

be-loufen stv. belaufen, durch-, überlaufen.

beltenære stm. s. *paltenære.*

be-lûchen stv. intr. sich schliessen; tr. zuschliessen, einschliessen.

be-lucken swv. zudecken.

be-luogen swv. beschauen, wahrnehmen.

be-lusen swv. horchen, lauschen.

be-lûten swv. laut werden; den namen haben, heissen.

belzen, pelzen swv. pelzen, pfropfen (lat. *impeltitare*).

belzer pelzer stm. pelzer, insitor; pfropfreis.

belzer stm. kürschner.

belzin adj. von pelz.

be-mannen swv. tr.mit mannschaft besetzen, bemannen. — refl. einen mann nehmen.

be-mæren swv. mit *mære* versehen; rühmen.

be-marken swv. begrenzen.

be-mäsen swv. beflecken.

be-meilen, -meiligen swv. beflecken, entehren.

be-meinen swv. meinen; *gemeine* machen, mitteilen, zusprechen.

be-meistern swv. meisterlich gestalten.

be-menigen swv. mit einer menge bewältigen.

be-merken swv. beobachten; prüfen.

be-missen swv. entbehren, aufgeben.

bemstin stf. die einen dickbauch hat.

be-müeżigen swv. losmachen, entledigen von (gen.).

be-munden swv. beschützen.

be-mûren swv. mit einer mauer umgeben.

be-murmeln swv. über etw. murren.

be-müseln swv. beschmieren.

be-nâden swv. begnadigen.

be-nagen stv. benagen, abnagen.

be-nahten swv. übernachten; mit dat. nächtlicher weile geschehen; nacht werden. — tr. beherbergen; mit nacht überziehen.

be-namen s. *binamen.*

be-namen swv. benennen.

be-naschen swv. belecken.

bende stn. = *gebende.*

bendec adj. festgebunden.

bendel stm. band, binde.

bendelin, bendel stn. dem. zu *bant.*

benden swv. in bande legen.

be-nében adv. u. präp. seitwärts, zur seite, nebenzu.

benedien, -dîgen swv. segnen (lat. *benedicere*). **-diunge** stf. segnung. **-diz** stm. schlusssegen bei der messe (lat. *benedictio*).

be-neimen swv. bestimmen, festsetzen, verhcissen.

be-nemde stf. name, person der gottheit.

be-némen stv. tr. u. refl. zusammenfassen; wegnehmen, entziehen; rauben, entledigen, frei machen mit gs.

be-nennen, nemmen swv. nennen (part. *benant* genannt, berühmt); namentlich bestimmen, anberaumen; verheissen, zueignen mit dat. ; *ze dienste, dienstes benant sîn* zu den untertanen rechnen.

benge stf. angst, sorge.

bengel stm. prügel, knüttel.

bengeln swv. prügeln; intr. hin- u. herschweifen.

be-nicken swv. sich neigen, sinken.

be-niden swv. beneiden mit gs.

benit stn. zu stangen eingedickter honig (fz. *penide*).

benkelin stn. dem. zu *banc.*

benken swv. *benke*, sitze bereiten.

benne swf. korbwagen auf zwei rädern.

bennec, bennisch adj. im *banne* befindlich.

bennen swv. vor gericht laden, bringen; bei strafe gebieten.

be-nôte adv. notgedrungen.

be-nôtegen swv. tr. zwingen, bedrängen; intr. =

be-nôten swv. intr. in not sein.

be-nœten swv. bedrängen, in not bringen; notzüchtigen; zwingen, nötigen zu (gen.); *des lîbes b.* in lebensgefahr bringen; *mit gerihte b.* vor gericht laden.

be-nôtzogen swv. notzüchtigen.

be-nücken swv. niederdrücken.

be-nüegede stf. abundantia.

be-nüegelich adj. genügend.

be-nüegen swv. unp. an etw. (gen. od. *mit*) genug haben.

be-nüegen stn. genügen, befriedigung.

be-nüegic adj. *b. an* zufrieden mit.

be-nunnen swv. zur nonne machen.

be-nuomen swv. mit namen nennen, anreden; namhaft machen; urkundlich verheissen.

benzen swv. quälen, beschwerlich fallen (durch bitten od. schelten).

be-oberen swv. erübrigen, gewinnen.

be-quæme adj. passend, tauglich; adv. *bequâme* bequem; schnell, bald (vgl. *bekôme*).

be-quicken, -kucken swv. wieder lebendig machen.

bër swm. bär.

bër stf. blüte, frucht.

ber s. *bære.*

ber stf. schlag, streich.

bër stnf. die beere.

bër stm. eber, zuchteber.

be-ræmen swv. als ziel (*râm*) festsetzen.

be-ræmen swv. beschmutzen.

be-ranc, -rinc stm. das ringen, streben, handeln.

be-rât stm. rat, bedacht.

be-râten stv. zu *rât* rat: überlegen, anordnen (*eines d. berâten sîn*, es wohl überlegt haben; *einem berâten sîn* ihm mit rat beistehen); refl. mit sich zu rate gehen, sich bedenken (gs. od. nachsatz). sp. auch swv. — zu *rât* vorrat: ausrüsten, unterhalten, sorgen für, womit versehen, versorgen (gs. od. *an, mit*); aussteuern, verheiraten.

bërc, -ges stm. berg (*über berge*, über die Alpen, nach Italien; *ze, wider, gegen b.* empor, aufwärts); weinberg; bergwerk.

bërc, -ges stmn. umschliessung, verbergung.

bërc-gegene stf. gebirgsland. **-klinge** swf. bergschlucht. **-liute** pl. bergbewohner; arbeiter in einem bergwerke, in einem steinbruche. **-maeżic** adj. groß

schwer wie ein berg. -minne swf. bergfee. -stele swf. bergeshöhe (vgl. *himelstele*). -swære adj. schwer, drückend wie ein berg. -vrit s. *bërvrit*.

bêre, bër stswm. sackförmiges fischernetz (lat. *pera*).

be-rëchen stv. bescharren.

be-rëchenen swv. berechnen, rechnung ablegen.

be-redbote swm. = *redebote*.

be-reden swv. wovon reden, etw. bereden, mündlich festsetzen; durch mündliche rede gütlich beilegen; wozu (gs.) bereden, wohin bringen; beweisen, dartun (durch eid od. kampf), überführen mit gs.; vor gericht verteidigen, reinigen mit gs.; entschuldigen.

be-redenunge stf. besprechung; entschuldigung, beweislieferung.

be-reder stm. = *redebote*.

be-redet part. adj. *b. sîn* zu reden wissen.

be-redunge stf. verabredung, gütliche beilegung; verleumdung; beweisführung, verteidigung, entschuldigung.

be-reffen, -refsen, -respen swv. tadeln, strafen.

be-rëhten, -rëhtigen swv. vor gericht ansprechen; zum rechtlichen austrag bringen; richten, verurteilen; hinrichten.

be-reichen swv. bis wohin (accus.) reichen; auf sich ziehen, erlangen; erreichen, festhalten.

be-reinen swv. abgrenzen; refl. angrenzen, anstreifen.

be-reit, -(reite) adj. act. bereitwillig, dienstfertig mit dp. u. gs. — pass. bereit gemacht, fertig, zur hand mit dat.; ausgerüstet mit gs. oder *mit*; bar (vom gelde). adv. bereitwillig; schon, bereits; schnell, geschickt; bar. -schaft stf. zubereitung, ausrüstung, verpflegung, gerätschaft; bares geld.

be-reiten swv. *bereite* machen, rüsten, bilden, ausrüsten mit gs.; bezahlen (person oder geld); benachrichtigen, kennen lehren mit gs.; herzählen, berechnen; rechenschaft ablegen. refl. mit gs. eingehn auf.

be-rennen swv. überrinnen machen, begiessen; laufen lassen, tummeln; mit heeresmacht angreifen, bestürmen.

be-rêren swv. benetzen.

be-respen s. *bereffen*.

be-retten swv. befreien; schirmen.

bërgeht adj. bergicht.

bërgelin stn. dem. zu *bërc*.

bërgelin stn. dem. zu *barc*.

bërgen stv. bergen, verbergen, in sicherheit bringen.

bergin adj. von einem schweine (*barc*) herrührend.

bër-haft adj. fruchtbar; schwanger.

bërht adj. glänzend. -âbent stm. vorabend des *bërhttages*. -tac, **bërhtac** stm. das fest epiphaniä, ebenso *bërhtnaht*.

bërhtel adj. glänzend.

bërhtel stf. klarheit, reinheit.

be-riben stv. abreiben.

be-richen stv. walten, schalten.

be-richesen swv. beherrschen.

be-riezen stv. tr. über etw. hinfliessen, begiessen; beweinen.

be-rîfen swv. mit reif überziehen.

be-rigelen swv. versperren.

be-riht stmf. bericht, belehrung; gütliche beilegung, versöhnung.

be-rihtære, -er stm. ordner, zurechtweiser; friedensstifter.

be-rihtec adj. durch bericht bekannt. -liche adv. mit genauer wegbeschreibung.

be-rihten swv. tr. *rëht* machen, in richte bringen, ordnen, einrichten, bilden; *berihtet sîn mit* unter der herrschaft stehn von; unterweisen, belehren; ausrüsten, versehen; bezahlen mit gs. oder doppeltem acc.; bringen, befördern; ausrichten, verleumden; hinrichten (s. *berëhten*). — refl. sich aufrichten, sich in die rechte lage, in den gehörigen stand bringen; sich versehen, ausrüsten, vorbereiten, mit gs. oder präp.; die sterbesakramente empfangen; sich vertragen, friedlich vergleichen; sich abwenden, losmachen von, mit gen.

be-rihtunge stf. verrichtung; bericht, auskunft, auslegung, erklärung, unterweisung, schlichtung, vergleich, vertrag.

berille, barille, brille swm. ein edelstein; brille (gr. lat. *beryllus*).

be-rimeln swv. mit reif überzogen werden.

be-rimpfen, - stv. tr. zu etw. die stirn runzeln.

be-rinc s. *beranc*.

be-rinen stv. berühren.

be-ringe adv. leicht, leichtes sinnes.

be-ringen stv. durch ringen, kämpfen erlangen.

be-ringen swv. umringen; erreichen.

be-rinnen stv. tr. überrinnen; intr. überronnen werden.

be-risen stv. befallen, überdecken.

be-rîten stv. tr. reiten auf (weg, pferd); reiten gegen,

angreifen; reitend einholen; reitend besichtigen.

be-riuwen stswv. betrübt sein über (gen.), bereuen; in betrübnis versetzen.

be-riz, -riz stm. umkreis, gebiet.

be-rizen stv. umkreisen, umgrenzen.

bërle, përle stf. perle (mlat. *perula*).

bërlen, përlen swv. tropfenweis giessen; mit perlen schmükken, überh. zieren.

ber-lich s. *bärlich*.

bërlin stn. dem. zu *bërle*.

bermde, bermede stf. barmherzigkeit.

bër-muoter stf. gebärmutter; kolik.

bërn stv. tr. hervorbringen, frucht oder blüte tragen; gebären. — intr. hervorgebracht werden, zum vorschein kommen, wachsen.

bern swv. schlagen, klopfen; kneten, knetend formen; treten, betreten.

bëru stf. abgabe, steuer.

bërnde part. adj. fruchtbar, fruchttragend, schwanger.

bërn-kreiz stm. circulus arcticus; -spitze stf. polus arcticus.

be-rœsen swv. mit rosen bestreuen, rot färben.

be-resten stv. rösten.

be-rouben swv. berauben.

be-rouchen swv. beräuchern.

be-roup stm. raub.

bër-swîn stn. zuchteber.

bertine, -ges stm. langbart, klosterbruder.

be-rüefen s. *beruofen*.

be-rüegen swv. angeben, beichten; anklagen.

be-rüemec adj. prahlerisch.

be-rüemen swv. tr. u. refl. sich rühmen, prahlen mit gs. od. nachsatz.

be-rüerde, -ruorde stf. berührung, tastsinn.

be-rüeren swv. treffend bezeichnen; tr. u. refl. rühren, berühren.

be-runen swv. überschütten.

be-ruoch stm. sorge, rücksicht.

be-ruochen swv. tr. sorgen für (acc. od. *an, umbe*), sich annehmen; womit (gs.) bedenken, versehen, versorgen.

be-ruochunge stf. sorge, pflege.

be-ruof stm. leumund.

be-ruofen stv., -rüefen swv. berufen, zusammenrufen; ausrufen, proklamieren; schelten, tadeln; beschreien; bezaubern; anklagen; überschreien. — refl. sich zusammenrufen, versammeln; sich berufen auf (*an, in*), appellieren.

be-rüsten swv. ausrüsten.

bërvrit, bërvrit, bërvride
stswm., umged. **bërc-vrit** ein
turm zum angriff wie zur verteidigung, bollwerk, befestigtes haus, tribüne (mlat. *per-
fridus*).
bër-wëlf stm. junger bär.
be-sachen swv. einrichten,
ins werk setzen; unterhalten,
pflegen, versorgen.
be-sage stf. laut, inhalt.
be-sagen swv. verstärktes
sagen; von oder über etw. (acc.
od. *von*) sagen; ein richterl. gut-
achten abgeben; bezeugen, bestätigen; dp. zusprechen, bestätigen; ap. aussagen gegen,
anklagen, verleumden.
be-samen adv. zusammen.
be-samenen, -samen swv.
vereinigen, sammeln; bes. durch
versammlung der krieger sich
zum kriege rüsten, auch refl.
be-sarken s. *beserken*.
be-saz stm. = *besëȝ*, belagerung.
be-schaben stv. abschaben,
abkratzen.
be-schaden swv. = *beschedi-
gen*.
be-schaffen stv. schaffen, erschaffen; part. *beschaffen* vorhanden, befindlich; durch das
schicksal bestimmt.
be-schaffer stm. schöpfer.
be-schalken s. *beschelken*.
be-schalten stv. fortstossen.
be-schamen swv. refl. mit
gen. od. infin. sich schämen.
be-scharn swv. bescheren.
be-scharn swv. zuteilen, bestimmen; refl. sich sammeln,
eine schar bilden.
be-schatewen, -schetewen
swv. beschatten.
be-schatzen, -schetzen swv.
mit schwerer steuer, kontribution, lösegeld belegen; nach
zahl und wert anschlagen.
be-schatzunge stf. kontribution; lösegeld.
be-schedigen swv. in schaden
bringen, beschädigen.
be-scheffec adj. tätig.
be-scheften swv. beschäftigen.
be-schëhen stv. geschehen,
durch höhere schickung sich
ereignen; mit dat. zuteil
werden; widerfahren, begegnen.
be-scheide, -scheiden stf. auseinandersetzung, bestimmung,
bedingung.
be-scheiden stv. scheiden,
trennen; unterscheiden; entscheiden, schlichten bes. als
richter; einrichten, bestimmen,
refl. sich einrichten, entscheiden, sich auseinandersetzend
einigen; an seinen platz stellen;
zu- oder anweisen, bes. als
eigentum zuweisen; deutlich be-

richten, erzählen, benachrichtigen, belehren.
be-scheiden part. adj. bestimmt; klar, deutlich; unterwiesen, belehrt; nach gebühr
und umständen handelnd, verständig, klug. **-heit** stf. verstand, verständigkeit; einsicht,
vernunft; mündigkeit; befehl,
bescheid; richterliche entscheidung; zuerkennung; bestimmung, bedingung; was für das
bedürfnis ausreicht. **-lich** adj.,
-liche adv. verständig, gebühr-
lich; deutlich; festgesetzt, bestimmt, bedingt.
be-scheidunge stf. bestimmung, unterscheidende bezeichnung; letztwillige verfügung.
be-scheinen swv. sichtbar
werden lassen, zeigen, zu erkennen geben.
be-scheit stmn. bescheid; bestimmung, bedingung.
bescheiler s. *betschelier*.
be-schellen swv. betäuben.
be-scheln swv. beschälen, beschneiden; entblössen.
be-schelken, -schalken swv.
zum knechte machen; pfänden;
betrügen; schelten.
be-schelten stv. durch tadel
od. schmähung herabsetzen,
verkleinern; *ein urteil b.* es anfechten, für ungültig, schlecht
erklären.
be-schëmen swv. beschämen,
in scham od. schmach bringen;
schänden, beschlafen.
be-schepfe stfn. geschöpf.
be-schepfen stv. VI benetzen.
be-schepfen, -scheffen swv.
schaffen, erschaffen.
be-schepfer stm. schöpfer.
be-schepfunge stf. schöpfung,
geschöpf.
be-schërmen s. *beschirmen*.
be-schërn stv. die haare wegschneiden; scheren; refl. sich
scheren, sich eine platte (als
mönch) scheren.
be-schern swv. zuteilen, verhängen (gott, schicksal); hingeben, aufgeben, verschmähen.
be-schërren stv. beschaben,
beschneiden; zu-, verscharren.
be-scherunge stf. zuteilung,
bestimmung, verhängnis.
beschetewen s. *beschatewen*.
be-schetzen s. *beschatzen*.
be-schibe adj. leicht rollend,
beweglich, klug.
be-schiben stv. tr. sich auf
etw. wälzen; mit dp. zuwenden,
-teilen.
be-schichten swv. tr. u. refl.
durch zuteilung des gebührenden vermögens abfinden.
be-schicken swv. tr. nach
einem schicken; durch boten
eine geldschuld einnehmen (mit
ap. od. as.); stiften, vermachen.

be-schide adv. gescheit,
schlau.
be-schieȝen stv. beschiessen,
durch schiessen erproben; zu-
sammenschiessen, vereinigen;
techn. mit fußboden belegen;
unpers. mit ap. u. intr. mit dp.
helfen, nützen.
be-schinden stv. schälen, enthäuten; mit acc. u. gen. berauben.
be-schinen stv. bescheinen.
be-schirm, -schërm stm.
schutz, schirm.
be-schirme-hant stf. schutz,
obhut.
be-schirmen, -schërmen swv.
beschützen, verteidigen (mit
gen., vor, von, wider).
be-schirmer, -schërmer stm.
beschützer.
be-schit, -schiet stm. bescheid.
be-schiuren swv. mit einem
schauer überkommen.
be-schiuren, -schüren swv.
beschützen.
be-schiȝ stm. betrug.
be-schiȝen stv. bescheissen,
besudeln; betrügen.
be-schœnen swv. schön machen, verherrlichen; beschönigen, entschuldigen, rechtfertigen.
be-schouwære, -er stm. (obrigkeitl.) beschauer, besichtiger,
prüfer.
**be-schoude, -schöude, -schou-
we, -schouwede, -schöuwede,
-schouwunge** stf. anschauung,
anblick; anblick den etw. gewährt; obrigkeitliche besichtigung; *tac der beschouwunge*
jüngstes gericht.
be-schouwelich adj. contemplativus.
be-schouwen swv. beschauen,
betrachten; schauen, sehen,
wahrnehmen.
be-schrenken swv. umfassen;
einschränken, versperren; durch
unterschlagen eines beines zu
fall bringen; betrügen, überlisten.
be-schriben stv. schreiben,
aufzeichnen (auch im sinne von
proskribieren); beschreiben,
schildern; schriftlich auffordern
zu kommen.
be-schrien stswv. beschreien,
ins gerede bringen; beklagen,
beweinen; ausrufen, verkündigen; anrufen, anschreien bes.
vom beschreien der übeltäter.
be-schriten stv. beschreiten,
besteigen (ein pferd).
be-schrôten stv. behauen, beschneiden.
be-schulden swv. beschuldigen; verschulden; verdienen;
vergelten.
be-schuldigen swv. anklagen,
beschuldigen mit gs.

be-schuochen swv. mit schuhen versehen, beschuhen.

be-schüren s. *beschiuren*.

be-schürn swv. verscharren.

be-schüten swv. beschütten, bedecken; bildl. überwältigen; beschützen; entlasten, befreien.

be-sehen stv. mit den sinnen wahrnehmen, inne werden.

be-sëhen stv. beschauen, erblicken; besuchen; worauf sehen, betrachten, untersuchen, prüfen; besorgen, für etw. sorgen; mit etw. (gen.) versorgen; refl. sich vorsehen.

be-sëher stm. = *beschouwer*.

beselin, baselin stn. dem. zu *base*.

be-selwen swv. beschmutzen.

bëseme, bësme swm. **bësem** stm. kehrbesen; zuchtrute.

bësemen, bësmen swv. mit besen auskehren; mit ruten züchtigen.

bësem-ris stn. besenreis, zuchtrute. **-(bësemen)-slac** stm. schlag mit der rute.

be-seuden swv. tr. beschicken, holen lassen; refl. sich rüsten, ein heer aufbieten.

be-sengen swv. anbrennen, versengen.

be-senken swv. hinabsenken.

be-sëren swv. verwunden.

be-serken, -sarken swv. in den sarg legen.

be-setzen swv. besetzen; umstellen, umlagern; festsetzen, bestimmen; vor gericht (mit etw.) verweisen; anklagen, gerichtlich ansprechen, in beschlag nehmen (daher *besetzunge* gerichtl. beschlagnahme). — refl. *sich ze wer b.* sich wehren; *sich an einen b.* sich einem zu dienst verpflichten.

be-sëz stnm. besitz; belagerung; misswachs (immer in der form *bisëz* od. *bisëzze*).

be-sëzzen part. adj. besetzt, bewohnt; besessen (vom teufel); *mit der ê b.* verheiratet; belagert; angesessen, begütert. **-heit** stf. wohnsitz; befangenheit, sorge.

be-sibenen swv. mit sieben zeugen überführen.

be-sichern swv. sicher machen, stellen; sichern vor.

be-siffeln swv. tr. über etw. hingleiten.

be-sigelen swv. besiegeln, durch siegel bekräftigen; versiegeln, einschliessen; *besigeltez gëlt* vollwichtiges geld; als siegel eingraben.

be-sigen stv. tr. betropfen, benetzen.

be-sihen stv. versiegen.

be-siht stf. umsicht, sorgfalt, fürsorge.

be-sihtec adj. umsichtig, besonnen; durch sehen bekannt. **-heit** stf. = *besiht*.

be-sihten swv. besichtigen.

be-sinden swv. auf den weg bringen, ins werk setzen.

be-singen stv. tr. ansingen; mit gesang erfüllen; messe halten auf, in (altar, kirche).

be-sinken stv. hinabsinken.

be-sinnec adj. besonnen.

be-sinnen stv. tr. worüber nachdenken, etw. ausdenken; zur besinnung, zur erkenntnis bringen. — refl. sich bewusst werden, etw. überlegen mit gs.

be-sinnet, -sint part. adj. besonnen; mit überlegung ausgedacht, auf verständige weise gemacht.

be-sippe adj., **-sippet** part. adj. verwandt.

be-sit, -site, -siten adv. beiseits, zur seite.

be-sitzen stv. tr. sich wozu setzen; umstellen, belagern; bedrängen, in not bringen; sich worauf hinsetzen, in besitz nehmen, haben. part. *besat* verteidigt, besiedelt. — intr. sitzen, sitzen bleiben; wohnen; untätig sitzen, unfruchtbar sein.

be-sitzunge stf. besitznahme; besitz, eigentum; belagerung.

be-siuften, -siufzen swv. beseufzen.

be-slac stm. beschlag.

be-släfen stv. beschlafen, schwängern.

be-slahen stv. auf etw. schlagen; schlagend bedecken, beschütten; beschlagen; mit beschlag belegen; schlagend auf, an etw. befestigen; umschlagen, -schliessen; auf einem vogelherde fangen.

be-slichen stv. beschleichen, heimlich überfallen.

be-sliezen stv. umschliessen, -spannen, festhalten; ein-, aus-, zuschliessen; festsetzen, beschliessen, zum abschluss bringen.

be-slîfen stv. intr. ausgleiten; plötzlich wohineingeraten; entwischen, entgehen. — tr. gleitend, schleichend berühren.

be-slihten swv. gerad machen, ausgleichen.

be-slîpfen swv. ausgleiten.

be-sloufen swv. bekleiden; bedecken.

be-slützen swv. ein-, zuschliessen.

be-sluz, -sloz stm. ab-, verschluss; beschluss.

be-slüzzec adj. verschliessbar, verschlossen.

be-smähen swv. unpers. mit acc. schimpflich scheinen.

be-smæhen swv. schmach zufügen, beschimpfen.

bësme s. *bëseme*.

be-smiden swv. fest-, einschmieden.

be-smiz̧en stv., **-smitzen** swv. beschmeissen, besudeln.

be-sneben, -sneben swv. straucheln, fallen.

be-sneitet part. adj. entästet.

be-snîden stv. beschneiden (bes. die vorhaut), behauen; zurechtschneiden (bes. vom gewande); bekleiden.

be-snîwen, -snîen swv. beschneien.

be-snüeren swv. um-, einschnüren.

be-solgen, -soln swv. besudeln (s. *besulgen*).

be-sorc stm. besorgung.

be-sorgen swv. tr. sorgen für, versorgen mit, beschützen vor; aussteuern; fürchten, befürchten (mit acc. od. gen.). — refl. sich in acht nehmen, hüten; sich versorgen; sich fürchten (mit gen. od. *vor*); *besorget sîn* besorgt, bedacht, in angst sein.

be-soufen swv. eintauchen, ertränken; refl. auch sich tränken.

be-sperren swv. zusperren; sperrend einschliessen, einschliessend zurückbehalten.

be-spinnen stv. umspinnen, umfassen.

be-spîsen swv. mit spîse versehen.

be-spîwen stv. I, 2 bespeien.

be-spotten swv. verspotten.

be-spræjen, -spræwen swv. bespritzen.

be-sprëchen stv. mit as. sprechen, sagen; verabreden, anberaumen; mit ap. anreden; mit einem sprechen; von einem etw. (*an, umbe*) bitten, verlangen; beschuldigen, anklagen. — refl. mit gs. sich worüber beraten.

be-spreiten swv. über etw. ausspreiten; bespritzen.

be-sprengen swv. besprengen, bespritzen.

best s. *bez̧z̧ist*.

be-stallen swv. umstellen, belagern (s. *bestellen*).

be-stallunge stf. bestellung, anwerbung; anstellung; verordnung, massregel (s. *bestellunge*).

be-stalt stm. zuweisung zum eigentum oder zum niessbrauch.

be-stân, -stên stv. intr. stehn bleiben, bleiben, aushalten, standhalten mit dp.; bestehn aus; *b. ze* angehören als; *mit einem b.* mit ihm standhalten u. ihm beistehn. — tr. umstehn; auf etw. stehn, es stehend besetzen; sich entgegenstellen, um ihn anzugreifen, beüberfallen (bes. von krankheit,

unglück, leidenschaft); an einen herangehn, ihn behandeln; etw. auf sich nehmen, unternehmen, wagen; mieten; erwerben mit gs.; zugestehn mit gs.; be-standen sin zu etw. (gen. od. acc.) verpflichtet sein, bes. zu einer zahlung oder busse.

be-standen part. adj. erwachsen (s. auch bestân).

be-stant stm. bestand, dauer; waffenstillstand; pacht, miete; kaution, bürgschaft.

bestætec-heit stf. beständigkeit; bestätigung.

be-staten swv. an eine stat, stelle bringen; gestatten, zulassen; einem eine stelle anweisen, ihn einsetzen; etw. an die rechte stelle bringen, anwenden, verwenden; verpachten, -mieten; ausstatten, verheiraten; begraben.

be-stæten swv. fest machen, bestätigen, bekräftigen; sicherheit leisten für; mit beschlag belegen; weidm. ein wilt b. aufspüren.

be-stætigen swv. bestätigen; festnehmen.

be-stætigunge, -stætenunge, -stætunge stf. bestätigung, bekräftigung.

be-statunge stf. begräbnis.

beste adv. am besten.

beste stf. in sîner b. sîn auf dem höhepunkt sein.

be-stëchen stv. bergm. den ganc b. einen erzgang zu bearbeiten anfangen.

be-stecken swv. tr. bestecken; aufstecken; festsetzen, anberaumen; intr. stecken bleiben.

be-stëer stm. pächter, mieter.

be-stellen swv. umstellen, angreifen; besetzen, einsäumen (kleider); zum stehn bringen; einstellen (die feindseligkeiten); bestimmen, anordnen; mit dp. als eigentum zuweisen; zur stelle bringen, besorgen, gewinnen; ordnen, einrichten; refl. sich richten, rüsten.

be-stellunge stf. besetzung; bestellung, anwerbung; anordnung, leitung.

besten adj. s. bästîn.

besten swv. binden, schnüren.

be-stendec adj. beständig, dauerhaft; erwachsen (vgl. be-standen); beistehend.

be-stentlich adj. sicher.

be-stërben stv. sterben (von erbe und erblasser); tr. den tod eines andern als dessen erbe erleben.

be-sterken swv. stärken; refl. verstärken.

best-houbet stn. das beste stück (vieh, dann auch gewand), das ein gutseigentümer

aus der verlassenschaft seines eigenmannes nehmen konnte.

be-stiehen stv. mit staub bedeckt sein od. werden.

be-stiften swv. gründen, einrichten, ausstatten; in nutzbesitz, in pacht geben.

be-stillen swv. ablassen von.

be-stimmen swv. benennen, bestimmen.

be-stiure stf. besteuerung.

be-stœren stv. zerstören; beunruhigen, verwirren.

be-stouben swv. bestäuben.

be-stôzen stv. bearbeiten, glätten, hobeln; vollstossen, -stopfen; anfahren, schelten; mit gen.: verstossen von, berauben.

be-sträfen swv. zurechtweisen, tadeln.

be-stræjen swv. bespritzen, bedecken.

be-strecken swv. ausspreitend bedecken.

be-strichen stv. bestreichen, anstreichen; glatt streichen; streichend berühren; befallen, erreichen, einholen, auf etwas stossen, begehen, durchwandern.

be-stricken swv. fangen, fassen, umstricken; refl. sich verbinden, verpflichten.

be-striten stv. bekämpfen.

be-striuwen s. beströuwen.

be-strouben swv. struppig machen; zerpflücken.

be-stroufen swv. bestreifen, streifend verletzen; berupfen, enthäuten, ausziehen; verkürzen, berauben mit gs.

be-ströuwen, -striuwen swv. bestreuen, bedecken; aus-, umherstreuen.

be-strûchen swv. straucheln, zu falle kommen, intr. u. refl.

be-stümbeln swv. verstümmeln.

be-stürzen swv. umstürzen, -wenden, umwendend bedecken, bestreuen; bildl. ausser fassung bringen, bestürzen.

be-süenen swv. sühnen, versöhnen.

be-sûfen stv. versinken, ertrinken; tr. verschlingen (part. besoffen u. besofet).

be-sulgen, -sulwen, -sülwen, -süln = besolgen.

be-sunder, -sundern adj. besonder; vornehm. adv. abgesondert; einzeln; besonders, vorzüglich.

be-sundern swv. absondern, trennen.

be-sungen swv. intr. u. tr. ansengen, -brennen.

be-sunnen part. adj. besonnen.

be-sünnen swv. der sonne aussetzen.

be-suoch stm. das recht einen ort als weideplatz zu benutzen; zinsen von ausgeliehenem gelde (s. gesuoch); prüfung.

be-suochen swv. suchen, nach-, auf-, besuchen; bewohnen, benutzen; feindlich anfallen; besichtigen, durch-, untersuchen; versuchen, erproben.

be-suochnisse stf. versuchung.

be-swachen swv. intr. schwach, kraftlos werden; tr. schwach, kraftlos machen.

be-swærde, -swære, -swærnüsse stf. bedrückung, kummer.

be-swæren, -swærden swv. drücken, belästigen, betrüben.

be-swëben swv. betauen.

be-sweifen stv. umfassen.

be-sweifen swv. umgeben, erfüllen mit.

be-sweigen swv. schweigen machen.

be-sweizen swv. mit schweiss bedecken.

be-swenken swv. betäuben, berücken, überlisten.

be-swern stv. bitten, beschwören; mit zaubersprüchen bewältigen.

be-swërn swv. mit geschwüren bedecken.

be-swich stm. abgang, schaden; betrug; betrüger. -swîche swm. betrüger.

be-swichen stv. tr. hintergehn, betrügen; — intr. mit dp. nachlassen, ermatten.

be-swigen stv. verschweigen.

be-swimen stv. von schwindel befallen werden.

be-swinde adj. u. adv. geschwind.

be-swingen stv. peitschen.

bët, bet s. bit, bëte, bette.

be-tagen swv. intr. tag werden; tagen, ans licht kommen, erscheinen; den tag über bleiben, die zeit hinbringen; mit dp. geschehen, widerfahren. — tr. als tag od. wie der tag worauf scheinen; zu tage bringen, gebären; den tag über behalten; den tag zubringen; erleben; auf einen bestimmten tag ein-, vorladen. — refl. alt werden (part. betaget ein gewisses alter habend).

bët-, bit-alle adv. durchaus, gänzlich.

be-tasten, -tastelen swv. betasten, befühlen.

bëte, bët stn. bitte, gebet. stf. bitte; gebot; abgabe.

bëte-alter stn. betaltar. -bære, -haft, -gültic adj. steuerpflichtig. -hûs stn. bethaus, jüd. oder heidn. tempel; oratorium. -korn stn. korn als abgabe.

-lich adj. um was zu bitten ziemt; bittend. **-liche** adv. wie zu bitten ziemt. **-liute** pl. zu *bëteman*. **-loch** stn. geheime betstätte. **-man** stm. beter; zinspflichtiger. **-stat** stf. betstätte. **-tâvel** stf. oraculum, propitiatorium. **-(bite)-vart** stf. bittgang, wallfahrt. **-verten** swv. wallfahrten. **-vrî** adj. abgabenfrei. **-wip** stn. bettlerin.
be-teben stv. über etw. fahren, drücken.
be-teidingen swv. (aus *betagedingen*) verabreden, unterhandeln, vertragsmässig feststellen; in einen vertrag einschliessen; vor gericht bringen, gerichtlich anklagen.
bëtel stm. das betteln.
bëtelære, -er stm. bettler.
be-tëlben stv. begraben.
bëtelen swv. betteln.
bëteli stf. bettelei.
bëtel-ruof stm. gebetlied der bettler. **-vuore** stf. bettelei.
be-telzen swv. besudeln.
bëten swv. bitten (um almosen); beten; anbeten.
be-tërmen, -tirmen swv. bestimmen.
be-tihten swv. schreiben, dichten, verfassen, ersinnen, erdichten; in einem gedichte melden, woraus (acc.) ein gedicht machen; mit überlegung herstellen.
be-timbern swv. verdunkeln.
be-tiuren, -türen swv. im werte anschlagen, schätzen; unpers. mit acc. u. gen. zu kostbar dünken, dauern.
be-tiurunge stf. bedauern, erbarmen.
be-tiuten s. *bediuten*.
be-tören swv. intr. zum toren werden.
be-tœren swv. zum toren machen, für einen toren ansehen, erklären, äffen, betrügen; betäuben.
be-touben swv. taub machen, betäuben; entkräften; vernichten; betören, erzürnen; *einen eines d. b.* berauben.
be-touben swv. erzwingen, zustande bringen.
be-touwen, -töuwen swv. intr. sich mit tau bedecken; tr. betauen.
be-trac stm. vertrag, vergleich; erwägung, sorge.
be-tragen stv. tragen, bringen; belegen, beschlagen mit (metallschmuck); ertragen; vollbringen; aussöhnen, beilegen.
be-tragen swv. refl. sich nähren, seinen unterhalt haben (gen., *ab, an, mit, von*); sich behelfen, begnügen; befassen, abgeben mit.

be-trâgen swv. unpers. langweilen, verdriessen, nicht gelüsten mit gs., *umbe* od. abh. satz.
be-trahte, -traht stf. erwägung, überlegung.
be-trahten swv. betrachten; bedenken, erwägen, abschätzen; tr. u. refl.; durch überlegung hindern; ausdenken; der beratung gemäss anordnen; denken an, streben nach.
be-trahtunge stf. innerliche betrachtung und vorstellung; überlegung; das trachten nach etw.
be-trëchen stv. verscharren, verbergen.
be-trehenen swv. beweinen.
be-trehtec adj. überlegend, verständig.
be-trëten stv. tr. kommen zu, angehn, aufsuchen, antreffen, erreichen, überraschen; überfallen, ergreifen.
be-triefen stv. betropfen.
be-triegen stv. verlocken; betrügen, betören, verblenden.
be-triuwen swv. in treue erhalten, schützen.
be-troc stm. betrug.
be-trogen part. adj. verblendet, eingebildet; falsch, betrügerisch.
be-trogenheit stf. verblendung, torheit.
be-trôren swv. beträufeln.
be-troufen swv. dasselbe.
be-trüebede, -trüebesale stf. trübsal.
be-trüeben swv. trübe machen, verdunkeln; betrüben, heimsuchen.
be-trüllen swv. betrügen.
be-truoben swv. intr. trübe, betrübt werden.
be-truop stm. kummer, betrübnis.
betschelier, beschelier stm. knappe, junger ritter (fz. *bachelier*, mlat. *baccalarius*).
betschat s. *petschat*.
bette, bet stn. bett, ruhebett; feld-, gartenbeet.
bette-brët stn. bettstelle. **-dach** stn. bettdecke. **-gespil** swf. bettgenossin. **-gewant, -gewæte** stn. bettzeug. **-lachen** stn. bettuch. **-mære** stn. bettgespräch. **-reste** stf. ruhe auf dem bette. **-ris** adj. bettlägerig, krank. **-rise** stm. krankheit. **-siech** adj. = *-ris*. **-spil** stn. = *minnespil*. **-stat** stf. schlafstätte, bett. **-wât** stf. bettzeug. **-zieche** swf. bettzieche, bettüberzug.
bettelin stn. kleines bett.
betten swv. das *bette* machen mit dp.
be-tüchen stswv. intr. u. refl. mit wasser bedeckt werden,

versinken, untergehn; in vergessenheit geraten.
be-tuften swv. mit tau, reif überziehen.
be-tumbelen swv. sinnlos machen.
be-tungen swv. düngen.
be-tunkelen swv. dunkel machen.
be-tunken swv. eintauchen.
be-tuon anv. beschliessen, einschliessen; bescheissen.
be-türen s. *betiuren*.
be-tützen swv. heimlich hintergehn.
be-twanc, -zwanc stm. zwang, bedrängnis; zudrang, gedränge.
be-twenge stn. bedrängnis.
be-twengen swv. in bedrängnis bringen.
be-twinc stm. zwang, heereszwang.
be-twingen stv. bedrängen, beengen (part. *betwungen* bedrängt, in not und kummer); bezwingen, bändigen; erzwingen, zwingen zu (gen., *an, ûf, zuo*, infin. od. untergeord. satz).
be-twunge stf. *mit b* massvoll.
betwungen-lich adj., **-liche** adv. erzwungen; mit kummer behaftet. **-schaft, betwungnust** stf. zwang.
be-üzen s. *bûzen*.
be-vâhen, -vân stv. abs. umfang haben, sich ausdehnen; tr. umfassen, -fangen; in sich begreifen; befürchen; erfassen, einnehmen, arrestieren; erfassen, begreifen, verstehn; anfangen; nötigen, zwingen (part. *bevangen, bevân* ergriffen, umfasst, begabt).
be-vallen stv. intr. fallen, hinfallen; gefallen mit dp. — tr. überfallen; fallend bedecken, ausbreiten über.
be-valten stv. zusammenfalten; umstricken.
be-vâren swv. besorgen, befürchten mit gs.
be-vœren swv. intr. sich vorsehen, aufpassen; tr. gefährden.
be-vâren swv. einziehen und besitz ergreifen von (*guot, acker* etc.).
be-vëlch stm. übergebung, aufsicht, obhut; befehl.
be-vëlgen swv. zueignen, übergeben mit dp.
be-vëlhen stv., md. *bevëlen* übergeben, überlassen, empfehlen, anvertrauen, bes. zum schutze; anheimstellen; als geschäft übertragen, anbefehlen.
be-vellen swv. fällen, zu falle bringen.
be-vestenen, -vesten swv. befestigen; festsetzen, bestätigen; verloben.

be-vílde s. *bívelde.*

be-víllen swv. geisseln.

be-víln swv. mit gs. etw. für gross, bedeutend halten; unpers mit acc. u. gen. zu viel sein, verdriessen.

be-vínde-lich adj., **-liche** adv. empfindend, empfindlich; gewiss, erfassbar. **-lichkeit** stf. empfindlichkeit; sicherheit.

be-vínden stv. finden; erfahren, kennen lernen, vernehmen; empfinden mit gen.

be-vítzen swv. umwinden.

be-víuhten swv. befeuchten.

be-vlammen swv. sp. anzünden.

be-vlěcken, -vlicken swv. becken.

be-vlěhten stv. umflechten.

be-vliezen stv. intr. fliessen; tr. fliessend bedecken, umfliessen.

be-vogten swv. beschützen; einen vormund geben; unterwerfen, bewältigen.

be-vor, -vorne, -vorn adv. räuml. vor, vorn, voraus; zeitl. vorher, vorhin.

be-vriden swv. frieden und schutz verschaffen (*von, vor,* gen.); umfriedigen, umzäunen.

be-vriesen stv. gefrieren.

be-vristen swv. erhalten.

be-vrühtigen swv. den *acker b.* besäen.

be-vüelen swv. fühlen.

be-vüelich adj. fühlbar, eindrucksvoll.

be-vür adv. bevor.

be-wachen, -wahten swv. bewachen.

be-wagen swv. refl. sich bewegen.

be-wæjen swv. anwehen.

be-wanc, -wenke adj. beweglich.

be-wanden swv. bekleiden.

be-wænen swv. beargwöhnen.

be-war, bi-war stf. schutz, bewahrung.

be-wærde, -wære stf. beweis, entscheidung.

be-wære adj. bewährt, zuverlässig.

be-wæren swv. als wahr dartun, wahr machen, beweisen; als wirklich dartun, erproben.

be-warn swv. sorgen für, besorgen, beschützen, bewahren vor, gegen (mit g. n., *von,* gen.); versehen mit; spez. einem das abendmahl reichen; euphem. begraben; verhüten, abwenden, unterlassen. — refl. mit gs. sich in acht nehmen vor, sich vorsehen.

be-warnen swv. sorgen für, bewahren; versehen mit; refl. sich vorsehen.

be-warten swv. im auge behalten, in acht haben; warten auf mit gs.

be-warunge stf. wahrnehmung, sorgfalt, achtsamkeit; *b. nemen* die sterbesakramente empfangen.

be-waten stv. tr. über etwas schreiten; refl. hineinwaten.

be-wæten swv. bekleiden.

be-wege, -wegede stf. bewegung.

be-wěgelich, -wěgenlich adj. beweglich.

be-wěgen stv. bewegen. — refl. mit gen. sich entschlagen, meiden, verzichten; sich wozu entschliessen.

be-wegen swv. bewegen. — refl. sich auf den weg machen; sich entschliessen.

be-wěgenheit stf. entschlossenheit.

be-wěgenliche adv. mit festem entschluss.

be-wěgnisse stf. bewegung, beweggrund; entschluss.

be-wěgunge stswf. bewegung, anreizung; beratung, beschluss.

be-weichen swv. erweichen.

be-weinelich adj. zu beweinen.

be-weinen swv. beweinen; mit tränen benetzen.

be-welben swv. wölben.

be-wěllen stv. in od. um etw. wälzen; rings umgeben, versehen; besudeln.

be-wenden swv. nach einer richtung hin wenden; umwenden; verwandeln, gestalten; anwenden, verwenden; zuwenden, übergeben (*zuo einem*). — refl. mit gen. sich von etw. entfernen; part. *bewant* beschaffen, verwandt; *sô bewant* solch.

be-wenke s. *bewanc.*

be-wěrben stv. erwerben, anwerben.

be-wěrde stf. gewährung.

be-wěrden stv. *b. lâzen* gewähren lassen.

be-wěrken swv. machen, bauen; mit ap. mit arbeit beschäftigen, versehen.

be-wěrn swv. gewähren.

be-wern swv. verwehren, hindern; beschützen, refl. sich schützen.

be-wěrren stv. tr. in verwirrung bringen; intr. in verwirrung sein.

be-weten stv. refl. in etwas waten.

be-widemen swv. ausstatten, dotieren.

be-wigen swv. refl. mit gen. sich wozu entschliessen.

be-wilen swv. verschleiern.

be-wilen s. *biwilen.*

be-wimpfen swv. verhüllen.

be-winden stv. umwinden, -wickeln, bekleiden; umstricken, verhüllen, verheimlichen.

be-winnen stv. = *gewinnen.*

be-wirken s. *bewürken.*

be-wis s. v. a. *wîstuom.*

be-wisen swv. anweisen auf, unterweisen, lehren, belehren mit ap. u. gs. od. dopp. acc.; zeigen, aufweisen, beweisen; überweisen (als lehen), übergeben, bezahlen.

be-wisen swv. besuchen.

be-wisunge stf. beweis; anweisung, verschreibung; offenbarung; benehmen.

be-witern swv. wie mit wettern bestürmen.

be-worrenheit stf. verwirrung.

be-worten swv. durch worte ausdrücken.

be-würken, -wirken swv. umfassen mit, einschliessen in, umhegen.

be-zaln swv. überzählen, berechnen; als eigen zuzählen, erkaufen, erwerben; bezahlen; abs. den tod erleiden.

be-zeheren swv. beweinen.

be-zeic stn. beweis.

be-zeichenen swv. bildlich vorstellen, mit einem zeichen ausdrücken; bedeuten, vorbedeuten; refl. sich beziehen auf.

be-zeichenheit, -zeichenunge stf. vorzeichen, symbol, bedeutung.

be-zeichenlich adj. sinnbildlich bedeutsam, figürlich.

be-zeichlichkeit stf. *nâch b.* secundum imaginationem.

be-zeigen swv. anzeigen, kund tun.

be-zeinen swv. bezeichnen.

bezel swf. haube.

be-zeln, -zellen swv. erzählen; zu eigen geben, anheimstellen; erwerben.

be-zelten swv. mit zelten versehen.

be-zěmen stv. *einen b. lâzen,* tun lassen, was ihm ansteht.

be-zern swv. verköstigen.

be-zic stm. beschuldigung.

be-ziehen stv. kommen zu, erreichen, umstricken; überziehen; ein kleid besetzen, füttern; einziehen, an sich nehmen.

be-zieren swv. schmücken.

be-zigen swv., **-zihen** stv. mit gs. beschuldigen.

be-ziln swv. intr. zum ziele kommen, enden. — tr. u. refl. beendigen, zu ende gehn, etwas als ziel erreichen.

be-zimbern swv. bauen, mit gebäude besetzen.

be-zinnen swv. mit od. wie mit zinnen versehen.

be-zirc stm. umkreis, bezirk.

bezîte adv. bei zeiten.

be-ziugen swv. ausrüsten; durch zeugnis beweisen, überführen.

be-ziugnisse stnf., **-ziugsame**, **-ziugunge** stf. zeugnis, beweis.

be-ziunen swv. umzäunen; in klausur legen.

be-zoc stm. unterfutter.

be-zoubern swv. bezaubern.

be-zougen, -zöugen swv. zeigen, bezeigen; erklären.

be-zücken, -zucken swv. überlisten, betören; schnell wegziehen.

be-zürnen swv. erzürnen; intr. mit dat. zorn erregen.

be-zwanc s. *betwanc.*

be-zwiveln swv. bezweifeln.

bezzer, bazzer adj. besser.

bezzer-haft adj. straffällig. **-lich** adj. auf besserung anderer gerichtet; zur besserung gereichend.

bezzern swv. bessern, verbessern, refl. besser werden; mit dp. vergüten, entschädigen; büssen, strafe wofür (acc.) leiden; bestrafen.

bezzerunge stf. besserung, entschädigung, busse; vorteil.

bezzist, best adj. best.

bi präp. mit dat. u. acc. räuml. bei, um, an, auf, zu; vor zahlen: an, nahe bei; zeitl. während, binnen, unter; instrum. durch, an; kausal wegen, aus, von, wobei man schwört und beschwört; concess. trotz.

bi adv. bei, dabei, in der nähe, neben, besond. neben einem verb u. dativ (*einem bî gân, komen, ligen, sîn, stân* usw.); *mir wont bî* mir ist eigen.

bibel s. *biblie.*

biben, bibenen swv. beben.

biber stm. biber.

biber-geil stn. bibergeil.

bi-bilde stn. beispiel, gleichnis.

biblie, bibel swf. buch; die bibel (nach gr. lat. *biblia*).

bi-bote swm. hilfsbote.

bi-bôz stm. beifuss (pflanze).

bi-bruoder stm. unehelicher halbbruder.

bibunge stf. das beben.

bic, pic, -ckes stm. stich, schnitt.

bichen swv. verpichen.

bicke swm. spitzhacke.

bickel stm. spitzhacke, picke; knöchel, würfel.

bickel-meister stm. aufseher beim *bickelspil.* **-spil** stn. würfelspiel. **-stein** stm. würfel.

bicken swv. stechen, picken.

bidemen swv. beben.

bi-derbe, bi-dérbe adj., auch *béderbe, bedérbe,* verkürzt *bider:* tüchtig, brav, bieder, angesehen; brauchbar, nütze.

bi-derben, be-dérben swv. intr. nützlich sein. — tr. nützen, gebrauchen; brauchen, bedürfen; tüchtig, dauerhaft machen; als nützlich empfehlen.

bider-man stm. unbescholtener mann. **-wîp** stn. unbescholtenes weib.

bie swf. biene (s. *bin*).

bie stn. bienenschwarm.

bie-brôt stn. honigfladen.

biec stm. = *bâc.*

biege stf. neigung.

biegel stm. winkel, ecke.

biegen stv. II, 1 biegen, beugen, krümmen.

bieger stm. zänker, streiter (s. *bâgen*).

biegger stm. gleisner (umd. von *begehart*).

bieggerie stf. gleisnerei.

biel s. *bîhel.*

bien swv. nahe sein, sich nähern.

bienst s. *biest.*

bier stn. bier.

bier-briuwe swm., **-briuwer** stm. bierbrauer. **-ouge** swm. ein bürger der das recht hat bier zu brauen und zu schenken.

biese swf. binse.

biest, bienst stm. die erste milch der kuh nach dem kalben.

biet stm. das bieten, gebieten.

biet stfn. gebiet; lager.

bieten stv. II, 2 md. auch *bûten:* bieten, anbieten, darreichen, strecken (*hôhe b.* im spiele einen hohen einsatz tun; *sîn unschulde b.* unschuldig zu sein behaupten; *sich ûf diu knie, ûf die erde b.*), niederknien; *ez wol bieten* mit dat. freundlichkeit erweisen); gebieten.

biet-stein stm. grenzstein.

biever stn. = *fieber.*

bieze f. mangold (lat. *beta*).

biezen s. *biuzen.*

bi-ganc stm. umschweif.

bige f. aufgeschichteter haufe, beige.

bi-giht, -gihte be-giht, bihte stf. bekenntnis, beichte.

bi-, be-graft stf. begräbnis.

bi-gürtel stm. geldkatze.

bihel, biel, bil stn. beil.

bihtære, bihtegære, -er stm. bekenner; beichtvater.

bihte s. *bigiht.*

bihtec, bihtic adj. beichtend.

bihtegen, bihten swv. beichten; mit ap. einem die beichte abnehmen.

biht-vater stm. beichtvater.

bil, -lles stm. bellende stimme.

bil, -lles stm. beil.

bil stm. der augenblick wo das gejagte wild steht und sich gegen die hunde zur wehr setzt; umstellung durch die bellenden hunde; gegenwehr, kampf.

bi-lant stn. nachbarland.

bilch f. haselmaus.

bildære, -er stm. bildner; vorbild.

bildærinne stf. bildnerin.

bilde stn. bild, werk der bildenden kunst; menschenbild körperbildung, gestalt (*mannes, wîbes b.* mann, weib); gestaltung, art, vorbild, beispiel, gleichnis.

bildec adj. bildlich.

bilde-lich adj. bildlich; sinnlich wahrnehmbar; bildsam, duldsam.

bilde-mâler stm. bildmaler.

bilden swv. mit bildern verzieren; gestalten, nach-, abbilden, vorstellen.

bildenære stm. = *bildære.*

bildenærinne stf. bildnerin, vorstellungskraft.

bildnisse stn. bild, gleichnis.

bildunge stf. bildnis, gestalt; myst. sinnliche vorstellung.

bi-léger stn. beilager.

bi-leger stm. mithelfer.

bi-leite stn. begräbnis.

bilen swv. bellen. — tr. durch bellen zum stehn bringen.

bilern, biler stm. zahnfleisch.

bilgerim, -in, pilgerin stm. pilger, kreuzfahrer; wanderfalke (auch *bilgerin-valke;* aus mlat. *peregrinus*).

bille s. *bélle.*

bilie stswf. = *bil,* steinhaue.

billen swv. behauen, schärfen.

billian stm. eine mit kupfer vermischte silbermünze.

bil-lich adj. billig, gemäss. **-lich** stm., **-liche** f. gemässheit, billigkeit. **-licheit** stf. *sîn selbes b.* selbstgerechtigkeit. **-liche,** adv. billig, gemäss; von rechts wegen.

bil-slac stm. beilschlag.

billunc stm. neider, neid.

bilwiz, bilwiz m. f. n. kobold.

bimënte s. *pigmënte.*

bimz stm. bimsstein.

bin anv. von diesem stam. me: *ich bin, dû bis (bist), wir birn; ir birt,* imperat. *bis.*

bin präp. mit dat. innerhalb, während (s. *binnen*).

bin, bin stswf. biene (s. *bie*).

bi-, be-namen adv. im vollen sinne des wortes, wirklich; mit namen, namentlich.

binde swf. binde, band.

binden stv. III, 1 binden, fesseln; verbinden (wunden); *daz houbet b.,* das *gebende* anlegen, ebenso *einem b.* (näml. *houbet*); *triuwe b.* verpflichten; *gebunden sîn ze* oder mit gs. verpflichtet sein zu.

binder stm. fassbinder.

binen-bie stm. bienenstich.

binen-wurm stm. biene.

bine-weide stf. bienenweide.
bineʒ, binʒ stm. swf. binse.
binge stf. vertiefung, graben.
binlin, binlin stn. kleine biene.
binnen adv. innerhalb; präp.
mit dat. binnen, innerhalb,
mit gen. *binnen des* unterdes,
während.
bint, *-des* stm. band, bindung,
verbindung.
bint-rieme swm., -seil stn.
riemen, seil zum binden.
bin-vaʒ stn. bienenkorb.
bin-wërf stn. messerklinge.
binʒ s. *bineʒ*.
bir, bire stswf. birne (lat.
pira, pl. von *pirum*).
birden swv. tragen, hervorbringen.
birec adj. fruchtbar.
bi-rede stf. nebenrede, umschweife.
birge stn. gebirge.
birin stf. bärin.
birkach stn. birkenwald.
birke, birche swf. birke.
birkin adj. von der birke.
birlinc s. *bürlinc*.
birsære, -er stm. birscher.
birse-hunt stm. jagdhund.
birsen, pirsen swv. birschen,
eig. innerh. des parkzaunes
(mlat. *bersa*) jagen.
birse-weide stf. jagd.
birs-gewant, -gewæte stn.
jagdkleidung.
bis imperat. s. *bin*.
bisant, bysant, bisantine, bi-
sanzer stm. goldmünze (v.
Byzanz).
bi-sæʒe, -sëʒʒe swm. bei-
sasse, einwohner der nicht bürger ist.
bi-schaft stf. belehrende geschichte, fabel; ausdeutung
einer solchen; vorzeichen, vorbedeutung.
bischof, bischolf, *-ves* stm.
bischof (gr. lat. *episcopus*).
bisch-, bis-tuom stn. (statt
bischoftuom) bistum.
bise, pise stf. erbse (mlat.
pisa).
bise f. nord-, ostwind.
bisem swstm. bisam (mlat.
bisamum, hebr. *besem*).
bisemen swv. mit *b.* versehen.
bisen swv. intr. rennen wie
von bremsen geplagtes vieh.
bisesche stf. sack, tasche.
bi-sëʒ, -sëʒʒe s. *besëʒ, bisæʒe*.
bi-sitzer stm. beisitzer; s. v. a.
bisæʒe.
bi-slac stm. nebenschlag; abfall beim schlagen, etw. ge-
ringfügiges; nachgeschlagene
schlechtere münze.
bi-släfe stf. beischläferin.
bi-slëht adj. ganz gefüllt.
bis-mânôt stm. august.
bi-sorge f. fürsorge; seelsorge

bi-spël stn. zur belehrung
erdichtete geschichte, fabel,
gleichnis, sprichwort.
bi-sprâche stf., -spræche stn.
verleumdung.
bi-sprëcher stm. verleumder.
bi-spruch stm. sprichwort.
bisse swm. feines gewebe
(gr. lat. *byssus*).
bi-stal stn. die türpfosten.
bi-stant stm. beistand, hilfe.
bi-stender stm. augenzeuge;
helfer, genosse.
bit stn. gebet.
bit s. *biʒ*.
bit, bët präp. md. statt *mit*.
bit stn. verzug.
bi-tal stn. convallis.
bit-alle s. *bëtalle*.
bite bit, bîte bit stf. das verweilen, zögern.
bitec adj. zaudernd, zögernd.
bitel stm. der eine bitte vor-
bringt, freier, freiwerber.
bitelen swv. bitten, werben.
bite-lôs adj. nicht zum warten
geneigt, ungeduldig.
biten, bitten stv. V bitten mit
ap. (auch dp.) u. gs.; laden;
vor gericht laden; dp. eine bitte,
ladung vorbringen; für einen
bitten (näml. gott), wünschen
mit gs.; heissen, befehlen.
bîten stv. I, 1 verziehen, warten.
biter, bitter stm. der bittet,
bettler; bewerber, freier.
bite-vart s. *bëtevart*.
bi-trit stm. fehltritt.
bitter adj. bitter.
bitter, bittere stf. bitterkeit.
bitterkeit stf. (aus *bitterec-
heit*) bitterkeit; bittres leid.
bittern swv. intr. bitter sein.
— tr. bitter machen.
bitze stf. md. baumgarten.
biuche stf., büche m? lauge,
laugebad; bildl. pein, qual.
biuchelin, biuchel stn. kleiner
bauch.
biuchen, büchen swv. mit
lauge waschen, figürl. verweis
geben, strafen.
biuge stf. krümme, biegung.
biule stswf. beule.
biu-, bû-lich adj. adv. bau-
lich; *b. sitzen*, häuslich angesessen sein.
biunte, biunde stswf. freies,
besonderem anbau vorbehal-
tenes und eingehegtes grundstück, gehege.
biurisch adj. bäuerisch.
biuschen, büschen swv.
schlagen, klopfen.
biute f. backtrog; bienenkorb.
biute stf. beute (nd.).
biutel stmn. beutel (mehl-,
geldbeutel), beutelsieb, tasche.
biuteln swv. durch einen beutel (mehlbeutel) sieben, sichten.

biutel-snider stm. beutelschneider.
biuten, bûten swv. beuten,
erbeuten, beute machen, rauben; tauschen, handeln.
biutigen swv. erbeuten.
biutunge stf. beute, erbeu-
tung; tausch.
biuwen s. *bûwen*.
biuʒ, bûʒ stm. schlag,schmiss.
biuzen, bûʒen, bieʒen stv. III
schlagen, stossen.
biuʒen swv. hauen, behauen.
bi-vanc stm. umfang, das
von den furchen eingefasste
ackerbeet; bezirk, gemarkung,
grenze; vorbehalt.
bi-velde, be-vilde stf. (ält.
form *bevilhede*) leichenbegängnis, totenfeier.
bi-velt str. benachbartes feld,
umgebung.
bi-vilden swv. begraben.
bi-vride stm. waffenstillstand.
bi-wandel stm. umgang.
biwar s. *bewar*.
bi-wëc stm. nebenweg, bildl.
nebenerzählung.
bi-wësen stn. beisein, gesellschaft.
bi-, be-wîlen adv. bisweilen.
bi-woner stm. bei-, mit-
wohner.
bi-wort stn. nebenwort, adv.;
gleichnisrede; sprichwort.
biʒ konj. u. präp. bis, md.
auch *bit*.
biʒ stn. die gebissene wunde:
gebiss des pferdes.
biʒ, biz stm. biss; bissen;
stich.
biʒ stm das beissen.
biʒe swm. zuchteber (bissiges
tier).
bi-zeichen stn. bedeutung;
zur erklärung oder nachahmung
dienendes beispiel.
bizen stv. II beissen, stechen.
bi-ziht stf. beschuldigung.
bi-ziune, -zûne stn. eingezäuntes grundstück.
bi-zunge stf. doppelzunge,
verleumderische zunge.
bizze swm. bissen; schliessen
des mundes zum beissen; der
keil
blâ, -wes adj. blau.
blâ s. *blahe*.
blach adj. = *vlach*.
blâch stmn. das wehen,
blähen.
blach-, bla-mâl stn. niello-
verzierung.
blâdem stm. das blähen.
blahe, blâ swf. grobes leintuch; plane.
blæjen, blægen, blæwen, blæn,
blâgen, blâhen, pflâgen swv.
intr. blasen. — tr. u. refl.
blähen, aufblähen; schmelzen
und durch schmelzen bereiten.

blæjen, blægen, blæn swv. blöken.

blâ-licht adj. blauglänzend. **-slac** stm. blaue flecke verursachender schlag. **-var** adj. blaufarbig. **-vuoʒ** stm. blaufuss, eine falkenart. **-weitin** adj. waidblau.

bla-mâl s. *blachmâl.*

blâmensier, blâmentschier stm. eine art speise (fz. *blanc manger*).

blanc adj. blinkend, weiss glänzend schön.

blanden redv. 1, trüben, mischen, getränk mischen, bildl. anstiften.

blangen s. *belangen.*

blanke s. *planke.*

blanken swv. *blanc* sein, glänzen.

blaphart stm. eine art groschen.

blas adj. kahl; bildl. schwach, gering, nichtig.

blas stn. brennende kerze, fackel.

blâs stm. hauch.

blâsære, -er stm. bläser.

blâse swf. blase bes. harnblase.

blâsen redv. 2 blasen, hauchen, schnauben.

blasenieren, blesenieren swv. ein wappen ausmalend schmükken, es auslegen (fz. *blasonner*).

blasse stf. weisser fleck bes. an der stirn der tiere.

blâst stm. das blasen, schnauben; die blähung; bildl. zwist.

blâstern swv. schnauben.

blæstic adj. aufgeblasen.

blat stn. blatt, laub; blatt im buche; halszäpfchen.

blate, plate swf. metallner brustharnisch, plattenpanzer; felsplatte; schüssel; glatze, bes. die tonsur der geistlichen; pers. geistlicher, mönch (mlat. *plata*).

blaten swv. intr. auf dem blatte pfeifen. — tr. pflücken; entlauben.

blatenære, blatner stm. verfertiger des plattenpanzers; geistlicher, mönch.

blâtere swf. blase, blatter; pocke; wasser-, harnblase.

blâter-pfîfe swf. dudelsack. **-spil** stn. spiel auf dem dudelsacke.

blate-vuoʒ stm. plattfuss.

blatîse f. plattfisch (mlat. *platessa*).

blatzen, platzen swv. intr. geräuschvoll auffallen. — tr. schlagen.

blæwe stf. bläue.

blæwen s. *blæjen.*

blæwen swv. *blâ* machen.

blaz, plaz stm. platschender schlag.

blâʒen swv. blöken.

---

blêch stn. blättchen, metallblättchen; zierat auf der weibl. kleidung; pl. plattenpanzer.

blech stm. ebener raum, fläche (zu *blach*).

blêchin, blêchen adj. von blech.

blêch-wëre stn. geräte von blech; blechbeschläge.

blecken swv. intr. sichtbar werden, sich entblössen. — tr. sehen lassen, zeigen.

bleczen swv. blitzen.

bleich adj. bleich, blass.

bleiche stf. blässe; das bleichen von leinwand usw.; bleichplatz; gebleichte leinwand.

bleichen swv. intr. bleich werden. — tr. bleich machen, bleichen.

bleich-sal adj. schmutzig blass. **-var** adj. bleich v. farbe.

bleie swf. bleie (fisch).

blenden swv. blenden, verblenden, verdunkeln. — refl. verblendet, verstockt sein.

blenke adj. = *blanc.*

blenke stf. weisse farbe, schminke.

blenkeln swv. hin und her bewegen.

blenken swv. *blanc* machen; hin u. her bewegen, schweben; intr. unstät umherfahren.

blenkezen swv. intens. zu *blenken.*

blêren, blerren swv. blöken, schreien.

blerre stn. = *geblêre.*

blerre stn. falsches und doppeltes sehen.

blesenieren s. *blasenieren.*

blesseht, blesset, blessic adj. mit einer *blasse* (auf der stirne) versehen.

blesten swv. klatschend auffallen, platschen.

bletelin, bletel stn. dem. zu *blat.*

bleteren swv. blättern.

bletzen swv. einen flicken aufsetzen; pfropfen.

bletzern swv. flicken.

blez, -tzes stm. lappen, flicken, fetzen; streifen landes, beet.

bli, -wes, -ges stnm. blei; richtblei.

blialt, bliant, bliât stm. golddurchwirkter seidenstoff (prov. *blial*, afz. *bliaut*).

bliben s. *belîben.*

blic, -ckes stm. glanz, blitz, blick der augen, anblick (*ze blicke* für den anblick).

bliche adj. bleich.

bliche swf. ort zum bleichen der wäsche.

blichen stv. I, 1 glänzen; erröten.

blichern swv. blank machen.

blicken swv. blicken, glänzen.

blic-lich adj. glänzend.

---

blic-schôʒ stnm. blitzstrahl.

blicz stm., **blicze** swm. blitz.

bliczen swv. blitzen.

blide adj. froh, heiter, freundlich; artig, sittsam.

blide stf. freude.

blide stswf. steinschleuder.

blidec, blidec-lich adj. = *blîde.*

bliden swv. sich freuen (s. *erblîden*).

blidenære stm. steinschleuderer.

bliden-hûs stn. geschützhaus.

blide-keit, -schaft, blischaft stf. freude, fröhlichkeit.

blien swv. mit blei beschweren; bildl. betäuben.

blijin, bligin, bligen, blien adj. bleiern.

blî-kiule swf., **-kolbe** swm. bleikeule. **-kloz** stm. bleikugel. **-masse** f. bleiklumpen. **-var** adj. bleifarbig. **-weich** adj. weich wie blei. **-zeichen** stn. bleisiegel.

blinde stf. blindheit.

blindec-heit, blindekeit stf. blindheit; verfinsterung.

blinden swv. blind werden; tr. = *blenden.*

blint, -des adj. blind (mit gen. od. *an*); dunkel, trübe; versteckt, nicht zu sehen, nichtig. **-heit** stf. blindheit, mangel. **-liche** adv. unvorsichtig. **-rich** stm. blindheit. **-sliche** swm. blindschleiche.

blinzeln, blinzen swv. blinzeln.

blischaft s. *blîdeschaft.*

blitze swm. blitz.

blitzen swv. leuchten, blitzen; blitzschnell sich bewegen, hüpfen.

bliuc s. *blûc.*

bliuge stf. = *blûc-heit.*

bliugen swv., md. *blûgen* einschüchtern, verlegen machen.

bliuwât stf. das prügeln.

bliuwe stf. hanfreibe; stampfmühle.

bliuwel stm. bläuel; stampfmühle.

bliuweln, bliulen swv. mit dem *bliuwel* schlagen.

bliuwen stv. II, 1 bläuen, schlagen.

blî-visch stm. blei, bleie.

blech, bloc stn. holzklotz, block; bohle; eine art falle.

blocken swv. ins *bloch* setzen.

blœde adj. ge-, zerbrechlich, schwach, zart; zaghaft.

blœde, blœdekeit stf. gebrechlichkeit, schwäche, zagheit.

blœdec-, blœde-liche adv. zaghaft.

blôdern, plôdern swv. intr. rauschen. — tr. plaudern, ausplaudern.

blôʒ adj. nackt, unverhüllt, entblösst; nicht gewaffnet; unvermischt, nichts als, bloss; ent-

blösst von, rein von mit gs. od. *von, vor.*

blœʒe stf. blösse, nacktheit (bartlosigkeit); freier, offener platz im walde.

blôʒen swv. *blôʒ* sein.

blœʒen swv. *blôʒ* machen; entkleiden.

blôʒ-heit stf. nacktheit, unverhülltheit (der abstrakte und absolute zustand).

blœʒ-liche adv. unverhüllt, offenbar; gänzlich.

blûc, bliuc, *-ges* adj. zaghaft, schüchtern, verlegen, unentschlossen.

blûc-heit, bliukeit stf. schüchternheit. **-(bliuc)-lich** adj. = *blûc.* **-(bliuc)-liche** adv. auf verlegene, schüchterne, zaghafte art.

blüe, bluo stf. blüte.

blüegeln, blüegen swv. brüllen.

blüejen, blüegen, blüewen, blüen swv. intr. blühen; tr. als blüte tragen, blühen machen.

blüemelin, blüemel stn. blümchen.

blüemen swv. mit blumen od. überh. schmücken, verherrlichen.

blüemin adj. von blumen; mit blumen geschmückt.

blüete-risel stn blütenzweiglein.

blüewen s. *blüejen.*

blügen swv. *blûc,* schüchtern werden, ermatten (s. *bliugen*).

bluhen swv. brennen, leuchten.

blunder, plunder stswm. hausgerät, kleider, wäsche, bettzeug.

blunsen swv. aufblähen.

blunst stm. blähung.

blunt, *-des* adj. blond (fz. *blond*).

bluo s. *blüe.*

bluom-besuoch stm. viehtrieb, weiderecht. **-ôstern** pl. palmsonntag (auch *bluom-ôstertac*). **-var** adj. von blumen bunt, bunt wie blumen.

bluome swmf. blume, blüte (*Kristes b.n* die wundmale Christi), bildl. das schönste, beste seiner Art; jungfrauschaft, menstruation; nutzen, ertrag eines landguts (bes. an gras und heu). **bluomen** swv. blumen treiben, blühen. **bluomen-kranz** stm. *aller manne schoene ein b.* das höchste an mannesschöne. **-suoch** stm. = *bluombesuoch.* **-schiu** stm. blumenglanz übertr.

bluost stf. blüte.

bluot, stmf., blüete stf. blüte **bluot, pluot** stn. blut; blutfluss; blutsverwandtschaft, stamm. geschlecht; blutsverwandter; lebendes wesen, menschen.

bluot-ban stm. gerichtsbarkeit über leben und tod. **-gieʒer** stm. blutvergiesser, **rôtvar** adj. blutrot gefärbt. **-runs, -runst** stmf. blutfluss, blutige wunde. **-runs, -ruusic** adj. blutig wund. **-suht** stf. blutfuss. **-var,** sp. **-verwic** adj. von blut gefärbt, blutfarbig. **-zêhende** swm. viehzehnte.

bluotec adj. blutig (*bluotiger phenning* busse für einen totschlag). **-var** adj. = *bluotvar.*

bluoten swv. blühen.

bluoten swv. bluten.

bluoten swv. opfern.

bluotigen swv. blutig machen.

blut adj. bloss, nackt.

bobe, bobene, boven, bobenthalben adv. u. präp. mit dat. oben, oberhalb.

boc-, -ckes stm. bock; hölzernes gestell; ramme; ein musikal. instrument; sternbild; *böcke* hiessen auch knechte, die in fehden dienten.

bochen, puchen swv. pochen, trotzen; plündern.

boch-wort stn. trotzwort.

bocken swv. intr. niedersinken; gebeugt sein. — tr. u. refl. niederlegen.

bocken, böcken, pucken swv. stossen wie ein bock; stinken wie ein bock; als kriegsknecht (s. *boc*) dienen; spielen, mit karten spielen.

böckezen, bückezen swv. wie ein bock springen und stossen.

böckisch adj. u. adv. nach art eines bockes, unziemlich.

bodem, boden stm. boden, grund; kornboden, -haus; schiff, floss; fleisch vom hintern teile, bodenstück.

bogære stm. bogenschütze.

boge swm. bogen (die waffe); halbkreis; regenbogen; sattelbogen.

bogen swv. intr. einen bogen bilden, in bogen sich bewegen; in bogen fliessen, springen (von blut und wunden). — tr. zu einem bogen machen.

bogenære stm. bogenschütze; bogenmacher.

bogen-rêht stn. berechtigung zum wollschlagen. **-(bog)-rucke** adj. höckerig. **-schuʒ** stm. bogenschuss. **-strange** swf. bogensehne. **-zein** stm. pfeil.

boge-stal stn. bogenschussweite. **-ziehære** stm. bogenspanner.

bog-wunde swf. fliessende wunde (s. *bogen*).

boien swv. in fessel legen.

boije, boye, boie, beie, beige swfm. fessel (lat. *boja*).

bole swf. bohle.

boler stm. wurfmaschine; böller.

bolle stf. nachmehl, gebäck aus solchem (mlat. *polen, -inis*).

bolle swf. knospe; kugelförmiges gefäss.

bollen, bollern swv. poltern.

boln swv. schreien, blöken

boln swv. rollen, werfen, schleudern; kunstvoll anbringen.

bolster, polster stm. polster.

bol-wêrc stn. wurfmaschine; bollwerk.

bolz stm. brei, mehlbrei (lat. *puls, pultis*).

bolz stm., **bolze** swm., bolzen; lötkolben; schlüsselrohr.

bolz-gevidere stn. gefiederter pfeil.

bôm, bôn s. *boum.*

bône stf. bohne; etw. wertloses, geringes.

bônit stn. mütze (fz. *bonnet*).

bôn-sât stf. mit bohnen bestelltes feld.

bor n., **borer** stm. bohrer.

bor, borstm. oberer raum, höhe.

bor, bore zusammenges. mit adj. u. adv. steigernd: gar, sehr od. ironisch verneinend (z. b. *boregrôʒ* sehr gross, klein).

bôr stm. trotz, empörung.

bor-büne stf. emporkirche.

borc, *-ges* stm. borg; das erborgte, entliehene; bürgschaft.

bœre stf. höhe, erhebung.

bœren swv. erheben.

borge s. *bürge.*

borge stf. aufschub.

borgen swv. mit gs. worauf acht haben; mit einem (dat.) in bezug auf etw. (gen.) nachsicht haben, ihn (dat.) schonen, ihm zahlung erlassen; einem etw. anvertrauen, borgen; borgen, entlehnen von einem (*von, ze*); schuldig bleiben, unterlassen; ermangeln, arm sein mit gen. od. *an*; bürgen, fristen; bürge sein für (acc.), verbürgen. — refl. mit gs. entschlagen.

borke swf. rinde (nd.).

bor-kirche stf. die emporkirche.

born s. *burne.*

born swv. bohren.

bornen s. *burnen.*

borst stnm., **borste** swf. borste (s. *burst*).

borsten swv. mit borsten versehen.

bort stnm. rand bes. schiffsrand, bord.

borte swm. rand, einfassung, besatz; ufer; band, borte, schildfessel, gürtel.

borte s. *porte.*

börtelin stn. dem. zu *borte.*

bort-side f. seide, woraus borten verfertigt werden.

börzel s. *bürzel.*

bosch, bosche s. *busch.*

bœse, bôse adj. böse, schlecht, übel, gering, wertlos, gemein (nicht von adel), schwach, geizig u. ä. (gegensatz *biderbe, edel, milte, riche*).

bœse stf. schlechtigkeit, bosheit

bôsen, bœsen swv. intr. u. refl. schlecht werden oder sein; böses tun.

bœsern swv. intr. schlechter werden. — tr. schlechter machen; ärgern. — refl. sich verschlechtern.

bœse-wiht stm. verachteter und verächtlicher mensch.

bôsheit stf. wertlosigkeit, nichtigkeit; schlechte eigenschaft, böses denken und handeln, böses; geiz.

bœs-liche adv. auf schlechte weise; iron. wenig, gar nicht. -willigen swv. malignari.

bœsunge stf. schlechtmachung, ärgernis.

bot stn gebot; eine partie im spiel; versammlung aller mitglieder einer zunft; *al bot* jedesmal; *diu brôt des botes* panes propositionis.

bot-bære adj. botmässig.

bot-dinc stn. das gebotene gericht.

bote swm. bote (*mehtige, gewisse boten* bevollmächtigte); als schachfig. achte *vende.*

botech stm. rumpf, leichnam.

botecher stm. büttner.

botech, boteche, püttich stm. swf. bottich.

botelin stn. dem. zu *bote.*

boten swv. bote sein, verkündigen.

boten-brôt stn. botenlohn; nachricht. -miete stf. botenlohn.

bote-, bot-schaft stf. botschaft, bestellung; verheissung des ewigen lebens; bericht; vollmacht; ausserordentliche (gebotene) gerichtssitzg. -schaften, -scheften swv.eine botschaft ausrichten, verkündigen

bot-, boʒ-schuoch stm. eine art grober schuhe.

botwar swf. schmähung, verleumdung.

botwære stm. verleumder, schmäher.

botwæren, botwarn swv. schmähen, verleumden.

botwarer stm. = *botwære.*

bou s. *bû.*

bouc, -ges stm. ring, spange, kette bes. hals- oder armring (als schmuck); fessel.

bouchen stn. zeichen, vorbild; bedeutsames ereignis.

bouge swf. beugung, neigung; s. v. a. *bouc.*

bougen swv. biegen, beugen; techn. von der arbeit in getriebenem metalle.

bouke swf. = *pûke.*

boum stm. (auch *boun, bôm, bôn, bâm*) baum; stammbaum; stock zum festlegen gefangener; stange; lichtstock, leuchter; totenbaum, sarg. boum-garte swm. baumgarten. -klimmer stm. baumkletterer. -zaher stm. baumharz. boumelin, böumel stn. kleiner baum. boumen swv. mit bäumen bepflanzen. — refl. sich bäumen.

boumin, böumin adj. hölzern.

bouwen s. *bûwen.*

bovel, povel stmn. volk, leute (afz. *poblus*, lat. *populus*).

boye s. *boije.*

bôʒ, boʒ stnm. schlag, stoss.

bôʒe, boʒ m. kurzer stiefel.

bôʒe swm. flachsbündel; geringerer knecht, bube.

bôʒeln swv. klopfen, schlagen.

bôʒen redv. 5 u. swv. schlagen, klopfen; kegel spielen; würfeln.

bôʒer stm. kegelspieler.

bôʒ-kugel swf. kegelkugel.

bôʒolt stm. *den b. treten* obsc.

boʒ-schuoch s. *botschuoch.*

brâ stswf. pl. *brâ, brâwen, brân:* wimper, braue.

brach stm. gekrach, lärm.

bræh, præch stn. gepräge.

brâche stf. umbrechung des bodens nach der ernte; umgebrochen liegendes, unbesätes land.

bræche stf. das brechen, abbrechen, absetzen.

brachen stn. = *brach.*

bræchen swv. in den zustand der *brâche* bringen.

bræchen, præchen swv. prägen.

brâch-mâne swm., -mânôt stm. brachmonat juni.

brâchôt stm. zeit der brache, brachmonat.

bracke swm. spür- und spielhund (fz. *braque*).

bracken-seil stn. seil, woran der *bracke* geführt und geleitet wird.

brâdem, bradem stm. dunst; dem. brædemichin stn. hauch.

brâdemen swv. dunsten, dampfen.

bræhen swv. tr. riechen.

brahsem, brasme, bresme, prähsen, prechsen swm. brasse, fisch.

braht stmf. lärm, geschrei, prahlerei.

brahten swv. lärmen.

brâlin stn. dem. zu *brâ.*

bræm-ber stn. brombeere; stf. brombeerstrauch.

brâme swm. dorn-, brombeerstrauch; swf. holz.

branc, pranc, -ges stm. das prangen, prunken, prahlen.

brangen, prangen swv. prahlen, sich zieren.

branger s. *pranger.*

brankieren, brangieren swv. prunken.

brant, -des stm. feuerbrand, brennendes holzscheit; feuersbrunst. brennen (*heres brant* verwüstung durch ein heer); branddrohung, brandlegung, brandmarkung; brand des silbers; das blitzende schwert.

brant-lich adj. *brantlichiu pîn,* feuersnot.

brant-schatzen swv. raub und brand erlassen und dafür kontribution auferlegen

bras, -sses stm. schmaus, mahl.

brasem stm. gaumen; gestank.

brâ-slac stm. schlag mit den augenwimpern, augenblick.

brassel, bressel stf.armschiene (frz. brachille)..

brast stm. geprassel; das prunken, prahlen; hervorbrechender drückender kummer.

brastel stm. geprassel.

brasteln, prasteln, brasten swv. prasseln.

brât stn., bræte swm. fleisch, weichteile am körper; braten.

brâtære stm. bratenwender.

brâten swv. plaudern.

brâten redv. 2 braten.

bratsche swf. schmucknadel (fz. *broche*).

brât-spieʒ stm. bratspiess; bohrschwert (auch *brâtmeʒʒer*).

bræwen swv. mit einer *brâ* umgeben, verbrämen.

braʒʒeln, brasseln swv. = *brasteln.*

brëch stn. glanz (vgl. *brëhe*).

brëche swm. gebrecher; der brechende (nur in komposs.).

brëche stf. flachsbreche; riss, kluft.

brëchel, brëcher stm. der brechende (in komposs.).

brëchen stv. V intr. entzwei brechen, zerbrechen; gewaltsam od. plötzlich dringen; sich verbreiten. — tr. u. refl. brechen reissen, pflücken, losbrechen, sich lösen von, dringen auf usw. (*rîme brëchen* die verse verderben oder die durch den reim verbundenen verse syntaktisch trennen). — refl. sich quälen; erbrechen; unp. fehlen, mangeln an.

breckelin stn. dem. zu *bracke.*

breckin stf. hündin.

bredigære, brëger, bredier stm. prediger, predigermönch.

bredigât, -e stswf. predigt.

bredige, predige, brëge stswf. dasselbe.

bredigen, predigen, brêgen swv. predigen (lat. *praedicare*).
bredige-stuol stm. kanzel.
brêgen stn. hirn.
brêgien swv. braten, schmoren; murren, schwatzen.
brêhe stf., md. *brêche* erscheinung, glanz.
brêhen stv. V u. swv. plötzlich und stark leuchten, glänzen, funkeln; schallen.
brêhen stnm. glanz, schimmer.
breht stm. lärm, zank, wortwechsel; schwätzer.
brehten swv. = *brahten*.
breit adj. ausgebreitet (arme); weit ausgedehnt, breit (mit gen. des masses); bildl. weit verbreitet, gross, berühmt.
breite, breiten stf. breite, breiter teil; acker.
breiten swv. intr. breit werden; tr. u. refl. breit machen, breit hinlegen, ausdehnen, verbreiten, weithin bekannt machen.
brellen swv. brüllen.
brêm stn. verbrämung; rand, einfassung.
brême, brêm swm. bremse, stechfliege.
brême swf. dornstrauch.
brêmen stv. III, 2 brummen.
brêmen swv. verbrämen.
brêmen, prêmen swv. quälen.
bremse swf. klemme, maulkorb.
brenge stn. gepränge.
brengen s. *bringen*.
brenken swv. prangen, stolz dahinstürmen.
brennære, -er stm. der ein gebäude anzündet, ein land mit feuer verwüstet.
brenne stf. feuer, flamme.
brennen swv. anzünden, mit feuer verwüsten; destillieren, durch schmelzen läutern; durch br. härten. — intr. = *brinnen*.
brenn-wit stn. brennholz.
brente swf. hölzernes gefäss, bottich (it. *brenta*).
brêse swf. fischernetz.
bressel s. *brassel*.
brêst, brêste stswm. mangel, gebrechen; schaden.
brêstec adj. gebrechlich.
brestelinc, -ges stm. gartenerdbeere.
brêsten, bresten stv. IV intr. brechen, reissen, bersten, gewaltsam od. plötzlich hervordringen; unpers. mit dp. u. gs. mangeln, gebrechen.
brêst-haft adj. mangelhaft.
brêt stn. brett, schild; spiel-, zahl-, leichenbrett; strafbank.
brêtelin, brêtel stn. kleines *brêt*.
brêten stm. grosser balken.

bretsche swf. die äussere grüne schale der nüsse; ein längenmass.
brêt-spil stn. spiel auf dem brett.
brêtten stv. III, 2 ziehen, zücken; weben.
bretten swv. ziehen, spannen.
bri, brie stswm. brei, hirse.
brich stm. bruch.
bridel, britel stmn. zügel, zaum.
briden stv. I,1 flechten, weben.
brief, -ves stm. brief (liebesbrief), urkunde, überh. geschriebenes; bildl. *mundes brieve* aussprüche (lat. *breve*).
brief-vaz stn. brieftasche.
brieschen swv. schreien.
brieve-lîchen adv. schriftlich.
brievelin, brievel stn. kleiner brief, zettel; amulett.
brieven swv. schreiben, aufschreiben.
briever stm. schreiber.
briezen stv. II, 2 anschwellen, knospen treiben.
brille s. *berille*.
brimme stf. heide, ginster.
brimmen stv. III,1 brummen; brüllen.
bringen, md. *brengen, brengen* anv. bringen, vollbringen, machen (*inne, innen br.* mit gs. inne werden lassen, kennen lehren; *enein b.* vereinbaren; *bringen ze* verändern in; *ez umbe einen br.* sich um einen verdient machen); be-, erweisen
bringenie stf. was gebracht wird.
brinnec, brinnendec adj. brennend, glühend.
brinnen stv. III, 1 brennen, leuchten, glänzen, glühen.
brise stf., **brisem** stm. einfassung, einschnürung an kleidungsstücken.
brisen stv. I, 1 u. sw. schnüren, einschnüren, einfassen.
bris-schuoch stm. schnürschuh. **-vadem** stm. schnürband.
brist stm. = *brêst*.
britel s. *bridel*.
britelen swv. zügeln.
britze stf. pritsche.
britzel-meister stm. die pritsche führende, lustige person, die die ordnung beim spiele handhabt.
briu, brû stf. wirtin, weib, gemahlin; *windes brû* windsbraut (fz. *bru* v. dtsch. *brût*).
briune, brûne stf. bräune, braune farbe; weibl. scham.
briunen swv. braun machen, verdeutlichen.
briustern swv. refl. anschwellen.
briut s. *brût:*

briute stf. beilager, hochzeit.
briute-gëbe swm. bräutigam. **-gome, -gume, -goume, -game** swm. bräutigam. **-labe** stf. frühstück nach der brautnacht.
briutel-huon stn. huhn das bei der *briutelabe* gegessen wird.
briuten, briuteln swv., md. **brûten** intr. sich vermählen, beiliegen; tr. ein weib zur *brût* machen, ihm beiliegen; verloben, vermählen mit dp.
briut-, brût-lich adj. bräutlich.
briuwe swm. brauer.
briuwe stf. das brauen; was auf einmal gebraut wird.
briuwel, briuwer stm. brauer.
briuwen, brûwen stv. III brauen; bildl. machen, anstiften, verursachen.
brobest stm. vorgesetzter, aufseher; propst (lat. *prae-, propositus*).
brobestie stf. propstei.
brocke swm. brocken.
brocken swv. brock en; zerbröckeln.
brœde, brôde adj. gebrechlich, schwach. Von den schreibern oft durch *blœde* ersetzt.
brœde, brôde stf. gebrechlichkeit, schwäche; moral. schwachheit.
brœdec-heit, brœdekeit stf. schwachheit; moral. schwachheit, fleischliche u. geschlechtliche lüsternheit.
brœdec-, brœde-lich adj. = *brœde*; fleischlich und geschlechtlich lüstern.
brodeln, brudeln, brüdeln swv. brodeln.
brœdigen swv. schwächen.
brogen swv. sich erheben; gross tun, prunken; tr. in die höhe, zum zorn bringen.
broger stm. prahler, grosstuer.
brohsen, brohseln swv. lärmen, tosen.
brosem, broseme, brosme stswf. brosame, krume.
brôt stn. brot (*begozzen brôt*, mit fett beträufelt. *schœnez brôt*, weissbrot; *im brôte* dienste *sîn*).
brôt-banc stfm. brotladen. **-becke** swm., **-becker** stm. brotbäcker. **-diener** stm. = *brôtëzze*. **-ëzze** swm. diener, gesinde. **-halle** swf. = *brôtloube*. **-heit** stf. das wesen des brotes im sakrament. **-hûs** stn. speisehaus; brotschranne; zunfthaus der bäcker. **-knëht** stm. = *brôtëzze*. **-loube** swf. brotschranne.

brœten swv. tr. einem brot verschaffen, einen im dienste haben.

brõuc, -ges stm. hügel.

brouchen swv. biegen, beugen, formen, bilden.

bro*t s. *brût.*

brouten swv. heftig verlangen.

brõuwen swv. biegen, drehn.

broʒ stn knospe, sprosse.

broʒʒen swv. sprossen.

brû s. *briu.*

bruch stm. das brechen, die art u. arbeit des brechens; bruch, riss; abgebrochenes stück, bruchteil; bruch, schaden, mangel, vergehn; untreue.

brüch stm. brauch.

bruche-lich adj. gebrechlich, schadhaft; zum schaden gereichend; straffällig.

brûchen swv. brauchen, geniessen mit acc. od. gen. (einer pers. *br.,* mit ihr umgehn, verkehren; *sich eines d. br.,* sich dessen bedienen).

bruch-brôt stn. brotreste. **-haftic** adj. straffällig. **-schranz** stm. bruch, spalte, loch.

brüchic adj. wort-, treubrüchig; gebrochen.

brucke, brücke, brugge, brügge stswf. brücke; zugbrücke; hölzernes gerüst, sitzgerüst, schaugerüst.

brücken swv. eine brücke (oder in art einer brücke) machen, überbrücken.

brücken swv. zerbröckeln.

brucker stm. einnehmer des brückenzolles.

bruck-heie swm. brückenhüter. **-müte** stf., **-rêht** stn. brückenzoll.

brüedern s. *bruodern.*

brüederlinstn.dem.zu*bruoder.*

brüeje f. brühe.

brüejen, brüen swv. brühen, sengen, brennen.

brüel stm. aue, brühl.

brüelen swv. brüllen.

brüeten, brüetelen swv. brüten.

brüeven s. *prüeven.*

brügel stm. prügel, knüttel.

brügge s. *brucke.*

bruht, brühtic = *widerbruht, -brühtig.*

brumme swm. herd- brummochs; ein musikinstrument.

brummen swv. brummen, summen.

brûn adj. braun; dunkelfarbig, brûn adj. von waffen: glänzend, funkelnd.

brûnât, brûnit, brûnet stm. feiner, dunkelfarbiger kleiderstoff.

brûne s. *briune.*

brûnen swv. brûn werden.

brunft stf. brand, brunst; brunstzeit; geschrei.

brûnieren swv. polieren.

brunke swm. sp. prangen, prunk.

brunken swv. zur schau stellen, zeigen.

brûn-lûter adj. glänzend hell.

brunne swm. quell, quellwasser, brunnen, bildl. quell, ursprung; harn.

brünne, brünje stswf. brustharnisch.

brunnech stn. durch quellen versumpftes land, moor.

brünnelin, brünnel stn. kleiner brunnen.

brunnen swv. pissen.

brünner stn. der brustharnische macht.

brûn-reideloht, -reit adj. braungelockt.

brünseln, brunsen swv. brenzeln, nach brand riechen.

brunst stm. brand.

brunst, bruns stf. brennen, brand; glut, hitze; verwüstung durch feuer; brunstzeit.

brünstec adj. entbrannt, brünstig.

brunz stm. harn.

brunzen swv. pissen.

bruoch stnm. moorboden, sumpf.

bruoch stf. hose um hüfte und oberschenkel.

bruoch-gürtel stm. hosengurt.

bruodel stm. sprudel.

bruoder stm. an. bruder; klostergeistlicher; wallfahrer.

bruoder-hof stm., **-hûs** stn. hof, haus zu einer frommen stiftung für arme brüder in Christo. - (brüeder)-lich adj. brüderlich. **-licheit** stf. *einunge der b.* brüderliche eintracht.

bruodern, brüedern refl. mönch werden; *sich zu einem,* als bruder (brüder) zu ihm treten.

bruot stn. trieb, anwuchs der pflanze.

bruot stfm. durch wärme belebtes, brut; belebung durch wärme, brüten; hitze.

bruotec adj. heiss entbrannt.

bruotesal stf. brutstätte.

brûs stm. brausen, lärm.

brüsche stf. das brausen.

brüsche stf. mit blut unterlaufene beule.

brüscheln swv. prasseln.

brüsen swv. brausen.

brust stfm. bruch, gebrechen.

brust stf. brust; bekleidung der brust; im sinne von *hërze* und *schôʒ.*

brust-bein stn. brustknochen. **-slac** stm. schlag auf die brust. **-wer** stn. brustwehr.

brüstelin, brüstel stn. dem. zu *brust* 2; brustpanzer.

brüsten swv. mit einer *brust* versehen; refl. sich in die brust werfen.

brustenier stn. brustpanzer des pferdes.

brust-lich adj. brechbar.

brût, briut, brout stf. (ursprgl. adoptiv-, schwiegertochter) vermählte, braut, junge Frau (*windes brût* windsbraut); beischläferin. vgl. *briu.*

brût-dëgen stm. gemahl. **-gift** stf. mitgift der braut. **-lachen** stn. eine art tuch, scharlach. **-leich** stm. = *hîleich.* **-leichen** swv. hochzeit machen. **-leite** stf. hochzeit (führung der braut). **-louf, -louft** stmfn. hochzeit (kaum deshalb, weil urspr. ein wettrennen um die braut gehalten wurde). **-louften** swv. hochzeit halten. **-man** stm. vir. **-muos** stn. brautsuppe. **-schaft** stf. vermählung. **-sëgen** stm. einsegnung der neuvermählten. **-stuol** stm. brautstuhl.

brûten s. *briuten.*

brûtinne stf. braut.

brütten swv. in raserei versetzen: tr. erschrecken; refl. heftig verlangen *nâch.*

brûwen s *briuwen.*

bû, bou, -wes stmn. bestelltes Feld; bestellung des feldes, weinberges; ertrag eines bestellten gutes; wohnung, gebäude, ansiedlung; bau eines hauses usw.

buc, -ckes stm. schlag, stoss; sturz; beifuss.

buch, bûch stm. schlegel, keule. (*kelber-, lemberb.* usw.).

bûch stm. bauch; magen; rumpf.

buchel, puchel stswf. fackel.

bûchen s. *biuchen.*

bûch-stœʒec adj. bauchschlächtig (vom pferde).

buckel stswf. stm. halbrund erhabener metallbeschlag in der mitte des schildes; beifuss (afz. *bocle,* lat. *buccala*).

buckelære, buggeler stm. schild mit einer *buckel;* der mit einem *b.* bewaffnete krieger; schlechte münze.

buckel-ris stn. verzierung um die *buckel* des schildes.

bücken, bucken swv. biegen, bücken; niederwerfen.

buckeram, buckerân, buggeram stm. steifes, aus ziegenoder bockshaaren gewebtes zeug (mlat. *boqueramus*).

bückezen s. *böckezen.*

bückin adj. vom bocke.

bückinc stm. bücking (fisch).

bucks-boumen adj. aus buchsbaum.

bûden swv. schlagen, klopfen.

bûderlinc stm. streich, schlag beule.

bû-dinc stn. ein gericht wegen des feldbauwesens; pacht für ein hofgut. **-dingen** swv. ein baugericht halten. **-geræte** stn. bauzeug. **-geschirre** stn. ackergeräte. **-haft** adj. bestellbar (vom acker); bewohnbar, bewohnt. **-knëht** stm. ackerknecht. **-leibe** stf. = *bûteil.* **-lich** s. *biulich.* **-liute** pl. zu *bûman.* **-lôs** adj. ohne bau, unbestellt. **-man** stm. bauer, pächter eines bauerngutes; als schachfigur erste *vende.* **-meister** stm. baumeister; leiter der städtischen bauten;oberknecht; beisitzer des *bûdinges.* **-miete** stf. wohnungszins; heiratszins. **-rât** stm. unterhalt durch feldbau **-rëht** stn. hofgerechtigkeit; grundeigentum. **-saz** stm. bauverordnung. **-teil** stn. ein teil des von einem erblehnmanne hinterlassenen fahrenden gutes, den der herr nehmen darf; pflichtteil. **-teilen** swv. das *bûteil* geben; tr. mit dem *b.* belasten, das *b.* abfordern. **-win** stm. wein, den man selbst gebaut hat.

büebelin stn. dem. zu *buobe.*
büeberie stf. liederliches leben, büberei.
büebin stf. freie dirne, lena.
büechel s. *buochelîn.*
büechel stn. buchnuss.
büechin, buochin adj. von der buche.
büegen swv. biegen, beugen.
büelîn stn. dem. zu *buole.*
büeẓegen swv. bestrafen.
büeẓen swv. bessern, ausbessern, gut machen; von etwas befreien; vergüten, busse leisten; bestrafen.
buf, -ffes stm. stoss, puff.
büffel stm. ochs (fz. *bufle*).
buffen swv. schlagen, stossen; das haar kräuseln.
buggeram s. *buckeram.*
bühel stm. hügel.
büheleht, bühelt adj. hügelig.
buhier stn. = *bûhurt.*
buhieren swv. ⚬ *bûhurdieren.*
bühse swstf. büchse; zauberbüchse; eisernes beschläge; feuerrohr, geschütz (gr. lat. *pyxis*).
bûhurdieren, bêhurdieren, bûhurden swv. einen *bûhurt* reiten.
bûhurt, bêhurt stm. ritterspiel, wo schar in schar eindringt (afz. *bouhourt*).
bulge swf. sack von leder, felleisen; sturmwelle.
bullære stm. siegler.
bulle stswf. siegel; urkunde, bulle (lat. *bulla*).
bullen, büllen swv. bellen, heulen, brüllen.

stm. schlag, der eine beule hervorruft.

bum-hart stm. schalmei; geschütz.
bün, büne stf. bühne; decke eines gemaches; latte, brett.
bündellin stn. bündel, fasciculus.
bünen swv. mit fussboden, planken versehen.
bunge swm. knolle.
bunge swf. trommel, pauke.
bungen swv. trommeln, pauken.
bunt adj. schwarz und weiss gefleckt oder gestreift.
bunt, -tes stn. art gestreiftes pelzwerk, buntwerk.
bunt, -des stm. band, fessel; verband einer wunde; zusammengebundenes, knoten; eine reihe von steinen nebeneinander im brettspiel; verwickelung, rätsel; bündnis, die verbündeten.
büntner stm. kürschner.
bunt-schuoch stm. schuh mit riemen zum umschnüren der beine; empörung, aufstand (weil die fahne der sich empörenden bauern einen *b.* als ihr zeichen trug).
bunt-wërc stn. = *bunt* stn.
buobe swm. knabe, diener; trossknecht (als schachfigur achte *vende*); zuchtloser mensch, spieler usw.; pl. die weibl.brüste.
buobenie stf. wesen eines *buoben*; büberei; die trossknechte.
buoben-liute pl. = *buoben* (im schach).
buoc, -ges stm. obergelenk des armes, achsel; obergelenk des beines, hüfte; knie; bei tieren der bug; bildl. biegung, einlenkung.
buoc-bein stn. bugbein.
buoch stn. buch, dichtung, sammlung von gedichten, gesetzen usw., quelle eines gedichtes, die heil. schrift (*diu swarzen buoch* zauberbücher).
buochach, buoch stn. buchenwald, waldung überhaupt.
buoche swf. buche.
buoche stf. buch, bibel.
buochelin, büechelin, büechel stn. büchlein; kleineres lehrendes oder erzählendes gedicht; gereimtes liebesgedicht; gerichtl. protokoll.
buochisch adj. in der buchsprache, lateinisch.
buoch-meister stm. gelehrter, schriftgelehrter, philosoph. **-sager** stm. vorleser. **-staben** swv. buchstaben setzen, mit buchst., mit inschrift versehen; buchstabieren. **-stap, -stabe** stswm. buchstabe. **-vël** stn. pergament. **-zeichen** stn. registrum.
buode stswf. hütte, gezelt.
buole swmf.naher verwandter, geliebter, liebhaber, geliebte.

buoien swv. lieben.
buolerie stf. ehebruch.
buoliân, puliân stm. kuppler.
buosem, buosen stm. busen; der den *b.* bedeckende teil des kleides; schoss; rechtl. die nachkommenschaft in geradabsteigender linie.
buosemen swv. refl. von vögeln sich sträuben; rechtl. einen beweis durch verwandte führen.
buost stmn. ein aus bast verfertigter strick.
buoẓ stm.? besserung, abhilfe (*buoẓ tuon, machen, werden* mit dat. u. gen.).
buoẓe stf. geistl. u. rechtl. busse.
buoẓ-wertec, -wirdec adj. der besserung würdig, bedürftig; straffällig.
bûr s. *bûre.*
bûr stm. vogelkäfig.
burc stf. burg, schloss, stadt.
burc stswm. eunuchus, diener.
burc-ban stm. gebiet innerhalb dessen die städtische gerichtsbarkeit gilt. **-grabe** swm. burg-, stadtgraben. **-grâve** swm. burggraf, stadtrichter, eunuchus, kämmerer. **-hagen** stm. verhau vor der burg. **-hërre** swm. burgherr, lehnsherr, eunuchus. **-hûs** stn. burg; haus eines *burcmannes.* **-lëhen** stn. eine burg als lehn. **-lich** adj: eine *burc* betreffend; befestigt, bürgerlich. **-lite** stf. abhang eines burgberges. **-man** stm., pl. *burcman, -liute:* beamter, dem die obhut einer burg anvertraut ist; der seine burg von einem herrn zu lehn nimmt; stadtrichter, beisitzer beim stadtgerichte. **-mûre** stf. burg-, stadtmauer. **-mûs** stf. stadtmaus. **-porte** swf. burgpforte. **-rëht** stn. bürgerrecht; aufnahmegebühr eines neuen bürgers; rechtliche stellung jemandes, der auf das schloss eines edeln zinst; der für das *b.* bezahlte zins; stadtrecht und besitztum nach solchem. **-rinc** stm. umschlossener burgraum. **-sæẓe** swm. kastellan; bewohner einer burg. **-schaft** stf. bürgerrecht (s. *burgerschaft*). **-sëẓ** stmn. burgsitz, burg. **-stal** stn. standort einer burg, die burg selbst. **-(bürge)-tor** stn. burg-, stadttor. **-veste** stf. feste burg; eine an die *burc* zu leistende abgabe. **-vride** swm. burg-, stadtfriede; das um die burg liegende gebiet, binnen dem friede gehalten werden musste. **-vrouwe** swf. stadt-, burgherrin. **-wal** stn. wall um eine stadt od. burg. **-wëc** stm. weg zur burg. **-wer** stf. verteidigung, befestigung einer burg.

bürde, burde stswf. bürde
last; gewicht, fülle.

bürden, burden swv. zu tragen
geben, bebürden.

burderie stf. ritterspiel.

burdieren = *bûhurtieren.*

burdûʒ, purdûʒ stm. pilgerstab (prov. *bordos).*

bûre, bûr swstm. bauer;
nachbar.

bûren-diet stf. bauernvolk.

bûren-slac stm. grober bauer.

burgære, -er stm. bewohner
einer *burc;* bürge.

bürge, borge swm., **bürgel** stm.
bürge.

bürge stf. bürgschaft.

bürgel-, bürge-schaft stf.
bürgschaft.

burger-kriec stm. seditio.
-meister stm. vorsteher einer
stadt-, dorfgemeinde. **-rëht** stn.
bürgerrecht, die daraus erwach-
senden verpflichtungen u. abgaben. **-schaft** stf. bürgerrecht;
gemeinschaft der bürger; städte-
bündnis.

bürge-zoc stn. bürgschaft.

bürin stf. bäuerin.

bûr-lich adj. bäuerisch. **-mâl**
stn. bürgerrecht. **-man** stm.
bauer. **-meister** stm. vorsteher
einer dorfgemeinde. **-same** stf.
bauernschaft. **-schaft** stf.
bauernschaft; gemeines volk.

bürlinc, birlinc stm. heuschober.

bürn swv. erheben.

burne, burn, born swstm. =
brunne.

burnen, bornen swv. = *brinnen* u. *brennen.*

burren stn. sausen.

bursât stm. halbseidenes zeug.

burse stswf. börse, beutel;
zusammenlebende genossen-
schaft, ihr haus, bes. der studenten (mlat. *bursa).*

bursit stm. beutel.

burst, bërst stf. = *borst.*

bürste swf. bürste.

burt stf. was sich gebührt;
verpflichtung.

burt stf. abstammung, geburt; das geborene.

bürtec, bürtic adj. gebürtig.

bürzel, börzel stm. eine katarrhalische seuche.

burzeln, bürzen swv. burzeln.

bûs stm. schwellende fülle.

busch, bosch stm., **bosche**
swm. busch, gesträuch; büschel; gehölze, wald (mlat.
buscus, boscus).

bûsch stm. knüttel, knüttel-
schlag; überh. schlag, der beulen gibt; wulst, bausch.

buschach stn. gebüsche.

büschel stm. bund, büschel.

büschelîn, büschel stn. dem.
zu *busch.*

büscheln swv. alligare in
fasciculos.

bûschen, bûsen s. *biuschen.*

busine, busûne, prosunne f.
posaune (fz. *buisine,* lat. *buc-
cina).*

businære, busûnære stm.
posauner.

businen, busûnen swv. po-
saunen.

bussen swv. küssen, liebeln.

büte, bütte, büten swstf. gefäss, bütte.

bütel stm. büttel; bote, diener.

büten s. *bieten, biuten.*

bütenære stm. büttner.

buter swfm. butter (lat. *bu-
tyrum).*

buterich, büterich stm.
schlauch, gefäss.

butic adj. erbötig.

butiglære, bütiglære, putigler
stm. schenk, mundschenk (mlat.
buticularius).

butte swf. hagebutte.

butwarn s. *botwæren.*

butze swm. poltergeist,
schreckgestalt.

bütze stmf. = *phütze.*

butzen swv. stossen.

bützen swv. aus dem brunnen
(*bütze)* schöpfen.

bûwære, bouwære stm. bauer;
erbauer.

bûwe stm. = *bû.*

bûwe-lich = *biulich.*

bûwen, biuwen, bouwen swv.
intr., angesessen sein, wohnen; das feld bestellen, als
bauer leben. — tr. mit feldbau
bestellen; bewohnen, liegen in;
säen, pflanzen; bauen; abs.:
seine zuversicht gründen *ûf.*

bûwunge stf. wohnung; bestellung des ackers; erbauung,
bau.

bûʒ s. *biuʒ.*

büʒe f. eine art schiff.

büʒe stf. das hervorsprossen.

büʒeln, büʒen swv. hervorragen, aufschwellen.

büʒen s. *biuʒen.*

büʒen swv. gackern.

buʒʒel stn. krug, tönnchen
(afz. *boucel,* lat. *bucellus).*

bysant s. *bîsant.*

C

s. *K* und *Z.*

D

(vgl. auch *T).*

dâ s. *dâr.*

dach stn. dach, bedeckung,
decke, verdeck. — bildl. das
oberste, höchste; das schir-
mende, schützende.

dachen swv. decken, bedecken.

dach-gruobe f. lehmgrube.
dach-stein stm. dachziegel.
-tropfe swm. s. v. a. **-trouf**
stnm., **-troufe** swf. dachtraufe.

dachunge stf. bedachung.

dagen swv. schweigen; mit
dp. ruhig zuhören; schweigen
über (gs.), verschweigen.

dahe, tahe swf. lehm.

dahs stm. dachs.

dâht stm. denken, gedanke.

dâlest, tâlest, tôlest adv.
wenigstens, endlich.

dâling s. *tagelanc.*

dalpen swʒ. graben.

dame swf. caprea.

damnen swv. verdammen (lat.
damnare).

damnisse, demnis stf. verdammnis.

dampf, tampf stm. dampf,
rauch.

dampf-lich adj. *tampflicher
schîn* = *dampf.*

dan s. *danne, dannen.*

danc, -kes stm. gedanke, erinnerung; geneigtheit, wille,
absicht; dank; kampfpreis.

danc-bære adj. geneigtheit
hervorbringend, angenehm;
dankbar. **-bære** stf. dankbarkeit. **-bærlich** adj. adv. dankbar.
-liche adv. mit dank-
sagung. **-næme, -næmic** adj.
angenehm, willkommen mit
dp.; dankbar mit gs., dankbar
etw. zu bekommen, habgierig.
-næmekeit stf. dankbarkeit.
-wille swm. freier wille.

danen swv. refl. mit gen. sich
von etw. abwenden.

danke swm. gedanke.

danken swv. danken, mit
dank erwidern, vergelten mit
dp. u. gs.

dan-kêre stf. das fortgehn.

danne, denne; dan, den adv.
demonstr. dann, damals; sodann, darauf (oft nur um den
fortschritt der rede zu bezeichnen); *noch danne* damals noch,
überdies noch, dennoch. —
relat. als, wenn; nach komparativen u. kompar. negationen:
denn, als, meist mit konj. —
kausal (demonstr.) daher, deshalb, (relat.) weil.

dannen, danne; dane, dan
adv. demonstr. von da weg,
von dannen — kausal (de-
monstr.) daher, deshalb, davon,
(relat.) woher, weshalb, wovon.

dannen-var, -vart stf. weg-
fahrt, abreise. **-wanc** stm. das
fortgehen, weichen.

danne-, dann-wërt, -wart adv.
von da weg.

dan-, den-noch adv. damals noch, jetzt noch; sodann noch, noch ausserdem; adversat. auch da noch, dessenungeachtet, dennoch.

dan-reise stf. abreise.

dansen swv. ziehen, dehnen.

dâr, dâ, dô adv. demonstr. da, dort; relat. wo (demonstr. u. relat. vor räuml. adv. u. zwar vor vokal. anlaute *dar, der, dir, dr*, vor konson. *dâ*: *dar abe, drabe, dâ bî* usw. oder von dem adv. durch andere worte getrennt).

darben swv. darben; entbehren, ermangeln mit gs.; refl. mit gs. sich entäussern.

dar-bringen swv. beweisen. **-kunft** stf. hinkunft. **-legen** stn., **-legunge** stf. das darlegen, erlegen; kostenaufwand. **-wërt** adv. dahin.

dare, dar adv. demonstr. dahin, hin; bis auf diese zeit; relat. wohin.

dære adj. passlich, tauglich.

dæren swv. singen (vom vogel gesagt), einen laut nachahmen.

darfe-tuom stm. mangel.

darm stm., pl. *derme*, darm.

darm-gürtel stm. sattelgurt.

darre, derre swf. gestell oder vorrichtung zum dörren; dürre, auszehrung.

dart s. *dort.*

dâse f. unholde, hexe.

dâsic adj. dieser da, dergleichen.

dæsic adj. stille, in sich gekehrt; dumm, albern.

datel swf. dattel (it. *dattilo*, gr. lat. *dactylus*).

decamonie stf. sphärenharmonie.

dech-ein s. *dehein.*

dechelîn, dechel stn. dem. zu *dach.*

dëcher, tëcher stmn. zehn stück leder, gewöhnlich häute von kleinem vieh (mlat. *dacora, dacra, dacrum*, lat. *decuria*).

dëch-gëit, -tuom stn. = *dëhem.*

decke stf. decke, bedeckung; das zudecken, bedecken.

decke-, dec-lachen stn. betttuch, -decke.

decken swv. prät. *dacte, dahte*: decken, bedecken; schützen, schirmen; abwehren, aufdekken, ausdeuten, auflösen.

degen swv. zum schweigen (*dagen*) bringen, stillen.

degen stm. dolch (mlat. *daga*).

dëgen stm. knabe; krieger, held (*gotes d.* glaubensheld).

dëgenen swv. zum helden machen.

dëgen-heit stf. tapferkeit. **-kint** stn. knabe. **-lich** adj. tapfer.

deh-, dech-, dek-ein adj. zahlpron. irgendein; kein.

dëhem, dëheme stswm. urspr. der zehnte, sodann abgabe für die eichel- und büchelmast der schweine, diese mast selbst sowie das recht darauf (lat. *decima*).

dehse swf. fichte; pl. *dehsen* nadelholzzweige, -äste.

dëhse swf. spinnrocken.

dëhse, dëhsel f. beil, hacke.

dëhsel-rite swf. hexe.

dëhsen stv. IV schwingen, flachs schwingen.

dehslîn stn. dem. zu *dahs.*

dëhs-îsen stn. eisen zum *dëhsen.* **-schît** stn. flachsschwinge.

deich = *daz ich.*

deise swf. darre.

deisme swm. sauerteig, hefe.

deist = *daz ist.*

deiz = *daz ez, daz daz.*

dek-ein s. *dehein.*

deklînen swv. deklinieren, konjugieren (lat. *declinare*).

dëmere, dëmerunge stf. dämmerung.

demmen swv. schwelgen, schlemmen; dämmen, hindern, vertilgen.

dempie stf. dämpfung, vertilgung; engbrüstigkeit.

dempfen swv. tr. dämpfen; intr. dampfen.

dê-muot s. *diemuot.*

den s. *danne.*

denen, dennen swv. dehnen, ziehen, spannen.

denken swv. an., prät. *dâhte*, intr. denken, gedenken; mit gen. u. dat. einem etw. zudenken, beimessen, nicht an ihm übersehen; gen. u. *ze* aussersehen; unpers. mit dat. u. gen. erinnerlich sein. — tr. mit seinen gedanken worauf verfallen; erdenken, ersinnen; im sinne haben, wollen mit inf.

denne, dennoch s. *danne, dannoch.*

denthalben adv. von dannen.

der adv. = *dâr* (*deran, derbî, dermite* usw.).

der präf. = *er* (*dergëben, derlëben* usw.).

dër, diu, daz u. **dez** pron. dem. der, dieser; bestimmt. artikel; relativ im beginn von adjektiv- u. substantivsätzen. — das n. *daz* als konjunkt. in infinitiv-, in modal- u. folgesätzen (dass, so dass), in zeitsätzen, in kausal- (darum dass, weil), final- (dass, damit) u. konzessivsätzen (obgleich).

dërben stv. III, 2 tr. verderben.

der-haft s. *tarehaft.*

derp, -bes adj. ungesäuert (*derbez brôt, derpkuoche*).

derre s. *darre.*

derre stf. der tagelohn ohne kost und ohne trunk.

derren swv. dörren, austrocknen.

derresal stn. austrocknung.

dërt s. *dort.*

dës adv. gen. daher, deshalb; *d. ze* mit komp. md. = *deste.*

dêst = *daz ist.*

dëste, deste, dëst, dëster adv. desto.

deuhel stm. u. **deuhel-îsen** stn. deucheleisen, eisen, wie es aus dem frischfeuer kommt.

de-wëder pron. indef. irgendeiner von beiden, der eine oder der andere; weder der eine noch der andere, keiner von beiden; *deweder(t)halp* auf einer oder auf keiner von beiden seiten.

de-wëder adv. mit folgd. *wëder* oder *noch*: entweder — oder, weder — noch.

dewen s. *döuwen.*

di md. = *dër, diu, die, dir, dich.*

dicke, dic adj., **dicke** adv. dicht, dick; oft, häufig.

dicke stswf. dichtigkeit, dicke; dickicht; dichte schar, gedränge.

dicken swv. intr. dick werden; refl. sich verdichten.

dieb- s. *diub-.*

diebolt stm. diebischer mensch.

diech, -hes stn. verkürzt *die*: oberschenkel an menschen und tieren.

diechel stn. dem. zu *diech.*

diech-schënkel stm. oberschenkel.

diehter, tiehter stn. enkel.

diehteride stn. die enkel.

die-müete, -muot, dêmuot adj. demütig, herablassend, bescheiden; *einem d.* demütig gegen. **-müete, -muot, dêmuot** stf. demut, herablassung, milde, bescheidenheit. **-müetec** adj. = *diemüete.* **-müetecheit, -müetekeit, -muoticheit** stf. demut. **müetigen, -müeten** swv. tr. u. refl. demütigen, erniedrigen.

dien alem. = *dën.*

dien, tien swv. saugen, säugen.

dienære, -er stm. diener.

dienærinne stf. magd.

dienen swv. intr. mit dp. dienen, aufwarten. — tr. mit dat. u. acc. einem etw. leisten, zu dienste tun; eine schuldige zahlung oder abgabe leisten; verdienen, durch dienst erwerben oder wert sein zu erwerben; mit dienst vergelten (mit dp. od. mit *an, umbe, hin ze*).

dienest, dienst stm. diener.

dienest, dienst stmn. verehrung, aufwartung, ergebenheit, dienstwilligkeit; lehnsdienst, abgabe, zins.

dienest-bære adj. dienend, zum dienste tüchtig; zu dienen bereit; **-bærliche** adv. **-bæric** adj. dienstbar, zinspflichtig. **-dauc** stm. dank für *d.* **-gëlt** stmn. erwiderung für geleisteten dienst; abgabe, zins. **-haft**, **-haftic** adj. dienend, dienstbe-flissen, dienstbereit; zu diensten verpflihtet, zinspflichtig. **-hërre** swm. ritterl. dienst-mann, ministeriale. **dienst-lich**, **dienlich** adj. dienstbar, dienst-beflissen. **-man** stm., pl.*dienestman*, *-liute*: diener; dienstmann, ministeriale. **-manninne** stf. frau eines *dienestman*. **-vole** stn. dienstboten. **-wip** stn. dienerin.

diens-tac stm. dienstag (nd. form für hd. *zistac*).

diep, diup, *-bes* stm. dieb.

diep-heit stf. diebisches wesen, diebstahl. **-lich** adj. diebisch, heimlich. **-slüzzel** stm. nachschlüssel. **-stâl** s. *diupstâle*. **-stic** stm. diebespfad.

dierne, diern, diernin; dirne, dirn stswf. dienerin. magd, mädchen; feile person, dirne.

diernelin, dirnelin, dirnel stn. dem. zum vorigen.

diern-kint stn. mädchen.

diet stfnm. volk, leute (später oft verächtlich); stm. mensch, kerl.

diet-dëgen stm. im volke bekannter held. **-hiufel** stn. der vierte teil einer metze. **-schale** stm. erzschalk. **-vaste** f. volks-faste, die grosse allgemeine faste; quatemberfaste. **-zage** swm. erzfeigling.

dieterich stm. star; nach-schlüssel.

diez, dieze stswm. schall; wirbel; zucken.

diez-âder stf. pulsader.

diezen stv. II, 2 intr. laut schallen, rauschen; sich erheben, aufschwellen.

dige stf. bitte, gebet.

digen swv. intr. bitten, flehen. — tr. anflehen.

digen part. adj. getrocknet, dürr (s. *gedigen*).

dîhen stv. I, 2 gedeihen, erwachsen, geraten; mit dp. ergehn, bekommen; austrocknen und dadurch dicht werden.

dîhsel stf. deichsel.

dihte adj. dicht.

dil, dille stswf. swm. brett, diele; bretterwand; bretterne seitenwand eines schiffes, das schiff selbst; verdeck, bretterner fussboden; der obere boden des hauses.

dillen swv. mit brettern decken, aus br. machen.

dille-stein stm. fundament.

dimpfen stv. III, 1 dampfen, rauchen.

din pron. poss. dein.

dinc, *-ges* stn. ding, sache *(aller dinge* gänzlich, durchaus, *einer dinge* nur); gerichtlicher termin; rechtl. und gerichtl. verhandlung, zweikampf; vertrag; gericht, gerichtstag, gerichtsstätte; gerichtspflicht; genitale, menstruation.

dinc-banc stf. gerichtsbank. **-gëlt** stn. geld für die abhaltung eines gerichts, gerichtsporteln. **-haftic** adj. gerichtsbar. **-hof** stm. der hof, auf dem die jährlichen gerichte gehalten, die abgaben eingezogen wurden, den in der regel der vogt inne hatte. **-hœric** adj. zu einem gerichte, gerichtssprengel gehörig. **-hûs** stn. gerichts-, rathaus. **-lœse** stf. gerichtssporteln. **-man** stm., pl. *-liute* gerichtsbeisitzer; wer zum gerichte zu kommen verpflichtet ist. **-nus** stf. bedingung; appellation; zahlung einer brandschatzung. **-phliht** stf. pflicht vor gericht zu erscheinen; verbindlichkeit steuern zu zahlen und bürgerl. lasten zu tragen. **-phlihte** swm. gerichtsbeisitzer bes. bei den unteren gerichten. **-phlihtec** adj. schuldig ist gericht zu besuchen; zu abgaben verpflichtet. **-rëht** stn. recht eines *dinchoves*. **-sal** stn. brandschatzung. **-stat** stf. gerichtsstätte. **-studel** stn. gerichtssitz. **-studelen** swv. vor gericht fordern, anklagen. **-stuol** stm. richterstuhl, gericht. **-vluht** stf. flucht vor dem gerichte. **-wart, -warte** stswm. gerichtsperson. **-wëre** stn. gericht.

dingære, -er stm. richter; sachwalter.

dinge swm. schutzherr; hoffnung, zuversicht.

dinge-lich stn. ding.

dinge-lich adj. n. = *aller dinge gelich* jedes ding, alles.

dinge-lich adj. gerichtlich.

dingelin, dingel stn. kleine sache, angelegenheit; bäuerl. wirtschaft, haushaltung.

dingen swv. denken, hoffen zuversicht haben mit gs.

dingen swv. intr. gericht halten, vor gericht reden, verhandeln, seine sache führen, appellieren; sich besprechen unterhandeln, einen vertrag, vergleich, frieden schliessen. — tr. vor gericht laden, zitieren; appellieren; durch verhandlung festsetzen; ausbedingen, mieten, vertragsmässig abschliessen; kaufen, verkaufen, als eigen überlassen; brandschatzen; mit dp. versprechen.

dinges adv. gen. auf borg. **dinges-gëber** stm. der auf borg gibt.

dinkel stm. dinkel, spelt.

dinne adv. = *dâ inne.*

dinsen stv. III, 1 tr. gewaltsam ziehen, reissen, schleppen, tragen, führen. — refl. sich ausdehnen, womit anfüllen. — intr. ziehen, gehn.

diuster, dunster, duster adj. finster, düster.

dinsternisse stfn. dunkelheit.

dinzel-tac stm. festtag einer handwerkerzunft.

dirdendei m. grobes tuch (fz. *tiretaine*).

dirn, dirne s. *dierne*.

dirre-suht stf. dürre.

disciplin(e) stf. myst. bussübung, kasteiung.

dise, diser pron. demonstr. (statt *diser* angegl. *dirre*) dieser, der folgende, jener, der andere.

disparieren swv. seines schmucks entkleiden (mlt. *dis-parare*).

dissit, disent, disunt präp. mit gen. auf dieser seite.

distel stmf. distel.

distelin adj. von disteln.

distel-zwanc stm. stieglitz.

diu instrum. von *dër* (md. nd. *dé, de* auch vor kompar. um so).

diu, -we stf. leibeigene dienerin, magd.

diube, diuve, dûbe, dûf stf. diebstahl; gestohlene sache.

diubec, diuvec adj. gestohlen.

diuben, dieben swv. wie ein *diep* handeln.

diubinne stf. diebin.

diuhen, tiuhen, dühen, douhen swv. tr. drücken, schieben, ein-, niederdrücken — intr. u. refl. sich schieben, bewegen, laufen.

diu-lich adj. einem knechte, einer magd angemessen.

diumen, diumeln swv. die daumenschraube anlegen, foltern, quälen.

diup s. *diep*.

diupe swf. diebin.

diup-, diepheit, -stale stf. diebstahl; die gestohlene sache; betrugsverbrechen.

diusen swv. tr. zerren, zausen. — intr. in verwirrung geraten.

diutære stm. ausleger.

diute, tiute stfn. auslegung, erklärung; *ze diute* deutlich, auf deutsch.

dioten, tiuten swv. tr. zeigen, deuten; der ausdruck woför sein, bedeuten; kund tun, anzeigen; erzählen, ausdeuten, übersetzen. — refl. bedeuten.

diutisch, diutsch, tiutsch, tiusch adj. deutsch.

diut-nisse stf. bedeutung; *d. tragen* bedeuten.

diutsch, diutsche, diutschen
adv. deutsch, auf deutsch.
diutsche, diutsch, tiutsch stfn.
die deutsche sprache.
diutschen, tiutschen swv. auf
deutsch sagen, erklären.
diutsch-man stm. der Deutsche.
diutunge stf. auslegung, bedeutung.
diuve s. *diube*.
dô s. *dâr*.
dô, duo adv. demonstr. da,
damals, darauf; einen gegensatz einführend: aber doch (oft
nur den fortschritt der rede bezeichnend); relat. als; fragend
wie dô? wie nun?
doch adv. demonstr. zur bezeichnung eines gegensatzes:
doch, dennoch, demungeachtet
(oft nur den nachsatz verstärkend); auch, auch so, auch nur;
relat. wenn auch, obgleich;
relat. u. demonstr. *doch — doch*
obgleich — doch.
dol s. *tol, twalm*.
dol, dole stf. das leiden
dolden s. *dulden*.
dôlig, dolme = *tagelanc*.
doln swv. dulden, ertragen,
geschehen lassen.
dolt stf. das ertragen eines
leidens, die geduld (s. *dult*).
dolunge stf. leiden, qual.
don adj. gespannt.
don, done stf. spannung,
strom; bildl. bemühung, anstrengung, schmerz.
dôn, tôn stm. melodie, lied,
gesang, auf einem instrumente
gespielte weise; strophenform;
laut, ton, stimme; bildl. art
und weise; *gemeiner* d. öffentliche meinung (lat. *tonus*).
donen swv. intr. sich spannen, strecken, aufschwellen,
in spannung (aufregung) sein;
nachschleppend anhangen, haften *an*.
dœnen swv. singen, spielen,
tönen, tr. u. intr.
doner, toner; donre, tunre
stm. donner.
doner-blic stm. blitzstrahl.
-dôz stm. **-schrîc** stm. donnerschlag. **-(donre-, duner)-slac**
stm. donnerschlag. **-stein** stm.
donnerkeil. **-stôz** stm. donnerschlag. **-strâle** stf. blitzstrahl.
-val stm. donnerschlag.
**doners-, donres-, dunres-,
dons-, dunstac** stm. donnerstag;
grôzer d. gründonnerstag.
donren, dunren swv. donnern.
donunge stf. spannung.
dorf stn. dorf.
dorlære stm. dörfer, dorfbewohner (s. *dorpære*).
dorfer-lêhen stn. bauerngut.
dorf-bête stf. herumbitten
bei den nachbarn. **-gerihte** stn.

dorfgericht. -knabe, -knappe
swm. bauernbursche. **-krage**
swm. dasselbe. **-maget** stf.
dorfmädchen. **-man** stm., pl.
-liute bauern. **-meier** stm. dorf-
richter. **-meister** stm. schultheiss. **-menige** stf. dorfgemeinde. **-metze** swf. dorfmädchen. **-rêht** stn. das recht, unter
dem die dorfbewohner stehn;
dorfgericht. **-rihter** stm. bau-
ernrichter, schultheiss. **-rüchel**
stm. rohlustiger, brüllender
bauer. **-schaft** stf. dorfgemeinde. **-spël** stn. dorfgeschichte.
-sprenzel stm. sich in die brust
werfender bauer. **-stat** stf. dorf.
-volc stn. bauernvolk. **-wip** stn.
bäuerin.
dörfler = *dorfœre*.
**dormenter, dorment, dormi-
ter** stmn. schlafgemach der
ordensleute (lat. *dormitorium*).
dorn stm. dorn, stachel, dornstrauch.
dornach stn. dorngebüsch.
dofn-busch stm. dornstrauch.
-dręhel, -dręhsel stm. dorn-
dreher (vogel); eine art kleiner
kanone. **-hecke** stf. dornen-
hecke. **-heit** stf. dorngestrüpp.
-hurst stf. = *dornbusch*. **-stûde**
stf. dasselbe.
dornec adj. dornicht.
**dorpære, dörper, törper, dör-
pel, törpel** stm. bauer, bäuerisch
roher mensch, tölpel.
dörper-diet stf. bauernvolk.
-(törper)-heit, dörperîe stf. bäuerisch rohes benehmen. **-lîch**
adj. bäuerisch unschön oder
ärmlich.
dorp-heit stf. = *dörperheit*.
dörpisch adj. bäuerlich.
dorren swv. *dürre* werden,
verdorren.
dorsch, dursch stm. dorsch.
dort adv. dort, jenseits (in
jenem leben); gegens. zu *hie*;
nbff. *dart, dërt, dört*.
dôsen swv. tosen.
dôsen swv. sich still verhalten, schlummern.
dœsen, tœsen swv. zerstreuen,
zerstören.
dost stm. mist.
doste, toste swm. strauss,
büschel; wilder thymian.
dougen, tougen swv. erdulden, ertragen.
douhen s. *diuhen*.
doum stm. zapfen, pfropfen.
doume s. *dûme*.
döuwe stf. verdauung.
döuwee adj. verdaulich.
döuwen, douwen, dewen swv.
intr. u. tr. verdauen, verzehren;
bildl. die nachwehen von etw.
empfinden, büssen.
dôz stm. schall, geräusch.
dôzen swv. schallen, widerhallen.

drabant, trabant stm. fusssoldat.
**draben, draven; traben, tra-
ven** swv. in gleichmässiger be-
eilung gehn od. reiten, traben.
— tr. traben lassen; traben auf.
drabendes, drabes adv. im
trabe.
dręhe stf. duft (s. *drâht*).
dręhen, dręjen, dręn swv.
intr. hauchen, duften. — tr.
riechen.
**dręhsei, drêhsel, dręhseler,
drêhseler** stm. drechsler.
drâht, trâht, drât stm. duft,
geruch (vgl. *drœhe, drâs*).
**dręjen, dręgen, dręhen,
dręn** swv. intr. sich drehend
bewegen, wirbeln. — tr. drehen,
drechseln.
dram stm. md. gewoge des
gefechtes, getümmel.
drâm, trâm; drâme, trâme
stswm. balke, riegel; stück,
splitter.
drâmen, trâmen swv. mit
balken versehen.
dręn s. *drœhen, drœjen*.
dranc, -ges stmn. gedränge,
bedrängnis.
drange adv. enge, gedrängt.
drangen swv. drängen, belästigen; drängen zu (gen.);
intr. sich drängen.
drap, -bes stm. trab.
drappenîe = *trappenîe*.
drâs, drâst stm. duft, geruch.
**drâsen, drasen, dręsen, drâ-
sen** swv. intr. u. tr. duften,
schnauben, ausschnauben.
drât s. *drâht*.
drât stm. draht.
dręte, drâten adv. schnell
eilig (*alsô, als drâte* alsbald).
dręte, drâte adj. eilig, schnell,
rasch.
dręte stf. schnelligkeit, heftigkeit.
drât-smit stm. drahtzieher.
draven s. *draben*.
dreber stm. traber, reitpferd.
drêc, -ckes stm. dreck.
drêhsel s. *drœhsel*.
drêl adv. fest, stark, sehr.
drêmel stm. balke, riegel.
drengen swv. *dringen* machen,
drängen, zusammendrängen;
drängen zu (gen.).
dreschen, dröschen stv. III, 2
dreschen, bildl. quälen — intr.
laufen (*abe, hin dr.*, vom jagdhunde).
dreun s. *dröuwen*.
dreuwe s. *drouwe*.
drî num. card. drei (auch zur
bezeichnung einer unbestimm-
ten zahl); n. *driu*, (*in, en driu*
in drei teile).
drîakel, trîakel, drîaker, triak
stm. theriak (gr. lat. *theriacum*).
drîakeln swv. mit *drîakel*
versehen.

drianthasmê stm. eine art *pfellel* (mlat. *pallium triacontasimum*).

dri-bein, -beinic adj. dreibeinig. **-bort** stn. kleinster nachen (aus drei brettern). **-einec, -einlich** adj. sp. dreieinig. **-gekrônt** part. adj. mit dreifacher krone. **-gëlten** stv., **-gülten** swv. dreifach bezahlen. **-geruodert** part. adj. mit drei ruderbänken. **-gevar** adj. dreifarbig. **-gülte** stf. dreifache zahlung. **-heit** stf. dreiheit, trinität. **-sinnec** adj. dreisinnig, in drei sprachen abgefasst (buch). **-spiz** stm. dreifuss; fussangel; ein dreieck bildendes stück land. **-trehtic** adj. dreifältig. **-valde, -valden** adv. dreifach. **-valt** adj. dreifältig. **-valt, -valte, -valde** stf. dreifaltigkeit. **-valtec** adj. dreifaltig. **-valtecheit** stf. dreifaltigkeit (*beinin dr.* würfel). **-valten** swv. dreifältig machen. **-var** adj. dreifarbig. **-vuoʒ** stm. dreifuss. **-ʒec, -ʒic** num. card. dreissig. **-ʒëhen, -ʒên** num. card. dreizehn. **-ʒëhende, -ʒënde** num. ord. dreizehnte.

drîe swf. dreizahl, dreiheit; drei augen im würfelspiel

drîe s. *drîhe*.

drîen swv. zur drei machen.

drîer stm. dreier (münze, s. *drîlinc*).

dries, dris adv. dreimal.

driesch adj. unangebaut, ungepflügt; *driesch* stmn. unangebautes land, ungepflügter acker (nd. *dreesch*).'

drieʒ stm. überdruss.

drieʒen stv. II, 2 drängen, treiben, drohen (*be-, er-, verdr.*).

drihe, drie swf. sticknadel, handgerät des flechtens und webens (auch *dringe*).

drihen swv. mit der *drihen* arbeiten.

dri-lich, drilch adj. dreifach; als stm. ein mit drei fäden gewebtes zeug.

drilinc, -ges stm. der dritte teil von etw., ein bestimmtes mass, gefäss; eine bestimmte anzahl; ein dreipfennigstück.

drilisch adj. dreifach.

drillen stv. III, 2 drehen, abrunden: part. *gedrollen* drall, rund, gehäuft.

drinden stv. III, 1 schwellen, anschwellen, schwellend dringen.

dringe swf. = *drîhe*.

dringen stv. III, 1 tr. flechten, weben; zusammendrücken, drängen. — intr. sich drängen, andringen (höfische sitte beim empfang von gästen).

dris s. *dries*.

drischel stf. dreschflegel.

drischûvel, -schûfel, -schübel stnm. türschwelle.

drit-halp adj. drittehalb.

dritte, drite num. ord. der dritte; *des dritten, zem dritten* zum dritten male.

drit-teil, driteil stn. drittel.

drittest = *dritte*.

driu s. *drî*.

driuhen, drühen swv. fangen, fesseln.

driunge stf. dreiheit.

driusche stf. = *drûch*.

driʒigeste num. ord. dreissigste; swm. (nämlich *tac*) der dreissigste tag nach der beerdigung eines verstorbenen, an dem der letzte seelengottesdienst für ihn gehalten wurde; zeit von 30 tagen, namentlich vom 15. aug. bis zum 15. sept.

drô stf. s. *drouwe*. **-geschirre** stn. drohwerkzeug, drohung. **-lich** adj. drohend, bedrohlich. **-wort** stn. drohwort.

drobe adv. = *dar obe*.

dromedär, dromedârie stn. dromedar; umgedeutscht *dromen-, -dromeltier* (mlat. *dromedarius*).

dromen s. *drumen*.

drôn s. *drôuwen*.

droschel, troschel, trostel stf. drossel, singdrossel.

dröschen s. *dreschen*.

drouwe, drowe, drou, dröuwe, dreuwe, dröu, dröuwunge stf. drohung.

dröuwen, drouwen, drowen, drewen, dröun, dreun, dröu swv. dräuen, drohen mit dp. u. *an, in, mite, zuo*.

dröʒ stm. verdruss, widerwille, schrecken, beschwerde.

droʒʒe swm. stswf. schlund, kehle.

druc, -ckes stm. druck, feindliches zusammenstossen.

drûch, -hes stm. drûhe, drû stmf. fessel, falle um wilde tiere zu fangen, drauche; not; schwertgriff, heft.

drücken, drucken swv. prät. *dructe, druhte*: drücken, drängen, bedrängen; pressen, auspressen; coire, bei vögeln; ein buch drucken. — intr. sich drängen.

drüese s. *druos*.

drûhe, drûhen s. *drûch, driuhen.*

drum, trum stn. endstück, ende; stück, splitter.

drumen, drümen, md. *dromen* swv. in stücke brechen, hauen, schlagen; zu ende bringen, kürzen; mit stücken füllen, stopfen. — intr. u. refl. in stücke brechen.

drumsel stn. prügel.

drumze, drunze s. *trunze.*

druo stf. frucht.

druos stf., **drüese** swf. drüse, beule.

drusene, drusine stf. drusen, bodensatz.

drüʒʒel stm. gurgel, schlund, kehle; rüssel, schnauze; cervix.

dû, duo, du pron. pers. du.

dûbe s. *diube.*

dublin adj. doppelt (nach fz. *double*).

dûf s. *diube.*

dûge swf. fassdaube.

dûgen swv. sinken.

dûhen s. *diuhen.*

dult, dulde stf. = *dolt.*

dultec-heit stf. dasselbe.

dultec-lich adj. geduldig.

dulten, dulden, dolden swv. dulden, erleiden; geschehn, bestehn lassen.

dûme, doume swm. daumen (*der eilfte d.*, penis); handwinde in der schmiede.

dûm-elle, -elne stswf. das mass von der spitze des daumens bis zum ellenbogen.

dumpfen, dümpfen swv. dampfen, dämpfen.

dunc, -kes stm. das bedünken.

dünec adj. ausgespannt, gross (s. *donen*).

dünen, dunen swv. dröhnen, donnern.

dünke stf. = *dunc.*

dunkelin stn. schwache vermutung, kleiner argwohn.

dunken swv. an., prät. *dûhte* scheinen, dünken.

dünne adj. dünn, zart, seicht; substantivisch *daʒ d.* die weiche.

dünne stf. seichte stelle.

dünnede stf. dünnheit.

dünnen swv. intr. dünn sein oder werden. — tr. dünn machen.

dunre- s. *doner-*.

dunst, tunst stmf. dampf, dunst; bildl. not, schmerz.

dunstec adj. dampfend.

dunsten, dünsten swv. dunsten, dampfen.

dunster s. *dinster.*

dunst-loch stn. schweissloch.

duo pron. s. *dû*; adv. s. *dô*.

durch, dur adv. durch, hindurch. — präp. räuml. u. zeitl. durch, hindurch; kaus. wegen, um — willen, vermittelst, aus, vor (*durch daʒ, waʒ* deshalb, weshalb). — mit dem vb. wird es meistens untrennbar komp., wobei der im betonten verb liegende begriff das übergewicht hat (s. die folgende auswahl).

- **durch-æhtecheit, -æhtigunge, -æhtunge** stf. verfolgung, unterdrückung. **-æhten, -æhtigen** swv. verfolgen. **-æhter** stm. verfolger, unterdrücker. **-bern** swv. durchhauen, -prügeln; part. *durchbert* durchzogen mit; verschlagen, gerieben, ver-

schmitzt. **-bitzen** swv. tödlich, ins innerste treffen. **-biȥen** stv. durch-, totbeissen. **-brëchen** stv. durchbrechen, sich mit gewalt durch etw. hindurch-arbeiten. **-briden** stv. durchflechten, -weben. **-bruch** stm. myst. *den d. nemen, tuon* durchbrechen. **-bûwen** an. v. bebauen, ausbauen. **-dringen** stv. durchdringen, -brechen. **-gân, -gên** stv. durchgehn, -dringen; betrachten. **-ganc** stm. durchgang; durchfall. **-ganz** adj. vollkommen. **-geilen** swv. mit freude durchdringen. **-geisten** swv. tr. mit seinem geist durchdringen. **-geistic** adj. durchgreifend, durchdringend. **-gesiht** stf. durchblick. **-gieȥen** stv. durchgiessen, überströmen. **-glenzen** swv. intr. hell glänzen. — tr. erhellen, erleuchten. **-glôsen** swv. vollständig ergründen, auslegen. **-graben** stv. grabend durchbohren, durchbrechend graben, gravieren, mit steinrelief verzieren; *dúrchgr.* umgraben, umarbeiten. **-græte** adj. voll gräten, stacheln. **-græwen** swv. ganz grau machen. **-grifen** stv. vollkommen begreifen, erkennen. **-gründen** swv. vollständig ergründen. **-gründlichkeit** stf. myst. gründliche durchforschung. **-herten** swv. bekämpfen. **-houwen** stv. durchhauen; auslegen, verzieren. **-jësen** stv. durchgären, durchsetzen. **-kenlich, -kennec** adj. durchsichtig. **-kifen** swv. durchnagen, durchbohren. **-lanc** adj. *der durchlange tac* der tag in seiner ganzen dauer. **-legen** swv. mit zieraten, edelsteinen besetzen, mit gold auslegen; ganz belegen. **-liuht, -liuhtec** adj. alles durchstrahlend, hell leuchtend; berühmt, erhaben, durchlauchtig. **-liuhten** swv. durchleuchten, -strahlen; erklären; part. präs. durchsichtig, durchlauchtig. **-lochen** swv. durchlöchern. **-louf** stm. durchfall (pferdekrankheit). **-luogen** swv. durchschauen. **-lüter** adj. ganz hell und rein. **-lûȥen** adj. ganz bis in die gottheit schauen. **-martern** swv. durch martern erschöpfen. **-mirken** swv. ergründen. **-næjen** swv. durchweg benähen, steppen. **-recken** swv. durchprügeln. **-rein** adj. ganz rein. **-riben** stv., part. *durchriben*: gerieben, durchtrieben, verschmitzt. **-rihen** stv. aneinanderreihen. **-riten** stv. durchreiten, bes. kämpfend durch die feinde reiten. **-runnen** part. *d. mit bluote* blutüberströmt. **-schaffen** part. wohlgebildet, vollkommen. **-schie**ȥen stv. durchschiessen; bildl. durchdringen, -mischen. **-schinec** adj. durchsichtig. **-schünekeit** stf. transparentia. **-schinen** stv. durchleuchten, -strahlen. **-schœne** adj. vollkommen schön. **-schouwen** swv. durchschauen, -suchen; geistig durchdringen, erkennen. **-schriben** stv. aus-, zu ende schreiben. **-schrôten** stv. durchhauen, zerstücken. **-seffen** swv. durchsäften, durchfeuchten. **-sëhen** stv. = *durchschouwen.* **-setzen** swv. vollständig besetzen, auslegen, zieren mit. **-siech** adj. durchaus krank. **-sihen** stv. mit einer flüssigkeit einen löcherigen körper durchdringen; part. *durchsigen,* durchtränkt. **-siht, -sihtec** adj. durchsichtig; scharfsichtig. **-singen** stv. mit gesang erfüllen, zu ende besingen. **-sinnen** stv. durchdenken. **-sinnet** part. durchaus verständig. **-slac** stm. das hindurchschlagen; bergm. die öffnung, um das zurückgehaltene wasser abzuleiten; herstellung einer offenen verbindung zweier bergwerke unter tag; küchengerät zum durchseihen; spitzes werkzeug. **-slahen, -slân** stv. durchprügeln; durchschlagen, durchbohren; schlagend durchdrücken, durchdringen, durchbrechen; mit edelsteinen oder schmuckwerk besetzen. **-slaht** stf. ausschlag; adv. *ze durchslahte, -slehte* durchaus, gänzlich. **-slehtes** adv. durchaus, gänzlich. **-slichen** stv. durchschleichen, **-sliefen** stv. durchkriechen, durchdringen. **-smekken** swv. durchduften. **-smëlzen** stv. tr. schmelzend durchdringen; intr. völlig zerfliessen. **-sniden** stv. zerschneiden, verwunden; zerteilen, durchbrechen (*diu kleit*, zur zierde); entzwei schneiden, aufschneiden. **-spëhen** stv. sp. genau prüfen, spähend durchstreifen. **-spreiten** swv. völlig bedecken. **-stëchen** stv. durchstechen, -dringen. **-strichen** stv. durchstreichen, -streifen; durchschneiden, -wühlen. **-striten** stv. tr. zu ende kämpfen; kämpfend durchdringen. **-ströuwen** swv. umherstreuen, bestreuen. **-süeȥen** swv. ganz *süeȥe* machen. **-sunnen** swv. myst. ganz mit sonne erfüllen. **-swingen** stv. durchdringen; wie mit der futterschwinge reinigen, läutern. **-tief** adj. sehr tief. **-triben** stv. durchziehen, -dringen; durcharbeiten, zerreissen. — part. *durchtriben:* durch und durch listig, durchtrieben. **-twërn** stv. durchbohren. **-üȥ** adv. durchaus, im ganzen. **-vachen** swv. abteilen. **-vân** stv. red. ganz durchziehen. **-varn** stv. durchfahren, -ziehen; durch etw. den weg bahnen, durchbohren; bildl. erforschen. **-vart** stf. durchfahrt, -gang; durchstich. **-vëhten** stv. fechtend durchbrechen. **-villen** swv. durchpeitschen. **-viuhten** swv. durchfeuchten. **-vlach** adj. ganz flach. **-vlieȥen** stv. durchfliessen, durchströmen. **-vluȥ** stm. durchfluss; durchfall. **-vrëch** adj. ganz *vrech.* **-vrô** adj. ganz froh. **-vrühtec** adj. überall und höchst fruchtbar. **-vüllen** swv. füllen, durchnässen. **-vünden, -vündlen** swv. erforschen, ergründen. **-wæjen** swv. durchwehen. **-wallen** stv. wallend sieden; tr. durchwallen. **-wallen** swv. durchwandern. **-warm** adj. vollständig warm. **-waten** stv. durchwaten, durchdringen. **-wëgen** stv. vollwichtig machen; vollständig erwägen. **-weidic** adj. durchwandernd. **-widen** swv. durchprügeln, kasteien. **-wieren** swv. mit gold od. edelsteinen durchwirken. **-wischen** swv. tergere. **-wiȥȥen** an. vollständig wissen. **-würken** swv. durchweben, -schmücken. **-zeln** swv. zu ende zählen. **-ziehen** stv. durchziehen, -wandern; durchmischen. **-ziere** adj. sehr schön. **-ziln** swv. durchdringen, -schiessen; durchschmücken. **-zol** stm. durchgangszoll. **-zwicken** swv. durchstechen.

dürchel s. *dürkel.*
dürchelic adj. durchlöchert.
dürchen swv. = *dürkeln.*
düren, türen swv. dauern, bestand haben; aushalten, stand halten.

durfen, dürfen v. an. grund, ursache haben, brauchen mit infin. bes. in negat. sätzen; brauchen, bedürfen mit gs. **durft** stf. das fehlen dessen, wonach man verlangt, bedürfnis, not (*mir ist, wirt durft eines d.*, ich habe es nötig, brauche es). **durft** adj. nötig, notdürftig. **dürfte** stf. bedrängnis, notdürftig mit gs. **dürftic, durftic** adj. arm, bedürftig mit gs. **dürftic-lich** adj. armselig, bettlermässig. **dürftige, durftige** swm. armer, bettler. **dürftiginne** stf. bettlerin. **durft-lôs** adj. unbedürftig. **dürkel, dürchel, dürhel** adj. durchbohrt, durchbrochen, durchlöchert. **dürkeln** swv. durchlöchern. **durne** s. *doner, dorn.*

dur-nehte, -nahte, -nehtic, -nahtic adj. vollkommen, tadellos, treu, bieder, fromm. -nehte, -nahte stf. vollkommenheit, tüchtigkeit, treue. biederkeit. -nehtecheit stf. dasselbe. -nehteclich adj. = durnehte. nehtigen swv. vollkommen machen.

dürnen swv. mit dornen bestecken; refl. stachelig werden.

dürnin adj. von dornen.

dürnitz, dürnitze stswf. ein heizbares zimmer, meist eine geheizte badestube, auch wohn-, gast-, speisezimmer, ratsstube (nd. dornse, aus dem slav.).

dürre s. türre.

dürre, durre adj. dürre, trocken, mager.

dürre stf. trockenheit; trockener boden; swf. abgestorbener, dürr gewordener baum.

durst stm. durst.

durstec adj. durstig, verlangend nach (gen.).

durstec-heit stf. durst, bildl. begierde. verlangen.

dürsten, dursten swv. unp. dürsten; verlangen nâch.

durst-tôt adj. tot vor durste.

düseln swv. taumeln.

dust stm. md. = dunst.

duster s. dinster.

dutzent stn. dutzend (fz. douzaine, lat. duodecim).

düwen swv. = duzen.

duʒ, -ʒʒes stm. schall, geräusch. gesumme.

duzeln, duzen swv. duzen.

düʒʒie adj. schallend.

dw- s. tw-.

E

ê s. êr, êwe.

ê-bach stm. gemeindebach. -banc stf. herkömmliche brotoder fleischbank. -bant stn. band der ehe.

ebech, ebich, ebch adj. ab-, umgewendet, verkehrt, böse; links.

ebehöu s. ephöu.

êben, eben,êbene, md.ëven adj. eben, glatt, gerade, gleich (mit dat.), gleichmässig. - adv. gleichmässig, passlich, bequem; genau, sorgfältig; soeben.

êben-al adj. allesamt. -alt adj. gleichalt. -bilde stn. eben-, vorbild, beispiel, -bürtic adj. von gleicher geburt, mit dp. -dol stmf. mitleid. -ehtic adj. gleich angesehen. -erbe stn. gleichverteiltes erbe. -erbe swm. miterbe. -gelich adj. ganz gleich. -gelichen svw. eben machen. -gelicheit stf. aequitas. -gewaltic adj. gleich gewaltig. -grôʒ adj. gleich gross. -heit stm. genosse. -heit stf. ebene; möglichkeit. -hël adj. überein-

stimmend. -hëlle, -hëllungo stf. übereinstimmung. -hëllen stv. übereinstimmen. -hër adj. gleich vornehm, gleich herrlich mit dp. -hêre stf. gleiche vornehmheit und das streben darnach. -hertecheit stf. gleiche hartnäckigkeit im kampfe. -hiuʒe adj. ebenso eifrig und munter, nacheifernd; der ebenhiuʒe rival. -hiuʒe stf. begierde gleich zu stehn. rivalität. -hiuʒen swv. intr. nebenbuhler sein. — refl. sich mit frechheit an die seite stellen mit dp. od. ze. -hôch adj. gleich hoch mit dat. -hœhe stf. belagerungswerkzeug, das in gleiche höhe mit den mauern bringt (vgl. hôchwërc). -hûs stn. das geschoss zu ebener erde. -junc adj. gleich jung, dauernd. -kristen, -krist stswm. mitchrist. -lant, -lende stn. flachland. locus campestris. -lich adj., -liche adv. gleich, auf gleiche weise, gleichmässig. -mâʒ stn., -mâʒe stf. gleichmass, ebenbild; gleichnis, vergleich; vor-, nachbild. -mâʒe, -mæʒe, -mæʒec adj. eben-, gleichmässig. -mâʒen swv. vergleichen, gleichstellen mit dat. od. ze. -mensche swm. mitmensch, nächster. -naht stf. tag- u. nachtgleiche. -nehter stm. aequinoctialis. -riche adj. gleich reich. -sâze, -sëʒʒe swm. der gleichen sitz, gleichen rang hat. -sæʒe adj. gleich sitzend mit einem (dat.), gleichen rang habend. -schale stm. mitknecht. -slëht adj. adv. gleichmässig gerade, aufrichtig. -spilstn. ebenbild. -teil stn. gleicher anteil. -teilec adj. gleich teilhaftig. -tiure stf. gleich hoher wert; sicherheit, unterpfand. -trehtec adj. gleichmässig; einhellig. -wâc stm. meeresiläche in gleichmäss. bewegung. -wâge stf. die wage im gleichgewicht. -wëc stm. ebener, gerader weg. -weltic = ëbengewaltic. -wëlt adj. adv. quitt. -wihe stf. neujahrstag. -willec adj. gleichwillig, gleichgestimmt. -wint stm. gleichmässiger wind.

êbenære stm. gleichmacher.

êbenærinne, êbenerin stf. ausgleicherin.

êbene stf. ebene; gleichmässigkeit, milde.

êbenen swv. eben, gleich chen. — refl. in ordnung bringen, einen streit beiiegen; sich rüsten, anschicken.

êbenunge stf. ausgleichung.

êbênus, ebenus stm. ebenbaum, ebenholz (lat.).

êber stm. eber, zuchteber.

êber-boum stm. eberesche.

êber-swin stn. eber.

ebich s. ebech.

êbor stn. ? elfenbein (lat.ebur).

ê-bræchec adj. adulterus. -bræchære stm., -bræchærinne stf. ehebrecher,-brecherin. -brëchen stv. mœchari. -brëchen stn. -brëchunge stf. ehebruch. -brëcheri stf. dasselbe.

ebtissin s. eppetisse.

echt s. êhaft.

ecidemôn stn. tier, (wiesel), tierfell (aus iccidem = lat. ictidem?).

ecke, egge stswf. stn. schneide einer waffe (gewöhnl. im pl. wegen der zweischneidigkeit des schwertes); spitze; ecke, kante, winkel.

eckel, ekkel stm. stahl.

eckeln swv. stählen.

ecken swv. intr. als ecke hervorstehn. — tr. eckig, winkelförmig machen; schärfen.

ecken swv. intr. schmecken, riechen.

ecker s. ackeran. eht.

eckern swv. eckern lesen.

ecke-stein s. eckstein.

edel, edele adj. adlig. edel; herrlich, kostbar.

edel-arm adj. von geburt und gesinnung edel, aber dabei arm. -bære = adelbære. -brôt stn. weissbrot. -heit stf. = edelecheit, -knëht stm. edelknabe, diener aus einem edeln geschlecht, der ritter werden kann. -lich s. adellich. -riche adj. kostbar, nach art der edeln.

edele, edel stf. edle abstammung, art; das vorzüglichste, beste, grösste.

edelen, edeln swv. intr. hin nâch einem ed. ihm nacharten. — tr. edel machen. — refl. eine edle art annehmen.

edeline, -ges. stm. sohn eines edelmannes.

êder s. êter.

ê-dermâl adv. früher, einst.

effen swv. äffen, narren.

effer s. affære.

ege stfm. furcht, schrecken.

ege-bære adj. schrecklich. -bærliche adj. -lich adj.schrecklich.

ê-gëber stm. gesetzgeber.

egede, eide swf. die egge.

ege-dëhse, eidëhse stswf. eidechse.

êgele, êgel swf. blutegel.

ê-gift stn. mitgift.

ê-gemechide stn. ehegemahl (mann oder frau).

egerde, egerte swf. brachland.

ê-geselle swm. ehegatte.

eges-lich, eislich adj.schrecklich, furchtbar, abscheulich.

-(ege)-sam, eissam adj. schrecklich. **-var** adj. schrecklich gefärbt.

ê-gester adv. vorgestern.

egge s. *ecke.*

eggen, egen swv. eggen.

ê-haft adj., md. *echt* gesetzlich, gesetzmässig, rechtsgültig; ehelich geboren.- **-haft** stn., md. *echt* recht und gesetzmässigkeit, eheliche geburt; ehe. **-haft, -hafte, ehte** stf. recht und gesetzmässigkeit; gesetzmässige beschaffenheit; rechte und pflichten einer gemeinde und gegen sie. **-haftic** adj. rechtsgültig. **-haftige** stf. *êhaft.* **-halte** swm. der ein vertragsverhältnis beobachtet, dienstbote; im pl. auch = *êliute.*

eher, äher stn. ähre. **-korn** stn. ährenkorn. **eheræere** stm. ährenleser. **eheren** swv. ähren lesen.

ehsen swv. mit einer achse versehen.

eht, êt, et; oht, ôt, ot adv. (vollere formen *öcker, ockert, ockers, ecker*) bloss, nur, auch, doch; den begriff eines einzelnen wortes hervorhebend (nun, einmal, eben, halt, doch) bes. bei imper., wünschen und fragen. — konj. wenn nur, nach kompar. als.

eht s. *aht.*

ehterin s. *ahterin.*

ehtewer pl. collegium von acht mitgliedern.

ei, -es, ges stn. das ei; bildl. das geringste, wertlose.

ei, eiâ interj. verwunderung, freude u. klage ausdrückend.

eich, eiche stf. eiche.

eichach stn. eichenwald.

eichel swf. eichel (*in eichel wis teilen,* in gleiche teile teilen).

eichen s. *îchen.*

eichen, eichenen swv. zusprechen, zueignen.

eichin adj. eichen, von der eiche.

eichorn stm., **eichurne** swm. eichhorn.

eichürnin adj. vom eichhorn.

eide *egede.*

eide swf. mutter.

ei-dëhse s. *egedëhse.*

eidem, eiden stm. schwiegersohn; schwiegervater.

eiden s. *eiten.*

eiden swv. intr. schwören. — tr. in eid, pflicht nehmen, beschwören; zu eidlicher aussage veranlassen, eidlich befragen (auch *eidigen*); büssen.

eieræere stm. eierverkäufer.

eier-klâr stn. eiweiss. **-tac** stm. fasttag. **-vël** stn. eierschale.

eiern swv. eier legen.

eigen v. an. haben. *sêgich guot* hierher? = *sô eige ich guot,* so möge mir gut zuteil werden.

eigen adj. was man hat, eigen mit gs.; gegensatz von *vrî:* hörig, leibeigen.

eigen stn. eigentum, ererbtes grundeigentum.

eigen-diu, dierne stf. leibeigene magd. **-heit** stf. eigenschaft, eigentümlichkeit; eigensinn. **-holt** adj. leibeigen. **-knëht** stm. leibeigener knecht. **-lich** adj., **-liche** adv. eigentümlich, eigen; leibeigen oder wie ein leibeigener; ausdrücklich bestimmt, speziell. **-loufec** adj. *der e. stern* planeta. **-man** stm., pl. *-liute* dienstmann, höriger. **-schaft** stf. eigentum, besitz (gegens. zu *lëhen*); eigentümlichkeit; eigensinn; leibeigenschaft; genaue nachricht über etwas. **-schalc** stm. leibeigener knecht. **-wille** swm. myst. eigensinn. **-wip** stn. leibeigene.

eigene f. eigentum.

eigenen swv. zu *eigen* machen, aneignen.

eilant s. *ein-lant.*

eilf, eilft s. *ein-lif, ein-lift.*

eimber, eimer s. *ein-ber.*

eimere swf. funkenasche.

ein num. card. ein (*al ein* ganz gleich, zusammen eins, der-, dasselbe); ord. im gegens. zu *ander* (statt *einander* nach präpp. auch bloss das neutr. *ein: after ein* nacheinander, *bî ein* beieinander, zusammen, *in ein* ineinander, zusammen, auf eine art, *mit ein* zusammen, *über ein* sämtlich usw.). — unbest. pron. irgend wer (*einer* od. *einez*), ein gewisser; als unbestimmter artikel.

ein-ander erstarrter acc. od. dat. der eine den, den andern, einander.

ein-bære adj. einhellig, gleich. **-bærekeit** stf. einheit, vereinigung. **-bæren** swv. vereinigen. **-bærliche** adj. auf einträchtige weise. **-ber, eimber, eimer, ember** stm. gefäss mit einem griffe, eimer. **-born** part. adj., **-bornec** adj. eingeborn. **-boum** stm. kleiner, aus einem baume verfertigter nachen. **-brœtic** adj. sein eigenes brot, seinen eigenen herd habend. **-burtec** adj. = *einborn*; dazu **-burtecheit, -geburtecheit** stf. **-erborn, -geborn** = *einborn.* **-formec** adj. myst. einförmig, gleichförmig. **-geht** stf. einsamkeit. **-gehtic, -gahtic** adj in eines gehend, einheitlich; ganz. **-gehürne** stn. = *einhürne.* **-genôte** adv. einzig und allein. **-gevar** adj. = *einvar.* **-haft** adj einfach. **-halben, -halp** adv. auf der einen seite (*einthalp, einenthalp, -halben*). **-heit** stf. =

eine. **-hël, -hëllec** adj. übereinstimmend. **-hende, -hendec** adj. einhändig. **-hürne, -hurne** swm., **einhorn** stmn. einhorn. **-hûs** stn. einsiedelei. **-kriege** adj. eigensinnig. **-kuric** adj. eindeutig. **-lant, eilant** stn. allein liegendes land, insel, eiland. **-lich** adj. adv. in eins geflochten od. gewebt, einheitlich. **-lif, -lef, eilif, eilef, eilf** num. card. **-lift, -left, eilft** num. ord. elfter. **-lœtec** adj. von gleichmässigem gewichte. **-lütze, -lützec** adj. allein, einzeln, einsam. **-muote, -muot, -müetic** adj. einmütig. adv. md. **-mütliche.** **-nehte, -nehtec** adj. einnächtig, nur eine nacht alt, dauernd. **-öuge, -öugec** adj. einäugig. **-rihtec** adj. einseitig, eigensinnig; kleinmütig. **-rüsse** adj. einspännig. **-rüsser** stm. einspänner. **-samkeit** stf. solitudo. **-schaft** stf. einheit, gemeinschaft. **-schilt, -schilte, -schiltec** adj. nur von seiten des vaters oder der mutter dem ritterstande angehörig. **-sidele, -sidel** stm. einsiedler. **-sîn** stn. einheit. **-sinnec** adj. auf einem sinn beharrend, eigensinnig. **-sît** adv. auf der einen seite; seorsum. **-traht** stf. eintracht. **-trahtikeit** stf. myst. einheit. **-trehtec** adj. einträchtig, übereinstimmend; mit gs. übereinkommend. **-valt** stm. womit etw. eingeschlossen wird. **-valt, -valtec, -veltec** adj. einfach; unvermischt; rein; arglos, kein böses verbergend; einfältig. adv. **-valteclîche. -valte, -valt, -velte, -valtekeit** stf. einfachheit; einfalt (ohne tadelnden nebensinn). **-valten, -feltigen** swv. *einvalt* machen, klären. **-var** adj. einfarbig. **-wëselich** adj. sp. einsseiend. **-wîc** stmn. einzelkampf, zweikampf 2.

einde s. *ende 2.*

eine, ein adj. adv. allein, einsam, frei von, ohne etw. mit gs.

eine stf. einsamkeit, einöde.

einec, einic adj. einzig, allein; allein gelassen, fern von (mit gen.).

einec, einic zahlpron. irgendein, im pl. einige.

einec-heit, einekeit stf. einzigkeit, einheit; einigkeit; einsamkeit; alleinsein.

einegen swv. *einec* machen, vereinigen.

einen swv. *eine* machen; mit dp. vereinigen; mit gs. von etw. befreien. intr. allein sein. — refl. übereinkommen, beschliessen; sich absondern, allein gehn.

eines, eins gen. adv. einzig und allein; einmal; einst (künftig oder vergangen).

einest, einst adv. einmal, irgend einmal, einmal, einst.

einez, einz adj. adv. einzig.

einic s. *einec.*

einœte, einœde, einôte stswf. stn. einsamkeit; einöde.

eint-, ent-, ant-wēder pron. einer von beiden; neutr. unflekt. als disjunktive partikel: entweder.

einunc, -ges stm. handwerkerzunftordnung.

einunge stf. einheit (gramm. der singular), einigkeit; einsamkeit, einöde; vereinigung, übereinkunft, bündnis; angesetzte busse (geldbusse), strafe; einungsgericht.

ein-wēder = *eintwēder.*

ein-wiht s. *niwiht.*

einz s. *einez.*

einzec, einzic adj. einzeln; der dat. *einzigen* adv. gebraucht entweder allein od. mit *bî, ze:* kontr. *beinzigen, zeinzigen.*

ein-zeht, -zehtic adj. einzeln.

einzel, einzelic, einzelinc adj. einzeln (der dat. *einzelingen* adverbial wie *einzigen*).

einzen, en(t)zelen adv. einzeln.

einz-lich adj. adv. einzeln.

eisch adj. hässlich, abscheulich.

eisch stm. gerichtl. forderung, untersuchung; gerichtlich bewilligte frist.

eischen, heischen swv. u. red. *(iesch)* forschen, fragen; fordern mit dp. od. *an.*

eischunge stf. forderung; vorladung vor gericht; gerichtlich bewilligte frist.

eise stf. bequemlichkeit.

eise stf. (aus *egese*) schrecken.

eisen swv. unpers. mit dat. schrecken empfinden.

eisicre stf. = *eise* 1.

eisieren, ēsieren swv. bequemlichkeit geben, versorgen, pflegen (afz. *aisier*).

eis-lich s. *egeslich.*

eismende stf. = *eise* 1.

eissam s. *egessam.*

eisunge stf. = *eise* 1 und 2.

eit, -des stmf. eid (den *eit bieten* sich zum eide erbieten, *geben* vorsprechen, *nemen* schwören oder den eid abnehmen, *staben* den eid [mit vorgehaltenem richterstabe] abnehmen, *stellen* vorsprechen, *swern, tuon* schwören).

eit, -tes stm. feuer, ofen.

eiten, eiden swv. tr. brennen, heizen, schmelzen; kochen, sieden. — intr. brennen, glühen.

eiter stn. gift, bes. tierisches; ohrenfliessen.

eiter-bœre, -haft adj. giftig. **-bitter** adj. beissend wie gift. **-galle** swf. gift galle. **-gift** stn. gift, aconitum. **-nâter** stf. giftnater.

-slange swm. giftschlange. **-var** adj. wie eiter aussehend, giftig. **-wolf** stm. giftwolf.

eiterec, eiteric adj. giftig.

eiterin adj. dasselbe.

eitern swv. vergiften.

eiter-, heiter-nezzel swf. brennessel.

eit-genôz, -genôze stswm. durch einen eid verbundener genosse; verschworener, verbündeter, eidgenosse. **-geselle** swm. dasselbe. **-haft** adj. durch eid verpflichtet, verbunden.

eit-loch stn. mündung des hauskanals in einen andern.

eit-oven stm. feuerofen.

eiz stm. geschwür, eiterbeule.

eizel stn. kleiner *eiz.*

ê-kamere f. brautgemach. **-karl** stm. ehemann. **-kint** stn. eheliches kind. **-kone** swf. ehefrau. **-lich** adj. gesetzmässig; ehelich. **-licheit** stf. gesetzmässigkeit; echtbürtigkeit; ehe. **-lichen** swv. legitimieren; ehelichen. **-liute** pl. eheleute.

elbe, elbinne stf. die elfe.

elbisch adj. elfenartig; durch elbischen spuk sinnverwirrt.

elbiz, albiz stm. schwan.

êlch, êlhe stswm. elentier.

ele s. *elne.*

êlefant, êlfant, hêlfant stm., **êlfent, êlfentier** stn. elefant (lat. *elephantus*).

element stn., plural auch swn. elementum, **elementisch** adj. elementaris.

ellen, ellent stn. kampfeifer, mut, tapferkeit, adj. dazu *ellende.*

ellen-, elen-boge swm. ellenboge; die geschwisterkinder (in der bildl. darstellung der verwandtschaftsgrade).

ellenbogenleist (pferdekrankheit).

el-lende stn., md. *enelende, enlende:* anderes land, ausland, fremde; leben in der fremde, verbannung.

el-lende, -lendec adj. der in oder aus einem fremden lande, fremd oder in der fremde ist, verbannt; in weiterer bedeut. geschieden von etw. (gen. od. *an*); unglücklich, jammervoll, hilflos, elend.

el-lendecheit, ellenkeit stf. zustand des *ellenden.*

el-lenden swv. unpers. mit ap. gs. fremd vorkommen, quälen. — refl. sich in die fremde begeben, entfremden mit dp. od. *von.*

ellen-kraft stf. mit mannheit verbundene kraft.

ellent s. *ellen.*

ellent-haft, -haftic, -lich, riche adj. mannhaft, tapfer, kühn, gewaltig.

el-len-tuom stnm. (aus *ellendetuom*) = *ellende.*

el-lich s. *allich, anelich.*

elm stm. art gelblichen tons.

êlm, êlme stf. ulme.

el-mēz stn. ellenmass.

elne, êln, clline, ellen stf., **ele, elle** swstf. elle, *gedûmdiu e.* s. *dûmelle.*

ê-lôs adj. ausserhalb des gesetzes stehend.

else swf. maifisch.

elster s. *agelster.*

elte stf. alter.

elten, alten swv. alt machen, ins alter bringen.

elter s. *altœre.*

elter-muoter stf. grossmutter.

eltern pl. = *altern.*

elter-vater m. grossvater.

êltes, iltis stmn. iltis.

eltisch s. *altisc.*

elt-lich adj. alt, ältlich.

ê-man stm. ehemann.

emb- s. *enb-.*

ember s. *einber.*

emen swv. = *ammen.*

ê-menschen pl. eheleute.

emeral s. *amiral.*

emmesselin stn. ameise.

empelin stn. dem. zu *ampel.*

emzec, emzic, enzic adj. beständig, fortwährend, beharrlich, eifrig.

emzec-heit stf. stätigkeit, ununterbrochene dauer; fleiss, eifer. **-lich** adj., **-liche** adv. = *emzec.*

emzige adv. fortwährend, eifrig.

emzigen swv. etw. in einem fort, sehr eifrig tun.

emzigunge stf. eifer.

emz-liche adv. = *emzecliche.*

en präp. s. *in.*

en adv. neg. s. *ne.*

en präf. = *ent* (*en-binden* od. *ent-binden, en-gëlten* od. *ent-gëlten* usw.; im folgd. ist nur die erste form angesetzt).

ê-narre swm. narr in der ehe.

en-barn swv. tr. u. refl. entblössen, entdecken, aufdecken, eröffnen.

en-beiten swv. warten auf (gen. od. acc.).

en-bërn stv. ohne etw. sein, entbehren, worauf verzichten mit gs. od. nachsatz.

en-besten swv. losbinden; losmachen, abziehen (mit gen. od. *von*); das wild enthäuten und zerlegen.

en-bieten stv. durch einen boten sagen od. gebieten lassen, entbieten; darreichen, bieten.

en-bilden swv. unkenntlich machen, entstellen.

en-binden stv. tr. u. refl. losbinden, lösen (bildl. erklären, übersetzen); befreien (*von* od. gen.).

en-binne, -binnen adv. u. präp. mit dat. binnen, innerhalb.

en-bir stm. was einer nicht hat.

en-biten stv. warten, warten auf (gen.).

en-biჳ = *inbîჳ*.

en-biჳen stv. essend oder trinkend geniessen (*enbiჳჳen sin* gespeist haben).

en-blanden stv. durch mischung, trübung ungeniessbar, zuwider machen; *ich enblande eჳ mir*, lasse es mir mühselig werden, mache zur arbeit; part. *enblanden*: widerwärtig, beschwerlich.

en-blecken swv. entblössen.

en-blenden swv. blenden.

en-blenken swv. als weiss aufdecken und zeigen, sehen lassen.

en-blichen stv. bleich werden.

en-blœჳen swv. entblössen, entkleiden mit gen.; aufdecken, erklären.

en-blüemen swv. entjungfern.

en-bobene, -boben adv. u. präp. oberhalb.

en-bore, -bor, embor adv. in der, in die höhe. — vor adj. u. adv. wie das einf. *bore* steigernd oder iron. verneinend.

en-bœren swv. erheben; refl. sich erheben, empören; abs. sich losmachen von.

en-brëchen stv. intr. hervorbrechen; mit dat. abfallen von, mit dat. u. gen. mangeln, entgehn (*enbrochen sin* mit dat. od. *von*: von der anschuldigung od. klage freigesprochen, überh. eines dinges entledigt sein). — tr. anbahnen, öffnen; erlösen, befreien. — refl. sich entschlagen, befreien *von*, *abe*, od. mit dat.

en-brennen swv. in brand setzen; entzünden; intr. = *enbrinnen*.

en-brësten stv. intr. mit dat. entgehn, entkommen (*enbrosten sin* = *enbrochen sin*); mit gen. od. *von* los werden. — tr. entledigen, befreien.

en-brinnen stv. in brand geraten, entbrennen.

en-brisen stv. aufschnüren, entkleiden.

en-büegen swv. buglahm machen.

en-bunnen an. v. mit dat. u. gen. missgönnen, aus missgunst nehmen.

en-bürn swv. erheben.

en-büჳen adv. aussen.

end konj. ehe, bevor.

endane: *mir ist, wirdet etw. endanc* (= *in danke*), ich begnüge mich damit.

ende stnm. ende, ziel (*endes tac* todestag, jüngster tag); richtung, seite, abstr. beziehung, art und weise; anfang; weidm. der schwanჳ des wildes, zacken des hirschgeweihes; *des endes* dahin.

ende, einde stn. die stirn.

ende-blat stn. letztes blatt, ende. **-haft** adj. **-hafte, -haft** adv. ein ende habend, zu einem ende (ziele) kommend, führend; endgültig, entschieden; aufrichtig, wahrhaft; eifrig, ungesäumt.; genau. **-heit** stf. ende. **-(endec)-lich** adj. was am ende kommt, schliesslich, letzt; deutlich, endgültig; eifrig, eilig, tüchtig, zuverlässig, sicher. **-(endec)-liche** adv. eifrig, eilig, rasch, bald; vollständig, durchaus, sicherlich. **-lôs** adj. endlos, unendlich. **-nôt** stf. letzte not. **-schaft** stf. beendigung; wirksamkeit. **-slac** stm. der letzte, tödliche hieb. **-spil** stn. das letzte entscheidende spiel, die entscheidung. **-strit** stm. letzter kampf. **-(endes)-tac** stm. letzter tag, todestag; schlusstermin einer gerichtl. verhandlung. **-zil** stn. letztes und höchstes ziel, zweck; ende.

endec adj. zu ende kommend, schnell, eifrig. **-heit, endekeit** stf. beendigung.

en-decken swv. aufdecken, offenbaren.

Ende-, Ente-krist stm. der Antichrist.

enden swv. (*prät. endete, ente, ante, ande*) tr. beendigen, vollbringen. — intr. u. refl. enden (sterben).

endern, andern swv. ändern. — refl. sich ändern; den wohnort wechseln; sich wieder verheiraten.

endesten subst. superlat. n. plur. *zuo der hellen endesten* in inferni novissima.

en-dinnen adv. drinnen.

endit stf. indigo.

en-driu s. *drî*.

endunge stf. ende; vollendung, vollführung; austrag.

en-dürnen swv. von dornen befreien.

ene s. *ane* 2. **ene-lich** adj. vom grossvater od. von der grossmutter herrührend.

en-ëben; nëben, nëbent adv. u. präp. mit gen., dat. u. acc. neben, in gleicher linie.

en-ein adv. (*in ein*) e. *werden* übereinkommen.

enelende s. *ellende*.

enelin, enel stn. grossväterchen; grosskind, enkel.

enenkel s. *eninkel*.

ënent s. *jenent*.

ënent-halp ad. u. präp. jenseits.

ëner s. *jener*.

en-ërde s. *ërde*.

en-erbarmen swv. refl. sich erbarmen.

en-gagen s. *engegen*.

en-galten, -gelten swv. *engëlten* lassen, strafen mit gs.

en-gân, -gên stv. entgehn, entkommen; fortgehn; mit dp. entgehn, verloren gehn; mit dat. u. gen. sich entziehen, rechtl. *eines d. eng.* = *enbrëchen, -brësten*.

enge adj. enge, schmal; beschränkt, klein; bildl. genau, sparsam; vertraulich, abgeschlossen, geheim.

enge stf. enge, schlucht; meerenge.

en-gegen, -gein präp. mit dat. entgegen, gegenüber; gegen, im vergleiche.

en-gegen, -gegene, -gein; -gagen, -gagene adv. entgegen; anwesend. **-wertic, -würtic** adj. gegenwärtig. — **-wertikeit, -würtikeit** stf. gegenwart.

engel stm. engel: *in engel wîs* feierlich, festlich (gr. lat. *angelus*).

engel-bote swm. engel. **-brôt** stn. brot der engel, manna. **-gruoჳ** stm. engl. gruss; *Mariæ e.*, M. verkündigung. **-lant** stn. himmel. **-lich** adj. engelgleich, englisch. **-mësse** stf. frühmesse in der adventzeit. **-schaft** stf. die engel. **-seit** stm. eine art wollenzeug. **-var** adj. wie ein engel aussehend. **-vürste** swm. erzengel.

engelin stf. weiblicher engel.

engelisch, engelsch(lich) adj. englisch.

en-gellen swv. die galle ausnehmen.

en-gëlt stm. kosten, nachteil; ersatz.

en-gëlten stv. bezahlen, vergelten; strafe wofür (gen.) leiden, es büssen müssen, durch etw. zu schaden kommen; mit dp. leiden für.

en-gelten s. *engalten*.

engen swv. stechen (zu *ange*, *angel*).

engen swv. enge machen, beengen, in die enge treiben; intr. enge werden.

en-gên s. *engân*.

en-genzen swv. zerbrechen, zerreissen, zerstören.

enger s. *anger*.

engerinc, engerlinc, -ges stm. kornmade (s. *anger*).

engerlîn s. *angerlin.*

engern swv. enger machen.

en-gerwen swv. die rüstung, die kleidung ausziehen.

en-gesten swv. refl. das fremdsein benehmen, vertraut machen.

en-gesten swv. entkleiden.

en-gieʒen stv. ausgiessen, auseinander giessen; intr. refl. austreten (wasser).

en-ginnen stv. aufschneiden, auftun, öffnen.

en-glîchesen swv. durch verstellung vermeiden.

en-glimen stv. aufleuchten.

en-glîten stv. entgleiten.

en-graben stv. auf-, ausgraben; entwenden.

en-grêden swv. des amtes entsetzen (mlat. *degradare*).

en-gürten swv. entgürten (*daʒ ros* od. *dem rosse eng.*). — refl. den gürtel lösen.

ên-halp, -halben s. *ênent-halp.*

en-hant, -hende adv. in der hand; *enhant gân*, von statten gehn, ergehn.

en-hein s. *nehein.*

ên-hêr s. *ênnehêr.*

enin stf. = *ane* swf.

eninkel, enenkel, enikel stm. enkel.

ênk dat. acc. pl. (urspr. dual) zu *ir:* euch (bair.).

enke swm. vieh-, ackerknecht; das gestirn des Bootes.

en-kein s. *nehein.*

enkeinest adv. keineswegs.

enkel stm. knöchel am fuss.

enkelinc, -ges stm. = *eninkel.*

en-kennen swv. = *erkennen,* erkennen, bekennen.

ênker gen. von *ir* u. possess. euer (urspr. dual, bair.).

enker s. *anker.*

en-kêren swv. intr. u. refl. sich um-, abwenden, mit gs. — tr. verwandeln.

en-kinden swv. kinder erzeugen, gebären.

en-kleiden swv. entkleiden.

en-klieben swv. spalten.

en-klûsen swv. aufschliessen.

en-koberen svv. refl. sich erholen.

en-köpfen swv. enthaupten.

en-krœnen swv. der krone berauben.

enkusten s. *ent-gusten.*

en-lende s. *ellende.*

en-lîbe = *in lîbe* am leben, leiblich.

enlich s. *anelich.*

en-mitten, -mittent adv. räuml. in der mitte, mitten darin, mitten hinein. — zeitl. wohl stets *ie-mitten.*

en-mornen adv. morgens.

ênne adv. von dort her.

ênne-, ênnen-, ên-, ênt-hêr

adv. zeitl. von jener zeit her, bisher. — räuml. von dort her.

ênnen, ênnent s. *jenen, jenent.*

ênner adv. jenseits.

en-ouwe s. *ouwe.*

enph- s. auch *entv-.*

enphæhelich, empfellig, anpfellig adj. empfehlenswert, angenehm.

enphähen, enphân, entvâhen stv. an sich nehmen, aufnehmen, empfangen (abs. das heil. abendmahl empfangen); *einem daʒ ros e.* ihm das ross abnehmen beim empfang; ein kind empfangen; anfangen; in feuer geraten oder versetzen.

en-phahten swv. bestimmen, erklären.

enpfallen, ent-vallen stv. entfallen, niederfallen; entfallen, verloren gehn.

'enphâhunge stf. das empfangen, empfängnis.

enpfarn, ent-varn stv. gehn, entfahren, entgehn, mit dat.

enphêlh stm. empfehl.

enphêlhen stv. übergeben zu besorgung, bewahrung oder besitz mit dp.

enphenc-lich adj. empfänglich; annehmbar, angenehm.

en-phenden swv. als pfand in anspruch nehmen, pfänden.

enphengen, ent-vengen swv. anfachen, entzünden.

enpherwen, ent-verwen swv. entfärben, tr. u. refl.

enphestenen swv. verloben (desponsare).

enphetten swv. entkleiden; ausschirren (pferd).

enphinden, ent-vinden stv. empfinden mit gen.

enphindunge stf. *e. der sinne* sinnliche wahrnehmung.

enphintlich adj. mitfühlend; *mir wirt ein dinc e.* ich empfinde es.

enphlammen, enphlemmen, enflammen swv. entflammen.

enphlêgen stv. mit gen. sorgen für, pflegen.

enphlëhten stv. aufflechten.

enphliegen, ent-vliegen stv. entfliegen.

enphliehen, ent-vliehen stv. entfliehen (mit dat. od. acc.).

enphlihten swv. refl. sich mit etw. zu tun, zu schaffen machen.

enphlœhen, ent-vlœhen swv. durch die flucht entziehen, entwenden, rauben.

enphremden, ent-vremden swv. entfremden, entziehen.

enphüelen swv. in den pfuhl werfen.

enphüeren, ent-vüeren swv. mit dat. entziehen, benehmen; entführen; einem andern eine

klage, einen anspruch durch eid od. kampf abgewinnen, eidlich für unwahr od. ungültig erklären.

en-prisen swv. den preis, wert benehmen, mit gen. entblössen.

en-rinnen stv. aufgehn, entspringen.

en-runst stf. aufgang.

en-sam, -samen, -sament, -samt adv. zusammen.

ens-boum s. *ansboum.*

en(t)schumphieren swv. besiegen; erniedrigen, beschimpfen.

en-spalten stv. spalten, zerspalten.

enspen s. *ëʒʒischban.*

en-spin (*anspin*) stm. spinnwirtel.

enste adj. wohlwollend.

enstec-heit stf. gunst. -liche adv. wohlwollend.

ent- vgl. auch den anlaut *en-* (oft ist *ent-* nur verstärkend wie in *entlîhen, entnacten* usw.).

ent-äuen, -ænen swv. tr. berauben. — refl. sich entäussern, verzichten mit gs.

ent-arten swv. aus der art schlagen.

ent-blîben stv. übrigbleiben, fernbleiben.

ent-brieʒen stv. entspriessen.

ente swf. ente (s. *ant*).

ent-edelen, -adelen svv. unedel machen.

en-teilen swv. mit dp. erteilen, zu wissen tun; durch urteil aberkennen; zerteilen.

entelin, entel stn. dem. zu *ente.*

ent-erben swv. tr. enterben; auch allgemeiner berauben mit gs. — intr. ohne erben sein. — refl. mit gs. worauf verzichten.

ent-êren swv. der ehre berauben, beschimpfen; *e. bitte* abschlagen.

entern s. *antern.*

ent-esten swv. der äste berauben, freudlos machen.

ent-êwen swv. gesetzlich ungültig, unmöglich machen.

ent-formen swv. die *forme* nehmen.

ent-geisten swv. intr. den geist aufgeben. — tr. des geistes berauben.

ent-glîden s. *entlîden.*

ent-gusten, enkusten swv. beunruhigen, reizen.

ent-haben, -hân swv. abs. bleiben, warten; mit acc. zurück- und aufrechthalten; fest, ruhig halten. — refl. sich halten, aufhalten, enthalten (mit gs. od. *von*).

ent-habunge stf. enthaltung, enthaltsamkeit; das feststehn, der halt.

ent-halt stm. aufenthalt; stillstand, ende.

ent-halten stv. abs. halten, stillhalten; mit acc. auf-, zurückhalten; aufenthalt, bewirtung und schutz gewähren; erhalten. erretten, erlösen; mit dat. *dem orse* usw. (obj. *zoum* ausgelassen) *enth.*: halten, still halten. — refl. sich auf-, festhalten, behaupten; mit gs. sich enthalten von. **-halter, -helter** stm. erretter, erlöser.

ent-haltnisse, -heltnisse stfn. zurückhaltung; aufenthalt; inhalt.

ent-haltunge stf. enthaltsamkeit; aufenthalt; unterhalt.

ent-hebede stf. abwendung.

ent-heben stv. auf-, zurückhalten; befreien, entledigen mit gs.; refl. = *enthaben.*

ent-heften swv. losknüpfen, lösen, befreien.

ent-heiz s. *antheiz.*

ent-heizen stv. mit dat. u. acc. verheissen, geloben; *sich e. zuo eines grabe* eine wallfahrt an jemands grab geloben.

ent-heizer stm. stipulator.

ent-helsen swv. enthaupten.

ent-helter s. *enthalter.*

ent-henden swv. die hände abhauen.

ent-her s. *enneher.*

ent-heren swv. entheiligen.

ent-herzen swv. tr. entmutigen. — intr. verzagen.

ent-hiuten swv. abhäuten.

ent-houbeten, -houpten swv. enthaupten.

ent-houwen swv. loshauen, losmachen von (gen.).

ent-hüeten swv. refl. sich hüten.

ent-hulden swv. der huld eines (dat.) berauben.

ent-hüsen swv. vom hause, vom amte entfernen; mit gs. berauben.

en-tiuren swv. entwerten, erniedrigen.

ent-iuzen, -iuzern swv. refl. mit gen. entäussern (s. *entázenen*).

ent-kleidunge stf. myst. loslösung vom eigenwillen.

ent-laden stv. entladen, ausladen; mit gs. od. *von* befreien, berauben.

ent-lâwen swv. *lâ* werden, auftauen.

ent-lâzen, -lân stv. entlassen, los, fahren lassen; flüssig machen. — refl. sich entfalten, aufblühen; nachlassen, aufhören.

ent-leden swv. entladen, entledigen mit gs.

ent-ledigen swv. frei machen.

ent-legen swv. weglegen, entfernen; mit ap. u. gs. entschädigen.

ent-lêhenen, -lêhen swv. entlehnen (*umbe, an, von einem*).

ent-leiden swv. von leid befreien.

ent-leiten swv. entführen.

ent-lesten swv. entlasten, los machen mit gs.

ent-liben stv. mit dat. schonen, verschonen; ablassen von, einhalt tun.

ent-liben swv. entleiben.

ent-libunge stf. tod.

ent-lichen swv. entstellen, unkenntlich machen.

ent-liden, -gliden swv. entgliedern; losmachen.

ent-liechen stv. = *entlûchen.*

ent-ligen stv. nieder liegen, entschlafen; ferne liegen.

ent-lihen stv. entleihen, auf borg geben od. nehmen.

ent-lihten, -lihtern swv. erleichtern.

ent-limen stv. mit dat. sich ablösen, ablassen von.

ent-linden swv. leicht machen.

ent-linen = *entliunen.*

ent-liuhten swv. erleuchten.

ent-liunen swv. auftauen.

ent-lœsen swv. los machen, lösen mit gs.

ent-louchen, -lûchen swv. refl. sich öffnen.

ent-loufen stv. entlaufen.

ent-lûchen stv. tr. u. refl. aufschliessen, öffnen; intr. entweichen.

ent-lücken swv. aufdecken.

ent-luogen swv. durchschauen.

ent-machen swv. vernichten; verstecken, unkenntlich machen.

ent-mannen swv. der mannschaft berauben.

ent-mâsen, -meilen swv. von flecken reinigen.

ent-menschen swv. myst. vom menschlichen befreien.

ent-minren swv. refl. sich vermindern.

ent-muoten swv. feindlich entgegensprengen.

ent-nacten, -nacken swv. entblössen.

ent-næjen swv. aufschnüren; enthäuten.

ent-nêmen stv. auf borg nehmen od. geben; entfernen. — refl. sich entfernen *von, áz* od. dat.; entledigen (gs.).

ent-nicken, -nücken swv. einnicken, entschlummern.

ent-nihten swv. zunichte machen.

ent-oben swv. sich erheben über.

ent-öffenen, -öffen swv. eröffnen.

ent-ordenen swv. in unordnung bringen.

ent-ôren swv. die ohren abhauen.

ent-raffen swv. entraffen, befreien von.

en-trabes adv. im trabe, eilig.

en-tragen stswv. entziehen, entwenden mit dp.

en-trahten swv. anstreben.

en-trâten stv. intr. in furcht geraten. — tr. erschrecken vor, fürchten.

ent-râten stv. mit dp. ausweichen; mit gs. entbehren; tr. erraten; abraten.

ent-râtunge stf. das erraten.

entrech s. *antreche.*

ent-reden swv. tr. verteidigen, entschuldigen. — refl. mit od. ohne gs. sich von einer anklage durch beweis vor gericht frei machen; *ein guot entr.* rechtlich aus dem interimist. besitze eines andern an sich bringen.

ent-reder stm. verteidiger.

ent-redunge stf. verteidigung, das schieben der schuld auf einen andern; ausrede, ausflucht.

entreich s. *antreche.*

ent-reinen, -reinigen swv. der reinheit berauben, besudeln.

en-trennen swv. los-, auftrennen, auflösen, zerhauen.

ent-rennen swv. entlaufen.

en-trêten stv. auf die seite treten, einen fehltritt tun.

ent-retten swv. erretten.

en-triben stv. auseinandertreiben.

ent-ricken swv. von fesseln lösen, auflösen.

ent-riden stv. refl. sich los winden.

ent-rihen stv. entledigen.

ent-rihten swv. vom rechten wege ab, in unordnung bringen; in rechte lage bringen, schlichten, entscheiden; bezahlen.

ent-rinnen stv. davonlaufen, entrinnen, sich entziehen mit dp.; entfallen; s. v. a. *erinnen.*

entrisch adj. alt, altertümlich; ungeheuer, grausig.

ent-risen stv. entfallen.

ent-riten stv. wegreiten, reitend entkommen mit dp.

en-triuwen s. *triuwe.*

en-triuwen swv. entfremden.

ent-rüemen swv. des ruhmes berauben.

ent-rûmen swv. intr. u. refl. entweichen, verschwinden, sich befreien von. — abs. tr. räumen, einräumen; mit dp. u. as. od. *von,* wovon befreien.

en-trünne adj. flüchtig.

ent-ruochen swv. refl. mit gs. od. *umbe* sich nicht kümmern, entschlagen.

ent-rüsten swv. die rüstung ab-, wegnehmen, entwaffnen; aus der fassung, in zorn bringen. — refl. aus der lage kommen; sich entrüsten.

ent-rütten swv. tr. durch rütteln bewegen, zersprengen; intr. sich verschieben.

ent-sachen swv. zu ende bringen (streit), bewirken; im streite überwinden; befreien (gs.); entfernen *von*.

ent-saffen swv. entsäften.

ent-sage stf. verteidigung.

ent-sagen swv. fehde ansagen mit dp.; tr. u. refl. entschuldigen, verteidigen, freisprechen; *einem etw.* oder *sich einem ents.* lossagen, losmachen von, vorenthalten, absprechen, entziehen, entfremden; das gegenteil sagen, leugnen, verheimlichen; mit worten auseinandersetzen; anschuldigen; *sich e. lâzen,* einer aussage sich unterwerfen. — refl. mit gs. sich entschlagen; sich wogegen verteidigen; mit dat. entfliehen.

ent-samen, -sament = *en-s.*

ent-samenen swv. refl. sich trennen, lossagen.

ent-schëhen stv. geschehen, entstehn.

ent-scheiden stv. unterscheiden; richterl. entscheiden; bescheiden mit gs.

ent-scheit stm. entscheidung; bescheid.

ent-schepfen swv. entstellen; vernichten; intr. entspriessen, hervorgehen aus.

ent-schicken swv. entstellen; ungeschickt machen.

ent-schieben stv. auseinander schieben, erklären.

ent-schihten, -schihtigen swv. entscheiden, ordnen, schlichten.

ent-schinen stv. erscheinen.

ent-schœnen swv. der schönheit berauben.

ent-schulden,-schuldigen swv. tr. u. refl. von der schuld befreien, lossagen, freisprechen mit gs.

ent-schuldunge, -schuldigunge stf. entschuldigung, freisprechung von schuld.

entschumpfentiure s. *schumpfentiure.*

ent-schuochen swv. die fussod. beinbekleidung abziehen mit dp. od. ap.

ent-schüten, -schütten swv. befreien, entsetzen (belagerte), entlasten.

entsebelich adj. sinnlich wahrnehmbar.

ent-seben stv. VI u. swv. mit dem geschmacke wahrnehmen, überh. inne werden, bemerken mit gen. od. acc.

ent-sëhen stv. anblicken, durch den anblick bezaubern.

ent-senen swv. refl. durch liebesschmerz umkommen.

ent-senften swv. besänftigen, sanfter machen.

ent-setzen swv. zurück-, absetzen mit gs. od. *von*; aus dem besitze bringen, berauben mit gs. od. *von*; entsetzen, befreien; ausser fassung bringen. — refl. sich scheuen, fürchten vor; mit gen. widerstand leisten, sich widersetzen (*sich der rede e.* eine anschuldigung für unwahr erklären); sich vergleichen.

ent-setzunge stf. myst. verzückung; furcht, scheu; einbusse an ansehen.

ent-sigen stv. entsinken, entfallen mit dp.

ent-sin an. v. ohne etw. sein mit gen.

ent-sinken stv. entsinken; mit gen. wovon abkommen.

ent-sinnen stv. intr. u. refl. von sinnen kommen. — refl. zu verstande kommen; in den sinn aufnehmen, erkennen mit gs. od. *ûf, umbe*; sich vornehmen mit gs.

ent-siten swv. durch unsitte, unsittlichkeit beflecken.

ent-sitzen stv. intr. aus der lage, dem ruhigen sitze kommen; sitzen bleiben; mit dp. sich einem gegenüber behaupten; sich entsetzen mit gs. — tr. u. refl. fürchten, erschrecken vor (gen.), ebenso *ich entsitze mir etw.*; wegnehmen mit dp. u. as. — *entsëzzen sîn* entlegen wohnen.

ent-slâfen stv. ein-, entschlafen, sterben; *entslâfen was* man hatte geschlafen.

ent-slæfen swv. einschläfern.

ent-slahen, -slân stv. tr. anschlagen, beginnen (*liet*); auseinanderschlagen; losmachen, befreien von (dat. od. *von*). — refl. uneins werden; sich von einer anklage durch beweis reinigen; mit gs.; sich entäussern, überheben mit gs. — intr. entgehn, enteilen; nicht übereinstimmen.

ent-slichen stv. wegschleichen.

ent-sliefen stv. entweichen, entschlüpfen.

ent-sliezen stv. befreien *ûz, von*; aufschliessen, öffnen, lösen, offenbaren, erklären; sich verteilen u. ausbreiten.

ent-slifen stv. entgleiten.

ent-slingen stv. intr. sich ausbreiten; mit dat. sich loswinden von. — refl. sich aufrollen.

ent-slipfen, -slüpfen swv. ausgleiten, entgleiten.

ent-slizen stv. intr. entgehn.

ent-sloufen swv. los machen von (gen. od. *von*).

ent-slœzen swv. befreien.

ent-slummen swv. entschlummern.

ent-sniden stv. zerschneiden.

ent-snüeren swv. los-, aufschnüren.

ent-sorgen swv. von sorgen befreien.

ent-spanen stv. weglocken, abwendig machen.

ent-spannen stv. losmachen.

ent-spëhen swv. abwendig machen.

ent-spenen swv. entwöhnen, abwendig machen von (dat.).

ent-spengen swv. der spangen berauben; mit gewalt entfernen.

ent-sperren swv. aufsperren.

ent-spitzen swv. stumpf machen.

ent-sprëchen stv. durch worte entkräften; entgegnen, antworten mit dp. — refl. sich losreden, verteidigen, entschuldigen.

ent-spreiten swv. refl. sich ausbreiten.

ent-sprengen swv. auf-, davonspringen machen.

ent-spriezen stv. entspringen. — tr. entspriessen machen, aufschliessen.

ent-sprinc stm. ursprung.

ent-springen stv. entfliessen. mit dat.; entrinnen; hervorspringen, -spriessen; erwachen aus (*ven.*); aufspringen.

ent-stân, stën stv. intr. sich von etw. wegstellen, entgehn mit gen., mangeln, entgehn mit dat.; stehn bleiben; zu sein beginnen, erstehn, sich erheben, werden — tr. u. refl. merken, verstehn, einsehen, wahrnehmen, sich erinnern mit gen., acc. od. nachsatz.

ent-standunge stf. widerstand; hindernis.

ent-stëchen stv. wegstechen; aufstechen.

ent-stellen swv. verunstalten. — refl. sich verstellen.

ent-stôzen stv. tr. verstossen. — refl. mit dp. abfallen.

ent-stricken swv. losbinden, aufknüpfen; erklären.

ent-süvern swv. verunreinigen.

ent-sweben swv. tr. einschläfern. — intr. einschlafen.

ent-swëben swv. bewegen.

ent-swëllen stv. aufhören zu
schwellen, abschwellen.
ent-swellen swv. tr. ent-
swëllen machen (geschwulst);
aufschwellen.
ent-swern stv. abschwören.
ent-swichen stv. entweichen,
im stiche lassen mit dp.; unpers. mit dat. ohnmächtig
werden.
ent-swinen stv. entschwinden,
abnehmen.
ent-swingen stv. refl. sich
davonmachen.
en-tüemen swv. gerichtlich
od. überhaupt absprechen.
en-tuon an. v. auftun, öffnen;
zugrunde richten; enttân werden erschrecken.
ent-üzenen swv. = entiuzen.
entv- s. auch enph-.
ent-vellen swv. entfallen machen oder lassen (entreissen,
verlieren); einen eines d. entv.
machen, dass einem ein ding
entfällt.
ent-vërn, -vërnen, -vërren,
-virren swv. entfernen.
ent-vriden swv. des friedens
berauben.
ent-vrien swv. frei machen.
ent-vriunden swv. entfreun-
den, verfeinden.
ent-vrône stf. aufhebung der
gerichtl. beschlagnahme.
ent-vrœnen swv. die beschlagnahme aufheben.
ent-vüeȥen swv. die füsse abhauen.
ent-vunken swv. entzünden.
ent-wachen swv. erwachen.
ent-wâfenen, -wâpenen swv.
entwaffnen.
en-twahen stv. abwaschen.
ent-wahsen stv. entwachsen,
entgehn, verloren gehn mit dp.;
mit gen. zu der freiheit wovon
gelangen.
en-twälen swv. sich aufhalten, zögern.
ent-wallen stv. in wallung
geraten; entfliegen.
en-twalmen, -twelmen swv.
betäuben.
ent-walten stv. überwältigen.
ent-wandeln swv. tr. ent-
fernen, verwandeln; abs. schadenersatz leisten.
ent-wanken swv. entweichen
mit dat.
ent-wâpenen s. entwâfenen.
ent-wæten swv. entkleiden;
enthäuten (wild).
ent-wëben stv. auseinander-
weben, losmachen von.
ent-wecken swv. aufwecken.
ent-wëder s. eintwëder.
ent-wëgen stv. scheiden, trennen von (an).
ent-weichen swv. intr. entweichen — tr. erweichen.
ent-weiden swv. ausweiden.

ent-weisen swv. zur waise
machen.
en-twel stm. aufenthalt.
en-twelien swv. tr. auf-, zurückhalten, verzögern mit gs.
od. von; betäuben. — intr. sich
aufhalten, verweilen, zögern.
en-twelmen s. entwalmen.
en-tweln swv. aufhalten; erstarren machen, betäuben; berauben mit gs. — intr. =
entwellen.
ent-weltigen swv. mit gs. der
gewalt berauben, aus dem besitz
setzen.
ent-wenden swv. intr. mit dp.
entgehn. — tr. abwenden, abwendig machen; entziehen mit
dp.; befreien von, losmachen
mit gs. od. von.
ent-wenen swv. entwöhnen,
tr. u. refl. mit gs.
en-twengen swv. auseinander
zwängen, befreien von (gen.).
ent-wenken swv. entweichen,
entgehn, untreu werden mit
dat., gen., dat. u. gen.
en-twër, -twërch adv. (auch
entwërhes, entwërhe) in die quere,
hin und her.
ent-wërden stv. vergehn, zunichte werden; entkommen
mit dp., abkommen, frei werden
von (gen.), sich seines wesens
entäussern.
ent-wërf stn. entwurf.
ent-wërfen stv. auseinanderwerfen, breiten; auseinandersetzen, erklären; los-, fallen
lassen; zeichnen, malen, weben,
gestalten; den plan zu etw. fassen, einrichten, anstiften. —
refl. sich aufwerfen, in die höhe
streben gegen (gen.); sich bilden, gestalten; sich entziehen.
ent-wërken, -wirken swv.
verderben, vernichten (vgl.
entwürken).
ent-wërn swv. abschlagen,
nicht gewähren mit ap. gs.
ent-wern swv. aus dem besitz
setzen, berauben mit gs. (auch
mit dat. u. acc.).
ent-wern swv. entwaffnen;
vernichten.
ent-wërren stv. entwirren, in
ordnung bringen; refl. = ent-
reden; sich in eine sache entw.
(mit verstärkendem ent-) sich
hineinmischen, unordnung hin-
einbringen.
ent-wësen stv. nicht sein;
ohne etw. sein, entbehren, überhoben sein mit gs.; fehlen mit
dp. — refl. sich entäussern
mit gs.
ent-wësen stn. das ausbleiben; die trennung.
ent-wësenen swv. des wesens
entäussern.

ent-wëten stv. aus dem joch
lösen; entbinden, befreien mit
gs., âz, von.
ent-wiben swv. der weiblichkeit berauben.
ent-wich stm. das entweichen.
ent-wichen stv. entweichen,
fortgehn, im stiche lassen mit
dp. od. von; mit dat. (u. gen.)
weichen als besiegter, ausweichen um platz zu machen od.
einer gefahr zu entgehn; mit
dat. kraftlos werden; nachgeben, nachstehn; abtreten,
zedieren.
ent-wiht s. niwiht.
ent-wilden swv. tr. u. refl.
entfremden mit dp.
ent-winden stv. ent-, loswinden, entledigen.
ent-wipfen swv. entfahren,
entschlüpfen.
ent-wirden swv. der würde
berauben, entwürdigen.
ent-wirken s. entwërken.
ent-wischen, -witschen swv
entwischen.
ent-wisen stv. verlustig gehn,
part. entwisen, verlassen, leer
von (gen.).
ent-witzen swv. belehren,
aufklären mit gs.; des verstandes berauben.
ent-wiȥen stv. vorwerfen,
tadeln.
ent-wonen swv. intr. sich entwöhnen mit dp., gs.
ent-worten swv. der worte
(sprache, nacherzählung) berauben.
ent-würken swv. zunichte
machen, zerstören; ausweiden,
zerlegen (vgl. entwërken).
ent-würten s. antwürten.
ent-zihen stv. refl. verzichten,
entsagen mit gs.
ent-ziunen swv. refl. mit gen.
sich entäussern.
en-vollen adv. völlig.
en-wadele, -wedele adv. hin
und her.
en-wage adv. in bewegung.
en-wâge adv. auf der, auf die
waage, bildl. in gefahr.
en-wëc adv. hinweg, fort.
en-wëder s. newëder.
en-wiht s. niwiht.
en-zamt adv. (en-zesamt) zusammen, zugleich mit.
enze swf. gabeldeichsel.
en-zëlt adv. enz. gân, varn
den passgang gehn usw.
en-zenden swv. entzünden.
en-zetten swv. zerstreuen
(enzat gân, varn).
enȥic s. emzec.
en-ziehen stv. intr. entgehn,
vergehn mit dp. — tr. u. refl.
entziehen, abhalten mit dp.
od. von. — refl. sich enthalten
mit gs. od. von.

en-zieren swv. des schmuckes berauben, entstellen.

en-zinden stv. entzünden.

en-zit adv. bald, beizeiten.

en-zœhen swv. entziehen.

en-zouwen swv. entgehen, fehlen mit dp.

en-zücken swv. eilig wegnehmen, gewaltsam entreissen, rauben mit dp. od. von; ausdruck der myst. ekstase. — refl. sich losreissen, mit gewalt befreien; sich entschlagen mit gs.

en-zünden, -zünten swv. intr. anfangen zu brennen, leuchten. — tr. entzünden. — refl. entbrennen, in zorn geraten.

en-zuo adv. dazu.

en-zwâr adv. = zwâre s. wâr.

en-zwei adv. = in zwei (näml. stücke, teile) entzwei.

en-zweien swv. entzweien.

en-zwicken swv. los zwicken, lösen.

en-zwischen s. zwisc.

epfel s. apfel

epfellin stn. dem. zu apfel.

ephich stn. eppich (lat. apium).

ephof (hebr.) alte bezeichnung für albe, eig. kleid des hohenpriesters.

ephöu, ebehöu stn. epheu.

ëppen swv. ebben.

eppetisse, ep(b)tissin stf. äbtissin (mlat. abbatissa).

ëppunge stf. ebbe.

er s. hërre.

ër pron. der 3. pers., md. auch hër, hë (subst. der ër stswm. der mann, das männchen); neutr. ëჳ, iჳ.

ër stn. erz, eisen.

êr, ê adv. früher, vormals; eher, lieber mit nachfolgd. komparativsatz. — präp. vor, zeitl. mit gen. od. dat. — konj. eher als, ehe (meist mit folgd. konj.), nach kompar. ohne zeitl. begriff s. v. a. danne als, als dass.

er-æbern swv. auftauen, schneelos werden (s. œber).

er-affen swv. zum toren werden.

er-ahten swv. genau bestimmen, ermessen, erwägen; zuteilen, bestimmen mit dp.

er-alten swv. alt werden; zu alt werden für (gen.).

er-arbeiten swv. durch arbeit erwerben.

er-argen swv. arc werden.

er-armen swv. verarmen; dürftig, schlecht werden.

er-arnede, -arnunge stf. verdienst.

er-arnen swv. einernten, erwerben, verdienen, entgelten; erretten.

er-balden swv. intr. u. refl. balt werden, guten mut fassen,

sich erkühnen. — tr. balt machen.

er-balgen s. erbelgen.

er-bangen swv. bange werden

erbære stm. erbe.

ër-(êren-)bære, -bærec adj. der ehre gemäss sich benehmend, edel; zur ehre gereichend, angemessen.

êr-bære stf. ehrenvolles betragen.

êr-bærecheit, êr-bærkeit stf. dasselbe.

êr-bæren swv. glorificare.

êr-bærlich adj. = êrbœre.

er-barme, -berme stf. barmherzigkeit, erbarmung.

er-barmec, -bermic adj. barmherzig.

er-barmecheit, er-barmkeit, -bermekeit, -barme(n)de stf. barmherzigkeit.

er-barmeclich adj. barmherzig; erbarmenswert.

er-barmen swv. tr. erbarmen haben mit, bemitleiden; erbarmen, dauern, rühren (mit dem acc. od. dat. des erbarmenden u. nom. des bemitleideten). — refl. sich erb. über, umbe.

er-barmhërze, -hërzec, -hërzeclich adj. barmherzig.

er-barmhërze stf. barmherzigkeit.

er-barmhërzekeit stf. dasselbe.

er-barmunge stf. erbarmung, barmherzigkeit.

er-barn, -barwen, -berwen swv. bar machen, entblössen, zeigen, kund tun.

erbe stfn. erbe; grundeigentum; vererbung, erbschaft.

erbe swm. nachkomme, erbe (alter erbe herr eines alterbes).

er-bëben swv. s. erbiben.

erbe-diet stf. die Christus als erbe gehörende menschheit. -eigen stn. ererbtes eigen. -gate swm. miterbe. -gëlt stn. ererbte schuld. -genôჳ stm. miterbe. -guot stn. erbgut. -haft, -haftic adj. erbend. -hërre swm. angestammter herr. -hulde, -huldunge stf. erbhuldigung. -kint stn. erbsohn, erbtochter. -lant stn. ererbtes land. -lêhen stn ererbtes lehen. -lôs adj. ohne erbe (ohne reich); ohne erben; ohne recht des vererbens. -man stn. erblicher dienstmann. -minne stf. angeerbte, alteigene minne. -næme, -nëme swm. erbe. -phluoc stm. ererbtes geschäft, von dem man lebt. -rëht stn. erbrecht; bäuerliches recht am gute; recht des erbpächters; eigentum nach erbrecht. -rëhter stm. = erbeler. -schaft stf. erbschaft. -sun stm. erbsohn. -teil stmn. anteil am erbe, erbschaft; nach-

lass. -val stm. anfall einer erbschaft. -vater m. vater durch erbschaft. -vellic adj. rückfällig an den lehensherren. -vint stm. erbfeind. -vrouwe swf. herrin durch erbrecht. -wëc stm. altherkömmlicher weg. -zal stf. erbteil. -zeichen stn. erbwappen; erbberechtigung. -zins stm. unablöslicher grundzins.

er-beinen swv. mit dem wachtelbein ins garn locken.

erb-einige stf. erbvereinigung. -schulde stf. erbsünde. -sёჳჳe swm. erbsasse. -sidel swm. der mit erbrecht auf einem lehngute sitzt.

êrbeit, êrbeiten s. arbeit, arbeiten.

er-beiten swv. tr. u. refl. anstrengen, bemühen, abhärten.

er-beiten swv. erwarten, warten auf mit gs.

erbeiჳ s. areweiჳ.

er-beizen swv. (vom reittiere) absitzen (eigentl. daჳ ros biჳen weiden lân), überh. herabsteigen; vom schiffe ans land steigen; niederstürzen. — hetzen, anfeuern (von beize falkenjagd).

erbeler stm. erblicher besitzer von geliehenem grund und boden.

er-bëlgen stv. intr. u. refl. zornig werden, zürnen, sich entrüsten (erbolgen sin, wёrden) mit dp. gs.

er-belgen, -balgen swv. tr. erzürnen, kränken, strafen.

erbelinc, -ges stm. erbe.

er-bёllen stv. anfangen zu bellen; widerhallen.

er-bёllen swv. brüllen.

erben swv. tr. mit as. durch erbschaft erhalten, erben, mit ap. beerben; als erbschaft hinterlassen, vererben mit dp. od. an, ûf; zum erben machen mit ap.; an jemand als den erben kommen. — intr. u. refl. erbschaft sein, sich vererben mit dp. od. an, ûf.

er-berme s. erbarme.

er-bermede, -bermde, -bermnisse stf. erbarmen, barmherzigkeit.

er-bёrn stv. zum vorschein bringen, aufdecken mit dopp. acc.; hervorbringen, gebären. — refl. entstehn. — intr. geboren werden.

er-bern swv. erschlagen.

er-berwen s. erbarn.

er-biben, -bibenen, -bidemen swv. erbeben.

er-biegen stv. beugen, krümmen.

er-bieten stv. hinstrecken, darreichen, erweisen mit dp. — refl. sich einstellen, sich erweisen, darbieten; sich vürbaჳ e.

sich zum weitergehn anschicken.
er-bilden swv. bilden, schaffen; abbildlich darstellen.
er-billen swv. herausschlagen.
er-biten stv. erbitten, durch bitten bewegen zu (gen.).
er-biten stv. warten, erwarten mit gs.
er-biugen swv. beugen.
er-bizen stv. zerbeissen, verzehren mit gen.; totbeissen.
er-blæjen swv. aufblasen.
er-blæjen swv. blöken.
er-blappen part. niedergefallen.
er-blecken swv. sehen lassen.
er-bleichen swv. intr. bleich werden, sterben. — tr. bleich machen, töten.
er-blenden swv. blenden, verblenden, verdunkeln.
er-blenken swv. tr. *blanc* machen. — intr. laut werden
er-blichen stv. erblassen.
er-blicken swv. intr. strahlen; *ûf e.* aufblicken. — tr. erblicken; *an e.* anblicken; sehen lassen.
erbliden swv. sich freuen, mit gen.
erblinc s. *ermel.*
er-blinden swv. blind werden.
er-bliugen swv. intr. *blûc* werden, verzagen. — tr. *blûc* machen, einschüchtern.
er-bliuwen stv. durchbläuen.
er-blœzen swv. entblössen.
er-blüejen swv. intr. u. refl. erblühen. — tr. blühend, rot machen.
er-blüemen swv. erblühen.
er-bluoten swv. verbluten.
er-bolge stf. zornausbruch.
er-bolgen part. adj. s. *erbëlgen.*
er-bolgen swv. intr. u. refl. anschwellen; zornig werden gegen (dp.).
er-boln swv. refl. sich aufwerfen, erheben.
er-bœren swv. erheben; refl. sich aufrichten.
er-bösen swv. schlecht werden.
er-bœsern swv. schlechter machen.
er-brëchen stv. intr. hervorbrechen. — tr. auf-, zerbrechen; *e. an* verbrechen, verschulden. — refl. laut, kund werden; *ûf einen, von einem sich erbr.* auf ihn losstürzen, von ihm sich entfernen.
er-brëhen stv. intr. hervorstrahlen. — refl. sich zeigen, kenntlich machen.
er-breiten swv. ausbreiten.
er-brennen swv. entzünden; verbrennen.
er-brësten stv. zerbrechen, zerreissen.
er-briezen stv. entspriessen.

er-brimmen stswv. anfangen zu brummen.
er-brinnen stv. in brand geraten.
er-büegen swv. buglahm machen.
er-bunnen an. v. tr. od. mit dp. beneiden, missgönnen (mit gs. od. *an*).
er-bürn swv. erheben.
er-burzeln swv. niederwerfen.
er-bûwen an v. anbauen (*ein guot erb.*, es wieder in guten stand bringen); durch bau hervorbringen; bauen, aufbauen; bereiten, ausrüsten, ausschmükken.
ërch stn. s. *irch.*
erc-lich s. *arclich.*
er-däht stf. ? trug.
er-danc stm. *mir wirt erd. ze* ich denke daran.
er-darben swv. mangel leiden an (acc.).
ërde stswf. bebautes und bewohntes land; festland, erd-, fussboden; erde als wohnstatt der menschen (*enërde, enërden* auf erden); erde als stoff, als element.
ërdec s. *irdenisch.*
er-decken swv. aufdecken.
er-dempfen swv. tr. ersticken.
ërden-bû stm. *daz buoch von dem e.* (Vergils) Georgica.
er-denen swv. ziehen, spannen, ausdehnen; zum schlage erheben (schwert), ausholen; refl. sich verrenken.
er-denken swv. ausdenken, ersinnen mit acc. od. gen.; zu ende denken; mit dem verstande erfassen.
er-denkunge stf. trug.
ërden-klôz stmn. erdscholle, -kugel.
er-derren swv. ausdörren.
ërde-wase swm. stück rasenerde.
er-dienen swv. durch dienst erwerben.
er-diezen stv. erschallen, rauschen; laut tönend rufen.
er-digen swv. erbitten.
er-dingen swv. durch gerichtl. handlung erreichen, einklagen.
er-dinsen stv. tr. fortziehen.
er-diuhen swv. erdrücken.
er-diuten swv. deuten, bekanntmachen.
er-doln swv. erdulden.
er-doneren swv. donnern, zu donnern beginnen.
er-dorren swv. verdorren.
er-dœzen swv. schallen machen.
er-drëschen stv. durchhauen.
er-driezen stv. unpers. überlästig od. überlang dünken.
er-dringen stv. tr. erzwingen; zu tode drängen. — intr. dringen, reichen.

er-dröuwen, **-dröun** swv. durch drohen bewirken.
er-drücken swv. tot drücken.
er-drumen swv. zertrümmern.
er-dünen swv. tönen machen.
er-düren swv. ertragen.
er-dürsten swv. verdursten.
ëre stf. act. ehrerbietung, verehrung; preis, zierde. — pass. verehrtheit, ansehen, ruhm; sieg, herrschaft, die gewalt des gebieters; ehre als tugend, ehrgefühl, ehrenhaftes benehmen.
er-effen swv. ganz zum narren machen.
ë-rëht stn. vermögensrecht der ehegatten.
er-eichen swv. ermessen.
er-einen swv. vereinigen.
er-eischen, **-heischen** swstv. durch fragen etw. erfahren; erfordern; durch gerichtl. klage fordern, beanspruchen; refl. erforderlich sein.
er-eiten swv. heizen.
eren s. *ern.*
ëren swv. früher machen, bevorzugen.
ëren swv. ehren, preisen, auszeichnen, zur ehre gereichen; beschenken mit.
er-enden swv. ans ende bringen, aushalten können.
erende s. *ârant.*
ëren-heie swm. ehrenpfleger. **-pris** stm. ehrendenkmal, ehrenvoller preis. **-riche** adj. reich an ehren. **-schîn** stm. ehrenglanz. **-snider** stm. ehrabschneider. **-stæte** adj. an der ehre festhaltend. **-tât** stf. ehrenhaftes tun. **-wërc** stn. ehrenhafte tat. **-vrî** adj. ohne ehre.
erer stm. arator.
ërer stm. *gotes ê.* cultor dei.
ërer, **ërre**, **ëre** adj. kompar. zu *ër*: früher, vorig.
er-erben swv. ererben.
ëre-tac stm. ehren-, hochzeitstag.
er-gähen swv. ereilen.
er-gân, **-gên** stv. intr. zu gehn beginnen, kommen, geschehen, sich ereignen; zu ende gehn, sich vollenden (*ergangeniu phant*, verfallene pfänder); zergehn, sich vermischen in; *mir ergât ez* mir gelingt, wohl oder übel. — tr. gehend erreichen, einholen; durchdringen. — refl. sich ergehn, kommen; zu ende gehn, verlaufen.
er-ganzen swv. ganz werden.
er-garnen swv. vergelten.
er-gaten swv. einfangen, erwischen.
erge stf. bosheit, feindseligkeit; kargheit, geiz; *erge* einer münze: deren geringer gehalt.
er-gëben stv. tr. zeigen; heraus- und wiedergeben; aufgeben, fahren lassen; übergeben,

anheim geben mit dp.; absol. mit dat. einträglich sein. — refl. sich zeigen, sich strecken, dehnen, verbreiten; in jemandes gewalt sich ergeben mit dp.; sich vorwärts beugen, kraftlos niedersinken; ins kloster gehn, part. *ei gëben* mönch od. nonne (vgl. *begëben*); *sich schuldic* oder *der schulde sich erg.* die schuld eingestehn; verzichten auf, mit gs.

ergëbenheit stf. klostergelübde.

er-geilen swv. froh machen, erheitern. — refl. sich erfreuen mit gs.

er-geisten swv. begeistern.

er-gëlfen stv. intr. laut werden, bellen. — tr. laut, kund machen; klarmachen, erhellen.

er-gëllen stv. erschallen, aufkreischen.

er-gellen swv. durch schall erschüttern.

er-gellen swv. intr. mit galle sich erfüllen.

er-gëlsen, -gëlstern, -gëlzen swv. aufschreien.

er-gëlwen swv. gelb werden, erbleichen.

er-genc-lich adj. vergänglich.

er-gënen s. *erginen.*

er-gengen swv. zum gehn od. zum stillstehn bringen.

ergerlich adj. *ergerlichiu wort* herausfordernde worte.

ergern swv. verschlechtern, verderben; zum bösen reizen, ärgern, ärgernis geben. — refl. schlechter werden; mit gs. od. *mit.— geergert w.* mit gp. ärgernis nehmen.

er-gërn swv. mit *umbe* durchsetzen bei.

ergerunge stf. verschlechterung; ärgernis.

er-gërunge stf. aufforderung, aufgebot.

er-getzen swv. vergessen machen, entschädigen, vergüten mit gs.; erfreuen.

er-getzunge stf. ersatz, vergütung; erkenntlichkeit, belohnung.

er-gëʒʒen stv. vergessen mit gen. od. dat.

er-gieʒen stv. aus-, vergiessen; in eine form giessen. intr. über die ufer treten. — refl. sich ergiessen, verbreiten.

er-giften swv. vergiften.

er-gilwen swv. gelb machen.

er-ginen, -gënen swv. das maul aufsperren.

er-gischen swv. aufschäumen.

er-glaffen swv. betören, berauschen.

er-glasen swv. zu glas oder glasartig werden.

er-gleifen swv. abstreifen.

er-glemmen swv. anfangen zu glimmen.

er-glenzen swv. intr. u. refl. erglänzen; tr. glänzend machen, erleuchten.

er-glesten, -glasten swv. intr. glänzen; tr. erhellen.

er-glien stv. aufschreien.

er-glimmen stv. erglühen.

er-glitzen swv., -gliʒen stv. erglänzen.

er-glosen swv. erglühen.

er-glösen swv. ausdeuten, ergründen.

er-glöuwen swv. verderben, beschädigen, betrüben.

er-glüejen swv. intr. in glut kommen. — tr. in glut setzen.

er-gouchen swv. intr. närrisch werden. — tr. zum toren machen.

er-graben stv. herausgraben, bildl. erforschen; hinein graben, versenken‿ ausmeisseln, eingraben, gravieren; mit zierat einlegen.

er-gramen swv. intr. in zorn geraten, zürnen mit dp.; tr. = *ergremen.*

er-greifen swv. ergreifen.

er-grëllen stv. aufschreien.

er-gremen, -gremmen, -gremzen swv. in zorn versetzen.

er-gremmen swv. ergreifen (zu *er-krimmen*).

er-grifen stv. ergreifen, fassen; erreichen.

er-grimmen swv. in zorn geraten.

er-grimmen s. *erkrimmen*

er-grinen stv. intr. anfangen zu *grinen.* — tr. zum *grinen* bringen.

er-gripfen, -kripfen swv. ergreifen, erhaschen.

er-grisen swv. grau werden.

er-griulen swv. unp. grauen.

er-gröʒen swv. unp. mit acc. u. gen. zu gross, viel dünken.

er-grœʒen swv. vergrössern.

er-grüejen, -grüenen swv. intr. u. refl. grün werden, emporwachsen. — tr. grün machen.

er-gründen swv. bis auf den grund durchdringen, erforschen.

er-grüsen swv. intr. u. tr. erschrecken.

er-güften swv. zu ende rühmen, ausrühmen.

er-gurren swv. zu einer *gurre* werden, schlecht wie eine *g.* laufen.

er-gürten = *engürten.*

er-güsten swv. versiegen.

er-gusten swv. besänftigen.

erhaben swv. aufrecht erhalten; auf-, zurückhalten.

er-haben part. adj. s. *erheben.*

er-habunge stf. erhebung.

êr-haft adj. ehrenhaft; herrlich, glanzvoll.

êr-haften swv. *êrhaft* machen.

er-hähen, -hân stv. erhängen.

erhalt, ernhalt m. herold.

er-harn swv. aufschreien.

er-harren swv. durch *harren* erlangen; ertragen, -dulden.

er-haschen swv. ergreifen.

er-hasen swv. furchtsam sein wie ein hase; part. *erhaset* furchtsam, zaghaft.

er-heben stv. tr. auf, in die höhe heben; aus der taufe heben; zu oberst stellen od. setzen; heilig sprechen; anheben, beginnen; mit erhabener arbeit verzieren; überheben mit gs. — refl. sich aufmachen; anheben, beginnen; sich überheben, gross tun; *sich dicke e.* schwellen. — *erhaben* part. adj. erhaben (*erhaben brôt,* gesäuertes brot).

er-hecken swv. totstechen.

er-heilen swv. heilen.

er-heischen s. *ereischen.*

er-heiʒen swv. intr. heiss, feurig werden. — tr. heiss machen, anfeuern *ûf, ze.*

er-hëllen stv. intr. ertönen, erschallen. — tr. durch geräusch aufwecken.

er-henc-nisse stf. suspendium.

er-hengen swv. geschehen lassen; erhängen.

er-henken swv. erhängen.

er-hërschen swv. mit gen. dominari.

er-herten swv. tr. erhärten, bekräftigen. — intr. aushalten, ausdauern.

er-hërzenen swv. beherzt werden, mut fassen.

er-hesten swv. ereilen.

er-hetzen swv. anhetzen, aufreizen.

er-hinken stv. anfangen zu hinken.

er-hischen swv. aufschluchzen.

er-hitzen swv. intr. heiss (rot) werden. — tr. heiss machen, in hitze setzen.

er-hœhen swv. erhöhen, verherrlichen.

er-hœhern swv. höher machen erheben.

er-holn swv. tr. einbringen, erwerben; versäumtes nachholen, gutmachen; erfrischen, erquicken. — refl. wieder aufkommen, sich erholen von (gen.), eine versäumnis gutmachen, von einer verirrung zurückkommen, sich anders besinnen; im rechtl. sinne einen verstoss im verfahren, in der rede (und dadurch erlittenen schaden) wieder gutmachen.

er-hörchen swv. md. hören.

er-hœren swv. hörend wahrnehmen, hören; erhören.

er-hossen swv. laufend einholen, ereilen.

er-houwen stv. aushauen; stechen; auf-, zerhauen; erschlagen; durch hauen erwerben. — refl. sich müde hauen; sich durchschlagen.

er-hügen swv. intr. u. refl. mit gen. sich erinnern; sich über (*umbe*) etw. freuen; tr. erfreuen.

er-hüln swv. aushöhlen; bildl. ergründen.

er-hungern swv. tr. aushungern. — intr. verhungern.

er-hürnen swv. des horns berauben.

er-hurten swv. *e. an* losrennen gegen.

er-ilen swv. ereilen; nach der wirklichkeit erzählen.

êrin adj. ehern.

er-innen swv. tr. inne werden.

er-innern, -indern swv. zu wissen machen (mit dat. u. acc. od. mit acc. u. gen.); *einem mit einer s. etw. er.*, es ihm damit beweisen.

er-iteniuwen swv. erneuern.

er-jagen swv. erreichen, gewinnen; der wirklichkeit gemäss erzählen (vgl. *erilen*).

er-jëhen stv. bekennen.

er-jëten stv. von unkraut reinigen, das gute vom schlechten sondern.

er-jungen swv. verjüngen.

er-kalten swv. kalt werden.

er-kant part. adj. bekannt, berühmt; erkennbar; herstammend. oft zur umschreibung: *e. sîn; e. tuon, machen.*

er-kantlich adj. erkennbar, bekannt.

er-kantnisse stfn. erkenntnis, einsicht.

er-kapfen swv. *an e.* anschauen.

er-këllen stv. erfrieren.

ërkeln swv. ekeln.

er-kelten swv. kalt machen.

ërken swv. = *ërkeln.*

er-kenne stf. erkenntnis.

er-kenneclich, -kennelich adj. erkenntlich, wohlbekannt, verständlich.

erkennen swv. abs. kennen, wissen, erkennen. — tr. kennen, erkennen, kennen lernen; anerkennen (dankend, ehrend); *sîn wîp e.* beschlafen; zuerkennen mit dp.; *einen des lebens e.*, zum tode verurteilen; bekannt machen. — refl. bescheid wissen, sich zurecht finden; verstehn, richtig beurteilen (*sich an, über einen e.* ihn freundlich behandeln, gnädig beurteilen); rechtl. entscheiden, urteil sprechen.

er-kennunge stf. erkenntnis; bekanntschaft, verwandtschaft.

erker s. *ärkêr.*

erker, erkers adv. md. hingegen.

er-kërnen s. *erkirnen.*

er-kërren stv. aufschreien.

er-kerren swv. aufschreien machen.

er-kiden stv. ? sprossen.

er-kiesen stswv. greifen, erwählen (*einen erk.* auf ihn zielen); gewahren, sehen; ersinnen, erfinden.

er-kinden swm. zum kinde werden.

er-kirnen, -kërnen, -kürnen swv. vollständig darlegen, ergründen; vollkommen machen.

er-klaffen swv. klappern, krachen; refl. sich besprechen, unterhalten.

er-klagen swv. tr. klagen; durch klage vor gericht bringen oder erlangen. — refl. sich beklagen.

er-klæren swv. tr. *klâr* machen. — intr. *klâr* werden.

er-klemmen swv. umklammern, erdrücken.

er-klengen, -klenken swv. erklingen lassen, machen.

er-klepfen swv. in schrecken versetzen.

er-kliben stv. stecken bleiben, verkommen.

ërk-lich adj. ekelhaft, leidig.

er-klieben stv. intr. u. refl. sich spalten, zerspringen, vergehn. — tr. zerspalten.

er-klingen stv. intr. erklingen; tr. = *erklengen.*

er-klupfen, -klopfen swv. erschrecken vor (gen.).

er-knëllen stv. erhallen.

er-knisten swv. zerstossen.

er-koberen, -koveren swv. erholen, gewinnen; zusammenhalten. — refl. sich erholen von (gen.). (aus lat. recuperare).

er-kome stf. schrecken.

er-komen stv. intr. u. refl. erschrecken mit gs. od. *von.*

er-komen part. adj. erschrocken. **-lich** adj. schrecklich; erschrocken.

er-korn, -kosen swv. erwählen.

er-kösen swv. refl. sich besprechen, unterhalten *mit*; tr. *abe erk.* abschwatzen.

er-koufen swv. erkaufen, erwerben; loskaufen.

er-koveren s. *erkoberen.*

er-krachen swv. erkrachen, krachend fast zerbrechen.

er-krallen, -krellen swv. mit krallen an sich ziehen.

er-krapen swv. an sich ziehen.

er-kratzen swv. zerkratzen, kratzend ergreifen.

er-kreften swv. bekräftigen.

er-kreischen swv. md. aufkreischen machen.

er-krellen swv. krallend ergreifen.

er-krenken swv. *kranc* machen.

er-kriegen swv. bekriegen; erstreiten (*einem etw. an erkr.*); md. = *erkrigen.*

er-krigen stv. erlangen, erreichen, erwerben.

er-krimmen, -grimmen stv. zerkrallen, zerkratzen.

er-kripfen s. *ergripfen.*

er-krumben swv. intr. krumm, lahm werden; tr. krumm machen, lähmen.

er-krüpfen swv. den kropf anfüllen, sättigen.

er-kücken s. *erquicken.*

er-küelen swv. kühl machen.

er-küenen swv. kühn machen.

er-kunden swv. = *urkunden*, urkundlich dartun.

er-kunden swv. kund tun; kunde wovon erlangen.

er-kunnen part. adj. erkannt, erforscht.

er-kunnen swv. kennen lernen, erforschen.

er-kuolen swv. kühl werden.

er-kuonen swv. kühn werden; zutrauen fassen zu (*an*, dat.).

er-kürn swv. erwählen.

er-kürnen s. *erkirnen.*

er-kürzen swv. verkürzen.

er-laben swv. erquicken.

erlach stn. erlengebüsch.

er-lachen swv. auflachen, lachen über (gen. od. *von*); tr. *an erl.* anlachen.

er-laden stv. beladen.

er-laffen stv. erschlaffen.

er-lamen swv. lahm werden; tr. = *erlemen.*

er-langen swv. unpers. lang dünken, langweilen mit gs.; sich sehnen, verlangen *nâch.* — tr. erreichen.

er-læren swv. ganz leer machen, frei machen von (gen.).

erlæwen swv. lau machen.

er-læzen, -lân stv. mit acc. u. gen. wovon frei lassen, erlassen. — refl. auseinander gehn, sich enthalten, unterlassen mit gs.

er-lëben swv. erleben; part. *erlëbet* verlebt, abgelebt.

er-lëchen stv. intr. austrocknen, verschmachten. — tr. trocken machen, leeren.

er-ledigen swv. in freiheit setzen; frei machen (gen. od, *von*).

er-legen swv. niederlegen; aus-, einlegen, belegen; beilegen, schlichten.

er-lëhenen swv. belehnen; entlehnen.

er-leiben swv. übrig lassen.

er-leiden swv. intr. leid, verleidet sein mit dp. — tr. leid machen, verleiden mit dp.

er-leitern swv. vermittelst einer leiter ersteigen.
er-lemen, -lemeden, -lemmen swv. lahm machen, lähmen.
er-lenden swv. landen.
er-lengen, -lengern swv. verlängern, verzögern.
er-lenken swv. refl. wenden, umlenken.
er-lêren swv. unterrichten.
er-lêrnen swv. tr. zu ende lernen; kennen lernen, erfahren. — refl. sich erkundigen, rat holen.
er-lēschen stv. intr. erlöschen; weidm. aufhören zu bellen, zu jagen.
er-leschen swv. tr. auslöschen.
er-lēsen stv. durch lesen erforschen, bis zu ende lesen; erwählen.
er-leswen swv. schwach werden.
êr-lich adj. ehre und ansehen habend, der ehre wert, ansehnlich, vortrefflich, herrlich, schön. -liche, -en adv. ehrenvoll, ehrerbietig; ehrenhaft; herrlich, prunkvoll.
er-liden stv. bis zu Ende gehn; bestehn, erleben, ertragen, aushalten.
er-lieben swv. refl. sich erlustigen, erfreuen.
er-liegen stv. erlügen, durch lügen gewinnen; vorlügen, vorenthalten mit dp.
er-ligen stv. intr. erliegen; ablassen. — tr. durch liegen umbringen, erdrücken.
er-lihten, -lihtern swv. erleichtern.
er-limmen stv. heulen.
erlin adj. von erlenholz.
er-linden swv. _linde_ machen, erweichen.
er-lingen swv. gelingen.
er-listen swv. durch _list_ zustande bringen.
er-liuhtec adj. leuchtend, strahlend; erlaucht.
er-liuhten swv. tr. erleuchten; sehend machen. — intr. aufleuchten.
er-liuhtunge stf. myst. erleuchtung.
er-liuten swv. tr. erläutern, intr. = _erlûten_.
er-lûtern, -lûtern swv. rein, hell (_lûter_) machen; erklären.
êr-lôs adj. ehrlos, entehrt.
er-lœsære stm. erlöser.
er-lœsen swv. lösen, auflösen, befreien von (gen. od. _ûz, von_); offenbaren; erzielen, gewinnen; beseitigen, aufheben. — refl. sich los-, auflösen.
er-louben swv. erlauben, zugestehn; erlaubnis geben, bes. zu gehn erlauben, entlassen. — refl. mit gen. sich eines dinges entschlagen.
er-loufen stv. tr. durchlaufen; laufend einholen; angreifen. — refl. sich zutragen, verlaufen; auflaufen (zins).
er-lougen swv. aufflammen.
er-loup stm. = _urloup_.
er-lûcht part. md. erlaucht.
er-lüejen swv. aufbrüllen.
er-lüften swv. sich erholen, erfrischen.
er-luogen swv. anschauen, erschauen.
er-lupfen, -lüpfen swv. in die höhe heben, lüpfen.
er-lusten, -lustenen swv. ergötzen, erfreuen.
er-lûten swv. lauten, ausgesprochen werden; einen laut von sich geben, bellen.
er-lûtern s. _erliutern_.
er-lüzen swv. durch auflauern erfassen.
er-mageren = _mageren_.
er-mâlen swv. malen.
er-manen swv. ermahnen, woran (gen.) erinnern.
er-maugen swv. mit wurfmaschinen (_mangen_) bezwingen.
er-mannen swv. mut fassen.
er-mæren swv. erzählen.
ermec-lich s. _armeclich_.
ermede, ermde stf. armut.
er-meien swv. refl. ergötzen.
ermel, ermeline, erblinc, -ges stm. ärmel.
erme-lich adj., **-liche** adv. ärmlich, dürftig, auf armselige weise.
ermelin, ermel stn. ärmchen.
ermen, ermern swv. arm, ärmer machen.
er-mêren swv. vermehren.
er-merken swv. bemerken.
ermet s. _armuot_.
er-mieten swv. erkaufen, bezahlen.
er-milden swv. mild machen.
er-minnern swv. geringer machen, erleichtern.
ermite swm. einsiedler.
er-müeden swv. müde werden.
er-mundern, -muntern swv. aufwecken, ermuntern.
ermuote s. _armuot_.
er-mürden, -murden; -mörden, -morden; -murderôn, -morderôn swv. ermorden.
er-müsen swv. heimlich wegnehmen.
ern, eren, erren swv. od. red. 1 ackern, pflügen, part. _gearn, garn_ (den _sant ern_ etw. vergebliches tun); wie mit der pflugschar schneiden.
ern, eren stmn. fussboden, tenne; erdboden, grund.
ern stm., **erne** stswf., **ernde** stf. ernte; als monatsname juni, juli und august.
er-narren swv. zum narren werden.
ernde, erne s. _ârant_.
ërnder, ernder stm. der eine botschaft (_ârant_) ausrichtet, bote; fürbitter.
er-neizen swv. belästigen.
ernelin stn. dem. zu _erne_ kleines geschäft, kleinigkeit.
er-nëmen stv. herausnehmen, entnehmen.
ernen swv. ernten.
er-nenden swv. intr. u. refl. mut fassen, sich wagen mit gs., infin., _an, ûf, in_.
er-nennen swv. zu ende nennen, ganz aussprechen.
er-nern swv. gesund machen, heilen mit gs.; retten, erretten, am leben erhalten; ernähren, füttern.
er-nësen stv. gerettet werden.
ërnest, ërnst stm. kampf (bes. im gegens. zu _schimpf_ und _spil_); aufrichtigkeit, festigkeit des denkens, redens und handelns.
ërnesten, ërnsten swv. mit _ërnest_ handeln.
ërnest-haft adj. kampfbereit, mutig, streitbar; ernst. **-hafte-keit** stf. eindringlichkeit **-kreiz** stm. kampfplatz. **-lich** adj., **-liche** adv. wohlgerüstet, streitbar (_ërnestlichez spil_, kampfspiel); ernstlich, wahrhaft.
ern-halt s. _erhalt_.
er-niesen stv. niesen.
er-nieten swv. refl. mit gen. od. _mit_ sich andauernd beschäftigen, womit ergötzen; sich ersättigen (_an, gen._).
er-nihten, -niuhten swv. vernichten; für nichts achten.
er-niuwen, -niuwern swv. tr. u. refl. erneuen, -neuern; intr. neu werden.
er-noisen swv. erforschen.
er-nœten swv. nötigen zu (gen.).
ernt s. _ârant_.
er-oberen swv. tr. übertreffen, -winden; erübrigen. — intr. übrig bleiben.
er-oberigen swv. erübrigen, gewinnen.
er-offenen, -offen swv. eröffnen, kund machen; mit ap. belehren.
er-œsen, -ôsen swv .ausleeren, erschöpfen, verwüsten.
er-ougen, -öugen swv. vor augen stellen, zeigen.
er-pinen swv. intr. aufhören zu leiden; tr. peinigen.
er-queben swv. ersticken.
er-quelen swv. zu tode quälen.
er-queschen swv. zerquetschen.
er-quicken, -kücken, -kicken, -kecken swv. tr. u. refl. neu beleben, vom tode erwecken; intr. munter werden.

er-râten stv. tr. (ratend od. sinnend) treffen auf, geraten; anraten, im rate beschliessen; erraten.

êrre s. *irre*.

êrre, èrre s. *êrer*.

er-rêchen stv. tr. und refl. vollständig rächen.

er-recken, -rechen swv. hervortreiben, erregen; durch ausstrecken erreichen, erlangen.

er-recken, -rechen swv. ganz aussprechen, einzeln aufzählen, darlegen, ergründen.

er-reichen, -reigen swv. erreichen, treffen; begreifen.

er-reinen, -reinegen swv. reinigen.

er-reisen swv. durch reisen, auf der reise erlangen.

er-reiten swv. enarrare.

er-reizen swv. aufreizen.

erren s. *ern*.

êrren s. *irren*.

er-rennen swv. rennend einholen, mit sturm nehmen.

er-rêren swv. zu falle bringen.

er-retten swv. erretten, befreien von mit gs.

er-richlich adj. zur rache geneigt.

er-riden stv. in die höhe, zu ende schwingen.

er-rihen stv. erstechen.

er-ringen stv. mit mühe zu ende führen, durchsetzen, erringen.

er-ringen swv. *ringe* machen, erleichtern.

er-rinnen stv. intr. aus- u. aufgehen, entstehn; trocken u. leer wovon (gen.) werden. — refl. dahinfliessen.

er-rîten stv. intr. auseinander reiten. — tr. durchreiten; durch reiten beweglich machen; reitend einholen, überh. erreichen, treffen.

er-riuten swv. durch ausreuten säubern von (gen.); durch ausreuten erwerben.

er-rizen stv. zerreissen; refl. sich spalten.

er-rôten swv. erröten.

er-roufen swv. refl. sich raufen.

er-rüeren swv. in bewegung setzen, erregen.

er-rûmen swv. ganz räumen.

êr-sælic adj. durch erz beglückt (*êrs volc* zwerge).

er-salwen swv. trübe oder welk werden.

êr-sam = *êrlich*. -same stf. ehrbarkeit. -samecheit, -samkeit stf. ehrbarkeit; ehrerbietung. -samen swv. honorificare.

er-saten, satten, -setten swv. sättigen.

er-saz stm. ersatz. strafe.

er-schallen swv. durch *schal* (rufen, bitten usw.) erwerben.

er-schamen swv. intr. und refl. voll scham werden, in scham geraten über (gen.).

êr-schaz stm. laudemium.

er-scheiden stv. unterscheiden.

er-scheinen stv. tr. u. refl. leuchten lassen, zeigen, beweisen, offenbaren.

er-schëllen stv. erschallen, ertönen; kund werden.

er-schellen swv. zum schallen bringen; aufschrecken; betäuben; zerschellen, spalten; mit gewalt auseinandertreiben, zum weichen bringen.

er-schemen swv. refl. m. gen. sich schämen.

er-schepfen an. v. ausschöpfen, erschöpfen.

êr-schetzic adj. *êrschaz* zu geben verpflichtet.

er-schieben stv. voll schieben, stopfen.

er-schiezen stv. tr. erschiessen; durchschiessen, verzieren; ausschiessen, erwählen. — intr. aufschiessen, gedeihen, fruchten.

er-schinen stv. intr. u. refl. sichtbar werden, sich zeigen, erscheinen.

er-schiuhen swv. scheu werden oder machen; *erschiuhet* gemieden, verscheucht.

er-schocken swv. in zitternde bewegung geraten.

er-schouwen swv. erschauen, erblicken.

er-schœzen swv. tr. gedeihen machen, mehren. — refl. wachsen, anschwellen.

er-schræjen swv. aufspritzen.

er-schrëcken stv. intr. auf- und zurückspringen, auffahren, aufschrecken; erschrecken vor (gen. od. *abe, durch, von*).

er-schrecken swv. tr. aufschrecken (aus dem schlafe); erschrecken. — intr. aus dem schlafe aufschrecken; erschrecken über (gen. od. *von*).

er-schreckunge stf. das erschrecken; die erstarrung.

er-schreien swv. *erschrîen* machen, zum rufen bringen.

er-schrenzen swv. zerreissen.

er-schrîben stv. zu ende schreiben.

er-schricken swv. intr. = *erschrëcken*; tr. = *erschrecken*.

er-schrîen stv. intr. aufschreien. — refl sich ausschreien. — tr. durch schreien aufwecken, beklagen.

er-schrîten stv. mit schritten einholen. erreichen.

er-schrôten stv. zerschneiden; zerreiben, zermalmen; refl. sich aufreissen, ausdehnen; erstrecken.

er-schüpfen swv. erschüttern.

er-schüten, -schütten swv. tr. u. refl. schütteln, erschüttern; durch schutt ausfüllen, aufschütten, erhöhen. — intr. erschüttert werden.

er-schütteln swv. schütteln.

er-sëhen stv. sehend wahrnehmen, betrachten, erblicken, erschauen. — refl. sich erblicken, widerspiegeln; sich umsehen, erkundigen.

er-seigen swv. ausschöpfen, erschöpfen; auslesen (geld).

er-senden swv. aussenden.

er-senften swv. beruhigen.

er-senken swv. versenken.

er-sêren swv. verwunden.

er-serten swv. in angst, ausser fassung bringen.

er-setzen s. *ersaten*.

er-setzen swv. eine entstandene lücke ausfüllen, ersetzen; anflicken; mit gewürze versetzen, bereiten, brauen. — refl. sich setzen, zurecht setzen.

er-sichern swv. versuchen, erproben.

er-siechen swv. erkranken.

er-sieden stv. auskochen.

er-sigen swv. siegen, ersigen erschöpft.

er-sigen stv. sinken.

er-sihen stv. entleert werden; part. *ersigen* erschöpft, entleert von (gen.).

er-sinden swv. durch gehen erreichen, bildl. auskundschaften, erforschen.

er-singen stv. durch singen erwerben.

er-sinken stv. versinken.

er-sinnen stv. erforschen; erdenken, erwägen.

er-sitzen stv. intr. sitzen bleiben. — tr. durch sitzen erwerben.

er-siuften, -siufzen swv. intr. aufseufzen. — tr. mit *an* anseufzen.

er-siuren swv. *sûr* machen.

er-slâfen stv. entschlafen.

er-slahen, -slân stv. zerschlagen, nieder-, totschlagen. — refl. sich schlagen, mit schlägen angreifen.

er-slæwen swv. part. *erslœwet* lau geworden.

er-slîchen stv. tr. schleichend kommen an, überrumpeln.

er-slinden stv. verschlingen.

er-slingen stv. umschlingen. erslingen, ersling adv. rückwärts, ärschlings.

er-sloufen swv. herausschlüpfen machen.

er-smæhen swv. schmachvoll behandeln.

er-smecken swv. tr. erwittern; intr. riechen. duften.

er-smielen, -smicren swv. auflächeln; wozu (gs.) lächeln.

er-snellen swv. tr. ereilen.

er-snîden stv. aus-, aufschneiden, zerschneiden.

er-sochen swv. krank machen, lähmen.

er-soufen swv. ersäufen.

er-spalten stv. zerspalten.

er-spannen stv. spannend messen, ermessen.

er-spæten swv. verspäten.

er-spëhen swv. ersehen, erforschen.

er-spengen, -spangen swv. mit spangen befestigen.

er-spennen swv. spannend erreichen, umfassen.

er-spiegeln swv. widerspiegeln.

er-spiln swv. anfangen zu spielen.

er-spinnen stv. durch spinnen erwerben.

er-sprächen swv. refl. sich besprechen.

er-sprëchen stv. aussprechen; bestimmen, festsetzen. — refl. sich besprechen.

er-sprengen swv. springen machen (mit ausgelassenem obj. ros); sprengen, lossprengen; aufsprengen, -scheuchen; ausbreiten; auseinandersprengen, beendigen. — refl. sich erstrecken, ausreichen.

er-spriezen stv. aufgehn, -spriessen; bildl. frommen.

er-springen stv. intr. auf-, entspringen. — tr. erhaschen.

er-spüelen swv. ausspülen, abwaschen.

er-spürn swv. ausspüren.

êrst sup. zu êr: erst (des êrsten sobald als, zuerst).

er-staben, -stabeln swv. erstarren.

er-stân, -stên stv. intr. auf, offen stehn; aufrecht stehn; vom tode erstehn; sich erheben, aufstehn; entstehn. — tr. aufstehn machen; durch stehn (vor gericht) erwerben; ausstehn, ertragen. — refl. merken, verstehn.

er-staten swv. ersetzen; weidm. = bestæten.

er-stæten swv. festmachen.

êrste swm. der erste seelengottesdienst für einen verstorbenen.

êrste stf. anfang.

êrste-born, -geborn part. adj. primogenitus.

er-stëchen stv. stechen, totstechen.

er-stecken swv. vollstopfen; ersticken machen, zu fall bringen; reht erst., die gerichtl. verhandlung einstellen.

er-steigen swv. aufsteigen machen; ersteigern.

er-steinen swv. intr. zu stein werden, erstarren, verhärten, verstocken. — tr. steinigen.

er-stên s. erstân.

er-stende stf. = urstende.

er-stenken swv. mit gestank erfüllen; berauschen; übervorteilen, betrügen

er-stërben stv. absterben, sterben mit gen. causal. (tôdes, hungers) od. mit präp.; durch todesfall kommen, vererben an, ûf.

er-stërben swv. töten.

er-sticken swv. intr. ersticken, bildl. verstummen; tr. = erstecken.

er-stieben stv. auseinanderstieben.

er-stîgen stv. intr. steigen; tr. ersteigen; überfallen.

er-stinken stv. anfangen zu stinken, in fäulnis übergehn.

er-stœren swv. durchstöbern, aufstören, aufregen; auflösen; zerstören.

er-storren swv. steif werden.

er-stouben swv. erstieben machen, aufscheuchen.

er-stôzen stv. intr. mit gen. wovon frei werden. — tr. nieder-, zu tode stossen. — refl. sich stossen an.

er-strecken swv. niederstrecken; ablegen; ausdehnen, erweitern; zeitl. verlängern, hinausschieben.

er-strîchen stv. ab-, wegwischen; putzen, zieren; peitschen; laufend einholen; durchwandern, -streifen; abs. eilen.

er-strîten stv. erkämpfen; durch kampf überwältigen. — refl. sich durch kampf frei machen ûz; sich müde kämpfen.

er-strûben swv. in schrecken setzen.

er-strûchen swv. straucheln.

er-stummen swv. stumm werden, verstummen.

er-stürmen swv. durch sturm gewinnen, erobern.

er-stürn swv. durchstöbern.

er-stürzen swv. stürzen, zu falle bringen.

ersuochen swv. suchen, begehren; ausforschen, ergründen, untersuchen; auf-, heimsuchen bes. im feindl. sinne; reizen, erregen.

er-sûren swv. sauer werden.

er-swachen swv. schwach werden.

er-swarzen swv. schwarz, dunkel werden.

er-sweimen, -sweinen swv. schwebend erfliegen oder erreichen.

er-sweizen swv. intr. u. refl. in schweiss geraten.

er-swëllen stv. aufschwellen.

er-swërn stv. schmerzend anschwellen, zu eitern beginnen.

er-swigen stv. schweigen, verstummen.

er-swingen stv. schwingend in bewegung setzen; aufschwingen; abstreifen; schwingend erreichen.

er-switzen swv. in schweiss geraten.

er-tac s. artac.

er-tac stm. dienstag.

er-tagen swv. intr. tag werden, aufgehn wie der tag. — tr. mit gerichtl. urteile erlangen.

ertage-wan stm. tagwerk, frondienst.

ërt-aphel stm. mandragora; gurke. -ber stn. swf. erdbeere. -bibe, -bibede, -bibunge stf. erdbeben. -bidem, -bideme stswmn. dasselbe. -gerüste stn. das erdgebäude, die erde. -isen stn. pflugeisen. -knolle swm. erdscholle. -rich stn. erde, erdreich; erd-, fussboden; erde als stoff. -rinc stm. erdkreis. -scholle swm. erdscholle. -stam stm., -stamme swm. baumstrunk. -stift stf. stiftung, bau auf erden. -val stm. fall zur erde (totschlag, wunde, wenn ein mann oder ein glied niedergehauen wird u. zur erde fällt); die pflanze herba Roberti (von der blutstillenden kraft des krautes bei dergleichen verwundungen). -var adj. erdfahl. -vellec adj. zu boden fallend (durch verwundung). -vluc stm. flug am boden. -vruht stf., -wuocher stmn. feldfrucht. -wurm stm. regenwurm.

er-tasen, -tasten swv. betasten; durch tasten erwischen.

ertec, ertic adj. angestammte gute beschaffenheit habend.

ër-tegic adj. gestrig.

er-teilære stm. urteiler, richter.

er-teilen swv. abs. urteil sprechen. — tr. richten über, verurteilen; ein urteil sprechen mit dp., als urteil zuerkennen, zusprechen, erteilen mit dat. u. acc.; teilen.

ertic s. ertec.

er-tïchen stv. büssen, abbüssen.

er-tïhten swv. aussinnen.

er-tilgen swv. vertilgen.

er-tiuren swv. beteuern.

er-tiuren swv. erschallen.

ert-lich adj. geartet.

er-toben swv. intr. u. refl. von sinnen kommen.

er-tören, -tœren swv. zum toren werden, machen.

er-tôten swv. sterben.

er-tœten swv. töten.

er-touben swv. taub machen; betäuben; vernichten. — refl. enden, aufhören.

er-töuwen swv. sterben.

er-traben swv. lostraben.

er-trahten swv. ergründen; erdenken, ersinnen.

er-trenken swv. tränken; ertränken, überschwemmen.

er-trennen swv. trennen, zerstückeln; refl. uneins sein.

er-trëten stv., -treten swv. zertreten, tot treten.

er-triefen stv. abtröpfeln.

er-triegen stv. betrügen; über etw. täuschen, durch betrug etw. verhehlen.

er-trinken stv. abs. u. tr. trinken, austrinken. — intr. ertrinken; untergehen (von schiffen).

er-trinnen stv. entrinnen.

er-truckenen, -trückenen swv. trocken werden, machen.

er-trüeben swv. betrüben.

er-trüren swv. intr. traurig sein, werden; tr. *an e.*, durch trauern abnötigen.

er-tücken swv. erhaschen, erlisten.

er-tumben swv. ganz unverständig sein.

er-twahen stv. waschen.

er-twëln stv. sterben.

er-tweln swv. betäuben, kraftlos machen, verzögern.

er-twingen stv. bezwingen.

erunge stf. das pflügen.

ërunge stf. geschenk.

·**er-vallen** stv. intr. niederfallen, zu tode fallen; zurückfallen (von lehen); zuteil werden mit dp. — refl. einen fall tun, sich nieder, herabstürzen, zu tode fallen. — tr. überfallen; fallen auf, durch fallen töten.

er-valten stv. zusammenfalten, niederdrücken.

er-valwen swv. fahl werden.

er-vœre stn. schrecken, furcht.

er-vœren swv. überlisten, betrügen, hineinlegen; überraschen, erwischen; in gefahr bringen, erproben; erschrecken, betrüben, erzürnen. — refl. sich entsetzen, fürchten.

er-varn stv. intr. fahren, reisen. — tr. durchfahren, -ziehen; einholen, erreichen; treffen, finden, erwischen; kennen lernen, erkunden, erforschen, erfahren. — refl. sich erkundigen, rat holen.

er-varunge stf. durchwanderung; erforschung.

er-vëhten stv. erkämpfen; bekämpfen. — refl. sich kämpfend anstrengen, loskämpfen *von*.

er-veilen swv. *veile* machen.

er-vellen swv. zu falle bringen, erlegen. — refl. zu tode fallen, auseinanderfallen; sich verbreiten.

er-velschen swv. für falsch erklären.

er-venden swv. erforschen, erfahren.

er-vilen swv. feilen.

ervilu swv. unp. = *beviln.*

er-vinden stv. ausfindig machen, bemerken, erfahren.

er-vinstern stv. finster werden; sich verfinstern.

er-virnen, -vërnen swv. *virne* werden.

er-virren swv. fernhin verbreiten.

er-viselunge stf. enthülsung.

er-viuhten swv. anfeuchten, erfrischen.

er-viulen s. *ervûlen.*

er-viuren swv. entflammen.

er-vlêhen swv. durch flehen erlangen, bewegen.

er-vlemmen, -vlammen swv. entflammen.

er-vliegen stv. fliegend erreichen; durchfliegen.

er-vliezen stv. erfliessen, aus-, überfliessen.

er-vlougen swv. auffliegen machen, verscheuchen.

er-vlöuwen swv. ausspülen.

er-vlügen swv. flügge machen.

er-volgen swv. intr. zuteil werden mit dp. — tr. einholen, erreichen, erlangen; einer sache nachkommen. — refl. sich erfüllen, zutragen.

er-volgunge stf. erlangung, zusprechung einer beklagten sache, ausführung des urteils; verfolgung; befolgung.

er-vollen swv. tr. voll machen, aus-, anfüllen; erfüllen, vollenden, ausführen, befriedigen (rechtl. *ein guot erv.* den anspruch darauf genügend durchführen, es vom gerichte zugesprochen erhalten). — intr. voll werden, sich füllen.

er-vollunge stf. erfüllung, vollendung; gerichtl. anerkennung eines anspruches.

er-vordern swv. fordern, in anspruch nehmen; vorfordern, zitieren, vor gericht fordern; einladen.

er-vorschen swv. erforschen, ausfindig machen.

er-vrâgen swv. be-, ausfragen; durch fragen herausbringen, erfragen. — refl. sich erkundigen.

er-vreischen swv. erfragen, erfahren, vernehmen.

er-vreisen swv. in schrecken versetzen.

er-vrëzzen stv. ganz auffressen, refl. bildl. sich härmen, grämen.

er-vriesen stv. erfrieren.

er-vrischen swv. tr. u. refl. frisch machen, auffrischen; reinigen *von.* — intr. frisch werden.

er-vriunden swv. refl. sich befreunden mit (*zuo*).

er-vrœren swv. tr. *ervriesen* machen; intr. = *ervriesen.*

er-vröuwen swv. tr. erfreuen; refl. sich freuen, froh sein.

er-vrühten swv. befruchten.

er-vrümen swv. vorwärts schaffen, bringen zu.

er-vüeren swv. herausziehen (das schwert); = *zervüeren.*

er-vûlen, -viulen swv. intr. verfaulen, verwesen. — tr. verfaulen lassen.

er-vüllen swv. *vol* machen, anfüllen; vollständig, vollzählig machen; ausführen, erfüllen; unterfüttern.

er-vündeln swv. erfahren erforschen.

er-vuoren swv. füttern.

er-vürben swv. reinigen.

er-vürhten swv. intr. u. refl. den mut verlieren, sich fürchten. — tr. fürchten, befürchten, furcht haben vor; in furcht, schrecken setzen.

er-wachen swv. aufwachen; lebendig werden.

er-wackern swv. ermuntern; refl. wach werden.

er-wagen swv. intr. erschüttert werden, schwanken; tr. in bewegung setzen; erschüttern.

er-wahsen stv. intr. aufwachsen, entstehn. — tr. überwachsen *mit, von.*

er-wæjen swv. anwehen, durchwehen.

er-walken stv. durchwalken.

er-wallen stv. in wallung geraten; aufkochen, sieden; überwallen, -fliessen.

er-wallen swv. durchwandern.

er-walten stv. refl. mit gen. in gewalt haben.

er-wandeln swv. wenden, umwandeln.

er-wanen swv. leer machen.

er-warmen swv. *warm* werden.

er-warten swv. intr. schauen *ûf;* tr. erwarten.

er-waschen, -weschen stv. ab-, reinwaschen.

er-waten stv. durchwaten.

er-wëben stv. durchweben.

er-wecken swv. aufwecken; erwecken, erregen.

er-wegen stv. emporheben, in bewegung setzen, anstrengen; bildl. bewegen, rühren; zu etw. bewegen, entschlossen machen mit gs. od. *zuo;* bildl. erwägen, bedenken. — refl. sich bewegen, erheben; mit gs. sich entschliessen; sich von etw. zurückbewegen, es auf-, preisgeben.

er-wëgen part. adj. entschlossen, unverzagt mit gs.; *ûz erwegen* ausgezeichnet, erprobt.

er-wëgen swv. tr. helfen, sich
für jem. verwenden.
er-wegen swv. emporheben;
in bewegung setzen; bildl. anregen, antreiben, bewegen; erregen; erschüttern, aufregen.
er-weichen swv. tr. erweichen.
— intr. weich sein, werden.
er-we'delieren swv. refl. sich
weiden an.
er-weigen swv. refl. schmerzen.
er-weinen swv. intr. zu weinen
beginnen, weinen.— tr. zum weinen bringen; durch weinen erlangen. — refl. sich ausweinen.
er-wëllen stv. refl. aufwogen.
er-wellen swv. aufwallen machen.
er-weln, -wellen swv. erwählen; part. erwelt, auserwählt,
ausgezeichnet.
er-wenden swv. mit as. rückgängig machen, zurück-, abwenden; mit ap. abhalten; wovon (gen. od. nachs.) abwendig
machen, abbringen; benehmen,
entziehen mit dp. — refl. u.
intr. aufhören.
er-wenken swv. intr. anfangen zu wanken; tr. zum wanken bringen.
er-wërben stv. durch tätiges
handeln zu ende bringen, ausrichten oder erlangen, erreichen,
gewinnen.
er-wërden stv. entstehn; zunichte werden, verderben.
er-wërfen stv. tot werfen;
gebären, fehlgebären.
*er-wërgen stv. erwürgen (be-
legt nur part. praet erworgen,
bair.).
er-wermen swv. warm ma-
chen.
er-wërn swv. aushalten.
er-wërn swv. errichten.
er-wern swv. tr. u. refl. verteidigen und behaupten mit
gs.; behaupten gegen, sich erwehren mit gen. od. vor; verwehren, verhindern.
er-wërp stm. geschäft, gewerbe.
er-weschen s. erwaschen.
er-wetten swv. durch ein sinnbildl. pfand übergeben, verpfänden, verbürgen.
er-wideren swv. entgegnen,
antworten; ersetzen.
er-wigen swv. ermatten.
er-wihen stv. schwächen, erschöpfen.
er-wilden swv. intr. wild werden, verwildern; tr. wunderbar,
seltsam machen.
er-willigen swv. refl. bereitwillig sein ze.
er-winden stv. intr. zurückkehren, -treten; sich enden, aufhören, ablassen von (gen. od.
an, von), ruhen; an, úf reichen

bis. — tr. an erw. gelangen zu,
ergreifen.
er-winken stv. sich neigen.
er-winnen stv. gewinnen;
überwinden, erweisen, überführen.
er-wintern swv. den winter
über behalten.
er-wirbec adj. durch werben
ausrichtend, gewinnend.
êr-wirdec adj. ehrenwert,
ehrwürdig. -wirdekeit stf. herrlichkeit. -wirden, -wirdigen,
-würdigen swv. verehren, honorificare, benedicere.
er-wischen, -wüschen swv.
erwischen.
er-wisen swv. anweisen, belehren mit gen. — refl. sich erweisen, zeigen.
er-witen swv. dick machen,
erweitern.
er-witern swv. ausspüren,
erwittern.
er-witern swv. refl. sich verbreiten.
er-wizen swv. weiss werden.
er-worgen swv. intr. ersticken.
— refl. u. tr. = erwürgen.
er-wüefen swv. aufschreien.
er-wüesten swv. verwüsten.
er-wüeten swv. intr. u. refl.
in wut geraten, toll werden.
er-wundern swv. wunder tun.
er-wünnen swv. in wonne
verwandeln.
er-wünschen swv. wünschen,
durch wunsch verschaffen;
part. vollkommen gestaltet,
herrlich beschaffen.
er-würgen swv., md. erwur-
gen, -worgen, .tr. erwürgen.
er-wurmen swv. wurmig werden.
er-wuschen s. erwischen.
er-zabelen swv. intr. zappeln,
zucken. — tr. durch rührigkeit
gewinnen.
er-zagen swv. verzagen.
er-zamen swv. zahm werden.
ërze, erze, arze stn. erz.
erze-bischof. -bischof stm.
erzbischof. -bote swm. erzengel. -engel stm. erzengel (gr.
lat. archangelus).
er-zegen swv. zage machen.
er-zeichenen swv. durch wunderzeichen etw. dartun.
er-zeigen swv. zeigen, dartun; e. dp. nâch sich angeben,
wo man zu finden sei; erweisen,
erzeigen mit dp. od. an.
er-zeisen swv. zerzupfen.
ërze-liute pl. bergleute.
er-zeln, -zellen swv. in zahl
bringen; aufzählen; erzählen.
er-zëmen stv. geziemen.
erzenen, erzen, erzenien swv.
heilen; arzneimittel für etw.
(dat.) brauchen.
erzen- s. arzen-.
er-zerren swv. zerreissen.

erzetie s. arzâtie.
er-ziehen stv. aufwärts, herausziehen; aufziehen, erziehen,
züchten; unterhalten, besolden;
weg-, zurückziehen; hinziehen
zu, einholen, erreichen.
er-ziln swv. erzeugen.
er-ziugen swv. erzeugen; machen lassen, die kosten wovon
bestreiten; ausrüsten; durch
zeugnis erhärten, zeigen, dartun, erweisen.
er-zogen swv. weg-, abziehen.
er-zornen s. erzürnen.
er-züogen swv. erzeigen, an
den tag legen.
er-zouwen swv. sich beeilen.
er-zücken swv. plötzlich ergreifen, packen.
er-zünden swv. tr. in brand
setzen. — intr. u. refl. entbrennen.
er-zürnen, -zornen swv. tr.
in zorn versetzen. — intr. in
zorn geraten; zürnen mit dp.
er-zûsen swv. zausen, rupfen.
ërz-wërc stn. bergwerk.
er-zwicken swv. knüpfen,
flechten (zopf).
er-zwieren, -zwinken swv.
genau (mit zusammengeknif-
fenen augen) anschauen, durchschauen, ergründen.
er-zwigen swv. mit zweigen
ausstatten.
es-ban s. ezzischban.
esch s. ezzisch.
ê-schaft stf. ehe.
esche s. asche.
esche stf. esche (vgl. asch).
eschel stn. dem. zu asch
schüssel.
escher stm. ausgelaugte asche.
esche-var s. aschenvar.
esch-heie s. ezzischheie.
eschin, eschen adj. von
eschenholz.
esel stm. esel; euphemist .für
priapus; belagerungswerkzeug;
eisbrecher, eisbock.
eselære stm. eseltreiber.
esel-bære adj. eselhaft. -heit
stf. weise eines esels, tölpel-
haftes benehmen. -lich, eselich
adj. eselhaft -nôz stn. esel. -öre
swn. eselohr (zeichen des
hohnes und spottes). -phert
stn. = phertesel. -vole swn.
eselsfüllen.
eselêht adj. eselhaft.
eselen swv. intr. eselhaft sein;
tr. zum esel machen.
eseline, -ges stm. nachkomme
eines esels.
eselinne, eselin, esele stf.
eselin.
eselisch, eselsch adj. eselhaft.
esellin stn. kleiner esel.
êser, nêser stm. speisesack
zum umhängen, tasche.
êsieren s. eisieren.

eskelir, esklir stm. hoher sarazenischer würdenträger (afz. *eschiere, eschiele*).

espin adj. von der espe (*aspe*).

esse stn. die eins auf dem würfel.

ësse stf. esse, feuerherd.

est = *ëʒ ist*.

este swf. nieder-, voralpe.

ester s. *eʒʒischtor*.

esterich, esterich, estrich stm. estrich; strassenpflaster (mlat. *astricus*).

este-rîche adj. reich an ästen.

ê-stiure stf. brautsteuer.

estor s. *eʒʒischtor*.

ê-strâʒe stf. landstrasse.

ê-suone stf. ehevertrag.

êt, et s. *eht*.

ê-taverne stf. berechtigte schenke der gemeinde.

ê-teidinc stn. gebotenes gericht.

ëte-, ëtes-lich pron. adj. irgendein, irgendwelch, pl. einige, manche.

ëter, ëder stswmn. zaun, umzäunung, ortsmark; saum, rand.

ëter-zûn stm. geflochtener grenzzaun.

ëte-, ëtes- -wâ adv. irgendwo, hie und da; vor adj. u. adv. gar, ziemlich, sehr. **-war** adv. irgend wohin. **-wenne** adv. zuweilen, manchmal, dann und wann; manchmal in früherer zeit; vormals; künftig einmal; endlich; vor adj. u. adv. ziemlich, sehr. **-wër** pron. subst. jemand, irgend jemand. — neutr. *ëte-, ëtes-waʒ* etwas, adverbial ein wenig. **-wie** adv. irgendwie, ungewiss wie; vor adj. u. adv. ziemlich, sehr.

ê-tisch stm. = *ëbanc*.

ê-touf stm., **-toufe** stf. gesetzmässig christliche taufe.

etter m. oheim, vetter.

etwinde swf. wasserwirbel.

etzelin stn. dem. zu *atzel*.

etzen s. *atzen*.

ê-vade swf. vorgeschriebene einhegung, die durch einen solchen zaun gebannte flur.

ê-vater m. rechtmässiger vater.

ëven s. *ëben*.

ever adv. md. = *aber*.

ê-vride stm. = *ëvade*.

ê-vrouwe swf. ehefrau.

ê-walte swm. gesetzeshüter, aufseher.

ê-wart, -warte stswm. hüter des gesetzes, priester.

ëwart-lich adj. priesterlich.

ëwart-tuom stn. priestertum.

ëwe, ê stf. endlos lange zeit, ewigkeit; altherkömmliches gewohnheitsrecht, recht, gesetz; bes. die norm u. form des glaubens (*altiu und niuwiu ê* altes und neues testament); der durch

göttl. und menschl. recht geheiligte bund der ehe; eheliche geburt.

êwe-lich = *ëwiclich*.

ê-wëlten adv. vor beginn der welt, von jeher.

ëwe-meister stm. priester.

ëwen stf. lange zeit, ewigkeit.

ëwen adv. immer, ewig.

ëwen swv. tr. nach recht machen; ewig machen; zur ehe nehmen. — intr. ewig dauern.

ê-wërc stn. stand; standesrecht.

ëwic adj. für alle zeit festgesetzt, immer fortbestehend.

ëwic-heit stf. ewigkeit.

ëwic-lich adj. ewig.

ê-wîc stm. zweikampf.

ëwigen swv. ewig machen, verewigen; gesetzlich machen; durch die ehe legitimieren.

ê-wîlen adv. ehemals.

ê-wîp stn. eheweib.

ê-wirt stm. ehemann.

ê-wirtinne stf. ehefrau.

ëʒ s. *ër*.

ëʒ dual von *ir* aber schon mit pl. bedeut.

ê-zün stm. = *ëvade*.

ëʒʒec adj. = *æʒec*.

ëʒʒe-, (ëʒ)-hûs stn. refectio, coenaculum. **-loube** swf. speisehalle; vorratskammer. **-sac** stm. fresssack. **-silber** stn. silbernes tafelgerät.

ëʒʒen stv. V essen (mit acc. od. gen. part.).

ëʒʒen stn. die handlung des essens; speise, mahlzeit.

ëʒʒende part. adj. act. essend (*ëʒʒendeʒ phant* verpfändetes vieh); pass. essbar.

ëʒʒer stm. esser.

ëʒʒich stm. essig.

ëʒʒichen swv. scharf wie essig schmecken, beissen.

ëʒʒisch, esch stm. saatfeld.

ëʒʒisch-ban, kontr. esban, **espan, aspan, anspan, enspen** stmn. freier platz in einer flur, der zur viehweide benutzt wird. **-heie,** kontr. **eschheie, escheie** swm. flurhüter. **-tor,** kontr. **estor, ester** stn. feld-, weidegatter.

F s. V

G

ga s. auch, *ge-a*.

gâ s. *gâch, gœhe,*

gâbe stf. gabe, geschenk; bestechung; übergabe; abgabe; begabung, verleihung.

gæbe, gæbec adj. annehmbar, willkommen, lieb, gut.

gâbe-brief stn. übergabeurkunde. **-haft** adj. freigebig; *ein g. guot* das ohne zustimmung

der erben veräussert werden kann. **-(gëbe)-phant** stn. lösegeld des gefangenen. **-phant** adj. ein pfand zu geben verpflichtet.

gabele, gabel stswf. gabel; krücke, krückstock.

gabelëht adj. gabelförmig.

gâben swv. eine *gâbe* austellen, ein geschenk geben (dp.).

gabilôt, gabylôt stn. kleiner wurfspiess (fz. *gavelot, javelot* v. kelt. *gaflach* speer).

gabilûn, gampilûn, capelûn stn. ein drachenartiges tier.

gâch, -hes, gâ adj. schnell, plötzlich, jähe, jähzornig, ungestüm (*mir ist, wirt gâch,* ich habe eile, strebe mit eifer) mit gs. od. präpp. „

gâch adv. schnell, plötzlich, unversehens.

gâch stm. schnelligkeit, eile.

gâch-heit, gâcheit stf. schnelligkeit, ungestüm. **-liche** adv. = *gœheliche*. **-muot** stm. jähzorn. **-muotec** adj. eilfertig, ungestüm. **-schepfe** swf. schicksalsgöttin. **-schric** stm. plötzlicher sprung. **-spîse** stf. schnell! zu beschaffende speise. **-touf** stm. nottaufe. **-zornic** adj. jähzornig.

gadem, gaden stmn. haus von nur einem gemache; gemach überh., kammer, hochgelegener verschlag; stockwerk.

gademer, gadner stm. zimmermann; haushalter.

gadem-man stm., pl. **-liute** krämer.

gaffel f. md. gilde, zunft.

gaffel-stirne swf. mulier quae spectat et spectari vult.

gaffen s. *kapfen*.

gaffer stm. kampfer (neugr. καφουρα aus pers. *kafúr*).

gagen, gageren swv. sich hin und her wiegen, zappeln.

gâgen, gâgern swv. *gâ* schreien wie die gans.

gagen s. *gegen*.

gagzen swv. gackern.

gæhe adj. = *gâch*.

gæhe, gâhe, gâ stf. eile, schnelligkeit, ungestüm (adv. *in allen gâhen* eiligst, plötzlich); steiler abhang.

gæhe, gæhte stf. eile, schnelligkeit, ungestüm.

gæhe-lich adj., **-liche** adv. ungestüm, heftig.

gæhelingen, gâlingen adv. dasselbe.

gâhe-lôs adj. sich ungestüm, rücksichtslos der leidenschaft hingebend.

gâhen, gæhen swv. intr. eilen (mit gen., inf. od. präpp.). — tr. durcheilen.

gâhes, gæhes, gâhens, gâs adv. schleunigst, hastig, plötzlich, sogleich.

gal, stm. gesang, ton, schall; schrei; ruf, gerücht.

galadrius, galadrôt s. *karadrius.*

galander stswm. ringlerche (fz. *calendre*).

galbei s. *galvei.*

galf sεm. lautes, übermütiges geschrei, gebell, gekläff.

galgan, galgân stm. die galgantwurzel (mlat. *galanga*).

galg-brunne swm. ziehbrunnen.

galge swm. gestell über einem brunnen zum heraufziehen des eimers; galgen; kreuz Christi; als schimpfwort: henker, teufel.

galgen-mæӡec adj. galgenreif. **-swengel** stm. galgenreifer schelm.

galie, galine, gelin, galide stswf. ruderschiff mit niedrigem borde, galeere (afz. *galie*).

galinære stm. schiffmann.

galinê stf. die windstille auf dem meere (gr. γαληνη).

gâlingen s. *gœhelingen.*

galiôt stm., **galiôtte** swm. schiffer, fährmann; seeräuber (afz. *galiot*).

galle swf. galle, bitteres überh., bildl. falschheit (auch zur bezeichnung eines bösen menschen).

galle swf. geschwulst über dem knie am hinterbeine des pferdes (fz. *gale*).

galle f. schelle.

galline adj. mit der gallen (pferdekrankheit) behaftet.

galm stm. schall, ton; lärm, geräusch.

galm stm. = *qualm, twalm* betäubung.

galmei stm. galmei, kieselzinkspat, s. *kalemîne.*

galmen swv. schallen.

galopeiӡ stm. galopp.

galopieren, kalopieren swv. galoppieren (fz. *galoper*).

galp stm. gekläffe.

galpen swv. kläffen.

galreide stf. gallerte (mlat. *geladria* v. lat. *gelatus*).

galst stm. schrei.

galster stn. gesang, bes. zaubergesang; betrug.

galster-lich adj. zauberisch.

galt adj. keine milch gebend, nicht trächtig, unfruchtbar.

galt-alpe swf. alpenweide für das galtvihe.

galt-nisse, gëltnisse stfn. geldstrafe.

galt-vihe stn. *galtez* vieh.

galvei, galbei stn. ein trockenmass, etwas weniger als der *vierlinc* (rom.).

galze, gelze swf. verschnittenes schwein.

gâmahiu m. f., **gâmân** stm. name eines edelsteines.

gamen, gamel stnmf. fröhlichkeit, spiel, spass, lust.

gamille swf. kamille (mlat. *camomilla*).

gampel, gempel stf. scherz; possenspiel.

gampel-her stn. mutwilliges, possenhaftes volk. **-site** stn. das possentreiben. **-spil** stn. possenspiel. **-vuore** stf. ausgelassenes treiben.

gampeln, gampen swv. springen, hüpfen, tänzeln.

gampenieren, gampiëren swv. = *gampen.*

gampf stm. das schwanken.

gamӡ stswf. gemse.

gân, gên v. an. gehn; im weiteren sinne: sich begeben, auftreten, erscheinen, geschehen (*mir gât ein dinc nâhe, mir gât nôt eines dinges,* ich bin dazu gezwungen, ich muss; *gân lâӡen* mit der ellipse von *ors, schif, swert; ûf, hinder einen gân,* einen als mittelsperson wählen; *g. über* als schuid angerechnet w.).

ganc, -ges stm. gang, art des gehns; gang, weg; weidm. wildpfad, fährte, das hin- und herziehen des wildes; zug im schachspiele; vene, gefäss; erzgang; eisgang; abgang (der ware, preis); kloake, abtritt; techn. ausdruck in der weberei: eine bestimmte anzahl fäden in der kette od. zum aufzug. **-âder** f. sehne, flechse im kniegelenke. **-haft, -haftig** adj. gänge, gangbar, geläufig. **-stein** stm. der obere mühlstein, der läufer. **-vihe** stn. vieh das zur weide geht. **-visch** stm. gangfisch, felche.

ganeist, ganeiste, geneiste, gneiste stf. swm. funke.

ganeisten, geneisten, gneisten swv. funken sprühen.

ganeister, ganster, geneister, genster stswf. = *ganeist.*

ganeistern swv. = *ganeisten.*

ganerbe swm. (aus *ge-an-erbe*) mitanerbe, an den mit andern die erbschaft (bes. einer gemeindebesitzung) fällt.

gangeln, gangelære s. *geng-.*

gans stf. gans. **-ar** swm. gänseaar.

ganse s. *ganze.*

ganser s. *ganzer.*

ganst stf. wohlwollen.

ganster s. *ganeister.*

gant stnf. felsgerölle (rom.).

gant stf. gerichtliche versteigerung (it. *incanto,* engl. *cant* v. lat. *in quantum*).

ganten swv. auf der *gant* verkaufen.

ganz adj. ganz, vollkommen, unverletzt, vollständig, heil, gesund; unverschnitten.

ganze swm. der zuchteber.

ganze, ganse swm. gänserich.

ganzen swv. (dat.) mederi.

ganzer, ganser stm. = *ganze.*

ganz-, genz-lich adj. = *ganz.*

ganz-heit stf. vollkommenheit.

gapen swv. spielen, hin und her gaukeln.

gar, gare adj. (flekt. *garewer, garwer*) bereit gemacht, gerüstet; bereit (gen., dat. od. *gegen, ze*); vollständig, ganz.

gar, gare adv. gänzlich, völlig, ganz und gar.

gar stf. ganzheit.

gar, -wes stn. rüstung.

gârât stnf. gewicht für gold, perlen, edelsteine (fz. *carat*).

garbe, garwe stswf. garbe.

gar-bræter stm. garkoch. **-(ger)-liche** adv. gänzlich. **-zal** stf. summe, gesamtheit.

gardiân m. guardian (it. *guardiano* v. *guardare* aus ahd. *wartên*).

gare stf. kleidung, rüstung.

gargeln swv. gurgeln.

garn part. s. *ern.*

garn stn. garn, faden; netzgarnasch, **garnatsch** stf. langes oberkleid ohne ärmel (fz. *garnache,* it. *guarnaccia* v. *guarnire* aus ahd. *warnôn*).

garnen s. *gearnen.*

garre s. *karre.*

garren swv. pfeifen.

garst stm. ranziger, stinkender geschmack oder geruch.

garst, garstic adj. ranzig.

gart stm. stachel, treibstecken.

garte swm. garten.

gartenære, sp. gertner, stm. gärtner, instmann; weingärtner, rebmann.

gart-isen stm. = *gart.*

gart-lant stn. gartenland.

garwe s. *garbe, gerwe.*

garwe swf. schafgarbe.

garwe adv. = *gar.*

garwen, garwunge s. *gerw-.*

garze-hâr stn. milchhaar.

gârzûn stm. page, edelknabe (fz. *garçon*).

gâs s. *gâhes.*

gast stm. fremder; fremder zur bewirtung, gast; fremder feindlicher krieger, krieger überh.

gastec-liche adv. zu ehrung der gäste.

gá-steige s. *gesteige.*

gastel stn. eine art weissbrot oder kuchen (afz. *gastel*).

gast-gëbe swm., **-gëber** stm. gastwirt. **-haus** stm. fremdenherberge. **-lich** adj., **-liche** adv. in eines fremden art u. weise, wie mit einem fremden. **-meister** stm. vorsteher des *gasthûses* (in einem kloster). **-walte** swm. = *gastgëbe.*

gast-liche adv. geschmückt (s. *gesten*).

gastunge stf. verpflegung u. beherbergung von fremden, bewirtung; gastmahl.

gastunge stf. schmuck (zu *gesten*); durch *g.* um sich zu rühmen.

gat stn. öffnung, loch, höhle.

gat, gate swm. genosse; der einem gleich ist oder es ihm gleich tut; gatte.

gaten swv. intr. zusammenkommen, genau zusammenpassen; refl. sich in oder aneinanderfügen, zusammenpassen; tr. vereinigen, an die seite stellen.

gater, gatel stm. genosse.

gater adv. zusammen, -gleich.

gater mn. gatter, gitter als tor oder zaun; karierter besatz oder stickerei.

gater-gëlt stn., **-zins** stm. gatterzins (zins, der nur durch das hofgatter gereicht wird und den der herr selbst holen oder holen lassen muss).

gatern, getern swv. vereinigen; mit einem karierten muster versehen.

gatunge stf. art, gattung.

gatzen, gatzgen swv. = *gagzen.*

gaudine, gaudin stfn. aus afz. *gaudine,* gehölze, wald.

gâz adj. im sinne eines part. perf. gegessen (*gâz haben*).

gæze adj. gierig, habsüchtig.

gazze swf. gasse.

ge-, gi- präf. ge-, vor vokalen u. liquid. häufig apok. *g'* (*garnen, gunnen, gloube gnâde*): vor subst. adj. adv. und verben mit dem begriffe des zusammenfassens, abschliessens, der dauer und vergangenheit; es kann vor alle formen des zeitworts treten, um die handlung abzuschliessen oder zu verstärken, oft nur mit unübersetzbar leiser modifizierung des begriffs, so namentlich wenn nach hilfsverben der infin. in der regel mit diesem präf. komponiert wird.

ge-æder stn. coll. zu *âder.*

ge-æze stn. speise.

ge-alter swm. altersgenosse.

ge-anden swv. zum vorwurf machen, rügen; rächen.

ge-änen swv. refl. mit gen. sich entledigen; worauf verzichten.

ge-arbeiten swv. intr. in arbeit sein; tr. durch *arbeiten* erwerben, mühe verwenden auf.

ge-arcwânen swv. ap. gs. beargwöhnen.

ge-arguieren swv. arguere.

ge-arn part. s. *ern.*

ge-arne, -arnede stf. = *erarnede.*

ge-arnen, garnen swv. = *arnen.*

ge-bac stn. einmaliges backen und das auf einmal gebackene, das gebäck.

ge-bâge, -bæge stn. coll. zu *bâc*: zank, hader.

ge-bâgen stv. zanken, hadern; mit gen. sich rühmen.

ge-bande stn. = *gebende,* fessel.

ge-bâr stm. art und weise, wie sich etwas zeigt, äusseres, benehmen.

ge-bærde stf. aussehen, benehmen, wesen.

ge-bære stfn. dasselbe.

ge-bære adj. angemessen, schicklich, gebührend.

ge-bâren, -bæren swv. intr. u. refl. sich gebärden, sich benehmen, verfahren; (laut) klagen.

ge-bartet, -bart part. adj. bärtig.

gëbe swmf. geber, geberin.

gëbe, gibe stf. gabe, geschenk, belohnung; wohltat, gnade.

ge-beine, -beinde, -beinze stn. coll. zu *bein*: gebein, knochen, gerippe; bein.

ge-beiten swv. intr. standhalten mit dat.; tr. *einem etw. g.,* frist gewähren.

ge-beize stn. jagd mit falken.

gëbel stm. schädel, kopf; giebel.

ge-belle s. *gebille.*

gëben, gên, gên stv. V geben, hergeben, übergeben (zur ehe geben), schenken.

gëben swv. geschenke machen; beschenken (mit acc. u. dat., oder dat. u. *mit*).

ge-benediet part. adj. benedictus.

ge-bende stn. coll. zu *bant*: band, bandschleife; fessel; kopfputz der weiber im allgem., im engern sinne die stirn- und wangenbinden; *hôch gebende* turban.

gëbe-phant s. *gâbephant.*

gëber stm. geber, schenker.

ge-bërc stm. geber, schenker.

ge-bërc stm. versteck, verheimlichung (*sunder geb.* ohne rückhalt).

ge-bërer stm. erzeuger, vater.

ge-bërerinne stf. gebärerin, mutter.

ge-bërge s. *gebirge.*

ge-bërht adj. glänzend.

ge-bërte stn. coll. zu *bart.*

ge-bërn stv. bringen, hervorbringen; erzeugen, gebären.

ge-bern swv. schlagen; bildl. ziehen, bilden.

ge-bërunge stf. hervorbringung; das gebären.

gëbe-snitz adj. freigebig.

ge-besten swv. mit dat. verbinden, hinzufügen, an die seite setzen; bildl. vergleichen, überbieten, -treffen.

ge-bët, -bête stn. gebet.

ge-bëte stf. bitte: gebet.

ge-bëten swv. zu gott beten.

ge-bëtte stn. ehebett.

ge-bette swf. bettgenossin, gemahlin.

ge-betten swv. das bett bereiten mit dp.

ge-bezzerlich adj. der besserung dienend.

ge-bezzern swv. tr. u. refl. bessern; mit acc. u. dat. schadenersatz leisten.

ge-bietære stm. herr, gebieter; befehlshaber.

ge-bietærinne stf. gebieterin, gebot; gebiet; gerichtsbarkeit; botmässigkeit.

ge-bietec adj. gebietend.

ge-bietegære = *gebietære.*

ge-bieten stv. ausstrecken *zuo*; darreichen, anbieten, entbieten mit dp.; *etw. wider g.* dagegen einsetzen; gebieten, befehlen, laden mit dat. od. acc. (*geboten dinc* gericht zu dem eigens geladen wird, ausserordentliche gerichtssitzung); mit dp. einem davongehenden noch einen auftrag geben, jemand verabschieden; *einem an eine stat geb.* einem erlauben sich an seinen ort zu verfügen, ihn freilassen.

gebiet-hûs stn. praetorium.

ge-bietunge stf. gebot; gebiet; herrschaft.

ge-bilde stn. gestalt; gestalteter gegenstand; sternbild.

ge-bilden swv. sich als abbild eines dinges (acc.) darstellen; ein bild hervorbringen, bilden.

ge-bille, -beile stn. das bellen.

ge-billen swv. wiederholt hauen, schlagen.

ge-binde stn. band.

ge-binden stv. binden, festbinden, fesseln; mit dat. vom anlegen des *gebendes.*

ge-bint stn. verbindung.

ge-bite, -bit stf. verweilen, geduldiges warten, verzögerung.

gebite-lôs adj. nicht geneigt lange zu warten.

ge-biten stv. bitten, wiederholt bitten.

ge-biten stv. intr. warten, zuwarten. — tr. erhalten, bewahren.

ge-bitlich adj. aufgetragen.

ge-biuge stn. beugen.

ge-biurinne s. *gebûrinne.*

ge-biurisch, -biurlich adj. bäuerisch; einfach, gemeinverständlich.

ge-biuwe, md. **-bûwe, -bûwede, -bûde** stn. gebäude; das bauen,abbauen eines bergwerks; anbau, wohnsitz.

ge-biuʒe, -bûʒ stn. schlägerei; schläge, stösse.

ge-biʒ stn. gebiss.

ge-biʒ stm. maulkorb.

ge-blæse, -blâs stn. hauchen, flüstern; sufflatorium.

ge-blenke stn. plankenzaun.

ge-blêre, -blêrre stn. geschrei, geschwätz.

ge-bletze stn. geklimper, geblök, geschwätz.

ge-blicket part. adj. glänzend.

ge-bliuwen stv. = bliuwen.

ge-blôder stn. blähung.

ge-blüede stn. blüte.

ge-blüejen swv. erblühen; *ge-bluot sîn* blühen.

ge-blüemen = blüemen.

ge-blüete stn. coll. zu bluot.

ge-bœren swv. erheben.

ge-borgen swv. = borgen.

ge-born part. geboren, abstammend; *sîn g. mâge* parentes; ebenbürtig mit dp.; von stand, adel.

ge-bot stn. gebot, auftrag, ladung zum erscheinen; verbot, gebot bei strafe und das verwirkte strafgeld; ausrufung durch den gerichtsboten; auflage; gewalt, herrschaft; beschlagnahme; einsatz im spiele, übertragen auf den kampf.

ge-bouge adj. biegsam.

ge-bougec adj. gebogen, bogenförmig; biegsam.

ge-böume stn. menge von bäumen, baumwuchs.

ge-bôʒ stn. schlag, stoss.

ge-bôʒen stv. wiederholt schlagen, stossen.

ge-brach m. = brach.

ge-bræche, -præche stn. gepräge.

ge-bræchet part. adj. mit geschwüren bedeckt.

ge-braht stm. = braht.

ge-braste stn. geprassel, lärm.

ge-brëch stn. gekrach, lärm.

ge-brëche swm. mangel, gebrechen; beschwerde, übelstand; krankheit.

ge-brëchen stv. intr. brechen, mit gewalt dringen, ein verbrechen begehn; unpers. mit dp. u. nom. od. gs. od. *an* fehlen, mangeln. — tr. brechen, zerbrechen, wegbrechen.

ge-brëchlich adj. gebrechlich am körper, krank; mangelhaft, schadhaft.

ge-brehte stn. coll. zu braht: geschrei, lärm, lärmender aufzug, gepränge, prunk.

ge-brehten swv. = brehten.

ge-breite f. ackerbreite, acker.

ge-brëst, -brëste stswm, dem. **-brëstelin** stn. = gebrëche.

ge-brësten stv. zusammenbrechen; mangeln (gen., *an*).

ge-brësthaft, -brëstheftic adj. mangelhaft, gebrechlich.

ge-brëstlich, -brëstenlich adj. dasselbe.

ge-brieven swv. niederschreiben.

ge-brimme stn. lautes singen.

ge-briuten swv. beilager halten; stuprare. **-briuteln** swv. refl. *mit* sich vermählen.

ge-briuwe, -briuwede stn. was auf einmal gebraut wird.

ge-brodel stn. kochendes aufwallen und geräusch.

ge-brohze stn. lärm.

ge-brouchen swv. biegen, beugen, bewegen.

ge-bruch stm. abgang, mangel; fehler, schuld.

ge-brûch stn. benutzung, gebrauch; brauch, gewohnheit.

ge-brüche stn. mangel.

ge-brüchele stn. coll. fragmenta.

ge-brûchen swv. gebrauchen, benutzen, geniessen (mit as. od. gs., refl. mit gs.); mit gp. umgang, gesellschaft geniessen.

ge-brûchlich adj. geniessend.

ge-brûchlicheit, -brûchunge stf. gebrauch, genuss.

ge-brücken swv. überbrücken.

ge-brüdeme stn. gebrodel.

ge-bruoder, -brüeder pl. gebrüder.

ge-bruodern swv. verbrüdern.

ge-bruote stn. das brüten, erwärmen.

ge-brüse stn. das brausen.

ge-brust stm. mangel, gebrechen.

ge-brüsten swv. refl. *gegen* stolz verlangen nach.

gebsen swv. geben.

ge-bû stnm. bestellung des feldes, weinberges; bau, gebäude.

ge-büebe stn. coll. zu buobe.

ge-büeʒen swv. büssen, busse tun für; bessern, beseitigen, tilgen.

ge-bünde stn. coll. zu bunt: bündel; fessel, knoten.

ge-bunt stn. bündel.

ge-buode, -bûde stn. gebäude.

ge-buoseme stnf. nachkommenschaft in geradabsteigender linie.

ge-bûr, -bûre stswm. miteinwohner, mitbürger; nachbar; dorfgenosse, bauer; roher, gemeiner mensch.

gebûr-dinc stn. bauerngericht.

ge-bûrinne, -biuriune stf. bäuerin.

ge-bürn swv. tr. heben. — intr. sich erheben; geschehen, widerfahren, zuteil werden mit dp.; rechtl. zufallen od. zukommen, gebühren mit dp. — refl. sich ereignen, vor augen treten.

ge-bürnisse stfn. was sich gebührt als abgabe zu leisten; *nâch g.*, nach gebühr.

ge-bûrsame stf. dorfgenossenschaft, bauernschaft.

ge-bûrschaft stf. dasselbe.

ge-burt stf. geburt, entbindung; geborenes, geschöpf, nachkommenschaft; angeborner stand, ursprung, herkunft bes. aus vornehmem geschlechte.

ge-burtec adj. = *geburtlich.*

ge-bürtet part. adj. gebürtig.

geburt-lich adj. die geburt betreffend.

geburt-tac stm. geburtstag.

gebûr-volc stn. bauernvolk.

ge-bütze, md. *gebutte* stn. eingeweide.

ge-bûwede, -bûweze stn. gebäude.

ge-bûwen an. v. bewohnen; bebauen, pflügen.

ge-bûwer stm. bauer (s. *gebûr*).

ge-bûʒ s. *gebiuʒe.*

gëc, gëcke stswm. md. alberner mensch, narr.

gëcke adj. töricht, verzagt.

gëckerîe stf. albernheit.

ge-dagen swv. verst. *dagen*; part. *gedaget* verschwiegen, verstummt.

ge-dâht part. adj. bedacht.

ge-dâht, -dæhte stmf. das denken, die gedanken.

ge-dæhtic adj. bedächtig; merkend, sich erinnernd; eingedenk mit gs.; erinnerlich mit dp.

ge-dæhtnisse stnf. andenken, erinnerung.

ge-danc stm. das denken, der gedanke, die gedanken; dank.

gedanc-haft adj. sinnend, denkend auf (*ze, ûf*).

ge-danken swv. einen gedanken fassen, denken; danken mit dp.

ge-decke, -deckede stfn. decke, bettdecke.

ge-degen swv. zum schweigen bringen, stillen.

ge-demer stn. die dämmerung, das dunkel.

gedemlin stn. dem. zu *gadem.*

ge-denken swv. intr. denken, gedenken; mit gen. u. refl. dat. sich etw. ausdenken; zudenken, bestimmen mit dp. u. gs. — tr. auf einen gedanken kommen, ausdenken; zu ende denken. — refl. sich erinnern, eingedenk sein.

ge-denken stn. das denken, bedenken; das gedächtnis, die erinnerung.

ge-denkic adj. eingedenk, nachdenklich.

ge-denk-lich adj., adv. -liche nachdenklich; erdacht.

ge-denknisse stf. gedanke, erwägung; das gedenken, gedächtnis.

ge-denkunge stf. das gedenken, andenken.

ge-dense stn. das hin- u. herziehen, geschlepp, gereisse.

ge-derme, **-dirme** stn. gedärm.

ge-dienet part. adj. gedient habend, durch dienst ausgezeichnet; verdient.

ge-diet stfn. das gesamte volk.

ge-digen part. adj. ausgewachsen, reif, fest, hart; ausgetrocknet, dürr; bildl. lauter, rein, gehaltvoll, tüchtig.

ge-digene, **-digen** stn. coll. zu *dëgen*: dienerschaft, bes. die ritterl. dienerschaft, dienstmannschaft eines fürsten; bürgerschaft, dorfgemeinde; volk, haufe.

ge-dihe stf. das gedeihen, wohl.

ge-dihen stv. gedeihen, erwachsen, geraten (*ez gedihet mir* geht, bekommt mir).

ge-dihte adv. häufig (*ie g.* ununterbrochen).

gedihtec-liche adv. dicht, häufig.

ge-dihten swv. gelingen.

ge-dinc stm. zeuge od. beisitzer einer gerichtsverhandlung.

gedinc-liute pl. gerichtsbeisitzer.

ge-dinge stn. gericht; freigericht; übereinkunft, vertrag; versprechen, versprochene ·sache, versprechen einer zahlung (*liplichez g.* = *lip-gedinge* s. *lip-dinc*), die schuld oder zahlung selbst; zahlung einer brandschatzung; bedingung.

ge-dinge stf. bedingung.

ge-dinge swm. stfn. gedanke, hoffnung, zuversicht auf etw. mit gen.; anwartschaft; anliegen, bitte.

ge-dingede stnf. bedingung; anwartschaft.

ge-dingen swv. fest u. sicher glauben, hoffen mit gs.; *an einen ged.* von ihm sicher erwarten, das vertrauen auf ihn setzen.

ge-dingen swv. eine sache behaupten, die oberhand behalten, ausharren; *einem ged.* seine sache durchführen; unterhandeln (*mit, an, umbe, wider*).

ge-dingeze stn. gerichtl. verhandlung; beratung.

ge-dirme s. *gederme*.

ge-diute, **tiute-** stn., -diutnisse stf.? symbol. ausdeutung, bedeutung, symbol; kundgebung der gesinnung; hindeutung; *ze gediute = ze diute.*

ge-dolt s. *gedult.*

ge-don adv. mit eifriger bemühung; *mir ist ged.* ich habe eifer, eile *nâch, zuo.*

ge-don, **-done** stf. *g. tuon* mit dp. beschwerlich fallen, mühe machen, gewalt antun, quälen.

ge-dœne stn. gesang, melodie; ton, laut, schall.

ge-dœnen swv. mit gesang erfüllen.

ge-dœze stn. geräusch, getöse; wasserfall.

ge-dranc stnm. das drängen, gedränge, dichte schar; drangsal, bedrängung; drang zu, hinneigung, vertrauen.

ge-drange adv. mit drängen; fest, innig.

ge-drenge adj. gedrängt.

ge-drenge stn. gedränge; unwegsam verwachsener boden; bedrängung, beengung.

ge-dringen stv. tr. drängen, wegdrängen von; intr. sich drängen.

ge-drol adj. = *gedrollen.*

ge-drollen s. *drillen.*

ge-drosch stn. haufen, schar.

ge-dröulich adj. drohend.

ge-dröuwe **-dröuwede** stfn. drohung, drohworte.

ge-drücken swv. drücken; unterdrücken.

ge-dult, **-dolt**, **-dulde** stf. geduld.

ge-dultec adj. geduldig; gelassen, ablassend von (gen.); nachsichtig. **-heit**, **geduitsame** stf. geduld.

ge-dunc stm. bedünken.

ge-dünste stn. coll. zu *dunst.*

ge-düren, **-türen** swv. aushalten, standhalten.

ge-dürne stn. dorngebüsch.

ge-dwâs s. *getwâs.*

ge-ëbenen swv. refl. sich vergleichen.

ge-eide swm. eideshelfer.

ge-erbe swm. pl. *die geerben, gerben* die erben.

ge-êrtriche adj. attribut der Maria.

ge-estiget part. adj. ästig.

ge-gate swm. genosse; gatte; öse, md. *-gade, -gader.*

ge-gaten swv. refl. sich fügen; *sich g. zuo,* an die seite stellen, vergleichen.

ge-gelfe stn. geschrei.

gegen, gên, kein gegen präp. kontr. dat.: räumlich hin, zu, nach etwas; entgegen, gegenüber, feindlich gegen. — zeitl. für annähernde zeitbestimmung: um. — übereinstimmung ausdrückend: so viel als (quantität), gemäß, nach (qualität), um (wert); die absicht ausdrückend mit nachfolgd. infin.: um zu.

gegen, gegene; gagen, gagene adv. entgegen.

gegen-biet stm. widerstand. **-gëlt** stn. wiedervergeltung; widergift. **-harte, -herte** stf. kräftiger widerstand. **-heit** stf. gegenwart. **-hurt** stf. gegenstoss. **-keit** stf. relatio. **-kouf** stm. für eine leistung erworbene gegenleistung. **-mâzen** swv. vergleichen mit (dat.). **-niet** stm. das anstreben gegen etwas. **-punct** stm. nadir. **-rede** stf. erwiderung. **-reise** stf. kriegszug entgegen **-riz** stm. gegenstoss. **-schaz** stm. widergift, gegengabe. **-schriber** stm. gegenrechner, kontrolleur. **-sidele** stn. ehrenplatz bei tische, dem herrn oder wirte gegenüber. **-slac** stm. gegenhieb. **-strit** stm. gegenwehr; wettstreit. **-stuol** stm. = *gegensidele;* coll. *-gestüele.* **-tjoste** stf. gegenstoss mit dem speere. **-traht** stf. widerstand. **-vart** stf. entgegenfahrt. **-wart, -wurt, -würte** stf. gegenwart (*in gegenw., engegenwerte, -würte* gegenwärtig, entgegen, gegenüber); zeitlichkeit. **-wart, -wertec, -würtec** adj. gegenwärtig. **-wertec-heit, -wertikeit, -wirtikeit, -würtikeit** = *gegenwart.* **-wertes** präp. m. dat. in jemds gegenwart. **-wort** stn. antwort, wechselrede, gespräch. **-wurf** stm. gegenstoss, objekt. **-zil** stn. widerstand.

gegende s. *gegenôte.*

gegene, gegen, geine stf. gegend; gegenwart.

gegenen, gagenen swv. entgegenkommen, -treten dp.

gegenôte, geinôte, gegende, geinde, gegent stf. gegend.

gegent s. *gegenôte.*

ge-gerwe stn. vollständige aus-, zurüstung, kleidung.

ge-gerwen swv. bekleiden.

ge-giht stf., -**gihte** stn. bekenntnis.

ge-gihte stn. gicht; krämpfe; allgem. weh.

ge-grifen stv. *g. von* abfallen.

ge-habe stf. haltung, benehmen, aussehen.

ge-haben swv. abs. halten, stehn, sich befinden. — tr. haben, besitzen; halten, behaupten. — refl. sich aufhalten; sich halten *an, ze;* sich befinden u. benehmen.

ge-hac stn. gehege.

ge-haft part. adj. verbunden, verpflichtet.
ge-hage s. gehege.
ge-halt stm. gewahrsam, gefängnis; innerer wert.
ge-halten stv. abs. still halten; sich halten, aufbewahrt bleiben. — tr. festhalten, gefangennehmen; behüten, bewahren; halten, in stand halten; bewahren, aufheben; vertrauen, glauben mit dp.
ge-halter stm. behalter, bewahrer; behälter.
ge-handeln swv. intr. handel treiben. — tr. ausführen; behandeln. refl. sich benehmen.
ge-hâr, -hâret adj. behaart.
gehære stn. coll. zu hâr.
ge-harre stn. das harren.
ge-harsten swv. harsch werden.
ge-haz, -hazzec, -hezzec adj. hassend, feind mit dp.
ge-bæze stn. kleidung.
ge-hebe adj., md. geheve fest, haltbar; viel haltend, geräumig, bequem; bildl. gewichtig, bedeutend; trefflich, wohlwollend.
ge-hebe stf. haltung; befinden, lebensweise; aussehen, gestalt.
ge-hebede stf. besitztum; das benehmen, verhalten.
ge-heben stv. aufheben; einem g. sich ihm gleich setzen, ihm das gleichgewicht halten. — refl. = gehaben.
ge-hecke, -heckede stn. das hacken; häcksel.
ge-heder stn. gezänke.
ge-hege, -hage stn. einfriegigung, hag; schutzwehr. zufluchtsort; gebüsch.
ge-hei, -heie, -heige stn. hitze, brand.
ge-hei, -heie, -heige stn. hegung, pflege; gehegter wald, gehegtes fischwasser usw.
ge-heien swv. pflegen, verpflegen.
ge-heil adj. heil, ganz
ge-heilen swv. tr. u. refl. heilen, gesund machen; erretten; intr. geheilt, gesund werden.
ge-heiligen swv. tr. heilig machen, sprechen; intr. heilig werden.
ge-heim adj. heimlich, vertraut.
ge-heime, -heimde stf. heimlichkeit, geheimnis; vertrauter umgang.
ge-heimec adv. heimlich.
ge-heimisch adj. = geheim.
ge-heimlichen swv. vertraut machen.
ge-heische stn. geheiss.
ge-heiz stm. befehl, gebot; versprechen, gelübde; verheissung, versprochener lohn; verheissung, weissagung.

ge-heize stnf. befehl; gelübde; verheissung.
ge-heizen stv. befehlen mit ap. u. inf.; verheissen, versprechen; verheissen, weissagen. — pass. genannt werden, heissen.
ge-hël adj. zusammenklingend, -stimmend.
ge-hël, -lles stn. zu-, übereinstimmung.
ge-helbet part. adj. medius.
ge-hëlfe swm. helfer; gehilfe.
ge-hëlfe swf. gehilfin.
ge-hëllen stv. zusammenklingen, einhellig sein, übereinstimmen; wozu (dat.) stimmen, passen, entsprechen.
ge-hellen swv. in die hölle bringen.
ge-hëllesam adj. übereinstimmend; entsprechend (dat. od. an).
ge-hëllunge stf. = gehël.
ge-hëln stv. tr. verhehlen; refl sich verbergen, mit gen. sich mit od. in etwas verstellen.
ge-hëlze s. gehilze.
ge-helzen swv. lähmen.
ge-hende adj. bei der hand, bereit.
ge-henge stn. vorrichtung zum an-, ein-, umhängen; türangel.
ge-henge stfn. swm., -hengede stf. nachgiebigkeit, zulassung, erlaubnis.
ge-hengen swv. geschehen lassen, nachgeben, gestatten; dem orse geh. die zügel hängen lassen.
ge-henke, -henkede stn. gehänge (schmuck).
ge-hërsen swv. beherrschen, überwältigen.
ge-herten swv. intr. dauern, ausdauern; tr. behaupten.
ge-hërze adj. einträchtig, verbunden mit; beherzt.
ge-hërzen swv. beherzt machen, ermutigen.
ge-hetze adj. = gehaz.
ge-hetze, -hetzede stn. das hetzen.
ge-heve s. gehebe.
ge-hezzec s. gehaz.
ge-hien, -hijen s. gehîwen.
ge-hilder stn. gelächter.
ge-hilwe stn. feiner nebel; gewölk.
ge-hilze, -hëlze stn. schwertgriff, heft.
ge-himelen swv. in den himmel bringen.
ge-himelze stn. himmelartige decke und traghimmel.
ge-hirmen swv. intr. ruhen; ablassen von mit gs.
ge-hirne stn. gehirn.
ge-hiufe stn. haufe.

ge-hiure adj. geheuer, nichts unheimliches an sich habend; lieblich, angenehm; trefflich.
ge-hiuse stn. gehäus.
ge-hiuze stn. lärm. geschrei (zur verfolgung); hohn.
gehiwen, -hijen, -hien swv. intr. sich vermählen; sich paaren. — tr. vermählen ze.
ge-hœhen swv. erhöhen.
ge-holf adj. = beholf.
ge-holn swv. holen; erwerben, verdienen.
gehœnc stn. hohn.
ge-hœnen swv. verächtlich machen od. behandeln, entehren.
ge-hôrchen, -horchen swv. mit dat. zuhören; gehorchen; gehören zuo.
ge-hœrde stfn. das hören, der gehörsinn.
ge-hœre, -hœrec adj. folgsam, gehorchend mit dp. u. gs.
ge-hœren swv. abs. hören, mit dat. hören auf. — tr. hören, anhören. — intr. gehören, gebühren.
ge-horn adj. gehörnt; hornartig.
ge-hôrsam adj. gehorsam mit dp. u. gs.
ge-hôrsame, -sam stfm. gehorsam (g. tuon, profess ablegen); arrest, gefängnis.
ge-hôrsamen swv. gehorsam sein mit dp. u. gs.
ge-horwen swv. beschmutzen.
ge-houwen stv. hauen, niederhauen.
ge-hüge adj. eingedenk.
ge-hüge stf. sinn; erinnerung, andenken; freude; logik.
ge-hügede stf. das denken an etwas (gen.); gedächtnis, erinnerung, andenken; erwägung; einbildungskraft.
ge-hüge-lich, -hugesam adj. in erinnerung bleibend, denkwürdig.
ge-hügen swv. gedenken, sich erinnern mit gen. od. an, ûf, zuo.
ge-hugede stf. gedächtnis, andenken.
ge-hugnisse stfn. gedächtnis, erinnerung; einbildungskraft.
ge-huht stf. gedächtnis; freude.
ge-hulden, -huldigen swv. tr. u. refl. geneigt machen; intr. huldigen.
ge-hülfec adj. helfend.
ge-hülze adj. gehölze.
ge-hünde stn. beute, raub.
ge-hünde stn. hunde; hündisches volk, gesindel.
ge-huof stm. = be-huof.
ge-hürne stn. gehörn, geweih; hornblasen.
ge-hurste stn. md. ort mit gesträuch od. gestrüpp.

ge-hurwe stn. menge von schmutz od. kot.

ge-hûs adj. wohnhaft, ansässig.

ge-hûsen swv. intr. sich niederlassen, hausen, wohnen.

ge-hûset part. adj. = *gehûs*.

geil, geile adj. von wilder kraft, mutwillig, üppig; lustig, fröhlich; mit gen. froh über; begierig *zuo*.

geil stm. übermut.

geil stn. fröhlichkeit; lustiges wachstum, wucher; hode.

geilære stm. ein fröhlicher gesell.

geile, geil stf. üppigkeit; fruchtbarer boden; fröhlichkeit, übermut; swf. hode.

geilen swv. intr. übermütig, ausgelassen sein; froh werden. — tr. froh machen. — refl. sich freuen, erlustigen; lustig wachsen u. wuchern.

geil-haft adj. = *geil*. **-heit** stf. fröhliche tapferkeit; ausgelassenheit. **-liche** adv. lustig.

geilsen swv. intr. ausgelassen lustig sein. — refl. sich freuen über (gen.).

gein s. *gegen*.

geinde, geine, geinôte s. *gegenôte, gegene*.

ge-innern, ginnern swv. inne werden lassen, erinnern.

isel stswf. geissel, peitsche; landplage.

geiseler stm. flagellant.

geiseln swv. geisseln.

geisel-ruote f. peitsche. **-slac** stm. peitschenschlag. **-vart** stf. fahrt der flagellanten. **-ville** stf. züchtigung mit der *g*.

geist stm. geist; überird. wesen (gott, der heil. geist, engel); der böse geist; *frier g.* anhänger der sekte des freien geistes.

geistec, geistin adj. geistig.

geistekeit stf. unio mystica, das immaterielle.

geisten swv. tr. geistig machen, mit geist (mit dem hl. geiste) erfüllen. — intr. geistig wirken.

geisterin stf. schwester des freien geistes, begine.

geist-lich adj., **-liche** adv. geistlich, fromm; geistig.

geist-licheit stf. geistliches leben, frömmigkeit; geistl. stand; geistigkeit.

geistunge stf. myst. vergeistigung.

geiz stf. ziege (*diu springende g.* eine art sternschnuppen).

geize stswf. pflugsterze.

geize-gëbel stm. ziegenschädel.

geizer stm. ziegenhirt.

geiz-heit stf. ziegenherde.

geizin adj. von ziegen.

geiz-vuoz stn. ziegenfuss; ein brech-, hebeisen.

ge-jac stm. jagdbeute.

ge-jaget, -jeit stmn. jagd; meute von jagdhunden; jagdbeute.

ge-jegede, -jeide stn. dass.

ge-justieren swv. = *tjostieren*.

ge-kelle stn. geschwätz.

ge-kinde stn. coll. zu *kint*.

ge-klage swm. kläger.

ge-kleide stn. kleidung.

ge-kôde s. *gequide*.

ge-kœse, -kôse stn. rede, gespräch, geschwätz.

ge-kriegen swv. kämpfen, streiten; mit einem (dat.) streiten.

ge-kriute, md. *krûde* stn. coll. zu *krût*, menge von kräutern, gras.

ge-krœse stn. das kleine gedärme, gekröse.

ge-kudde s. *gequide*.

gëkzen s. *gigzen*.

gël, -lles adj. laut, hell.

gël, -wes adj. gelb.

gel- vgl. auch den anlaut *gl-*.

ge-labede, -lebde stf. labung.

ge-lach stn. gelächter.

ge-læge stn. das liegen; lage, zustand, beschaffenheit, verhältnis, gelegenheit; das zusammengelegte, ladung.

ge-lanc, glanc stn. gelenk.

ge-landet part. adj. mit einem lande versehen.

ge-lange adv. lange.

ge-lange swm. verlangen, begierde, sehnsucht.

ge-langen swv. tr. erreichen; unpers. lange dünken mit gen.; verlangen, sehnsucht haben nach (gen.).

ge-lâz stmn. erlassung, verleihung; zusammenfügung der glieder, bildung, gestalt, benehmen.

ge-læze stn. niederlassung u. deren ort; verlassenschaft, was aus der verlassenschaft eines unfreien dem herrn zufällt; benehmen, gebaren.

ge-læze stf. benehmen.

ge-lâzen, -lân stv. intr. sich benehmen, gebärden. — tr. lassen, loslassen; verlassen; erlassen mit dp.; unterlassen; anheim geben *an einen etw*. — refl. sich beschäftigen mit (*an*); sich verlassen auf (*an*); sich niederlassen *ûf*.

ge-lâzenheit stf. gelassenheit, gottergebenheit.

ge-lebde s. *gelabede*.

ge-lëben intr. leben, zusammenleben; leben von (gen.); leben für, nachleben, befolgen (dat.); tr. erleben.

ge-lëbert part. adj. *daz g.e mer = leber-mer.*

ge-leche stn. = *gelach*.

ge-lëcke stn. leckerspeise.

ge-legede stf. lage, beschaffenheit.

ge-lëgen part. adj., **ge-legelich, -legenlich** adj. angrenzend, gelegen.

ge-lëgenheit stf. lage, stand der dinge, beschaffenheit; angrenzung; die angrenzenden länder und gegenden.

ge-lëger stn. lager; estrich.

ge-lehter stn. gelächter, spott.

ge-leiche, -leich stn. gelenk; fuge; glied; fischlaich; unglück; betrug, fopperei.

ge-leiche stf. gelenk.

ge-leichec adj. gelenkig, beweglich, biegsam.

ge-leichen swv. gelenkig biegen; betrügen, foppen.

ge-leiden swv. tr. schmerz worüber empfinden, äussern; mit dat. verleiden; intr. mit dp. verhasst sein od. werden.

ge-leise stn. radspur.

ge-leisinic adj. folgsam.

ge-leite swmf. führer, führerin.

ge-leite stn. leitung, führung; begleitung, geleit, schutz; geleitsgeld.

ge-leitec adj. lenksam.

ge-leiten swv. geleiten, führen; schützend begleiten.

ge-lende stn. coll. zu *lant*, gefilde; landstrich, sprengel.

ge-lende stn. landung.

ge-lenden swv. landen; zum ende, ziele führen.

ge-lenke stn. taille; falte des kleides; verbeugung; gewandtheit; lenkung, leitung.

ge-lenke adj. gelenkig, biegsam, gewandt.

gelëret s. *lëren*.

ge-lërnic, -lirnic, -liric adj. gelehrig.

ge-lêse stn. das lesen, vorlesen und vorgelesene.

ge-lësen stv. mit auswahl sammeln, lesen; in falten legen (kleid); lesen.

gelf, gelfe s. *gwelph*.

gël, gëlpf, gëlph adj. glänzend, von heller farbe; munter, fröhlich; übermütig.

gëlf, gëlpf stn. lautes tönen; lärm; fröhlichkeit; übermut; spott, hohn.

gëlfe, gëlpfe stf. glanz, pracht.

gëlfen, gëlpfen stv. lauten ton von sich geben, schreien; beilen; übermütig sein, prahlen. — refl. mit gs. worüber fröhlich sein.

ge-lich, -liche, -lîch, glich adj. von übereinstimmender leibesgestalt od. art, gleich; geradlinig, eben, billig, angemessen; ebenmässig; mit dat. gleich mit. — substantivisch

mit gen. eines persönl. pron.
od. mit possess. der einem
gleich, ähnlich ist; das neutr.
hinter dem gen. pl. eines subst.
gesamtheit u. übereinstimmung
ausdrückend (*ritter gelîch* ritter,
aller tier gelîch jedes tier).

**ge-lîche, -lich, -lîch, glîche,
-lich-lîche** adv. gleichermassen,
auf gleiche weise, durchweg;
(*gelîche ligen* im spiele als gleich
wert gegeneinander gesetzt
sein); benachbart, angrenzend
mit dat.; md. sogleich.

ge-lîche, -licheit stf. gleichheit, gleichmässigkeit; gleichnis; myst. gleichmut aus gottergebenheit.

gelîch-ebeni stf. aequitas.

ge-lîchen stv. gleich sein;
gleichkommen, gleichen, passen
mit dat.

ge-lîchen swv. gefallen mit
dp. — refl. mit dat. sich beliebt machen bei.

ge-lîchen swv. tr. gleich machen, gleich, stellen, vergleichen
mit dat. od. *ze, gegen.* — refl.
mit dat. gleich sein, vergleichen,
sich gleichstellen. — intr. mit
dat. gleich sein, gleichen.

ge-lîcher stn. astr. aequans.

ge-lîches adv. auf gleiche
weise, ebenso; gleichmässig;
sogleich.

ge-lîchesære stm. gleisner.

ge-lîchesen, -lihsen swv. heucheln. — tr. erheucheln.

ge-lîchesunge stf. heuchelei.

ge-lîchnisse stf. gleichheit,
ähnlichkeit; ausgleichung, vergütung; vergleichung; ab-, vorbild; gleichnis.

ge-lîchsenære, glisenære stm.
gleisner.

ge-lîchsenheit stf. heuchelei.

ge-lîchsenisse stf. dasselbe.

ge-lîchunge stf. ähnlichkeit.

ge-lide stn. die glieder.

ge-lidemæze stn. glied, pl.
gliedmassen.

ge-lidere stn. coll. zu *lëder.*

ge-lieben swv. tr. lieben;
lieb, angenehm machen mit
dp. — intr. lieb, angenehm sein
oder werden, belieben.

ge-liep adj. einander lieb. —
subst. pl. st. od. sw. personen,
die einander lieben.

ge-ligere stn. lager, beilager.

ge-lihter stn. sippe, art.

ge-lihtride stf. geschwister.

ge-limpf, -limpfe, glimpf
stswm. angemessenes, artiges,
schonendes benehmen, benehmen überh.; befugnis, recht;
guter leumund.

ge-limpf adj. angemessen.

ge-limpfec adj. angemessen;
schonend, nachsichtig.

ge-limpfen swv. tr. recht,
angemessen machen, fügen;
angemessen finden; nachsicht
worin gegen jem. (dat.) üben,
ihm etw. verzeihen, gestatten.
— intr. angemessen sein.

ge-limpflich adj. recht, angemessen.

gelin s. *galie.*

ge-linc, glinc adj. link.

ge-linc stm., **-linge** stfn.
swm. gelingen, glück.

ge-lingen stv. erfolg haben,
glücken, unpers. mit dp. u. gs.
od. *an.*

ge-lip adj. beschaffen (mit
einem leibe, wesen versehen).

ge-lirnic s. *gelërnic.*

ge-liseme stn. beratung.

ge-lismen swv. stricken.

ge-lit, glit, -des stn. glied,
gelenk; mitglied; im schachspiel alle figuren mit ausnahme des königs und der
königin. **-mâze** stf. rechtes
verhältnis der glieder.

ge-liuhte stn. licht, glanz;
augenlicht.

ge-litze swm. gelüst, begehren.

ge-liune stn. coll. zu *lúne,*
gestalt, beschaffenheit.

ge-liute stn. coll. zu *lût,*
schall, getöse; glockengeläute.

ge-liuwen swv. intr. ruhen,
rasten; tr. sinere.

gelle swm. rival; geliebter.

gelle swf. nebenbuhlerin,
kebsweib; geliebte.

gëllec adj. gallig; mit der
galle (s. *galle* 2) behaftet.

gellen swv. vergällen; *den
visch g.,* ihm die galle ausnehmen.

gëllen stv. laut tönen,
schreien.

gëlm stm. schall, laut.

gëlmen swv. = *gëllen.*

ge-loben swv. loben, preisen;
geloben, versprechen ohne od.
mit dp. (*gelobte gesellen,* die das
handgelöbnis geleistet haben);
eine gel. sie zu ehelichen versprechen, mit acc. u. dat. verloben.

ge-lobsame stf. gelobung, bekräftigung.

ge-lohe, glohe swm. = *gelouc.*

ge-lohen, glohen swv. flammen.

ge-lœte stn. gewicht; eine
ladung blei, ein schuss; waage.

ge-loube, gloube stswf. swm.
glaube.

ge-loubec, gloubec adj. glaubend, gläubig; glaubwürdig.

ge-loubehaft adj. dasselbe.

ge-louben, glouben swv. glauben mit dp., as. od. gs.; gläubig
sein; erlauben. — refl. mit gs.
verzichten.

ge-loublich adj. glaublich
glaubwürdig; gläubig.

ge-loubsam adj. glaubwürdig,
beglaubigt.

ge-loubsame stf. beglaubigung.

ge-louc stm. lohe, flamme.

ge-loufe stn. gelaufe, auflauf.

ge-loufte swm. mitläufer, anhänger.

ge-loup adj. belaubt.

gëlpf, gëlph s. *gëlf.*

gël-reit adj. = *goltreit.*

gels stm. schall, geplätscher.

gelsen, gelstern swv. gellen,
schreien.

gelster adj. laut erklingend.

gël-suht stf. gelbsucht.

gëlt, -tes u. **-des** stnmf. bezahlung, vergeltung, ersatz;
vergütung; eigentum, einkommen, rente; zahlung; schuld-
forderung, bes. der schuldige
zins an geld und naturalien; be-
zahlter preis, preis, wert überh.;
zahlungsmittel, geld (n.), *wizeʒ
gëlt,* silbergeld.

gëltære, -er stm. schuldner;
gläubiger.

gëlt-brief stm. schuldbrief.
-haft, -haftic adj. zahlbar,
schuld-, steuerpflichtig. **-hërre**
swm. gläubiger.

gelte swf. gefäss für flüssigkeiten.

gëlte swm. = *gëltære.*

gëltec adj. zahlend, ersatz
leistend.

gëlten stv. zurückzahlen, -er-
statten, vergelten, entschädigen; erwidern mit dat.;
büssen für, entgelten; eintragen, einkünfte bringen; zahlen, bezahlen bes. vom zahlen
des jährl. zinzes; eỉnen gewissen
preis (acc.) haben, kosten,
wert sein.

gëltnisse s. *galtnisse.*

ge-lübe, -lube stfn. versprechen, gelöbnis; billigung,
genehmigung.

ge-lübede, -lübde stfn. **-lüb-
schafte** ssf. gelöbnis, versprechen.

ge-lüch, louch, glüch adj.
geschwollen, aufgedunsen.

ge-lücke, glücke stn. glück,
geschick, zufall; heyr, lebensunterhalt. **-rat** stn. rad der Fortuna.

ge-lücken, glücken swv.
glücken, gelingen.

ge-ludeme, -ludem stn. geschrei, lärm.

ge-lunge stn. die lunge mit
den edleren eingeweiden.

ge-lüp-nüsse stf. eheversprechen.

ge-lüppe stn. gift, zaubersalbe.

ge-lust stmf. begierde, gelüsten; freude, vergnügen.

ge-luste swm., **-lüste** stn.
begierde, gelüste.

ge-lustec adj. begehrlich.
ge-lustelich adj. froh; freude erweckend, wohlgefällig. -luste-licheit stf. freude.
ge-lüstelin, -lüstel stn. dem. zu *gelust.*
ge-lüsten, -lusten swv. tr. sich freuen über, belustigen; unpers. mit acc. u. gen. an etwas wohlgefallen finden; verlangen, gelüsten haben (gen., inf., nachsatz, *nâch*).
gël-var adj. gelb.
gëlwen swv. *gël* werden.
gël-wiʒ adj. hellgelb, blond.
gelze s. *galze.*
gelzen swv. castrare.
ge-mâc, -mâge stswm. der verwandte.
ge-mâc, -mâge adj. verwandt.
ge-mach adj. gleich, mit gen.; mit dat. bequem, angenehm, rücksichtsvoll *an.*
ge-mach adv. bequem, gemächlich, langsam.
ge-mach stmn. ruhe, wohlbehagen, bequemlichkeit, annehmlichkeit, pflege; ort wo man ruht und sich pflegt, zimmer, wohnung.
ge-machede s. *gemechede.*
gemach-sam adj. bequem, ruhig, gemächlich.
ge-mâget part. adj. verwandt.
ge-mahel, -mahele stswm. bräutigam, gemahl.
ge-mahele, -mehele, -mahel, -mâl swstf. n. braut, gattin.
ge-mahelen, -mehelen swv. verloben, vermählen mit dat. od. *zuo; eine g.* od. *sich zuo einer g.* sie zur braut oder gemahlin erwerben.
gemahel-schaft stf. verlobung, vermählung; beilager.
ge-maht stf., -mehte stn. penis, genitalia.
ge-mâl s. *gemahele.*
ge-mâl adj. bunt verziert, farbig hell, gemalt.
ge-mælde, -mælze stn. bild, gemälde, malerei.
ge-mæle stn. malerei, zeichnung, verzierung.
ge-main stv. mahlen, zu staub zermalmen.
ge-man adj. mit mannen versehen.
ge-man adj. mit mähne versehen.
ge-manc stm. gemenge.
ge-mannen swv. zum manne werden; erstarken.
ge-mare swm. mitanspänner, mitackersmann, genosse.
ge-marn swv. einjochen, -spannen; sich mit (*zuo*) einem verbinden, vereinigen.
ge-mæʒe adj. mässig; gemäss, angemessen mit dat.
ge-mâʒen swv. tr. richtig messen; bestimmt angeben;

mässigen, beschränken; vergleichen, gleichstellen mit dat.
— refl. sich mässigen, bezwingen; sich vergleichen, gleichstellen mit dat. oder *ze;* mit gen. sich enthalten von. — intr. sich mässigen, warten.
ge-mâʒet part. adj. mit dem richtigen masse versehen; gemässigt, beschränkt.
ge-mazʒe swmf. tischgenosse, -genossin.
ge-mechede, -machede stn. ehegemahl.
ge-mechlich adj., -liche adv. bequem; bedächtig, ruhig, langsam; zutunlich, zahm.
ge-mechte, -mecht stn. verfertigung, arbeit; das durch arbeit hervorgebrachte, das fabrikat; geschöpf; vertrag; das ver-, übermachte; vermächtnis, testament; gerichtl. handlung.
ge-mechtnisse stn. vermächtnis, testament.
ge-megenen swv. stark, mächtig werden.
ge-meh- s. *gemah-.*
ge-meilen swv. tr. beflecken.
— intr. befleckt werden.
gemein adj. = *mein*, falsch.
ge-meinde stf. s. *gemeine.*
ge-meinder s. *gemeiner.*
ge-meine, -mein adj. gehörig zu (dat. od. *zuo*) zusammengehörig, gemeinsam; umgehend mit (dat.), vertraut; mehreren gehörig, gemeinschaftlich; unparteiisch (*gemeiner man*, pl. *gemeine liute*, mittelspersonen, schiedsrichter); allen ohne unterschied gemeinsam, allgemein; bekannt; für alle eingerichtet, gewöhnlich; alle umfassend, gesamt; zur gemeinde gehörig; zur grossen masse gehörig, niedrig, gemein.
ge-meine swm. = *gemeiner man*, mittelsperson.
ge-meine, -mein adv. auf gemeinsame, gleiche weise; zusammen, insgesamt.
ge-meine, -mein, -meinde stf. anteil, gemeinschaft; gemeinschaftl. besitz, grundeigentum einer gemeinde; die mit denen man lebt, die gemeinde; versammelte menge, heer; gesamtheit.
ge-meine adj. in liebe vereinigt, geliebt.
ge-meine stn. gesinnung.
ge-meineclich adj. gemeinsam alle; -liche adv. auf gemeinsame weise; gemeinschaftlich, insgesamt.
ge-meinen swv. intr. gemeinschaft haben mit dat. — refl. allgemein werden; sich verbinden, vereinigen, mitteilen mit dp. — tr. *einem* od. *mit einem etw.* od. *einen mit etw.*

gem., mit ihm teilen, mitteilen; in die gemeinde aufnehmen.
ge-meiner, -meinder stm. mitbesitzer; mitschuldner; mittelsperson.
ge-mein-lich adj. allen gemeinsam, gemeinschaftlich; der grossen menge zugehörig, niedrig, gemein. -liche adv. insgesamt; allgemein. -merke stn. almende. -sam adj. gemeinsam, gemeinschaftlich. -same stf. gemeinschaft; vereinigung, ausgleichung; gemeinde. -samen swv. gemeinschaft haben mit, teilhaben an (dat.); fornicari; mitteilen. -samkeit stf. myst. *nâch teilhafter g.* in anteil nehmender gemeinschaftlichkeit. -schaft stf. gemeinschaft; gemeinde, gesamtmasse; anteil den man als *gemeiner* hat; das amt des schiedsrichters. -schaften swv. refl. mit d. sich einlassen auf, sich befassen mit.
ge-meit adj. lebensfroh, freudig, froh, vergnügt; keck, wacker, tüchtig; lieblich, schön, stattlich; lieb, angenehm mit dp.
ge-meite(n) adv. lässig, müßig; frustra, otiose.
ge-melden swv. melden; *einen g.*, von ihm melden, verkündigen.
geme-, gemel-lich adj. lustig, spasshaft, ausgelassen; freude gewährend.
geme-, gemel-liche stf. lustigkeit, ausgelassenheit, schalkhaftes wesen.
ge-mende adj. froh.
ge-menden swv refl. mit gen. sich erfreuen an.
ge-menge, -mengede stn. gemenge, vermischung.
ge-mengen swv. mangeln.
ge-merke stn. coll. zu *marke, marc:* abgegrenzter umfang, grenze, gemarkung; merkzeichen, merkmal. — zu *merke:* aufmerken u. dessen gegenstand, augenmerk, ziel, absicht; standpunkt für die beobachtung.
ge-merkede stn. grenze, gemarkung.
ge-merken swv. bemerken, beachten, wahrnehmen; richtig beurteilen, verstehen.
ge-mern swv. eintunken; zu abend essen.
ge-merren swv. aufhalten, verderben.
ge-merʒe stn. handel, unternehmung.
ge-mieten swv. bezahlen, belohnen.
ge-minne, -minnec adj. in liebe vereint, zugetan, freundlich, liebreich.

ge-minnen swv. lieben; gütlich beilegen; lieb machen.
ge-mischede stn. gemisch.
ge-mischen swv. verst. *mischen*; *sich g., sich zesamene g.* (im kampfe).
ge-miure stn. gemäuer, die mauern, das gebäude.
ge-möse stn. sumpf.
gempel s. *gampel.*
ge-müese stn. mus, brei.
ge-müete, -muote stn. gesamtheit der gedanken und empfindungen, sinn, inneres, herz; gemütezustand, stimmung, verlangen, lust; begehren, gesuch, ansinnen.
ge-müetlich s. *gemuotlich.*
ge-müffe stn. verdriessliches brummen, maulen.
ge-mülle, -mül stn. das durch zerreiben, zermalmen entstandene, staub, kehricht.
ge-münde, -munt stn. coll. zu *munt* 2, die spanne als mass; schirm, schutz.
ge-muore stn. coll. zu *muor* sumpf.
ge-muot part. adj. bedrängt.
ge-muot adj. gesinnt, gestimmt; wohlgemut, mutig; anmutig, lieb.
ge-muoten swv. begehren, verlangen mit gs. as. od. nachs.; gefallen, behagen mit dp.
ge-muot-haft adj. getrost, zufrieden, vertrauend auf (*an*); mutig, verwegen. -heit stf. gesamtheit der gedanken; frohsinn. -(müet)-lich adj. dem *muote* entsprechend, genehm. -sam adj. dasselbe.
ge-muoʒen swv. refl. sich herbeilassen, verstehn *zuo.*
ge-mürde stn. coll. zu *mort.*
gemʒinc, -ges stm. der wie ein bock, gemsbock ungestüm und lustig ist.
gēn s. *gân, gĕben, gegen.*
ge-nä = *genou*, s. *nou.*
ge-nädære stm. der *gnâdet.*
ge-nâde, gnâde stf. niederlassung um auszuruhen, ruhe; ruhige lage, behagen, glück, glückseligkeit, freude, neigung zu etw.; helfende geneigtheit, unterstützung, gunst, huld, gnade, gottes hilfe und erbarmen (*gnâden bitten* um gnade, um verzeihung bitten; *ûf gnâden* im vertrauen auf wohlwollen; *nâch gnâden* nach billigkeit); ablass, nachlass; eilipt. in der anrede (vor *herre, vrouwe*) bittend oder dankend; fussfall um zu danken, der ausgesprochene dank; auch schon zur umschreibung von personen.
ge-nædec, -nædec-, -nædelich adj. wohlwollend, freundlich, liebreich, barmherzig, gnädig.

ge-nædecliche adv. mit neigung; wohlwollend, gnädig.
ge-nædelin stn. kleine begnadigung.
genâde-lôs adj. von gott und aller welt verlassen, unglücklich; gunstlos, ohne erhörung.
ge-nâden, gnâden swv. mit dp. gnädig, freundlich, wohlwollend sein; danken.
ge-nâden-werc stn. heilswerk.
ge-nædigen swv. *genœdec* sein.
ge-næhe, -næhede, -næhte stf. nähe.
ge-name swm. = *genanne.*
ge-næme adj. annehmbar, annehmlich; wohlgefällig, angenehm; geneigt, gewogen.
ge-nande swm. s. *ge-nennede.*
ge-nanne, gnanne, ge-nenne swm. namensbruder, gleichnamiger; genosse. ge-nannen swv. *sich zuo einem g.* sich nach einem nennen.
ge-nante swm. zeuge vor gericht; *die genanten* bildeten den grössern, *die alten genanten* den kleineren bürgerlichen rat.
ge-nantlich adj. mit namen genannt, bekannt.
ge-nappen swv. hinken, wakkeln.
ge-narbet part. adj. wund.
ge-nasche, -nesche stn. lekkerheit, schmarotzerei.
ge-naset part. adj. mit einer nase versehen.
ge-næte stn. coll. zu *nât*, stickerei.
genc-lich adj. gehend, fortgang habend; vergänglich; accessibilis.
ge-negele stn. coll. zu *nagel.*
ge-neic-, -neigec-lich adj. geneigt.
ge-neigen swv. neigen, beugen; niederwerfen, zu falle bringen; geneigt machen.
ge-neist s. *ganeist.*
ge-neiʒide stf. verfolgung.
gĕnen s. *ginen.*
ge-nĕmen stv. verst. *nĕmen* (gefangennehmen; *sich g. von* entfernen; den beweis seiner unschuld führen).
ge-nende, -nendec adj. kühn, mutig, eifrig (mit gen. od. *an, gegen, ûf*).
ge-nendecheit stf. kühnheit.
ge-nendec-, -nende-liche adv. kühn, mutig, entschlossen, vertrauensvoll.
ge-nenden swv. intr. u. refl. wagen, einen entschluss, mut fassen, sich erkühnen (mit gen., inf. od. präpp.).
ge-nendet adj. berühmt; stn. benennung.
ge-nennede, -nende, -nenne stf. person, bes. im pl. die drei personen der gottheit.

gener s. *jener.*
ge-nerde, -nirde stf. ernährung, erhaltung.
ge-nern, -neregen swv. heilen; retten, schützen, am leben erhalten; ernähren.
ge-nĕs adj. rettung bringend.
ge-nĕs stf. = *genis*, s. *genist* 2.
ge-nesche s. *genasche.*
ge-nĕserin stf. genislich.
ge-nĕsen stv. gesunden, geheilt werden ohne od. mit gen. priv.; am leben bleiben; errettet werden, lebend od. heil davonkommen mit gen. od. *vor, an*; selig werden; sich wohl befinden; stn. heil, vorteil.
ge-nĕserin stf. hebamme.
ge-nĕven swm. pl. gegenseitige verwandte.
geneʒ stn. frauengemach (aus mlat. genecium, gr. γυναικεῖον).
geneʒ-wip stn. weibl. person die sich in dem *geneʒ* aufhält, frauenzimmer.
gengære stm. gänger, umherzieher.
genge, gengec adj. unter den leuten umgehend, verbreitet, gewöhnlich; leicht gehend, rüstig, bereit.
genge stf. gang.
genge swm. gänger (in zusammensetz.).
gengel adj. umgehend, verbreitet.
gengel stm. gänger (in zusammensetz.).
gengelære stm. umherzieher; wandernder aufkäufer vollwichtiger münzen.
genge-lich adj. = *gengel.*
genge-liche adv. im gange.
gengelin stn. dem. zu *ganc.*
gengen swv. gehn machen; abs. losgehn (mit ausgelass. obj. *ros*).
ge-nibele, -nibel stn. coll. zu *nĕbel*, nebelmasse, gewölk, dunkelheit.
ge-nic, -nicke stn. genicke.
ge-nicken swv. tr. beugen; intr. sich beugen, neigen.
ge-nideren swv. niederdrükken, erniedrigen.
ge-nieten swv. verst. *nieten* (*daʒ genieten*, das genughaben einer sache).
ge-nietet, -niet part. adj. geübt, erfahren, in arbeiten geprüft.
ge-nieʒ stm. das geniessen, die benutzung; nutzniessung, einkommen, ertrag; nutzen, vorteil, lohn; genuss, genusssucht.
ge-nieʒe sswf. genossin.
ge-nieʒen stv. verst. *nieʒen*; intr. mit gen. nutzen, freude woran haben, keine strafe wofür leiden (gegens. *entgĕlten*).

ge-nieʒer stm. der geniesser, genusssüchtige.
geniftelu sw. pl. = genëven.
ge-nige stf. verneigung.
ge-nigee adj. eine neigung habend *gegen*.
ge-nigen stv. sich neigen, ins neigen kommen; *einem g.* sich vor ihm verbeugen.
ge-nirde s. *generde*.
ge-nis, -nës stf. = *genist* 2.
ge-nisbære, -bærelich adj. heilbar; heilkräftig.
ge-nisec, -nislich adj. heilbar.
ge-nisse stn. gewürm.
ge-nist stn. eiter.
ge-nist, -gnist stf. heilung, genesung; entbindung; rettung; heil, bestes; unterhalt, nahrung.
ge-niste, -nist stn. coll. zu *nëst*.
ge-nistern swv. = *ganeistern*.
ge-nistie adj. heilbar.
ge-nôs stn. schaden.
ge-nôsen swv. schaden.
ge-nôste stf. schädigung; die betrügerische umschneidung der münzen u. das dadurch gewonnene silber.
ge-nôte, -nôt, gnôte adv. enge; dringlich, angelegentlich, unablässig, eifrig, sehr.
ge-nœte, md. -nôde adj. eifrig, beflissen, mit gen. od. nachsatz; bedürftig.
ge-nœtec adj. dasselbe; dringend, dringlich.
ge-nou, -nâ adj. = *nou*.
ge-nouwe adv. kaum; genau.
ge-nôʒ, -nôʒe stswm. genosse, gefährte; mit gen. od. pron. poss. gleich an wesen, stand, würde; *einem genôʒ sîn, werden*, gleich, ebenbürtig sein, werden, taugen für.
ge-nôʒen swv. tr. teil haben an, geniessen; gleichtun, nachmachen. — tr. u. refl. gesellen *zuo;* gleichstellen, vergleichen, gleichkommen mit dat. od. *an, gegen, mit, zuo.* — intr. mit dat. gleich sein, gleichen.
ge-nôʒen-lich adv. *mir (er-) gât eʒ g.* es glückt mir.
ge-nôʒinne. -nœʒinne stf. genossin, standesgenossin, ebenbürtige.
genôʒ-lich, -sam adj. gleichstehend, ebenbürtig mit dat. -same stf. geno-senschaft, gesamtheit der standesgenossen; geselligkeit; vereinigung, ausgleichung; vorkaufsrecht als recht der geno-senschaft. -schaft stf. gesellschaft, gemeinschaft; gesamtheit der standesgenossen; teilnahme woran.
ge-nôʒunge stf. gesellschaft.
genoʒʒen part. adj. die jagdmässige fütterung genossen habend; ohne schaden oder

nachteil, ungestraft, unversehrt.
genselich adj. ganshaft.
genseliu, gensel stn. kleine gans.
gensin adj. von der gans.
gensischen adv. nach art der gänse.
genster s. *ganeister*.
ge-nüege stf. genüge, fülle.
ge-nüegec adj. genügsam, zufriedengestellt.
ge-nüegede, -nüegede-, -nüege-licheit stf. genüge, befriedigung, vergnügen.
ge-nüegel adj. genügsam, sich begnügend mit *(an)*.
ge-nüegelich = *genüegec*.
ge-nüegen, -nuogen swv. tr. befriedigen, zufriedenstellen, erfreuen; genugtuung leisten. — refl. und unpers. sich woran befriedigen und ersättigen, mit gs. od. *an.* — intr. ausreichen, genug sein; sich ruhe verschaffen.
ge-nuht, -nühte stf. genüge, fülle, freude.
ge-nühtec, -nuhtic adj. genüge oder fülle habend, bietend; genügsam. adv. -liche in fülle.
ge-nühten swv. die fülle. haben.
ge-nuht-liche adv. in fülle. -rich adj. copiosus. -sam, -samec adj. = *genühtec*. -sam stf. fülle, reichtum, überfluss.
ge-nuoc, -ges adj. genug, hinreichend; manch, viel (oft mit leiser ironie: sehr viel, viel zu viel). — das unflekt. n. *genuoc* steht in substantivischer bedeutung mit gen.: genüge woran, hinreichend grosse menge wovon, oder als adv. vor u. hinter adj. u. adv.
genuoc-buoʒe stf. genugtuung. -haft adj. *mir ist g.* mir genügt. -sam adj. stf. = *genuhtsam*. -samkeit stf. zufriedenheit. -tuon stn. satisfactio.
ge-nuoge, -nuogic adj. genügend, ausreichend.
ge-nuoge adv. genugsam, hinreichend, sehr.
ge-nuogen s. *genüegen*.
ge-nützen swv. geniessen; benutzen, gebrauchen.
genze stf. vollständigkeit, vollkommenheit; das zusammenhängende erzlager der gänge und klüfte.
genzen swv. *ganz* machen.
genz-, genzec-lich s. *ganzlich*.
genzunge stf. ganzmachung, vergütung.
ge-oberen, goberen swv. mit acc. od. dp. die oberhand gewinnen über.
ge-orset part. adj. beritten.
ge-pac stn. gepäck.

ge-pepel stn. geplapper, geflüster.
ge-phahten swv. ermessen.
ge-phehte stn. das massverhältnis.
ge-phlester stn. schnauben (s. *ge-phnœte, phnâsen, phnehen*).
ge-phliht stf. das zusammensein, die gemeinschaft.
ge-phlihte swm. genosse.
ge-phlihten swv. zusammensein, wohnen.
ge-phnæte stn. das schnauben, blasen.
ge-phünde stn., md. *gepunde*, gewicht.
ge-pimphe stn. = *gepepel*.
ge-povel s. *gepüfel*.
ge-præche s. *gebræche*.
ge-prane stm.? bedrängnis.
ge-prüeven swv. herstellen, zurechtmachen; darstellen, schildern (abs. sich darstellen, handelnd zeigen); prüfen, beurteilen.
ge-püfel, -povel stn. coll. zu *bovel*, volk, tross.
ge-quêl stm. quelle.
ge-quide stn., md. *gekudde*, -*kûde*, -*kôde* gespräch, disputation
gêr s. *gir*.
gêr stf. verlangen, begehren.
gêr, gêre stswm. wurfspiess, keil- (wurfspiess-) förmiges stück; bes. keilförmiges zeugstück, das unten an ein gewand zur verzierung od. zur erweiterung eingesetzt ist; der so verzierte, besetzte teil des kleides, schoss, saum.
ge-ræche swm. miträcher.
ge-rade s. *gerat*.
ge-rade adv. schnell, sogleich; gerade, gleich.
ge-râde stf. md. weibliches geräte und kleider als erbe.
ge-rahsenen, -rehsenen swv. räuspernd, hustend ausspukken.
ge-ræme adj. ein ziel *(râm)* im auge habend, worauf achtend.
ge-râmen swv. als ziel ins auge fassen, trachten, streben nach (acc., gen. untergeord. satz); zum ziele gelangen.
ge-ranc stmn. das ringen, streben.
ge-ranc swv. ringen, sich herumbalgen.
ge-rans, grans stm. schnelle bewegung hin und her.
ge-rat, -rade adj. schnell bei der hand, rasch, gewandt, tüchtig; frisch aufgewachsen, gerad u. dadurch lang; gleich, gleichartig.
ge-ræte stn. coll. zu *rât*, rat, beratung, beirat; überlegung; hilfe, zu-, ausrüstung; vorrat,

fülle, reichtum; hausrat, gerätschaft.

ge-râten stv. intr. raten, anraten, anordnen; gelingen, (gut
oder übel) ausschlagen, geraten, gedeihen; glücklich, zufällig wohin gelangen; mit infin.
wozu gelangen, anfangen (das
verb. finit. umschreibend); mit
gen. entraten, entbehren (mit
dieser bedeutung zuweilen sw.).

ge-râve swm. = *râve.*

ge-râven swv. mit *râven* versehen.

gerbel stn. kleine garbe.

gerben s. *geerbe, gërwe, gerwen.*

gërde s. *girde.*

ge-rëch adj. rachsüchtig.

ge-rëch, grëch adj. in gutem
stande, wohlgeordnet; gerichtet, fertig, bereit; gerade, aufrecht.

ge-rëch, grëch stnm. guter
zustand, wohlbefinden; adv.
zuo gereche, gerechen, in gutem
stande, geordnet, bereit.

ge-rëche adj. ordentlich,
recht, richtig, genau.

ge-rëchen stv. zusammenraffen, -scharren; erreichen,
treffen auf.

ge-rëchen stv. vollständig
rächen.

ge-rëchenen, -rëchen swv.
bereiten, rüsten.

ge-rëchenen swv. rechnen,
aufzählen.

ge-rëcher stm. rächer.

ge-recken swv. ausstrecken;
erreichen, treffen. — intr.
sich erstrecken, wachsen.

ge-recken, -rechen swv. ganz
aussprechen, darlegen.

ge-rede stf. länge des auf-
gerichteten leibes, geradheit.

ge-rede adj. geschwätzig;
verständig.

ge-redec adj. beredt; s. v. a.
redelich.

ge-reden swv. reden, sprechen; geloben, versprechen;
einen reinigungseid leisten.

ge-redet part. adj. beredt.

ge-refsen swv. züchtigen,
schelten, tadeln.

ge-regec, -regenec adj. reg-
sam, beweglich.

ge-regen swv. regen, bewegen; anregen, zur anzeige bringen.

ge-rehsenen s. *gerahsenen.*

ge-rëht adj. gerade; recht,
dexter; recht gemacht, geschickt u. bereit, tauglich,
passend, verpflichtet ohne od.
mit dp. u. gs. od. *an, ze;* mit
dem recht und dem rechten
übereinstimmend, recht, gerecht, schuldlos, richtig.

ge-rëhte adv. in rechter weise,
recht (weidm. weid-, birsch-
gerecht); rechts.

ge-rëhte, -rëht stn. ausrüstung; recht, gerechtsame.

gerëhtec-heit stf. gerechtigkeit, moralische passlichkeit,
richtige fromme lebensführung; gerechtsame, privilegium; rechtl. begründeter anspruch, forderung; rechtl. gebührende abgabe; vorrat.

ge-rëhteclich adj. recht, ge-
bührlich; adv. -liche = *gerëhte.*

ge-rëhten swv. bereit machen; rüsten; abs. vor gericht
beweisen.

ge-reichen swv. intr. reichen,
tr. erreichen; das ziel erreichen,
treffen; mit dat. ausreichen für.

ge-reise swmf. der, die mit-
reisende.

ge-reisec adj. zum kriegszuge
ausgerüstet, dazu gehörig; beritten.

ge-reite, -reit stn. wagen;
reitzeug, ausrüstung des pferdes; geräte.

ge-reite, -reit adj. auf der
fahrt begriffen; bereit, fertig,
zur hand mit od. ohne dp. u.
gs. od. *ze, zuo, úf; g. zuo,* gleich
mit; bereitgelegt, bar (geld).
adv. mit fertigkeit, leicht und
schnell, gern, alsbald; bereits.

ge-reiten swv. zählen, rechnen; aufzählen, nennen; zurechtmachen, rüsten.

ge-reiten swv. tr. reiten machen, lassen; als pferd tragen.

gereit-schaft stf. zu-, ausrüstung; gerätschaft; barschaft.

ge-reiz stm. umkreis.

ge-reize stn. aufregung, auf-
reizung; aufruhr; angriff, gefecht.

ge-reizen swv. reizen, aufreizen, erregen.

gërel stn. dem. zu *gër.*

ge-renge stn. das ringen.

ge-renne stn. gerenne; angriff mit reiterei (vgl. *gerinne*).

ge-rennen swv. rennen; gerinnen.

ge-rêre stn. der abfall, die
rudera.

ge-rêren tr. giessen.

ge-retzen swv. *zesamene g.*
aufeinanderhetzen (s. *ratzen*).

gër-habe swm. der das kind
auf dem schosse (*gëre*) hält;
vormund. **-haben** swv. bevormunden. **-habschaft** stf. vormundschaft. **-isen** stn. wurf-
speereisen. **-mâc** stm. verwandter von männl. seite (vgl.
swërtmâc). **-schuz** stm. wurf
mit dem *gër.* **-stange** f. hölzerner schaft des *gëres* beim
wurfspiess selbst. **-wunde** swf.
verwundung mit dem *gêr.*

ge-rich stm. n. rache, strafe.

ge-rieme stn. die riemen.

ge-rige swf. reihe.

ge-rigelingen adv. der reihe
nach.

ge-rigene, -rigude stn. coll.
zu *rëgen,* regenguss.

ge-rihte adj. gerade, direkt;
bereit.

ge-rihte stf. richtigmachung;
die gerade richtung, gerade
strasse. — adv. *in gerihte* od.
bloss *gerihte:* geradeaus, geradeswegs; immerfort, sogleich.

ge-rihte, -riht stn. gericht,
gerichtsbehörde, gerichtsversammlung; handhabung der
gerechtigkeit, des richteramtes,
gerichtsverfahren; gerichts-
spruch, urteil *g. nemen* d. rechtfertigung anhören, *sîn g. bieten*
sich rechtfertigen; gottesurteil,
die rechtfertigung einer aussage durch gottesurteil; hinrichtung; gerichtsbarkeit, ge-
richtsgewalt, jurisdiktion;
reichsverwaltung, regierung; gerichtssprengel, gebiet; einrichtung, hausrat; angerichtete speise, gericht.

ge-rihte adv. recht, in ordnung, gewandt.

ge-rihten swv. abs. regieren;
richten, gericht halten. — abs.
u. tr. eidlich od. durch gottesurteil erhärten, seine unschuld
beweisen; richten, urteilen mit
dp.; eine klage durch reinigungseid beantworten. — tr. u.
mit dp. in die rechte richtung,
in ordnung bringen, zurecht
machen, schlichten. — refl.
sich richten, lenken, zurecht
finden.

ge-rihtes adv. geradeswegs,
direkt; sogleich.

ge-riht-stap stm. gerichtsstab; gerichtsbarkeit.

ge-rime stn. reime, gedicht.

ge-rinc stm. das ringen, streben nach (*an, nâch, umbe, úf*);
mit einem g. hân, kämpfen.

ge-rincliche adv. ohne schwierigkeit, gern und schnell; auf
nachlässige, leichtfertige weise.

ge-ringe adj. leicht; leicht
u. schnell bereit, behende;
klein, gering. — adv. leicht u.
schnell, behende; leichtfertig.

ge-ringen stv. kämpfen, ringen, *mit nâch;* mit dat. im
kampfe gewachsen sein, herr
werden über.

ge-ringen, -ringern swv.
leicht, leichter machen.

ge-ringes adv. ringsum.

ge-rinne stn. rinnsal; andrang, auflauf (vgl. *gerenne*).

ge-rinnen stv. gerinnen; laufen, rennen; ausgehn, abstammen *von.*

ge-rîsen stv. fallen, niederfallen.

ge-rîsen stswv. zukommen, ziemen mit dat.

ge-ristec, -ristlich adj. ziemend mit dat.

ge-rite, -ritte stn. das reiten, der ritt; reitzeug (vgl. *gereite*).

ge-rîten stv. intr. reiten. — tr. durchreiten.

ge-riten part. adj. beritten.

ge-riuhe stn. wildnis.

ge-riune, -rûne stn. coll. zu *rûne*, geraune, geflüster, heimliche besprechung.

ge-riusche stn. coll. zu *rûsch*, geräusch, lärm.

ge-riute stn. durch *riuten* urbar gemachtes landstück; das ausreuten.

ge-riuwen stv. in betrübnis versetzen.

ge-riuwen, -riuwesen swv. intr. u. refl. mit gen. schmerz od. reue worüber empfinden, klagen über.

ge-riuȝe stn. lärm, toben.

gër-lîche adv. begierig, freudig, gern.

gërn, jërn stv. gären (vgl. *jësen*).

gërn swv. abs. od. mit gs. as. inf. (diè pers. mit *an, von, ze*) begehren, verlangen, weidm. vom jagdfalken; mit ap. auf einen losgehn.

gërnde part. adj. verlangend, sehnsüchtig; *hôhe g.* hoch strebend; *die gërnden, diu gërnde diet, gërnde liute* die nach lohn verlangenden sänger u. spielleute); *der gërnde* s. v. a. *krîjierer*.

gërne, gërn adv. begierig u. mit freude, bereitwillig, gern (oft zur erhöhung des optat. ausdruckes); mit absicht; leichtlich, vielleicht, etwa.

gërne-lîche adv. gern, willig.

gerner, kerner, karner stm. beinhaus (mlat. *carnarium*).

gërnis s. *girnis*.

ge-rodel, -rödel stn. gemurmel, geröchel, gerassel.

ge-rœre stn. coll. zu *rôr*; mit schilfrohr bedeckter platz, röhricht.

ge-röube stn. coll. zu *roup*.

ge-rouhen swv. rauben; berauben mit gs.

ge-rouch stm. rauch.

ge-rouche stn. das rauchen.

ge-röufe stn. rauferei.

gërst-bri swm. gerstenbrei.

-herte adj. hart wie gerste.

gërste swf. gerste.

gërstin s. *girstin*.

gerte stswf. rute, zweig, stab; messrute, ackermass.

gertelin, gertel stn. dem. zu *garte* u. *gerte*.

gerten swv. mit ruten züchtigen.

gerter, gertel stm. kleines beil mit langer schneide, um reiser (*gerten*) abzuhauen; virgarius, lictor.

ge-ruch stm. geruch; ruf.

ge-rucht, -rücht stn. geruch, duft; der ruf, das rufen; ruf, gerücht, nachrede.

ge-rüeme, -rüemec adj. sich rühmend mit gs.

ge-rüerde, -ruorde stfn. das berühren, der tastsinn.

ge-rüere stn. coll. zu *ruore*, eilige bewegung.

ge-rüeric adj. rührig, munter.

ge-rüewec s. *geruowec*.

ge-rulle stn. geröll.

ge-rûme stn. raum, räumlichkeit; freier spielraum.

ge-rûme, -rûm adj. geraum, geräumig; anberaumt (vgl. *gerœme*).

ge-rummel, -rümmel, -rumpel, -rümpel stn. lärm, gepolter.

ge-rûnde stn. rundung.

ge-rûne s. *geriune*.

ge-rüne stn. coll. zu *rone*, umgehauene, umherliegende baumstämme.

gerunge stf. begehren, verlangen, bes. das höhere geistige u. geistliche verlangen; die sehnsucht.

ge-runse stn. coll. zu *runs*.

ge-ruoch stm. *âne'g.* ohne sich zu kümmern.

ge-ruochen swv. intr. mit gen. od. infin. seinen sinn auf etw. richten, rücksicht nehmen auf, genehmigen, belieben, begehren. — tr. wünschen, belieben, begehren. — refl. sich herablassen *ze*.

ge-ruochliche adv. auf eine weise, dass man es gerne hat.

ge-ruoder stn. gekrächze.

ge-ruofe, -ruofede, -ruofte, -rüefte stn. das rufen, geschrei; das zusammenrufen der nachbarn zur hilfe.

ge-ruorde s. *gerüerde*.

ge-ruowec, -rüewec adj. ruhig, gelassen, langsam.

ge-ruoweclich adj. ruhig; -liche adv. in ruhe, ungestört.

ge-ruowen, -ruon swv. ruhen.

ge-ruowesam adj. ruhig.

ge-ruowet, -ruot part. ausgeruht habend, mit frischen kräften; ruhe habend, ohne arbeit u. beschwerde, in unbestrittenem besitz lebend.

ge-ruoȝen swv. russig werden.

ge-rüsche stn. binsenhalm (zu *rusche*).

ge-rüste stn. vorrichtung, zurüstung; aufbau, gebäude; maschine, werkzeug, gestell; ausrüstung, geräte; waffenrüstung; kleidung, schmuck.

gër-, gir-valke swm. falkenart von himmelblauer farbe.

gerwe, garwe stfn. zubereitung, zurüstung; schmuck, kleidung bes. die priesterliche; gerberei.

gerwe adj. bereit; gegerbt.

gerwe swm. gerber.

gërwe, gërwen, gërben swstf. hefe; unreinigkeit, auswurf.

gerwe-hûs stn. sakristei (auch *gerwegadem, -kamer*).

gerwen, garwen, gerben swv. tr. *gar* machen, bereiten, zubereiten; gerben. — tr. u. refl. sich bereiten, rüsten, ausrüsten; kleiden.

gerwer stm. gerber.

gerwunge, garwunge stf. das bereiten; ausrüstung, bekleidung.

ge-sache stf. sache.

ge-saft stn. saft.

ge-samene s. *gesemene*.

ge-sament, -samt part. adj. versammelt, vereinigt (*mit gesamter hant* gemeinschaftlich, solidarisch).

ge-sanc stnm. gesang, lied.

ge-sant stn. geschenk das man sendet.

ge-sastec-heit stf. besonnenheit.

ge-sæȝe stn. sitz; gesäss; wohnsitz; lagerung, lager; belagerung; lage der dinge.

ge-schaf stn. geschöpf; schöpfung; geschäft.

ge-schaft stf. geschöpf; schöpfung; gestalt, bildung, beschaffenheit, eigenschaft; euphem. gemächt.

ge-schaft stn. geschäft; anordnung, befehl.

ge-schafter stm. negotiator.

ge-schæchet part. adj. gewürfelt wie ein schachbrett.

ge-schal stn. lärm. — stm. der wilde, wütende.

ge-schalten stv. stossen, herabstossen; refl. sich entfernen *von*.

ge-scharn swv. refl. sich sammeln, versammeln; *sich g. zuo*, gesellen.

ge-schatzen swv. schätze sammeln; mit schwerer steuer belegen; nach zahl u. wert anschlagen, schätzen.

ge-scheffec, -scheftec adj. geschäftig, tätig.

ge-scheffede, -schepfede -schefte, -scheft stfn. geschöpf, werk; gestalt. — beschäftigung, geschäft; angelegenheit, ereignis. — anordnung, befehl, auftrag; letztwillige verfügung, testament; gerichtl.abmachung, vertrag. — euphem. gemächt.

ge-schefnisse, -schepfnisse stn. erschaffung; geschöpf; gestalt; ereignis, angelegenheit.

ge-schëhen, -schên stv. *ich geschihe zuo* gelange, komme zu etw., mir wird zuteil; *mir geschiht* wird zuteil, widerfährt; es trifft sich, dass ich etw. tue, es gelingt mir etw. zu tun; *mir geschiht ze* es fügt sich, dass ich, ich muss; *mir geschiht* unpers. mit adv. mir ergeht. — abs. geschehen, durch höhere schikkung sich ereignen.

ge-scheide stn. grenze.

ge-scheiden redv. intr. sich trennen *von*; refl. sich trennen, scheiden. — tr. scheiden, trennen; schlichten, erklären, deuten; anordnen, bestimmen.

ge-scheine stf. anschein, äussere erscheinung.

ge-scheit stn. das scheiden; das recht der entscheidung, schlichtung.

ge-schelle stn. lärm, getöse, tumult, auflauf, zwist.

ge-scheile stn. schellen am reitzeuge.

ge-schelte stn. das schelten

ge-schên s. *geschëhen.*

ge-schendic adj. schamlos.

ge-schenke stn. das eingeschenkte; geschenk.

ge-schepfe swf. = *schepfe* schicksalsgöttin.

ge-scheffede s. *gescheffede.*

ge-schibe adj. = *beschîbe.*

ge-schibecheit stf. gewandtheit, klugheit.

ge-schibes adv. ringsum.

ge-schicke stn. begebenheit; ordnung,anordnung,aufstellung zum kampfe; letztwillige anordnung; vermächtnis, stiftung; gestalt, bildung. benehmen.

ge-schickede stf. gestalt (bes. schöne), beschaffenheit.

ge-schicket part. adj. gestaltet; geordnet, bereit, fertig, gerüstet; geschickt, passend.

ge-schicket-heit stf. myst. vorbereitung.

ge-schick-nisse stf. schickung, von gott verhängtes leiden.

ge-schide, -schidelich adj. gescheit, schlau.

ge-schide stf. gescheitheit.

ge-schiez stm. giebelseite eines gebäudes.

ge-schiht stf. was geschieht, begebenheit, ereignis, folge der ereignisse, geschichte, umstände; schickung, zufall (*durch, von geschiht, geschihten*: zufällig, von ungefähr); angelegenheit, sache, ding (meist nur umschreibend); eigenschaft, art, weise; schicht, reihe.

ge-schihte stn. was geschieht, begebenheit, geschichte; einteilung, ordnung.

ge-schirre stn. lärm, getöse.

ge-schirmen swv. tr. schützen, schirmen; abs. sich gegen

Lexer, Taschenwörterbuch

die angriffe des gegners (mit dem *schirme*, schilde) decken. — intr. mit dp. einem als schirm, schutz dienen.

ge-schirre stn. geschirr, gerät, werkzeug; einrichtung, ordnung; gemächt.

ge-schiuhe, -schiuwe stn. scheuche, schreckbild.

ge-schol swm. schuldner, gewährsmann.

ge-schouwe, -schouwen = *beschouwe, -schouwen.*

ge-schôz, -schoz stn. geschossene waffe; schiesszeug, -waffen; geschoss, stockwerk; abgabe, schoss; ein rheumat. übel.

ge-schrâ stf. unwetter, regen (s. *schrâ*).

ge-schrât stn. md. geschnittenes stück.

ge-schreie, -schrei, -schrê stn. m. geschrei, ruf.

ge-schrenke stn. coll. zu *schranke.*

ge-schrie stn. geschrei, gekrächze.

ge-schrift stf. schrift, inschrift; schriftwerk; die heil. schrift; das schreiben; schriftwechsel; verschreibung.

ge-schrigele stn. schranken.

ge-schrihte stn. md. geschrei.

ge-schriht stn. schrift, schriftl. erzähluug.

ge-schrœte stn. hodensack.

ge-schulde, -schult stf. schuld.

ge-schulden swv. verschulden, verdienen.

ge-schünden swv. reizen, antreiben zu (gen., *ze* od. nachs.).

ge-schuoch adj. beschuht.

ge-schuof stm. gestalt.

ge-schuohe, -schü²he stn. coll. zu *schuoch*, schuhwerk.

ge-schuohede, -schüehede stn. dasselbe.

ge-schuohen swv. beschuhen.

ge-schurge stn. md. das schieben, treiben.fortstossen;angriff.

ge-schüten swv. schütteln; erschüttern; schütten.

ge-schütze, -schüz stn. schiesszeug, -waffen; geschoss, liebespfeil.

ge-sêdele s. *gesidele.*

ge-sêdele swm. tischgenosse.

ge-segede stfn. aussage, ausspruch, urteil.

ge-segenen swv. segnen (*got gesëgne* ausruf der verwunderung; *einen ges.* ihn zum abschiede segnen, von ihm abschied nehmen).

ge-sëhen swv. refl. gesicht.

ge-sëhenheit stf. anblick.

ge-sëher stm. besichtiger.

ge-seige stn. das visieren; geeichtes mass.

ge-seinen swv. refl. sich aufhalten, säumen.

ge-seinst adj. part. *g.er wagen* sichelwagen (s. *sëgense*).

ge-selbe stn. coll. zu *salbe.*

ge-sêlen swv. beseelen.

ge-selle swm. ursprüngl. hausgenosse. dann der mit dem man zusammen ist, gefährte, freund. geliebter (auch geliebte, freundin); standesgenosse, handwerksgeselle; hilfsgeistlicher. kaplan; bursche, junger mann. person; *mîn g.* penis.

ge-selle swf. gefährtin.

ge-sellec adj. zugesellt, verbunden mit dat. -heit, gesellekeit stf. freundschaftl. verhältnis von *gesellen* zueinander, zusammensein als genossen od. freunde. -lich adj., -liche adv. nach *gesellen* art, als oder wie *gesellen*, freundschaftlich, freundlich; zur, in gesellschaft.

geselle-lôs adj. ohne genossen, allein.

ge-sellen swv. tr. zum *gesellen* machen, geben, vereinigen, verbinden mit dp. od. zuo. — refl. sich paarweise, sich freundschaftlich verbinden, in liebesverhältnis treten (auch in obsc. sinne); sich gesellen mit dp. od. *zuo.*

geselle-schaft stf. vereinigung mehrerer, gesellschaft, genossenschaft; paar von *gesellen*; verhältnis eines gesellen, freundschaftliches beisammenod. verbundensein, freundschaft, liebe; persönl. = *geselle*, liebchen.

ge-sellich adj. = *geselleclich.*

ge-selline, -sellin stf. gefährtin, freundin, geliebte.

ge-semede, -semene, -samene stn. versammlung, menge, schar.

gësen s. *jësen.*

ge-sende stn. versammlung.

ge-senften swv. = *senften*; mit dat. erleichterung, linderung, ruhe verschaffen.

ge-senge stn. gesang.

ge-serwe stn. rüstung.

ge-serwen swv. refl. die rüstung (priesterkleidung) anlegen.

ge-setze stn., -setzede stnf. festsetzung, gesetz.

gesëz, -sëzze stn. sitz, wohnsitz, besitztum; secessus: lagerung, lager; belagerung, belagerungsheer.

gesëzzen part. adj. sich gesetzt habend, sitzend; ansässig, wohnhaft.

ge-sëzzen swv. m. dp. u. refl. m. *zuo* gehorsam zusichern, *sicherheit* geben.

ge-sidele, -sëdele stn. coll. zu *sëdel*, vorrichtung zum sitzen (bänke u. tische), sitz; wohnsitz, wohnstätte.

ge-sige stm. sieg.
ge-sigen swv. intr. siegen, die oberhand behalten; an einem od. einem an gesiegen über ihn siegen, ihn besiegen. — tr. besiegen.
ge-sigen stv. sinken, fallen; tropfen, fliessen.
ge-siger stm. sieger, besieger.
gesihene stn. = gesiune.
ge-siht stf. das sehen, ansehen, anblicken; ansicht, anblick; vision, traum. erscheinung; gesicht als sinn, augen; angesicht; aussehen, äusseres, gestalt.
ge-sihte stn. sehvermögen.
ge-sihtec, -sihterlich adj. sichtbar, deutlich; sehend, anschauend.
ge-sihtlich adj. sichtbar, leibhaftig.
gesimeze stn. gesimse.
ge-sin stm. bewusstsein, besinnung, verstand; gedanke, verlangen ze.
ge-sinde swm. weggenosse, gefolgs-, dienstmann; diener, hausgenosse.
ge-sinde, -sinne stn. gefolge, dienerschaft; kriegsleute, truppen; gesellschaft.
ge-sinden, -sinnen stv. gehen, wandern, kommen.
ge-sinden swv. tr. u. refl. zum gesellen oder diener machen; aufnehmen wohin oder wozu; sich ins gefolge jemandes begeben od. überh. sich wohin od. wozu begeben mit dat. od. mit, zuo.
ge-sinen swv. refl. mit gen. sich etwas zum seinigen machen, sich enge mit etw. verbinden.
ge-sinne stn. s. gesinde.
ge-sinne adj. besonnen, klug; geneigt, zugetan mit dp.
ge-sinnen stv. seine gedanken worauf richten, mit nâch, inf. od. untergeord. satz. — refl. mit gen. wofür sorgen, einer sache sich annehmen; begehren, verlangen mit gs., as., die pers. mit an, zuo.
ge-sinnen swv. visieren.
ge-sinnet, -sint part. adj. mit sin begabt; gesinnt.
ge-sint stm. begleiter, diener.
ge-sippe adi. = sippe. stn. verwandtschaftsgrad.
ge-site adj. gesittet, geartet, beschaffen; stm. = site.
ge-sitet part. adj. = gesite.
ge-sitze, -siz stn. sitz für mehrere.
ge-sitzen stv. = sitzen, der vrâge g. sich von der frage nicht aus dem sattel heben lassen.
ge-siune, -süne stn. sehvermögen, -kraft; ansehen, anblick; gesicht, angesicht, aussehen.

ge-siuneclich, siunlich adj. sichtbar.
ge-siunen, md. -sûnen swv. wahrnehmen.
ge-siuse stn. coll. zu sûs.
ge-slâfe swm. schlafgenoss.
ge-slahen stv. = slahen; intr. sich schlagend bewegen; g. zuo sich gesellen.
ge-slaht adj. geartet, bes. von guter art, wohlgeartet, edel; artig, fein, schön; mit dp. von natur und art eigen, natürlich.
ge-slahte s. geslehte 2.
ge-slande s. geslende.
ge-slege stn. schlägerei.
ge-sleht adj. glatt, nicht rauh; schlicht, aufrichtig.
ge-slehte stn. das schlachten, das geschlachtete; die eingeweide von geschlachtetem geflügel nebst kopf und gliedern.
ge-slehte, -sleht, -slahte, -slaht stn. geschlecht, stamm, familie, adelige abstammung; geschlecht, sexus; natürliche eigenschaft; etymologische verwandtschaft.
ge-slende, -slande stn. schmauserei, schlemmerei.
ge-sleppe stn. gang im bergwerk mit schiefer ebene zur erzförderung; abhang.
ge-slërfe stn. schleppe.
ge-slithe stf. gerade richtung.
ge-slinc, -slinge stn. geschlinge.
ge-sloufe stn. kleidung.
ge-sloufec adj. sich anschmiegend.
ge-sloz stn. schloss, burg.
ge-slozze stn. schlussbein, hüftknochen.
ge-slozzet part. adj. ein schloss oder schlösser, burgen besitzend; gefesselt, gefangen.
ge-smac, -smach adj. wohl riechend; schmackhaft. — stm. geruch, den etwas von sich gibt; geschmackssinn; geschmack, den etw. hat.
ge-smachen swv. md. auskosten, schmecken.
ge-smahte stf. geruch, duft.
ge-smecken swv. intr. riechen; abs. u. tr. riechen; empfinden, wahrnehmen.
ge-smeize stn. unrat, exkremente; brut, gezücht, schmetterlingseier.
ge-smelze stn. schmelzwerk, geschmolzener metallschmuck.
ge-smerze stn. geschwätz.
ge-smide stn. metall; schmiede-, metallarbeit, metallgeräte, bes. metallene waffen od. rüstung; metallschmuck, geschmeide.
ge-smidec adj. leicht zu bearbeiten, gestaltbar, geschmeidig; nachgiebig.

ge-smielen, -smieren swv. lächeln.
ge-smilze stn. = gesmelze.
ge-smuc stm. schmuck, zierde.
ge-smütze, -smutz stn. das küssen.
ge-snabel adj. geschnäbelt.
ge-snære stn. geschwätz.
ge-snæren swv. schwatzen.
ge-snerre stn. das schnarren, schmettern.
ge-snœde, -snöude stn. das schnauben; übermütiges schwatzen od. benehmen.
ge-snürre stn. das rauschen; rauschender schmuck.
ge-sol stn. pfütze, kot.
ge-sorgen swv. in sorgen sein (gegen, umbe).
ge-soufen swv. versenken.
ge-span stm. gefährte, genosse, compagnon.
ge-span stn. spange; runde kupferne scheibe; einfassung einer tür usw.
ge-spân stm.. -spæne stn. streit, zerwürfnis.
ge-spanst, -spenst stf. -spenste stn. lockung, verlockung; teuflisches trugbild, gespenst.
ge-spehte stn. geschwätz.
ge-speie, -spei stn. gespötte.
ge-spenge stn. spangen, spangenwerk bes. am schilde, an der rüstung.
ge-spenste s. gespanst.
ge-spenstec adj. verführerisch, zauberisch. -spenstecheit stf. verführerisches wesen, verführung, verlockung.
ge-spërge s. gespirc.
ge-sperre stn. gebälk, sparrenwerk; das sperrende, schliessende: spange, saum.
ge-spil, -spile swmf. spielgenoss, gespielin, genossin. dem.
ge-spile-lin stn.
ge-spilschaft stf. verkehr mit den gespielen.
ge-spinne swf. verwandtschaft; die verwandte.
ge-spirc, -spërge stn. schar.
ge-spor stn. = gespür.
ge-spötte, -spöte, -spöt stn. spott, verspottung; gegenstand des spottes.
ge-spræche adj. beredt. -spræche stf. beredsamkeit (un-, wolgespræche). -spræche stn. das vermögen zu sprechen; das sprechen, reden; besprechung, unterredung, beratung, beratende versammlung. -spræchec adj. = gespræche.
ge-spranc stn. eine pferdekrankheit.
ge-sprëchen stv. verst. sprëchen, intr. mit dat. von einem, über einen sprechen. — tr. mit ap. sprechen mit, ansprechen, mit dat. u. acc. zu einem etw. sprechen; mit as. sprechen,

aussprechen; anberaumen. —
refl. sich besprechen *mit*.
ge-sprenge stn. das sprengen,
ansprengen; das besprengen,
einsegnen; dachwerk mit ein-
gehängten bogen.
ge-sprengeze, -sprenze stn.
das besprengen, beträufeln.
ge-sprenze stn. coll. zu *spranz*,
das sich spreizen, zieren.
ge-sprinc stmn. quelle, ursprung.
ge-spüc, -spücke stn. spuk,
spukerei.
ge-spücle stn. spülicht.
ge-spulc stm. das pflegen,
der gebrauch.
ge-spünne stnf. muttermilch;
gespinst.
ge-spunse, -spunze swfm.
braut, bräutigam (lat. *spon-
sus, sponsa,* s. *spons*).
ge-spunst stnf. gespinst; die
arbeit des spinnens.
ge-spür stn. spur, spuren.
ge-stalt stf. gestalt, aussehen;
beschaffenheit; ursache.
ge-stalt part. s. *stellen*.
ge-staltnisse s. *gesteltnisse*.
ge-stân, -stên stv. intr. stehn,
stehn oder bestehn bleiben,
standhalten; sich stellen, treten;
mit dat. zu einem stehn, ihm
beistehn, helfen, mit dat. u.
gen. worin beitreten, beistehn;
zugestehn; *gest. nâch* eine richtung nehmen, trachten. — tr.
stehend aushalten; wozu stehn,
bekennen; zu stehn kommen,
gelten, kosten.
ge-stanc stm., pl. *gestenke*,
gestank.
ge-standen part. adj. erwachsen, erfahren, bewährt.
ge-stant stm. geständnis.
ge-stat stn. gestade, ufer.
ge-stategen swv. gewähren.
ge-staten swv. tr. gewähren,
gestatten mit dp. u. as., gs.,
inf. od. untergeord. s. —intr. sich
zur wehr setzen, stand halten.
ge-stæten, -stætegen swv.
stæte machen.
gestecliche adv. s. *gasteclîche*.
ge-steige, gásteige stn. steile
anhöhe, über die ein oder
mehrere wege führen.
ge-steine, -steinze stn. edelsteine, schmuck davon; die
figuren im schachspiel.
ge-steinet part. adj. mit steinen umgeben, versehen, bes.
mit edelsteinen besetzt.
gestein-rulle swf. steingeröll.
ge-stelle stn. gestell; gestalt.
ge-steltnisse, -staltnisse stfn.
gestalt, figur.
ge-stemen swv. intr. (mit dat.)
u. tr. einhalt tun. — refl. einhalten, sich stemmen.
ge-stemphe stn. gestampf,
anstrengung.

gesten swv. tr. zum gaste
machen, für befreundet erklären mit gs.; mit *ze* od. *gegen*
vergleichend beigesellen. — refl.
sich entfremden *an*.
gesten swv. tr. u. refl. kleiden,
schmücken; rühmen, preisen,
refl. sich einer sache (gen.)
rühmen, sich freuen über, stolz
sein auf (afz. *vestir*, lat. *vestire*).
ge-stênde stn. testimonium.
ge-stendec adj. unveränderlich; beistehend.
ge-stenke stn. coll. zu *stanc*.
gester, gestern adv. gestern.
gesteric adj. gestrig.
gesterie stf. = *gastunge*, bewirtung.
ge-stete stswf. = *gestat*.
ge-stift, -stifte stf. n. stiftung, festsetzung; erste niederschrift, schriftl. grundlage; stift,
gotteshaus.
ge-stille stn. stille, beendigung.
ge-stillen swv. tr. *stille* machen, aufhören machen, zur
ruhe bringen; mit acc. u. gen.
von etw. abhalten, geheim
halten, verhehlen. — refl. aufhören; intr. *stille* sein, werden,
ruhen, aufhören, ablassen *von*.
gestinne, gestin stf. fremde;
weiblicher gast.
ge-stirne, -stirn, -stërne,
-stirnze, -stërnze stn. gestirn.
ge-stiude stn. coll. zu *stûde*.
ge-stiuren swv. tr. leiten,
verhelfen zu (gen.); steuern,
zügeln, beschränken (mit dat.,
mit acc. u. gen.); unterstützen.
— refl. sich stützen.
ge-stœze stn. das stossen,
zusammenstossen drängen; erdbeben; streit, handgemenge;
bildl. ein nichts.
ge-stôzen redv. tr. stossen. —
refl. *sich g. zuo der sippe*, vom
ausrechnen desverwandtschafts-
grades. — intr. *gest. ûf, ze* einen
treffen, wozu geraten; uneinig sein.
ge-strac, -stracke adj. = *strac*.
ge-strackes adv. = *strackes*.
ge-strapel stn. heftige bewegung, gezappel; rauferei.
ge-strenge adj. stark, gewaltig, tapfer (bes. als epith. orn.
des adels); keine nachsicht
übend, streng.
ge-strenze stn. müssiges umherlaufen, grosstun.
ge-stricke stn. strickerei.
ge-strît stm. streit, kampf.
ge-strîte swm. gegner.
ge-strîte stn. das streiten.
ge-strîten stv. streiten; mit
dp. einem standhalten, ihn
streitend bekämpfen.
ge-striuche stn. gesträuch.
ge-striume stn. rauschendes
strömen.

ge-striuze stn. strauss, kampf
handgemenge; buschwerk, gesträuch.
ge-striuzunge stf. seditio.
ge-ströut stn. (des partic.)
gestreutes: über ein gewand hin
und wieder gesetzte zieraten.
ge-strüete stn. coll. zu *struot*
sumpf.
ge-stübere stn. auflauf; verfolgung.
ge-stücke stn. stück, stück
feld usw., der ertrag davon.
ge-stüele, -stüclde, -stüelze
stn. geordnete menge von
stühlen; stuhl, thron; der dritte
chor der engel.
ge-stüeme adj. sanft, still.
ge-stüeme stf. ruhe, stille.
ge-stüemen swv. ruhig sein,
werden.
ge-stüeten swv. belegen (von
pferden).
ge-stunden, stünden swv. zeit
gewähren. — intr. *diu zît ge-
stundet* d. z. tritt ein.
ge-stungen swv. anstossen,
antreiben, reizen.
ge-stüppe stn. staub und
staubähnliches, bildl. nichtigkeit; zauberei mit pulver.
ge-stürme stn. getümmel,
kriegsgetümmel; angriff; das
sturmläuten.
ge-sühte stn. krankheit; rheumatisches übel.
ge-sunde, -sunt stf. md. gesundheit.
ge-sundec adj. gesund.
ge-sunden, -sunten swv. tr.
gesund machen, am leben erhalten. — intr. gesund werden;
gesund, am leben bleiben.
ge-süne s. *gesiune*.
gesunt stf. s. *gesunde*.
ge-sunt adj. gesund, lebend
und unverletzt; gesundheit bringend od. fördernd; mit gen. (od.
an) geheilt von, an; unverletzt
durch (gen.). — stm. gesundheit, unverletztheit, heil. -haft
adj. gesund.
ge-süntlich adj. gesundheit
bringend.
ge-suoch stm. spüren auf
wild, birsch; weide u. weiderecht; erwerb, gewinn; gewinn
von ausgeliehenem gelde, zinsen;- verzinsung eines pfandes.
ge-suochære stm. wucherer.
ge-suochen swv. suchen; besuchen.
ge-swanze s. *geswenze*.
ge-swanzen swv. sich tän-
zelnd bewegen, stolzieren.
ge-swæse adj., -swâse adv.
heimlich; vertraulich.
ge-swâsheit stf. heimlichkeit; heimlicher ort, traulich-
keit.
ge-swâslich adj., -liche adv.
= *geswæse, -swâse*.

ge-sweigen 68 ge-twanc

ge-sweigen swv. zum schweigen bringen, stillen.
ge-sweime stn. das schweben.
ge-sweimen swv. refl. sich schwingen, schweben.
ge-swelhen stv. schlingen.
ge-swelle stn. grundbalken, schwelle.
ge-swellen stv. auf-, anschwellen.
ge-swende stn. platz wo holz geswendet wird.
ge-swenke adj. beweglich.
ge-swenze, -swanze stn. schwankende, tänzelnde bewegung; schleppkleid.
ge-swer stn. swm. schmerz; geschwür.
ge-swester, -swister f. pl. die als schwestern (leibl. od. geistl.) zusammen gehören.
ge-swiche stf. abgang, verlust von (gen.); verführung, betörung.
ge-swichen stv. intr. schwinden, entweichen, im stiche lassen, mit dat.
ge-swige, -swie swmf. schwager, schwägerin und sonstige verwandte durch anheirat.
ge-swiht stf. schwindsucht.
ge-swil stn. schwiele.
ge-swinde, -lich adj. adv. schnell, vorschnell, ungestüm, kühnlich.
ge-swister, -swisterde, -swistergit stn. geschwister, gewöhnl. im pl.
geschwistergeten swf. plur. schwestern; nonnen (als anrede).
ge-sworn part. adj. ge-, beschworen; geschworen habend, vereidigt, eidlich verpflichtet.
ge-swulst stf., -swulste stn. geschwulst.
ge-taget, -tagt part. adj. in ein gewisses alter gekommen: mannbar, alt, bejahrt.
ge-tân part. adj. geworden, gestaltet, beschaffen, sich verhaltend.
ge-tæne stfn. äussere erscheinung, gestalt; benehmen.
ge-tæper stn. getaste, geräusch, geschwätz.
ge-tar stm. kühnheit.
ge-tarn swv. schaden.
ge-tarn swv. verhüllen, verhüten vor (gen.).
ge-tât stf. tat; gesamtheit der taten; geschichte; werk, geschöpf; gestalt, ansehen, beschaffenheit.
ge-tæte stn. swf. gestalt, beschaffenheit, umstand.
ge-tæter stm. täter, verbrecher.
ge-teil stn. anteil.
ge-teile, -teilede swm. teilgenosse.
ge-teille adj. teil habend an (gen.).

ge-teilide stn. teilgenossenschaft.
ge-teilte stn. (näml. daz geteilte spil) das zu wählende, die wahl, die bedingung.
gete-, göt-lich adj. passend, schicklich, angemessen.
geteline, getline, -ges stm. verwandter; der einem andern gleich ist, genosse; geselle, bursche, bauernbursche.
ge-telle adj. hübsch. artig.
gete-, get-lôs adj. ohne gate, ungebunden, zügellos, mutwillig. -lôse, -lœse stf. zügellosigkeit, mutwille.
ge-temere, -temer stn. getöse (wie von hammerschlägen).
ge-tengel stn. das hämmern, klopfen; schwerthiebe.
ge-tengeln swv. bildl. auslegen.
ge-tente stn. coll. zu tant.
ge-tenze stn. coll. zu tanz.
getern s. gatern.
ge-tevele stn. coll. zu tavel.
ge-tier stn. coll. zu tier.
ge-tihte stf. md. schriftwerk, gedicht; das denken, aussinnen, niederschreiben.
ge-tihte, -tiht stn. schriftl. aufzeichnung; gedicht (insofern es schriftl. aufgesetzt ist); erdichtung, lüge; dichtkunst, kunstwerk; künstlerische befähigung.
ge-tiuren swv. tiure machen, verherrlichen (s. getûren).
ge-tiusche stn. täuschung, betrügerei; täuschung zur belustigung anderer.
ge-töl stn. tolles wesen.
ge-touben swv. empfindungslos machen, töten.
ge-tougen adv. heimlich.
ge-tougen, -tougene stf. heimlichkeit, geheimnis.
ge-trägede stf. trägheit.
ge-tragenliche adv. (kleider) an sich tragend, bekleidet.
ge-traht stf. getreide (s. getregede); holzwerk zum ausfüllen der festungsgräben.
ge-træme stn. coil. zu trâm.
ge-tranc stn. getränk.
ge-trebe stn. coll. zu drap.
ge-trecke stn. md. heerzug, gefolge.
ge-trêfse stn. coll. zu trêfs.
ge-tregede, -treide stn. alles was getragen wird: kleidung, gepäck, ladung, last; womit getragen wird: tragbahre; was der erdboden trägt: blumen, gras, getreide; wovon man lebt: lebensmittel, nahrung.
ge-trehte stn. frucht; tier, lasttier.
ge-trehte stn. das streben, sinnen, trachten, betrachtung, erwägung.
ge-treide s. getregede.

ge-trempel stn. trampeln, hufschlag.
ge-trenke stn. coll. zu tranc, getränke; trinkgelage.
ge-trete stn. coll. zu trat, das treten; weide.
ge-triben part. adj. s. triben.
ge-triben stv. treiben; mit gen. sich womit beschäftigen.
ge-trifte stn. treiben, unternehmung; art und weise.
ge-triunen stv. entweichen.
ge-trip stn. das treiben, getreibe; antrieb; mühlgang.
getriu-hender stm. = triuwehender.
ge-triute stn. liebkosung.
ge-triuwe, -triwe, -triu adj. treu, getreu, wohlmeinend.
ge-triuwelich adj. getreulich, aus treue hervorgehend.
ge-triuwunge stf. vertrauen.
ge-troc stn. betrug, täuschung; teufl. blendwerk; monstrum.
ge-trœsten swv. tr. bei einem vertrauen erwecken. — tr. u. refl. zuversichtlich machen, trösten; mit gen. seine hoffnung auf etw. setzen; sich zufrieden geben; verzichten (aus zuversicht auf ersatz).
ge-trügede stf., -trügenisse stnf. trug, täuschung.
ge-trüste stn. schar, gedränge, zug; auflauf.
ge-trût part. adj. lieb, liebend.
ge-trûwen, -triuwen, -triwen, -trouwen stv. abs. glauben, trauen; mit gs. glauben; mit dp. trauen; mit dat. u. gen. glauben, zutrauen, anvertrauen; mit dat. u. acc. zutrauen, anvertrauen, kreditieren; mit infin. sich zutrauen, hoffen, getr. an (acc.) hoffen auf, erwarten von; an einem g. ihm zutrauen; einem über etw. g. ihm in einer sache vertrauen.
ge-tugenden swv. = tugenden.
ge-tuht stf. tüchtigkeit, angemessenes betragen.
ge-tühtec adj. tüchtig, wakker; fein gebildet und gesittet.
ge-tülle stn. befestigung durch palisaden.
ge-tümele, -tummele, -tumere stn. lärm, getümmel, getöse.
ge-türen s. gedûren.
ge-türen, -tiuren swv. mit dat. tiure sein.
ge-turren stv. = turren.
ge-turst stfn. kühnheit, verwegenheit.
ge-türste, -türstec adj. kühn verwegen.
getürstec-heit stf. = geturst.
ge-twanc stmn. zusammenpressung, einengung; bewegung im leibe, bauchgrimmen; zwang und bedrängung, gewalttat, bedrängnis, not; gewalt, herrschaft, gerichtszwang.

ge-twâs. -twas stn., md. *gedwâs* gespenst, bildl. torheit, nichtigkeit.

ge-twede adj. md. verständig. -twedie adj. md. zahm, willfährig, gnädig. -twedigen swv. *getwedic* machen.

ge-twêl adj. voll, strotzend.

ge-twenge adj. eingeengt.

ge-twenge stn. beengung, gedränge; bedrängnis, not; gerichtszwang, gebiet.

ge-twêr stn. mischung, temperatur (der luft).

ge-twêre, -twire stnm. zwerg.

ge-twinc stm. einengung, kleiner raum; zwang, nötigung, gewaltsamkeit; beschränkung der freiheit, nötigung zu dienstleistungen; gerichtszwang, gebiet.

ge-twungen-heit stf. myst. zwang.

ge-ubern swv. übrig bleiben.

ge-üebede stf. übung.

ge-unhôrsam-keit stf. ungehorsam.

ge-vach adj. u. adv. md. wiederholt, häufig.

ge-vâch-nus stn. = *gevancnisse.*

ge-vage adj. froh, zufrieden; zufrieden mit (gen.).

ge-vâhen, -vân redv. tr. fassen, er- umfassen; angreifen, anfangen; in sich aufnehmen, empfangen, begreifen; erreichen, erlangen; gefangen nehmen. — intr. sich zu etw. wenden, etw. beginnen; *gev. nâch* nacharten; ausschlagen.

ge-væhlc adj. fähig.

ge-val stmn. der fall; das gefallen.

ge-vælen swv. fehlen, nicht treffen, verfehlen (gen.).

ge-vallen redv. fallen, zu falle kommen; zusammenfallen, sich ergeben; eintreten, zufällig geschehen, zu liegen kommen; fällig sein; fallen, kommen an, auf, zu, geraten in, kommen von; mit dp. gleichkommen; zufallen, zuteil werden; gefallen. — refl. zu falle kommen.

ge-vallunge stf. *eigeniu g.* selbstgefälligkeit.

ge-vancnisse, -vencnisse stfn. gefangenschaft; gefangennehmung.

ge-var adj. eine farbe habend; aussehend, beschaffen.

ge-værde, -vare, -vâre stfn. hinterlist, betrug (*âne gev.* ohne hinterhalt, aufrichtig).

ge-være, -væree adj. heimlich nachstellend, hinterlistig, feindselig mit dat.; eifrig strebend nach, beflissen, versessen auf (gen).

ge-vâren swv. mit gen. nachstellen, gefährden; wonach lauern, trachten.

ge-væren swv. tr. hintergehn.

ge-vær-lich adj. hinterlistig, verfänglich; parteisch.

ge-varn stv. unpers. geschehen.

ge-vatere, -vater swmf. gevatter, gevatterin.

ge-vaterlich adj. wie es gevattern ziemt.

ge-væze stn. gefäss.

ge-vazzede stn. = *vezzel.*

ge-vêder, -vider adj. befiedert.

ge-vêeh, -vê adj. feind, feindlich, feindselig.

ge-vêhe, -vêhede stf. hass, feindschaft.

ge-vêhte stn. gefecht, kampf.

ge-vêhten stv. fechten; sich abmühen; tr. *an g.* anfechten; *gevohten* part. beschäftigt.

ge-veigen swv. tr. dem tode weihen, verderben. — intr. dem tode anheimfallen.

ge-veilen swv. feil machen; preisgeben.

ge-velle stn. fall, sturz, ein-, absturz; abschüssiges tiefes tal, bergschlucht; guter fall der würfel, glück im spiele; glück, gelingen überh.; schicksal; gefälle, abgaben, einkünfte; anfall, erbschaft; das gefallen.

ge-vellec, -vellic, vellich adj. angemessen, passend, möglich; günstig, gefallend, angenehm; zu gefallen, gerne.

ge-velle-keit stf. was gefällt; gunst; opportunitas.

gevellec-lich adj. placabilis.

ge-velschen swv. für falsch od. schlecht erklären; verderben.

ge-vencnisse s. *gevancnisse.*

ge-vende stn. md. (aus *gevengede*) gefangenschaft.

ge-venge adj. umfassend.

ge-vengen swv. *ane g.* anfangen.

ge-vêrren swv. ferne halten, entfernen *von*; *sich einem g.* entfremden, entziehen.

ge-verte swm. genosse der *vart*, reisebegleiter; gefährte (auch gefährtin, begleiterin); leiter, führer.

ge-verte, -vert stn. weg, zug, fahrt, reise; reihe; ziel u. zweck der *vart*; gesamtheit der *geverten*, gesinde; art zu *varn*, aufzug, erscheinung, benehmen, art und weise; lebensweise, lebensverhältnisse, schicksal, umstände.

ge-vesten, -vestenen swv. fest, beständig machen; ehelich verbinden mit (dat.).

ge-veterde, -vetride stn. gewöhnl. pl. gevatter.

ge-vider s. *gevêder.*

ge-videre, -vider stn. coll. zu *vêder*, federn, gefieder; federbett; federvieh.

ge-vilde stn. coll. zu *vêlt*, feld,

gefilde; feld eines schildes; bergm. bereich des zu bearbeitenden bodens.

ge-ville stn. coll. zu *vêl*, felle; pelz-, unterfutter.

ge-ville stn. das geisseln.

ge-villen swv. geisseln.

ge-viln swv. unp. mit acc. u. gen. zu viel sein oder dünken (vgl. *beviln*).

ge-vinden stv. finden, ausfindig machen.

ge-vinger, -vingerde stn. fingerring, die fingerringe.

ge-virne adj. adv. md. geübt, gewandt.

ge-virren swv. refl. entfernen.

ge-vleischen swv. intr. zu fleisch werden.

ge-vletze stn. fussboden.

ge-vlitter stn. gekicher.

ge-volge stn. gehorsam.

ge-volgec, -volgic adj. folgsam, mit dat. u. gen. (od. *an, ze*).

ge-volgen swv. folgen, nachfolgen; einholen, gleichkommen mit dp. u. gs.; worauf eingehn, folge leisten, nachgeben mit dp. od. s.; zuteil, verabfolgt werden mit dat.

ge-vratet part. adj. übel beleumdet, zu *vreten.*

ge-vræze stn. das fressen, schlemmerei; lüsternheit; um sich fressendes geschwür.

ge-vreischen swv. u. red. durch fragen erfahren, vernehmen, kennen lernen.

ge-vriden swv. beschützen.

ge-vrien swv. freien, heiraten.

ge-vriesen stv. intr. gefrieren, festfrieren; unp. mit acc. frieren.

ge-vrist stm. frist.

ge-vristen swv. aufschieben, hinhalten; machen dass etwas besteht, erhalten. — refl. sich erhalten, retten.

ge-vriunden swv. befreunden.

ge-vriunt adj. befreundet, verwandt. — subst. st. pl. *gevriunde*, gegenseitige freunde od. verwandte.

ge-vrœnde stf. frondienstpflichtiges land; subhastation.

ge-vrœrde stf. frost.

ge-vrosten swv. gefrieren.

ge-vröuwen, -vröun swv. tr. u. refl. freuen, erfreuen.

ge-vrum adj. förderlich.

-vrümede stf. hilfe, beihilfe.

-vrumen, -vrümen = *vrumen, vrümen.*

ge-vruot adj. = *vruot.*

ge-vrüste stn. coll. zu *vrost*, frost, frostwetter.

ge-vüege adj. fügsam, gefüge; schicklich, wohlanständig, artig; geschickt, kunstfertig; angemessen, passend, geeignet; zierlich, niedlich; klein, geringe, erträglich.

ge-vüegen swv. zusammen-
fügen, verbinden, zuwege bringen, mit dp. zufallen lassen,
bescheren, zufügen. — refl.
persönl. *sich gev. in* einfügen,
schmiegen; unpers. sich ereignen, treffen, passlich gestalten.
— intr. sich ereignen, begeben,
mit dat. gelegen kommen, zufallen.

ge-vüere, -vuore adj. passlich,
bequem; nützlich, erspriesslich
mit dat.

ge-vüere stn. fuhrwerk; was
einem zuträglich, vorteilhaft
ist: nutzen, nützlichkeit, gewinn, vorteil.

ge-vüeren swv. s. *vüeren;houpt
noch vuoz g.* rühren, regen.

ge-vügele, -vügel stn. coll. zu
vogel, die vögel, geflügel; vogel.

ge-vuoc adj. wissend was
sich schickt, manierlich; geschickt, klug; passend, angemessen. — stmf., -vuocheit stf.
was sich schickt u. passt,
schicklichkeit, geschick; anmut; geschicklichkeit.

ge-vuoclich adj. schicklich,
passend. adv. *-vuoclîche.*

ge-vuoge adv. zu *gevüege.*

ge-vuoge stf. schicklichkeit,
wohlanständigkeit; geschicklichkeit; zierlichkeit.

ge-vuore s. *gevüere.*

ge-wach stm. md. erwäh-
nung.

ge-wâfen adj. bewaffnet.

ge-wæfen stn. coll. zu *wâfen,*
-wepfen waffenrüstung, bewaffnung; schildzeichen, wappen.

ge-wage stf. ein bestimmtes
mass; einsetzung, anordnung.

ge-wæge stn. gewoge, flut.

ge-wæge stn. gewicht.

ge-wähenen, -wehenen, -wa-
henen, -wehen, -wagen stv. VI
sagen, berichten, erwähnen, gedenken (mit gen., infin. od.
untergeord. s., die pers. im dat.
od. mit präp.; oft nur eine
tätigkeit umschreibend: *slâfens
g.* schlafen).

ge-wahs adj. scharf.

ge-wahs stn. gewächs.

ge-wahsenheit stf. wuchs.

ge-wahst, -wehste stf. wachstum, gewächs.

ge-waht stm. erwähnung.

ge-walt adj. gewaltig, mächtig; substant. *der gew.,* der bevollmächtigte, stellvertreter,
prokurator. — stmf. gewalt,
macht; herrschaft, deren gebiet;
vollmacht; menge, überfluss *an;*
einer der engelchöre. -brief stm.
vollmachtsbrief. -trager stm.
machthaber; bevollmächtigter.

ge-waltære stm. machthaber.

ge-waltærinne stf. gewalt-
überin.

ge-waltec, -waltic, -weltic adj.
gewalt habend, mächtig ohne
od. mit gen. (od. *ob, über); einer
g. werden,* sie vergewaltigen;
vollmacht habend; subst. *die
gewaltigen, -weltigen,* die bevoll-
mächtigten; der städtische rat.

gewaltecheit stf. vergewaltigung.

ge-walten redv. walten, herrschen; mit gen. über etw. gewalt haben, in gewalt haben,
besitzen, sich annehmen, sorgen
für.

ge-walten swv. intr. gewalt
haben, üben. — tr. gewalt antun, mit gewalt erzwingen, mit
acc. u. gen. gewaltig machen;
mit dp. gewalt antun, gewachsen sein, besiegen; *gew. mit
einem* ihm gewalt tun, ihn bewältigen; *wider einen g.* sich
auflehnen.

ge-waltesære stm. der gewalt
hat od. übt; ein chor der engel;
vergewaltiger.

ge-waltigære stm. der gewalt
hat od. übt; bevollmächtiger.

ge-waltigen, -weltigen swv.
gewalt antun, überwältigen;
etw. in seine gewalt bringen;
gewaltec machen (mit gs.), einen
in das recht der verfügung
setzen.

ge-waltsam stm. macht, gewalt.

ge-waltsame stf. macht,
obrigkeitl. gewalt; herrschaftl.
gebiet.

ge-wammer stn. gewimmer.

ge-wande stswf. grenze, umkreis; acker, ackerbeet; ackerlänge.

ge-wandelieren swv. hin u.
her gehen.

ge-wandeln swv. intr. gehn,
wandern. — tr. rückgängig
machen, ändern; entfernen; auf
einen andern übertragen.

ge-wander stm. md. wandel.

ge-wander, -wender stm. der
gewant verkauft.

ge-want stn. kleidung, rüstung; gewandstoff, zeug.

gewant-snider stm. tuch-,
schnittwarenhändler. -snit stm.
handel mit schnittwaren. -val
stm. = *hœzeval.*

ge-war stf. aufsicht, obhut;
sicherer aufenthalt, gewahrsam;
swf. zugesichertes, verbürgtes
recht.

ge-war adj. beachtend, be-
merkend, gewahr (*gew. werden*
mit gen.); *gew. sin* mit gen. acht
haben auf; aufmerksam, sorgfältig, vorsichtig, scharfsichtig.

ge-wære, -wäre adj. wahr,
wahrhaft, zuverlässig, tüchtig
von personen und sachen.

ge-wærhaft, -wârhaft adj.
wahrhaft, zuverlässig.

ge-warheit stf. sicherheit;
sicherer ort; sicherung; versicherung; zugesichertes, verbürgtes recht.

ge-wærlich adj. wahrhaft,
aufrichtig, zuverlässig.

ge-warn swv. intr. gewahr
werden mit gen. — tr. bewahren, bewachen.

ge-warsam adj. sorgsam, vorsichtig.

ge-warsame stf. aufsicht;
sicherheit, sicherer ort; sicherheit durch bürgschaft.

ge-warten swv. verst. *warten:*
schauen, schauend beobachten,
sich bereit halten; mit dat. ausschauen nach (um zu beobachten, zu empfangen, zu folgen, zu
dienen); *úf einen eines d. g.* sich
des zu ihm versehen ; *eines d.
von einem g.* erwarten.

ge-wat, wate stn. furt, lache.

ge-wât stf. kleidung.

ge-wæte, -wâte stn. kleidung,
rüstung.

gewâz-witer, -gewiter stn.
sturmwetter.

ge-webe stn. gewebe.

ge-wéber stn. bewegung hin
und her.

ge-wedele stn. das schwanken, schweifen.

ge-wéder pron. uterque.

ge-wégede stn. hilfe, fürbitte.

ge-wégen stv. intr. gewicht
od. wert haben, den ausschlag
geben, angemessen sein; das
gegengewicht halten; für einen
ins gewicht fallen, ihm helfen;
gegen etw. helfen, wovon fernhalten mit dat. u. gen. — tr.
bewegen; wägen, schätzen (*mich
gewiget etw. ringe* ich schätze
es gering, nehme es leicht);
mit acc. u. dat. zuwägen, zuteilen; mit acc. helfen gegen.
— refl. sich bewegen, neigen,
sich zutragen; ins gewicht fallen.

ge-wégen part. adj. auserwählt, gewichtig; gewogen, geneigt.

ge-wégen swv. einen *wéc*
machen, wege bereiten.

ge-wégen swv. helfen mit dp.
u. gs.

ge-wegen swv. bewegen.

ge-wehenen, s. *-wähenen.*

ge-wehse stn. = *gewahs.*

ge-wehsede stf. wachstum.

ge-weichen swv. weich ma-
chen, erweichen; lenken, neigen; lenksam machen, bändigen. — intr. weich, fügsam werden; mit dat. entweichen.

ge-weide stf. sich weidend an
(gen.), freudig geniessend.

ge-weide stn. speise; eingeweide.

ge-weinze stn. md. das weinen, wehklagen.

ge-welbe stn. gewölbe.

ge-welde stn. coll. zu *walt*, waldung, waldgegend.

ge-wëlle stn. brechmittel (vomitorium) und gebrochenes.

ge-weltic s. *gewaltec*.

gëwen s. *giwen*.

ge-wen stn. gewohnheit.

ge-wende stn. wand, gewände; ackerlänge.

ge-wende stf. wendung, abgang (*libes g.* tod).

ge-wendelech stn. gewand.

ge-wendeler stm. = *gewander* 2.

ge-wendelin stn. kleines, armseliges gewand.

ge-wenden swv. verst. *wenden (eine ze manne g.* verheiraten).

ge-wender s. *gewander* 2.

ge-wenen swv. tr. u. refl. mit gen. gewöhnen.

ge-wenge stn. coll. zu *wange*.

ge-wenken swv. intr. einen *wanc* tun, weichen, wanken, sich wenden (dp., gs. od. *ab, an, von*). — tr. wenden, lenken.

ge-wentschelieren swv. herumschwänzen.

ge-wër swm. gewährleister, bürge, vertreter von ansprüchen.

ge-wër stf. gewähr.

ge-wer stf. förmliche einkleidung in einen besitz, rechtskräftig gesicherter besitz, besitzrecht; tatsächliches besitztum oder innehaben (vom recht abgesehen), detentio; die potestas über eine person, mundschaft.

ge-wer stf. behutsamkeit, vorsicht; gewahrsam.

ge-wer stf. wehr, verteidigung; wehr, waffe; verteidigungs-, befestigungswerk; grenzmauer.

ge-wer stn. gewehr. waffe; befestigungs-, verteidigungs-, angriffswerk.

ge-wërbe stn. wirbel, gelenke; geschäft, tätigkeit; anwerbung, truppenwerbung.

ge-wërde stn. das gewordene, hervorgebrachte; wertgegenstände.

ge-wërde stfn. = *gewër* stf.; *án allez g.* ohne jeden einwand.

ge-werde stf. = *gewer* 1.

ge-wërden swv. würdigen; würdig erachten.

ge-wërf, -wërp stm. das sich drehende, däs sich öffnende, spalt, schlund; aufgetragenes geschäft, tätigkeit, das handeln, treiben, streben im allgem.; tätigkeit um des erwerbes willen, gewerbe; werbung, bewerbung; handlung, verhandlung vor gericht, vertrag; weidm. was ein tier als waffe gebraucht, bes. die hauzähne.

ge-wërf, -wërft stn. abgabe, steuer.

ge-wërfen stv. = *wërfen;* swv. *gewërf* zahlen; tr. mit *gewërf* belegen.

ge-wërke stn. vollendete arbeit: gewebe, bau.

ge-wërke swm. handwerks-, zunftgenosse; teilhaber an einem bergwerke.

ge-wërken swv. arbeiten, ins werk setzen.

ge-wërldet part. adj. welterfüllt, der welt angemessen.

ge-wërlich adj. aufmerksam, sorgfältig, vorsichtig.

ge-wërn swv. intr. während, ausdauern, lebend bleiben; standhalten.

ge-wërn swv. gewähren, zugestehn, das was jemand zu fordern hat leisten, bezahlen; durch leistung zu etw. bringen, an etw. gewöhnen; s. v. a. *gewër sin*, für einen oder etw. einstehn, gewähr leisten, versichern mit ap. u. gs.

ge-wern swv. wehren, verteidigen; verwehren, hindern, abwehren *von*. — refl. mit gen. erwehren.

ge-wërre swm. stn. zwietracht, streit, gewirre.

ge-wërren stv. intr. mit dat. stören, hindern, schaden, verdriessen.

ge-wërschaft stf. gewähr, bürgschaft.

ge-werschaft stf. rechtskräftig gesicherter besitz, besitz überh.

ge-wertec adj. gewärtig, achthabend, dienstbereit.

ge-wësen-llcheit stf. myst. vollkommenheit.

ge-wët stn. paar, zusammengejochtes.

ge-wëte swm. genosse, ein gleicher.

ge-wëten stv. jochen.

ge-wette stn. verpfändung; geldbusse, die man dem richter zahlen muss.

ge-wíben swv. intr. u. refl. ein weib nehmen.

ge-wicke stn. coll. zu *wëc*, zusammentreffen von zwei wegen, wegscheide.

ge-wider stn. gegengesang.

ge-wideren swv. abwenden, von sich weisen; wieder einbringen.

ge-wiere stn. geschmeide mit eingegrabener oder eingelegter arbeit.

ge-wige stn. gewicht.

ge-wihe stn. gewicht.

ge-wihte, -wiht stn. gewicht.

ge-wilde stn. wildnis; wildheit.

ge-wille stn. coll. zu *wëlle* wellen, gewoge.

ge-willec adj. willig, freiwillig, absichtlich.

ge-willen swv. zu willen sein.

ge-wilt stn. wilde tiere.

ge-wimmel stn. gewimmel.

ge-wimmer stn. knorriges strauchwerk.

ge-win stm. gewinn, erwerb, vorteil, nutzen.

ge-winnen stv. durch arbeit, mühe, sieg wozu gelangen, etw. erwerben, gewinnen, anschaffen, herbei od. vom flecke schaffen; in gewalt bekommen, überwältigen; vor gericht, durch rechtsverfahren erwerben, erlangen; vor gericht überwinden, überführen.

ge-wint stn. md. = *gewant.*

ge-wirbec adj. tätig.

ge-wirden swv. *wërt* machen, ehren, verherrlichen. — refl. sich achtung verschaffen.

ge-wirke stn. mistgrube (vgl. *gewürke*).

ge-wirsen swv. schlimmer machen.

ge-wis, -sses adj. gewiss, sicher, zuverlässig.

ge-wis adv. = *gewisse*.

ge-wise stf. = *wise*.

ge-wisen stv. weisen, führen, lenken; anweisen, unterrichten; zeigen, kundtun; beweisen.

ge-wisen swv. mit gen. (auch acc.?) nach einem sehen, ihn besuchen, heimsuchen.

ge-wis-heit stf. gewissheit; bürgschaft, pfand. -lich = *gewis*. -liche adv. sicherlich; auf sicherstellende art, in zuverlässiger weise; zwar, nämlich.

ge-wisse adv. gewisslich, ohne zweifel, sicherlich, in der tat; sicher, fest.

ge-wisse stf. gewissheit, zuverlässigkeit.

ge-wissen swv. *gewis* machen, versichern (mit ap., gs.); mit dp. versichern, -bürgen.

ge-wissunge stf. gewissmachung, sicherstellung.

ge-wist stf. ort.

ge-witen stv. erweitern; ausbreiten, bekanntmachen. — refl. sich entfernen *von*.

ge-witere, -witer stn. wetter, unwetter.

ge-witern swv. erweitern.

ge-witze stn. wissen, weisheit, verstand.

ge-wizen stv. mit as. u. dp. vorwurf machen, tadeln wegen (s. *wizen*).

ge-wizzede stfn. wissen, gewissen, bewusstsein.

ge-wizzen part. adj. bekannt; verständig, wissend was sich

schickt, besonnen, gewissenhaft. — stfn. das wissen, die kenntnis, kunde; verständigkeit, erkenntnis dessen was sich schickt; inneres bewusstsein, gewissen.

ge-wiʒʒende stf. einsicht, bewusstsein.

ge-wiʒʒenheit stf. = *gewiʒʒen*.

ge-wiʒʒenlich adj., **-liche** adv. wissentlich, bekannt, offenbar.

ge-won adj. = *gewonlich*.

ge-won, -wonde, -wone stf. gewohnheit, herkommen.

ge-wonen swv. wohnen, verweilen; gewohnt sein, werden mit gen.

ge-won-haft adj. gewohnt mit gen. **-heit** stf. gewohnheit, gewohnte lebensweise. **-lich** adj. subj. gewohnt; obj. gewohnt, der gewohnheit gemäss, hergebracht, üblich, gewöhnlich.

ge-worke s. *gewürke*.

ge-worten swv. durch worte ausdrücken.

ge-wüchze stn. md. geschrei.

ge-wüefe stn. coll. zu *wuof*.

ge-wüeste stn. wüstenei.

ge-wülke, -wulkene stn. coll. zu *wolke, wolken*.

ge-wunscht part. adj. vollkommen.

ge-wunnunge stf. annahme, auserwählung, adoptio.

ge-wuoc stm. erwähnung.

ge-wurc stn. md. würgen.

ge-wurht stf. handlung, wirkende tat, ursache.

ge-würhte stn. was gewirkt, gearbeitet od. getan ist: werk, tat, arbeit, verdienst, bau, gewebe.

ge-würke stn. das wirken, tun; gewirkte arbeit; md. *geworke* bau.

ge-würme, -würmze stn. menge von würmern, kriechenden tieren überh., von schlangen oder drachen.

ge-wurte adj. freudig.

ge-zagel adj. geschwänzt.

ge-zal, -zale adj. adv. schnell, behende, rasch.

ge-zam adj. zahm; geziemend.

ge-zæme adj. geziemend, gemäss, angenehm.

ge-zæme stf. wohlanständigkeit, hübsches aussehen.

ge-zamen, -zemen swv. zahm machen.

ge-zan adj. mit zähnen versehen.

ge-zarre stn. gezerre.

ge-zart adj. lieb, geliebt.

ge-zawe s. *gezouwe*.

ge-zêch adj. gefügt, geordnet, gerüstet, in stand gesetzt.

ge-zêchen swv. anordnen, veranstalten, machen.

ge-zecken swv. necken, zu tun haben *mit* einem.

ge-zelle adv. schnell.

ge-zeln, -zellen swv. zählen; erzählen.

ge-zêlt stn. passgang.

ge-zêlt stn. zelt.

ge-zemde stf. = *gezæme*.

ge-zêmen stv. angemessen finden; geziemen, angemessen, passend sein mit oder ohne dat.; *mich gezimt eines d.* ich finde etw. mir angemessen, achte es für meiner würdig, es gefällt mir.

ge-zemen s. *gezamen*.

ge-zenke stn. coll. zu *zanc*.

ge-zerge stn. = *gezarre*.

ge-zic stm. = *bezic*.

ge-ziehen stv. tr. ziehen; erziehen. — refl. sich ziehen, begeben *in*; *sich gez. úf, zuo* sich worauf beziehen, wozu passen; sich erziehen, eine lehre woran (*bî*) nehmen; *sich úf gez.* hinziehen. — intr. sich auf einen punkt zusammenziehen, ausmachen, betragen; sich fügen, passen, gebühren, ausreichen; mit präp.: *gez. an* nach sich ziehen, *gegen* sich ziehen an, angrenzen, *in* zusammengehören, laufen, *úf* nach sich ziehen, *zuo* mit pers. subj. sich auf etw. berufen, mit sachl. subj. führen zu, nach sich ziehen, sich worauf beziehen, dazu gehören, passen; mit dp. bestimmt, gemäss sein, gebühren.

ge-zierde stfn. = *zierde*.

ge-ziere adj. geschmückt.

ge-ziere stfn. = *ziere*.

ge-ziht stf. beschuldigung.

ge-zile stn. gesträuch.

ge-zîln swv. *einem gelîche g. an,* in etwas gleich tun.

ge-zimber, -zimmer stn. bauholz; bau, gebäude, wohnung; bildl. der leib.

ge-zimmerde stn. bauwerk.

ge-zinde stn. die zacken am hirschgeweih.

ge-zinne stn. die zinnen.

ge-zît stn. zeit; gebetstunde; zeit auf, begebenheit.

ge-ziuc stmn. stoff, zeug; gerätschaft, werkzeug; was zur ausrüstung gehört, kriegerische ausrüstung, waffen, maschine zum kriegsgebrauch, geschütz; gerüstete, reisige schar; euphem. das zeugungsglied, die hoden; zeuge; die gesamtheit der zeugen.

ge-ziuc-bære adj. fähig zeugnis abzulegen. **-brief** stn. handfeste, litterae testimoniales. **-same** stf. zeugnis. **-schaft** stf. dasselbe.

ge-ziuge stn. coll. zu *ziuc*, geräte; was zur kleidung, ausrüstung und bewaffnung gehört; reisige schar.

ge-ziuge swm. zeuge.

ge-ziug-nisse stfn., **-nust** stf. zeugnis, zeugenverhör.

ge-ziune stn. coll. zu *zún*.

ge-ziunen swv. umzäunen.

ge-ziuwe stn. md. = *gezouwe*.

ge-zoc stnm. das hinziehen, säumen; das recht wegzuziehen; appellation; gewaltsames ziehen; wegschleppen, raub, diebstahl; feindseligkeit, feindlicher angriff, kriegszug; auflauf, handgemenge, balgerei; zug, schar, mannschaft, gefolge, heeresfolge; anzug, ausrüstung, kleidung; zugnetz.

ge-zof stn. nachziehende schar.

ge-zogen part. adj. erzogen, wohl erzogen, fein gebildet; zahm; *ab gezogen* abstrakt; *in gezogen* innerlich, nach innen gekehrt, vertieft. — **-heit** stf. wohlgezogenheit, feine bildung. **-lich** adj., **-liche** adv. anständig, artig, fein gebildet.

ge-zôhe stn. gefolge.

ge-zöume, stn. zaumwerk.

ge-zouwe, -zowe, -zawe, -zou stnf. gerät, werkzeug; webstuhl; rüstung; gefährt, wagen.

ge-zouwelich, -zoulich adj. adv. eilig, mit gutem gelingen.

ge-zouwen swv. von statten gehn, gelingen.

ge-zouwer stm. der mit *gezouwe* arbeitet, weber.

ge-zucket part. verzückt.

ge-zühte stn. coll. zu *zuht*, aufzuziehendes oder aufgezogenes, gezüchtetes.

ge-zühtec-liche adv. mit anstand.

ge-zunfte stn. gesellschaft, begleitung.

ge-zünge, -zunge stn. coll. zu *zunge*, zunge; sprache.

ge-zwel adj. je zwei u. zwei.

ge-zweie stn. entzweiung.

ge-zwiden, -zwien, -zwîhen, -zwîdigen swv. willfahren, gewähren.

ge-zwîen swv. zweige treiben, sich fortpflanzen.

ge-zwitter stn. lärm, getöse.

ge-zwîveln swv. ungewiss sein, zweifeln an (*an* oder gen.); unentschieden sein, wanken; verzweifeln.

gezzelin stn. dem. zu *gazze*.

gëzzen stv. (= *ge-ëzzen*) gegessen.

gibe s. *gëbe*.

gibe, gibet adj. = *gœbe*.

gibel stm. giebel (vgl. *gëbel*).

gibel, gibelinc, gibelin stm. anhänger des kaisers, Gibelline.

gibitze, -itz, -iz m. kiebitz.

gickel stm. der kitzel.

gickeln swv. *úf einen g.* über ihn spotten.

gickel-vêch adj. buntscheckig.

gief stm. tor, narr.

giefen stf. törichtes betragen, schreien, lärmen.

giege swm., giegel stm. narr, betörter.

giegen swv. äffen, narren.

giel stm. maul, rachen, schlund.

giemolf stm. (aus *giem-wolf*) den rachen aufsperrender wolf; *ginolf* narr (der hartnäckig das maul aufsperrt).

gierde s. *gërde.*

gieʒ-äder swf. pulsader. -kanel swf., -kopf stm. phiala. -vaʒ stn. giesskanne. -wërc stn. handwerk der metallgiesser.

gieʒe swm. fliessendes wasser, schmaler u. tiefer flussarm, bach.

gieʒec adj. vergiessend (*bluotes g.* blutdürstig).

gieʒen stv. II,2 tr. giessen, in metall giessen, bilden; giessen, aus-, vergiessen. — intr. u. refl. sich ergiessen, strömen.

gift stn. das geben, die gabe, geschenk; datum einer urkunde; übergabe von grundstücken usw., auflassung; gift.

gift-bære adj. giftig.

giftec adj. = *gæbe;* giftig.

giften swv. geben, schenken; vergiften.

gifter stm. geber, stifter.

gigant stm. riese (lat. *gigas*).

gigære, -er stm. geiger.

gige swf. geige.

gigen stv. I, 1 u. swv. geigen.

gigzen, gëkzen swv. gicksen; singultare, sternutare.

giht stf. aussage, bekenntnis, geständnis.

giht stnf. krämpfe, gicht.

giht stf. gang, reise.

gihten swv. tr. bekennen, s. *vergihten;* zum geständnis bringen.

gihten swv. intr. von der gicht befallen sein.

gihtic adj. gichtbrüchig.

gihtic adj. aussagend, geständig; eingestanden.

gihtigen swv. zum geständnis bringen, überführen.

gihtunge stf. aussage.

gil stm. bettel.

gilære, -er stm. bettler, landstreicher.

gilen swv. betteln.

gilen stv. I, 1 übermütig sein. spotten über (gen.).

gilerinne stf. spötterin.

gilf stm. schrei.

gilfe swm. zänker.

gilge, gilje = *lilge, lilje.*

gilgen swv. zur lilie, rein wie eine l. machen.

gilwe stf. gelbe farbe, gelbheit; blässe; gelbsucht.

gilwen swv. tr. *gël* machen; refl. *gël* werden.

gil-wërc stn. bettelei.

gilwerinne stf. die *gëlweʒ* gebende trägt, hure.

gimme stswf. edelstein, juwel; bildl. das herrlichste in seiner art (lat. *gemma*).

gimmen-golt stn. obryzum aurum: geläutertes gold.

gimmin adj. mit edelsteinen besetzt.

gimpel stn. zipfel vom kopftuche.

gimpel-gempel stm. mutwilliger hüpfer, springer, penis; stmn. minnespiel.

gin stn. maul, rachen.

ginen, gënen, ginnen swv. das maul aufsperren, gähnen.

ginge swm. stf. verlangen.

ginnen stv. III, 1 mit sw. prät. = *beginnen.*

ginnern s. *geinnern.*

ginolf s. *giemolf.*

ginster f. = *ganeister.*

giplin stn. dem. zu

gippe stswf. jacke, s. *jope.*

gippe stf. = *gëbe.*

gir, gër adj. begehrend, verlangend, mit gen.

gir stf. = *gër*

gir stswm. geier.

girære stm. der habsüchtige.

girde, gierde, gërde stf. begierde, verlangen.

girdec adj. begierd nach (gen. od. *ze*). adv. -liche.

girhaft adj. dasselbe.

gir-, gir-heit stf. habgier.

giric adj. gierig, begierig nach (gen. *nâch, ze*); habgierig.

girire-heit stf. = *girheit.*

girisch, girisch, giresch, girsch adj. gierig, habsüchtig; adv. *girischen.*

girischen, girschen swv. gierig sein.

girisch-heit stf. = *girheit.*

gir-lich adj., -liche adv. gierig, begierig; begehrenswert.

girn swv. = *gërn, girden.*

girnin adj. von garn.

girnis, gërnis stf. = *girde.*

girsch s. *girisch.*

girstin, gërstin adj. von gerste.

gis stf. schaum.

gischen swv. schäumen.

gischen swv. schluchzen.

gisel stm. n. kriegsgefangener; bürge, geisel.

giseler stm. dasselbe.

giselitze, gislitz stfm. (slav.) eine breiartige speise.

giseln s. *gisel, gisel* sein, werden.

gisel-schaft, -heit stf. bürgschaft, einlager.

gisten s. *jësten.*

git stm., gite stf. gierigkeit, habgier, geiz.

gite, gitec adj. gierig, habgierig, geizig.

gitec-heit stf. = *gît.*

gitec-, git-lich adj. = *gîtec.*

gitegære, gitesære stm. der gierige, habgierige.

gite-heit stf. = *gît.*

giten, gitesen swv. gierig, habgierig sein, geizen.

git-sac stm. geizsack, -hals; giude, göude, güde stf. geräuschvolle freude, jubel; verschwendung; annehmlichkeit, genuss.

giudec adj. verschwenderisch.

giudel, giuder stm. prahler. verschwender.

giuden, göuden, güden swv. prahlen, grosstun, in geräuschvoller freude sein; verschwendung treiben.

giwen, gëwen swv. das maul aufreisen, gähnen.

giz-lich adj. = *gîtec.*

gl- vgl. auch den anlaut *gel-.*

glamme stswf. glut.

glan adj. träge.

glanc s. *gelanc.*

glander adj. glänzend, schimmernd. — stmn. glanz, schimmer.

glandern swv. glänzen.

glanst stm. glanz.

glanster, glenster stm. funke.

glanstern swv. glänzen, strahlen (vgl. *glinstern*).

glanz adj. hell, glänzend.

glanz stm. glanz, schimmer.

glarren swv. stieren (s. *verglarren*).

glarr-ouge swn. anstierendes auge.

glas stn. glas; aus glas gemachtes: trinkglas, glasgefäss, lichtgefäss, fensterscheibe, fenster, spiegel, brille; glaserz; glasartige masse, glasfluss, nachgemachte edelsteine.

glasc-vënster stn. glasfenster.

glas-öuge adj. glasäugig (augenkrankheit).

glast stm. glanz.

glasten swv. glänzen.

glas-wërc stn. glasfenster; gewerbe des glasers und glasmalers.

glat adj. glatt, glänzend.

glatzec. glatʒëht, glatzet adj. kahlköpfig.

glavin, glevin; glavie, glevie, glëve kontr. glê, glën stswf. lanze, reiter der eine lanze führt, pl. kleiner haufe solcher reiter (afz. *glaive* v. lat. *gladius*).

glaʒ, -tzes stm. kahlkopf, glatze, obere fläche des kopfes.

glê, glei s. *glavin, glavin.*

gleie s. *gloie.*

gleif adj. schief. schräge.

gleif stm. das abschüssige, schiefe, schiefe stelle.

gleifen swv. intr. schräge sein, hin und her irren.

gleim, gleime s. *glîme.*

gleimel stn. glühwürmchen.

glên s. glavîn.
glênsten, glênstern s. glinst-.
glenster s. glanster.
glenz, glenze stmn. aus ge-
lenz: frühling.
glenze stf. glanz, schimmer.
glenzec adj. glänzend.
glenzen swv. intr. glanz hervorbringen, leuchten. — tr. u.
refl. glanz (adj.) machen.
glenzieren swv. glänzen.
gleselin stn. dem. zu glas.
glesin, gleserin adj. von glas
oder glasmasse.
gleste stf. = glast.
glestec adj. glänzend.
glesten swv. intr. glast hervorbringen, glänzen. — tr.
glänzend machen.
glester stm. = glast, gleste.
glêt stm. hütte; vorratskammer, keller (slav. klet).
glete stf. glätte; glasartige,
glänzende bleischlacke, die sich
fettig anfühlen lässt.
gleten swv. glat machen.
gleve, glevîe s. glavîn.
glîch s. gelîch.
glîdinc, -ges stm. schreihals.
glîen stv. I, 2 (prät. glei, glê
pl. glirn) schreien, bes. von
raubvögeln.
glîfen stv. I, 1 schräge, abschüssig sein.
glim, -mmes stm. funke.
glime, gleime, gleim swm.
glühwürmchen.
glimen stv. I, 1 leuchten, glänzen.
glimmen stv. III, 1 glühen,
glimmen.
glimsen swv. dasselbe.
glinc s. gelinc.
glindêht adj. lubricus.
glinden stv. III, 1 gleiten.
glins stm. glanz.
glinsen swv. glimmen.
glinsten, glênsten swv. glänzen, strahlen.
glinster stnm., glinstere stf.
glanz.
glinstern, glênstern swv.
glänzen, strahlen.
glinzen stv. III, 1 schimmern,
glänzen.
glisenære s. gelîchsenære.
glisterie stn. = klister.
glit s. gelit.
glit stm. fall, ausgleiten.
gliten stv. I, 1 gleiten.
glitsen swv. gleiten.
glitze, klitze stf. eine art
spiess.
glitze stf. glanz; glatze.
glitzen swv. glänzen.
gliz, -tzes stm. glanz.
gliʒ, gliʒe stmf. glanz.
gliʒ, gliz adj. glänzend.
glizzen stv. I, 1 glänzen, leuchten, gleissen.
glocke, glogge swstf. glocke;
glockenförmiges kleid.

glöckelin stn. glöcklein.
glockenære, gloggenære, -er,
glöckeler stm. glöckner.
glocken-klanc stm. glocken-
schall; das recht die sturmglocke läuten zu lassen, durch
sie aufzubieten.
glocke-, glocken-spîse stf.
glockenmetall.
gloie, gleie swf. schwertlilie
(afz. glai, glaie).
glôrieren swv. prangen.
glôrje stswf. ruhm (lat. gloria).
glôse stswf. erklärende an-
merkung, auslegung; sinn (gr.
lat. glossa).
glosen swv. glühen, glänzen.
glôsen, glôsieren swv. auslegen, deuten, erklären.
gloste, glost stf. glut, hitze.
glosten swv. = glosen.
glotzen swv. glotzen, stieren.
glûch s. gelûch.
glûche adj. glänzend.
glucken swv. klucken.
glücke s. gelücke.
glüejen, glüegen, glüewen,
glüen swv. tr. u. intr. glühen.
glüendic adj. glühend.
glufe f. stecknadel.
glunke swf. baumelnde locke.
glunkern swv. baumeln.
glunse swf. funke.
glünsen swv. glimmen.
glunst stm. s. glanst.
gluot stf. glut, feuer, glühende kohlen.
glûre swf. = lûre.
glutenie stf. art der unkeuschheit.
gnaben, gnappen swv. wak-
keln, hinken.
gnâde s. genâde.
gnanne s. genanne.
gnarren swv. md. knurren.
gnaz, -tzes stm. schorf, ausschlag, gnätze; knauserei.
gneist s. ganeist.
gnepfen swv. sich neigen,
hinken.
gnippe swstf. messer, stechmesser, dolch.
gnist s. genist.
gnist stm. grind, sanies.
gniten, gniden stv. I, 1 reiben.
gnôte s. genôte.
goberen swv. geoberen.
goder stm. gurgel, schlund.
goffe, guffe swstf. clunes.
goffen swv. auf die goffe
schlagen.
gogel, gôl adj. ausgelassen,
lustig, üppig. — stm. ausgelas-
sener scherz, possen.
gogelen swv. sich ausgelassen
gebärden, hin und her gaukeln,
flattern; schreien, krächzen.
gogel-heit stf. ausgelassenes
wesen. -lich adj. = gogel.
-vuore stf. treiben von possen
oder torheit. -wîse stf. possen, ausgelassenheit.

gogen swv. = gogelen.
gôl s. gogel.
göldelin, göldel stn. dem. zu
golt; s. v. a. goltbüschel.
gölderie stf. goldwäscherei.
golenzen swv. intens. zu goln.
golfe swm. prahler.
gollen swv. unpers. mit dat.
zuwider sein.
gol-lieht stn. unschlittlicht.
gollier, kollier; goller, koller
stn. halsbekleidung, koller an
männl. und weibl. kleidung;
kummet der pferde (fz. collier).
goln swv. laut singen, johlen;
lassen herumfahren.
golsch s. kölsch.
golt, -des stn. gold; schmuckwerk usw. aus gold. diu sunne
gât ze golde = geht unter.
golt-bërc stn. goldbergwerk.
-büschel stn. weibliches schamhaar. -drât stm. golddraht.
-esche swf. goldstaub. -gar adj.
goldbeschlagen. -gesmide stn.
goldschmuck. -gimme swf. wie
gold schimmernder edelstein.
-greber stm. kanal-, abtritträumer. -grien stm. sandbank
zu goldwäscherei. -grüʒ stmf.
goldkorn. -klenke stf. goldene
schelle. -lîm, -leim stm. auri-
pigment. -lüter adj. rein wie
gold. -mâl stn. goldverzierung
am helme. -masse swf. gold-
klumpen. -reit adj. goldgelockt.
-rôt adj. von gold, goldverziert.
-satz stm. gold (im flickreim).
-schæper stm. goldvlies. -smit
stm. goldschmied. -stein stm.
edelstein der wie gold aussieht,
topas; probierstein. -trager
stm. goldfinger. -trehtec adj.
goldtragend. -var adj. gold-
farb, wie golden, goldverziert.
-vaste stswf. quatemberfasten.
-vaʒ stn. goldenes gefäss. -vël
stn. goldblech. -vinger stm.
goldfinger. -wërc stn. gold-
arbeit. -wine stm. freund, den
man durch freigebigkeit er-
wirbt, festhält: vasall. -zein
stm. goldstäbchen.
golter s. kulter.
golze s. kolze.
gome, goume, md. gume swm.
mann. gom-man m. mann.
gorge swm. gurgel, kehle.
gorgeln swv. gurgeln.
gorre s. gurre.
got stm. gott (Christus); abgott, götze (pl. gote, göte, göter).
got-bildec adj. = got-formec.
-dæhtec adj. an gott denkend,
fromm. -formec, -formelich adj.
wie gott gestaltet. -hûs stn.
gotteshaus, kirche; kirchen-
gebiet. -lîchnam stm. leichnam
gottes, heil. abendmahl. -liep
adj. gottgefällig. -meinen stn.
liebe zu gott. -mensche swm.

menschgewordener gott. **-sun** stm. gottsohn. **-var** adj. wie gott aussehend, von gott durchströmt. **-vorhtec** adj. gottesfürchtig. **-wêrt** adj. = *gotliep.*

göte, götte swm., **gote, gotte** swf. das aus der taufe gehobene kind, patenkind; pate, patin.

gotec adj. göttlich.

gote-, got-heit stf. göttliches wesen, gottheit.

gote-, göte-, got-, göt-lich adj., **-liche** adv. von gott ausgehend, sich auf gott beziehend, göttlich; gottselig, gottesfürchtig, fromm; gottähnlich, gottverwandt.

gote-lôs adj. gottverlassen.

gotes-vriunt stm. zur sekte der gottesfreunde im oberland gehörig; gottesfreund allgemein.

gôtide stn. pate, patin.

gotinne, gütinne, gotin, gotin stf. göttin.

göt-lich s. *getelich, gotelich.*

gotte, götte s. *göte.*

götze swm. gottesdienstliche bildsäule, heiligenbild.

göu, gou, -wes stn. gegend, landschaft gau.

gouch stm. kuckuck; buhler, tor, narr, gauch.

gouchelin, göuchelin, göuchel stn. dem. zu *gouch*; vulva.

gouchen swv. intr. wie ein kuckuck schreien; ein narr werden. — tr. narren, äffen.

göucherie stf. narrheit.

gouchin stf. närrin.

göude s. *giude.*

gön-dinc stn. gericht des gaugrafen. **-grâve** swm. gaugraf. **-huon** stn. gau-, zinshuhn; bildl. name für die bauern. **-liute** pl. landleute. **-man** stm. landmann. **-phâwe** swm. landpfau; übermütiger, auf seine kleidung eingebildeter bauer. **-volc** stn. landvolk. **-wîse** stf. bäurisch-laute freude.

goufe f. kopfbedeckung unter dem helme (afz. *coife*).

goufe swf. die hohle hand.

göufler stm. der heimlich entwendet, dieb.

göuf-lich adj. diebisch, raubschützenmässig.

gougern swv. umherschweifen.

goukel, gougel stn. zauberei, zauberisches blendwerk; närrisches treiben, possen.

goukelære, gougelære stm. zauberer, gaukler, taschenspieler.

goukel-bilde stn. betrügerisches bild, wie es ein taschenspieler zeigt. **-bühse** swf. taschenspielerbüchse. **-huot** stm. hut dessen sich die gaukler bedienen. **-sac** stm. sack eines gauklers, narrensack. **-spël** stn. possenhafte erzählung od. rede. **-spil** stn. blendwerk, gaukelspiel, possen. **-varwe** stf. unechte farbe. **-vuore** stf. treiben von zauberei od. betrügerischem blendwerk.

goukelie stf. blendwerk.

goukeln, gougeln swv. zauberei, gaukelpossen oder taschenspielerei treiben.

goukelunge stf. zauberei.

goume s. *gome, guome.*

goume, goum stfm. mahlzeit; prüfendes aufmerken.

goumel, goumer stm. aufseher, hüter.

goumen swv. eine mahlzeit halten; aufsicht haben, wache halten, mit gen. auf etw. acht geben, wonach trachten. — tr. behüten.

göuwisch adj. bäuerisch.

gôvenanz s. *côvenanz.*

gôʒ stmn. guss, regenguss; metallguss, gegossenes gefäss, bild; kalkguss, mörtelbekleidung des mauerwerks.

grâ, -wes adj. grau, bes. altersgrau. — stn. graue farbe, das grau; art pelzwerk, grauwerk.

grabære, greber stm. graveur; gräber, totengräber.

grabe swf. spaten.

grabe swm. graben; spazierweg um den stadtgraben.

grâbe s. *grâve.*

grabe-lege, -legede stf. grablegung.

grabelin, grebelin stn. kleiner *grabe*; grübchen.

graben stv. VI graben; eingraben, gravieren; begraben; grübeln, forschen (*nâch, ûf*).

grabe-schît stn. grabscheit.

grab-isen stn. grabstichel.

gracie f. immunität (lat. *gratia*).

graft, graht stf. (md. nd.) der graben; begräbnis.

gral, -lles stm. schrei.

grâl stm. der hl. gral; bildl. das teuerste, liebste; ritterspiel der bürger in nd. städten (afz. *graal*, mlat. *gradalis*).

grâlen swv. wie der *grâl*, so vollkommen wie der *gr.* sein.

gram adj. zornig, unmutig; erzürnt, aufgebracht über, mit gen.; feindselig erzürnt, mit dat.

gram stm., **grame** stf. unmut, zorn.

gramaʒie f. = *nigramanzie* die schwarze kunst, dann überh. gaukeleien, possen.

gram-bizen stv. zornig mit den zähnen knirschen.

gramen swv. *gram* sein (dat.).

gramerʒi stm. dank (fz. *grand merci*).

gramerʒine stf. dasselbe.

grampieren swv. sich auf die

hinterbeine stellen (frz. *se ramper*).

gram-vogel stm. raubvogel.

gran, grane stswf. haarspitze, barthaar bes. an der oberlippe; stachlichtes haar, granne, gräte.

grân, gran stf. scharlachfarbe (afz. *graine*, mlat. *grana*).

gränät stm. der granat; granatapfel (mlat. *granatus*).

grande s. *grant.*

grande-wërre s. *grantwërre.*

gran-hâr stn. milchhaar. **-sprunge** adj. dem das barthaar keimt. **-sprunge** stf. das hervorkeimen des barthaares.

grannen, granen, grennen swv. intr. weinen, flennen; *an einen gr.* ihn angreifen. — tr. bejammern.

grans s. *gerans.*

grans stm. schnabel der vögel; maul oder rüssel anderer tiere; vulva; hervorragender teil eines körpers; schiffsschnabel (s. *rans*).

gränsel stn. dem. zum vorig. (*tüttels gr.* kleine brustwarze).

grant, -des stm. trog; behälter, schrank; grund, unterlage.

grant, grande adj. gross, heftig (fz. *grand*).

grant-, grande-wërre swm. ein grosser, heftiger *wërre* (auch *krantwêr, -wërre*).

grap, -bes stn. das grab; katafalk.

gräpen, grappen swv. tasten, greifen.

gras stn. gras, grasbewachsener ort (*bî grase* formelhafter ausdruck für: im sommer).

grâ-schaft s. *grâveschaft.*

grasec adj. mit gras bewachsen.

gräsel stn. grashalm.

grasen swv. intr. grasen, gras schneiden. — tr. weiden.

graser, greser stm. graser, jäter.

graserinne stf. graserin, jäterin.

gras-hei stn. gehegter grasplatz. **-heie** swm. der grashüter, der mai. **-hof** stm. rasenplatz, garten. **-sprinkelin** stn. grasfleckchen. **-var** adj. grasfarb.

grât, -tes, -des stm. stufe, grad (lat. *gradus*, vgl. *grêde*).

grât, -tes stm. gräte, fischgräte; die hervorstechende scharfe spitze an ähren, disteln usw.; rückgrat; bergrücken; die mitte eines d.

grætec adj. stachlig, spitz.

gratte s. *kratte.*

grâve swm. königl. gerichtsvorsitzer; graf (md. *grâbe*, *grêve*, *grêbe*).

grâve-, gräf-schaft, grâ-schaft stf. grafschaft.

grævinne, grævin stf. gräfin.
græwe, grâwe stf. graue farbe.
grâwen, græwen swv. intr.
grâ sein od. werden, altern. —
tr. *grâ* machen.
graʒ, -ʒʒes stn. sprossen od.
junge zweige vom nadelholz.
graʒ adj. wütend, zornig.
graʒ, grâʒ stm. wut, übermut.
grâʒen, grâʒieren swv.
schreien, aufschreien, wüten,
sich übermütig od. anmasslich
gebärden (von pferden u. menschen); laut u. hastig jagen *nâch*.
græʒ-lich adj. zornig.
graʒʒach stn. coll. zu *graʒ* 1.
grêbe s. *grâve.*
grebelin s. *grabelin.*
greber s. *grabære.*
grêch s. *gerêch.*
grêde, grête stswf. stufe,
treppe an od. in einem gebäude; stufenartiges unterlager für waren (lat. *gradus*).
grêden swv. mit einer *grêde*
versehen.
greibe adj. herbe.
greifen swv. greifen, tasten.
greinen swv. *grînen* machen.
grêl adj. rauh, grell, zornig.
grêl, -*lles* stn. schrei.
grel, grelle stswf. das kral-
lende, stechende; dorn, gabel,
spiess.
grêllen stv. III, 2 laut, vor
zorn schreien.
gremde stf. = *gram* stm.
greme-lich adj. = *gram.*
gremen swv. tr. *gram* machen; refl. sich grämen. — intr.
= *gramen.*
gremic, gremisch adj. feindselig erzürnt.
grempel stm. saurer trank.
grempeler, grempler; grem-
pener, grempner, gremper stm.
kleinhändler, trödler.
grempeln, grempen swv. handel im kleinen treiben, trödeln.
gremperî stf. kleinhandel.
gremzen swv. = *gremen*;
murren, aufbrausen.
grêndel s. *grindel.*
greniz, grenize stf. grenze
(slav. *graniza*).
grennen s. *grannen.*
greselin stn. dem. zu *gras.*
greser s. *graser.*
grête s. *grêde.*
grêten swv. in weiten schritten auseinander spreizen.
grêve s. *grâve.*
griebe swm. griebe, griefe.
grien stmn. kiessand; sandiges ufer, sandiger platz.
grienen swv. md. sich regen.
grienîc adj. sandig, mit einem
sandufer.
grieʒ stmn. sandkorn, sand,
kiessand; grobgemahlenes getreide, griessmehl; blasenstein;
bes. sand am ufer und am

grunde des wassers; sandiges
ufer, meeresstrand; sandbe-
deckter platz, kampfplatz.
grieʒec adj. sandig, körnig.
grieʒen stv. II, 2 zerkleinern,
zermalmen; (wie *grieʒ*) streuen,
schütten.
grieʒ-sant stm. grobkörniger
sand, kiessand. -stange swf.
stange des *grieʒwarten.* -stein
stm. sandkorn, kies; sand-,
mühlstein. -wart, -warte
stswm. aufseher u. richter der
gerichtl. (auf dem *grieʒ* statt-
findenden) zweikämpfe. -war-
tel stm. dasselbe.
grif, -*ffes* stm. der griff, das
greifen, tasten, betasten; klaue;
umfang, zugehör.
grife, grif swstm. der vogel
greif (gr. γρύψ, mlat. griphus).
grifec adj. wonach greifend,
zu nehmen geneigt mit gen.
grifelin stn. kleiner greif.
grifen stv. I, 1 intr. tasten,
fühlen, greifen, fassen, hand an
etw. legen (*über sich gr.* über
seinen stand hinausgreifen). —
tr. fassend berühren, ergreifen.
grifiec adj. greifbar.
griffel stm. griffel, schreib-
griffel (lat. *graphium*).
griffelære stm. der tief ein-
greift, die wahrheit aufdeckt.
griffeln swv. wiederholt greifen.
grif-lich adj. greifbar, sinnlich.
grift stf. das greifen, an-,
umfassen; begreifen.
grill, -*lles* stm. greller schrei,
pfiff.
grille swmf. grille (gr. lat.
gryllus).
grim, -*mmes* stm. wut, grimm,
wildheit.
grim, grimme adj. grimm,
unfreundlich, schrecklich, wild;
schmerzlich.
grimme adv. zornig, un-
freundlich, wild; schmerzlich;
heftig, sehr.
grimme stf. = *grim* stm.
grimme swm. bauchgrimmen.
grimmec, grimmic adj. = *grim.*
-heit stf. = *grim, grimme.*
-(grimme)-lich adj., -liche adv.
= *grim, grimmec.*
grimmede stf. grimm, unmut.
grimmen s. *krimmen.*
grimmen stv. III, 1 vor zorn
od. schmerz wüten; tobend
lärmen, brüllen; mit dat. zürnen, wüten mit.
grimmigære stm. wüterich.
grimsic adj. grimmig, wütend.
grimsic-heit stf. grimm, wut.
grin stm. lautes geschrei, gewieher.
grindel, grintel, grêndel stm.
riegel, balken, stange.
grinden stv. III, 1 sich öffnen,
klaffen, bellen.

grinden swv. intr. grindig
werden.
grinen stv. I, 1 den mund verziehen (lachend, knurrend, win-
selnd, weinend); brüllen.
grinnen stv. III, 1 = *grimmen.*
grint, -*tes* stm. der grind,
grindkopf; verächtl. für kopf.
grint stm. = *grîn.*
grintec, grintêht adj. grindig.
grint-hâr stn. kopfhaar, -hou-
bet stn. grindkopf.
gripfen, kripfen swv. greifen,
fassen, raufen.
gris adj. grau, greis.
grise swm. der greis.
grise stf. grauheit.
grisen swv. intr. *grîs* werden.
grise-lêht adj. rauh.
gris-gram stm. zähneknir-
schen. -gramen, -grammen,
-grimmen swv. mit den zähnen
(wie mahlend) knirschen, brummen, knurren.
grisine, -*ges* stm. greis.
grîsvar adj. grau.
grit stm. alem. = *gît.*
gritec, gritic adj. = *gîtec.*
griten stv. V? die beine auseinanderspreizen.
grius- s. auch *grûs-.*
griuseln swv. iterat. zu *grûsen.*
grius-lich adj. grausen erregend.
griusline stm. = *griuwelinc.*
griuwe s. *grûwe.*
griuwel stm., griul, griule,
stswm. schrecken, grauen,
greuel.
griuwe-, griu-lich adj. schrekken oder grauen erregend, grausig, greulich.
griuweline, -*ges* stm. einer der
grauen erregt.
griuweln, grûweln, griulen,
grülen swv. unp. mit dat. od.
acc. grauen.
griuʒe stn. enthülste körner,
grütze.
griuʒel stn. dem. zu *grûʒ*,
körnchen.
griuʒeler stm. der mit *griuʒe*
handelt.
griuʒinc, -*ges* stm. weizenbier.
grîʒen s. *krîʒen.*
grobe-lich adj., -liche adv.
gross, stark, heftig, sehr.
grogezen swv. heulen, wehklagen.
grolle swm. groll.
grop, -*bes*, grob adj. an masse
gross, dick u. stark, reichlich;
unfein, ungebildet; nicht wohl
angemessen.
grope, groppe swf. md. weiter eiserner kochtopf.
grop-, grob-heit stf. dicke;
unebenheit, rauheit; materialität; ungebildetheit.
grôpiere stf. pferdedecke (fz.
croupière).

gros, grosse stswm. groschen
(mlat. *grossus*).
grôʒ adj. gross (mit gen. des
masses *armes*, *des lîbes*, *der
jâre gr.*); dick, ungeschickt,
gross u. dick; dick infolge der
schwangerschaft; auffallend,
bedeutsam, stark, viel; angesehen, vornehm.
grôʒe, grôʒ adv. dick; sehr.
grœʒe stf. grösse, dicke.
grôʒec-liche adv. sehr,
aufs höchste.
grôʒeʒen swv. magnificare.
grôʒen swv. gross, dick
(schwanger) werden, an wachstum zunehmen.
grœʒen swv. tr. gross machen;
refl. sich ausdehnen.
grôʒ- (grœʒ)-lich adj. gross.
-liche adv. sehr, aufs höchste.
-müetec adj. myst. voll selbst-
vertrauen. -müetekeit stf. hoher gedankenflug.
grôʒʒe swm. = graʒ stn.
grôʒʒinc, -ges stm. schössling,
junger waldbaum (s. graʒ 1).
grübel stm. *der helle grübel*
teufel.
grübelen swv. bohrend graben, grübeln *nâch*; unpers. mit
dat. jucken.
grüebelin stn. dem. zu *gruobe.*
grüejen swv. (prät. *gruote)*
grünen, wachsen.
grüene adj. grün (*gr. werden*
sich erholen, zu kräften kommen); frisch, roh (*grüeneʒ
vleisch).* — stf. grüne farbe, grünheit; grün bewachsener boden
oder ort.
grüenede stf. grüne farbe.
grüene-keit stf. grünheit.
grüenen swv. tr. *grüene* machen. — refl. sich frisch erhalten; intr. = *gruonen.*
grüen-mât stn. grummet,
gras, das *grüen* (unreif) gemäht wird. -var adj. grün.
grüeten swv. in *gruot,* in grün
stehn, grünen.
grüeʒe s. *gruoʒe.*
grüeʒec adj. grüssend, gerne
ansprechend und grüssend.
grüeʒen swv. anreden, an-
sprechen um zu grüssen, um
auf-, herauszufordern, um an-
zutreiben, zu beleben; beunruhigen, angreifen; züchtigen,
strafen.
grüfelin, grüfel stn. = *griffel.*
gruft, kruft stf. gruft, höhle,
höhlung (mlat. *grupta* aus gr.
lat. *krypta).*
grülen s. *griuweln.*
grüllen, grullen swv. höhnen,
spotten *üf;* grollen.
grulz stm. lärm, aufruhr.
grume swm. wütender
schmerz.
grûn s. *kruon.*

gründec adj. auf den grund
gehend, gründlich.
grundel, grundelinc, -ges stm.
grundel, gründling.
grunde-lôs adj. s. *grunt-lôs.*
gründen swv. abs. grund finden, auf den grund kommen. —
tr. festen grund für etw. legen;
auf den grund einer sache gehn,
gründlich erörtern, kundgeben.
grunt, -des stm. unterste
fläche eines körpers oder raumes, grund (*von grunde* von
grund aus, gründlich, *ze grunde*
bis an den grund, gründlich);
tiefe, abgrund; das innerste,
tiefste wesen (gottes, der seele);
vertiefung, schmales tief einge-
schnittenes tal, schlucht; niederung, ebene; grund und boden, erde, fundament; ursprung,
berechtigung, ursache; grundstück, grundeigentum.
grunt-bœse adj. sehr schlecht.
-brief stm. urkunde über grund-
rechte. -buoch stn. kataster.
-effin stf. erzäffin. -lich adj.
tief; adv. von grund auf. -lôs,
-lôselich adj. unergründlich,
abgrundtief. -lôsekeit stf. un-
ergründlichkeit. -neigen stn.
neigung von grund aus. -rëht
stn. abgabe an den grundherren.
-rihter stm. richter über grund
und boden. -ruore stf. die
strandung eines schiffes; das ge-
strandete gut und dessen verlust, strandrecht. -sê stm.
tiefer see. -sopfe swf. grund-
suppe, bodensatz, hefe. -übele
adv. sehr übel. -veste, -vestene
stf. grundfeste, fundament; innerstes wesen. -vesten, -ve-
stenen swv. gründen, bauen *ûf.*
-visch stm. = *grundel.* -walle
swm.? das wallen von grund
auf. -wëlle f. der wellenschlag
an untiefen, die brandung.
grunzen swv. murmurare.
grunzëht adj. qui murmurat.
gruo adj. grün.
gruo stf. grüne wiese, matte.
gruobe stswf. grube; steinbruch; loch, höhlung.
gruobe-hol stn. grube.
gruoben swv. eine grube graben.
gruonen swv. grün od. frisch
werden od. sein.
gruose stf. saft der pflanzen,
sowie der junge trieb, grüne.
gruot stf. das grünen, der
frische wuchs.
gruoʒ stm. freundliches ansprechen, begrüssung, gruss;
entgegenkommen in feindl.
sinne, angriff, anfechtung, beunruhigung, leid; anklage.
gruoʒe, grüeʒe stf. anrede,
gruss.
gruoʒ-bære adj. gruss bringend, zu grüssen verpflichtet.

gruoʒsal stnm. gruss, be-
grüssung; beunruhigung, leid.
gruoʒ-, grüeʒ-sam adj. gruss-
beflissen, freundlich.
grûs stm. grausen, schrecken.
grûs adj. graus, schrecklich.
grû-sam s. *grûwesam.*
grüsch stn. kleie.
grûse swm. grausen, gegenstand des grausens, schreckbild.
grûse stf. = *grûs* stm.
grûselëht adj. grausen erregend.
grûsen, griusen swv. intr. u.
refl. grausen empfinden; unpers. mit dat., acc. u. gs.
grûsen-lich adj. = *griuslich.*
grust-gramen swv. = *gris-
gramen.*
grutsch, grutz m. hamster.
grützen-vrâʒ stm. pultivorax,
breiesser.
grûwe, griuwe swm. grausen.
grûwen swv. intr. u. unpers.
= *grûsen.*
grûwenisse stn. grauen, greu-
lichkeit.
grûwesal adj. greulich.
grûwe-sam, grûsam, grû-
samlich adj. grauen, schrecken
erregend.
grüʒ stmf. korn, von sand
oder getreide; grütze; bildl. das
geringste; s. v. a. *griuʒinc.* -wërt
stn. was einen *grûʒ* wert ist.
guc, guc-, gug-gouch stm.
kuckuck.
gucke swm. ein gefäss für
flüssigkeiten.
gucken swv. schreien wie ein
kuckuck.
gücken, gucken swv. neu-
gierig schauen, gucken.
guckes stm. der kux od. anteil im bergbau (slav.).
guckezen, guckzen swv. intens. zu *gucken:* schreien wie
der kuckuck.
gûde s. *giude.*
güefen swv. rufen, schreien.
güenl- s. *guotl-.*
güete stf. güte, gutheit.
güetec adj. *güete* habend, gut,
gütig, freundlich; prodigus; -liche
adv. in güte. -heit, güetikeit stf.
innerstes wesen. -vesten, -ve-
güetelin, güetel stn. kleines,
geringes gut; kleines kleingut.
güeten swv. tr. *guot* machen;
mit einem *guote* versehen. —
refl. u. intr. sich als *güete* od.
guot erweisen.
güet-lich s. *guotlich.*
gûf, guffe s. *guof, goffe.*
guft, guht stm. lautes rufen,
schreien, schall; laute freude,
freudiger mut, herrlichkeit;
übermut; prahlerei, übertreibung.
güftec adj. freudig; übermütig, üppig; in übermut bringend;
-lich adj. freudig, übermütig;

-liche adv. auf übermütige, prahlende weise.

güften, guften swv. intr. seine freude laut äussern, übermütig sein; fliegen; erschallen. — tr. schreien, zurufen; durch rufen bekanntmachen, rühmen, verherrlichen. — refl. mit gen. sich rühmen; sich freudig od. übermütig begeben zuo.

guft-erschallen stn. prahlerisches jubeln. -lich adj. hoch, herrlich; prahlend, prahlerisch.

gugelære, gugler stm. der eine gugel trägt; stoff aus dem gugel gemacht werden.

gugele, gugel, kugel, kogel swstf. kapuze über den kopf zu ziehen am rock od. mantel (mlat. cuculla v. lat. cucullus).

gugel-gopf stm. ein scheltwort. -han stm. gockelhahn.

-(kugel-)huot stm. kapuze. -roc stm. rock mit einer kapuze. -zipf, -zipfel stm. zipfel der kapuze.

gugelin stn. kleine kapuze.

gugen swv. sich hin und her wiegen, schwanken.

gügerël stmn. kopfschmuck der pferde.

gugg-aldei stm. kuckuck.

gug-gouch s. gucgouch.

gûl stm. eber u. sonst männl. tier; bestie, ungeheuer; gaul.

guldîn adj. von golt (guldîn jâr jubiläum). — (gulden) stm. (näml. der guldîn phenninc) goldmünze, gulden.

gülen swv. misshandeln.

gülle swf. lache, pfütze.

gült stn. einkünfte tragendes gut.

gültære stm. gläubiger.

gülte stf. was zu gelten ist od. gegolten wird; schuld, zahlung; einkommen, rente, zins; wert, preis.

gülte swm. = gëltære.

gülte-bære adj. zinspflichtig. -gëbe adj. dasselbe. -haft adj. in schulden steckend; -haftec zinspflichtig. -korn stn. annona.

gültic adj. im preise stehend; teuer; zu zahlen verpflichtet.

gum m. maulaufsperrer.

gume s. gome.

gumin stn. harz.

gumpe swm. wasserwirbel, tiefe stelle in einem gewässer.

gumpel stm. springen, scherz.

gümpel stm. gimpel (der vogel) u. obsc. für penis.

gumpel-man stm., pl. -liute springer, possenreisser. -mære stn. närrische, komische erzählung. -site stm. = gampelsite. -spil stm. = gampelspil.

gumpeln swv. possen reissen.

gumpen swv. hüpfen, springen.

gumpenie stf. = hoppenie.

gumpenie kompanie.

gumpost s. kumpost.

gün-lich adj., -liche stf. s. guot-lich, -liche. günlichende. part. glorificans.

gunnen, günnen an. v. mit dat. u. gen. gern an jemand sehen, gönnen; vergönnen, erlauben, gewähren mit dat. u. gen. (auch acc., inf. od. nachs. mit daz).

günner, gunner stm. gönner, freund, anhänger.

gunseln swv. md. winseln, wehklagen.

gunst stf. anfang.

gunst, guns stfm. gunst, gewogenheit, wohlwollen; das verleihen; einwilligung, erlaubnis.

günste-bære adj. = günstic.

gunster stm. der günstig ist.

günstic adj. wohlwollend, gewogen. -, günst-lich adj., -liche adv. dasselbe.

gunt, -des stm. = gunst.

gunterfeit s. kunterfeit.

guof stfm. md. gûf = guft.

guofen swv. — güften.

guome, goume; guom, goum swstm. gaumen.

guonl- s. guotl-.

guot adj. tüchtig, brav, gut, von gutem stande, vornehm; passlich, tauglich, brauchbar (guote liute angesehene, ehrenhafte leute, auch von demütigen und bussfertigen sündern, von siechen leuten gebraucht); mit dat. u. persönl. subj. freundlich, gnädig, behilflich, mit dat. od., präp. ze, vür u. sächl. subj. nützlich; ez guot tuon die sache, die man vor hat, gut machen bes. vom kampfe. — stn. gutes (durch, in guot in guter absicht, in gutem sinne; mit guote in güte, wohl, in, ze guote in, zu gutem); gut, vermögen, besitz; landgut.

guoten swv. guot sein.

guoten-, guotem-tac stm. (schwäb. alem.) mittwoch, montag, nd. gôdenstag (aus Wôdanestag), mittwoch).

guot-dunken stm. gutdünken, myst. dünkel. -dunklicheit stf. selbstzufriedenheit. -heit stf. güte. -hërzec adj. gutes herzens. -(güet-)lich ad., -liche adv. angegl. guollich entstellt guon-, güenlich: gut, gütig; liebreich, freundlich; ruhmvoll, herrlich. -liche stf. angegl. guollîche, entstellt güenlîche: ruhm, herrlichkeit. -lôs adj. ohne gut, arm. -sælec adj. durch vermögen beglückt. -swendære stm., -swende swm. der gut verschwendet; verschwender. -tât, guotât stf. gute tat, gutes werk; wohltat,

stiftung, geschenk; gutes tun bes. im kampfe. -tæte stf. gutes werk. -tæter stm. wohltäter. -willekeit stf. myst. = miltekeit des guotes. -willic adj. guten willen habend, wohlgesinnt.

güpe swf. giebelvorbau. erker.

gupf, gupfe stswm. spitze, gipfel; md. kuppe swf.

gupfe = kupfe 3. goufe 1.

gupfen swv. stossen.

gurgele, gurgel swf. gurgel.

gurgeln, gorgeln swv. gurgeln; einen gurgelnden ton hervorbringen.

gurre, gorre swf. schlechte stute, schlechtes pferd.

gürrelîn stn. dem. zum vorig.

gurren swv. den laut gur, gur hervorbringen.

gurrit, gursit s. kurrit, kursit.

gurt stm., gürtel stm. stswf. gürtel(als er mit gürtel bevangen, umbvangen ist ohne mehr als die kleidung, die er eben auf dem leibe hat, wie er geht u. steht).

gürtel-borte swm, gürtel. -maget stf. kammerjungfer. -mer stn. mittelländ. meer. -tübe swf. turteltaube.

gürtelin stn. kleiner gürtel.

gürten, gurten swv. gürten, umgürten; den pferde den gurt anlegen mit acc. od. dat.

gurt-hose swf. beinrüstung.

güsel stn. abfall beim dreschen.

gus-rëgen stm. platzregen.

güsse stf. n. anschwellen u. übertreten des wassers, schwall, überschwemmung.

güssec adj. vom regen angeschwollen, flutend.

gussel s. jusselin.

güsseln swv. fließen, strömen.

gusten swv. besänftigen.

guster s. kuster.

gütel stm. ein scheltwort.

gûter s. kulter.

gütinne s. gotinne.

gutrël stn. gläsernes gefäss (lat. guttarium).

gütze stf. guss, strom.

gützen swv. vomere?

guz, -zzes stm. guss, erguss; triebkraft; s. v. a. güsse.

güz-bette stn. rinnsal, fluss-, bachbett. -wazzer stn. = güsse.

güzze stf. = güsse.

gwelph, gwelphe; gelf, gelfc stswm. Welfe.

H

hâ, hahâ, hahô interj. ha, he! u. laut des gelächters (ha ha ha!).

habe stf. was man hat, habe, eigentum; woran man etw. hat

od. hält: halt, anhalt, stütze; das was etw. hält od. woran etw. gehalten wird: heft, griff, henkel; ort zum halten od. bergen, behältnis, ort wo die schiffe halten u. geborgen werden, hafen; durch synekdoche s.v. a. meer; haltung, benehmen, beziehung; beschaffenheit.

habe swm. der hat od. hält (in zusammens.).

habec, hebec adj. habend, besitzend, wohlhabend.

habech, habich, habch; hebech, hebich stm., **habeche** swm. habicht (den habech an rennen es mit einem aufnehmen, dem man nicht gewachsen ist).

habech-spil stn. zur jagd abgerichteter habicht.

habe-danc stm. dank mit worten, eigentl. imper. mit acc.: habe (den) danc. **-(hebe)-lich** adj. was bezug auf die habe hat u. mit ihr zusammenhängt; begütert, wohlhabend; tüchtig, sicher, verläßlich. **-(hebe)-liche** adv. begütert, angesessen. **-lôs** adj. ohne habe. **-stat** stf. wohnung.

haben, hân swv. halten, festhalten, behaupten; halten, betragen, befinden; inne haben, besitzen, haben. — als hilfsverb des perf. bei transit. u. zustandswörtern (auch ohne temporale bedeut. nur umschreibend); inf. hân auch = getân hân.

habende part. adj. haltend, haftend; besitzend, vermöglich.

habene stf. = habe hafen.

haber-brôt stn. haferbrot. **-gëlt** stn. haferzins. —, **(ber)-schrëcke** swm. heuschrecke. **-snit** stm. das schneiden des hafers u. die zeit da dies geschieht.

habere, haber swstm. hafer.

haberen swv. hafer schneiden.

hab-haft, -haftic adj. mit besitz versehen, etw. habend.

habich s. habech.

hac, -ges stmn. dorngesträuch, gebüsch; einfriedigung, hag, bes. eines ortes zum schutze u. zur verteidigung; umfriedeter ort; umfriedeter wald, park.

hac-gevilde stn. birschgelände.

hache swm. bursche, kerl. swf. dirne, buhlerin.

hachel, hechel stf. hechel.

hacheln, hecheln swv. hecheln; coire.

hacke swf. axt, hacke.

hacke stf. das hacken, umbrechen der felder usw. und die zeit da dies geschieht; das schlachten.

hacke-banc stf. bank in der küche zum zerhacken des fleisches.

hacken swv. hacken, hauen.

hac-tûbe swf. holztaube.

hader stswm. zerrissenes stück zeug, lumpen, lappen; streit, zank; liebesstreit; injurienprozess.

haderëht adj. lumpig, abgerissen; zänkisch, streitsüchtig.

hader-gewant stn. grober rock (von hadertuoch). **-lump** stm. lumpensammler; der in lumpen einhergeht. **-mül** stf. papiermühle. **-tuoch** stn. gröbster kleiderstoff.

haderie stf. geringfügige sache, kleinigkeit; streit, zank, rauferei.

hadern swv. streiten, necken.

haft adj. gefangen, gefesselt; von etw. eingenommen, besetzt, bestanden, besessen; mit gen. schwanger; mit dat. verbunden mit, übertr. verpflichtet, verbunden für etw. (gen. od. präp.). — als zweiter teil in composs.: act. haltend, hebend, pass. wie es von dem ersten gehabt wird, ihm gemäss.

haft stm. der gefangene.

haft stm. was fest hält: band, halter, fessel, knoten; drücker eines schlosses; haftung, festhaltung, bürgschaft.

haft stf. haft, fesselung, gefangenschaft; die beschlagnahme; woran etw. festsitzt.

hafte stf. verknüpfung; haft, verwahrung; hindernis.

haftel s. heftelin.

haften swv. intr. befestigt sein, festhangen (in, an, zuo), mit dat. ankleben, anhangen, zugehören.

haftunge stf. verhaftung; beschlagnahme; bürgschaft; haftgeld.

hage, hege stmf. behagen, wohlgefallen, freude.

hage swf. hagebutte.

hage-dorn s. hagendorn. **-dürnin** adj. dazu.

hagel stm. hagel, hagelschlag; bildl. unglück, verderben.

hagelen swv. hageln; bildl. von schimpfreden (ûf einen); tr. als hagel fallen lassen.

hagel-gans stf. wasser-, birk-, haselhuhn, schneegans. **-schür** stm. hagelschauer. **-stein** stm. hagelschlosse; teufelsname. **-tragende** part. adj. verderben bringend.

hage-lich adj. angenehm.

hagen, hain stm. dornbusch, dorn; einfriedigung um einen platz oder ein heerlager, verhau; der eingefriedigte, umhegte ort.

hagen stm. zuchtstier.

hagen swv. einen zaun, wildzaun machen.

hagen swv. mit dp. gefallen, behagen.

hagen-büechin adj. zu -buoche swf. die hain-, weissbuche.

hagen-, hage-dorn stm. weiss-, hagedorn; der heckbaum; teufelsname.

hager adj. hager.

hage-stalt, -stolz stm. (eigentl. der hagbesitzer) der unverheiratete, der noch keinen eigenen hausstand gegründet hat; das unverheiratete individuum überh. ohne rücksicht auf das geschlecht.

hahâ, hahô s. hâ.

hâhære stm. henker; s. v. a.

hâhel, hâl stf. kesselhaken.

hâhen redv. I, 1 (prät. hienc, hie) tr. refl. hängen, aufhängen. — intr. hangen.

hahse, hehse swf. kniebug des hinterbeines bes. vom pferde.

hain s. hagen.

hâke, hâken swstm. jedes an der spitze krumm gebogene ding, woran sich etw. hängen od. woran etw. gehängt werden kann, haken; eine art pflug ohne räder u. vorderpflug, dessen gestalt einem haken in einem spitzen winkel gleicht.

hækel stn. häkchen.

hâken-bühse f. grössere handfeuerwaffe, die mittels eines hakens auf einem gestelle (boc) befestigt wurde, um den schützen gegen den rückstoss zu sichern.

hâke-schar stn. schar zum hakenpflug.

hâkot adj. hakenförmig.

hal, -lles stm. hall, schall.

hal stf. hülle, schale.

hal stn. salzquelle, salzwerk.

hâl, hæl s. hâhel, hæle.

halbe adv. zu halp.

halbe stswf. seite, richtung; die hälfte von etw.; grundstück, wovon die hälfte des ertrags vom pächter als zins zu entrichten ist.

halbe, halp adv. acc. lokal u. kausal die seite od. richtung anzeigend; von wegen (gewöhnlich zusammengesetzt mìn-, dînhalp).

halben adv. u. präp. mit gen. auf seiten; wegen (von—halben mit eingeschob. gen. von seiten, von wegen).

halben, helben, halbieren swv. in zwei hälften teilen.

halde swstf. abhang, bergabhang.

hæle, hæl adj. verhohlen, verborgen, schnell vorübergehend, vergänglich; schlüpfrig, glatt.

hæle adv. heimlich.

hæle stf. verheimlichung; glätte, schlüpfrigkeit.

halfter swtstf. halfter.

halftnôte swf. hälfte.

hælinc adj. heimlich.

hælinc, -ges stm. geheimnis.

hælingen adv. heimlich.

hâlizen swv. ausgleiten.

halle stf. halle; salzbereitungs- und aufbewahrungsplatz.

hallen-barte s. *helmbarte*.

haller, heller stm. heller (benannt von der reichsstadt Schwäbisch-Hall, wo diese münze zuerst geprägt wurde). **haller-wërt,** kontr. *helwërt, helbërt* stn. was einen h. wert, dafür zu haben ist.

halm stm. halm, gras-, getreidehalm (rechtssymbolisch wurde durch überreichung des halmes die feierliche übergabe eines geschenkten, verkauften od. verpfändeten gutes angezeigt); schreibrohr. **-wurz** stf. calamus, zimtrinde.

halme, halm, helm swstm. handhabe, stiel.

halmel s. *helmelîn.*

haln s. *holn.*

halp, help, -bes stm. = *halme.*

halp s. *halbe.*

halp, -bes adj. halb (*halbez brôt* halbgewichtiges, schlechteres brot; *halbe kinder* die gleichen vater u. ungleiche mutter od. umgekehrt haben; *halbez pfert* maultier).

halp-brôt stn. = *halbez brôt.* **-himel** stm. hemispherium. **-jâr** stn. halbes jahr. **-krefte** adj. halbe kraft habend. **-pfert** stn. maultier. **-rinc** stm. halbkreis. **-ritter** stm. halber, nicht vollkommener ritter. **-schilt** adv. zur hälfte. **-schilt** stm. kleinerer schild. **-sinnec** adj halbverständig. **-teil** stn. hälfte. **-teilen** swv. halbieren. **-tôt** adj. halbtot. **-tuoch** stn. tuch von leichterem u. feinerem gewebe. **-vihe** stn. vieh, dessen nutzung zwei zur hälfte ziehen. **-visch** stm. plattfisch. **-vüederic** adj. eine halbe wagenlast schwer. **-wahsen** part. adj. nicht ausgewachsen. **-wërlt** stf. hemispherium. **-wolf** stm. wolfshund. **-zogen** part. adj. halb aufgezogen.

hals stm. hals, im eigentl. sowie auch verengerten (kehle) und weiteren sinne hals u. kopf, hals u. brust, sogar die ganze person (*bî dem halse* bei strafe des hängens, bei todesstrafe); übertr. das den hals umschliessende kleidungsstück, koller; gang, öffnung, röhre; fortlaufende schmale anhöhe; schmale erdzunge.

hals-âder stswf. ader am halse; sehne des hintern halses, nacken; *herte h.n* starrsinn, hartnäckigkeit. **-bant** stn. hals-

band als schmuck, als fessel; halsriemen des hundes. **-bein** stn. halsknochen, genick. **-bërc** stm., **-bërge** stf. teil der rüstung, der mit dem halse zugleich den oberkörper deckt; der mit einem *h.* ausgerüstete krieger. **-bërgen** swv. mit einem *halsbërge* versehen. **-boge** swm., **-bouc** stm. halsband, -kette. **-gerihte** stn. die befugnis über den *hals* zu richten, obere gerichtsbarkeit; richtplatz, hochgericht. **-golt** stn. goldene halskette. **-hërre** swm. herr über den hals- oder leibeigenen. **-îsen** stn. halseisen, pranger mit halseisen. **-rinc** stm. ring um den hals als schmuck oder fessel. **-slac** stm. schlag an den hals, backenstreich. **-slagen, -slegen** swv. backenstreiche geben. **-slegelen** swv. dasselbe. **-starc** adj. halsstarrig. **-stiure** stf. steuer eines leibeigenen an den *halshërren.* **-streich** stm. = *halsslac.* **-streichen** swv. = *halsslagen.* **-tuoch** stn. halstuch. **-veste** stf. = *halsbërc.* **-vlëc** stm. *halsvlecke slagen* colaphis caedere. **-vlinken** swv. dasselbe.

hâl-schar stf. heimlich gestellte falle, in hinterhalt gelegte schar. **-suone** stf. heimliche versöhnung. **-türlîn** stn. verborgenes pförtlein.

halse swf. halsriemen des leithundes.

halsen redv. 1 umhalsen, um den hals fallen.

halt adv. mehr, vielmehr, häufig bloß bekräftigend u. begründend: eben, freilich, ja, allerdings; in koncess. sätzen (nach *swer, swie, swaz* u. ob) auch; als konj. sondern, sondern auch.

halt adj. zugeneigt, treu.

halt stm. halt, bestand; ort, aufenthalt, hinterhalt.

haltære, heltære, er stm. hirt; bewahrer; erlöser; beobachter; inhaber, bewahrer; der im hinterhalt steht.

halte stswf. weideplatz.

halten, halden redv. 1 tr. hüten, weiden; halten, in stand halten, bewahren, erhalten; behalten; vorbehalten; in sich enthalten, erzählen von; festhalten, behaupten (im brettspiel gleich viel einsetzen als der bietende gegenmann); *ez h. mit* behaupten gegenüber; dafür halten, meinen. — refl. sich halten, zusammenhalten; sich benehmen, betragen. — intr. (abs. *pfert, ros* zu ergänzen) an-, still-, standhalten; wache halten; in sich enthalten, lauten; einen

halt machen, im hinterhalte stehn; mit gen. woran festhalten.

halte-stat stf. stätte, an der jemand hält, hinterhalt.

haltunge stf. verwahrung, gewahrsam; haltung, verhalten; inhalt eines schriftstückes.

halz adj. lahm, hinkend.

halzen swv. hinken.

ham, hame swm. haut, hülle, kleid; sackförmiges fangnetz.

ham, hame swm. die angelrute, der angelhaken.

hâm, hæm stf. mass, eichmass.

hamel stm. hammel; abgehauener stein, klotz, stange; schroff abgebrochene anhöhe, klippe, berg.

hamelen, hemelen swv. verstümmeln.

hamel-stat stnm. zerrissenes ufer. **-stat** stf. richtplatz; zerrissenes, abschüssiges gelände. **-stetic** adj. jäh, abschüssig.

hamen swv., md. *hemmen* aufhalten, hindern, hemmen.

hamer stm. hammer; hammerwerk.

hamer-slac stm. schlag mit dem hammer; abfall des durch den hammer bearbeiteten metalls.

hâme-vaz stn. geeichtes gefäss.

hamît, heimît stn. umgrenzung, umzäunung, verhau.

ham-lichen swv. = *hamelen.*

hamme stswf. hinterschenkel, schinken; kniekehle.

han, hane swm. hahn; drehhahn an einer wasserleitung.

hân s. *haben.*

han-boum stm. der oberste querbalken unter dem dachfirst, wo der haushahn seinen nächtlichen sitz zu nehmen pflegt.

hanc, -ges stm. hang (in zusammens.); das hangen.

handec, hendec adj. manualis.

handec, -ic, hantic adj. schneidend, stechend, scharf, bitter. **-heit** stf. bitterkeit.

handel stm. handel, handlungsweise; vorgang, begebenheit; gerichtliche verhandlung, streitsache; handelsobjekt, ware; handelsgeschäft.

handelagen swv. = *andel-.*

handel-bære adj. leicht zu bearbeiten.

handeler, handler stm. der etwas tut, vollbringt, verrichtet, sich womit beschäftigt; unterhändler (auch *hendeler*).

handelic adj. rüstig, behende.

handeln swv. tr. mit den händen fassen, berühren, betasten; mit den händen etw. arbeiten, bearbeiten; allge-

meiner etw. tun, vollbringen, verrichten, betreiben; mit etw. verfahren; mit ap. jem. eine behandlung angedeihen lassen, ihn behandeln; bewirten. — refl. sich verhalten; benehmen, verfahren; mit obj. e*ʒ* od. absol. u. adv. es treiben, handeln, tun.

handelunge stf. behandlung, handhabung einer sache; behandlung einer person, aufnahme, bewirtung; verhandlung, gerichtl. verhandlung; tun, tat, handlung; betrieb des kaufhandels, handelsverkehr.

handen swv. schneiden, hauen.

hane s. *han*.

hanef, hanif, hanf stm. hanf.

hanen-balke swm. = *hanboum*. **-tanz** stm. ein wetttanz, bei dem der beste tänzer einen hahn gewinnt.

haugære stm. der (am kreuze) hangende.

hangen swv. intr. = *hâhen*.

hanken swv. hinken, lahmen.

han-, hane-krât stfm. das krähen des hahns.

hanse, hans stf. kaufmännische vereinigung mit bestimmten richterlichen befugnissen, kaufmannsgilde.

hanse-, hans-grâve swm. vorsteher einer *hanse*, richter in handelssachen.

hansen swv. hänseln.

hant stf. hand (*bî der hende* bei strafe des handabhauens; *andere h.* linke, *vordere h.* rechte). — formelhafte ausdrücke: *an hende* an der hand; *bî handen* mit den händen; *m̃it hant, mit handen* mit handschlag; *von hande ze hande* aus einer hand in die andere, unmittelbar; *ze der hant, ze den handen* mit der hand, den händen (*ein helt zer hant, zen henden* ein tapferer, tatkräftiger held); adverbiale ausdrücke s. *behende, enhant, zehant*. — *hant* umschreibend: *mîn eines h.* ich allein, *diu Sîfrides h.* Siegfried usw.; darnach *hant* auch als symbol des besitzes, der gewalt über eine sache u. persönl. der besitzer, person überh. (bes. in der rechtssprache); die hand oder seite nach der hin man etw. legt (*ze beiden henden* auf beiden seiten); art, sorte, -lei (*maneger, aller, vier hande*); *diu h. Benedictus* d. gesang ,b.'.

hant-bîhel stn. handbeil. **-boge** swm. leichter, mit der hand zu spannender bogen. **-bühse** f. büchse zum schiessen aus freier hand. **-gâbe** stf. gabe der hand, geschenk (s. *hantgift*). **-gar** adj. bereit, bei der hand; schlagfertig, gerüstet. **-gebære**

stn. das was man in der hand trägt. **-gemâl, -gemahel** stn. mal, zeichen an der hand; durch die hand bewirktes zeichen, handzeichen, dann das grundstück, von dem ein schöffenbar freier sein handzeichen als hauszeichen führt; freies gut, stammgut. **-gerëch** adj. = *hantgar*. **-geschaft** stf. geschöpf. **-geschrift** stf. eigenhändig geschriebene oder unterschriebene und vollzogene urkunde. **-getât** stf. schöpfung der hand, geschöpf; frische tat; tat, handlung überh. **-geworht** part. adj. mit der hand gemacht, **-geworhte** stn. geschöpf. **-gift** stf. gabe der hand, geschenk, verleihung; ein stillschweigend ohne anfordern gegebenes geschenk, das nach dem volksglauben gewisse krankheiten hervorbringen oder heilen kann. **-giften** swv. eine *hantgift* geben mit dat. **-grift** stf. das handanlegen. **-habe** stf. handhabe, griff, heft, henkel an einem gegenstande, griff an einer tür; handhabung. **-haben** swv. festfassen, halten, anhalten; schützen, erhalten, unterstützen. **-haber** stm. festnehmer; schützer, verteidiger. **-haft, -haftec** adj. an der hand haltend, was man in händen hat (*hanth. tât* frische tat, so dass der täter noch die waffen in der hand hat). **-haft** stf. frische tat und ergreifung auf solcher, der beweisende gegenstand dafür. **-halten** stv. schützen. **-lanc** adj. eine h. lang. **-lëhen** stn. lehn zu einer hand d. h. auf lebenszeit des besitzers ohne erbrecht seiner verwandten, auch unmittelbar vom lehnsherrn empfangenes lehn. **-leiten** swv. mit der hand führen. **-lich** adj. mit der hand verrichtet (arbeit). **-lit** stn. handglied, **-gelenk. -lôn** stmn., **-lœse** stf. laudemium, die abgabe die der erbe oder käufer für überlassung eines gutes dem lehnsherrn zahlt, wenn jenes nur auf lebenszeit verliehen war. **-(hande)-lôs** adj. ohne hand, ohne hände. **-mâl** stn. = *hantgemâl*. **-mælec** adj. mit einem mal versehen. **-reiche** stf. handreichung, hilfeleistung; s. v. a. *hantvaʒ*. **-reichen** swv. in die hand geben, darreichen; helfen, unterstützen; dienste verrichten, ministrare. **-ros** stn. pferd, das rechts neben dem *satelros* geht; reitpferd. **-salbe** swf. bestechung (des richters). **-schouwer** stm. handbeschauer, wahrsager (s. *hantsëhen*). **-schuoch** stm. handschuh; nbff. *hent-*

schuoch, entstellt *hant s̃che, hentsche, hansche (h.* als zeichen der herausforderung, als pfand für erfüllung von pflichten). **-sëhen** stn. weissagen aus der hand. **-slac** stm. schlag mit der hand: in klagender gebärde, strafend, gelobend bei leistung eines versprechens. **-slagen** swv. die hände zusammenschlagen (zum zeichen des beifalls, der klage); mit handschlag geloben. **-spil** stn. saitenspiel. **-spiler** stm. gaukler, zauberer. **-starc** adj. stark mit der hand, gewaltig. **-tât** stf. geschöpf; handlung, gewaltsame tat. **-tætec** adj. gewaltsame tat begehend. **-tæter, -tætiger** stm. der eine *hanttât* begeht, auf frischer tat ergriffen wird. **-triuwe** stf. versprechen, bündnis durch handschlag. **-twehele, -twehel** stswf. waschtuch für die hand, handtuch. **-vane** swm. handtuch, manitergium; als teil der liturgischen gewandung. orarium, manipulus. **-vaʒ** stn. gefäss für das zum händewaschen nötige wasser (giessgefäss sowohl als waschbecken); becken überh.; tragkorb. **-veste** adj. in feste hand genommen, gefangen; mit händen gewaltig; treu an glauben haltend; adv. *-vestlîche*. **-veste** stf. handgriff, handhabe; schriftliche versicherung, verbriefung der rechte, urkunde. **-vesten** swv. hantveste machen, gefangennehmen. **-vestene** stn. privilegium. **-vinger** stm., **-vingerlîn** stn. finger-, siegelring. **-vol** stf. = *eine h. vol.* **-völlie** adj. die hand füllend, was sich mit der hand bequem fassen lässt. **-vride** stm. durch handschlag geschlossener friede. **-waʒʒer** stn. wasser zum waschen der hände. **-wërc** stn. werk der hände, kunstwerk; handwerk, gewerbe; zunft; s. v. a. *antwërc.* **-wërker** stm. (od. *hantwërcman*, pl. *-liute*) der ein handwerk in berufsmäßiger weise treibt. **-wîle** stf. = *einer hende wîle*, die zeit die das handumdrehen erfordert, ein augenblick. **-worhte** swm. = *hantwërker.*

hantic s. *handec* 2.

hantier stn. gewerbe.

hantieren swv. intr. kaufhandel treiben, handeln, verkaufen. — tr. verrichten, tun, handeln; handel, geschäft treiben. — refl. sich einrichten (aus fz. *hanter* hin- und herziehen).

hantierunge stf. kaufhandel.

hap, -bes stn. = *habe, hafʍn.*

happe s. *hepe.*

har s. *hër.*

har, -wes stm. flachs.
hår stn. haar; bildl. das geringste. -bant stn. haarband, sowohl um das haar geordnet zusammenzuhalten als auch zu schmücken. -blôʒ adj. ohne haare. -lachen stn. = hærîn tuoch. -loc stm. haarlocke.
hardieren, harrieren swv. reizen, necken (afz. hardier v. ahd. hartjan s. herten).
hardieren swv. = hurtieren.
hare, har; here, her adj. flekt. harewer, herewer; harwer, herwer: herb, bitter.
haren s. harn.
hâren swv. die haare ausraufen. hæren swv. ein haarseil ziehen durch (acc.).
hargen swv. von einem fehler des pferdes (stutzig sein od. sich wälzen?).
hærîn adj. von haaren.
hærinc, -ges stm. hering.
hæringer stm., hæringerin stf. heringverkäufer, -verkäuferin.
har-lant stn. flachsland.
hærlîn stn. kleines haar.
harliʒ s. hornuʒ.
harm s. harn.
harm stm. leid, schmerz.
harm, harme stswm. hermelin; hundsname. -balc stm. hermelinbalg. -blanc adj. weiss wie ein hermelin.
harm-brunne swm. urin.
harmen swv. harnen.
harm-, harn-schar stf. schmerzliche und beschimpfende dienstleistung, strafe, plage, not (eig. das zugeteilte leid). -scharn swv. peinigen.
harn, harm stm. harn.
harn, haren swv. intr. rufen, schreien.
harnas, harnasch stnm. harnisch; kriegerische ausrüstung einschl. zelt (afz. harnas).
harnasch-bar, -blôʒ adj. ohne harnisch. -râm stm. unter dem h. sich absetzender schmutz. -var adj. von diesem schmutze verunreinigt; mit dem harnisch gerüstet, im harnisch. -wât stf. harnisch-.zëlle f. waffenkammer.
harniʒ s. hornuʒ.
harn-schar s. harmschar.
-stein stm. blasenstein. -vaʒ stn. uringeschirr. -winde swf. harnzwang.
harpfære, herpfære stm. harfner.
harpfe, herpfe, md. harpe swstf. harfe.
harpfen, herpfen swv. intr. auf der harfe spielen. — tr. einen dôn herpfen.
harras s. arraʒ.
harre stf. handgeld (lat. arrha).
harre stf. das harren, verharren, verzögerung (die harre, in die h. auf die, in die länge).

harren swv. harren, warten (nâch, ûf), sich aufhalten.
harrieren s. hardieren 1.
harsch, harst stm. haufe, schar, kriegshaufe.
harscher, herster stm. einer vom harsch.
hâr-slihtære stm. der das haar glatt kämmt, putzsüchtiger weibischer mann (spottname für die Franzosen). -snuor stf. schnur oder band zum aufbinden u. auseinanderhalten des haupthaares der frauen. -stranc stm. haarflechte,zopf; name einer pflanze. -stren swm. haarflechte. -vlëhte swf. geflochtenes haar. -wahs stmfn. sehne, (haarartig gewachsenes) knochenband. -wurm stm. ein flechtenartiger um sich fressender ausschlag.
harst s. harsch.
harst stm. rost (zum rösten).
hart s. herte.
hart stm. fester sandboden; schneekruste; trift, weidetrift; wald (für diese bedeutung in allen drei geschlechtern).
harte, hart, hert adv. zu herte: hart, schwer, streng; kaum; höchst, sehr.
harten swv. intr. hart, stark werden. — refl. verhärten.
harte-slaht stf. herzschlächtigkeit der pferde (nd.). -slehtic adj. herzschlächtig (vgl. herzslehtic).
hart-mân, -mânôt stm. wintermonat (november, dezember, januar, februar). -sælde stf. hartes geschick, unglück. -sælec adj. unglücklich. -sinnec adj. von hartem sinn. -trügel stm. hartriegel (strauchartiges gewächs).
harwe adv. herbe (zu hare).
harz stnm. harz.
hasart s. hasehart.
hâsche, hâtsche swf. beil, axt (fr. hache v. deutsch. hacke).
hase, has swm. hase, bildl. feigling.
hasehart, hesehart, hashart, haschart, hasart stm. glücksspiel; glück; unglück (fz. hasard).
hasel stswf. hasel; ein fisch.
hasel-boum stm. corylus.
haselieren swv. unsinnig tun.
haseln swv. glätten.
hasel-nuʒ stf. haselnuss.
hasen-wer stf. wehre des hasen: flucht.
haspe, hespe swf. haspe, türhaken, -angel; garnwinde.
haspel stm. haspel; bergm. fördermaschine, förderschacht. haspel-spil stn. possenspiel.
haspilieren swv. gitterartig umgeben (frz. espalier).

hast stf. hast, übereilung.
hast, hastec adj. hastig.
hastec-, haste-liche adv. hastig.
hasten swv. eilen, hasten.
haufnitz, haufenitz stf. haubitze (böhm. haufnice).
haven stm. hafen, topf. -blat stn. hafendeckel. -dach stn., -decke stf., -deckel stm. dasselbe; sinnbild der gebrechlichkeit. -schërbe, -schirbe swm., -schirben stf. topfscherbe.
haven swv. md. wohnen.
havenære, hevenære, -er; hafner, hefner stm. töpfer.
havien swv. md. innehaben, bewohnen.
hawe, hawen s. houw-.
haʒ, -ʒʒes stm. feindselige gesinnung oder handlung, hass (âne, sunder h. friedlich, freundschaftlich, gern).
haʒ adj. = gehaʒ.
hâʒ stm., hæʒe, hæʒ stn. rock, kleid, kleidung.
hæʒelîn stn. dem, zum vorig.
hæʒe-val stm. das beste kleid, das bei einer veränderung in seinem lehngute (bes. durch tod) dem herrn zukommt.
haʒ-, heʒ-; haʒʒe-, heʒʒelich adj. hassvoll, feindselig; hassenswert, verhasst; hässlich.
haʒʒære, -er, heʒʒer stm. hasser.
haʒʒec, heʒʒec, -ic adj. hassvoll, feindselig.
haʒʒe-lôs adj. ohne hass.
haʒʒen swv. hassen; ungerne sehen.
hë s. ër.
hebe swf. habe, vermögen; das befinden.
hebe, hefe, heve m. f. hefe.
hebe-, hef-amme swf. hebamme.
hebec s. habec.
hebec, hevec adj. wichtig, gewaltig.
hebech, hebich s. habech.
hebecher stm. falkner.
hebechlîn stn. dem. zu habech.
hebede stf. besitztum.
hebel, hevel stn. hebestange, hebel; stmn. hefe.
hebe-lich s. habelich.
hebe-muoter stf. hebamme, bauchgrimmen.
hëben stm. himmel (nd.).
heben, heven stv. VI tr. heben, erheben, anfangen. — refl. mit persönl. subj. sich erheben, aufmachen; mit sachl. subj. sich erheben, anfangen; unpers. mich od. mir hebet höhe, unhôhe, kleine, ringe ich mache mir viel, wenig aus etw. — abs. an-, stillhalten.
hebendic adj. festhaltend, besitzend.

hebene stf. anfang.
hebenen swv. behandeln.
heber stm. der hebende; taufpate.
heberin, hebrin adj. von hafer.
hebe-sloz stn. vorlegeschloss.
hebe-vaz stn. schöpfeimer.
heb-garn stn. zugnetz.
heb-isen stn. hebeisen, hebel; eisen zum festhalten der aufgeschlagenen blätter eines buches; bügel, in den man die frauen beim absteigen vom pferde treten lässt.
hechel stf. verschmitztes weib, kupplerin.
hechel, hechelen s. hach-.
hechen s. hecken.
hechet, hecht stswm. hecht.
hecke, hegge stswf., **hecke, heck** stn. hecke; die einzäunung des wildes (s. hege, hac).
hecke-dorn stm. = hagedorn.
heckelin, heckel stn. kleine hacke.
hecken, hechen swv. hauen, stechend verwunden (bes. von schlangen).
hecken swv. refl. sich fortpflanzen.
hecken-, heck-jeger stm. der mittels wildhecken jagt.
hecken-, heck-wirt stm. heckenwirt.
hecker stm. hacker, holzhacker; weinhacker, -bauer.
hecse, hesse stswf. hexe.
hêde s. heide 2.
hederer stm. der alte kleider zur wiederbenutzung herrichtet und verkauft; streiter, raufer, zänker.
hederisch adj. zänkisch.
hedern swv. sich in hadern auflösen, zerreissen.
hef-amme s. hebeamme.
hefe s. hebe.
hefener stm. hefensieder.
hefner s. havenære.
hefte stn. woran etw. befestigt ist od. festgehalten wird: heft, griff am messer od. schwert usw.; steuerruder.
heftec, heftic adj. festbleibend, von dauer, beständig, beharrlich; mit beschlag belegt; ernst, wichtig; stark, heftig.
heftec-lich adj. stark, heftig. **-liche** adv. auf ernste, strenge, heftige weise, stark, sehr.
heftelin, heftel, haftel stn. dem. zu haft und hafte: spange zum zusammenhalten eines kleides, agraffe; drücker an einem schlosse.
heften swv. einen haft machen, befestigen, fesseln, binden; ein guot heften arrestieren.
hege s. hage.
hege stswf. = hecke.
hege-,(hei)-druose stswf. hode; schamteil. **-gras** stn. ge-

hegter grasplatz. **-haft** adj. empfänglich. **-holz** stn. gehegter wald. **-mâl** stn. gehegtes gericht. **-sal** (heisal, heisel) stn. was zur einfriedigung dient. **-walt** stm. = hegeholz.
hegel stn. dem. zu hac.
hegel, hegelin m. spruchsprecher, gelegenheitsdichter (in Nürnberg).
hegen swv. tr. mit einem *hac* umgeben, umzäunen (*gerihte hegen* die gerichtsstätte abschliessen um zu gericht zu sitzen, *daz rëht h.* gericht halten); hegen, pflegen, bewahren, aufbewahren. — refl. sich versammeln; *sich h. ûf etw.* darauf warten.
hegenin adj. von dornen.
heger stm. hüter, aufseher eines geheges; eine art kleiner lehnsleute.
hegge s. hecke.
hëher stmf. häher (vgl. *heiger*).
hehse s. hahse.
hehseln, hehsenen swv. die *hehsen* durchschneiden.
hei s. heie.
hei, hei-â interj. zum ausdruck der freude, trauer, verwunderung, bes. vor ausrufungsfragen.
heide stf. ebenes, unbebautes, wildbewachsenes land, heide. — stswf. heidekraut.
heide, hêde f. hede (nd.).
heidel-ber s. *heitber*.
heiden adj. heidnisch, bes. sarazenisch, orientalisch.—stm., plur. auch sw. heide, Sarazen.
heiden stm. axt der zimmerleute.
heiden stm., **-korn** stn. heidekorn.
heiden stf. heidentum; heidenschaft.
heiden-bein stn. heidenknochen. **-diet** stn. heidenvolk. **-drô** stf. heidenzorn. **-kraft** stf. heidenheer. **-lich** adj. heidnisch; **-liche** adv. auf heidnische weise. **-man** stm. pl. *-liute*, heide. **-schaft** stf. heidentum; heidenschaft, sämtliche nichtchristen, bes. Sarazenen und ihr land. **-tuom** stm. heidentum.
heideninne, -in, -in, stf. heidin.
heidenisch, heidensch adj. heidnisch, sarazenisch (*heidensch fiur* griechisches feuer).
heidisch adj. = heidenisch.
hei-druose s. hegedruose.
heie, hei swstf. ramme; hammer; klotz, keule.
heie, hei stf. hegung; gehegter wald.
heie swm. hüter, pfleger.
heien, heigen swv. intr. wachsen, gedeihen. — tr.

pflanzen, aufziehen, hegen, schützen, pflegen, begünstigen.
heien swv. intr. brennen.
heier, hoier stn. ramme.
heier-leis stm. eine art tanz (wohl nach dem dabei ertönenden rufe *heiâ hei!*).
heifte adj. heftig.
heifte stf. sturmwetter.
heiftec-liche adv. vehementer.
heigen s. heien.
heiger stm. reiher.
heil adj. gesund, heil; gerettet. — stn. gesundheit; glück, glücklicher zufall, geratewohl (*einem heiles biten, wünschen* ihm alles gute von gott erbitten, wünschen); ellipt. *heil dir!* usw.; *etw. an, ûf ein heil geben, setzen, lâzen* aufs geratewohl); euphem. unglück; heilung; rettung, hilfe, beistand; *heil! heil alle!* ellipt. hilferuf (eigntl. alle zu hilfe!).
heilal-geschrei stn. klag-, mordgeschrei.
heilant, heilent stm. heiland, erlöser, retter.
heilære, -er stm. heiler, arzt; s. v. a. *heilant*.
heila-, heil-wâc stm., **-wæge** stn. heilbringendes, heiliges wasser, zu gesegneter stunde geschöpft.
heil-bære adj. glückbringend, heilsam. **-bërnde** part. adj. heil mit sich führend. **-bringe** swf. heilbringerin. **-haft** adj. glück habend; heilbringend, heilsam. **-liche** adv. wohlbehalten, gesund. **-macher** stm. heiland. **-mânôt** stm. dezember. **-schif** stn. heil-, rettungsschiff. **-schilt** stm. heilbringender schild. **-tranc** stm. heilbringender trank, arznei. **-trôst** stm. rettung, erlösung. **-trôst-bërnde** adj. erlösung bringend. **-tuom** stn. sakrament; s. v. a. *heilectuom.* **-vertrip** stm. heilvertreiber. **-vündec** adj. d. heil findend. **-wâc** s. *heilawâc.* **-wëc** stm. zum heile führender weg, heil. **-wertic** adj. zum heile führend, heilsam. **-wertichelt** stf. heil, seligkeit. **-wertigen** swv. *heilwertic* machen. **-wertiger** stm. heiland. **-win** stm. heilbringender wein. **-würker** stm. heiland.
heile stf. heil, glückseligkeit.
heilec, heilic, hêlic adj. heil bringend, heilig (*der heilige geist* verschleift heiliggeist, heiligeist, heilgeist).
heilec-heit, heilekeit, heilikeit, heilkeit stf. heiligkeit, frömmigkeit; heiligtum, bundeslade, heiliges bild; sakrament. **-lich** adj., **-liche** adv. heilig, fromm. **-(heilic)-tuom** stn. heiligtum, reliquie, bes.

die **reichsinsignien** und reichsheiligtümer sowie der tag, an
dem sie (in Nürnberg) öffentlich
gezeigt wurden.
heilen swv. tr. gesund machen, heilen; erretten. — intr.
gesund werden.
heilen swv. kastrieren.
heilent s. *heilant.*
heiles adv. zum glücke.
heilige swm. der heilige;
heiligenbild, reliquie.
heiligen, hëligen swv. heiligen.
heiliger stm. heiligmacher.
heilkeit s. *heilecheit.*
heilsam adj. *heil* bringend,
heilsam; gesund, heil.
heilsame stf. heilung.
heilsen swv. mit dat. glück
wünschen (zum jahresanfang,
bei hochzeiten); spähen, aufpassen, umschwärmen.
heilsôt, hëlsat stm. glück-,
neujahrswunsch.
heim, hein stn. haus, heimat;
adv. dat. *heime, heine* zu hause,
daheim; adv. acc. *heim* nach
hause (*heim gên* vom heimfall
der lehn).
heim-bachen part. adj. zu
hause gebacken; gewöhnlich,
alltäglich. **-becke** swm. der zu
hause bäckt. **-bërge** swm.
villicus. **-bürge** swm., **-bürger**
stm. gemeindevorsteher. **-bür-
ge-tuom** stn. amt eines *heim-
bürgen.* **-dinc** stn. dorfgericht.
-(hein)-garte swm. eingefriedigter garten; trauliche zusammenkunft von bekannten
ausserhalb des eigenen hauses.
-gemach stn. heimat. **-gerihte**
stn. dorfgericht. **-gesinde** swm.
dienstmann des hauses. **-ge-
sinde** stn. hofstaat, dienerschaft
zu hause. **-lëge** adj. zu hause liegend. **-leite** stf. heimführung
(der braut). **-leiten** swv. heim-
führen. **-lendisch** adj. einheimisch. **-meier** stm. = *dorfmeier.*
-sëdel adj. zu hause sitzend.
-(hein)-stiure stf. unterstützung
von hause, aussteuer, mitgift.
-(hein-)suoche stf. das feindl.
aufsuchen in der behausung,
hausfriedensbruch. **-suochen**
swv. besuchen; feindlich anfallen. **-suochunge** stf. hausfriedensbruch. **-teilen** swv. anheim geben, übergeben. **-vart**
stf. heimfahrt, heimkehr (himmelfahrt); heimführung der
braut. **-vertigen** swv. *eine
tohter* sie aussteuern. **-vihe** stn.
vieh das nicht auf die alpenweide kommt. **-wart** adj. einheimisch. **-wart, wërt-** adv.
heimwärts. **-wëc** stm. heim-
weg. **-wësen** stn. hauswesen,
wohnsitz, heimat. **-wist** stf.
dasselbe. **-wonunge** stf. hei-

mat. **-zogen** part. adj. daheim
erzogen.
heime stf. heimat.
heime swm. heimchen.
heime- (**heim-, hein**)-**lich** adj.
einheimisch; vertraut, vertraulich, geheim; zahm; verborgen,
heimlich; stn. das geheimnis.
-lichære stm. der vertraute,
sekretär, geheime rat; spion.
-(heim-, hein-)liche adv. vertraulich; heimlich. — stf. heimat; vertraulichkeit; euphem.
für eheliche beiwohnung; heimlichkeit,geheimnis,vertrauliches
schreiben; ort zu dem nur die
vertrauten zugang haben, kabi-
nett. **-(heim)-lichkeit** stf. annehmlichkeit, freude; vertraulichkeit; vertraute gemeinschaft, ehe, eheliche beiwohnung; heimlichkeit, geheimnis
(*buoch der h.* apokalypse, *der
frouwen h.* menstrua); ort, gemach zu dem nur die vertrauten zugang haben; abtritt.
-(heim-, hein-)lichen swv. heimisch, zur heimat machen; vertrauten umgang pflegen. — refl.
sich vertraut machen (mit dat.
od. *ze, dar*).
heime-miuchelin stn. grillus.
heimen adv. nach hause.
heimen swv. ins haus aufnehmen, beherbergen; an sich,
zu sich nehmen; fest-, gefangennehmen, verhaften; heimfüh-
ren, heiraten; heimisch, vertraut machen.
heimic adj. heimisch.
heimisch, heimsch adj. heimisch, einheimisch; zahm (von
tieren und pflanzen, im gegens.
zu den wilden, wildwachsen-
den).
heimischen adv. heimlich,
verstohlen.
heimischen swv. verheimlichen; *ab h.* heimlich entziehen.
heimit s. *hâmit.*
heiml- s. *heimel-.*
heimôde, -ôte s. *heimuote.*
heimsen swv. heimbringen,
an sich nehmen.
heimunge stf. heimat.
heimuote (**-üete**), **heimuot;
heimôte, -ôde, -ôt** stfn. heimat.
hein, hein- s. *nehein, heim-*.
heinzeler (aus *einzeler*) stm.
frachtfuhrmann mit éinem geschirr u. pferde.
heis, heise, heiser, heiserlich
adj. rauh, heiser; bildl. unvollkommen, schwach, mangel habend (*an* od. mit gen.).
heisal, heisel s. *hegesal.*
heisch stm. = *eisch.*
heischen s. *eischen.*
heisere, heiser-heit, heiserie
stf. heiserkeit.
heisram adj. = *heiser.*
heister stm. junger buchen-

stamm, buchenknüttel (nl.
heester); stn. gebälk.
heistieren swv. eilen (fz.
haster).
heit stf. m. person (in *ëben-
heit*); stand, rang; wesen, beschaffenheit, art u. weise (bes.
in zusammenss. *blint-, dëgen-,
kintheit* usw.).
heit-, heidel-ber stnf. heidel-
beere.
heiter adj. klar, hell.
heitere, heiter stf. helligkeit,
klarheit, der heitere himmel.
heitern swv. heiter machen.
heiter-neȝȝel s. *eiternezzel.*
heit-haft adj. dem stande der
geistlichkeit angehörend.
heiunge stf. das hegen.
heiȝ stm. n. befehl.
heiȝ adj. heiss, hitzig (*einem
heiȝ tuon* ihn erhitzen, ihm not
u. angst machen); heftig, stark,
inbrünstig; heftig, erbittert,
erzürnt. **heiȝe, heiȝ** adv.
heiȝe, heiȝ stf. befehl.
heiȝen redv. 4 heissen, befehlen (mit dp., ap., mit inf.,
mit acc. u. inf., mit acc. u.
part.); sagen mit acc. u. inf.;
heissen, nennen (md. *mich heiȝet*
man nennt mich); verheissen,
geloben. — refl. heissen, genannt
werden.
heiȝen swv. verheissen.
heiȝen swv. tr. *heiȝ* machen,
erhitzen, heizen. — intr. *heiȝ*
sein od. werden.
heiȝer stm. heizer.
heiȝ-muot stm. der jähzorn.
-neȝȝel = *eiternezzel.* **-süchtic**
adj. zu hitziger krankheit geneigt. **-wëllec** adj. siedend
heiss. **-willec** adj. vor willen
brennend, sehr willig.
heiȝunge stf. = *heiȝe.*
hël, -lles adj. schwach, matt;
ärmlich. vgl. *hæle, hellec.*
hël, -lles adj. tönend, laut;
glänzend, licht.
hëlære, -er stm. hehler.
hël-bære adj. sich zu verbergen suchend.
hel-barte s. *helmbarte.*
helbelinc, hëiblinc, hellinc
-ges stm. münzstück im halben
werte des jeweiligen pfennigs.
helben swv. s. *halben.*
hëlde, helde s. *hëlnde, helt.*
heldinne stf. heldin.
hëlec adj. heimlich.
hëlewe s. *hëlwe.*
hëlfant s. *elefant.*
hëlfære stm. helfer, gehilfe.
hëlfærinne, -in stf. helferin,
gehilfin.
hëlfe, hilfe, hülfe stf. hilfe,
beistand; abgabe,steuer; konkr.
helfer; gehilfin.
hëlfe-bære adj. s. *helfec.*
-gërnde part. adj. *nâch h. n
siten* mit der bitte um hilfe.

(-hëlf)-lich adj., **-liche** adv. helfend, hilfreich. **-(hëlf)-lôs** adj. hilflos. **-lœselicheit, -lœsi** stf. inopia. **-(hülfe)-rede** stf. ausrede. **-rîche** adj. hilfreich. **-stiure** stf. hilfeleistung.

hëlfec, hëlfic, hülfic, adj. hilfe bringend, hilfreich.

hëlfec-lich adj., **-liche** adv. dasselbe.

hëlfen stv. III, 2 helfen mit dp. u. gs. — tr. nützen, fördern mit ap. u. sächl. subjekte; unp. mit dp. od. ap.

hëlfen-bein stn. elfenbein. **-beinin** adj. elfenbeinern.

helfing stmn.? câmus.

helfte stf. md. hälfte (vgl. halftnôte).

hëlfunge stf. hilfe.

hël-heit stf. diebische verheimlichung, verfälschung.

hëlic, hëligen s. heil-.

hëlich s. hëllich.

hël-kappe swf. = tarnkappe.

hël-kleit stn. dasselbe.

hëlle adv. zu hël.

hëlle stf. helligkeit.

helle stswf. die verbergende u. verborgene unterwelt, hölle; enger raum zwischen dem ofen u. der wand.

helle-barn stn. höllenkind, mensch der in die hölle muß. **-bër** stm. höllenbär, teufel. **-bloch** stn. höllenkerker. **-boc** stm. höllenbock, teufel. **-bracke** swm. = hellehunt. **-brant** stm. der das höllenfeuer nährt, höllenbrand, fegefeuer. **-diep** stm. dieb aus der hölle, teufel. **-diet** stn. höllenvolk. **-dorn** stm., plur. dorngestrüpp der hölle. **-geist** stm. höllengeist, teufel. **-giege** swm. höllennarr, teufel. **-got** stm. höllengott, teufel. **-gouch** stm. höllennarr, teufel. **-grâve** swm. höllengraf, höllenrichter, teufel. **-grübel** stm. der in der hölle gräbt, teufel. **-grunt** stm. abgrund der -hölle. **-heiz** adj. höllenheiss. **-hirte** swm. höllenhirt, teufel. **-hitze** stf. höllenhitze. **-hunt** stm. höllenhund, teufel. **-jeger.** stm. höllenjäger, teufel. **-kint** stn. = hellebarn; teufel. **-knabe** swm. **-knëht** stm. dasselbe. **-künec** stm. höllenkönig, teufel. **-môr** stm. der schwarze in der hölle, teufel. **-nôt** stf. not der hölle. **-phat** stm. pfad zur hölle. **-pine** stf. höllenpein. **-porte** f. höllenporte. **-puze** stf. höllenpfütze. **-rabe** swm. höllenrabe, teufel. **-recke** swm. teufel. **-reise** stf. fahrt zur hölle. **-reiser** stm. höllischer krieger. **-rîche** stn. höllenreich. **-rigel** stm. höllenriegel, teufel. **-ritter** stm. höllenritter, teufel. **-riuwe** stf. betrübnis in der

hölle. **-rôst** stm. höllische feuerglut. **-rüde** swm. = hellehunt. **-schar** stf. höllische sch. **-schenke** swm. = hellewirt. **-scherge** swm. höllenscherge, teufel. **-schübel** stm. = hellerigel. **-schûr** stm. höllisches unwetter. **-sêr** stn. höllenschmerz. **-slôz** stn. schloss der h. **-slunt** stm. höllenschlund. **-smit** stm. höllenschmied, teufel. **-sôt** stm. höllenpfütze. **-stic** stm. weg zur hölle. **-strâze** stf. dasselbe. **-tal** stm. höllental, hölle. **-tor** stn. höllentor. **-trache** swm. höllendrache, teufel. **-tranc** stn. höllischer trank. **-val** stm. fall in die hölle; in die hölle gefallener, teufel. **-var** adj. wie die hölle aussehend, pechschwarz. **-vart** stf. höllenfahrt. **-veste** stf. höllenburg. **-viur** stn. höllenfeuer, hölle; teufels-, spielmanns-, dichtername. **-vliege** stf. teufel. **-vorhte** stf. furcht vor der hölle. **-vrâz** stm. höllischer vielfrass, teufel. **-wâc** stm. höllenflut. **-wagen** stm. das sternbild des grossen bären. **-wal** stm. wallende, siedende höllenflut, hölle. **-warc, -warge** stswm. höllischer räuber, teufel. **-warte** swm. höllenhüter, teufel. **-(hell-, hel)-wëc** stm. weg zur hölle; heerweg (ursprüngl. der weg auf dem die leichen gefahren werden). **-wëlf** stm. höllenhund, teufel. **-wërre** stf. not, ärgernis der hölle. **-wiht** stm. höllenwicht, teufel. **-wirt** stm. höllenwirt, teufel. **-wîze** stfn. höllenstrafe; hölle. **-wolf** stm. höllenwolf, teufel. **-wurm** stm. höllenschlange, teufel. **-zage** swm. erzfeigling. **-zarge** stf. höllenmauer, hölle.

hellec, hellic adj. ermüdet, erschöpft, abgemattet.

hellec-lich adj. die hölle betreffend, höllisch.

hellegen, helligen swv. hellec machen, durch verfolgung ermüden, plagen, quälen, stören.

hellegunge stf. plage, verheerung.

hellen stv. III, 2 ertönen, hallen (gelîche, enein h. gleichlauten, übereinstimmen); sich rasch bewegen, eilen.

hellen swv. aufleuchten.

hellen swv. in die hölle bringen.

hellen swv. = hellegen.

hellen-barte s. helmbarte.

helier s. haller.·

hellesch s. hellisch.

hellic s. hellec.

hellich (aus helle-lich) adj. höllisch, teuflisch.

hël-lich, hëlich adj., **-liche** adv. heimlich, verstohlen.

helligen s. hellegen.

hellinc s. helbelinc.

hellinger stm. salzarbeiter.

hellisch, hellesch, helsch adj. höllisch.

hellunge stf. = hellegunge.

hëllunge stf. laut, inhalt.

helm s. halme.

hëlm, hëlme stswm. helm; behelmter krieger.

hëlm-bant stn. schnur zur befestigung des helmes an der rüstung. **-boue** stm. helmspange. **-dach** stn., **-decke** stf., **-gedecke** stn., helmdach, helm. **-dicke** stf. helmgedränge, schlachtgetümmel. **-gespan** stn. die helmspangen. **-gupfe, -kuppe** swf. kopfbedeckung unter dem helme. **-(hëlme)-huot** stm. helm. **-klanc** stm. klang der helme. **-kreiger** stm. crista s. kreiger. **-schart** adj. dem helme scharten beibringend. **-schin** stm. helmglanz. **-snuor** stf. = hëlmbant. **-swende** stf. helmzerstörung. **-vaz** stn. helmgefäss, helm. **-vënster** stf. helmgitter.

helm-barte swf. barte an einem stiel (s. halme), hellebarde; nbff. hellen-, heln-, helle-, hel-, hallenbarte.

helmelin, helmel, halmel stn. dem zu halm.

hëlme-liste swf. helmspange.

hëlmen swv. mit einem helme versehen.

hëlmer stm. helmmacher.

hëln stv. IV tr. u. refl. geheimhalten, verstecken, verbergen (mit dp., mit as., die person im acc. od. dat. od. mit präp. vor; mit gs., mit acc. u. gen. od. untergeord. satz; mit ap.).

heln-barte s. helmbarte.

hëlnde, hëlde part. adj. sich verbergend, verborgen.

help s. halp.

hëlsat s. heilsôt.

helsch s. hellisch.

helsec adj. einen hals habend.

helselin stn. hälschen.

helsen swv. umhalsen; coire.

helser stm. buhle.

helsinc, helslinc, -ges stm. strick um den hals.

helt, -des stm., **helde** swm. held.

heltære s. haltære.

helt-kreftec adj. heldenhaft.

hël-vaz stn. bergendes gefäss, verschwiegener mensch.

hëlwe, hëlewe, hilwe stswf. spreu.

hel-wëc s. hellewëc.

hëlze, hilze stswf. schwertgriff, heft; fessel.

***hëlzen** stv. schneiden (s. unverhalzen).

helzen swv. halz machen.

hem adj. zu schaden beflissen, aufsässig mit dat. (vgl.
hemisch).
hemde, hemede stn. hemd.
hemde-blôʒ adj. nur das
hemde anhabend.
hemdelin, hemdel stn. kleines hemd.
hemelen s. *hamelen*.
hemelin adj. vom hammel.
hemelinc, -ges stm. hammel.
hemere, hemer swf. die hemere, nieswurz.
hemeren swv. hämmern.
hemerlin stn. kleiner hammer; kleines hammerwerk.
hemer-wurz stf. = *hemere*.
hemisch, hemsch adj. ver-
steckt boshaft, hinterlistig,
heimtückisch.
hemmen s. *hamen*.
hende-blôʒ adj. bloss, nackt
wie eine hand. -tief adj. hand-
tief. -winden stn. händeringen.
hendec s. *handec 1*.
hendeler stm. händler (vgl.
handeler).
hendelin stn. händchen; art
(gehäuft *keiner leie hendlin
nôt* keinerlei not).
henden swv. mit händen versehen; zur hand, festnehmen.
hender stm. *der getriuwe h.* =
getriuhender.
hendigen swv. handec sein,
einen scharfen geschmack haben.
henel stn. dem. zu *han*.
henfelinc, -ges stm. hänfling.
henfin adj. aus hanf.
henge stf. nachgiebige schlauheit.
hengel stmfn. das hängende,
hängsel; zwei od. mehrere
trauben die mit dem rebholze
abgeschnitten werden; das unterkinn; woran etw. gehenkt
wird: henkel, eisenhaken, türangel; zulassung, verhängung.
hengel-boum stm. stange od.
balken zum anhängen v. gegenständen. -houbten swv. das
haupt hängen lassen. -rieme
swm. riemen, woran etw. gehängt wird.
hengelin stn. weintrauben-
büschel.
hengen swv. *hangen* lassen
bes. dem rosse den zügel,
dem hunde das leitseil, freien
lauf geben (*dem hunde, dem
rosse hengen*, auch ohne dat.;
úf ein ander h. gegeneinander
sprengen); nachjagen, nach-
hängen mit dat.; zugeben, geschehen lassen, gestatten mit
dat. u. gen.; *mir henget ein d.*
geht von statten, gelingt; s. v. a.
henken (bes. md.).
henger s. *hamen*.
hengest, hengst stm. wallach,
pferd überh.; der waagebalken
eines ziehbrunnens; ein teil der
rüstung, bewaffnung.
hengest-riter stm. wallach-
reiter.
heng-îsel, -isen stm. öffentl.
aufseher über mass u. gewicht.
henke-mæʒic adj. = *galgen-
mæʒec*.
henken swv. *hangen* machen,
hängen, henken.
henker stm., md. *henger*,
henker.
henke-wide stf. strang zum
henken.
henne stswf. henne (*jâ henne!*
höhnischer ausruf).
hennel stn. dem. zum vorig.
hent-schuoch, hentsche, hen-
sche s. *hantschuoch*. -schuohære
stm. handschuhmacher.
hepe, heppe, happe f. garten-,
winzermesser; sichel.
hepfe f. = *hebe 2*.
heppen-guot stn. gut, dessen
untertanen mit der *hepe* fronen
müssen.
hër s. *ër, hërre*.
her, here s. *hare*.
her, here stn. heer, kriegsheer; überwältigende menge;
menge, schar, volk.
hër, hëre, har adv. räuml.
her, hierher; zeitl. bisher.
hër-abe *sich h. lâʒen* nieder-
schweben; hër-heim nach hause.
hër-umbe md. deshalb.
hêr, hêre adj. hoch, vornehm,
erhaben, herrlich; heilig; stolz,
hochmütig; freudig, froh mit
gs.
heralt, heralde stswm. herold
(afz. *hêralt* aus einem altd.
hariwaldo heerbeamter), s. *erhalt*.
herære stm. verheerer.
her-ban stm. aufgebot der
waffenfähigen freien zum
kriegsdienste, heerbann. -bërge
stswf. ursprüngl. jede einrichtung, in der eine schar
(*her*) od. ein einzelner bergung
findet: heer-, feldlager; ort od.
haus zum übernachten für fremde; wohnung überh.; beherbergung, das recht beherbergt und
verpflegt zu werden; haus, auf
das eine solche verpflichtung
lastet. -bërgen swv. intr. lager-
hütten aufschlagen, sich niederlassen; sein nachtlager nehmen;
wohnung schaffen — tr. wohnung geben, beherbergen; *ge-
herberget sîn* wohnung haben;
aufbewahren. -bërger stm. der
herberge gibt; mietswohner.
-bërgerie stf. ort od. haus zum
aufnehmen v. fremden. -bër-
gerinne stf. die herberge gibt.
-gebirge stn. = *herbërge*. -geselle
swm. kriegsgefährte, ritterlicher
gefährte; gefährte überh. -ge-
sinde swm. dienstmann im kriege, pl. heergefolge. -gesinde stn.
heergefolge. -geverte swm. heer-
genosse. -gewæte stn. kriegsrüstung, rüstung. -grâve swm.
heerführer, feldherr. -haft adj.
adv. als heer, gewaffnet und
scharenweise. -kraft stf. heeresmenge, heereskraft, -macht.
-lich adj. adv. mit einem heere
versehen. -meister stm. feldherr.
-müede adj. vom heereszuge ermüdet. -nôt stf. heeresnot. krieg.
-phärit stn. vom untertanen
zum kriegsdienste gestelltes
pferd. pfulwe swm. feldbett.
-reise stf. heerfahrt. -ruofer
stm. ausrufer beim heere.
-schaft stf. heerschar. -schal
stm. kriegslärm. -schif stn.
kriegsschiff. -schilt stm. heer-
schild, schild als zeichen des
kriegsaufgebots; heerbann;
symbol der (sechs- oder sieben-
fachen) lehnrechtl. gliederung
der stände. -schouwe stf. heer-
schau. -stiure stf. steuer für den
krieg. -strange adj. kriegs-
tapfer, heldenmütig. -stråʒe
stf. strasse für das heer, breite
landstrasse; milchstrasse. -sum-
ber stmn. heerpauke. -vane
swm. heer-, kriegsbanner. -va-
rer stm. krieger. -vart stf.
heerfahrt, kriegszug. -verten
swv. eine hervart machen.
-vlühtic adj. aus dem heere
fliehend. -vride stn. friede
zwischen kriegführenden heeren. -wagen stm. heer-, kriegswagen; sternbild des grossen
bären (vgl. *himelwagen*). -wæte
stn. = *hergewæte*. -wëc stn.
= *herstrâʒe*. -zeichen stn. feldzeichen, fahne; feldgeschrei,
losung. -ziuc stm. kriegsgeräte.
-zoge swm. der dem heere
voranziehende, heerführer; her-
zog (als titel). -zogen-, -zen-,
-zetuom stn. land eines herzogs,
herzogtum. -zoger stm. anhänger od. untertan eines herzogs. -zoginne stf. herzogin.
-zogisch adj. herzoglich. -zog-
riche stn. herzogtum. -zuc stm.
heeres-, kriegszug.

herbe s. *herwe*.
herbest, herbst stm. herbst;
ernte, weinernte; september;
oktober.
herbest-dinc, -gedinge stn.
ungebotenes, im herbste gehaltenes gericht. -gerihte stn.
dasselbe. -mânôt, -mânet stn.
herbstmonat: september (auch
der êrste h.); oktober (*der andere
h.*); november (*der dritte h.*).
hër-dan adv. von einem orte
her, weg; fortan, nachher.
here, hëre s. *her, hër, hêr, hêre*

hêre stf. erhabenheit, ehre.
hêre-bërnde adj. herrlichkeit
od. heiligkeit an sich tragend.
here-, herbrant stm. kriegs-
flamme.
here-, her-horn stn. heer-
horn, kriegsdrommete.
here-liute pl. von.
here-, her-man stm. krieger.
heremit swm. eremit (lat.-
griech. eremita).
hêre-muot stm. hochmut.
heren s. hern.
hêren swv. tr. hêr machen,
verherrlichen, schmücken. —
intr. hêr sein, voll freudigen
stolzes werden.
hëre-vort adv. näher heran.
hër-gebeine stn. reliquie.
hêr-gemuot adj. hochgesinnt.
hergen s. hern.
hêr-gesidele stn. = hêrsidel.
hêr-heit stf. herrlichkeit.
hêric adj. = hêr (hêrige zît,
festzeit).
hêrisch, hêrsch, hërrisch adj.
herrisch, nach art eines herren
sich benehmend; erhaben, herrlich.
hêrischen adv. nach art der
herren.
herjen s. hern.
hër-komen part. adj. aus der
fremde gekommen.
hêr-lich adj., -liche adv. vornehm, ausgezeichnet, prächtig,
herrlich; stolz, hochgemut (md.
auch hirlich, hêrrelich).
hêr-licheit stf. oberhoheits-
recht; herrlichkeit, pracht.
herlin, herl stn. dem. zu har:
flachsbüschel, reiste.
herline, -ges stm. kreuzkraut.
hermelin stn. dem. zu harm,
hermelin; hermelinpelz.
hermelin adj. = hermîn.
hermel-wisel f. hermelin. - wiʒ
adj. weiss wie hermelin.
hërmen s. hirmen 2.
hermen, hirmen swv. tr.
harm verursachen, quälen, plagen. — refl. sich härmen.
hermîn adj. vom harme, vom
felle des hermelins; weiss wie
hermelin; subst. stn. hermelinpelz.
hern, heren, herjen, hergen
swv. tr. u. intr. mit einem here,
mit kriegsvolk überziehen; verheeren, -wüsten, rauben, plündern; mit gen. berauben.
hernaschin stn. = harnas.
hërne s. hirne.
herpfære, herpfe s. harpf.
hêrre, hërre swm. gekürzt
(bes. in der anrede) hêr, hër,
ër: gebieter, herr, gegenüber den
untergebenen jeder art; patron,
schutzheiliger; geistlicher; gemahl; vornehmer vasall od.

dienstmann; mann von adel;
in der anrede an gott und menschen vor titeln und titelähn-
lichen worten.
hêrre-got stm. gott (eigentl.
die anrede hêrre got).
hêrre-lich s. hêrlich.
hêrrelin stn. dem. zu hêrre.
hêrren, hërren swv. tr. u.
refl. zum herren machen; mit
einem herren versehen. — intr.
herrschen.
hêrren-bot stn. aufgebot von
seiten der herrschaft. -dienest
stm. herrendienst, frondienst.
-gëlt stn., -gülte stf. einkünfte
des grundherren von einem
gute. -genâde stf. frei wider-
rufliche grundgerechtigkeit.
-hûs stn. herrensitz auf einem
landgute, schloss. -lêhen stn.
bergm. die beiden den grundherren zu beiden seiten der
fundgrube vermessenen lehen.
-man stm. pl., -liute dienstmann eines herrn. -nôt stf.
abhaltung, bei gericht zu erscheinen, durch herrendienst.
hêrren-lich adj., -liche adv.
herrlich (vgl. hêrlich). -lôs adj.
keinen herren, keinen besitzer
habend.
hërrisch s. hêrisch.
hêr-sam adj. herrlich; ge-
bieterisch.
hêrsch s. hêrisch.
hêr-schaft stf. herrenwürde,
herrenmacht, hoheit, herrlichkeit; stolz, hochmut; recht und
besitzung eines herrn, herrschaft; obrigkeitl. amt und gebiet; versammelte herren, vornehme gesellschaft; obrigkeit,
herrscherfamilie; herr, herrin;
dienstherrschaft. -schaften swv.
tr. regieren, beherrschen.
hêrschen, hërschen, hërsen swv.
intr. herr sein, herrschen (gen.
od. über); beherrschen, bewältigen mit dat.
hêrscher stm. herrscher.
hêrsen, hërsen s. hêrschen.
hersenier, hersnier stn. kopfbedeckung unter dem helme,
harnischkappe (vgl. goufe,
koife).
hêr-sidel stn. hoch-, ehrensitz.
hersten swv. intr. u. refl. erstarren, schwinden.
herster s. harscher.
hêr-stuol stm. thron.
hert s. herte, harte.
hërt, -des stm. erdreich, boden; boden als feuerstätte,
herd; haus, wohnung.
hërt stf. herde.
hërtære, -er; hirtære, -er stm.
hirte, kuhhirte.
herte, hert, hart adj. hart,
fest (herteʒ korn, getreide roggen, weizen und gerste im ge-

gens. zu hafer); hart, grob,
rauh; festhaltend, ausdauernd,
hartnäckig; fest zusammenhal-
tend, gedrängt, dicht; drük-
kend, anstrengend, schwer
schmerzlich (hertez leger krankenlager).
herte stf. härte; steiniger
boden; kern des heeres; das
dichteste kampfgedränge, wo
der stärkste widerstand statt-
findet; schulterblatt, schulter.
hërte s. hirte.
hertec-heit, hertekeit stf. härte; kampf, kampfgedränge. -lich
adj. hart. -liche adv. auf harte
(starke, heftige, schwere,
schmerzliche, grausame) weise;
s. v. a. harte sehr.
herte-lich adj. hart; -liche
adv. hart, streng, hartnäckig.
herten swv. tr. hart, fest,
stark machen; etw. durch-
setzen, worauf beharren. —
intr. hart werden. — intr. u.
refl. widerstand leisten, ausdauern, beharren (gen. od. an).
herter stm. der ausharrende.
hërt-gelt stn. herdsteuer.
hert-grîfec adj. hart zum angreifen. -müetec adj. hartherzig,
mürrisch. -nackic adj. unbeugsam.
hërt-rëht stn. herdrecht.
hërt-stat stf. herdstatt, herd;
bewohntes haus.
hêr-tuom stnm. hoheit, herrlichkeit, herrschende gewalt;
persönl. herrscher.
hërt-val, -vellec = ërtv.
hërt-vihe stn. herde.
hërt-wëc stm. viehweg.
herunge stf. verheerung.
hër-vart stf. hergang, ereignis.
herwe, herbe, md. harwe stf.
herbheit.
herwin adj. von har, flachs.
hërze, hërz swn. herz, eigentl.
u. als sitz der seele, des gemütes, mutes, verstandes, der
vernunft, überlegung; liebeʒ
herze schmeichelnde anrede.
hërze, hërzec adj. (in zusammens. ge-, harmh. adv.).
hërze-bære adj. im herzen
getragen, das herz treffend.
-bluot stn. herzblut, herz,
bildl. liebstes. -brëchen stn.,
-bruch stm. herzbrechen. -brë-
hen stn. herzglanz, schmeichelnde anrede. -drucken swv.
ans herz drücken. -galle swf.
bitteres oder böses das im herzen liegt. -gër, -girde stf. verlangen des herzens. -guot adj.
herzensgut, herzlich lieb. -haft
adj. beherzt; besonnen,
verständig. -keit stf. liebe,
güte. -klage stf. herzeleid.
-krachen stn. das krachen des

herzens, herzeleid. **-kumber** stm. herzeleid. **-küniginne** stf. herzenskönigin, liebkosende anrede. **-lachen** stn. das lachen des herzens, herzensfreude. **-leide** stf., **-leit** stn. herzeleid, tiefe betrübnis. **-leiden** swv. kränken. **-leit** adj. leid im herzen; aus leidvollem herzen kommend. **-(hërzen)-lich** adj., **-liche** adv. = hërzecl-. **-liebe** stf. herzensfreude; herzliche liebe. **-liep** adj. im herzen, von herzen lieb. **-liep** stn. herzensfreude; herzgeliebter, -geliebte. **-lôs** adj. ohne hërze. **-lust** stm. herzliches wohlgefallen. **-minne** stf. innigste liebe; herzgeliebte. **-nabele** swm. herzensmitte. **-nôt** stf. herzensnot. **-pin** stf. schweres herzeleid. **-quâle** stf. herzensqual. **-ric** stm. das band an dem das herz u. die andern eingeweide hängen, das geschlinge. **-rite** swm. sincopis. **-riuwe** stf. betrübnis des herzens, innerer schmerz. **-riuwen** stv. unpers. mit gen., worüber hërzeriuwe empfinden. **-roum** stm. bild, vorstellung des herzens. **-schade** swm. herzeleid. **-schulde** stf. schuld, verschuldung des herzens. **-schric** stm. starker, plötzlicher schreck. **-senende** part. adj. dem herzen wehe tuend. **-sêr** stn., **-sêre** stf. tiefer schmerz, herzeleid. **-sêr** adj. tiefschmerzlich. **-siech** adj. herzkrank. **-siufte** swm. herzensseufzer. **-smërze** swm. = hërzesêr. **-sorge** stf. herzenssorge. **-stôz** stm. herzschlag. **-süeze** adj. herzenssüss. **-suht** stf. herzkrankheit. **-swære** adj. das herz beschwerend, grossen kummer machend. **-swære** stf. herzenskummer. **-swër** swm. herzübel. **-tohter** stf. herzenstochter. **-trût** adj. von herzen lieb. **-trût** stmn. herzensgeliebter, -geliebte. **-übel** adj. sehr böse, schlecht. **-vient** stm. herzensfeind, todfeind. **-vriundinne** stf. herzensfreundin, herzgeliebte. **-vriunt** stm. herzensfreund, herzgeliebter. **-vröude** stf. innige, herzliche freude. **-vrouwe** swf. herrin des herzens, geliebte. **-wazzer** stn. tränen. **-wê** stn., **-wêwe** swm. herzweh. **-weinen** swv. sehr weinen. **-wol** adv. herzlich wohl. **-wunne** stf. herzenswonne.

hërzec-lich adj. was im herzen ist, vom herzen kommt, herzlich; **-liche** adv. im, von herzen, herzlich, sehr.

hërzelin, hërzel stn. dem. zu hërze.

hërzen swv. mit einem herzen versehen. — refl. ein herz annehmen.

herzen swv. auspichen (s. harz).

hërzen-bërnde part. adj. = hërzebære. **-brëche** adj. herzbrechend. **-gir** stf. = hërzegër. **-halp** adv. auf der seite des herzens. **-jâmer** stm. herzeleid. **-marc** stn. das innerste herz. **-muot** stm. herzhaftigkeit. **-schouwære** stm. herzensprüfer. **-(hërze)-sin** stm. herzensgedanken, herzl. gesinnung. **-tor** stn. herzenstor. **-trûte** swf. herzensgeliebte (s. hërzetrût). **-vrô** adj. herzlich froh.

herzentuom s. herzogentuom.

herzetuom s. herzogentuom.

hërz-slehtic adj. = harleslehtic. **-span** stn. das herzspannen, magenkrampf; eine gegen diese krankheit gebrauchte heilpflanze. **-sperre** stf. dasselbe. **-stëche** swm. das herzstechen.

hësche swm. das schluchzen. **hëschen, hëschezen** swv. schluchzen.

hëschiz stm. = hësche.

hesehart s. hasehart.

heselieren swv. tr. haselieren machen.

heselîn, hesel stn. kleiner hase.

heselîn adj. von der hasel.

hesin adj. vom hasen.

hespe s. haspe.

hesse s. hecse.

hesse-hunt stm. hetzhund.

hessen swv. hetzen, mit hetzhunden jagen (vgl. hetzen).

heswe adj. blass, matt.

hetze-bolt stm. hetzhund.

hetze-hunt = hessehunt.

hetzen swv. hetzen, jagen, antreiben (vgl. hessen).

hetzer stm. hetzjäger.

hev- s. heb-.

hevelîn stn. dem. zu haven.

hevenære s. havenære.

heven-man stm. hafner.

hez-, hezz- s. hazz-.

hezze adj. gehässig, aufhetzend.

hezzec-lich adj., **-liche** adv. feindselig.

hî interj.

hî-bære adj. heiratsfähig, mannbar.

hickeln swv. springen, hüpfen.

hie, hie s. hier, hîwe.

hie-burger stm. gegens. zu ûzman.

hiefal-, hîufal-tër f. hagebuttenstrauch.

hief-dorn stm. dasselbe.

hiefe swstf. hagebutte, hagebuttenstrauch.

hien s. hîwen.

hie-naht, hient s. hînaht.

hier, hie adv. räuml. hier; zeitl. da, nun.

hie-sît adv. diesseits.

hie-wërt adv. hier; diesseits.

hige s. hîwe.

hi-geræte stn. = hîrât.

hi-geselle swm. verlobter.

hilderlen swv. meckern.

hi-leich stm. vermählung (eigentl. nur der leich dabei).

hi-leichen swv. heiraten.

hilf- s. hëlf-.

hilt stf. kampf (in Brün-, Kriemhilt, hiltegrîn).

hilte-grîn stm. kampfhelm; karfunkelstein in einem helme.

hiiwe s. hëlwe.

hîwe swf. feiner nebel.

hilwen swv. trübe machen.

hilze s. hëlze.

himel stm. himmel; baldachin, trag-, thronhimmel.

himel-ar swm. himmelsadler. **-bære** adj. für den himmel geeignet, den himmel verdienend. **-bëre** stm. himmel, gott, Christus. **-bërinne, -bërin** stf. septentrio. **-bërnde** part. adj. den himmel, das ewige leben eintragend. **-bësen** stm. der heilige geist. **-blâ** adj. himmelblau. **-blic** stm. blitz. **-bote** swm. engel. **-brant** stm. königskerze (pflanze). **-brôt** stn. brot vom himmel, manna; hostie. **-dach** stn. himmelsdecke, himmel; baldachin, Christus. **-dëgen** stm. himmelskind, Christus. **-erbe** swm. himmelserbe. **-êre** stf. himmlische êre, herrlichkeit. **-geist** stm. himmlischer geist, engel. **-gerüste** stn. das himmelsgebäude. **-gesinde** stn. himmelsgefolgschaft, engel u. heilige. **-got** stm. gott im himmel. **-grâl** stm. gott. **-grâve** swm. gott, gegens. zu hellegrâve. **-habe** swm. inhaber des himmels. **-hac** stm. himmelshag, himmel. **-her** stn. himmlische heerscharen. **-hërre** swm. gott. **-hof** stm. himmelshof, himmel. **-hort** stm. himmlischer schatz; der schatz der kirchlichen gnadenmittel. **-hûs** stn. himmel. **-jëger** stm. himmlischer jäger, d. i. gott vater, der seinen sohn, das einhorn, in Mariâ schoss jagt. **-keiser** stm. kaiser des himmels, gott od. Christus. **-keiserin** stf. Maria. **-kint** stn. Christus; himmelsbewohner. **-kraft** stf. macht od. fülle des himmels; vom himmel kommende kraft. **-krie** stf. sp. himmelslosung. **-krône** stf. himmlische krone. **-künec** stm. könig des himmels, gott od. Christus. **-küneginne** stf. Maria. **-kunst** stf. astrologie. **-lant** stn. himmelreich. **-leiter** stf. zum himmel führende leiter (Maria). **-lich** adj. himmlisch. **-lieht** stn. gestirn. **-litze** swm.

leuchten des himmels: blitz, wetterleuchten. **-litzen** swv. blitzen. **-lön** stmn. himmlischer lohn. **-luogære** stm. himmelwart (von Paulus gesagt). **-man** stm. himmelsbewohner. **-mast** stm. = *himelvane*. **-minne** stf. himmlische liebe. **-phat** stm. zum himmel führender pfad (Maria). **-phluoc** stm. Orion. **-porte** f. himmelspforte; bildl. Maria. **-portenære** stm. himmelspförtner (St. Peter). **-riche** stn. himmelreich, himmel. **-ris** stn. himmelszweig (Maria). **-röse** swfm. himmelsrose (Maria). **-rote** stf. schar der himmlischen. **-sal** stm. himmel. **-sarc** stm. himmlischer *sarc*, himmel. *sehar* stf. = *himelrote*. **- schepfede** stn. coll. himmelskörper. **-schütze** swm. sternbild des schützen. **-sippe** swm. verwandter des himmels. **-slöz** stn. schloss des himmels. **-slüzzel** stm. schlüssel zum himmelreich (Maria); name einer feldblume. **-spise** stf. himmlische speise. **-spitze** f. nordpol. **-sprüzzel** stm. sprosse der *himelleiter*. **-stat** stf. himmel. **-stele** swf. himmelshöhe (?), vgl. *bërestele*. **-stelle** stf. stelle, sitz im himmel. **-stic** stm. pfad zum himmel. **-stuol** stm. stuhl, sitz im himmel. **-stier** stm. stier als himmelszeichen. **-stráze** f. strasse zum himmel; bildl. Maria. **-tor** stn. tor des h. **-tou** stn. tau vom h. **-trôn** stm. thron des himmels, himmel. **-trôr** stmn. feuchtigkeit, tau vom himmel. **-trût** stm. himmlischer geliebter, Christus. **-tuoch** stn. tuch des (trag-)himmels, baldachin. **-tuom** stm. himmelsdom, himmel. **-vane** swm. himmelsfahne (Maria). **-var** adj. wie der h. aussehend, himmelblau; himmelartig, himmlisch. **-vart** stf. himmelfahrt. **-varwe** stf. himmelblaue farbe. **-vater** stm. gott. **-veste** stf. firmament. **-viur** stn. blitz. **-vogel** stm. vogel des himmels, der luft. **-voget** stm. herrscher des himmels, gott. **-vrouwe** swf. Maria. **-vürste** swm. himmelsfürst, gott, Christus. **-wagen** stm. das sternbild des grossen bären (vgl. *herwagen*). **-wât** stf. himmlisches kleid, messgewand. **-wëc** stm. weg zum h. **-wëger** stm. beweger des himmels, gott. **-werme** stf. tauwetter. **-wirt** stm. herr des himmels, gott. **-wunne** stf. himmlische wonne. **-zeichen** stn. zeichen am himmel; zeichon des tierkreises, sternbild.

himelen swv. in den himmel aufnehmen.

himelisch, himelsch, himelschlich adj. himmlisch.

himelize, himelze stn. decke eines zimmers; ausgespanntes tuch, baldachin.

hin, hine adv. fort, von hinnen, hin (*hin wësen* euphem. sterben); vor od. hinter pron. u. präpos. adv. (*hin dan* auf die seite, *hin durch, h. nâch, nâch hin* von jetzt an, in zukunft, später); vor zeitw. der bewegung (z. b. *hin brechen*, zusammenstürzen, refl. sich hinwenden).

hî-naht adv. heut od. gestern zu nacht od. abend (nbff. *hienaht, hineht, hînat, hient, hînet, hinte, hint*).

hin-bî adv. hinzu.

hinde, hinte swf. hirschkuh.

hindenän, hindenen, hinnen, hindene, hinden, hinde adv. hinten.

hinden-bære adj. hirschkuhähnlich. **-kalp** s. *hintkalp*.

hinden-ort adv. nach hinten.

hinder adj. hinter; swm. podex.

hinder präp. hinter (mit gen., dat., acc.) *h. sich treten* zurücktreten.

hinder adv. hinten, zurück.

hinder stm. hindernis, zögerung.

hinderære stm. verhinderer.

hinder-baz adv. weiter zurück. **-bein** stn. hinterbein. **-denken** swv. an. refl. mit gen. sich mit gedanken vertiefen in; part. *hinderdâht* worin man sich in gedanken verloren hat. **-dingen** stn. widerrede. **-gän** stv. tr. von hinten an einen herangehn, ihn überfallen; berücken, hintergehn, betrügen. **-ganc** stm. das zurückweichen; kompromiss. **-gedemler** stm. = *hinderkæse*. **-gengic** adj. *h. werden hinder einen* = *hinder in gân* auf ihn kompromittieren. **-grifen** stv. tr. von hinten greifen, ergreifen; mit dat. u. acc. rauben. **-halp** adv. hinterwärts. **-halt** stm. rückhalt, hinterhalt. **-huot** stf. nachhut; hinterhalt. **-klaffen, -kleffen** swv. hinter d. rücken reden, verleumden. **-kleffer** stm. verleumder. **-komen** stv. tr. hintergehn, betrügen; schrecksalt überkommen. — refl. mit gen. hinter etwas kommen, überlegen. **-kœse** stn., **-kösunge** stf. = *hinderrede*. **-kösen** swv. mit dp. = *hinderreden*. **-köser** stm. = *hinderreder*. **-legen** swv. versehen, versorgen *mit.* **-leger** stm. = *verrâtære*. **-list** stf. hinterlist. **-listec** adj. hinterlistig, nachstellend. **-listen** swv.

supplantare. **-lister** stm. nachsteller. **-lösen** swv. auf hinterlistige weise schmeicheln. **-mære** re stn. verleumderische erzählung. **-rede** stf. üble nachrede, verleumdung. **-redec** adj. verleumderisch. **-reden** swv. einem übel nachreden, ihn verleumden mit dat., acc. od. *ûf.* **-reder** stm. verleumder. **-riten** stv. tr. reitend von hinten angreifen. **-rucke** adv. rückwärts. **-ruoder** stn. steuerruder. **-sæze, -sëzze** swm., **-sæzel** stm. der hinter jemand, in dessen schutze angesessen ist, hintersasse; der bei einem anderen als mietsmann wohnt. **-schrenken** stn. betrug, arglist. **-sëhen** stn. das zurückblicken; die rücksicht. **-setzen** swv. zurücksetzen, bewältigen. **-sidele** swm. hintersasse. **-slac** stm. schlag von hinten, heimtückischer schlag (*sunder h.* aufrichtig); nachteil, schaden. **-slichen** stv. von hinten beschleichen. **-sniden** stv. von hinten schneiden, ehrabschneiden, verleumden. **-spräche** stf. = *hinderrede*. **-sprëchen** stv. = *hinterreden* mit dp. **-sprëcher** stm. = *hinderreder*. **-stân** stv. zurückstehn. **-stëchen** stv. hinterrücks sticheln. **-stellec** adj. was bei seite, zurückgestellt, aufbewahrt wird, übrigbleibt; rückständig (schuld) rückgängig; sich nach hinten stellend, zurückbleibend (*hinderst.* werden ungehorsam sein, abfallen; *einem der schulde h. werden* die schulden ihm nicht bezahlen wollen). **-stendic** adj. rückständig. **-stich** stm. stich von, nach rückwärts. **-stiure** stf. beisteuer. **-swanc** stm. schwung zurück. **-swich** stm. verhinderung, versäumnis, verzug; hinterhalt, falschheit, betrug. **-swichen** stn. das zurückweichen, der hinterhalt. **-teil** stn. hinterteil; podex. **-trit** stm. tritt zurück; rückgang; fehltritt. **-varn** stv. hinterlistig überfallen. **-velle** stf. das zurückfallen, -sinken. **-vür** adv. rückwärts. **-wân** stm. lüge. **-wërf** stm. zurück-, rückwurf. **-wart, -wërtes, -wërtlingen** adv. nach, von hinten, zurück. **-wise** adv. von hinten. **-ziehen** stv. tr. hinter einem ziehen, ihm in den rücken fallen.

hindern swv. zurücktreiben, hindern (mit acc., acc. u. dat., acc. u. gen.); refl. sich aufhalten, zögern.

hindernisse stnf. hindernis, verhinderung.

hindersal stn. hindernis, störung.

hind-nâch adv. hinterher.
hindurch-varn stv. einen stollen durch einen andern stollen oder berg treiben.
hi-neht, -net s. *hînaht.*
hine-vart s. *hinvart.*
hin-ganc stm. hingang; ruhr, durchfall (vgl. *hinlouf*).
hin-gëber stm. traditor, verkäufer.
hingeln swv. hinken, zaudern.
hin-hinder adv. zurück, rückwärts.
hinke swm. der hinkende.
hinken stv. III, 1 hinken, lahm sein.
hin-kêre s. *hinnenkêre.*
hin-kunft stf. das hinkommen.
hin-lâzen stv. vermieten, verleihen.
hin-læzic adj. unterlassend, fahrlässig. **-læzicheit** stf. unterlassung, fahrlässigkeit.
hin-legen swv. zunichte machen, besiegen. **-leger** stm. vernichter.
hin-louf stm. ruhr, durchfall (vgl. *hinganc*); ablauf.
hinne, hinnen adv. = *hie inne, innen* hier innen.
hin-nëmic adj. abnehmend, in verfall kommend.
hinnen s. *hindenân.*
hinnen, hinne, hinn adv. räuml. von hier fort, von hinnen. — zeitl. von jetzt.
hinnen-, hin-kêre stf. hinwegwendung, weggang. **-(hin-)scheide, -scheidunge** stf. das hinscheiden, sterben, der tod.
hin-reise stf. hinreise, -fahrt.
hin-schiebe stf. das hinwegschieben, entfernen.
hint-ber, hinper stn. himbeere, d. i. beere, die die *hinde* gerne frisst; wacholder. **-(hinden)-kalp** stn. hirschkalb. **-louf, -löufte** m. hindläufte (geissfuss, wegewart; wegen ähnlichkeit mit den sprungbeinen der hinde).
hinte s. *hinde.*
hinte, hint s. *hînaht.*
hin-tuon an. v. hinwegtun, beseitigen; *einen h.* hinrichten.
hin-über adv. hinüber; darüber hinaus.
hin-var, -(hine)-vart stf. hin-, fortreise; euphem. tod.
hin-vellic adj. hinfallend.
hin-vlühtec adj. die flucht ergreifend.
hin-vluz stm. sintflut; *der wazzer h.* decursus aquarum.
hin-wëc adv. hinweg, fort.
hin-wëhsel stm. wechsel, veränderung.
hin-wërf, -wurf stm. weg-, auswurf, abscheu; **-wërfen** stn. preisgabe.

hin-wërt, -wart, wërtes adv. hinwärts.
hinze, hinz = *hin ze, zuo* räuml. u. zeitl. bis (auch als konjunkt.), gegen.
hin-ziehen stn. das wegziehen; das liegen in todeszügen. **-zuc** stm. dasselbe.
hipe, hippe f. hippe, waffel.
hipen-man stm. hippenbäkker, **-verkäufer.**
hir stmnf. heftigkeit; schmerz.
hî-rât stmf. vermählung (eigentl. die besorgung eines hausstandes). **-râten** swv. heiraten (*mit, zuo einem*).
hîrât-liute pl. zeugen des eheversprechens.
hîrât-stiure stf. = *hîstiure.*
hir-lich s. *hërlich.*
hirmen s. *hermen.*
hirmen, hërmen swv. ruhen, rasten.
hirn-bein stn. stirnknochen. **stirn. -bolle** swm. hirnschädel. **-gupfe** swf. bedeckung des hirnes. **-hûbe** swf. kriegerische kopfbedeckung, **-rëbe** swfm. hirnschale. **-(hirne)-schal** stswf. dasselbe. **-schëdel** stm. hirnschädel. **-schibe** swf. dasselbe. **-schiel** stm. hirnschale. **-stal** stn. stirn, schädel. **-suht** stf. hirnkrankheit, irrsinn. **-vël** stn. hirnhaut. **-wüetic** adj. tobsüchtig.
hirne, hirn, hërne stn. hirn, gehirn, bildl. verstand.
hirse, hirs swstm. hirse.
hirse-grütze stnf. hirsebrei.
hirse-grüz stmf. hirsekorn.
hirsen-vëse swf. hülse des hirsekornes.
hirtære, -er s. *hërtære.*
hirte, hirt, hërte stswm. hirte.
hirten-ambet stn. hirtendienst. **-(hirt)-lêhen** stn. dem hirten statt des lohnes verliehenes grundstück. **-rëht** stn. vom hirten bei antritt des dienstes zu entrichtende gebühr. **-stap** stm. hirtenstab; dienst, gerechtsame des h. **-tuom** stn. hirtenstand.
hirtîn stf. hirtin.
hirt-lich adj. **-liche** adv. dem hirten eigen; wachsam. **-same** stf. viehhut, **-trieb.** **-schaft** stf. dasselbe.
hirz stm., **hirze** swm. hirsch.
hirze-tier stn. hirsch.
hirz-hals stm. hirschhals, koller von hirschleder. **-horn** stn. hirschhorn. **-vart** stf. hirschjagd. **-veizte** stf. die zeit, in der die hirsche feist sind; hirschjagd. **-wurz** stf. hirschwurz.
hirzîn adj. vom hirsche.
hisch stm. = *hësche.*
hischen swv. = *hëschen.*
hispe f. spange (vgl. *haspe*).

hispen swv. ringeln (locken).
hister adj. heiratslustig.
hî-stiure stf. aussteuer.
historje stswf. geschichte, erzählung (gr. lat. *historia*).
hitze, hitzene stf. hitze, eig. u. bildl.; bergm. heisse behandlung des erzes, ausrösten. **hitze-brant** stm. hitze. **hitzec, -ic** adj. heiss, hitzig. — adv. *hitzeclîche.*
hitzegen swv. *hitzec* machen. **hitzen** swv. intr. heiss werden, erglühen. — tr. heiss machen, erhitzen.
hiubel-huot stm. haubenhut, eine art helm.
hiubelîn stn. dem. zu *hûbe.*
hiufal-tër s. *hiefaltër.*
hiufel, hüfel stn., **liufelin, hüffelin, hüffel** stn. backen. wange, die fleischigeren teile daran (s. *hûf*).
hiufelin stn. dem. zu *hûfe.*
hiufeln, houfeln, hüfeln swv. häufeln; *daʒ h.* ein hazardspiel.
hiulen, hiuwelen swv. heulen, schreien.
Hiune, hiune swm. Hunne, Ungar; riese.
hiunisch adj. hunnisch, ungarisch. — *h. trübe, wîn* eine schlechtere hartschalige traubenart, wein davon.
hiure, hiuwer adv. in diesem jahre, heuer (md. *hûre* auch in der bedeut. v. *hiute*).
hiurec adj. heurig.
hiuren swv. *gehiure* machen, beglücken, beseligen.
hiuselin, hiusel stn. dem. zu *hûs* (gehäuse; käfig); fassung eines edelsteins.
hius-liche adv. häuslich, mit haus.
hiusline, -ges stm. der immer zu hause bleibt, hockt.
hiute adv. heute.
hiutec, -ic adj. heutig.
hiutec, -ic adj. häutig.
hiute-lanc adv. heute, für heute; von nun an.
hiutelin stn. dem. zu *hût.*
hiuwel, hüwel = *iuwel.*
hiuweln s. *hiulen.*
hiuwer s. *hiure.*
hiuze adj. munter; frech. — stf. munterkeit; frechheit.
hiuzen swv. refl. sich erkühnen, die spitze bieten *gegen.*
hinzen, hûzen swv. zur verfolgung rufen.
hiwe, hige, hie swmf. im pl. swn. gatte, gattin; hausgenosse, dienstbote.
hiwen, hien swv. sich verheiraten, part. *gehîet, -hît* verheiratet (*stille gehît*, ohne *rehte* ehe miteinander lebend).
hiwische, hiwisch stn. geschlecht, familie; hausgesinde; haus, haushaltung.

hô s. *hôch, hôhe, hœhe.*

hobel stm. decke, deckel; gedeckter wagen (auch *hobelwagen*, vgl. *kobelwagen*).

hobel, hobelen s. *hov-.*

hoben s. *hoven.*

hôch, hô adj. hoch (in, nach, aus der höhe); anderes übertreffend: gross, stark, laut, vornehm, stolz.

hôch-beschorn part. adj. hochgeschoren; vornehm. **-edel** adj. sehr edel. **-engel** stm. erzengel. **-geborn** part. adj. von vornehmer geburt, edel. **-gebot** stn. hohes heiliges gebot. **-geburt** stf. vornehme geburt, edle herkunft. **-geburtet, -geburt** part. adj. = *hôchgeborn.* **-gedinge** stn. höchste hoffnung. **-gelobet** part. adj. sehr gelobt, gepriesen. **-gelust** stm. freudiges verlangen. **-gemâc** adj. vornehme blutsverwandte habend. **-gemeit** adj. stolzfreudig. **-gemüete** stn. edle gesinnung; getroster, freudiger sinn, frohsinn; stolz, hochmut. **-gemüetec** adj. hochsinnt; freudig. **-gemuot** adj. edel, grossgesinnt, hochsinnig; hochgestimmt; freudig; stolz, hochmütig gegen (dat.). **-genant** part. adj. (zu *nenden*) kühn, mutig; hoch, edelgesinnt. **-genende, -genendec** adj. sehr kühn. **-gerihte** stn. peinliches gericht; richtstätte. **-geschaft** stf. hohe, ausgezeichnete schöpfung. **-gesidele** stn. hoch-, ehrensitz. **-geslaht** adj. von hohem geschlecht. **-getiuret** part. adj. sehr kostbar; sehr vornehm durch (gen.). **-gevrit** part. adj. der höchsten freiheit teilhaftig, beschützt. **-gevriunt** part. adj. viele u. hohe verwandte habend. **-gevürst** part. adj. hochfürstlich. **-gezît** s. *hôchzît.* **-geziten** stn. das feiern eines festes. **-gülte, -gültic** adj. kostbar. **-gülte** stf. kostbarkeit. **-heit, höcheit** stf. hoheit, erhabenheit. **-klunge** adj. von hohem klange, erhaben, herrlich. **-kunst** stf. hohe kunst, gelehrsamkeit. **-lich** adj. hoch, erhaben. **-lût, -lûtic** adj., **-lûtes** adv. mit hoher, lauter stimme. **-meister** stm. der oberste vorgesetzte eines geistl. ritterordens; vorsteher der judenschaft im ganzen reiche; hoher gelehrter (*ein h. von der schrift oder von rehte* ein doktor der theologie oder des rechtes). **-mësse** stf. hochamt. **-müete, -müetic** adj. hoch-, übermütig. **-müetigen** swv. hochmütig behandeln. **-muot** stm., **-müete, -muot** stf. gehobene edle gesinnung u. stimmung; freude; das hohe selbstgefühl; hoch-, übermut. **-schinende** part. adj. als schwierig erscheinend. **-seicher** m. hochpisser: übermütiger. **-springe, -sprunge** adj. hochspringend. **-stapfes** adv. gen. mit hohen schritten, stolz. **-stuol** stm. thron. **-trage** adj. hochmütig. **-tragende** part. adj. dasselbe; pass. hochgetragen. **-überic** adj. überragend. **-vart, hoffart** stf. art *hôhe* zu *varn,* vornehm zu leben, hochsinn; edler stolz; äusserer glanz, pracht, aufwand; hoffart, übermut. **-vart** stm. der hoffärtige. **-vartlich, -vertlich** adj. hoffärtig. **-vater** stm. altvater, patriarch. **-verte, -vertec, -vertic** adj. hochgesinnt; stolz, hoffärtig; prachtvoll. **-verteclich** adj., **-liche** adv. hoffärtig, stolz. **-vertelin** stn. kleine, armselige hoffart. **-verten** swv. intr. *hôchverte* sein, hoffart zeigen, üben. — tr. *h.* machen. **-vertigære** stm. der hoffärtige. **-vertigen** swv. intr. = *hôchverten.* **-vertlich** s. *hôchvartlich.* **-wëre** stm. hohes, in der höhe errichtetes *wërc;* ein belagerungswerk (vgl. *ëbenhœhe*). **-gezit** stfn. hohes kirchl. od. wel l. fest; bildl. höchste herrlichkeit, höchste freude; vermählungsfeier, hochzeit, beilager. **-ziten** swv. intr. ein fest feiern; hochzeit halten. — tr. heiraten. **-zitlich, -zitelich** adj. festlich. **-zünft** stf. sittsamkeit.

hôcheit s. *hôch-heit.*

hocke s. *hucke* 2; **höckin** stf. hökerin.

hocker, hoger stm. = *hover.* **hockerëht, hogerëht** adj. = *hoverëht.*

hôde swm. hode.

hodel-ros stn. saumpferd.

hof, -ves stm. hof, umschlossener raum beim hause; hof, kreis um etw.; die arena, der zirkus; ökonomiehof, inbegriff des besitzes an grundstücken und gebäuden; wohnstätte, aufenthaltsort des weltl. od. geistl. fürsten; der fürst mit seiner vornehmen umgebung; festl. versammlung von fürsten und edeln, hoftag; turnierhof, turnier; gasterei, schmaus; gerichtl. versammlung.

hof- s. *hove-.*

hof-ahte stf. ausschliesslich zu einem herrenhofe gehörende grundberechtigung.

hof-amman stm. hofrichter.

hofer s. *hovære.*

hoffart s. *hôchvart.*

hoffe stf. hoffnung.

hoffe-lôs adj. ohne hoffnung.

hoffen swv. hoffen mit gen. od. *an, zuo.*

hoffene stf. = *hoffe.*

hoffenunge, hofnunge stf. hoffnung.

hof-lich s. *hovelich.*

hof-, hoffen-lich adj. zu erhoffen; hoffend, hoffnung erweckend.

hog- s. *hüg-.*

hoger s. *hover.*

hogil stm. md. collis.

hôhe, hô adv. hoch (in, nach, aus der höhe); stark, laut; in vornehmer, ausgezeichneter weise, überaus, sehr; um einen hohen preis. — kompar. *hôher.* *hœher* kontr. *hôr:* höher, weiter aufwärts, weiter weg, zurück, mehr, weitläufiger; um einen höhern preis. — sup. *hœhste* höchst; teuerst.

hœhe, hôhe, hô stf. höhe anhöhe, erhöhung.

hœhede stf. höhe.

hôhe-, hôhen-liche adv. auf hohe, vornehme weise.

hôhen swv. intr. *hôch* werden.

hœhen, hôhen swv. *hôch* machen, erhöhen, erheben. — refl. sich aufrichten, erheben; sich überheben.

hœhern, hôhern, hôrn swv. *hœher* machen, erhöhen, erheben; abs. den preis erhöhen, verteuern.

hôhes adv. stolz, übermütig.

hœheste stnf. höchster punkt einer gegend; anhöhe; bildl. gipfel der macht.

hôhunge, hœhunge erhöhung, erhebung.

hoier s. *heier.*

hol adj. ausgehöhlt, hohl (mit gs.); klanglos. — stnm. höhle, höhlung, loch, vertiefung; öffnung.

hôl, höle stf. höhle (s. *hüle*).

hol-ber, holper stnf. himbeere.

hol-ber stf. tragbalke, auf der sich ein *hol* (höhlung, kasten) befindet.

holche swm. lastschiff (mlat. holcas v. gr. ὁλκάς).

holde swm. freund, geliebter; der einem treu dient, diener, dienstmann, holde; geist, genius. — swf. freundin, dienerin; weibl. geist s. *unholde.*

holdec-lichen adv. hold, huldvoll (vgl. *holtlîche*).

holden swv. = *hulden.*

holder, holer s. *holuntër.*

holderehe stn. holundergebüsch.

hôlëht adj. herniosus.

holf stm. narr, tor?

hol-hipe, holipe swf. = *hipe.* **-hipen, holipen** swv. schelten, schmähen. **-hiper, holiper** stm. der *holhipen* macht, verkauft; schelter, schmäher.

holn, holen, hain swv. berufen, zu sich rufen; herbeibringen, holen; erreichen, erwerben u. mit sich fortführen, finden. — refl. sich erholen von.

holn, höln swv. höhlen.

holne part. adv. heimlich.

holper s. holber 1.

holr, holre s. holuntër.

holr-blâsære stm. bläser auf dem holre. -blâsen stn. das blasen auf dem holre. -floite swf. flöte aus holunder.

holstern swv. kopfüber fallen, sich überschlagen.

holt, -des adj. mit dp. gewogen, günstig, freundlich, liebend; dienstbar, treu.

holt-liche adv. = holdeclichen. -rûne stf. geneigtes zuflüstern. -schaft stf. gewogenheit, freundschaft.

holunge stf. das erholn im rechtl. sinne.

nolun-tër, holunder, holder, holer, holre, holr stm. holunder; ein blasinstrument.

hol-wangen swv. hohle wangen bekommen; verräterisch handeln. -wanger stm. verräter.

hol-wêrc stn. hohle holzarbeiten, gefässe; in einer höhle vollbrachte tat.

hol-wurz stf. aristolochia, osterluzei.

holz stn. wald, gehölze; holz als stoff; stück holz.

holz-apfel stf. im walde (holz) wachsender apfel. -besuoch stm. das recht holz zu schlagen und der platz wo es geschieht. -bir f. im walde (holz) wachsende birne. -boc stm. waldbock; grober, unbeholfener mensch. -buoze stf. busse für waldfrevel. -dinc stn. gericht über waldfrevel. -gatze f. ein hölzernes schöpfgefäss. -gëlt stn. waldzins. -grâve swm. waldrichter. -halp adv. waldeshalb. -heie, -hege swm., -heier stm. waldhüter. -heit stf. dasein als holz. -hërre swm. besitzer des waldes. -hou stm. holzhieb. -houwer stm. holzhauer. -huon stn. zinshuhn für waldnutzung. -korn stn. zinskorn für waldnutzung. -lêhen stn. waldlehen. -lite stf. waldabhang. -lœse stf. abgabe für waldnutzung. -loube stf. holzmagazin. -man stm. holzhauer; waldgeist. -marke stf. waldmarke, gemeindewald. -meister stm. zimmermann; waldaufseher. -rëht stn. anteil an der waldnutzung, waldrecht; abgabe für die waldnutzung. -schuoch stm. holzschuh. -schuoher, -schuoster stm. holzschuhmacher. -tübe swf. wald-

taube. -vart stf. fahrt um holz. -warte swm. waldhüter. -wêc stm. wenig begangener weg zur fortschaffung des holzes aus dem walde. -wêrc stn. zimmerholz; holzbau. -wip stn. waldweib.

hölzelin, hölzel stn. wäldchen; hölzchen.

holzen, hülzen swv. intr. holz fällen u. aus dem walde führen; tr. mit holz versehen.

holzer stm. holzhauer.

holzin s. hülzin.

Holz-sæze swm. Holsteiner (eigentl. waldwohner).

hôn stm. hohn, schmach.

hœnde, hœne stf. schmach, schande; verletzendes, hochfahrendes wesen, übermut.

hœne adj. pass. verachtet, in schmach lebend. — akt. durch schmähung an der ehre kränkend, hochfahrend, übermütig, zornig, böse; stolz; gefahr bringend, gefährlich.

honec, honic, hönic, hünic, -ges stn. honig.

honec-gëlt stn. honigzins, abgabe der zeidler. -mæze adj. honigartig, honiggleich. -râz stn. honigwabe. -sam adj. süss. -seim, -sein stn. honigseim, honig. -süeze adj. süss wie honig. -trage swmf. biene. -tranc stn. süsser trank. -trôr stmn. honigsaft. -var adj. wie honig aussehend. -vaz stn. fass voll honig. -wabe swmf., -wap stn., -wift stn. honigwabe. -wirz stn. süsser honigstoff.

honegen, honigen, hongen swv. intr. honig von sich geben, voll honig sein. — tr. süss mit honig oder wie honig, zu honig machen.

hônen, hœnen swv. intr. hœne werden, in zorn geraten; heulen, schreien.

hœnen swv. hœne machen, unehre, schande bringen, entehren, herabsetzen, -würdigen, schmähen.

höniclin stn. dem. zu honec.

honigic adj. voll honig, honigsüss.

hœnisch adj. höhnisch.

hôn-kust, -kost, kostekeit stf. treuloses wesen und benehmen, arglist. -kusticlich adv. h. reden dolum loqui. -lachen swv. hinterlistig lachen. -lâge stf. hinterlistige nachstellung. -(hœn)-lich adj.,-liche adv. höhnend, höhnisch, spottend; mit schmach verbunden, schmählich. -sam adj. schmähsüchtig. -samkeit stf. blasphemiae. -schaft stf. hohn, spott, übermütige behandlung. -sprâche stf. schmährede.

hœnunge stf. verhöhnung.

hopfe swm. hopfen.

hopfen s. hupfen.

hopp-aldei stm. ein bäuerischer tanz.

hoppeln swv. hüpfend springen, humpeln.

hoppenie stf. das humpeln.

hor, hore, -wes stn. kotiger boden, kot, schmutz.

hôr s. hôhe.

hœrære, -er stm. hörer, zuhörer.

hôrchen, horchen swv. hören; hören auf, horchen mit dp.; ds., gs.; gehören an, zuo.

horcher stm. zuhörer.

hordære, hortære, hurtære, -er stm. sammler eines schatzes.

horde stf. flechtwerk; umhegung, bezirk.

hördclære stm. = hordœre.

hördeln swv. als einen schatz sammeln.

horden, hordern, hürden, hürten swv. absol. u. tr. einen schatz sammeln, bewirken dass etw. sich ansammelt; als einen schatz bewahren. — intr. u. refl. sich ansammeln, mehren, gedeihen; horden mit wucher treiben.

hore s. hor.

hôre, hôr stf. die stunde.

hôre, hœre stf. das hören.

horec s. horwec.

hœrec adj. hörend auf, folgsam; hörig, leibeigen.

hœren, hôren swv. tr. od. abs. hören, anhören (die sache wird ausgedrückt durch den gen., acc., infin., untergeord. s. od. mit präp. von; die person, die man anhört, von der man etw. hört, durch den dat., acc. od. mit präp. von); aufhören, endigen abs. od. mit gen. — intr. im verhältnisse der abhängigkeit od. zugehörigkeit von etw. sein, gehören zu, erforderlich sein zu (an, in, nâch, vür, wider, ze); gehorchen mit dat.; aufhören.

horgen s. horwegen.

hor-gewat stn., -lache swf. kotlache. -lade stf. kotbehälter. -sac stn. kotsack: der verwesliche menschl. leib. -tübel stm. rohrdommel. -wurm stm. regenwurm.

hormen s. hurmen.

horn stm. januar.

horn stn. horn; hornartige masse; hervorragende spitze; horn zum blasen.

hôrn s. hœhern.

horn-bile stn. beil von horn. -blâs stm. als mass der entfernung (so weit man ein horn blasen hört). -blâse swf. hornbläserin, hexe. -blâser stm. hornbläser. -blâst stm. das blasen eines hornes. -boge

swm. bogen aus hörnern oder mit hörnern (hervorragenden krummen spitzen); damit bewaffneter krieger. bogenschütze. **-dôn** stm. hornton; art des blasens auf dem horne. **-döʒ** stm. hörnerschall. **-geschelle** stn. coll. zu. **-schal** stm. horn. schall, hornton, hornsignal. **-schellen** swv. auf dem horne blasen. **-veʒʒel** stm., **-veʒʒer** swf. hornfessel: der riemen, woran das hifthorn hängt. **-zeichen** stn. hornsignal. **hornëht** adj. gehörnt. **hornelin** stn. kleines horn. **hornen** s. *hürnen*. **hornunc**, *-ges* stm. (patron. bildung zu horn stm.) februar. **hornuʒ, horniʒ** stm. (nbff. *harniʒ, harliʒ*) hornisse. **hôr-sam** adj.gehorsam. **-same, -sam** stfm. gehorsam. **-samen** swv. gehorchen. **hort**, *-des* stm. schatz, hort; das angesammelte, die fülle, menge von (gen.); in *horden* adv. massenhaft. **hortære** s. *hordœre*. **hort-gadem** stn. schatzkammer. **-riche** adj. schatzreich **hœrunge** stf. auditio. **horwec, horwic; horec, horic** adj. kotig, schmutzig. **horwegen, horwen, horgen** swv. beschmutzen. **horzel, horzen** s. *hurzel, hurzen*. **hosche** stm. spott. **hoschen** swv. abs. spotten. — tr. verspotten. **hose** swf. nur im pl. bekleidung der beine (vom schenkel oder erst vom knie an) samt den füssen, hose od. strumpf. **hosecke** s. *husecke*. **hosen-nestel** stf. hosenträger. **hosgir** s. *hûsegome*. **hospitâl** stn. = *spitâl*. **hossen** swv. schnell laufen. **hôster** stn. schöpfrad (lat. *haustrum*). **hostie, ostie** stswf. hostie (lat. *hostia*). **hotze, hotsche** swf. md. wiege. **hotzen** swv. intr. schnell laufen. — tr. schaukeln, in bewegung setzen. **hou** s. auch *hû-*. **hou**, *-wes* stm. hieb; holzhieb, hiebabteilung eines waldes. **höu** s. *höuwe*. **houbet, houbt, houpt** stn. kopf, haupt an menschen und tieren (*daʒ h. binden*, das gebende anlegen; *über h. vehten* gegen einen höher stehenden kämpfen; *gebieten bi dem h.* bei strafe des enthauptens); bezeichnung gezählter menschen u. tiere (*über houbet* ohne zu zählen, all); bildl. das oberste, äusserste; oberhaupt (könig und königin im schachspiel); das oberste, die spitze; anfang, beginn. **houbet-brief** stm. originalurkunde; schuldbrief. **-bühse** f. eine art des groben geschützes. **-dach** stn. kopfbedeckung, helm. **-dinc** stn. hauptsache. **-duht** stf. drang nach dem kopfe, kongestion. **-êre** stf. grosse *êre*. **-gaʒʒe** stf. = *houbetloch*. **-gebende** stn. = *gebende*, kopfputz. **-gëlt** stn. ersatz für gestohlenes gut; s. v. a. *houbetguot*; kaufpreis im gegensatz zur anzahlung (*hant-gift*). **-gerihte** stn. oberstes gericht. **-geschide** stf. schwindel, kopfkrankheit. **-gewant** stn. kopfbedeckung. **-golt** stn. kopfschmuck von gold. **-gülte** swm. der eigtl. schuldner im gegens. zum bürgen. **-guot** stn. kapital im gegens. zu zinsen u. kosten. **-haft, -haftec** adj. capitalis (*h. sünde = houbetsünde*). **-hâr** stn. kopfhaar. **-hërre** swm. hauptmann, anführer; *h. eines guotes* lehnsherr; schutzherr über eine zunft, über eine kirche, patron; s. v. a. *houbetgülte*. **-hir** stmf. kopfschmerz. **-hol** stn. = *houbetloch*. **-kanne** swm. alem. schenkwirt, gastgeber. **-küsselin** stn. kopfkissen. **-lachen** stn. kopftuch. **-last** stf. grösste last. **-list** stm. hauptkunst, höchste kunst; hauptkunstgriff. **-liute** pl. hauptleute; eine gattung zinspflichtiger leute. **-loc** stm. haarlocke. **-loch** stn. der obere ausschnitt eines gewandes, wodurch der kopf gesteckt wird. **-lôn** stmn. der höchste lohn. **-lôs** adj. ohne haupt. **-luoc** stn. = *houbetloch*. **-man** stm. der oberste mann, die hauptperson einer vereinigung; der unter den zinspflichtigen (s. *houbetliute*) eines geteilten gutes, der den gesamten zins einzunehmen und an den lehnsherren abzuführen hat; die hauptperson eines rechtl. verhältnisses od. handels, gewährsmann, an den einem der rezess zusteht; anführer im kriege, hauptmann. **-mein** stmn. hauptverbrechen, hauptlaster. **-meister** stm. vorzüglicher meister; anführer. **-nicke** stf. ? neigen des hauptes. **-phulwe** swm. kopfkissen. **-punct** stm. zenith. **-rëht** stn. das recht eine kopfsteuer, das *besthoubet* zu erheben. **-riche** stn. weltreich. **-rise** stf. kopfschleier. **-sache** stf. rechtsstreit, prozess. **-sacher** stm. urheber, anstifter; gegner im kampfe. **-schande** stf. hauptschande, grosse schande. **-schaz** stm. hauptgeld, kapital; vorzüglicher schatz, grösste kostbarkeit. **-schote** swm. tanz, bei dem mit dem haupte geschüttelt wird. **-schulde** stf. kapitalverbrechen, todsünde. **-schuldener** stm. = *houbetgülte*. **-schuole** stf. hohe schule. **-siech** adj. kopfkrank. **-smërze** swm. grösster schmerz; kopfweh. **-stat** stf. die stätte wo der kopf sitzt; die stätte wo das haupt abgeschlagen wird, richtstätte; die hervorragendste stätte eines ortes; vornehmste stadt, hauptstadt eines landes. **-stein** stm. stein als unterlage fürs haupt; eckstein; kostbarster edelstein. **-stërn** stm. hauptstern, planet. **-stuol** stm. stuhl auf dem das *houbetgerihte* gehalten wird; hauptbesitz, kapital. **-suht** stf. kopfweh. **-sünde** stf. kapitalsünde. **-sünde** adj. mit *houbet-sünde* beladen. **-sünder** stm. der *houbetsünden* begeht. **-swarte** stf. kopfhaut. **-swër** swm. kopfweh. **-tac** stm. der erste tag eines monats. **-tuoch** stn. kopftuch. **-vahs** stn. haupthaar. **-val** stm. anfall des *besthoubetes* an den lehnsherrn. **-vaste** f. die vierzigtägige fastenzeit. **-vater** stm. stammvater. **-vient** stm. hauptfeind. **-vrost** stm. erkältung im kopfe. **-vrouwe** swf. patronin; hauptmannsfrau. **-waʒʒer** stn. hauptsächlicher nebenfluss. **-wê** stn., **-wêwe** swm. kopfweh. **-weigec** adj. mit dem kopfe wackelnd. **-wisel** stm. hauptführer. **houbeten, houpten** swv. intr. *an einen, zuo einem h.* ihn als haupt anerkennen, ihm an hängen; sich erstrecken der richtung nach (*hin gegen*). — tr. enthaupten. — refl. sich als haupt ansehen. **höubetien** stn. dem. zu *houbet*. **höu-boum** stm. = *wisboum*. **-gadem** stn. heuschuppen. **-hûs** stn. dasselbe. **-mânôt, -mânet** stm. heumonat, juli. **-schober** stm.,**-schoche** swm. heuschober. **-schrëcke, -schricke** swm., **-schrëckel, -schrickel** stm. heuschrecke. **-schûr** stf. heuscheune. **-sprinke, -sprënke** swm. = *höuschrëcke*. **-stapfel, -stüffel, -stoufel** sm. f. dasselbe. **-tac** stm. tagewerk in der heuernte. **-wahs** stm. ertrag an heu. **houc**, *-ges* stn. hügel. **houfeln** s. *hiufeln*. **houfen** s. *hûfen*. **houwe, howe, hawe** swf., **houwel** haue, hacke. **höuwe, houwe; höu, hou,** *-wes* stn. heu, gras. **houwen, howen, hawen** redv.

3 abs. hauen, stechen. — tr. hauen, einhauen, stechen, abhauen, niederhauen, zerhauen; behauen, bearbeiten, zuschneiden; abschneiden, ernten. **houwen** swv. hauen, schlagen. **höuwen** swv. heuen, mähen. **houwer** stm. der da haut: holzfäller, der erzhauer im bergwerk, rebbauer; hauzahn des wildschweines. **höuwer, houwer** stm. mäher. **höuwet, houwet** stm. heuernte; zeit der heuernte, juli. **hovære, hofer** stm. inhaber eines hofes. **hove-** s. auch *hof-*. **hove-bære** adj. dem hofe angemessen, fein gebildet, höfisch. **-bëlle** swm. beller am hofe: verleumderischer höfling. **-diet** stf. hofbevölkerung, hofgesellschaft. **-dön** stm. bei hofe üblicher, dem hofe angemessener *dön.* **-galle** swf. böses oder böser, wodurch der hof verdorben, das hofleben vergällt wird. **-gebærde** stf. höfisches benehmen. **-gereite** stn. ackerzeug für die pferde. **-gerihte** stn. hofgericht, reichshofgericht; gerätschaften, speisevorräte usw. für den hof. **-gesëlle** swm. einer vom hofgesinde. **-gesinde** swm., **-gesint** stm. dienstmann am hofe. **-gesinde** stn. hofdienerschaft. **-gewant** stn. hofkleidung. **-gülte** stf. hofzins. **-hërre** swm. herr eines hofes; eigentümer eines erbzinsgutes. **-hœric** adj. zu einem hofe gehörig. **-jünger** stm. höriger eines hofes. **-kleit** stn. hofkleidung, -livree. **-knabe** swm. hofjunker. **-kunst** stf. höfische kunst. **-lich** adj.- = *hovebære*; ansehnlich, gross. **-liche, -en** adv. dem hofe angemessen, auf feine, artige, unterhaltende weise. **-liute** pl. von *hoveman*; spielleute. **-man** stm. diener am hofe eines fürsten; der zu einem hofe gehörige, ein gehöft bewohnende bauer. **-mære** stn. was man am hofe spricht und sich erzählt; nachricht vom hofe. **-marke** stf. inbegriff von grundstücken sowohl als von häusern und gebäuden, die als eigentümliche zughör zu irgend einem landhof angesehen werden, deren bebauung und nutzniessung aber gegen gewisse abgaben und zinsen als ein in den meisten fällen vererbliches und nicht zurücknehmbares recht an andere als den besitzer des ursprünglichen landhofes oder der hofmark übergegangen ist. **-mâze** stf. am hofe gebräuchliches masshalten. **-meier** stm.

= *meier* mit bes. rücksicht auf seine richterliche tätigkeit. **-meister** stm. aufseher über die hofdienerschaft, über den hofhalt (eines fürsten, eines klosters); aufseher über einen hof, oberknecht. **-münech** stm. mönch, der auf ritterliche weise lebt. **-rât** stm. die räte eines fürsten. **-rede** stf. = *hovemære.* **-rëht** stn. das bei hofe geltende recht; recht der hörigen und der dienstmannen eines hofes; dienstleistung nach solchem; musik irgend einer person zu ehren; hofgericht. **-reise** stf. reise an den hof. **-reite** swf. der hofraum, der zu einem landwirtschaftlichen gebäude gehörige freie spielraum; hof, bauernhof, landgut. **-ribe** swf. hofdirne, courtisane. **-rihter** stm. hofrichter. **-ritter** stm. ritter, der am hofe eines fürsten lebt. **-sache** stf. dachtraufe (entstellung aus *obese*); haus, hof. **-sæze** swm. der auf einem hofe wohnt, erblicher pächter von haus und hof. **-schal** stm. lärmende hoffestlichkeit. **-schalc** stm. hofdiener. **-schar** stf. schar von hofleuten, von höflingen. **-sin** stm. s. v. a. **-site** stm. sitte, lebensweise, gebrauch des hofes. **-spël** stn. gerede am hofe. **-spil** stn. höfisches, zum ritterl. hofleben gehöriges spiel. **-spîse** stf. die bei der erbteilung vorgefundenen speisevorräte; speise, mahlzeit an einem hofe. **-sprâche** stf. = *hoverede*. **-(hof)-stat** stf. grund und boden, worauf ein hof mit den dazu gehörigen gebäuden steht oder stehn könnte; wohnung eines herrn od. fürsten mit seiner umgebung; ein flächenmass. **-stæte** adj. dem hofe treu, am hofe festhaltend. **-strich** stm. höfisches streichen eines saiteninstrumentes. **-tanz** stm. tanz von höfischer art; tanzleich. **-tanzen** swv. einen *hovetanz* tanzen. **-tanz-sanc** stmn. gesang bei einem *hovetanz*. **-teidinc** stn. hofgericht. **-tenzel** stn. dem. zu *hovetanz.* **-tûscher** stm. der bei hofe täuscht. **-vart** stf. = *hoverêse*. **-vart** swf. herrin des hofes, lehnsherrin; die bei jem. zur miete wohnt. **-wart, -warte** stswm. hofhund. **-wërt** adj. des hofes od. dem hofe wert. **-wîse** stf. höfische art, feine sitte; höfische gesangsweise. **-zuht** stf. wohlgezogenheit, wie sie bei hofe gilt. **hövec** adj. zum hofe gehörig. **hovel, hobel** stm. hobel. **hovelin** stn. kleiner hof; geselliger zusammenkunft, gasterei, familienfest.

hoveline, -ges stm. höfling. **hoveln, hobeln** swv. hobeln. **hoveln, höveln** swv. ein *hovelin* halten od. besuchen. **hoven,** md. auch *hoben* swv. in den hof, ins haus aufnehmen; beherbergen; hof halten; höfisch erziehen und bilden. **hover** stm. höcker, buckel; ein buckliger. **hoverêht** s. *hoveroht.* **hoverlin** stm. buckelträger (spöttisch). **hoveroht, hoverêht** adj. mit einem *hover* versehen. **hövesch, hövisch, höfsch; hüvesch, hübesch, hübsch** adj. hofgemäss, fein gebildet und gesittet, courtois; unterhaltend (*h. man* spielmann). **höveschen, hübeschen** swv. sich galant unterhalten *mit*, den hof machen, hofieren. **hövesch-heit, hövescheit, hübescheit** stf. fein gebildetes und gesittetes wesen und handeln; schönheit. **hövesch-, hübesch-lich** adj., **-liche** adv. dem hofe gemäss. **hovete** stf. gehöft. **hovetlen** swv. = *hoveln* 2. **hovetlin** stn. = *hovelin.* **hovieren, hofieren** swv. in festlicher geselligkeit sich erfreuen; aufwarten, dienen dp.; den hof machen, galant sein dp.; musizieren, ein ständchen bringen; euphem. die notdurft verrichten. **hovierer, hofierer** stm. hofmacher; spielmann. **hovinger** stm. der zu einem hofe gehört. **hovunge** stf. hofhaltung. **howe, howen** s. *houw-*. **hozel, hützel** stm. podex. **hûbe, hoube** swf. haube, mütze als kopfbedeckung für männer und weiber; helm, pickel-, sturmhaube; mann mit einer solchen; kopfbedeckung der ritter unter dem helme zur minderung des druckes; kopfhülle eines zur beize abgerichteten falken; haubenartiger federbusch der vögel. **hübel, hubel** stm. hügel. **hüben** swv. behauben. **hübsch** s. *hövesch.* **hübeschære** stm. hofmacher. **hübeschærinne** stf. buhlerin, konkubine. **hübesche, hübsche** stswf. schönheit. **hûboht** adj. haubenförmig, geschwollen. **hûbschwip** stn. von Herodias gesagt. **hûchen** swv. hauchen. **hûchen** swv. kauern. **hucke** stf. verkaufsladen oder platz der *hucker*.

hucke, hocke, höcke swmf.
höker, kleinhändler, -händlerin.
huckener, hucker, hockener,
hocker stm. höker.
hudel, huder = *hader.*
hudel f. schlechte person,
hure.
hüebel stn. dem. zu *huobe.*
hüel s. *hülwe.*
hüenel s. *huonlín.*
hüenerer stm.geflügelhändler.
hüenern swv. mit einer abgabe von hühnern belegen.
hüerel stn. dem. zu *huore.*
hüetære, -er stm. behüter,
wächter, aufseher; hirte; münzwardein; als schachfigur siebente *vende.*
hüetekín, hüetelín, hüetel,
huotlín stn. hütchen, mützchen;
s. v. a. *hersenier;* um den kopf
gewundenes tuch.
hüeten swv. achthaben, achtgeben, schauen, wachen, bewachen abs., mit gs., gp., mit
dat. u. gen., mit acc., refl.
mit gen. od. präpp.
huf stf. (gen. u. pl. *hüffe)*
hüfte.
hûf stf. wange (s. *hiufel).*
hûfe, houfe swm. haufe, zu-
sammengeschichtete menge von
gegenständen irgend welcher
art; scheiterhaufen; geschlossene schar, haufen menschen,
bes. bewaffneter, krieger.
hûfêht adj. gehäuft; adv.
haufen-, scharenweise.
hûfel, hûfeln s. *hiufel, hiufeln.*
hûfen, houfen swv. häufen,
auf-, anhäufen.
hûfen-macher stm., **-mache-**
rin stf. kuppler, kupplerin.
hûfenunge, hûfunge stf. an-
häufung, versammelte menge.
hüffe-bein stn. hüftbein, hüfte. **-(huf)-halz** adj. hüftenlahm.
hüffelín, hüffel s. *hiufel.*
hüffelín, hüffel stn. kleine
hüfte. **hüffelbant** stn. hüftband.
huffenier stn. stück der rüstung um die hüfte.
hûfunge s. *hûfenunge.*
hüge, huge, hoge stswf. swm.
sinn, geist; andenken; erhöhte
stimmung, freude.
hügede, hügde stf. sinn, geist;
andenken, erinnerung.
hüge-(hoge)-lich adj. erfreulich; freudig, froh, munter.
-lichéit stf. freude. **-liet** stn.
freudengesang. **-numft** stf. erinnerung, gedächtnis. **-sam**
adj. *mir ist etw. h.* es freut mich.
hügen, hugen, hogen swv.
denken, sinnen, verlangen mit
gen. od. präpp.; sich freuen.
hugnisse stfn. s. v. a.
huht stf. gedanke, gedächtnis.
hül stf. hülle, kleidung;
kopftuch.
hül, hülbe s. *hülwe.*

hulde stf. geneigtheit, freundlichkeit, wohlwollen, huld; erlaubnis *(mit, bî dínen* usw.
hulden); ergebenheit, treue,
huldigung; dienstbarkeit.
hulden swv. *holt,* geneigt
machen; *hulde,* dienstbarkeit,
treue geloben, huldigen mit dat.
huldeschaft stf. *h. tuon* huldigen, ergeben sein.
huldic adj. = *holu.*
huldigen swv. *huldic* machen.
huldrín adj. von *holder* (s.
holuntër).
huldunge stf. huldigung.
hüle stf. = *hol,* höhle.
hülf- s. *hëlf-.*
hulft s. *hulst.*
hülle, hulle swstf. mantel;
kopftuch; umhüllung überh.
hüllen swv. bedecken, verhüllen.
hülse, hulsche swf. hülse.
hulst, hulft stf. decke, hülle.
hülwe, hulwe; hülbe, hulbe;
hüel, hül stswf. pfütze, pfuhl,
sumpflache.
hulwen swv. beschmutzen.
hülzen swv. 1. s. *holzen* 2.
claudicare.
hulzerín, hülzín, holzín adj.
von holz, hölzern.
hülzíne, -ges stm. holzapfel.
humbel, hummel stm. hummel.
hummen swv. summen.
humpelen swv. abgebrochen
weinen.
hümpeler stm. der langsam
und schlecht arbeitet, pfuscher.
humpeler stm. schiffer mit
kleinem nachen ohne segel.
humpel-nache swm. der nachen der *humpeler.* **-nacher** stm.
= *humpeler.*
hunde stf. beute, raub (ahd.
hunda, mhd. zu folgern aus
gehünde).
hunde, hunne swm. centenarius, ein unterrichter.
hundel-dinc stm. = *huntdinc.*
hundelín, hundel, hündel stn.
hündlein.
hundert stn. hundert.
hundert-valt, -valtec adj. hundertfältig. **-weide** adv. hundert-
mal.
hunde-tac stm. hundstage
(auch *hundige, hundische, hunt-*
líche tage).
hundín adj. von hundsart,
hündisch; von hundsleder.
hundínne stf. hündin.
hunger stm. hunger *(hungers*
tôt vor hunger tot; *heiliger,*
gotes h. begierde nach gott).
hungerc, hungerec, -ic adj.
hungrig.
hunger-git stm. hungergier.
-gítec adj. gierig aus hunger,
sehr hungrig. **-jâr** stn. jahr des
misswachses. **-lich** adj. hung-

rig, gierig. **-mâl** stn. zeichen
von hunger; hunger. **-nôt** stf.
not des hungers, bedrängnis
durch h. **-tuoch** stn. tuch womit
in der fasten der altar verdeckt
wird.
hungern swv. tr. hungern
lassen; aushungern. — refl.
sich des essens enthalten;
unpers. mit acc. hungern;
sich h. lân begierig sein *(an,*
nâch).
hünic s. *honec.*
hunne s. *hunde* swm.
hunt stn. hundert.
hunt, -des stm. hund, jagdhund (als scheltwort: bösewicht); der hundsstern.
hunt-âз stn. hundefutter.
-gesinde stn. gefolge von hunden. **-hûs** stn. hundehütte (auch
gefängnis). **-kelle** swf. dasselbe.
-slaher stm. der herrenlose
hunde einfängt und erschlägt.
hunt-dinc stn. centgericht.
hunt-schaft stf. gericht der
centenarii.
huobe stswf. stück land von
einem gewissen masse, hufe.
huobe-dinc stn. = *huobge-*
rihte. **-gëlt** stn. abgabe, zins-
einkommen von einer *huobe.*
-meister stm. einnehmer des
huobegëltes. **-rëht** stn. das recht
der *huober;* abgabe von der
huobe.
huobelíne, -ges stm. =
huober.
huober, huobener, huobner
stm. inhaber einer *huobe,*
erblehnbauer.
huob-gerihte stn. hubgericht
(von einem ausschusse der
huober besetzt, hatte es über
grund und boden und die
damit zusammenhängenden
verhältnisse zu urteilen).
-guot stn. gut eines *huobers,*
zinsgut. **-hof** stn. aus *huobgüe-*
tern bestehender hof. **-scheffe**
swm. scheffe des *huobgerihtes.*
-smit s. *huofsmit.* **-spruch** stn.
urteil des *huobgerihtes.* **-win**
stm. wein der bei einsetzung
eines *huobers* getrunken wird.
huoch, -hes stn. hohn, spott.
huof, -ves stn. huf.
huof-geziu(we), -gezou(we)
stn. werkzeug für den huf-
schmied. **-hamer** stm. hammer
zum hufbeschlag. **-ísen** stn.
hufeisen. **-slac** stm. hufschlag,
hufspur; hufbeschlag und geld
dafür. **-(huob)-smit** stm. huf-
schmied.
huohen swv. verspotten, höhnen.
huonlín, hüenel, hüenelín stn.
dem. zu *huon.*
huor stn. m. ausserehelicher
beischlaf, ehebruch, hurerei.

huoræra, -er stm. hurer; auch: der in der ehe nicht enthaltsam lebt.

huore stf. = huor (auch vom ehelichen beischlafe).—swf.hure.

huoren swv. huor treiben (vom ausserehelichen und ehelichen beischlafe).

huorerie stf. hurerei.

huor-gelust stm. unkeusche begierde, geilheit. -heit stf. hurerei. -lich adj. hurerei bezweckend, zur h. gehörend. -lust stm. = huorgelust. -macher stm., -macherin stf. kuppler, kupplerin.

huoste swm. husten; adj. den husten habend.

huosten swv. husten.

huot stm. hut, mütze; s. v. a. hersenier; helm; schützender überzug.

huotære, -er stm. hutmacher.

huote, huot stf. schaden verhindernde aufsicht und vorsicht, bewachung, behütung, fürsorge; wache, persönl. wächter; nachstellung; hinterhalt, lauer; nachhut; im schachspiel ile reihe der hüeter; waldhut, listrikt eines försters oder waldaufsehers.

huote-lôs adj. ohne bewachung.

huot-man stm., pl. -liute hüter, wächter; glöckner.

huove-kraz stm. eindruck von hufschlägen, hufspur. -schrift stf. dasselbe.

hupfen, hüpfen, hopfen, hoppen swv. hüpfen.

hûr stf. miete.

hürbin s. hürwin.

hurdeler stm. krämer in einer marktbude.

hurdieren s. hurtieren.

hûren swv. kauern.

hûren swv. md. mieten; auf mietpferden reiten; in einem mietwagen fahren.

hurgen swv. heranwälzen, nahen.

hürlinc, -ges stm. md. mieter.

hurm stm., hurmen stn., md. hormen feindlicher angriff.

hürnen, hornen swv. mit hörnern versehen; auf dem horne blasen.

hürnin, hurnin adj. von horn, mit einer (unverwundbar machenden) hornhaut überzogen, hürnen; mit hornschuppen benäht.

hûr-pfert stn. md. mietpferd.

hurrâ interj., eigtl. imperat. von hurren mit angehängtem â.

hurren swv. sich schnell bewegen.

hurst stm. quell?

hurst stf., hürste swf.? gesträuch, hecke, dickicht; übertragen: dichtes kampfgewühl.

hürsten swv. abwehren.

hurt stf. flechtwerk von reisern, hürde, namentl. um jemand darauf zu verbrennen; hurt als tür, brücke, belagerungsmaschine, falle.

hurt stm., hurte, hurt stf. stoss, anprall, stossendes losrennen (fz. heurt).

hurtære s. hordære.

hurte-bære adj. mit hurt, stoss verbunden.

hurtec adj. schnell, hurtig.

hurtec-, hurte-lich adj., -liche adv. zum gebrauche beim hurt geeignet; mit hurte losrennend; schnell, reissend.

hurtelinc stm. = hurtenier.

hurten swv. intr. stossend losrennen; tr. stossen.

hürten s. horden.

hurtenier stm. ein stück der rüstung, art beinrüstung.

hurte-vil stn. dasselbe.

hurtieren, hardieren swv. intr. = hurten.

hurt-valle swf. falle von flechtwerk (hurt) zum fangen von hunden und katzen.

hurwîn, hürwin, hürbin adj. = horwec.

hurzel, horzel stm. kleingehauene steine zum belegen der strasse. -stein stm. dasselbe.

hurzen, hürzen, horzen swv. stossen; jagen, hetzen.

hûs, hous stn. haus, wohnung, haushaltung; rathaus; festes haus, schloss, hütte, zelt; vogelhaus; familie, geschlecht; der menschl. leib.

hûs-arm adj. obdachlos, subst. -arme swm. -bâht stn. hauskehricht. -blunder stm. hausrat. -bruch stm. hausfriedensbruch. -dierne f. dienstmagd eines hauswesens. -dinc stn. ding das zur haushaltung gehört. -dürftige swm. = hûs-arme. -êre stf. hausehre, die sich zeigt in freigebigkeit, gastlichkeit, in der sicherheit und ruhe des hauses; ehre des hauses im allgem.; hausfrau; hauswesen, haushaltung. -gêlt stn. lagergeld für aufbewahrung der waren in dem koufhûse. -gemach stn. häusliche gemächlichkeit, häusliches vergnügen; wohnung, wohnsitz; gemach, zimmer. -genôz, -genôze stswm. hausgenosse, mitbewohner eines hauses od. einer burg; genosse überh.; mietsmann, die angehörigen eines hauswesens; die münzer eines hauses (da die münze ursprünglich im hause des fürsten selbst war); standesgenosse; bewohner von reichsunmittelbaren orten; höriger, mithöriger. -genôzen swv. zum hûsgenôze machen.

-genôzinne stf. hausgenossin -genôzschaft stf. stand und gesamtheit der hûsgenôzen. -geræte stn. coll. zu hûsrât. -gerihte stn. hausrat. -gereite stn. = hovereite; hausgerät. -gerüste, -geschelle, -geschirre stn. hausgerät. -gesëzze swm. mitbewohner eines hauses. -gesinde stn. hausdienerschaft. -getreide stn. im haus aufbewahrtes getreide. -gevelle stn. trümmer eines hauses. -got stm. hausgötze. -habe swm. hausbesitzer. -habe stf. häuslicher besitz, häuslichkeit. -habelich, -hebelich adj., -liche adv. ein haus od. hauswesen besitzend, ansässig. -hebic adj. dasselbe -heit stf. hintersässige gemeinde. -hërre swm. hausherr; hausvater; patron; aufseher in einem hûse (z. b. kaufhause). -knëht stm. knecht, hausknecht; kastellan des rathauses (in Nürnberg). -komptûr, kompter stm. vorsteher einer ordensniederlassung s. kommentiur. -leip stm. grosser brotlaib, wie er für den hausbedarf gebacken wird. -liute pl. von hûsman. -lode swm. im hause verfertigter lode. -lôs adj. ohne haus, seines hauses od. wohnsitzes beraubt. -man stm. hausherr; hausbewohner; mietsmann; burgwart. -meister stm. hausherr. -messe stf. hausmagd. -nôt stf. was im hause nötig ist, hausbedarf. -nôzinne, -nôzschaft = hûs-gen. -phîl stm. pfeil od. bolz zu der armbrust. -rât stm. hausrat (hûs-râtes pflegen wohnen). -ritter stm. ritter, der zu hause bleibt statt in den kampf zu ziehen. -rouche, röuche stf. die stätte des hausrauchs, eigener herd, haushaltung. -röuchen swv. wohnen, ansässig sein. -rouchunge stf. = hûsrouche. -sæze, -sæzic adj. mit einem hause ansässig. -schaffære stm. hausverwalter. -sorge stf. häusliche sorge. -stiure stf. beisteuer zur gründung u. führung eines haushaltes. -suoche stf. hausdurchsuchung. -suochen swv. haussuchung halten. -suochunge stf. = heimsuochunge. -tor stn., -türe stf. haustor, -tür. -vâr stf. gefahr fürs eigene haus. -vater stm. hausvater; patron, schutzheiliger. -verwarter s. hûswarter. -vîent stm. feind eines hauses, einer familie. -vluht stf. flucht vor dem hause od. ins haus. -volc stm. hausgesinde. -vride stm. hausfriede, schutz und sicherheit im eigenen hause. -vrouwe, -vrowe, -vrou swf. herrin im hause.

gattin. **-warter, verwarter** stm. hausverwalter. **-wer** stf. verteidigung des hauses. **-wërc** stn. behauene steine zu einem hausbau. **-wermunge** stf. häusliches fest beim einzuge in ein neugebautes haus. **-wirt** stm. hausherr, hausbesitzer; vorstand einer haushaltung; gatte; s. v. a. *hûshërre* in der letzten bed. **-wurz** stf. hauswurz. **-zimber** stn. bauholz. **-zins** stm. hauszins, mietgeld.

hûse swm. der hausen, der grosse stör.

husecke, hosecke f. ein mantel (fz. *housse*).

hûse-gome, -goum swm. auch *hûsgir, hosgir* (umged. aus ahd. *hisigomo, hisigoum*) pelikan. s. *sisegome*.

hûsen swv. intr. u. refl. ein haus bauen, sich häuslich niederlassen, wohnen; mit dat. einem eine wohnung bereiten; haushalten, wirtschaften; übel wirtschaften. — **tr. ins** haus aufnehmen, beherbergen.

hûsen stn. benehmen.

hûsieren swv. hausieren.

hussen swv. intr. sich schnell bewegen, rennen (vgl. *hutzen*). — **tr.** hetzen, reizen.

hûste swm. auf dem felde zusammengestellter haufen getreide, heu.

hûsten swv. getreide u. heu in haufen setzen.

hûsunge stf. wohnung, haus.

hût, hout stf. haut, fell des tierischen u. menschl. körpers; pergament; *hût* als scheltwort, bes. gegen weiber; dünne decke an teilen des tierischen organismus.

hutsch interj. raschen schwung in die höhe bezeichnend.

hutschen swv. tr. schieben. — intr. rutschen.

hütte swstf. hütte, zelt; verkaufsladen; bergm. gebäude zum schmelzen der erze.

hütte-kost stf. ausgaben für das einschmelzen der erze.

hüttelin stn. kleine hütte.

hütten swv. eine *hütte* bauen, mit einer *h.* versehen; in einer *h.* wohnung nehmen.

hütte-rouch stm. arsenik.

hütte-snuor stf. zeltschnur.

hützel stm. = *hozel.*

hützel, hutzel stf. getrocknete birne, hutzel.

hutzen swv. tr. bewegen, schieben; intr. sich schwingend, schaukelnd bewegen (vgl. *hussen, hutschen*).

hützern swv. zappeln.

hüvesch s. *hövesch.*

hûwe stm. md. anlauf.⁻

hûwe swm. nachteule, uhu.

hûwe s. *hiuwel.*

hûze, hûzen adv. (aus *hie ûze, ûzen*) aussen.

hûzen s. *hiuzen.*

I

i interj.; adv. s. *ie.*

ibe s. *îwe.*

ibesche, ibesch f. eibisch (lat. *ibiscum*).

ich pron. pers. ich (*ichne, ine, in* ich nicht).

îche, ich, eich stf. was zum abmessen, vergleichen dient, das mass; obrigkeitl. massbestimmung, eichamt.

îchen, eichen swv. abmessen, eichen, visieren.

îcher, eicher stm. eicher, visierer.

ic-lich s. *iegelich.*

ider-slange swm. hydra.

ie adv., md. auch î zu aller zeit, immer: vor adv. verstärkend (s. *iedoch, iegenôte, iemer, ienoch, iesâ, iewâ*); *ielanc* vor kompar. je länger je; bei distribut. zahlen: je, *ie der* (artikel) jeder einzelne, auch zusammengeschr. *ieder*; bei komparativen: immer, je — desto; zu irgend welcher zeit, irgend einmal, je; nach der konj. *daʒ* für *nie*.

iedec, -lich pron. adj. jeder.

ieder s. *ie, iewëder.*

ied-lich s. *ieteslich.*

ie-doch, îdoch adv. doch, dennoch.

ie-gelich, ieclich, îclich pron. adj. jeglicher, jeder.

ie-genôte, ignôte adv. mit eifer, unausgesetzt, immerfort, immer noch; jetzt, gerade jetzt.

ieges-lich s. *ieteslich.*

ie-gewëder pron. adj. = *iewëder.*

ieht s. *iht.*

ie-lich s. *iewelich.*

ie-man, -mën pronominalsubst.: irgend ein mensch, jemand; nach der konj. *daʒ* für *nieman.*

iemer, immer, îmer, ummer adv. (aus *ie mêr*) jederzeit, immer, für immer; in der regel nur bei beginnender u. zukünftiger tätigkeit (bei der vergangenheit nur ausnahmsweise: jedesmal, seitdem jederzeit), oft nur verstärkend; — je, irgend einmal (nach d. konj. *daʒ* zuweilen statt *niemer*); gehäuft *iemer mêre, mê* immer fernerhin, fortwährend, stets von neuem; jedesmal wieder, je noch (nach *daʒ*: nie wieder).

iemer-êwic adj. verst. *êwic.* **-lëbe** adj. immer lebend, ewig. **-lëben** stn. ewiges leben. **-lieht** stn. ewiges licht. **-riche** stn. ewiges reich, himmelreich. **-stunt** adv. immer. **-wërnde** part. adj. ewig.

iemeric adj. ewig.

iener, iender, iendert; inder, indert adv. räuml. u. modal: irgendwo, irgend.

ie-noch adv. immer noch; ausserdem, noch.

iergen, irgen, irgent, ieren adv. irgendwo, irgend.

iersch s. *irdisch.*

ie-sâ, -sô, isâ adv. verst. *sâ*: alsbald, sogleich, soeben.

ie-sô adv. verst. *sô.*

iet s. *iht.*

ietes-lich pron. adj. (aus *ie etelich, ie etelich* mit einmischung von *iegelich*), jeder; nbff. *itslich, iet-, iedlich, itlich, iegeslich, ieslich, islich.*

iet-wëder pron. adj. jeder von beiden.

ietwëder-halp, -halben, -sît adv. auf, zu beiden seiten.

ie-wâ adv. irgendwo.

ie-wëder, ieder pron. adj. jeder.

iewëder-halp, -halben, -sît adv. auf, zu beiden seiten.

ie-welich, -welch, ielich pron. adj. jeglicher, jeder.

iezec adj. jetzig.

ie-zuo, iezunt, iezen, iezent adv. gerade jetzt, eben, jetzt gleich, gleich darauf; wiederholt: bald—bald.

ifer stm. eifer; eifersucht.

iferære stm. eiferer.

ifern swv. eifern.

iferunge stf. = *ifer.*

igel stm. igel; art belagerungsmaschine, eine art geschoss.

igelin adj. vom igel.

igel-mæʒec adj. igelartig, stachlicht. **-var** adj. wie ein igel aussehend.

ignôte s. *iegenôte.*

iht, ieht, iet, it stn. pronominalsubst. irgend ein ding, etwas, mit od. ohne gen., verstärkt durch vorangehenden gen. *ihtes iht* (woraus durch zusammenz. *ihtesiht, ihtesit, ichsit, ichtzit*). — *iht* adv. acc. irgend, etwa, bei kompar. etwas, irgend; nach d. konj. *daʒ* für *niht* u. *ihtes iht* für *nihtes niht.*

ihtec adj. was ist.

ihtekeit stf. selbstsucht.

ihten swv. zu etwas machen.

ihten swv. = *îchen.*

île stf. eifer; eile.

île stf. insel.

îlec adj. eilig. **-heit** stf. eiligkeit.

îlen swv. intr. sich beeifern, befleissigen (mit infin., mit nachs. mit *daʒ*); eilen (mit infin., gen.), mit refl. gen. sich beeilen. — tr. beeilen.

iltis s. *eltes.*

imbe, impe, imme stswm. bienenschwarm, bienenstand; biene.

imbër s. *ingewër.*

im-biȥ s. *inbiȥ.*

imelin stn. dem. zu.

imin, imi stn. ein getreidemass (der neunte teil eines viertels).

imme s. *imbe.*

immer s. *iemer.*

immer-hort stm. unvergänglicher schatz. **-lôn** stn. ewiger lohn. **-tôt** stm. ewiger tod.

immern swv. intr. immer, ewig sein; tr. ewig machen.

immeȥ, immiȥ s. *inbiȥ.*

impe s. *imbe.*

impelin stn. dem. zu *imbe.*

impfeten, inpfeten, impfen swv. impfen, pfropfen (mlat. *impotus* impfreis, gr. ἔμφυτον).

iu acc. m. sing. u. dat. pl. von *ër, si, ëȥ.*

in s. *ne, ich.*

in- intensiv, *in* vor adj. u. subst. (*indurstec, -grüene, -guot, -swarz* usw.).

in, en präp. räuml. mit dat. in, an, auf; mit acc. in, an, auf, zu; — zeitl. mit dat. in, an, bei; mit acc. gegen; final zu (*in gotes* usw. *êre, lobe); in. en* in adverb. ausdrücken mit dat. u. acc. vor subst. u. adj. (*in quote, in übele, in gâhen* usw.), vor adv. u. präp. (s. *enbinnen, enbore, engegen* usw.).

in, in in adv. ein, hinein, herein; hinter demonstr. adv. *dâ in, dar in, drin, her in, hin in* usw.) u. bei zeitwv. z. b. *in-bilden* einprägen. — *binden* einbinden, einschärfen. — *briden* hineinweben. — *brîsen* einschnüren. — *demen* swv. inspirieren. — *drücken* einprägen. — *gân* ein-, hineingehen, mit gen. worauf eingehen; unpers. *mir gât in* ich verstehe; tr. betreten. — *legen* ein-, hineinlegen (ins gefängnis, ins grab); refl. sich ins wochenbett legen; *sich gegen einem in l.* gegen ihn eine klage vorbringen. — *machen* einhüllen; einbalsamieren. — *nëmen* einnehmen; zu sich ins haus nehmen; vernehmen, verhören; hören, prüfen. — *rîten* ein-, hineinreiten, das einlager halten. — *sinken* einbrechen, myst. sich hinein versenken. — *- sliezen* einschliessen; vereinigen; fangen. — *sloufen* einhüllen, kleiden. — *sprëchen* tr. einsprechen, eingeben, zu sich laden, intr. einspruch erheben. — *trenken, eȥ einem* es einem eintränken, vergeltung od. rache nehmen. — *trëten* ein-, hineintreten;

zertreten. — *tuon* einfangen, einschliessen, refl. sich verbergen, zurückhalten. — *vallen* ein-, zusammenfallen, einbrechen; sich ergeben, ereignen. — *vleischen* swv. *ingevleischet w.* incarnari. — *ziehen* tr. einziehen; *eine strâle,* einen pfeil auf den bogen legen; *die bogen* spannen; *den roc mit snüeren* einschnüren; refl. sich bekehren. — *zogen* intr. hineinziehen.

inâ interj. siehe, he, heda!

in-ædere stm. eingeweide.

in-bildunge stf. einprägung; äusserlichkeit;einbildung,phantasie.

în-biȥ stmn. essen, imbiss, mahlzeit (gewöhnl. angeglichen *imbîȥ,* assim. *immiȥ, immeȥ*).

în-biȥen, imbiȥen swv. essen, mahlzeit halten (s. *enbiȥen*).

în-blic stm. myst. einblick.

în-, in-born part. adj. eingeboren.

in-bot stm. gebot, auftrag.

in-bruch stm. einbruch; eingriff; schaden, eintrag.

in-brunst stf. inbrunst.

in-brünstec adj. hellbrennend, heiss verlangend, inbrünstig; zornig.

in-bû stm. das bauen u. gebaute.

in-bûwe swm. einwohner.

in-dæhtic, -denke adj. eingedenk mit gs.; erinnerlich mit dp.

inder, indert s. *iener.*

indruc s. *iteroche.*

in-druc stm. eindruck, empfindung od. wirkung des empfindungsobjektes.

in-durstec adj. sehr durstig.

ine s. *ich.*

infel-bære adj. eine *infel* tragend.

infele, infel stf. binde, priesterbinde; bischofs-, abtsmütze (lat. *infula*).

in-gâbe stf. eingebung; schriftliche eingabe.

în-, in-ganc stm. das eingehn, der eingang; hineinführender weg, eingang; einschlag eines gewebes.

ingebër s. *ingewër.*

in-gebot stn. gebot.

in-gebû stm. innerer bau.

in-gedanke swm. innerster gedanke.

in-gedenke = *indenke.*

in-gehiuse stn. = *ingesinde.*

in-geisten swv. inspirare.

in-gekêrt part. adj. in sich gekehrt.

in-gëlt stn. abgabe, rente.

in-genomenheit stf. voreingenommenheit.

in-genôȥ stm. einheimischer.

in-geræte stn. hausgeräte.

in-gereite stn. eingeweide.

in-geriusche stn. dasselbe.

in-geriute stn. = *geriute.*

in-gesigel stn. = *insigel.*

in-gesinde swm. einer aus dem *ingesinde;* hausgenosse.

in-gesinde stn. dienerschaft im hause des herrn, hofdienerschaft,hausgenossenschaft,kriegerisches gefolge; diener; einwohner. **-gesinden** swv. einen ins gefolge aufnehmen.

in-geslehte stn. eingeweide.

in-gesneite stn. eingeweide.

in-getüeme, -tüemede stn. eingeweide; hausrat, vermögen (bes. was die frau ins haus gebracht hat).

in-gevelle stn. einkünfte.

in-gewant stn. eingeweide.

in-gewæte stn. was zur einkleidung dient.

in-geweide stn. eingeweide.

ingew(b)ër, imbër stm. ingwer (lat. *zinziber*).

in-geziht stf. = *inziht.*

in-gezogen part. adj. in sich gezogen.

in-giezunge stf. eingiessung.

in-gome swm. insasse.

in-grimmigen swv. ingemiscere.

in-grüen stn. immergrün.

in-grüene adj. kräftig grün.

in-grunt stm. innerer grund.

in-guot adj. sehr gut.

in-guȥ stm. eingiessung: das eingiessen sowohl als das eingegossene, eingefüllte; einfluss, einwirkung.

in-hangen stn. das innesein, **-wohnen.**

in-hant stf. innere hand. — adv. zuweilen, hie u. da.

in-heimisch adj. einheimisch, zu hause befindlich. — adv. nach hause.

in-hër adv. herein.

in-hitze, -hitzec adj. sehr heiss, entflammt. **-hitzen** swv. erhitzen.

in-kêr stm., **-kêre** stf. myst. einkehr, das insichgehn.

in-knëht stm. knecht des hauses.

in-komen stn. das hereinkommen, die ankunft. — adj. eingewandert. **-komeline** stm. der eingewanderte. **-kumft** stf. ankunft.

in-künftic adj. zukünftig.

in-lâge stf. eingriff.

in-lëger stn. das einlager. — stm. landstreicher, der bald hier bald dort unterschlupf sucht.

in-leger stm. der etwas ein-, hineinlegt.

in-leite stf. einführung; erster feierlicher kirchgang einer wöchnerin. **-leiten** stn. hineinführen; zu etw. bringen, bewegen, anleiten, verführen.

in-lende stn. heimat, vaterland.

land; herberge, quartier. —
swm., -lender stm. inländer.
-lendic adj. im lande, zu hause.
in-lich = inneclich.
in-ligen stn. = inlëger 1.
in-liute pl. von inman.
in-luogen stn. einblick.
in-man stm. mietsmann.
in-man stm. der eingesessene,
in einem gemeindeverbande
begüterte.
in-manc adv. md. zwischen,
unter.
in-manen swv. einmahnen.
in-mietunge stf. ein-, ver-
mietung.
in-nâme stf. einnahme.
innân s. innen.
inne räuml. adv. inne, inwendig. — präp. mit gen.
innerhalb (inne des, indes
demonstr. u. relat. indessen,
unterdessen), mit instrum.(inne
diu währenddem). — stf. das
innere; innigkeit.
innec, innic adj. innerlich,
im innersten beruhend, aus
dem innersten kommend; innig,
andächtig; vertraut; verwandt,
ähnlich mit dat. -heit, **innekeit,
innenkeit** stf. eingezogenheit;
innerlichkeit;innigkeit,andäch-
tigkeit; gespannte aufmerksamkeit. -lich adj., -liche adv. in
od. aus dem innersten, inniglich; bis ins innerste andächtig.
innegen, innigen swv. ins
innerste aufnehmen; andächtig
machen; erinnern, belehren.
inne-, in-halt stm. inhalt.
inne-halden stv. enthalten.
inne-helter, in-halder stm.
besitzer.
in-nëmer stm. einnehmer.
innen, innent, innân adv.
innen. — präp. innerhalb,
binnen (mit gen., dat., instr.).
innen swv. inne haben, besitzen; aufnehmen; mit acc.
u. gen. erinnern, in kenntnis
setzen. — refl. mit dat. sich
anschliessen, innig verbinden.
innent-lich adj., -liche adv.
andächtig; inniglich.
inner adj. inner, inwendig,
tief im innern liegend.
inner adv. präp. = innen
(inner dës, inner diu indessen).
innerc-heit, innerkeit stf.
das innere, innerlichkeit, innigkeit; entrückung.
inner-halbe, -halben, -halp
adv. im innern; innerhalb. —
präp. innerhalb, binnen mit dat.
-heit stf. = innercheit. -lich
adj., -liche adv. innerlich;
innig. -steter stm. = insteter.
innern, inren swv. erinnern,
kennen lehren, in kenntnis
setzen, belehren, überzeugen
mit acc. u. gen. — refl. mit
gen. sich erinnern an.

inne-, in-wendic adj. inwendig, innerlich. — adv., auch
-wendigen. — präp. innerhalb,
binnen (mit dat., gen.). -wende-
keit stf. myst. andacht.
inne-, in-woner stm. einwohner.
in-nôt stf. tiefe, grosse not.
innunge stf. aufnahme, verbindung; verbindung zu einer
körperschaft, innung, zunft;
das innere des hauses.
in-ôre stn. inneres d. ohres.
in-ouwe stf. wohnung.
inpfeten s. impfeten.
in-rede stf. einrede.
inren s. innern.
in-rêren swv. hineinfallen
lassen, einbrocken.
in-sage stf. einsprache.
in-, in-saz stm. das hinein-
setzen und hineingesetzte; einsetzung, immission.
in-, in-sæʒe swm. eingesessener einwohner; mietwoh-
ner.
in-schin stm. das hinein-
scheinen.
in-schouwe stf. einsicht.
in-sëhen stn. myst. î. haben
innerlich betrachten.
insele, insel, îsele swf. insel
(lat. insula).
in-sëʒʒen part. adj. einge-
sessen, eingeboren.
in-sidel m. der einheimische.
insigele, -sigel stn. siegel
(petschaft sowohl als siegelbild,
gepräge); stempel, zeichen;
weidm. ein kennzeichen der
fährte des hirsches. -sigelen
swv. siegeln, versiegeln.
in-slac stm. myst. entrük-
kung.
in-sloʒ stn. inbegriff.
in-smëlzen stv. myst. sich
verschmelzen.
in-sprâche stf. = insage.
in-stant stm. näherkauf, vor-
kauf; einstellung der gerichtsverhandlung.
in-steter stm. bewohner der
innern stadt.
in-strâm stm. einströmung.
instrument stn. urkunde,
beweisschrift (lat. instrumen-
tum).
in-sunder, -sundern adv. besonders, abgesondert; insun-
ders insbesondere.
in-swarz adj. sehr schwarz.
interesse stn. entgangener
nutzen, erwachsener schaden
(lat.).
in-trac stm. eintrag, nachteil,
schaden; einwand, einrede.
in-, in-val stm. das einfallen,
der einfall; einbruch, feindlicher
einfall; eingriff in jemandes
recht; zwischenfall, interreg-
num; zufälliger gedanke; einrede.

in-, in-vanc stm. begrenzter
oder eingeschlossener raum,
einfriedigung, umfang.
in-var stf. einfahrt, einzug.
in-varn stn. eingang.
in-vart stf. das eingehn, der
eintritt, einzug; hineinführender weg, einfahrt, -gang.
in-vehsener stm. einnehmer.
in-versunken part. adj. versenkt, vertieft.
in-ville stn. pelzfutter, unterfutter.
in-viurec adj. inbrünstig.
in-vleischunge stf. fleisch-
werdung.
in-vliegende part. adj. der î.
gedanc der verstohlene (subrep-
ticius) gedanke.
in-vlieʒen stv. tr. einflössen.
in-vluc stm. das einfliegen.
in-vluht stf. zuflucht.
in-vluʒ stm. das einfliessen,
der einfluss; einwirkung; an-
steckung.
in-vole stn. mietleute.
in-vrouwe f. mietfrau.
in-wander stm. eingang.
in-wart adj. inwendig.
in-wëc stm. eingang.
in-wendic s. innewendic.
in-, in-wërt, -wërtes adv.
ein-, inwärts.
in-wertec adj. inwendig, innerlich.
inwërt-würkunge stf. myst.
d. nachinnenwirken.
in-wête stn. das innere eines
hauses.
in-wîh s. niwiht.
in-wiser stm. einweiser.
in-wîsunge stf. immission.
in-woner s. innewoner.
in-wonhaftic adj. wohnhaft;
i. tw. inhabitari.
in-wonunge stf. wohnung;
das darin verweilen.
in-wonunger = inwoner.
in-worf stn. gram. die interjektion.
in-würken stn., **in-würkunge**
stf. myst. einwirkung.
in-zic stm., -zîht stf. beschuldigung.
in-zimer stn. juncfrôulicheʒ
i. jungfrau Maria.
in-zuc stm. einzug; feindl.
einfall; das sich zurückziehen.
ir pron. pers. ihr (md. nbff.
er, her, ur, or).
ir pron. poss. ihr, ihrig.
ireh, irh stm. bock; stn.
weissgegerbtes (bocks-) leder,
bes. von gemsen, hirschen,
rehen (auch irch-vël stn.).
**irdec, irdenisch, irdensch, ir-
disch, ërdisch** adj. von, aus, auf,
in der erde, irdisch;kontr.iersch,
irsch. **Irdin, ërdin** adj. irden,
irden swv.refl.erdfarben werden.
irezen s. irzen.
irgen, irgent s. iergen.

irher stm. der *irch* bereitet, weissgerber.

irhin adj. von *irch*.

irmen-súl stf. columna universalis.

irræe, -er stm. der stört, hindert; irrlehrer, ketzer.

irrât, irrot stm. irrtum, ketzerei.

irre, ërre adj. vom rechten wege abgekommen, verirrt; mit gen wovon abgekommen, verlustig, frei; ketzerisch; wankelmütig, unbeständig, untreu; erzürnt, aufgebracht, ungestüm, herbe; uneinig, im streite begriffen.

irre, md. **ërre** stf. irrtum, verirrung,irrfahrt; meretricium.

irre-bære adj. irreführend; erzürnt, wild. **-gân** stv. intr. irregehn; tr. übertreten (gesetz). **-ganc** stm. irrer, ruheloser, zielloser gang; irrlicht; das verlaufene, herrenlos gewordene vieh. **-genge, -gengic** adj. irregehend, verirrt. **-gengel** stm. einer der irregeht. **-haft** adj. verwirrt, uneinig. **-heit** stf. irrtum, unbeständiges wesen. **-sal (irsal)** stm. f. n., **-salunge** stf. irrung, hindernis, schaden; ketzerei. **-sam** adj. irrend, verirrt; zur verirrung verleitend; verwirrt, uneinig. **-sâme** swm. same der zwietracht. **-stërn** stm. planet. **-tac, -tuom** stm. irrung, hindernis, schaden; irrtum, ketzerei; streit, zwistigkeit. **-varn** stv. bildl. im irrtum leben. **-vart** stf. irrfahrt. **-wëc** stm. irrweg.

irrec, irric adj. irrig, zweifelhaft; hinderlich. **-heit, irrekeit** stf. irrtum, verirrung, irrlehre, -wahn; störung, hindernis. **-lich** adj., **-liche** adv. irrend, irrig; verführerisch, ketzerisch.

irren swv. (md. auch **ërren**) tr. irre machen, in verwirrung bringen, stören, hindern; auf abwege,zum unglauben bringen. — refl. sich entfernen *von*; sich veruneinigen. — intr. ungewiss sein, irren, in der irre umherlaufen; mit gen. nicht haben.

irrot s. *irrât*.

irrunge stf. = *irretuom*.

irsal s. *irresal*.

ir-sale stf. = *sal, sale*.

irsch s. *irdisch*.

irzen, irezen swv. mit *ir* anreden.

is stn. eis; zugefrorne stelle.

isâ s. *iesâ*.

is-boum stm. eisbrecher. **-grâ** adj. eisgrau. **-grûpe** swf. kleines hagelkorn. **-güsse** stf. eisgang. **-kache** swm. md. eiszapfen. **-kalt** adj. eiskalt. **-schelle** swmf. eisscholle, treibeis. **-var** adj. = *îsgrâ*. **-vogel** stm. eisvogel. **-zapfe** swm. eiszapfe. **-zolle** swf. dasselbe.

îsec adj. eisig, voll eis.

îsel f. eiszapfe.

îsele s. *insele*.

îsen stn. eisen als metall; verarbeitetes eisen: waffe, rüstung, pflugschar (*daz glüende, heize î.* bei gotteurteilen); hufeisen; brecheisen; münzstempel; fessel, kette.

îsen swv. zu *îs* werden, gefrieren.

îsen-bant stn. eisernes band. **-bar** stf. eisenstange. **-bërc** stm. eisenbergwerk. **-biz** stm. eisenfresser, gaukler. **-bühel** stm. eisenhügel, spött. benennung des helmes. **-dach** stn. *dach v.* eisen. **-ërz** stn. eisenerz; eisenbergwerk. **-gewant** stn. eisenrüstung. **-grâber** stm. münzstempelgräber. **-halte** swf., **-halt** stn. eiserne beinschelle. **-hart** stm. dasselbe; eisenkraut. **-hemde** stn. eisenrüstung. **-hert** adj. hart wie eisen. **-(iser)-hose** swf. beinrüstung. **-huot** stm. kopfbedeckung von eisenblech. **-këc** adj. mutig in der eisernen rüstung. **-kleit** stn. = *îsengewant*. **-klôz** stn. eisenklumpen. **-kraft** stf. kraft des magnetes eisen anzuziehen. **-krût** stn. eisenkraut. **-mâl** stn. rostfleck am eisen. **-menger** stm. eisenhändler. **-(iser)-râm** stm. = *harnaschrâm*. **-rinc** stm. eisen-, panzerring. **-sinder, -sindel** stm. eisenschlacke. **-spër** stn. eiserne spitze des speeres. **-stange** f. stange von eisen. **-stein** stm. eisenstein; burg der Brünhilde. **-trât** stm. eisendraht. **-var** adj. eisenfarb, nach eisen aussehend. **-vlasche** f. blechflasche. **-wât** stf. = *îsengewant*. **-wërc** stn. eisenwerk, eisernes geräte; eisenrüstung; eisenbergwerk.

îsener stm. eisenhändler.

îsenîn,isnîn,isîn adj.von eisen.

îser-hose s. *îsenhose*.

îser s. *îsern*.

îserîn, îsern adj. = *îsenîn*.

îser-kolze swm. = *îsenhose*.

îsern, îser stn. eisen, bes. das verarbeitete eisen, eiserne waffe, rüstung.

îsern swv. mit eisen (rüstung) bedecken.

îsern-bant stn. = *îsenbant*.

îserne, îser f. eisenkraut.

îser-râm s. *îsenrâm*.

îsîn s. *îsenîn*.

islich s. *ieteslich*.

isnîn s. *isenîn*.

isôpe swm., **ispe** swf. ysop.

israhêlisch adj. israelitisch.

istic, isticlich adj. essentialis.

istic-heit stf. essentia.

istôrje f. = *histôrje*.

it s. *iht*.

itâlsch adj. italisch.

ite-kou wen swv. = *iterücken*.

itel adj. leer, ledig (mit gen.); eitel, unnütz, vergeblich; ausschliessend: ganz, nichts als, bloss, nur; vom gelde: rein, unverfälscht, den vollen wert habend.

itelære stm. der eitle dinge treibt.

itele stf. leerheit; eitelkeit.

itel-hende adj. mit leerer hand. **-lich** adj., **-liche** adv. leer; eitel. **-licheit** stf. = *itelkeit*. **-macher** stm., **-macherinne** stf. sich eitel, hoffärtig erweisende und dadurch die blicke auf sich ziehende person. **-wort** stn. unnützes wort, geschwätz.

itelic adj. leer, bloss; nichts als.

itelkeit (aus *îtelic-heit*) stf. leerheit, nichtigkeit, eitle, nichtige dinge; leerer hochmut, eitelkeit.

iteln swv. leer machen.

ite-, it-niuwe adj. wieder neu, ganz neu.

ite-niuwe stf. ganz neues.

ite-, it-niuwen swv. erneuen.

ite-roche stf. der schlund (*indrug, indruc, eindruck*).

ite-, it-rücken swv. wiederkäuen.

ite-, it-wiz stmn., **-wize** stf. strafrede, vorwurf, schmähung, tadel, schmach. **-wizære** stm. schmäher, tadler. **-(it)-wizen** swv. vorwürfe machen, schmähen, tadeln mit dp. u. as.

it-, its-lich s. *ieteslich*.

ittern stv. wiederholen (vgl. *ite-*; oder lat. *iterare?*).

it-wæge stn. flut, strudel.

iu, iuch dat. acc. pl. von *du*: euch.

iuften swv. auftun, eröffnen.

iuterlin stn. dem zu *úter*.

iuwel, iule swf. eule (s. *hiuwel*).

iuwer, iwer, iur pron. poss. euer.

iuzen, iuzern swv. s. *úzenen, úzern*.

iwe, ibe stf. eibe; bogen aus eibenholz.

iwin adj. von der eibe.

iz s. *ër*.

J

jâ, ja interj. bejahend: ja; bekräftigend: fürwahr; um die apposition od. umschreibung einzuleiten. — stn. das ja, die bejahung.

jac, -ges stm. rascher lauf; s. v. a. *bejac*.

jâchant, jachant, jôchant, jechant, jâcinot, jacinte stm. hyazinth (auch *jachantstein*) aus mlat. *jacinctus*.

jagât stf. jagd, verfolgung des feinde.

jage stf. jagen, eile, rascher lauf, verfolgung.

jage-bære adj. jagbar. **-ge-sinde** stn. jagdgefolge. **-horn** stn. jagdhorn. **-hunt** stm. jagdhund. **-hûs** stn. jagdschloss. **-lich** adj. = *jegelich*. **-liet** stn. melodie auf dem jagdhorne. **-list** stm. kunst des weidmannes. **-meister** stm. jagdmeister, leiter u. anordner der jagd; meister im weidwerk. **-phert** stn. jagdpferd. **-rêht** stn. jagdbrauch. **-site** stm. dasselbe. **-spieʒ** stm. jagdspiess. **-wîse** stf. = *jageliet*.

jagede, jeide stn. f. jagd; jagdbeute.

jagen swv. abs. od. tr. verfolgen, jagen (hastig eilen), treiben; in die flucht schlagen. — refl. sich umhertreiben. — abs. u. tr. jagen, auf der jagd sein, ein wild jagen.

jagerie s. *jegerîe*.

jaget, jeit, -des stn. f. jagd.
jaget- s. *jage-*.

jâ-hёrre swm. einer der zu allem *jâ herre!* sagt, schmeichler.

jâmer, âmer stmn. herzeleid; schmerzliches verlangen *nâch*; gegenstand der schmerz erregt. **jâmer-ande** swm. schmerzliche kränkung. **-bære** adj. herzeleid tragend oder erweckend. **-bёrnde** part. adj. herzeleid mit sich führend. **-braht** stm. klaggeschrei. **-gitec** adj. leidgierig. **-haft** adj. herzeleid habend. **-karn** stn. jammervolles klagen. **-klage** stf. wehklage. **-kleit** stn. trauerkleid. **-lant** stn. land des jammers, erde. **-leich, -leis** stm. jammergesang. **-(jæmer)-lich** adj., **-liche** adv. herzeleid erregend, jammervoll, kläglich; herzeleid empfindend, leidvoll. **-mer** stn. s. *-sê*. **-nôt** stf. herzeleid erregende not. **-rёgen** stm. tränenstrom. **-sage** stf. unglückserzählung. **-sanc** stmn. trauer-, klaggesang. **-schal** stm. = *j.-braht*. **-schiht** stf. trauriges ereignis. **-schouwe** stf. trauriger anblick. **-schric** stm. das aufschrecken vor, in trauer. **-sê** stm. see der trauer: hölle. **-slac** stm. schicksalsschlag. **-smёrze** swm. trauerschmerz. **-sôte** swm. jammerquelle, tränen. **-stric** stm. band der trauer. **-suht** stf. krankheit vor herzeleid: schwermut. **-tac** stm. trauertag. **-tage** swm. jammer.

-tal stn. tal des jammers; erde; unglück. **-tunc** stm. jammerhöhle. **-var** adj. nach herzeleid aussehend, traurig. **-weide** stf. weide des jammers, erde. **-wunde** swf. herzenswunde. **-zёlle** stf. trauerzelle. **-zil** stn. jämmerliches ende. **-zît** stf. trauerzeit.

jâmerc-heit, jämerkeit stf. zustand in dem man *jâmerec* ist.

jâmerec, jâmeric, jæmeric, jâmerc, jæmerc adj. von *jâmer* ergriffen, leidvoll.

jæmer-lìcheit stf. jammervoller zustand, herzeleid.

jâmern, âmern swv. abs. seelenschmerz empfinden; unpers. mit ap. u. gs. od. nachs. jammern, leid sein, schmerzlich verlangen nach (*in, nâch*).

jâmerunge stf. schmerz der seele; schmerzliche klage.

jân stm. gewinn; fortlaufende reihe(der reime); reihe gemähten grases, geschnittenen getreides.

jânen swv. erarbeiten; gewinnen.

jâr stn. jahr (*jâr unde tac* die volle noch durch eine zugabefrist verstärkte summe des jahres; *des jâres* das jahr hindurch, im jahre, in der jahrzahl; *hin ze jâre* übers jahr; *über jâr* das jahr hindurch; *mîniu, dîniu, sîniu* usw. *jâr* so lange ich usw. lebe; *ze sînen jâren komen* mündig werden).

jârâ, jarâ, jârlâ interj. des schmerzes od. der freude.

jâr-âbent stm. vorabend des neuen jahres. **-bёte** stf. die dem landesherrn bewilligte jährliche steuer. **-bluome** swm. jährl. ertrag eines landgutes. **-dienest** stm. jahresdienst eines knechtes, einer magd. **-dinc, -gedinge** stn. zu bestimmten zeiten des jahres (zwei- oder dreimal) abgehaltenes gericht. **-dingen** swv. ein *jârdinc* halten. **-ganc** stm. jahreslauf, ereignisse im jahre. **-gedinge** s. *jârdinc*. **-gёlt** stn. jährliches einkommen. **-gerihte** stn. = *jârdinc*. **-gewande, -gewant** stf. jahrgang. **-gezìl** stf. dasselbe. **-gezìt** s. *jârzìt*. **-gülte** stf. = *jârgёlt*. **-huon** stn. jährl. zinshuhn. **-kost** stf. lebensunterhalt auf ein jahr. **-lanc** adv. von jetzt an das jahr hindurch; zu dieser zeit des jahres; in diesem jahre. **-lôn** stm. jahreslohn eines dienstboten. **-mânôt** stm. monat mit dem das jahr beginnt: januar. **-market** stm. jahrmarkt. **-mёsse** stf. jahrmarkt; neujahrstag. **-nuz** stm. jährlicher ertrag eines gutes od. kapitals. **-schar** stf. zeitraum eines od. mehrerer jahre.

-tac stm. jahrestag; neujahrstag. **-vaste** f. die jährlich wiederkehrenden fasttage. **-vrist** stf. aufschub über jahr, jahresfrist. **-zal** stf. die zeit eines jahres, jahresfrist; s. v. a. *jâr unde tac;* festgesetzte zahl von jahren, das alter der mündigkeit; jahrzahl (*diu mêrer, diu minder jârzal* die zeitrechnung nach jahrhunderten, innerhalb eines jahrhunderts). **-zìl** stn. jahresfrist. **-zìt, -gezît** stf. jahrestag; zeit von einem oder mehreren jahren.

jâree, jæric adj. ein jahr alt; jährlich; grossjährig.

jæree-lich adv. = *jæregelich*.

jâren, jæren swv. intr. u. refl. zu jahren kommen, mündig, alt werden. — tr. alt machen; erhalten; auf-, hinhalten.

jâres gen. adv. das jahr hindurch; jährlich.

jær-gelich adv. jedes jahr, jährlich. **-lich** adj. adv. jährlich. **-linc** stm. einjähriges fohlen.

jâ-wort stn. zusage, genehmigung.

jâzen swv. ja sagen.

jechant s. *jâchant*.

jege-lich adj. jagdmässig.

jegere, jeger stm. jäger.

jeger-horn stn. = *jagehorn*. **-knёht** stm. jagdgeselle, jäger. **-lich** adj., **-liche** adv. nach jägerart, frisch, stattlich. **-liute** pl. jäger. **-meister** stm. = *jagemeister*. **-rёht** stf. = *jagerёht*.

jegerie, jagerîe stf. jägerei; verfolgung.

jegerinne stf. jägerin.

jёhe stf. aussage, ausspruch.

jёhen, jên stv. V abs. mit gs. od. tr. sagen, sprechen, s. v. a. wahr erklären, behaupten; bekennen, beichten; mit dat. u. gen. einem etwas sagen, ihm etw. zugestehn, beilegen, zu eigen geben, zuerkennen; *an einen* od. *etw. j.* sich zu ihm bekennen, daran glauben; mit gen. u. *an einem etw.* sagen, es ihm anrechnen; *ûf einen, ёʒ ûf einen j.* auf einen schieben, sich in einer sache auf ihn berufen; *ze einem j.* vertrauen auf, wofür erklären.

jeide, jeit s. *jagede, jaget*.

jeit-geselle swm. jagdgefährte. **-geverte** stn. was zur jagd gehört, jagdzeug.

jenen, ennen adv. von dort.

jenent, enent, ennent adv. drüben, jenseits; als präp. mit gen.

jenent-, jen-halp, -halben adv. u. präp. dasselbe.

jener, ener pron. dem. jener.

jener, jenner stm. januar (lat. *januarius*).

jen-sît adv. jenseits; als präp. mit gen.

jërn s. gërn.

jësen, gësen stv. V intr. gären, schäumen (vgl. gërn); tr. durch gären bereiten, hervortreiben.

jëst stm. gischt, schaum.

jësten, gisten swv. schäumen.

jëten stv. V jäten.

jiuch, jûch, juoch stn. f. joch landes, jauchart, eigtl. soviel ein joch rinder an einem tage umzuackern vermag, vgl. joch.

jiuchart, jûchart, -ert, jochart stn. f. dasselbe.

joch, jô konj. und; und auch, nebst, sowie; noch, weder noch. — adv. auch, sogar; einen konzessivsatz oder hauptsatz (doch) oder eine frage einleitend. — interj. der bekräftigung: fürwahr, jedoch (mit negat. jône, jone, jo en, jon).

joch stn. joch; s. v. a. jiuch; brückenjoch, balken zu einem solchen; bergjoch.

jôchant s. jâchant.

jôlen swv. vor freude laut singen, johlen.

jolich adj. johlend.

jomënt s. jumënte.

jope, joppe, juppe swf. jacke; stück der rüstung (fz. jupe, mlat. jupa).

joste s. tjoste.

jöuchen, jouchen swv. jagen, treiben.

jû, jûch interj. der freude.

jûbel stm. jubel, schlussvariation des andachtliedes, freudenausbruch eines gottseligen herzens im gesang (mlat. jubilus).

jûbilieren swv. jubilieren s. jûbel; sich amüsieren, spielen (lat. jubilare).

jûch s. jiuch.

jûche f. jauche.

jûchezen swv. jû, jûch schreien, jubeln, jauchzen.

jucken swv. jucken; kitzeln, streicheln; kratzen, reiben.

jude, jüde swm. jude.

jüdelin, jüdel stn. kleiner jude, judenkind.

juden-art stf. judengeschlecht. -buoch stn. jüdisches, alttestamentliches buch. -diet stf. das jüdische volk, die juden. -huot stm. spitzer hut mit breiter krempe, wie ihn die juden tragen mussten. -lîm stm. asphalt. -orden stm. das jüdische gesetz. -rêht stn. judengericht; dazu -rihter stm. -(jud)-schaft stf. judenschaft, jüdischer glaube. -schuole stf. judenschule, synagoge. -stein stm. = judenlîm; jüdischer grabstein. -zunge swf. jüd. sprache, jüd. volk.

judenisch adj. = jüdisch.

jud-heit stf. judenschaft.

judic adj. jüdisch.

judicieren swv. zusprechen (lat. iudicare).

jüdinne, -in stf. jüdin.

jüdisch, judesch adj. jüdisch.

jüdischeit, jüdescheit (aus jüdesch-heit) stf. judaismus, jüd. religion; judenschaft, jüd. volk.

judschaft s. judenschaft.

jûf stm. scherz, namentlich grober, verächtlicher (der gaukler u. possenreisser).

jûfer stm. s. v. a.

jûf-kint stn. landstreicher, der sich von possenreissen nährt.

jugenden swv. intr. jugendlich, kräftig sein.

jugent stf. jugend; junge leute, knaben. -heit stf. jugend. -var adj. jugendlich.

jumënte, jomënt swf. stute (lat. jumentum, jumenta).

junc, -ges adj. jung ('unser vrouwen tac der jungen, der jungern, der jungisten Mariä geburt); vergnügt. — superl. jüngster; letzter (der jungeste tac; des jungesten am ende des lebens).

junc-brunne swm. jung-brunnen. -hërre, -hërre swm. junget herr, junger (noch nicht ritter gewordener) adeliger, junker, edelknabe; novize in einem kloster. -hërrelin, junkerlin stn. dem. zum vorig. -lich adj. jung; jugendlich, jugendlich frisch. -man stm. novizenmeister. -vrouwe, -vrowe, -vrou swf. junge herrin; vornehmes junges fräulein, unverheiratete vornehme dienerin; edelfräulein; jungfrau; überh. zur bezeichn. des reinen, unbefleckten. -vrouwelich adj. jungfräulich. -vrouwelicheit stf. unberührtheit. -vröulin stn. dem. zu juncvrouwe.

jung-alte swm. der jung und alt zugleich ist, Christus.

junge swm'. jüngling, junger mann; jünger.

junge swn., jungede, jungit stn. das junge eines tieres.

jungelin stn. dem. zu junge swm.

jungelinc, -ges stm. jüngling, knabe; kinder beider geschlechter (pl. jungelinge braut und bräutigam).

jungen swv. junc werden.

jungen, jüngen swv. junc machen, verjüngen.

jungent, junget stf. = jugent.

junger m. jünger, schüler; lehrling; novize in einem kloster; jüngling.

jungerinne stf. schülerin.

jungern swv. jünger machen, verjüngen, erneuen.

jungeste, jungest, jungist adv. jüngst, zuletzt.

jungeste stf. letzte zeit, todeszeit.

jungest-lich adj. letzter.

junget, jungit s. jungent, junge.

juoch s. jiuch.

juppe s. joppe.

juriste swm. rechtsgelehrter (mlat. jurista).

jûs stm. zwischenmahlzeit; das schwelgen.

jûsen swv. ein zwischenmahl einnehmen.

jusselin, jussel, jüssel, gusse stn. m. suppe, brühe (mlat. juscellum v. jus brühe).

juste s. tjoste.

juste stf. kirchliche züchtigung, strafe.

juven adj. jung (rom. juven, jeun).

jûwen, jûwezen swv. = jûchezen.

K

kabe l stfnm. ankertau, kabel (fz. câble, mlat. capulum).

kabez stm., -krût stn. weisser kopfkohl (aus lat. caput).

kabütze stn. kapuze (mlat. caputium).

kach stm. lautes lachen.

kachele, kachel stswf. irdenes gefäss, geschirr; ofenkachel; hafendeckel.

kacheler stm. töpfer.

kachen, kachezen swv. laut lachen.

kachez stm. = kach.

kadel stm. russ, schmutz (slav.).

kaf stm. getreidehülse, spreu; bildl. etw. wertloses, nichts.

kafse, kafs; kefse, kefs swstf. kapsel, behälter, bes. reliquienbehälter (lat. capsa).

kak stm. pranger (md. u. nd.).

kal, -wes adj. kahlköpfig.

kâl s. quâle.

kaladrius s. karadrîus.

kalamâr stn. schreibzeug (mlat. calamare).

kalamît stf. magnet (frz. calamite).

caland stm. = galîe (mlat. galandina).

caland, calend stm. religiöse brüderschaft (wegen ihrer urspr. versammlungen am ersten jedes monats, lat. calendis).

kalbe, kalbele swf. weibl. kalb, das über ein jahr ist u. noch nicht gekalbt hat.

kalben swv. intr. kalben.

kalc, -kes stm. kalk; tünche.

kalc-brenner, -meister, -ovener stm. kalkbrenner. -wëre stn. alles was zum maurerhandwerk gehört.
kalden s. kalten.
kaldûne swf. eingeweide von tieren (md. nd.).
kâle s. quâle.
kalemine stm. = galmei (fz. calamine).
calend s. caland 2.
kalendenære, kalender stm. kalender (lat. calendarium).
kal-hart stm. schwätzer.
kalige stf. = kolze (lat. caliga).
kalker stm. kalkbrenner.
kallære, -er stm. schwätzer.
kalle stf. schwätzerin, sängerin (nachtigall).
kalle stf. gerede, geschwätz.
kallec adj. schwatzhaft.
kallen swv. abs. u. tr. viel und laut sprechen, schwatzen; singen; krächzen.
kallunge stf. schwätzerei; beredung, unterhandlung.
kalopeiz, kalopieren s. galop-.
kaloze f. überschuh (fz. galoche).
kalp, -bes stn. kalb; bildl. dummer mensch.
kalp-vël stn. kalbfell.
kalt adj. kalt (auch bildlich), adv. kaltlichen.
kalt stn. kälte, frost.
kalte, kalde stn. gekürzt aus daz kalte fieber.
kalte, kalten s. kelte, kelten.
kalten, kalden swv. kalt werden, erkalten.
kalter s. kelter.
kalter stm. (aus gehalter) schrank, behälter.
kalt-heit stf. kälte.
kalt-smit stm. schmied der ohne feuer arbeitet: kessel-, kupfer-, messingschmied; umherziehendes gesindel; zigeuner.
kalwe, kelwe swstf. kahle stelle, kahlheit.
kalwen swv. kal werden.
kalzen s. kelzen.
kam, kambe s. kamp.
kâm, kân stm. schimmel auf gegorenen flüssigkeiten; höhenrauch.
kâm stm. gebiss der pferde (in kâmbritel stm. zaum mit gebiss), aus mlat. chamus.
kamel s. kembel.
kamenâte s. kemenâte.
kamer-ambet stn. amt des kammerdieners; amt an einer fürstl. finanzkammer. -bëlle, -birse, -dolle swf. spött. benennungen einer kammerfrau. -bühse swf. kleineres geschütz mit zwei od. drei pulverkammern, das zugleich für mehrere schüsse geladen werden konnte. -gerihte stn. oberstes gericht (urspr. in des fürsten

k.). -gewant stn. tuch, kleiderzeug unter den vorräten der k. -hërre swm. = kamerære; inhaber einer kouf-k. -hort stm. in der k. aufbewahrter schatz. -knëht stm. ein niederer hofbedienter; jude (als leibeigener der kaiserl. k.). -louge swf. kammerlauge, urin. -meister stm. schatzmeister, vorsteher und verwalter der kammereinkünfte. -schaz stm. = kamerhort; an die k. zu entrichtende abgabe. -schriber stm. der unter dem kamermeister stehende beamte, rentamtmann; sekretär. -slange swf. ein kleineres geschütz für kartätschen. -tuom stn. = kamerambet. -wagen stm. der wagen, der auf der reise die fürstl. k. (gewand, kleinodien, silberzeug usw.) führte; bedeckter vorratswagen; wagen mit einer besondern pulverkammer. -wip stn. kammerfrau, zofe; kindbettwärterin; konkubine, buhlerin. -zëlle stf. schlafgemach.
kamerære, -er stm. kämmerer; schatzmeister (über geld, kleinode, waffen); vorsteher und verwalter der kammereinkünfte; diener und aufseher im frauen- und schlafgemach; einer der obersten hofbeamten, der erste diener eines fürsten.
kamerærinne, -in stf. kammerfrau, hofmeisterin.
kamere, kamer stswf. schlafgemach; vorrats- schatzkammer; öffentl. kasse, kämmerei, fiskus; kammergut; fürstl. wohnung; gerichtsstube, gericht; höhlenartige abteilung im herzen usw., pulverkammer d. geschütze; ein kleidungsstück (lat. camera).
kamerie, kemerie stf. md. kammerfrau.
kamerlin s. kemerlin.
kâmic, kânic adj. mit kâm überzogen.
kâmin, kémin stmn. schornstein; feuerstätte, feuerherd (lat. caminus).
kammel s. kembel.
kammen s. kemben.
kamp, -bes, kam, -mmes stm. kambe, kamme swfm. haar-, woll-, weberkamm; kamm am mühlrade; kamm auf dem kopfe oder halse eines tieres; kamm, gesteile der traube; bergm. festes gestein, das hervorschiesst u. den gang verdrückt; ein marterwerkzeug; ein saugwerkzeug; holz, das man dem schweine um den hals hängt, damit es nicht durch die zäune kriecht; eiserner ring; fessel.

kampen, kempen swv. ein swin k. ihm den kamp anlegen (vgl. kemben).
kampf stm. n. einzelkampf, zweikampf; gerichtl. zweikampf; kampfspiel, turnier; kampf zwischen zwei heeren; innerer kampf, leiden.
kampf-bære adj. zum zweikampf tüchtig. -genôʒ, -genôʒe stswm., -geselle, -geverte swm. mitkämpfer; gegner. -kreiz stm. = kampfrinc. -(kempf)-lich adj. zum kampfe gehörig, geeignet; kampfbereit. -(kempf)-liche adv. kampfbereit, kämpfend; einen k. ansprëchen, grüeʒen, laden zum zweikampfe, bes. zum gerichtskampfe fordern. -müede adj. vom kampfe ermüdet. -rëht stn. das recht, das den gerichtl. zweikampf bestimmte und ordnete; der rechtl. anspruch daran. -rëhten swv. im gerichtl. zweikampf fechten. -rinc stm. kampfring -schilt stm. kampfschild; schild zum gerichtl. zweikampfe, nicht zugleich als waffe dienend. -stat stf. kampfstätte. -wât stf. kriegskleid. -wëre stn. rüstzeug zum kampfe. -wîc stmn. zweikampf als gottesurteil. -wîse adj. kampfkundig, -erfahren. -wîse stf. was zum kampfe gehört.
kampfe s. kempfe.
kampfer stm. = gaffer.
kamp-rat stn. kammrad in der mühle.
kan s. kone.
kân s. kâm.
kandel-slac stn. schlag, streich mit einer kanne.
kanel, kandel, kenel, kener stm. kanal, röhre, rinne (aus lat. canalis).
kanêl stm. zimmet (nd., fz. canelle).
kânic s. kâmic.
kankere swm. eine art spinne (lat. cancer).
kanne, kannel, kandel stswf. kanne.
kant adj. = kunt.
kant-bære adj. bekannt.
kant-lich s. kentlich.
kantner stm. unterlage von balken für fässer.
kantnisse, kenntnisse stf. kenntnis, erkenntnis.
kant-wagen s. kanzwagen.
kanzel stf. m. kanzel (mlat. cancella).
kanzelære, kenzelære, -er stm. cancellarius.
kanzelie, kenzelie, kanzellerie stf. kanzlei (mlat. cancellaria).
kanzeln swv. das kanzleramt ausüben.
kanz-, kant-wagen stm. lastwagen.

kape, kobe s. *quappe*.
kapel-soum stm. gepäck mit gottesdienstl. geräten.
capelûn s. *gabilûn*.
kapf stm. runde bergkuppe.
kapfære, -er stm. der verwundert auf etw. schaut; *griezwart* im turnier.
kapfen, kaffen, gaffen swv. schauen, bes. verwundert schauen, gaffen.
kapfe-spil stn. schauspiel.
kap-han s. *kappûn*.
kapît stn. ein feiner webestoff (afz. *capite*).
kapitän stm. anführer, hauptmann (mlat. *capitaneus*).
kapitêl stn. kapitäl (lat. *capitellum*).
kapitel stn. feierl. versammlung, konvent (im deutschen orden versammlung der gebietiger, lat. *capitulum*).
kapiteln swv. intr. sitzung des kapitels abhalten; tr. einem das kapitel lesen, ihn mit worten strafen.
kapitin adj. von *kapît*.
capitler stm. = *capuciatus*, *kappelære*, kappentragender mönch.
kappe swm. kapaun (mlat. *capus*).
kappe swstf. mantelartiges, mit einer kapuze versehenes kleid, das von männern und frauen, bes. auf reisen getragen wurde; bauernkittel; eine art mantelkragen oder kapuze; mütze, kappe, narrenkappe; kopf (mlat. *capa, cappa*).
kappellân, kapellân, kapelân, kaplân stm. kaplan (mlat. *capellanus*).
kappélle, kappel, kapélle swstf. kapelle (mlat. *capella*).
kappen swv. zum *kappen* machen, verschneiden.
kappen swv. mit einer *kappe* versehen.
kappen-gêlt stn., -gülte stf., -zins stm. kapaunenzins; abgabe der gemeinen frauen;
kappen-runzel stf, kapuzenfalte. -zipfel stm. der zipfel der kapuze u. diese selbst; scherzhaft für kapitel.
kappûn stm. kapaun (umgedeutet *kaphan*); vir castratus (mlat. *capo, caponis*).
kappûnen swv. = *kappen*.
kappûner stm. = *kappûn*.
kar stn. geschirr, schüssel; bienenkorb; ein getreidemass; stockwerk; zur weide benutzbare talmulde im gebirge (vgl. *késkar*).
kar stf. trauer, wehklage.
karacter stswm., karacte swm. buchstabe; zauberschrift; -spruch; gepräge, merkmal;

abgedrückte figur (gr. lat. *character*).
karadrius m. fabelhafter, weisser vogel; nbff. *kaladrius, galadrius, calader, galadrôt, galidrôt* (gr. χαραδριός).
karc adj. klug, listig, schlau. hinterlistig, streng, heftig, stark; enge, knapp; knauserig; nicht ausgiebig, unfruchtbar.
-heit, karkeit stf. schlauheit, hinterlist; sparsamkeit, knauserei.
karch, karche s. *karrech*.
kardamôm stm., kardamuome swf. kardamome, ein gewürz (mlat. *cardamomum*).
kardelin stn. distelfink s. *karte* 1.
kardenâl, kardinâl stm. kardinal (lat. *cardinalis*).
kâren s. *kêren*.
karfunkel, karvunkel, karbunkel stm. karfunkel (umged. *clârifunkel*, lat. *carbunculus*).
karfunkelin adj. von, wie karfunkel.
karfunkel-stein stm. = *karfunkel*.
karg stf. ein bestimmtes gewicht (it. *cargo*).
karge s. *kerge*.
kargen swv. intr. unfreigebig, karg sein.
kargen swv. betrübt, ängstlich, besorgt sein.
kâriôfel gewürznelke (gr. lat. *caryophyllum*).
karkære, kerkære, -er stm. kerker; nbff. *karkel, kerkel*, md. auch *kerkenêre, kerkener* (lat. *carcer*).
karkel-var adj. kerkerfarbig.
karl, karle stswm. mann, ehemann, geliebter (md. *kerl*, mit verächtl. nebenbedeut. fast wie nhd. kerl). — *Karl, Karle* als nom. pr. Karl, bes. Karl d. grosse.
carme stn. lied (lat. *carmen*).
karmen, karn swv. trauern, klagen.
karner s. *gerner*.
karnier, kernier stm. ledertasche (it. *carniere*).
karnöffel stm. ein kartenspiel; hodenbruch.
karnöffeln swv. *karnöffel* spielen.
kârôt stm. wehklage.
karpfe, karpe swm. karpfen (mlat. *carpa, carpo*).
karrâsch s. *karrosche*.
karrât s. *kerrât*.
karre, garre swmf. karren (kelt. lat. *carrus*, mlat. *carra*).
karrech, karrich, kerrich, karch, karche stswm. karren; wagen, streitwagen (lat. *carruca*).
karrecher, kercher stm. = *karrer*.
karren swv. schreиen, brüllen.

karren-bühse f. fahrbares geschütz, feldgeschütz.
karrer stm. karrenführer.
karrîne s. *kerrîne*.
kerrosche, karrotsche, karrutsche, karräsche swmf. karratsch, karrutsch, karratsch, karräsch stmf. wagen, bes. auf dem das feldzeichen aufgerichtet ist (fz. *carrosse*, it. *carroccio* vom lat. *carruca*, vgl. *karrech*).
karrûne swf. karren.
kursch adj. munter, frisch.
kar-spuole swf. was aus den schüsseln (*kar* I) gespült wird.
kar-tac stm. tag der trauer (*kar* 2): karfreitag.
kartanie stf. ein am vierten tage zurückkehrendes übel, vgl. *quartâne* 1.
kartât, kartâte stswf. das lat. *caritas* (*biten in der kartâten* um gotteswillen).
karte swf. karde (it. *carda*, fz. *carde* v. lat. *carduus*).
karte swf. stück papier oder pergament, blanket; ausgestelte urkunde; gemaltes blatt, bild; spielkarte, das spielkarten (lat. *charta*).
karten swv. intr. mit karten spielen. — tr. *daz spil k.*
karten swv. mit der karde krämpeln.
karter stm. kartenspieler.
karter stm. wollkrämpler.
karvane, karwan, carben, karwen swm. kriegsbagage, schweres gepäck und haus, wo solches aufbewahrt wird (it. *caravana*).
kar-vrîtac stm. = *kartac*.
kar-vunkel s. *karfunkel*.
kar-woche swf. karwoche.
karzin s. *kawêrzin*.
kasagân stm. reitrock (fz. *casaquin*).
kæse stf. hütte (lat. *casa*).
kæse stm. käse (lat. *caseus*).
kæse-bor stf. käsekorb. -gêlt stn., -gülte stf. zins in käsen. -kar stn. gefäss, in das man quark tut, um die käsegestalt zu gewinnen. -lap stn., -luppe, -lüppe stf. käselab. -wazzer stn. molken.
kâsel, kâsele stswf. hülle, kleid (mlat. *casula*).
kæselin stn. dem. zu *kæse*.
kæser stm. käser, käsehändler; alpenhütte.
kasmeôt stm. kostbarer weisser stoff.
cass adj. nichtig, ungültig (it. *casso*, mlat. *cassus*).
cassen swv. behälter (it. *cassa* v. lat. *capsa*).
kasse, cassie swf. kassie (mlat. *casia, cassia*).
kastâne s. *kestene*.
kaste s. *queste*.
kaste swm. kasten, behälter;

brunnenkasten; kornspeicher; kastenamt, verwaltung eines landesfürstlichen speichers; bewohntes haus, nebengebäude, -hausraum; die einfassung eines edelsteins; *k.* am menschl. oder tier. körper: weibl. brust, magen, stirn; schroffer fels.

kástël, kástêl, kastél stn. befestigter ort, burg, schloss, kastell; belagerungsturm, turm auf einem elefanten; schiffskajüte (lat. *castellum*).

kastelân stm. castellanus.

kastelân stn. kastilisches pferd (span. *castellano*).

kastenære, kastner, kestener stm. eigentl. verwalter des *kornkasten*, dann überh. einnehmer und aufseher über die einkünfte, rentmeister.

kasten-mütte, -mutte stmn. scheffelmass für getreide.

kast-meister stm. = *kastenære.* -metze swm., -müttel stn. = *kastenmütte.* -miete stf. speicherzins. -voget stm. der weltl. schutzherr eines klosters oder stiftes, weil er hauptsächlich oder ursprünglich dessen zehnten und einkünfte (s. *kaste*) verwaltete, schützte oder diese verwaltung überwachte.

kastrûn stm. hammel (mlat. *castrunus*).

kastunge s. *kestigunge.*

kasugele swf. messgewand (mlat. *casubula, casucula*).

kat prät. s. *quêden.*

kât s. *quât.*

kateblatîn stn. ein gewandstoff, geringer *baldekin* (mlat. *catablatinum*).

katere, kater swstm. kater.

kative adj. elend, unglücklich (it. *cattivo* vom lat. *captivus*).

kât-sprëche swm. verleumder.

katze swf. katze; geldkatze; eine belagerungsmaschine.

katzen-strëbel stm. strebekatze (ein spiel, bei dem jede partei die widerstrebende gegenpartei fortzuziehen sucht: tauziehen).

katzen-wêrc stn. = *katze* als belagerungsmaschine.

katz-streichen swv. hinterlistig streichen.

kavalerie stf. ritterlichkeit (fz. *cavalerie*, it. *cavaleria*).

cavalier s. *schevaliers.*

kawërzîn, kauwërzîn, karzîn stm. ausländischer, bes. ital. kaufmann, wechsler, wucherer; als schachfigur vierte *vende* (mlat. *cavercinus*, afz. *chaorsin* eig. einwohner v. Cahors in Südfrankr., das wegen wuchers berüchtigt war).

kawërzîner stm. dasselbe.

kebes, kebese, kebse stswf. kebsweib; konkubinat.

---

kebeselinc, -ges stm. = *kebeskint.*

kebesen, kebsen swv. intr. ehebruch treiben. — tr. zur kebse machen, nehmen; wie ein kebsweib behandeln, namentlich das weib verstossen, widerrechtlich verlassen; eine *kebse* schelten.

kebesinne stf. kebsweib.

kebes-kint stn. uneheliches kind (*kebesbruoder, -sun*). -lich adj. einem kebsweibe gemäss. -liche adv. nach art eines kebsweibes; unehelich. -tuom stm. impudicitia. -vrien swv. pellicere. -wîp stn. kebsweib.

këc s. *quëc.*

këc-heit stf. frisches mutiges wesen.

këcke stf. kühnheit.

këcke, këc-liche adv. frisch, mutig.

këden, këder s. *quëd-.*

kefach stn. coll. zu *kaf.*

kefs, kefse s. *kafse.*

kegel stm. kegel im kegelspiel; knüppel, stock; eiszapfen; uneheliches kind.

kegelen swv. kegelschieben.

kegeler stm. kegelschieber, kegelförmiger schatten.

kegel-wêrf stm. kegelspieler.

kegen swv. ziehen, schleppen.

kegende part. adj. *ein k.*

juncfrouwe pedissequa, paedagoga.

keibe stf. mastkorb.

keibe swm. leichnam; mensch der am galgen verdient (auch schelte); viehseuche.

kein s. *gegen.*

kein (gekürzt aus *dehein, nehein*), **keinic** adj. zahlpron. irgend einer; keiner.

keines adv. niemals.

kein-nütze adj. nichtsnützig, untauglich.

keiper stm. fischmeister.

keiser stm. kaiser; präd. gottes und Christi; die bienenkönigin (gr. *Kaîoap*, lat. *Caesar*).

keiserer stm. anhänger des kaisers.

keiserinne, -in stf. kaiserin; präd. der Maria.

keiser-lich adj., **-liche** adv. kaiserlich (auch von gott, Christus und Maria); herrlich, stattlich, vollkommen. -rêht stn. das vom kaiser ausfliessende od. bestätigte recht; rechtsbuch, in dem dies steht. -riche stn. kaiserreich. -schaft stf. s. v. a. -tuom stn. kaisertum, -würde; kaiserstaat. -zal stf. zeitraum von 15 jahren (vgl. *zinszal*). -zins stn. dasselbe.

kël, kële swstf. kehle, hals; luftröhre; speiseröhre, schlund; das kehlstück am pelze (bes.

---

in der heraldik das rotfarbige kehlstück eines pelzes).

kël-bant stn. halsband.

kelbelin, kelbel stn. dem. zu *kalp.*

kelber-arzet stm. quacksalber.

kelberin adj. vom kalbe.

kelberisch adj. kälberhaft.

kelber-vël stn. = *kalpvël.*

këlch stm. unterkinn.

këlch, kelich stm. kelch (lat. *calix*).

kële s. *quâle.*

kël-gerihte stn. gericht eines *këlhoves*, abgehalten vom *kël-meier.*

kël-gîte, -gitekeit stf. gefrässigkeit, naschsucht.

kël-hof s. *këlnhof.*

këllære, këlnære, -er stm. kellermeister; verwalter der weinberge und weingülten, dann überh. der einkünfte (lat. *cellarius*).

këllærinne, këlnærinne stf. hausmagd; kindsmagd; kindbettwärterin; haushälterin.

kelle stswf. kelle, schöpflöffel; maurerkelle; loch, hütte, verächtl. gefängnis für menschen; tümpel in einem flusse zum fischfang.

këllen stv. III, 2 frieren, **këlre, këlre** stm. keller (alem. auch *kërr, kër*); kaufladen (lat. *cellarium*).

këller-ambet stn. amt eines *këllers* (s. *këllære*).

këllerer stm. = *këllære.*

këller-hals stn. (alem. auch *kërhals*) vorspringender gewölbter eingang eines kellers.

këller-meister stm. = *këllære.*

kellie adj. geschwätzig.

këller-meier stm. s. bei *kël-gerihte.*

këln, keln s. *quëln, queln.*

këln-ambet stn. = *këller-ambet.*

këlnerie stf. kellerei, keller-amt.

këln-, kël-hof stn. hofgut, das dem *këlner* gehört od. überlassen ist.

këlnen swv. in den keller legen.

kël-suht stf. halskrankheit.

kelte, kalte stf. kälte, frost.

kelten, kalten stf. dasselbe.

kelten swv. *kalt* machen.

kelter, kalter stswf. kelter (lat. *calcatura*).

kelter-, kalter-hûs stn. das haus, in dem die kelter steht.

keiwe s. *kalwe.*

kelz stm. lautes sprechen, prahlen, schelten.

kelzen, kalzen swv. schreiend sprechen, prahlen, schelten.

kël-ziegel stm. hohlziegel in der kehle des daches.

kembel, kemmel, kémel; kammel, kamel stm. kamel (gr. lat. *camelus*).
kembelin, kemmelin stn. dasselbe.
kembelin adj. vom kamele.
kembelin stn. ein zeug aus kamelhaaren (mlat. *camelinum*, fz. *camelin*).
kembel-tier stn. kamel.
kemben, kemmen md. auch *kammen* swv. kämmen.
kêmen s. *komen*.
kemenâte, kamenâte swstf. ein mit einer feuerstätte (*kamîn*) versehenes gemach, bes. schlafgemach; frauengemach; wohnzimmer; zur aufbewahrung von kleidern u. waffen; gerichtsstube; für sich stehendes gebäude, wohnhaus (mlat. *caminata*).
kemerîe s. *kamerîe*.
kemerlin, kamerlin stn. kleine *kamer*.
kemerlinc, -ges stm. kammerdiener.
kemet stn. kamin.
kemin s. *kamîn*.
kemmen s. *kemben*.
kemmer stm. kämmer, wollkämmer.
kempel stm. kampf, zank.
kempen s. *kampen*.
kempfe, kenpfe, kampfe swm., **kempfel, kempfer** stm. der für sich od. als stellvertreter eines andern einen zweikampf unternimmt, berufsfechter, dann überh. kämpfer, streiter; der für miete gerichtl. zweikampf ausficht.
kempfen, kenpfen swv. abs. kämpfen, bes. einen zweikampf bestehn. — tr. zweikampf halten mit einem.
kempf-lich s. *kampflich*.
kendelin s. *kennelin*.
kendelin stn. dem. zu *kanel*, dachrinne.
kenel, kener s. *kanel*.
kengel stm. rinne, röhre, röhrenartiger stengel, federkiel; blumenstengel; kopfputz.
kengelin stn. kleiner blumenstengel.
kenne-, ken-lich adj. kennbar, offenkundig, bekannt.
kennelin, kendelin stn. kleine kanne.
kenne-lôs adj. erkenntnislos.
kennen swv. kennen, erkennen.
kennunge stf. erkennung, erkenntnis.
kenpf- s. *kempf-*.
kensterlin stn. schrank, kasten in der wand.
kent-, kant-lich adj. = *kennelich*; bekennend, geständig.
kentnisse s. *kantnisse*.
kenzeler s. *kanzelœre*.

kepfen swv. blicken; ragend in die höhe stehn.
keppelin, keplin, keppel stn. dem. zu *kappe*.
kêr s. *kéller.*
kêr stm. richtung, wendung, um-, abwendung.
kerach stn. kehricht.
kêrbe swf., **kêrp, -bes** stm. einschnitt, kerbe; kerbholz; eine art dachziegel.
kêrbel s. *kêrvele*.
kêrben swv. *kêrben* machen; aufs kerbholz einschneiden; übertr. feststellen.
kerc-lich adj. listig, schlau; karg, sparsam.
kêrder, kêrdern s. *quêrd-*.
kêre, kêr stf. = *kêr* (*die kêre nêmen*, haben, *tuon* umkehren, die richtung, wendung nehmen *in*, *zuo*); bekehrung; leitung bes. des wassers; wiedererstattung.
kêren swv. u. refl. (md. auch *kârte, gekârt*) kehren, wenden, eine richtung geben (mit dp. zuwenden). — mit tl. objekt *ros, wagen* usw. sich wenden, um-, abkehren; grenzen; eigentl. sich umwenden, aufhören.
kerenter stm. = *gerner*.
kerge, karge stf. list, schlauheit; kargheit, sparsamkeit.
kerkære, kerkel s. *karkære*.
kerker-haft adj. in den kerker gelegt.
kerkern swv. einkerkern.
kerl, kerle s. *karl*.
kerlin stn. dem. zu *kar* gefäss.
kerlin stn. dem. zu *karl*.
Kerlinc, -ges, Kerlinge stswm. untertan der Karle, bewohner des karoling. Frankreich, Franzose. **Kerlingen** stn. (eigentl. dat. pl. v. *Kerlinc*) Frankreich.
kern swv. kehren, fegen.
kern stf. butterfass.
kêrne, kêrn swstm. kern (vom getreide: der markige inhalt des korns, das getreide selbst, bes. dinkel, spelt; von pflanzen: mark des holzes; das innere festere holz); das innere, innerste; bildl. wesentl. gehalt, hauptsache, das beste, ausgezeichnetste (mit gen.).
kêrnel, -krůt stn. = *kêrvele*.
kerner s. *gerner*.
kerner stm. = *karrer*.
kernier s. *karnier*.
kêrn-milch stf. buttermilch.
kêrn-var adj. kernartig.
kêrp s. *kêrbe*.
kêrr s. *kêller.*
kerrât, karrât stf. = *kerrine*.
kerreiner, kerrner stm. der fastet (mlat. *carenarius*).
kerrelin stn. dem. zu *karre*.
kêrren stv. III, 2 einen grellen ton von sich geben, schreien;

keifen; wiehern, grunzen; knarren, rauschen.
kerren, querren swv. zum *kêrren* bringen, quälen, anfeinden.
kerrich s. *karrech.*
kerrine, karrine stf. vierzigtägige fasten (mlat. *carena*).
kerrner s. *kerreiner*.
kêrse, kirse, kriese swstf. kirsche (lat. *cerasum*).
kêr-tac stm. tag der bekehrung.
kêrunge stf. kehrung, windung, richtung; bekehrung; schadenersatz.
kêrvele, kêrvel, kêrbel, kêrle, **kêrnel** fm. kerbel (ein küchenund heilkraut), aus lat. *cerefolium.*
kêrze, kirze swf. licht, kerze, bes. wachskerze (lat. *cerata*).
kêrze-lieht stn. das licht einer kerze oder die brennende kerze selbst. **-stal** stn. leuchter. **-stoc** stm. dasselbe. **-tac** stm. s. v. a. **-wîhe** stf. tag der kerzenweihung, Mariä lichtmess.
kêrzelîn stn. kleine kerze.
kêrzîn adj. aus kerzen bestehend, zu kerzen dienend.
kês stn. eislager auf dem gebirge, gletscher.
kês-kar stn. mit *kês* gefüllte talmulde im gebirge.
kestelin, kestechen stn. dem. zu *kaste.*
kesten swv. = *kestigen.*
kestene, kesten, kastâne stf. kastanie, die frucht u. der baum (lat. *castanea*).
kestener s. *kastenœre.*
kestigâte, kestige stf. kasteiung, züchtigung.
kêstigen swv. kasteien, züchtigen, quälen, büssen lassen, strafen (kirchenlat. *castigare*).
kestiger stm. peiniger.
kestigunge, kestunge, kastunge stf. das kasteien, züchtigen, quälen.
ketene, keten swstf. eiserne kette, fessel; k. zum absperren einer strasse; k. von gold od. silber, um etw. daran zu hängen od. als schmuck, als halsband eines hundes; zauberkette als gerät der gaukler (lat. *catena*).
ketenen swv. an die kette, in ketten legen.
ketenîn adj. aus ketten bestehend.
ketenlin stn. dem. zu *ketene.*
keten-lœse stf. erlösung aus den ketten. **-troie, -treie** swf. kettenwams. **-vîre** stf. die feier der *ketenlœse.* **-wambîs** stn. kettenwams.
ketschen, ketzen swv. schleppen, schleifen.
ketzelîn stn. dem. zu *katze*; als liebkos. name eines kleinen mädchens.

ketzer, kether stm. ketzer; frevelhafter, verworfener mensch; Sodomit (mlat. *catharus*). **-heit** stf. ketzerei. **-lich** adj., **-liche** adv. ketzermässig, ketzerisch. **ketzerie, ketherie** stf. ketzerei; zauberei; unnatürl. wollust. **ketzern** swv. zum ketzer machen.

ketzin adj. von der katze.

keuf- s. *kouf-, köuf-*.

kevere, kever swstm. käfer.

kevje stfmn. vogelhaus, käfig; gefängnis (lat. *cavea*).

kewe, kewen s. *kiuwe, kiuwen*.

kezzel stm. kessel; behälter für flüssigkeiten überh.; kesselförmige vertiefung (lat. *catinus*). **-huot** stm. eine pickelhaube in kesselform. **-var** adj. kesselfarbig (kupferrot oder russig schwarz).

kezzelære, -er stm. kessel-, kupferschmied.

kezzi stn. = *kezzel* (aleman.).

kibelëht adj. zänkisch.

kibelen, kipelen, kivelen, kifelen, kiveren swv. scheltend zanken, keifen.

kiben, kiven swv. dasselbe.

kibic adj. zänkisch.

kiche swmf. asthma, keuchhusten, swf. ort der einem den atem hemmt: gefängnis.

kichen swv. schwer atmen, keuchen.

kicher, ziser stswfm. erbse (lat. *cicer*, mlat. *cisser*).

kicken s. *quicken*.

kide, kit stn. schössling, spross.

kidel stm. = *kil*.

kiel stm. ein grösseres schiff. **kiel-banc** stf. schiffsbank. **-brüstic** adj. schiffbrüchig. **-gesinde** stn. schiffsmannschaft. **-kemenâte** swf. kajüte. **-meister** stm. schiffsmeister. **-schif** stn. trieris.

kien stm. n. kien; kienspan, kienfackel, fackel; s. v. a. *kienapfel*.

kien-apfel stm. der samenzapfen der kiefer. **-ast** stm. ast vom kienbaum, kienholz. **-boum** stm. kiefer. **-licht** stn. brennender kienspan, fackel. **-lite** swf. mit kiefern bewachsener bergabhang.

kienin adj. von kienholz.

kieren swv. quer blicken.

kiese-man stm. schiedsmann.

kiesen stv. II, 2 prüfen, versuchen, wählen (prüfend kosten, schmeckend prüfen, prüfend sehen, wahrnehmen, erkennen, herausfinden, unterscheiden; nach genauer prüfung wählen, erwählen, auswählen mit acc. *ze*).

kieser stm. schieds-, kampf-

---

richter; amtlich bestellter prüfer von getränken, von geld.

kif s. *kip*.

kif adj. fest, derb, dicht.

kifelen s. *kibelen*.

kifelen, kifen, kifern swv. nagen, kauen.

kifeler stm. procax.

kil stm. n. federkiel.

kil stm. lauchzwiebel.

kil stm. keil; zeltpflock.

kilbere f. mutterlamm.

kilche s. *kirche*.

kilen swv. keilen; bildl. in die klemme bringen.

kil-houwe swf. keilförmige *houwe* zum loshauen des mürben gesteines.

kil-wihe s. *kirchwihe*.

kime, kim swstm. keim, pflanzenkeim; korn.

kimeln swv. keimen.

kimen s. *kinen*.

kin s. *kinne*.

kindahe stn. coll. zu *kint*.

kindel-bette s. *kintbette*.

kinde-lege stf. gebärmutter.

kindelin, kindel stn. kindlein; jüngling, kind überh.; junges (md. *kindichin*, nd. *kindekin*).

kindelin-, kindel-tac stm. tag der unschuld. kindlein; s. v. a. *kinttac*.

kindeln, kinden swv. abs. u. tr. *ein kint* zeugen, gebären.

kinder-meister s. *kintmeister*.

kinder-muoter stf. amme.

kinde-spil s. *kintspil*.

kindes-spurec adj. für ein kind verständlich.

kindes-tage stm. plur. = *kint-tage*.

kindisch, kindesch adj. adv. jugendlich, jung; kindartig. kindlich; kindern angemessen, zusagend; kindisch.

kinen, kimen stv. I, 1 sich spalten; keimen, auswachsen, wachsen.

kinne, kin stn. kinn. kinne-, kin-backe swm. kinnbacke, kinn. **-(kin)-bein** stn. kinnbein, kinn.

kinnelin, kinnel stn. dem. zu *kinne*.

kint, -des stn. (vom sohne auch m.) kind, sohn oder tochter (*von kinde* od. *von kindes beine, von kindes lit* von kindheit an; mit einem gen. der beziehung *der jâre, sinne, witze* usw. *ein kint*); knabe, jüngling, mädchen, jungfrau; edelknabe, adelige jungfrau; s. v. a. *knappe, juncherre* (aber auch nach dem ritterschlage, ja in der ehe können junge männer u. frauen noch *kint* heissen); die kindschaft auf andere verhältnisse übertragen od. *kint* bloss umschreibend (z. b. *gotes, heilige kint* fromme leute, bes.

---

mönche, *engelischiu k.* engel, *al der werlde k.* jedermann, *menschen k.* menschen, *hërren k.* herren); das junge von tieren.

kint adj. jung, kindisch, einfältig.

kint-amme swf. säugamme. **-bære** adj. fähig zum kindergebären; schwanger. **-barn** stnm. kleines kind, säugling. **-belgel** stn. die eihaut des fötus. **-(kindel)-bette** stn. f. wochenbett. **-(kindel)-betterinne** stf. wöchnerin. **-gedinge** stn. teilung der kinder höriger eheleute unter die verschiedene herren des mannes und der frau. **-heit** stf. kindliches, jugendliches alter; jugendl. unerfahrenheit, unverstand. **-lich** adj. einem kinde gemäss od. eigen; jungfräulich; jugendlich, jung. **-liche** adv. nach weise eines kindes, einfältig. **-(kinder)-meister** stm. erzieher. **-(kinde)-spil** stn. kinderspiel, leichtes, kindisches treiben und tun. **-tac** stm. tag der kindheit, pl. zeit der kindheit. **-traht** stf. tragen eines kindes, schwangerschaft. **-vël** stn. = *kintbelgel*.

kip, -bes stm. (md. *kif*) scheltendes, zänkisches, leidenschaftliches wesen, eifer, trotz, widersetzlichkeit (*âne kip* ohne streit, unzweifelhaft, in wahrheit); wettstreit.

kipelen s. *kibelen*.

kipf, kipfe stswfn. die runge, stemmleiste am rüstwagen; der luns-, achsennagel.

kippe swf. mütze; = *hepe*.

kippen swv. schlagen, stossen.

kipper stm. nicht rittermässiger kämpfer.

kipper stm. s. v. a.

kipper-win stm. cyprischer wein.

kirbe s. *kirchwihe*.

kirch-(kirchen)-ambet stn. kirchendienst; hochamt. **-diep** stm. kirchendieb. **-diube** stf. kirchendiebstahl. **-gäbe** stf. patronatsrecht. **-gane** stm. gang, weg in die kirche, kirchenbesuch, bes. der gang zur trauung od. zur nachträgl. einsegnung am morgen nach dem beilager; der *k.* der bindbetterin als erster ausgang nach überstandenem wochenbett. **-geræte, -gerüste** stn. kirchengerät. **-gerihte** stn. gericht in kirchl. sachen od. von der kirche besetzt. **-giht** stf. kirchgang. **-hërre** swm. patron über eine kirche; s. v. a. *pfarrhërre* (gek. *kircher, kilcher*). **-hof** stm. der ummauerte raum einer kirche, kirchhof. **-hœre** stf. bezirk der kirche, kirch-

spiel, pfarrgemeinde. **-liute**
pl. bewohner eines kirchspiels.
-lœse stf. eine gewisse abgabe,
die eine kirche jedes vierte jahr
an den bischof zu zahlen hatte;
abgabe an die kirche bei der
auswanderung aus einer pfarrgemeinde. **-man** stm. pfarrkind. **-meier** stm. verwalter
des kirchenguts. **-meister** stm.
verwalter der ökonom. verhältnisse einer kirche, kirchenvor-
steher, **-pfleger**; baumeister
beim kirchenbau. **-menige** stf.
pfarrgemeinde. **-mösse, kir-
mösse** stf. kirchweihfest; jahrmarkt. **-mûre** stf. kirchhofs-
mauer. **-rêht** stn. wozu man
der kirche verpflichtet ist;
sakramente. **-spil, -spël** stn.
kirchspiel; die gesamtheit der
pfarrkinder, gemeinde. **-tac**
stm. kirchweihfest; jahrmarkt.
-turn stm. kirchturm. **-vart**
stf. wallfahrt nach einer kirche
od. bittgang aus einer kirche
nach der anderen. **-verten** swv.
eine *kirchvart* machen. **-wart,
-warte** stswm. küster. **-wât**
stf. kirchl. ornat. **-wêc** stm.
weg zur kirche. **-wîhe** stf.
kirchweihe, kirchweihfest (nbff.
kirwîhe, -wîge, kirwe, kirbe,
alem. *kilchwîh, kilwîhe, kilwî*):
jahrmarkt; jahrmarktsge-
schenk; fest überh. **-zün** stm.
kirchhofzaun.
kirche swf. (aleman. *kilche*):
kirche, kirchengebäude; der
jüdische tempel; schiff der
kirche gegenüber dem *kôr*;
christl. kirche, kirchentum,
gemeinschaft der gläubigen;
kirchenpfarrstelle (gr. κυριακόν).
kirchelin, kirchel stn. dem.
zu *kirche.*
kirchenære, -er stm. küster,
mesner.
kirchen-brêcher, -brüchel
stm. kirchenräuber. **-bruch**
stm. kirchenraub. **-gëlt** stm.
kirchenzins. **-gift** stf. abgabe an
die kirche; patronatsrecht.
-(kirch)-saz stm. das recht eine
kirchenstelle zu besetzen mit
dazu gehörigem genuss; die zu
besetzende stelle im verhältnis
zum patron; schenkung an eine
kirche zur begehung der *jârzît.*
kircher stm. = *kirchenære,
kirchhërre.*
kirjelêison das gr. κύριε
ἐλέησον als gebetsruf u. refrain
geistl. gesänge; verk. **kiriel;
kirleis, kirleise** stswm. geistl.
gesang.
kirnen, kërnen swv. den kern,
die kerne ausmachen; kerne
ansetzen, bilden.
kirnin adj. aus *kërn* bestehend.
kirre s. *kürre.*

kirse s. *kërse.*
kirsen swv. knirschen.
kirwe s. *kirchwîhe.*
kirze s. *kërze.*
kis stmn. kies; gegossenes,
nicht gehämmertes eisen (?).
kisch stm. zisch.
kischen swv. = *kichen.*
kisel, kisel-stein stm. kieselstein; hagelstein, schlosse.
kiseline, kisline, -ges stm.
kieselstein.
kiste stswf. kiste, kasten bes.
zur aufbewahrung der kleider;
sarg (lat. *cista*).
kisteler, kistener stm. kasten-
macher, schreiner.
kit s. *kîde.*
kitel, kittel stm. kittel,
leichtes oberhemd für männer
wie frauen.
kittern swv. kichern.
kitze s. *kiz.*
kitzelin stn. zicklein.
kitzeln, kützeln swv. kitzeln.
kitzern swv. = *kittern.*
kitzin adj. vom *kiz.*
kiugen s. *kiuwen.*
kiule swf. keule; stock, stange.
kiusche, kiusch adj. keusch,
rein, unschuldig, sittsam, züchtig, schamhaft; nach relig.
gelübde unvermählt; mässig
in essen u. trinken; ruhig, sanftmütig, überh. vernünftig handelnd. — stf. jungfräul. reinheit, keuschheit, sittsamkeit,
sanftmut.
**kiuschec-, kiusche-heit,
kiuscheit** stf. = *kiusche.*
kiuschec-, kiusch-lich adj.
= *kiusche.*
kiuschegen swv. castrare.
kiuten swv. sprechen, schwatzen.
kiuten swv. md. *kûten* tauschen, vertauschen.
kiuwe, kiwe, kêwe, kouwe
swstf. kiefer, kinnbacken;
rachen (vom teufel u. von
tieren); was gekaut wird,
speise; halfter an der *kouwe*
eines rindes.
kiuwel stm. kiefer, kinnbacken.
kiuwen stv. II, 1 kauen (kontr.
kiun, nbff. *kiwen, kewen, kouwen*, md. *kiugen, kûgen, kûwen*;
prät. *kou*, part. *gekouwen*).
kivel, kivele m. = *kiuwel.*
kivelen, kiveln swv. s. *kibelen.*
kiven s. *kiben.*
kiz, kitze stn. junges von der
ziege (auch vom reh, der gemse),
zicklein.
klâ, klâwe stswf. klaue, kralle,
pfote, tatze; gespaltene klaue
(des ebers, hirsches, lammes,
rindes); klauenvieh, hornvieh.
klaber stf. = *klouber.*
klac, -ckes stm. riss, spalt;
knall, krach; klecks, fleck.

klachel s. *kleckel.*
kladern swv. schminken.
klaf, -ffes, klapf stm. knall,
krach; geschwätz bes. verleumdendes; spalte, riss.
klaffære, kleffære, -er stm.
schwätzer, ausschwätzer, verräter.
klaffærinne stf. schwätzerin.
klaffe stswf. schwatzen, geschwätz bes. verleumdendes;
klapper.
klaffen swv. schallen, tönen,
klappern; schwatzen, viel und
laut reden; sich öffnen, klaffen.
klafferer, klefferer stm. =
klaffære.
klaffic, kleffic adj. schwatzhaft.
klaft stf. geschwätz.
klâfter stswf. mass der ausgebreiteten arme; klafter als
längen- u. geviertmass.
klaftic adj. = *klaffic.*
klage stf. wehgeschrei als
ausdruck eines schmerzes, klage, totenklage; klage vor gericht; gegenstand, inhalt der
klage; klagen hervorrufende
not, leid.
klage-bære adj.pass. worüber
zu klagen ist, zu beklagen,
beklagenswert; *k. werden* ver-
klagt werden. — akt. klagend,
klage erhebend. **-bërnde** part.
klage veranlassend, hervorbringend; klage führend, klagend.
-bote swm. klage führender
bote, kläger. **-boum** stm. baum
der klage; kreuz mit den beiden frauen darunter. **-brief** stm.
klagschrift. **-galm** stm. klaggeschrei. **-gëlt** stn. eine abgabe
des klägers von den eingeklagten
u. bezahlten schuld. **-haft,
-haftic** adj. akt. klagend; gerichtlich akt. u. pass. vom
kläger u. von der eingeklagten
sache. **-kleit** stn. trauerkleid.
-(klege)-lich adj., **-liche** adv.
akt. klagend. — pass. zu beklagen, beklagenswert. **-liet**
stn. klaglied. **-liute** pl. die
totenklage begehende, trauernde leute. **-mære** adj. zu beklagen.
-mæze adj. zu beklagen. **-nôt**
stf. klägliche not, trauer.
-ruof stm. klagruf. **-sam** adj.
beklagenswert. **-sanc** stmn.
klaggesang. **-schaz** stm. gerichtssporteln. **-stimme** stf.
klägliche schmerzäusserung
-stimme stf. klagende stimme.
-tuom stm. klage, anklage.
-vogel stm. käuzlein. **-vüerer**
stm. stellvertreter einer partei
vor gericht. **-wort** stm. klage.
-wunt adj. durch klage betrübt.
-zêdel f. = *klagebrief.*
klagen swv. (kontr. *klân,
klain, klein*; auch mit uml.
klegen) prät. *klagete* und *kleite*):

intr. einen schmerz, ein leid od. weh ausdrücken, sich klagend gebärden. — tr. beklagen, betrauern (von der totenklage); mit dat. u. acc. einem etw. klagen. — refl. klagen, sich beklagen. — von der gerichtlichen klage: intr. *einem od. vor einem kl.* bei ihm eine klage vorbringen (der gegner wird bezeichnet mit *an, über, ûf, zuo*; der gegenstand, klaggrund wird bezeichnet mit *ûf, umbe*). — tr. mit as. u. dp.

klagende part adj. klagend; wobei geklagt wird.

klagendic adj. dasselbe.

klager, kieger stm. der klagende, trauernde; kläger bei gericht, ankläger.

klain s. *klagen.*

klälin stn. dem. zu *klâ.*

klam adj. enge, dicht, gediegen, bildl. rein, heiter; gar zu gering, zu wenig.

klam, -mmes stm. krampf; klemme, beklemmung, haft, fessel, klammer; bergspalte, schlucht.

klambe, klamme stf. klemme, fessel, klammer.

klamben swv. fest zusammenfügen, verklammern.

klame stf. = *klambe.*

klamen swv. klemmen.

klamenie stf. der heitere himmel (s. *klam* adj.).

klamere, klamer, klammer swstf. klammer.

klamirre stf. eine speise, wohl s. v. a. *pavese.*

klamme s. *klambe.*

klampfer stm. klempner.

klampfer stf. klammer.

klampfern swv. = *klamben.*

klân s. *klagen.*

klanc, -kes stm. schlinge; bildl. list, kniff, ränke.

klanc, -ges stm. klang (von gesang u. stimme, glocken, musikinstrumenten, metall, vom rauschen, plätschern des wassers).

klangeln swv. klingeln, schalten.

klapf, klupf stm. fels.

klapf, klapfen s. *klaf, klaffen.*

klapfelin stn. dem. zu *klaf, klapf*; klapper.

klappenen swv. klappern.

klapper, klepper swf. klapper.

klapperäte swf. geklapper, geklatsch.

klapperer, klepperer stm. schwätzer, verleumder.

klappern, kleppern swv. klappern; f hwatzen, klatschen.

klapp r-tesche swf. schwätzerin.

klâr, clâr adj. hell, lauter, rein, glänzend, schön, herrlich; deutlich (lat. *clarus*).

klâr stn. das klare, reine, schöne; s. v. a. *eierklâr*; baumharz.

klære stf. klarheit.

klären swv. intr. *klâr* sein, werden. — tr. für *klæren.*

klæren swv. tr. u. refl. *klâr* machen; verklären; erklären, eröffnen, verkünden.

klârêt, klârët, klarêt stm. mit gewürz od. kräutern u. honig angemachter wein, vom abklären benannt (mlat. *claretum*).

klâr-heit stf. helligkeit, reinheit, heiterkeit, glanz, glänzende schönheit, herrlichkeit, verklärung; klarheit, deutlichkeit. -(klær)-lich adj. = *klâr.* -(klær)-liche adv. mit klarheit, glänzend; mit deutlichkeit. -tranc stmn. = *klârêt.*

klârieren swv. verklären.

klârificieren swv. dasselbe (lat. *clarificare*).

klârifunkel s. *karfunkel.*

klâ-stiure stf. abgabe für rind- u. anderes klauenvieh.

klate, klatte swf. kralle.

klâ-vogel stm. vogel mit klauen, raubvogel.

klâwe s. *klâ.*

klæwin adj. aus, von klauen.

klê, -wes stmn. klee; mit kleeblumen gezierter rasen.

klêbe stf. klebriger lehm.

klêben swv. intr. kleben, haften, festsitzen. — tr. kleben machen.

kleben swv. = *klewen.*

klêber stn. gummi, baumharz; schleim. — stm. = *kleiber 1.*

klêber adj. kleberig, klebend.

klêberen swv. klettern.

klêbe-rim stm. reim aus einer klebsilbe (durch gewaltsame kürzung entstanden).

klêber-mer stn. = *lêbermer.*

klêber-sê stn. dasselbe.

klêbe-ruote f. leimrute.

klêbe-tuoch stn. flicklappen.

klêbe-wort stn. festsitzendes, aufmerksamkeit erregendes wort.

klêblicheit, klêblichkeit stf. adhaesio.

klê-bluome swmf. kleeblüte.

klê-bluot stf. dasselbe; namen eines gewandstoffes.

kleckel, kiechel, kiachel stm. glockenschwengel.

klecken swv. tr. spalten. — intr. sich spalten, platzen; einen klecks, fleck machen. — tr. tönend schlagen, treffen: erwecken, aufrichten. — intr. ausreichen, genügen; wirksam sein, helfen.

kledern swv. schminken.

kleffe, kleffære s. *klaff-.*

kleffel, klepfel stm. glockenschwengel.

klefferer s. *klafferer.*

kleffic s. *klaffic.*

kleffisch,klefsch adj.schwatzhaft.

klefte stn. gekläffe, geschwätz.

kleg- s. *klag-.*

klegede, klegde stf. = *klage.*

klegel stm. kläger.

klê-grüene adj. grün wie klee.

kleiben swv. *klîben* machen, festheften,befestigen; beflecken, besudeln; streichen, schmieren, verstreichen.

kleiber stm. der eine lehmwand macht, mit lehm verstreicht.

kleiber stm. schmiere, kot.

kleiden swv. kleiden, ankleiden (auch intr. mit dat.), bekleiden, ausstatten.

kleidern swv. bekleiden, schmücken.

kleider-wât stf. kleidung.

kleidunge stf. kleidung, bekleidung.

klein s. *klagen.*

kleine, klein adj. die urspr. bedeutung glänzend, glatt ging zunächst über in rein (*kleiner wîn*), sodann in niedlich, zierlich, fein, hübsch (von der stimme: fein, dünn, hoch; von der menschl. gestalt: schmächtig, zart, mager); scharfsinnig, klug; endlich in klein, unansehnlich, gering, schwach (oft geradezu für *kein*); substantivisch *ein kleine, klein* ein wenig, ganz kurze zeit.

kleine, klein adv. fein, zierlich; genau, scharf, sorgfältig; wenig, gar nicht.

kleine, klein adj. = *kleinheit; des steines kl.* spitze.

kleinec-heit stf. = *kleinheit.*

kleinen adv. = *kleine.*

kleinen swv. intr. klein werden. — tr. zieren; klein machen.

kleinern swv. kleiner machen, vermindern.

· klein-gerihte stn. gericht für geringere vergehen. -guot, -heit s. *kleinôt.* -heit stf. zartheit, feinheit; kleinheit. -lich adj. fein, zart, zierlich; mager; fein, scharf sehend (vom auge und von der vernunft). -liche adv. auf feine, zarte art; genau. -licheit stf. = *kleinheit.* -muot, -muotic, -müetic adj. kleinmütig. -smit stm. schlosser. -vêl stn. zarte haut. -vüege adj. feingefügt, zartgebaut, zart, fein. -vüege stf. zarter bau, zartheit, feinheit.

kleinât, kleinet stn. (umgedeutet *kleinheit, kleinguot*) urspr. kleines ding, kleinigkeit; sodann eine *kleine* (fein, zierlich, kunstreich) gearbeitete

saehe, kleinod; bildl. ding von höchstem werte, das unersetzbar ist.

kleinunge stf. beraubung, abwendigmachen.

kleip, -bes stm. das klebende, anklebender schmutz, unreinigkeit; leim; lehm.

kleit, -des stn. kleid, kleidung, kleidungsstück (bei tieren das fell); gewandstoff; zierde.

kleit-hûs stn. vestiarium; bildl. das abstrakte wesen gottes in seiner einheit.

klem adj. enge, knapp, mangelnd (vgl. klam).

klemberen swv. = klamben.

klemde, klemme stf. klemmung, einengung.

klemme-lich adj. mit beklommenheit verbunden.

klemmen swv. mit den klauen packen; ein-, zusammenzwängen, kneifen, klemmen, martern; necken.

klen s. klewen.

klenen swv. schmieren, kleben, verstreichen.

klener stm. = kleiber 1.

klengel stm. glockenschwengel; etw. baumelndes.

klengeln, klenkeln swv. tr. klingen machen, läuten (glokke); intr. klingeln.

klengen, klenken swv. tr. klingen machen; ausbreiten, verbreiten. — intr. klingen, singen.

klenken swv. schlingen, flechten, verflechten.

klenster stm. kleister.

klen-want stf., -wêrc stn. wand, mauer aus kleibwerk.

klêp, -bes stm. leim, kleister.

klepfen swv. einen klapf tun, knallen.

klepfer stf. klapper.

klepfern swv. klappern.

klepperer s. klapperer.

kleppisch adj. = kleffisch.

klette swf. klette.

klewen swv. klagen, winseln.

klêwen, klên swv. synon. zu grasen.

klibe swf. empfängnis.

klibel-tac stm. tag der empfängnis Mariä.

kliben stv. I, 1 intr. kleben, festsitzen, anhangen mit dat.; wurzel fassen u. gedeihen, wachsen. — tr. für kleiben.

klie, -kliwe, klige swf. kleie.

klieben stv. II, 1 tr. spalten, klieben. — intr. u. refl. sich spalten.

kliffe, klippe swf. klippe.

klige s. klie.

klimme stf. höhe.

klimmen, klimben stv. III, 1 intr. steigen, klettern, klimmen. — tr. erklimmen; zwicken, kneifen; packen (daher klimmende vogel jagdvögel).

klimpfen stv. III, 1 tr. u. refl. fest zusammenziehen, drücken, einengen.

kline, -ges stm. ton, schall.

klinge swstf. etwas klingendes; klinge des schwertes, schwert (von dem singenden klange des auf den helm geschlagenen schwertes); messerklinge; gebirgsbach; talschlucht.

klingelen swv. einen klang geben, hervorbringen; plätschern; schwatzen.

klingen stv. III,1 intr. klingen, tönen; rauschen, plätschern; erklingen, erschallen. — tr. klang machen, klingen lassen.

klingesære stm. spielmann.

klinke swf. türklinke, türriegel.

klippe s. kliffe.

klismen swv. = gelismen.

klisten s. kristen.

klister, klistier stn. klistier (κλυστήρ).

klister stm. kleister.

klistieren swv. klistieren.

kliuselen swv. streicheln, hätscheln, schmeicheln.

kliuterlin stn. verschluss, deckel.

kliuter s. klûter.

kliuwe stn. knäuel, kugel.

kliuwelin, kliuwel stn. dem. zum vorig. (nbf. kniuwelin, kniuwel).

kitwe s. klie.

klobe swm. gespaltenes holzstück zum klemmen, festhalten: als fessel, fussfessel, bes. gespaltenes holzstück zum vogelfang, überh. etw. klemmendes, festhaltendes; spalt, obsc. vom feminal; an der waage das gabelförmige stück, in dem der waagebalken hängt und die zunge sich bewegt; türriegel; eisen, woran das anlegschloss hängt; bündel, büschel.

klobe-holz stn. spaltholz.

klobe-, knobe-louch stm. knoblauch.

kloben swv. spalten.

klöckel stm. = kleckel.

klocken, klöcken, klucken swv. intr. u. tr. klopfen.

klopf stm. = klupf.

klopfel stm. = klüpfel.

klopfen swv. intr. u. tr. klopfen, pochen, schlagen (mit gen. klopfend um etw. bitten); intr. erschrecken s. erklupfen.

klôse, klôs swf. klause, einsiedelei, klosterzelle, kloster; felsspalte, felskluft, umzäunter garten (mlat. clausa, vgl. klûse).

klôsenære, -er stm. klausner, einsiedler.

klôsenærinne stf. einsiedlerin.

klôsene swf. = klôse.

klôsenen swv. tr. in eine klause sperren. — refl. in eine kl. treten.

klôster stn. kloster (lat. claustrum).

klôster-hêrre swm. mönch. -kint stn. klosterjungfrau, nonne. -kleit stn. = klôsterwât. -knêht stm. mönch. -lich adj. klösterlich, dem kloster angemessen. -liute pl. zu -man stm. mönch; untertan, höriger eines klosters. -meier stm. verwalter über die einkünfte u. richter über die hörigen eines klosters. -meister stm. vorsteher eines klosters. -münch stm. mönch. -nunne swf. nonne. -orden stm. klosterleben, mönchtum. -ritter stm. ritter, der wie im kloster lebt. -vart stf. eintritt in ein kloster. -vrouwe swf. nonne. -want stf. klostermauer. -wât stf. klosterkleid. -wîp stn. nonne. -zuht stf. leben nach der klosterregel.

klôsterlîn stn. dem. zu klôster.

klouber stf. klaue, kralle, fessel (s. klaber).

klöuwen swv. kratzen, kasteien.

klôz stm. n. klumpe, knolle; klumpige masse, knäuel; kugel, knauf; plumpes holzstück, klotz; keil, knebel.

kloz, -tzes stm. n. klumpe, klumpige masse; baumstumpf, -klotz; metalle geschützkugel.

kloz-bîre swf. gedörrte birne.

kloz-bühse swf. geschütz, woraus metallene kugeln (klötze) geschossen wurden. -kugel f. kugel zu klozbühsen.

klœzel stn. dem. zu klôz knäuel.

klœzen swv. mit einem klôz (keil) spalten, trennen, auseinander reissen.

klûben swv. abs. u. tr. pflücken, stückweise ab-, auflesen; rauben, stehlen; stückweise zerreissen.

kluc, -ckes stm. bissen, losgespaltenes stück.

klucke swf. bruthenne, glucke.

klucken s. klocken.

klucken, glucken swv. glukken.

klucken swv. brechen.

klûde stnm., klûder stmn. ein gewicht beim wollhandel.

klüege stf. feinheit, zierlichkeit; klugheit.

klüege-lich s. kluoclich.

klüegen swv. kluoc' machen, zieren, schmücken, ausschmükken.

kluft stf. spalte (bergmänn. schmaler gang); kluft, felsenkluft, höhle, gruft; zange; losgespaltenes stück.

klumse, klunse swf. spalte.

klunc, -ges stm. klang.

klungic adj. klingend.

klunsen stn. das schmeicheln, schöntun.

klünzen swv. dumpf tönen, schallen.

klunzern swv. weinerlich tun.

kluoc, -ges adj. fein, zierlich, zart, schmuck, hübsch; stattlich, tapfer; fein, höfisch; geistig gewandt, klug, weise; schlau, listig; weichlich, üppig.

kluoc-heit, kluokeit stf. feinheit, zierlichkeit; feines benehmen, anstand; klugheit, verständigkeit, geschicklichkeit; weltklugheit, weltkenntnis, kunstgeschick; vorsicht; schlauheit, list, kniff; weichlichkeit. -(klüege)-lich adj., -liche adv. zart, klein, schön; auf zierliche, schöne, feine, kluge, geschickte, höfliche weise; vorsichtig.

klupf s. klapf.

klupf stm. schreck (vgl. klopf).

klüpfel stm., md. klüppel, kluppel werkzeug zum klopfen, schlagen; glockenschwengel; knüppel, knüttel.

klupfen swv. schrecken, s. erklupfen.

kluppe swf. zange, zwangholz; abgespaltenes stück.

klûse, klûs stswf. = klôse; abgeschlossene wohnung mit dem begriffe des heimischen; felsspalte, felskluft, engpass; schleuse zur aufstauung eines gebirgsbaches für die holzflössung.

klûsen swv. in eine klûse bringen, sperren.

klûsenære, -ærinne = klôs-.

klûsen-vrouwe swf. klausnerin.

klûter, kluter, kliuter stmn.? was sich ansetzt und anheftet als zierat od. als tand, blendwerk, schmutz, befleckung.

kluterære stm. gaukler.

kluterât(e), kluterie stf. gaukelei, blendwerk, täuschung; allerlei kleiner bedarf, kleinigkeiten.

klûter-dinc stn. gaukelspiel.

klütern, klutern swv. flüchtige od. unnütze arbeit tun, tändeln; spintisieren.

kluter-nis, -spil stn. = kluterîe.

klûter-wort stn. eitles, unnützes wort.

klutzen swv. = klucken 2.

knabe swm., md. auch knave, knabe; jüngling, junggeselle; mann überh.; kerl, bursche; junger mann in dienender stellung, diener, page, knappe; geselle (vgl. knappe).

knabe-lich adj. puerilis.

knaben-wât stf. pagenkleid.

knaberin stf. unkeusches weib.

knacken swv. krachen, knacken; einen sprung, riss bekommen.

knaffen swv. ndrh. knausern.

knappe swm. (verhärtet aus knabe) knabe; jüngling, junggeselle, bes. der noch nicht ritter ist; junger mann in dienender stellung; läufer im schachspiel; knecht, geselle.

knappe-lich adj. einem knappen zukommend.

knappelîn, kneppelîn stn. dem. zu knabe.

knarpeln, knarschen swv. mit den zähnen knirschen.

knappe-schaft stf. art und weise od. treiben v. knappen.

knave s. knabe.

knebel stm. knebel; knöchel; holzstück um die haare darum zu winden (als strafe); an einem seile befestigte stange, auf der die verbrecher sitzend in die gefängnisse hinabgelassen wurden; grober gesell, bengel.

knebelîn, knebel stn. dem. zu knabe.

knëht stm. knabe; jüngling, junggeselle; mann überh.; kerl, bursche; junger mann in lernender und dienender stellung; krieger, held; guot kn. dient auch als allgem. lob für einen biedermann u. ehrenmann, daher einem gesellschaftl. tîtel gleich, mit dem man andere nennt od. anredet; kriegsknecht (lands knëht fussssoldat im dienste eines landesfürsten); knecht als dienender im gegensatze zu dem herrn (arme knëhte leibeigene, gotes kn. diener gottes, mönch); lehrling; geselle; bergknappe.

knëhtelîn, knëhtel stn. knäblein; kleiner, geringer diener, knecht.

knëhten swv. refl. den knecht spielen; sich mit einem knechte versehen.

knëht-heit stf. tapferkeit. -kint stn. knappe, page. -lich adj., -liche adv. knechtisch, tapfer.

knëllen stv. III, 2 s. er-, zerkn.

knellen swv. intr. mit einem knall zerplatzen.

kneppelîn s. knappelîn.

kneppisch adj. einem knappen gemäss. — kneppischen adv. nach weise eines knappen.

knëten stv. V kneten.

knicken swv. intr. knappen, hinken.

knie stn. (gen. kniewes, knies pl. kniewe, knie) knie von menschen und tieren.

knie-beten swv. kniend beten. -brëche swf. steiler bergpfad. -buckel stm. kniestück der rüstung. -kël swf. kniekehle. -leip stm. grosser brotleib, stolle (der einem bis ans knie reicht). -rat, -des stn., -rade swm. kniebug, -gelenk. -schibe swf. kniescheibe. -vallen swv. auf die knie fallen.

knielen swv. ndrh. = kniewen.

knien s. kniewen.

kniewelinc, -ges stm. knieharnisch.

kniewen, kniuwen, knîen swv. auf die knie fallen; auf den knien liegen, knien.

knif, knip stm. messer.

knîfen stv. I, 1 kneifen, kratzen.

knitschen swv. quetschen.

kniuwel, kniuwelîn s. kliuw-.

kniuwen s. kniewen.

knobel stm. felsvorsprung, vgl. knübel.

knobe-louch s. klobelouch.

knoc, -ckes stm. nacken.

knoche swm. knochen; astknorren; fruchtbolle.

knochel s. knuchel.

knochen swv. ndrh. pressen, drücken.

knocken swv. kauern, hocken.

knode, knote swm. natürl. od. künstl. knoten, schlinge; bildl. rätsel, wirrsal.

knödel stn. dem. zu knode.

knodoht adj. knotig.

knögerlîn stn. knötchen.

knolle swm. erdscholle; klumpen überh.; bildl. grober, plumper mensch, bauer.

knollëht, knollet adj. knollig, klümperig.

knopf stm. knopf, knorre an gewächsen; kugel; von blähungen im leibe: schwertknauf; dach-, turmknauf; knoten, schlinge; knoten an geisseln; hügel.

knopfëht adj. knopfig, knorrig.

knöpfelîn, knöpfel stn. knöpflein von gold, silber oder edelsteinen.

knorre swm. knorre an bäumen, steinen; hervorstehender knochen, hüftknochen; knorpel, auswuchs am leibe; buckel an trinkgeschirren; kurzer, dicker mensch.

knorrëht, knorret adj. knorrig.

knorzen swv. kneten.

knospe swm. knorre.

knospoht, knospet adj. klotzig, plump.

knote s. knode.

knotze swf. knorre.

knouf stm. flachsbolle; knauf (am schwerte, auf türmen).

knoufel, knöufel stm. knöpfchen.

knoufelin, knöufelin stn. dem. zu *knouf*.
knübel stm. knöchel am finger, im pl. auch finger, faust.
knubelen swv. knebeln, unterdrücken.
knachel, knochel, knöchel stm. knöchel.
knülle swm. unkraut.
knüllen swv. knuffen, stossen; erschlagen.
knüpfen swv. knüpfen; mit einem knopfe versehen.
knüppel, knüpfel stm. knüppel, knüttel.
knûr, knûre, knurre stswm. knoten, knorre; fels, klippe, gipfel; knuff, stoss; bildl. grober mensch. vgl. *knorre*.
knus, *-sses* stm. stoss (vgl. *backenknus*).
knüssen swv. kneten, stossen, schlagen.
knüsten, knisten swv. stossen, schlagen, quetschen.
knûtel, knüttel stm. knüttel (als waffe, bauernwaffe, hirtenstab, als prügel zum züchtigen); steinmetzschlägel.
knüteln, knütteln, knütelieren swv. mit knütteln schlagen.
knütel-slac, -streich stm. schlag, streich mit dem knüttel.
knützen swv. = *knüsten*.
knüz adj. keck, vermessen. waghalsig; hochfahrend.
kobe swm., md. *kove* stall, schweinestall; käfig; höhlung.
kobel stm. enges, schlechtes haus; kasten zu einem *kobelwagen*.
kobel stn. felsenschlucht.
kobel swf. stute (slav.).
kobeler stm häusler.
kobel-mileh stf. pferdemilch.
kobel-wagen stm. kutsche, kammerwagen.
kober stm. korb, tasche (vgl. *koffer*).
kober adj. eifrig suchend, spürend.
koberen, koveren swv. tr. erlangen, gewinnen. — refl. sich erholen, sich sammeln. — intr. sich erholen, sammeln, kräfte gewinnen; von jagdhunden: suchen, spüren; hazard spielen (auf gewinn ausgehn).
koberunge, koverunge stf. erlangung, erwerbung; erholung; kräftigung, sammlung.
kóbolt, kobólt, *-des* stm. lächerliche, aus holz oder wachs gebildete figur eines neckischen hausgeistes, kobold; getränk.
koc s. *quëc*.
koch stm. koch (lat. *coquus*).
koch stn. gekochtes, bes. brei, mus.
kochen swv. sieden, kochen; verdauen (lat. *coquere*).
kocher, kochære stm. gefäss,

behälter(pfeilköcher, gefäss zum fischtransport, kugelgussform).
kocherie stf. das kochen; das gekochte, gericht.
kocherin stf. köchin.
köchinne, küchin stf. dass.
kocke, kucke swm. breitgebautes schiff mit rundlichem vorder- und hinterteil im gegensatz zu den länglichen galeeren (it. *cocca*, afz. *coque* aus lat. *concha*).
koden, köden s. *quëden*.
koder, köder s. *quërder*.
kodern swv. schleim auswerfen.
kofel stm. bergspitze.
kofênt s. *convênt*.
kofer s. *kupfer*.
koffer, kuffer stmn.? kiste, truhe, geldkasten; (fz. *coffre*, mlat. *cofrus, cofrum*).
koge f. küferschlägel.
koge m. ansteckende seuche; ein schimpfwort (vgl. *keibe*).
kogel s. *gugele*.
koie swf. hütte.
koiphe, koife swf. = *goufe* 1.
kokänisch adj. aus dem schlaraffenlande (mlat. *Cucania*).
kokodrille, kokadrille, -trille swm. krokodil (mlat *coco-*, *croco-, corcodrillus*).
kol swstm. stn. kohle; kohlenhaufe.
köl, köle s. *quâle*.
köl, koele, kœl stm. kohl, kohlkopf (lat. *caulis, colis*).
kolbe swm. kolbe, keule als waffe; hirtenkeule; k. des narren (urspr. seine waffe, dann sein wesentlichstes abzeichen nebst der kappe); kolbenähnliche pflanze.
kolbe-gêr stm. *gêr* mit einem kolben am ende.
kolbelin stn. dem. zu *kolbe*; blumenpistill.
kolben-ris stn. baumknüttel als narrenkolbe.
kolc, *-kes* stm. ndrh. strudel.
kôle-, kœle-krût stn. = *kôl*; gericht von kohl.
koler, köler stm. köhler, kohlenbrenner.
kol-gruobe stswf. grube zum kohlenbrennen.
köl-henger stm. kohlpflanzer.
koliander m. koriander (mlat. *coliandruc*).
kollen, koln s. *quëln*.
collâcie stf. vortrag über tisch in einem kloster; abendmahl, trunk danach (lat. *collatio*).
collecte, collect stswf. kollekte, altargebet; abgabe von kirchen an papst oder bischof.
koller, kollier, kolner s. *gollier*.
kollerêht adj. kollerartig.
kölnisch, kölsch, kolsch adj. kölnisch.

kolre stm. koller, ausbrechende od. stille wut. — stf. die ruhr (lat. *cholera*).
kölsch, kölsche, golsch stswm. (kölnisches) zeug, barchent, gewöhnlich mit blauen streifen.
kôl-souc stm. kohlsaft.
kolter stn. pflugmesser (lat. *culter*).
kolter s. *kulter*.
kol-varwe stf. kohlenfarbe.
kolze, golze swm. nur im pl., wie *hosen* eine fuss- u. beinbekleidung (it. *calzo*, lat. *calceus*).
komat, komet, kumet stn. kummet (slav. *chomat*).
komeline, kumeline, *-ges* stm ankömmling.
komen stv. IV nbff. *kumen*, *kêmen, quêmen*; prät. *kam, kom, quam*: kommen (mit präd. adj. od. part., mit infin. statt des part. präs., mit infin. des zweckes und erfolges).
kom-lich adj., -liche adv. bequem, passend.
kommentiur, kummentiur stm. komtur (afz. *commendeor*, lat. *commendator*).
commûne, comûne, *-ûn* stfn. gemeinde (fz. *commune* aus lat. *communio*).
komp, kompe s. *kumpf*.
kompân, kumpân stm. geselle, genosse; beisitzer einer städtischen behörde (afz. *compaign*, it. *compagno* aus lat. com u. *panis*).
compânie, kumpânie, gumpenie stf. gesellschaft, genossenschaft (fz. *compagnie*).
complende f. schlussgebet in der messe.
cómplet, cómplête stswf. die letzte kanonische hore des tages (*completa hora*).
complêxie stswf., complexiôn f. komplexion, element (lat. *complexio*).
kompost s. *kumpost*.
komst s. *kunft*.
comûne s. *commûne*.
concilie stn. concilium.
condewier, cundewier stn. geleite.
condewieren, cundewieren swv. führen, geleiten (fz. *conduire* v. lat. *conducere*).
condimentieren swv. einbalsamieren (lat. *condimentum*).
kone, kon, kan, kun, quêne swf. weib, eheweib.
kone- (kon)-lich adj. ehelich. -liute pl. eheleute. -mâc stm. verwandter von weibes seite, schwager. -man stm. ehemann. -schaft stf. ehestand. -wip stn. eheweib. -wirt stm. = *koneman*. -vrouwe swf. ehefrau.
konig, koning s. *künic*.

konne s. *künne*.

konreit s. *kunreiz*.

cons s. *cuns*.

conscienzie f. gewissen (lat. *conscientia*).

constabel stm. anführer, befehlshaber; *kunstabel, kunstavel* mitglied der patrizischen gelagbrüderschaft; *constafel, cunstofel* unzünftiger gewerbtreibender (mlat. *constabulus*, mfz. *connestable* vom lat. *comes stabuli*).

constofel, cunstofel stswf. in einem stadtbezirk vereinigte genossenschaft der nicht zünftigen gewerbtreibenden (Strassburg).

conte s. *cuns*.

contemplâcie stf. geistliche beschauung.

contemplieren swv. geistlich beschauen (lat. *contemplari*).

conterfeit s. *kunterfeit*.

contrârie stf. gegenteil, widerwillen.

convênt, covênt, kofênt stm. geistl. gesellschaft in einem kloster, konvent; dünnes bier, nachbier, eigentlich klosterbier (lat. *conventus*).

converse swm. laienbruder (mlat. *conversus*).

kopf, koph stm. trinkgefäss, becher (*kopf* als mass: zwei seidel); schröpfkopf; hirnschale, kopf.

köpfelin, köpfel stn. kleiner becher.

kopfeln swv. schröpfen.

köpfen, kopfen swv. schröpfen; köpfen, enthaupten.

kopfer s. *kupfer*.

koppe swm. rabe.

koppel s. *kuppel*.

köppeln swv. rülpsen.

koppen swv. plötzlich steigen od. fallen (*in die art k.* in die alte od. angeborne art verfallen).

koppen swv. krächzen wie der rabe.

coquart stm. narr, tropf (fz.).

kor stm. ein mass von 12 saumlasten.

kor, kör s. *kür*.

kôr stm. kirchenchor; gesamtheit der chorherren, domkapitel; gesamtheit der sänger in einem chore, überh. sängerschar; himmlischer raum als wohnung für gott und seine heerscharen, abteilung der engel im himmelreiche (auch von der menschl. gesellschaft); **kôre** swm. *herzen k.* innerstes des herzens. gr. lat. *chorus*.

koralle, koral swstm. koralle (mlat. *corallus*).

korallin adj. von korallen.

kôr-bâre stf. katafalk od. aufbahrung der leiche im chor.

-bischof stm. archidiakon. **-gerihte** stn. im chor der kirche unter vorsitz des bischofs gehaltenes gericht; gericht in ehesachen. **-gesinde** stn. die chorsängerschaft; einer aus ihrer mitte, chorknabe. **-hêrre** swm. chorherr. **-hûbe** swf. chorhaube. **-künic** stm. chorkönig, stellvertreter des königs auf dem chor (zu Strassburg) und als solcher inhaber einer pfründe.

korbe swm. s. *korp*.

körbelin, kurbelin stn. körbchen; fischreuse.

körbler stm. korbförmiger schatten.

korde swf. seil, schnur (lat. *chorda*).

korder s. *quarter*.

korder, körder s. *quërder*.

cordieren swv. mit saiten beziehen (fz. *corder*).

kore, köre, koren s. *kür, korn*.

kôrer stm. aufseher des chors.

kœrlin stn. dem. zu *kôr*.

korn stn. fruchtkorn; bes. vom getreide (die gewonnene frucht, getreidekörner), spez. vom roggen; getreidepflanze, halm; kornfeld; *k.* als gewicht im münzwesen, bes. der gold- oder silbergehalt einer münze; bei den meistersingern verstand man unter *körnern* die verbindung zweier strophen, dadurch dass ein vers der einen zu einem der andern reimt.

korn, koren swv. den geschmack wovon versuchen, kosten (mit gen.); mit infin. versuchen, wollen (umschreib. des imperat.); wählen.

kornat stn. die kornfelder.

korn-ban stm. schutzbann für die reifenden kornfelder. **-ern** stm., **-erne** stf. kornernte. **-gëlt** stn. ertrag, einkünfte an korn, kornzins. **-gruobe** swf. erdgrube zur aufbewahrung des kornes. **-gülte** stf. = *korngëlt*; bezahlung für korn. **-hûs** stn. kornspeicher. **-kaste** swm. dasselbe. **-kouf** stm. kornhandel; kornpreis; geld zum einkauf des korns. **-liute** pl. zunft der kornhändler. **-mëzze** swm., **-mëzzer** stm. vereid. kornmesser. **-rihter** stm. dasselbe. **-sât** stf. kornfeld. **-schütze** swm. feldhüter. **-stadel** stm. kornspeicher. **-ungëlt** stn. abgabe beim kornkauf, das der käufer od. verkäufer noch über den eigentl. preis (*gëlt*) zu zahlen hat.

körnen swv. mit körnern locken od. füttern; körner ansetzen, bilden.

körner, korner, körnler stm. kornaufkäufer, kornhändler.

kornlin, körnlin stn. dem. zu *korn*.

korp, -bes stm. korb; schanzkorb; als trockenmass (auch *korbe* swm.); kleines haus (urspr. aus flechtwerk).

korper, körper, körpel stm. körper, leichnam (lat. *corpus*).

corporâl stn. tuch, womit kelch und hostie auf dem altar zugedeckt werden (mlat. *corporale*).

corrieren s. *kunrieren*.

korrün s. *kurdewân*.

korse, corsit s. *kürsen, kursît*.

korter s. *quarter*.

korunge stf. prüfung, versuchung.

korz s. *kurz*.

kos s. *kus*.

kôse, kœse stfn. rede, gespräch; geschwätz (prov. *cosa*, fz. *chose* vom lat. *causa*).

kôsen swv. sprechen, plaudern (afz. *choser*).

koste s. *queste*.

koste, kost stf. stswm. wert, preis einer sache; geldmittel zu einem bestimmten zwecke; aufwand, ausgaben, kosten (*von sîn selbes kost* auf eigene kosten); zehrung, speise, lebensmittel, futter (rom., s. *kosten* 1).

koste- (kost) -bære, -bærlich adj. kostbar. **-(kostec)-lich** adj. köstlich, kostbar, herrlich. **-(kosten)-liche** adv. auf kostbare weise, mit grossem aufwande. **-riche** adj. kostbar.

köstelich, köstel stn. bescheidene mittel zum leben; feine speise, leckerbissen; dürftige, geringe speise.

kosten swv. tr. aufwand machen, ausgeben, beköstigen; zu stehn kommen, kosten (mit acc. des preises od. mit adv.). mlat. *costare*, afz. *coster* v. lat. *constare*.

kosten swv. prüfend beschauen; erkennen, wahrnehmen; schmeckend prüfen; schmecken.

kostunge stf. aufwand, kosten; beköstigung.

kot prät. s. *quëden*.

kôt s. *quât*.

kote swm., md. *kot* stn. hütte.

kœte f. knöchel, würfel.

kotember s. *quatember*.

koter stm. häusler.

kôt-mânôt stm. februar.

cottun stm. kattun (nld. *kattoen*, fz. *coton*).

kotze stswf. hure; vulva.

kotze stswf. rückenkorb.

kotzëht, kotzet adj. zottig, grob.

kötzelîn stn. dem. zu *kotze* 2.

kotzen swv. sich erbrechen.
kotzen-schalc stm. huren-
knecht. **-sun** stm. hurensohn.
kou s. *kouwe;* prät. s. *kiuwen.*
kouf stm. geschäft zwischen
käufer u. verkäufer, handel,
tausch; unterhandlung, verabredung; geschäft, tun u. treiben
überh.; ware, die gekauft od.
verkauft wird; erwerb, gewinn
überh.; kaufpreis, bezahlung.
kouf-ambet stn. geschäft des
kaufmanns. **-bære** adj. kauf-
bar, preiswürdig. **-eigen** stn.
durch kauf erworbenes eigen.
-gæbe adj. verkäuflich. **-gadem**
stn. kaufladen. **-gëlt** stn. kaufpreis. **-genôz** stm. handels-
gefährte. **-gëric** adj. zu kaufen,
zu erwerben begierig. **-guot** stn.
durch kauf erworbenes gut.
-hërre swm. grosshändler. **-hûs**
stn. kaufhalle. **-kamer** stf. =
koufgadem. **-knëht** stm. gekaufter knecht. **-küene** adj.
k. werden an preis gewinnen,
verkäuflicher sein. **-lich** adj.
dem kaufe entsprechend, in
kauf gemacht od. verwendet.
-liche adv. durch kauf. **-liute**
pl. zu **-man** stm. kaufmann
(verkäufer sowohl als käufer);
fast synonym mit *burgære* (wohl
deshalb weil die *koufliute* in
den städten als der erste stand
galten); gekaufter mann. **-man-
schaft** stf., **-schaz** stmf. handel,
kaufmannschaft; handelsgut,
ware. **-mennine** swf. kauf-
mannsfrau, händlerin. **-rât**
stm. vorrat zum verkaufen,
ware; · handelschaft, beruf
eines kaufmanns. **-rëht** stn.
recht zum wiederkauf; durch
kauf erworbenes recht. **-schaft**
stf. handel. **-schalc** stm. =
koufknëht. **-slac** stm. abschluss
eines kaufs, kaufhandel (handschlag, mit dem der kauf abgeschlossen wird). **-slagen** swv.
einen *koufslac* machen. **-stat.**
stf. handelsplatz, handelsstadt.
-strâze stf. handelsstr. **-vrouwe**
swf., **-wîp.** stn. = *koufmennine.*
-ware stf. kaufgut.
köufel, köufelære stm. händler, makler.
koufeline, -ges stm. gekaufter
sklave.
koufen, keufen swv. abs.
handel treiben, handeln, kaufen. — tr. durch *kouf* erwerben,
erhandeln (*umbe einen etw. k.*
von ihm kaufen), erwerben, gewinnen, verdienen überh.; los-
kaufen (*ein wîp, einen man k.*
heiraten); verkaufen.
koufer, köufer stm. der
kauft od. verkauft.
kouferie stf. kaufhandel und
kaufwaren.

kouferinne stf. käuferin.
köufic adj. kauf-, verkaufbar.
köufler s. *köufelære.*
köuflerinne stf. krämerin,
kleinhändlerin.
köuflie stf. = *kouferîe.*
köuflin stf. = *kouflerinne.*
kouwe, kou swstf. bergm.
schachthäuschen; aufschütt-
kasten in der mühle.
kouwe, kouwen s. *kiuw-.*
kov- s. *kob-.*
côvenanz, gôvenanz stm. zusammenkunft zu spiel u. tanz;
art tanz (fz. *convenance,* mlat.
convenentia).
covënt s. *convënt.*
covertiure, covertiur stf. verzierte samtdecke über der eisen-
decke des rosses (fz. *couverture,*
mlat. *coopertorium).*
covertiuren swv. mit einer
covertiure versehen.
kôz stmn. = *kôse.*
krâ stm. gekröse.
krâ, kræe, kræwe, kræje,
kreie, kreige, krowe, krewe
swstf. krähe; kranich; star.
krabbeln, krappeln swv. krabbeln.
krac, -ckes stm. riss, sprung.
krach s. *krage* 1.
krach stm. knall, schall,
krachen; riss, sprung.
krachen swv. krachen, krachend brechen.
krade s. *krote.*
kradem stm. lärm, getöse.
krademe swf. = *krage* 2.
krademen swv. lärmen,
schreien.
krademendic adj. lärmend.
krâel stn. dem zu *krâ* 2.
kraft stf. kraft, gewalt: menge, fülle, bes. von kriegern
(heeresmacht), von gut u. vorräten aller art (oft nur einen gen.
umschreibend od. verstärkend).
kraft-âder f. pulsader.
kraften swv. kraft haben, vermögen.
krage swm., md. *krac* stm.
ndrh. *krach* stm. hals (nach
aussen und innen) von menschen und tieren, nacken; bekleidung des halses, halskragen;
s. v. a. *kragstein;* gekröse; persönl. tor, narr u. dgl.
krage swf. haue, hacke.
krage-bein stn. halsbein.
kragelen, kregeln swv. gak-
kern wie ein huhn, schwatzen.
kragen stv. VI ndrh. kratzen, ritzen.
krag-stein stm. aus der mauer
hervorragender stein als träger
eines balkens u. dgl.
kræjen, kræn swv. krähen,
intr. u. tr.; nbff. *krœgen, krai-*
gen, kreigen, krëwen.
kral, -lles stm. kratz, ge-
krallte wunde.

kram, -mmes stm. krampf.
krâm stm. ausgespanntes
tuch, zeltdecke, bes. die bedachung eines kramstandes,
die krambude selbst; handelsgeschäft; ware; das im *krâme* gekaufte, bes. gekauftes geschenk,
auch geld für ein solches.
krâmære, kræmer stm. han-
delsmann, krämer.
krâme, krâm stf. krambude;
ware.
kræmel stn. gekauftes geschenk.
krâmen swv. intr. kramhan-
del treiben; kaufen, einkaufen,
bes. ein geschenk. abs. u. tr.
krâmenie stf. krambude.
krâmerie, kræmerie stf. kram-
handel, -ware.
krämer-meister stm. vorsteher der kramerinnung.
krâme-sîde stf. seide wie
man sie in der *krâme* kauft.
krâm-gadem stn. kramladen.
-gelete stn. = *krâmgewihte.*
-gewant stn. kleider od. klei-
dungsstoffe, wie sie krämer führen. **-gewihte** stn. handelsge-
wicht. **-schaft** stf. kramware;
handel damit. **-schaz** stm. dasselbe; gekauftes geschenk.
-schilt stm. gekaufter schild.
-wât stf. = *krâmgewant.* **-zol**
stm. abgabe für ware, vergeltung.
kramme swm. = *kram.*
krammen swv. (mit den sporen) verwunden. Neubildung
zu *krimmen.*
krampe swm. spitzhaue.
krampf stm. krampf; kruste.
kræn s. *kræjen.*
kran, kranc s. *kranech.*
kranc, -ges stm. kreis, umkreis.
kranc adj. kraftlos, leibes-
schwach, schwach im allge-
meinsten sinne; von schwachen
streitkräften; schmal, schlank;
geschwächt, vernichtet; wertlos,
gering, schlecht, sündhaft, mit
der erbsünde behaftet; krank.
kranc stm. schwäche, mangel,
unvollkommenheit; schwä-
chung, abbruch, schaden.
kranc-heit, krankeit stf.
schwäche, schwachheit; geringheit, dürftigkeit, not; krankheit. **-(krenc)-lich** adj., **-liche**
adv. schwach, schwächlich; gering, armselig, schlecht. **-müetec**
adj. schwach-, kleinmütig.
kranech, kranch, kranc stm.
kraneche, kranche swm. (auch
umgel. *krenich, krench, kre-*
neche sw.; md. auch eine ein-
fachere u. altertümlichere form:
kran, krane, s. *kruon)* kranich;
hebezeug für lasten, kran.
krane-wite, kranwit stm.
wacholder.

krange swm. not, bedrängnis.
krangel stm. kreis, kranz; not, bedrängnis, mangel.
kranken swv. intr. *kranc sein od.* werden. — tr. = *krenken.*
krant-wërre s. *grantwërre.*
kranz stm. kranz, bes. als ausgesetzter ehrenpreis (bildl. den höchsten grad, auch des schlechten bezeichnend); eine art backwerk.
kranzel s. *krenzelin.*
krapfe swm., md. *krape* haken, klammer; türangel; in der wappenkunde: sparren.
krapfe swm. krapfen; hode.
krapfen swv. haken.
krappeln s. *krabbeln.*
kraspeln, krasteln swv. rascheln, knistern.
krât stfm. das krähen.
krate s. *krote.*
kratte, gratte swm. korb (vgl. *krechse,* *kretze* 1).
kratz-ber stf. brombeere.
-boum stm. brombeerstrauch.
kratze swf. werkzeug zum kratzen, scharren.
kratzen, kretzen swv. kratzen.
kratzen stn. das kratzen; das jucken, die krätze.
kratz-hart stm. wucherer, geizhals.
krâwe, krâwen s. *krâ,* *krouwen.*
kraz, *-tzes* stm. einmaliges kratzen u. dadurch entstehende schramme, wunde.
crêatiure, -tiur; -türe, -tür swstf. geschöpf (fz. *créature,* lat. *creatura*).
crêatiur(tûr)-lich adj. geschaffen, natürlich, menschlich.
-licheit stf. geschöpflichkeit.
krëbe swm. eingeweide.
krëbe swm. f. korb.
krëbe-katze = *strebekatze.*
krëbeʒ, krëbeʒe; krëbʒ, krëbʒe stswm., nbff. *kriuʒ,* *kreuʒ,* *kreuʒe*: krebs; das sternbild des krebses; die krebskrankheit; ein brusthar nisch in plattenform; ein mauerbrecher.
krëbeʒen, krëbʒen swv. krebse fangen; fig. nach etw. tasten, wühlen.
krechse swf. tragreff.
krecken swv. intr. mit schall zerplatzen, knacken.
crêde swm. glaube (lat. *credo*) c. *mich* = *crede mihi,* formelhafte beteuerung; crêdendêwen stm. glaubensartikel (credo in deum).
crêdenz stfn. beglaubigungsschreiben, vollmacht; kredenztisch (it. *credenza*).
crêdenzen swv. vorkosten, eigentl. um vertrauen (it. *credenza*) gegen etwaige vergiftung zu geben; versuchen überh.; speise anbieten.

crêdisch-heit stf. abergläub. wesen, frömmelei.
kreftel stn. dem. zu *kraft.*
krefte-lôs adj. kraftlos, ohnmächtig.
krefte-lœsen swv. entkräften.
kreften swv. tr. kräftigen, stärken; intr. kräftig werden.
kreftic, kreftec adj. kraft habend, kräftig, gewaltig, stark; von rechtl. geltung u. wirksamkeit; gewaltig, gross, überh. zur verstärkung des begriffes; zahlreich, reichlich; — kraft gebend, kräftigend; m. dat. gewachsen.
-lich adj., -liche adv. gewaltig, mächtig; zahlreich; stark, sehr.
kreftigen swv. kräftigen, stärken, mehren.
kregelin stn. dem. zu *krage.*
kregeln s. *kragelen.*
krei stm. geschrei.
kreie, kreigen s. *krâ,* *krœjen.*
kreie stf., kreier stm. = *krîe.*
kreierlin stn. kleiner herold.
kreiger stm. *k. ûf eim helme* conus, helmzeichen.
kreiieren, kreigieren swv. = *krîen.*
kreisch stm. schrei, angstruf.
kreisten swv. stöhnen.
kreiʒ stm. kreislinie, umkreis; der eingehegte kampfplatz, gerichtlicher kreis überh.; zauberkreis; landeskreis, gebiet, bezirk.
kreiʒ stm. schrei, lärm.
kreiʒelin stn. dem. zu *kreiʒ.*
kreiʒen swv. intr. sich kreisförmig bewegen; tr. *einen kreiʒ* kr.
kreiʒen swv. *krîʒen* machen, ärgern, zum zorn reizen.
kreiʒlot adj. kreisförmig.
krellen swv. tr. kratzen.
krempel stmn. dem. zu *krampe*: kralle; häkchen.
krempfen swv. *krimpfen* machen.
krên m. meerrettich (slav.).
krench s. *kranech.*
krenc-lich s. *kranclich.*
krengel s. *kringel.*
krenke stf. schwäche, schwachheit, geringheit, mangelhaftigkeit; taille.
krenken swv. tr., refl. *kranc* machen, schwächen, mindern, erniedrigen, schädigen, zunichte machen; plagen, kümmern, bekümmern. — intr. = *kranken.*
krenze s. *kretze.*
krenzelin, krenzel, kranzel stn. dem. zu *kranz* (als schmuck, als sinnbild der jungfrauschaft).
krenzen swv. mit einem *kranze* (den falken mit der haube) versehen.
krepfelin, krepfel stn. dem. zu *krapfe* 2.
krepfer stm. der mit einem haken ergreift.

krêsem s. *krisem.*
krêsen stv. V kriechen.
krêsmer stm. vorsteher eines *krêsem,* bischof.
krêsse swmf. kresse.
krête s. *krote.*
kretscheme, kretschem stm. schenke, dorfschenke (slav.).
kretschmar stm. schenkwirt.
krettelin, kretlin, krötlin stn. dem. zu *kratte.*
kretze swf. m. tragkorb; nbf. *krenze,* *krinze.*
kretze stf. krätze; der abfall von bearbeit. metall.
kretzen s. *kratzen.*
kretzen stm. krätze, aussatz.
kretzer stm. md. einnehmer der gerichtsbussen.
kretzerie stf. gerichtsbusse; rügegericht.
kreul, krewel s. *kröuwel.*
kreuʒ s. *krëbeʒ.*
krewe, krêwen s. *krâ,* *krœjen.*
krî s. *krîe.*
kribeln swv. kitzeln.
kride swf. kreide (lat. *creta*).
kride swf. = *krîe.*
kriden stv. I, 1 ndrh. schreien, wiehern.
kriden swv. mit kreide schreiben.
kriden-mël stn. geschabte kreide.
krîe, kri stf. m. schlachtruf, feldgeschrei, parole, losung; das helmzeichen, als erkennungszeichen im kampfe; die partei selbst, zusammenhaltende schar, stand überh.; schrei, ruf überh.; ruf, fama (afz. *crie* von *crier,* lat. *quiritare*).
kriec, *-ges,* krieg stm. anstrengung, streben nach etwas; streben gegen etw. oder einen, widerstreben, widerstand; anfechtung; streit, kampf mit worten, disputation; wettstreit, rechtsstreit; zwist, zwietracht überh.; handgreiflicher streit, kampf zwischen zweien; streit mit waffen, kampf, krieg.
kriec, *-ges,* krieg stm. grosses hebegerät, winde, kran.
kriec-bære adj. streitbar, kriegerisch; streitsüchtig. -bederben stn. wackere kriegführung. -haft adj. streitend, in streit verwickelt; streitbar. -lich adj., -liche adv. kriegerisch. -licheit stf. streitsucht.
krieche swf. pflaumenschlehe.
kriechel stm. eine weinart.
kriechel-bier stn. auf *kriechen* abgezogenes bier.
kriechen stv. II, 1 sich einziehen, schmiegen; kriechen, schleichen.
Krieche swm. Grieche.
kriechisch, kriesch adj. griechisch.

kriege, kriegel adj. widerstrebend, störrisch, streitbar;
streng.

kriegelin swm. kleiner streit.

kriegen swv. sich anstrengen,
streben, ringen, trachten (körperlich wie geistig), mit worten
streiten, zanken, disputieren,
behaupten; handgreifl. streiten;
kämpfen überh., fehde, krieg
führen. — tr. bekämpfen.

krieger stm. streiter, kämpfer.

kriegerie stf. sp. streit.

kriegic, kriegisch adj. trotzig;
streitsüchtig; strittig.

krieg-nôt stf. kriegsnot.

krieg-sam adj. = kriegic.

krieg-seil stn. windenseil.

kriemeln swv. schleichen.

krien stv. I, 2 schreien, bes.
den schlachtruf (krîe) erheben
(aus fz. crier nach analogie v.
schrîen gebildet).

krien-galm stm. lautschallen-
des turniergeschrei.

krier stm. = krîierer.

kriese s. kërse.

kriesch s. kriechisch.

krigen stv. I, 1 sich anstrengen, streben, ringen, trachten;
streiten, kämpfen (mit worten
u. waffen). — refl. befehden. —
tr. strebend erfassen, einholen,
erreichen, bekommen, erfahren.

krîieren swv. = krîen.

krîierer, krîgierer stm. ausrufer, herold, bes. der knappe,
der während des turniers od.
der schlacht teils andere rosse
od. waffen für seinen herrn in
bereitschaft hält, teils den
schlachtruf (krîe) erhebt.

krimme swm. darmgicht.

krimmen, grimmen stv. III, 1
abs. u. tr. die klauen zum fange
krümmen, mit gekrümmten
klauen od. fingern packen, verwunden, kratzen, kneifen, reissen. — refl. sich winden, krümmen, daher abs. auch für kriechen.

krimpf adj., md. krimp,
krumm, eingeschrumpft.

krimpf stm. krampf.

krimpfen, grimpfen stv. III, 1,
md. krimpen tr. u. refl. krumm
od. krampfhaft zusammen-
ziehen.

krim-vogel stm. raubvogel,
bes. ein zur jagd gebrauchter.

crinâle stn. helmschmuck
(mlat. crinale).

crinc, -ges stm., kringe swm.
kreis, ring, bezirk.

kringel, krëngel stmn. kreis;
bretzel.

krinne adj. gelockt, kraus.

krinne swf. einschnitt, rinne.

krinneln, krindeln iterat. zu
krinnen swv. mit krinnen,
einschnitten versehen.

krinze s. kretze.

kripfen s. gripfen.

krippe, kripfe stswf. krippe.

krippen swv. refl. sich in die
krippe legen.

krippen-knabe swm. knabe
in d. krippe, Christkindlein.

krisch stm. = kreisch.

krischen stv. I, 1 kreischen.

krischer stm. schreier.

kriselen swv. krauen.

krisem, krësem stm., kriseme,
krëseme, krisme, krësme swm.
chrisam; diöcese, sprengel (gr.
lat. chrisma).

krisemen, krësemen swv. mit
krisem salben.

krisen stv. I, 1 kriechen; sich
allmählich verbreiten.

krisolite, -lit, krisolt swstm.
chrysolith, ein edelstein.

krisp, krispel adj. kraus..

krispel stm. krauskopf.

krispen, krispeln swv. kräuseln.

kristalle, kristal swstm. kristall (gr. lat. crystallus).

kristallen swv. refl. zu kristall werden.

kristallin adj. von kristall.

kristen adj. christlich.

kristen, kristæne, kristân
stswmf. christ, christin (lat.
christianus, -a).

kristen stf. christenheit;
christentum.

kristen, klisten stv. I, 1 stöhnen, ächzen.

kristenen, kristen swv. zum
christen machen.

kristen-geloube swm. christlicher glaube. -heit stf. christ-
lichkeit, christlicher glaube;
kirche; messe; christenheit.
-(crist)-lich adj. christlich. -liute
pl. von -man stm. christ. -tuom
stmn. christentum, christlich-
keit.

kristier stm. = klister.

kristieren = klistieren.

krit stn. krach, knack; s. v.
a. krîde, losung.

kritzen swv. kritzen.

kriuchelin stn. dem. zu
krûche.

kriul s. krôuwel.

kriusel adj. kraus.

kriusel stf. m. feminale;
kreisel.

kriuselëht adj. kraus.

kriuselen swv. zucken.

kriuseler stm. eine art
schleier.

kriuselin stn. dem. zu krûse 1.

kriutelin, kriutel stn. dem.
zu krût.

kriutener, kriuteler stm. kräu-
tersammler.

kriutern swv. unkraut ausjäten (vgl. durchkriutern).

kriuz s. krëbez.

kriuzære, -er stm. kreuz-
fahrer; mit dem kreuz bezeich-

neter ordensritter, johanniter;
eine kleine, ursprüngl. mit
einem kreuze bezeichnete münze, kreuzer.

kriuze, kriuz stn. kreuz Christi; bildl. mühsal, not; kruzifix;
das bild, zeichen des kreuzes
(auf einem gewande als merkzeichen, als abzeichen der
kreuzfahrer; als ordenskreuz;
auf grenzsteinen; auf einem
schilde; auf münzen; mit der
hand gemachtes zeichen des
kreuzes zu segen u. schutz);
das lat. zahlzeichen für 10 (X).
aus lat. crux, crucis.

kriuze-boum stm. kreuz.
-bruoder stm. kreuzfahrer; flagellant. -(kriuz)-ganc stm. gang
oder umgang mit dem kreuze,
prozession; dafür bestimmter
säulengang. -stal stmn. in
kriuzestal, enkriuzestal vallen
(zum gebete) niederfallen in
kreuzförmiger stellung (stal) mit
ausgestreckten armen. -tac stm.
einer der drei tage vor himmelfahrt, wo kreuzgänge gehalten
werden; festtag der kreuzfin-
dung, -erhöhung. -traht stf.
das kreuztragen, bittgang mit
dem kreuze. -vart stf. kreuzzug; wallfahrt mit kreuz und
fahnen. -vënje stf. das in
kriuzestal verrichtete gebet.
-wîse adv. kreuzweise. -woche
swf. die woche der kriuzetage.

kriuzelin stn. dem. zu kriuze.

kriuzen swv. ans kreuz schlagen, kreuzigen; mit einem kr.
bezeichnen; ein kreuz schlagen;
bekreuzigen.

kriuzigære, -er stm. kreu-
ziger; kreuzfahrer.

criuzigâte stf. qual (lat. cru-
ciatio).

kriuzigen swv. kreuzigen;
peinigen, plagen.

kriuz-kôr stm. querschiff
einer kirche. -liet stn. kreuz-
fahrerlied. -stap stm. stab mit
einem kreuze. -strâȥe f. kreuzweg. -wëc stm. dasselbe.

kriuzlinge adv. kreuzweise.

kriȥ stm. geräusch, krach.

kriȥ, -tzes stm. gekritzter
strich.

kriȥeln swv. iterat. zu
kriȥen stv. I, 1 scharf schreien,
kreischen, stöhnen.

kriȥen stv. I, 1 eine kreislinie machen (einen kreiȥ kr.) —
intr. (griȥen) gären, schäumen. — tr. kratzen.

krochzen swv. krähen, krächzen.

kroije stn. = krîe.

kroijer, groir stn. helm-
schmuck.

kroijierære stm. = krîierer

kroijieren swv. = krîieren.

krol adj. lockig.

krol, krul, *-lles* stm., **krolle, krülle** swf. haarlocke.
krollen, krüllen swv. kräuseln; an den haaren reissen.
krôn stm. gezwitscher der vögel.
krône, krôn stswf. kranz (*siges krône* sieges-, *êren krône* ehrenkranz); bildl. wie *kranz* das höchste, vollendetste seiner art; jungfräul. kopfschmuck, brautkrone; dornenkrone Christi; fürstenkrone; die kr. als sichtbares zeichen der königl. würde und macht, daher geradezu für königtum (kaisertum), königreich, dann pers. für könig (kaiser), königin selbst; geistl. kronen (*kr.* des priesters Johannes. *drî krône* des papstes, *kr.* der seligen); *kr.* in weiterer verwendung: leuchter in form einer krone; kamm, schopf; geschorne glatze (lat. *corona*).
krône-bære adj. fähig die krone zu tragen.
krœnen swv. schwatzen, lallen, brummen, schelten (s. *krôn*).
krœnen, krönen swv. kränzen, bekränzen; krönen; bildl. kennzeichnen, auszeichnen *mit*; preisen. ehren, verherrlichen.
krônike, krônik swstf. chronik (gr. lat. *chronica*).
krœnlin stn. dem. zu *krône*.
kropel s. *krüpel*.
kropel-kint stn. verkrüppeltes kind.
kropf, kroph stm. auswuchs am halse des menschen, kropf; mensch der einen kr. hat (als schimpfwort); verächtl. für hals; kr. der vögel, der vormagen (übertragen auf den menschen auch von dem, was einer in sich gegessen oder getrunken hat).
kröpfelin stn. dem. zu *kropf* (*der bluomen kr.* knospen).
kropfizen swv. rülpsen.
kropfoht, kropfëht adj. kropfig.
kropf-stôzen, swv. an den hals stossen.
krœse, krœs stn. = *gekrœse.*
krosel, krospel, krostel mf. knorpel.
krosseldorn stm. stachelbeerstrauch (fz. *groseillier*).
krot, krut stnm. md. belästigung, bedrängnis, kummer, beschwerde, hindernis.
krote, krotte, kröte, krot swstf. nbff. *krate, krade, krête, krötinne, krut* kröte; frosch; als schelte.
kröten, kroten, kruden swv. md. tr. belästigen, bedrängen, hindern; die reben *kruden* in bogen ziehen. — refl. mit gen. sich einer sache annehmen, sich um etw. bekümmern.

kroten-stein stm. krötenstein, borax.
krödlin s. *krettelin.*
krotolf stm. kröte (als schelte).
kröuwel, krewel; kröul, kriul, kreul stm. kräuel, gabel mit hakenförmigen spitzen; klaue, kralle.
krouwen, krowen, kräwen swv. kratzen; juckend kratzen (mit acc. u. dat. od. blossem dat.); kitzeln.
krowe s. *krâ.*
krûche swf. krauche, kruke, krugartiges gefäss.
krücke, krucke swstf. krücke; bischofsstab; kreuz; ofenkrücke. **-stap** stm. krücke.
krude stf. bedrängnis, gewalttat, grausamkeit (s. *krot*).
kruden s. *kröten.*
krüegelin stn. dem. zu *kruoc.*
krûfen swv. md. kriechen (nd. *krûpen*).
kruft s. *gruft.*
krul, krülle s. *krol.*
krüllel stn. löckchen.
krüllen s. *krollen.*
krum s. *krump.*
krümbe, krümme, krumbe, krumme stf. krümme, krümmung; umweg; verkrümmung.
krumben, krummen swv. *krump* sein oder werden.
krümben, krümmen swv. *krump* machen, krümmen.
krume, krumme stf. krume.
krumelen, krumen swv. in krumen zerreiben.
krump, *-bes* adj. krum, *-mmes* adj. krumm, gekrümmt, verdreht, schief (eig. u. bildl.); schlecht.
krump, *-bes* stm. = *krümbe.*
kruoc, -ges stm. krug.
kruon, md. grûn stm. kranich. — s. *kranech.*
krüpel, krüppel stm., md. *krupel, kropel* krüppel.
krüpfen swv. den *kropf* füllen.
krûs adj. kraus, gelockt.
krûse swf. krug, irdenes trinkgefäss.
krûse stf. krauses haar.
krûselen swv. aus einer *krûse* trinken.
krûsen swv. kräuseln.
krûsp adj. = *krisp.*
kruspel stf. = *krospel.*
krûspelëht adj. = *krûsp.*
kruspelisch adj. knorpelig.
kruspel-lich adj. dasselbe.
kruste swf. kruste, rinde.
krustel stf. = *krostel.*
krustelin, krüstel stn. dem zu *kruste.*
krut s. *krot, krote.*
krût stn. kleinere blätterpflanze, kraut, gemüse, bes. kohl; das daraus bereitete gericht; nahrung überh.; schiesspulver. **krûteht, krûtelëht** stn. fructetum, gras, kräuter.

krûten swv. *krût* holen; unkraut jäten; würzen.
krût-garte swm. gemüsegarten. **-geslaht** stn. pflanzenart. **-kamer** stf. pulverkammer. **-wihe** stf. = *wurzwîhe.* **-wurm** stm. kohlraupe.
kûbêbe swf. javan. pfefferart, kubebenpfeffer (mlat. *cubeba*).
kübel stm. kübel; als mass wie *scheffel.*
kûch stm. hauch.
kuchelîn, kuchel stn. dem. zu *kuchen* stn. küchlein.
küchen, kuchen, küche, kuche stf. küche (lat. *coquina*).
küchen swv. hauchen.
kuchenære stm. der küchenarbeiten verrichtet.
küchen- (kuchen)-dirne swf. **küchenmagd. -knabe** swm., **-knëht** stm. küchenjunge,- diener. **-meister** stm. küchenmeister, oberkoch (als hofbeamter). **-spise** stf. in der küche bereitete speise; vorrat für die küche, bes. hülsenfrüchte und das bloss enthülste zu grütze oder graupen verarbeitete getreide. **-bête** stf. s. v. a. **-stiure** stf. abgabe für die küche ausgehend. **-varwe** stf. farbe, aussehen nach der küche. **-viurære** stm. der das küchenfeuer unterhält.
kücken s. *quicken.*
kuderwân s. *kurdewân.*
küe-barn stm. futterkrippe für kühe.
küechelin, küechel stn. dem. zu *kuoche.*
küefel s. *kuofelin.*
küefer stm. küfer.
küegin adj. von der kuh.
küegisch adj. kühisch.
küelde, küele stf. kühle, kälte; kühlung.
küele, küel adj. kühl, kalt.
küelen swv. dem. zu *kuo.*
küelin stn. dem. zu *kuo.*
küene, küen adj. kühn.
küenec, küenec-heit, küenkeit stf. kühnheit.
küenen swv. tr. *küene* machen; intr. *küene* werden.
küen-lich adj., **-liche** adv. kühn, auf kühne weise.
küe-ritter stm., md. *kûweritter* ritter der statt kriegsdienste zu tun seines viehes wartet.
kuffer s. *koffer.*
kugel s. *kogel.*
kugele, kugel swf. kugel; md. kontr. *kûle* (auch verächtl. für kopf).
kugelëht, kugeloht adj. kugelförmig.
kugelen, kûlen swv. mit kugeln spielen, kegeln.

kügellîn stn. dem. zu *kugele*.
kugel-spîl stn. kugelspiel.
kûgen s. *kiuwen*.
cuire stf. haut (fz. *cuir*, lat. *corium*).
kukuk stm. kuckuck.
kûle, kûlen s. *kugele, kugelen*.
kûle swstf. md. grube.
kûlen swv. in die grube legen.
küllinc s. *künnelinc*.
cult = lat. *culter*.
kulter stmnf. gefütterte steppdecke über das bett, um darauf oder darunter zu liegen; nbff. *kolter, golter, kûter, gûter* (afz. *coultre* vom lat. *culcitra*).
kumber, kummer stm. schutt, unrat; bildl. belastung, bedrängnis, mühsal, not, kummer; beschlagnahme, verhaftung.
kumber-bære adj. kummer verursachend. **-haft, -heftic** adj. belästigt, bedrängt, armselig; beschäftigt. **-lich** adj. belästigend, bekümmernd, kummervoll; verhaftet. **-liche** adv. mit bedrängnis, mühe, beschwerde; zur last. **-nisse** stfn. kummer, bedrängnis. **-sal** stn. bedrängnis; belastung, pfandschuld.
kumbern, kummern swv. belästigen, bedrängen, quälen, kasteien; mit arrest belegen.
küme stf. talschlucht, klinge.
küme, kûm adj. dünn, schwach, gebrechlich.
küme, kûm adv. mit mühe, schwerlich, beinahe nicht, kaum; nicht, gar nicht.
kûmec-, küme-liche adv. dasselbe.
kumelinc s. *komelinc*.
kumen s. *komen*.
kümen swv. intr. trauern, wehklagen. — refl. mit gen. sich um etw. ängstlich bemühen.
kumet s. *komat*.
kumft s. *kunft*.
kumin stm. kümmel (lat. *cuminum*).
kummentiur s. *kommentiur*.
kumpân s. *kompân*.
kumpf, komph stm., md. *kump, komp* u. *kompe* swm. schüssel, napf, gefäss (als mass); die einzelnen zwischenräume eines oberschlächtigen mühlrades; wetzsteingefäss (mlat. *cimbus*, gr. κύμβος).
kumpf adj. stumpf.
kumpfen swv. stumpf machen.
kumpf-mül stf. eine mühle mit kumpfrad. **-rat** stn. oberschlächtiges mühlrad.
kúmpost, gúmpost, kumpóst, kompóst stm. eingemachtes überh., bes. sauerkraut (lat. *compositum*).
kumst s. *kunft*.
kun s. *kone*. — m. ehmann.
künde, kunde adj. = *kunt*.

kunde swm. bekannter; einheimischer, s. *kunt* adj.
künde, kunde stf. kunde, kenntnis, bekanntschaft; zeichen, beweis; ort wo man bekannt ist, heimat.
künde, kunde stn. kunde, kenntnis; s. v. a. *urkünde*.
kündec, kündic adj. pass. bekannt, kund. — akt. bekannt machend, verkündend; klug, geschickt, spitzfindig; *sich k. machen* mit dat. sich dienstfertig erweisen; stolz, anmassend.
kündec-heit stf. klugheit, list, verschlagenheit; stolz, übermut. **-lich** adj. bekannt; klug, geschickt, listig. **-liche** adv. auf kunstgerechte weise, wie ein kundiger; auf kluge, listige weise.
künde-lich adj., **-liche** adv. klug, schlau, listig.
kunden swv. intr. *kunt* werden.
künden, kunden swv. tr. *kunt* machen, verkündigen, anzeigen, zeigen.
kunden s. *künten*.
kunder, kunter stn. lebendes wesen, tier, bes. monstrum (*der helle k.* teufel); auch als scheltwort. **-lich** stn. jedes geschöpf.
kunderlin, kunterlin stn. kleines tier; feminale.
cundewier s. *condewier*.
kündigære, kündiger stm. verkündiger; der hochmütige.
kündigen swv. verkündigen.
kündnisse stf. verkündigung.
cunduct stm. wasserleitung.
kündunge stf. verkündigung; kunde.
kunft, kumft stf. das kommen, die zukunft, die ankunft (md. auch *kunst, kumst, komst*).
künftic, kümftic adj. was kommen wird oder soll, sich ereignend, nachfolgend, künftig (md. auch *kunstic*). **-heit** stf. zukunft, zukünftiges ding. **-lich** adj. **-liche** adv. = *künftic*.
künftigære stm. der kommen wird.
künic, künec, -ges stm. synkop. *künc*, md. *kunic, kunig, kuninc, konig, kong, kung, koning*: könig (wappenherold, könig der spielleute, zunftkönig, könig im schach-, im kartenspiele, in der tierwelt).
künic-buoch stn. *liber regum*. **-heit** stf. königl. art, abstammung, **-lich** adj., **-liche** adv. königlich. **-liceheit** stf. königswürde. **-lîn, kungelin, künglin, künigel** stn. kleiner könig; einer von den leuten oder von der partei des königs; königl. hofbeamter; zaunkönig. **-riche** stn. königreich, königtum: pers. für könig. **-stuol** stm. throon.

küniclin, künglin stn. kaninchen (lat. *cuniculus*).
küniger, künigler stm. nachtkönig, abtrittsräumer.
küniginne, küneginne, -in, -in stf. königin (auch für königstochter, prinzessin; bes. heisst Maria *künigin*; sodann auch die geliebte; königin bei festen, spielen; im schachspiel; bildl. das beste, herrlichste).
künigisch adj. königlich.
kunkel stf. kunkel (mlat. *conucula*).
künne stn., md. *kunne, konne* geschlecht, familie, verwandtschaft; persönl. kind, verwandter; umschreibend mit gen. (*küneges künne* könig, *wîbes k.* weib).
künne stf. n. cunnus, vgl. *kunt* stf.
künne-galle swf. einer der eine schande des *künne* ist. **-haft** adj. reich an verwandtschaft. **-schaft** stf. geschlecht, verwandtschaft.
künnelin stn. dem. z. *künne* 2.
künnelinc, -ges stm. verwandter, assim. *küllinc*.
kunnen, können anv. geistig vermögen, wissen, kennen, verstehn (mit acc. od. mit infin.; mit präp. *an, mit, ze* u. ausgelassenem infin.: sich worauf verstehn, womit umzugehn wissen; scheinbar absol. mit unterdrücktem acc. od. infin.); können, imstande sein, vermögen, möglich zu machen wissen (von sachen) mit infin., häufig nur zur umschreibung des einfachen vb.
kunnen stn. *liebez k. spiln* das minnespiel treiben.
kunnen swv. kennen lernen; erforschen, prüfen.
künnende part. adj. wissend, verstehend, geschickt, erfahren mit gen. od. *in, zuo*.
kunner stm. prüfer.
kunreiz stm. pflege, bewirtung des lehnsherren, herrenschmaus, md. *konreit*; fütterung, pflege eines pferdes (mlat. *conredium*).
kunriere, kunreie stf. bewirtung, pflege (afz. *conroi*).
kunrieren, corrieren swv. bewirten, pflegen, füttern (afz. *conroier*).
cuns, cons, conte, cunt stm. graf (fz. *comte*, lat. *comes*).
kunst stf. das wissen, die kenntnis, weisheit; kunstfertigkeit, geschicklichkeit; kunst (*swarziu k.* zauberei); erleuchtung des innern, ekstase.
kunstabel s. *constabel*.
künstec-lich adj. geschickt.

künstec-lîche adv. mit kunst, verständnis; mit list.
künstelin stn. dem. zu *kunst.*
kunstellâte stf. stellung der gestirne (lat. *constellatio*).
künste-lôs adj. ohne kunst, unwissend. -rich adj. reich an *kunst.* -wis adj. *wis* durch *kunst.*
künsten-sin stm. kunstreiche erfindungsgabe.
kunster, künster, sp. *künstener* stm. der *kunst* besitzt; künstler, kenner.
künstic, künstec, kunstic adj. mit *kunst* begabt, verständig, klug, gelehrt; kunstfertig, geschickt; kunstreich.
kunstiger stm. = *kunster.*
künst-lich adj. verständnis, weisheit bekundend, klug, geschickt; künstlich gegens. zu natürlich. -liche adv. mit geschicklichkeit. -licheit stf. verständnis, klugheit.
kunst-vluz stm. strömender kunstgeist.
cunt s. *cuns.*
kunt, -des adj. kennen gelernt, bekannt geworden, kund (vgl. *kunde* swm.); *kunt tuon* ohne od. mit dat. bekannt machen, sagen, zeigen, zuteil werden lassen.
kunt stf. cunnus vgl. *künne* 2.
künten, künden swv. zünden, heizen.
kunter s. *kunder.*
kunter, gunder stn. das unreine, falsche (fz. *contre*).
kunterfeit, gunderfeit adj. nachgemacht, falsch (fz. *contrefait*, lat. *contrafactus*).
kunter-, gunter-, gunder-, conterfeit; kunterfei, gunderfei stn. unreines, vermischtes, verfälschtes gold, metall; das entgegengesetzte, der gegensatz; das trügerische, falsche.
kunt-lich adj. wie von einem bekannten; kund, verständlich, deutlich, offenbar. -liche adv. auf verständliche, deutl. weise, genau. -liute pl. zu -man stm. schiedsmann. -same stf. kunde; beeidigte sachverständige, schiedsrichter; deren ausspruch. -schaft stf. das bekanntwerden, die kenntnis, nachricht; erforschung; aussage, auskunft; auskunft gebende personen; besichtigung eines strittigen gegenstandes durch beeidete von beiden parteien gewählte männer, sowie deren ausspruch und entscheidung; durch solchen ausspruch erworbenes recht; zeugnis; bekanntschaft, nähere umgebung, verwandtschaft; *heimliche k.* geschlechtsteile.
künt-oven stm. brennofen.
kunze swm. *der alte, grobe k.*

appellat. verwendete koseform von *Kuonrât.*
künzen swv. schmeicheln mit dp.
kuo stf. kuh (pl. *kuo, küe, kuoge, küege, küeje, küewe*).
kuoche swm. kuchen (rom. coca, coco, conque vom lat. *coquere*).
kuofe swf. kufe, wasserkufe, badewanne (lat. *cupa*).
kuofelin, küefel stn. dem. zu *kuofe.*
kuofener stm. = *küefer.*
kuof-kar stn. kufenartiges gefäss.
kuole adv. kühl, kalt.
kuolen swv. *küele* werden od. sein.
kuol-hûs stn. kühlhaus; abtritt.
kuone-zorn adj. kühn und zornig.
kuon-heit stf. kühnheit.
kuo-ricke swm. kuhgehege.
kuose swf. weibl. kalb oder schaf.
kuo-zagel stm. kuhschwanz.
kuo-zal stf. bestand an kühen.
kupfe, gupfe swf. = *goufe* 1, *koife.*
kupfer, kopfer, kofer stn. kupfer; bildl. das unechte, falsche (lat. *cuprum*).
kupferin, küpferin, köpferin adj. von kupfer; bildl. unecht, unnütz.
kupfer-schin stm. kupferfarbe. -sinter stm. kupferschlacke. -smit stm. kupferschmied. -var adj. kupferfarb. -vlinke swm. kupfererz, das in glänzenden stücken auf dem gestein zutage liegt.
kuppe s. *gupf, kupfe.*
kuppel kupel, koppel kopel stf. auch m. n. band, verbindung, bes. hundekoppel; durch eine *koppel* verbundene: hunde, haufe, schar überh.; revier, an dem mehrere gleiches recht haben, bes. für weide (fz. *couple*, lat. *copula*).
kuppelære, -er stm. kuppler.
kuppeln kupelen, koppeln kopelen swv. an die koppel legen; überh. binden, fesseln; geistig verbinden, vereinigen (lat. *copulare*).
kuppel-weide stf. gemeinschaftl. weide, recht dazu.
kür, küre stf., md. *kur kure, kor kore, kör köre* mf. prüfung; überlegung, erwägung, prüfende wahl, bes. die königswahl (*die siben kür* kuren, wahlstimmen); auswahl und das ausgewählte; ideal; versuchung; entschluss, beschluss, bestimmung u. das recht dazu; strafbestimmung, strafe, zu erlegende busse; beschaffenheit, art u. weise (mit

gen. od. adj., meist nur umschreibend).
kür-bære adj. erwählenswert, vorzüglich, tüchtig.
kurbe swf. brunnenwinde (fz. *courbe*, mlat. *curva*).
kurbelin s. *körbelin.*
kürbiz stm. n. kürbis (lat-*cucurbita*).
kurc, -ges adj. wahrnehmbar, sichtbar, deutlich; ausgezeichnet, auserwählt.
kurc-lichen adv. deutlich.
kurdewân stm. auch *kuderwân, korrûn* korduan, korduanschuh (fz. *cordouan*, leder aus ziegenfellen von *Cordova*). kurdewæner stm. schuhmacher.
kurdewænin, -wænisch adj. von *kurdewân.*
kure, küre swm. amtlich bestellter prüfer.
küre s. *kür.*
küren swv. kauern, hocken.
küret s. *currît.*
kur-hêrre swm. kurfürst.
curie stf. das füttern der jagdhunde mit teilen des eingeweides vom wilde (fz. *curée*).
küriz, kuriz stm. kürass (fz. *cuirasse*). kürizzer stm. kürassier.
kür-lich adj., -liche adv. sichtbar, deutlich; ausgezeichnet, auserwählt, tüchtig.
kür-lop stn. bei prüfender wahl gegenüber andern erhaltenes lob.
kur-miete stf. die abgabe des besthaupts nach auswahl des herrn. -mietic adj. zur abgabe der *kurmiete* verpflichtet.
kürn swv. s. *ver-, willekürn.*
kürne stn. coll. zu *korn.*
kürne, kürn, kurn stf. mühlstein, mühle.
kürnen swv. zermalmen.
kurne-stein stm. mühlstein, md. *quirnstein.*
kürre adj. md. *kurre, kirre* zahm, milde.
kurren swv. grunzen.
kurrier, kurier stm. läufer, figur im kurierspiel, einer weiterbildung des schachs (fz. *courier*).
currit, gurrit, kûret stn. lederkoller (afz. *curie*).
curs stm. reihe vorgeschriebener gebete (lat. *cursus*).
curs stm. körper (fz. *corps*).
kursât s. *kursît.*
kürsen, kursen stf. pelzrock, md. *kurse, korse* (mlat. *crusina, cursina*). kürsenære, -er stm. kürschner; als schachfigur dritter vende.
kursit stnm. pelzoberrock, eine *kürsen* die mit seide oder wollenzeug überzogen einen ziemlich weiten überwurf bil-

dete; nbff. *kürsit, kursât, corsit, kurset, gursit.*

kurtesîn stf. = *kurtoisie.*

kurtieren swv. zieren, schmücken.

kurtois, kurteis adj. höfisch, fein (fz. *courtois*). **kurtoisie, kurtôsie** stf. höfisches benehmen, feine bildung (fz. *courtoisie*).

curvei stn. geschwulst, bes. geschwulst am pferdeknie (fz. *courbe*).

kür-, kur-vürste swm. kurfürst.

kurz adj., md. auch *korz, kurt*: kurz, gering an ausdehnung in die länge, von raum und zeit (unflekt. acc. n. kurze zeit hindurch: *bî, mit, über kurz*).

kurze, kurz adv. kurz, auf kurze weise; kurze zeit hindurch; in kurzer zeit. bald, rasch.

kürze, kürzede stf. kürze.

kurze-bolt stm. der klein von körper ist (als name); ein zierl. kleidungsstück.

kurzen swv. intr. *kurz* werden.

kürzen swv. *kurz* machen, kürzen, ab-, verkürzen.

kürzern swv. kürzer machen.

kurz-heit stf. kürze. **-lich** adj. = *kurz.* **-liche** adv. = *kurze.* **-man** stm. kleiner mann. **-müetic** adj. von kurzem *muote.* **-wîen** stf. kurze zeit; zeitkürzung, unterhaltung, vergnügen. **-wîlec, -wîleclich** adj. kurzweilig. **-wîlen** adv. in kurzer zeit, nächstens. **-wîlen** swv. intr. sich die lange zeit verkürzen, eine kurzweil machen. — tr. unterhalten. **-wîl-lich** adj. = *kurzwîlec.*

cus stm. hahnrei (afz. *cous*).

kus, kos, -sses stm. n. kuss.

kus-, küs-, kussen-lich adj. küssenswert, zum küssen geeignet, einladend; adv. *kus-, kussenlîche.*

kuscher = *küsser* stm. küsser.

kusse-bære adj. = *kus-lich.*

küssel, küsselin stn. dem. zu *küssen.*

küssen swv. küssen.

küssen, küssin, küsse stn. kissen, kopfkissen (fz. *coussin*).

kussen-lich s. *kuslich.*

kust stf. prüfung, schätzung; art und weise, wie etw. erscheint, befund, beschaffenheit (meist mit einem gen. od. adj. umschreibend).

kuster, guster stm. aufseher, küster, bes. jener geistliche eines klosters oder stiftes, der die pfarrgeschäfte und zugleich alles zu besorgen hatte was die kirche u. die notwendigen kirchl. gerätschaften betraf (lat. *custos*). **kusterie, gusterie** stf.

amt u. verwaltung eines *k.*

kusterinne, gusterinne stf. küsterin (eines klosters).

kût stm. tausch.

kute, kûte swm. tauber.

küte, küt stm. kitt.

küte f. md. flachs in einer gewissen form und menge, kaute.

kutel swf. = *kaldûne.*

kutel-vlêc stm. dasselbe.

küten s. *quiten.*

küten s. *kiuten.*

kuter stm. = *kute.*

kûter s. *kulter.*

kuteren, kuttern swv. wie ein *kuter* girren; lachen; verlachen.

kuterolf stn. = *gutrêl.*

kutte swf. mönchskutte (vgl. *kotze, kütze*).

kütte stn. schar, herde.

kuttener stm. kuttenträger, mönch.

kütze stf. kleid, oberkleid.

kützelin stn. dem. zu *kütze.*

kützeln s. *kitzeln.*

kutzen swv. lachen.

kützen swv. mit einer *kütze*, überh. bekleiden.

kützer stm. knauser.

küze, küz swstm. kauz.

L

lâ stf. lache, sumpf, sumpfwiese.

lâ, -wes, læwe, lâw, lâb adj. lau, milde.

labe stf. labung; nahrung.

labe stf.swm. aufguss; = *lap* 2.

labe-lôs adj. ohne labung.

label stn. badewanne (lat. *labellum*).

laben swv. waschen, mit wasser oder einer andern feuchtigkeit benetzen; *daz vihe l.* tränken; erquicken, erfrischen. *lâbore ze l. gên* an die arbeit *gên; coire.*

labunge stf. benetzung, besprengung mit wasser; erfrischung, erquickung.

lach stm. das auflachen, gelächter; lächler, heuchler.

lach s. *lachen* stn.

lâch-boum stm. mit *lâchen* versehener grenzbaum.

lache stf. = *lachen* stn.

lâche, lâchene swf. einschnitt, kerbe auf dem grenzbaum oder -stein, überh. grenzzeichen

lache-bære adj. zum lachen geeignet. **-(lache)-lich** adj., **-liche** adv. lachend, freundlich.

lachen swv. lachen, lächeln, freundlich blicken (mit gen. *lachen über, wegen*); tr. *rôsen lachen* durch den freundlich lächelnden blick rosen aufblühen machen.

lachen stn. (in zusammens. auch *lach*) tuch, decke, laken (von leinen, wolle, seide, leder), obergewand.

lâchen stn. heilmittel.

lâchenære stm. besprecher, zauberer.

lâchene s. *lâche.*

lachende, lachendic adj. lachend.

lâchenen swv. mit grenzzeichen versehen.

lâchenen swv. mit heilmitteln bestreichen, ärztlich (zauberisch) behandeln. **lâchenie** stf. das besprechen, zaubern, hexen.

lâchen-tuom stn. heilmittel, heilung.

lâch-stein stm. grenzstein.

lâchter s. *lâfter.*

lade stswf. lade, behälter, kasten, sarg.

lade stnf. ladung, last.

lade, laden swstm. brett, bohle; fensterladen; kauf-, bäkkerladen; md. auch sarg.

laden stv. VI, auch sw. laden, aufladen; beladen, belasten.

laden swv., auch st. auffordern, berufen, laden.

ladener stm. krämer.

lader stm. einlader.

ladern swv. schlaff werden.

lade-stat stf. (kontr. *lâstat*) ort, wo die schiffe beladen und entladen werden.

lad-îsen, -îser stn. eiserner ladstock.

ladunge stf. zu *laden* 1: aufladung; das aufgeladene, die last; uferbefestigung. — zu *laden* 2: einladung; vorladung, zitation.

laf stm. md. saft, feuchtigkeit (vgl. *lap* 1).

laffe swf. flache hand.

laffel s. *leffel.*

laffen, leffen, lappen stv. VI u. swv. schlürfen, lecken.

lâfter, lâchter, lôchter mfn. = *klâfter.*

lâgære stm. nachsteller.

lâgærin stf. nachstellerin.

lâge stf. legung, lage; lauerndes liegen, hinterhalt, nachstellung; lebensverhältnis, zustand; beschaffenheit, art und weise; ort des liegens, niederlage, warenlager.

læge adj. niedrig, flach; niedrig, gering.

lâgel, lægel, lêgel stn., **lâgen** f. fässchen; ein bestimmtes mass od. gewicht (mlat. *legellum, lagena*). **lâgele, lægele, lâgel, lægel, lêgel** swstf. fässchen. **lâgellin, lægellin, lêgel** stn. dem. zu den zwei vorigen.

lâgen, lâgenen swv. auflauern, nachstellen abs., mit

gp., dp.; sein augenmerk worauf richten, wonach trachten mit dat. od. gen.

lâgene swf. hinterhalt.

lâg-stæte adj. beständig auf der lauer liegend.

lahs stm. lachs.

lahs-vörhen stf. lachsforelle.

!ahte prät. s. *legen.*

lahter stn. lachen, gelächter.

lahter-liche adv. mit lachen.

lakerize, lekerize swf. süssholz, lakritze (mlat. *liquiritia*).

lallen, lellen swv. lallen.

lam adj. gliederschwach, lahm (*in dem munde l.* stumm).

lâmel stnf. klinge (lat. *lamellum, lamella*).

lamen swv. *lam* sein oder werden.

lamp, -bes; lam, -mmes stn. lamm.

lampâde swf. lampe (gr. lat. *'ampad-*).

lampartisch adj. lombardisch.

lampe, lampel swf. = *lampâde.*

lampen swv. welk niederlängen.

lampen-glas stn. lampe.

lamprêde, lampride f. lamprete (mlat. *lampreta*).

lampriure, lamparûr, lemerûr stm. kaiser (fz. *l'empereur*).

lam-tac, -tage stswm. lähnung.

lân s. *lâzen.*

læn, lœn f. lawine (s. *lêne*).

lanc, -ges adj., md. *lenge* lang, ;egens. zu *kurz* räuml. u. zeitl. *über lanc* nach geraumer zeit, angsam, von zeit zu zeit).

lanc adv. lang; längs *bî l.*

lanc-alt, -altic adj. langlebig.

·**beitekeit, -beitsamkeit** stf. beiarrlichkeit, ausdauer. ·**genüete** stn. langmut. **-heit** stf.

änge. **-hûs** stn. langhaus, ;chiff einer kirche od. kapelle.

·**lêben** stn. = *lanclîp.* **-lêbic** adj. langlebend. **-libe** adj. anglebig. **-lidikeit** stf. *lonranimitas.* **-lip** stm. langes leoen. **-müetec** adj. langmütig. ·**ræche** adj. lange rache heyend, unversöhnlich. **-ræche** stf. unversöhnlichkeit. **-sager** ;tm. schwätzer. **-sam** adj. u. adv. lang, lange dauernd; langsam. **-seim** adj. zögernd, lang-;am. **-seine, -seime** adv. langsam. **-site, -sitic** adj. lange ;eiten habend. **-standec** adj. weitschweifig. **-stæte** adj. lange fest, beharrlich. **-vezzel** stm. langes band woran das *vêderspil* gehalten wird. **-wât** stf. eine art fischernetz. **-wêric, -wîric** adj. lang dauernd, lebend. **-wît** stn. f. langwiede, hinterdeichsel.

lande- (lende)-gelich stn. jedes land. **-lôs** adj. ohne land.

lander stn. swf. stangenzaun; land.

laner stm. eine falkenart.

lange, langen adv. seit-langem, lange zeit (*bî langen* endlich).

langen swv. (md. auch *lengen*) intr. *lanc* werden; reichen *über*; sich ausstrecken (*an, gegen*) um etw. zu erreichen. — tr. *lanc* machen, verlängern; sich ausstreckend etw. ergreifen, geben, darreichen. — unpers. *lanc* dünken; verlangen, gelüsten.

langes, lenges adv. vor langer zeit, längst; der länge nach, längs.

langez, -zit s. *lenze.*

lanke stswf. hüfte, lende, weiche.

lankenier stn. decke über die *lanken* des rosses.

lanne stswf. kette (auch als schmuck).

lant, -des stn. land, erde, gebiet, heimat (*gein landen, ze lande* heimwärts, ans land, daheim; *von lande* von daheim); einwohnerschaft eines landes.

lant-âhte stf. = *âhte* (ackerland). **-banier** stf. vaterländ. **-barûn** stm. der im lande eingesessene hohe adelige. **-bête** stf. allgemeine landessteuer. **-bote, -bütel** stm. gerichtsbote über land. **-buoch** stn. = *lantrêhtbuoch.* **-diet** stfn. einwohnerschaft eines landes. **-dinc** stn. landgericht. **-dinger** stm. landrichter. **-garbe** f. zinsgarbe; grundstück, von dem die *l.* entrichtet wird. **-gebôume** stn. bäume des landes. **-gebûr** stm. landbewohner, bauer. **-gêlt** stm. = *lantphenninc.* **-genge** adj. landläufig. **-genôz** stm. = *lantgeselle.* **-gerbic** adj. verpflichtet *lantgarben* zu geben. **-gerihte** stn. landgericht. **-geschrei** stn. aufgebot eines land-, gerichtsbezirkes. **-geselle** swm. landbewohner; landsmann. **-gesinde** stn. die bewohnerschaft des landes. **-gespræche** stn. beratende landesversammlung. **-gewer** stf. = *lantwer,* befestigung an der landesgrenze. **-grabe** swm. auf dem lande, felde gezogener graben, grenzgraben. **-grâve** swm. königl. richter u. verwalter eines landes, landgraf. **-grævinne** stf. landgräfin. **-her** stm. heer eines landes, heeresmenge. **-hêrre** swm. herr des landes; vornehmster vasall in einem lande. **-knêht** stm. gerichtsdiener, häscher für ein gebiet. **-koste** swm. landesabgaben. **-kündic** adj. im lande bekannt, landkundig. **-kündunge** stf. bekanntmachung im

lande. **-lêhen** stn. lehen vom lande, landzins. **-leite** stf. das umgehen der grenzen. **-liut** stn. die einwohnerschaft, das volk des landes. — stm. pl. (zu *lantman*) *lantliute* die leute im lande, landgenossen, einwohner; die zum besuche des landtages berechtigten u. verpflichteten, die landstände; landesedle, niedere dienstmannen; untertanen; landbewohner, bauern. **-louf** stm. landesbrauch; ereignis im lande. **-löufer** stm. landstreicher. **-löufig** adj. im lande umgehend, bekannt oder gebräuchlich. **-man** stm. der in dem gleichen lande daheim ist, landsmann; landbewohner, bauer; hintersasse; zu einem landgericht bestellter adeliger schöffe od. beisitzer. **-mannen** swv. zum bezirksgenossen erheben. **-march** stn. grenze eines gerichtssprengels. **-mære** stn. übers land verbreitete geschichte, allgemeines gerücht. **-marke, -marc** stf. landmarke, land. **-marke** stf. landmark (münze). **-massenie** stf. mannschaft aus dem heimatlande. **-mâze** stf. messung des landes. **-meister** stm. der hochmeister in Preussen. **-menege** stf. menge volkes od. vasallen aus dem lande. **-namen** swv. nach einem lande benennen. **-phenninc** stm. landesmünze (auch *lantmünze*). **-rede** stf. = *lantmære.* **-rêht** stn. recht eines landes im gegens. zum recht anderer länder, zum gegensatz, lehen- u. stadtrecht; was nach landrecht recht des einzelnen ist; gericht, prozess u. urteil nach landrecht; recht auf grund und boden, abgabe dafür. **-rêhtære** stm. pl. die freien, die vom grafen od. landesherren zum urteilsspruch entboten werden. **-rêhtbuoch** stn. landrechtsbuch. **-rêhten** swv. streiten, prozessieren. **-reisic** adj. auf der reise aus dem lande, bezirke befindlich. **-reister** stm. md. landesoberhaupt. **-rihtære, -er** stm. = *lantrêhtære,* vorstand eines landgerichts. **-riumic** adj. flüchtig. **-rivier, -riviere** stnmf. land, bezirk. **-roup** stm. raub auf öffentl. landstrasse. **-rüchtic** adj. landkundig. **-rünnic** adj. = *lantriumic.* **-sæze** swm. landsasse. **-schaft** stf. landschaft, land; einwohnerschaft des landes; die versammelten stände eines landes. **-schal** stm. = *lantmære.* **-scheide, -scheidunge** stf. landesgrenze. **-scherge** swm. = *lantknêht.* **-schiech** adj. landflüchtig. **-schirm** stm.

gewähr, die der verkäufer eines gutes gegen die einsprache anderer übernimmt. **-schoʒ** stm. landzins. **-schranne** f. bank des richters u. der urteiler in einem landgerichte, das landgericht selbst u. dessen bezirk. **-schrei** stm. berufung zum ungebotenen *dinge*. **-schriber** stm. land-, gerichtsschreiber. **-schrie** stf. landesaufruf zum kriege. **-schulde** stf. eine art reichnis an den lehnsherrn bei übernahme eines lehnsgutes. **-sëʒʒe** swm. = *lantsœʒe*. **-sidel** m. dasselbe; eine art meier od. hintersassen. **-sihtic** adj. landkundig. **-site** stm. landessitte, **-brauch. -spräche** stf. besondere sprache eines landes, mundart; beratende landesversammlung, landtag. **-stiure** stf. landessteuer. **-sträʒe** f. öffentl. weg durchs land. **-strit** stm. kampf zweier länder od. heere im gegens. zu *einwîc*. **-suone** stf. versöhnung eines ganzen landes oder zweier länder miteinander. **-tac** stm. versammlung zum landgericht, landtag. **-tavel** f. landgericht. **-teidinc** stm. dasselbe. **-tier** stm. auf dem lande lebendes tier. **-twinger** stm. landbezwinger, -bedränger. **-urliuge** stn. landeskrieg. **-val** stm. lehngeld, *laudemium*. **-varære, -er** stm. reisender, pilger, landstreicher. **-vëhte** stf. = *lantstrît*. **-veste** adj. geschützt, sicher. **-veste** stf. festes land; landesverteidigung; verschanzung. **-voget** stm. landvogt, statthalter eines landes. **-vogtie** stf. landvogtei; landvogtswürde. **-volc** stn. einwohnerschaft eines landes; landvolk. **-volge** stf. die verbindlichkeit dem *lantgeschrei* zu folgen. **-volgunge** stf. dasselbe; landtag. **-vrâge** stf. beratende landesversammlung. **-vremde** adj. im lande fremd. **-vride** swm. öffentliche sicherheit, landfriede; heer zur erhaltung des landfriedens u. zur bestrafung des landfriedensbruches. **-vrouwe** swf. einheimische *vrouwe*, edelfrau des landes; landesherrin; frau vom lande. **-vürste** swm. landesfürst; vornehmste vasall in einem lande, der das land zu lehn hat. **-wer** stf. landesverteidigung; persönl. die verteidiger des landes; befestigung an der landesgrenze; die rings um eine stadt gezogenen gräben u. schranken. **-wëre, -wër** stf. landesübliche münze, landeswährung. **-wërunge** stf. dasselbe. **-win** stm. wein der im lande wächst. **-wîp** stn. einheimisches *wîp*; weib vom lande. **-wîse** stf. landes-

sitte. **-wort** stn. landeswort, -sprache. **-zuc** stm. auszug, kriegszug des ganzen landes. **lante** prät. s. *lenden*. **lantërne** s. *latërne*. **lanze** swf. langer speer als waffe des ritters, lanze (fz. *lance*). **lap, -bes** stnm. spülwasser; salzwasser; anfeuchtung, erfrischung. **lap, -bes** stn. mittel zum gerinnen machen, lab. **lappe, lap** swm. einfältiger mensch, laffe; bösewicht. **lappe** swf. m. lappen. **lappen** swv. mit *lappen* versehen, flicken. **lappen** s. *laffen*. **lâr, lâre** s. *lëre*. **larche, lerche** f. lärche (lat. *larix*). **lære, lær** adj. leer, ledig (mit gen., *von*). **læren** swv. abs. u. tr. *lœre* machen.—intr. *lœre* werden od. sein *an*. **lâren, larn** s. *lëren*. **larve, larfe** swf. schreckgestalt, gespenst; maske (lat. *larva*). **larven-tier** stn. teufel. **lasch, laschte, laste** prät. s. *lëschen, leschen*. **lasche** swm. lappen, fetzen. **lasche** swf. tasche. **lase-mânôt** stm. januar (vgl. *lesemânôt*). **lâsiuren, lâsûren** swv. mit *lâsûr* überziehen. **lassât, lasset** stn.? eine wieselart und das gewürzwerk davon (slav.). **lassâtin** adj. von *lassât*. **last** stm. md. auch fem.: last, menge, masse, fülle; ein bestimmtes mass. **lâstat** s. *ladestat*. **laster** stn. was die ehre kränkt, schmähung, schmach, schimpf, schande; fehler, makel. **laster-balc** stm. schandbalg, schimpfwort u teufelsname. **-bære, -bæric** adj. schimpf bringend, schmach verdienend; tadelnswert. **-gief** stm. lasterhafter tor. **-heit** stf. schmach, schimpf, schande. **-kër** stm. wendung zur schande. **-lëben** stn. schmachvolles leben, schandleben. **-(lester)-lich** adj., **-liche** adv. beschimpfend, schimpflich. **-mâl** stn. zeichen der schande. **-mære** stn. schandgerede. **-mâse** swf. schandfleck. **-meil** stn. dasselbe. **-nôt** stf. schimpfliche not. **-pîn** stm. beschimpfende mühe oder pein. **-snallen** stn. schändliches reden. **-stein** stm. = *bâgstein*. **-vaʒ** stn. gefäss der schande, mensch der voll schande ist. **-wëc** stm. die *via lata* zur sünde. **-wort** stn. schmähwort.

lastern, lestern swv. die ehre nehmen, beschimpfen. **last-stein** stm. stein von grossem gewicht. **lâsûr, lâzûr** stn., **lâsûre, lâzûre** stf. lasur (mlat. *lazurium, lasurium, lasurum*). **-blâ** adj. blau wie lasur. **-var** adj. farbig wie lasur, mit *l.* gefärbt. **lâsûren** s. *lâsiuren*. **lât** stf. aufladung; einladung. **late, latte** swf. latte. **latech, lateche, leteche** stswf. lattich (lat. *lactuca*). **latërne, lantërne, latërn** stf. laterne (lat. *laterna*). **latîne, latîn** stf., **latîn** stn. latein; die unverständliche sprache der vögel. **latûn** stm. ? = *latech*. **latînisch** adj. lateinisch; *latînischen* adv. **latwârje, -wêrje, -wêrge** stswf. durch einkochen dicker saft, latwerge (it. *lattováro, lattuário*, afz. *lectuaire*, lat. *electuarium*). **laus-mettene, -metti** stf. der *mettene*, wobei *laus* (*Deo*) gesungen wird, frühmette. **lavendele, lavendel** f. m. lavendelkraut (lat. *lavendula*). **lâw, læwe** adj., **læwecliche** adv. lau; s. *lâ*. **lâwec-heit** stf. lauigkeit. **lâwen** swv. intr. *lâ* sein od. werden. — tr. *lâ* machen. **laʒ, -ʒʒes** adj. matt, träge, saumselig; euphemist. nicht vorhanden; mit gen. frei von, ledig; comp. *laʒʒer*, lässer, superl. *lezzist, lest* letzt, jüngst. **laʒ** adv. langsam. **laʒ** stm. = *laʒheit*. **laʒ, -tzes** stm. band, fessel; hosenlatz. **lâʒ** stm. das fahrenlassen, der abfall; das loslassen eines geschosses, abschuss; s. v. a. *gelœʒe* was aus dem nachlass eines unfreien dem herrn zufällt. **lâʒ-becher, -kopf** stm.schröpfkopf. **-bendel** stm., **-binde** swf. aderlassbinde. **lâʒe** stf. loslassung; aderlass. **lâʒen, lân** redv. 2 (prät. *liez, lie,* part. *gelâʒen, gelân, lân*): abs. unterlassen, freilassen, lösen. — tr. mit ap. entlassen, loslassen; zurücklassen, aufgeben, verlassen; mit acc. u. dat. zurücklassen; überlassen; lassen mit beigefügter prädikat. bestimmung (subst., adj. od. part.), od. mit präp.; sich gegen einen benehmen, ihn behandeln (mit ellipse des verb. subst.). — mit as. lassen, ablassen von, aufgeben; unterlassen (auch mit hypotakt. satz); erlassen, nachlassen; zulassen; sein od.

geschehen lassen; mit dp. überlassen; zurücklassen; mit infin., mit acc. u. infin. (der infin. oft zu ergänzen); *etw. an einen l.* einem die entscheidung überlassen; mit ellipse des obj. *bluot:* zur ader lassen. — refl. sich verlassen *an, ûf; sich nieder l.* wohnung nehmen; *sich wider l. an sine stat* zurückkehren. — intr. sich benehmen, gebärden. lâȥer, læȥer stm. aderlasser. laȥ-heit stf. müdigkeit, trägheit.

læȥ-lich adj. was gelassen, unterlassen wird; erlässlich; *læȥliche eide* die gebrochen w.

lâzûr, lâzûre s. *lâsûr.*

laȥȥe swm. höriger.

laȥȥe stf. müdigkeit.

laȥȥen swv. intr. *laȥ* sein od. werden, säumen. — tr. *laȥ* machen, aufhalten, verzögern. — refl. mit gs. säumen.

lê adv. = *lêwes.*

lê, -wes stm. hügel.

lêal adj. treu, innig (fz. *loyal*).

lebe s. *lewe.*

lêbart, lêbarte, lêparte, liebarte stswm. leopard (lat. *leopardus*).

lêbe-haft adj. leben habend, lebendig. -lich adj. dem leben angemessen, lebhaft, lebendig; lebenswert; weltlich. -liche adv. nach weise eines lebenden, lebendig. -liche, -licheit stf. lebendigkeit, leben. -lôs adj. leblos od. wie leblos. -site stm. lebensweise. -tac, -tage stswm. lebenszeit, leben (häufig im pl.); lebensunterhalt. -zuht stf. lebensunterhalt.

lêbe-kuoche swm. lebkuchen.

leben swv. gerinnen (s. *lap* 2); tr. gerinnen machen.

lëben swv. (md. auch *lëven*) intr. leben (prägn. der feineren sitte gemäss leben; sich benehmen; seinen *muot* kundgeben, sich wie ein lärmender od. tobender benehmen); mit gen. caus. od. *von* leben von; *an einem l.* nach etw. leben, ihm folgen. — tr. leben, erleben.

lëben stn., md. auch stm. leben; lebensweise, stand, orden; *ze sinem l.* zur ehefrau *gegeben*; s. v. a. *muot*, art u. weise, wie sich heftige affekte äussern u. darstellen.

lëbende part. adj., akt. lebend; pass. was gelebt, erlebt wird; *sine l. zit* seine lebenslang; *bî im lebenden* bei seinen lebzeiten.

lëbendec, lëbendic, lëmptic, lëmtic adj. lebendig, lebend (*bî mir, bî im lebendigen* bei meinen, bei seinen lebzeiten).

lëbere, lëber stswf. leber.

lëber-mer stn. sagenhaftes geronnenes meer, in dem die schiffe nicht von der stelle können, übertr. auf das rote meer.

lëber-stein stm. leberkies; lasurstein.

lëbe-zelte swm. lebkuchen.

lëbic, md. lëvich adj. lebend.

lëbs s. *lêfs.*

lechelære stm. lächler.

leche-lich s. *lachelich.*

lecheln swv. lächeln, auf hinterlistige weise freundlich sein.

lëchen swv. mit st. part. *gelëchen, -lochen:* austrocknen, vor trockenheit risse bekommen und flüssigkeit durchlassen; verschmachten.

lecher-lich adj., -liche adv. lächelnd; lächerlich.

lëchezen, lëchzen swv. austrocknen; lechzen.

lecke, legge stf. leiste, saum; lage, reihe, schicht.

lecke stf. benetzung, bes. mit warmem badewasser; das peitschen mit dem badwedel.

lecken swv. benetzen; mit dem badwedel streichen.

lecken swv. mit den füssen ausschlagen, hüpfen.

lecken s. *legen.*

lëcken swv. tr. lecken, belecken. — intr. duften.

lëcker stm. tellerlecker, fresser, schmarotzer; possenreisser, schelm.

lëcker adj. feinschmeckend.

lëcker-heit stf. art u. wesen eines *lëckers*, lüsternheit, schelmerei. -lich adj. feinschmeckend; unanständig, sittenlos. -liche adv. auf weise eines *lëckers*. -licheit stf. scurrilitas. -vuore stf. schamlose schmeichelei.

lëckerie stf. = *lecker-heit.*

lëckern swv. als *lëcker* sich benehmen.

lëcter stm. lesepult auf dem chore der kirche (nbff. *lector, letter, lectner, lettener*); chor in der kirche, emporkirche (mlat. *lectorium, lectionarium*).

lëcze swstf. vorlesung eines schriftabschnittes (im gottesdienste), bildl. lesetext (nbff. *lecce, lëtze, lectie, lectiôn*); lehre, schulunterricht, lection (lat. *lectio*).

ledære stm. auflader.

lede stf. ladung; lastschiff.

ledec, ledic, lidic adj. ledig, frei, unbehindert (mit gen. od. *von, vor*); müssig; unverheiratet; mit dat. den besitzer verlierend und dem lehnsherrn anheimfallend. -heit, ledikeit stf. der zustand des ledigseins; müssigkeit; leerer raum. -lich adj. = *ledec.* -liche adv. frei,

ohne hindernis, ohne anderes, völlig, gänzlich.

ledegen, ledigen, lidigen swv. ledec machen, ledigen, befreien (mit gen. od. *von*).

ledegunge, ledigunge stf. erlösung, befreiung; lösegeld.

ledelin, ledel stn. kleine ïade.

lëder stn. leder; schwimmhaut.

lëderære, -er stm. gerber.

lëderen, lideren swv. gerben; mit leder überziehen.

lëder-gerwe swm. gerber. -hose swf. *hose* von leder. -hûs stn. gerberei; verkaufsniederlage der *lederer.* -swal swf. fledermaus (schwalbe mit hautflügeln).

lëderin s. *liderin.*

ledigære stm. befreier.

ledigærinne stf. befreierin.

leffel stm. löffel (nbff. *laffel, loffel, löffel*); als schelte.

leffen s. *laffen.*

lëfs, lëfse stswmf. lippe (nbff *lebse, leves, leps, lesp,* md. *lippe* stswf.).

lëgât, lëgâte stswm. päpstlicher bote (lat. *legatus*).

lëge stf. das liegen, lager.

lëge stf. das legen; gegenseitige hilfeleistung, bündnis; das gelegte, die reihe.

lëge-gëlt stn. kelleraccis, lagergeld.

lëgel, lëgelin s. *lâg-.*

legen swv. (prät. *legete, leite*, part. *geleget, -leit*) nbff. lecken, *leggen* (prät. *lahte* md. *lachte*, part. *gelaht*): ligen machen, legen (*die liche l.* begraben, *einen l.* gefangen setzen, *den schaden l.* vergüten, *sich l.* sich zu bette legen, sich lagern).

legende f. legenda.

lëger stn. lager; lager für tiere; krankenlager; grabstätte; belagerung.

lëgerære stm. der lagert, sich verbirgt, *sich verliget.*

lëgern, lëgern swv. intr. liegen, lagern. — refl. sich lagern. — tr. lagern, in gehörige lage und stellung bringen.

lëger-bette stn. cubile. -haft, -haftic adj. bettlägerig. -hërre swm. der ein grosses warenlager hat. -hort stm. gelagerter, aufgehäufter schatz. -stat stf. lagerstätte, lager; lager eines tieres; grabstätte; heerlager; niederlage der kaufleute. -suht stf. ans bett fesselnde krankheit.

legge, leggen s. *lecke, legen.*

lëgiste swm. rechtsgelehrter (mlat. *legista*).

lëhen, lën stn. geliehenes gut, lehn.

lêhenære, lêner stm. darleiher, gläubiger; bergmeister, der die gruben lehnweise ver-

gibt; besitzer eines lehn-, bauerngutes.

lêhen-bære adj. geeignet ein lehn zu besitzen, belehnt zu werden. **-buoch** stn. lehnregister; lehnrecht. **-dinc** stn. lehngericht. **-erbe** stn. ererbtes lehn. **-erbe** swm. lehnserbe. **-gëlt** stn. lehnzins, lehn; *laudemium.* **-guot** stn. lehngut, lehn. **-haft** adj. lehnbar. **-hant** stf. s. v. a. **-hërre** swm. lehnsherr. **-lich** adj. das lehen betreffend. **-liute** pl. zu **-man** stm. lehnsmann. **-rëht** stn. lehnrecht; recht, lehn zu besitzen. **-schaft** stf. belehnung; lehn. **-schafter, lëhner** stm. plur. *concessores,* verleiher einer *lêhenschaft.* **-trager, -treger** stm. der belehnte. **-vrouwe** stf. vermieterin eines hauses; besitzerin eines lehns.

lêhenen, lênen swv. als lehn geben, leihen; belehnen; entlehnen.

lêhenunge, lênunge stf. geliehenes, darlehn; belehnung.

lei s. *leie.*

leibe stf. überbleibsel.

leibelin stn. dem. zu *leip.*

leiben swv. übrig lassen, schonen (mit dp., gen. part.).

leich stm. tonstück, gespielte melodie; gesang aus ungleichen strophen; gesang zur harfe; das laichen der fische.

leichære, -er stm. spielmann; betrüger.

leichen swv. intr. u. refl. hüpfen, aufsteigen (vom laichen der fische). — refl. gelenkig biegen. — tr. sein spiel mit einem treiben, ihn foppen und betrügen. **leichenie, leicherie** stf. fopperei, betrügerei.

leich-notelin stn. gesangmelodie.

leide stf. leid, schmerz, betrübnis; feindseligkeit, missgunst.

leide stn. totenklage.

leide adv. gegens. zu *liebe* (*leide tuon* mit dat. jem. wehe tun; *mir ist, wirt, geschiht l.* ist trübe zumute, ergeht es traurig). — der komp. *leider* mit abgeschwächter bedeutung: zu meinem unglück, leidwesen; leider.

leidec, leidic adj. in *leit* versetzt, betrübt; mitleidig; *leit* verursachend; schmerzend, tödlich; böse; widerwärtig, unlieb. **leidec-lich** adj., **-liche** adv. betrübt.

leidegære stm. der *leit* zufügt.

leidegen, leidigen swv. betrüben, kränken, beleidigen; verletzen, schädigen.

leidegunge stf. beleidigung, verletzung.

leiden swv. intr. mit dat. leid, zuwider, verhasst sein oder werden. — swv. tr. mit od. ohne dp. leid, verhasst machen. — swv. tr. leid antun, betrüben, beleidigen; anklagen, denunzieren. swv. intr. = *lîden* gehn.

leiden-haftec adj. leidbedrückt.

leide-rîche adj. leidensvoll.

leides adv. auf wehtuende weise.

leidic s. *leidec.*

leidunge stf. = *leidegunge.*

leie, lei; leige, leije stf. fels, stein, schieferstein; steinweg; weg, art und weise (*einer, drier, vier leie* usw.).

leie, leige swm. nichtgeistlicher, laie; ungelehrter (lat. *laicus*); swf. laienschwester.

leie-bære adj. laienhaft.

leien-hërre swm. = *leienvürste.* **-phaffe** swm. weltgeistlicher. **-vürste** swm. weltlicher fürst.

leige, leije s. *leie.*

leige-liute pl. laien.

leiisch, lei-lich adj. aus dem laienstand.

leim, leime stswm. (nbf. *lein,* md. *lêm*) lehm.

leimin adj. von lehm.

leim-strich stm. lage von lehm. **-var** adj. lehmfarbig.

leinen swv. tr. lehnen; ablehnen. — refl. u. intr. sich lehnen, schmiegen *an, in, über, ûf, zuo.*

leip, -bes stm. brotlaib.

leis, leise stswm. geistlicher gesang; gesang überh. (verk. aus *kirleise,* s. *kirjelêison*).

leis, leise stswf. spur, geleis; bildl. vom niederfallen der lanzensplitter.

leisieren, leischieren swv. das ross mit verhängtem zügel laufen lassen (mit verschwieg. obj. *ros*); aus mfz. *laissier* vom lat. *laxare*).

leist stm. weg, spur; form, leisten des schuhmachers.

leist stmf. leistung.

leist-bære adj. was zu leisten ist, fällig; fähig zu leisten.

leistec adj. leistend.

leisten swv. abs. u. tr. ein gebot befolgen und ausführen, ein versprechen erfüllen, eine pflicht tun (*leisten oder mit pferden leisten* das einlager halten, *einen tac leisten* der einladung zu einem *tage* folgen, ihn besuchen, einen hoftag halten, *eine giselschaft l.* das einlager halten).

leister stm. der *leistet,* obses.

leist-haftic adj. zu leisten schuldig.

leistunge stf. einlager.

leit, -des adj. betrübend, leid; widerwärtig, unlieb, verhasst. — subst. stn. leiden, böses, betrübnis, schmerz, krankheit.

leit-bejac stm. *âne l.* leidlos. **-geborn** part. im leide geboren. **-lich** adj. leidvoll, schmerzlich, was man erleidet. **-liche** adv. auf leidvolle, schmerzliche, betrübende, klägliche weise. **-müetic** adj. molestus. **-roc** stm. trauermantel. **-sam** adj. leid verursachend; geduldig. **-schal** stm. klage. **-spil** stn. leiden, das wie ein zeitvertreib aussieht. **-vertrip** stm. n. vertreibung des leides. **-wende** stf. wendung zur betrübnis, leiden; zufügung von leid.

leitære, -er stm. leiter, führer; verführer.

leitærinne stf. anführerin.

leit-bant stm. = *leitseil.*

leit-bracke swm. = *leithun.*

leit-brief stm. geleitsbrief.

leite prät. s. *legen.*

leite stswf. leitung, führung; weg auf dem gefahren, das erz aus dem bau fortgeschafft wird; fuhre, wagenladung; tonne, fass zum verführen einer flüssigkeit.

leite swm. = *leitære.*

leitel swm. führer.

leiten swv. tr. leiten, führen (*daz swert l.* das schwert tragen, ritter werden; *eine linden leiten* die zweige nach einer bestimmten richtung biegen, damit sie dort schatten geben; *eine kuntschaft l.* einen strittigen gegenstand durch beeidete männer besichtigen lassen und sich deren entscheidung unterwerfen; *geziuc l.* zeugnis ablegen, beibringen. — refl. sich richten *nâch.*

leiter, leitere stswf. leiter; wagenleiter.

leites-man stm. führer, wegweiser.

leit-stap stm. leitender stab, führer. **-stërn** stm., **-stërne** swm. der die schiffer leitende polarstern (bildl. von der jungfr. Maria). **-vrouwe** swf. anführerin.

leit-geselle swm. begleiter.

leit-hunt stm. jagdhund, der, am seile geführt, die spur des wildes aufsucht.

leit-rieme swm. = *leitseil.*

leit-sage swm. wegweiser.

leit-schaft stf. leitung.

leit-schrin stm. reisekasten (vgl. *soumschrîn*).

leit-seil stn. seil, woran der leithund geführt wird.

leit-snuor stf. dasselbe.

leit-vane swm. leitende fahne (von der jungfrau Maria).

leit-vaz stn. = *leite* 2, tonne.

lekerize s. *lakerize.*

lellen s. *lallen.*

lêm s. *leim.*

lembelin, lembel, lemmelin, lemmel stn. lämmchen.

lemberin, lemmerin adj. vom lamme.

leme, lem, lemede, lemde stf. lähmung, gelähmtes glied.

lemen swv. *lam* machen, lähmen. — intr. = *lamen.*

lemer stm. lähmer.

lemic adj. lahm; lähmend.

lemnisse stfn. lähmung.

lemperûr s. *lampriure.*

lêmptic, lêmtic s. *lêbendec.*

lemunge stf. = *leme.*

lem-wunde stf. ein glied lähmende wunde.

lên s. *lêhen.*

lênc s. *linc.*

lende stn. = *gelende.*

lende, lente stswf. lende.

lende-gelich s. *landegelich.*

lendelin stn. dem. zu *lant.*

lenden, lenten swv. (prät. lendete, lante, part. gelendet, gelant) abs. tr. ans *lant* kommen machen, landen; ans ziel, zustande bringen, beenden. — refl. sich wenden *ûf.* — intr. angrenzen.

lendenier stm. lendengürtel.

lendern swv. langsam gehn, schlendern.

lende-swêr swm. lendenschmerz.

lendisch adj. inländisch.

lêne f. lawine, *heize l.* feuerstrom (s. *lœn*).

lêne stf. lehne; vgl. *line.*

lênen swv. (nbf. *linen*) intr. u. refl. lehnen, sich stützen.

lênen, lêner s. *lêhen-.*

lenge adj. s. *lanc.*

lenge stf. länge, räuml. u. zeitl. (*die lenge* adv. acc. der zeit nach; lange zeit hindurch, auf die länge).

lengede stf. länge.

lengelêht adj. länglich.

lengen s. *langen, lenken.*

lengen swv. tr. u. refl. *lanc* machen, in die länge ziehen, verlängern, aufschieben (räuml. u. zeitl.).

lengern swv. *lenger* machen, verlängern; aufschieben.

lengerunge, lengunge stf. verlängerung.

lenges s. *langes.*

lenke adj. biegsam. — stf. lenkung, geschicklichkeit; taille.

lenken swv. (md. auch *lengen*) tr. refl. intr. biegen, wenden, richten (part. *gelenket* gebogen, gefaltet).

lenne f. hure.

lennelin stn. dem. zum vorig. (nbf. *lönelin*).

lente, lenten s. *lende, lenden.*

lenze swm. f. lenz, frühling (vollere form *langez, langeze* stswm. kompositum *langezzît.*).

lenzen swv. frühling werden; ackern um das land zur sommerfrucht zu bestellen.

lêparte s. *lêbart.*

leppelin stn. läppchen.

leppisch adj. wie ein *lappe,* läppisch.

lêps s. *lêfs.*

lêr stn. modell, richtmass.

lêrære, -er stm. lehrer.

lêrc, lirc, lurc, lürc, -kes, lürph adj. link; lahm.

lerche s. *larche.*

lêrche, lërche, lêrke swf. lerche.

lerchîn adj. von der lärche.

lêre stf., md. auch *lâre, lâr;* lehre, anleitung, unterweisung, unterricht; anordnung, fügung; weisheit, wissenschaft; mass, modell; oft zur umschreibung.

lêre-kint stn., -knabe swm. lehrling, schüler. -knëht stm. lehrling. -meister stm. lehrmeister. -spruch stm. regula. -tohter stf. weibl. lehrling.

lêren swv. im prät. neben *lêrte* auch *lârte, larte;* part. neben *gelêret, gelêrt* auch *gelârt, gelart:* zurechtweisen, unterweisen, lehren, kennen lehren mit ap., as.; mit dopp. acc., acc. mit infin. od. untergeord. s.; part. *gelêret, -lêrt, -lârt* gelehrt, unterrichtet, bes. des lesens u. schreibens kundig; s. v. a. *lêrnen.*

lêrer-meister = *lêremeister.*

lêr-hûs stn. schule.

lêrke s. *lêrche.*

lêrken, lirken, lurken swv. stottern.

lerman stm. lärm, geschrei (fz. *alarme*).

lêrnære stm. schüler.

lêrnen swv. (nbff. *lirnen, liernen*) lernen, kennen lernen (mit acc., inf.); s. v. a. *lêren.*

lêrn-hûs stn. = *lêrhûs.*

lern-knabe, -knëht, -tohter s. *lêre-.*

lêrnunge stf. das lernen; ort, wo gelernt wird, schule; was gelernt wird, wissenschaft; das lehren, der unterricht.

lêrunge stf. lehre, unterricht.

lêr-vrouwe swf. lehrerin, schülerin.

lêrz adj. link, ndrh. *lorz, lurz.*

lêrzen swv. intr. stottern.

lês s. *lêwes.*

lêsære, -er stm. leser, vorleser; weinleser; eichelsammler.

lêserinne stf. vorleserin.

leschære, -er stm. löscher.

leschærinne stf. löscherin.

leschen stv. IV intr. aufhören zu brennen, zu leuchten, zu tönen, zu sein. — tr. für *leschen.*

leschen swv. (prät. *leschete, leschte, laschte* u. *laste*) tr. löschen machen, löschen, auslöschen, stillen; verdunkeln; beendigen, tilgen, vertilgen. — refl. verlöschen, verschwinden.

lêse-lich adj. leserlich.

lêse-mânôt stm. dezember (vgl. *lasemânôt*).

lêse-meister stm. lehrer der theologie und philosophie bes. in den klöstern; aufseher bei der weinlese.

lêsen stv. V im prät. pl. noch zuweilen *lâren* statt *lâsen* (darnach konj. *lœre*) u. part. *gelêren, gelarn* statt *gelêsen:* auswählend sammeln, aufheben, an sich nehmen; abs. weinlese halten; refl. sich versammeln, ausschliessen *zuo,* sich trennen *von;* in ordnung bringen, in falten legen; wahrnehmen, erblicken; lesen (urspr. die mit runen bezeichneten stäbe aufheben u. zusammenlegen), vorlesen, als lehrer vortragen; messe lesen; oft gleichbedeut. mit sagen, erzählen, berichten.

lêsende part. adj. auslesend, sammelnd; pass. lesbar, deutlich.

lêsp s. *lêfs.*

lêspelin stn. kleine lefze.

lest sup. s. *laz.*

lestec, lestic adj. eine gewisse last habend, schwer.

lesten swv. als *last* wohin legen, legen überh.; beladen mit; belasten, belästigen; mit gen. in bezug worauf beschwerde gegen jem. führen, ihn beschuldigen.

lester-lich, lestern s. *last-.*

lesterunge stf. lästerung, opprobrium.

lest-lich adj. schwer, lästig.

letanîe f. litanei, gebet (gr. lat. *le-, litania*).

leteche s. *latech.*

lette swm. lehm.

lettec adj. lehmig.

lettener, letter s. *lecter.*

let-vüeziç adj. langsam, schleppend.

lëtze s. *lëcze.*

letze, lez adj. verkehrt, unrichtig, unrecht, schlecht.

letze stf. hinderung, hemmung, beraubung; phlebotomia; was den feind auf- u. abhält, schutzwehr, grenzbefestigung; ende; abschied, abschiedsgeschenk.

letzen swv. tr. *laz* machen, hemmen, aufhalten, hindern; verhindern mit gen.; wovon ausschliessen, berauben mit gen.). — refl. sich enthalten von (gen.). — tr. schädigen, verletzen; beenden, zu ende brin-

gen; befreien *úz*; mit einer *letze*
(befestigung) versehen; freundlichkeit wofür erweisen; erfreuend aufrichten, erfrischen.
— refl. *laz* werden, nachlassen,
aufhören; sich verabschieden;
sich (zum abschiede) gütlich
tun, sich letzen, erholen; sich
(zum abschiede) freundlich erweisen. — intr. u. refl. scheiden
von.
letzer komp. s. *laz.*
letzeren swv. später machen,
zurücksetzen.
letzer-gelt stn. letzte räte.
letz-îsen stn. aderlasseisen.
letzunge stf. verletzung.
leuken s. *lougenen.*
levant m. ostwind (it. *levante*).
lêven s. *lëben.*
lëves s. *lëfs.*
lewe, lebe, löuwe, leu swm.
löwe; gehilfe des scharfrichters
(Nürnberg).
lewelin, löuwelin stn. dem. zu
lëwe.
lëwer stm. hügel, hügelartiger
aufwurf als grenzzeichen (s. *lê*).
lëwes, lës adv. leider, eheu.
lewinne, löuwinne, leuinne
stf. löwin.
lez s. *letze.*
lib s. *lîp.*
libec adj. leib, festigkeit habend; beleibt.
libelîn, libel stn. dem. zu *lîp,*
kleiner, zarter leib.
libe-lôs s. *lîplôs.*
libe-lösen swv. entleiben.
liben stv. I, 1 schonen, verschonen mit dat.
liben stv. I, 1 übrig bleiben s.
be-, ge-, verlîben.
liberen swv. gerinnen.
liberen swv. liefern (mlat.
liberare, fz. *livrer*).
liberie stf. = fz. *livrée.*
liberie stf. bücherei (lat.
libraria).
libunge stf. ruhe, schonung.
lich stf. leib, körper; seine
oberfläche, haut und hautfarbe
(bes. gesichtsfarbe); leibesgestalt, aussehen; leiche; begräbnis.
lich adj. = *gelich* (als zweiter
teil in compos. übereinstimmung, angehörigkeit, angemessenheit, art u. weise ausdrückend).
licham, lichame stswm. leib,
körper, leichnam; körperschaft
(mit adjektiv. bildung *lichnam,
lichname, -nâme*).
lich-banc stf. totenbahre.
-bevëlhen stn. begräbnis. **-be-
vilhede** stf. dasselbe. **-hemede**
stn. kleid am leibe. **-hof** stm.
gottesacker. **-kar** stn. sarg.
-lege stf. begräbnis. **-leite** stf.
dasselbe. **-liute** pl. trauerleute
bei einem begräbnisse **-nam**

s. *licham.* **-reste** stf. begräbnis.
-stein stm. leichenstein; polier-
stein (s. *lîchen* 3). **-zeichen** stn.
signum occisionis.
lichen s. *licken.*
lichen swv. u. st. I, 1 mit dat.
gleich, ähnlich sein; gefallen.
lîchen swv. gleich od. ähnlich
machen, stellen mit dat.
lîchen swv. eben, glatt machen, polieren.
lichten s. *lîhten* 2.
licken, lichen swv. faktit. zu
lëchen: durchseihen.
licken swv. locken.
licken s. *ligen.*
lidære stm. leider, dulder.
lide-bære adj. leidlich, erträglich.
lidec, lîdic adj. leidend; geduldig; erträglich, leidlich; verhasst, unangenehm. **-lich** adj.,
-liche adv. geduldig; erträglich.
-heit stf. entsagung, passivität.
lidec-liche adv. membratim.
lide-grôz adj. gross von gliedern. **-lam** adj. gliederlahm.
-lôs adj. *einen l. machen* eines
gliedes berauben. **-mâc** stm.
blutsverwandter. **-mâz** stnf.
gliedmass, glied. **-mæzic** adj.
mit geraden gliedern versehen.
-schart adj. an den gliedern
verstümmelt. **-scharte** stf. verletzung eines gliedes. **-siech**
adj. gichtbrüchig. **-suht** stf.
gicht. **-weich** adj. weich, biegsam in den gliedern.
lide-(liden-)haft adj. leidend,
leidvoll. **-lich** adj. leidend, für
körperl. leiden empfänglich;
geduldig, nachsichtig; erträglich, leidlich. **-licheit** st f. emp-
fänglichkeit für leiden.
lide-liche adv. = *ledecliche.*
lidelîn stn. dem. zu *lit.*
liden swv. gliedern (*zesamene
l.* zusammenfügen); zergliedern,
vierteilen.
liden swv. mit einem deckel
(*lit*) versehen.
liden stv. I, 1 kontr. *lîn*: intr.
gehn, vorübergehn. — das.
u. tr. etw. über sich ergehn
lassen, erfahren, ertragen, erdulden, leiden; sich gefallen
lassen, gerne haben; mit ap.
nicht entfernen, leiden. — refl.
sich in geduld schicken, gedulden.
liden stn. leiden, trübsal.
lidere f. lachsweibchen.
lideren s. *lëderen.*
lideren swv. angliedern.
liderin, lëderin adj. von leder.
lidic, lidigen s. *lide-.*
lid-lôn s. *litlôn.*
lidnisse stf. leiden.
lidunge stf. leiden, geduldiges
ertragen.
lie, liewe stf. laube.
liebarte s. *lêbart*

liebde stf. liebden (in der anrede).
liebe stf. das wohlgefallen,
das man über od. durch etw.
empfindet, das liebsein, das
wohlgefallen, die freude; das
liebhaben, die freundlichkeit,
gunst, liebe (*durch — liebe* mit
gen. zu liebe, zu gefallen, um —
willen, ebenso *ze — liebe* mit
dat., *umbe — liebe* mit gen.).
liebe adv. mit liebe, wohlgefallen, freundlichkeit, lust, freude (*mir ist, wirt l.* ich habe lust
an, *mir geschiht l.* mir ergeht es
erfreulich, wird wohl zu mute,
einem l. tuon an jem. mit freundlichkeit u. ihm zur freude handeln, ihm wohl tun); komp.
lieber zu grösserer freude, mit
grösserer lust, eher.
liebe swmf. geliebter, geliebte.
liebe-bære adj. liebenswürdig.
liebe-halp adv. die liebe betreffend.
liebelîn, liebel stn. liebchen,
liebling; md. *liebchîn.*
lieben swv. intr. *liep* sein
od. werden, behagen, gefallen
mit dat.; unpers. mit dat. freude, gefallen haben.
lieben swv. tr. mit ap. liebe
tun, freundlichkeit erweisen,
erfreuen; lieben mit ap. as.;
liep, angenehm, beliebt machen
tr. u. refl. ohne od. mit dp. (*sich
einem zuo l.* sich einschmeicheln,
sich mit einem l. sich in güte
mit ihm vergleichen).
liebe-, liep-schaft stf. liebschaft, liebe.
liebunge stf. liebe; gabe, geschenk, verehrung.
liechen s. *lûchen.*
liedelîn, liedel stn. dem. zu
liet.
lieder-lich adj. leicht und
zierlich in wuchs und bewegung;
leicht, geringfügig; leichtfertig,
liederlich. **-liche** adv. auf leichte,
anmutige weise; leicht; leicht-
hin, unachtsam, überlegungslos,
leichtfertig.
liegen, liugen stv. II, 1 intr.
eine unwahrheit sagen, lügen;
mit dp. belügen, betrügen (*einem eines d. niht l.* es ihm zugestehn od. gewähren). — tr.
lüge liegen unwahrheit sagen;
erlügen (part. *gelogen* erlogen);
mit dp. einem etwas versagen,
ihn darum betrügen.
lieger stm. lügner.
liehe s. *liene.*
lieht adj. hell, strahlend,
blank; bleich; heiter; erleuchtend. — subst. stn. das licht,
das leuchten, die helle, der
glanz; erleuchtung; tageshelle,
tag; licht der augen, gesicht;
durch ein fenster fallendes licht,
fensteröffnung; einzelnes licht,

kerze; bildl. vom leben des menschen.
lieht-blå adj. hellblau. **-blic** stm. blitz. **-brûn** adj. hellbraun. **-gebære** adj. = *liehtebære.* **-gemâl** adj. glänzend bunt verziert, in farben strahlend, glänzend schön. **-gevar** adj. hellfarbig, glänzend. **-grâ** adj. hellgrau. **-klâr** adj. hell glänzend. **-lôs** adj. ohne *lieht,* finster; blind. **-lüftic** adj. von hellstrahlender luft, ätherisch. **-meister** stm. der für die zum gottesdienste nötigen kerzen sorgt. **-mësse, -misse** stf. lichtmess, fest der reinigung Mariä, an dem in der kathol. kirche die zum jährl. gottesdienste nötigen kerzen geweiht werden. **-pflëger** stm. = *liehtmeister.* **-riche** adj. lichtreich, strahlend. **-schin** stm. lichtglanz. **-schit** stn. scheit aus dem lichtspäne geschnitten werden. **-stein** stm. leuchter. **-stërre** swm. glänzender stern. **-stoc, -stuol** stm. leuchter. **-trager, -treger** stm. lichtträger: Lucifer. **-var** adj. = *liehtgevar* **-vaʒ** stn. gefäss des lichtes, lampe, leuchte. **-wihe** stn. = *liehtmësse.*
liehte adv. hell.
liehte stf. helligkeit, glanz; tageshelle, tag.
liehte-bære adj., **-bërnde** part. adj. leuchtend, glänzend.
liehtelin, liehtel stn. dem. zu *lieht.*
liehten swv. *lieht* werden od. sein, leuchten, tagen.
liehter-lohen adv. lichterloh.
liehtunge stf. lichtung, helle.
lien, lien s. *ligen, lîhen.*
liene, liehe f. wilde sau, bache, vgl. fz. *laie.*
liep, liup, -bes adj. lieb, angenehm, erfreulich ohne od. mit dat. *(mir ist etw. liep getân, gewonnen, vernomen* mir ist angenehm, dass etw. getan usw. wird.) — subst. stn. das liebe, angenehme, erfreuliche, die freude, gegens. zu *leit;* geliebter, geliebte.
liep-gedinge stn. hoffnung auf erwiderung der liebe. **-gekôse** stn. hymnus. **-genæme** adj. lieblich, angenehm **-haber** stm. liebender; freund, anhänger. **-holden** swv. huld beweisen. **-kœseler, -kœser** stm. liebkoser. **-kôsen** swv. liebkosen (eig. zu liebe sprechen). **-lich** adj. freundlich, lieblich, angenehm. **-liche** adv. mit *liebe,* auf freundliche, liebenswürdige weise; auf gütliche weise, durch vergleich. **-licheit** stf. gütlicher vergleich. **-nisse** stfn. geschenk um gunst zu erwerben. **-schaft** s. *liebeschaft.*

-swinderinne stf. die vor liebe stirbt, nachtigall. **-tâtstf.** liebesgabe.
lier stn. strahl.
lieren swv. freundlich blicken, hervorschimmern.
liernen s. *lërnen.*
liesen stv. II, 2 s. *verliesen.*
liet, -des stn. gesangstrophe; strophisches gedicht, lied, meistens im pl. (strophenreihe); unstrophisches epos oder lehrgedicht; abschnitt eines solchen gedichtes.
liewe s. *lie.*
lieʒen stv. II, 2 losen, als los zuteilen mit dat. — stn. das losen, teilung durchs los; das wahrsagen, das zaubern, heimliches gemurmel.
lif num. zehn in *ein-, zwelif.*
liften swv. s. *lîhten* 2.
ligelingen adv. liegend.
ligende part. adj. liegend; bergm. *daʒ ligende* das gestein unter dem gange.
ligen stv. V nbff. *licken,* md. *lîhen, lien,* kontr. *lîn:* liegen *(hert l.* mit dat. schwer liegen auf, zur last fallen; *harte l.* schwer fallen; *geliche l.* auf der wagschale in gleichem gewichte liegen: als gleicher wert, kampfpreis gegeneinander gesetzt sein; *nâhen l.* mit dat. angenehm sein; *eines kindes l.* im kindbett liegen; *ûf einen l.* wider ihn zu feld liegen).
ligerlinc -ges stm. bettlägeriger; lagerbalken.
ligric adj. *l. w.* iacēre.
lîhen s. *ligen.*
lîhen stv. II, 2 nbff. *liuhen, liuwen, lien, lîn;* prät. *lêch, lê:* leihen, auf borg geben mit acc. u. dat.; als lehn geben; verleihen; leihen, auf borg nehmen. — stm. darleiher; borger; verleiher des bergbaurechts.
lîht-bære adj. leicht. **-gemuot** adj. leichtsinnig. **-müete** stf. leichtsinn. **-müetic** adj. leichtsinnig. **-sam** adj. leicht; gering. **-semfte, -senfte,** adj. nachsichtig, -giebig, milde. **-senfte, -senftecheit** stf. nachsicht, milde. **-vertec** adj. leichtfertig; fein, schwächlich. **-vertec-heit** stf. leichtfertigkeit. **-weigic** adj. leicht schwankend, veränderlich.
lihte adj. glatt.
lihte, lîht adj. leicht; erleichtert *(lihteʒ lëben* durch reue und busse von der sündenschuld befreites leben); leichtfertig; unbeständig; gering, geringfügig. — unfl. neutr. subst. mit gen. eine geringfügigkeit, wenig.

lihte, lîht adv. leicht, leichtlich; vielleicht, möglicherweise, etwa; iron. sicher; *vil lîhte* verst. *lîhte.*
lihte stf. leichtigkeit; leichtsinn, leichtfertigkeit.
lihtec adj. leicht. **-heit** stf. = *lîhte.* **-liche** adv. leichtlich.
lihtegen swv. leicht machen.
lihte-gërne stf. begierde nach *lîhte,* leichtfertigkeit.
lihte-lich adj., **-liche** adv. leichtlich, kurz, flüchtig.
lihten swv. leicht machen, intr. leicht werden, sich erleichtern.
lihten swv. md. *lichten,* nd. *liften* glätten; kastrieren.
lihtern swv. tr. u. refl. *lihter* machen, erleichtern. — intr. *lîhter* werdèn.
lihterunge stf. = *lîhtunge.*
lihtunge. stf. erleichterung.
lihunge stf. belehnung.
lilachen s. *lînlachen.*
lilje swf. m. lilie (lat. *lilia,* pl. von *lilium*).
liljen swv. mit lilien versehen.
liljen-var, -wiʒ adj. lilienfarb.
lim stm. leim, vogelleim.
limbel, limmel stm. schuhfleck (lat. *limbulus*).
limen swv. mit leim bestreichen; zusammenleimen, vereinigen; mit leim fangen (bildl. *gelimte minne, sinne*).
limit n. doch.
limmen stv. III, 1 knurren, brummen, knirschen, heulen.
limmic adj. brummend.
limpfen stv. III, 1 angemessen sein.
limpfen stv. III, 1 hinken.
lîm-ruote f. leimrute.
lîm-stat stf. vogelherd.
lîn s. *lîne.*
lîn, -wes, lîn adj. lau, matt, schlecht.
lîn stm. lein, flachs; leinenes kleidungsstück (lat. *linum*).
lîn s. *lîden, ligen, lîhen.*
lînach stn. = *lîngewant.*
lîn-bolle swm. leinbolle.
linc, lënc, -kes adj. link; linkisch, unwissend.
linde, lint adj. lind, weich, glatt, sanft, zart, milde, wenig gesalzen. — adv. auf weiche, sanfte, milde weise; schlaff. — stf. weichheit, milde.
linde, linte stf. die linde.
lindehe stn. mit linden bestandener platz.
linden, lindern swv. intr. *linde* sein oder werden; nachgiebig werden. — tr. *linde* machen.
linden, lindin adj. von der linde, aus lindenholz.
lind-liche adv. gemächlich.
lind-müetic adj. weichmütig.
lîne, lîn stswf. = *lêne;* fenster

mit herausgehendem geländer, balkon, galerie.

lîne swstf. seil, leine.

lîne-bërge swf. zinne.

lînen s. *lënen.*

lînen swv. anseilen.

lînen-wëre stn. handwerk der leinweber.

lîne-, lîn-phat stm. pfad für schiffzugspferde, leinpfad.

lîner stm. leinreiter.

linge swm., **linge** stf. das gelingen, guter erfolg, glück.

linge adj. eilig.

lingen stv.III,1 vorwärts gehn, gedeihen, *lingen lâzen* unpers. mit refl. dat. sich beeilen; unpers. mit dat. (u. gen.) vorwärts kommen, erfolg haben, glücken.

lîn-gewant stn. leinenzeug, -kleidung. **-hose** swf. *h.* von leinwand. **-kappe** swf. *k.* von leinen. **-lachen, lilachen, -lach** stn. bettuch, leilach. **-sât** stf. leinsaat. **-seil** stn. leine. **-soc** stm. socke aus leinen. **-wât** stf. leinwand. **-wâter** stm. leinweber. **-wëber** stm. dasselbe.

lingieren swv. alligare.

linie swstf. linie (lat. *linea*).

liniere stn. lineal (lat. *linearium*).

linîn adj. von *lîn*, leinen.

linîn, linisch adj. weich, schwächlich, träge.

linize = *lunze.*

linse, lins swstf. linse.

linse s. *lise.*

linse, linze swm. wolfshund (mlat. *linsius*).

linsîn adj. von linsen.

linster adj. link.

lint stm. schlange (in *lint-trache, -wurm*).

lint, linte s. *linde.*

lint-trache, lintrache swm., **-wurm** stm. fabelh. tier, halb drache, halb schlange.

linze s. *linse* swm.

lip, -bes, stm. leben; leib, körper (häufig bezeichnet *lîp* geradezu person, bes. umschreibend mit gen. od. pron. poss.), magen; s. v. a. *lîpdinc, -val.*

lîp-bëte stf. abgabe der leibeigenen. **-bevilhede, vilhe, -vilde** stf. begräbnis. **-dinc, -gedinge** stn. ein auf lebenszeit zur nutzniessung ausbedungenes u. übertragenes gut, leibrente sowie der vertrag darüber. **-eigen** adj. leibeigen. **-erbe** swm. leibeserbe. **-gëbende** part. adj. lebenspendend. **-geduldec** adj. den leiblichen begierden nachgebend. **-geræte** stn. = *lîprât.* **-geselle** swm. genosse. **-geziuc** stn. = *lîpzuht.* **-haft, -haftic** adj. leben habend, lebend, wohlgestalt; leibhaftig, persönlich. **-hafte** stf. leben.

haften, -haftigen swv. be-

leben. **-heit** stf. leiblichkeit. **-hërre** swm. herr über leibeigene. **-lege** stf. begräbnisplatz. **-lich** adj., **-liche** adv. körperlich, leiblich, fleischlich; persönlich, leibhaftig; *lîplicheʒ gedinge* = *lîpgedinge.* **-licheit** stf. leiblichkeit, körperlichkeit. **-(libe)-lôs** adj. leblos; lebenssatt. **-löchel** stn. schweisslöchlein, pore. **-nar, -narunge** stf. leibesnahrung, lebensunterhalt. **-rât** stm. = *lîpnar.* **-val** stm. todfall; s. v. a. *besthoubet.* **-var** adj. leibfarbig. **-verloren** part adj. der das leben verloren hat. **-vuore** stf. = *lîpnar.* **-wer** stf. notwehr. **-zuht** stf. lebensunterhalt, bes. der witwe.

lippe s. *lëfs.*

lire s. *lërc.*

lîre swf. leier (gr. lat. *lyra*).

lîren swv. die *lîren* spielen; bildl. zögern, refl. sich verzögern, nichts daraus werden.

lirken s. *lërken.*

liru- s. *lërn-.*

lîse, lînse adj. leise, geräuschlos, sanft.

lîse, lîs, lins, lislîche adv. leise, sauft, langsam, anständig.

lismen swv. stricken.

lispen swv. durch die *lëspe* sprechen, lispeln.

lispendic adj. lispelnd.

list stm. f. weisheit, klugheit, schlauheit; weise, kluge, schlaue absicht od. handlung (*âne list* aufrichtig, wahrhaftig); wissenschaft, kunst, lehre; zauberkunst.

liste swf. bandförmiger streifen, leiste, saum, borte.

listec, listîc adj. weise, klug, schlau. **-heit, listekeit** stf. weisheit, schlauheit. **-lich** adj. = *listec.*

listen swv. list üben, schmeicheln.

listen swv. mit einer *listen* versehen.

liste-riche adj. klug; kunstreich.

listiger stm. überlister.

list-künde adj. mit der kunst vertraut, kunstreich. **-lich** adj. = *listec.* **-machære, -mechære** stm. künstler. **-meister** stm. dasselbe. **-sache** stf. kunst, zauberkunst. **-sinnic** adj. klug, kunstreich. **-viur** stn. durch geheime künste bereitetes feuer. **-vröude** stf. scheinfreude. **-werkære, -würkære** stm. = *list-machære.* **-wërke, -würke, -würhte** swm. dasselbe.

lit, -des stnm. glied, gelenk; zeugungsglied; verwandtschaftsglied, sippe; teil, stück; mitglied, genosse, gehilfe.

lit, -des stn. deckel.

lit, -des stnm. obst-, gewürzwein.

lit = fz. *lit*, bett.

lite swf. bergabhang, halde (übertr.: höhe; absenkung des wuchses; hüfte); tal; weg durch eine *lîten*, weg überh.

lît-gëbe swm., **-gëber** stm., **li-gëbe** swm. schenkwirt. **-gë-be-hûs** stn. = *lîthûs.* **-gëben** swv. ausschenken. **-gëbinne** stf. schenkwirtin. **-hiusære** stm. schenkwirt. **-hûs** stn. schenke. **-kouf** stm. gelöbnistrunk beim abschluss eines handels, leikauf. **-koufer** stm. = *lîtgëbe.*

lit- (lid-)lôn stmn. dienstbotenlohn. **-(lid-)loener** stm. lohnarbeiter.

littere f. quelle des dichters.

litze swm. s. *himellitze, liz;* stn. s. *antlitze.*

litze stswf. litze, schnur; schnur als schranke, überh. schranke, zaun, gehege; tuchleiste (fz. *lice*, lat. *licium*).

litzen swv. mit schnüren, mit schranken versehen, einschränken, schädigen; stülpen.

litzen swv. begehren, streben (s. *liz*).

litzen swv. leuchten s. *himel-, wëterlitzen.*

liugen, liuhen s. *liegen, lîhen.*

liuht adj. md. = *lîeht.*

liuhtære stm. erleuchter; vorbild; leuchter.

liuhte stf. helligkeit, tageshelle, glanz; leuchte.

liuhtec, -ic adj. leuchtend.

liuhtec-heit stf. erleuchtung.

liuhten swv. leuchten. — refl. lichten.

liuhtene stf. leuchten.

liuhtnisse stf. helle, glanz.

liuhtunge stf. dasselbe.

lium-haftic adj. berühmt mit gen.

liumtic adj. (aus *liumundic*) dasselbe.

liumunt, liument, liumt, liunt; liumde, liunde stswm. ruf, ruhm; unterabteilung einer in bücher u. kapitel zerfallenden schrift (so viel man soll auf einmal lesen hören), distinktion, paragraph.

liune stf. tauwetter.

liunen swv. auftauen.

liunic, liunisch adj. launisch.

liup adj. s. *liep.*

liut stmn. md. *lût* volk; menschengeschlecht; pl. menschen, leute, die vornehmen leute (*arme liute* dienstbare bauern).

liute, lûte, lût stf. lautheit, ton, stimme; laut, inhalt; sage, gerücht.

liute-bar adj. ohne leute; heimlich.

liutech stn. menge von leuten.
liutelin stn. dem. zu *liut*.
liuten swv. intr. einen ton
von sich geben, läuten. — abs.
tr. ertönen lassen, läuten; hören,
vernehmen lassen, vorbringen.
liuten swv. bevölkern.
liuter stf. adj. s. *lûter*.
liutern, lûtern swv. tr. reinigen, läutern. — intr. rein,
hell werden, sich läutern.
liut-kirche swf. pfarrkirche.
-kraft stf. menge von menschen.
-lôs adj. menschenleer. **-prie-
ster, liupriester** stm. pfarrer,
weltgeistlicher. **-sælde** stf.
den menschen wohlgefälliges
wesen, anmut. **-sælec, -sælic,
-sæliclich** adj. den menschen
wohlgefällig, anmutig; niedlich,
zierlich. **-sælec-heit** stf. = *liut-
sælde*. **-stërbe** swm. pestilenz.
-vleisch stn. menschenfleisch.
liuwen s. *lîhen*.
liuzec adj. schüchtern, furchtsam.
liz stm. antlitz; vgl. *litze* in
antlitze.
liz, -tzes stm., **litze** swm. begehren, streben, laune.
lô s. *lohe, lôch*.
lô, -wes stn. gerberlohe.
lob s. *lop*.
lob-brunne swm. lob-, ehren-
quelle.
lobe-bære, -haft adj. zu loben, lobenswert, löblich. **-lich**
adj. löblich, preiswert; feierlich; mit dat. zum lobe, preise
gereichend. **-liche** adv. auf löb-
liche, preiswerte, auf verherr-
lichende, feierliche weise. **-liet**
stn. loblied. **-mære** adj. durch
lob berühmt. **-riche** adj. reich
an lob, gepriesen, löblich. **-ris**
stn. ehrenzweig. **-sælic** adj.
durch lob beglückt. **-sam** adj.
= *lobelich*. **-sanc** stmn. lob-
gesang. **-singære** stm. lob-
singer. **-singen** stv. lobsingen
mit dat. **-tanz** stm. ehrentanz.
lobelin, lobel stn. dem. zu
op, kleines lob.
loben swv. loben, preisen,
lobpreisen; feierlich versprechen, geloben (*einen l.* ihm geloben); versprechen ihn zum
manne zu nehmen; *eine ze wibe
l.* sich mit einer verloben).
löbic adj. lob habend, löblich.
lobunge stf. lob, lobpreisung.
loc, -ckes stm. haarlocke,
haar; mähne.
loch stn. (pl. *loch, löcher,
lücher*) gefängnis; hölle; verborgener wohnungs- od. aufenthaltsort, versteck, höhle;
loch, öffnung.
lôch, -hes, lô stmn. gebüsch;
wald, gehölz.
löchelin, löchel stn. löchlein.

lochen, löchern swv. tr. durchlöchern. — refl. sich öffnen, auftun.
locherëht, locherëhtec adj.
löchrig.
löckelin, löckel stn. dem.
zu *loc*.
locken swv. locken, anlocken,
verlocken mit ap.; mit dat.
durch lockspeise, lockruf an-
locken.
locker adj., md. *loger* locker.
lodære, lodenære, -er stm.
wollen-, lodenweber.
lode swm. grobes wollenzeug,
loden, zotte; dem. *lödel* stn.
lœdingære, lœnigære, -er stm.
ein sturmbock, widder (mit an-
lehn. an lat. *laniger* vermutl.
entst. aus spätroman. *onager*
wurfzeug).
lod-weber stm. = *lodære*.
löffel s. *leffel*.
logene s. *lügene*.
loger s. *locker*.
lohe, lô swm. f. lohe, flamme,
flammendes leuchten.
lohen swv. flammen, flammend leuchten.
lohezen swv. intens. zu *lohen*.
lôïcâ, lôic, lôike f. logik,
klugheit, schlauheit.
lol-bruoder stm. begarde.
lol-hart stm. dasselbe.
lomen swv. sausen, klingen.
lomen swv. s. v. a. *lüemen*.
lôn stmn. lohn, belohnung,
vergeltung; frachtgut.
lœn s. *læn*.
lôn-bære adj. lohnwürdig.
lônelin s. *lennelin*.
lônen, lœnen swv. *lôn* geben,
lohnen (mit dat. u. gen.): mit
ap. den taglohn geben.
lôner, lœner stm. belohner,
dienstgeber; taglöhner.
lœnigære s. *lœdingære*.
lop, -bes, lob stmn. lob,
preis, lobpreisung (*nâch, ze
lobe* lobenswert).
lop-gesanc stnm. = *lobesanc*.
lop-liet stn. dasselbe.
lop-wërt adj. lobwürdig.
lôr-bær stnf. lorbeere. **-boum**
stm. lorbeerbaum. **-zwi** stm. lor-
beerzweig (als friedenszeichen).
lorz s. *lërz*.
lôs adj. frei, ledig; befreit,
beraubt von (gen.); übertr.
mutwillig, fröhlich, freundlich,
anmutig; leichtfertig, durchtrieben, verschlagen, frech.
lôsære swm. horcher,
lauscher, aufpasser.
lôsære, -er stm. heuchler,
schmeichler, loser bube.
lôsære, lôsære, -er stm. befreier, erlöser, heiland; bergm.
ablösung für die frühere schicht.
lösche, lösch stn. eine art
kostbaren leders, bes. rotes
leder, saffian.

loschen swv. versteckt, verborgen sein.
loschieren swv. intr. sich
lagern, herbergen; mit dp.
einem herberge bereiten, ihn
unterbringen (fz. *loger*).
lôse swf. zuchtsau.
lôse adv. auf anmutige, liebliche weise; leichtfertig. — stf.
schmeichelei; leichtsinn.
losen swv. abs. u. tr. hörend
acht geben, zuhören, horchen,
hören.
lôsen swv. los sein od. werden; fröhlich, freundlich sein;
part. *gelôset* geziert, geschmückt;
schmeicheln, heucheln, lose reden führen.
lœsen, lôsen swv. *lôs* machen,
lösen; erlösen, befreien (gen.
od. *von*); mit geld lösen, bezahlen für; auslösen, loskaufen
(*den eit l.* das eidliche versprechen erfüllen); mit dat. u.
acc. einem etw. aus-, einlösen.
lôse-reden swv. *lôse rede*
führen.
lœse-schaz stm. lösegeld;
einlösungssumme.
lôs-heit stf. leichtfertigkeit,
schalkheit.
lôs-, lœs-lich adj., **-liche** adv.
freundlich, anmutig; ausgelassen, leichtfertig, falsch.
losunge stf. losungswort.
lôsunge, lœsunge stf. los-
machung, öffnung; erlösung;
befreiung; auslösung mit geld;
gelöstes geld, geldeinnahme;
geldeinnahme durch steuer-
erhebung, bürgerliche abgabe
vom vermögen; näherkauf, ein-
lösungsrecht.
lôsunger stm. der die *lôsunge*
(steuer) einnimmt u. verwaltet.
lôs-vleisch stn. fleisch von
der zuchtsau.
lôt stn. blei, überh. giess-
bares metall; schlaglot, metall-
gemisch zum löten; aus metall
(blei) gegossenes gewicht; lot
im heutigen sinne.
lôt stf. reinigung, brand, voll-
wichtigkeit des edeln metalles.
lôt adj. beschaffen.
lôt-bühse f. gewehr.
lœte stf. lötung, feste fügung.
lœtec, lœtic adj. vollwichtig,
das rechte gewicht edeln metalls enthaltend; bildl. voll
u. ganz, fest.
lœten swv. mit *lôt* zusammen-
löten; schärfen; ablöschen.
loter adj. locker; leichtsinnig,
leichtfertig. — stn. lockeres wesen; nichtsnutzigkeit; gaukelei.
loter, lotter stm. lockerer
mensch, taugenichts, gaukler,
possenreisser.
loter-bette stn. faul-, ruhebett. **-heit** stf. = *loter* stn. **-holz**

stn. zur gaukelei dienendes holz.
-lich adj. = *loter*. -phaffe swm.
phaffe, der als *loter* umherzieht.
-ritter stm. taugenichts von
ritter. -singære stm. leicht-
fertiger sänger od. dichter.
-vuore stf. leben und treiben
eines *loters*. -wîse stf. dasselbe.
loterie stf. = *loter* stn.
loterieren stn. gauklerei.
loterûn stm. = *loter*.
lotte swf. laute.
lotze swm. = *lubetsch* (vgl.
luz).
loube swstf. laube, bedeckte
halle, vorhalle; raum unter
der stiege einer *kemenâte*;
speicher, kornboden; offener
gang am obern stockwerk eines
hauses, galerie.
loube stf. erlaubnis.
loube swm. = *geloube*.
loubelin, löubel stn. dem.
zu *loube*: abtritt.
louben swv. glauben; er-
lauben.
louben swv. intr. *loup* bekommen, sich belauben; laub
suchen. — tr. ent-, auslauben.
loubenunge stf. erlaubnis.
loube-rât stm. laubhüttenfest.
löubern swv. laubähnlich
machen.
ioube-schate swm. schatten
vom laub.
loubin adj. von laub.
loubunge stf. erlaubnis.
louc, -*ges* stm. flamme.
louch, -*ches* stm., louche stn.
lauch.
louchen swv. schliessen.
louc-var adj. feuerfarb.
louf stm. lauf, umlauf; weidm.
weg, gangbare stelle; gang,
lauf in der musik; vorgang,
ereignis (pl. *löufe* ereignisse,
zeitläufte).
loufære, löufære, -er stm.
läufer (auch im schachspiel),
laufender bote; rennpferd, dromedar.
loufe swm. stromschnelle.
löufec, löufic adj. geläufig,
gangbar; weltläufig, bewandert,
gerieben.
löufel stm. läufer, laufender
bote; lauf; läufer im schachspiel.
löufel, loufel f. die grüne
hülse namentl. der welschen
nuss und der kastanie.
loufe-lich adj. adv. laufend.
löufeln, löufen swv. von der
löufel befreien.
loufen redv. 3 intr. laufen. —
tr. durchlaufen.
louft stm. = *louf*; hülse,
bastrohr.
löuftic adj. = *löufec*.
louge stf. das leugnen.
louge stswf. lauge.
lougen swv. flammen.

lougen stn. leugnung, verneinung (*âne l.* unleugbar, fürwahr).
lougenen, lougen, loukenen,
louken, leuken swv. leugnen,
verneinen, widerrufen abs. od.
mit gen.
lougener stm. leugner, verleugner.
lougen-haft adj. leugnend.
-liche adv. lügnerisch, unwahr.
lougen-ribe adj. mit lauge
reinigend.
lougenunge stf. das leugnen.
loup, -*bes* stm. erlaubnis s.
urloup.
loup, -*bes* stn. (pl. *loup* u.
löuber) laub, blatt.
loup-brost stm. laubbruch,
-fall, zeit des laubfalls, oktober; laubhüttenfest. -rîse stf.
dasselbe. -var adj. laubfarb.
-vahs stm. laubhaar, laubge-
winde. -velle stf. laubhüttenfest.
-vrosch stm. laubfrosch. -wurm
stm. seidenwurm.
löuwe s. *lewe*.
löwen swv. gerben.
löwer stm. gerber.
lôʒ stn. das los; das werfen
des loses, die auslosung, ver-
losung; der durchs los gezogene
und dem händler zugewiesene
standort auf dem marktplatze;
weissagung durch das l.; altes
herkommen, recht; gerichtl.
teilung, erbteilung; losungswort; schicksal. -buoch stn.
buch zum *lôʒen*, wahrsagen.
lôʒen swv. ein *lôʒ* werfen,
durchs l. bestimmen. — tr.
durchs los und überh. verteilen.
lôʒunge stf. das loswerfen;
die teilung.
luben, lüben swv. = *loben*,
geloben, versprechen.
lübestecke swm. liebstöckel
(lat. *ligusticum, libusticum, lu-
bisticum*).
lubetsch stm. lapp, simpel
(vgl. *lotze, luz*).
luc, -*ges* stm. lug, lüge.
lucërne f. laterne, leuchte
(lat. *lucerna*).
lûchen, liechen stv. II, 1 tr.
schliessen, zuschliessen; an sich
ziehen, zu sich, ins haus nehmen; zupfen, rupfen. — refl.
sich zurückziehen, ducken. —
intr. schlüpfen.
lucht s. *luft*.
lücke s. *lüge* ɔdj.
lücke, lugge adj. locker.
lücke, lucke stswf. loch,
lücke.
lücke stn = *gelücke*.
lückelin, lückel stn. dem.
zu *lücke* f.
lücken swv. tr. eine lücke
machen, durchbrechen. — refl.
lückenhaft werden, sich mindern.

lücken, lucken swv. locken,
mit dp.; mit acc. u. gen. verlocken, täuschen.
lückern, luckern swv. intens.
zu *lücken* 1, lockern, vermindern. — zu *lücken* 2, locken.
luckin stf. lockvogel, gefall-
süchtige weibsperson.
luc-wort stn. lügenwort.
ludem, luden stm. rufen, geschrei, lärm.
ludemen, ludmen swv. rufen,
schreien, lärmen.
lûden swv. md. rauben, plündern.
lüegel s. *luogelîn*.
lüejen, lüegen, lüewen, lüen,
luon swv. brüllen.
lüeme adj. matt, sanft, milde.
lüeme stf. mattigkeit.
lüemen swv. erschlaffen, ermatten.
lûf stm. md. loch, abgrund.
luft stm. f. (md. auch *luf*,
ndrh. *lucht*) luft; luftzug, wind.
luftec, luftic, lüftic adj. luft-
erfüllt, luftig; luftartig; locker.
lüften swv. in die luft heben,
auf-, emporheben: *einem etw. l.*
ihm in bezug auf etw. eine erleichterung, eine ausnahme vom
gesetze gewähren, ihm ge-
statten.
lufter stm. luftloch.
lüfte-regen stn. bewegung der
lüfte.
lufte-süeʒe adj. angenehm
durch die luft.
lüftin adj. aus luft.
luft-löchelin stn. pore. -sa-
ger stm. wetterprophet. -vanc
stm. spiraculum, luftloch. -var
adj. luftfarb.
lüftunge stf. erlaubnis.
lüge, luge stf. lüge.
lüge, lücke adj. lügnerisch,
lügenhaft.
lüge-blic stm. lügenhafter,
falscher blick. -haft, -lich adj.
= *lüge*. -licheit stf. lügenhaftigkeit, lüge. -man stm. lügner.
-(lügen-)mære stn. lügenhafte
rede, erzählung, erlogene geschichte. -(lügen-)wîse adj. sich
auf lügen verstehend.
lügelin stn. dem. zu *lüge*.
lügenære, -er stm. lügner.
lügene stn. lügen, lugene lugen
stf. (md. auch *logene, logen*)
lüge.
lügen-haftic adj. = *lügehaft*.
-hart stm. der gern lügt. -heit
stf. lügenhaftigkeit. -lîese stf.
lügnerische lippe. -mælec adj.
durch lüge befleckt. -sache
stf. lüge. -siech adj. lügnerisch
weise krank. -spël stn. lügenhafte erdichtung. -spil stn.
lügnerische possen, lüge. -sprä-
che adj. lügnerisch, verlogen.
-varwe stf. lügenfarbe: lüge.
-vaʒ stn. lügenfass, lügner.

lugge · 131 · lütze

-vrâȝ stm. lügenfresser: der jede lüge anhört und glaubt.
lugge adj. s. lücke.
luhs stm. luchs. luhsin adj. vom luchse, von luchsfell.
lumbe, lumpe swm. lende, weiche (lat. lumbus).
lumbel, lummel m. lendenfleisch.
lumben-kleit stn. lendenkleid.
lümen stm. volumen, band, buch.
lumpe swm. lumpen, fetzen.
lün stn. oberer teil der haube.
lünde, lunde stswf. = ünde, welle.
lünden swv. brennen, glimmen.
lundern swv. brausen, brüllen.
lâne stf. mond; mondphase, konstellation; zeit des mondwechsels, neumondes, zeitpunkt überh.; veränderlichkeit, laune des glückes, glück; wechselnde gemütsstimmung, laune, neigung. gesinnung (lat. luna).
lünen swv. part. gelûnet, gelaunt; sich wechselnd gestalten; wol gelûnet wohlgestaltet.
iunge swf. lunge.
lungel, lungele stswf. dasselbe.
lunger adj. adv. hurtig, schnell.
lunge-sieeh adj. lungenkrank.
lunz stm. schläfrigkeit.
lunze swf. löwin (vgl. linize).
lunzen swv. leicht schlummern, schlummernd verweilen.
luo stf. md. nachstellung, not.
luoe, -ges stn. m. (pl. des n. luoc, luoger, lüeger, des m. luoge) lagerhöhle, lauerhöhle des wildes; höhle, schlupfwinkel, versteck; loch, öffnung.
luoder stn. lockspeise (bildl. lockung im bösen und guten sinne, verlockung, nachstellung); possen, gespötte; schlemmerei, lockeres leben.
luoderære, -er stm. verlocker; schlemmer, weichling.
luoderie stf. schlemmerei, lockeres, weichliches leben.
luodern swv. tr. mit dem luoder abrichten, reizen, locken, verlocken. — intr. schlemmen, ein lockeres leben führen; possen treiben.
luogære stm. der luogt.
luoge, luoke swf. versteck, höhle.
luogelin, luogel, lüegel stn. dem. zu luoc.
luogen swv. aufmerksam (aus dem luoge) schauen, lugen.
luon s. lüejen.
luot stf. das brüllen.
luot stf. last, masse; grosse menge, schar, rotte.
lupfen, lüpfen swv. tr. in die höhe heben. — intr. sich er-

heben, sich schleunig bewegen.
lüppe, luppe stnf. salbe, zusammenziehender pflanzensaft, arznei; vergiftung, zauber, zauberei.
lüppec adj. giftig, vergiftet.
lüppelach stn. dem. u. coll. zu lüppe.
lüppelærinne stf. zauberin.
lüppen, luppen swv. mit gift bestreichen, vergiften; heilen, vertreiben.
lüpperie stf. giftmischerei; zauberei.
lure s. lërc.
lure swstf. nachwein, tresterwein (lat. lora, lorea).
lûre, lür stf. lauer, hinterhalt.
lûre swm. schlauer, hinterlistiger mensch.
lûren swv. lauern (mit gen., ûf).
lurken s. lërken.
lurz s. lërz.
lürzen swv. täuschen, betrügen.
lürzen, lurzen stn. täuschung, verstellung.
lurz-heit stf. dasselbe.
lüs stf. laus.
lusch stm. md. versteck.
lüsche swm. lauscher.
lüschen swv. lauschen.
lusemen, lusmen, lusenen, lüsenen swv. horchen, lauschen.
lusemer, lusmer, lusener, lüsener stm. horcher, lauscher, aufpasser.
lüsen swv. läuse fangen, lausen mit dp.
lûsic adj. lausig.
lussam s. lust-sam.
lust stmf. wohlgefallen, freude, vergnügen; verlangen, begierde, gelüsten.
lust-bære adj. s. luste. -geline stn. gelungene freude. -lich adj. = luste. -sam (lussam) adj. wohlgefallen erweckend, erfreulich, lieblich, anmutig, schön. -sam (lussam) stmn. anmut, schönheit? wohl eher = lût-stam populus. -same (lussame) stf. dasselbe. -samec-heit stf. wohlgefallen, freude. -samen swv. erfreuen. -suocher stm. vergnügungssüchtiger. -wërnde adj. erfreulich.
luste adj. wohlgefallen erregend, anmutig, lieblich, angenehm.
lustec, lustic adj. dasselbe; lustig, heiter, vergnügt; verlangend, begierig. -lich adj. = luste. -liche adv. auf wohlgefallen, auf gefällige, erfreuliche weise.
lustekeit stf. genuss.
lusten swv. intr. sich freuen.
lüsten, lusten swv. tr. erfreuen; unpers. mit acc. u. gen.

(od. nâch, inf.) sich freuen über, begehren, verlangen tragen.
lüsterære, -er stm. horcher, aufpasser bei gericht, schiedsrichter.
lüstern, lustern swv. horchen, lauern, auflauern.
lût, lûte s. liut, liute.
lût adj. helltönend, laut (lût werden mit gen. sich hören lassen, verlauten lassen); hell für das auge, klar, deutlich. — adv. vernehmlich, sichtlich, öffentlich.
lût stm. laut, ton, stimme, schrei (nâch lût nach inhalt, wortlaut).
lût-bære adj. laut, öffentlich.
-bæren swv. bekanntmachen.
-bærkeit, -bærunge stf. protestatio. -brehe, -brehie adj. ruhmredig. -haft adj. lautgebend. -mære adj. öffentlich, bekannt. -mære stn. gerücht, gerede. -mæren swv. kundbar machen, verkünden. -mærunge stf. bekanntmachung, bes. die öffentl. bekanntmachung einer verlobung. -reis, -reisic, -reiste adj. clamosus.
lûte swf. laute, guitarre (fz. luth, afz. leût).
lûte adv. auf helltönende, laute weise (weidm. vom hellen, rechtzeitigen anschlagen des spürhundes); auf schöne, gute weise.
lûten swv. intr. einen laut von sich geben, ertönen, lauten. — intr. u. refl. mit subst. präd. heissen, bedeuten. — tr. laut werden lassen, ausrufen.
luter stn. unrat, kot.
luter stf. fischotter (lat. lutra).
lûter, liuter adj. hell, rein, klar, lauter; frei, rein von (gen., von); rein, unvermischt, ausschliesslich, lediglich, bloss. — adv. deutlich, offen, ganz.—stn. das lautere, klare, helle; die lauterkeit, reinheit; das eiweiss. — lûter(e), liuter stf. lauterkeit, helligkeit. -bære adj. mit lauterkeit verbunden, rein, lauter. -heit stf. lauterkeit, reinheit. -lich adj. hell, klar, rein, lauter. -liche adv. auf helle, reine, deutliche, aufrichtige weise; ausschliesslich, lediglich, gänzlich. -tranc stmn. über kräuter und gewürze abgeklärter rotwein (vgl. klârêt). -var adj. hell, glänzend.
lûtern s. liutern.
lûterunge stf. purgatio.
luter-vëch adj. ottergrau.
lûtes adv. laut; bellend.
lutten swv. brüllen.
lûtunge stf. resonatio; wortlaut.
lütze, lüz adj. klein, gering, wenig.

lützel adj. dasselbe. — neutr. subst. (mit gen.) wenig, wenige u. euphem. kein. — adv. nicht, nie.

lützele stf. kleinheit.

lützelic adj. klein.

lützen swv. klein, gering machen, herabsetzen.

luȥ, -ȥȥes stm. durch das los zugefallener (land-)teil.

luz stm. = *lotze*, s. *lubetsch*.

lûz s. *lütze*.

lûȥe, lûȥ stf. versteck; lauer.

lûȥe swf. eine art fischernetz, lauschnetz.

lûȥen swv. verborgen liegen, sich versteckt halten, lauern.

lûȥen stn. das heimliche lauern auf wild; das stellen von netzen.

lûȥenære stm. der auflauert, lauscht.

lûȥer stm. der dem wilde heimlich auflauert.

luȥ-guot stn. = *luȥ* stm.

M

mac, -ges stm. knabe (erhalten in *magezoge*).

mâc, -ges stm., **mâge** swm. blutsverwandte person in der seitenlinie.

mach stmn. = *gemach*.

machen swv. hervorbringen, erschaffen, erzeugen (gebären); machen, bewirken, bereiten, anstellen, zuwege bringen (mit subst. präd. machen zu, mit untergeord. s. bewirken, dass); *m. ze* verwandeln; an-, einmachen, vermischen mit. — refl. entstehn, geschehen; sich bereit machen, rüsten; sich aufmachen, eine richtung einschlagen.

mæcheninc, -ges stm. schwert.

macher, mecher stm. macher, bewirker, schöpfer.

machide stn. = *gemechede*.

machumbrie stf. moschee.

machunge stf. das machen, erschaffen; vermachung.

mâc-schaft stf. verhältnis von verwandten zueinander, verwandtschaft, verwandte.

mâdære, mäder, mæder, mader, meder, mêder stm. mäher, mäder.

made swm. made, wurm; unentwickelte leibesfrucht.

mâde swf. der schwade beim mähen.

madel s. *medel*.

maden swv. voll maden sein, verwesen.

maden-, made-villic adj. eine von *maden* zerfressene haut habend.

mader s. *marder*.

madic adj. voll von maden.

mage swm. magen.

---

mâge s. *mâc*.

mâge swm., **mâgen, mâhen, mân** stm. mohn.

magedin magetin, megedin megetin meidin stn. dem. zu *maget*.

mæge-lich adj. verwandtschaftlich.

magen, mân, main stm. kraft, macht, menge (in zusammenss. den begriff verstärkend).

magen-, mân-kraft stf. grosse kraft, macht, majestät; grosse menge. **-lich, meinlich** adj. gewaltig, mächtig.

magen-vröude stf. freude an genüssen des magens. **-vülle** stf. was den magen füllt.

mager, meger adj. mager.

mageren swv. mager werden.

mâge-sâme swm., **-sât** stf. mohnsame, mohn.

maget, magt, mait, meit stf. pl. *megede, meide*: jungfrau (bes. die jungfrau Maria; übertr. auch vom manne, dann wie adj.: unberührt, unverletzt, rein); die jungfrau im tierkreise; die weibl. scham der jungfrau; unfreies mädchen, dienende jungfrau einer *vrouwe*, dienerin, magd.

maget-heit stf. jungfräulichkeit. **-(meget-, meit-)lich** adj. jungfräulich. **-liche** adv. jungfräulich, als jungfrau. **-reine** adj. rein wie eine jungfrau. **-schaft** stf. jungfräulichkeit, jungferschaft. **-slöȥ** stn. jungfräulichkeit, claustrum pudicitiae. **-tuom, magetuom, meituom** stm. n. f. dasselbe (übertr. auch vom manne). **-tuomlich** adj. jungfräulich.

magetlin, megetlin stn. dem. zu *maget*.

mage-zoge, meizoge swm. erzieher, erzieherin (entstellt *maget-, meitzoge*).

mage-zoginne, meizoginne stf. erzieherin.

mæginne stf. zu *mâc*.

magistrinne stf. lehrerin (lat. *magistra*).

magnes, magnêt, magnête m. magnet (lat. *magnes, -etis*).

mâg-öl stn. mohnöl.

mahel, mâl stn. gerichtsstätte; gerichtl. verhandlung, gericht; vertrag (nur in zusammenss.). **-kint** stn. ehekind. **-(mehel-)rinc** stm. verlobungs-, vermählungsring. **-schaft** stf. verlobung, vermählung; das verhältnis des oder der verlobten, gemahlschaft. **-(mehel-)schaz, mälschaz** stm. brautgabe, bes. der verlobungsring. **-(mâl-)stat** stf. gerichts-, richtstätte; platz für eine beratende versammlung; wohnplatz. **-(mâl-)tac** stm. verlobungstag; gerichts-

---

tag. -(mehel-)vingerlin stn. = *mahelrinc*.

mahel stm. = *gemahel*.

mahelen, mehelen, mälen, mêlen swv. vor gericht laden, gerichtl. befragen, anklagen (*gemâlter tac* gerichtstag); versprechen, verloben, vermählen mit acc. u. dat.; mit acc. zur braut, zum weibe, zum gemahl nehmen (erkaufen).

mahel-sloȥ s. *malchsloȥ*.

mahelunge stf. verlobung, vermählung.

mâhen s. *mâge*.

mahinande, mahinante stf. = *massenîe*.

maht stf. vermögen, kraft, körperkraft, anstrengung, gewalt (*âne m.* kraftlos, *über maht* aus allen kräften, die kräfte übersteigend); vollmacht; menge, fülle (mit gen.); bes. menge von menschen, von kriegern.

maht-bote swv. bevollmächtigter, gesandter. **-brief** stm. vollmachtsbrief. **-halter** stm. bevollmächtigter. **-heit** stf. macht, gewalt. **-liute** pl. bevollmächtigte. **-lôs** adj. ohne kraft, ohnmächtig; ohne geltung.

mahtic s. *mehtec*.

mait s. *maget*.

mæjen, mæden, mægen, mæwen, mæn; mêigen, meihen, meien swv. mähen.

majestât stswf. m. majestät (lat. *majestas*).

makel stm. macula.

mâl s. *mahel*.

mâl stn. ausgezeichneter punkt, zielpunkt; zeichen, merkmal, fleck; schmuck, zierat bes. an der rüstung; grenzzeichen, grenzstein; zeitpunkt, mal (*von mâle ze mâle* von stunde zu stunde; *des mâles* diesmal, damals; *eines mâles* einmal, mit einem male; *ê mâles* früher, ehemals; *sît mâles* seit der zeit, seitdem; *sint des mâles, sint dem mâle, sintmâl* sintemal, dieweil; *under mâlen* bisweilen; *von dem mâle* seitdem; *ze einem mâle, zeimâle* einstmals, einmal; *ze disem mâle* zu dieser zeit od. gelegenheit; *ze mâle, zemâl* auf einmal zugleich, zusammen, alsbald, plötzlich, gänzlich, gar, sehr, überhaupt); gastmahl, mahlzeit.

mâlære, -er, mæler stm. maler.

mâlærinne stf. malerin, frau des malers; die sich schminkt.

mâlât, mâlâde, mâlâtes adj. aussätzig (fz. *malade*).

mâlâterie stswf. aussatz.

mâlâtzic adj. = *mâlât*.

mâlâze f. krankheit.

mâl-bote swm gerichtsbote.

mâl-boum stm. grenzbaum.

malch-, mal-sloʒ stn. schloss an einem mantelsack (*malhe*), überh. vorhängeschloss; auch *mahel-, marhen-, maren-, malensloʒ*.

malder s. *malter*.

mâl-dingen swv. vor gericht verhandeln, richten.

maledîen swv. maledicere.

malefîz stfn. kriminalverbrechen (mlat. *maleficium*).

mâlen s. *mahelen*.

mâlen swv. ein *mâl*, zeichen machen, mit einem zeichen versehen; mit einem grenzzeichen versehen, abgrenzen; bunt verzieren; färben; schminken; malen; bildl. im geiste entwerfen; sticken; schreiben, auf-, verzeichnen.

mâlen-sloʒ s. *malchsloʒ*.

maler stm. = *malgast*.

mâler, mæler s. *mâlære*.

mal-gast stm. des müllers kunde, mühlgast.

malge s. *meile* 1.

mal-gëlt stn. mahlsteuer.

mâl-gerihte stn. gerichtsversammlung, gericht.

malgram, malgran, malagranât, margram stm. granatbaum, -apfel (lat. *malogranatum*).

malhe swf. ˡedertasche, mantelsack (davon fz. *malle*).

malhen-slüʒʒel stm. schlüssel zu einem *malchsloʒ*.

mælic adj. ein zeichen tragend.

malie stswf. hitziges gefecht, turnier.

mâligen swv. mit einem *mâl* versehen, beflecken.

malje s. *meile* 1.

mallete f. säckel.

mallich s. *mannelîch*.

mal-liute pl. zu

mal-man stm = *malgast*.

malmasier m. malvasier, wein von Napoli di Malvasia.

mal-müle stf. getreidemühle.

maln, malen stv. VI mahlen.

mâl-rein stm. grenzrain.

malsch, malz adj. ndrh. kühn, verwegen.

mâl-schaz, -stat s. *mahel-*.

mal-sloʒ s. *malchsloʒ*.

mâl-stat stf. grenzstätte; bauplatz.

mal-stein stm. = *mülstein*.

mâl-stein stm. grenzstein.

malter, malder stn. ein getreidemass, malter(eig. was man auf einmal zum mahlen gibt); eine gewisse zahl; mahllohn.

mâl-vlëcke swm. schmutzflecken.

mal-wërc stn. mühle.

malz s. *malsch*.

malz adj. hinschmelzend, hinschwindend, kraftlos.

malz stn. malz (davon fz. *malt*).

malzen, melzen swv. zu *malz* dörren, mälzen.

mâl-zît stn. mahlzeit.

mambrîn stf. = *membrâne*.

mammende, mamende adj. zahm, sanftmütig.

mammendic-, memmendicheit stf. sanftmut.

man, -nnes an. m. mensch (*ie man, nie man* irgendein mensch, kein mensch: jemand, niemand); mensch männlichen geschlechtes in gereiftem alter, mann (*waʒ mannes* was für ein mann, wer); tüchtiger mann, bes. tapferer kriegsmann; ehemann; geliebter; verlobter; sohn; dienstmann, diener; lehnsmann, vasall; im schachsp. alle figuren ausser dem könige u. der königin; die venden. — *man* als unbest. pron. (auch mit artikel), proklit. u. enklit. unbetont *men, me* nbf. *wan, wen* (bes. alem.).

man, mane stf. stswm. mähne (*man, -nnes* menschenhaar).

mân s. *mâge, magen*.

mân, mæn s. *mœjen*.

man-bære adj. mannbar; männlich. **-gerihte** stn. judicium feudale, mannorum. **-guot** stn. = *-lëhen*. **-haft, -haftic** adj. mannhaft, standhaft, tapfer. **-haftic-heit** stf. standhaftigkeit. **-heit** stf. männlichkeit, mannhaftes, tapferes wesen, tapferkeit; mannhafte tat; mannesalter; das verhältnis eines dienst- od. lehnsmannes; coll. die mannen. **-kraft** stf. manneskraft; kriegsheer. **-künne, -kunne** stn. menschengeschlecht; männliche nachkommenschaft. **-lëhen** stn. mannslehen, unter der männl. nachkommenschaft erbliches lehn. **-(men-)lich** adj. männlich, dem manne geziemend, mutig, tapfer; wie ein mann geartet; mannbar. **-lich** stn. das dem menschen gleiche, sein bild. **-(men-)lîche** adv. in mannes art, auf mutige, tapfere weise. **-rëht** stn. dienstmannen-, vasallengericht; freier stand. **-rihter** stm. richter, den die streitenden lehensleute wählen. **-schaft** stf. verhältnis eines lehnsmannes, lehnspflicht; lehnshuldigung, -eid; coll. mannen, hörige. **-slac** stm. s. v. a. **-slaht** stf. erschlagung eines menschen, totschlag; mord; schlacht. **-slahter, -slehter** adj. eines mordes schuldig. **-stap** stm. penis. **-tuom** stmn. = *manheit*. **-wërc** stn. als feld-

mass, soviel an einem tage ein mann mit zwei ochsen pflügen kann. **-wërke** swm., **-wërker** stm., inhaber eines *manwërkes*. **-zal** stf. bestimmte zahl von (bewaffneten) männern; bestand an mannschaft od. mitgliedern einer körperschaft; s. v. a. *marczal*. **-zitic** adj. mannbar. **-zoge** swm. = *magezoge*.

manc, mang stmf. mangel, gebrechen (fz. *manque*).

manc adj. mangel, gebrechen habend.

manc, mang md. präp. mit daʒ. zwischen, unter.

mandâte, mandât stfn. die fusswaschung am grünen donnerstage (mlat. *mandatum*); abendmahl.

mandâten swv. das abendmahl nehmen.

mânde, mânt, mônt, -des swstm. mond; monat.

mandel s. *mantel, mangel* 2.

mandel stfm. mandel (it. *mandola*).

mandel stf. ? 15 stück.

mandel-kôsen stn. das liebkosen (s. *menden*).

mandeln s. *mangeln* 3.

mandel-nuʒ stf. mandelkern.

mandel-ris stf. zweig vom mandelbaume.

mandunge, mendunge stf. freude, seligkeit.

mane stf. ermahnung; meinung, gesinnung.

mâne mân, mône môn swstm. f. mond; monat.

manec, manic, menic adj. viel, manch, vielfach, vielgestaltig (komp. *maneger, maniger, meneger, meniger*). **-valt** adj. mannig-, vielfältig, zahlreich, gross; vielgestaltig, verschiedenartig, ungleich, unbeständig. — adv. auf mannigfaltige weise. — adv. auch *manicvaltes*. **-valtec** adj. mannig-, vielfältig; ungleich, unbeständig. **-valtec-heit** stf. vielheit, menge, gesamtheit. **-valten** swv. vervielfältigen; bunt zusammensetzen. — intr. sich unbeständig zeigen. **-valtigen** swv. vervielfältigen. **-var** adj. verschiedenfarbig. **-virwec, -verwec** adj. dasselbe.

maneger-leie adj. vielfach. **maneger-, manege-wîs** adv. in vielen beziehungen.

maneges adv. um manches.

mänelin stn. dem. zu *mâne*.

manen swv. erinnern, ermahnen, auffordern, antreiben tr. u. refl. (*daʒ ros (mit dem sporn) m.* od. einfach *m.* mit verschwieg. *ros*), mit gs. od. umbe.

mang s. *manc*.

mangære, mengære stm. händler.

mange swf. kriegsmaschine steine zu schleudern; glättrolle, glättwalze (mlat. *manga*).

mân-gebrëche swm *eclipsis lunæ.*

mangeiʒ stn. = *manger.*

mangel stm. = *manc.*

mangel, mandel f. = *mange* glättrolle.

mangelen, mangeln swv. mangel haben, leiden; entbehren, vermissen mit gen.

mangelen swv. ringen, handgemein werden.

mangel-korn stn. mischkorn.

mangeln, mandeln swv. auf der mangel glätten.

mangelunge stf. mangel, abgang. — handgemenge.

mangen swv. = *mangelen* 1.

mangen swv. schleudern; auf der *mangen* glätten.

mangen-stein stm. schleuderstein. **-swenkel** stm. strick, schlinge an der *mangen*. **-wurf** stm. das schleudern mit der *mangen.*

manger, mangier, mansier stn. das essen, die speise (fz. *manger*).

mangerie stf. die speisung.

man-golt stm. mangold.

mân-hof stm. mondhof.

manic s. *manec.*

mânic, mænic adj. einen monat dauernd; mondsüchtig.

maniere stswf. art u. weise, manier, betragen (fz. *manière*).

manige s. *menige.*

manikel stf.? armschiene, -leder? (afz. *les manicles* ein teil des frauengewandes).

mæninne, mâninne, mænin stswf. mond.

mænisch adj. mondsüchtig.

man-knëht s. *menknëht.*

mân-kraft s. *magenkraft.*

manne- (menne-)gelich, -lich adj. jeder, jedermann, männiglich (auch *manlich* assim. *mallich, menlich* assim. *melch*).

manne-, man-mât stnf. ein flächenmass für wiesen (eig. die fläche, die ein mann an einem tage abmähen kann).

mannen swv. intr. zum *manne* werden; sich als *man* betragen, zeigen; sich ermannen, aufmachen; zum manne nehmen, heiraten; als lehnsmann huldigen, den lehnseid leisten mit dat. — tr. mit einem manne versehen, bemannen; als ehemann beigesellen mit dat. od. *mit.* — refl. einen mann nehmen; sich zum lehnsträger eines andern machen.

mannes-trôst stm. hilfreicher mann, anrede für den geliebten.

maunin adj. s. *mennîn.*

mânoht adj. mondförmig.

mânôt, mônôt, mênôt, -et stm. n. monat.

mânôt-ganc stm. menstruatio.

mân-schîne swm., **-schîn** stm. mondschein, mond.

mansenie s. *massenîe.*

mân-siech adj. mondsüchtig.

mansier s. *manger.*

mânt s. *mânde.*

mân-, môn-, mên-tac stm. montag.

mantel, mandel stm. mantel als kleidungsstück der männer wie frauen; überzug eines pelzes; schutzmantel, schirm bei belagerungswerkzeugen; äusserer gang, wachtplatz an burgen; das äussere sorgfältig behandelte mauerwerk eines gebäudes (mlat. *mantellus*, lat. *mantellum*).

mantel, mandel stswf. eine anzahl von 15 stücken (zusammen aufgestellter garben), mandel.

mantel stf. föhre.

mantelach stn. föhrenwald.

mantel-bërc stm. föhrenberg, -wald.

manteler, menteler stm. verkäufer von mänteln u. andern kleidungsstücken.

mantellîn, mentellîn stn. mäntelchen.

manteln, menteln swv. mit einem mantel bekleiden; wie mit einem mantel bedecken. **mantel-ort** stn. mantelsaum. **mantel-roc** stm. mantel.

mân-tôbic adj. mondsüchtig.

manunge stf. mahnung, ermahnung, aufforderung; forderung vor gericht; eine bestimmte geldbusse.

mân-wendic adj. mondsüchtig.

manzal-korn stn. getreidezins der zinsbauern (auch *manzerkorn*).

manzeler stm. der die abgabe in *manzalkorn* erhebt.

man-zît stf. termin.

mar s. *marc* 1.

mar, -wes adj. reif, mürbe, zart.

maras, maraʒ s. *môraʒ.*

marc, -kes stn. streitross (auch *march, -hes*, md. *mar*).

marc, -ges stn. mark, medulla (auch *march, -hes*).

marc, -kes stn. zeichen (auch *march, -hes*).

marc s. *marke.*

marc-boum stm. grenzbaum. **-dinc, -gedinge** stn. markgericht. **-grâve, margräve** swm. königl. richter u. verwalter eines grenzlandes, markgraf. **-grâvinne, -grævinne, margrævin** stf. frau eines *marcgrâven*. **-liute** pl. von

-man stm. grenzmann, grenzhüter; bewohner einer markärker. **-rëht** stn. märkerrecht; abgabe des märkers od. der gemarkung. **-rihter** stm. richter in marksachen. **-(mar-)scheide** stf. bestimmung der grenze, der abgegrenzte raum selbst. **-(marscheider** stm. markscheider, beamter, der die berge misst) und die grenzen der berge, u. stollen absteckt. **-stein** stm. grenzstein.

march s. *marc, marke.*

marc-haft adj. markig.

marc-vuoter stn. pferdefutter.

marc-zal, marzal stf. zahl nach der proportion (*nâch marczal* nach verhältnis).

marc-zan stm. backenzahn.

marder, merder, mader stm. marder; marderfell.

mare s. *mar, marc* 1.

mære adj. wovon gern u. viel gesprochen wird: bekannt, berühmt, berüchtigt, der rede wert, herrlich, gewaltig, lieb, von wert. — stn. kunde, nachricht, bericht, erzählung, gerücht (häufig im pl.); dichterische erzählung, erzählende dichtung; erdichtung, märchen; gegenstand der erzählung, begebenheit, sache, ding. — stf. berühmtheit; mündliche äusserung, rede; kunde, nachricht; erzählung, dichtung; erwägung, absicht; ereignis, umstand, art u. weise.

mærelîn stn. geschichtchen, märchen, erdichtetes.

mæren swv. verkünden, bekannt, berühmt machen.

maren-sloʒ s. *malchsloʒ.*

mærer stm. erzähler, schwätzer; angeber.

mæres-halp adv. von seite der geschichte, erzählung.

margarit stm. perle; magnet.

margarite, margarieʒe swf. perle.

margram, margrât s. *malgram.*

margrâve s. *marcgrâve.*

mær-haft adj. erzählenswert.

marhen-sloʒ s. *malchsloʒ.*

marke, marc, march stf. grenze; grenzland; abgegrenzter landteil, gau, bezirk, gebiet; gesamteigentum einer gemeinde an grund u. boden, bes. an wald.

marke stf. aufmerksamkeit, sinnesschärfe.

marke, marc, march stf. mark, halbes pfund (silbers od. goldes).

market, markt, mart; merket, merk stm. marktplatz; marktflecken; auf dem *m.* getriebener handel; handelsware; marktpreis; auf dem *m.* gebräuchliches mass (lat. *mercatus*).

marketen, marken swv. auf dem markte sich bewegen; handel treiben.

market-rëht stm. recht etw. auf den markt zu bringen, marktgerechtigkeit; recht in einem *m.* zu wohnen; abgabe dafür. **-veile** adj. auf dem markte feil, für jeden käuflich.

markis stm. markgraf (fz. *marquis* v. deutsch. *marke*).

mærlære stm. geschichtenerfinder, dichter.

marmel, mermel stm. marmor (lat. *marmor*). **-(mermel-)stein** stm. marmor. **-(mermel-)sül** stf. marmorsäule.

marmelin, mermelin adj. von marmor.

marmoset stm. götze (fz. *mahommet*).

marnære, mernære, -er stm. seemann, schiffsherr; als schachfigur zweiter *vende* (mlat. *marinarius*).

marren, marrunge s. *merr-*.

marrobortin stm. eine maurische goldmünze (mlat. *marobotinus*).

mær-sagen swv. schwatzen.

mær-sager stm. schwätzer.

marschalc stm. aus *marc-schalc*, pferdeknecht; marschall, als hof- (od. städtischer) beamter, aufseher über das gesinde auf reisen u. heereszügen, befehlshaber d. waffenfähigen mannschaft des hofes (beim deutschen orden der nächste beamte nach dem grosskomtur.

marschalkin stf. frau des *marschalkes*.

marschandise stf. kaufmannschaft, handel.

marschant stm. kaufmann (fz. *marchand*).

marstal stm. aus *marc-stal*, pferdestall, marstall.

marstallære, -er stm. pferdeknecht, aufseher über den marstall.

mart s. *market*.

marter, martere, martel, marter stf. das blutzeugnis, bes. die passion; kruzifix; qual, pein, verfolgung, folter (gr. lat. *martyrium*).

marterære, martelære; marterære, mertelære, -er, mertære stswm. pass. märtyrer, blutzeuge, qualvoll leidender. — akt. der marter od. qual zufügt.

marterærinne stf. die blutzeugin, märtyrerin.

marterât stf. md. blutzeugnis, marter, qual.

marter-bilde stn. kruzifix. **-haft** adj. mit marter, qual behaftet. **-kelch** stm. leidenskelch. **-(merter-)lich** adj., **-liche** adv. zum martyrium, zur passion gehörig, qualvoll. **-mâse** swf.

wundmal von der marter. **-schrift** stf. die leidensgeschichte Christi. **-tac** stm. karfreitag. **-var** adj. nach der marter aussehend. **-wëc** stm. marter-, leidensweg. **-woche** swf. karwoche.

marterie stf. martyrium.

martern, marteren, marteln, merteln swv. zum märtyrer machen, ans kreuz schlagen, foltern, plagen, martern.

marterunge stf. das martern, die marter.

martilje swf. ndrh. = *marterie*.

martsche f. name eines bankettes der strassburgischen geschlechter, ursprünglich im märz (*martius*) gehalten.

marzal s. *marczal*.

masanze, mosanze swm. f. ungesäuerter judenkuchen (hebr. *mazzâh*, s. matze 2).

mas-boum s. *mastboum*.

masche swf. masche, schlinge.

mâse swf. wundmal, narbe; entstellender flecken, makel.

mâsec, -ëht, mâsôt adj. fleckig.

mâsegen swv. beflecken.

masel stf. weberschlichte; blutgeschwulst an den knöcheln.

masel-sucht adj. aussätzig.

mâsen swv. verwunden; beflecken.

maser stm. maser, knorriger auswuchs an ahorn- u. andern bäumen; becher aus maserholz.

masse stf. ungestalteter stoff, masse, bes. metallklumpen (lat. *massa*).

massenie, messenie, mansenie stf. hausgesinde u. dienerschaft (auch einzelner diener) eines fürstl. herrn, gefolge, hofstaat; ritterl. gesellschaft: *gotes massenie* die armen, leidenden (mfz. *masnie, maisnie* von *maison*, lat. *mansio*).

mast stmfn. befruchtung, benetzung; befruchtetes, fruchtbares land; futter; frucht; eichelmast, mastrecht; mästung.

mast stm. stange, fahnen-, speerstange; mastbaum.

mast-, mas-boum stm. mastbaum.

masten swv. beleibt werden.

mast-swin s. *mesteswin*.

mastunge s. *mestunge*.

mat, -tes, -ttes stm. matt im schachspiele. — adj. matt gesetzt. — interj. ruf beim schachspiele: *einem mat sagen; sprëchen* (fz. *mat*).

mât, -des stnf. das mähen, die heuernte; das gemähte od. zu mähende: heu, wiese.

mate, matte swstf. wiese.

maten, matten swv. tr. *mat* machen; intr. *mat* werden.

matere, metere f. mutter-, fieberkraut (lat. *matricaria*).

materëlle stf. eine art wurfgeschoss; eine art pfeil (kelt.-lat. *materis, matara*, afz. *materas* wurfspeer).

matërje, matërge stswf. stoff, körper, gegenstand, materie; flüssigkeit im körper, bes. eiter (lat. *materia*).

matraz, materaz, matreiz stm. n. mit wolle gefülltes ruhebett, polsterbett (fz. *materas*, mlat. *matratium*).

mat-schaft stf., ndrh. *matschaf* gemeinsames mahl, gasterei.

mat-schrëcke swm. wiesenhüpfer, heuschrecke.

matte s. *motte*.

matte f. käsematte.

matte, matze swf. decke aus binsen- od. strohgeflecht (lat. *matta*).

matze f. ungesäuertes brot. **matzluwe** s.? kolben, schlägel (fz. *massue*).

mæwen s. *mœjen*.

maz stn. stall, käfig (vgl. fz. *mes = maison*).

maz, -zes, -zzes stn. speise; mahl, mahlzeit.

maz stn. eine bestimmte quantität u. gefäss zum messen; grad, art u. weise.

mazal-tër m. massholder.

mâze stf. mass, zugemessene menge od. ware, richtig gemessene, gehörige grösse, abgegrenzte ausdehnung in raum, zeit, gewicht, kraft (*ze mâze, mâzen* ziemlich, genug, sehr, oft mit ironie: wenig, gar nicht); angemessenheit; art u. weise (*der mâze, in der mâze*); das masshalten, die sittliche mässigung, bescheidenheit. — adv. mit massen, mässig.

mæze stf. das mass.

mæze, mæzec, mæzic adj. mässig, enthaltsam; gemässigt; gemäss, angemessen, genehm; mass-, anstandsvoll.

mâzen swv. tr. abmessen; mässigen, verringern, beschränken. — intr. u. refl. mass halten mit etw., sich mässigen, enthalten (mit gen. od. *an*).

maz-genôze, -geselle swmtischgenosse. **-leide** stf. widerwille gegen speise (*maz*). **-lôs** adj. ohne speise.

mæzicheit, mæzekeit stf.s.v.a. *mâze*.

mæzigen swv. abmessen, ermessen, veranschlagen; mässigen. — refl. mit gen. sich enthalten von.

mæz-lich adj. von mässiger grösse, gering, klein; mässig, gemässigt. **-liche(n)** adv. mit mass, nicht sehr (ironisch nicht); massvoll, anständig.

mazze sw. = *gemazze*.

me, mǜ s. *man, mêr*.

mechele swf. kupplerin.

mecheler stm. unterkäufer, mäkler.

mechen stv. IV s. *vermêchen*.

mecher s. *macher*.

mech-liche adv. = *gemechl-*.

mechzen swv. meckern.

mecke swm. ziegenbock.

medel, madel stn. dem. zu *made* würmchen.

medele, melle f. kleine münze, heller (mlat. *medalia, metallia* aus *meditallia*).

mêdeme m. eine auf grundstücken haftende abgabe, urspr. wohl die abgabe der siebenten garbe (*mêdemgarbe*).

mêder, meder s. *madœre*.

mederin s. *merderîn*.

mêdiän stf. die mittelader (mlat. *mediana*).

mefzen stn. gemurmel.

megedin s. *magedîn*.

megelin, megel stn. dem. zu *mage*; art wurst.

megen s. *mügen*.

megenen, meinen swv. tr. stark, mächtig, zahlreich machen. ← refl. stark werden, sich vermehren.

meger s. *mager*.

megere stf. magerkeit.

megeren swv. *mager* machen.

megetin s. *magedin*.

meget-lich adj. jungfräulich.

mehel s. *mahel*.

meheli stf. vermählung.

mehnie stf. = *mahinande* (afz. *mahnie*) = *massenie*.

mehtec, mehtic, mahtic adj. macht habend, mächtig, stark; bevollmächtigt.

mehtic-heit, mehtikeit stf. macht, herrschaft; majestät.

mehtic-lich adj. = *mehtec*.

mehtigen swv. tr. bevollmächtigen. — refl. sich verbürgen; mit gs. eigenmächtig verfahren, mit gp. eigenmächtig für einen abwesenden handeln in hoffnung auf dessen genehmigung.

meidelin, meidel stn. = *magetlin*.

meidem, meiden stm. männl. pferd, hengst od. wallach.

meidenen swv. castrare.

meidin s. *magedin*.

mei-dinc stn. ungebotenes, im mai gehaltenes gericht.

meie, meige stm. der monat mai; maibaum; mailied; mai-, frühlingsfest (lat. *maius*).

meien s. *mœjen*.

meien, meigen swv. intr. mai werden; im mai od. wie im mai fröhlich sein. — tr. maiartig schmücken.

maien-anger stm. der anger im frühlingsschmucke. **-bære** adj. mailich, dem mai entsprechend. **-bat** stn. bad im mai. **-blat** stn. das im mai grünende blatt. **-blic** stm. maiblick, -glanz. **-dach** stn. des maien decke, gewand. **-gedinge** stn. = *meidinc*. **-glast** stm. = *m.-blic*. **-rëgen** stm. mairegen. **-ris** stn. im maischmucke prangendes, blühendes reis. **-schin** stm. = *m.-blic*. **-(mei-)tac** stm. maitag; der erste mai. **-var** adj. maifarb, grün. **-zit** stf. mai-, frühlingszeit. **-zwic** stm. = *meienris*.

meienstat stf. maiestas.

meier, meiger stm. meier, oberbauer, der im auftrage des grundherrn die aufsicht über die bewirtung der güter führt, in dessen namen die niedere gerichtsbarkeit ausübt und auch nach umständen die jahresgerichte abhält; amtmann; haushälter (lat. *major*). **meier-ambet** stn. das amt eines meiers. **-dinc** stn. vom meier abgehaltenes gericht. **-hof** stm. meierhof, hof den der *m.* vom grundherrn zur benutzung hat. **-tuom** stn. = *m.-ambet*.

meierie stf.= *meierambet*.

meierinne stf. die frau des *meiers*.

meiesch, meisch adj. zum mai gehörig, wie im mai.

meige, meiger s. *meie, meier*.

meigen s. *mœjen, meien*.

meigramme swm. majoran (mlat. *majorana*).

meihen s. *mœjen*.

meil stn. fleck, mal; sittl. befleckung, sünde, schande.

meile swstf. panzerring, ndrh. *malge, malje* (fz. *maille*).

meile stswf. = *meil*.

meile, meil, meilec, meilic adj. befleckt, schlecht.

meilegen, meiligen swv. beflecken, beschmutzen.

meilen swv. dasselbe; verletzen, verwunden.

meiler, miler stm. meiler, holzstoss des köhlers woraus die kohlen gewonnen werden; eine gewisse anzahl (aufgeschichteter) roheisenstangen.

mei-lichen adv. fröhlich wie im mai.

meilin stn. dem. zu *meil*.

meilinc, -ges stm. maifisch.

meil-tætec adj. frevelhaft.

meilunge stf. = *meil*; grenze.

mein s. *magen*.

mein, meine adj. falsch, betrügerisch (*meiner eit* meineid). — *mein* stmn. falschheit, unrecht, frevel; missetat; meineid; schädigung; niederlage, unglück.

meinde stf. = *gemeinde*

meine adj. = *gemeine*.

meine adv. falsch.

meine, mein, alem. **nein** stf. m. falschheit, unrecht.

meine s. *menige*.

meine stf. sinn, bedeutung; gedanke, gesinnung, meinung, absicht, wille; freundl. gesinnung, liebe.

meinec-lich adj. liebend.

meinec-liche adv. = *gemeinecliche*.

meinec-lichen adv. falsch, eidbrüchig.

mein-eide, -eidec, -eidic adj. meineidig. **-eiden** swv. intr. einen meineid schwören. — tr. gegen einen falsch schwören. **-eider** stm. meineidiger. **-eit** stm. meineid. **-kouf** stm. betrügerischer handel. **-rät** stm. falscher rat, verrat. **-ræte** adj. verräterisch, hinterlistig. **-swer** stm. meineid. **-swere** swm. meineidiger. **-swerer** stm. meineidiger. **-swern** stm. meineid. **-swüere** swm. meineidiger. **-swüeric** adj. meineidig. **-swuor** stm. meineid. **-tât** stf. falsche, treulose tat, missetat. **-tæte** adj. übeltätig, verbrecherisch ₂(swm. übeltäter, verbrecher). °**-tætec, -tætie** adj. dasselbe. **-tæter** stm. übeltäter, verbrecher. **-vol** adj. voll frevel. **-zunge** swf. böse zunge, zauberzunge.

meinen s. *megenen, menen*.

meinen swv. sinnen, denken, nachdenken; seine gedanken auf etw. richten, etw. bedenken, berücksichtigen (mit acc. od. präp. *an*); eine gesinnung gegen jem. haben in feindl. od. wohlwollender weise (oft geradezu für lieben); mit dat. einem etw. angenehm machen, einem etw. vermeinen, vermachen; etwas im sinne haben, beabsichtigen, bezwecken, wollen; worauf zielen, eine bedeutung unterlegen, etw. auslegen; glauben, wähnen (mit acc., infin. od. untergeord. s.); verursachen, der grund sein.

meinen stn. das meinen, denken; wohlwollende gesinnung, liebe; bedeutung, beachtung; aufmerksamkeit.

meines gen. adv. falsch (*meines swern, reden*).

meinigen s. *menen*.

mein-lich s. *magenlich*.

mein-merke stn. = *gemeinmerke*. — stf. gemeindebesitz, gemeindewald.

mein-same stf.=*gemeinsame*.

meinster s. *meister*.

meinunge stf. sinn, bedeutung; gedanke, gesinnung, meinung, absicht, wille; freundl. gesinnung, freundschaft; liebe.

mei-rëht stn. = *meidinc*.

meisch s. *meiesch.*
meisch stm. maische. – adj.
mit heissem wasser überbrüht.
meise swf. meise.
meise swtf. tragkorb, -reff,
die darauf getragene last.
meise-kar stn. packsattel.
meist adj. grösst, meist (*der
meiste* der stärkste, kräftigste;
daz meiste der grössern anzahl
nach, grösstenteils, *ein meistez*
die majorität; *bî dem, zuo dem
meisten* höchstens).
meiste, meist adv. am meisten, meistens, höchstens, ganz
besonders, soviel als, möglichst.
meistec, meistic adj. u. adv.
meist, meistens, am höchsten,
vorzüglich, zum grössten teil.
meisteil, meistel adv. (aus
meist teil) meistenteils.
meisteilec adj. adv. = *meistec.*
meister stm., alem. *meinster,*
md. *mêster* lehrer, magister,
schullehrer, gelehrter, bes. als
titel vor eigennamen; gelehrter
und gelernter dichter (bürgerl.
standes); meistersänger; verfasser eines gedichtes oder sonst
eines buches; *m.* als quelle eines
andern dichters, erster erzähler
der sage; künstler, handwerksmeister; aufseher; s. v. a. *kirch-
meister*; anführendes oberhaupt,
vorgesetzter, anführer, apostel,
kirchenvater; *meister* im städtischen gemeinwesen: gemein-
devorstand, bürger-, stadt-
meister; ausgezeichneter, als
vorbild dienender dichter; der
jem. übertrifft, sich worin (gen.)
auszeichnet; herr, beherrscher;
besitzer, eigentümer (lat. *magister*).
meister-die, -heit stf. meisterschaft. **-knappe** swv. der
oberste *knappe.* **-knëht** stm.
oberknecht; geselle. **-koch** stm.
oberkoch. **-kunst** stf. kunst
eines *meisters* (dichters). **-lich**
adj. meisterhaft, kunstgemäss,
künstlich. **-liche** adv. wie ein
meister, mit gelehrsamkeit und
kunst, meisterhaft. **-lôs** adj.
ohne *meister*; unerzogen, zuchtlos. **-man** stm. meister; zunft-
meister. **-phaffe** swm. gelehrter *phaffe.* **-rëht** stn. das recht
meister zu sein und die abgabe
dafür. **-sanc** stmn. gesang
meisterwürdig ausgezeichneter
oder gelehrter und gelernter
dichter. **-schaft** stf. unterricht,
zucht; höchste gelehrsamkeit
oder kunst, kunstfertigkeit;
grosse kraft, überlegenheit,
oberste leitung, herrschaft, gewalt; vorstandschaft einer stadt,
eines klosters usw. und persönl.
der vorstand, vorgesetzte, herr;
dienstherrschaft. **-scheften** swv.
etw. durch macht oder kunst

bewirken. **-scheftic** adj. die
meisterschaft, herrschaft führend. **-senger-, -singer** stm. der
meistersanc dichtet. **-site** stm.
kunstfertige weise. **-spruch**
stm. ausspruch eines meisters.
-stuol stm. stuhl des *meisters,*
lehrers. **-tuom** stmn. die stellung, das amt eines *meisters.*
-zuc stm. meisterzug (im
schachsp.).
meisteric adv. meist, meistenteils.
meisterinne, -in stf. lehrerin, erzieherin; gelehrtes weib;
künstlerin; aufseherin, vorsteherin, bes. vorsteherin eines
klosters, priorin; übertreffende,
vorzüglichste; herrin, herr-
scherin.
meisterlin stn. dem. zu *meister.*
meistern swv. lehren, erziehen; erziehend strafen; anordnen, leiten, regieren, beherrschen; kunstreich schaffen,
einrichten.
meisterunge stf. belehrung,
warnung; meisterschaft, herrschaft.
meit s. *maget.*
meit-kint stn. mädchen.
meit-tuom s. *magettuom.*
meiz stm. einschnitt, verzierung. holzschlag, holzabtrieb.
meizel stm. der meisselt;
meissel; instrument des wundarztes zum sondieren der wunde, obsc. penis; abgerupftes,
charpie (vgl. *weizel*).
meizeln swv. mit dem *meizel*
bearbeiten (die wunde, den
verwundeten *meizeln*).
meizel-wunde swf. wunde,
die mit dem *meizel* bearbeitet,
in die charpie gelegt werden
muss.
meizen redv. 4 hauen, schneiden, ab-, einschneiden.
meizoge s. *magezoge.*
meizogen swv. erziehen,
mässigen.
mël stn. (gen. *melwes, mels*)
mehl; staub, erde, kehricht;
gelöschter kalk.
mëlblin stn. dem. *farinula.*
melch s. *mannelich.*
mëlch adj. milch gebend.
mëlchen, mëlken stv. III, 2
tr. melken. — intr. milch geben.
mëldære, -er stm. verräter,
angeber.
mëlde stf. die melde (pflanze).
mëlde stf. verrat, angeberei,
verleumdung (*âne, sunder melde*
unverraten, unbemerkt, ohne
lüge, fürwahr, gewisslich); gerücht, allgemeines gerede; anzeige, meldung, nachricht; das
anmelden (bes. das anmelden
durch die *krîe*), hervortreten,
kundgebung, aufzug, pomp;
laut des jagdhundes, was man

durch *melde* erfahren hat,
kenntnis, gedächtnis; personif.
vrou Melde die alles anmel-
dende, verratende, die fama.
mëldec adj. angeberisch; berühmt.
mëlden swv. tr. u. refl. angeben, verraten; zeigen, ankündigen, verkündigen, nennen.
mëlde-riche adj. verräterisch.
mëlderin stf. verräterin.
mëldunge stf. verrat, anzeige
s. v. a. *offenunge,* weistum.
mële swf. = *milwe.*
mële, mëlen s. *menel, mahelen.*
mëlken s. *mëlchen.*
melle s. *medele.*
mëlm stm. staub, sand; bildl.
viures m. funken.
mëlmic adj. staubig.
mëlodie stf. melodia.
mëlwære, -er stm. mehl-
händler.
melzen s. *malzen.*
mëlzer stm. mälzer.
mëlz-hûs stn. brauhaus.
mël-zuober stm. *hydria farina.*
mëmbrane stswf. stück pergament (mlat. *membrana*).
memmendec-heit s. *mamm-.*
men s. *man.*
men-buobe swm. = *menknëht.* **-gart** stm. = *gart.*
-isen stn. stimulus. **-(man-)
knëht** stn. das zugvieh leitender knecht. **-tac, -tage** stswm.
viertel einer *huobe* (eigentl. so
viel an einem tage mit dem
gementen zugvieh kann geackert
werden). **-tager** stm. besitzer
eines *mentages.* **-wëc** stm. weg
auf dem das zugvieh getrieben
wird.
mende stf. freude.
mênde stf. = *almeinde.*
mendec adj. freudig.
mendel-bërc stm. mons gau-
dii. **-trahen** stm. freudenträne.
mendel-tac stm. der grüne
donnerstag (vgl. *mandâte*).
menden, mennen swv. intr.
u. refl. (ohne od. mit gen.)
sich freuen.
mendunge s. *mandunge.*
mene, meni stf., **menine**
stswf. fuhre, fuhrwerk, gespann;
frondienst mit fuhrwerk.
menede stf. fuhrwerk.
menel stm. stachel; kontr.
mêle, môle stswm.
meinen, mennen swv. (nbff.
meinen, menigen, meinigen) vorwärts treiben u. führen (bes. das
zug- od. reittier mit dem *gart*);
auf dem wagen führen, fron-
fuhre leisten; *gemenet sin* ein
fuhrwerk, gespann besitzen. —
intr. *an m.* vorwärts eilen.
mener stm. viehtreiber.
mênet s. *mânôt.*
mengære s. *mangære.*
mengeln, mengern swv. iter. zu

mengen swv. (md. auch *min-gen*) tr. u. refl. mischen, mengen, einmischen, vereinigen (s. *mane* präp.).

menger stm. friedensstörer, zwischenträger.

mengerie stf. friedensstörung, zwischenträgerei.

mengern s. *mengeln*.

meni s. *mene*.

menic s. *manec*.

menige, manige, menje, meine stf. vielheit, grosse zahl, menge, schar.

menigen swv. *multiplicare*.

menigen s. *menen*.

menine s. *mene*.

menkeler stm. = *mangære*.

men-lich s. *man-, mannelich*.

menne-gelich s. *mannegelich*.

mennelin, mennel stn. männchen, zwerg.

mennen s. *menden, menen*.

mennin adj. männlich, nach mannes art.

menninne, -in stf. weib, mannweib.

mennisch adj. menschlich; mannhaft.

mênôt s. *mânôt*.

mensche, mensch swstmn. mensch; mädchen, buhlerin; dienender mensch, magd od. knecht; koll. das menschliche geschlecht.

menschelin, menschel stn. dem. zu *mensche*.

menschen swv. zum menschen machen.

menschen-got stm. gegensatz zu *gotmensche*. **-kint** stm. mensch. **-künne** stn. menschengeschlecht. **-schin** stm. menschengestalt. **-stam, -stan** stm. menschengeschlecht.

mensch-heit, menscheit stf. natur u. leben eines menschen; koll. die menschen; mannbarkeit; persönl. der mensch; menschlichkeit, humanitas.

menschieren swv. essen (s. *manger*).

menschiuwer stn. = *manger*.

mensch-lich adj. menschlich, nach, von menschenart. **-liche** adv. in menschenweise, als mensch. **-licheit** stf. menschheit.

menschunge stf. menschwerdung.

mensûr stf. mass; intervall in der musik (lat. *mensura*).

mentel- s. *mantel-*.

mêr s. *mir, wir*.

mer stn. das meer (*über mer* über das meer, über dem meere, bes. das gelobte land).

mêr, mê 1. adj. kompar. zu *vil*, mit neuer steigerung *mêrer, mêrre*, adv., sup. *mêreste, mêrste*: grösser, bedeutender (nach raum, zahl u. wert). — 2. *mêre, mêr, mê* indekl. neutr.

mehr mit od. ohne gen. — 3. *mêre, mêr, mê* adv. mehr, in höherem grade; ausserdem, noch dazu; länger, ferner, fernerhin, fortan; sonst, sonst schon, früher schon. — 4. *mêr, mê* konjunkt. sondern, aber, ausser.

mêrære, -er stm. vermehrer, vergrösserer.

mêrâte stf. flüssige speise aus brot u. wein, abendmahl (s. *mêrôt*).

mer-binz stm. meerbinse. **-feine** f. meerfee. **-garte** swm. die meerumschlossene erdscheibe, das von menschen bewohnte land, erdkreis. **-got** stm., **-göttinne** stf. meergott, meergöttin. **-griez, -grieze** stswm. n. korn des meersandes; perle (mit dieser bed. eine umdeutsch. des lat. *margarita*, s. *margarit*). **-katze** swf. meerkatze. **-kint** stm. meerkind, meerweib. **-küniginne** stf. sirene. **-lute** pl. meerleute, schiffer. **-meit** stf., **-minne** stswf. meerweib. **-ohse** swm. = *merrint*. **-phosse** swf. phoca. **-retich** stm. meerrettich, sumpfrettich. **-rint** stm. meerrind, überseeisches, morgenländisches rind, zugtier (auch elefant); meerkalb, seehund. **-rouber** stm. pirat. **-ruoder** stn. schiffsruder. **-stade** swm., **-stede** stf. meeresufer. **-stat** stf. seestadt. **-sterne, -stern, -sterre** m. der auf dem meere leitende stern, polar-, nordstern (der name Maria wird als *merstërne* gedeutet). **-strâze** f. seeweg. **-swâz** stm. meerschaum. **-swin** stn. delphin. **-tier** stn. meer-, seetier. **-ünde** f. meereswoge. **-var** adj. meerfarb. **-vart** stf. eine *vart über mer*, pilgerfahrt ins gelobte land, kreuzzug. **-visch** stm., **-vlozze** swf. meerfisch. **-watære** stm. der das meer durchwatet. **-wîp** stn. meerweib. **-wunder** stn. wunderbares meertier, meermann oder meerweib von halb tierischer gestalt.

merder s. *marder*.

merderin, mederin adj. von einem *marder*, aus marderfell.

merdorn stm. = *merbinz*; myrte (umd. des lat. *myrtus*).

mêrec adj. = *mêr*.

mêren swv. tr. vergrössern, vermehren, erhöhen. — refl. u. intr. grösser werden od. sein, sich vermehren.

mergel stm. mergel (mlat. *margila*).

mergeln swv. düngen.

merhe swf. stute, mähre; hure.

merhen-sun stm. hurensohn.

merisch adj. maritimus.

merk s. *market*.

merkære, -er stm. aufpasser; beurteiler von gedichten, tadler.

merkære, -er stm. bewohner der *marke*, berechtigter an einer *marke* (wald).

merke stf. abmessendes zielen, beachtung, wahrnehmung, augenblick, absicht. — adj. verständig, achtsam.

merken swv. (md. auch *mirken*) intr. achtgeben, wohl beachten, beobachten. — tr. beachten, beobachten, wahrnehmen, bemerken; unterscheidend, beurteilend, auslegend, verstehn, erkennen; gedichte beurteilen; mit dat. incomm. etwas für ungehörig beurteilen, einem einen tadel woraus machen; etw. wohlverstanden festhalten, sich einprägen, merken; mit einem zeichen versehen, erkenntlich machen.

nerker-dîne stn. = *marc-d*.

merke-rîche swm. = *merkære* 1.

merke-sam adj. aufmerksam

merket s. *market*.

merk-lich adj. pass. wohl zu beachten; bemerkbar; erkenntlich, deutlich; bedeutend, wichtig, gross. — akt. tadelsüchtig.

merk-liche adv. bemerkbar; bedeutend; ausführlich.

merkunge stf. aufmerksamkeit; betrachtung, erwägung, prüfung.

mêrl, mêrle f. amsel (lat. *merula*).

mêr-lich adj. = *mêr*.

mêrlin stn., md. *merlîn*, dem. zu *merl*.

mermel s. *marmel*.

mêrn swv. brot in wein od. wasser tauchen u. einweichen, so essen (bes. vom abendmahle Christi); umrühren, mischen.

mernære s. *marnære*.

mêrôt, mêrt, -des stm. = *mêrâte*.

mêrre, mêrre s. *mêr*.

merren, marren, merwen swv. tr. u. refl. halten, behindern; befestigen *zuo, in; sich m. zuo* verbinden, vereinigen; verschwägern; — intr. sich aufhalten, zögern.

merrunge, marrunge stf. zögerung, aufenthalt.

mêr-schaz stm. wucher.

mêrt s. *mêrot*.

mertel, merter s. *marter*.

merunge stf. kloake.

mêrunge stf. = *mêrâte*.

mêrunge stf. vergrösserung, vermehrung, werterhöhung; grammat. der plural.

merwen s. *merren*.

merwen swv. *mar* machen.

mërz, mërʒe stswm. ware; kostbarkeit, schatz, kleinod (lat. *merx*).

merʒe s. *merʒî*.

merʒe, merz swm. märz (lat. *martius*).

merze-bier stn., -covent stn. märzbier. -brunne swm. brunnen, der erst im märz fliesst.

mërzeler stm. kleinhändler, krämer, höker.

mërzeln, mërzen swv. handeln, schachern.

mërze-man stm. = *mërzeler.*

mërzerie stf. ware.

merʒi, merʒe = fz. merci dank, gnade.

merʒíen swv. danken.

merzic, merzisch adj. zum märz gehörig, märzisch.

meschen swv. *maschen* machen.

meserin adj. aus maserholz.

mëssachel, missachel stm. messgewand.

messe stf. metallklumpen; eine eisenmasse von bestimmtem gewichte (lat. *massa*). vgl. *masse.*

messe, mess stn. messing.

mësse, misse stf. messe; kirchl. festtag; jahrmarkt (lat. *missa*).

mësse-buoch stn. missale. -gewant, -gewæte stn., -kappe swf. messgewand. -tac stm. kirchl. festtag, kirchweihe. -zit stf. zeit, wo messe gelesen wird.

mëssel s. *missehël.*

messen, mëssen s. *messîn, mischen.*

messenære, mesnære -er stm. mesner, küster (mlat. *mansionarius*).

messenie s. *massenîe.*

messîn, messen adj. von messing.

messine, -ges stm. messing; nbf. *missinc, möschinc.*

mëste swf. md. ein hohlmass; salzgefäss.

mesten swv. tr. u. refl. wohl füttern, mästen.

mëster s. *meister.*

mëstern swv. den inhalt messen.

meste-, mest-, mast-swin stn. mastschwein.

mestunge, mastunge stf. mästung.

mët s. *mit.*

metalle, metele stn. metall (lat. *metallum*).

mët-briuwe swm., -briuwer stm. metsieder. -gëbe, -schenke swm. metwirt.

mëte, mët stm. met.

metere s. *matere.*

meten, metten, mettine mettîn metti stswf. frühmesse, mette

metten-amt stn. frühmesse.

-stërne m. morgenstern. -zit stf. mettenzeit.

mët-wahsen part. adj. mittelgross.

Metze npr. f. koseform für Mechtild. — als appellat. s. v. a. mädchen niedern standes, oft mit dem nebenbegriffe der leichtfertigkeit; hure.

metze, metz stn. messer.

metze swm. kleineres trocken- u. flüssigkeitsmass, metze.

metzeler stm. metzger (mlat. *macellarius*).

metzeln swv. schlachten.

metzjære, -er, metziger stm. metzger.

metzje, metzige stf. fleischbank.

metzjen, metzigen swv. schlachten.

mëʒ, -ʒʒes stn. das mass, womit etw. anderes gemessen wird, bes. flüssigkeits- od. getreidemass; ausdehnung, richtung, wendung, ziel.

mëʒ-gerte, -ruote swf. messrute. -meister stm. = *angieʒer.*

mëʒʒære, -er stm. der messer.

mëʒʒen stv. V messen, ab-, ausmessen, zielen; mit den schritten messen, gehn; messen bei zauberischem heilverfahren; zumessen, zuteilen, geben mit dat.; mitteilen, erzählen: abmessend gestalten, bilden, dichten; bestimmen, verkündigen; vergleichen mit, gleichstellen mit dat.; vergleichend betrachten; erwägen, überdenken, prüfen; messend, prüfend richten.

meʒʒen swv. mässigen.

meʒʒer stn. das messer (bildl. *daʒ m. bî dem hefte hân* die oberhand haben, herrschen; *daʒ lenger m. an henken, tragen* der herr in der ehe sein; *einem daʒ m. bieten* vorlügen). -blëch stn. messerklinge. -stich stm. stich mit dem messer. -zoge stf. das messerzücken.

meʒʒerære stm. messerschmied.

meʒʒerlin stn. dem. zu *meʒʒer.*

michel, michelic adj. gross; gegens. zu *junc*; viel, mit gen.

michel adv. sehr; beim kompar.: viel.

michel stf. die grösse.

michelen swv. *michel* machen.

michel-haftigen, micheligen swv. magnificare.

michel-lich adj. = *michel.* -lichen swv. = *michelhaftigen.*

michels adv. (vor kompar.) um vieles.

mid stm. vermeidung, verschmähung.

midære stm. der (die sünde) meidet.

midec adj. meidend.

miden stv. I, 1 tr. einem fern bleiben, etw. vermeiden, lassen, verlassen, unterlassen, entbehren; verschonen mit (gen.). — refl. sich enthalten, schämen (ohne od. mit gen.).

mier s. *mir.*

mies stnm. moos.

mies-bart stm. der einen grauen bart hat.

miesen swv. intr. moosig sein oder werden, vermoosen.

miesic adj. moosig.

mies-var adj. moosfarbig.

mietære stm. mietling.

miete, miet stswf. lohn, belohnung, vergeltung, begabung; beschenkung, bestechung. -knëht stm. mercennarius. -liute pl. zu -man stm. taglöhner. -nëmer stm. der lohn od. geschenke nimmt. -schihter stm. der in einem bergwerke um lohn arbeitet. -stat stf. platz, wo die taglöhner gedungen werden. -var adj. bestechlich. -wân stm. erwartung einer *miete*; versprechung einer solchen mit der absicht zu bestechen.

mietelinc, -ges stm. mietling.

mieten swv. *miete* geben, lohnen, belohnen, begaben; beschenken; in lohn nehmen, dingen; für einen zins in besitz nehmen, mieten; erkaufen, bestechen.

mietinc, -ges stm. = *mietelinc.*

milch, milich stf. milch.

milcherin stf. milchweib.

milch-roum stm. milchrahm. -schœne adj. schön wie milch, weiss. -smalz stm. butter, rindsschmalz. -var adj. milchfarbig, weiss. -vriedel stm. unbärtiger geliebter. -wempel stn. euter. -wiʒ adj. weiss wie milch. -zen-de stm. pl. milchzähne.

mile, mil stf. meile (*diutschiu* od. *grôʒiu mîle* die deutsche meile, gegens. *velschiu m.*); s. v. a. *banmîle* (lat. *milia*, näml. *passuum*).

mile stf. eine art brettspiel (afz. *mine*).

milen swv. die *mîle* spielen.

miler s. *meiler.*

milewe s. *milwe.*

milewe swm. unkraut.

milte, milde adj. freundlich, liebreich, gütig, geduldig, barmherzig; wohlgestittet; wohltätig, freigebig (mit gs.); reichlich, ausgiebig. — stf. freundlichkeit, güte, gnade, barmherzigkeit; liebe, zärtlichkeit. sittsamkeit; wohltätigkeit, freigebigkeit.

miltec-heit, miltekeit stf. = *milte*; fülle, reichtum. -lich adj. = *milte.* -liche adv. auf freundliche, liebevolle, sanftmütige, gnädige weise; freigebig, auf reichliche weise.

milten, milden swv. intr. u.
refl. *milte* sein od. werden, sich
mildern, besänftigen; sich erniedrigen, demütigen. — tr.
milte machen, besänftigen.
milte-riche adj. mildreich,
freigebig. **-var** adj. nach freigebigkeit aussehend.
milt-haft, -lich adj. freigebig.
-name swm. liebkosender beiname.
mil-tou stn. meltau.
milwe, milewe, milve swf.
milbe.
milwen swv. zu mehl oder
staub machen.
milze, milz stn. milz (*zuo dem
milz lân* die milzader öffnen).
milz-sühtic adj. milzkrank,
hypochondrisch.
min adj. defect. kompar.
weniger, minder (*diu min, dest
min* desto weniger mit gen.).
min gen. sing. des pron. der
1. person (in denkm. von nd.
färbung zuweilen *mines*; eine
andere bes. md. erweiterung ist
miner, woraus nhd. *meiner*).
min pron. poss. mein, entweder unflekt. dem subst. vor-
oder nachgesetzt, oder flekt.
stark und schwach.
minder s. *minner.*
minen swv. etw. sich als
eigentum zueignen, innehaben.
minent-halben, -halp adv.
von meiner seite, von meinetwegen.
mingen s. *mengen.*
min-halben, -halp adv. =
minenthalben.
miniere stn. mineral (mlat.
minera, minerale).
minig stm. mennig (nbf. *minwe*), lat. *minium.*
minnære, -er stm. liebender,
liebhaber (in weltl. u. geistlichem sinne); unkeuscher
mensch, buhler, hurer.
minnærinne, minnerinne stf.
liebende, liebhaberin.
minne stswf. freundliches gedenken, erinnerung (*sant Jo-
hans, sant Gêrtrûde minne*, oder
bloss *die minne trinken, schenken*: den abschiedstrunk trinken, einschenken); das zur erinnerung geschenkte, geschenk
überh.; religiöse liebe (*in der
minne* geistliche bittformel: um
gotteswillen, od. bloss einfache
bekräftigung einer bitte; el-
ternliebe; freundschaft, liebe,
zuneigung, wohlwollen (iron.
grosse feindschaft); das angenehme, wohlgefällige; gefälliges,
liebliches aussehen; gütliches
übereinkommen, gütliche beilegung; die geschlechtliche,
sinnliche liebe (oft geradezu für
beischlaf), weidm. die brunft;
gegenstand der liebe: geliebte
(in der anrede); in der kinder-
sprache: mutter; s. v. a. *mer-
minne.*
minne-bant stn. liebesfessel.
-bære adj. lieblich; liebevoll,
liebreich; liebenswert; mannbar. **-bat** stn. von der salbung
durch Maria Magdalena gesagt.
-bërnde part. adj. liebe als
frucht tragend. **-blic** stm. lie-
besblick. **-bluot** stf. liebesblüte.
-bluot stn. liebesblut. **-brief**
stm. liebesbrief. **-brunst** stf.
liebesfeuer. **-büschel** stn. weibl.
schamhaar. **-buoch** stn. d. bibl.
hohelied. **-diep** stm. liebesdieb,
verstohlner liebhaber. **-gelæze**
stn. liebesgebaren. **-(minnen-)
gëlt** stn.vergeltung der liebe oder
durch liebe. **-gër** stf. verlangen
nach liebe. **-geræte** stn. liebes-
anschläge. **-gërnde** part. adj.
liebe begehrend. **-geselle** swm.
geliebter. **-gir** stf. = *minnegër.*
-glast stm. liebesglanz. **-gluot**
stf. liebesglut. **-gotinne** stf.
Venus. **-grüeze** adj. mit liebe
grüssend. **-haft** adj. liebend.
-heiz adj. liebeentzündet. **-hitze**
stf. liebesglut. **-huon** stn. =
briutelhuon. **-kempfer** stm. lie-
besritter. **-kraft** stm. liebeskraft, heftigkeit **-lich** adj. liebreich. **-liet** stn. liebeslied. **-lôn**
stmn. liebeslohn. **-louge** swf.
vom tränenstrom der Maria
Magdalena gesagt. **-rât** stm.
liebesrat, -lehre. **-riche** adj.
liebreich. **-rigel** stn. liebes-
bund. **-sælec** adj. durch liebe
beglückt. **-sam** adj. passe.
liebenswert, lieblich; akt. liebend, freundlich, liebevoll; adv.
-samlîche(n). -sanc stmn. lie-
besgesang (von der sinnl. u.
geistl. minne). **-schimpf** stm.
liebesscherz, -spiel. **-schütze**
swm. Cupido. **-schuz** stm.
plötzlich treffende liebe (prädik.
der jungfr. Maria). **-sê** stm.
liebesmeer. **-senger, -singer**
stm. liebessänger. **-siech** adj.
liebeskrank. **-spil** stn. liebes-
spiel. **-spruch** stm. schieds-
urteil, gütl. vergleich. **-sterken**
stn. liebeskraft. **-strâle** stf. liebespfeil. **-stric** stm. = *minne-
bant.* **-süeze** adj. liebessüss.
-swære stf. liebeslast. **-tac** stm.
versöhnungstag; Johannistag.
-tockel stn. püppchen, liebchen. **-tôt** adj. vor liebe tot.
-trahen stm. liebesträne. **-tranc**
stm. liebestrank **-trit** stn.
liebestritt. **-trût** stn. geliebte.
-tuc stm. liebesstreich. **-var**
adj. nach liebe od. lieblich aussehend. **-veige** adj. durch liebe
dem tode verfallen. **-vingerlin**
stn. ring als liebeszeichen gegeben u. getragen. **-viur** stn.
liebesfeuer. **-wëre** stn. liebes-
werk. **-wise** adj. in der liebe
erfahren. **-wise** stf. liebeslied.
-wunde swf. liebeswunde. **-wunt**
adj. von liebe wund. **-zeichen**
stn. liebeszeichen (die wundmale Christi). **-zic** stm. liebes-
druck, -zeichen. **-zunder** stm.
liebeszunder, was die liebe entflammt.
minnec-, minnic-lich adj. zur
minne gehörend, lieblich, liebenswert, schön, zierlich; gütlich.
-liche adv. auf liebliche, liebevolle,freundliche,gütliche weise.
-liche stf. liebreiz.
minnen swv. tr. beschenken
(*die boten*); erkenntlich sein für;
gütlich vergleichen. — abs. u.
tr. lieben (von der religiösen,
freundschaftl. und geschlechtl.
liebe, oft geradezu für beschlafen).
minnen-ast stm. liebestrieb.
-bleich adj. vor liebe blass.
-brât stf. geliebte. **-drue** stm.
zwang der minne. **-gëlt** s.
minnegëlt. **-jeger** stm. liebes-
jäger, liebender. **-klame** stf.
liebesfessel. **-muot** stm. liebes-
sinn. **-slac** stm. liebeswunde.
-solt stm. liebeslohn. **-stërne**
m. der planet Venus. **-trôr** stm.
minnetau. **-wort** stn. wort der
liebe.
minnende part. adj. liebend
(*minnendiu nôt* liebesnot).
minner, minre, minder komp.
zu *min* 1. adj. kleiner an grösse,
geringer an zahl, geringer an
wert, stand, macht (*der minner
bruoder* minorit). — 2. subst.
neutr. weniger (mit gen.). —
3. adv. weniger (*diu, deste minre*
desto weniger).
minnerlin stn. dem. zu *minnære.*
minnern, minren swv. tr.
kleiner, geringer machen, vermindern, verringern, schmälern. — refl. u. intr. kleiner
werden, sich vermindern, verringern, abnehmen.
minnernisse stfn. verminde-
rung, schmälerung.
minnerunge stf. dasselbe.
minnest, minst sup. zu *min*
1. adj. kleinst; geringst. —
2. adv. mindest, wenigst.
minr s. *minner.*
minsche s. *mensche.*
minwe s. *minig.*
minze, minz swstf. minze
(mlat. *menta*), dem. *minzelin*
stn.
miol stm. pokal, hohes trinkglas ohne fuss (it. *miolo*, lat.
mediolus).
mir s. *wir.*
mir dat. des pron. der 1. person (zuweilen *mier*, md. auch
mer).
mirâkel, -wunder, -zeichen

stn. wunderzeichen, wunder (lat. *miraculum*).

mirken s. *merken*.

mirre swmf. myrrhe (bildl. von der jungfrau Maria).

mirrel stn. die frucht des myrrhenbaumes.

mirre-nac stm. myrrhengeruch.

mirren-boum stm. myrrhenbaum. **-vaʒ** stn. myrrhengefäss (Maria). **-zaher** stm. harz des myrrhenbaumes.

mirtel-boum stm. myrtenbaum.

mis, *-sses* adj. mangel habend, entbehrend mit gen.

mis stf., **mis-** s. *misse, misse-*.

misch stm., **mische** stf. mischung.

mischeline stm. mischkorn.

mischeln swv. s. v. a.

mischen swv. (nbf. *müschen, muschen*, md. auch *missen, mëssen*) tr. u. refl. mischen, mengen.

misekar s. *misencar*.

misel stmn. aussatz (mlat. *misellus*).

miselich adj. aussätzig.

misel-pin stf. aussatz. **-siech** adj. aussätzig. **-suht** stf. aussatz. **-sühtic, -var** adj. aussätzig.

misencar, misekar stn. das lange messer, das neben dem schwerte getragen ward (mlat. *misericors*).

mis-lich s. *misselich*.

mispel f. mispel (gr. μεσπίλη).

misper s. *mistber*.

missachel s. *mëssachel*.

mis-sam adj. übel, schlecht, hart.

misse s. *mësse*.

misse, mis stf. das fehlen, mangeln.

misse-, mis- in zusammenss. wechsel, irrtum, verkehrung ins böse, verneinung bezeichnend.

misse-ahten swv. missachten. **-bære, -bär** stf. übles befinden u. gebärden, leidwesen. klage. **-bären** swv. sich ungebärdig benehmen, betragen; simulare, dissimulare. **-bërn** stv. mit schmerzen gebären. **-bieten** stv. mit dp. einen auf unglimpfliche weise behandeln, ihm ungebührliches zufügen, ihn angreifen. **-brüch** stm. handlung gegen den guten brauch, missbrauch. **-bû** stm. missbau (schlechte bestellung des feldes, weinberges). **-dâht** stf. verdacht. **-danc** stm. falscher, schlechter gedanke. **-denken** swv. falsch denken, sich irren. **-dienen** swv. einen schlechten dienst leisten, beleidigen mit dat. **-dihen** stv. missraten, schlecht werden. (**-gän, -gên** stv. intr. u. unpers. mit dat. übel, fehlgehn, -schlagen. **-gëben** stv. eine sache schlecht machen, das ziel verfehlen. **-gëlten** stv. übel entgelten. **-(ge)-lücken** swv. unpers. unglück haben. **-gemuot** adj. bösegesinnt. **-gengic** adj. fehlerhaft, sündhaft. **-genieʒen** stv. schaden haben von. **-geschiht** stf. unglücklich auslaufende begebenheit, missgeschick. **-gihtic** adj. verleugnend mit gen. **-gloube** swm. misstrauen, argwohn. **-glouben** swv. mit dat. glauben weigern. — tr. nicht glauben (s. *misselouben*). **-grifen** stv. fehlgreifen. **-habe** stf. = *missebære*. **-haben** swv. refl. sich übel befinden; trauern, sich grämen. **-hage** stf. missfälliges benehmen. **-hagen** swv. nicht wohl gefallen, unerfreulich sein. missbehagen mit dat. **-halten** stv. auf fehlerhafte weise halten. — swv. missachten, misshandeln. **-handel** stm. missetat. **-handeln** swv. tr. übel behandeln. — refl. sich im handeln verfehlen, sich vergehn. **-hære** adj. verschiedenhaarig, schillernd. **-hegede** stf. = *missehage*. **-heil** stn. unheil. **-hël** adj. nicht übereinstimmend, misshellig, uneins. **-hël, -lles** stm. misshelligkeit, streit (md. *missël, mëssël* stn.). **-hëlle** stf. dasselbe. **-hëllec** adj. = *missehël*. **-hëllen** stv. verschieden tönen, misslauten; nicht übereinstimmen, misshellig sein (mit gen. od. *umbe*); verschieden sein, sich unterscheiden von. **-hëller** stm. der nicht übereinstimmt, streiter. **-hëllunge** stf. misshelligkeit, zwist. **-hoffen** swv. falsch hoffen; verzweifeln. **-hüeten** swv. abs. schlecht acht haben; die herden hüten, wo es nicht erlaubt ist. — tr. u. refl. schlecht hüten, behüten *an*. **-hügen** swv. sich in voraussetzungen irren. **-huote** stf. unachtsamkeit, unvorsichtigkeit. **-jëhen** stv. fälschlich oder mit unrecht sagen, leugnen, mit gen. **-kennen** swv. nicht verstehn, nicht wissen. **-kêren** swv. tr. falsch wenden, umwenden, verkehren. — intr. eine falsche richtung einschlagen. **-komen** stv. mit dat. schlecht, übel bekommen; nicht zukommen od. ziemen. **-läʒen** stv. durch einen fehler vorbeilassen, 'übersehen. **-(mis-)lich** adj. verschieden, verschiedenartig, mannigfach; ungewiss, zweifelhaft; unbestimmte furcht erregend. **-(mis-)liche** adv. mannigfach wechselnd, verschiedenartig; ungewiss, vielleicht; übel angemessen, übel.

-lichen swv. missfallen, mit dat. **-linge** stf. schlechter erfolg, unglück. **-lingen** stv. übel gelingen, missglücken, fehlschlagen (ohne od. mit dat). **-louben** swv. nicht glauben, mit gen. **-loufen** redv. fehllaufen. **-machen** swv. übel, schlecht machen; herabsetzen, entehren; erzürnen, erbittern. **-mâl** stn. mangel, makel. **-mâlen** swv. bunt bemalen. **-mælic** adj. ein übles zeichen an sich tragend. **-mannen, -wîben** swv. einen *ungenôz*, eine *ungenôzinne* heiraten. **-meil** stn. zum schaden gereichender fleck, schade. **-meilic** adj. durch flecken verdorben, nicht mehr geltend. **-müete** adj. verschieden gesinnt, uneinig; übelgesinnt. **-muot** stm. üble gesinnung. **-nennen** swv. falsch nennen. **-nieʒen** stv. nachteil, wenig vorteil haben von (gen.); missbrauchen. **-pris** stm. unehre, schande, tadel. **-prisen** swv. schmähen, tadeln; geringschätzen. **-rât** stm. falscher, böser rat. **-râten** stv. einen falschen, bösen rat erteilen (abs., mit dp. as.). — intr. an eine falsche stelle geraten, fehlgehn; schlecht, übel ausfallen, missraten. **-rëcherin** stf. falschrechnerin. **-rede** stf. falsche, üble rede. **-reden** swv. übel reden *an*. **-riten** stv. fehlreiten. **-sagen** swv. etw. unwahres sagen, falsch berichten. **-schëhen** stv. unpers. mit dat. übel ergehn. **-scheide** stf. unterschied. **-schiht** stf. = *missegeschiht*. **-schriben** stv. falsch, fehlerhaft schreiben. **-schuldic** adj. unschuldig. **-schult** stf. böse verschuldung, sünde; unschuld. **-sëhen** stv. nicht recht, falsch sehen. **-singen** stv. falsch singen. **-smecken** swv. zuwiderschmecken, mit dat. **-sprëchen** stv. unrecht od. übel sprechen (abs. od. mit *an, von*); mit dat. von einem übel sprechen; sich versprechen. **-stân** stv. übel anstehn, nicht gut stehn, nicht ziemen (ohne od. mit dat.). **-stellen** stv. tr. u. refl. entstellen; sich übel gebärden. **-tât** stf. üble tat, vergehn, fehltritt, missetat. **-tæter** stm. übeltäter. **-tætic** adj. übel handelnd; eines vergehns od. verbrechens schuldig. **-tragen** stv. an einen unrechten ort tragen, fehlerhaft tragen, leiten, führen. **-trëten** stv. fehltreten (eig. u. bildl.); mit dp. fehlschlagen, misslingen. **-trit** stm. fehltritt, vergehn. **-triuwe** stv. misstrauen, argwohn; jrriges vermuten, grundlose zuversicht. **-triuwer, -trûwic** adj. misstrauisch, arg-

wöhnisch. -trôst stm. schlechter *trôst*; untröstlichkeit, verzweiflung. -trœsten swv. tr. entmutigen.—refl. untröstlich sein,
verzweifeln. -trûwen, -triuwen
swv. misstrauen mit dp. -tuon
anv. unrecht, übel handeln
(*an, gegen, zuo einem*); verunstalten. -val stm. missfallen.
-vallen redv. missfallen, mit dat.
-var adj. von verschiedenen
farben, bunt; von übler farbe,
entfärbt, entstellt, fahl, bleich.
-varn stv. einen falschen weg
einschlagen, das ziel verfehlen,
sich irren, verirren; unrecht
verfahren, sich vergehn; unpers. mit dat. übel ergehn.
-vart stf. irrfahrt; fehltritt, vergehn. -varwe stf. gemischte
farbe, buntheit; üble farbe.
-vellic adj. missfällig. -verwen
swv. bunt färben; übel färben,
durch farben entstellen, beflecken. -vüegen swv. übel anstehn, nicht ziemen. -vüeren
swv. tr. in übeln zustand versetzen. — refl. einen schlechten
lebenswandel führen. -vündic
adj. schlecht oder nicht findbar.
-wahs stm. misswachs. -wanc
stm. *âne m.* unverbrüchlich.
-wænunge stf. missdeutung.
-warn swv. tr. u. refl. schlecht
in acht nehmen (*sich m. an* versündigen). -wende stf. unrechte wendung, das abweichen
vom bessern zum schlechtern;
tadel; makel, schande; untat,
schändl. handlung; unheil, unglück, schade. -wende, -wendec
adj. dem abweichen vom bessern ins schlechtere unterworfen, tadelhaft. -wendecheit stf.
tadel, makel. -wenden swv.
intr. vom rechten wege ablenken, umkehren. — tr. übel anwenden; mit dp. abwendig
machen, entfremden; zum tadel
auslegen, tadeln. -wenken swv.
einen falschen *wanc* tun, schaden leiden. -wérn swv. einem
nicht gewähren, abschlagen.
-wiben swv. s. unter *misse-
mannen.* -würken swv. fehlerhaft, schlecht arbeiten. -zæme
adj. unziemlich, missfällig. -zé-
men stv. missziemen, ungemäss
sein, übel anstehn (ohne od. mit
dat.). -ziehen stv. schlecht ziehen, eine schlechte wahl treffen.
-zieren swv. verunzieren.
missec-heit stf. md. verschiedenheit.
missël s. *misse-hël.*
missen s. *mischen.*
missen swv. mit gen. ver-
fehlen; entbehren, vermissen.
missinc s. *messinc.*
missive stswf. sendbrief, beglaubigungsschreiben (mlat.
missiva).

mist stmn. kot, dünger,
misthaufen, mistgrube; unrat,
schmutz.
mist-bëlle swmf. hofhund.
-ber, misper stf. vorrichtung
zum misttragen, mistbahre.
-haven stm. mistgefäss. -hûfe,
-houfe swm. misthaufe. -hul-
we, -hul stf. mist-, kotlache.
-kröuwel stm. mistgabel. -lache
s. *misthulwe.* -lege stf. mistgrube, -platz.
miste, misten swstf. misthaufen, -grube, -platz.
mistel stm. mistel.
misteler stm. misteldrossel.
mistelin adj. aus mistelholz.
misten swv. ausmisten; düngen.
mistic adj. kotig.
mistunge stf. düngung.
mit präp. (md. auch *mët*) mit
dat.: mit (ausdrückend das zusammensein, die engste nähe
von personen und sachen: mit,
samt, bei, neben; das gegenseitige verhältnis: mit, gegen;
begleitende, umstände, art und
weise; mit, unter, in; vermittelung, hilfsmittel, werkzeug:
durch, mit, mittels, trotz; anfangspunkt eines passiven zu-
standes: von). — mit instrum.
mit díu mittlerweile, während;
mit wiu womit.
mitach, mitche s. *mittewoche.*
mite, mit adv. mit, damit;
hinter räuml. adv. (*dâr, der, dâ,
hie, wâ, swâ*); bei verben (mit
dat.) z. b. *mite gân* einem zur
seite gehn, ihm folgen; *hëllen*
übereinstimmen; *jëhen* beistimmen.
mite-barmen stn. mitleid.
-burgære, -er stm. mitbürger.
-burge swm. mitbürge. -danc
stm. mitgedanke, gemeinsamer
gedanke. -doln stn. mitleiden.
-dôn stm. einklang. -erbe swm.,
-erbelinc stm. miterbe. -êwic
adj. gleich ewig. -gäbe stf.
mitgift. -ganc stm. das mit-
gehen. -gengel stm. mitgänger.
-geselle swm. gefährte. -gewëre
swm. = *mitegülte.* -gibt stf.
übereinstimmung. -gülte, -gul-
te swm. mitschuldner, mitbürge. -haber stm. mithalter,
teilhaber. -hafte swm. dasselbe.
-halter stm. dasselbe. -hëlen
stv. in gemeinschaft mit andern
hehlen. -hëlfer stm. mithelfer.
-hëller stm. jasager, zustimmer,
schmeichler. -hëllic adj. zu-
stimmend. -hëllunge stf. zu-,
übereinstimmung, concordia.
-kemphe swm. kampfgegner.
-kempfer kampfgenosse. -haben
stn. gemeinsames leben. -lidære
stm. mitleider. -lide stf. mitleid. -lidec adj. mitleidig. -li-
den stn. mitleid, mitleiden, ge-

meinschaftl. leiden; teilnahme
an öffentl. lasten. -lidunge stf.
dasselbe. -liute stm. pl. mitmenschen. -lôs adj. freundlich.
-niez stm. mitgenuss. -phliht
stf. sorgende teilnahme, anteil.
-reise swm. kriegskamerad.
-reste stf. mitruhe. -riter stm.
der mitreitet. -ritter stm. ritter-
genosse. -sacher stm. = *mite-
teil.* -sam adj. umgänglich,
gesellig, freundlich. -same stf.
umgänglichkeit, freundlichkeit.
-sæze, -sëzze swm. mitwohner,
nachbar. -schuldener stm. =
mitegülte. -sin stn. das mitsein,
gesellschaft *mit.* -slæfel stm.
beischläfer, buhler. -slüzzel
stm. nachschlüssel. -teil stm.
teilhaber, verbündeter. -teiler
stm. dasselbe; der etw. mitteilt.
-teilic adj. mitteilend. -trager
stm. mitträger, gehilfe, genosse.
-trûren stn. mitleid. -vart stf.
mit-, zusammenfahrt. -volge stf.
beistimmung. -volger stm. anhänger. -formec adj. von gleicher
forme. -wære adj. freundlich,
sanftmütig. -wære, -wâre stf.
freundlichkeit, sanftmut. -wëre
swm. = *mitegewëre.* -wësen stn.
das zusammensein mit jem.,
umgang, verkehr; zusatz zu
dem wesen. -wësenheit stf. gemeinschaft. -wist stf. das zusammensein, dabeisein, beiwohnung, teilnahme, gegenwart; zustand, lage. -wist stm.
mitwisser. -würken stn. zu-
sammenarbeiten. -würker stm.
helfer, mitarbeiter. -ziuc stm.
mitzeuge.
mit-sam, -sament, -samt,
-sant präp. verstärktes *mit*: zusammen mit.
mittach s. *mittewoche.*
mitte adj. in der mitte, mittler, bes. bei zeitbestimmungen
(*mitter tac* mittag; *mittiu naht*
mitternacht; *mitter sumer*, winter sommer-, wintersonnen-
wende; *mittiuvaste* mittfasten,
sonntag lätare; auch komp.
mitte-, mittentac; mitte-, mitter-
naht; mittesumer, -winter; mitte-,
mit-, mittenvaste).
mitte stf. mitte, gegens. zu *ort.*
mittel adj. s. *mitte.*
mittel stn. mitte; mittel, vermittelung; was trennend und
hindernd in der mitte steht
(*âne, sunder mittel* unmittelbar).
mittel stm. mitte.
mittelder stm. der in der mitte
ist; gewebe mittlerer art; mittler, vermittler.
mittelerinne stf. die mittelader; vermittlerin.
mittel-haft stf. mitte. -lich
adj. die mitte haltend; vermittelnd. -lôs adj. unmittelbar.
-man stm. schiedsmann, ver-

mittler. -mâz stn. mittleres mass. **-mâze** stf. lage in der mitte zwischen zwei dingen; das rechte masshalten; mittleres verhältnis der temperatur. **-mæzic** adj. von mittler grösse oder wert, mediocris. **-muot** stm. mittelstimmung. **-neher** stm. aequinoctialis; **-neigerin** stf. mediclinium. **-swanc** stm. nach der mitte zielender fechterhieb, -stoss (übertr. auf die dichtkunst). **-teil** stn. die mitte. **-wëgen** adv. mitten. **-wehsic** adj. von mittlerem wuchse oder alter.

mittelie stf. vermittelung.

mitteln adv. mitten.

mitteln swv. tr. in die mitte stellen, vermitteln. — intr. ein mittel sein, vermitteln.

mittelôde, mittelôt stfn. die mitte.

mittelunge stf. vermittelung; die mitte; mittlerer weg.

mitten, mittene adv. in die mitte, mitten (durch mitten mitten durch; ie mitten, mittunt, mittent mittlerweile, inzwischen).

mitte-naht s. unter mitte adj.

mittenen, mitten swv. refl. sich in die mitte setzen.

mitten-tac, -vaste s. unter mitte adj.

mitten-tager stm. meridianus.

mitter adj. in der mitte befindlich; mittler; sup. ze mitterest adv. in der mitte.

mitter stm. vermittler.

mitter stf. die mitte.

mitterin stf. vermittlerin.

mitter-lich adj. mittelmässig.

mitter-man stm., pl. **-liute** ministeriale mittlern ranges.

mitter-naht, -vaste s. unter mitte adj.

mitterunge stf. vermittelung.

mitte-sumer, -tac, -vaste, -winter s. unter mitte adj.

mitte-woche f. m. mittwoch. kontrah. formen: mitache, mittach, mittiche, mittich, mitteche mitche, mitke.

miucheler, mûcheler stm. meuchler.

miuchel-gadem stn. gemach zum verstecken (scherzw. für einen weiten ärmel).

miuchelingen adv. heimlich. **miuchel-ræche** adj. heimlich rächend, schadend.

miuchel-ræhe adj. steif, hinkend (vom pferde, s. mûche).

miullin stn. kleines maultier.

miullin stn. mäulchen.

miure, miuren s. mûre, mûren.

miurel stn. mäuerlein.

miuse- s. auch mûs-.

miuse-bale stm. mäusebalg.

miuse-drëc, -mist stm. mäusekot.

miuselin stn. mäuschen; s. v. a. mûsenier.

miusenier s. mûsenier.

miusîn adj. von der maus.

mixtûre stf. mischung, zusammensetzung (lat. mixtura).

möbel s. mubel.

mocke swm. klumpen, brokken; bildl. plumper, ungebildeter mensch.

mocke swf. sau, zuchtsau.

mocken swv. versteckt liegen.

model stn. m. mass, form, vorbild, modell (lat. modulus).

modelen swv. tr. eine form, ein model geben.

modelie stf. mass, form.

moder stm. in verwesung übergegang. körper, moder; sumpfland, moor.

mog-, mög- s. mug-, müg-.

mögen s. müejen.

mol, molle stswm. eidechse, molch.

molchen molken, mulchen mulken stn. milch und was aus der milch bereitet wird (käse, zieger, butter); käswasser.

môle s. menel.

molt-brët stn. streichbrett am pfluge.

molte stswf., **molte, molt** stm. staub, erde, erdboden.

moltic adj. staubig, zu staub geworden.

molt-schëre swm., **-wërf, -wërfe** stswm., **-wurm** stm. das die erde (molte) aufwerfende tier: maulwurf (entstellt mûlwerf, -wurf, mûrwerf, mûwerf, mûlwelf).

mômente stf. augenblick (fz. moment).

môn, mônôt s. mâne, mânôt.

monne swf. unke.

monizirus stm. das einhorn (auch monocerus, monosceros), gr. μονόκερως.

mônt,môntâc s.mânde,mântâc.

montâne, muntâne stf. berggegend (mlat. montana).

montât s. mundâte.

môr, môre stswm. mohr; teufel (aus mlat. Maurus).

môraz stnm. maulbeerwein (nbff. môrz, maraz, maras, môrat), aus lat. moratum.

mordajô s. mort.

mordære, -er stm. mörder; überh. verbrecher, missetäter. **mordærinne, morderinne** stf. mörderin.

mordec, mordic, mortic, mürdic adj. mordgierig, blutdürstig, mörderisch. **-heit** stf. mordgier.

morden, mörden s. mürden.

mordeie, mörderie, mürderie stf. mord, mordtat.

mordern swv. morden.

mordisch, mördisch adj. mörderisch, wild. **-heit** stf. mörderisches wesen, grausamkeit.

more s. morhe.

môre swf. sau, zuchtsau (eig. schwarze sau).

mœre, môre stm. pferd, namentl. last-, reisepferd für männer wie für frauen.

morgen stm. morgen, vormittag (adverbiale ausdrücke: morgenes, morgens mit. art. des morgens, kontr. smorgens: morgens, morgen, ebenso ze morgens, morgenst, morndes; dat. morgene, morgen, kontr. morne, morn ebenfalls für lat. mane u. cras, ebenso mornen, mornend, mornunt); ein ackermass, jauchart, eig. so viel landes als an einem vormittage mit einem gespanne umgepflügt werden kann. — adj. crastinus.

morgen-blic stm. morgenlicht. **-brôt** stn. frühstück. **-gâbe** stf. geschenk dës mannes an die frau am morgen nach dem beilager (später auch geschenk der frau an den mann), im weitern sinne das vermögen der frau und die vorausgabe, abfindung der kinder. **-gâben** swv. die morgengâbe reichen. **-kluc** stm. morgenbissen, frühstück. **-küele** stf. die kühle am morgen. **-lich** adj. matutinus u. crastinus. **-liche** adv. am morgen. **-lieht** adj. hell wie zur morgenzeit. **-lieht** stn. = morgenblic. **-rôt** stmn., **-ræte** stf. morgenrot. **-sanc** stmn. gesang am morgen. **-schîn** stm. morgenschein, **-schimmer**, **-sëgen** stm. morgensegen, **-gebet**. **-sprâche** stf. beratung am morgen. **-stërn** stm., **-stërne, -stërre** swm. morgenstern. **-tou** stm. morgentau. **-viuhte** stf. feuchtigkeit am morgen. **-vrüewe** stf. die frühe morgenzeit.

morgenen, morgen swv. tr. auf morgen verschieben. — refl. morgen werden.

morgenie, mornie, morndie adj. crastinus.

môr-gevar adj. mohrenfarb, schwarz.

morhe, morche, more swf. **morch** stf. möhre, mohrrübe und morchel.

morhel, morchel stf. morchel.

mœrinne, -în stf. mohrin.

morkeln swv. murc machen.

môrlin stn. dem. zu môr.

môr-liute pl. zu

môr-man stm. mohr.

morn- s. morgen-.

morsære, -er, morsel, mörsel, morsel stm. gefäss zum zerstossen und zereiben, mörser; geschütz (mlat. mortarius).

morsël s. mursël.

morsel-, morsel-stein stm. mörser; steinbadewanne.

mort, -des stnm. treulose tö-

tung, mord (auch niedermetzelung in grossem umfange); verrat; missetat; eine pferdekrankheit; *mort* als ausruf: wehe! (mit angehängter interj. *mordajô, mordiô, mordigô*).
mort adj. tot (*einen m. tuon* töten), aus fz. *mort*.
mort stm. der tod (fz. *mort*).
mort-ackes, -ax stf. mord-, streitaxt. **-ähte** stf. ächtung für eine mordtat. **-æhter** stm. der für eine mordtat geächtete. **-bëten** swv. mordgebete halten (durch die man mit zauber einen tot, *mort* beten will). **-brant** stm. brandstiftung mit räuberischem oder überh. feindlichem angriffe. **-brander, -brenner** stm. mordbrenner. **-brennen** swv. *mortbrant* ausüben. **-briuwe** swm. der auf mord sinnt. **-gërnde, -gir, -giric** adj. mordgierig. **-giftic** adj. todbringend. **-gite, -gitic** adj. = *-gir*. **-glocke** f. glocke die bei einem aufruhr geläutet wird, sturmglocke. **-grimme, -grimmic** adj. durch mord schrecklich. **-gruobe** f. mordgrube, **-höhle. -haft** adj. mit mord behaftet, zum morde in bezug stehend. **-heit** stf. grimmiges, auf mord gerichtetes wesen; ermordung. **-hezzic** adj. todfeindlich. **-hûs** stn. vom tempel gesagt (mördergrube). **-küle** f. md. mordgrube. **-lich** adj. mörderisch, auf mord bezüglich, mit mord umgehend. **-liche** adv. durch mord, auf mörderische, treulose weise. **-meile, -meilic** adj. mordbefleckt. **-ræche** adj. sich mit mord rächend. **-rât** stm. mordanschlag. **-ræze, -ræzec, -reizec** adj. mordgierig. **-sam** adj. mörderisch. **-schäch** stm. raubmord. **-schächære** stm. raubmörder. **-schal** stm. todesschrei. **-slange** swm. der hinterlistig wie eine schlange mordet. **-tât** stf. mordtat, mord. **-tæte** swm. mörder. **-vreidec** adj. todbringend schrecklich. **-wal** stmn. die richtstätte, das mordfeld. **-wîse** adj. der zu morden versteht.
morter, mortel stm. mörtel (mlat. *mortarium*).
mortic s. *mordec*.
mör-var adj. = *môrgevar*.
mörz s. *môraz*.
mos stn. moos; sumpf, moor.
mosanze s. *masanze*.
möschine s. *messine*.
mosec, mosic, moseht adj. mit moos bewachsen; sumpfig, versumpft, morastig.
mosen, mösen swv. mit moos überziehen; nach moor, sumpf riechen od. schmecken.

most stm. weinmost; obstwein (lat. *mustum*).
mosten, mosteln swv. *winber m. od. treten* mosten.
möster stm. der *mostet*.
mostert s. *musthart*.
mot stn. md. moder, schlamm, sumpf.
moten swv. modern.
mouwe stswî. ärmel, bes. weit herabhängender frauenärmel.
môvieren swv. refl. sich bewegen (lat. *movere*).
môven s. *müejen*.
mū s. *müeje*.
mubel, mübel, möbel stm. (spät, mosel- fr.) das fahrende gut (lat. *mobile, mobilia*).
much- s. *miuch-*.
müche swf. eine den fuss lähmende krankheit der pferde.
müchen swv. verstecken, verbergen. dazu **mücherie** stf.
mücke mucke, mügge mugge swf. mücke, fliege.
mückelin stn. kleine *mücke*.
mückin stf. = *mocke* swf.
müede, muode adj. verdrossen, müde, abgemattet (mit gen. od. *an, von*); elend, unglückselig. — stf. müdigkeit.
müedec-heit stf. dasselbe.
müeden swv. tr. *müede* machen, ermüden; intr. s. v. a. *muoden.*
müedic adj. *müede* machend, beschwerlich.
müedigen swv. müde machen.
müedine, -ges stm. unglücklicher, elender mensch; schurke, schuft, tropf.
müeje, müe stf. beschwerde, mühe, last, not, bekümmernis, verdruss (md. *müwe, mühe, mü*).
müejen, müewen, müen swv. (nbff. *muogen, muon, müegen, muonen*, md. *müwen, müwen, mögen, mühen, mün*) tr. u. refl. beschweren, quälen, bekümmern, verdriessen. — refl. sich bemühen.
müejesal, müesal, müenis stf. stn. mühsal, beschwerde, last, verdruss.
müe-lich adj. *müeje* verursachend, beschwerlich, mühsam, lästig, schwer unmöglich. **-liche** adv. auf mühvolle, beschwerliche, lästige weise, mit mühe (schwerlich, nicht so leicht).
müemelin, müemel stn. dem. zu *muome* (bes. als kosende anrede).
müemeline, -ges stm. der od. die verwandte von mütterl. seite.
müeselin s. *muoselin.*
müetelin stn. dem. zu *muot*.
müeterîn, muoterin adj. vom mutterschweine herrührend.

müeter-lich adj., **-liche** adv. einer mutter geziemend, der mutter, mütterlich.
müeterlin s. *muoterlîn*.
müezec, müezic adj. *muoze* habend od. sich nehmend, unbeschäftigt, untätig, müssig (*m. gân, sîn* mit gen.); ledig, los, frei mit gen.; einer pers. od. sache *m. gân, stân* davon abstehn, sie aufgeben, sich entschlagen, enthalten; unnütz, überflüssig. **-genger** stm. müssiggänger; leute, die durch ein standesgemässes vermögen berechtigt waren, kein handwerk od. gewerbe zu treiben, die von ihren renten lebten. **-heit** stf. untätigkeit, müssigkeit.
müezegære stm. müssiggänger.
müezegen, müezigen swv. intr. *müezec* werden. — tr. *müezec* machen, erledigen, befreien (gen. od. *von*); nötigen *zuo.* — refl. mit gen. od. *sich zuo etw. m.* sich die zeit nehmen zu, musse auf etw. verwenden.
müezen swv. tr. nötigen, zwingen. — refl. *sich m. zuo* sich die zeit nehmen zu, musse auf etw. verwenden.
müezen anv. göttlich bestimmt sein, sollen; mögen, können, dürfen bes. in optativsätzen; notwendigerweise tun, müssen, mit infin., der aber bei räumlicher bestimmung oft ausgelassen wird; manchmal nur zur umschreibung des futurs.
muff s. *mupf.*
müffeln swv. faulig riechen.
müge, möge, md. *muge, moge,* **mügede** stf. macht, kraft, vermögen, fähigkeit.
müge-, müg-lich adj. was geschehen kann, geschehen sollte, was recht u. billig ist, geziemend, gehörig; vermögend. **müge-liche** adv. possibiliter. **mügelicheit** stf. vermögen, possibilitas.
mügen, mugen anv. (präs. *mac*, prät. *mahte, mohte, mehte*) kräftig, wirksam sein, vermögen intr. u. tr. mit gen., mit gen. u. dat. incomm. schuld woran sein, wofür büssen; gelten, preis haben; mächtig, imstande sein, vermögen mit infin. (bei räuml. bestimmung zu ergänzen); möglichkeit haben, können; recht und ursache haben, sollen, dürfen; der möglichkeit gemäss wollen: dafür können.
mugende part. adj. vermögend, könnend; stark, kräftig
mugent, mugent-, mugen-heit stf. = *müge.*
mügge s. *mücke.*
mügic adj. vermögend, kraft habend.

mugent-rât stm. allmacht.

mühe, mühen s. *müej-*.

mûl, mûle stn., **mûle** swf. maul, mund.

mûl stmn., **mûle** swm. maultier (lat. *mulus*).

mül, müle stswf. mühle (wahrscheinlich aus roman. *molina*, lat. *mola*).

mulafich s. *mulvane*.

mûl-ber stnf. maulbeere (*mûl* aus lat. *morum*).

mulchen s. *molchen*.

mulde stswf. mulde, halbrundes ausgehöhltes gefäss namentl. zum reinigen des getreides, mehl-, backtrog.

mulefe s. *mulvane*.

mülëht, mület adj. mit grossem munde versehen; mürrisch.

mül-gëlt stn. mühlzins. **-hûs** stn. mühle. **-meister** stm. = *mülnære*. **-rat** stn. mühlrad. **-slac** stm. = *mül-stat*. **-stadel, -stal** stm. s.v.a. **-stat** stf. platz, wo eine mühle steht od. stehn darf. **-stein** stm. mühlstein. **-wërc** stn. vorrichtung zum mahlen, mühle; mühlgerät; erzeugnis einer mühle.

mûlinne, -in stf. mauleselin.

mulken s. *molchen*.

mulle, mul stf. staub, müll.

müllen, müln swv. zerstossen, zermalmen.

mülnære, -er, müller stm. müler (mlat. *molinarius*).

mülnærinne, müllerin stf. müllerin (bildl. von der jungfr. Maria, die das korn der gottheit gedroschen, gemahlen und zu himmelbrot gebacken hat).

mûl-rössel stn. junges maultier.

mûl-slac, -streich stm. maulschelle.

multer, muolter swstf. = *mulde*; spottweise gebraucht für die gebogenen platten des brustharnisches.

mulvane herrenloses gut, ab intestato relicta (entstellte formen: *mulve, mulvihe, mulefe, mulafich*).

mûl-wëlf, -wërf, -wurf s. *moltwërf*.

mulzen swv. = *malzen*.

mulzer stm. = *melzer*.

mulzer stn. = *multer* stn.

mun stm. gedanke, absicht.

mûn s. *müejen*.

münch s. *münech*.

münehec, münchisch, munclich adj. mönchisch.

mundâte, muntât, montât stf. abgesteckter u. gefreiter raum, freiung, emunität (lat. *immunitas*).

mündec adj. mündlich.

mündec adj. mündig.; *eines d. m. werden* es zu tun wagen.

mündelin, mündel stn. mündchen.

mundeline, -ges stm. vormund; mündel.

munden swv. schützen.

munden swv. mündlich mitteilen.

munder, munter adj. wach, wachsam; frisch, eifrig, lebhaft, aufgeweckt.

mundern swv. tr. *munder* machen, aufwecken. — refl. munter werden, aufwachen.

münech, münich, munich; münch, munch stm. mönch (*grâwer m.* Cistercienser, *swarzer m.* Benedictiner, *wîzer m.* Prämonstratenser); übertragen:verschnittener hengst,wallach; eine art backwerk (lat. *monachus*).

münechen, münchen swv. tr. zum mönche machen; entmannen. — refl. mönch w., nach der (mönchs-)regel zu leben beginnen.

münechîe stf. stand des mönchs.

münechin stf. nonne.

münech-lëben stn., **-lip** stm. leben, stand eines mönches.

münechlin, münch-lin stn. mönchlein.

münech-phert stn. verschnittener hengst.

münen swv. schützen (lat. *munire*).

münigen swv. erinnern.

munkel stf. mücke.

munkel stmn. heimlicher streich, vertrauliche unterhaltung, kurzweil?

munst stf. liebe, wohlwollen, freude.

münster, munster stn. kloster-, stiftskirche, dom, münster; kloster(gemeinschaft).(lat. *monasterium*).

munt, -des stm. mund (umschreibend für die person); maul; mündung, öffnung. **-loch** stn. mund; bergm. der eingang zu einem stollen vom tage aus. **-rûm** stm. mund. **-schal** stm. gerede. **-slac** stm. = *mûlslac*. **-vol** stm. was auf einmal in den mund genommen wird, den mund voll macht.

munt stmf. hand; schutz, bevormundung; einwilligung, erlaubnis. **-bor** swm. der die hand schützend über einen hält, beschützer, vormund. **-bor-schaft** stf. vormundschaft. **-bürtic** adj. volljährig. **-hërre** swm. schutzherr; vormund. **-knëht** stm. schützling. **-liute** pl. zu *muntman*. **-man** stm. der sich in den schutz eines andern begibt, schützling, klient. **-schaft** stf. vormundschaft. **-schaz** stm. abgabe für den schutz eines

höhern, dessen *muntman* man ist; loskauf von der *muntschaft*.

muntadele stf. schutzbewaltete, bevormundete weibl. person. (für *muntalde, -walde*).

muntâne s. *montâne*.

muutât s. *mundâte*.

munter s. *munder*.

muntieren swv. rüsten, ausrüsten (fz. *monter*).

münzære. -er stm. münzer. der geld prägt od. das recht hat geld zu prägen und zu wechseln; als schachfigur zweiter *vende* (lat. *monetarius*).

münze stf. das nach einer bestimmten vorschrift geprägte geld, münze; silbermünze im gegens. zum *guldin*; münzrecht; münzstätte, -haus (lat. *moneta*).

münzen swv. geld prägen.

münz-gëlt stn. = *slegeschaz*. **-hamer** stm. münzhammer. **-isen** stn. münz-, prägstempel. **-meister** stm. münzmeister, münzpächter. **-schriber** stm. buchführer des münzmeisters. **-smite** stn. münzstätte. **-wëre** stn. handwerk der münze.

muoche swm. sauertopf, verdriesslicher mensch.

muode s. *müede*.

muoden swv. *müede* werden, ermatten.

muoder stn. bauch; rundlicher leib, leibesgestalt; oberfläche des körpers, haut; die brust umschliessendes kleidungsstück, leibchen, mieder (auch von der männertracht und von den ringen des panzers); bauchige wölbung des bewegten meeres.

muodern swv. mit einem *muoder* versehen, bekleiden.

muogen, muon s. *müejen*.

muolte swf. = *mulde*.

muolter s. *multer* 2.

muome swf. mutterschwester; weibl. verwandte überh.

muomelin stn., dem. zu *muome*, freundin.

muor adj. = *mürwe*.

muor stn. sumpf, morast, moor; meer.

muorec, muoric adj. morastig, sumpfig.

muos stn. essen, mahlzeit; speise, bes. breiartige speise.

muoselin, müeselin, müesel stn. dem. zum vorigen.

muosen swv. intr. essen, eine mahlzeit halten; tr. speisen.

muosen, muosieren swv. als mosaik einlegen, musivisch od. mit stickerei verzieren (durch vermittelung des rom. aus gr. μουσείόω).

muos-hûs stn. speisehaus, speisesaal. **-sac** stm. speisesack; magen. **-teile** stf. die hälfte der bei der erbteilung

vorhandenen, der frau zufallen-
den speisevorräte.

muot stm. kraft des denkens,
empfindens, wollens, sinn, seele,
geist; gemüt, gemütszustand,
stimmung, gesinnung (*höher m.*
freudig erhöhte stimmung,
hochherzigkeit, über-, hochmut,
mit lachendem muote lachend);
froher mut, über-, hochmut;
begehren, verlangen, lust; gedanke einer tat, entschluss, absicht (*muot haben* mit gen., *mir
ist m.* mit gen., *ze muote sîn* od.
werden unpersönl. mit dat. u.
gen. od. nachs. mit *daz*; *mit
verdâhtem muote* mit vorbedacht); entschlossenheit, mut;
trotziger eigenwille, selbstsucht; erwartung; hoffnung;
vermutung.

muotære, muoter, md. **mûter**
stm. der eine bergbaubewilli-
gung nachsucht.

muot-blint adj. im geiste
blind.

muote s. *muoze* 2.

muotec, muotic adj. mutig.
-liche adv. gutes muts; mutig.

muoten swv. etw. haben wollen, begehren, verlangen; bergm.
d. bergmass, d. berechtigung
zum bergbau verlangen. (mit
gen., acc., inf. od. *nâch, ze*; die
person steht im dat. od. mit *an,
von*).

muoten s. *muozen* 2.

muoter stf. an. mutter (von
menschen, tieren u. pflanzen);
bildl. *diu geistlîche, heilige m.*
die christliche kirche; die urheberin, anstifterin; gebärmutter; bach-, flussbett.

muoter-amme swf. mutter,
nährmutter. **-bar** adj. mutter-
nackt (nackt wie aus dem
mutterleibe gekommen). **-barn**
stn. mutter-, menschenkind,
mensch. **-blôz** adj. = *muoterbar.* **-halben, -halp** adv. auf od.
von der mütterlichen seite, was
die mutter betrifft. **-heit** stf.
gegens. zu *magettuom.* **-kint**
stn. = *muoterbarn.* **-licheit** stf.
myst. die empfangende kraft.
-liebe stf. mütterl. liebe. **-lip**
stm. mutterleib. **-mâc** stm.
verwandter von mütterl. seite.
-maget, -meit stf. prädik. der
jungfrau Maria. **-nacket** adj. =
muoterbar. **-pfert** stn. stute.
-slehte adj. matricida effectus.

muoterîn s. *müeterîn.*

muoterlîn, müeterlîn stn.
dem. zu *muoter.*

muotes-halp adv. um des
muotes, der neigung willen.

muot-gedœne stn. lustgetön.
-gelust stmf. verlangen, gelüste.
-gelüste stn. dasselbe. **-grimme**
adj. wütenden sinnes. **-hart**
adj. hartgesinnt. **-(müet-)lîch**

adj., **-lîche** adv. anmutig. **-lust**
stm. = *muotgelust.* **-mâȝe** stf.
teilung nach angemessenheit od.
ungefährem überschlage, abschätzung. **-mâȝen** swv. abschätzen. **-mâȝunge** stf. =
muotmâȝe. **-rîche** adj. freudenreich, wohlgemut. **-sælic** adj.
innerlich beglückt, erfreut. **-sam**
adj. anmutig; aufgeweckt, munter. **-schar, -scharunge** stf. teilung von gesamteigentum durch
übereinkunft. **-scharn** swv. als
gesamteigentum durch übereinkunft teilen. **-siech** adj. an dem
muote krank, betrübt, kleinmütig. **-starc** adj. mutig. **-trüe-
be** adj. betrübt. **-vagen** swv.
willfahren. **-veste** adj. festes
sinnes, unerschütterlich. **-vrî**
adj. freiwillig. **-willære, -er**
stm. der aus freiem antriebe,
nach seiner neigung handelt;
der mutwillig handelt, sich auf-
lehnt. **-wille** swm. der eigene
freie wille, antrieb sowohl zum
guten als zum bösen (in der
rechtssprache gegens. zu dem
was sich gehört, bes. zum recht);
wollust. **-wille, -willec, -willec-
lîch** adj., **-lîche** adv. *muotwillen*
habend, mit *m.* verbunden.
-willecheit stf. s. *muotwille.*
-willen swv. intr. *muotwillen*
treiben. **-willens** adv. freiwillig.

muotunge stf. begehren;
bergm. ansuchen um messung
und verleihung eines berges,
lehens u. dgl.

muoze stf. freie zeit woyzu,
musse; bequemlichkeit; unbe-
schädigtheit, untätigkeit.

muoze, muote stf. die begegnung, bes. die begegnung im
kampfe; der angriff.

muozec-, müezec-lich adj. mit
musse verbunden. **-liche** adv.
mit musse, sich zeit nehmend,
langsam; untätig.

muozen swv. freie zeit haben,
zur ruhe kommen; mit gen. ablassen von.

muozen, muoten swv. intr.
begegnen mit dat.; feindlich
entgegen, zum angriff sprengen
(mit dat. od. *an, gegen*).

muoz-, müez-lich adj. =
muozeclich; zukommend, zu-
lässig.

muoz-liche adv. = *muozecl-.*
muoz-sîn stn. notwendigkeit.

mupf, muff stm. verziehung
des mundes, hängemaul.

mupfen, muffen, müffen swv.
den mund spottend verziehen
(*ûf einen m.*).

mür s. *mürwe.*

mür stf. die mürbe, zartheit,
gebrechlichkeit.

mûrære, -er stm. maurer.

mur-brüchic adj. wegen
mürbheit zerbrechlich.

murc adj. morsch, mürbe,
welk, faul; morastig; schadhaft.

murc stn. morsches, brüchi-
ges land, erde.

mürden, mörden, morden
swv. morden, ermorden.

mürderie, mürdic s. *mord-.*

mûre mûr, miure miur stswf.
mauer.

mûren, miuren swv. mauern,
aufbauen; mit mauern um-
geben, versehen.

mûr-hûs stf. haus an der
(stadt-)mauer, hurenhaus. **-loch**
stn. mauerloch. **-stein** stm.
mauerstein. **-want** stf. mauerwand. **-wërc** stn. mauerwerk,
mauer.

mûrîn adj. gemauert.

murm stm. s. v. a.

murmel, murmer stmn. gemurre, gemurmel; kampfgetöse;
murrender mensch, murrkopf.

murmelât stf. gemurmel, geflüster.

murmeln, murmern swv.
murren, murmeln; heimlich untereinander erzählen, verstohlen als gerücht verbreiten.

murmelunge, murmerunge
stf. gemurre, gemurmel.

mürmendîn stn. murmeltier
(umgedeutsch *murmeltier*), aus
it. *murmontana.*

murmerieren stn. gemurmel.

mursël, morsël stn. stückchen, bissen, leckerbissen (mfz.
morcel, mlat. *morsellus*).

mürsel-stein f. s. *morselstein.*

mürwe, müre, mür, -wes adj.
zerbrechlich, mürbe; dünn,
zart, schwach, welk.

mürwecheit stf. gebrechlichkeit.

mürwen, morwen swv. gebrechlich sein, werden.

mûr-wërf s. *moltwërf.*

murz stm. kurzes, abgeschnittenes stück, stummel (bildl. *den
m. sagen* es kurzweg sagen).

mûs gen. adv. gänzlich,
bis aufs letzte stück.

mûs stf. maus; muskel bes.
am oberarm.

mûs-ar swm. geringerer, von
mäusefang lebender falke. **-îsen**
stn. eiserner armschutz. **-lichen**
adv. nach mäuseart, heimlich.
-valle swf. mausfalle.

mûsære, -er stm. = *mûs-ar.*

muscât, muschât stfm. mus-
katnuss (mlat. *muscata*).

mûscâtel stm. ein süsser ital.
wein, muskateller (mlat. *mus-
catellum vinum*).

musche swm. ndrh. ein kleiner sperling (fz. *mouche*).

muschel swf. muschel (lat.
musculus).

müschen s. *mischen.*

müschen swv. stossen, zerschlagen, quetschen.

müschunge stf. *m. des geistes* contritio cordis.
müseke swf., müsic stf. musik
(lat. *musica*).
müsel, musel swstf. scheit,
abgesägter prügel, klotz.
müsen swv. intr. mausen,
mäuse fangen; (stehlend, suchend) schleichen; listig sein,
betrügen; kitzeln.
müsenier, miusenier stn. eiserne bekleidung der arm-
muskeln (*mús*); vgl. *arm-, mús-
îsen, brassel.*
muster stn. das äussere aussehen, gestalt; musterung, aufgebot zu den waffen (it. *mostra*,
mlat. *monstra*).
mustern swv. mustern, untersuchen.
must-hart, mostert stm. mit
most angemachter senf, mo-
strich (it. *mostarda*).
mut, müt s. *mütte.*
mütære, -er stm. mauteinneh-
nehmer, zöllner.
müte stf. maut, zoll; maut-
stätte (mlat. *muta*).
müten swv. einen zoll erlegen.
mutsche, mutze fm. ein fei-
neres bäckerbrot?
mütschelin, mutschel, mützel
stn. dem. zum vorig.
mütte, mutte, müt, mut stn.
stswm. scheffel (lat. *modius*).
mutze s. *mutsche.*
mütze stf. mütze (mlat. *almutium*, s. *almuz*).
mutzen swv. schmücken,
putzen.
müwe, müwen s. *müej-.*
mü-wërf s. *moltwërf.*
müʒære, -er stm. jagdvogel,
der die *múze* überstanden hat,
mindestens ein jahr alt ist.
múʒe stf. das mausern, feder-
wechsel der vögel; hautwechsel
der amphibien; haarwechsel der
landtiere (mlat. *muta*).
múʒen swv. wechseln, tau-
schen. — refl. die federn wechseln, mausern; die haut wechseln. — tr. in der *múʒe* pflegen,
warten; bildl. etw. wie die federn od. die haut wechseln, zum
vorschein bringen (mlat. *mu-
tare*).
múʒer-sperwære stm. sper-
ber, -sprinze swf. sperberweibchen, -valke swm. falke, die
schon gemausert haben.
múʒ-korp stm. käfig für die
vögel während der mauser.
müʒʒel stm. eine wohlrie-
chende substanz.
muʒʒenier = *mûsenier.*
muʒʒen-sun stm. hurensohn.

N

nâ s. *nâch, nâhe, nou.*
nabe stswf. nabe.

nabe-, nebe-gêr stm. spitzes
eisengerät zum umdrehen, bohrer (entstellt *nage-, negeber, -bor,
neper*).
nabel, nabele stswm. nabel.
nabel-suht stf. nabelbruch.
nac, -ckes stm., nacke swm.
hinterhaupt, nacken.
nac stm. geruch.
nâch, -hes, nâ adj. nahe,
kompar. *næher, nâher, nâr*; sup.
*næhest, næhst, nâhest, næst,
nâst.*
nâch, nâ 1. adv. nahe, beinahe, genau; räumlich und
zeitlich bei demonstrat. adv.
(*dar, her, hie, hin nâch*). —
2. präp. mit dat. räumlich das
streben, die richtung wohin
(bildl. das verlangen, die erwartung), zeitl. die folge, modal
das vorbild, die art u. weise bezeichnend. — *nâch* als präposit.
adv. bei zeitw. (mit dat.) z. b.
nâch donen anhangen, haften;
hëllen consëntire; hengen nachjagen, nacheilen; *jëhen* beistimmen; *rëden* übeles nachreden,
verleumden; *sîn* nachfolgen;
stân hernach stehn, nachfolgen,
trëten nachstellen; *wîsen, einen
n. w.* ihm den weg nach einem
zeigen.
nac-haft adj. boshaft, hinterlistig, verschlagen.
nâch-bëte stf. = *nâchstiure.*
-bûre, -bûr swstm. der in der
nähe wohnende, der anwohner,
nachbar. -bûrinne stf. nachbarin. -bûr-schaft stf. nachbar-
schaft. -erbe swm. nachfolgen-
der erbe. -ganc stm. nachfolge.
-gânde part. adj. nahegehend.
-geborn part. adj. nahe verwandt. -gebûre, -gebûr swstm.
= *nâchbûre.* -gedinge stn. =
nâchgerihte. -gêer, -genger stm.
nachfolger. -gerihte stn. gericht ausser den regelmässigen
gerichtstagen od. eine (gewöhnlich 14 tage) nach dem
hauptgerichte gehaltene gerichtsversammlung. -geschicket
part. adj. m. dat. nachgebildet.
-geselle swm. nachbar. -ge-
sippe adj. nahe verwandt. -ge-
win stm. nachträglicher gewinn. -gêhe s. *nâchjëhe.* -giht
stf. bekenntnis. -grifer stm.
der nach etw. greift od. greifen
will. -grific adj. nachgreifend,
nach etw. zu greifen. -hanger stm.
anhänger. -huote stf. nachhut
des heeres. -jac stm., -jage stf.
das nachjagen, die verfolgung.
-jaget stn. dasselbe. -jär stn.
das darauf folgende jahr. -je-
gære stm. verfolger. -jëhe, -gê-
he swm. beistimmer, verteidiger. -klaffer stm. verleumder.
-klage stf. eine nach abgemach-
ter sache angestellte neue klage,

bes. die gegenklage des beklagten. -klane stm. nachklang,
die zweite silbe eines klingenden
reimes; das folgende, kommende. -kome swm. nachfolger;
nachkomme. -komelinc, -ku-
melinc stm. nachfolger (bes.
rechtsnachfolger od. nachfolger
im amte); nachkömmling. -ku-
munge stf. nachwelt, zukunft.
-kunde swm. nachforscher.
-kunft, -kumft stf. nachkommenschaft. -lich adj., -liche
adv. nahe. -lieger stm. nach-
sprecher u. verbreiter einer lüge. -mâles adv. nachher. -name
swm. beiname. -ranc adj. einer
sache nachstrebend, sie überlegend, listig, schlau. -ræte,
-rætec adj. bedächtig, überlegend, klug. -rede stf. übele
nachrede, verleumdung; duplik;
nachwort. -reder stm. verleumder. -reise stf. das nach-
reisen, -folgen. -rëht stn. =
nâchgerihte; bestimmter anteil
der gerichtsdiener an den ein-
gehenden strafgeldern und das
recht dazu. -rihter stm. scharfrichter, henker; scherge. -riu-
we swmf. = *after-r.* -rûnen
stn. das flüstern hintern
rücken. -schenke swm. mundschenk. -setzie adj. nachstellend. -sippe swm. naher verwandter. -slac stm. schlag von
hinten, bildl. nachrede. -slüʒʒel
stm. nachschlüssel, zweiter
schlüssel. -smac stm. nachge-
schmack. -sprëcher stm. =
hindersprëcher. -stellic, -sten-
dic adj. rückständig. -stiure
stf. abzugsgeld des auswandern-
den für das mitgenommene gut.
-swanc stm. was sich nach-
de. -swinge, schleppe. -tac stm.
folgender *tac.* -teidinc stn.
nachverhandlung. -tihter stm.
sp. dichterepigone. -var swstm.,
-varer stm. nachfolger. -vart
stf. das hinterherkommen,
nachlaufen; das gefolge. -vol-
gære, -er stm. nachfolger, anhänger; verfolger. -volge, -vol-
gunge stf. nachfolge, befolgung.
-vürste swm. fürstlicher vasall.
-wandel stm. = *nâchrëht* in
zweiten bed. -wende, -wendic
adj. nahe, benachbart; verwandt. -wint stm. segelwind.
-wist stf. das nahesein, die
nähe. -wort stn. nachträgliche
geltendmachung eines anspruches, einer forderung. -zoge
swm. nachfolger.
nache swm. nachen.
nac-heit stf. bosheit, hinterlist, verschlagenheit.
nâchen adv. beinahe.
nacher stm. lenker eines
nachen.
nacken adj. nackt.

nacken-, nacket-blôჳ adj. ganz nackt, ganz bloss.

nacke-slagen swv. auf den *nac* schlagen.

nacket, nackent, nackic, md., ndrh. **nach** adj. unbekleidet, nackt; entblösst (*swert*); entblösst, ledig, frei von (gen.). **nacke-tac, -tage** stswm., **nacketuom, nactuom** stm. nacktheit.

nacten, nacken swv. nackt sein.

nactheit, nackenheit, md. **nachtheit** stf. nacktheit.

nâdel, nâdele stswf., **nâlde** swf. nadel, nähnadel; streichnadel; magnetnadel.

nâdeler, nâldener, nёldener stm. nadler.

nâdel-bein stn. beinerne nadelbüchse. **-bic** stm. nadelstich. **-hol** stn. = *nâdel-œre.* **-nacket** adj. bis auf die letzte nadel am kleide entblösst. **-(nâlden-)œre** stn. nadelöhr.

naffe, näffe swf. nachen.

naft präp. md. nach.

nafzen swv. schlummern.

nage stf. das nagen.

nageber s. *nabegêr.*

nagel stm. kontr. *nail, neil, nâl:* nagel an händen und füssen (*nagels künne* verwandtschaft des siebenten grades); nagel od. schraube von metall od. holz um etw. zu befestigen, um. etw. daran zu henken; aststelle im holze; gewürznelke; augenübel der pferde; ein bestimmtes gewicht.

nagelen, negelen swv. nageln, mit nägeln, stiften beschlagen, heften.

nagelîn stn. gewürznelke s. *negellîn.*

nagel-îsen stn. werkzeug in der schmiede. **-mâc, -vriunt** stm. verwandter im siebenten (letzten) grade. **-mâl** stn. nagelzeichen. **-niet** stm. = *niet* 2. **-niuwe** adj. nagelneu. **-wurz** stf. nagelwurzel.

nage-mûs stf. nagende maus.

nagen stv. VI nagen, be-, zernagen, abnagen.

nægen s. *næjen.*

nagunge stf. das nagen, beissen, brennen,

næhære stm. = *næwœre.*

nâhe, -nâ adv. (komp. *nâher næher,* kontr. *nâr,* sup. *nâhste, næhste,* kontr. *nâst, nœst*) nahe, in der, in die, aus der nähe räuml.; *n. in* eng eingeschlossen, fest und tief; in innerlich tief berührender, namentlich verletzender, schädlicher weise; genau, nahe ins auge fassend, deutlich; beinahe, fast; wohlfeil, billig.

nӕhe adj. nahe.

nӕhe swf. = *nâwe.*

nӕhe stswf. md. *nâhe, nêhe,* kontr. *nâ, nê:* die nähe (vom orte und von der zeit).

nӕhede stf. nähe.

nâhen adv. = *nâhe.*

nâhen, nân swv. nahen, sich nähern intr. u. unpers. mit dat. — refl. sich nähern *zuo.*

nӕhen swv. tr. nah machen, bringen. — intr. u. refl. sich nähern, nahen, mit dat. od. *gegen, zuo;* unpers. mit dat.

nâhenen swv. = *nâhen.*

nӕhenen swv. = *nœhen.*

nâhent, nӕhent, nâhet adj. adv. nahe; beinahe.

nӕhern swv. nähern.

nӕhic adj. nahe, sich nähernd.

naht stf. nacht, abend (*naht unde tac* immer, *guotiu n.* abendlicher abschiedsgruss u. überh. verabschiedung; bei fristbestimmungen wurde nach nächten gerechnet (am häufigsten *vierzehen n.*); der vorhergehende abend.

naht-behalde stf. nachtlager. **-belip** stmn. dasselbe. **-brant** stm. nächtliche brandlegung, mordbrennerei. **-brenner** stm., **nacht-, mordbrenner. -brût** stf. = *nahtvar.* **-diep** stm. dieb der bei nacht stiehlt. **-einunge, -einigunge** stf. strafgeld für nächtl. übertretung der *einunge.* **-eise** stf. schrecken der nacht. **-etze** stf., **-etzen** stn. weide zur nachtzeit. **-ёჳჳen** stn. abendessen. **-gebёre** stn. nächtliches versteck. **-gёlt** stn. bezahlung für nachtherberge, quartiergeld u. überh. reisediäten; lohn für nächtl. arbeit, für nachtwache. **-gengel, -genger** stm. nachtschwärmer. **-gesihte** stn. traum. **-gewant** stn. nachtkleid. **-ganc** stm., **-gёn** stn. nachtschwärmerei; nächtlicher streifzug des richters nach strafbarem. **-glimel** stn. leuchtwürmchen. **-hirte** swm. nachtwächter. **-hulde** swf. = *nahtvar.* **-huote** stf. nachtwache. **-imbiჳ** stm. abendessen. **-iule, -ûle** swf. nachteule. **-lâge** stf. nachtlager. **-lanc** adv. von jetzt an die nacht hindurch, für diese nacht. **-lôn** stm. lohn für nachtwache. **-mâl** stn. abendessen, abendmahl. **-mare** m. f. der alp. **-maჳ** stn. = *nahtmâl.* **-meister** stm. abtritträumer. **-rabe** swm., **-raben** stm. nachteule. **-reste** stf. nachtruhe. **-roubӕre** stm. nächtlicher räuber. **-roup** stm. nächtl. raub. **-ruowe** stf. nachtruhe. **-sal** s. *nahtselde.* **-schâch** stm. nächtl. raub. **-schade** swm. nächtl. beschädigung. **-schînende** part.

bei der naht leuchtend. **-sёdel, -sidel** stmn. nachtlager, -herberge. **-selde, -sel, -sal** stf. dasselbe (bes. die unentgeltl. beherbergung, wie sie die fürsten in klöstern und ihre beamten bei den untertanen zu nehmen pflegten, dann auch die geldabgabe statt der bestreitung solcher nachtquartiere). **-sidel** s. *nahtsёdel.* **-slichende** part. bei der nacht schleichend. **-trugene** stf. nachtgespenst. **-var** swstf. nachtfahrerin, drude, hexe. **-vogel** stm. eule. **-vorhte** stf. = *nahteise.* **-vrist** stf. aufschub über nacht. **-vrouwe** swf. = *nahtvar.* **-wache, -wahte** stf. nachtwache, -wächter. **-weide** swf. nächtliche jägerin, nachtfahrerin. **-zît** stf. nachtzeit, nacht.

nahte-gal, -gale stswf. nachtigall (die nachtsängerin).

nahten swv. intr. nacht werden, dunkeln; übernachten.

nahtes adv. während der nacht, zur nachtzeit, nachts.

nail s. *nagel.*

næjen, næn swv. nbff. *nœgen, nœwen, neigen, neien:* nähen; kunstreich nähen, steppen, sticken; die knopflosen kleider zusammenheften oder schnüren, jem. darin einschnüren.

nakeler s. *nôkîier.*

nâl, nâlde s. *nagel, nâdel.*

nâldîn adj. von nadeln gemacht.

nâlen swv. = *nâhen.*

nalles s. *alles.*

name, nam swstm. name, benennung (*mit namen* namentlich, nämlich, ausdrücklich, besonders; *mit bî, ze, an dem namen* dem namen nach, mit namen. *in dem namen* in der meinung); geschlecht (*in mannes namen* männl. geschlechtes); rang, würde, stand; person. bes. von den drei göttl. personen; mit gen. od. pron. poss. umschreibend (*mannes, wîbes n.* = *man* usw.; *in mînem, dînem* usw. *n.* um meinet-, deinetwillen).

nâme, nâm stfm. gewaltsames nehmen, raub, beraubung, beute.

name-giric adj. nach einem *name* (rang, würde) begierig.

name-, neme-lich adj. namentlich benannt, bestimmt, ausdrücklich, namhaft, bedeutend; nach *der* u. *dirre:* eben dieser, dieser selbe.

name-, neme-liche adv. um es aus- und nachdrücklich zu nennen oder zu sagen; namentlich, vorzugsweise; fürwahr, gewiss; auf nämliche, gleiche weise.

name-lôs adj. namenlos; wo senlos.

namen swv. nennen, benamsen.

nâmen swv. nehmen; *an n.* beanspruchen.

nam-haft, -haftic adj. einen *namen* habend, mit namen bekannt, næmhaft, berühmt.

nân, næn s. *nâhen, næjen.*

nant-lich adj. namhaft.

napf, naph stm. hochfüssiges trinkgefäss, speisenapf.

ŋar, nare s. *narwe.*

nar' stfm. heil, rettung, nahrung, unterhalt.

narde, nardi m. f. narde, aus deren blüte bereiteter balsam (auch *nardus, nardas*); aus gr. lat. *nardus.*

nær-lich adj., **-liche** adv. gering, wenig, notdürftig, knapp, spärlich, genau, gründlich; verletzend, beleidigend.

narre swm. tor, narr (komposs. *narren-kappe, -seil, -spil, -wëc, -wërc* u. a.).

narrec-, narr-heit stf.narrheit.

narrëht adj. töricht, närrisch, verkehrt; *narrehtiu vrouwe* dirne.

narren, nerren swv. knurren.

narte swm. trog, mulde.

narunge, nerunge stf. nahrung, unterhalt.

narwe, nare, nar swstf. swm. narbe.

naschen, neschen swv. leckerbissen geniessen, naschen; verbotene liebesfreuden geniessen, wollust treiben.

nascher, nescher stm. näscher, bes. ehebrecher, wollüstling.

nase swstf. nase; nüster; schneppe; die nase, der näsling (fisch).

nase-bant stn. nasenband, die nase schützender teil des helmes; bildl. schlag ins gesicht. **-bein** stn. nasenknochen, nase. **-drüzzel** stm. nüstern. **-loch, -luoc** stn. nasenloch. **-lôs** adj. ohne nase. **-wise** adj. mit feinem geruche begabt, spürnasig.

nasel stf. nase.

nasël stn. = *nasebant* (fz. *nasel,* mlat. *nasale*).

nasen-rimpf stm. das rümpfen der nase; nasenrümpfer.

nas-leich stm. das laichen der näslinge.

nas-rimphen stv. subsannare.

nast = *aşt.*

nât stf. die naht; kunstreiche naht, stickerei; zusammenheftung, -schnürung der knopflosen kleider.

nâter, nâtere swf. natter. *diu alte n.* der teufel.

nâter, nâterin stm. f. näher, näherin.

næter stn. nähkissen, plumarius.

nâtern-vëch adj. bunt wie eine natter. **-houbet** stn. schlangenhaupt, teufel. **-kunigel** stn. basilisk, regulus.

natûre, natiure stswf. natur, angeborene art, beschaffenheit; instinkt; geschlechtstrieb, geschlechtl. vermischung (lat. *natura*).

natûren, natiuren swv. natürl. schaffen, bilden; natur, art und weise verleihen.

natûr-haft adj. adv. natürlich, natürlicher weise, von natur. **-(natiur-)lich** adj., **-liche** adv. dasselbe. **-licheit** stf. naturalitas, leiblichkeit.

natûric,-lich adj. = *natûr-haft.*

natzen swv. bair. schlafen. vgl. *nafzen.*

næwære stm. der eine *nâwen* führt (s. *nœhære*).

nâwe, næwe, nêwe swfm. kleineres schiff, bes. fährschiff.

nâwe s. *nou.*

næwen s. *næjen.*

naz, -zzes adj. nass, durchnässt (mit gen. od. *von* nass von). — stn. das nass, die flüssigkeit, feuchtigkeit.

nazzât? ein seidenbrokatstoff.

nazzen swv. nass werden.

ne, en, in negationspartikel, nicht, das verbum od. den ganzen unabhäng. satz negierend (bei *wizzen* kommen verkürzte formen vor: *neizwâ, neizwan, neizwar, neizwaz, neizwër, neizwie = ich enweiz wâ, wan* usw.); in abhängigen sätzen den neg. od. pos. haupts. einschränkend u. bedingend mit bloss angenommener tatsache (aus *ne wære* es wäre denn, ausser, nur entsteht durch zusammenziehung u. entstellung *niuwer, niur,* u. *wësen*); den negat. hauptsatz ergänzend; mit untergeordn. verneinung einzelner begriffe s. *nie, nieman, niemer, nehein* usw.

nê s. *nœhe.*

nëbe s. *nëve.*

nebe-gêr s. *nabegêr.*

nëbel stm. nebel, dunkel; staubwolke.

nëbel-briune stf. dunkelheit durch nebel. **-kappe** swf. unsichtbar machender mantel. **-rouch** stm. nebel. **-sünde** stf. schwarze sünde, todsünde. **-tac** stm. nebeltag, dunkler tag. **-var** adj. nebelfarb, düster.

nëbelen s. *nibelen.*

nëbelin stn. dem. zu *nabel.*

nëben, nëbent s. *enêben.*

nëben-ahsel stm. deichselgenosse. **-bürge** swm. mitbürge. **-burger** stm. mitbürger. **-ganc** stm. nebenweg im gegensatz zur rechten bahn. **-genôze** swm. mit-, standesgenosse. **-kint** stn. uneheliches kind. **-kristen** stm. mitchrist. **-mensche** swm. mitmensch. **-site** f. = *absite.* **-wëc** stm. seitenweg. **-wende** stf. ausflucht.

nechein s. *nehein.*

neckelin, neckel stn. dem. zu *nac, nacke.*

necken, neggen swv. beunruhigen, quälen, plagen.

necken swv. intr. geruch, duft von sich geben, riechen; abs. tr. geruch empfinden, riechen (s. *ecken* 2).

neckisch, nec-lich adj. boshaft, neckisch.

nêf, nëvin s. *nëve, nëvin.*

negeber, -bor s. *nabegêr.*

negel-boum stm. nelkenbaum.

negelen s. *nagelen.*

negelkin stn. md. gewürznelke (kontr. *neilikin, neilkin, nélikin*).

negellin stn. kleiner nagel; gewürznelke; blumenpistill.

nehein, nechein, nihein, nichein, nekein adj. zahlpron. nicht ein, kein (umgestellt *enhein, enkein, inhein, inkein,* abgek. *hein, kein*).

nehten adv. in vergangener nacht, gestern abend.

nehtic adj. nocturnus; hesternus.

neien, neigen s. *nœjen.*

neige stf. neigung, senkung, endschaft; tiefe.

neige-licheit stf. neigung.

neigen swv. tr. *nîgen* machen, neigen, senken, erniedrigen (*daz houbet n.* zum zeichen der bitte od. unterwerfung); allgemeiner: eine richtung geben, richten, wenden, hineigen, zuwenden mit dat.; geneigt machen (*geneiget* geneigt, willig *zuo*; geneigt, günstig, mit dat.). — refl. sich neigen, sinken; sich verneigen zum zeichen des grusses, dankes od. ehrerbietung u. unterwerfung, mit dat. od. *gegen*; sich neigen, richten, wenden, hineigen, zuwenden mit dat. od. *gegen, ûf, zuo.* — absol. sich hineigen, wenden (*abe, an, von*). — intr. für *nîgen.*

neigic adj. günstig.

neigunge stf. zuneigung, gelüsten; zustimmung.

neil s. *nagel.*

neilikin s. *negelkin.*

nein negat.antwortsadv. nein, verneinend und ablehnend.

nein stf. s. *meine.*

nein-â, nein durch *â* verstärktes *nein,* verbittendes nein: nicht doch, ja nicht! manchmal ohne negat. bedeut. als aufmunternder zuruf.

neinen swv. refl. zu *nein* werden.

neizen, neisen swv. bedrängen, plagen, beschädigen, verderben.

neizer, neiser stm. bedränger, verfolger, hasser.

neizw- s. *ne.*

nël, nëlle stswm. spitze, scheitel.

nëldener s. *nadelære.*

nëlikin s. *negelkin.*

nëme-lich adj. annehmbar, genehm.

nemelich s. *namelich.*

nëmen stv. IV tr. nehmen, fassen, ergreifen, sich aneignen; einnehmen als medizin; prüfend nehmen, wählen, zielen; unternehmen; sich geben lassen, annehmen, erhalten, empfangen; benehmen, wegnehmen, gewaltsam nehmen, rauben mit dp.; von geistigem annehmen, vernehmen, lernen, ablernen *von*; festsetzen, bestimmen; vornehmen, bedenken, überlegen; auffassen: *vür guot n.* gut aufnehmen, womit fürlieb nehmen. — refl. *sich n. ûz*, *von* absondern, entfernen, aufhören von: unpers. mit acc. *mich nimt untûr* dünkt gering, *mich nimt wunder.* — intr. (*abe*, *ûf*, *zuo nemen*).

nëm-hart stm. der gerne nimmt.

nemmen, nennen swv. einen *namen* geben, beim namen rufen, nennen; festsetzen, bestimmen; zu etw. (*vür*, *zuo*) ernennen, erklären; rechnen, zählen zu (*in*, *zuo*); ausrufen, bekanntmachen, rühmen, preisen (*genant* berühmt, bekannt).

nenden swv. mut fassen, sich erkühnen, wagen mit gen.

nennen s. *nemmen.*

neper s. *nabegêr.*

nepfelin stn. dem. zu *napf.*

neppen swv. hervorstehn machen, mit etwas erhöhtem besetzen.

ner stf. heil, rettung.

nerde stf. nahrung, unterhalt.

nëren, nergen s. *niergen.*

neren s. *nern.*

nerer stm. nährer, ernährer.

nererinne, -in stf. nährerin.

neriz stn. ausschlag.

nern, neren, nerigen, nergen, nerren swv. tr. u. refl. *genësen* machen, heilen, gesund machen; retten, erretten, schützen, am leben erhalten; nähren, ernähren.

nerren s. *narren, nerigen.*

nerren swv. narren.

nerrisch adj. = *narrëht.*

nerrischeit stf. narrheit, torheit, verkehrtheit.

ner-swin stn. mastschwein. **-varch, -verkel** stn. mastferkel.

nerunge s. *narunge.*

nerwen swv. narbig machen.

nesche swm. das niesen; der schlucken.

neschen, nescher s. *nasch-.*

neselin stn. dem. zu *nase.*

nësen stv. V in *er-, ge-.*

nëser s. *êser.*

nëspel swf. = *mispel.*

nëst, nest, nist stn. nest, vogelnest; lager, schlupfwinkel anderer tiere; lager, bett, wohnung; augenhöhle.

nestel stf. bandschleife, schnürriemen, binde.

nesteln, nesten swv festbinden, schnüren.

nëstlinc, -ges stm. nestvogel; kind.

nêter = *êter.*

netze stf. urin.

netze stn. netz: zum fangen von fischen od. tieren, zum schutz gegen insekten, über kleidern zum schmuck; als haarputz der jungfrauen; netz um die eingeweide; aufzug eines gewebes. **-garn** stn. netz. **-vogel** stm. lockvogel im netze.

netzelin, netzel stn. dem. zu *netze.*

netzen swv. tr. *naz* machen, netzen, benetzen. — intr. s. v. a. *nazzen* pissen.

neuht, neut s. *niht.*

neur s. *wësen.*

nëve, nël swm. md. *nëbe*: neffe, meistens der schwestersohn; mutterbruder, oheim; in weiterem sinne: verwandter, vetter, bes. in der anrede.

nëve-schaft stf. neffen-, verwandtschaft.

nëvin, nëfin stf. nichte.

ne-wære, newer s. *wësen.*

nêwe s. *nâwe.*

ne-, en-wëder adj. zahlpron. keiner von beiden; das neutr. sing. wird als disjunkt. partikel gebraucht: weder mit folgd. *noch*, gewöhnl. mit abgefall. *ne*: *wëder.*

newëder-halp, -halben adv. auf keiner von beiden seiten.

ne-wëht, -wiht s. *niht, niwiht.*

ne-wene s. *niuwan.*

nezze, nezzede stswf. nässe, feuchtigkeit.

nezzel swf. nessel. **-biz** stm. das brennen der nessel. **-krût** stn. nessel.

nezzeln swv. als od. wie eine nessel brennen.

nibelen, nëbelen swv. tr. nebelig, wie nebel, dunkel machen. — intr. u. unpers. nebelig sein, werden.

Nibelunc, -ges n. pr. patron. myth. manns- u. geschlechtsname (eig. kind, sohn des nebels, der finsternis).

nibelunge stf. nebel.

nichein s. *nehein.*

nichs s. *niht.*

nicken swv. tr. beugen, niederdrücken. — refl. intr. sich beugen, neigen, nicken.

nickes stn. wassergeist, nix; krokodil.

nickese, nixe swf. weibl. wassergeist, nixe, sirene.

nidære stm. hasser, neider.

nide swf. eifer-, scheelsucht.

nidec, nidic adj. gehass, feindselig, eifersüchtig, missgönnend, neidisch (ohne od. mit dat. od. *über*, *ûf*). **-heit** stf. neid, bosheit. **-(nide-)liche** adv. auf feindselige weise.

niden stv. I, 1 u. sw. hassen; mit missgunst, eifersucht sehen, beneiden (*umbe*, *daz*); intr. mit dat. gehässig werden.

nidenân adv. unten.

nidene, niden adv. unten; nach unten, hernieder, hinunter.

nider adv. hinunter, herunter, nieder, bes. mit acc. des raumes (*nider sich*), hinter *dar*, *her*, *hin* und bei zeitww. der bewegung z. b. *nider gân* herabsteigen, zu bette gehn, untergehn; *giezen* intr. niederströmen; *komen* herabkommen, zur erde fallen, bes. vom pferde fallen, zu bette gehn; *legen* niederlegen, besiegen, beseitigen, abstellen, in beschlag nehmen; *rëren* zu falle bringen, niedermachen; *slahen* nieder, zu boden schlagen, schlachten; *lagern*; *slîfen* niedergleiten, -sinken; *stân* vom pferde steigen, sinken, fallen; *wëgen* intr. sich niederwärts bewegen, hängen; sich endigen.

nidere (nider) adj. unter; nieder, niedrig, tief. — (nider) adv. unten; niedrig, tief; s. v. a. *nider.* — stf. niederung, tiefe; niedrigkeit; geringfügigkeit.

nideren, nidern swv. tr. u. refl. *nidere* machen, herabsetzen, darniederdrücken, erniedrigen, zu schanden machen.

niderent s. *niderunt.*

nider-ganc stm. nieder-, untergang (der sonne); herabkunft; höllenfahrt Christi. **-gewant** stn. kleid für den unterleib, hosen. **-gurt** stm., **-gürtel** stmf. = *bruochgürtel.* **-halbe, -halben, -halp** adv. nieder-, unterhalb mit gen. **-hemde** stn. unterhemd. **-kleit** stn. = *nidergewant.* **-läge** stf. das niedergelegen, -sinken; das sichniederlassen, aufenthalt; ruhe; niederlage, clades; das niedermachen, -metzeln; warenniederlage. **-lant** stn. unterland; hölle; *Niderlant* das land am Niederrhein (reich Siegfrieds); Niedersachsen; Niederbaiern; Niederschwaben. **-lâz** stm. das niederlassen, sichniederlassen, nieder-

lassung. **-lege** stf. das niederlegen auf; beschwerung; warenniederlage. **-mort** stm. niedermetzelung; zerstörung. **-muot** stm. demut. **-säʒe** stf. das sichniederlassen. **-schin** stm. augenniederschlag (als zeitbestimmung). **-sit** adv. unterhalb. **-slac** stm. schlag, der zu boden wirft, vernichtet. **-stic** stm. gegens. zu *ûfstic*. **-sweif, -swif** stm. md. bewegung nach abwärts, talfahrt. **-trehtic** adj. von oben hinab angesehen, gering geschätzt, verächtlich. **-val** stm. niederfall, niedersturz; der nieder (in die hölle) gefallene. **-vart** stf. niederfahrt. **-velle** stf. das niederfällen; neigung, senkung; strömung des wassers. **-vellic** adj. hinfällig, baufällig. **-wanc** stm. das heruntersinken. **-wät** stf. = *nidergewant*. **-wërt, -wërtes** adv. nieder-, abwärts. **-wint** stm. wind, der über niederes land kommt. **-zuc** stm. das nieder-, zubodenreissen.
niderunge stf. erniedrigung.
niderunt, niderent adv. nieder-, unterhalb.
nidesch, nidisch adj. = *nidec*.
nide-tât stf. tat aus hass.
nide-wendec, -wendic adv. nieder-, abwärts, unten; unterhalb mit gen.
nidic s. *nidec*.
nidinc, nidunc, -ges stm. neidischer, neidhart.
nidunge stf. æmulatio.
nie adv. nie, vernein. zeitadv. bei vergangener, vollendeter u. gegenwärtiger tätigkeit neben u. ohne *ne*.
nieht s. *niht*.
nie-man, -men zählendes pronominalsubst. niemand (ohne od. mit beigesetzter verneinung, häufig mit gen.).
nie-mêr, -mêre adv. nicht mehr, nicht wieder, nicht länger (nbff. *nimêre, nimmêre, niemê, nimê, nimmê, nummê, nümmê*).
niemer, nimmer, nimer adv. nimmer, nie, niemals von beginnender u. zukünftiger tätigkeit (ohne od. mit beigesetzter verneinung; von der vergangenheit kann es nur in drei fällen gebraucht werden: wenn es bedeutet „kein mal, jedesmal nicht" od. wenn es heisst „niemals seitdem", od. wenn es zum infin. zu beziehen ist gehäuft mit *mêre: niemer mêre (mêr, mê)* nimmermehr, nie mehr. **-stunt** adj. dasselbe.
niene adv. nicht, nichts (ohne od. mit gen.).
niener, niender, niendert adv. nirgend, oft nur ein verstärktes nicht: durchaus nicht, keineswegs. (nbff. *nienert, nindert,*

nienâ, nienân, nienen, nienant, nienent).
niere, nier swstm. niere; lende.
niergen adv. md. nirgend, neben u. ohne *ne* (nbff. *niergent, nirgen, nergen, nieren, nêren, nirne).*
niesen s. *niusen.*
niesen stv. II, 2 niesen.
niese-wurz stf. nieswurz.
niet stm. adj. eifer, eifrig (in *gegenniet, nietlîche*).
niet stmf., **niete** swmf. breit geschlagener nagel, niet.
nieten swv. den nagel um od. breit schlagen; mit *nieten* befestigen, nieten.
nieten swv. refl. eifrig (*niet*) sein, streben, sich befleissen, üben; mit gen. wozu oder worin eifrig sein, mit etw. zu tun, zu schaffen haben (der gegenstand kann angenehmer od. unangenehmer natur sein, daher auch: sich einer sache erfreuen od. sie leiden, ertragen müssen); in fülle geniessen, iron. genug haben, überdrüssig aufgeben; unpers. kümmern, gewissen.
niet-lich adj. verlangen erweckend, angenehm. **-liche** adv. mit verlangen, eifer, fleiss.
nie-ware adv. nach keiner seite.
nieweht, niewet s. *niht.*
nie-wërlte adv., md. *niwërlde,* niemals.
nieʒ stm. das geniessen, die benutzung, der genuss.
nieʒen, nieʒʒen stv. II, 2 tr., selten m. gen. inne haben u. sich zunutze machen, gebrauchen, benutzen, geniessen (bes. vom liebesgenusse); als nahrung brauchen, essen od. trinken; verzehren; absol. von dem anreizenden blut- und fleischgeniessen der jagdhunde.
nieʒunge stf. geniessung, genuss.
niftel, niftele swf. schwestertochter, nichte; mutterschwester; verwandte überh. **-schaft** stf. verwandtschaft.
niftelîn stn. dem. zu *niftel.*
nîgen stv. I, 1 intr. sich neigen, sinken *an, in, ûf, zuo*; sich beugen, verneigen vor (dat.) zum zeichen der zustimmung, des grusses, dankes od. der ehrerbietung und unterwerfung (der dat. kann auch fehlen od. durch ein adv. der richtung vertreten werden; der gegenstand, wofür gedankt wird, steht im gen.). — refl. für *neigen.*
nigromanzie, -manzi stf. schwarze kunst, zauberei (fz. *nigromancie*).
nihein s. *nehein.*
niht stn. ältere u. nebenfor-

men *niuweht, nieweht, neweht, niuwet, niewet, niuwit, niwet, nûwet, nûwit, niuht, neuht, nieht, niet, niut, nît, nit*: 1. als zählendes pronominalsubstant. nicht irgend etwas, nichts mit od. ohne gen., neben od. ohne andere verneinung, verstärkt durch vorangehnden gen. *nihtes niht* (woraus durch zusammenziehung *nihsniht, niutsniut, niutsiut, nihtzit, nist, nüst*); ohne *niht: nihtes* (woraus nhd. nichts), *nihts, nichs, nütz.* — 2. *niht* als adv. acc.: nicht, allein od. ein übergeordnetes *ne* verstärkend; elliptisch: nicht so, nein.
nihtec-heit, nihtekeit stf. nichtigkeit, nichts.
nihten swv. zunichte machen, vernichten.
niht-sin stn. das nichtsein.
nimê, nimmê s. *niemêr.*
nimer, nimmer s. *niemer.*
ninne f. wiege, wiegenkind.
nipfen swv. einnicken; gleiten, stürzen.
nirgen, nirne s. *niergen.*
nische swf. ndrh. nische; fz. *niche.*
nist s. *niht.*
nist s. *nëst.*
nisten swv. ein *nëst* bauen und bewohnen, nisten.
nistern swv. leise od. langsam daher kommen.
nît, nit s. *niht.*
nît, -des stm. feindselige gesinnung im allgemeinen, bes. die gesinnung dem feinde im kampfe zu schaden, der kampfgrimm; groll, eifersucht, missgunst, arg, neid (*âne, sunder nît*: nicht auf etw. neidisch sein, nichts dagegen einzuwenden haben, meinetwegen, gerne); eifer, heftigkeit; pers. der neidische, missgünstige.
nit-balc stm. neidhart. **-galle** swf. bitterer hass, zorn, bitterkeit. ein hasserfüllter mensch. **-lich** adj., **-liche** adv. feindselig, boshaft. **-lidære** stm. der den *nît* anderer erträgt. **-mordære** stm. mörder aus *nît.* **-sac** stm. neidsack, neidischer mensch. **-slac** stm. feindseliger, grimmiger schlag. **-spil** stn. *spil* des hasses u. ingrimms, feindseligkeit, kampf. **-sûr** adj. erbittert aus *nît.* **Nit-hart** n. pr. m. Neidhart, d. h. der im *nide* (in feindl. adler, hass) *harte* starre. — appellat. eine von Neidhart od. nach seiner art gedichtete tanzweise, tanz; neidischer und missgünstiger mensch; teufel.
nît-niuwe adj. = *iteniuwe.*
niu s. *niuwe.*
niu-bërnde part adj. neue frucht bringend. **-geborn** =

niuweborn. -geriute stn. =
niuweriute. -gêrnde part. adj.,
-gêrne, -gêrn adj. begierig auf
neues, neugierig, vorwitzig.
-gêrne stf. neugierde, vorwitz.
-mære stn. = niuwez mære:
erzählung von etwas neuem,
neuigkeit. -rât stf. erstlings-
früchte. -riute s. niuweriute.
-vanc stm. anfänger, neuling;
dem wasser neu abgewonnenes
erdreich; neugefundenes erzlager. -venger stm. ¡entdecker
eines neuen erzganges.
niuht s. niht.
niun s. niuwan.
niun num. -card. neun.
niunde num. ord. der neunte.
niun-valt, md. nûn-slaht adj.
neunfältig. -zëc, -zic num. card.
neunzig. -zegest, -zigist num.
ord. der neunzigste. -zëhen
num. card. neunzehn. -zëhende,
-zëhendest num. ord. der neun-
zehnte.
niur s. wësen.
niusen, niesen swv. ver-
suchen, erproben.
niut, niutsnit s. niht.
niuwan, niewan, niwan (nbff.
newene, niuwen, nûwen, niu-
went, nûwent, niuwet, nûwet,
numme, nummen, niun, nûn)
adv. nichts als, nur, ohne od.
mit gen. — konj. ausser (niwan
daz ausser dass, ausser wenn
mit konj.); nur nicht, ausgenommen; ellipt. mit nom.:
wäre nicht, wäre nicht gewesen.
niuwe (niwe, niu) adj. neu,
frisch; sich erneuernd, veränderlich mit gen.; als gegens.
zu stæte u. getriuwe unbeständig,
wankelmütig, wetterwendisch;
sich stets erneuernd, nie veral-
tend, beständig. -(niwe) stf.
das neu-, frischsein, neuheit,
erneuerung; neumond; veränderlichkeit, unbeständigkeit, untreue, ungehorsam.
niuwe-, niu-born part. adj.
neugeboren. -heit stf. neuheit.
-lende stn. = niuweriute. -liche,
-liches adv. erst vor kurzem,
kürzlich, jüngst, eben erst;
neuerdings. -lingen, -linges adv.
dasselbe. -riute stn. ort, wo
durch ausreutung des waldes
frisches bauland gewonnen ist,
neubruch. -schorn part. adj.
frisch geschorn. -sliffen part.
adj. frisch geschliffen. -spürie
adj. n. vart frische fährte. -tülle
adj. mit einem neuen tülle versehen. -var adj. neufarbig, von
neuem aussehen. -waschen part.
adj. frisch gewaschen.
niuwec, niuwic adj. neu.
niuwec-heit, niuwekeit ¸stf.
neuheit; neuerung.
niuwëht s. niht.
niuwen s. niuwan.

niuwen, niwen swv. tr. u. refl.
niuwe machen, erneuen, sich erneuen. — intr. niuwe w., sich erneuern. niuwunge stf. neuerung.
niuwen, nûwen stv. II, 1 u.
sw. zerstossen, zerdrücken, zerreiben, stampfen, bes. auf der
stampfmühle enthülsen (bildl.
genouwen erschöpft, ermattet).
niuwenes, niuwens, niwens
gen. adv. kürzlich, jüngst, eben
erst; neuerdings.
niuwern swv. tr. neu machen,
erneuern.
niuwerunge stf. neuerung; erneuerung.
niuwes gen. adv. = niuwenes.
niw- s. niuw-.
niwære, niwer s. wësen.
ni-wiht, -wëht stn. zählendes
pronominalsubst.: nicht etwas
(s. wiht), nichts, ohne u. neben
ne. — nbff. newiht, neweht, umgestellt inwiht, enwiht (gewöhnl.
form), entwiht, entstellt einwiht.
nixe s. nickese.
niz, nizze stswf. das lausei,
die nisse.
nôbel stswm. eine (urspr. eng-
lische) goldmünze, fz. noble,
mlat. nobulus).
noch neg. konj. noch: zur
teilung eines satzes mit od. ohne
negation (wenn die korrelation
ausgedrückt wird, so geschieht
es durch weder od. noch); zur
verbindung zweier negat. sätze
(verba); zur anknüpfung eines
negat. satzes an einen positi-
ven: und nicht, und auch nicht;
n. sâr nicht einmal.
noch adv. noch, noch heute,
jetzt: die fortdauer von einem
zeitpunkte an, während einer
zeit, bis zu einer od. in einer
spätern zeit ausdrückend (einer
imperat. doch, doch nur, doch
einmal); einen gegens. ausdrückend: gleichwohl, dennoch,
dessenungeachtet; wiederholung, hinzufügung (noch einmal)
bezeichnend, bes. bei kompar.
noch-dan adv. = dannoch.
nôklier stm. (nbf. nuklir, nakeler, ockerlier) schiffer, steuermann; als schachfig. zweiter
vende (mfz. noclier vom gr. lat.
nauclerus).
nol, -lles stm. = nël.
non = noch en noch nicht.
nôn-âbent stm. vorabend des
himmelfahrtstages.
nône stf. die neunte stunde
(von 6 uhr morgens ab gerechnet), überh. die mittagszeit u.
ihre kanonische hore; der himmelfahrtstag (aus lat. nona,
näml. hora). -(nôn-)tac stm.
himmelfahrtstag. -(nôn-)zit stf.
n. = nône mittag.
nonne s. nunne.
nop, noppe stswf. wollknöt-

chen am zeuge, tuchflocke,
bildl. gar nichts.
noppen swv. das tuch von den
noppen reinigen.
noppen swv. stossen (obsc.
futuere); stösse bekommen,
schaukeln.
norden stn. norden.
norden, nordent adv. von,
nach, im norden.
nordener stm. nordwind.
norden-halp adv. nordwärts.
norder adj. nördlich.
norder adv. im norden.
norder-, nort-mer stn. nord-
meer.
nordert adj. nördlich.
nordert adv. = norden.
norder-, nort-wint stm. nordwind.
noren, norn swv. wühlen.
norme stswf. regel, vorbild,
norm (lat. norma).
nort, -des stn. norden.
nort-mer, -wint s. norder-.
norz, nörz s. nurz.
nôse stm. ndrh. ärgernis,
störung, schaden (fz. noise).
nôsen swv. ärgern, stören,
schaden, schädigen.
nôt stf. m. eig. die reibung (s.
niuwen 2 u. nôtviur); drangsal,
mühe, not, bes. die kampfnot,
der kampf (in der rechtsspr. ist
diu rehte od. êhafte nôt die
rechtsgültige abhaltung, d. gesetzl. hindernis); nötigung wozu, notwendigkeit (durch, von
nôt, bî nôte notwendig, notgedrungen, âne nôt unnötig,
ohne nachteil, ohne schaden;
mir ist, wirdet, gât nôt ich habe
nötig, ich bin gezwungen, ich
muss; nôt tuon mit dp. einen in
Not bringen; ez geschihet n. eines
d. ist nötig, es ereignet sich, fügt
sich); anlass, zweck; dringendes
verlangen, eifriges streben u.
eilen, beflissenheit (mir ist, wirdet nôt nâch, ze, ze u. inf., nachs.
mit daz); affekt, gemütsstimmung; was notwendig ist, notdurft.
nôt-bëte stf. ausserordentl.
steuer, zwangsabgabe. -bëten
swv. intr. nôtbëte zahlen. — tr.
brandschatzen. -bëter stm. der
sich eine nôtbëte zahlen lässt.
-bote swm. der das ausbleiben
eines vor gericht geladenen
durch êhafte nôt entschuldigt.
-brant stm. gewaltsame verwüstung durch feuer. -dinc stn.
in notfällen berufenes gericht.
-durft stf. notwendigkeit (durch
nôtd. notwendigerweise); not;
bedürfnis; natürliches bedürfnis; bedarf an notwendigen dingen, bes. an speise u. trank,
lebensunterhalt; was zur verteidigung einer rechtssache erforderlich ist. -dürftic adj.

nôtig, notwendig; bedürftig, benötigt (mit gen. od. nachs.). **-dürfticheit** stf. notwendigkeit; bedürfnis, erfordernis; hilfsbedürftigkeit, not. **-erbe** swm. erbe, der nur das pflichtteil bekommt. **-gerihte** stn. = *nôtdinc*. **-geschiht** stf. not. **-geselle** swm. kampfgenosse. **-gestalle** swm. dasselbe (nbff. *nôtgestalde, -gestalte, -gestalt*). **-geverte** swm. dasselbe. **-gewalt** stf. gewaltsame beraubung des rechtes. **-gezoc** stnm. notzucht. **-haft, -haftic** adj. *nôt* habend, leidend, bedrängt, dürftig; *eines kindes n. werden* in kindesnöte kommen, schwanger werden. **-hëlfære** stm. helfer in der *nôt*. **-hëlferinne** stf. helferin in der *nôt:* geliebte; Maria. **-herte** adj. in der not ausdauernd. **-hof** stm. kampfplatz. **-hunger-jâr** stn. jahr der hungersnot. **-klage** stf. wehklage. **-lîdec** adj. notleidend. **-nâme** stf. gewaltsamer raub. **-nar** stf. notwendige nahrung. **-nëmære** stm. notzüchtiger. **-numft, -nunft, -nuft, -nust** stf. gewaltsamer raub, bes. frauenraub u. notzucht. **-phant** stn. aus *nôt* gegebenes, nicht freiwillig versetztes pfand. **-rede** stf. rede, die man notgedrungen tut, erzwungene rede; bes. die rede vor gericht, in einer streitsache, auch der eid den eine partei nach lage des falls zu leisten nötig hat. **-rëht** stn. gerichtszwang; s. v. a. *nôtdinc*; s.v.a. *nôtrede* nötiger eid; s.v.a. *êhaftiu nôt*. **-roup** stm. gewaltsame beraubung. **-ruof** stm. notschrei. **-sache** stf. dringende ursache, angelegenheit. **-schranne** stf. gewaltsam enge umschränkung: hölle. **-stadel** stm. = *nôtgestalle*. **-stal** stm. notstall, gewaltsam enge umschränkung; galgen; schloss an einer kette zum einschliessen od. anfesseln; eine art wurfgeschoss. **-stiure** stf. = *nôtbëte*. **-strëbe** swm. = *nôtgestalle*. **-strëbe** stf. das streben gegen die *nôt*, gegenwehr, bes. der augenblick wo das gejagte wild steht u. sich gegen die hunde zur wehr setzt. **-strit** stm. in not bringender kampf. **-sturm** stm. gewaltsamer kampf, berennung. **-teidinc** stn. = *nôtrede*. **-twanc** stm. notzucht. **-val** stm. notfall, bedrängnis durch naturaufruhr. **-vertrip** stm. vertreiber der not, vom hlg. abendmahl gesagt. **-veste** stf. fest in der not, im kampfe, bes. als prädikat tapferer streiter. **-veste** stf. festigkeit in der not, standhaftigkeit; kampf. **-viur** stn. notfeuer (durch reibung hervorgebrachtes feuer); in *nôt* bringendes feuer, feuersnot. **-wârheit** stf. notwendige wahrheit, grundwahrheit. **-wer** stf. notwehr, abwehr von gewalt; notwendige verteidigung überh. **-win** stm. wein, den man zu geben od. zu trinken gezwungen ist. **-zar** stm., **-zerre, -zerrunge** stf. notzucht. **-zerren** swv. notzüchtigen. **-zielunge** stf. notzucht. **-zoc** stm., **-zoge** stf. dass. **-zoge** swm., **-zoger** stm. notzüchtiger. **-zogen** swv. gewalttätig behandeln; notzüchtigen. **-züge** stf. = *nôtzoc*. **-zühten, -zühtigen** swv. notzüchtigen.

note swstf. musikalische note; musikal. ton, gespielte melodie (pl.); aus fz. *note*, mlat. *nota*.

nôte, nœie adv. dat. notgedrungen, ungerne; notwendig; mit eifer; *mir ist nôte* sorgenvoll zu mute.

nôtec, nôtic, nœtic adj. not habend, bedrängt, dürftig; nottuend, notwendig, dringend; dringlich; eilig, schnell, bedrängend. **-(nœtec-)heit** stf. bedürftigkeit, armut.

nôtegære stm. bedränger, peiniger.

nôtegen, nôtigen swv. m. gs. zwang antun, zusetzen, nötigen (*zuo*); notzüchtigen.

notel stf. m. schriftliche aufzeichnung; notariatsinstrument; vorläufiger aufsatz zu einer förml. ausfertigung (mlat. *notula*).

notelin, notel stn. dem. zu *note*.

nôten adv. mit not, ungerne.

nôten swv. *nôt* sein od. werden mit dat.

nœten, nôten swv. tr. = *nôtegen* (mit gen., *zuo*, infin.); spez. *einen n.* zum essen nötigen. — refl. mit gen. sich zu etw. zwingen, sich mühe geben, mit eifer befleissen.

nôtes adv. mit gewalt.

noticren swv. anmerken; in (musikal.) noten bringen (mlat. *notare*).

nôt-, nœt-lich adj. mit *nôt* verbunden, gefahrvoll, beschwerlich; durch *nôt* hervorgebracht, nötig, notwendig, dringend; *nôt* versetzend, bedrängend gefährlich. **-liche** adv. mit *nôt*, mühselig; kläglich, ärmlich; auf hoffärtige, eitle, prunkvolle weise.

notten swv. sich hin u. her bewegen.

nœtunge stf. notzucht; nötigung, notwendigkeit.

nou, nâ, -wes; nouwe, nâwe adj. enge, genau, sorgfältig. —adv. genau, sorgfältig, knapp, kaum.

nou-vart stf. (aus *enouwe vart*) die fahrt stromabwärts, talfahrt; der fahrweg im strom. s. *ouwe* 1.

nouwe-liche adv. mit mühe, kaum.

novize swm. noviz (mlat. *novicius*).

nôz stm. = *genôz*.

nôz stn. vieh, nutzvieh bes. rind, pferd, esel u. kleineres.

nœzel stn. dem. zu *nôz*.

nôzen swv. refl. mit dat. sich zugesellen, s. *genôzen*.

nôʒich stn. = *nœzel*.

nôʒʒelin stn. = nössel (flüssigkeitsmass).

nû, nu adv. u. konj. (nbff. *nuo, nuon, nun*) 1. zeitadv. nun, jetzt, eben jetzt; temporal-kausaler fortschritt der erzählung u. rede; vor od. hinter fragewort u. ausrufung (*nu dar* wohlan!). — 2. konj. temporal-kausal u. rel.: nun, da, als nun, während.

nû stn. augenblick, nu.

nücken swv. = *nicken*: nikken, stutzen (vom pferde); einnicken, einschlafen.

nüeht = nühtern.

nüehter-keit stf. zustand, in dem man nüchtern ist.

nüehtern, nüehter, -lich adj. nüchtern; gegens. zu trunken; einem nüchternen angehörend, von ihm kommend; was des morgens genossen wird.

nüejel, nüegel stn. fug-, nuthobel.

nuklir s. *nôklier*.

nulle swm. scheitel, hinterhaupt, nacken. s. *nël, nol*.

nüllen swv. wühlen.

numen, numer entstellung aus lat. *in nomine* in dem segens-, bekräftigungs- u. verwunderungsruf *numen, numer dumen (domini) âmen*.

numê, numme s. *niemer, niuwan*.

nun, nûn s. *nû, niuwan*.

nunne, nonne swf. nonne; übertr. verschnittenes weibl. schwein (mlat. *nonna*).

nunnen swv. zur nonne machen; ein weibl. tier verschneiden.

nunnen-macher stm. saunschneider. **-wile** stm. vitta.

nunst s. *numft*.

nunzieren swv. melden (lat. *nuntiare*).

O

nuo, nuon s. *nû*.
nuoht, nüeht adj. = *nüeh-tern*.
nuomen swv. nennen, benennen.
nuosch stm. rinne, röhre; rinnenartiger trog fürs vieh.
nuot stf. zusammenfügung zweier bretter, fuge.
nûr s. *wēsen*.
nurâ interj. wohlan denn!
nurz, nürz; norz, nörz stm. der kleine fischotter u. dessen glänzender pelz (mlat. *noerza*, aus altsl. *nor'z'*).
nusche stswf. spange, schnalle, die den mantel um den hals festhält.
nüschel, nuschel stm. dass.
nüschelin stn. dem. zu *nüschel*.
nüschen swv. mit einer *nusche* versehen, damit zuheften, überh. zusammenbinden, verknüpfen (*die munde zesamene n.* sich küssen). — refl. sich die spangen zuheften.
nust, nüst s. *numft, niht*.
nustern swv. raunen, näseln.
nûtrâ interj. = *nurâ*.
nütteln swv. sich hin und her bewegen, etw. schwingend zuschlagen; rütteln.
nutz, nütz s. *nuz, niht*.
nütze adj. nutzen bringend, nützlich, nütze, brauchbar (*nütze sîn* mit dat., *vür, zuo*).
nütze stf. = *nuz*.
nutze-, nütze-bære, -haftec adj., **-bærliche** adv. nutzen bringend.
nütze-lich adj., **-liche** adv. nutzen bringend, nützlich; genuss bringend, angenehm.
nützen, nutzen swv. gebrauchen, benützen; als nahrung brauchen, essen oder trinken, geniessen (mit gen.). — refl. seine kraft brauchen, sich anstrengen; unpers. *mir od. mich nützet* mir ist von nutzen, hilft.
nutz-sam adj. nützlich.
nützunge, nutzunge stf. nutzen; benutzung, nutzniessung.
nûw- s. *niuw-*.
nûwe swm. nacken.
nûwet, nûwit s. *niht*.
nuz, -tzes, nutz stm. gebrauch, genuss, nutzen, vorteil, ertrag, einkommen.
nuz stf. schalenfrucht wie nuss, mandel; bildl. das geringste; kerbe am armbrustschaft, worin die gespannte sehne ruht. **-boum** stm. nussbaum.
-brèche swm. nussknacker.
nüzzelin, nüzzel stn. dem. zu *nuz*.
nuzzen swv. nüsse brechen, pflücken.

ô interj. vor vokat., vor fragend. ausruf u. vor andern interjj. (*ôhei, ôwê, ôwol;* nachgesetzt z. b. *wâfenô! helfiô, mordiô!*).
obe, ob, op konj. wenn, wenn auch, falls (mit ind. u. konj.); als, wie wenn; *waz obe* wie wäre es wenn, wie wenn, vielleicht? ob (in abhäng. zweifelsfrage, kann auch fortfallen).
obe, ob 1. adv. oben, oberhalb, über (bei raumadv. *dar obe, drobe, dort obe* usw.; bei zeitw. z. b. *obe ligen* oben liegen, obsiegen, überwinden mit dp. u. gs.; *obe sitzen, varn* mit dat. über einem sein, ihm beistehn, ihn beschützen; überragen, stärker sein). — 2. präp. über, oberhalb, auf: lokal mit dat.; eine herrschaft, einen vorzug, ein übertreffen ausdrückend mit dat. od. acc. **-dach** stn. dach über etw., obdach, eigentl. u. bildl. (unterkunft, schutz, schirm); überzug; krone, gipfel eines baumes; haupt, kopf. **-man** stm., pl. **-liute** schiedsmann, richter.
oben swv. intr. oben sein, hervorragen, überragen, übertreffen m. dat.; entgegen sein, hemmen.
obenän, obene, oben adv. von oben; oben.
obent-halp adv. = *oberhalp*.
ober adj. ober; sup. oberst, höchst (*der oberste tac* das fest epiphaniâ, das grosse neujahr).
ober-âhte stf. höherer grad der acht, aberacht. **-ane** swm. ältester ahne. **-dach** stn. obdach. **-getevele** stn. zimmerdecke. **-gewan** tstn. obere bekleidung. **-halbe, -halben, -halp** adv. u. präp. oberhalb mit gen. od. dat. **-hant** stf. aus *obere hant*: oberhand, übermacht. **-hemede** stn. oberhemd. **-lant** stn. oberes, höheres land (Oberdeutschland, Oberbayern, -schwaben); bildl. der himmel. **-lender** stm. bewohner des *oberlandes*. **-lendisch** adj. aus dem oberlande; überirdisch. **-man** stm. = *obeman*. **-sît** adv. = *oberhalp*.
oberec-heit, oberkeit stf. die herrschaftliche gewalt, obrigkeit.
oberen swv. intr. die oberhand haben, siegen über (dat.).
ober-, über-zile swf. alphabet, alphabetische reihenfolge (umged. aus *abc*).
obese, obse stswf. dachrinne, -tranfe (vgl. *hovesache*).

obe-siger stm. obsieger.
obe-siht stf. aufsicht.
obe-, ob-wendic adv. oberhalb, mit gen. od. dat.
obez, obz stn. baumfrucht, obst.
obeʒære stm. öbster, obsthändler.
obeʒ-boum stm. obstbaum.
-trehtic adj. obst tragend.
oblâte, oblât swstf. stn. oblate; hostie; eine art backwerk (mlat. *oblata, oblatum*).
oblei, obleie stnf. opfer, speiseopfer; brotzins, abgabe in lebensmitteln oder geld bes. an eine kirche, kloster usw.; obleiamt, verwaltung solcher abgaben und stiftungen (mlat. *oblagia, obleia* vom gr. *εὐλογία*).
obleier stm. einnehmer und verwalter der *obleien* (mlat. *oblajarius*).
oblei-meister stm. dasselbe.
obletter stm. kuchenbäcker.
ob-meister stm. aufseher.
ob-name swm. beiname.
occident, occidente stwm. okzident, westen (fz. *occident*).
och, ôch s. *ouch*.
och interj. ach.
ocker, ogger stnm. ocker (gr. lat. *ochra*).
ocker stm. penis (vgl. *atigêr*).
ocker, ockers, ockerî s. *eht*.
ockerlier stm. steuermann, lotse (frz. *nôclier*).
ode, od, od oder konj. oder, oder sonst; im beginn eines vordersatzes: wenn nicht, es wäre denn.
œde adj. leer, öde, unbebaut, unbewohnt; leicht, gering; arm, entblösst; eitel, schwach, gebrechlich; widerwärtig, dumm, töricht. — stf. unbebauter und unbewohnter grund, wüste.
ode-bar swm. storch.
œdec-heit, œdekeit stf. leichtfertiges, albernes betragen. **-lich** adj. eitel, töricht. — (**œde-**)**liche** adv. in eitler od. törichter weise.
œdene swv. verheeren.
œdene stf. = *œde*.
œderich stm. törichter mensch.
offei interj. traun! (afz. *afoi*).
offen adj. (md. auch *uffen*) offen, geöffnet; nicht geschlossen; geöffnet, ausgebreitet, breit, voll; öffentlich; unverhohlen, erklärt. — adv. offen, öffentlich. **-bære, -bâr, -bar** adj. adv. offen, geöffnet; offen zeigt, deutlich, sichtbar, offenbar; öffentlich. **-bæren, -bären** swv. offen zeigen, offenbaren, veröffentlichen. **-bâr-lich, -bærlich** adj., **-bârliche, -bærliche** adv. offenbar, öffentlich. **-lich** adj., **-liche** adv.

offenbar, allen wahrnehmbar oder verständlich, unverhohlen; öffentlich. -schinec adj. offen zu sehen, öffentlich.

offene stf. öffnung.

offenen, offen swv. (md. auch *uffenen, uffen*) tr. u. refl. öffnen, eröffnen; offenbar machen, zeigen, kundtun, verständlich machen, darlegen (bes. die rechtsverhältnisse darlegen, ein weistum verkündigen); veröffentlichen.

offenunge stf. öffnung, eröffnung; erscheinung, eintritt; verdeutlichung, offenbarung; erleuchtung; darlegung der an einem ort bestehenden rechtsverhältnisse, weistum.

offerende stswf. offerende, messgesang zur opferung.

offern swv. opfern (lat. *offere*).

ofte, oft adv. oft.

ogger s. *ocker*.

œheim, ôheim stm., œheime, ôheime swm. mutterbruder, oheim; schwestersohn, neffe; verwandter überh.; in vertraulich ehrender anrede.

ohse swm. ochse; gestirn Bootes. öhselin, öhsel stn. kleiner ochse. ohsenære stm. ochsenhirt, -bauer.

ohsen-bein stn. ochsenknochen; würfel. -diech stn. ochsenkeule. -hērter stm., -hirte swm. ochsenhirt. -houbet stn. gestirn der Hyaden. -hüt stf. ochsenhaut. -joch stn. joch ochsen. -kalp stn. stierkalb. -triberlin stn. astr. Bootes. -zagel stm. astr. colurus.

ohsin adj. vom ochsen.

ohsisch adj. astr. *borealis*.

oht s. *eht*.

ohteiz interj. der verwunderung, hei!

oi-â interj. dasselbe.

oimê interj. o weh.

oist stn. schafstall.

öl s. *öle*.

olbente, olbende swfm., olbent stm., olbentel stn. kamel.

olbentier (aus *olbent-tier*) stn. dasselbe.

öl-ber stn. olive. -bērc stm. ölberg. -boum stm. ölbaum. -boumin adj. vom ölbaum. -loup stn. ölzweig. -ris stn. ölzweig; kranz daraus. -slahe swf. ölpresse. -slaher stm. ölpresser. -var adj. ölfarbig. -vruht stf. olive. -zwi stn. ölzweig.

olde, old, older konj. = *alde*.

öle öl, ole ol, oli olei stn. öl (sinnbild der göttl. barmherzigkeit); vitriolöl (lat. *oleum*).

ole-bach stn. ölquelle. -bluot stf. blüte des ölbaumes.

olei-glas stn. ölglas.

olei-man stm. ölhändler.

ölen öln, olen oln, oleien swv. ölen, mit öl zubereiten; salben (von der letzten ölung).

öler, oleier stm. ölmüller.

öle-vaʒ stn. ölgefäss; öllampe.

olifant, olivante stswm. das horn Rolands; elefant (afz. *olifant*)

olive swstf. swm. ölbaum (lat. *oliva*).

olivēt ölberg (lat. *olivetum*).

ölunge, olunge, oleiunge stf. die letzte ölung.

ome, om swstn. spreu; bildl. nichts; swm. futter, womit die vögel ihre jungen ätzen.

omêlie swf. homilie (mlat. *omelia*).

ônichinus, onichius, onichûs, ônichel, ônich, ônix stm. onyx (lat. *onichinus*).

op s. *obe*.

opfer, opher stn. (md. auch *opper*) opfer, die einer kirche oder der gottheit dargebrachte gabe; hostie.

opfer-bære adj. zum opfer geeignet; alt genug um an dem opfer teilzunehmen. -ganc stm. opfergang. -golt stn. als opfer dargebrachtes gold. -sanc stmn. gesang beim offertorium der messe. -sange swf. opfergarbe. -vrischinc stm. opferlamm.

opfern swv. ein *opfer*, als *opfer* darbringen, opfern (lat. *operari*).

opferunge stf. opferung, opfer.

ôr, œr s. *ôre*, *œre*.

ôr-blâse f. ohren-, trommelfell.

orden stm. regel, ordnung; reihe, reihenfolge, stufe; anordnung, verordnung, auftrag, befehl, gesetz; orden; stand, art (oft nur umschreibend: *kristenlicher orden* die christen, *keiserlicher o.* das kaisertum usw.); aus lat. *ordo*. -brēche swm. der den *orden* bricht. -haft adj. ordensgemäss. -heit stf. anordnung. -lich adj., -liche adv. der ordnung, regel gemäss.

ordenære stm. ordner, anordner; pl. ordensleute.

ordenen, orden swv. ordnen, in ordnung bringen, einrichten; anordnen; anweisen, verordnen, bestimmen; einem orden einverleiben.

ordenunge stf. regel, ordnung; anordnung, verordnung, vorschrift; ordination; rang, stand, bes. von den chören der engel; einrichtung, lebensweise.

ordinieren, ordenieren, ornieren swv. ordnen, in ordnung bringen, einrichten, ausrüsten; anordnen, anweisen, verordnen, bestimmen; ordinieren, zum geistlichen weihen (lat. *ordinare*).

ôre, ôr swstn. ohr (bei menschen und tieren); etwas ohrähnliches.

œre, œr; ôre, ôr stn. ohrartige öffnung woran oder worin: nadelöhr; loch in der axt zum einsetzen des stieles; henkelloch, henkel, handhabe.

ôre, ôr stf. = *hôre*.

ôrēht adj. mit ohren versehen, langohrig.

ôrelin, œrelin, œrel stn. dem. zu *ôre*.

ôre-lôs adj. ohrenlos; nicht hörend.

ôren-winde swf. ohrfeige. ôren-wützel stm. ohrwurm.

ôre-vēl stn. = *ôrblâse*.

ôre-wetzelin stn. kleine ohrfeige.

organieren, orgenieren swv. orgeln, pfeifen, musizieren.

organa stf., organe, orgene swf. = *orgel* (mlat. *organa*).

organiste swm. organist (mlat. *organista*).

orgel, orgele stswf. orgel.

orgelærinne stf. orgelspielerin.

orgelen, orgeln swv. orgeln.

orgeler stm. organist.

orgel-sanc stmn. orgelklang.

orgel-wērc stn. orgel.

orgenen swv. = *orgelen*.

orgenieren s. *organieren*.

ôr-golt stn. = *ôrrinc*.

örgrickel-vinger, ôr-grübel, -grübel stm. ohrfinger, digitus auricularis.

ôrient, ôrient, ôrjent stm. orient, osten (fz. *orient*).

orke swm. org, elbisches wesen (it. *orco*, lat. *orcus*).

or-kunde s. *urkünde*.

ôr-luoc stn. ohrloch.

ôr-meister stm. uhrmacher.

ornât stmf. amtsschmuck, amtstracht; kirchengewand, -schmuck (lat. *ornatus*).

ornieren swv. schmücken (lat. *ornare*).

ornieren s. *ordinieren*.

ôroiei, ôriei stn. uhrwerk, uhr (lat. *horologium*).

ôr-rinc stm. ohrring.

ôr-rûne swm., -rûner stm. der ins ohr flüstert, geheimer ratgeber.

ors s. *ros*.

ôr-slac stm. ohrfeige. -slagen, slegen swv. an die ohren schlagen.

ôr-smër stn. ohrenschmalz.

ort stnm. äusserster (anfang- od. ausgangs-) punkt nach raum und zeit: anfang, ende (*an*, *ûf*, *in*, *unz*, *unz an ein o.* zu ende, vollständig, ganz und gar); spitze, bes. der waffe, spitzes werkzeug; ecke, winkel; rand, saum, seite; himmelsgegend; (zu äusserst gelegenes)

stück landes; angewiesener platz, stelle; stück, teil, vierter teil von mass, gewicht, münze (bes. der vierte teil eines guldens). **-banc** stf. eckbank. **-bant** stn. eisernes band an der spitze der schwertscheide. **-habe** swm., **-haber**, **-heber** stm. urheber, anführer; *auctoritas*. **-haberin** stf. anführerin. **-habunge** stf. anfang; ansehen, machtvollkommenheit. **-hebic** adj. anfangend. **-hûs** stn. eckhaus. **-isen** stn. = *ortbant*. **-kint** stn. kind von ungerader zahl. **-man** stm. schiedsmann, dessen stimme bei stimmengleichheit entscheidet. **-mez** stn. richtscheit. **-pic** stm. stich oder hieb mit dem vordern ende des schwertes. **-stein** stm. eckstein. **-vrumære**, **-vrümære** stm. urheber. **-vrümeeliche** adv. von anfang an. **-zan** stm. eckzahn. **ortec**, **ortic** adj. schneidig, scharf.

orte-, **örte-lîn** stn. dem. zu *ort*.

orten swv. refl. sich erstrekken, auslaufen, zu ende gehen.

ortern, **örtern** swv. mit spitzen versehen; viereckig machen; genau untersuchen.

ortoht adj. am *orte* befindlich, ungerade; eckig, viereckig.

ör-vandel stn. = *örbläse*.

ör-vige stf. md. ohrfeige.

ör-zeiger stm. uhrzeiger.

orzen swv. mit halbem winde segeln (it. *orzare*).

öse swstf. öse, griff, henkel, schlinge (lat. *ansa*).

œsen, **ösen** swv. leer machen, ausschöpfen; leer, frei machen, lösen; vernichten, berauben.

œserine, **-ges** stm. eine münze.

ostelie stf. herberge (it. *osteria*, fz. *hôtellerie*).

ôsten, **ôst** stnm. osten.

ôsten, **ôstene** adv. nach, im osten.

ôstenân adv. von osten.

ôstener, **ôstner** stm. ostwind.

ôstent adv. im osten.

ôster stsvf. im osten. — adj. im osten befindlich, östlich, morgenländisch. — stm. ostwind.

ôster stswf. ostern, osterfest (ostermahl); ostern, frühling (gewöhnl. pl.).

ôster-âbent stm. tag vor ostern. **-ei** stn. zu ostern abzuliefernde zinseier. **-hôchzit**, **-hôchgezît** stfn. osterfest. **-kêrn** stm. das beste der ostern, bezeichnung für Christus. **-kêrze** swf. oster-, königskerze. **-lamp** stn. osterlamm. **-liche** adv. österlich, wonnig, herrlich. **-lieht** stn. die geweihte osterkerze. **-maz** stu. ostermahl. **-spil** stn. spiel oder schauspiel zur frühlings- oder osterfeier; osterscherz,

---

osterfreude; bildl. höchste freude, wonne. **-stoc** stm. = *österlieht*. **-tac** stm. ostertag, -fest; bildl. die höchste freude. **-vire** stf. osterfest. **-wihe** stf. osterweihe. **-wunne** stf. osterfreude, grösste wonne. **-zit** stfn. osterzeit, osterfest.

ôster-halben, **-halp** adv. im osten. **-hêrre** swm. herr aus einem östlich gelegenen lande; österreich. herr. **-lant** stm. östlich, gelegenes land, Österreich; morgenland, orient. **-linc** stm. bewohner des ostens, orientalis. **-man** stm. Österreicher. **-mer** stn. das östliche, das schwarze meer. **-pflâge** swstf. östliche gegend, osten. **-riche** stn. das reich im osten; Österreich. **-sahs** stn. österreichisches schwert. **-sê** stf. ostsee **-sprâche** stf. sprache der Österreicher. **-weize** swm. österreich. weizen. **-win** stm. österreich. wein. **-wint** stm. ostwind.

ôsterîn adj. morgenländisch.

ôster-lich adj. östlich; österlich (ô. *tac* bildl. wonniger freudentag, höchste freude).

ôstern adv. von osten; im osten, östlich.

ôstert, **ôsteret** adv. von osten; ostwärts, nach osten.

ôst-halp adv. ostwärts.

ôst-lant stn. östliches land.

ostie s. *hostie*.

ôt s. *eht*.

oter, **otter** stm. otter, fischotter.

oterin adj. vom otter.

oter-vâher, **-venger** stm. otterfänger.

ôt-müete (**-muot**) stf., md. *ôtmûte*, *-mûde*, *-mût* leichter, williger sinn, mildes gemüt, herablassung, demut. — adj., md. *ôtmûte* *-mûde* der leichten, willigen sinn hat, sanft, demütig. **ôt-müetec** adj., **-heit** stf. = *ôtmüete*. **-lich** adj., **-liche** adv. demütig; milde, gütig.

ôt-müetigen swv. refl. sich erniedrigen.

ôt-muote adv. zu *ôtmüete*.

otter s. *oter*.

ouch, **ôch**, **och** konj. auch (um einen neuen satz beizufügen: überdies, zudem, ferner, noch mehr; um einen neuen satz dem vorigen stärker od. schwächer entgegenzustellen: aber auch, dagegen, anderseits, dennoch; um den vorhergehenden satz zu verstärken, zu bestätigen od. zu erklären: und doch, und wirklich auch, und wahr ist es, demnach auch; um den begriff „ebensowohl, gleichfalls" auszudrücken; in der vergleichung; bei zahlw., zeitadv. u. hinter kompar.: noch).

ouche s. *ouke*.

---

ouchen swv. refl. sich vermehren, vergrössern.

ouf s. *ûf*.

oug-apfel stm. augapfel. **ouge**, **oug** swn. auge, eig. u. bildl. (*in die*, *under ougen* im od. ins gesicht); auge, punkt des würfels; auge am weinstock. **ouge-brâ** stswf. augenbraue. **-lit** stn. augenlid. **-swêr** swm. augenschmerz. **-swêrnde** part. adj. augenleidend. **-tropfe** swm. träne. **-vane** swm. schleier. **ougel-dienest** stm. augendienst, schmeichelei. **ougelin** stn. dem. zu *ouge*.

ougeln swv. mit augen versehen. — stn. das äugeln, liebäugeln.

ougel-schouwe, **-(ougel-)weide** stf. = *ougen-*.

ougen, **öugen** swv. vor augen bringen, zeigen (ohne oder mit dp.).

ougen-blic stm. blick der augen; ganz kurze zeit, augenblick. **-brêhen** stnm., **-glast** stm. glanz der augen. **-rêbe** swfm. auge. **-rêgen** stm. tränen. **-schouwe** stf. anblick für die augen, augenweide. **-sêgen** stm. segensspruch gegen kranke augen. **-sêhen** stn. das sehen mit den augen, die sehkraft. **-spiegel** stm. brille. **-spil** stn. augenwonne. **-vlöz** stm. augenfluss, tränen. **-vluot** stf. tränenflut. **-wâe** stm. tränen. **-wanc** stm. wink mit den augen, o. *der zit* momentum temporis. **-wazzer** stn. tränen. **-weide** stf. das weiden, umherschweifen der augen, anblick (akt.); weide, erquickung für die augen, überh. anblick (pass.), auch eines unangenehmen gegenstandes. **-wêrt** adj. den augen wert, lieb. **ougende** stf. offenbarung. **ougenen**, **öugenen** swv. = *ougen*.

ougest ougeste, **ougst ougste**, **ouwest stswm.** august (*der ander ougst* september), ernte. **öugestinne** stf. august; september.

oug-stal stm. augenhöhle; eine augenkrankheit der pferde.

ouke, **ouche** swf. kröte.

oukolf, **oucholf** stm. (aus *ouk-wolf*) ein scheltwort.

ou-löse stf. = *zitlöse*.

ouwe, **owe** stf. wasser, strom (*in ouwe*, *enouwe* in, mit der strömung, stromabwärts; bildl. *in ouwe gân* herunterkommen, zugrunde gehn); von wasser umflossenes land, insel od. halbinsel.

ouwe stf. schaf.

ouwê, **ôwê**, **owê** interj. der klage, des wunsches, des er-

staunens mit dp., ap. u. gs. od. nachsatz mit *daȥ*.
ouwen swv. intr. stromabwärts (*enouwe*) treiben, dem strome nachschwimmen.
ouwest = *ougest*.
ouwi, ôwi, owi interj. = *ouwê*.
oven stm. ofen (zum backen, schmelzen, brennen, heizen); felsenhöhle, fels.
ovenære, -er stm. ofenmacher; bäcker.
ovenærin stf. ofenheizerin.
oven-hûs stn. backhaus.
-kluft stf. höhlung des ofens.
-knëht stm. bäckerknecht. **-stein** stm. ofenkachel. **-stürel** stm. schürstecken.
owe s. *ouwe*.
öwenz-wagen stm. eine art lastwagen.
ôwie, owie interj. o wie!
ôwoch, owach interj. = *ouwê*.
ôwol interj. wohlan, vor vok.; wohl, mit dat. od. acc. od. nachsatz mit *daȥ*.

P

(vgl. auch *B*)

pâcem, pâce, pæce, pêce, petze stn. der friedenskuss bei der messe (aus lat. *pacem dare*).
pafese s. *pavese*.
pagamënt, pagemënt, pagimënt stnm. die art der zahlung bis zum eintritt einer beschlossenen ausserkurssetzung der münzen; geldwährung; ungemünztes silber, bruchsilber (mlat. *pagimentum*).
pagânisch adj. heidnisch.
pagen swv. zahlen, bezahlen (it. *pagare* vom lat. *pacare*).
paland s. = *palus* sumpf.
palas, palast stnm. grösseres gebäude mit einem hauptgemache, das zum empfange der gäste, zur versammlung u. bes. als speisesaal dient; palast (fz. *palais*, lat. *palatium*).
palas, palast, paleis stm. = *balas*.
palatin, paletin stm. palatinus, held.
palieren s. *polieren*.
palle f.? altartuch, der opferkelch samt seiner bekleidung (mlat. *palla*).
pâlmât, balmât stmnf. eine weiche seidenart und stoff daraus (mlat. *palmacium*).
palmât-sîde swf. dasselbe.
palm-, palme-boum stm. palmbaum.
palme, balme swm. swstf.,
palm, balm stm. palmbaum; palmenzweig; blütenkätzchen der am palmsonntag geweihten weidenzweige; pl. palmsonntag (lat. *palma*).

palm-ôstern pl. dasselbe. **-ris** stn. palmzweig. **-tac** stm. palmsonntag.
palte stswm. ein langer, grober wollenrock, pilgerkleid (mlat. *paldo* wollenrock, nd. *palte* lappen).
paltekin, paltikin stm. = *baldekin*.
paltenære, baltenere stm. ein in grobem wollenrocke einhergehender wallfahrer, bettler, landstreicher, krämer (mlat. *paltonarius*).
paltenerie stf. flickerei.
paltenerinne stf. landstreicherin.
palûne s. *pavelûn*.
pampilion, pampilôn indecl. zelt (lt. *papilio*).
panël, banël stn. sattelkissen (afz. *panel*, mlat. *panellum*).
pâner, panier, panner = *banire*.
pantel, panter, pantier stn. panther (umd. des gr. lat. *panther*)
panther, panthers stm. ein (wie ein panther gefleckter) edelstein.
panze stm. wanst, magen (fz. *pance* v. lat. *pantex*).
panzier, panzer stn. panzer (mlat. *pancerium*, *panceria*).
panzierer stm. panzerträger.
papegân, papigân stm. papagei (afz. *papegai*).
papele, papel swf. pappel; malve (lat. *populus*).
paperen swv. die lippen unverständlich bewegen (mlat. *babare*).
papier stn. papier (lat. *papyrum*).
papierer stm. papiermacher.
par stf. beschaffenheit, art.
pâr, par adj. einem andern gleich. — stn. zwei von gleicher beschaffenheit, paar (lat. *par*).
pâradîse paradis, pârdise pardis stn. paradies; bildl. geliebte (gr. lat. *paradisus*).
paradîsen swv. ins paradies bringen, selig machen; refl. das parad. (durch die taufe) erwerben.
pârâge stf. adel (afz. *parage*).
paragraf m. zeichen, buchstabe (gr. lat. *paragraphus*).
paralis, parillis, parlis stn. paralysis.
parât, barât stf. m. verwirrung; ein seltsamer, lärmender, bunter aufzug; list, kniff, betrug, verstellung, falschheit; kunst, kunststück (fechterkunststück), posse, kurzweil (aus mnl. *baraet* = fz. *barat*).
parât-hou stm. paradehieb, klopffechterei sp.

parc, -kes, parchan, parkam stm. eingehegter ort, umzäunung (fz. *parc*, mlat. *parcus* s. *pferrich*).
parde, pardier s. *part*.
pardise s. *paradise*.
pardris, perdrîs stm. rebhuhn (fz. *perdrix*). dem. **pardrisekin** stn.
parël s. *barël*.
parelieren swv. zubereiten, schön zurichten, rüsten (afz. *parilier*).
pareliure stm. sprecher, verkünder, prophet (afz. *parleor*).
pâren swv. gesellen *zuo*.
parille = *berille*.
parisin adj. aus Paris, nach Pariser art.
parl stm. wortwechsel (vgl. *parol*).
parlamënt stn. besprechung, disputation, versammlung (fz. *parlement*).
parlier, parlierer stm. werkgeselle, der die arbeit anzuordnen u. die aufsicht zu führen hat.
parlieren swv. reden (fz. *parler*).
parlis s. *paralis*.
parol, paroile stswm. wort, rede (fz. *parole*).
parolen swv. reden.
parrieren swv. = *undersniden*, mit abstechender farbe unterscheiden, schmücken, verschiedenfarbig durcheinander mischen; refl. dp. sich einem zugesellen (mfz. *parier*).
part, -des stm., **parde** swm., **pardier** stm. parder (lat. *pardus*).
parte, part stf. stn. teil, anteil, zugeteiltes; teil, abteilung, partei; das geteilte feld im wappen (fz. *parte*).
partie stswf. abteilung, partei (fz. *partie*).
partier stm. teil.
partierære, partierre stm. betrüger (fz. *barateur*).
partieren swv. betrügen, bes. durch handel u. tausch (afz. *bareter*, s. *parât*).
partiern swv. teilen (fz. *partir*).
partierunge stf. teilung, teil.
parzivant, persevant stm. unterherold (fz. *poursuivant*).
pas stm. = *paȥ*; teile der eingeweide des hirsches.
pasche stn. osterfest, -mahl (gr. lat. *pascha*).
passäsche swf. weg, furt (fz. *passage*).
passe swm., **passie** swf., **passiôn** stm. leidensgeschichte, ihre erzählung u. theatral. darstellung (lat. *passio*).
passen swv. ndrh. zum ziele kommen, erreichen (fz. *passer*).

passieren swv., ndrh. *passéren* gehn; sich ereignen (fz. *passer*, lat. *passare*).

passionâl stn. buch der leidensgeschichte, bes. der märtyrer.

pastor stm. pfarrer.

pasturêle stn. hirtenlied (fz. *pastorelle*).

patalje = *batalje*.

patelierre stm. vorkämpfer, plänkler (afz. *batailliere*).

patêne, patên swstf. die patene, oblatentellerchen (mlat. *patena*).

patriarche, -arke, -arc swstm. patriarch, kirchenoberhaupt (gr. lat. *patriarcha*).

patrôn, paterôn, patrône stswm. patronus; schiffspatron, kapitän.

patzeide swstf. ein getränkemass (mlat. *batiaca* weingeschirr).

pavelûn, pavilûn, poulûn stn., **pavelûne, pavilûne, poulûne, palûne** stswf. zelt (fz. *pavillon*).

pavese, pafese swf. eine art grossen schildes, mit einer langen eisernen spitze versehen, mit der er in der erde feststehn und so zur deckung des schützen dienen konnte; ein paar schildförmige, mit dazwischen liegendem kalbshirn od. dgl. gebackene semmelschnitten (it. *pavese*).

pêce s. *pâcem*.

pavimênt stn. estrich (lat. *pavimentum*).

pedûn stm. fussbote, läufer (fz. *pédon*).

peile f. stroh (fz. *paille*).

pêne, pên stswf. strafe (lat. *poena*, vgl. *pîne*).

penich s. *phenich*.

pênitênze, pênitênte stf., **pênitêncie** stswf. poenitentia.

pênsel, bênsel, pinsel stm. pinsel (mlat. *penicellus*).

pensen, pinsen, pensieren swv. denken, nachdenken, erwägen (fz. *penser*).

pên-val stm. strafgeld, busse.

pên-vellic adj. bussfällig.

pepelære stm. der pepelt.

pepelen swv. füttern; mit einem (dat.) zärtlich umgehn, ihn pflegen (mlat. *pappare*).

perdris s. *pardrîs*.

pergamênte stn. pergament, kontr. formen: *perment, perminte, -mint, permit*.

persevant s. *parzivant*.

persône, persôn stswf. person, bes. von den drei göttl. personen; gestalt, ansehen.

persônier stn. angenommene gestalt, mummerei.

persônlicheit stf. personalitas.

persônieren swv. leiblich gestalten.

pertic adj. parteiisch.

perze stf. stechender, durchdringender glanz (fz. *perce*).

pêter stm. münze mit dem bilde des heil. Petrus.

peterære s. *pheterære*.

pêterlîn stn., **pêtersîl** stm., **petersilje** swf. petersilie (mlat. *petrosilium*).

petît, pitît adj. klein (fz. *petit*).

petschat, betschat stn. petschaft (slav. *peĉet*).

petze s. *pâcem*.

pf- s. den anlaut *ph-*.

pfach s. *phiu*.

pflumpfen s. *plumpfen*.

pfrêsse s. *prêsse*.

phâ s. *phâwe*.

phæch interj. pfui.

phaden swv. einen pfad betreten, gehn, schreiten abs. u. tr.; einen pfad machen, bahnen.

phaffe swm. geistlicher, weltgeistlicher, priester (lat. *papa*).

phaffen-vürste swm. fürst geistlichen standes.

phaffierer stm. pfarrer.

phaf-heit, -schaft stf. die geistlichkeit, priesterschaft, priestertum. **-(phef-)lich** adj., **-liche** adv. geistlich, priesterlich.

phâhen stv. red. I, 2 = *enphâhen*.

phahte, phaht, phât stf. m. (kaiserliches) recht, gesetz; durch das gesetz bestimmter rang, stand; abgabe von einem zinsgute, pacht (mlat. *pâctum, pactus*).

phahten swv. tr. in gesetzesform bringen, gesetzlich od. vertraglich bestimmen; ermessen, ergründen. — intr. in genauer verbindung zu etw. stehn (mlat. *pactare*).

phâl stm. pfahl (lat. *palus*).

phâl-burger stm. bürger der ausserhalb der stadtmauer wohnt, pfahlbürger.

phalenze, phalze, phalz stf. wohnung eines weltl. od. geistl. fürsten, pfalz (übertragen auf die himml. wohnung); land eines pfalzgrafen: Rheinpfalz (mlat. *palantium, palantia, palenca*).

phalenz-grâve swm. pfalzgraf, richter an einem kaiserlichen hofe.

phalzen swv. stützen.

phander s. *phender*.

phandunge, phendunge stf. pfändung; verpfändung; pfand.

phan-hûs stn. das siedehaus in einem salzwerke.

phanne swstf. pfanne (mlat. *panna* aus lat. *patina*).

phant, -des stn. was zur sicherung der ansprüche eines andern dient, pfand (gegebenes od. genommenes), unterpfand, bürgschaft (*ezzendez phant* zu pfand genommenes oder gegebenes vieh, das genährt werden muss); pfändung (wohl aus lat. *pignus*).

phant-bære adj. pfandbar u. pfändbar. **-guot** stn. als pfand dienendes, verpfändetes gut. **-lêhen** stn. eine pfandweise vorgenommene belehnung. **-(phent-)liche** adv. wie es zur pfändung gehört, der pfändung gemäss; pfandweise. **-lœse, -lôse** stf. auslösung eines pfandes, lösegeld. **-rêht** stn. befugnis zu pfänden, ein pfandgeld zu begehren; gebühr des pfandhalters. **-schaft** stf. pfand. **-schaz** stm. pfandgut. **-trager** stm. pfandinhaber.

phan-zêlte swm. pfannkuchen.

phar stm. s. *var*.

phärft, phärit s. *phert*.

phariseilich adj. pharisäisch.

pharrære, -er, pherrer stm. pfarrer.

pharre, pherre swm. dasselbe (mlat. *parochus*).

pharre stswf. pfarre; pfarrkirche (mlat. *parochia*).

pharre-hêrre swm. pfarrer. **-liute** pl. die pfarrgemeinde. **-man** stm. pfarrer; pfarrkind. **-volc** stn. = *pharreliute*.

phasch stm. enger, schmaler weg (fz. *pas*).

phat, -des stm. n. fussweg, pfad (gr. πάτος).

phât s. *phahte*.

Phât, -des stm. der Po.

phat-hûche swm. räuber, wegelagerer.

phâwe, phâ swm. pfau (lat. *pavo*).

phâwen-huot stm. gestickter pfauenfederhut. **-spiegel** stm. auge der pfauenfeder; das pfauenkraut.

phæwîn adj. aus pfauenfedern gemacht, damit verziert pfauenartig; adv. wie ein pfau.

phæwinne stf. weibl. pfau.

phêch s. *phiu*.

phedelîn stn. dem. zu *phat*.

phedem, phedeme fm. melone, kürbis, gurke (lat. *pepo, peponus*). **-apfel** stm. gurke.

pheden swv. riechen, einziehen.

phederer s. *pheterære*.

phêffer stm. n. pfeffer (*langer, runder, kleiner, rôter pf.*) pfefferbrühe (lat. *piper*).

phêferlinc, phifferlinc -ges stm. pfefferschwamm.

phêffern swv. pfeffern, würzen.

pheffinne, -in stf. beischläferin eines *phaffen*; hexe.

pheht stf. das eichen (s. *phahte*).

phehten swv. prüfen, messen, eichen.

phehter stm. pächter; öffentl. abmesser, eicher.

pheit stnf. hemd, hemdähnliches kleidungsstück (vgl. gr. βαίτη). dem. **pheitel** stn.

phellel **phellôl, pheller phellôr, phelle pheil** stm. ein feines, kostbares seidenzeug, gewand, decke u. dgl. aus solchem (mlat. *palliolum*). **phellelin, phellerin, phellîn** adj. von *phellel*.

phende stf. pfändung, beraubung.

phendec, -ic adj. *ph. sîn* mit gen. od. *an* nichts wovon haben.

phenden swv. einem ein pfand abnehmen, ihn pfänden, auspfänden, ihn einer sache (gen. od. präp. *an*) berauben od. ihn davon befreien.

phender, phander stm. inhaber eines pfandes, pfandgläubiger; obmann eines spieles, der die einsätze als pfand an sich nimmt; obrigkeitl. pfänder, auspfänder.

phendunge s. *phandunge*.

phenner stm. salzpfänner.

phenich, phenech, penich; venich, vench stm. fench, eine hirseart (lat. *panicum*).

phenninc, phennic, -ges stm. münze, geld (pl.), silberdenar, pfennig, gewichtsmass (ahd. *phantinc, phentinc* zu *phant*?).

phenninc-wërt stn. was einen pfennig wert, dafür zu haben ist, verkaufsartikel, ware (kontr. *phenne-, phenwërt, -bërt*).

phent-amt, phent-meisteramt stn. pfändungsamt.

phent-liche s. *phantliche*.

pherdelin stn. dem. zu *phert*.

pherden swv. refl. sich beritten machen.

pherre, pherrer s. *phar-*.

pherren swv. zum pfarrer bestellen; einpfarren.

pherrich stm. einfriedigung (mlat. *parcus*, vgl. *parc*).

pherrichære stm. pfarrkind.

phërsich stm. pfirsich (lat. *persicum*, näml. *malum*).

phert, -des stn. pferd, bes. das reitpferd ausserhalb des streites (ältere nbff. *pferfrit, pferift, pferst, pfärst, pferht, pfärit, pferit*), mlat. *paravaredus, parifredus*.

phert-esel stm. maulesel. **-gereite, -kleit** stn. ausrüstung der pferde mit sattel u. zeug.

pheterære, peterære, -er, pfederer, pheter stm. eine maschine, mit der die steine gegen den feind geschleudert wurden (mlat. *petraria*).

phetter stm. taufpate und taufkind (mlat. *patrinus*).

phetzen swv. zupfen, zwicken, kitzeln (zu mlat. *petium* stück, fetzen).

phi s. *phiu*.

phiaz, fiaz stn. das *phî*-rufen.

pfich stn. = *bëch*.

phiesel stm. n. heizbares frauengemach (mlat. *pisale*).

phiesel-gadem stn. dasselbe.

phife, phif swstf. blasinstrument, pfeife (mlat. *pipa*).

phifen stv. I, 1 u. sw. blasen, pfeifen.

phifen-sac stm. dudelsack, pfeifensack.

phifer stm. pfeifer, spielmann.

phifferlinc s. *phëfferlinc*.

phil stm. pfeil, pfeileisen; pfeiler (lat. *pilum*).

philære, -er stm. pfeiler (lat. *pilarius*).

philæren swv. mit pfeilern errichten.

phil-isen stn. pfeileisen. **-schaft** stm. pfeilschaft.

philôl s. *fillôl*.

phingeste stf. pfingsten, nur im pl. *vor, ze, an pfingesten*; dieser dat. zu einem nom. s. erstarrt *diu pfingesten* (gr. lat. *pentecoste*).

phingest-lich adj. pfingstlich. **-rôse** swf. pfingst-, frühlingsrose. **-(phinges-)tac** stm. pfingsttag, pfingsten.

phinne, vinne stswf. nagel; finne (lat. *pinna*).

phinnic, vinnic adj. finnig.

phinz-tac stm. donnerstag (*phinz* aus πέμπτη, der fünfte tag).

phiphiz stm. verhärtung der zungenspitze des federviehs (lat. *pituita, pipita*).

phisen, phisten swv. durch laute locken.

phister stm. bäcker (lat. *pistor*). **-meister** stm. bäckermeister.

phistrine, phisterie, phistrî, phister stf. bäckerei (lat. *pistrina*).

phiu, phî, fî (nbff. *pfui, pfû, pfuch, pfëch, pfach, fach*): interj. zum ausdrucke des ekels, unwillens, hohnes (lat. *phui, phy*).

phlac, -ges stm. aas.

phlâc, -ges stm. = *plâge*.

phlacke s. *placke*.

phlâge s. *vlâge* u. *plâge*.

phlâge, plâge stf. md. gegend, weltgegend (lat. *plaga*).

phlæge, plâge = *phlëge*.

phlâgen swv. s. *plâgen*.

phlaht stf. = *phliht*.

phlanz stm. wachstum, gedeihen.

phlanzære, -er stm. pflanzer; junger, gepflanzter stamm; pflanze.

phlanze stf. pflanze; pflanzung; same, abstammung (lat. *planta*).

phlanzen swv. tr. pflanzen, verpflanzen; zieren, schmücken. — intr. schösslinge treiben, wachsen, gedeihen, um sich greifen (lat. *plantare*).

phlaster stn. pflaster, wundpflaster, salbe; zement, mörtel; zementierter od. steinfussboden; strassenpflaster (mlat. *plastrum*).

phlastern swv. mit mörtel aufbauen; ein pflaster auflegen; die strasse pflastern.

phlëgære, -er stm. der etw. von geschäfts oder amts wegen besorgt, leitet, treibt: aufseher über, vormund, verwalter, oberer; als schachfig. = *roch*.

phlëge stswf. liebende besorgung, fürsorge, obhut, vormundschaft, pflege (gewöhnl. im pl.); umgang; gesamt. der aufseher; amt, pflegamt, amts- od. herrschaftsbezirk, schuldige leistung, zins, abgabe; sitte, lebensart, gewohnheit, übung, beschäftigung. **-haft** adj. zinspflichtig. **-lich** adj., **-liche** adv. wie es gewohnheit ist, gewöhnlich, hergebracht.

phlëgede stf. amt, amtsbezirk; = *pflëge*.

phlëgen stv. V, **phlegen** swv. d. verantwortung übernehmen; wofür sorgen, sich mit freundlicher sorge annehmen, pflegen, umgehn od. leben mit (mit gen., mit acc. u. gen.); bes. als geschäft, als pflicht besorgen, aufsicht haben, behüten, beschützen (mit gen., mit inf. ohne od. mit *ze*); umgehn mit, betreiben, üben, tun mit gen. (oft bloss umschreibend); abs. handeln; sich bedienen, brauchen mit gen.; besitzen, haben mit gen.; mit gen. u. dat. geben, gewähren, verabreichen. — refl. mit gen. verbürgen für, versprechen; die sitte, gewohnheit haben (oft bloss umschreibend) mit infin. (lat. *plicare*?).

phlëgenisse stf. pflege, aufsicht, vormundschaft; pflegamt; schuldige leistung, abgabe.

phliht, phlihte stf. freundliche fürsorge, pflege, obhut, aufsicht; verkehr, verbindung, teilnahme, gemeinschaft (*âne pfliht* auf eigene faust); teil; dienst, obliegenheit; sitte, art u. weise (oft nur umschreibend mit adj. od. gen.); recht.

phlihtære stm. der gemeinschaft mit, anteil an etw. hat.

phlihte swf. schiffsschnabel.

phlihten swv. intr. u. refl. sich woran halten, richten nach,

anteil nehmen, sich beteiligen, verbinden (*an, mit, zuo*); sich verpflichten zu (*zuo*, mit dat. u. gen.). — refl. sich halten. — tr. für etw. sorgen, es einrichten; in dienst od. besitz übergeben, verbinden, verpflichten *zuo*.

phlihtic adj. schuldig, verbunden, verpflichtet (mit dat. u. gen., inf., *zuo*).

phliht-lôs adj. ohne verbindlichkeit. **-teil** stmn. anteil, gemeinschaft.

phloc, **-ckes** stm., **phlocke** swm. pflock.

phlücken swv., md. *pflocken*, ndrh. *plucken* pflücken.

phlüegen swv. pflügen.

phlûm, **vlûm** stm., **phlûme**, **vlûme** swm. stf. strom (lat. *flumen*).

phlûme swf. pflaume (lat. *pruna*, pl. von *prunum*).

phlûme, **plûme** swf. flaumfeder (lat. *pluma*).

phlûmen swv. ein bett machen.

phlûmit, **plûmit** stn. mit flaumfedern gefülltes sitzkissen (mlat. *plumatium*).

phluoc, **-ges** stm. pflug; persönl. der pflüger; gewerbe, geschäft, lebensunterhalt; einkommen. **-isen**, **-iser** stn. pflugschar.

phluogide, **phluogit** stn. ein paar pflugochsen.

phnâsen swv. schnauben.

phnast, **phnâst** stm. das schnauben; dampf, dunst.

phnêhe swm. engbrüstigkeit.

phnêhen stv. V schnell atmen, schnauben, keuchen, schluchzen.

phnechzen, **phneschen**, **phnesten** swv. dasselbe.

phnessunge stf. Acheron.

phnist stm. = *phnust*.

phnuht stm. f. das schnauben.

phnurren swv. intr. anschwellen; sich schnurrend drehen, brummen, schnauben. — tr. durch einen plötzlichen ruck wenden u. an sich ziehen.

phnûsen, **phûsen** swv. intr. niesen; schnauben, schnoppern, ohrenblasen. — refl. sich aufblähen.

phnust stm. unterdrücktes lachen.

phnuten swv. tr. anschnauben.

phoch-snider stm. beutelschneider.

phorre, **porre** swm. lauch (lat. *porrum*).

phorte, **phorze** swstf. pforte (lat. *porta*).

phorzich stm. vorhaus einer kirche (lat. *porticus*), umged.

phort-hûs stn.

phose swm. gürteltasche; beutel (slav. ?).

---

phost phoste, **post poste** stswm. stütze, pfosten, balken (lat. *postis*).

photigen swv. quälen, vexare.

phoune swf. südwest-, südwind (lat. *favonius*).

phragen, **vragen** stm. markt; handel, wucher.

phragener, **phregener**, **vragener** stm. kleinhändler, viktualienhändler.

phrancsal stf. s. v. a.

phrange, **phrenge** stf. einschliessung, beengung, nötigung, drangsal.

phrengen swv. pressen, drängen, bedrücken.

phrenger stm. bedränger.

phretzner stm. = *phragener*.

phrieme, **phriem** swstm. pfriem, pfriemen; pfriemenkraut, ginster (mlat. *prema*).

phriemen swv. mit einem pfriemen stechen, verwunden.

phrophære, **-er** stm. pfropfer; pfropfreis.

phrophen swv. pfropfen (lat. *propagare*).

phrüende, **phruonde** stf. nahrung, unterhalt; die vertragsmässig gereichten lebensmittel, pfründe; geistl. amt u. einkünfte aus einem solchen (mlat. *provenda*, *praebenda*).

phrüendære, **-er**; **phrüendener** stm. pfründner.

phrüenden swv. tr. mit einer *phrüende* versehen.

phu, **phuch**, **pfui** s. *phiu*.

phûch interj. vom fauchen der katze.

phûchen, intens. **phûchzen** swv. *phûch* sagen, fauchen.

phulse swf., md. *pulse*, die zum *phulsen* gebrauchte stange.

phulsen swv. mit stangen die fische aufstören, damit sie ins netz gehen (lat. *pulsare*).

phülwe, **phülwe** swm. n. federkissen, pfühl (lat. *pulvinus*).

phunder stm. ein volles *phunt* enthaltendes mass; übertr. ein gewichtiger mann.

phundic, **phündic** adj. ein pfund wiegend; das rechte gewicht habend, vollwichtig.

phunt, **-des** stn. ein bestimmtes gewicht, pfund; pfund geldes (höchste münzeinheit); ein gewicht von einer bestimmten anzahl von pfunden od. zentnern; eine bestimmte anzahl von stücken (lat. *pondus*).

phuol stm. pfuhl (lat. *palus*).

phuolec adj. sumpfig.

phurren swv. sich schnell bewegen, sausen.

phûsen s. *phnûsen*.

phütze stswf. brunnen; lache, pfütze (lat. *puteus*).

pigmentære stm. gewürzkrämer.

---

pigmënte, **-mënt**; **pimënte**, **bimënte**, **-ënt** stswf. stn. gewürz, spezerei; gewürzter wein, würziger duft (lat. *pigmentum*).

pigmënten, **pimenten** swv. würzen.

pil stn. spundloch.

pilg-ei stn. das nestei.

pilgerim = *bilgerim*.

pin stm.,*pine*, *pin* stswf.strafe, leibesstrafe (immer fem.); qual, pein; eifer, eifrige bemühung um etw. (lat. *poena*, vgl. *pêne*).

pin-boum stm. fichte (fz. *pin*, lat. *pinus*).

pinec-lich adj. = *pînlich*.

pinede, **pinde** stf. qual, pein.

pinegen, **pinigen**, **pingen** swv. tr. strafen; quälen, peinigen, martern. — refl. sich abmühen.

pineger, **piniger** stm. quäler, peiniger.

pinegunge, **pinunge** stf. peinigung, foltergerät.

pinen swv. tr. strafen; quälen, peinigen, martern; nötigen, zwingen *ûf*. — refl. u. intr. sich abmühen (mit gen., mit inf. u. *ze*, mit *durch*, *nâch*, *ûf*, *zuo*).

pin-lich adj., **-liche** adv. strafällig, -würdig; quälend, peinlich, schmerzlich; quälend, grausam.

pin-rât stm. unter einem *pinboume* gehaltene beratung.

pinsel, **pinsen** s. *pênsel*, *pensen*.

pinseln, **pinsen** swv. malen pinseln.

pint stm. md. nd. penis.

pint stn. = *pigmënte*.

pinte, **pint** f. ein flüssigkeitsmass (mlat. *pinta*).

pinunge s. *pinegunge*.

piráte swm. seeräuber (lat. *pirata*).

piscine swf. badwanne (mlat. *piscina*).

piscin-vaz stn. dasselbe.

pistel swf. epistel.

pitanz, **pitanze** stf. pitanz, reichlichere portion an kost und wein (mlat. *pitantia*).

pitit s. *petit*.

plack, **placke**, **blacke** n. md. tinte.

placke, **phlacke** swm. fleck, gegend; flicklappen, lumpen (lat. *plaga*).

placken swv. flicken.

plâge s. *phlâge*, *vlâge*.

plâge, **pflâge** stswf., **pflâgnüsse**, **pflâgunge** stf. von gott gesandtes unglück, himmlische strafe, missgeschick, qual, not (lat. *plaga*).

plâgen swv. tr. mit *plâgen* heimsuchen, strafen, züchtigen. — refl. sich abmühen, plagen.

plân stm., **plâne**, **plân** stf. freier platz, ebene, aue (mfz. *plâne*).

plånen swv. ebenen, glätten, eben, flach niederlegen.
plånêt, plånête stswm. stn. planeta.
plange stm., plânie, plânje, plâniure stf. = plân.
planke, blanke swf. dickes brett, planke, im pl. auch plankenzaun, umplankung, befestigung (mlat. planca).
planken, blanken swv. planken, verplanken.
plarren swv. gaffen, anstarren.
plasche s. vlatsche.
plate s. blate.
plaz, -tzes, platz stm. freier raum, platz; tanzplatz, tanz; spiel (fz. place, mlat. placea, lat. platea). - hûs stn. spielhaus. -loter stm. herumziehender gaukler. -meister stm. aufseher, ordner des tanzes od. spieles.
plecken, blecken swv. blöken.
plecker stm. md. strassenräuber.
pleine adj. = fz. plein.
plerge swf. entzündete oder verletzte stelle an der haut (vgl. vlarre).
plîalt s. blîalt.
plûm- s. phlûm-.
plump, plumph adj. roh, plump, stumpf.
plumpf stm. dumpfer schall.
plumpfen, pflumpfen swv. mit dumpfem schalle fallen.
plunder s. blunder.
plundern swv. plunder nehmen, plündern.
pôdâgrâ stn. podagra.
pôête swm. poeta.
pôfûz stm. eine art phellel (afz. bofuz, boufu).
poinder, poynder, pondier, ponder, punder stm. stossendes anrennen des reiters; haufe so anrennender reiter; wegmass (so weit ein ross im p. laufen kann); fz. poindre.
poinder-heit stf. die schnelligkeit, womit der poinder geritten wird. -lich adj., -liche adv. mit der schnelligkeit des poinders, heftig rennend, gewaltsam.
poinen swv. = punieren.
poisûn stm. gift, zauber-, liebestrank (fz. poison).
pôlânisch, pôlênisch adj. polnisch.
polei poleie, pulei puleie stn., poleie swf. polei, flöhkraut (lat. pulegium).
polieren, palieren swv. glätten, abschleifen, polieren (lat. polire).
polite swf. kurzer schriftlicher ausweis, geleitzettel, auch die kanzlei in der die p. ausgestellt wird (it. boletta, fz. billet).
polster s. bolster.
pompe, pomp stswf. m. feierliches gepränge, pracht, pomp (lat. pompa).
ponze s. punze.
popelen swv. sprudeln, bullern.
poppe swm. schwelger, grosssprecher (appell. verwendung des namens Poppe).
poppe swm. hinterteil des schiffes (lat. puppis).
porre s. phorre.
port stm. n., porte stswf. hafen (lat. portus).
portativ stn. handorgel (mlat. portativum).
porte, borte, port swstf. pforte, des himelrîches p. Maria; öffnung, mündung überh. (lat. porta, s. phorte).
portenære, -er stm. pförtner.
portenærinne stf. pförtnerin.
porze, porz swstf. md. = phorte, porte.
posse swfm. ein neckischer streich, possen.
post, poste s. phost.
posterne stf. hintertür.
poten swv. mnd. pflanzen. vgl. impfeten.
potestât, -âte stswm. höchste obrigkeitliche person einer stadt, stadthauptmann (it. podestà ⌞ mlat. potestatem).
poufemin, poufemil stm. = pôfûz.
poulolin stn. dem. zu poulûn.
poulûn s. pavelûn.
povel s. bovel.
pover adj. arm (fz. pauvre).
pral, -lles stm. lärm, schall.
prälen swv. md. hoffärtig, gross tun; lärmen.
prâm stm. flachbordiges flussschiff mit geringem tiefgang.
pranc stm. bedrängnis.
pranger, branger stm. zwangsbehälter, in dem der verbrecher öffentlich zur schau gestellt, oder pfahl, an den er gefesselt wird.
pranken swv. bedrängen.
prasem stm. ein kostbarer grüner stein (lat. prasius).
predicament stn. anweisung.
predige s. bredige.
prêlâte, prêlât swstm. hoher geistlicher, prälat (lat. praelatus).
prelle swm. schreier.
prellen swv. intr. auf-, abprallen, zurückfahren; sich schnell fortbewegen, hervorbrechen. — tr. fortstossen, werfen.
preller stm. penis.
premezen swv. md. bändigen.
prêsant, prisant, prêsênt, prisênt stm. n., prêsênte, -ênt, prisênt stf. geschenk (fz. présent).
prêsentieren swv. = praesentare.
prêsênz stf., prêsênzie swf. präsenzgeld (lat. praesentia).

prêsse, pfrêsse stf. presse, bes. die weinpresse; schar, gedränger haufe, gedränge (mlat. pressa).
prêssel stfn. siegelpresse; pergamentstreifen, an dem das siegel hängt.
prêsseln, prêssen swv. pressen.
prêssiure stf. gedränge.
prêze, prêzel, brêzel, prêzile f. bretzel (mlat. bracellus).
priester stm. ordinierter geistlicher, priester (gr. lat. presbyter).
priester-ammeht stn. priesteramt. -lich adj., -liche adv. einem priester gemäss, des priesters. -schaft stf. priesterl. amt, würde; koll. priester. -tuom stn. gläubige gemeinschaft. -vürste swm. hohepriester, mitglied des hohen rats.
priesterinne, -in stf. priesterin, md. priestersche.
prime swstf. der grundton; musik. intervall; die erste canon. stunde (lat. prima).
prinze swm. fürst, statthalter (fz. prince).
prior, priol stm. prior eines klosters; aufseher (kirchenlat. prior, priol).
priorinne, prîolinne, -in stf. priorin eines nonnenklosters.
prîs stm. lob, ruhm, wert, preis; herrlichkeit; etwas preiswertes; preiswerte beschaffenheit, tat (nâch, ze prîse preiswert, vorzüglich); fz. prix aus lat. pretium.
prisanten swv. präsentieren, ehrerbietig darbringen.
pris-bejac stm. ruhmgewinn, oft in adv. ausdruck.
prîse adj. preiswürdig.
prîsen swv. den prîs erteilen, loben, rühmen, hochstellen, lobenswert machen, verherrlichen; beurteilen (fz. priser).
prîsênt s. prêsant.
prislije, prisel n. brasilienholz (fz. presil, mlat. prisilium).
pris-lich adj., -liche adv. preiswürdig, herrlich.
prisûn, prisûne stf., prisûn stn. gefängnis (fz. prison, mlat. prisuna).
privêt privête, privât privâte stswn. abtritt (afz. priveit, mlat. privata, näml. camera).
privilêgen swv. als vorrecht übertragen.
privilêgje, -leige, -leie stn. freibrief, privilegium.
probande s. profant.
problêm stn. problema.
procêss stm. erlass, gerichtl. entscheidung (lat. processus).
procêssje, procêsse swf., procêsse, procêss, procêssiône stf. procession (lat. processio).
profant stf. proviant; md.

probande, probiande (lat. *provi-*
denda).
prologe swm. prologus.
pronieren swv. progignere.
properheit stf. eigenart.
prophête swm. propheta.
prophêtie, -cie, -zie stswf.
prophezeiung.
prophêtieren, -zieren swv.
prophezeien.
prophetin, prophetisse stf. prophetin.
provinciâl(e) m. geistlicher
würdenträger, provincialis.
prüeven, brüeven, -fen swv.
nachdenken, erwägen, prüfen,
erkennen; beweisen, erweisen,
dartun, schildern; bemerken,
wahrnehmen; erwägen, schätzen; berechnen, nachzählen,
zählen; erproben; erwägend veranlassen, hervorbringen, anstiften, zurecht machen, bewirken,
rüsten u. schmücken (afz. *pro-*
ver, fz. *prouver* v. lat. *probare*).
prüever stm. der prüfer, untersucher; der merker, aufpasser.
prüevunge stf. prüfung; bewährung, erprobung; beweisführung; ausrüstung, schmük-
kung.
psallieren s. *psalterisieren*.
psalme swm. psalmus (vgl.
salme).
psalmodie swf. psalmgesang.
psalter stm. psalmbuch.
psalterje swf. ein besaitetes
tonwerkzeug.
psallieren, psallieren, psalterisieren swv. psalmen singen, auf
dem psalterium spielen.
psîtich, psîtech = *sitich*.
pûkære stm. paukenschläger.
pûke swf. pauke.
pûken swv. pauken.
pulei s. *polei*.
pulinieren swv. = *polieren*.
puljân stm. kuppler s. *buo-*
liân.
püllisch adj. apulisch.
pulpit, pulpêt stn. pult, lese-
od. schreibpult (lat. *pulpitum*).
puls stmf. puls, pulsader (fz.
pouls, lat. *pulsus*).
pulse s. *phulse*.
pulver stm. n. pulver, staub,
asche; sand; schiesspulver
(mlat. *pulver*, *pulverium*).
pulvern, pülvern swv. zu
pulver machen, stossen, reiben,
zu asche verbrennen; abs. mit
p. bestreuen.
pumpen, pumpern, pümpern
swv. hämmern, pochen, lärmend fallen.
punct, punkt, punt stm.,
puncte swm. punkt, mittel-
punkt; zeitpunkt, augenblick;
umstand; abteilung, stück, artikel; abschluss, abmachung (lat.
punctum, *punctus*).

punder s. *poinder*.
puneis adj. stinkend (afz.
puneis).
punei̧ stm. n. stossendes anrennen auf den gegner, von
einzelnen od. von vielen; stoss,
anprall, kampf überh.; haufe
anrennender reiter; wegstrecke,
die man *punierende* durch-
sprengt (mfz. *poingneis*, *pou-*
gneis vom lat. *pungere*).
punieren, pungieren swv. intr.
auf den gegner stossend anrennen. — tr. anrennen gegen.
punjûr stm. der *puniert*.
punkelin stn. schlag, stoss.
punkeln swv. pochen, häm-
mern.
punken swv. tr. stossen,
schlagen.
punt s. *punct*, *spunt*.
punte, punt stf. = *poinder*.
punze, ponze swm. stichel,
meissel; (geeichtes, gestempel-
tes) fass, zwei od. mehr eimer
enthaltend (it. *punzone*, fz.
poinçon).
punzenieren swv. mit dem
stichel arbeiten, in metallblech
getriebene arbeit machen.
pûr adj. rein, lauter, unverfälscht (fz. *pur*, lat. *purus*).
purdûn stm. dolch.
purdûne swm. pfeife (fz.
bourdon).
pûren, pûrieren swv. *pûr*
machen, läutern.
pûr-heit stf. reinheit, lauterkeit -(bûr)-lich adj. purus.
purper, purpur stmf. kostbarer seidenstoff (von verschiedener farbe) u. gewand daraus
(lat. *purpura*).
purperin adj. von *purper*.
purper-rôt adj. purpurrot.
-var adj. purpurfarbig. -varwe
stf. purpurfarbe.
purpur adj. = *purperin*.
purpur-pheller stm. purpurgewand, -decke.
purzel swf. ein kraut zum
salat (lat. *portulaca*).
pûse stswf. pause, rast (lat.
pausa); waage (*pensa*).
pûsen swv. sich aufhalten,
rasten.
pûsîn-, -ûn- s. *busin-*.
pusûnieren swv. = *busînen*.
puzêle, buzêle f. = fz. *pucelle*.

Q

quâder stm. n., -stein stm.
quaderstein (lat. *quadrus*).
quadrân swv. quadrare.
quadrieren swv. dasselbe.
qual stm. quell.
qual, qualde stf. qual.
quâle s. *twâle*.
quâle quâl, kâle kâl kôle köl
stf., quâl stm. beklemmung,

marter, qual (umgel. formen:
quæle, *quéle*, *quêl*, *kêle*).
qualle swm. grosser kerl.
qualm stm. beklemmung.
quam prät. s. *komen*.
quant stm. md. was nur zum
schein etwas ist, betrug.
quappe swm. aalquappe.
quarc s. *twarc*.
quartâne swmf. viertägiges
wechselfieber. — swf. kartaune,
viertelbüchse (mlat. *quartana*).
quarte, quart stf. n. der vierte
teil von etw. (in der musik der
vierte ton vom grundtone).
quarter stn. herde (angegl.
quorter, verschmolzen *korter*,
korder).
quartier stn. quartier, viertel
(fz. *quartier*).
quartieren swv. vierteilen,
bes. den wappenschild in quar-
tiere teilen.
quast s. *queste*.
quât adj. ndrh. böse, schlimm.
quât kât, quôt köt stn. kot.
-sac stm. kotsack, bezeichn. des
verweslichen menschl. leibes.
-wêre stn. wurfmaschine, um
kot u. dgl. zu werfen.
quatember, kotember stf.
quatemberfasten, dann überhaupt für vierteljahr (kirchenlat. *quatuor tempora*).
quater stn. vier augen im
würfelspiel (fz. *quatre*).
quatêrn stm. lage von vier
bogen oder acht blättern (mlat.
quaterna, *quaternus*).
quâtic, kâtic adj. kotig.
quatschiure, quaschiure, -iur,
twazûr stf. quetschung, wunde
(s. *quetzen*).
quâ̧ stm. md. gastmahl
gasterei, schlemmerei.
quâ̧en swv. schlemmen,
prassen.
quec, kêc, koc adj. lebendig,
frisch; fest, gedrungen; frisch,
munter, mutig. — stn. lebendiges tier. -brunne swm. lebendiger brunnen, quell. -(kêc-)
silber stn. lebendiges, immer be-
wegliches silber, quecksilber.
quëcke, këcke stswf. frisches
mutiges wesen, tapferkeit.
quëckolter f. wacholder.
quëden stv. V (nbf. mit verschmolz. u: *quoden*, *koden*, kö-
den, ohne u: *këden*) sagen, sprechen (*da̧ quît* usw. das heisst,
bedeutet); schallen.
quêl stf. beklemmung, marter,
qual.
quêl, quêle s. *quâle*.
quêle-haft adj. qualvoll.
queler stm. peiniger.
quëlle f. quelle.
quëllen stv. III, 2 intr. quellen, anschwellen. — refl. *sich in*
ein qu. zusammenquellen, wachsen.

quëllic adj. quellend (*quelliger brunne*).
quëln stv. IV (mit verschmolzenem *u: koln, kollen*, ohne *u: këln*) schmerzen leiden, sich quälen, abmartern; mit dat. schmerzen verursachen.
quëln swv. (mit verschmolzenem *u: koln, kollen, köln*, ohne *u: keln, kellen*) tr. drängen, drücken, zwängen. — abs. u. tr. plagen, quälen, peinigen, martern.
quelnis stn., **quelsunge** stf. qual, marter.
quëmen stv. IV s. *komen*.
quëne s. *kone*.
quënel, quëndel, konel f. quendel (lat. *cunila, conila*).
quëntine stf. turnierhof, stechbahn (mlat. *quintana*).
quër, quërch s. *twër, twërc, twërch*.
quërder stn. m. (mit verschmolz. *u: korder, körder*, mit getilgtem *u: kërder*, mit getilgt. *r: këder, koder, köder*) lockspeise, köder; flicklappen von leder, tuch.
quërdern, kërdern swv. als köder an die angel stecken; speisen.
quertic adj. eine *quart* haltend.
queste swmf. (mit verschmolz. *u: koste, kost*, ohne umlaut *quast, quaste, kaste*) büschel, wedel von einem baume. laubbüschel (*qu.* des baders, badwedel, womit der badende gestrichen, gepeitscht wurde); federbüschel als helmschmuck; bürstenartiges geräte.
questen swv. mit dem badwedel streichen, mit der *questen* bedecken.
questje f. frage (lat. *quaestio*).
quetsch-lich adj. drückend.
quetzen, quetschen, quetschieren swv. schlagen, prägen; stossen, quetschen, zerdrücken, verbeulen, verwunden (lat. *quassare*).
quetzer stm. münzpräger.
quetzunge, quetschunge, quetschiure stf. quetschung, wunde.
quicken swv. (mit verschmolz. *u: kücken, kucken, chuchen*, ohne *u: kicken*) tr. u. refl. lebendig (*quëc*) machen, beleben, erwecken, erfrischen.
quickendec adj. lebendig.
quicker, kucker stm. beleber, erquicker. **quickerin, kickerin** stf. erquickerin.
quieren swv. md. = *zwieren*.
quil stf. quelle.
quingen s. *twingen*.
quinte, quint stf. musikalische quinte; sekunde (lat. *quinta*).
quintërn stm. lage von fünf bogen oder zehn blättern.

quintërne, -ërn swstf. laute mit fünf saiten (mlat. *quinterna*).
quintërnen swv. auf der *quinterne* spielen.
quintieren swv. in quinten singen; singen überh.
quintin stn. der vierte (urspr. wohl fünfte) teil eines lotes, quentchen.
quirn-stein s. *kurnestein*.
quit, quit adj. los, ledig, frei (ohne od. mit gen.); fz. *quitte*.
quitanzje, quitanz swstf. quittung (mlat. *quitantia*).
quit-brief stm. dasselbe.
quiten, küten f. quitte (mlat. gr. *cydonia*).
quiten, quiten swv. *quit* machen.
quitteln swv. schwatzen, schnarren, quaken, zwitschern.
quoden s. *quëden*.
quôt s. *quât*.

R

rabe, rape, rappe swf. rübe.
raben stm., **rabe rab, rappe** rapp swm. rabe. — *rappe* name einer zuerst in Freiburg im B. geprägten münze mit einem vogelkopfe.
raben-swarz, -var adj. rabenschwarz.
rabine rabbine, rabin rabbin stf. das rennen, anrennen des streitrosses, carrière (*ros von ravine* schnelles ross; mfz. *ravine* v. *raver* rennen, lat. *rapere*).
rac adj. straff, gespannt, steif; rege, beweglich, los, frei.
rach, -hes adj. rauh, steif.
rach stm. = *râche*.
rache swm. rachen.
rache stswf. rede; sache.
râche, râch stf. vergeltung eines unrechtes, strafe, rache; verfolgung (ohne den sinn der wiedervergelung).
ræchec, ræchic adj. rächend; rachsüchtig.
râcher stm. s. *rêchære*.
ræch-lich adj. rächend.
râchnüsse, râchsal stf. = *râche*.
raciônâl, raciônâl stn. kostbares bruststück der hohenpriesterlichen amtskleidung, sodann ein ähnliches gewandstück bei christlichen bischöfen; buch mit vorschriften für die priesterl. kleidung (mlat. *rationale*).
râde stf. = *gerâde*.
rade-ber stf. *bœre* 2 mit einem rade, schiebkarren. **-borer** stm. bohrer für räder. **-brëchen** swv. mit dem rade brechen, hinrichten, rädern. **-gëlt** stn. münze mit dem kurmainzischen doppelrade. **-nebigër** stm. bohrer für räder.

raden swv. sich als rad drehen
râfe s. *râve*.
raffeln swv. lärmen, klappern; schelten.
raffen, reffen swv. zupfen, rupfen, raufen; raffen, eilig an sich reissen; *zesam reffen* zusammenbinden.
rafs-liche adv. scheltend.
rage-hüffe adj. mit emporstehnden hüften.
ragen swv. in die höhe stehn, ragen, hervorragen; *an einander r.* enge aneinander sein, zusammenstossen.
rahe swf. stange; schiffsrahe; ein flächenmass, bes. für weingärten.
ræhe adj. starr, steif, bes. von gliedersteifheit der pferde. — stswf. gliedersteifheit der pferde.
rahsenen, rehsenen, ragsen swv. räuspern, aushusten.
rahten, rahtunge s. *rêht-*.
ram, -mmes stm. angegl. aus *raben* bes. in eigennamen (*Wolf-ram*).
ram, -mmes stm. widder.
ram, rame stf. m., **rame, reme, rem** swm. swmf. stf. stütze, gestell; rahmen zum sticken, weben, bortenwirken.
râm stm., **râme** stf. das ziel, das zielen, trachten, streben.
râm, râm stm. staubiger schmutz (bes. von der rüstung), russ.
rambûzen swv. wild umherspringen.
râmec, râmic adj. schmutzig, russig.
râmen swv. zielen, trachten, streben (m. gen. od. *an, gegen, nâch, zuo* od. nachs.); treffen (m. gen.). **ræmen** swv. intr. = *râmen* (m. gen., *nâch, zuo* od. nachs.; refl. m. gen.). — tr. etw. als ziel ins auge fassen.
ramft s. *ranft*.
ramme stf. ramme.
rammel stm. widder; ramme.
rammeler, remler stm. widder während der brunstzeit.
rammeln swv. sich begatten (von böcken).
rammen swv. mit der *ramme* einstossen.
ramph, ramphe stswm. krampf; unglück, niederlage.
ram-schoup stm. zum lager dienendes stroh od. ein mit stroh bedecktes, zum lager dienendes gestell (*ram*).
râm-var adj. schmutzig.
ram-wërc stn. arbeit mit der *rame*, das sticken, weben.
ran adj. schlank, schmächtig.
rân s. *râm* 2.
ranc, -ges stm., **range** swm. einfassung, rand.
ranc, -ges stm. schnelle drehende bewegung.

ranft, ramft stm. einfassung, rand; brotrinde.

range s. *ranc* 1.

range swm. böser bube, range.

rangen swv. ringen, sich hin und her bewegen; mit begierde streben *zuo.*

ranken swv. einen *ranc* tun, sich hin und her bewegen, dehnen, strecken.

rankern stn. bräune der schweine.

rans stm. = *grans.*

rans stm. bauch, wanst, ranzen.

ransen, ransern s. *rens-.*

rant, -des stm. einfassung, rand; bes. der rand des schildes, der schild selbst (*über rant* od. *über schildes rant* über den schild hin, indem man sich schon für den kampf mit dem schilde gedeckt hat).

rante s. *rente.*

ranz stf. mutterschwein.

ranz stm. heftige bewegung, streit.

ranzen swv. intr. ungestüm hin und her springen. — tr. necken.

ranzen swv. = *rensen.*

rappe s. *raben, rabe.*

rappe swm. der traubenkamm (fz. *râpe*). — swf. raupe (s. *rûpe*). —, **rapfe** swf. räude.

rappen swv. abraupen.

rasch adj. adv. schnell, hurtig, gewandt, kräftig (vgl. *resch, risch, rösch*).

rase swm. rasen (aus mnd. *wrase*).

râsen swv. toben, rasen.

râserie stf. raserei, dementia.

raspen swv. raffen.

rasper stm. zusammenraffer.

raste, rast stf. ruhe, rast; ein wegmass von verschiedener länge; zeitraum, meile (vgl. *reste*).

rasteln swv. = *razzeln.*

rasten swv. rasten, ruhen (*gerastet* part. adj. ausgeruht); im grabe ruhen (namentl. von heiligen gebraucht).

rast-, rest-lich adj. quietus.

rat, -des adj. = *gerat.*

rat, -des stn. rad (am wagen, pfluge usw.), mühlrad; das sich wälzende rad des glückes; zur hinrichtung (s. *radebrëchen*).

rat, rate swm., **rate, ratte** swf. ratte.

rât stm. rat, ratschlag, persönl. der ratgeber; lehre, belehrung, oft geradezu befehl; beratschlagung, beratung, überlegung; rätsel; entschluss; beratende versammlung (rat, städtische behörde); für- und vorsorge; zürüstung, vorrat, nahrungsmittel; mittel, vermögen; geräte; hilfe, abhilfe, be-freiung wovon (mit gen.); unterlassung, verzicht, entbehrung.

râtære, -er, ræter stm. ratgeber.

rât-bære adj. rat bringend, sich aufs ratgeben verstehend. **-gëbe** swm. ratgeber, rat; ratsherr. **-gëber** stm. ratgeber. **-gëberinne, -gëbinne** stf. ratgeberin. **-genôz, -genôze** stswm. der am rate teil hat, ratsherr. **-geselle** swm. dasselbe. **-hërre** swm. ratsherr. **-hûs** stn. rathaus. **-liet** stn. rätsellied, rätsel. **-liute** pl. zu **-man** stm. ratgeber, rat; schiedsmann; ratsherr. **-meister** stm. rats-, bürgermeister. **-mëʒʒer** stm. ratgeber. **-miete** stf. lohn für rat. **-vrâge** stf. frage, bitte um rat; ratsverhandlung. **-vrâgen** swv. um rat fragen. **-vriunt** stm. ratsherr.

rate, ratte swm., **raten, ratten** stm. der raden, ein unkraut im korn.

rætec, rætic adj. rat gebend, einen ratschluss fassend.

rætelin, rætel stm. rätsel.

râten stv. red. I, 2 intr. raten (mit dp.), beraten, überdenken. — tr. raten (in stärkerer bedeutung befehlen), beraten, überdenken, worauf sinnen, bereiten, anraten in wohlwollender oder feindlicher absicht (mit acc., acc. u. dat., mit dat. u. inf. ohne *ze*, mit *an, ûf, umbe, vür, zuo*); erraten.

râtische, rætsche stswf. schwierige frage, rätsel.

rætischen swv. rätsel aufgeben.

ræt-lich adj. was anzuraten, nützlich ist.

rætsal, rætsel stn. rätsel.

ratte, ratten s. *rate.*

rætunge stf. rat; beratung u. ihr ergebnis, plan; rätsel.

ratz, ratze swm. = *rat, rate.*

râve, râfe swm. sparren, dachsparren (*ruoʒiger r.* für haus, herd).

ravîne s. *rabîne.*

râvit, ravît stnm. streitross (mfz. *arabit* ross aus Arabien).

râw- s. *ruow-.*

râʒ stn., **râʒe** stswf. honigwabe; scheiterhaufen.

ræʒe adj. scharf von geschmack, herbe, ätzend; scharf, hell vom tone; scharf, schneidend; bissig, wild, wütend; heftig, wild, keck (mit gen. od. *an*); rauh, heiser. — stf. schärfe, heftigkeit, wildheit.

ræʒec, ræʒic adj. = *ræʒe,* bissig.

râʒ-köpfe adj. hitzköpfig.

razʒeln, razʒen swv. toben; rasseln; winden, drehen.

re- präf. s. *ur-.*

rê stn. s. *rêch.*

rê, -wes stm. n. leichnam; tod; tötung, mord, persönl. der mörder; grab, begräbnis; totenbahre.

rëb stn. seil in *rêbseil, -snuor.*

rëbe swmf. rebe; reb-, weingarten (pl.); ranken, gewundene linien von goldstickerei auf dem gewande. **-bërc** stm. weinberg.

rebelin stn. iunger rabe.

rëben swv. intr. träumen, verwirrt sein (nd. *reven,* fz. *rêver*).

rebigel f. apfelrose (mlat. *rubiola, rubigula*).

rebenter s. *reventer.*

rëb-liute pl. zu

rëb-man stm. weinbauer.

rëb-mânôt stm. februar; oktober.

rëb-seil stn. bindfaden.

rëb-snuor stf. dasselbe.

rêch, rê, -hes stn. reh.

rêchære, -er stm. rächer.

rêch-boc stm. rehbock. **-garn** stn. schlinge, netz zum rehfang. **-geiʒ** stf. rehgeiss. **-seil** stn. jagdseil für rehe.

rëche swm. der rechen und rechenförmige vorrichtung.

rëchen stv. IV ein unrecht bestrafen, zur vergeltung einem übels zufügen, rache wofür nehmen abs. u. tr. mit as. — refl. od. mit ap. sich od. einen beschädigten rächen, ihm genugtuung verschaffen.

rëchen stv. IV mit den händen zusammenkratzen, raffen, scharren, häufeln.

rëchen swv. mit dem rechen zusammenhäufen.

rechen s. *recken.*

rechenære, -er stm. rechner, berechner, fürsorger.

rechenen, rechen swv. zählen, rechnen, rechenschaft ablegen.

rechen-meister stm. rechenmeister; rentamtmann. **-phenninc** stm. rechenmarke.

rechenunge, rechnunge stf. rechnung, berechnung, abrechnung, rechenschaft.

rëcher stm. zusammenrecher.

recher stm. eine art naturalzins.

rêchîn adj. vom reh.

rêchisch adv. wie ein reh.

rëcke s. *ric.*

recke, reke swm. verfolgter, verbannter, fremdling; herumziehender krieger, abenteurer; krieger überh., erprobter krieger, held.

recken, rechen swv. tr. in die höhe bringen, erheben, ausstrecken; erregen, hervorbringen, verursachen; ausstrecken, ausdehnen (*den vuoz r.* sterben); darreichen; (*einem die*

hant usw.). — refl. sich ausdehnen, ausstrecken. — intr. emporragen; sich erstrecken, reichen *an*; *ûf einen, gegen, zuo einem r.* auf einen losrennen.

recken, rechen swv. sagen, erzählen, darlegen, erklären.

rɛdære, -er stm. = *redenære*.

rede stf. rechenschaft, verantwortung; gebühr, vernunft, verstand; sprache; rede, gespräch, erzählung (rede vor gericht, ein-, widerrede, ausrede; verabredung, gegebenes wort; abkommen, vertrag; nachrede; s. v. a. *mære* erzählung, nachricht, kunde); epos oder lehrgedicht in unstrophischen versen; text eines gedichtes im gegensatz zur melodie; gegenstand der rede, sache (oft nur umschreibend); handlung. **rede-balt** adj. kühn mit der rede. **-bære** adj. wovon zu reden ist, der rede wert; verständig, beredt (bes. von boten). **-bote** swm. mandatar eines andern vor gericht, insbes. um dessen ausbleiben zu entschuldigen. **-buole** swm. geliebter, der sich mit verliebtem gespräche begnügt. **-gëbe** adj. beredt. **-genôȥ** stm. s. v. a. **-geselle** swm. einer, mit dem man spricht, sich unterhält. **-haft** adj. redend, beredt. **-halbe** adv. mündlich. **-hûs** stn. besonderer ort im kloster zur unterhaltung mit den laien. **-küene** adj. kühn zu sagen. **-(red)-lich** adj. redend, beredt; vernünftig, verständig; rechtschaffen, brauchbar, wakker, tapfer; wichtig, triftig; ordnungsgemäss, ordentlich, geziemend, angemessen, passend. **-liche** adv. ordentlich, geziemend, gehörig. **-liche** stf. rechtschaffenheit. **-licheit** stf. die fähigkeit zu reden; beredsamkeit; vernunft, vernünftigkeit. **-lôs** adj. ohne *rede*, stumm; s. v. a. *klagelôs*. **-ræte** adj. durch rede nachstellerisch. **-riche** adj. redselig, beredt; inhaltreich, weitläufig in der erzählung. **-sam** adj. redselig, beredt. **-spæhe** adj. sich aufs reden verstehend, beredt. **-spræche, -spræchic** adj. dasselbe. **-stolz** adj. beredt. **-vënster** stn. sprachgitter in einem kloster.

rëde-biutel stm. beutel zum sieben, mühlbeutel.

redelin stn. rädchen.

redelitze? pflug.

redeloht adi. radförmig, rund.

rëden stv. V durch das sieb schütteln, sieben, sichten.

reden swv. abs. u. tr. reden, sprechen, sagen; mit dp. versprechen.

redenære stm. redner; anwalt, verteidiger.

redenen swv. = *reden*.

reden-stric stm. argumentatio.

rëder stm. mehlsieber, mühlknecht.

rëderen swv. = *rëden*.

rederen swv. = *rudebrechen*.

rëder-knëht stm. = *rëder*.

rëde-vaȥ stn. sieb.

rê-dult stf. leichenfeier.

redunge stf. rede, antwort, unterhandlung.

rëf, -ffes stn. stabgestell zum tragen auf dem rücken.

refant, refat, refet s. *reventer*.

reffen s. *raffen*.

reffen, refsen swv. mit worten strafen, tadeln, schelten, züchtigen.

reffental, reffentor s. *reventer*.

refloit stm. refrain u. gesang mit refrain (mfz. *refloit*).

refsalunge, refsunge stf. tadel, strafe, züchtigung.

rege stf. bewegung.

regelære, -er stm. mönch, bes. ein *canonicus regularis* der nach der regel des hl. Augustin lebt.

regele, regel stswf. regel, bes. die ordensregel (lat. *regula*).

regel-gëlt stn. geldabgabe an die mönche. **-lêre** stf. ordensvorschrift, ordensregel. **-lich** adj. regularis. **-orden** stm. ordensregel. **-phennine** stm. = *rëgelgëlt*. **-vaste** stf. fasten der regel.

rege-lich adj. was sich regen kann.

regelieren swv. regulieren.

regelierer stm. = *rëgelære*.

regen stm. m. die bewegung.

rëgen stm. (md. auch *reigen* kontr. *rein*) regen, eigentl. u. bildl. (bes. von den tränen).

rëgen stv. V intr. sich erheben, emporragen; steif gestreckt sein, starren.

regen swv. machen, aufrichten, in bewegung setzen, bewegen, erregen, erwecken; anrühren; zeigen, aufdecken; anregen, zur anzeige bringen. — refl. sich regen, bewegen.

rëgen-boge swm. regenbogen (*ûf den regenbogen bûwen, setzen, zimbern* luftschlösser bauen). **-dicke** adv. dicht gedrängt wie regentropfen. **-guȥ** stm. regenguss. **-mantel** stm. schutzmantel gegen regen. **-molle** swm. molch. **-tac** stm. regnerischer tag. **-waȥȥer** stn. regenwasser, regen. **-wolken** stn., **-wolke** swf. regenwolke. **-(rein-)wurm** stm. regenwurm.

rëgenen, reinen, rëgen swv. regnen; tr. regnen lassen.

regenie, reinie adj. regnicht.

rê-gewant stn. leichenkleid.

regieren swv. abs. regieren, herrschen. — tr. u. refl. herrschen über, beherrschen (lat. *regere*).

regierinne stf. *r. des libes* beherrscherin des l.

register stn. verzeichnis, register; protokoll (mlat. *registrum*). vgl. *reister*.

regnieren swv. s. v. a. *regieren* (lat. *regnare*).

rehsenen s. *rahsenen*.

rëht adj. in gerader linie, gerade; sowie es sich nach sitte oder gesetz gebührt; recht, gerecht, gehörig, wahrhaft, wirklich, eigentlich. — stn. was recht u. geziemend ist (adverbial: *bî, mit, nâch, von, ze rehte*); gesamtheit der rechtlichen verhältnisse jemands, was man zu fordern u. zu leisten hat: recht u. pflicht (bes. standesrecht, -pflicht, stand), anspruch und schuld; gesamtheit der gesetzlichen bestimmungen, recht, rechtsbuch; gericht, rechtsverfahren, gerichtl. verhandlung, prozess; rechtsanwendung für einen fall, urteil, urteilsspruch; vollstrekkung eines todesurteils, hinrichtung; reinigungseid. **-rëht-brëcher** stm. praevaricator, rechtsverletzer. **-brëcherin** stf. corruptela, rechtsverletzerin. **-buoch** stn. rechtsbuch. **-haftigen** swv. rechtfertigen, als richtig erkennen. **-haftunge** stf. rechtfertigung. **-(rëhten-)halp** adv. rechts. **-lich** adj., **-liche** adv. recht, richtig, gerichtlich. **-same** stf. gerechtsame. **-saz** stm. tagsatzung; antrag auf ein urteil. **-schuldic** adj. recht, rechtschaffen, rechtmässig; eines vergehns mit recht überführt, schuldig. **-sitzer** stm. gerichtsbeisitzer, schöffe. **-sprëcher** stm. urteilssprecher, schöffe. **-spruch** stm. rechtsspruch, gegens. zu *minnespruch*. **-tac** stm. rechts-, gerichtstag. **-teidine** stn. gericht. **-verkêre** swm. rechtsverdreher. **-vertic** adj. gerecht, rechtmässig, rechtschaffen; übereinstimmend mit. **-vertic-heit** stf. gerechtigkeit. **-vertigen** swv. *rëhtvertic* machen; ausfertigen, mit dat. übergeben; rechtfertigen, von schuld befreien (tr. u. refl.); vor gericht vertreten, verteidigen; vor gericht ziehen, gerichtlich verhandeln; bestrafen; hinrichten. **-vertigune** stf. zurechtmachung, instandsetzung; gutheissung; gerichtl. verhandlung u. entscheidung; rechtliche einkünfte.

rëhte swn. des adj. (im gen. *des rehten* u. *rehtens*) s. v. a. **rëht** stn.

rēhte swm. der gerechte.

rēhte, rēht adv. gerade, geradeswegs; zutreffend, gerade, eben; dem recht und der wahrheit gemäss, recht, richtig, zutreffend, genau (verstärkend vor adj. u. adv.).

rēhte stf. die gerade richtung; gerechtigkeit.

rēhtec, rēhtic adj. recht, richtig. -heit, rēhtekeit, rēhtikeit stf. das recht; die gerechte sache, das gerechtsein; rechtschaffenheit; gerechtigkeit (die lohn u. strafe austeilt); richtigkeit, wahrheit. -lich adj., -liche adv. recht, richtig.

rēhtegen, rēhtigen swv. *rēhtec machen, instificare; daz r. der rechtsanspruch.

rēhte-lōs adj. ohne *rēht; dem sein recht vom gericht verweigert wird.

rēhten, rahten swv. prozessieren; beilegen, schlichten.

rēhter stm. md. = *rihtære.

rēhte-stuol stm. richterstuhl.

rēhtisch adj. recht, passend.

rēhtunge, rahtunge stf. recht, gericht; rechtsspruch, weistum; gerechtsame; rechtl. anspruch; rechtl. einkünfte, zins; verhandlung; vertrag, gütliche schlichtung eines streites.

rei s. *reie.

reichen swv. tr. erreichen, erlangen; holen, bringen, darreichen. — intr. wonach langen (an, nâch, zuo). — intr. u. refl. sich erstrecken, ausdehnen, reichen (an, gegen, in, über, ûf, zuo).

reide adj. s. *reit.

reide stf. drehung, wendung, krümmung; um-, rückkehr, wiederkunft; das gedrehte, gelockte; was sich dreht.

reideloht, reidelēht adj. = *reit.

reie, reige swm., rei stm. art tanz, reigen, bes. der frühlingsod. sommertanz, wobei man in langer reihe hintereinander über feld zog (den reien gên, *springen, treten); gesang, melodie zum reigen (den reien sin-gen, videlen).

reien, reigen swv. den reigen tanzen; einen tanz veranstalten, tanzen lassen; *reigende part. tanzend, brünstig (hündin). — tr. im tanze führen.

reien stn. der *reigentanz.

reif, -fes stm. seil, strick; streifen; band, fessel; reif, ring; gebinde, fass; kreis.

reifal s. *reinval.

reifelēht adj. kreisförmig.

reifen swv. biegen, winden.

reigen s. *reien.

reiger, reigel stm. reiher.

rein stm. s. *regen.

rein stm. begrenzende bodenerhöhung, rain; meeresufer, un-

tiefe. -brēchen stn. grenzverletzung. -stein stm. grenzstein.

-vane, -van stswm. rainfarn.

reināte stf. reinigung und bodensatz davon; reinheit, jungfräulichkeit.

reinde s. *reine 1.

reine, rein adj. rein, klar, lauter u. in übertrag. bedeut. ohne makel od. sünde, schön, herrlich, vollkommen, gut, keusch. — adv. rein, lauter, ohne falsch, vollkommen, schön; ganz und gar. -, reinde stf. reinheit, keuschheit.

reine swm. hengst, beschäler.

reinec, reinic adj. rein. -heit, reinekeit, reinikeit stf. reinheit in eig. u. sittl. bedeutung. -lich adj. = *rein.

reinegen, reinigen, reingen swv. *reinec machen, reinigen.

reinegunge, reinigunge stf. reinigung.

reinen s. *regenen.

reinen swv. intr. grenzen an. — tr. abgrenzen, teilen. — abs. die grenzen bezeichnen.

reinen swv. = *reinegen.

reinic s. *regenic, reinec.

reinisch adj. brünstig; froh, stolzgemut. s. *reine swm.

rein-lich adj. = *rein.

reinunge stf. grenze, abgrenzung.

reinunge stf. reinigung.

reinval, -fal, reival, reifal stm. ein kostbarer, süsser wein.

reisære, -er stm. der eine *reise, einen feldzug macht, krieger.

reis-buoch stn. kriegsbuch; verzeichnis der im kriege gemachten ausgaben. -jeger stm. herumziehender herrenloser kriegsknecht. -knēht stm. kriegsknecht. -man m., pl. -liute kriegsleute; reitende boten. -wagen stm. kriegswagen; frachtwagen.

reise, reis stf. aufbruch, zug, reise, bes. kriegs-, heereszug. -bære adj. fähig eine *reise zu machen, kriegerisch. -dienest stm. kriegsdienst. -geselle swm. reisegefährte. -gewant stn. reisekleid. -kappe swf. reisemantel. -kleit stn. reisekleid. -lachen stn. reisegewand. -lich adj. der *reise angemessen, auf der r. bezüglich (r.vart aufbruch, reise; r. dienest kriegsdienst). -liche, reislichen adv. reise-, kriegsgemäss. -man stf. melodie, die zum ritterlichen auszuge gespielt wird. -vri adj. vom kriegsdienste frei. -wæte stn. reisekleidung.

reisec, reisic adj. auf der reise befindlich, reisend; zu kriegszügen dienend, gerüstet, reisig,

beritten (die *reisigen die krieger, die reiter).

reiseler stm. fuhrmann.

reisen swv. tr. bereiten, herrichten, fertig machen. — bes. eine *reise tun, reisen, bes. einen kriegszug unternehmen, ins feld ziehen; plündern, rauben.

reisen swv. die harphen r. die harfe schlagen.

reisten swv. intr. refl. als verkohlter teil abfallen, sprühen.

reister stm. md. = *register: zeitregister, verzeichnis der ereignisse. — stm. persönlichkeit, die den înbegriff von etw. ist, hauptrepräsentant, lenker, verwalter.

reisunge stf. kriegszug.

reit, -des adj. gedreht, gekräuselt, lockig.

reitach = *reit-tac.

reit-brief stm. schriftl. rechnung. -buoch stn. rechnungsbuch. -holz stn. kerbholz. -tac stm. rechnungstag.

reit-brūn adj. braungelockt. -val adj. fahl u. gelockt. -var adj. lockig aussehend. -ziere adj. zierlich gelockt.

reite, reit adj. bereit.

reite, reit stf. rechnung (in *reitemeister, reitbrief, -buoch usw.).

reite adv. schnell, alsbald (in al-, be-, gereite).

reite stf. fahrt, reise; kriegszug, kriegerischer angriff.

reite stn. = *gereite, bereitschaft.

reite-bāre stf. sänfte. -kleit stn. = *reisekleit. -man stm. der auf dem *reitepherde kriegsdienste tut. -phert stn. reit-, kriegspferd.

reitel stm. drehstange, kurze dicke stange, prügel, knüttel; band, reif, womit der scheitel in ordnung gehalten wird (?).

reiteler stm. = *reiseler.

reite-meister stm. stadtrechner.

reiten swv. tr. *reite machen, zurüsten; bereiten. — abs. u. tr. zählen, rechnen, berechnen; bezahlen.

reiten swv. *riten machen, lassen, als pferd usw. tragen.

reiter stm. rechner, zähler.

reit-geselle swm. der mit einem andern reitet; kriegsgenosse.

reitine swf. verteilung des almosens durch den almosenrechner eines klosters.

reit-lachen stn. = *reiselachen.

reitunge stf. die rechnung, rechenschaft.

reit-vihe stn. faselvieh.

reit-wagen stm. wagen für eine *reite, reise-, pack-, kriegswagen; pers. wagenlenker.

reiʒ stm. linie; ritz, kratz; riss, bruch, lücke.

reiʒære stm. reizer, anreizer.

reiʒec adj. verlangend, gierig.

reiʒe-klobe swm. = reiʒel-k.

reiʒel, reiʒʒel stmn. reizmittel, lockspeise, bes. die im vogelkloben angebrachte.

reiʒelære stm. der lockspeisen legt, verführer, verlocker.

reiʒel-klobe swm. klobe mit lockspeise zum vogelfang. -valke swm. lockfalke. -vogel stm. lockvogel.

reiʒe-luoder stn. lockspeise.

reiʒen, reizen swv. reizen, anreizen, antreiben zu (gen., inf.), locken, verlocken, erwecken, anregen, erregen. — refl. erregen, aufregen. — unpers. verlangen.

reiʒen-spil stn. verlockendes spiel, verlockung.

reiʒ-lich adj. verlockend.

reiʒunge stf. anreizung.

reke s. recke.

rê-kleit stn. = rêgewant.

religiöse swm. geistlicher (mlat. religiosus).

rêlin stn. dem. zu rêch, rê.

relle swf. schrotmühle.

rellen swv. schroten (vgl. rendeln).

rem, reme s. ram stf.

remler s. rammeler.

rendeln, renlen swv. rändeln, schroten (vgl. rellen).

renke s. rînanke.

renkelin stn. dem. zu ranc.

renken swv. drehend ziehen, hin und her bewegen; daʒ r. die verrenkung.

renle s. rennelin.

rennære, -er stm. der hin u. her rennt, viel beschäftigt ist; reit-, stallknecht; reitender bote; rennpferd.

renne swf. was die milch gerinnen macht, lab.

renne-, rinne-boum stm. schlagbaum.

renne-kleit stn. turniergewand. -sträʒe stf. = rennewêc. -vane swm. kriegs-, heerfahne. -venlin stn. reiterpanier u. die dazu gehörige reiterabteilung. -wêc stm. turnierbahn.

rennele swf. mühlbeutel.

rennelin, renle stn. wundmal.

rennen swv. rinnen, gerinnen machen; schnell laufen machen, jagen, treiben; in bewegung bringen; über etw. schütten; anrennen; durchbrennen; scheinbar intr. (mit ausgelass. objekte ros usw.) schnell reiten, sprengen, rennen (gerant part. adj. schnell geritten, schnell, im laufe).

rennen stn. das rennen, turnier; weidm. hetze, jagd.

renschen swv. wiehern.

rensen, rausen swv. die glieder dehnen u. strecken.

rensern, ransern swv. iter. zum vorigen.

rênte, rênt stf. (nbf. rante, riante) einkünfte, ertrag; vorteil, gewinn; geordneter zustand, einrichtung, art und weise; bes. vom geordneten laufe der gestirne (fz. rente, mlat. renta, rendita).

rênten swv. an renten eintragen.

rênt-kamer f. rentamt. -kiste swf. rentkasse. -meister stm. rentmeister, reddituarius.

renzeln swv. frequent. zu ranzen schwingen (den flachs).

rêp-huon stn. rebhuhn.

reppele stn. dem. zu rappe.

reppen swv. sich bewegen.

rêppen swv. rippenartig machen, steppen, verzieren.

reppic, repfic adj. rappig, räudig.

repsen swv. = refsen.

requianz stm. seelmesse (lat. requiem, mfz. requiens?).

rêre, rêr stf. das herab-, niederfallen.

rêren swv. tr. fallen machen od. lassen; vergiessen; mit dp. zufliessen, zukommen lassen. — refl. mausern; immer weniger werden. — intr. fallen, trieffln.

rêren swv. blöken, brüllen.

rêric adj. sich mausernd.

rê-rouben swv. einen rêroup begehn. -roup stm. beraubung eines toten, eines deshalb ermordeten; was ein weib durch feilbieten ihres leibes verdient.

resch, resche adj. schnell, behende, munter, rührig, lebhaft; trocken, spröde (vgl. rasch, risch, rösch).

resche, resch adv. schnell, hurtig, rasch.

resch-lîche adv. dasselbe.

resin stf.? harz (lat. resina).

respen swv. = refsen, repsen.

rêspen stv. V raffen.

restaur stnf. ersatz, entschädigung (mlat. restaurum).

reste, rest stf. ruhe, rast, sicherheit; sicherer platz, ruhestätte, grab; eine strecke (nach zeit u. raum). vgl. raste.

resten swv. = rasten.

rest-lich s. rastlich.

retich stm. rettich (lat. radix).

retschen swv. schnarren, schwatzen, quaken.

rettære stm. retter.

retten swv. einem übel entreissen, retten, befreien; löschen (brand, feuer).

rettigunge, rettunge stf. rettung, hilfe.

rê-var adj. leichenfarbig.

rê-velge adj. die rêveigen die erschlagenen.

rêvelen swv. nähen, flicken.

rêveler stm. schuhflicker.

revenier, revent stm. n. speisezimmer der mönche, remter; nbff. reffentor, rebenter, reviter, revental, reffental, reventeil, refant, refat, refet (umged. aus lat. refectorium).

rew- s. riuw-.

rêwen swv. auf die bahre legen, als leiche (rê) schmücken; ertöten.

rê-wunt adj. zum tode verwundet.

riante s. rênte.

ribaldie stf. landstreicherei, büberei.

ribaldin, ribalt, -des stm. landstreicher, bube, schurke; als schachfig. achter vende; eine vorgeschobene belagerungsmaschine (prov. ribalt, mlat. ribaldus).

ribbalin stn. eine art stiefel (afz. revelin).

ribe, ribbe s. rippe.

ribe swf. prostituta, s. hove-r.

ribe-gêrste stf., -korn stn. abgabe von gerste und roggen.

ribel stm. werkzeug zum riben.

riben stv. I, 1 tr. refl. reiben, bes. vom reiben, frottieren im bade (geribeniu schœne, varwe die durch das reiben im bade od. durch schminke erzeugte farbe); als schminke einreiben, schminken; mahlen; mit obj. eʒ mit dem fidelbogen streichen, geigen. — abs. tanzen; sich drehen. wenden; brünstig sein, sich begatten. refl. mit an sich heften an, ankleben.

riber stm. reiber, badeknecht; bube, schlechter kerl.

riberîne, -in stf. reiberin, bademagd.

riberlin stn. hure. s. ribe.

rib-kiule swf., -kolbe swm. mörserkeule. -scherbe, swm. topf zum reiben.

ric, -ckes stm. band, fessel, verstrickung, knoten, schleife; geschlinge der eingeweide; gehege; enger weg, engpass; hinterhalt; wagrechtes gestelle, stange od. latte, um etw. daran zu hängen (ndrh. ricke, rêcke swf.).

rich stm. = gerich.

rîche, rich, rich adj. von perss.: von hoher abkunft, vornehm, edel, mächtig, gewaltig; fähig zu, mit inf., reich (formelhaft arme unde rîche alle welt); mit gs.; bildl. freudenreich, beglückt. — von sachen u. abstraktionen: vornehm, hoch, mächtig gehoben; kräftig; laut, volltönend; reich an, voll mit gen.; reichlich, ansehnlich, gross, kostbar, herrlich. — adv. auf herrliche, stattliche, präch-

tige, kostbare weise. — stf. der reichtum, das reichsein. riche, rich stn.herrschaft,beherrschtes land, reich; herrschaft, regierung; persönl. das reichsoberhaupt, könig, kaiser; zeichen der herrschaft,reichskleinodien, reichswappen.

richeit s. *rîch-heit.*

richel stf.? die egge? bildl. hindernis.

riche-lich, rilich adj. reich, reichlich, herrlich, kostbar; freigebig. **-liche, riliche** adv. auf reiche, herrliche. kostbare weise; in vollem masse, reichlich. **-liche, riliche** stf. reichtum. **-licheit, rilicheit** stf. reichtum, herrlichkeit; freigebigkeit.

richen swv. intr. *rîche* sein od. werden mit gs. od. *an*; herrschen, regieren. — tr. *rîche* machen (mit acc. u. gen. od. *an*, *mit*). — refl. reich werden, sich mehren.

richern swv. bereichern.

richesære, richser, richsnære stm. herrscher.

richesen, richsen, richsenen richsnen swv. herrschen.

rich-heit, richeit stf. das reichsein, der reichtum, gut, besitz, die wohlhabenheit, fülle, pracht.

rich-lich adj. zur rache geneigt.

rich-lôs adj. sehr reich? **-man** stm. reicher mann; höriger des landesherren. **-sælec** adj.glücklich. **-tage** swm., **-tuom** stm. reichtum.

richse swf. reihe, linie.

rich-stat stf. reichsstadt.

rickeln swv. iterat. zu *ricken.*

ricke s. *ric.*

ricken swv. anbinden, fesseln; einfriedigen, einschliessen; häkeln, zusammenschnüren; abtrennen, abschneiden.

ric-seil stn. gestellseil, gurt unter einem *spanbette.*

ridel stn. fieberschauer.

riden stv. I, 1 tr. winden, durchwinden, -seihen; drehen, wenden. — intr. sich rühren, fortbewegen.

riden, rideren swv. zittern.

ridewanz stm. eine art tanz, vgl. *rotruwange.* **ridewanzel** stm. einer der den *r.* tanzt. **ridewanzen** swv. den *r.* tanzen.

ridieren, ritieren swv. fälteln (fz. *rider*).

ridwen swv. zittern.

riech adj. rauh, starr, steif; scharf, bitter von der speise; rauh, heiser von der stimme.

riechen stv. II, 1 (md. auch *rûchen*) intr. rauchen, dampfen; einen geruch von sich geben, duften. — tr. einen geruch von etw. empfinden, riechen.

riechen stn., **riechunge** stf. geruch; geruchssinn.

riefen swv. zanken, streiten.

rieme swm. das ruder, die ruderstange; ruderer.

rieme swm. band, schmaler streifen, riemen, gürtel.

riemen swv. mit einem riemen versehen, mit r. festbinden.

riemen-snider stm. corrigiarius.

riemen-, riem-stechen stn. eine art glücksspiel; davon *riemenstecher* stm.

riemer stm. = *riemensnider.*

rienen swv. intr. jammern, klagen, flehentlich bitten. — tr. u. refl. beklagen, bejammern.

riester stfn., **rist** stm. pflugsterz.

riester-bret stn. das streichbrett am pfluge. **-holz** stn. holz, woraus eine *r.* gemacht wird.

riet, -tes, -des stn. schilfrohr, sumpf-, riedgras, damit bewachsener grund.

riet stn. ausgereuteter grund, ansiedelung darauf.

rietabe, rietach, rietiche stn. coll. zu *riet* 1.

rieten stv. II, 2 ausrotten, vernichten; part. md. *geroden.*

rietlin stn. dem. zu *riet* 2.

riet-zûn stm. zaun um ein *riet.*

riez stm. geräusch, lärm; lärmender angriff.

riezen stv. II, 2 intr. fliessen; tränen fliessen lassen, weinen; jammertöne von sich geben. — tr. beweinen.

rif, -ffes stn. riff.

rif stf. ufer; ausfuhrzoll (ursprüngl. wohl uferzoll); platz am ufer, wo das getriftete holz aufgeschichtet wird (it. *riva*, lat. *ripa*).

rife, rif swm. gefrorner tau, reif.

rifelen, riffeln swv. durchkämmen, durchhecheln.

rifen swv. mit reif überzogen werden, gefrieren.

rifen swv. reif werden.

rige swmf. die fältelung am halsbande, kragensaum.

rige swf. linie, reihe; wasserbach, wassergraben.

rigel stm. riegel (von eisen od. holz), querholz; stange, hebel, walze; riegel-, fachbalken; kleine anhöhe od. steiler absatz eines berges; art kopfbedeckung die man umwindet.

rigelen swv. den riegel vorschieben, verriegeln, verschliessen.

rigel-loch stn. loch, in das der *r.* geschoben wird; maueröffnung zum abflusse vom fussboden. **-stein** stm. rinnstein.

rigen swv. entgegenstreben.

rihe, rihen swstf. reihe, linie: schmaler gang zwischen zwei nicht ganz aneinander stehenden häusern, abzugsgraben in einem solchen, rinne; dachrinne(?); die vertiefte linie am menschl. leibe, da, wo sich der bauch an die schenkel schliesst.

rihe swm. = *rist* des fusses.

rihen stv. II tr. durch etw. zusammenhaltendes verbinden, auf einen faden ziehen, mit einem faden durchziehen, reihenweise anheften, fälteln. — tr. u. refl. stecken, spiessen *an*, *in*; bohrend stechen, *durch, in.* — intr. sich anreihen, wenden *zuo.*

rihtære, -er stm. lenker, ordner, oberherr, regent; als schachfig. = der *alte*; richter; scharfrichter; pedell.

rihtærinne stf. richterin.

riht-brief stm. schriftlicher schiedspruch. **-gelt** stn. gerichtskosten. **-gesæze** stn.richterstuhl. **-haft** adj. buss-, straffällig. **-hûs** stn.gerichtshaus. **-lich** adj.recht, richtig, rechtlich; zu einem ausgleiche, einer versöhnung bereit. **-loube** swf. gerichtshalle. **-man** stm. richter. **-schillinc** stm. gerichts-, vergleichskosten. **-stap** stm. richterstab; jurisdiktion. **-tac** stm. gerichts-, vergleichstag.

rihte, riht stf. geradheit, gerade richtung, gerader weg (*die rihte* abs. acc. die richtung hin, gerade, geradeaus, *in rihte, enriht* räuml. in gerader richtung, gerade, geradeaus; zeitl. alsbald, sogleich, eben); geradheit, offenheit, richtigkeit, rechte weise (*die r. sagen* offen, gerade herausssagen); wonach man sich richtet, vorbild, regel; angerichtete speise, gericht.

rihte, riht stf. gericht; angerichtete speise.

rihtec, rihtic adj. gerade; in die rechte ordnung gebracht, richtig, gut, rechtschaffen.

rihtec-liche adv. recht, richtig, gerade; vor gericht.

rihtegunge stf. vergleich, friedensschluss.

rihten swv. 1. zum adj. *reht*: recht, gerade machen, richten, in eine richtung bringen, aufrichten, aufstellen; tr. u. refl. in ordnung bringen, schlichten, zurecht u. fertig machen, errichten, einrichten, rüsten, anrichten; richtig machen, wieder gutmachen, vergüten; entrichten, bezahlen; gestalten, dichterisch gestalten; die richtung geben, lenken, wenden, schicken; abs. herrschen, regieren; tr. beherrschen, regieren. — 2. zu *reht* stn.: abs. richter entscheiden, recht spre-

chen, richten; mit dp. recht verschaffen, zum rechte verhelfen, genugtuung gewähren; etw. r. beweisen; *einen* od. *über einen r.* an ihm das urteil vollziehen, ihn hinrichten; *ab, über, von einem r.* über einen recht sprechen, ihn verurteilen; *zuo eincm r.* ihn gerichtlich belangen od. bestrafen. **rihter-, rihte-stuol** stm. richterstuhl. **rihtes** adv. geradeswegs. **rihte-schaht** stm. senkrechter schacht, **-stêc, -stic** stm. limes, trames. **riht-hamer** stm. stimmschlüssel. **rihtunge** stf. gericht, gerichtl. entscheidung, urteil; austrag, friedensschluss; *christenliche r.* sterbsakrament. **ril-** s. *richel-*. **rim**, md. **rin** stm. = *rîfe* (s. *rimeln*). **rim** stm., sp. **rimen** reim, reimzeile, -paar. **rimære** stm. reimer, dichter. **rimeln** swv. mit reif überzogen werden. **rîmen** swv. reimen, in verse bringen; bildl. vereinigen. **rimph** stm. das verziehen des mundes. **rimphen** stv III,1 tr. in falten, runzeln zusammenziehen, krümmen, rümpfen. — refl. sich zusammenziehen, krümmen; einschrumpfen, verdorren, runzeln; sich zusammenziehend fortschnellen. — intr. einschrumpfen, runzlig werden (part. *gerumphen* eingeschrumpft, runzlig). **Rin** stm. Rhein (*von dem mere unz an den Rin* formelhaft, um eine weite strecke zu bezeichnen; *wazzer in den Rin tragen* etw. nutzloses beginnen). **rin-anke, renke** swm. Rheinanke, renke (vgl. *ringrâve*). **rinc, -ges, ring** stm. ring: fingerring, ring an einer tür, mit dem man klopfend einlass begehrt od. die tür zumacht; panzerring; überh. etw. ringförmiges (bretzel); kreis, umkreis, umfang (*ze ringe, umbe rinc* im kreise, ringsum); kreisförmig stehende, sitzende, lagernde menschenmenge, bes. die gerichtsversammlung, gericht; raum inmitten einer kreisförmigen menge, kampfplatz; platz überh. **rinc-liche** adv. leicht, leichtlich; auf leichte, unüberlegte, leichtfertige weise. **rinc-liute** pl. zeugen der verlobung. **-mûre** stf. die ringsumschliessende mauer, ringmauer, **-wer** stf. *wer* rings um eine stadt.

rincerotes stm. rhinozeros, nashorn. **rinc-verte, -vertic** adj. leicht und schnell gehend, handelnd. **rinde, rinte** stswf. die rinde. **rindelin** stn. dem. zu *rint*. **rinden-hülric** adj. mit löcheriger rinde. **rinder-hor** stn. rindermist. **-menine, -meni** f. frondienst mit rindergespann. **-teisch** stn. rindermist. **-zuc** stm. = *-meni*. **-zwëc** stm. rindskot. **rinderîn, rindîn** adj. vom rinde; von rindsleder. **rinderlin** stn. kleines rind. **rindin** s. *rinderin*. **ring** s. *rinc*. **ringe, ring** adj. unschwer, leicht (*ringer muot* leichter, froher, sorgloser sinn); nicht beschwert, leicht und schnell bereit, behende; leicht, nicht beschwerlich, bequem; klein, wenig, unbedeutend, gering; leichtsinnig, schlecht. — adv. leicht, geringe (*ringe* wohlfeil *koufen*); sup. *ringest* so schnell als möglich. — stf. leichtheit, leichtes gewicht; wohlfeilheit. **ringec-liche** adv. = *rincliche*. **ringel-bluome** swmf., **-krût** stn. ringel-, sonnenblume. **ringele, ringel** stf. dasselbe. **ringelin, ringel** stn. dem. zu *rinc*. **ringeln, ringen** swv. tr. mit ringen versehen (schweine). — refl. sich ringeln, kräuseln; part. *geringelt, -rinnelt*. **ringe -loht, -lëht** adj. mit ringen versehen, geringelt, gekräuselt. **ringen** stv. III,1 intr. sich hin und her bewegen, ringen, kämpfen; sich abmühen (*an, umbe, wider*); mit begierde streben *nâch; r. mit* etwas üben, an sich haben. — tr. in einer kreisbiegung bewegen, winden, ringen; kämpfen; abmühen, abquälen. **ringen** swv. s. *ringeln*. **ringen** swv. tr. *ringe*, leicht machen, erleichtern, abschwächen, besänftigen; mit dp. u. *an* schmälern; abs. mit dat. leicht, sanft machen. **ringer** stm. ringer, kämpfer. **ringerinne** stf. ringerin. **ringern** swv. erleichtern, verringern mit dp. **rin-grâve** swm. Rheinlachs (wegen seiner köstlichkeit so genannt; vgl. *rînanke*). **rinisch, rinsch** adj. rheinisch. **rinisch-heit** stf. rheinische tracht, mode. **rinke, ringge** swstf. swm. spange, schnalle an gürtel, schuh usw.; dem. **rinkel** stn. **rinkeloht** adj. mit *rinken* versehen. **rinne** swf. wasserfluss, quell;

dachtraufe; wasserleitung, -rinne, -röhre. **rinne-boum** s. *renneboum*. **rinnelin** stn. rinnlein, bächlein. **rinnen** stv. III,1 intr. rinnen, fliessen; von einer flüssigkeit fortgetragen werden, wegfliessen, schwimmen; triefen; emporwachsen, aufschiessen; laufen, rennen; tr. = *rennen* (*den lîp r.* sich flüchten). **rinne-win** stm. wein der beim zapfen u. schenken abfliesst. **rinnic** adj. fliessend, rinnend; triefend. **rinsch** s. *rînisch*. **rint, -des** stn. rind. **rint-brâte** swm. brâte vom rinde. **-schar** stf. scharwerk mit rindern. **-schuoch** stm. schuh von rindsleder. **-sûter** stm. der *rintschuohe* macht. **-vleisch** stn. rindfleisch; ein ausgewachsenes rind. **rinte** s. *rinde*. **rippe, ribbe, ribe** stn. f. rippe (trop. für körper); herkunft, geschlecht. **rippeln** swv. iterat. zu *riben*. **ris, riz, rist** stn. stswf. swm. ries papiers (mlat. *rismus*). **ris** stm. n. reis; biermaische (mlat. *risus, risum*). **ris** stn. der fall, das fallen. **ris, riz** stn. reis, zweig (*ris* als rechtssymbol wie *halm*); strang aus gedrehten zweigen = *wide*; stange, baum; baumzweige, reisig; gebüsch, gesträuch. **risach, risech** stn. reis, zweig (rechtssymbolisch wie *ris*); reisig; gebüsch. **risch** adj. hurtig, schnell, frisch, keck; trocken, spröde (vgl. *rasch, resch, rösch*). **rische, risch** adv. hurtig, schnell. — stf. eile, hurtigkeit. **rischen** swv. refl. eilen, stürmen. **risch-liche** adv. = *rische*. **rise** swm. riese. **rise** stswf. art herabfallender schleier; im weiteren sinne das ganze gebende. **rise** stf. wasser-, stein-, holzrinne an einem berge. **rise-bette** stn. krankenbett. **risel** stm. das herabfallende: tau, regen, hagel, schneeflocke; das wegfallende, übrigbleibende. **risel** stm. regen; *des snêwes r.* schneeflocken. **riselen** swv. intr. tröpfeln, regnen. — tr. den *pfluoc r.* umstürzen; rinnen-, kerbartig machen, verzieren. **riselin, risel** stn. dem. zu *ris* 2. **rise-loup** stn. abgefallenes, dürres laub. **rîsen** stv. I, 1 von unten nach oben sich bewegen, steigen, sich

erheben; von oben nach unten
sich bewegen, fallen (ab-, nie-
der-, herausfallen, zerfallen);
mit dp. zufallen, zuteil werden.
risen-grôz, -mæʒe, -mæʒic adj.
riesenmässig, gross wie ein r.
risenisch adj. riesenhaft, aus
dem geschlechte der riesen
stammend.
risisch adj. = *risenisch*.
rispe swf. gezweig, gesträuch.
rispeln, rispen swv. kräuseln.
rist s. *ris, riester*.
rist stmn., **riste** stnf. hand-
oder fussgelenk; der gebogene
rücken oder die wölbung des
fusses (bildl. vom himmelsge-
wölbe); halsgelenk an der schulter des pferdes.
riste swf. oben zus. gedrehter
büschel gehechelten flachses,
reiste.
ritære, -er; riter, ritter stm.
reiter, streiter zu pferde, kämpfer, ritter; springer im schachspiele; münze mit dem bilde
eines reiters.
rite swm. reiter.
rite, ritte swm. fieber.
ritec adj. fieberkrank.
riten stv. I, 1 intr. sich fortbewegen, aufmachen, eine richtung einschlagen, fahren. — tr.
mit acc. des gegenstandes, auf
dem man sich fortbewegt. —
intr. reiten (perf. mit *haben* u.
wesen). — tr. reitend worauf
sitzen, reiten auf; mit acc. des
raumes, masses, erfolges, mit
inf. — refl. eine richtung einschlagen, sich bewegen.
riter, riter s. *ritære*.
riter swf. sieb, reiter.
riter-, riter-, ritter-lich adj.,
-liche adv. einem ritter geziemend od. eigen, ritterlich; stattlich, herrlich.
ritern, rittern swv. intr. sich
als ritter betragen, ritterlich
kämpfen. — tr. mit rittern versehen.
ritern swv. sieben, reinigen,
auslesen.
riter-, riter-, ritter-schaft stf.
ritterlicher brauch und beruf,
ritterl. leben und tun, kampf,
turnieren; ritterl. stand; persönl. der ritter; menge von rittern.
riter-, ritter-spil stn. spiel,
übung der ritter, turnier usw.
-spise stf. speise für vornehme.
-tât stf. ritterl. tat.
rite-suhten swv. das fieber
haben.
rît-gewant stn. reitgewand.
ritieren s. *ridieren*.
rît-kappe stswf. reitkleid.
ritte, ritter s. *rite, ritære*.
ritter-ambet stn. amt, würde
des ritters. **-dinc** stn. aus rittern
bestehendes gericht. **-ërnst** stm.

ritterkampf. -kleit stn. ritter-
kleid, -rüstung. **-mæʒe, -mæʒec**
adj. rittermässig, -bürtig. **-mei-**
ster stm. befehlshaber über *rit-*
ter; springer im schachspiele.
-schar stf. schar von rittern.
-sëgen stm. einsegnung des ritters. **-scheften** swv. streiten,
kämpfen, toben, militare. **-slac**
stm. ritterschlag. **-stiure** stf.
beihilfe zur erlangung der ritter-
würde. **-wip** stn. frau eines ritters oder von ritterl. geburt.
rittersman stm. md. ritter.
ritze f. ritze, vgl. *riʒʒe*.
ritzel stm. kompass.
ritzeln swv. oscillare.
ritzen swv. abs. u. tr. einen
riz machen, ritzen, verwunden.
riu s. *riuwe*.
riude, rûde stswf. räude.
riudec, rûdec adj. räudig.
riuhe, rûhe stf. rauheit, be-
haartheit (schamhaar); rauch-,
pelzwerk; rauhe gegend, rauher
weg.
riuhelin stn. dem. zum vorig.
(schamhaar).
riuhen swv. tr. rauh machen;
leidenschaftlich machen, reizen
ze. — refl. rauh werden, sich
sträuben.
riuschen s. *rûschen*.
riuse, riusche swf. fischreuse.
riusen s. *riuwesen*.
riusen swv. strecken, dehnen.
riuser stm. der mit *riusen*
fischt.
riuspeln, riuspern, rûspern
swv. räuspern.
riusten, riustern, rûstern swv.
dasselbe.
riutære, -er stm. der ausreutet, urbar macht, bauer.
riute stn. stück landes, das
durch *riuten* urbar gemacht
worden ist.
riute stf. dasselbe; s. v. a.
riute-gëlt stn. abgaben von
niuriuten.
riutel, rûtel stf. pflugreute,
stab zum beseitigen der sich an
das pflugbrett hängenden erde.
riutelinc, rûtelinc, -ges stm.
stechmesser, dolch.
riutel-stap stm. s. v. a. *riutel.*
riuten swv. reuten, ausreuten,
urbar machen.
riutine swf. = *riute.*
riut-mat stn. waldwiese.
riut-zëhende swm. = *riute-*
gëlt.
riuwære, -er, rewer stm. be-
reuender, büsser.
riuwærinne, -in, rewerin stf.
büsserin.
riuwe, riwe, rewe, riu stswf.
swm. betrübnis über getanes,
reue; betrübnis über etwas ge-
schehenes (verlust), schmerz,
kummer, trauer, leid, mitleid;
übles aussehen, beschädigung.

riuwe-, riwe-, riu-bære adj.
betrübt, kummervoll. **-bære**
adj., **-bërnde** part. adj. dasselbe.
-kleit stn. trauerkleid. **-kouf**
stm. reukauf, entschädigung bei
rückgängigem kaufe. **-lich** adj.
= *riuweclich.* **-lôs** adj. ohne
riuwe. **-var** adj. nach *riuwe*
gefärbt, von betrübtem, trauri-
gem aussehen (*kleider r.* trauer-
farben).
riuwec (riwec) adj. bekümmert, betrübt, traurig (mit
gs.); bereuend, reuig, bussfertig.
-lich adj. dasselbe. **-liche** adv.
auf traurige, leidvolle, weh-
mütige weise; reuig.
riuwelin stn. dem. zu riuwe.
riuwen, riwen stv. II, 1 tr.
(md. auch mit dat.) in betrübnis
versetzen, leid sein, dauern, verdriessen, reuen. — refl. sich betrüben, reue empfinden, mit
gen. — swv. tr. beklagen, bereuen; leid sein, reuen. — refl.
mit gen. klagen, reue empfinden.
riuwen-tragende part. adj.
reuig. **-vâr** stf. furcht vor *riu-*
we. **-waʒʒer** stn. tränen der
reue. **-zeher** stm. dasselbe.
riuwesal stf. reue, bekümmernis.
riuwesære, riusære stm. =
riuwære.
riuwesen, riusen swv. intr.
sich klagend gebärden, jammern. — tr. beklagen, bereuen.
riuʒe swm. = *altriuʒe.*
rivâge swf. = fz. *rivage.*
rive adj. ndrh. (nd.) reichlich,
freigebig mit gs.
rivêrlin stn. md. bächlein.
rivier stmfn. bach (fz. *rivière*).
riviere, rivier stf. n. gegend,
bezirk (fz. *rivière*).
rivieren swv. 1. nachprüfen,
zurechtlegen (fz. *revêir*); 2. den
bezirk im gehn mustern (zu
riviere).
riw- s. *riuw-.*
riʒ, riʒ s. *ris, rîs* 3.
riʒ stm. riss.
riʒ, -tzes stm. riss, ritze, wunde; umriss, -kreis.
riʒen stv. I, 1 tr. reissen, zerreissen. — refl. zerrissen werden, zerreissen. — intr. mit heftigkeit, lärmend sich bewegen.
— tr. einritzen, schreiben, zeichnen.
riʒlin stn. dem. zu riʒ.
riʒʒe swf. riss; zirkel.
rô s. *rou.*
robâte, robât swstf. nbff. *ro-*
bolt. rowolt fronarbeit (slav.
robôta, rabôta).
robâten swv. fronen.
robin s. *rubîn.*
roc, -ckes stm. rock; mem-
brane, rinde.
roch s. *ruch.*

roch stnm. der turm im schachspiel; s. v. a. *schâchroch* (fz. *roc*). -ganc stm. schachzug mit dem *roch*.

rocke swm. spinnrocken; rocken-, spinnstube.

rocke, rogge swm. roggen.

rocken-gëlt stn., -zins stm. roggenzins.

röckelin, röckel stn. dem. zu *roc*.

röckelin, röckel stn. aus roggen- und weizenmehl gemischtes brötchen.

rockener stm. der roggenbrot bäckt.

rockin adj. aus roggen.

rode-ackes stf. md. axt zum roden; -houwe swf. md. haue zum roden.

rodel stmf. beschriebene papierrolle, liste, register, urkunde usw. (mlat. *rotulus, rotula*, s. *rolle*).

rödel, -er s. *ruoder*.

roffez, röpitz ructus.

roffezen, rofzen swv. aufstossen, rülpsen.

rogel adj. nicht fest, locker, lose. rogelen swv. locker legen, aufschichten.

rogen, roge stswm. fischeier, rogen, bildl. das beste, d. vorteil. rogener stm. weibl. fisch.

rogge s. *rocke* 2.

rohen, ruohen (md. *rûhen*) swv. brüllen, grunzen, lärmen.

rohezen swv. intens. zum vorigen.

rô-lich adj. roh, gottlos.

rolle, rulle swf. verzeichnis, liste; etw. auf-, zusammengerolltes; glättrolle (mlat. *rotula*, s. *rodel*).

rollen swv. rollen; hin und wieder fahren.

rœmesch, rœmisch, rœmsch adj. römisch.

Rôm-vart stf. wallfahrt nach Rom, überh. pilgerfahrt.

ronach stn. coll. zu

rone, ron swstm. umgestürzter baumstamm, klotz.

rone-grôʒ adj. gross wie ein umgestürzter baumstamm.

ront s. *runt*.

rönic adj. voll *ronen*.

ronse s. *runs*.

rör stn. rohr, etw. aus rohr gemachtes; pfeife; menge von rohr, röhricht.

ᵖrôrach, rœrach stn. röhricht.

rôre, rœre stswf. rohr, röhre; brunnenröhre, luftröhre; harnröhre; orgelpfeife; kanal, gemauerter abzugsgraben.

rôrëht adj. rohrartig.

rœren swv. aus rohr, rohrartig, schlank machen.

rôr-honic stn. wilder honig.

rœrin adj. aus rohr gemacht.

rôr-tumel, -trumel stm. = *hor-tûbel*.

ros, ors stn. ross, bes. streitross und wagenpferd.

rôsât stm. ein kostbarer seidenstoff (mlat. *rosatus*).

ros-bâre stswf. eine von rossen getragene bahre. -biʒ stm. rosszaum. -hût stf. rosshaut. -isen stn. ross-, hufeisen. -knëht stm. pferdeknecht. -menine stf. frondienst mit pferdegespann. -phert stn. = *ros*. -tüscher, -tiuscher stm. rosstäuscher, -händler. -vige swf. pferdekot. -vole stn. reiterei. -waht stf. die pferdehut. -wehter stm. pferdehüter. -zagel stm. pferdeschwanz; pl. *die roszegele* die pferdehaare am fiedelbogen.

rösch, rösche, rosch adj. von lebenden wesen: schnell, behende, munter, frisch, wacker, tapfer; aufbrausend, heftig. — von sachen: schnell, reissend; frisch, scharf; hart, spröde (vgl, *rasch, resch, risch*).

rösch adv. wacker, scharf.

rosche rotsche, rusche rütsche rutsche swstf. jäher bergabhang, fels (fz. *roche*).

rosch-heit, roscheit stf. munterkeit.

rösch-liche adv. rasch, munter.

rôse swfm. rose; *die rôten rôsen* die wundmale Christi (lat. *rosa*).

rôse-, (rôsen-)bluome swmf. rosenblume, -blüte, rose. -bluot stf. dasselbe. -boum stm. rosenstock. -brunnen m. pl. d. wundmale Christi. -dorn stm. rosenstrauch. -garte swm. rosengarten; name geschichtlicher u. sagenhafter lustorte.

rôse-lëht, -loht adj. rosenfarbig, -rot, rosig.

rœselen swv. rötlich werden.

rœselin, rœsel stn. dem. zu *rôse*.

rœsel-var adj. = *rôsevar*.

roseme, rosem swm. sommersprosse; fleck, makel.

rôsen swv. rosen tragen, zur rose werden. part. *rôsende* rosig, rot.

rœsen swv. tr. mit rosen bedecken, schmücken, überh. zieren, verherrlichen.

rôsen-blat stn. rosenblatt; auch zur negation; dem. -bletelin stn. -bluome stm. rosenknospe. -busch stm. rosenstrauch. -büschelin stm. -hac stmn. rosenhecke. -kint stn. rosiges, liebliches kind. -kranz stm. rosenkranz. -lachende part. adj. wie rosen lachend, blühend. -öl s. *rôsöl*. -ris stn. rosenzweig. -schapël stn. rosenkranz. -smac

stm. rosenduft. -stoc stm. rosenstock, -strauch. -tac stm. sonntag lætare.

rôsen-, rôs-wurst stf. rot-, blutwurst.

rôse-, rôsen-rôt adj. rosenrot, rosig.

rôse-, rôsen-var, -varwel adj. dasselbe.

rôsic adj. rosig.

rôsin adj. dasselbe.

rosin, rusin f. rosine (mlat. *rosina*).

rôs-, rôsen-öl stn. rosenöl.

rosse-kleit stn. rossdecke, -louf stm. rosslauf; soviel ein ross in einem zuge rennen kann: ein längenmass, von dem 16 eine franz. meile ausmachen. -nagel stm. hufnagel.

rösselin rössel stn. dem. zu *ros*.

rössin s. *rüssîn*.

rost, rust stm. rost.

rôst stm., rôste stf. rost, scheiterhaufen; auf eingerammten grundpfählen liegende balken als unterlage; glut, feuer, feuersbrunst. -brant stm. feuerbrand von einem scheiterhaufen.

rostec, rostic adj. rostig.

rosten swv. rosten.

rôsten swv. einen *rôst* schlagen, legen.

rœsten swv. tr. auf, in den *rôst* legen, rösten, braten. — intr. auf dem roste liegen, geröstet werden.

rost-var adj. rostfarb.

rôs-wurst s. *rosenwurst*.

rot stnm. = *rost*.

rôt adj. rot; rothaarig, bildl. falsch, listig. — stn. das rot, rote farbe.

rote s. *rotte*.

rôte swm. rotforelle.

rœte stf. die röte, rote farbe; krankheit mit rotem hautausschlag; zeit in der das wild *rôt* ist; pflanze die rote farbe gibt, krapp.

rote, rotte, rot stswf. schar, abteilung, rotte; gemeinde, markgenossenschaft; anteil jedes genossen in einer markgenossenschaft; ordnung, reihenfolge, in der von jedem eine verrichtung vorzunehmen ist (fz. *rote* vom lat. *rupta*). -meister stm. schar-, rottenführer.

rotec, rotic = *rostec*.

rœtec adj. rötlich.

rœte-lëht, -loht adj. dasselbe.

rœtelin stn. dem. zu *rôte* swm.

rœteline, -es stm. = *rôte*.

rœtel-wie swm., -wier stm. rötelweihe.

roten swv. rosten.

rôten, roten, rötigen swv. *rôt* sein od. werden.

rœten swv. tr. *rôt* machen. — refl. erröten, sich schämen.

röten-, röt-haft adj. rötlich.
rotewange s. *rotruwange.*
röt-gemâl adj. rotfarbig. **-golt** adj. von rotem golde. **-guldîn** adj. dasselbe. **-haft** s. *rôtenhaft.* **-leit** stn. die rote ruhr. **-munt** stm. = *rôter munt.* **-ruor** stf., **-schade** swm. = *rôtleit.* **-smit** stm. rot- od. gelbgiesser. **-süeȝe** adj. durch röte lieblich. **-var** adj. rotfarbig, rot. **-wilt** stn. rotwild. **-wîȝ** adj. rotweiss.
rotieren, rottieren swv. in *roten* teilen, ordnen, scharen, sammeln tr. u. refl.
rœtin adj. aus röte bestehend.
rotruwange, rotewange stf. bezeichnung einer bestimmten sangweise (afz. *rotruange*). vgl. *ridewanz.*
rotsche s. *rosche.*
rottære stm. harfner.
rottærinne stf. harfnerin.
rotte, rote swf. ein harfenartiges saiteninstrument (mfz. *rote*, mlat. *rotta*).
rotte s. *rote.*
röttelen, rotten, roten swv. auf der *rotte* spielen.
rotten-spil stn. harfenspiel, harfe.
rotumbele tamburin.
rotunde adj. rund (fz. *rotonde*, mlat. *rotundus*). — stf. rotunda.
rot-walsch, -welsch adj. stn. gaunersprache (fremdartige sprache einer *rote*, wovon auch rotw. *rot* gauner, bettler).
rotz, rotzic s. *roz, rützic.*
rötzel stn. dem. zu *roz.*
rou, rô, râ; rôch, rouch adj. roh (eig. u. bildl.).
roub s. *roup.*
roubære, röubære, -er stm. räuber.
roubærinne, röubærinne, -erinne, -erin, -in stf. räuberin.
roubec, röubic adj. räuberisch; geraubt.
roubelîch adj. räuberisch.
rouben swv. rauben, berauben; *einen rouben von* von etw. abbringen.
roubendic adj. raubend, räuberisch.
rouberie stf. räuberei.
roubes adv. räuberischer weise.
roubisch, röubisch adj. räuberisch.
roubolt stm. räuberischer mensch.
rouch s. *rûch.*
rouch stm. haarige stelle, schamhaar (vgl. *riuhe*).
rouch stm. dampf, dunst; rauch (übertragen für herd u. die vom herde, hause zu entrichtende abgabe); räucherwerk; geruch.
rouchen, röuchen stw. intr. riechen; einen rauch von sich

geben, rauchen. — abs. einen rauch machen. — tr. rauchig machen, räuchern; beräuchern.
rouch-hûs stn. kamin. **-loch** stn. kamin. **-val** stm. abgabe vom *rouche* (herde): hafer, huhn (*rouchhaber, -huon*). **-var** adj. rauchfarb, rostbraun. **-vaȝ** stn. rauchfass.
rouchic adj. rauchig; dunstig, blähend; (übel) riechend.
rouch-naht stf., pl. *rouchnehte* die zwölf nächte u. überh. die zeit vom 25. dezember bis 6. januar.
roufen swv. mit as. raufen, ausreissen (bes. haare), zücken; mit ap. (tr. od. refl.) bei den haaren raufen. — abs. sich bei den haaren raufen; abs. od. refl. sich balgen, raufen.
roum stm. milchrahm; schimmer, vorstellung, täuschendes bild.
roum s. *râm.*
rounen s. *rûnen.*
roup, -bes, roub stm. beute, siegesbeute, das geraubte (*roup nemen* auf beute ausgehn, räuberei treiben); raub, räuberei, plünderung; ernte eines feldes.
roup-galine stf. raubschiff. **-guot** stn. geraubtes gut. **-her** stn räuberschar. **-hûs** stn. raubschloss. **-lich** adj., **-liche** adv. räuberisch. **-vruht** stm. name für Boreas.
röupliuc, -ges stm. raufbold.
rouw-, röw- s. *ruow-.*
rowolt s. *robâte.*
royâm stn. = afz. *roiame* königreich.
roz, rotz stmn. schleim, rotz.
rôȝ adj. mürbe.
rœze stf. hanf-, flachsröste; beize der kürschner.
rœzen, rôzen, rozȝen swv. intr. welk, bleich, faul werden. — tr. faulen machen.
rû s. *rûch, ruowe.*
rubeb, rubeba f.; dem. **rubeblin, rubel** stn. saiteninstrument.
ruben stm. alem. ein grösseres gewicht (mlat. *rubium*, it. *rubbio*).
rubin, rubbin, robin stm. rubin (mlat. *rubinus*).
rubrike, rubrik stswf. rote tinte (mlat. *rubrica*).
ruc, -ckes stm. schnelle ortsveränderung, ruck (*hôhen ruc geben* sich hoch aufschwingen).
ruch stm. (nbff. *roch, ruoch*) geruch; dampf, dunst; rauch.
rûch adj. (nbff. *rûhe, rû, rouch*) haarig, struppig, zottig, rauch; rauh, herbe, hart, strenge, unwirsch, ungebildet. **-gemâl** adj. rauh, hässlich. **-wêre** stn. kürschnerhandwerk.
rûchec adj. rauh.
ruchel stf. runzel.

rücheln, rühelen swv. wiehern, brüllen, röcheln.
rûchen s. *riechen.*
ruchtic adj. wohlriechend.
rüchtigen, ruchtigen swv. famare, infamare.
räcke, rucke, rück, ruck; **rügge, rugge** stswm. der rücken; bildl. schutz, schirm, rückhalt; den rücken schützendes panzerstück.
rücke-bære adj., **-bâre** adv. rücklings. **-bein** stn. rückgrat, wirbelbein, rücken. **-brâte** swm. braten, fleisch vom rückenstück; rücken. **-dorn** stm. rückgrat. **-halben, -halp** adv. von der seite des rückens, rückwärts. **-hâr** stn. *eins swînes r.* schweinsborsten. **-(ruc-)lachen** stn. tuch zwischen rücken u. wand, wandumhang. **-lemic** adj. rückenlahm. **-rieme** swm. rückgrat. **-tuoch** stn. = *rücke-lachen.* **-wise** adv. rücklings.
rückelingen, -linges adv. rücklings.
rücken, rucken swv. tr. schiebend an einen andern ort bringen, drängen, fortbewegen, rükken, zücken (waffe). — intr. unaufgehalten den ort verändern, sich fortbewegen, rükken.
ruckezen swv. ruchzen, girren.
rückin, ruckin, rüggin, rockin, roggin adj. von roggen.
ruckit stn. chorhemd (fz. *rochet*).
rüde, rude, rüede swm. grosser hetzhund.
rûde s. *riude.*
rüde-lîchen adv. wie ein *r.*
rüdisch, rudisch adj. *rüdische hunt* = *rüden*; rauh, grob.
rüebe s. *ruobe.*
rüede s. *rüde.*
rüeden swv. lärmen, sich lärmend bewegen.
rüefen swv. = *ruofen.*
rüefer s. *ruofœre.*
rüegære, -er stm. tadler, schelter; ankläger, gerichtl. bestellter angeber.
rüegât stf. unterabteilung eines gerichtsbezirkes.
rüege stf. gerichtl. anklage, anzeige; tadel, rüge; gerichtsbarkeit, -bezirk. **-bære** adj. rügbar. **-lîch** adj. anklägerisch. **-liet** stn. scheltlied. **-meister** stm. vorsteher einer *rüegât.*
rüege adj. rührig.
rüegec adj. = *rüege-lich.*
rüegen, ruogen swv. melden, mitteilen, sagen, zu verstehn geben, öffentl. bekanntmachen; anklagen, beschuldigen, tadeln, gerichtlich anzeigen.
rüegerin stf. tadlerin.
rüegunge stf. = *rüege;* strafe, geldbusse; s. v. a. *rüegât;* inbe-

griff der in den gerichten durch aussage u. urteil festgestellten rechte u. rechtsgewohnheiten.

rüejen, rüegen, ruogen swv. rudern.

rüemære, ruomære, -er stm. rühmer, prahler.

rüemec, rüemic adj. ruhmredig, prahlerisch; froh, ausgelassen jubelnd. **-lichen** adv. auf ruhmredige weise.

rüeme-lich adj. rühmlich; prahlerisch.

rüemen, ruomen swv. tr. rühmen, preisen. — refl. mit gen. sich rühmen, prahlen; froh sein, jubeln. — intr. *ruomen* mit gen. wovon ruhm haben; *rüemen von* prahlen.

rüeren, ruoren swv. tr. einen anstoss geben, antreiben, in bewegung setzen (mit ausgelassenem obj. *ros* scheinbar intr. wie *rennen*; mit ausgelassenem obj. *ruoder, schif;* mit obj. *e3*); saiten od. ein anderes tongeräte *rüeren,* darauf spielen; abs. aufrühren, wühlen. — refl. sich rühren, bewegen. — tr. anrühren, berühren, treffen, erreichen, ergreifen. — intr. in bewegung kommen, fliessen; reichen an, betreffen; ausgehn, herrühren von. — abs. tasten, fühlen. — stn. das rühren, berühren; das auflockern der erde u. entfernung des unkrautes (im weinberge); der tastsinn, das tasten.

rüeric adj. rührig, beweglich, nicht fest.

rüerunge stf. = *rüeren* stn.

rüetelin, rüetel stn. dem. zu *ruote.*

rüe3el, rü33el stm. rüssel.

rüe3eln swv. *diu swîn r.* = *ringeln.*

ruf, rufe stswf. schorf, aussatz.

ruffiân stm. lotterbube, kuppler, hurenwirt (it. *ruffiano*).

ruffiâner stm. dasselbe.

ruffiânin stf. lena.

rufolc stm. aalraupe.

rûge, rügen s. *ruowe(n).*

rugelen swv. refl. sich rühren.

rügge s. *rücke.*

rûhe s. *riuhe, rûch.*

rûhelen s. *rûcheln.*

ruhen, rûhen s. *rohen, ruowen.*

rûh-, rû-grâve swm. raugraf.

rulle s. *rolle.*

rülz stm. roher mensch, derber bauer.

rûm, rûn, roum stm. raum, platz zu freier bewegung od. zum aufenthalte; zeitl. *bî liehtschînes rûme* so lange die sonne scheint, bei tage; was wegzuräumen ist, schutt, kehricht, mist.

rûm, rûme adj. geräumig.

rûme stf. raum, räumung.

rûmen s. *rûnen.*

rûmen swv. freien raum worin schaffen, etw. verlassen, räumen (*e3 rûmen* den platz räumen, weiterziehen); auf-, wegräumen,, säubern; abs. raum schaffen, platz machen; raum lassen, weichen, fortgehn.

rûmen swv. = *râmen,* anberaumen.

rumôr, rumôre stmnf. lärm, aufstand (lat. *rumor*).

rumpeln, rummeln swv. intr. mit ungestüm, geräuschvoll sich bewegen od. fallen, lärmen, poltern.

rumph adj., md. *rump* gebogen, gekrümmt.

rumph stm., md. *rump* rumpf; leib; grosse hölzerne schüssel.

rümphen swv. tr. rümpfen. — refl. runzlig werden.

rûmunge stf. räumung, flucht.

rûn s. *ruom, ruowen.*

rûn stmf. = *rûne.*

rundâte stf. eine sang- und dichtweise, ähnlich dem frz. *rondeau.*

runde stf. runde. s. *runt.*

rundël stn. kreis, ring; am helm befindl. rundes wappenschild.

runden swv. *runt* machen.

runden adj. = *runt; r. græ3e spera, sphæra.*

runden-græ3ec adj. speralis.

rûne stf. geheimnis, geheime beratung od. rede, geflüster.

rûnec adj. gebrechlich, unstät, flüchtig.

runen, rünen swv. wälzen, häufen *ûf.*

rûnen, rounen, rûmen swv. abs. u. tr. heimlich u. leise reden, flüstern, raunen; mit dp. ein-, zuflüstern, zuraunen.

rûner stm. rauner, zuflüsterer, verleumder, susurro.

runge stf. stange; stemmleiste an einem wagen.

runke swf. = *runze.*

rünkeler stm. eine art ketzer (mlat. *runcariolus, runcarius* v. *runcaria* ungereutetes feld).

runken swv. runzeln.

rünne swf. sturmwoge, sturm.

runs, runst stfm., runse, ronse stswf. das rinnen, fliessen; das fliessende, der quell, fluss; rinnsal, wassergraben, kanal; flussbett.

runsche s. *runze.*

runsee adf. fliessend.

runselin, rünselin stn. dem. zu *runs, runse.*

runt, -des adj., md. auch *ront* rund; geschickt, gewandt (fz. *rond,* lat. *rotundus*). **-tavele, runtavel** f. die rundtafel (*table ronde* d. königs Artus); ein ritterspiel, wobei turniert wird.

runze, runsche swf. runzel.

runzêht adj. = *runzelêht.*

runzel stswf. = *runze.*

runzelêht adj. runzlig.

runzeln swv. runzlig.

runzit, -des, runzin stn. kleines pferd, klepper, mähre (afz. *roncin*).

ruo s. *ruowe.*

ruobe, rüebe swf. rübe.

ruoch, ruoche stswm. saatkrähe, häher.

ruoch stm., **ruoche** stf. acht, bedacht, besorgung, sorgfalt, sorge, hang (zorniger wie liebender), wunsch (*ruoch, ruoche hân = ruochen*).

ruoche-lôs adj. unbekümmert, sorglos.

ruochen swv. seine gedanken auf etw. richten (aus fürsorge od. aus wunsch), bedacht, besorgt sein, sich kümmern, begehren, wünschen mit gen. od. *umbe,* auch mit acc.; wollen, mögen, geruhen, mit inf. ohne od. mit *ze.* — refl. u. unpers. mit acc. berücksichtigen, kümmern.

ruoder, ruodel stn. (md. *rûder, rôder, rûdel, rôdel*) ruder.

ruoder stm. = *truoder.*

ruoderære, ruodeler stm. ruderer.

ruodern, ruodeln swv. rudern.

ruof, ruoft stm. ruf, schrei, geschrei, bes. das feldgeschrei; gesprochenes gebet, gebetlied; gerücht; ruf, leumund, nachrede.

ruofære, rüefære, -er stm. rufer, ausrufer.

ruofe adj. duftend, duftreich.

ruofen redv. 6 u. swv. intr. schreien, rufen, singend rufen od. schreien. — tr. ausrufen.

ruogen s. *rüegen, rüejen, ruowen.*

ruoben s. *rohen.*

ruom, ruon stm. lob, lobpreisung, ruhm, ehre, herrlichkeit; selbstlob, prahlerei, überhebung; pracht, gepränge, pomphafter aufzug. **-heit** stf. prahlerei. **-ræ3e, -ræ3ec** adj. ruhmgierig, ruhmredig. **-reitec** adj. prahlerisch. **-reiten** swv. sich rühmen, prahlen. **-reitieheit** stf. = *ruomheit.* **-sam** adj. ruhmredig. **-wæhe** adj. aufs prahlen sich erstrehend.

ruomen s. *rüemen.*

ruomesære, rüemesære, ruomser, rüemser stm. prahler, prahlhans.

ruome-wât stf. prunkgewand.

ruon s. *ruom, ruowen.*

ruore, ruor stf. 1. zu *rüeren* in bewegung setzen: eilige bewegung zu ross od. fuss; aufruhr; das loslassen, die hatz der

hunde auf das wild; die gekop-
pelten hunde selbst, die meute;
koppelseil; auflockerung der
erde, das zweite pflügen; bauch-
fluss, ruhr. — 2. zu *rüeren* berühren: berührung; angrenzung, nähe; strandung eines
schiffes; ein fechterausdruck:
schlag, streich; durch berührung entstandene spur, bes.
wildspur (am laubwerk).
ruoren s. *rüeren.*
ruor-hunt stm. hetzhund.
ruor-tranc stn. laxiertrank.
ruote stswf. gerte, rute, *r. von
Yesse* d. jungfrau Maria; bes.
die zuchtrute; zauberrute,-stab;
wünschelrute; männl. glied; bischöfl. stab; stange, ruderstange, ruder; messstange für län-
gen- und flächenmessung.
ruowe, ruo stf. (nbff. *râwe,
rouwe;* md. *râwe, rûe, rû, rûge,
rôwe, rôge, râwe*) ruhe.
ruowec, ruowic adj. ruhig.
-lich adj., -liche adv. ruhig, behaglich.
ruowe-lôs adj. ruhlos. -stat
stf. ruhestätte. -tac stm. ruhe-
tag, sonn-, feiertag.
ruowen, ruon swv. (nbff. *râwen, ruogen, ruowen,* md *râwen,
rûen, rûn, rûgen, rûhen, râwen*)
ruhen, ausruhen, mit gen. von
etwas ausruhen; part. *ge-ruowet,
-ruot:* in ruhe gelassen, ausgeruht, ruhig.
ruowunge stf. die ruhe, das
ausruhen.
ruoʒ stm. russ, schmutz.
ruoʒec, ruoʒic adj. russig,
schmutzig.
ruoʒen swv. russig machen.
ruoʒ-var adj. = *ruoʒec.*
rupe, ruppe f. aalraupe (mlat.
rubeta, vgl. *rute*).
rûpe swf. raupe.
rupfen, rupfen swv. rupfen,
zausen, zupfen, pflücken.
rupfin, rupfen adj. aus werg.
— stfn. (näml. *wât, tuoch*), leinwand aus werg; was zum ab-
spinnen an den rocken gebunden wird.
ruppe s. *rupe.*
rus stm. grober bengel, flegel.
rûsch stf. ein teil des helm-
schmuckes, kopfputzes (benannt nach dem rauschenden
ton beim bewegen des kopfes).
rûsch stm. rauschende bewegung, anlauf, angriff.
rusch, -e swf. binse, brüsch
(lat. *ruscus*).
ruschart stm. = *banc-hart.*
rusche s. *rosche.*
rûschen, riuschen swv. geräusch machen, rauschen, brausen, prasseln; eilig u. mit geräusch sich bewegen (bes. zu
pferde od. schiffe), sausen, stürmen.

rüschieren swv. rauschen.
rüspern s. *riuspern.*
rusin s. *rosin.*
rüssin, rössin adj. vom rosse.
rüssin stf. stute.
rust s. *rost.*
rust stf. ruhe, rast (nd. form).
rûste stf. aus-, zurüstung.
rüstec, rüstic adj. rüstig, gerüstet.
rüsten, rusten swv. abs. an-
stalt treffen; ein gerüste machen. — tr. zurecht machen,
bereiten, zurüsten. — refl. an-
stalt treffen, sich bereit, aufmachen; sich schmücken, kleiden *mit.*
rüster stm. gerüstemacher.
rüstern s. *riustern.*
rüst-holz stn. holz zu od. von
einem gerüste.
rüst-phert stn. beschäler.
rute, rutte swf. = *rupe.*
rûte swf. verschobenes viereck, raute (heraldisch und als
fensterraute).
rûte swf. raute, eine pflanze
(lat. *ruta*).
rûtëht adj. rautenförmig,
viereckig.
rütei, rûteline s. *riut-.*
rütinc, -ges stm. = *riutelinc.*
rütinger stm. dasselbe.
rutsche, rütsche s. *rosche.*
rutschen, rütschen swv. gleiten, rutschen.
rutte s. *rute.*
rütte, rutte swf. eine belage-
rungs(schleuder)maschine.
rütteln, rütelen, rütlen, rütten
swv. in erschütterung setzen,
schütteln, rütteln.
rut-visch stm. (*rute*) aalraupe.
rützic, rotzic adj. mit dem
rotz behaftet, rotzig.
rûw- s. *riuw, ruow-.*
rüzen swv. ein geräusch machen, rauschen; summen;
schnarchen; brüllen; eilig u. mit
geräusch sich bewegen, stürmen.
rüʒʒel s. *rüezel.*

S

sâ s. *sô.*
sâ interj. = *zâ.*
sâ adv., ält. form *sâr,* nebenf.
sân (md., obd. bes. in pausa)
gleich darauf, alsbald, sodann
(entweder allein oder verstärkt durch sinnverwandte
ausdrücke: *sâ ze hant, ze stunde*
usw.); *sâ als, dô* sobald als;
sâ...sâ bald...bald. *noch sâ(r)*
nicht einmal, ne ... quidem.
sâbânt, sâbot, sabbat stm.
sabbat.
sabel, sebel stm. säbel (slav.
sabla).
saben stm. feine, weisse leinwand u. daraus verfertigte

kleidungsstücke (mlat. *saba-
num*). **sabenin, sabin** adj. von
saben. **saben-niuwe** adj. von
neuem *s.* -wiʒ adj. weiss wie *s.*
sablar n. ? ein kostbares pelzwerk.
sac, -ckes stmn. sack, tasche;
sackförmiges netz zum einfangen der tiere; magen, bauch;
auch der ganze körper, mit
dem nebensinn des wertlosen
oder verächtlichen; als schelte,
bes. für weiber: hure, buhlerin;
grobes sacktuch u. daraus ge-
fertigte kleidungsstücke, trauerkleid (der juden); ein bestimmtes mass od. gewicht; *in den s.
legen* sparen; *in den s. schieben,
stôʒen* überwältigen (fz. *sac,*
gr. lat. *saccus*). **sac-bant** stn.
band zum zuschnüren eines
sackes. -gebende stn. coll. zum
vorigen. -gewant stn. = *sac*
(kleid). -man stm. trossknecht,
plünderer, räuber; *sacman machen* plündern, rauben. -phîfe f.
dudelsack. -roup stm. *s. nemen*
= *sacman machen: s. rîten*
auf plünderung reiten. -trager,
-treger, -tregel stm. sackträger.
-tuoch stn. sackleinwand.
sache, sach stf., spät auch
swf. streit, streitsache, rechts-
handel, klage; angelegenheit,
sache, ding; *ist* [*eʒ, daʒ*] *sache,
daʒ* tritt der fall ein, oder
= wenn; besteht ein zureichen-
der grund, dass; mit adj. zur
umschreibung oder verstärkung
des im adj. ausgedrückten begriffs, z. b.: *in dêmüetiger sache*
demütig, *menschliche s.* mensch;
umbe tôdes sachen um [ihn]
zu töten; ursache, grund; *von
sachen, durch* [*die*] *sache* deshalb. **sache** swm. urheber,
anstifter. **sachen** swv. intr.
streiten, prozessieren; den ursprung nehmen *von.* — tr.
schaffen, erzeugen, bewirken,
machen; anordnen, zurechtlegen, einrichten; verstehn;
darstellen, zeigen, auslegen; vor
gericht darlegen, klagen. sa-
chener stm. s. v. a. **sacher,
secher** stm. an einem streithandel als kläger od. beklagter
beteiligte, pl. die parteien;
causidicus; auctor, urheber,
anstifter. **sach-haft** adj. was
vor gericht anhängig zu machen, klagbar ist; feindselig,
der [gefangene] feind; wichtig,
bedeutend; **sach-triber** stm.
procurator. **sachunge** stf. gerichtl. klage, prozess. **sachwalte, -waltige** swm., **-walter,
-waltiger** stm. der einer *sache
waltet:* actor, causidicus, procurator, bevollmächtigter ge-
schäftsführer, rechtsverteidiger;
überh. einer, den ein rechtshan-

del angeht, eine partei vor gericht (*des mæres sachwalte* den die erzählung angeht, ihr held).

sacke, sagge swm. weidefläche z. gemeindegebrauch.

sackers stm. eine geringere falkenart (fz. *sacre*). **sackervalke** swm. dasselbe.

sacramènt stn. sacramentum (bes. d. abendmahl); hostie, monstranz. **sacramènt-lich** adj. sacramentalis. **sacrieren** swv. weihen (lat. *sacrare*). **sacrilêger** stm. kirchenräuber, -schänder (lat. *sacrilegius*). **sacrilêgje** stf. kirchenraub, -schändung (lat. *sacrilegium*). **sacrist** swm. = *sigriste*. **sacristâne, -êne** stf. sakristei (mlat. *sacristania*). **sacristie** f. dasselbe (mlat. *sacristia*).

sac-win s. *seicwin*.

sadel s. *satel*.

saf, -ffes, saft stn. saft der pflanzen; bildl. blut, tränen, die 'humores' des menschl. körpers; auch bloss umschreibend: *der sünden s.* **safer** stn. blauer glasfluss aus kobalt, saflor, zaffer (it. *záffera*). **-glas** stn. dasselbe. **-var** adj. blaufarbig. **saferin** adj. aus *safer.*

saffec, saffic, seffic adj. saftig. **saffen** s. *seffen.* **saffen** swv. saft gewinnen, saftig sein od. werden.

safrân, saffrân stm. safran, crocus (fz. *safran*).

saf-rîche adj. saftreich. **saft, saften** s. *saf, seffen.*

sage s. *sege.*

sage stf. neige (vgl. *sêge* 2, *seige*).

sage, sag stf. das sprechen, die sprache; rede, aussage, erzählung; gerücht; angabe, bericht (auch von büchern), belehrung. *gemeiniu s.* sprichwort. **sage** swm. der erzähler, der nichtgesungene gedichte vorträgt, vgl. *sager.* **sage-bære** adj. von sachen: was sich sagen, erzählen lässt; sagens-, erzählenswert; begründet. — von personen; rühmenswert, berühmt, löblich. **-haft** adj. wovon gesagt wird, berühmt. **-lich** adj. kündenswert. **-liet** stn. erzählendes lied. **-mære** stn. erzählung. bes. lügenhafte erzählung, märchen, leeres gerede; rumor.

sagen s. *segen.*

sagen swv. (md. auch *segen*, kontr. *sein*) mit worten ausdrücken, sagen, erzählen, nennen, rühmen; mit acc. u. gen. anschuldigen; gedichte vorlesen od. zum vorlesen verfassen. *daz seit* das bedeutet; *s. abe, umbe* von etw. **sager** stm., md. *seger* erzähler; der

gedichte hersagt od. vorliest (vgl. *sage*); angeber, ankläger; schwätzer; schiedsmann.

sagerære, sagrære, -er stm. aufbewahrungsort für heiligtümer u. kirchl. ornamente; sakramentshäuschen, sakristei (mlat. *sacrarium*); bildl. für Maria.

sagge s. *sacke.*

sagisen s. *sêgense.*

sagit, sägit, seit stmn. ein wollenzeug (mlat. *sagetum*, fz. *sayette*); vgl. *sei.*

sagler stm. schneidezahn.

sagrân stm. = *sagerære.*

sagunge stf. = *sage*; dictio, narratio.

saher stm. sumpfgras, schilf.

sahs stn. (md. *sas*) langes messer, kurzes schwert (spez. das schwert Dietrichs von Bern); die eiserne pfeilspitze. **sahs** stf. (md. *sas*) fänge der raubvögel. **sahsen-vêder** f. dasselbe.

sæjære, -er stm. sämann. **sæjen, sæwen, sæhen, sæn** swv. ausstreuen, säen, besäen; bildl. vom besticken der satteldecke; streuen, schütten. **sæjet, seiet** stm. saatzeit.

sal stmn. wohnsitz, haus, saal, halle (meistens nur einen saal enthaltendes gebäude [gegensatz: *palas*], bes. als gesellschaftl. vereinigungsort, aber auch als speise- oder schlafraum dienend); tempel, kirche; übertr. *der vröuden s.* inbegriff d. f.; *des hèrzen s.* geheime tiefe d. h. **sal** stm. laut testament zu übergebendes gut; s. v. a. *salhof.* **sal, sale** stf. rechtl. übergabe eines gutes; donatio. **sal** adj. durch rechtl. übergabe zugesprochen, eigen. **-brief** stm. übergabeurkunde, kaufbrief. **-buoch** stn. buch, in das alle einer gemeinschaft gehörenden grundstücke, an diese gemachten schenkungen und die daraus fliessenden einkünfte urkundlich eingeschrieben sind. **-bürge** swm. zeuge bei einer übergabe und bürge dafür. **-(sel-)guot** stn. freies, nicht zinsbares erbliches grundeigentum, herrngut. **-hof** stm. herrnhof. **-(sel-)lant** stn. land, das der grundherr zum eigenbau sich vorbehält, herrngut. **-liute** pl. zu. **-man** stm. mittels- und gewährsmann einer *sal*; testamentsvollstrecker; vormund, schutzherr. **-miete** stf. die bei einer übergabe dem *salmanne* od. dem vermittelnden gerichte zu leistende gebühr. **-phenninc** stm. = *salmiete*. **-wart** stm. vormund.

sal, -wes adj. dunkelfarbig,

welk, trübe, schmutzig. **sal, -wes** stm. schmutz.

salamander stm. salamander; ein unverbrennlicher stoff (gr. lat. *salamandra*). **salamandrîn** adj.

salât stm. salat (it. *salata, insalata* v. *salare* salzen).

salbe swf., spät stf. salbe. übertr. vom h. geist, v. Christus vgl. *salp.*

salbeie s. *salveie.*

salben swv. auch red. praet. *sielp, du sielbe.* salben, bestreichen; bildl. schön tun, schmeicheln, bestechen. **salben-eimerlin** stn. s. v. a. *salben-vaз* stn. salbenbüchse.

salbine f. = *salveie.*

salbunge stf. salbung.

sælde stf. güte, wohlgeartetheit; segen, heil, glück (von gott), himmlische seligkeit; personif. *Sælde, vrou Sælde* (auch swf.) die verleiherin aller vollkommenheit, alles segens u. heiles. **sælden-bære, -bæric** adj. *sælde* bringend od. habend. **-bèrnde** part. adj. *sælde* bringend, mit sich führend. **-haft**- adj. segensreich, glückselig. **-lôs** adj. ohne *sælde*, unglückselig. **sælden** swv. beglücken. **sælden-bar** adj. von *sælde* entblösst. **-kint** stn. glückskind (*Maria*). **-louf** stm. glück, gewinn. **-schrîn** stm. gnadenschrein (*Maria*). **-tac** stm. übertr. von der Venus. **-vaз** stn. gnadengefäss (geliebte). **-vlühtic** adj. die *sælde* fliehend, von ihr entfernt. **-vrühtic** adj. *sælde* als frucht habend. **sælde-, sælden-rîche** adj. voll heil, glückselig, bes. von der himml. seligkeit. **sælde-wirdic** adj. des (himml.) heiles würdig. **sældunge** stf. heil.

sale stf. s. *sal.*

sælec, sælic adj. *sælde* habend oder verdienend, gut, wohlgeartet; zum glück bestimmt, glücklich, beglückt, gesegnet (*sæliger wint* günstiger w.; in gruss- u. dankformel, bes. beschwörender bitte), selig (in kirchl. sinne = beatus), mit gs. gesegnet an; glückbringend, heilsam; fromm, heilig; selig verstorben; euphemist. verwünschend s. v. a. *unsœlec.* **sælec-heit, sælekeit, sælikeit** stf. wohlgeartetheit, vollkommenheit, anmut, beglücktheit, heil, seligkeit; personif. = *vrou Sælde; Felicitas diu Sœlikeit.* **sælec-lich** adj. = *sœlec.*

sælen swv. = *sellen.*

salhe swf. salweide (salix).

sæligen, sælgen swv. *sœlec* machen, beglücken, segnen; in

die himml. seligkeit aufnehmen,
verklären.
saliter s. *salniter*.
salliure stf. spottrede (fz.
salure).
salme, salm stswm. = *psalme*,
bes. die sieben busspsalmen;
2. teil einer kanonischen hore.
salmilieren = *psallieren*.
salme, salm sw(st)m. salm
(lat. *salmo*).
salminc, -ges stm. = *salme* 2.
salm-singer stm. psalmen-
sänger.
salniter, saliter stm. salpeter
(lat. *sal nitrum*).
salp, -bes stn. = *salbe*.
salpeter stm. salpeter (mlat.
salpetra).
sal-rêht stn. lex salica.
salse swf. gesalzene brühe,
brühe überh. (mlat. *salsa*).
salter stm. = *psalter*; auch
einzelner psalm. **salterlin** stn.
dem. zu *salter*. **salter-singer**
stm. = *salmsinger*. **-vrouwe** swf.
in dem psalter lesende frau; bet-
schwester.
saltner stm. feld-, wald-,
weinbergshüter (in Tirol); it.
saltaro, mlat. *saltuarius* vom
lat. *saltus* wald.
salûieren, salvieren, salwieren
swv. grüssen, begrüssen (fz.
salver).
salunge stf. = *sal* stf.
salveie, salbeie, -ei swstf.
m. salbei (mlat. *salvia*).
salwen swv. intr. *sal* sein od.
werden; tr. = *selwen*.
sal-würke s. *sarwürke*.
salz stn. salz. **salz-brunne**
swm. saline. **salzen** redv. 1
salzen, einsalzen. **salzer, selzer**
stm. salzverkäufer. **salz-ferker**
s. *salzvertiger*. **-gräve** swm. verwalter, vorsteher eines salz-
werkes. **-leite** swm. salzführer.
-liute pl. zu **-man** stm. salzverkäufer. **-meier** stm. =
salzgräve. **-mezzer, -mütter**
stm. salzmesser. **-schîbe** swf.
kompakte scheibenförmige salz-
masse von etwa anderthalb
zentnern. **-sê** stm. das meer.
-sender stm. = *salzvertiger*.
-siede, -sôde f. saline. **-stœzel,
-stœzer** stm. der zum verkaufe
des salzes im kleinen berechtigt
ist. **-sûl** stf. salzsäule. **-vertiger,
-ferker** stm. salzspeditor. **-wërc**
stn. saline.
sam adj. derselbe, nämliche,
gleiche; als zweiter teil von
zusammenss. gleichheit, ähnlichkeit, vereinigung, besitz,
neigung bezeichnend.
sam, same adv. u. konj.
ebenso, so wie, wie wenn, als ob.
adv. ebenso, betontes so; konj.
wie (*also . . . same* so . . . wie),
in elleptischen beteuerungen

so wahr mir [gott helfe] (*sam
mir, samir, summer, sem mir*
usw.), wie wenn, als ob (mit
konjunktiv).
sam präp. mit dat. = *sament,
samet* mit, zusammen mit.
sâm s. *sâme*.
samât s. *samît*.
samblanze stf.äusserer schein,
anschein (fz. *semblance*).
sambûke stf. ein musikali-
sches instrument, pauke (fz.
sambuque, mlat. *sambuca*).
sâme, sâm swm. same, samenkorn (*bluotes s.* tropfen); männl.
same; nachkommenschaft; saat,
saatfeld; feld, boden überh.,
bes. der kampfplatz.
samec-heit, samekeit gesamtheit, gemeinsamkeit. **samec-,
semec-lich** adj., **-liche** adv.
säntlich. **same-gunst** stf. zustimmung. **samelen** swv. =
samenen. **same-lich** s. *sumelich*.
same-, seme-lich adj., **-liche**
adv. ebenso beschaffen; eben-
solch, dergleichen; s. v. a.
samentliche. **same-, seme-liche**
stf. was gleich ist, gegenstück.
samelie stf. = *samenie*. **same-
lieren** swv. sammeln, zusammenbringen, *den turnei s.* od. elliptisch bloss *s.* sich zum turnier
sammeln (umd. des fz. *assembler,*
mlat. *assimulare* v. lat. *simul*).
samelunge stf. = *samenunge*.
samen s. *samenen*.
sâmen swv. intr. samen hervorbringen; trans. hervorbringen? **sæmen, sâmen** swv. tr.
säen, erwachsen lassen.
samen, samene adj. adv. gesamt, zusammen. **samenære,
-er** stm. vereiniger, sammler;
der geld sammelt als sparer od.
einsammelt als einnehmer. **sa-
menât** stf. garbe. **samen-
burger** stm. mitbürger. **samenen, samnen, samen** swv. tr.
zusammenbringen, **-nehmen,
-setzen, vereinigen, verbinden,
sammeln, versammeln. — refl.
sich vereinigen, versammeln,
sammeln, rüsten. **samenie** stf.
versammlung, menge.
sâmen-rêren stn. samenfluss,
pollutio.
sament, samet, samt, sant
adv. bes., zusammen, zugleich;
präp. mit dat. zusammen mit,
mit. **samt. sament-haft, -haf-
tic** adj. adv. zusammenhangend,
zu-, mitsammen, gesamt. **-heit**
stf. zusammengehörigkeit, gemeinschaft. **-kouf** stm. kauf
der gesamten ware im grossen. **-lich**
adj., **-liche** adv. alle zusammen,
sämtlich. **-schaft** stf. gesamtheit. **samenunge, samnunge**
stf. sammlung; vereinigung, zusammenkunft, versammlung,
allgemeinheit; versammelte

menge, schar, gesellschaft, begleitung (dienerschar, bewaffnete schar, das aufgebot, die
rüstung einer streitmacht);
verein, bes. geistl. kongregation,
konvent; coniunctio.
samer = *sam mir*, s. *sam* adv.
same-wizze stf. gewissen,
bewusstsein. **-wizzec** adj. bewusst. **-wizzecheit, -wizzenheit**
stf. = *samewizze*.
samez-, samz-tac stm. samstag; *der heilige s.* ostersonnabend; *der andere s.* der jüngste
tag (lat. *sabbati dies*).
samfte s. *sanfte*.
sam-haft adj. gänzlich.
samilieren = *psallieren*.
sæmisch adj. fettgar (leder).
samit, samât, semit stm.
sammet (prov. *samit*, mlat.
samitum).
sam-kost stf. gesamtaufwand;
entlohnung des lohnarbeiters
im bergwerke.
saml-, samn- s. *samel-*, sa-
men-.
sam-stoc stm. opferstock.
samt s. *sament*.
sam-tân part. adj. so beschaffen.
sâm-vëlt stn. saatfeld.
sân adv. = *sâ*.
sân = *sagen*.
sæn s. *sœjen*.
sanc, -ges stnm. gesang, lied,
musik; mit gesang begleiteter
tanz. **sanc-geziuc** stn. musikinstrument. **-hêrre** swm. =
-meister. **-jâr** stn. jubeljahr.
-meister stm. kantor, musiker.
-wise stf. gesangsweise, ton; ein
bloss zum gesang bestimmtes
lied.
sancte, sante, sant, sente adj.
heilig (vor heiligennamen); lat.
sanctus; fz. *saint*.
sande stf. sendung, gesandtes;
erfüllung des gelübdes.
sandec, sandic adj. sandig.
sandunge s. *sendunge*.
sane f. sahne (md. nd.).
sanft adj. s. *senfte*.
sanft stm. bequemlichkeit.
sanfte, samfte adv. mit geringer mühe, bequemlich, leicht;
langsam, leise, sachte; bequem,
ruhig, angenehm, wohl (*sanfte
sîn, werden, tuon* wohl sein, werden, tun mit dat.); milde, sanft.
sange swf. büschel von ähren
u. dgl. **sangen** swv. das getreide
schneiden und in garben binden.
sangen swv. singen.
sangwin adj. = lat. *sangui-
neus*.
sanikel stm. sanicula (pflanze).
sant, sante s. *sament, sancte*.
sant, -des stm. (auch stn.),
sand, bes. ufersand; strand,
ufer, gestade; sandige fläche,
kampfplatz, stechbahn.

sant, sante s. *sancte.*
sant-, sende-bote swm. abgesandter. -brief stm. sendschreiben.
sant-bühel stm. sandhügel. -hûfe swm. sandhaufe. -wérf stm. sandbank.
saphir, saphire stswm. saphir (gr. lat. *saphirus*). saphirin adj. dazu.
sappen swv. intr. plump und schwerfällig einhergehn. — tr. erfassen, ergreifen, erwerben, erhalten.
sar, -*wes* stn. kriegsrüstung. -balc stm. ledersack zum aufbewahren des harnisches. -gewæte stn. coll. zu *sarwât*. -rinc stm. panzerring. -roc stm. kriegsrock, feldmantel. -wât stf. kriegsgewand, -rüstung. -wérc stn. was zur rüstung gehört. -wérke swm. der rüstungen, panzer oder teile davon verfertigt. -würhte, -worhte, -(sal-) würke swm., -würker stm. dasselbe.
sâr s. *sâ* adv.
sarbant s. *sérpant.*
sarc, sarch, -*kes*, -*ges* stm. sarg; schrein, behälter (*siner pfenninge s.* geldbörse); schrein für ein götzenbild, das götzenbild selbst; badewanne; übertr. *des herzen s.* u. ä.; *mînes lîbes und der sêle s.* anrede an ein mädchen. -stein stm. sarg aus stein.
sardin stm. ein edelstein (mlat. *sardinus*).
sardonis stm. der edelstein sardonix.
sarf s. *scharpf.*
sarge s. *serge.*
sâr-ie adv. durch *ie* verstärktes *sâ*, *sâr*: sogleich.
sarjant, serjant, -*des* stm. diener des ritters, knappe; fussknecht, häuptling, unterführer (fz. *sergent*).
sarken s. *serken.*
sarpant s. *sérpant.*
sarph, sarf adj. = *scharpf.*
sarph-heit stf. wildheit.
Sarrazin, -e stswm. Sarazene; heide; als scheltwort: räuber, mörder (fz. *Sarrasin*); auch in der form *Serze.*
sarwe stf. n. = *sar-wât*; indisches gewebe (als Fahnentuch).
sas s. *sahs.*
sat adj. adv. satt, gesättigt, voll (mit gen. od. *von*); genügend, hinreichend; *einen s. machen mit strîte* ersättigen, s. *werden* mit gen. überdrüssig w. -blâ adj. dunkelblau. -grüene adj. dunkelgrün. -heit stf. sättigung. -rôt adj. dunkelrot.
sât stf. das säen, die aussaat; das ausgesäte korn, samenkorn;

saat, saatfeld; die getreideernte, kornzins davon; leibesfrucht, nachkommenschaft. *der erbermde s.* Christus; auch bloss umschreibend.
satanâs, satanât, satân stm. satanas.
sate stf. = *sete*, sattheit.
satel stm., md. auch *sadel*, sattel. *s. lâzen* vom pferde stürzen.
sâtel, sâtele stmnf. ein bestimmtes ackermass (mlat. *satellum*).
satel-boge swm. der vordere od. hintere sattelbogen; der raum zwischen den zwei sattelbogen, der sattel selbst. -decke f. satteldecke. satelen, satlen, sateln swv. satteln. sateler, seteler stm. sattler; sattelpferd. satel-gêre swm. satteltasche. -gereite, -geschirre stn. sattelzeug. -kleit stn. = *sateldecke.* satellin stn. dem. zu *satel.* satel-schëlle swf., -geschelle stn. schelle am reitzeuge. -tuoch stn. =-*decke.* -wérc stn.sattlerarbeit.
saten swv. intr. *sat* sein oder werden. saten satten, seten setten swv. tr. u. refl. *sat* machen; sättigen (mit gs. od. *an, mit*).
sater-tac stm. ndrh. samstag (lat. *dies Saturni*).
satin stm. ein seidengewebe (fz. *satin*).
sâtrâpas, satrapiste stm. satrap (mlat. *satrapas*).
satunge, setunge stf. sättigung.
satzunge stf. setzung, festsetzung, klostersatzung; gesetzl. bestimmung; vertrag; testament, legat; taxierung; festnehmung, verhaftung; übergabe (eines pfandes), das eingesetzte pfand selbst. satzunger stm. der auf pfänder leiht.
saulen swv. sich wie Saulus betragen.
saut afz. = lat. *[deus te] salvet.*
sæwen s. *sæjen.*
saz stm. sitz; mass, verhältnis; art und weise.
saz, -*tzes*, satz stm. ort, wo etwas hingesetzt ist, sitzt oder liegt; art und weise, wie etw. sitzt oder liegt, lage, stellung; was gesetzt oder hinterlegt ist als unterpfand, als einsatz beim spiele. — das festgesetzte: gesetzl. bestimmung, verordnung, gesetz; vertrag, bündnis; waffenstillstand; festgesetzter wille, testament; festgesetzter preis, tarif; der in worten zusammengefasste ausspruch. — besetzung; vorsatz, entschluss. — satz, sprung. saz-brief stm. pfandbrief; vertragsurkunde.

-buoch stn. hypothekenbuch. -liute pl. zu -man stm. zeuge, schiedsmann.
sâᵹe, sæᵹe swm. der sitzende, sasse (in zusammenss.).
sâᵹe stf. sitz, wohnsitz, rastort; rast, ruhe; versteck, lauer, hinterhalt, nachstellung; lage, stellung, worin etw. sich befindet, art und weise (mit gen. umschreibend), lebensweise, einrichtung, verhältnis, mass; belagerung.
sæᵹe stn. belagerung.
sâᵹen swv. tr. setzen, einen sitz, wohnsitz anweisen, — tr. u. refl. besetzen, festsetzen, fertig machen, einrichten; einschränken, ein ziel setzen (z. b. *dîne suht*).
scêpter stn. s. *zêpter.*
schabe swf. schabeisen, hobel; schababfall, spreu; motte, schabe; abgeschabte stelle am gewand (spät).
schaben stv. VI tr. kratzen, radieren, scharren, refl. sich abschaben, schäbig werden; glatt schaben, polieren; stossen, fortstossen, vertreiben, austilgen. — intr. schnell von dannen gehn, sich fortscheren (imper. *schab ab* bezeichnung des abgewiesenseins eines liebhabers, des aus-, zuendeseins; name einer pflanze).
schabernac s. *schavernac.*
schâch stm. m. der könig im schachspiele; schachbrett, -spiel; schachbietender zug, als interj. drohender zuruf gegen die figur des königs im schachsp. (pers. *schâh*). -buoch stn. buch das vom schachspiel handelt. -mat stm. u. interj. = *schâch unde mat*, schachmatt. -roch, schâroch stn. schachbietender zug durch den turm (*roch*). -spil stn. -zabel stn. schachbrett, spiel auf dem sch. s. *zabel.* schâchzabel-brët stn. schachbrett. schâch-zabelêht adj. schachbrettförmig, gewürfelt. -zabelen swv. spielen auf dem *sch.* schâchzabel-gesteine stn. gesamtheit der schachfiguren. -spil stn. schachspiel. -stein stm. die einzelne schachfigur. -wîs adv. schachbrettförmig.
schâch stm. raub, räuberei.
schâch adj. räubermässig.
schâchære, schæchære, -er stm. räuber, schächer. schâch-banden swv. wie einen schächer in bande legen. -blic stm. räuberblick, feindseliger blick, bildl. gefangen nehmender blick. -brant stm. brandstiftung mit raub. -genôᵹ stm. raubgenosse. -geselle, -geverte swm. dasselbe. -liute pl. zu -man stm. =

schâchære. -mordære stm. raubmörder. -rouber stm. räuber,
raubmörder. -roup stm. raub-
anfall, gewaltsamer raub. -zant
stm. mord-, hauzahn.
schache swm. einzeln stehendes waldstück oder vorsaum
eines waldes.
schâchen swv. schach bieten,
bildl. nachstellen mit dp.
schâchen swv. auf raub ausgehn, mit acc. u. dat. rauben.
schâches gen. adv. auf räube-
rische weise, raubartig.
schad-buoȝe stf. schaden-
ersatz. schade swm. schaden,
schädigung, verlust, nachteil,
verderben, böses, mühsal; lei-
besschaden, verwundung; geld-
schaden, -verlust, kosten (bes.
von geliehenem gelde). schade
swm. schädiger. schade adj.
adv. schädlich, verderblich.
schade-bære adj. dasselbe; die
schadebæren die bösen. schadegen schadgen, schedegen
schedgen swv. schädigen. scha-
de-haft adj. schaden, verlust
bringend, schädlich; schaden
habend, geschädigt, beschädigt
(einen sch. machen, tuon in schaden bringen, schädigen; mir
wirt sch. ich erleide schaden).
schade-lôs adj. ohne schaden,
unschädlich, unnachteilig. schaden swv. (praet. schadete, schatte,
schâte, md. auch schete) schaden
verursachen, mit dat. schaden-
worhte swm. der schaden
zufügt. schade-rîche adj. reich
an schaden, an verlust. schade-
sam adj. schädlich.
schaf, -ffes stn. schaf, gefäss
für flüssigkeiten; getreidemass,
scheffel.
schâf stn. schaf. schæfære,
-er stm. schäfer. schâf-bûch
stm. lammskeule. schæfelîn,
schæfel stn. dem. zu schâf.
schæferie stf. schäferei. schâf-
hërter stm., -hirte swm. schaf-
hirte. -hunt stm. schäferhund.
-hûs stn. schafstall. schæfîn
adj. vom schafe, von schafen
herrührend; schafmässig, einfältig. schæflich adj. dass. schâf-
rüde swm., md. schâfrode schäferhund. -seite stf. saite aus
schafdarm. -stal stm., -stîe stm.
-stîge stf. schafstall. schâf-var
adj. schaffarbig.
schaffære, scheffære, -er stm.
schöpfer, bildner; anordner,
aufseher, der für das hauswesen
sorgende verwalter, schaffner.
schaffe swm. schöpfgefäss.
schaffen stv. VI u. swv. erschaffen; schaffen, gestalten
(part. geschaffen gestaltet, gebildet); tun, machen, bewirken,
ins werk setzen (wâ man sie
hin schuof stellte), in ordnung

bringen, einrichten, bestellen,
sorgen für, besorgen (mit dp. verschaffen, vermachen, spez. durch
ein testament vermachen);
bestimmen, verordnen, be-
fehlen (mit infin. od. untergeord. s.); s. v. a. scheffen. —
refl. sich gestalten, entstehen;
sich bereit machen, einrichten.
schaffenære, scheffenære, -er
stm. anordner, aufseher, verwalter, schaffner. schaffunge
stf. vermachung, vermächtnis.
schaf-reite stf. gestell, um
gefässe darauf zu setzen, kü-
chenschrank.
schaft stm. der schaft am
speer; der speer, die lanze selbst
(als mass: schaftlänge); fahnen-
schaft; überh. stange od. stan-
genähnliches; pflanzenschaft,
-stengel; stiefelschaft.
schaft stn. badewanne.
schaft stf. geschöpf; gestalt,
bildung, beschaffenheit, eigenschaft.
schaft-höuwe stn. schaftheu.
schâf-zagel, -zabel = schâch-
zabel.
schæhe adj. schielend.
schaht stm. schacht im bergbau; grube.
schaht, schahte stswm. =
schache.
schahtel swf. schachtel; altes
weib; feminal.
schahtël s. schastël. schahtelân,
schatelân stm. = kastelân,
kastellan, burgvogt (mfz. chaste-
lain). schahteliur, schateliur
stm. dasselbe.
schal adj. schal, trübe; trok-
ken, dürre, leck.
schal, -lles stm. schall, lauter
ton (von musikalischen instrum.), überh. schall, geräusch,
getöse, auch die menge, von der
das getöse ausgeht; sch. von
stimmen; gesang, gelächter, jubel, klage, geschrei, bes. der
freudenlärm bei ritterlichen
festen u. dgl.; übermütiges laut-
sein, prahlerei, prahlerisches
werk oder tun; ruhm, gerede,
gerücht (mit schalle laut: froh;
jammernd; mit gemeinem schalle
übereinstimmend; schal geben
frohlocken; sch. tuon rufen;
ze schalle werden berühmt werden, ins gerede kommen, zum
gespött w.; ze schalle bringen
berühmt machen, ins gerede
bringen, lächerlich machen);
-bære adj. laut od. weithin
schallend, bekannt, berühmt,
ruchbar. -geschrei stn. lautes,
geschrei. -wort stn. lautes, in
der erregung gesprochenes wort
(vgl. schëllewort)
schal schale, schâl schäle
stswf. schale (hülse einer frucht,

eines eies, einer schnecke); die
hirnschale; essschale, trink-
schale; waagschale; schale des
messers; steinplatte; einfassung
von brettern, die verschalung;
weidm. die hornichten teile am
laufe des hirsches; ein gewisser
fleischteil an den hüften, am
schweif; fleischbank. -banc stf.
fleischbank. -hunt stm. flei-
scherhund. -rat stn. pflugrad.
schalander stm. mfrz. chalan-
dre mlat. chelandium, mgr. χε-
λάνδιον. waren-, transportschiff.
schalc, -kes stm. der leibeigene, knecht, diener, überh.
mensch von niedrigem stande
(der pfannen sch. pfannen-
knecht: eisernes gestelle, auf
dem die pfanne über dem feuer
steht): mensch von knech-
tischer, ungezogener art, böser,
ungetreuer, arg-, hinterlistiger,
loser mensch; bes. vom teufel
gebraucht; possen, schalkheit.
schalc adj. arg-, hinterlistig,
boshaft. -bære adj. einfältig;
töricht. -haft adj. arg-, hinterlistig, boshaft, lose. -haftic
adj. dasselbe. -heit stf. knechtschaft, gefangenschaft; handlungsweise eines schalkes, niedrige gesinnung, arglist, bosheit. -lich adj., -liche adv.
knechtisch; venalis; s. v. a.
schalchaft. -rede stf. lose, böse
rede. -tuom stn. knechtschaft,
knechtische lage.
schalden s. schalten.
schalkëht adj. = schalc-haft.
schalken swv. intr. sich in schalc
sein, wie ein sch. sich betragen.
— tr. = schelken, zum schalke
machen, einen sch. heissen, schelten; betrügen, überlisten; heimlich wegnehmen, veruntreuen.
schalkunge stf. unwürdige
behandlung, verhöhnung, beschimpfung.
schallære, -er stm. redner,
schwätzer, prahler.
schalle swf. = schëlle.
schallec, schallic adj. geschwätzig; adv. schallend, lärmend, laut. schallec-lich adj.,
-liche adv. mit schalle, lärmend,
laut. schallen swv. schal machen, erregen (her schallen mit
geräusch niederfallen); laut
rufen, schreien (über, ûf einen
sch. ihm böses nachsagen, auf
ihn schmähen); schreiend lärmen, bes. laute freude zeigen;
laute übermut zeigen, prahlen
(ûf einen sch. gegen ihn prahlen); schal machen mit gesang u.
saitenspiel (mit dp. vor einem,
über einen singen, ihm lobsingen, ihn preisen). schallen
stn. das singen, der gesang; das
schreiende lärmen, bes. in
freude; lautes gerede, ausge-

lassenheit, übermut, prahlerei;
lautes loben, preisen *sın sch.*
hân widerhallen. **schaɪ-ɪɪch** adj.
= *schalleclich.*
schallieren swv. = *schallen.*
schalme s. *schëlme.*
schalmîe swf. rohrpfeife,
schalmei (mfz. *chalemie,* mlat.
scalmeia vom lat. *calamus*).
schalmîen, schalmieren swv. auf
der schalmei blasen. **schalmîer**
stm. schalmeibläser.
schaln swv. *schal,* trübe werden.
schalt stm. stoss, schwung.
-boum stm., **-ruoder** stn. =
schalte swf. stange zum fortstossen des schiffes. **schalte**
swm. kahn. **schalten, schalden**
redv. 1 tr. *daz schif, schiffelîn
sch.* (od. abs. mit ausgelass. obj.)
mit der stange fortstossen,
schieben, mit dem ruder in bewegung setzen; *daz viur sch.*
unterhalten; überh. stossen,
fortstossen, schieben, in bewegung setzen, entfernen, vertreiben, trennen. — refl. u. intr.
sich absondern von; davon-
ziehen, abfahren, hinwegeilen.
schalter, schelter stm. schieber,
riegel; führer, beschützer?
schalt-jâr stn. schaltjahr.
schalûne f. stoff zu kleidern
und decken aus *Chalons* (*Scha-
lûn*).
scham adj. beschämt. **scham,
schame** stf., **schame** swm.
scham, schamhaftigkeit, züch-
tigkeit, keuschheit, scham-,
ehrgefühl (*ze schame komen* sich
schämen); beschämung (*aller
zuht sch.* beschämerin, gipfel
a. z.); ärgernis, schmach,
schande; scham-, geschlechtsteile. **scham-bære** adj. verschämt, schamhaft; scham erweckend, unzüchtig, schandbar.
schambelieren swv. *mit schenkeln sch.* dem rosse die schenkel
geben (aus einem fz. *jambeler
von jambe* unterschenkel).
schamblât s. *schamelât.*
schame s. *scham.* **schamec,
schemec, -ic** adj. schamhaft,
verschämt, züchtig; schande
bringend, schändlich, schimpflich. **-heit** stf. = *scham.*
**schamede, schamde,· schemede
schemde** stf. = *scham.* **-rôt** stn.
schamröte. **schame-heit** stf.
scham. **-haft, -haftic** adj. schamhaft. **-(scheme-)lich** adj. =
schamec; der sich schämen
soll od. muss. **-liche** adv. auf
schamhafte weise, mit scham,
schmerzerfüllt; auf schämens-
werte, schmähliche, schändliche
weise. **-lop** stn. beschämendes
lob. **-lôs** adj. ohne scham. **-nôt**
stf. not u. schande. **-rîche** adj.
schamvoll, verschämt. **-(scham-)**

rôt adj. rot vor scham, scham-
rot. **-risè** stf. *rîse* vor die schamteile. **-sam** adj. schamhaft. **-var**
adj. schamrot. **scham-gewant**
stn. kleidungsstück über die
schamteile. **-spil** stn. spiel,
dessen man sich zu schämen
hat. **-wunde** swf. das antlitz
entstellende wunde.
schamel, schemel adj. schamhaft.
schamel, schemel stm. schemel, fussbank (lat. *scamillus,*
dem. v. *scamnum*).
schamelære s. *schemelœre.*
**schamelât, schamlât, scham-
blât** stm. ein aus kamelhaaren
gewebtes zeug (fz. *camelot,* mlat.
camallotum).
schamen swv. sich schämen
(refl. ohne od. mit gen. od.
umbe, vor, wider). **schamende**
part. adj. scham empfindend,
sich schämend; schüchtern, zaghaft; scham erweckend, be-
schämend.
schampf stm. = *schimpf.*
schanc s. *schranc.*
schanc, -kes stm. gefäss aus
welchem eingeschenkt wird.
schanc stmf. geschenk.
schande stf. schämenswertes
tun od. leiden, laster, schande;
schamteile; scheltwort: meretrix.
schande swf., **schandel** stf.
kerze (fz. *chandelle*).
schande-lôs adj. ohne *sch.*
-meil stn. schandmal. **-tritt**
stm. unehrenhafter schritt. **-vaz**
stn. der voll schande ist (teufel).
schanke s. *schranke.*
schant-genôz stm. teilnehmer
an der schande. **-hort** stm. an-
sammlung, fülle von schande.
schantieren swv. singen (fz.
chanter).
schant-, schent-lich adj.,
-liche adv. schämenswert,
schändlich, schändend, ent-
ehrend, schmachvoll.
schanz stm. s. *schenzelîn.*
schanze stf. reiserbündel;
schutzbefestigung, schanze;
schranke. **schanzen** swv. mit
schranken versehen, einfriedigen.
schanze, schanz stf. fall (*der
dœne schanz* tonfall, kadenz);
fall der würfel, würfelspiel, einsatz bei einem solchen; glücks-,
wechselfall, wagnis bei dem
es auf gewinn und verlust an-
kommt (afz. *cheance,* lat.
cadentia). **schanzen** swv. intr.
glücksspiel treiben, hazard spielen. — tr. gewinnen, hervorbringen. — refl. zum ausschlage
kommen; mit dat. durch glück
zufallen.
schanzûn stn. gesang, lied
(fz. *chanson* v. lat. *cantio*).

schâpære, schæpære, -er stm.
schafsvliess, -pelz.
**schápël, scháppël, tschápël;
schépël, schéppël** stn. kranz
von laub, blumen (natürlichen
od. künstlichen) als kopfschmuck, bes. der jungfrauen,
daher sinnbild der jungfräulichkeit (afz. *chapel*).
schapelære, -er stm. der ein
schapël macht od. trägt.
schapelære, schepelære, -er
stm. schulterkleid der ordens-
geistlichen, skapulier (mlat.
scapulare).
schapëllîn, schappëllîn stn.
dem. zu *schapël.*
**schaperûn, schapperûn, scha-
prün** stm. kapuze, kurzer mantel (fz. *chaperon*).
schappe swm. rock der geistlichen (fz. *chape,* s. *kappe*).
schar adj. steil, schroff.
schar stn. m. f. schneidendes
eisen, pflugschar; schere.
schar stf. schnitt, ernte, ertrag, einkünfte; abteilung des
heeres, geordnet aufgestellter
heeresteil; schar, menge, haufen
überh.; gesellschaft, umgang;
in geordneter verteilung um-
gehende dienst-, fronarbeit,
scharwerk; auferlegte strafe.
-genôz, -genôze stswm. kriegskamerad. **-haft** adv. = *scharëht.*
-hërre swm. anführer einer *schar.*
-(scher-)liche adv. scharenweise.
-meister stm. anführer (einer
heeresabteilung). **-schouwe** stf.
anschauung einer schar, menge.
-vart stf. fronfahrt. **-wagen** stm.
fronwagen. **-wahte** stf. um-
gehende, aus mehreren personen
bestehende wache, die entweder
zusammen oder der reihe nach
patrouillieren. **-wahter, -wehter**
stm. scharwächter. **-wëre** stn.
fronarbeit.
schâr? stf. fleisch, sterblicher
mensch (afz. *char*)? od. ausschnitt, lücke (zu *schërn*)?
scharbe swmf. der schwimm-
taucher, die scharbe.
scharben, scherben swv. in
kleine stücke, blättchenweise
schneiden; schaben.
schære, schær stf. schere;
schwert, sichel; abschneiden
der haare, tonsur.
scharëht adv. scharenweise.
schærelîn, schærel stn. dem.
zu *schære.*
schæren, schâren swv. abs.
u. tr. *daz gevidere sch.* die mauser
bestehn, bildl. mannbar werden.
scharf s. *scharpf.* **scharfeln**
swv. = *scherfeln.*
scharlachen, -lach stn. feines
wollenzeug, scharlach (umd.
des folgd.).
scharlât stn. dasselbe (mlat.
scarlatum).

scharleie, -ei stf., umged. scharlach, scharlei (mlat. *sclareia, scarleia*).

scharmutzel, -mützel stm. gefecht zwischen kleineren scharen, scharmützel (it. *scaramuccia, schermugio* von *schermire*, s. *schirmen*). scharmutzeln -mützeln, -mutzen, -mützen swv. scharmützeln.

*scharn stv. VI (nur im praet. belegt) = *schèrn*. scharn swv. tr. u. refl. in eine schar bringen, in scharen abteilen, teilen u. ordnen, gesellen (*sch. von* absondern, trennen, *sch. zuo* gesellen, *hin sch.* fortschaffen, mit dat. zuwenden).

scharne, scherne, schirne m. f. md. = *schranne*, fleischbank.

schâroch s. *schâchroch*.

scharpf, scharph, scharf; scherpfe, scherfe, scherf adj., md. auch *scharp*, schneidend, scharf, rauh; eifrig, stark. -lich adj., -liche adv. dasselbe. -sihtic adj. scharf sehend.

scharren swv. abs. scharren, kratzen. — intr. schnarchen; schroff hervor-, herausragen.

scharrote swf. wagen (fz. *chariot*, vgl. *karrosche*).

schar-sahs, -sas stn. schermesser.

schart adj. zerhauen, schartig, verletzt, verwundet.

schart stmn. röstpfanne.

scharte, schart swstf. durch schneiden, hauen od. bruch hervorgebrachte vertiefung od. öffnung: scharte; ausgebrochenes od. ausgehauenes stück; stück, trumm, teil überh.; scharte (pflanze).

scharten s. *scherten*.

scharz stm. sprung (im schachspiel). scharzen swv. springen.

schastêl, schahtêl stn. schloss (afz. *chastel*).

schate stswm., schate, schete stf. schatten (metaphor.: ein nichts; schutz); spiegelbild. -(schete-)huot stm. schatten gebender hut; = *sch.-huote* von Gott = schützende behütung.

schatelân, schateliur s. *schahtelân*.

schatewe, schetewe, schete swm. = *schate*.

schatewen, schetewen swv. schatten geben, unpers. schattig, dunkel werden.

schatzære, schetzære, -er stm. schatz-, geldsammler; schätzer, taxator. schatzen, schetzen swv. *schatzen*: schätze, geld sammeln, anhäufen. — *schetzen*: das geld abnehmen, beschatzen, besteuern, lösegeld auflegen; nach wert od. zahl anschlagen, schätzen; erwägen; dafür halten, glauben, meinen;

mit dopp. acc. für etw. halten. schatzunge, schetzunge stf. beschatzung; abgenommenes geld (als abgabe, steuer, lösegeld, kontribution, geschäftsgewinn); schätzung, taxierung.

schavelin, schevelin stn. jagdspiess (fz. *javeline*).

schavernac, schabernac stm. rauchhaariger, grober (den nakken reibender) winterhut; eine art starken weines; höhnender, neckender streich. schavernacken swv. höhnen, verspotten.

schaz, -tzes, schatz stm. verarbeit. edelmetall, schatz, geld und gut, reichtum, vermögen; auflage, tribut, steuer; wert, preis; ein weinbergsmass (der 5. teil eines mannwerkes). schaz-bære adj. kostbar. -gèlt stn. lösegeld. -gir, -girec adj. geldgierig. -gitec adj. dasselbe. -hûs stn. schatzkammer. -stiure stf. auferlegte steuer.

schebel stm. = schaber, schabhals (?), d. h. wucherer, geizhals. schebelinc, scheblinc, -ges stm. handschuh.

schebic adj. schäbig, räudig. -heit stf. räude.

schechelin stn. dem. zu *schache*.

schècke, schèckeht adj. scheckig.

schècke, schègge swm. eng anliegender, gesteifter od. durchsteppter leibrock, auch eine art panzer.

schècken swv. scheckig, bunt machen.

schedegen s. *schadegen*.

schèdel stm. schädel (*alter sch.* greis).

schede-lich adj., -liche adv. schaden bringend, schädlich (*sch. man* der tan land unsicher macht; missetäter).

schedelin stn. dem. zu *schade*.

schèdel-kopf stm. der obere, den schädel deckende und rund zulaufende teil des helms.

schedige stf. schädigung, übel, unglück.

schéf s. *schif*.

scheffære, -er s. *schaffære*.

scheffe, schepfe swf. eine art grosser fischnetze.

scheffe, schepfe, schephe; scheffene, schepfene swm. beisitzender urteilssprecher, schöffe (mlat. *scabinus*).

scheffede s. = *ge-sch*.

scheffel stm. = *scheffe*, scabinus.

scheffel, schepfel stm. scheffel, getreidemass.

scheffelære, -er stm. schäffler, fassbinder.

scheffelin, scheffel stn. dem. zu *schaf*.

schèffelin s. *schiffelin*.

scheffen, schepfen, schephen swv. schaffen, erschaffen, bilden, machen. vgl. *schaffen*.

scheffenære s. *schaffenære*.

scheffen- (scheffel-) ambet stn. schöffenamt. scheffen-bære adj. zum schöffen geeignet. -meister stm. obmann der schöffen. -schrift stf. schöffenurteil. -stuol stm. schöffenstuhl, -gericht. scheffen- (scheffel-) tuom stmn. schöffentum, -amt.

schef-nisse stn. geschöpf. s. *ge-sch*.

scheftec adj. geschäftig, tätig, wirkend.

scheften, schiften swv. einen schaft machen; mit einem schafte versehen, an einen schaft befestigen, stecken; einem vogel falsche federn ansetzen.

schègge s. *schècke*.

schèhen, schèn stv. V = *geschèhen*.

schèhen stv.? schnell dahin fahren, jagen, rennen, eilen.

schèhen stn. das schnelle dahinfahren, rennen, jagen; das zwinkern mit den augen.

scheidære, -er stm. scheide swm. scheider; entscheider, vermittler, schiedsrichter; scheidenmacher.

scheide stswf. scheidung, trennung, abschied; tod; sonderung, unterscheidung; schwert-, messerscheide.

scheidec adj. scheidend.

scheidec-, scheiden-lich adj., -liche adv. scheidend, trennend; vermittelnd, schlichtend.

scheidel-sâme swm. = *irresâme*, same den zwietracht. -sât stf. dasselbe. -tranc stm. zwietracht stiftender trank.

scheide-man stm., pl. -liute schiedsrichter.

scheiden redv. 4 tr. scheiden, sondern, trennen (*einem daz houbet sch.* scheiteln); entscheiden, beilegen, beenden, schlichten, deuten, auslegen, mit dp. u. abh. satz: bescheid geben; — refl. u. intr. sich trennen, absondern, fortgehn, abschied nehmen, aus eine nehmen, sterben; sich entscheiden, zum austrage kommen.

scheiden swv. trennen, teilen, spalten; entfernen.

scheidenheit stf. = *bescheidenheit*, bedingung.

scheiden-lich s. *scheidelich*.

scheiden-vrouwe stf. vermittlerin (Maria).

scheid-gadem stm. scheidkammer, worin die scheidung und reinigung edler metalle geschieht. -mezzer stn. messer in einer scheide. -pfâl stm.

grenzpfahl. **-sâme** swm. =
scheidelsâme. **-stein** stm. grenzstein.

scheidunge stf. scheidung,
trennung; ehescheidung; das
scheiden, weggehn, entfernung,
abschied; assumptio (*Mariae*);
der tod; entscheidung; schlichtung durch die *scheideliute*.

3**cheim** stm. glanz, schimmer;
larve, maske; schaum.

scheinen swv. *schînen* machen, sichtbar werden lassen,
zeigen, erweisen, kund tun;
einem dinge einen andern anschein geben, es fälschen.

schein-lich adj., **-liche** adv.
sichtbar, deutlich, offenbar,
öffentlich (vgl. *schînlich*).

scheit, -des stm. scheidung,
trennung, sonderung, abschied;
unterscheidung, unterschied;
richterliche entscheidung,
schiedsspruch (*sunder sch.* ohne
unterschied; ohne unterlass;
fürwahr, sicherlich).

schelte swf. holzspan,schindel.

scheitel, scheitele stswf.
oberste kopfstelle, an welcher
die haare sich scheiden, nach
verschiedenen seiten sich legen:
kopfwirbel, scheitel; die haar-
scheide vom wirbel bis zur
stirne; kahlkopf, stirne, bildl.
berggipfel. **scheitel-bære** adj.
einen scheitel tragend, geschei-
telt. **-lin** stn. dem. zu *scheitel*.

scheiteln swv. scheiteln.

scheiz stm. darmwind (auch
zur verstärk. der negat.).

schël stm. schelm, betrüger
(vgl. *schëlme*).

schël, -lles adj. laut tönend;
aufspringend, auffahrend: sich
rasch entzündend (vom schiesspulver); aufgeregt, wild. vgl.
schëllec.

schël, -wes, schëlwe adj. s.v.a.

schëlch *-hes* adj. scheel,
schielend, quer, schief, krumm.

schëlch stm. männl. jagdtier
(hirsch?).

schëlch stm. flussfahrzeug,
nachen.

schëlden s. *schëlten*.

scheldinc, -ges stm. = *schelch*.

schële, schël swm. beschäler,
zuchthengst.

schël-haft adj. uneins, zwieträchtig.

schël-hamer stm. schwerer
hammer zum zerschlagen der
steine.

schëlhes adv. scheel, schief.

schëlken swv. zum *schalke*
machen: betrügen, beschimpfen, schmähen. **schelkelin,**
schelkel stm. dem. zu *schalc*.

schelkinne stf. zu *schalc*.

schelle stn. = *geschelle*.

schëlle swf. schelle; schlag.

schëllec, schëllic adj. laut tönend; aufspringend, auffahrend,
scheu; lärmend, streitend, aufgeregt, wild, toll. vgl. *schël* 2.
-lich adj., **-liche** adv. aufgeregt,
zornig. **schëlle-horn** stn. posaune. **schëllen** stv. I, 3 schallen, tönen; laut werden, lärmen.

schellen swv. *schëllen* machen,
ertönen lassen; mit schall
treffen, betäuben, erschüttern;
zerschmettern. **schëlle-wort** stn.
lautes wort, scheltwort (vgl.
schalwort).

schëllier s. *schinnelier*.

schëllunge stf. zwist.

schëlme schëlm, schalme
schalm swstm. pest, seuche
(bes. viehseuche); toter körper,
aas (auch als schimpfwort).

schëlmen swv. die haut abziehen, schinden; einen *schëlm*
schelten. **schëlme-tac** stm. pest,
viehseuche. **schëlmic, schëlmin**
adj. pestisch, verpestet; von
einem gefallenen tiere.

scheln swv. abstreifen, schälen; sondern, trennen.

schëlt stm. das tadelnswerte,
die sünde. **schëltære, -er** stm.
schelter, tadler; lästerer, be-
schimpfer; herumziehender sänger, der das *schëlten* für lohn
übt, schmähdichter. **schëltât**
stf. das schelten. **schëlte** swm.
schmäh-, strafdichter. **schëlte**
stf. scheltwort, schmähung;
tadel. **schëlten, schëlden** stv.
III,2 tr. schelten, schmähen, tadeln (*ein urteil sch.* es anfechten, verwerfen; *den tiuvel mit*
der bîhte sch. bekämpfen). —
refl. mit einem streiten, zanken.

schelter s. *schalter*.

schëltunge stf. schmähung,
beschimpfung; tadel; beschuldigung wegen eines verbrechens.

schëlt-wort stn.schelt-,,schimpf-,
schmähwort, injurie, lästerung.

schelve, schele swf. = *schal* 3.

schëlwe stf.? krümmung(?).

schëlwen swv. *schël* werden.

schem, scheme, schäm(e) stf.
scham, beschämung.

schëme, schëm swstm. schatten; ein augenübel; larve.

schëme-, schëm-bart stm. (bär-
tige) larve, maske.

schemec, schemede s. *scham-*.

schemel s. *schamel*. **sche-**
melære, schamelære, -er stm.
ein krüppel, der auf allen vieren
kriecht und zum schutze der
hände eine kleine art schemel
verwendet (vgl. *stelzære*). **sche-**
melen swv. mit einem *schamel*
versehen.

schemel-heit stf. scham,
schamhaftigkeit.

schemen, schämen swv. =
schamen; trans. schmähen,
schänden.

schën s. *schëhen*.

schende stf.schmach,schande,
schändung. **schendec, schendie**
adj. schändlich, schimpflich;
schmähend, beschimpfend.
schendec-lich adj., **-liche,schen-**
deliche adv. = *schantlich*.

schenden swv. zuschanden machen, confundere; entehren, beschimpfen, lästern, schimpfen,
verfluchen; tadeln; abs. schande
treiben mit (*die sprâche sch.*
verwirren). **schender** stm. der
andere in schande bringt od.
schmäht.

schëneschalt, -schlant s. *sene-*
schalt.

schenke swm. einschenkender
diener, mundschenk (hofamt);
diener überh.; als schachfigur
achter *vende*; wein, bier usw.
ausschenkender wirt; geber,
schenker.

schenke, schenk stf. gabe,
geschenk; schmaus oder mahl
bei gewissen anlässen (bes.
hochzeiten), wobei die gäste zu
schenken pflegen; das schenk-
mass; wirtshaus, schenke.

schenkel, schinkel stm.schen-
kel; schinken. **schenkelīren**
swv. reitend das ross durch bewegung der schenkel zu schnel-
lem laufe antreiben.

schenken swv. abs. einsche-
ken, mit dp. (obj. ausgelassen)
zu trinken geben, tränken od.
mit as., as. u. dp.; mit ap. tränken; zum verkaufe ausschenken; schenken, geben, verleihen mit dat. u. acc. (obj.
auch ausgelassen; *sch.* mit dp.
mit einem verfahren). **schenke-**
vaz stn. gefäss zum einschenken. **schenk-hûs** stn. schenke.
schenkinne stf.schenkin. **schenk-**
kar stn. gefäss zum einschenken. **schenk-rëht** stn. schankgerechtsame und abgabe dafür.
-tuom stn. schenkenamt. **-wîn**
stm. einzuschenkender od. ein-
geschenkter wein, auszuschen-
kender w.; geschenkter, gespen-
deter wein. **schenkunge** stf. das
ein-, ausschenken; das tränken;
gabe, geschenk.

schent = fz. *gent*, volk.

schent-lich s. *schant-lich*.

schenzelin stn. dem. zu *schanz*
stm.: grober arbeits-, bauernkittel.

schenzeln swv. mit schande
belegen, beschimpfen. **schen-**
zieren swv. dass. dasselbe.

schepël, scheppël s. *schap-*.

schepfære, schepfære, -er
stm. schöpfer (zu *schaffen*); -er
schenk (zu *schepfen*). — md.
scheppêre, schepper.

schepfe s. *scheffe*.

schepfe swf. schicksalsgöttin.

schepfel s. *scheffel* 2.

schepfe-lich adj. erschaffbar.

-licheit stf. schöpfung. **schepfen** s. *scheffen.*

schepfen swv. schöpfen (haurire).

schepfenisse stf. schöpfung, geschöpf. **schepfenunge, schepfunge** stf. dasselbe.

scher adj. = fz. *cher.*

schër swm. maulwurf; eine art mauerbrecher.

schërære, -er stm. scherer, barbier; tuchscherer (als schachfigur dritter *vende*); wundarzt.

schërbe s. *schirbe.*

scherben s. *scharben.*

schër-brët stn. hackebrett.

schëre stf. felszacke, klippe, schere.

schëre, schër stf. schere.

scherëht adj. scharenweise.

scherf, schërf s. *scharpf, schërpf.*

scherfeln swv. schleppend gehn, scharren.

scherge, scherje swm. gerichtsdiener, -bote, büttel, scherge.

scher-liche s. *scharlîche.*

scherlinc, schirlinc, -ges stm. schierling (vgl. *scherninc*).

schërm- s. *schirm-.*

schër-meƷƷer stn. scher-, rasiermesser.

schër-mûs stf. maulwurf.

schërn stv. IV (dazu auch ein praet. nach stv. VI) schneiden, abschneiden, scheren (haare, bart); auch bloss *einem sch.* mit ausgelass. obj.; *einen sch.* durch scheren der tonsur zum mönche machen; *lant` sch.* die äcker, die man besät hat, auch abernten; belästigen, bekümmern, schinden, quälen (s. *ungeschorn*); abteilen, ordnen. — intr. schnell eilen, entkommen.

schern swv. teilen, abteilen; wohin schaffen, stellen, anstellen; fortschaffen, absondern, ausschliessen; zuteilen mit dp.

schërn stm. scherz, spott, mutwille.

scherne s. *scharne.*

schërnen swv. scherz, spott, mutwillen treiben. — tr. verspotten, schänden.

scherninc,-ges stm. = *scherlinc.*

schërnunge stf. *subsannatio*, verhöhnung.

schërp, schirp s. *schirbe.*

schërpf, schërf stn. kleinste münze, scherflein.

scherpfe s. *scharpf.* **scherpfe, scherfe** stf. schärfe; speerspitze.

scherpfen, scherfen swv. *scharpf* machen, schärfen.

schërre f. scharreisen; s. v. a. **schërre-ham** swm. eine art fischernetz. **schërren** stv. III, 2 scharren, kratzen, abkratzen; graben.

schertëht adj. schartig.

scherten, scharten swv. ab-

schneiden, lückenhaft machen, schädigen, vermindern; schartig machen, verletzen, verwunden.

schër-weide stf. barbierstube.

schërz stm. scherz, vergnügen, spiel.

schërze swm. abgeschnittenes stück.

schërzel stn. dem. zum vorig.

schërzen stswv. fröhlich springen, hüpfen, sich vergnügen; scherz treiben, scherzen.

scherze-vëder f. meerigel.

schërzic adj. spielend, scherzend, scherzhaft.

schete s. *schate, schatewe.*

schetelin stn. dem. dazu

scheten swv. = *schatewen.*

schëter, schëtter stm. feine leinwand, glanz-, steifleinwand. **schëter-hemede** stn. hemd von *schëter.*

schetewe s. *schatewe.*

schetigen swv. dunkel machen, schattieren.

schêtis, tschêtis stm. der arme, unglückliche (fz. *chétif* v. lat. *captivus*).

schetz- s. *schatz-.*

schehu- s. *schiu-.*

scheude s. *schouwede.*

schevalier, schevelier, tschavalier stm. ritter; als schlachtruf in einzelkämpfen u. ritterspielen zwischen zwei scharen (fz. *chevalier*, mlat. *caballarius* v. lat. *caballus*).

schevelin s. *schavelin.*

schëver s. *schiver.*

schîbe swf. kugel, scheibe, kreis, rad, walze; bildl. bes. vom rade des glücks *der Sælden sch.* daher *ire schîben* ihre schicksalsbahn; *ûf gewaltes schîben gân* im besitze der macht sein; *des himels sch.*; in übertr. bedeutung auch sonst öfter. — in besonderer anwendung: töpfer-, glas-, wachs-, salzscheibe; scheibe, schnitte; *sch.* am handgriffe des speers, auf der rüstung; platte, teller; tischplatte; bemalte runde tafel.

schîbec, schîbelec, -ic adj. rund, kreis-, scheiben-, walzenförmig. **schîbelëht, -loht** adj. dass. **schîbe-lich** adj. dasselbe.

schîbeln stn. dem. zu *schîbe.*

schîbel-lanc adj. länglichrund.

schîben stv. I, 1 rollend fortbewegen, rollen lassen, wälzen, drehen, wenden, schieben (absol. kegel schieben). — intr. rollen, sich rollend od. wälzend fortbewegen, wenden, weichen; refl. sich entfernen. **schîben-glas** stn. glasscheibe. **schîber** stm. kegelschieber.

schic, -ckes stm. art u. weise, gelegenheit; platz, ort, wohin etwas geschickt od. gestellt

wird. **schicken** sw. fakt. zu *schëhen*: machen dass etw. geschieht, schaffen, tun, bewirken, ausrichten, gestalten (*nâch* wie), fügen, ordnen, anordnen, zurechtlegen, bereiten, rüsten (mit dp. zuwenden, verschaffen, zuteil werden lassen, zurüsten für, bes. durch ein testament vermachen; mit refl. acc. sich anschicken zu etw. s. oben part. adj. *geschicket*); bewegen, kehren, wenden, richten (*sînen pfat sch.* s. weg nehmen; *sich sch. ze* s. aufmachen, begeben; *sich wider sch.* zurückkehren; *geschicket gegen* gerichtet nach); abordnen, senden, schicken. **schicken** stn. benehmen; gestalt, aussehen. **schickunge** stf. gestaltung, einrichtung, ordnung, anordnung, fügung; vermächtnis, testament.

schide-, schid-lich adj. scheidend, bes. einen streit entscheidend; friedfertig; durch entscheidung angenommen. **schide-, schid-liute** pl. zu -man stm. = *scheideman.* **schiden** stv. I, 1 intr. auseinandergehn, scheiden. — tr. deuten, auslegen; entscheiden, bestimmen. **schiden** swv. tr. scheiden, trennen. **schide-zûn** stm. grenzzaun. **schid-mûre** f. grenzmauer. **schidunge, schiedunge** stf. trennung, scheidung, abschied; tod; unterschied; schieds-, urteilsspruch. **schid-win** stm. abschiedstrunk. **schîe** s. *schiech.*

schîe, schîge swfm. zaunpfahl, umzäunung von pfählen.

schieben stv. II, 1 schieben, stossen (abs. mit ausgelass. *schif: von stade sch.*; *einen sch. gegen einem* ihm gegenüberstellen); aufschieben, verschieben; mit dp. einen heimlich begünstigen, ihm vorschub leisten. — intr. sich schieben, schwingen.

schiec adj. schief, verkehrt. **schiech, -hes schiehe, schie** adj. scheu, verzagt; abschrekkend, scheusslich.

schief adj. schief, ungerade, verkehrt, falsch.

schiehen swv. tr. scheuen. — intr. scheu werden, sich scheuen, zurückweichen; schnell dahinfahren, jagen.

schiehes adv. zu *schiech.*

schiel adj. = *schël.*

schiel stm. abgesprungenes od. abgerissenes stück, splitter, klumpen; verächtl. für schädel, kopf.

schiem stm. s. v. a. *schëme*: ein augenübel: rubigo. **schiem-bart** stm. = *schëmebart.*

schieme swm. schemel, bank.

schier, tschier stf. freundliche aufnahme, bewirtung (fz. *chère*).

schier adj. schnell, in kurzer zeit erfolgend. **schiere, schier** adv. in kurzer zeit, sogleich, schnell, bald; fast, beinahe. **schier-liche** adv. sobald, sogleich. **schiet** s. *schit*. **schieʒ-bühse** f. büchse zum schiessen. **schieʒe, schieʒ** swm. giebelseite eines gebäudes; die seite der zweispitzigen bischofsmütze. **schieʒen** stv. II, 2 abs. u. tr. werfen, schiessen (mit ap. wund od. tot schiessen, erschiessen; *durch ein dinc sch.* durchbohren); schieben, stossen, schleudern. — intr. schnell, wie geschossen sich bewegen, sich schieben, schwingen, herab-, hinauffahren, branden (vom meer). **schieʒ-ziuc, -geziuc** stnm. schiesswaffe.

schif, schěf, -ffes stn. schiff (*der genâden sch.* Maria); weberschiff; *schif u. geschirre* alle zur landwirtschaft od. irgendeinem gewerbe erforderlichen werkmittel u. gerätschaften. **schif-bruch** stm. schiffbruch. **-brüche, -bründig** adj. schiffbrüchig. **-brücke** f. aus fahrzeugen zusammengesetzte brükke, schiffbrücke; schiffsbrücke, vom verdecke des schiffes auf das ufer führend. **-brüstic** adj. = *schifbrüchic*. **schiffelin schěffelin, schiffel scheffel** stn. dem. zu *schif*. **schiffen** swv. intr. u. refl. sich einschiffen, zu schiffe fahren (*ane sch.* in see stechen; übertr. *diu nôt sol hin wec sch.* vergehen; *in sch.* kämpfend eindringen); tr. zu schiffe befördern; intr. landen. **schiffer** stm. schiffer; als schachfig. zweiter *vende*. **schiffunge** stf. das schiffen, die schiffahrt, die einschiffung; fähre, schiff, flotte; portus; fahrgelegenheit zu schiff. **schif-geræte, -gereite** stn. was zur ausrüstung eines schiffes f. d. seereise gehört. **-gereise** swm. reisegefährte zu schiffe. **-gesinde** stn. schiffsmannschaft. **-geziuge** stn. schiffsausrüstung. **-hěrre** swm. schiffspatron. **-kint** stn. matrose. **-kněht** stm. dasselbe. **-lede** stf. ladeplatz für die schiffe. **-liute** pl. zu **-man** stm. schiffer; steuermann. **-meister** stm. = *schifhěrre*; steuermann. **e**menige stf. flotte. **-müede** adj. **-rmüdet** von der schiffahrt. **-ræte, -ræcic** adj. schiffbar. **-rěch, -ræch** adj. dass. **-rěht** adj. dasselbe. **-riche** adj. dass. **-rouber** stm. pirat. **-sanc** stmn. (geistl.) gesang beim besteigen des schiffes. **-strit** stm. see-

schlacht. **-tür** stf. schiffseingang. **-vart** stf. schiffahrt, schiffsladung. **-wěc** stm. wasserweg. **-wěrc** stn. schifferei. **-wise** stf. = *schifgeræte*. **schiften** s. *scheften*. **schige** s. *schie*. **schiht** stf. = *geschiht*, ereignis, begebenheit, geschichte; schickung; eigenschaft, art u. weise; ordnung, anordnung, einteilung; reihe an- und übereinander gelegter dinge, schichte; bergm. bank verschiedener aufeinander liegender gesteinoder erdarten; bestimmte bergmänn. arbeitszeit; die zu jeder *schiht* bestimmten arbeiter. **schihten** swv. ein-, abteilen, trennen; *zesamene sch.* sammeln; *gelîche sch.* mit as. dp. vergleichen; refl. sich an etw. machen. **schilf** stmn.? schilf. **schilhen** swv. (md. *schilwen, schiln*) schielen; blinzeln. **schiller** stm. schieler; eine art taft, schillertaft. **schillinc, -ges** stm. schilling (klingende münze). **schillincwěrt** stn. was einen schilling wert, dafür zu haben ist. **schillinger** stm. = *schillinc*. **schiln** s. *schilhen*. **schilt, -des, -tes** stm. schild (bildl. schutz, schirm); wappenschild, wappen; *schilt* als zeichen u. symbol des rittertums (*schildes ambet* ritterdienst, rittertum); s. v. a. *herschilt*; metonym: der den schild führt, ritter; umschr. *der vrôuden sch.*; eine franz. münze, schildtaler; schild der schaltiere. **schiltære, -er** stm. schildmacher; wappenmaler, maler. **schilt-bære** adj. den *schilt* führend, ritterbürtig. **-bürtic** adj. ritterbürtig. **schiltec, schiltic** adj. mit einem *schilde* versehen. **schiltel** stn. dem. zu *schilt*, schildchen, kleines wappen. **schilten** swv. mit einem schilde versehen; schützen *vor*. **schiltgeboeʒe** stn. klang beim aufeinanderschlagen der schilde. **-gemælde** stn. wappen eines schildes. **-genôʒe** swm. gefährte. **-geselle, -geverte** swm. genosse bei demselben *herschilde*, kampfgenosse. **-gespenge** stn. coll. zu *schiltspange*. **-gesteine, -steine** stn. edelsteine, mit denen der schild verziert ist. **-geverte** s. *schiltgeselle*. **-halp, -halben** adv. auf der seite des schildes, links. **-hěrre** swm. einer vom ritterstande, grundherr. **-kněht** stm. schildtragender diener, diener der rüstung und ross besorgt; ein schild-

bewehrter kriegsmann, bes. ein räuberischer herumziehender kriegsknecht. **-krote** swf. schildkröte. **-lěhen** stn. lehn, wofür der belehnte kriegsdienste tun muss. **-lich** adj. des schildes, zum schilde gehörend; mit dem schilde, ritterlich. **-man** stm. schilde, ritterlich. **-rieme** swm. = *schiltveʒʒel*. **-spange** f. schildspange, band am schilde. **-steine** s. *schiltgesteine*. **-veʒʒel** stm. band zum umhängen und tragen des schildes; *schilt-, schintveʒʒel* = *schiltkněht*. **-wache, -wahte** stf. wache in vollständiger rüstung, schildwache. **-wahter, -wehter** stm. schildwächter. **-warte** stf. = *schiltwache*. **-wěrc** stn. was zum schilde gehört. **schilwen** s. *schilhen*.

schim, schime stswm. schatten, schattenbild, täuschung. vgl. *schěme*.

schim, schime stswm. strahl, glanz, schimmer. **schim-bære** adj., **schimbærlichen** adv. s. *schîn-*.

schimel stm. schimmel (mucor), übertr. fleck, makel, bes. von der sünde; glanz; weisses pferd, schimmel. **schimel** adj. schimmlig. **schimelec, -ic** adj. schimmlig. **schimelen** swv. schimmeln; bildl. verloren gehn. **schimelgen** swv. schimmeln. **schimel-grâ** adj. grau wie *sch.*, mit grauen haaren. **-hâr** stn. graues haar. **-var** adj. = *schimelgrâ*.

schimen stm. das schattengeben, dunkelsein.

schimêre swf. = fz. *chimère*.

schimph, schimpf stm. scherz, kurzweil, spiel, bes. das ritterliche kampfspiel; = *minnespil*; spott, verhöhnung, schmach. **schimphære, -er** stm. scherz-, spassmacher; prahler; spötter. **schimph-bære** adj. scherzhaft. **schimphec, -ic** adj. scherzend, scherzhaft, kurzweilig. **schimphen** swv. intr. scherzen, spielen; zur kurzweil kämpfen; spotten über einen (gen. od. *an*). — tr. verspotten. — **schimph-hûs** stn. haus für spiel u. unterhaltung. **schimphieren** swv. verspotten, höhnen. **schimph-lich** adj., **-liche** adv. scherzhaft, kurzweilig; schmählich. **-liet** stn. scherz-, spottlied. **-lügene** stf. scherzlüge. **-mære** stn. scherzrede, -gespräch. **-rede** stf. scherzrede, spottrede, kurzweilige erzählung. **-spil** stn. scherzspiel. **-wort** stn. scherzhaftes wort, scherz; spöttisches wort, spott, hohn. **schimpfentiure** s. *schumphentiure*.

schin, schine stswf. schiene, röhre; streifen zum flechten; eine verzierung der haube; schienbein; vermessung der bergwerksgruben.

schin adj. hell, strahlend, leuchtend; sichtbar, augenscheinlich, offenbar (*schin w.*, *wesen* sich zeigen, bekannt w., *sch. machen, tuon* zu erkennen geben, zeigen, beweisen).

schin stm. strahl, glanz, helligkeit (*sch. geben* leuchten; *der sunnen sch.* radius solaris, *sînen sch. verliesen* eclipsim pati); sichtbarkeit, gesicht als körperl. sinn (*sch. werden, machen, tuon* wie *schin* adj.); sichtbarer beweis; schriftl. urkunde, anblick, schau (*ein betrogen sch.* blendung); die art u. weise wie etw. zur erscheinung kommt od. sich zeigt, an-, aussehen, anschein, benehmen (*ein gelîcher sch.* gleichnis), häufig nur umschreibend; form, gestalt, bild, ebenbild, schattenbild.

schin s. *schîn.*

schinât stm. eine kostbare fischhaut von dunkler od. blauglänzender farbe zum besetzen u. verbrämen der gewänder.

schin-bære, -bærec adj. adv. in die augen fallend, leuchtend, glänzend, prächtig; sichtbar, deutlich, vor augen, offenkundig. **-bærlich** adj., **-bærliche** adv. dasselbe. **-bote** swm. mit einer vollmacht (*schîn*) versehener stellvertreter vor gericht, mandatar. **-brëcherinne** stf. ecliptica. **-brief** stm. schriftl. ausweis, zeugnis, urkunde. **-gebrëche** swm. glanzlosigkeit; stn. eclipsis. **-haft, -haftic** adj. glänzend; offenbar. **-heit** stf. glanz. **-lich** adj., **-liche** adv. leuchtend, glänzend: klar vor augen liegend, sichtbar, offenbar, deutlich. **-licheit** stf. glanz, leuchtkraft. **-phant** stn. schein-, faustpfand. **schindel** stswf. schindel (mlat. *scindula*). **schindel-dach** stn. schindeldach. **schindelin** adj. von schindeln.

schinden, schinten stv. III, 1 (auch swv.) die haut od. rinde abziehen, enthäuten, schälen; bis auf die haut berauben, ganz ausplündern, bis aufs blut peinigen, raub und gewalt antun, hart misshandeln. **schinder** stm. der *schindet*: rindenschäler; schlächter; abdecker; peiniger bis aufs blut, strassenräuber. **schinderie** stf. strassenräuberei.

schindern swv. polternd schleppen, schleifen.

schine s. *schin.*

schine swm. schein, glanz, schimmer.

schine-bein stn. schienbein.

schinec, -ic adj. leuchtend, glänzend, sichtbar, deutlich. **schinen** stv. I, 1 strahlen, glänzen, leuchten, hervorleuchten; erscheinen, sichtbar werden, sich zeigen, offenbaren, sein; dem schein nach aber nicht in wirklichkeit sein. **schiner** stm. markscheider (s. *schin*).

schinier stn. = *schinnelier* (it. *sciniera* beinharnisch, vom deutschen *schin*).

schinke swm. beinröhre; schenkel, schinken. **schinkel** s. *schenkel.*

schinlin stn. dem. zu *schin*: reifen, auf dem der kranz gewunden wird.

schinlin stn. dem. zu *schin.*

schinnelier stn. (auch *schillier, tschillier, schëllier*) ein teil der rüstung, die eisenschale über die kniescheibe (afz. *genouillière*).

schint stf. obstschale.

schinten s. *schinden.*

schint-hûs stn. schlachthaus. **-mëzzer** stn. messer zum *schinden.*

schint-vëzzel s. *schiltvezzel.*

schinunge stf. micatio; visio.

schip, -bes stm. schub, wurf, fortbewegende kraft; art sich zu wenden, betragen. **schipfe** swmf., md. *schippe* schaufel, grabscheit/ **schipfes** adv. quer. **schir** adj. md. lauter, rein, glänzend.

schirbe, schërbe swmf. bruchstück, scherbe; topf. **schirben** stücke brechen od. schneiden. **schirbin** adj. tönern.

schiren swv. *schîr* machen. **schirlinc** s. *scherlinc.*

schirm, schërm stm. was zur deckung, zum schutze dient: schild; das vorhalten des schildes, das parieren; schutz, schirm (*schirm unde schaten geben*); persönl. der beschirmer, vormund; schirm-, schutzdach, obdach; schirmdach, -wand bei geschützen; sturmdach; gewähr, verteidigung, welche der verkäufer eines gutes gegen die einsprache anderer übernimmt, sowie derjenige der eingesetzt wird, diesen schutz auszuüben. **schirmære, schërmære, -er** stm. fechter, fechtmeister; schützer, beschützer, schirmherr, verteidiger. **schirm-bære** adj. schutzbringend. **schirm-, schërm-bühse** stf. büchse, geschütz mit einem *schirm.* **schirme** stf. schutz, schirm. **schirme-hant** stf. obhut, schutz, obergewalt. **schirme-lich** adj. schützend. **schirmen, schërmen**

swv. mit dem *schirme* schützen, überh. schützen, verteidigen; mit dem schilde hiebe auffangen, pariren (abs., mit dp., refl.); überh. fechten. **schirmknabe** swm. lehrling in der fechtkunst. **-meister** stm. fechtmeister. **-rede** stf. schutzrede, verteidigung. **-schilt** stm. schild zum parieren u. zum schutze; bildl. schutz, schirm. **-slac** stm. fechthieb, fechterstreich. **-swërt** stn. fechterschwert. **schirmunge, schërmunge** stf. schutz, beschützung, verteidigung. **schirm-wadel** stm. *wadel* zur bedeckung der scham beim baden. **-wâfen** stn. = *schirmswërt.*

schirne s. *scharne.*

schirp, schërp, -bes stmn. = *schirbe.*

schirpe stf. ndrh. die dem pilger um den hals hängende tasche (fz. *echarpe, echerpe*).

schirre stn. = *ge-sch.*

schit, schiet, -des stm. scheidung, richterliche od. schiedsrichterl. entscheidung; unterscheidung.

schit stn. abgespaltenes holzstück, scheit; angel; = *dëhs-schît.*

schiten stv. I, 1 spalten, hauen.

schiter, schitere adj. adv. dünn, mager, nicht dicht, lücken-, mangelhaft. **schiteren** swv. *schiter* machen. **schiuften** s. *schûften.*

schiuh-bære adj. abschreckend. **schiuhe, schiuwe** stf. scheu, abscheu; schreckbild. **schiuheline, -ges** stm. vor dem man scheu od. abscheu empfindet. **schiuhen, schiuwen, schûhen** swv. tr. *schiech*, scheu machen, erschrecken; scheuen, aus dem wege gehn, meiden; mit gen. sich scheuen vor; scheuchen, verscheuchen, verjagen. — intr. u. refl. scheu empfinden, sich scheuen. **schiuhic** adj. abschreckend. **schiuh-, schûh-lich** adj. scheu; erschreckend, abschreckend. **-liche** adv. scheu, furchtsam; langsam, lau; auf abschreckende weise. **schiuhunge** stf. scheu, furcht, grauen. **schiumec** adj. schäumig. **schiumelin** stn. dem. zu *schûm*; **schiume-var** adj. mit *sch.* bedeckt. **schiune, schiun** swstf. scheune. **schiure, schiur, schûr** stswm. scheuer; bildl. *diu guldin sch.* himmel; umschr. *der sinne sch.*

schiure swstf. becher, pokal. **schiuren** s. *schûren.* **schiuren, schûren** swv. scheuern, fegen, reinigen. **schiuzen, schûzen** swv. schützen, beschützen. **schiurer**

beschützer. **schiurunge** stf. schutz.

schiuwe, schiuwen s. *schiuh-*.

schiuwer s. *schiure*.

schiuwe-sal stn. vogelscheuche.

schiuz stm., **schiuze** stf. (aus *schiuheze*) grausen, scheusal, abscheu, ekel. **schiuzen** swv. (aus *schiuhezen*) unpers. mit dat. scheu oder abscheu empfinden, grauen. **schiuz-lich** adj., **-liche** adv. scheu, verzagt; abscheulich, hässlich, scheusslich. **schiver scheiver, schivere schevere** stswm. stein- oder holzsplitter. **schiveren** swv. splittern, zersplittern. **schiveric** adj. voll splitter.

schîze f. diarrhoea. **schizen** stv. I, 1 abs. u. tr. cacare.

schoben swv. schubweise wirken, tätig sein. **schober** stm. schober, haufen. **schoberen, schuberen** swv. zu einem *schober* zusammenbringen, aufhäufen.

schoc, -ckes stm., **schocke** stf. schaukel; windstoss.

schoc, -ckes, schoch, schock, schok stm. haufe; büschel, schopf. — stn. anzahl von 60 stücken, schock.

schoche swm. aufgeschichteter heuhaufe, heuschober.

schochen swv. aufhäufen.

schocken swv. tr. in haufen (*schoc*) setzen.

schocken swv. in schwingender, schaukelnder bewegung sein, sich im tanz wiegen.

schof stn. gedicht, erdichtung (s. *schopfbuoch, schopfen*).

schohe swm. unterer schiffsraum.

schoie, schoye stf. freude (fz. *joie*); schar, menge, heeresmacht (nur im Göttweiger trojanerkrieg, DTM 29).

schol stf. = *scholle* swm.

schol adj. schuldig. **schol** stswm. schuldner; urheber, anstifter. **scholære** stm. schuldner, schuldiger.

scholder, scholler, scholier stm. vorrichtung und veranstaltung zu glücks- oder hazardspielen, ertrag daraus, recht darauf, das spielen selbst: **scholderer, schollerer** stm. veranstalter von glücksspielen, aufseher dabei. **scholdern** swv. mit würfeln usw. spielen.

scholle swm. scholle. **scholle** swf. die scholle, platteise.

scholler s. *scholder*.

schol-man = *schultman*.

scholn s. *soln*.

scholt s. *schult*.

schœnde, schônde stf. schönheit. **schœne, schœn** adj.

---

schön, herrlich (mit gen. oder *von* = frei von etw.); glänzend, hell; weiss, fein (*schœnez brôt, gewant*); schonend, freundlich. **schône, schôn** adv. auf schöne, feine, anständige, geziemende, bescheidene, richtige, bedächtige, sorgfältige, freundliche weise; vollständig, ganz und gar; bereits, schon.

schône stf. aufmerksame behandlung, schonung.

schœne stf. schönheit, herrlichkeit; klarheit, weisse, glanz; schönes wetter.

schônen swv. *schône* behandeln, schonen, rücksicht nehmen auf, mit gp. gs. (md. auch mit as.); mit dat. folgen, nachgeben; mit dp. und *mit* verschonen mit.

schœnen swv. *schœne* machen, verschönen, schmücken, verherrlichen. — refl. sich brüsten, prahlen. **schœn-, schôn-heit** stf. schönheit, herrlichkeit, pracht; zierde, schmuck; unterhaltung, festlichkeit (wobei die teilnehmer geschmückt sind).

schôn-liche stf. herrlichkeit.

schônunge stf. schonung.

schœn-var, -wes adj. bunt.

schœn-wërc stn. feines pelzwerk.

schop, -bes stmn. ? was hineingestossen, geschoben wird.

schope, schoppe, schôpe swfm. = *gippe, jope*.

schopf stm. haar auf dem kopfe, haarbüschel; vorderkopf. **schopf, schopfe** stswm. gebäude ohne (vorder-)wand als scheune, remise oder vorhalle. **schopf-buoch** stn. gedichtbuch, die gelehrte lat. quelle eines gedichtes. **schopfen** swv. dichten. **schopf-lich** adj. dichterisch; lügnerisch.

schopfen, schoppen swv. tr. stopfen (*den âtem sch.* keuchen). — intr. geschwellt, aufgeworfen sein.

schoppunge stf. stopfung.

schopz, schöpz stswm.schöps, hammel (slav. *skopec*).

schor f. schaufel; spitzhaue. **schor, schorre** stswm. schroffer fels, felszacke; hohes felsichtes ufer.

schorf, schorpf stm. schorf, grind; verächtl. für kopf.

schorge s. *schurge*.

schor-mist stm. strassenkehricht.

schorn swv. mit der schaufel arbeiten, zusammenscharren, kehren; stossen, anstossen, fort-, zusammenschieben.

schornëhtic adj. rauh.

schorpe, scorpe swm. skorpion (gr. lat. *scorpio*) swfn. schildkröte. **schorpelin** stn.

---

kleine schildkröte. **schorpiôn** m. lat. scorpius, sternbild. **schorpen-angel, -zagel** stm. stachel des skorpions.

schorre s. *schor* 2.

schorren swv. schroff hervor-, emporragen.

schor-, schorn-stein stm. auch *schürstein*, schornstein.

schot adj. durch herumwälzen (wie ein schwein) verunreinigt, schmutzig.

schôt, schœt stn. eine bestimmte anzahl von stücken; ein bündel flachs; ein getreidemass.

schôte swf. schote.

schotelen swv. intr. sich schütteln, erschüttert werden, zittern.

schœt-lamp stn. junges noch saugendes lamm.

schottach stn. spreu.

schotte swm. quark von süssen molken; molken.

schottesch adj. schottisch.

schou s. *schouwe*.

schou, -wes stm. der anblick den etwas gewährt.

schoube s. *schûbe*.

schôubin adj. von stroh; mit stroh gedeckt.

schou-gëlt stn. beschautaxe.

schoum s. *schûm*.

schou-meister stm. obrigkeitl. beschauer, untersucher.

schoup, -bes stm. gebund, bündel, bes. strohbund, strohwisch (als zeichen od. zum brennen und leuchten aufgesteckt, zum decken von gebäuden, als unterlage u. dgl. — das umkehren des *schoubes* war ein symbol der besitzergreifung od. der erhebung eines anspruches). **-bant** stn. strohband. **-dach** stm. strohdach. **-huot** stm. strohhut.

schour, schoure s. *schûr*.

schouwære, -er stm. der schauende, besichtiger, beschauer; der auf obrigkeitliches geheiss etw. besichtigt, prüft, brot- u. fleischbeschauer usw.

schouwe, schowe, schou stf. akt. suchendes prüfendes schauen, blick (spez. die besichtigung, prüfung von seite der obrigkeit); das anschauen, der anblick. — pass. das was gesehen wird, anblick den etw. gewährt, ansehen, gestalt. — häufig nur zur umschreibung gebraucht. *in hôher sch. sîn* in ansehen stehn. **schouwede, -wede** stf. das schauen, der anblick. **schouwe-lich** adj. anschauend, beschaulich; ansehnlich. **schouwe-licheit** stf. beschaulichkeit. **schouwen** swv. sehen, schauen, ansehen, betrachten (bes. auch in geistl. sinne. *ein schouwende lëben* vita

contemplativa); (obrigkeitlich) besichtigen, prüfen; besichtigen, besuchen. — refl. sich beschauen. **schouwen** stn. das sehen, schauen, betrachten, geistl. betrachtung, beschaulichkeit; das besuchen; aussehen, gestalt. **schouwe-spil** stn. schauspiel. **schouwunge** stf. das schauen, betrachten. **schoʒ**, -ʒʒes stn. schössling. **schoʒ, schôʒ** stn. geschoss. **schoʒ** stm. geldabgabe, steuer. **schôʒ** stmn., **schôʒ, schôʒe** stswf. vom leibe niedergehnder, (in geschossform) gefalteter teil des kleides, (bes. der den schoss deckende teil, auch schürze u. dgl.); den schoss deckender teil der rüstung; schôss (vgl. *gêr*). **schoʒ-bære** adj. steuerbar. **-brět** stm. schleusentor. **-bühse** swf. büchse zum schiessen. **-gatter** mn. fallgatter. **-gerte** stf. schössling. **-lade** swf. schublade. **-man** stm. steuereinnehmer. **-porte** swf. falltor. **-ris** stn. schössling. **-(schuʒ-)tor** stn. = *schoʒ-porte*. **-wâge** stf. schnellwaage. **-wort** stn. heftiges, grobes wort. **schoʒʒelin, schoʒʒel** stn. dem. zu *schôʒ*. **schôʒen** swv. intr. hüpfen; schiessen. **schôʒen, schoʒʒen** stn. das schiessen. **schôʒ-vol** stm. was auf einmal in den *schôʒ* genommen wird, ihn voll macht. **schoʒʒen** s. *schôʒen*. **schoʒʒen** swv. intr. keimen, spriessen, aufschiessen. —trans. hervortreiben, drängen. **schoʒʒen** swv, steuer geben. **schoʒʒer** stm. steuereinnehmer. **schrâ** stf. hagel, reif, schnee. **schraf, schraft** stm. felskopf, zerklüfteter fels, steingerölle; schneidende kälte; scharfer duft, wohlgeruch. **schraffen, schrapfen** swv. schröpfen (s. *schreffen*). **schraffer** stm. schröpfer. **schraffizen, schrafzen** swv. schröpfen; kratzen, blutig schlagen. **schraft** s. *schraf*. **schrage** swm. schräge oder kreuzweis eingefügte pfähle, bes. kreuzweis stehnde holzfüsse als untergestell eines tisches u. dgl.; haspel, winde (als marterwerkzeug); ein fischnetz von vierseitiger gestalt, das an zwei kreuzweis übereinander liegenden bügeln befestigt ist und an einer stange getragen wird. **schræjen** swv. intr. spritzen, triefen, stieben; sprühen, lodern. — tr. spritzen, stieben machen.

schram, -mmes stm. felsspalt, loch. **schram, schramme** stswf. schramme, lange haut- oder fleischwunde. **schramen** swv. aufreissen, öffnen. **schræmen** swv. schräge machen, krümmen, biegen. **schranc-, -kes** stm., md. auch *schanc*, was absperrt: schranke, gitter, einfriedigung; gestelle, etw. darauf zu henken; umschliessung, umarmung, verschränkung, flechtung, windung; das unterschlagen eines beines; einschränkung; bildl. hintergehung, betrug; ein- u. abgeschlossener raum, schrank. **schranc-boum** stm. schlagbaum, schranke. **schrange** s. *schranne*. **schranke** swmf. gitter, zaun, schranke; verschränkung, umarmung; schrank (md. auch *schanke*). **schranken** swv. intr. mit schrägen, wankenden beinen gehn, schwanken, taumeln. **schranne, schrange** swstf. bank, tisch, bes. fleisch-, brot-bank usw.; gerichtsbank, gericht; schranke, mit schranken eingefriedigter raum; etw. eingendes: halskragen; s. v. a. *schrunde*. **schrannen-sitzer** stm. gerichtsbeisitzer. **-stap** stm. gerichtsstab. **schranz** stm. bruch, riss, spalte, loch, scharte, wunde; schlinge zum vogelfange; junger, geputzter mann (mit geschlitzten kleidern), geck, schranze. *sunder sch.* ganz u. gar (versfüllsel). **schranze** swf. riss, spalte (obsc. für feminal); geschlitztes kleid. **schranze** swm. schranze. **schrapfe** swm. werkzeug zum kratzen. **schrapfen** s. *schraffen*. **schrat, schrate** stswm., **schraʒ, schraz** stm., **schrâwaʒ, schrâwaze** stswm. waldteufel, kobold. **schrât, schrâten** s. *schrô*... **schrât** stm. spritzendes wasserteilchen, tropfen. **schratzen** swv. ritzen, kratzen. **schrave** s. *schroffe*. **schravel** adj. schroff, spitzig. **schrâwaʒ** s. *schrat*. **schraz, schraʒ** s. *schrat*. **schrê** s. *schrei*. **schrecke** swm. schrecken; hüpfer, springer s. *höu-, matschrëcke*. **schrëcken** stv. IV auffahren, erschrecken. **schrëcken** swv. springen, aufspringen, hüpfen, tanzen. **schrëcken** swv. tr. aufspringen machen; in schrecken setzen, erschrecken. — refl. erschrecken. **schrëcker-**

inne stf. hüpferin, tänzerin. **schrëckhaft** adj. furchtsam. **schreffe** swm.spalte, klaffende wunde. **schrëffen, schrëven** stv. III, 2 reissen, ritzen, kratzen. **schreffen, schreven, schrepfen, schröpfen** swv. = *schraffen*. **schreffer** = *schraffer*. **schregen** swv. mit schrägen beinen gehn. **schrei, schrê** stm. ruf, schrei, geschrei; gerücht. **schreiât** stf. vorrichtung zur marter; pranger. **schreien** swv. tr. *schrîen* machen. — intr. s. v. a. *schrîen*. **schreiic** adj. clamosus. **schrei-liute** pl. zu **-man** stm. zeuge, der den notschrei einer person, der gewalt angetan wurde, gehört hat. **schreit** adj. breit, ausgedehnt. **schremmen** swv. drücken, stossen. **schrenkel** stm. verschränkung, schleife, knoten. **schrenken** swv. tr. quer und über kreuz setzen, schräg stellen, verschränken, flechten. — intr. seitwärts abweichen. **schrenken** stn. **schrenkunge** stf. intersecatio. **schrenzen** swv. tr. u. refl. spalten, reissen, zerreissen, brechen. — intr. brechen, reissen. zerreissen; ein loch machen *in.* **schretelin, schretel** stn. dem. zu *schrat*. **schrëven** s. *schrëffen*. **schrewel** s. *schrôuvel*. **schrezlin** stn. dem. zu *schraz*. **schrî** stm. = *schrei*. **schribære, -er** stm. schreiber, bes. geistlicher niederen grades, wie er andern als schreiber zu dienen pflegt (als schachfig. dritter *vende*); spez. kanzler, notar, schreiblehrer, schriftgelehrter, dichter; tafelaufseher, der das verzeichnis des tafelgeschirrs führte und nach erfolgtem gebrauche es wieder in seinen gewahrsam nahm. **schribe** swm. schreiber (lat. *scriba*). **schribe-kil** stm. schreibfeder. **schriben** stv. I, 1 schreiben, aufschreiben, verzeichnen, voll schreiben, beschreiben, zum kriegsdienst aufbieten = *conscribere*; anordnen, verordnen; nennen, beschreiben, schildern; zeichnen, malen. — refl. sich verschreiben, schriftl. verpflichten; aufgezeichnet sein, zählen; sich schreiben, nennen (lat. *scribere*). **schriberie** stf. schreib-, amtstube. **schriberlich** adj. platt verständig. **schribe-tac** stm. der recesstag bei gericht. **schrib-meister** stm. schreibmeister; schriftgelehrter. **schribunge** stf. schrift. **schrib-vëder** f. schreibfeder.

schric, -ckes stm. der sprung, das plötzliche auffahren;sprung, riss; das auffahren, erschrecken, der schreck; plötzliches hervorspringen oder -schiessen, glanz. **schricken** swv. intr. springen, aufspringen; einen sprung oder riss bekommen. — tr. auffahren machen, jagen. **schricker** stm. der sich fürchtet und erschrickt. **schric-lich** adj., **-liche** adv. erschreckend, schrecklich. **schrien, schrin** stv. I, 2 u. swv. intr. rufen, schreien, jammern. — tr. ausrufen, verkünden; berufen, zusammenrufen; beklagen, beweinen. **schrier** stm. schreier, ausrufer, herold. **schrift** stf. geschriebenes, schrift, inschrift; schriftwerk, schriftl. quelle, bes. die heil. schrift; schreibkunst. **-lich** adj. geschrieben. **-vundec** adj. in d. bibel zu finden. **schrigelen** swv. daz nest sch., bauen. **schrimpf** stm., **schrimpfe** swf. schramme, kleine wunde. **schrimpfen** stv. III, 1 md. schrimpen = rimphen. **schrin** s. schrien. **schrin** stm. n. schrein, kasten für kleider, geld, kostbarkeiten; reliquienschrein, sarg; archivschrank. oft bildlich od. auch bloss umschreibend. in einen sch. legen aufbewahren, anrechnen (lat. scrinium). **schrinære,** -er stm. schreiner. **schrinden** stv. III, 1 intr. bersten, sich spalten, risse bekommen. **schrin-phant** stn. lebloser, zum pfande genommener gegenstand. **schrip-gadem** stn. schreibstube. **-geziuc, -ziuc** stmn. schreibzeug. **-gezouwe** sn. dasselbe. **-lich** adj. was aufgeschrieben, durch buchstaben dargestellt werden kann. **-ziuc** s. schrîpgeziuc. **schrit** stm. schritt, auch als längen- u. flächenmass. **schriten** stv. I, 1 intr. schreisen; steigen, sich schwingen. **schritlingen** adv. schrittlings. **schrit-mâl** stn. schritt als mass. **-schuoch** stm. schuh zu weitem schritt, fliegschuh. **schriubel** stn. dem. zu schrûbe. **schröder** s. schrôtære. **schrof,** -ves stm. s. v. a. **schroffe, schrove, schrave** swm. rauher, zerklüfteter fels, felsklippe, -wand. **schrolle** swm. (auch stf.) klumpen, scholle. **schröpfen** s. schraffen. **schrôt** stm., md. auch schrât hieb, schnitt, wunde; schnitt

der haare, der kleider; abgeschnittenes, abgesägtes usw. stück, spez. das zur geldprägung vom metallstab abgeschnittene stück sowie dessen gehöriges gewicht; stück eines baumstammes, holzprügel, klotz; gefäss, geschirr, eimer, bier-, weinfass. **schrôtære,** -er stm. der kleider zuschneidet, schneider (md. schrôder); der den schrôt zur münze abschneidet, münzmeister; der fässer auf- und ablädt; hirschkäfer. **schrôtbanc** stf. schnitzbank. **schrôtel** stm. hirschkäfer. **schrôten** redv. 5 hauen, schneiden, abschneiden, spez. mit dem schwerte hauen, zerhauen, verwunden; das haar abschneiden; stoffe zu kleidern zuschneiden (einem sch. ihm gewand zuschneiden, bildl. zuteilen), den schrôt zur münze abschneiden, geld prägen. — refl. stemmen, sträuben. — tr. rollen, wälzen, bes. wein- u. bierfässer auf- u. abladen od. zu wagen befördern. **schrôt-gadem** stm. werkstätte des münzmeisters. **-meister** stm. münzmeister. **-wëre** stn. schneiderarbeit. **schröuwel, schrowel, schrewel** stm. teufel, henker, peiniger. **schrûbe** f. md. schraube. **schrûben** swv. schrauben. **schruffen** swv. spalten. **schrul,** -lles stm. md. böse laune, dauernde verstimmung, schrulle. **schrunde** swstf. riss in der haut, wunde; scharte (des schwertes); spalte; felsspalte, -höhlung. **schründic** adj. mit rissen in der haut versehen. **schû, schuo** interj. scheuchlaut. **schûbe, schoube, schûwe** swf. langes u. weites überkleid (it. giubba s. jope, schope). **schübel, schubel** stm. büschel von heu usw., womit eine öffnung verstopft wird; was hinein, was vorgeschoben wird, riegel; haufen, menge. **schübelen** swv. stopfen, häufen. **schübeline,** -ges stm. wurst, bratwurst; hervorgekommener zahn. **schuberen** s. schoberen. **schube-stein** stm. bergm. geschiebe, dessen vorkommen die nähe eines erzganges anzeigt. **schûdern** swv. md. schaudern. **schüchelin, schüchel** stn. dem. zu schuoch. **schüel-** s. schuol-. **schüepelîn, schüepel** stn. dem. zu schuope.

schüepen, schüepeln swv. mit schuppen versehen. **schuf** s. schupf. **schûf,** -ffes stm. = schûft. **schüfel** s. schûvel. **schuffen** s. schupfen, schüpfen. **schûft** stm. galopp. **schüften, schiuften** swv. galoppieren. — tr. ans land spülen (vom meer). **schûftes** adv. im galopp. **schüh-** s. schiuh-. **schuldære,** -er stm. schuldiger, schuldner. **schulde, schult** (sulde, sult), scholt stf. das verhältnis dessen, der für etwas als urheber einsteht, daher entweder die verpflichtung zu busse, (beichte?), ersatz, strafe oder auch das verdienst; oder pflicht etwas zu geben, das zu gebende, geldschuld (zu zahlende od. zu fordernde); vergehen, verschuldung sowohl in bezug auf pflicht und sittlichkeit als auf einen bewirkten schaden (sch. gewinnen mit gs. sich in etw. verfehlen, zen schulden komen schuldig w., schulden haben ze schuldig sein, schulden zîhen beschuldigen, sich ûz den schulden nemen sich entschuldigen); bewirkendes zutun überh., ursache, grund (âne sch. ohne ursache, ohne grund, durch sch. um — willen, von schulde, schulden aus zureichendem grunde, mit recht, von den schulden dîn deinetwegen, von den schulden umbe daz aus diesem grunde, zuo schulden komen statt haben, den fall sein, diu wâre schult der richtige grund, die notwendigkeit); anschuldigung, anklage; angeschuldigtes vergehen. **schuldec, schuldic** adj. schuldig, verpflichtet (zu zahlen od. zu leisten) mit dp. u. as. od. inf.; sch. sîn an veranlassung sein für; der urheber eines schadens seiend, sich verfehlt habend (sich sch. geben, erkennen seine schuld, sein unrecht eingestehen, einen sch. geben für sch. erklären, mit gs. od. an; verdient, gebührend. **schuldec-lich** adj. verdient, gebührend; **-liche** adv. mit grund, mit recht. **schulde-, schult-haft, -haftic** adj. mit schuld behaftet; schuldig, verdient. **schulden** swv. intr. schuldig sein, bleiben mit dp.; schuldig sein, sich schuldig machen mit gs.; verpflichtet sein zu (gen.). — tr. beschuldigen, anklagen. **schuldenære,** -er stm. schuldner; gläubiger. **schulder** s. schulter. **schuldigære,** -er stm. ankläger, beschuldiger; angeklagter; schuldner; gläubiger. **schuldigen** swv. beschuldigen, anschul-

digen mit gs. od. *an, umbe.*
schuldigunge stf. anschuldigung, anklage.
  schule, schüle f. eine maul-
krankheit der pferde.
  schülen swv. intr. md. verborgen sein. — tr. im verborge-
nen auf etw. hören.
  schû-liche s. *schiuhlîche.*
  schülle swm. (ein scheltwort)
lümmel.
  schuln s. *soln.*
  schult adj. schuldig.
  schulter, schulder swstf.
schulter, schulterblatt; (ge-
räucherter) vorderschinken vom
schweine. **-bein** stn. schulterkno-
chen. **-blat** stn. schulterblatt.
  schult-gemare swm. mitschuldner, schuldner. **-haft** s.
schuldehaft. **-heize** swm. der
verpflichtungen od. leistungen
befiehlt, schultheiss. **-hêrre**
swm. gläubiger. **-knabe** swm.
zinsknabe. **-man** stm. schuldner (s. *scholman*). **-turn** stm.
schuldgefängnis.
  schûm, schoum stm. schaum;
metallschlacke. **schûm-blanc**
adj. weiss wie schaum. **schûmen**
swv. intr. schäumen (bildl. *mir
schûmet* erscheint als traumbild). **schûmen, schöumen** swv.
tr. den schaum abnehmen. —
refl. bildl. sich reinigen *vor.*
  schumpfe swf. buhlerin.
  schumpfentiure stf. besiegung, niederlage, unfall; *ze sch.
komen* besiegt w. (fz. *des-
confiture*).
  schumpfieren swv. = *ensch.*
  schündære, schüntære stm.
antreiber, reizer. **schünde** stf.
= *schündunge.* **schündec** adj.
antreibend, reizend. **schünden,
schunden** swv. antreiben, reizen
(gs. od. *an, zuo*). **schündunge,
schüntunge** stf. antreibung,
reizung. **schuntsalunge** stf.
dasselbe.
  schuo s. *schû.*
  schuoch, schuo, *-hes, -s* stm.
schuh als fussbekleidung; als
mass. **schuoch-bein** stn. wade.
-büezer stm. schuhflicker. **-buoze**
f. schuhfleck, schuhlappe; ein
ackermass, ein kleineres grundstück (*schûchbuze, schuoboze,
schuepisse, schuppes*). **-hûs** stn.
verkaufshalle der schuster und
lederer. **-knëht** stm. schuster-
geselle. **-macher, -mecher, -man,
-meister** stm. schuster. **-nieter**
stm. schuhmacher, **-flicker.
-richter** stm. schuhmacher.
-rieme swm. schuhriemen.
-suider stm. schuster. **-sûtære,
-er** stm. schuhnäher, schuster
(kontr. *schuochster, schuoster,
sûster*); als schachfig. dritter
vende. **-würhte, -worhte, -würke**
swm. schuhmacher.

  schuofe swf. gefäss zum schöpfen, schöpfgelte, wassereimer;
becken der pfanne.
  schuohen, schuon swv. tr.
mit *ap.* schuhe, fussbekleidung
(auch beinbekleidung, hosen)
anlegen, beschuhen (*sie schuoh-
ten in die îsenhosen*); mit *as.*
schuhe usw. anziehen.
  schuolære, schüelære, *-er*
stm. schüler, student (lat.
scolaris). **schuole, schuol** stf.
schule, hohe schule, schulunterricht (auch bildl. = *zuht,
Zosimas der êren sch.*); *der
juden schuole* synagoge (lat.
scola). **schuolerlîn, schüelerlîn**
stn. dem. zu *schuolære.* **schuol-
ganc** stm. schulbesuch. **-genôze,
-geselle** swm. mitschüler. **-hêrre**
swm. = *schuolmeister.* **-lich** adj.
der schule gehörend oder gemäss. **-list** stm. wissenschaft
od. kunst, die man in der
schule od. aus büchern lernt.
-meister stm. schullehrer; schul-
direktor. **-pfaffe** swm. auf schu-
len erzogener *pf.* **-rëht** stn.
schulregel. **-wêre** stn. was man
in der schule lernt.
  schuon s. *schuohen.*
  schuope, schuop swstm.
schuppe. **schuopec, schuopëht**
adj. schuppig. **schuopen** swv.
abschuppen. **schuoplære** stm.
verfertiger von schuppenpan-
zern.
  schuo-poze s. *schuochbuoze.*
schuo-pozer, schuopezer stm.
inhaber einer *schuopoze.*
  schuop-visch stm. schupp-
fisch.
  schuor stm. f. schur; bildl.
schererei, plage, not.
  schuoster s. *schuochsûtære.*
  schup, *-bes* stm. aufschub,
fristverlängerung; das schieben der schuld auf einen andern
durch beweismittel, sowie das
beweismittel selbst; die dem
richter zu erlegende strafe,
sportel.
  schupf, schuf stm. schwung,
schaukelnde bewegung. **schüpfe**
swf. schuppen, scheune.
  schupfe, schuppe swf. wippe, ein
schwankes brett, von dem man
zur strafe für ein vergehen ins
wasser geschnellt wurde; ein
gerät zum fischen. **schupfen,
schuffen** swv. in schaukelnde,
schwankende bewegung sein.
schüpfen, schupfen, schuffen
swv. durch stossen in schaukelnde bewegung bringen, stossen,
schleudern; antreiben; wegdrängen; mit der *schupfen*
strafen.
  schuppes s. *schuochbuoze.*
  schür stm. schutz, schirm,
obdach.
  schür schûre, schour schoure

stswm. hagel, ungewitter; bildl.
leid, verderben, vernichtung;
als schelte *der êren, sælden sch.*;
bildl. für schnelles, heftiges
herandringen.
  schür s. *schiure.*
  schür stf., md. *schur* andrang.
  schür stf. haarschur.
  schür-brant stm. ein kleiderstoff (vgl. mlat. *scurum, panni
species*).
  schurc s. *schurge.*
  schüren s. *schiuren.*
  schüren, schiuren swv. hageln; brausen.
  schurf stm. bergm. ein graben od. eine grube zur auf-
schliessung eines erzganges.
  schürfen s. *schürpfen.*
  schurge, schorge, schurc stf.
anstoss, angriff; der verlauf.
  schürgen, schurgen swv.
schieben, stossen, treiben, verleiten *zuo.*
  schür-hagel stm. hagelschauer.
  schürliz, schurliz stm. ein
kleiderstoff (auch *schürliztuoch*);
ein daraus verfertigtes weiber-
kamisol (vgl. mlat. *scorlicium*).
  schürn swv. einen anstoss
geben, antreiben, reizen *zuo*;
brennen machen, entzünden,
das feuer unterhalten, schüren.
  schürpfære, -er stm. schinder,
marterknecht, henker.
  schürpfen, schürfen swv. aufschneiden, ausweiden; schlagen,
(feuer) anschlagen.
  schür-slac stm. hagelschlag.
schür-stap stm. ofenkrücke.
  schür-stein s. *schorstein.*
  schür-stucke stm. hagelschlosse; donnerkeil. **-sturm** stm.
sturm mit hagelschlag. **-tac**
stm. aschermittwoch. **-viur**
stn. blitz.
  schurz adj. (ahd. *scurz*) abgeschnitten, kurz.
  schurz stm. kleid, das nur
einen teil des untern leibes
deckt, also oben und unten
abgeschnitten ist, schurz, schürze (als teil der rüstung, der den
unterleib der geharnischten
reiter deckte); bildl. schutz,
schirm.
  schurz stm. sprung, lauf.
schurz 2.
  schurzen swv. tr. kürzen,
abkürzen. — tr. u. refl. das
kleid beim gürten mehr aufwärts nehmen u. damit sein
kürzen, schürzen (*geschürzet* mit
geschürztem kleide); ziehen,
schlingen; bereit machen, rüsten *ûf, zuo.*
  schust, schuste s. *tjoste.*
  schut stm. das schütteln und
geschüttelte; die erschütterung.
  schüte, schüt stswf. anschwem-

mung, das angeschwemmte
erdreich, dadurch gebildete
kleine insel; künstlicher erd-
wall; schutt, unrat; ort wo der
schutt abgeladen wird; kornboden. **schütel** stm. das kalte
fieber. **schütelen, schütteln**
swv. schütteln, erschüttern.
schüten, schütten swv. schwingen, schütteln, erschüttern;
den valken von der hant sch.;
schütten; spez. vom an- und
ablegen der rüstung; das erdreich an- oder aufschwemmen,
anhäufen, eindämmen; um-
dämmen, bewahren, schützen.
schüter, schütter stm. das ein-
malige schütteln; der die eicheln
von den bäumen schüttelt,
eichelsammler. **schüt-karre**
swm. karren zur fortschaffung
des schuttes.
schutz-brët s. *schoʒbrët.*
schütze swm. armbrust-,
büchsenschütze (*verlorne schützen* plänkler); wächter, flur-,
waldschütze; der *sch.* im tierkreise; anfänger im lernen,
junger schüler. **schütze, schutze**
f. weberschifflein.
schützel stm. brusttuch,
brustlatz.
schütze-meister stm. der das
bogenschiessen od. das verfertigen u. ausbessern der armbrust versteht.
schutzen swv. durch schwung
oder stoss in schnelle kurze
bewegung setzen, schaukeln.
schützen swv. auf-, ein-, um-
dämmen; *schutz* gewähren, mit
dat. — tr. beschützen, schirmen, verteidigen.
schüvel, schüfel, schüvele
schüfele stswf. schaufel.
schüveln, schüfeln swv. schau-
feln.
schûwe s. *schûbe.*
schuʒ, -ʒʒes stm. stoss, stich,
schuss, pfeilschuss, lanzenwurf
usw. (auch zur bezeichnung
einer entfernung, schussweite);
schnelle bewegung (*des blitzen
sch.* blitzstrahl, *sch.* blitz, gewitter; *des wazzers sch.* strömung, *daʒ schif nam behenden
sch.*); Christus ist geboren *âne
menlichen sch.*; *ein schuʒ brôt*
soviel auf einmal in den backofen *geschoʒʒen* wird; rheumat.
übel.
schuʒ, -tzes stm. umdäm-
mung, aufstauung des wassers;
schutz, schirm.
schuʒ-brët, -tor s. *schoʒ-.*
-lichen adv. wie zum schusse.
schuʒ-genôʒ stm. der mit
einem andern zum gegenseitigen
schutze verbunden ist. **-hof**
stm. pfandhof, hof in dem pfänder aufbewahrt werden. **-lich**
adj. schützend. **-wer** stf. schutz-

wehr; verteidigungsgründe vor
gericht.
schüʒʒel stn. dem. zu *schuʒ.*
schüʒʒel, schüʒʒele stswf.
schüssel; der gral (lat. *scutula*).
schüʒʒeler stm. schüssler.
schüʒʒelinc, schüʒlinc, *-ges*
stm. schössling, reis; sprössling.-
schüʒʒel-kar stn. geschirr als
schüssel. **-krëbe** swm. schüssel-
korb.
schuʒʒer stm. schnellkügel-
chen.
schüʒʒerlinc, *-ges* stm. junger aufgeschossener mensch.
schuʒ-zil stn. ziel nach dem
geschossen wird.
sê interj. siehe da, da, nimm!
(2. pl. *sêt, sênt*).
sê, *-wes* stm., **sê** stf. see, land-
see; meer. **-barke** swf. seeschiff.
sebel s. *sabel.*
sëben s. *siben.*
seber stn. schmecker, koster.
sê-blat stn. blatt der seerose
(als wappenbild).
sëch, sëche stn. (auch f.?)
karst; pflugschar.
secher s. *sacher.*
sechic adj. ursächlich.
sëchter s. *sëster.*
seckel stm. säckel, geldbeutel
(lat. *sacculus*). **seckelære, -er**
stm. säckler, schatzmeister; s. v.
a. *seckel.* **seckelin, seckel** stn.
dem. zu *sac.* **seckel-snider** stm.
= *biutelsnider.*
secken swv. in einen sack
stecken; in einem sacke ertränken.
secrête, -êt stn. geheimsiegel;
heimliches gemach, abtritt
(mlat. *secretum*).
sëcte stswf. sekte (lat. *secta*).
sëctisch adj. ketzerisch.
sëdel stmn. sessel; sattel;
sitz, land-, wohnsitz; ruhesitz,
lager (*ze sedele gân* vom unter-
gange der sonne oder des
mondes). **sëdelære, -er** stm.
sitzkissen; *sëdel*macher. **sëdel-
banc** stf. sitzbank. **-burc** stf.
burg als wohnsitz, residenz.
sëdelen swv. intr. sich setzen,
niederlassen. — tr. einen einen
sitz, ein lager anweisen, ihn
sich setzen lassen. **sëdel-haft,
-haftic** adj. sesshaft, ansässig.
-hof stm. herrenhof, -sitz. **-hûs**
stn. wohnhaus. **-meier** stm.
pächter eines *sëdelhoves.* **-stat**
swf., **-trön** stm. thron. **sëde-
lunge** stf. wohnung.
sëe s. *sëhe.*
sëffen, sëffen, saffen saften
swv. mit saft (tränen) anfüllen.
seffic s. *saffec.*
sege, sage stswf. säge und
sägeähnliches.
sëge, sege s. *sige, segene.*
sëge stf. neige (vgl. *sage, seige*).

segede stf. das sagen, sprechen.
sëgel, sigel stm. segel; vorhang. **-boum** stm. mastbaum.
-gerte f. segelstange. **-rieme**
swm. segeltau, tauwerk. **-seil**
stn. dasselbe. **-tuoch** stn. segel.
-vanc swm. dasselbe. **-wëter** stn.
der seereise günstiges wetter.
-wint stm. in die segel blasender
wind, fahrwind.
segelære stm. schwätzer.
segel-boum stm. = *sevenb.*
sëgelen = *sigelen.*
sëgeler stm. segler.
sege-lich adj. was gesagt, ausgesprochen werden kann.
sëge-lôs s. *sigelôs.*
sege-mül stf. sägmühle.
sege-müller stm. sägmüller.
segen s. *sagen.*
segen, sagen swv. sägen.
sëgen stm. (md. auch *seigen,
sein; diu segene, seine*) zeichen
des kreuzes; segen, segnung,
segensspruch, -wunsch (bes.
beim abschiede), gnade; *den
wiplichen s. bewarn* ehre; *sant
Johannes segen* abschieds-, lie-
bestrunk; segensformel (kirchliche und unkirchliche), zauber-
segen, -formel (*den s. tuon*
sprechen) (lat. *signum*).
segene, segen, sege stswf.
grosses zugnetz (gr. lat. *sagena*).
sëgenen, sëgen swv. (kontr.
sênen, seinen) abs. tr. u. refl.
das zeichen des kreuzes machen,
bekreuzigen, segnen (mit oder
ohne worte, gebet).
sëgener stm. segensprecher,
zauberer.
sëgense, sëgens stswf. sense
(kontr. *seinse, sënse, sënse*; umged. *seg-, sagîsen* stn.).
sëgenunge, seinunge stf. das
segnen, der segen.
seger s. *sager.*
seger stm. sägmüller.
sêgich s. *eigen* 1.
sëhe, sëje, sëe stf. augapfel,
pupille; die sehkraft, das sehen,
der blick; die ansicht, der anblick.
sëhen, sëhn stv. V abs. u. tr.
sehen, erblicken (selten auch
allg.: wahrnehmen, daher =
hören), ansehen, zusammentreffen mit, besuchen (*sehen
lâzen* zeigen, beweisen); pass.
sehen, blicken, schauen, mit
refl. dat. einen erfreuenden, be-
trübenden anblick haben.
sëhen-lich, sein-lich adj.
sichtbar.
sehs num. card. sechs.
sehselin stn. dem. zu *sahs.*
sëhselinc, *-ges* stn. der sechste teil eines masses.
sëhser stm. sechs kreuzer geltendes münzstück; mitglied

eines sechserkollegiums; eine
art von salzschiff.
sehste num. ord. sechste
(alem. auch *sehte*).
sëhster, sëster, sister stm.
(nbf. *sëhter, sëchter, seihter*) ein
trockenmass, scheffel, sester;
ein flüssigkeitsmass und gefäss
von einem solchen masse; gefäss
überh. (mlat. *sextarius*, roman.
sestar).
sëhunge stf. das sehen, betrachten; visio.
sëh-zec, sëh-zic num. card.
sechzig (aus *sëhs-zec*). **-zëhen**
num. card. sechzehn. **-zëhende**
num. ord. sechzehnte. **-zëhen-
dec, -dist** adj. dasselbe. **-zëhener**
stm. sechzehn kreuzer geltendes
münzstück; ein flüssigkeitsmass.
sei s. *sie.*
sei, sein stmn. ein feiner
wollenstoff (fz. *saie,* vgl. *sagit*).
seich stm. **seiche** stf. harn;
das harnen.
seichen swv. harnen.
seic-, sac-win stm. durchge-
seihter, süsser wein; s. v. a.
seiger win.
seiet s. *sæjet.*
seife swf. seife.
seifel stm. speichel.
seifer stm. speichel, geifer.
schaum. **seifern** swv. geifern.
seigære, -er stm. waage, bes.
die waage zur prüfung des
wertes der münzsorten; uhr
(urspr. wohl sand- oder was-
seruhr); eine falkenart.
seige stf. senkung, neigung;
demut; richtung einer waffe;
visierung, eichzeichen (vgl. *sage,
sëge*).
seigel stm. sprosse, stufe einer
leiter oder treppe.
seigen s. *seihen.*
seigen swv. tr. u. refl. *sigen*
machen, senken, neigen. — abs.
(eine waffe) schleudern, werfen
an, ûf; wägen (die waage sinken
machen); wägend prüfen, wählen; visieren, eichen.
seiger adj. langsam oder zäh
tröpfelnd, matt, schal, bes. von
umgeschlagenem, verdorbenem
weine.
seigerer stm. der die münzen
seigert.
seigern swv. = *seigen (daz
gelt, die phenninge* usw. *seigern*
die guten münzsorten von den
schlechten sondern, auslesen).
seigunge stf. visierung, ei-
chung.
seihen, seigen swv. seihen;
absondern.
seihter s. *sëhster.*
seil stn. schnur, seil, strick,
fessel; als symbol bei über-
gaben und als los oder mass bei
teilungen; als längenmass; ein

bestimmtes erntemass; übertr.
richtlinie (vgl. *sil*).
seilen swv. abs. seile machen,
drehen. — tr. mit seilen versehen (*ein pfert s.* aufzäumen);
an ein seil, mit einem seile binden, binden oder fesseln überh.;
henken.
seiler stm. seiler.
seil-ganger, -genger stm. seil-
tänzer. **-rëht** stn. abgabe für ein
seil (erntemass).
seim, sein stm. honigseim.
sein s. *sagen, sëgen, sëhen,
sei.* **seind** conj. s. *sint* adv.
seine adj. langsam, träge;
klein, gering; zu kurz oder zu
eng (von kleidern).
seine adv. auf langsame, träge
weise, paulatim; beinahe nicht,
kaum, iron. gar nicht.
seinen swv. abs. od. refl. mit
gs. verspäten, versäumen, verzögern, aufschieben. — tr. aufhalten, hindern.
seinen s. *sëgenen.*
seinen adj. = *seine.*
sein-lich s. *sëhenlich.*
sein-lich adj. langsam, träge.
seinse s. *sëgense.*
seis stf. probe, silberprobe
(it. *sagio*).
seit stmn. s. *sagit.*
seite stswf. swm. strick,
schlinge, fallstrick, fessel; saite.
[**seiten** swv. bestricken, umschlingen.] Walth. 33. 2 wohl:
seilen.
seiten-klanc stm. saitenklang.
seite-videl swf. mit saiten be-
zogene *videl.* **seit-gedoene** stn.
saitenspiel.
seit-hûs stn. = *tuochhûs.*
seitiez, seytiez stn. ein leichtes schiff, nachen (afz. *saitie*).
seit-sanc stmn. = *seitenklanc.*
seit-, selte-, seiten-spil stn.
saitenspiel: sowohl das spielen
auf einem saiteninstrumente
wie das instrument selbst;
melodie.
sëje s. *sëhe*
sël s. *sëleh.*
sël-ambaht stn. seelen-, totenamt. **-bat** stn. bad, das jemand
zum heil seiner seele für die
armen gestiftet hat. **-bewarer**
stm. = *sëlwarte.* **-dinc** stn. =
sëlgerœte. **-gerœte** stn. was
man zum heil der seele (seiner
oder anderer) einer geistl. an-
stalt für seelenmesse u. dgl.
vermacht; eine letztwillige
schenkung, testament überh.
-gerœter stm. der ein *sëlgerœte*
stiftet od. verwaltet. **-geschefte**
stn. = *sëlgerœte.* **-hûs** stn. wo-
nung für die *sëlnunnen, -swe-
stern.* **-kraft** stf. seelenkraft.
-lôs s. *sëlelôs.* **-meister** stm. verwalter eines *sëlgerœtes.* **-mësse**
stf. messe für einen verstorbe-

nen. **-nunne** swf. in einem *sël-
hûse* wohnende arme und un-
verehelichte person des weibl.
geschlechtes, welche für die verstorbenen zu beten hat. **-rihter**
stm. = *-warte.* **-swester** stf. =
-nunne. **-warte** swm., **-warter,
-werter** stm. testamentsvollstrecker. **-win** stn. bei einem
leichenbegängnisse ausgeteilter
wein.
sëlb s. *sëlp.*
selben s. *selwen.*
**sëlben, sëlber, sëlbert, sël-
bes, sëlvest** adv. selbst.
sëlbie pron. adj. selbig. **sël-
bigest** pron. adj. selbst; adv.
alsô s. auf diese weise, ebenso.
selde, sölde stswf. wohnung,
haus, herberge, lager; königs-
sitz, residenz; bauernhaus, hütte sowie der dazugehörige
grund und boden.
selde swm. = *seldener.*
sëlden s. *sëlten.*
seldener stm. bewohner, besitzer einer *selde,* häusler;
mietsmann; taglöhner. **selden-
hûs** stn. bauernhaus; hütte.
selder stm. = *seldener.* **selde-
rëht** stn. aufenthaltsabgabe;
recht an eine *selde,* einkünfte
davon.
sële s. *sëleh, sil.*
sële stswf. seele; das innerste
eines dinges. *s. tragen* leben.
sële-brât stf. eine seele, die
Christum zu ihrem brautigam
hat. **sële-buoch** stn. verzeichnis
der verstorbenen (eines klosters)
sowie der anniversarien.
sele-gelende stn. = *sallant.*
sëleh stm., **sële, sël** swm.
seehund (ahd. *sëlah*).
sele-hof stm. = *salhof.*
sële-(sël-)lôs adj. leblos; un-
geistlich.
sel-guot, -lant s. *sal-.*
sëlhen stv.? selhen swv. intr.
trocken sein, werden; tr. trok-
ken, dürr machen.
selhin adj. von der salweide
(*salhe*).
selic adj. *einen s. sprechen,*
quittieren (zu *sal* adj. von *sal* 2).
sëlken stv. III, 2 tröpfelnd
niederfallen, nass niedergeln.
selle swm. = *geselle.*
sellec-heit stf. = *gesellecheit.*
sellen swv. = *gesellen.*
sellen, seln swv. rechtskräftig
zum eigentum übergeben, überh.
hingeben, übergeben, überliefern; im kleinen verkaufen.
selle-schaft stf. = *ge-s.*
selmelinc, -ges stm. sämling
(vgl. *salminc*).
sëlp, -bes, sëlb pron. adj.
selbst, selb. — es steht entweder
allein oder vor ordinalzahlen
(*selbe ander, sëlb dritte:* mit
einem, mit zwei begleitern),

oder bei substantivis, nach persönl. pron. **sëlp-ende** stn. das
zettelende an geweben. **-gëlte,**
-gülte swm., **-gëlter** stm., **-ge-**
schol swm. = *sëlp-schol.* **-ge-**
schôჳ = *sëlp-schôჳ.* **-gewahsen**
= *sëlp-wahsen.* **-gewalt** stmf.
eigenmächtige selbsthilfe. **-hart**
stm. egoist. **-heit** stf. das
selbst. **-hêr, -hërre** adj. sein
eigener herr sein wollend, eigen-
willig, -mächtig. **-hêrliche** adv.
auf eigenmächtige, -willige,
mutwillige weise. **-hërre** swm.
eigener herr, eigenwilliger
mensch. **-hërrisch** adj. =
sëlp-hêr. **-kür** stf. freie wahl aus
eigenem entschlusse. **-loufec**
adj. *s. stërn* planeta. **-mündic**
adj. volljährig. **-sacher** *stm.
der selbstbeteiligte in einem
streithandel. **-schol, -scholle**
swm. der selbst für seine ver-
bindlichkeiten ohne bürgen einsteht, selbstschuldner. **-schou-**
wet part. adj. von selbst erkennbar, selbstverständlich.
-schôჳ stn. ballista. **-schulde,**
-schuldige swm., **-schuldener,**
-schuldiger stm. = *sëlp-schol.*
-sëlp pron. adj. = *sëlp.* **-var**
adj. von natürlicher farbe,
ungeschminkt. **-viur** stn. von
selbst entstandene feuersbrunst.
-wahsen part. adj. von selbst
gewachsen, entstanden; natur-
wüchsig; ungekünstelt; ungebildet, zuchtlos, verwahrlost.
-wal stf. = *sëlpkür.* **-walt,**
-waltic adj. eigenmächtig.
-warm adj. von natur warm.
-wege stf. die von selbst, aus
der tiefe herauf, ohne zutun des
windes entstehende meeres-
bewegung. **-wësec** adj. substantialis. **-wësen** stn. substantia. **-wësende** part. adj. von
selbst seiend, im eigenen wesen
begründet. **-willec** adj. freiwillig.
sëlten, sëlden adv. selten,
meist euphem. für nie.
sel-tragære stm. diener.
sëlt-sæne adj. (nbff. *seltsân,*
-sœme, -sâm, -sîne, -sein, md.
seltsêne, selzêne spät *selzen*) seltsam, wunderbar; fremdartig,
unbekannt; selten. **sëlt-sæne,**
-sein stf. seltsamkeit; seltenheit. **sëltsæn-lich** adj. =
seltsœne.
sëlver s. *silber.*
selwen, selben swv. tr. u.
refl. *sal* machen, verdunkeln,
entfärben, trüben, beschmutzen;
intr. = *salwen.*
selzer s. *salzer.*
semec-lich s. *sameclich.*
semede, semde, semt stswf.
stn. schilf, ried, binse.
sëmelans = *semblanze, simi-*
anz? ebenbild. fz. *semblance.*

sëmel-, simel-brôt stn. semmel.
sëmele, sëmel, simele simel
swstf. feines weizenmehl, weizenbrot, semmel; hostie, brot
des abendmahlsakraments (lat.
simila).
sëmeler stm. weissbrotbäcker.
seme-lich s. *same-, sumelich.*
sëmelin adj. von weizenmehl.
sëmelin stn. dem. zu *sëmele.*
sëmel-, simel-mël stn. feines
weizenmehl.
semfte s. *senfte.*
semftinir s. *senftenier.*
semir = *sam mir.*
semit s. *samît.*
sëmpære s. *sëntbære.*
sëmper-vrî adj. (aus *sëntbœre*
vrî) vom höchsten stande der
freien, reichsunmittelbar, zur
haltung eines *sendes* (landtages),
sowie zur teilnahme an einem
sende (reichstage) berechtigt.
semt s. *semede.*
sen s. *sene.*
sënât stm. senatus; **sënât, së-**
nâte stswm. senator.
sënâtôr, -ûr stm. senator.
senc-lich adj. sangbar.
sende s. *senende.*
sende, senede stf. = *sene.*
sende-bære, -bërnde adj. *sende*
mitführend, hervorbringend.
sende-bote, -brief s. *santb.*
sende-lich adj. = *senelich.*
senden swv. schicken, senden. *s. ûf* einen hetzen. — *nâch*
tôde s. sterben wollen.
sendenære stm. = *senedœre.*
sendunge, sandunge stf. sendung; gesandtes geschenk.
sene, sene stf. das sehnen, verlangen, sehnsucht, kummer,
bes. liebendes verlangen, liebes-,
sehnsuchtsschmerz. **sene-bære**
adj. = *sendebœre.* **-genôჳ** stm.
genosse in der liebe und im
liebesleid. **-gluot** stf. sehn-
suchts-, liebesglut. **-(sen-)lich**
adj., **-liche** adv. = *senec.* **-mære**
stn. erzählung von liebe und
liebesleid. **-riche** adj. voll *sene.*
-siech adj. von liebesschmerz
krank. **-swære** stf. liebesleid.
-viuwer stn. liebesfeuer.
sëne s. *sënewe.*
senec, senie adj. sehnend,
sehnsüchtig, voll verlangen,
verliebt, voll liebesschmerz,
schmerzlich.
senec-lich adj. adv. dasselbe.
senedære stm. der *sende* empfindet, liebender.
senede s. *sende, senende.*
sënef, sënf stm. senf (gr. lat.
sinape). **sënef-mül** f. senf-
mühle; bildl. *ein sûriu s.* ein
sauer aussehender geizhals.
sënen, sënen s. *sënewen, sëgen-*
nen.
senen swv. intr. sich sehnen,

härmen, liebendes oder schmerz
liches verlangen empfinden. —
tr. in *sene* versetzen (*nâch,*
gegen).
senende, senede, sende part.
adj. = *senec;* lobendes epitheton: edel, trefflich.
sëneschalt, -schlant, -schas
stm. seneschall (nbff. *schëne-*
schalt, schëneschlant), mlat. *sene-*
scalcus, fz. *sénéchal,* eig. der
älteste diener: got. *sinista* der
älteste u. *skalks* diener (s.
schalc).
sënewe, sënwe, sënne, sëne
swstf. sehne, bogensehne; die
einen bogen abschneidende
gerade linie; sehne, senne, nerv.
sënewen, sënwen, sënnen,
sënen swv. besehnen; refl. sich
strecken.
senfte, semfte adj. leicht, bequem; weich, zart, sanft; sanftmütig, zahm, milde, willfährig,
freundlich; wohlgefällig, angenehm.
senfte stf. ruhe, ruhiges leben,
gemächlichkeit; annehmlichkeit.
senfte-bære, -bërnde adj.
senfte mit sich führend.
senftec, senftic adj. = *senfte.*
senftec-heit, senftikeit stf.
leichtigkeit, sanftheit, erleichterung, linderung; weichheit,
bequemlichkeit; ruhe, gemach;
annehmlichkeit; milde, sanftmut, versöhnlichkeit. **-lich** adj.
gemächlich; sanft, milde. **-liche**
adv. mit leichtigkeit, bequem;
gemächlich, ruhig, still, leise;
langsam, sachte; auf milde,
sanfte weise.
senften, semften swv. tr.
senfte machen (mit blossem dat.
einem linderung verschaffen).
— refl. sich besänftigen, lindern. — intr. *senfte* sein, werden.
senftenier stn., md. *semftinir*
ein teil der rüstung (wahr-
scheinl. eine gepolsterte binde,
um den unterleib gegen stösse
zu schützen).
senftenisse stf. linderung.
senfterinne stf. die *senfte*
macht, *senfte* gibt.
senftern swv. *senfter* machen,
besänftigen, lindern, erleichtern. — intr. *senfter* werden.
senft-gemuot adj. milde gesinnt.
senftigen swv. tr. *senftec*
machen; intr. *senftec* werden.
senft-lich adj. = *senfte.*
senft-licheit stf. annehmlichkeit; sanftmut.
senft-, semft-müetec adj.
sanft, milde gesinnt, sanftmütig.
senftmüetec-heit stf. sanftmut.

senft-müetigen swv. senft-müetec machen.
senftunge stswf. erleichterung; sanftmachung, bezähmung; spät = senfte stf.
senge adj. schnittreif (vom getreide).
senge stf. trockenheit, dürre.
sengel stm. = senger, sänger.
sengen swv. knistern (singen) machen, sengen, brennen.
senger stm. sänger, lyr. dichter; kantor (domherr).
sengerie stf. amt, pfründe eines kantors.
senger-meister stm. s. v. a. sancmeister; meister einer sängerkapelle (vgl. singermeister).
senke stf. vertiefung, tal; senkung.
senkel stm. senkel, nestel; anker; trichterförmiges mit bleikugeln beschwertes zugnetz (vgl. sinkel).
senkel-stein stm. anker.
senken swv. sinken machen, senken, niederlassen, zuwenden; zu falle bringen, zu nichte machen. — refl. sich versenken.
sennære stm. hirte, senne.
senne swm. dasselbe. senne f. weide, alpenweide.
sënne, sënnen s. sënewe, sënewen.
sënse, sënse s. sëgense.
sënsen-worp stm. sensenstiel.
sen-suht stf. sehnsucht, liebesbegierde.
sënt, -des stm. beratende geistliche versammlung, geistl. gericht; beratende versammlung, reichs-, landtag; gericht überh., das jüngste gericht; versammlung überh. (gr. lat. synodus). -bære, sëmpære adj. berechtigt an dem sënde teilzunehmen. -gerihte stn. send-, synodalgericht. -hërre swm. mitglied des sëndes. -mæȝic adj. für den sënt geeignet. -phlihte swm. der beim sënt gegenwärtige, mitglied des gerichtes. -rëht stn. = sëntgerihte. -scheffe swm. schöffe beim sendgericht.
sënt interj. s. së.
sente s. sancte.
sentine stf. der untere schiffsraum, der auch als gefängnis dient (afz. sentaine, lat. sentina).
senunge stf. sehnsüchtiges verlangen, sehnsucht.
sephen swv. refl. sich verbinden gegen.
sequenzie swf. kirchengesang, der auf die antiphone folgt (kirchenlat. sequentia).
sër adj. wund, verwundet, verletzt; schmerzen bringend od. leidend; betrübt.
sër stnm. körperl. u. geistiger schmerz, qual, leid, not.
sërbe, sërben s. sërw-.

sërde stf. versehrung, krankheit, schmerz. sëre, sër adv. mit schmerzen, schmerzlich; gewaltig, heftig, sehr. s. koufen, verkoufen teuer. sëre, sër stf. = sër stnm. sërce, sëric adj. = sër.
sërec-heit stf. schmerz, wehe.
-(sëre-)liche adv. schmerzlich, bitter. sëregunge stf. = sërunge.
sëren swv. sër sein od. werden, schmerz leiden. sëren swv. sër machen, versehren, verletzen, verwunden, betrüben. sërewunde swf. tödliche wunde. -wunt adj. tödlich verwundet.
sërezen swv. schmerzen.
serge, sarge f. ein wollenstoff teils mit leinen teils mit seide gemischt, sarsche, daraus verfertigte decke; unterlage, matratze, strohsack u. dgl. (prov. serge, fz. sarge, mlat. sargium).
sërigen swv. sëric machen, verletzen, verwunden.
serjant s. sarjant.
sërje stswf. reihe, streifen; reihenfolge, zeitlauf (lat. series).
serken, sarken swv. in den sarg legen.
sermön stmn. rede (lat. sermo).
së-rouber stm. pirat.
sërpant stm., sërpente swm. (auch daȝ ser-, sarpant, -bant mit umdeut. auf deutsch. bant): schlange, drache, teufel (fz. serpent, lat. serpens).
sërpentelin, sërpentel stn. dem. zum vorigen.
sërten stv. III, 2 stuprare, futire; quälen, plagen, martern, belästigen; schlagen, hauen; zusammenschlagen, -fügen, -leimen; locken, verführen; täuschen, betrügen.
sërunge stf. verwundung, verletzung, schädigung.
sërwe, sërbe stf. abnahme, entkräftung.
sërwen, sërben swv. intr. innerlich abnehmen, entkräftet werden, dahinwelken, kränkeln, absterben.
serwen swv. bewaffnen, rüsten.
Serze swm. = Sarrazin.
sës stn. die sechs im würfelspiel (afz. seix, lat. sex).
sessigie stf. sitzung (lat. sessio).
sester stn. = ezzischter.
sëster s. sëhster.
sêt s. së.
sete swf. korb, satte.
sete, sette stf. sättigung, sattheit, fülle; gesättigte, dunkle farbe.
sëtec s. sitec.
seteler s. sateler.
seten s. saten.
sëtich s. sitich.
sëtigen, settigen swv. sättigen.

setin, settin stn. der halbe od. vierte teil eines lotes.
setunge s. satunge.
setze stn. = gesetze.
setze stf. das setzen; verpfändung, ausleihen auf pfänder; was gesetzt, aufgeladen wird, traglast; ein mit reben besetztes grundstück von bestimmter grösse. setzelin stn. kleiner satz, sprung.
setzen swv. tr. sitzen machen, setzen, stellen, legen; besondre anwendungen: wol s. schön darstellen; etw. schriftlich oder mündlich ausdrücken, erzählen; einsetzen (als einsatz bei spiel oder streit); als bürge oder pfand setzen, versetzen; bestellen, anstellen, einsetzen; bestimmen, festsetzen, einrichten, anordnen; einen s., nider s. zum sitzen auffordern (bes. vor dem mahle, daher auch = bewirten); eine s. aussteuern, verheiraten; einem etw. s. anrechnen; an einen s. anheimstellen, übertragen; in sînen muot s. sich vornehmen; die sinne baȝ s. besser aufmerken; den vuoȝ s. sich begeben; ein hûs, eine burc, stat s. erbauen; ûf s. aufgeben, verloren geben. abs. sich etw. vornehmen, einen entschluss fassen. intr. sich setzen; s. nâch trachten, von abfallen, zuo einem in sätzen hinzuspringen (hund), zuosamen s. zusammenstehen, -halten. — refl. sich s. sich niederlassen, s. aufenthalt nehmen; von etw. absehen, aufhören zu handeln; sich widersetzen (mit dep. oder gegen, wider u. gs.); sich s. in sich verwandeln; sich ze huote s. sich zur wehr setzen.
setzer stm. setzer, aufsteller; taxator. setz-phant stn. eingesetztes pfand. -schilt stm., -tarsche swf. = pavese. setzunge stf. das setzen.
seun s. sewen.
seven s. -zî, seven-boum stm. sebenbaum (lat. sabina).
sewen, seun swv. refl. u. intr. einen see bilden.
sëxte stswf. die sechste canon. stunde (lat. sexta hora).
sëxtern stm. lage von sechs bogen od. zwölf blättern (mlat. sexternus).
sëxt-zît stf. = sëxte.
sëȝ stm. sitz, lager, wohnsitz; belagerung. ûf tugent s. sich halten es angelegt haben auf t. sëȝ-bære adj. angesessen. -haft adj. seinen wohnsitz habend, sesshaft; der belagerung zugänglich. -hûs stn. wohnhaus. -lêhen stn. lehngut, auf dem der inhaber sich persönlich aufhalten muss. -man

stm. einwohner; inhaber eines
sëȥléhens.

sëȥȥel stm. sessel; unterlage
des edelsteins im ringe.

sî, sî s. *sie*.

sib s. *sip*. **sibelin** stn. dem.
dazu. **sibelen, siben** swv. sieben
(zu *sip*). **sibelen** swv. sibilare
(s. *siflen*).

siben num. card. sieben (nbff.
sëben, suben, söben, md. auch
siven). *in sibene* in 7 teile. *er
kan wol sîniu sibeniu* (sc. artes
liberales) er ist sehr schlau,
versteht sich auf s. vorteil.
sibende num. ord. (nbff. *su-
bende, sobende*) siebente; *der
sibende man* obmann; *ein siben-
der* = *sibener*. — *der sibende,
sibente* (näml. *tac*) der siebente
tag nach der beerdigung eines
verstorbenen, an welchem der
zweite seelengottesdienst für
ihn gehalten wurde. **sibende**
swstf. = *der sibende*. **sibenen**
*s*wv. refl. sich zu sieben machen.
— tr. den angeklagten in gegenwart von sieben zeugen fragen.
sibener stm. einer von sieben
aufgestellten sachverständigen
bei besichtigungen; pl. *die
sibener* das siebenergericht;
einer von den sieben zeugen, mit
welchen ein angeklagter überführt wird; münzstück von sieben pfennigen; beiwort Marias.
siben-gâbee adj. von den 7 gaben
des hl. geistes. **-gestirne** stn. die
7 planeten; arcturus; pleiades.
-stërne stm. septentrio. **-stunt**
adv. siebenmal. **-valt, -valtic,
-veltic** adj. siebenfältig. **-warf,
-welde, -werbe** adv. siebenmal.
-zëhen num. card. siebzehn.
-zëhende num. ord., **-zëhendest**
adj. siebzehnte. **siben-zec, -zic**
num. card. siebenzig.

sic, -ges stm. herabfall.

sic, -ges s. *sige*.

sich pron. sich, acc. sing. u.
pl. von *sîn* (unorg. auch für
den dat. wofür sonst, da das
dem got. *sis* entspr. *sir* man-
gelt, *im, ir, in* gebraucht wird;
bes. als ethisch. dat. bei intrans.
od. pass.).

sich-ein s. *sihein*.

sichel stf. sichel (aus lat. *se-
cula*?). **sichelde** stf. sichel-
schnitt. **sichelinc, sichlinc, -ges**
stm. garbe (urspr. so viel man
mit der sichel auf einmal abschneidet).

sichem s. *sim*.

sicher adj. sorgenfrei, sorglos, unbesorgt, ohne furcht od.
zweifel (mit gs., *an, von, vor*);
gesichert, behütet, beschützt
vor gefahr od. nachteil (mit gs.);
wahrhaft, zuverlässig (*in dem
sichern leben* in der ewigen seligkeit); gewiss. **sicher** adv. sicher,

gewiss, zuverlässig, wahrhaftig.
sicheræere stm. vormund. **sicher-
bote** swm. der sich durch feierl.
gelöbnis zu einer leistung verpflichtet; vormund. **-haft** adj.
unbesorgt, ohne furcht od.
zweifel. **-heit** stf. sicherheit,
sorglosigkeit, unbesorgtheit;
sicherung, schutz; gewissheit,
bestimmtheit; sicherstellung
durch das gegebene wort: feierliche bekräftigung, zusage, versicherung, gelöbnis (s. *geben*
sich verschwören), verabredung,
vertrag, bündnis, spez. das
untertänigkeitsgelübde des besiegten u. gefangenen (*einem s.
geben, tuon: eines s. nemen*)
(vgl. *fianze*). **-lich** adj. = *sicher*.
-liche adv. unbesorgt, sicher, in
sicherheit, ruhe; zuverlässig,
gewiss, wahrhaftig. **-lôs** adj.
einer dessen wort u. zusage
nicht zu trauen ist.

sichern swv. abs. u. tr. mit
ap. sicherstellen, ein versprechen, eine zusage leisten, einen
vertrag schliessen; geloben, angeloben mit dp. u. gs. od. nachs.
mit *daȥ*. — intr. s. v. a. *sicherheit geben, tuon*, als überwun-
dener dem sieger das untertänigkeitsgelübde leisten mit dp.

sicherunge stf. sicherung,
sicherstellung; feste versicherung der untertänigkeit.

side stswf. seide; seidener
stoff, seidenes gewand (prov.
seda, mlat. *seta*).

sidel stn., **sidele** stswf. sitz,
sessel, bank (mit polstern),
chorstuhl i. d. kirche.

sidel stn. feine seide; seidenes gewand.

sidel s. *sîdelin*.

sidelen swv. abs. *gesidele* errichten mit dp. — tr. einen sitz
anweisen, ansiedeln, ansässig
machen. — refl. *sich hinder,
under einen s.* dessen hinter-,
untersasse werden.

sidel-haft adj. = *sëdelhaft*.
sidel-hof stm. = *sëdelhof*.
sideln, sidel stn. seidel (lat.
situla).

siden gen. von *sîde*, in uneig. kompos., um etwas geringes zu bezeichnen od. die
negation zu verstärken; *sîden
breit, grôȥ* usw.

siden-gël adj. gelb wie seide.
-hafter, -hefter stm. seiden-
sticker. **-næjer** stm. = *sîden-
sticker*. **-seil** stn. seidenschnur.
-spinne swf. seidenspinnerin;
seidenwurm. **-sticker** stm. sei-
densticker. **-swanz** stm. der in
seidenkleidern einherstolziert.
sident s. *sîdunt*.

siden-vadem stm. seidenfa-
den. **-(side-)val** adj. gelb wie
seide. **-(side-)var** adj. seiden-

farbig, vom haar: blond. **-wât**
stf. seidengewand. **-wëber** stm.
seidenweber. **-wëppe** stn. seidengewebe. **-wërc** stn. seide,
seidengewand. **-wiȥ** adj. weiss
wie seide. **-wurm** stm. seidenwurm.

sider adv. hernach, später;
seither, seitdem. — präp. mit
dat. seit. — konj. da.

sîdin adj. von seide; seiden-
artig.

sîdunt, sident adv. seither.

sie, sî (sei), si, siu pron. sie
(nom. acc. sing. fem. u. nom.
acc. pl. aller geschlechter); substantivisch: das weib, weibchen.

siech adj. krank, siech, bes.
aussätzig (mit gs. *freude s*.).
krank an freuden, freudlos,
s. sîn nâch, von); **sieche** swmf.
der, die kranke, bes. aussätzige. **siech-bette** stn. krankenbett. **sieche-bære** adj.
krank. **siecheln** swv. kränkeln,
md. *sûcheln*. **siechen** swv. (md.
auch *sûchen*) krank sein od.
werden; durch krankheit ab-
gehn, entfernt werden *von*.
siech-heit, siecheit stf. krankheit, siechtum. *vlieȥendiu s.* =
miselsuht. **-hûs** stn. krankenhaus bes. für aussätzige. **-lich**
adj., **-liche** adv. krank, krankhaft. **-meister** stm. vorsteher
eines *siechhûses*. **-sende** part.
adj. liebeskrank. **-tac, -tage**
stswm. krankheit, siechtum.
-tagen swv. krank sein. **-tuom**
stmn. = *siechtac*. **-var** adj. von
krankem aussehen.

sieden stv. II, 2 intr. abs. u.
tr. sieden, wallen, kochen.
siede-vleisch stn. zum sieden
bestimmtes u. gesottenes
fleisch.

siedic adj. siedend.

siel stn. dem. zu *si*, weibchen.

sife swm. langsam fliessender
sumpfartiger bach, von einem
solchen durchzogene boden-
stelle; bergm. das herauswa-
schen der metalle u. der ort, wo
sich waschmetall findet.

sifen stv. I, 1 tröpfeln, triefen;
gleiten, rutschen.

siffeln swv. intr. gleiten, mit
den füssen schleifen.

siffen swv. träufeln, tropfend
eindringen *in*.

siflen swv. flüstern, zischeln
(fz. *sifler*, lat. *sibilare*, s.
sibelen 2).

sige, sic, -ges stm., md. auch
sëge: sieg (*den sic nemen* den
sieg [von gott] empfangen, siegen, *an einem den s. nemen* über
ihn den sieg davon tragen,
einem den sige geben, lâȥen von
ihm besiegt werden, *einem an
siges jehen* jmd. den sieg zusprechen, sich von ihm für be-

sîegt erklären, *der sîc erkiuset,
verkiuset einen; sîc walten
potestatem habere mit gs.).
sîge s. *sîhe.*
sîge-bære adj. siegreich. -haft,
-haftic adj. den sieg habend,
siegreich (*s. wesen, werden* den
sieg behaupten, siegen, *an einem*
über einen siegen; *s. machen,
tuon* mit as. zum siege verhelfen),
der sigehafte der sieger. -hefte
adj., md. siegreich. -heit stf. sieg.
-lich adj., -liche adv. siegreich;
dem siege gemäss, des siegs.
-liet stn. siegeslied. -lôs adj.,
md. auch *sëgelôs* des sieges verlustig, beraubt, besiegt; niedergeschlagen -man stm. sieger.
-numft, nunft, -nuft, -nuht,
-nunst, -nust stfm. die sieg-
nahme, der sieg. -numftære,
-nü(n)fter stm. sieger. -numf-
tec adj. siegend. -nüfterin stf.
siegerin. -riche adj. siegreich.
-rinc stm. panzer. -sælec adj.
durch sieg beglückt, siegreich.
-stat stf. ort eines sieges.
-(sîgel-)stein stm. stein von
wunderbarer wirkung, der nicht
nur sieg, sondern auch schönheit, jugend usw. verleiht; *stein*
als siegesdenkmal. -vaht stm.
f. siegerfechtung, sieg. -vane
swm. siegspanier. -vëhten stv.
den sieg erfechten, siegen.
-vëhter stm. sieger. -warte
swm. = *griezwarte.*
sigel s. *sëgel.*
sigel stn. siegel, stempel; mit
einem siegel versehene urkunde
(lat. *sigillum*). -mæzic adj. berechtigt ein eigenes siegel zu
führen. -stein stm. stein im
siegelringe; = *sigestein.* -tor
stn. aufbewahrungsort der urkunden in der sakristei (ahd.
sigilâri, -tûri umd. des lat. *secretarium*).
sigelât s. *ziklât.*
sigelen swv. intr. segeln,
schiffen. — tr. zu schiffe befördern.
sigelen swv. mit einem siegel,
stempel versehen, zusiegeln;
fig. schliessen, beendigen (lat.
sigillare).
sigen swv. siegen.
sigen stv. I, 1 sich senken,
niederfallen, sinken; bes. von
flüssigkeiten: tropfend fallen,
tropfen, fliessen; gleichsam
strömend sich bewegen; übertr.
abnehmen, aufhören.
sigen stn. das sinken (*âne,
sunder s.* ohne unterlass); das
tröpfeln, fliessen. ·
siger stm. sieger.
sigilât, siglât s. *ziklât.*
signieren swv. abs. ein zeichen geben; tr. anzeigen, zu
wissen tun (fz. *signer*, lat.
signare).

sigriste swm. küster (mlat.
sacrista).
sigunge stf., md. *sëgunge* sieg.
sihe, sige stswf. seihe.
sih-, sich-ein pron. irgend
ein (auch *sohein, sochein*).
sihen stv. I, 2 tr. seihen. —
intr. tröpfelnd durch etw.
sickern, fliessen.
sihe-tuoch stn. seihtuch.
siht stf. = *gesiht*; das sehen,
ansehen; anblick, vision; *ze
sihte* mit gp. coram.
sihte adj. wo das wasser ab-
gelaufen od. in den boden ge-
sunken ist, seicht, nicht tief
(eig. u. bildl.). - stf. seichtig-
keit, untiefe.
sihtec, sihtic, adj. pass. sichtbar, deutlich, leibhaftig; akt.
sehend, ansichtig; *einen s. an w.*
jmds. ansichtig w. -lich adj.,
-liche adv. sichtbar, deutlich;
sehend.
sihten swv. cribrare.
sihten swv. *sihte* machen.
siht-lich adj., -liche adv.
sichtbar, leibhaftig.
sil, sile, sële stswm. stnf.
seil, riemen, bes. riemen-
werk, geschirr für zugvieh (vgl.
seil), siele.
silber stn. (md. auch *silver,
selver*) silber. -bërc stm. silber-
bergwerk. -drât stm. silberdraht. -gelote stn. silber-
gewicht. -gëlt stn. silbergeld,
silber. -geschirre stn. silbernes *geschirre*. -gesmide stn.
silbergeschmeide. -gevar adj. =
-var. -gewihte stn. = -gelæte.
-greber stm. silbergräber, bergmann. -hort stm. silberschatz.
-kamer stf. schatzkammer,
ärar; *k.* für das silberne tafel-
geschirr. -kamerer stm. aufseher über eine *silberkamer.*
-kiste swf. silber-, geldkasten.
-kopf stm. silberner becher.
-plischel stn. blattsilber, silberdraht. -punze swm. silber-
gefäss. -schal f. silberne schale.
-schin stm. silberglanz. -smit
stm. silberschmied. -var adj.
silberfarb, weiss, glänzend wie
silber. -vaz stn. silbernes gefäss. -vël stn. silberblech (als
zierat des pferdes). -wâge
stf. silberwaage. -wërc stn.
silbergerät. -wiz adj. = -var.
-wize stf. silberfarbe.
silberin adj., md. auch *sil-
verin* von silber, silbern.
silberlin stn. kleines silber-
stück.
silberlinc, -ges stm. silber-
ling.
silbern swv. mit *silber* anfüllen; aus *s.* verfertigen.
sil-halse swf. kummet.
sillabe, silbe swf. silbe (gr.
lat. *syllaba*).

sîln swv. refl. sich in die
sielen spannen.
silver s. *silber.*
silvëster stm. waldbewoh-
ner.
sim, sichem interj. verwun-
derter ruf im anfang der rede,
ei! hm! auch beteuernd.
simel adj., md. gleich, ähnlich (lat. *similis*). simele stf.,
md. erklärendes gleichnis; si-
melen swv. md. ein erklärendes
gleichnis aufstellen, durch ein
gleichnis oder überh. erklären.
simele s. *sëmele.*
sime-lich s. *sumelich.*
simez, sinz stm. sims, gesimse, vorderer teil des ge-
stühles. simezen swv. mit
einem s. versehen.
simonie, -i stswf. simonie, er-
teilung od. erwerbung eines
geistl. amtes für geld (mlat.
simonia). simonien swv. simonie treiben. simonier, si-
mönjer stm., simonite swm. der
simonie treibt.
simpel adj. einfach, einfältig
(fz. *simple*). -heit stf. einfalt.
sin kontrah. aus *si in, si ne,
si en.*
sin s. *sint.*
sin s. *-nnes* stm. körperlicher,
wahrnehmender sinn; sinnlichkeit; der innere sinn (gern im
pl.): der denkende geist, verstand (*vremder* [*vremdeclicher*] *s.*
vision); bewusstsein, besin-
nung; weisheit, kunst (*ein
fürste sinnes* einer der mit
seinem *sinne* alle überragt,
iron. ein erznarr; *die siben sinne*
die sieben freien künste); gedanke (*ûf den sin vallen* auf den
gedanken verfallen; *ze sinnen
komen* mit dp. einfallen); begriff; sinn, meinung, ansicht,
absicht, bedeutung (*mit sinne*
mit überlegung, absicht, bedacht; *alle sinne dar an legen*
alles aufbieten); verständige
handlung, kunstgriff; gesinnung; verstand, urteil; *die
inneren sinne* die geist. kräfte;
die ûzeren s. sinnestätigkeiten;
vernunst, sin, *girde* die 3 seelen-
kräfte: vis rationalis, irascibilis,
concupiscibilis; *ûf den sin
wande* deswegen weil.
sin gen. des ungeschl. pron.
der 3. pers. refl. u. nicht refl.
gebraucht; nbff. *sines, siner.*
sin pron. poss. sein (flekt. od.
unflekt., dem subst. vor od.
nachgesetzt).
sin anv. sein, bedeuten (part.
prät. *gesin*); *mit einem sîn* mit
ihm umgehen; *diu mære sint
eines* handeln von ihm; *sîn* mit
gen. gehören zu, besitzen. —
stn. sein, wesen; aufenthalt.
sîn mfr. = *sëhen.*

sinagôge stf. bethaus der juden; die juden insgesamt.
sin-ambet stn. das amt des *sinners.*
sinbêl s. *sinwêl.*
sinc, *-ges* stm. das sengen.
sinc-wise stf. = *sancwise.*
sinde stn. = *gesinde.*
sinden, sinnen (als stv. III, 1 anzusetzen und) swv. eine richtung nehmen, gehn, wandern, kommen.
sinder, sinter stmn. hammerschlag, metallschlacke; übertr. von der sündenkruste.
sindern swv. refl. sich als *sinder,* als untauglich absondern.
sinec adj. md. seinig.
sinen swv. refl. mit gen. = *gesinen.*
siner, sines s. *sin.*
sines-heit stf. die (göttliche) wesenheit.
sine-wêl, -wëlle s. *sin-w.*
singære, -er stm. sänger, lyr. dichter (bei den meistersingern die nächste stufe unter dem meister); kantor (domherr).
singe-lich adj. cantabilis.
singen stv. III, 1 abs. u. tr. singen (auch mit gen. des inneren obj.: *eines sanges s.*); gesangartig hersagen od. lesen, dichten (*singen unde sagen*); frohlocken; pfeifen, schwirren (v. geschwungenen schwertern); knistern, prasseln, zischen.
singerlîn stn. kleiner sänger.
singe-zît stf. zeit des feierlichen gottesdienstes.
singôȥ, -oȥ stm. kleine glocke; eine art feldgeschütz.
singoȥȥel stn. dem. zum vorig.
sin-grüene adj. stn. immergrün. -hol adj. ganz hohl, ganz rund.
sin-halp adv. von seinetwegen.
sinkel stm. vertiefung (vgl. *senkel*).
sinken stv. III, 1 intr. sinken, sich senken; versinken (im wasser), untersinken; verschwinden. — tr. bergm. einen schacht in die tiefe richten.
sin-lich s. *sinnelich.*
sinne stf. das eichen, visieren.
sinne stf. = *sin.* sinne-bære adj. besonnen. -bote swm. = *schîn-bote.* -(sin-)lich adj., -liche adv. sinnlich, durch die sinne geschehend; sinnlich, gegens. zu geistig; s. v. a. *sinneclich (mir wirt s.* ich komme auf den gedanken zu; *mir ist etw. s.* ich bin dazu willens). -licheit stf. sinnlichkeit. -lôs adj. nicht bei verstande, wahnsinnig, bewußtlos, ohnmächtig; unverständig, töricht. -riche adj. reich an *sinnen,* sinnreich, verständig, klug, erfahren, scharf-

sinnig. -sam adj. besonnen. -wilde adj. unverständig. -wise adj. verständig.
sinnec, sinnic adj. bei verstande (*er wart s.* sensum recepit), verständig, nicht irrsinnig; besonnen, bedächtig, verständig, weise, klug, sinnreich. -heit stf. selbstbewusstsein; verständigkeit; sinn, meinung, bedeutung. -lich adj., -liche adv. besonnen, bedächtig, verständig, klug.
sinnelîn stn. dem. zu *sin.*
sinnen s. *sinden.*
sianen stv. III, 1 mit den *sinnen* wahrnehmen, merken, verstehn, mit gs.; seine gedanken od. begierden auf etw. richten (mit *nâch, umbe, gegen,* mit gs., as., inf.).
sinnen swv. intr. sinnen, denken *nâch.* — tr. mit *sin* begaben. — refl. sich zum *sinne* gestalten.
sinnen swv. eichen, visieren (fz. *signer,* lat. *signare*).
sinner stm. visierer.
sinnigen swv. verständig machen.
sinopel stm. rote farbe; angemachter roter wein (fz. *sinople,* mlat. *sinoplum*; vgl. *siropel*).
sins-heit stf. wesenheit.
sint, -des stm. (entstellt sin) weg, gang, reise, fahrt; richtung, seite; *meres sint* meeresflut, auch bloß *sint, sin* meer.
sint adv. seitdem, darnach, darauf, späterhin. — präp. seit, mit gen. od. dat. — konj. seit, seitdem, nachdem. — kaus. da, weil (auch: *s. daz*).
sinter s. *sinder.*
sint-gewæge stn. sintflut; weltmeer.
sint-mâles adv. später, nachdem.
sint-mê adv. ferner, späterhin.
sin-tuom stn. = *sinambet.*
sint-(sin-)vluot stf., -(sin-)vlüeten stn. grosse allgemeine flut od. überschwemmung, bes. die sintflut (entstellt u. umgedeutet *sinflucht, seinflucht, sintvluoht, süntfluot, sintvluȥ*). -wâc stm. grosse flut, strudel. -wâge stn. coll. zum vor. -wæge stf. sintflut.
sin-(sine-)wêl, sinbêl adj. rund (kugelrund, rollend, walzenförmig rund, in eine runde spitze zulaufend, kreisförmig od. oval, gewölbt, geschweift); bildl. sich rollend, drehend wie eine kugel od. scheibe, unbeständig, veränderlich. -wêl, -wëlle stf. rundlichkeit, kreis. -wëllec adj. = *sinwêl.* -wellecheit stf. rotunditas. -wëllen swv. intr. rund wie eine kugel

werden, wie eine kugel rollen. — tr. rund machen.
sip, -bes, sib stn. sieb.
sip-erbe swm. erbe durch verwandtschaft.
sip-mâȥ stn. der vierte teil eines scheffels.
sippe stf. blutsverwandtschaft; verwandtschaftsgrad; angeborene art. *einem von s. werden* od. *sîn* mit einem verwandt sein. - adj. verwandt, blutsverw. mit dp. - swmf. der, die blutsverwandte, der bruder. -bluot stn. verwandtschaftsblut, verwandtschaft; verwandter. -brëchen stv. blutschande treiben. -brëcher stm. blutschänder. -huor stn. blutschande. -kraft stf. die menge der verwandten. -lich adj. verwandtschaftlich. -lit stn. verwandtschaftsglied, -grad. -minne stf. verwandtschaftliche liebe. -schaft stf. verwandtschaft, blutsverwandtschaft; verwandtschaftsgrad. -teil stnm. f. blutsverwandtschaft; verwandter. -vriunt stm. blutsverwandter. -zal stf. abstufung, grad der verwandtschaft.
sippec-heit stf. blutsverwandtschaft.
sippen swv. verwandt sein mit einem (dat.). — part. *gesippet, -sipt = sippe* adj.
sirêne, syrêne, -ên f. m. sirene; männl. wassergeist; eine schlange.
sirop, syrop, -up; -ope, -upe stswm. süsser saft, sirup (fz. *sirop,* mlat. *siropus*).
siropel, syropel stnm. dasselbe; eine art angemachter wein (vgl. *sinopel*).
sise-gome, -goum swstm. pelikan (ahd. *sisagomo, sisigoumo,* vgl. *hûsegome*).
sister s. *sêhster.*
sit adv. beiseite.
sit adv. seitdem, darauf, nachher, späterhin. — präp. seit, mit gen. dat., instrum. (*sît diu* seitdem). — konj. temp. seit, nachdem; kaus. da, weil; advers. da doch, obgleich, während; explikat. s. v. a. *daȥ.*
site stswm., oft im plural, daher schon spätmhd. stf. art u. weise wie man lebt u. handelt, volksart, -brauch, gewohnheit; beschaffenheit, art u. weise; sanftes und bescheidenes wesen, anstand; *nim dir site* mässige dich. oft nur umschreibend.
site, sit swstf. seite eines menschl. od. tierischen körpers (der teil über der hüfte); überh. fläche, seite, richtung von der einen od. andern seite

eines körpers (in beziehung auf zwei feindl. heere: partei). *zen siten* abseits; *in beiden sît(en)* nach beiden seiten hin.

sitec, sitic adj. sittig, ruhig, bescheiden, anständig; von tieren: ruhig, zahm, zutraulich. **-liche** adv. auf sittige, ruhige, anständige weise; paulatim.

sitech s. *sitich*.

site-lich adj. dem brauche gemäss; ruhig, milde, bescheiden, anständig. **-liche** adv. dem brauche gemäss; auf sittige, ruhige, gelassene, anständige weise; langsam, sachte.

site-lichen adv. = *sitelingen*.

sitelinc, -ges stm. seitenverwandter.

sitelingen adv. seitlings.

siten-sträfer stm. poeta satiricus.

sitich, sitech, sêtich stm., **sittekoste** swm. papagei (lat. *psittacus*, s. *psitich*).

sitzel stn. dem. zu *siz*, podex.

sitzen stv. V mit j-praes. intr. einen sitz inne haben, sitzen (oft geradezu für das verb. subst.), wohnen; als richter oder herrscher sitzen: zu gericht sitzen, regieren; sich im besitze befinden, ansässig sein, wohnen, sich aufhalten (*hinder, under einem s.* dessen *hindersœze* sein); *s. über* arbeiten an etw.; *bî der ê s.* verehelicht sein; stecken bleiben (teneri); *von rosse s.* absitzen; sich niederlassen, setzen; *ob tisch s.* sich zu tisch setzen. — tr. sitzend einnehmen, besitzen.

sitze-stat stf. stelle zum sitzen; podex; residenz.

siub- s. *sûb-*.

siuche stf. swm., **siuchede** stf. (swf.) krankheit, seuche. *wibes s.* menstruatio.

siuche-læge adj. krank.

siuch-haft adj. dasselbe.

siufte, siufze swm. seufzer.

siufte-, siufze-bære, -bërnde adj. seufzend; seufzen mit sich führend, voll seufzer, traurig, bejammernswert.

siuftec, siufzec, -ic adj. seufzend, mit seufzern verbunden.

siufte-hûs stn. haus des seufzens, der klage.

siuften, siufzen swv. intr. seufzen. — tr. seufzen über, beseufzen, beklagen.

siufter stm. der seufzende.

siuftunge, siufzunge stf. das seufzen.

siule s. *sûl, siuwele*.

siune, sûne stn. das sehen, gesicht; anblick den etwas gewährt, äusseres ansehen.

siunec, siun-lich adj. sichtbar.

siure, siurde stf. gegens. zu *süeze*: säure, schärfe, bitterkeit; sauerteig.

siure swf. milbe, krätzmilbe (mlat. *siro*, fz. *ciron*).

siuren swv. tr. *sûr* machen; intr. = *sûren*.

siurine, -ges stm. verbitterter mensch, sauertopf.

siusen s. *sûsen*.

siut stm. die naht.

siuwele, siule swf. pfrieme.

siuwen, sûwen, sûen swv. nähen.

siuwin adj. von einer sau.

siuwisch adj. adv. säuisch.

siven s. *siben*.

Sivrider stm. eine ketzersekte.

siz, -tzes stm. das sitzen, beisammensitzen; sitz; wohnsitz.

skart, scart stf. wache (it. *scorta*, fz. *escorte*).

slâ s. *slage*.

slac, -ges stm. schlag (mit der hand, mit einem werkzeuge od. einer waffe), bildl. für etw. schnell vorübergehendes oder vergebliches; *dem herzen einen s. geben* zeichen des schreckens, der verzweiflung; durch schlagen gebildete vertiefung; durch einen schlag versehrte stelle, wunde; das niederschlagen, tödlicher schlag, bildl. plage, krankheit, verderben, unfall, unglück; fall, sturz; techn. die eigene art der tuchmacher das tuch zu falten, faltenschlag; schlagfluss; blitz-, hagelschlag; hufschlag; spur, fährte, weg; art u. weise (vgl. *slahte*); herz-, pulsschlag; schlag der zunge; münzschlag, gepräge; der holzschlag, das holzfällen; zum holzschlage bestimmte oder durch holzfällen gelichtete, urbar gemachte waldstelle; schlagbaum, schranke; der handschlag bei einem kaufe; der kaufpreis. *volles slages* adv. vollständig.

slach adj. schlaff, welk.

slaf, -ffes adj. dasselbe.

slâf stm. schlaf; schläfe. **-gadem** stn. schlafgemach. **-gart** stm. = *slâfruote*. **-genôz** stm. schlafgenosse. **-geselle** swm. dasselbe; schlafgenossin. **-geverte** swm. dasselbe. **-hûs** stn. schlafhaus, -gemach. **-kamere** f. schlafkammer. **-lachen** stn. bettuch; leintuch über einem toten. **-lich** adj. schlafend, des schlafes. **-man** stm. unehelicher schlafgenosse. **-ruote** f. in schlaf versetzende zauberrute. **-sache** stf. bettzeug. **-stat** stf. schlafstätte. **-træge** adj. träge vom schlaf. **-trinken** stn. das trinken vor dem schlafengehn, schlaftrunk; bes. der jungen eheleuten in der brautnacht nach dem beilager gereichte trunk. **-vrouwe** swf., **-wîp** stn. beischläferin.

slâfære, slæfære, -er stm. schläfer.

slâfe swf. = *slâf-vrouwe*.

slâfec adj. schläfrig.

slæfelin stn. dem. zu *slâf*.

slâfen redv. 2 schlafen intr. u. tr. (den *slâf*); *mit einer sl.* sie beschlafen; unpers. mit acc. schläfern.

slæfen swv. einschläfern, s. *entslœfen*.

slâferic, slæferie adj. schläferig.

slæfer-liche adv. schläferig; einschläfernd.

slæfern swv. schläferig werden, einschlafen; unpers. mit acc. schläfern.

slaffec-, slaf-heit stf. schlaffheit, trägheit.

slæf-liche adv. durch schlaf; einschläfernd.

slâfrêht adj. schläfrig.

slâfunge stf. das schlafen.

slage, slâge, slâ stf. werkzeug zum schlagen, hammer, bengel; schlag, niederschlag; holzschlag; spur (bes. vom hufschlag der pferde), fährte, weg (meistens in der kontr. form *slâ*, woraus auch die nbf. *slâge* entstanden ist). **-(slege-)brâ** f. augbraue. **-(slege-)brücke** f. zugbrücke. **-(slah-)hûs** stn. schlachthaus. **-lôt** stn. schlaglot, feingehalt einer münze. **-schaz** s. *slegeschaz*. **-(slah-)stube** swf. münz-, prägstube.

slagen swv. schlagen (*mit handen sl.* klatschen); vom keuchen des verfolgten wildes.

slages adv. schlag auf schlag (der hufe), aufs schnellste.

slag-haft adj. *s. werden* in schlägerei geraten.

slah-boum stm. schlagbaum. **-gëlt** stn. = *slegeschaz*. **-glocke** f. schlag-, stundenglocke. **-hûs** s. *slagehûs*. **-schaz** s. *slegeschaz*. **-stube** s. *slagestube*.

slahen stv. **slân** stv. VI als u. tr. einen schlag geben, schlagen. — tr. u. refl. darnieder schlagen, erschlagen, töten, percutere; schlachten; durch schlagen hervorbringen; schlagend gestalten, verfertigen, schmieden; schlagend verarbeiten, prägen; schlagend befestigen *an, in, ûf*; durch handschlag als eigentum übergeben; schlagend bewegen (*swert sl.* schwingen) und richten, treiben; bes. von musikal. instrumenten. — refl. sich bewegen, eine richtung einschlagen; *sich zuo der erde sl.* sich niederwerfen. — intr. eine richtung nehmen, einen weg einschlagen, auf etw. treffen od. stossen.

reichen (von kleidungsstücken), irgendwohin gelangen. *an einen sl.* dessen partei ergreifen, *von einem sl.* von ihm abfallen; *einem an sîn hant sl.* ein geschäft mit jmd. abschliessen; *ze vrumen sl.* zum guten ausschlagen; *in sich sl.* in sich kehren, *sl. nâch* nacharten.

slahen stn. das schlagen, die schlägerei, die schlacht.

slaher stm. schläger; wollschlager.

slaht adj. geartet (in zusammenss.)

slaht stf. das schlagen, die züchtigung, marter, plage; befestigung, bau.

slahtære stm. schlächter.

slahte, slaht stf. tötung, schlachtung. schlacht; schlachtzeit, metzelsuppenzeit; geschlecht, herkunft, stamm: gattung, art, -lei (*maneger slahte* mancherlei).

slahte-hûs stn. = *slagehûs.*

slahten swv. schlachten.

slaht-mânôt stm. dezember.

slahtunge stf. züchtigung, strafe; das töten. schlachten, gemetzel, mord; die schlacht, schlägerei.

slam, -mmes stm. schlamm, kot. bildl. *des vleisches sl.*

slamp stm. gelage.

slampen swv. schlaff herabhangen.

slampieren swv. unmässig essen.

slân s. *slahen.*

slanc adj. schlank, mager.

slange swm. (spätmd. stf.) schlange, drache; schlange im paradiese, daher auch zur bezeichnung des teufels; s. v. a. *slangenbühse,* schleuder. **slangen-bühse** swf. eine art langer kanonen. **-vâher, -venger** stm. schlangenfänger.

slangëht, slange-lich adj. schlangenartig.

slappe swf. klappen- oder beutelförmig herunterhangender teil der kopfbedeckung; kopfbedeckung von kappenod. hutform (nd.).

slarfe swf. abgetretener schuh, pantoffel.

slât, slôt stm. schlot, rauchfang, kamin. ofenloch. übertr. *der tugende sl.* gipfel.

slâte swf. schilfrohr.

slave swm. sklave (eigentl. kriegsgefangener Slave).

slavenie, slavënje, slevënje slavine stf. grober wollstoff und daraus verfertigter mantel, wie ihn namentl. pilger und bettler trugen (afz. *esclavine,* mlat. *sclavinia, slavina*).

slâwe f. = *slouwe, slâ,* spur.

slâwe f. = *wisemât,* schwaden.

---

slê, -wes adj. stumpf, matt, kraftlos, träge.

slê-dorn stm. prunus.

slëc, -ckes stm. schleckerei, leckerei; näscher, fresser.

slëcken swv. naschen.

slëc-miulen swv. schleckerei treiben.

slêf, -ffes stm. loch, wunde.

slege-brâ, -brücke s. *slage-b.*

slegel stm. werkzeug zum schlagen: schlägel, keule, bengel, flegel, schwerer hammer u. dergl.; ort, wo geschlagen wird. geschlachtet wird: schmiede, schlachthaus. **-milch** stf. buttermilch.

slege-mæzic adj. schlachtbar. **-rëgen** stm. platzregen. **-rint** stn. schlachtrind. **-(slage-, slah-) schaz** stm. abgabe an den inhaber des münzrechtes zur vergütung der prägekosten; abgabe von waren, die in die stadt gebracht werden. **-schatzen** swv. den *slegeschaz* entrichten. **-tor** stn. falltor. **-tür** stf. falltür.

sleg-ohse swm. schlachtochse.

slêhe swstf. schlehe. **slêhen-kumpost** stm. eingemachte schlehen. **-tranc** stn. trank, wein aus schlehen gepresst. **-wazzer** stn. dasselbe.

slêh-stûde f. schlehdorn.

slëht adj. in gerader fläche od. linie, eben, gerad, glatt (gegens. zu *krump* u. *rûch*); nicht voll, leer mit gen.; bildl. einfältig, gut und recht, aufrichtig, schlicht, einfach, ungekünstelt, gewöhnlich; nicht kraus der verwirrt, bildl. klar, richtig, geschlichtet; bequem und leicht.

slëhte stf. = *slihte.*

slëhte, slëht adv. gerade, gerade aus; einfach, kunstlos; einfach, schlicht, aufrichtig; geradezu, schlechthin; schlechterdings, gänzlich; unordentlich, schlecht.

slëhte stn. = *geslehte.*

slëhtec-heit stf. glätte, ebene; geradheit, aufrichtigkeit. **-liche** adv. in aufrichtiger weise; in gewöhnlicher weise, schwach, schlecht.

slëhten swv. = *slihten.*

slëhtes gen. adv. gerade, geradeaus, geradeswegs, einfach, kunstlos; geradezu, schlechthin; schlechterdings, gänzlich.

slëht-heit stf. glatte fläche. ebenheit.

slëhtigen swv. schlachten.

slëht-liche adv. eben, gerade; einfach, ohne gepränge; schlechthin, ohne bedingung; in aufrichtiger weise; einfach, ungekünstelt; unordentlich,

---

schlecht. **-müetic** adj. aufrichtig, lauter.

slei-bal (aus *slege-bal*) stm. ball zum schlagen.

sleich stm. tausch.

sleichen swv. *slîchen* machen; heimlich, unversehens irgendwohin bringen oder geben; tauschen. *küsse sl. k.* heimlich tauschen.

sleier s. *slogier.*

sleif adj. glatt, schlüpfrig.

sleife, sleipfe swf. schleife, schlitten; gestell, worauf der pflug oder die egge fortgeführt wird; durch schleifen (des holzes) entstandene spur, weg; rechtl. *der sleifen (sleipfen) nâch gên, varn, volgen* sich bei einem ansprüche an die dem grade nach je nächste person oder sache halten.

sleifen, sleipfen swv. tr. *slîfen,* gleiten machen, lassen; schleifen, schleppen; dem erdboden gleich machen. — refl. *sich sl. ûz dem mantel* den mantel ausziehen.

sleiger s. *slogier.*

sleize swf. leuchtspan.

sleizen swv. zerreissen, spalten; die rinde abstreifen; zerstören; refl. zugrunde gehn, verfallen.

slêm stm. = *slieme.*

slêmen swv. *slim* machen, umkehren, -stürzen, wenden.

slemmen swv. intr. prassen, schlemmen. — tr. von *slam* reinigen.

slenger, slenker s. *slinger.*

slenken, -ern swv. schwingen, schleudern.

slenzic adj. müssig, träge.

slêpen swv. (nd. form für hd. *sleifen*) schleifen, schleppen.

slêp-sac stm. schleppsack.

slêrfen stv. III, 2 die füsse schleppend einhergehen.

slevênje s. *slavenie.*

slêwe stf. stumpfheit, mattigkeit, lauheit.

slêwe-lich adj. stumpf.

slêwen swv. *slê* werden.

slêwic adj. = *slê.*

slêwic-heit stf. = *slêwe.*

slic, -ckes stm. was man auf einmal *slicket:* bissen, trunk, schluck; fresser.

slich stm. leise gleitender gang; schleichweg; gesamtheit der *slichenden,* zug; spur; bildl. list.

slich, slîch stm. schlick, schlamm.

slicher stm. der einen schleichweg wandelt, schleicher.

sliche swm. = *blintslîche.*

slîchen stv. I, 1 leise gleitend gehn, fëierlich schreiten, schleichen (*âne sl.* unverweilt).

slich-liche adv. schleichend, heimlich.

slickelin stn. dem. zu *slic*.

slicken, slichen swv. schlingen, schlucken, zupfen.

slie, slihe, slige swmf. schleie.

sliechen stv. II, 1 ndrh. = *slîchen* (nbf. zu *sliefen*).

sliefen stv. II, 1 intr. schliefen, schlüpfen. — tr. schliefen durch.

slieme, sliem swstm. netzhaut, zwerchfell; haut, fell, pergament, bes. eine art dünn gegerbter haut in die fenster, fenster überh.

siier, sliere stswm. geschwür, beule, bes. an den schamteilen od. unter den achseln.

slier stmn. lehm, schlamm.

slier-dach stn. dach von stroh, worunter lehm gemengt ist.

sliçren swv. schwären.

slieren swv. mit lehm untermengen.

slieçen stv. II, 2 schliessen, verschliessen; in sich schliessen, umfassen, begreifen; fügen, zusammenfügen, aneinander befestigen; bauen. *sich mit der decke slieçen* sich zudecken; *sich dar an sl.* grenzen an.

slif s. *slipf*.

slifære, -er stm. schleifer.

slife swf. schleifmühle.

slifen stv. I, 1 intr. gleiten, ausglitschen, gleitend sinken, fallen (*sl. lâzen* gleiten, sinken, fahren, hingehn lassen). — tr. gleiten machen (*die tenze sl.* schleifend tanzen); eine waffe usw. *slîfen* gleiten lassend schärfen oder glätten. — refl. sich abschleifen.

slif-, slif-stein stm. schleif-, wetzstein; schleifmühle.

slige, slihe s. *slie*.

slîht, slihtec adj. = *slëht*.

slihte stf. glatte fläche, glätte; ebene, ebenheit, geradheit, gerader weg; geradheit, aufrichtigkeit; recht und billigkeit; einfachheit, schlichtheit, einfalt. acc. *die sl.* geradeswegs, sofort; der länge nach.

slihtec-liche adv. = *slëhteclîche*.

slihten swv. *slëht*, gerad machen, in ordnung, zuwege bringen; ebenen, glätten; dem erdboden gleich machen; schleifen, schärfen; recht erteilen, entscheiden; ausgleichen, beilegen, beruhigen, schlichten.

slihter stm. der *slëht* macht.

sliht-heit stf. = *slëhtheit*.

sliht-holz stn. hobel.

slihtine, -ges stm. der einen streit unberufen schlichten will.

slim s. *slimp*.

slim, slin stm. schleim, schlamm; klebrige flüssigkeit,

schmierige substanz, vogelleim.

slimbes adv. schief, schräge, verkehrt.

slimec, -ic, slimëht, slimëhtec adj. schleimig, kleberig, schlammig.

slimp, -bes; slim, -mmes adj., **slimmec-liche** adv. schief, schräge; nicht richtig, verkehrt.

slin s. *slim*.

slinc, -ges stm. schlund (vgl. *slunc*).

slinc-vahs adj. mit losen, sich schlängelnden haaren versehen.

slinden stv. III, 1 schlucken, schlingen, verschlingen.

slingære, -er stm. schleuderer.

slinge swstf. schleuder.

slingen stv. III, 1 tr. hin und her ziehend schwingen, winden, flechten, einweben, stikken; s. v. a. *slinden*. — refl. u. intr. sich schlängelnd winden, kriechen, schleichen.

slinger slinker, slenger slenker stf. schleuder.

slint, -des stm. schlund; schlinger.

slint-hart stm. schlemmer.

slipf, slif, -ffes stm. die abgeschliffenheit, schlüpfrige stelle; das ausgleiten, fallen.

slipfe, slipfine f. erdrutsch.

slipfec, -ic, slipferec adj. schlüpfrig.

slipfen swv. (intens. zu *slîfen*) ausgleiten, fallen.

slite swm. schleife, schlitten; ein belagerungsgerät. **-reise** stf. schlittenfahrt. **-wëc** stm. schlittenweg.

sliten stv. I, 1 gleiten.

slitzen swv. (intens. zu *slîçen*) schlitzen, zerspalten.

sliude, slûde f. schwertscheide.

sliume, sliune, sloune adv. schleunig, eilig.

sliume, slûne stf. eile.

sliunec adj. schleunig.

sliunen, slûnen, slounen swv. beschleunigen, beeilen mit gen.; vonstatten gehn, gelingen; *mir slûnt* mit gs. ich eile, habe eile, mir geht vonstatten.

sliz, -tzes stm. schlitz, spalte; zerreissung, ende, untergang, tod; an der seite sich öffnender schoss eines panzerhemdes oder rockes, mantels.

sliçec, -ic adj. zerrissen, abgenutzt; bildl. mit gen. od. *an*.

slizen stv. I, 1 intr. spalten, reissen, zerreissen. — tr. abstreifen, -schälen; zerreissen, abnutzen; zerstören, zunichte machen, aufbrauchen, hinbringen; zu ende erklären, deutlich machen mit dp. — refl. zerreissen; sich lösen, abstreifen *von*; zu ende gehn.

slogier, sloiger, sloier, sloir; sleiger, sleier, sleir stm. n. schleier, kopftuch. **sloiger-, sloier-, sleier-tuoch** stn. dasselbe.

slôt s. *slât*.

slôte stf. schlamm, lehm (vgl. *sluot*).

sloten swv. zittern, klopfen.

sloterære stm. schwätzer.

slôter-, slœter-gruobe f. senkgrube.

sloterlin stn. klapper; schwatzhaftes frauenzimmer.

slotern, slottern, sluttern swv. schlottern, zittern; klappern; schwatzen.

slouf, slûf stm. das öhr; das schlüpfen, entschlüpfen.

sloufe stf. das öhr; öffnung, kreis (*ân alle krumbe sl.* umweg, zwietracht); bekleidung (eines säuglings); swf. durch *sliefen* entstandene spur.

sloufen swv. tr. *sliefen*, schlüpfen machen od. lassen, schieben. — refl. u. intr. schliefen, schlüpfen, dringen (*an, in, ûç, von*); bes. vom an- u. ausziehen der gewänder. — tr. mit as. *ein kleit* usw. *an sich sl.* mit ap. od. refl. einhüllen, kleiden. *ein dinc an einen sl.*, einen dar *in sl.* jmd. mit etw. bekleiden.

sloune f. = *slâ*, spur, fährte.

sloç, -çses, slôç stn. schloss, riegel, band, fessel, ein-, um-, verschliessung; schluss; schlussstein eines gewölbes; schloss, burg. **-bant** stn. festumschliessendes band. **-gëlt** stn. = *sloçrëht*. **-haft, -haftic** adj. verschliessbar; verschlossen. **slôç-lich** adj. schliessend, umschliessend. **sloç-rede** f. syllogismus. **-rëht** stn. abgabe des gefangenen an den schliesser. **-(slôç-)stein** stm. schlussstein eines gewölbes.

slôç stm., **slôçe** swf. hagelkorn, schlosse. **-wëter** stn. hagelwetter.

sloççer stm. schlosser.

sluc stf. schluck.

slûch, sluoch stm. haut, schlangenhaut; schlauch, röhre; schlund, kehle, gurgel der tiere, rüssel des elefanten; schlund, abgrund; persönl. der schwelger, säufer, fresser.

slüchen swv. schlingen, schlucken.

slücher stm. schlemmer.

slucke f. ein gefälteltes kleid, kittel.

slücke swf. öffnung, lücke, graben.

slücken swv. schlingen, schlucken; schluchzen.

slûde s. *sliude*.

slûder stf. schleuder.

slûder-affe s. *slûraffe*.
slûdern swv. schleudern, schlenkern.
sluf, *-ffes* stm. das schliefen, schlüpfen; schlupfwinkel.
slûf s. *slouf*.
sluft stf. = *sluf*.
sluhtisch adj. träge, faul.
slummen, slummern swv. schlummern.
slummer stm. schlummer.
slump adj. schlumpig.
slûn stm. = *slûr*.
siûn- s. *sliun-*.
slunc, *-ges* stm. schlund (vgl. *slinc*).
slunt, *-des* stm. schluck; schlund, kehle, hals; schlund, kluft, abgrund; schwelgerei, trunkenheit; persönl. schlinger, schwelger, schlemmer. -hart stm. = *slinthart*. -rœre swf. schlund-, speiseröhre.
sluoch s. *slûch*.
sluoche f. graben, schlucht.
sluot stm. schlutt, schlamm, pfütze (vgl. *slôte*). übertr. beschimpfung.
slupf stm. das schlüpfen; schlupfwinkel; worin man schlüpfen lässt, schlinge, strick um den hals. -loch stn. schlupfloch, -winkel.
slüpfen, slupfen swv. schlüpfen. — tr. schlürfen.
sluppern swv. schlürfen.
slûr stm. das schleudern, der stoss; das herumstreifen, faulenzen; langsame, träge, faule od. leichtsinnige person, faulenzer. -(slûder-)affe swm. herumschlendernder müssiggänger, schlaraffe.
slure, *-kes* stm. md. schlund.
slure-hart stm. = *slinthart*.
slurken swv. schlucken.
sluttern s. *slotern*.
sluz, *-zzes* stm. schluss, knoten.
slüzzel stm. schlüssel; der drücker, die zunge der armbrust; noten-, musikschlüssel; geigenwirbel. slüzzeler, -er stm. schlüsselträger, beschliesser. slüzzelîn stn. dem. zu *slüzzel*. slüzzel-trager, -treger stm. schlüsselträger (St. Peter). -tragerin stf. beschliesserin.
smac, smach, *-ckes*, *-ches* stm., smacke swm. der geschmack, geschmackssinn; geschmack den etw. hat; bildl. gelüste; geruch, geruchssinn, witterung; geruch den etw. von sich gibt. -haft, -haftic adj. wohlschmeckend; wohlriechend; durch die sinne wahrnehmbar. -heit stf. geschmack. -(smec-)lich adj. schmeckend; schmackhaft. -sam adj. wohlriechend.
smâcheit s. *smâheit*.

smacken, smachen swv. intr. u. tr. schmecken, wahrnehmen, aufspüren; riechen, duften.
smackezen swv. mit wohlgefallen laut essen, schmatzen.
smæhe adj. adv. (*smâhe*) klein; gering, unansehnlich, schlecht; niedrig, verächtlich, schmählich; verachtet. -, smæhede stf. geringschätzige, verächtliche behandlung, beschimpfung, schmähung, entehrung, verachtung, schmach, schimpf. -lich adj. = *smæhe*. -liche, -lingen adv. schmählich, mit verachtung.
smâheit, smâcheit (aus *smâh-, smâchheit*) stf. = *smæhe* stf.
smæheln swv. intens. von *smæhen*.
smâhen swv. gering dünken, verächtlich sein mit dp.
smæhen, smâhen, smæen, smân swv. geringfügig behandeln, verschmähen; verächtlich machen od. behandeln, verachten, schmähen, beschimpfen, entehren.
smæhenisse, smæhen-schaft stf. schmähung, beschimpfung, entehrung.
smâh-liute pl. = *smâhvolc*.
smaht stm. geruch; das schmachten, verschmachten, hoher grad von hunger od. durst.
smahtec adj. wobei man *smaht* leidet, verschmachtet. -heit stf. der zustand des schmachtens.
smæhunge stf. schmähung.
smâh-volc stn. kleines, geringes volk.
smæh-wort stn. schmäh-, schimpfwort.
smal adj. klein; gering, kärglich, wenig, knapp; nicht breit, schmal. -heit stf. schmal-, knapphelt. -liute pl. kleine, geringe leute. -nôz stn. = -*vihe*. -sât stf. saat kleiner feldfrüchte. -sihtic adj. klein, schmal aussehend. -vihe stn. kleineres vieh, schafe, ziegen. -vogellîn stn. kleiner vogel.
smaln swv. intr. *smal* sein od. werden; tr. = *smeln*.
smalz stn. ausgelassenes fett, schmalz; fett; butter. -haft adj. mit *smalz* versehen, fett.
smalzec, -ic adj. fettig, schmalzig, geschmalzen.
smalzen redv. 1 intr. schmelzen, zerfliessen. — tr. fettig machen, mit fett kochen.
smæn s. *smæhen*.
smant, *-des* stm. milchrahm (böhm. *śmant*).
smarac, smaract, -agt, smarât stm., smaracte, -agde, smarâde swm. smaragd (lat. *smaragdus*). smaractin adj. von

smaragden, mit smaragden besetzt.
smarle s. *smërl*.
smatzen swv. = *smackezen*; mit schmatzendem laute küssen, mit solchem laute auffallen lassen (vgl. *smetzen*).
smaz, *-tzes* stm. schmatzender kuss.
smeckeler stm. vornehmtuer.
smecken swv. abs. od. mit gs. den geschmack wovon empfinden, schmecken, kosten, versuchen, geniessen. — abs. od. tr. den geruch wovon empfinden, riechen. — tr. od. mit gs. überh. durch die sinne wahrnehmen, empfinden. — intr. geschmack von sich geben, schmecken; einen geruch von sich geben, riechen, stinken; empfinden lassen.
smëcker adj. zierlich, schmächtig, eingefallen (vom gesichte).
smec-lich s. *smac-lich*.
smeichære, -er stm. schmeichler.
smeiche-kôsen swv. liebkosen, schmeicheln. -kôser stm. schmeichler.
smeicheler stm. = *smeichœre*.
smeichelerie, smeichelunge, smeichunge stf. schmeicheln, schmeichelei.
smeichen, smeicheln swv. schmeicheln ohne od. mit dp.
smeichenære stm. = *smeichœre*.
smeichen-, smeichel-rede stf. schmeichelrede, schmeichelei.
smeich-hart stm. der gerne schmeichelt. -liche adv. schmeichelnd. -wort stn. schmeichelwort.
smeizen swv. schmeissen, abs. cacare.
smele stf. schmalheit; die taille.
smelehe, smële swf. schmiele, eine grasart.
smelenge stf. alem. geringe, niedrige weibliche person, magd.
smelern swv. schmälern.
smelhe adj. schmal, gering.
smelhelîn stn. dem. zu *smelehe*.
smeln swv. *smal* machen, schmälern.
smëlzen stv. III, 2 intr. zerfliessen, schmelzen.
smëlzen machen, in fluss bringen, in émaille oder durch metallguss machen; in schmalz rösten, braten; intr. = *smëlzen*.
smëlzer stm. schmelzer.
smëlzic adj. flüssig, geschmolzen.
smenden swv. den *smant* abschöpfen.
smër, *-wes* stn. m. fett,

schmer. -boum stm. frucht-tragende (schweinemast lie-fernde) eiche oder buche, wil-der obstbaum überh. -leip stm. fettklumpen.

smërille, smërle swm. = *smirl.*

smërl, smërle, smarle f. schmerling, gründling.

smërlinc, -ges stm. = *smërl.*

smërn s. *smirwen.*

smërwic adj. schmierig.

smërze swm. stf. schmerz.

smërzeldie stf. schmerz.

smërzen stv. III, 2 schmerzen abs. od. unpers. mit ap., dp.

smerzen swv. in schmerz ver-wandeln.

smërzic adj. schmerzlich.

smërzigen swv. in schmerz versetzen.

smërz-, smërzen-lich adj. schmerzlich.

smetern swv. klappern, schwatzen.

smetzen swv. = *smackezen;* einen ton des wohlbehagens von sich geben, schmatzen; schwät-zen, verleumden (vgl. *smatzen*).

smetzer stm. schwätzer, ver-leumder.

smicke swf. md. peitsche; schmiss, wunde.

smicke, sminke swf. schminke.

smicken, sminken swv. schminken.

smide stf. metall, schmuck davon.

smide-got stm. gott der schmiede, Vulkan. -wêrc stn. schmiedearbeit; schmiede.

smiden swv. hämmern, schmieden.

smiechen stv. intr. rauchen.

smiegen stv. II, 1 tr. in etw. eng umschliessendes drücken, schmiegen (part. *gesmogen* an-geschmiegt, anliegend; zusam-mengezogen, -geschmiegt, -ge-drückt). — refl. sich zusammen-ziehen, -schmiegen, -ducken, sich unterwerfen; *sich mit dem tôde s.* sterben.

smiche swf. eine entenart.

smiel, smier stm. das lächeln. -hart stm. der gerne lächelt.

smielen, smieren swv. lächeln (auch von tieren u. leblosen dingen).

smielisch, smier-lich adj. lächelnd.

sminke, sminken s. *smick-.*

smirer s. *smirwer.*

smirken swv. nach fett (*smër*) riechen, ranzig sein.

smirl, smirle stswm., dem. smirlin stn., smirlin-tërze swm., smirlinc, -ges stm. zwergfalke (mlat. *smerillus,* afz. *esmerillon,* vgl. *smërille*).

smirwe stf. bittergurke.

smirwe stf. schmiere. smir-

wen, smirn, smërn swv. schmie-ren, salben, bildl. bestechen.

smirwer, smirer stm. schmierer; schmeichler.

smirzen swv. = *smërzen.*

smit, -des stm. metallarbeiter, schmied (als schachfigur zweiter vende).

smitte swstf. schmiede.

smitze stswf. hieb, streich; fleck, makel.

smitzelin stn. dem. zu *smitze, smiz.*

smitzen swv. tr. etw. spitziges schnell bewegen, zücken; mit ruten hauen, geisseln, züch-tigen; schlagen überh.; an-streichen, beschmieren, bildl. beflecken, beschimpfen, be-schädigen. — intr. eilig gehn, laufen.

smiuge stswf. die biegung, krümmung; ärmlichkeit, spär-lichkeit, not.

smiz, -tzes stm. spitze; streich mit der rute; flecken; läufer, pferd.

smizen stv. I, 1 streichen, schmieren; schlagen.

smogen swv. = *smiegen.*

smollen swv. = *smielen;* aus unwillen schweigen, schmol-len; schmarotzen, gieren.

smoln swv. ein brotkrümchen ablösen, verabreichen.

smolz adj. md. lieblich, an-genehm; schön.

smorren swv. mfr. verdorren.

smotzen swv. schmutzig sein.

smouch stm. rauch, dunst.

smougen swv. refl. sich ducken.

smuc, -ckes stm. das an-schmiegen, die umarmung; schmuck.

smücken, smucken swv. tr. in etw. eng umschliessendes drücken, zusammenziehen, an sich drücken, schmiegen (part. *gesmücket,* -*smuct* zusammen-gezogen, -geschmiegt; schlank, schmuck; verborgen). — refl. sich zusammenziehen, -schmie-gen, ducken. — tr. kleiden, be-kleiden *in;* schmücken (md.! dafür obd. *zieren*).

smunzeln, smunzen swv. = *smutzen.*

smurre swf. ? wunde.

smurzen swv. schmerzen.

smutze-lachen, -munden swv. schmunzeln.

smutzen swv. den mund zum lachen verziehen, schmunzeln.

smutzen swv. = *smitzen,* streichen, schlagen; beflecken, herabsetzen, beschädigen; intr. in den gliedern reissen, zucken.

smutzer-liche adv. = *smuz-l.*

smutzern swv. schmunzeln.

smuz, -tzes stm. kuss.

smuz, -tzes stm. schmutz.

smuz-lich adj. lächelnd.

smuz-liche adv. zum küssen geeignet.

snabe stswf. mangel; *sunder sn.* ohne rückhalt.

snabel stm. schnabel; *sn.* an den schuhen, lange u. aufge-krümmte schuhspitze. -liute pl. mit einem schnabel ver-sehene leute. -ræze adj. mund-, redescharf, geschwätzig, vor-laut. -rûz stm. schwätzer. -snalle swmf. schwätzer, schwätzerin. -snellen swv. schwätzen. -vihe stn. = *snabel-liute.* -weide stf. weide für den mund, speise.

snabelëht adj. geschnäbelt.

snaben, md. auch sneben swv. schnelle u. klappende be-wegung machen, schnappen, schnauben; hüpfen, springen, eilen; stolpern, straucheln, fal-len; not, mangel leiden; wan-ken, wackeln. — tr. schupfen, stossen.

snacke swm. schwätzer, s. *snatersnacke.* snacken swv. md. schwatzen.

snâke swmf. schnake.

snâkelëht adj. hager wie eine schnake.

snal, -*lles* stm. rasche, schnel-lende bewegung (mit dem finger, der sehne usw.) u. der dadurch entstehnde laut; fang durch hart zusammenklappen-de eisen, das zuschlagen der falle; schnellgalgen.

snalle swf. schnalle, schuh-schnalle; verächtlich für mund; altes geschwätziges weib; was-sersuppe.

snallen swv. intr. mit einem *snalle* sich bewegen. — tr. mit geräusch des schnabels trinken. — stn. plötzliche bewegung, schnellen; das knallen.

snap, -*ppes* stm. das schnap-pen, der strässenraub; ge-schwätz, gekläffe; stswm. schwätzer. -han m. berittener wegelagerer (vgl. *strûchhan*).

snappe-liegen stn. schwat-zend lügen.

snappen swv. intr. schnap-pen; wanken, straucheln; stras-senraub treiben; plaudern, schwatzen. — tr. nach einem schnappen, ihn angreifen.

snapper, snepper stm. schwät-zer, streiter.

snar, -*rres* stn. das schnar-ren, schmettern.

snar stf. md. strick, saite.

snarchen, snarchein swv. schnarchen, schnauben. — stn. sternutatio.

snare s. *snur.*

snar-macher stm. md. seiler.

snarre f. einsaitiges instru-ment. snarren swv. schnarren,

schmettern; schwatzen. **snarrenzære** stm. der auf der *snarre* spielt, herumziehender musikant ohne stand u. schule.

snarz stm. schnarre, wachtelkönig; das zwitschern der schwalbe; spottwort, schelte; spott, hohn, schande; unrat, makel, flecken; s. v. a. *nacsnarz* eine art kopfputz, haartracht?

snate, snatíe swstf. strieme, wundmal.

snateren swv. schnattern, schwatzen. **snaterie** stf. geschwätz. **snater-snacke** swm. schwätzer.

snatzen swv. md. putzen, frisieren.

snâwen swv. schnauben, schnaufen.

snê, *-wes* stm. schnee. **-balle** swm., dem. **-bellin** stn. schneeball. **-bërc** stm. schneeberg. **-blanc** adj. schneeweiss. **-blint** adj. geblendet vom schnee. **-dicke** adv. dicht gedrängt wie die schneeflocken. **-geliche** adj. wie schnee, schneeweiss. **-gelle** swf. schneeschauer. **-gevar** adj. = *snêvar.* **-gris** adj. schneeweiss. **-klôȥ** stm. schneeball. **-sleif** stm. s. v. a. **-sleife, -sleipfe** f. grat eines gebirges, wo der schnee zu beiden seiten herabschmilzt. **-smëlȥe** f. dasselbe. **-stat** stf. beschneite stelle. **-var** adj. schneeweiss. **-vlocke** swm. schneeflocke. **-wiȥ** adj. schneeweiss, rein, glänzend.

snebelen swv. tr. mit einem *snabel* versehen. — refl. mit dem schnabel putzen. — stn. das schnäbeln.

snebeler stm. = *snabelliute.* **snebelin** stn. dem. zu *snabel.* **sneben** s. *snaben.*

snëcke, snëgge swm. schnekke; schildkröte; belagerungsmaschine; eine art schiff; wendeltreppe.

snëgel stm. schnecke; blutegel.

sneise swstf. reihe, schnur, woran etw. gereiht ist.

sneiseln swv. = *sneiteln.* **sneisen** swv. tr. aneinander reihen, verbinden; intr. reihenweise gehen, laufen.

sneite stf. durch den wald gehauener weg, durchstich.

sneitec adj. schneidend, scharf.

sneiteln, sneiten swv. schneiden; beschneiden, entästen.

sneit-tisch stm. verkaufstisch der *gewantsnîder.*

sneiȥe stf. = *sneise.*

snël, *-lles* adj. schnell, rasch, behende, frisch u. munter, gewandt, stark, kräftig, streithaft, tapfer, schnell bereit u. begehrend, eifrig (*gegen, ze* od.

gen.). **-heit** stf. die eilende bewegung, die schnelligkeit, raschheit; eifer; kraft, streithaftigkeit, tapferkeit.

snëlle, snël adv. schnell, rasch.

snëlle stf. = *snëlheit.* **snëllec-heit, snëllikeit** stf. = *snël-heit.* **-lich** adj., **-liche** adv. schnell, rasch, plötzlich.

snellen swv. abs. einen *snal* hervorbringen, schnalzen. — tr. *ein snellin snellen* ein schnippchen schlagen; schnellen, fortschnellen. — intr. u. refl. fortschnellen, sich rasch bewegen, eilen.

sneller stm. läufer, rennpferd; penis; vorrichtung zum vogelfangen; gatter, fallgatter, bewegliche schranke, schlagbaum; schnellgalgen.

snëlles adv. schnell.

snël-lich adj. = *snëlleclich.* **snellin** stn. dem. zu *snal,* schneller, schnippchen.

snëpfe swm. schnepfe.

snepper s. *snapper.*

sneppisch adj. geschwätzig.

snerche s. *snurche.*

sneren swv. schwatzen, plappern.

snërfen stv. III, 2 refl. sich biegen, krümmen, einschrumpfen.

snërhen stv. III, 2, ahd. *snërhan* binden, knüpfen, zusammenziehen.

snerren swv. schwatzen.

snez, *-tzes* stm. hecht (dem. *snetzlin*).

snêwec, -ic adj. schneeig; im schnee befindlich.

snîdære, -er stm. schneider; s. v. a. *gewant-, tuochsnîder;* abschneider; der einschnitte, furchen macht; schnitter; schnitzer; als schachfig. dritter *vende.*

snîde stf. schneide (des schwertes, messers usw.).

snîdec, -ic adj. schneidend, scharf; stark, kräftig; zeitig, reif (vom getreide).

snîde-gast stm. kunde des *gewantsnîders.*

snîden stv. I, 1 abs. schneiden, schneidend eindringen *in (in diu ougen s.* = in die augen stechen), scharf sein. — tr. schneidend verwunden, verletzen: in teile schneiden, verschneiden (abs. speisen bei tische zerschneiden; *gewant, tuoch snîden* ausschneiden, nach der elle verkaufen); abschneiden, trennen *von;* getreide usw. abschneiden, ernten abs. u. tr.; beschneiden, behauen; schneidend verfertigen, schneiden, formen, bes. vom zuschneiden und anfertigen der kleider.

snîder-knappe swm., **-knëht**

stm. schneidergeselle. **-meister** stm. schneider.

snîde-tac stm. erntetag. **snîde-wërc** stn. schneiderarbeit.

snie stf. schnee, schneegestöber.

snîen s. *snîwen.*

snîffen swv. zuhalten (die nase).

snîpfen swv. md. *snippen* schnappen.

snit stm. schnitt, wunde (bildl. spitzige rede); beschneidung; einschnitt; schnitt mit der säge; schnitt, zuschnitt eines gewandes u. dgl., form überh.; heu- od. getreideschnitt, ernte (auch stn.); zeit der ernte: juli, august; bildl. gewinn; schneide, schärfe.

snitære, -er stm. schnitter. **snit-brôt** stn. brot für die schnitter. **-louch** stm. schnittlauch. **-tac** stm. frontag im schnitt.

snite, snitte swf. schnitt, hieb; abgeschnittenes stück, schnitte; eisenschiene.

snittel, snitzel stn. dem. zu *snite* u. *sniz.*

snitzære, -er stm. schnitzer; bildschnitzer; armbrustmacher.

snitzen swv. in stücke schneiden; aus holz schnitzen, bes. bildschnitzen.

snitzerlíne, -ges stm. abfall der wolle beim scheren.

sniudel, snûdel stm. = *snûdære.* **sniudeln** swv. schnauben (*einen an sn.*).

sniuzen swv. abs. u. tr. schneuzen; durch schneuzen auswerfen. — refl. (mit acc. od. dat.) sich schneuzen.

snîwen, snîen stv. I, 2 (praet. nicht belegt) u. swv. intr. schneien, wie schnee fallen. — tr. *einen snê sn.*

sniz, *-tzes* stm. schnitt; schnitte.

snœde adj. akt. verachtung ausdrückend, vermessen, übermütig, rücksichtslos. — pass. verächtlich, ärmlich und erbärmlich, schlecht, gering.

snœdec-heit, snœdekeit stf. ärmlichkeit, erbärmlichkeit, schlechtigkeit, niedrigkeit. **-lich** adj. ärmlich; **-liche** adv. schlecht.

snœdelen swv. durch die (verstopfte) nase den atem einziehen od. ausstoßen.

snœdelinc, -ges stm. homo nequam.

snœden swv. vilipendere.

snoderen s. *snuderen.*

snopzen swv. = *snupferen,* s. *snüpfen.*

snor s. *snur.*

snorche s. *snurche.*

snôs adj. mit worten an-
fahrend.

snöuden, snouden swv.
schnaufen.

snöuwen, snouwen swv.
schnauben, schnaufen; schnap-
pen *nâch*.

snûdære stm., snûde swm.
schnaufer, alberner mensch,
tor.

snûde swf., snudel stm. na-
senverstopfung, katarrh.

snûdel = *snûdære*.

snûden stv. II, 1 intr. schnaufen, schnarchen; zanken. —
tr. spotten, spottend vorbringen.

snuder stmf. = *snudel*, s. *snûde*.

snuderen, snoderen swv.
schnaufen, schnarchen.

snüerelîn, snüerlîn stn. dem.
zu *snuor*.

snüeren swv. tr. mit schnüren versehen; binden, schnüren; an der schnur lenken, leiten, steuern; mit der schnur
abmessen; einrichten. — intr.
geleitet, geführt werden, fahren, sich wohin wenden.

snûfen stv. II, 1 schnaufen.

snûfer stm. schnaufer.

snuor s. *snur*.

snuor stf. schnur, band, seil
(*sn.* zum umhängen des schildes; helmschnur; *sn.* an kleidungsstücken; haarschnur; bo-
genschnur; saite an musikal.
instrum.; zeltschnur, im pl.
auch zelt; seil des seiltänzers;
schnur, woran die puppenspie-
ler ihre puppen bewegen; mess-
schnur u. bildl. für gerade richtung; planetenbahn; zona, plaga; richt-, rötelschnur des zimmermanns, bildl. *über die snuor
houwen* das rechte mass überschreiten, *von der snuor verzern*
vom grundstocke seines vermögens leben); berglehen von
7 klaftern. -garn stn. bindfaden. -slac stm. schlag mit
der richtschnur der zimmerleute; bildl. *den sn. überhouwen*
das rechte mass überschreiten.
-slëht, -slëhtes adv. schnur-
gerade.

snupfe, snûpfe swmf. schnup-
fen.

snupfen, snupfezen swv.
schnaufen; schluchzen.

snupfer, snûpfer stm. = *snûdære*.

snur, -rres stm. das schnurren.

snur, snuor stf. sohnes frau,
schnur (md. auch *snor* u. *snare*
swf., lat. nurus); auch meretrix.

snurche, snorche, snerche
swf. dasselbe.

snurrære stm. possenreisser.

snurre stf. das schnurren.

snurren swv. intr. rauschen,

sausen; sausend schnell fahren
und fahren lassen; weidm. vom
jagdhunde *sn. nâch* mit schnauben auf der fährte des wildes
spüren, tr. durch *sn.* aufstöbern, erreichen.

snurrikeit stf. narrheit.

snürrinc, -*ges* stm. ein teil
des weibl. kopfputzes (vgl.
gesnürre); possenreisser, tor,
narr.

snuz, -*tzes* stm. = *snûde*.

sô adv. (md. auch *sâ*) 1. demonstr. messend: so, in solchem
grade, so sehr; vergleichend:
in solcher weise (in beteuerungen: so wahr); auf etw. hin-
weisend od. hindeutend (ohne
od. mit bestimmter beziehung
auf ein gesagtes oder im sinne
liegendes; anfangsworte eines
satzes zusammenfassend; kausal zurückdeutend: dann, darum, deshalb; zeitliche beziehung andeutend: dann, ferner,
hierauf; den übergang zu einem
gleichmässigen fortschritte der
rede andeutend; den übergang
zu entgegengesetztem anzeigend: dagegen aber; im nach-
satze auf den vordersatz hindeutend). — 2. relat. messend:
als, so als; vergleichend: wie;
so dass; in beteuerungen: so
wahr als; einen gegensatz anzeigend: während doch; zeitl.
beziehungen ausdrückend: als;
kondit. wenn, so oft als; in
kondit. u. konzess. substantiv-,
adj.- u. adverbialsätzen vor
(urspr. auch hinter) *welch*, *welch*,
wâ, *war*, *wie* usw. s. *swër*, *swelch*
swâ usw. — 3. für das pron.
relat.

söben s. *siben*.

soc s. *suc*.

soc, socke stswm. socke.

soch-ein s. *sihein*.

söchen, sochen swv. siechen,
kränkeln, abmagern; wie ein
kranker od. toter liegen. auch
unp. sochunge stf. das siechen,
kränkeln.

söckelin stn. dem. zu *soc*.

sodâle swm. genosse (lat. *so-
dalis*).

sœdelin stn. dem. zu *sôt*,
brühe.

sôdem stm. das sodbrennen.

sœden swv. ein *sôt* machen
(*die sprewe* s. die spreu mit
heissem wasser abbrühen).

sodomit m. sodomita.

sof s. *suf*.

soffel stm. pantoffel.

sô-getân, -tân adj. so beschaffen, solch.

soh-ein s. *sihein*.

sol s. *sul*.

sol, sole swf. schuhsohle;
bergm. die grundfläche eines
stollens.

sol, söl stm. kotlache.

sólaz stmn. ? solatium.

sol-boum stm. schwelle.

solch, sölch s. *solich*.

soldamënt s. *soldimënt*.

soldân stm. sultan.

soldân stm. = *soldenære*.

soldât stm. sold, lohn (mlat.
solidata, *soldata* der in einem
solidus bestehende lohn).

sölde s. *selde*.

solden swv. lohnen, bezahlen.
— abs. söldner anwerben, in
sold nehmen.

soldenære, -er stm. sold-
kriegêr, söldner.

soldenen swv. besolden.

soldenier stm. = *soldenære*.

soldie stf. sold, lohn.

soldier stm. = *soldenære*.

soldieren swv. = *solden*.

soldierse swf. soldatenweib.

soldimënt, soldamënt, -ënte
stn. sold, lohn (umged. *soldi-
miete*).

soldin stn. kleine münze (it.
soldo, lat. *solidus*).

sol-gruobe f. kotgrube.

so-lich, solch, solh, sölch,
sölh, sulch, sülch pron. adj. so
gestaltet, so beschaffen, solch.

soligen, solgen, sulgen swv.
tr. u. refl. mit kot beschmutzen,
im kote wälzen.

soln, suln swv. dasselbe.

soln, scholn, suln, schuln an.
v. verpflichtet, genötigt, bestimmt sein; zugehören; angemessen sein, gebühren, frommen, nützen mit od. ohne dp.;
zu bezahlen schuldig sein,
schulden mit dat. u. acc. —
als hilfsverb müssen, sollen
(öfter auch mit dürfen, wollen,
werden zu übersetzen); in
wunschsätzen s. v. a. konj.
mögen; in frage- u. bedingungs-
sätzen; zur umschreib. des futurs: werden, wollen; *solte* dient
zur umschreib. des konj. prät.

sôlre, solre, soller, sulre stm.
söller, boden über einem gemache od. hause, vorplatz, flur
im ersten stockwerke, laube,
saal (lat. *solarium*).

sol-schaz stm. schadenersatz.

sol-stücke stn. schwelle.

solt, -*des* stm. lohn für geleistete dienste, sold; bezahlung; was zu leisten ist, schuld,
pflicht, dienst (*durch — solt* um
— willen); gabe, geschenk;
unterstützung (mit anlehnung
an das deutsche *soln* aus fz.
solde, mlat. *solidus* schilling,
löhnung). -ritter stm. ritter
im solde.

son- s. *sun-*.

sonieren swv. tönen (lat. *so-
nare*).

sôpân s. *súpân*.

sopel stn. md. saft, trank.
suppe s. *suppe.*
sôr adj. md. trocken, dürr.
sore-(sorge-)haft adj. sorgend, besorgt, kummervoll.
-heit, sorkeit stf. sorge, bitterkeit. -(sorge-)lich adj., -liche adv. *sorge* erregend od. damit verbunden, gefährlich, bedenklich; sorge habend, besorgt, bekümmert, ängstlich. -licheit stf. gefährlichkeit. -sam adj. = -*lich*; sorgfältig, sorgend. -sami stf. sorgsamkeit. -valt, -veltic adj. sorgfältig, sorgend; besorgt, bekümmert; besorgnis erregend, gefährlich. -veltekeit stf. kümmernis, sorge; periculum.
sören swv. md. *sôr* sein od. werden; tr. vernichten.
sorgære, -er stm. der für etw. sorgt, etw. besorgt; der in sorgen ist, der kummervolle, unglückliche. sorgærin stf. die unglückliche.
sorge stswf. sorge, besorgnis, kummer, furcht; gefahr (bes. des kampfes). *s. hân zuo* sich besorgte gedanken machen über. -bære adj. sorge erregend. -bære swm. = *sorgære,* der unglückliche. -haft, -lich s. *sorc-.* -lôs adj. frei von sorge.
sorgen swv. besorgt, bekümmert sein mit gen. od. *nâch, ûf, umbe, ze.* — tr. mit sorge erfüllen.
sorgen-lære adj. = *sorgelôs.* -riche adj. reich an sorgen. -wende swmf. der od. die den kummer verscheucht.
sort s. *surt.*
sô-sulich, -sulch adj. = *solich.*
sot, sote m. narr, tor (fz. *sot*). sot adj. töricht.
sôt, -*des* stmn. das wallen, sieden (auch von hitzigen krankheiten); das aufwallen, bildl. das seufzen, der jammer; siedende flüssigkeit; wasser, in dem etw. gesotten ist, brühe als absud und speise; spülwasser; vom siedenden schwefel und pech der hölle, höllenpfuhl; brunnen, ziehbrunnen. -brunne swm. ziehbrunnen.
sô-tân s. *sôgetân.*
sôte swm. das wallen, aufwallen.
sôt-tuoch stn. = *sihetuoch.*
souc, -*ges* stm. saft.
soufen s. *sûfen.*
soufen swv. untertauchen, versenken *in,* ersäufen; tränken.
sougen, söugen swv. säugen.
soul s. *sûl.*
soum stm. saum, genähter rand eines gewandes, übertr. land, grenze überhaupt: *der erden, des tôdes s.*

soum stm. last eines saumtieres; last als mass, urspr. so viel ein saumtier tragen kann (mit fz. *somme* aus gr. lat. *sagma*); saumtier. -ros stn. saumpferd. -satel stm. sattel eines saumtiers. -schrin stm. *schrîn* (kasten) der auf ein saumtier geladen wird, reisekasten (vgl. *leitschrîn*).
soumære, söumære, -er stm. führer von saumtieren oder frachtwagen; das saumtier selbst; die last, die es trägt.
soumen swv. als *soum* auf saumtiere legen und fortschaffen.
sôʒe s. *süeʒe.*
spach adj. (nd. *spak*) dürr, trocken. spache swmf. dürres reisholz, dürres kleines brennholz. spachen swv. bersten machen, spalten. auch intr. sich spalten.
spâcheit s. *spâhheit.*
spacieren s. *spazieren.*
spade swm. spaten.
spæhe adj. von perss. weise, klug, scharfsichtig, schlau; herrlich, schön; wunderlich, launig, üppig. — von sachen: fein, geschickt, kunstvoll, schön; wunderbar, unbegreiflich, seltsam; wunderlich, spöttisch, übermütig, üppig. —, spâhe adv. zierlich, kunstvoll; seltsam, sonderbar, übermütig, üppig. — stf. weisheit, scharfsinnigkeit, klugheit, verschlagenheit; kunst, kunstfertigkeit, zierlichkeit; wunderliche, seltsame weise. -lich adj., -liche adv. zierlich, kunstvoll.
spæhen swv. *spæhe* machen.
spahen stn. geschwätz.
spâh-heit, spâcheit stf. zierlichkeit, kunstfertigkeit.
spaht stm. geschwätz, lauter gesang.
spaldenier, spalier stnm. (entstellt *spanarôl, spannerôl, sponerôl*) die schultern (unter dem harnisch) deckendes gefüttertes kleidungsstück (afz. *espaulière,* it. *spalliera* schulterharnisch vom lat. *spatula* schulterblatt).
spalt stm. spalte, ritze, schlitz.
spalt s. das abgespaltene.
spalte stf. spalte. -korn stn. spelt.
spalten redv. 1 spalten, zerbrechen, zerhauen (übertr. auch mit gs.?); intr. und refl. auseinanderbrechen, sich spalten.
spaltic adj. spaltbar.
span, -*nnes* stm. spannung; streitigkeit, zerwürfnis. -banc stf. *banc* zum spannen der armbrust. -bette stn. bett, dessen pfühl auf untergespannten gurten liegt, tragbett. -gezouwe

stn. fischernetz das ausgespannt wird. -gürtel stmf. winde zum spannen der armbrust. -kriec stm. dasselbe. -sênewe, -sênne swf. sehne die gespannt wird; s. v. a. *spangürtel.*
spân stm. span, bes. holzspan (ein sp. aus der tür oder den pfählen eines hauses galt als symbol der besitznahme od. des dem gläubiger darauf zustehnden rechtes); einschnitt ins kerbholz; verwandtschaftsgrad (nach den einschnitten im kerbholze); hobelspanförmige ringelung der äussersten haare; zwist, streit. -hâr stn. caesaries (s. vorletzte bedeut. v. *spân*). -niuwe adj. ganz neu. -win stm. tropfwein.
spanarôl s. *spaldenier.*
spænec adj. streitig.
spænelin, spænel stn. kleiner span; ringelung der haare.
spanen stv. VI locken, reizen, antreiben *zuo.*
spænen swv. zersplittern; *daʒ hâr sp.* ringeln.
spanerôl s. *spaldenier.*
spange s. *spanne.*
spange stwsf. balken, riegel; band, spange, beschlag (bes. schild-, helmspange; zum heften eines kleides oder als schmuck); rand, die äussersten felderreihen des schachbrettes.
spangen stn. das sträuben, widerstandleisten.
spanne, spange stswf. breite der ausgespannten hand. spanne-breit, -dicke, -lanc adj. eine spanne breit, dick, lang. -wit adj. spannenweit.
spannen redv. 1 abs. u. tr. spannen, überh. jede tätigkeit, mit d. ein ziehen verbunden ist. *den bogen umbe sich sp.* umhängen; *der doner ist gesp.* gespannt (wie ein bogen), um den blitz abzuschiessen. — intr. sich dehnen, gespannt sein; gespannt, begehrlich od. freudig erregt sein.
spannen s. *spennen.*
spanner stm. spanner; ballenbinder und wagenlader.
spar stf. sparsamkeit, mangel. *sp. hân* schonen, sparen; *sunder, âne sp.* ohne verzug (s. *sparn*). -heit stf. sparsamkeit, mässigkeit.
spar, spare swm. sperling.
spar-âder f. krampfader.
spære, spêre, spêr f., meist swf. sphäre, 'hof' der sonne oder des mondes (gr. lat. *sphaera,* mlat. *sphera, spera*).
spargel, sparger stm. spargel (lat. *asparagus*).
spar-golze, -galze, spur-galze swm. ein teil der beinbekleidung.

spar-kalc stm. gips.

sparke swm. md. funke.

sparlinc, *-ges* stm. die frucht des *spërboumes.*

sparn swv. sparen, schonen, verschonen, erhalten mit acc., gen.; zögern, versparen, aufschieben, unterlassen, *einen sp.* hinhalten, negiert: kurzen prozess mit einem machen (*sunder sparn* ohne verzug; vgl. *spar*).

sparre swm. stange, balken; querbalken in einem wappen.

sparren swv. mit (dach-)balken versehen.

sparwære s. *sperwære.*

sparwe, sperwe swm. = *spar 2.*

spat stmf. kniesucht der pferde.

spât stm. blättricht brechendes gestein; splitter.

spæte adj. —, **späte, spât** adv. spät. **spæte, späte** stf. späte zeit, abend-, nachtzeit.

spatel stf. schmales u. flaches schäufelchen (lat. *spatula*).

spâten swv. spät werden.

spæten, spâten swv. tr. etw. zu spät tun. — refl. sich spät einstellen, verspäten. — abs. säumen.

spâtic adj. spät.

spâtic adj. *spât* enthaltend.

spaz, spatze stswm. sperling (obd. koseform zu *spar 2,* vgl. *sperc*).

spazieren, spacieren swv. spazieren (mlat. *spatiari,* it. *spaziare*).

spëc, *-ckes* stmn. speck. **-swin** stn. mastschwein.

spëcie f. spezerei (lat. *species*).

spëcierie, spëzerie stf. dasselbe. **spëciger, spëcier** stm. spezereihändler.

spëcke, spicke swf. md. knüppelbrücke, knüppeldamm.

spëculieren swv. speculari.

spëdel s. *spidel.*

spëhære, -er stm. (alem. auch *spieher*) späher, kundschafter, spion; vorausseher.

spëhe stf. prüfendes, aufmerksames betrachten, untersuchung, erforschung, kundschaftung, aufpassen, lauer; persönl. die späher, kundschafter.

spëhen swv. schauen, betrachten (suchend od. kundschaftend, beurteilend oder wählend).

spëhendic adj. prüfend, sich auf etw. verstehend.

spëht stm. specht.

spëht, spëhter stm. schwätzer.

spëhten swv. schwatzen.

spëiche swf. radspeiche.

spëiche, speich m. f., **speichel** swstf. speichel.

speicheln swv. ausspeien.

speicholter stf. = *speichel.*

speien swv. tr. bespeien, verspotten.

spël, *-lles* stn. (dichterische) erzählung, erdichtung, sage, fabel, märchen; leeres und albernes gerede; gegenstand des geredes. **-mære** stn. erdichtete, lügenhafte erzählung.

spëllen swv. abs. erzählen; reden, schwatzen. — refl. märchenhaft werden.

spëlte, spilte swf. abgespaltenes holzstück, bes. lanzensplitter; handgerät der weberei. **spëlte, spëlze** f. spelt (lat. *spelta*).

spëltel stn. kleine spalte.

spëlter, spilter m. f. abgespaltenes holzstück, scheit; bes. lanzensplitter; bildl. einer der doppelseitig sich zeigt, spion. **spëlze** s. *spëlte.*

spen stf. muttermilch, -brust (s. *spünne*).

spënälde s. *spënel.*

spëndære stm. spender.

spënde stswf., alem. auch *spiend,* geschenk, gabe, almosen sowie die austeilung desselben (mlat. *spenda*). **-meister** stm. almosenpfleger.

spënden swv. als geschenk austeilen, almosen geben (mlat. *spendere* vom lat. *expendere*). **spënder-ambet** stn. almosenamt.

spëndiere swm. = *spendære.*

spënel, spëndel f. stecknadel; umgedeutsch *spënälde* (lat. *spinula*).

spënelinc, spinlinc, spillinc, *-ges* stm. frucht des gemeinen pflaumenbaumes (*spënelinc-, spinlinc-, spillinc-boum*), spilling.

spenen swv. = *spanen,* lokken, reizen, antreiben *ûf, zuo; ab sp.* abwendig machen; *ein kint sp.* von der mutterbrust entwöhnen.

spenge stn. = *gespenge.*

spengel stm. eine falkenart.

spengeler stm. blechschmied.

spenglin, spengel stn. dem. zu *spange.*

spengeln swv. mit *spangen* versehen oder verbinden.

spënnen swv. dasselbe. *in purpur sp.* kleiden. — refl. sich zusammenziehen, sperren, widerstand leisten.

spen-kar stn. gefäss mit einer lockspeise.

spenne stn. coll. zu *span,* zerwürfnis.

spennen, spannen swv. spannen, dehnen.

spennic adj. eine spanne lang.

spennic adj. = *spœnec.*

spenst stfn. = *gespenst,* verlockung.

spen-sû stf., **-varch** stn. milchferkel, **-vihe** stn. noch saugendes vieh.

sper s. *spôr.* **spêr** s. *spœre.*

spêr stn. m. speer (die ritterl. waffe zu wurf und stoss), als längenmass, als zeichen der reichsmacht; speerspitze. **sperbære** s. *sperwære.* **spêr-, spir-boum** stm. sperber-, vogelbeerbaum. **-brëchen** stn., **-bruch** stm. das brechen, krachen des speeres od. der speere. **-halp** adv. auf der speerseite, rechts. **-isen** stn. die eiserne spitze des speers. **-knappe** swm. fusskrieger mit einem speere. **-krach** stm. = *spërbruch* **-lîn** stn. kleiner speer. **-ros** stn. turnierpferd. **-schaft** stm. speerschaft, **-schibe** swf. die scheibe am griffe des speeres. **-stange** swf., **-stecke** swm. speerschaft. **-stich** stm. speerstich. **-tief** adj. die länge einer speerspitze tief. **-wëhsel** stmn. umtausch von speeren, speerkampf. **-weide** stf. der weg, welchen die speere zu nehmen pflegen. **-wite** stf. strecke die ein speer durchfliegt.

sperbære s. *sperwære.*

sperc, sperche, sperche m. f. sperling (md. koseform zu *spar,* vgl. *spaz*).

spêre s. *spœre.*

sperer stm. sparer.

sper-lachen stn. ausgespanntes tuch.

sper-liche adv. auf spärliche, karge weise.

sperlinc, spirlinc, *-ges* stm. sperling.

sperre stf. klammer, riegel, schloss (eines buches).

sperrëht adj. sparrenartig.

sperren, spirren swv. mit *sparren,* dachbalken versehen; ein einschliessen (durch einen vorgeschobenen *sparren,* riegel); zuschliessen, verschliessen, sperren; verhindern, verhüten; an-, auseinanderspannen, dehnen. — refl. sich spreizen, widersetzen mit gs.

sperrer stm. verschliesser.

sperr-haft adj. verschliessbar; verschlossen.

sperric adj. worauf beschlag gelegt werden kann, widerstrebend.

sperrunge sff. hinderung; arrestation.

sper-vogel stm. sperling.

sperwære, sparwære, sperbære, -er stm. geringere, von sperlingen (*spar*) lebende falkenart, sperber.

sperwe = *sparwe.,* s. *spar 2.*

spëtel s. *spitâl.*

spetel stn. lamm.

spet-knëht stm. knecht für

untergeordnete dienste. **-meister** stm. stellvertreter des vorsitzenden.

spetzelin, spetzel stn. dem. zu *spaz.*

spēzerie s. *specierie.*

spiche swm. = *speich,* speichel.

spicher stm. speicher.

spicher, -nagel stm. md. eine art kleiner nägel.

spicke s. *spěcke.*

spicken swv. mit *spěc* bestecken, spicken, bildl. mit etw. gut versehen.

spidel, spēdel stm. splitter; fetzen, lappen.

spie stswf. speichel; das erbrechen.

spiegel stm. spiegel (von metall oder glas), bildl. vorbild, muster, das höchste (*der engele s.* gott); titel verschiedener belehrung gebender bücher; kleiner handspiegel als putzgerätschaft der frauen, in der hand getragen od. an einer seidenen am halse hängenden schnur; brille (it. *speglio* aus einem mlat. *spegulum,* lat. *speculum*). **-brün** adj. glänzend wie ein *sp.* **-glas** stn. spiegel, glasspiegel; ebenbild; ideal. **-holz** stn. hölzerner spiegelrahmen. **-klâr** adj. adv. hell wie ein *sp.* **-lich** adj. spiegelartig. **-lieht** adj. hell wie ein *sp.* **-lûter** adj. = *-lieht.* **-schibe** swf. spiegelscheibe, spiegel. **-schin** stm. spiegelglanz. **-schouwe** stf. das schauen in den spiegel, spiegelbild. **-schouwen** swv. speculari. **-schouwer** stm. speculator. **-smitte** stf. fabrik von metallspiegeln. **-snuor** stf. band zum auf- oder umhängen des spiegels. **-var** adj. spiegelblank. **-vaჳ** stn. ideal (anrede an die frau).

spiegelære, -er stm. spiegelmacher.

spiegelîn adj. spiegelglatt.

spiegellîn stn. dem. zu *spiegel.*

spiegeln swv. intr. wie ein spiegel glänzen. — tr. hell wie einen spiegel machen (part. *gespiegelt = spiegelîn*).

spiegelunge stf. glänzender widerschein, spiegelung.

spieher s. *spēhœre.*

spiel stm. splitter.

spiend s. *spēnde.*

spieჳ stm. spiess (kampf-, jagdspiess); mit einem spiess bewaffneter krieger, spiessträger. **-genôჳ** stm. spiessgeselle.

spieჳe swm. = *spieჳer.*

spieჳen swv. spiessen *úf.*

spieჳer stm. mit einem spiess bewaffneter krieger.

spieჳlin stn. dem. zu *spieჳ.*

spil stn. tanz, zeitvertreib, scherz, unterhaltung, vergnügen (*s. trîben úz einem* ihn verspotten); saitenspiel, musik; schauspiel; waffen-, kampfspiel, turnier; spiel zweier um gewinn und verlust auf dem brett, mit würfeln u. dgl.; wettkampf (*spil teilen* zum wettkampf fordern, etw. zur wahl vorlegen; *ungeteilteჳ sp.* ungleiches zur auswahl); euphem. für beischlaf, für weibl. geschlechtsteile. **-bal** stm. spielball. **-brēt** stn. spielbrett. **-buoch** stn. spielbuch. **-genôჳ** stm. spielkamerad, gespiele. **-geselle** swm. dasselbe; gespielin; genosse od. gegner im kampfe. **-gevelle** stn. chance im spiel, glückl. spiel. **-grāve** swm. vorgesetzter der spielleute. **-hûs** stn. haus für die schaustellungen der gaukler; gemeinde-, gerichtshaus. **-lichen** adv. auf glänzende, strahlende weise. **-liute** pl. zu **-man** stm. spielmann, fahrender sänger, musikant, gaukler. **-rote** stf. rotte von spielleuten; gesellschaft von spielleuten. **-schibe** swf. = *spilbrēt.* **-stein** stm. brettstein. **-stube** swf. stube in der man sich vergnügt, bes. mit tanzen. **-vēlt** stn. = *spilbrēt.* **-vogel** stm. vogel mit dem man spielt, bildl. geliebter, buhle. **-wip** stn. musikantin, gauklerin.

spil, spile mf. = *gespil.*

spil stm. spitze.

spilære, -er stm. spieler.

spilde s. *spilnde.*

spilendic adj. spielend.

spilen s. *spiln.*

spil-gewin stm. erwerb mit der spindel (*spille*).

spille s. *spinnel.*

spille-macher stm. spindelmacher, dreher.

spilline s. *spēnelinc.*

spil-mâc stn. s. *spinnelmâc.*

spiln, spilen swv. intr. scherz treiben, sich vergnügen (mit leibesübungen, im ritterlichen kampfspiele, im minnespiel) ohne od. mit gen.; vom brett- od. würfelspiele, mit gen.; sich lebhaft bewegen vor vergnügen oder verlangen (*mit einander sp.* coire); fröhlich sein; zuckend leuchten, blinken. — als *spilman* spielen, musizieren (mit dp. einem etw. vorspielen, überh. eine unterhaltung bereiten). — tr. u. abs. ein spiel machen, spielen (spiel ums geld, wett-, kampf-, schauspiel u. dgl.).

spiln stn. ritterspiel, turnier.

spilnde, spilde part. adj. zu *spiln.*

spilte, spilter s. *spēlt-.*

spin s. *spint.*

spinât stm. spinat (lat. *spinacia*).

spinge swf. ein vogelname (mlat. *spinca, spinga*).

spinlinc s. *spēnelinc.*

spinne swf. spinne; spinnerin.

spinnel, spindel, spinele, spille stswf. spindel; etwas spindel-, walzenförmiges. **-sûl** stf. spindelförmige säule.

spinneler, spinler stm. spindelmacher.

spinnein (*spendeln*) swv. mit spindel versehen.

spinnel-, spil-mâc stm. verwandter von weibl. seite.

spinnen stv. III, 1 spinnen; weben.

spinnerin stf. frau, die sich vom spinnen ernährt.

spinne-(spinnen-)weppe stn. spinnengewebe. **-wēt** stn. dasselbe.

spint, -des, spin stm. fett, schmer; der junge, weiche holzstoff zwischen rinde u. kern eines baumes.

spint stn. schrank.

spir-boum s. *spērboum.*

spire swf. die spier-, turmschwalbe.

spirer stm. uferschwalbe.

spirline s. *spērlinc.*

spirren s. *sperren.*

spirzel stm. speichel.

spirzen, spürzen, spirzeln, spürzeln swv. speien, spucken.

spisære, -er stm. der speisen verabreicht oder austeilt, speise-, proviantmeister, truchsess; der speise empfängt, pfründner.

spise stswf. speise, kost, lebensmittel; eigene haushaltung; glockenspeise (mlat. *spesa* für *spensa* von *spendere,* lat. *expendere*). **-brôt** stn. brot für die dienstboten, hausbrot. **-gadem** stn., **-kamer** f. speise-, vorratskammer. **-kouf** stm. handel mit lebensmitteln. **-krût** stn. gewürze für speisen. **-lich** adj. zur speise dienend. **-lôs** adj. ohne *spise.* **-lust** stf. esslust. **-wagen** stm. proviantwagen. **-win** stm. gewöhnlicher tischwein. **-wurz** stf. = *-krût.*

spisen swv. tr. u. refl. zu essen geben, speisen, beköstigen, nähren; mit lebensmitteln, proviant versehen (*für sich s.* weiterwandern); metalle *spisen* miteinander mischen.

spisunge stf. speisung; proviant.

spitâl stm. n. spital, pflege-, krankenhaus, johanniterorden; verkürzt *spitel, spittel,* md. *spētel* (lat. *hospitale*). **-meister** stm. aufseher, verwalter eines sp.s. **-sieche** swm. kranker in einem sp.

spitâlære, spitteler stm. hospitaliter, Johanniter; vorsteher eines spitâls der Johanniter; mitglied des ordens der spitalbrüder in Rom; s. v. a. siechmeister.
spitâlisch adj. im spitale liegend, krank.
spitel, spittel s. spitâl.
spitz, spitze s. spiz.
spitze stswf. spitze, spitzes ende irgendeines d.; astr. polus, vertex, acumen; schnabel an den schuhen; landspitze; keilförmige schlachtordnung.
spitzec, -ic adj. spitzig.
spitzelîn stn. dem. zu spitze.
spitzelîne, -ges stm. stachel.
spitzen swv. tr. spiz machen, spitzen, zuspitzen; mit spitzen versehen, zieren. spitzig reden (intr. u. refl.). refl. spiz w.; etw. mit hoffnung u. sehnsucht erwarten, worauf lauern (intr. mit abh. s., mit gen. od. ûf).
spitzen-lich adj. = spiz.
spitzer stm. der etw. spitzt, zuspitzt.
spitz-liute pl. avantgarde.
spitz-mûs stf. spitzmaus.
spiunge stf. das speien.
spiutzen, spûtzen swv. speien.
spîwen, spîen stv. I, 2 (sg. praet. auch spei statt spê) u. swv. (md. spûwen, spûen) speien, ausspeien; an-, bespeien.
spiz, spitz, -tzes stm. spitze; pfahl, palisade; keilförmige schlachtordnung.
spiz, spitze adj. spitz, spitzig.
-liche adv. spitz.
spiz, -ʒʒes stm. bratspiess; holzspiess, splitter. -bräte swm. spiessbraten. -glas stn. spiessglas. -holz stn. schlanke und weiche gerte, spiessrute. -leip stn. spitzer brotlaib, spitzwecke. -vogel stm. vogel der am spiesse gebraten wird. spiʒʒel stn. kleiner bratspiess. spiʒʒen swv. an den bratspiess stecken.
spliʒe swf. md. abgespaltener span.
spliʒen stv. I, 1 md. tr. spalten, trennen. — intr. sich spalten, abtrennen, bersten.
sponeröl s. spaldenier.
sponge swm. schwamm (lat. spongia).
spons stf. braut (lat. sponsa).
sponsieren, sponzieren, spunzieren swv. verloben, vermählen; tändeln, zärtlich sein als oder wie verlobte untereinander, buhlen (lat. sponsare).
spor stn. m. fährte, spur.
spor, spore swm. sporn. -lôs adj. ohne sporn. -niuwe adj. spornneu, ganz neu (vgl. nagelniuwe). -rat stn. spornrädchen. -(sporn-) slac stm. schlag, druck mit den sporen.

spör, spöre, sper adj. hart vor trockenheit, rauh.
sporære, -er stm. sporenmacher; ein sektenname.
sporlîn stn. kleiner sporn; rittersporn (pflanze).
sporn swv. spornen.
sporte swm. schwanz, schweif; junger galan.
spot, -ttes stm. spott, verspottung, hohn, schmach; zweifel, sünde; gegenstand des spottes; scherz, spass (ûʒ dem spotte gân ernst werden; âne, sunder sp. im ernst). -haft adj. spöttisch. -kleit stn. der purpurmantel, den die Juden Christo umhängten. -(spöt-)lich adj., -liche adv. spöttisch, höhnend; verspottenswert, verächtlich. -liet stn. spottlied. -rede stf. spottrede. -wort stn. spöttisches Wort.
spottære, -er stm., spotte swm. spötter.
spottec, -ic adj. spöttisch, höhnisch. -heit stf. spöttisches wesen, hohn. -liche adv. im spott, mit hohn.
spotte-lachen swv. spottend lachen über (gen.). -spæhe adj. sich auf spott verstehend.
spöttele swm. spötter.
spotten, spoten swv. hohn, gespött treiben, abs. oder mit gen. — tr. verhöhnen, verspotten; abs. scherzen, spassen.
spotterie stf. spott.
spöttischen adv. im spott.
spozen swv. md. = spotten mit gen. (aus spotsen, ahd. spotisôn).
sprâche stswf. das vermögen zu sprechen, die sprache; ander sp. mit andern worten; sprache als kennzeichen der volkstümlichkeit; art und weise wie man spricht; rede; ansprache; ausspruch; gespräch, besprechung (auch rechtlich ordnende), beratung; rede und gegenrede vor gericht, gerichtl. verhandlung; gericht.
sprâchen swv. tr. sprechen, gespräch halten; abs. reden, schwatzen; abs. u. refl. mit einem in gespräch haben, sich besprechen, beraten.
sprâch-hûs stn. rathaus; abtritt. -kamer f. abtritt. -lôs adj. frei von ansprache; der nicht spricht od. antwortet. -man stm. redner.
spræchic adj. gesprächig, beredt.
spræjen, spræwen swv. intr. spritzen, stieben. — tr. spritzen, stieben od. sprühen machen, streuen.
sprangen swv. springen, aufspringen.
spranke swf. md. locusta.

spranz stm. spalt, riß, das aufspringen, aufspriessen (der blumen), glanz, zierde; das sich spreizen, zieren; geck, stutzer.
spranze swm. der einherstolziert (s. sprenze).
spranzelieren swv. einherstolzieren.
spranzen swv. dasselbe.
sprât stm. das spritzen.
sprauze swm. bürge (böhm. sprâwce).
spræwen s. spræjen.
sprêch stn. das sprechen.
sprêchære, -er stm. sprecher; schwätzer; lied-, spruchsprecher, der gedichte (anderer od. eigene) vorträgt.
sprêche-lich adj. beredt.
sprêchen stv. IV mit persönl. subj. intr. sprechen, sagen, reden (gegens. zu singen); în, ûf, abe über, von etw. für sich sp. fortfahren, weitererzählen; mit dp. von einem sprechen; ihm einen namen geben, ihn nennen (der name im nom. od. dat.). — tr. mit ap. mit einem reden, sich mit ihm besprechen, mit as. (mit od. ohne dp. od. präp.) sprechen von, aussprechen etc., einem einen tac, hof, turnier sp. ansetzen, anberaumen, bestimmen, ansagen; einem ein dinc spr. zusprechen; ein dinc spr., eʒ spr. gein damit meinen; ein dinc an einen spr. verlangen; eʒ billich spr. gutheissen; an eines dinc spr. sich in jemandes angelegenheiten mischen. — refl. sprechen, sich äussern. — mit sachl. subj. intr. tönen, lauten; bedeuten, heissen.
sprêckel stn. sprenkel.
sprêckelêht, sprickelêht adj. gesprenkelt.
spreide stf. ausdehnung, zerstreuung; strauch, busch.
spreiten swv. spreiten, ausbreiten, überdecken. — refl. sich hinwerfen (zum gebet vor Mohamed).
sprengel stm. büschel, bes. der weihwedel.
sprengen swv. das ross springen lassen, galoppieren (mit od. ohne obj. ros); mit ap. einen angreifen u. springen machen; mit as. sprengen, streuen, spritzen, bespritzen; aus verschiedenen farben mischen. bunt machen, sprenkeln.
sprênkelêht adj. = sprink-, s. sprêck-.
sprenze swm. geck, stutzer (s. spranze); regen. sprenzel, sprenzelære stm. geck, stutzer.
sprenzelieren swv. = spranz-.
sprenzeln swv. tr. u. refl. schmücken, putzen.
sprênzen stv. III, 1 intr. in verschiedenen farben glänzen.

sprenzen swv. tr. sprengen, spritzen; bunt schmücken, putzen, sprenkeln, — intr. u. refl. sich spreizen, einherstolzieren.

sprenzinc,-ges stm. = sprenze.

spretzen swv. spritzen.

sprich-wort stn. geläufiges wort, sprichwörtl. redensart, sprichwort; rätsel.

sprickelëht s. sprëckelëht.

spriden stv. I, 1 sich ausbreiten, sich zerstreuen, zersplittern.

sprieȥ stm. das hervorspriessen, hervorgesprossene (bildl. nutzen), zweig, arabeske; das entspringen (von quellen).

sprieȥen stv. II, 2 (md. sprüȥen) spriessen; auseinander, empor wachsen.

sprinc, -ges stnm. sprung; quelle. -liche adv. spr. stân ungeduldig dastehen. -burne, -brunne swm. springbrunnen.

sprindel, sprundel swmf. md. lanzensplitter.

springal, springolf stm. eine wurfmaschine, geschoss dazu (afz. espringale)

springen stv. III, 1 intr. springen, tanzen; eilend gehn, laufen (zesamene spr. in den kampf eilen, zunächst von zwei kämpfern); entspringen, hervorquellen; wallen; entspriessen, wachsen. — tr. einen sprunc, reien, tanz spr.; über etw. springen.

springer stm. springer, tänzer, gaukler. springerinne stf. tänzerin (Salome).

sprinke swf. fallschloss. m. heuschrecke.

sprinkel stm., sprinkelëht adj. s. sprëck-. sprinkelmeil stn. sommersprossen.

sprinz stm. das aufspringen, -spriessen (der blumen).

sprinze swm. lanzensplitter; flimmerndes stück.

sprinze swf. sperberweibchen (so benannt von der gesprenkelten brust).

sprinzelin, sprinzel stn. kleiner hautflecken; kleines sperberweibchen.

sprinzeln swv. mit den augen blinzeln.

sprinzen swv. = sprenzen, bunt schmücken.

spriten stv. I, 1 spreiten.

spriu, -wes stn., auch stf. spreu; bildl. das geringste.

spriuȥe, spriuȥ stf. stütze, stützbalken; das sichsperren, spreizen.

spriuȥen swv. tr. u. refl. stützen, spreizen, stemmen.

spriȥe swm. sprizel stswm. span,splitter,bes. lanzensplitter.

spriȥen stv. I, 1 in stücken, splittern, auseinanderfliegen.

sprotzen swv. ausspeien.

sproȥ, sproȥȥe s. spruȥ.

sproȥȥe swmf. leitersprosse, stufe.

spruch stm. was gesprochen wird, wort, vers, rede (spez. vom schönen, dichterischen ausdrucke gebraucht); nicht gesungenes kleineres gedicht; ausgezeichneter ausspruch,sinnspruch, sentenz; sprichwort; zauberspruch; richterl. ausspruch; aussprache, locutio; anspruch, rechtl. forderung od. klage. -brief stm. schriftl. entscheidung des richters od. schiedsrichters. -liute pl. zu -man stm. schiedsrichter.

sprunc, -ges stm. sprung; sprung eines tieres, bes. galopp des pferdes (in sprunge, ensprunge gên); das hervorspriessen; ursprung, quell (von sprunge gên, varn beginnen).

sprundel s. sprindel.

sprunkelëht adj. = sprëckelëht.

sprütze swv. spritze; feuerspritze.

sprützen swv. spritzen; sprossen.

spruȥ spruȥȥe, sproȥ sproȥȥe stswm. was hervorsprosst, schössling.

sprüȥen s. sprieȥen.

spruȥ-val adj. md. fahl und gefleckt.

sprüȥȥel stm. leitersprosse, stufe.

spüelach stn. spülicht.

spüelen swv. spülen.

spüen s. spïwen.

spulgen swv. pflegen, gewohnt sein, gebrauchen mit gen., mit inf., mit part. od. untergeord. s.

spüne spune, spünne spunne stf. n. mutterbrust, pl. brüste (auch stm.); muttermilch.

spünne-bruoder stm. milchbruder. -verhelin stn. milchferkel.

spünnen swv. säugen.

spunt, -tes; punt, -e stswm. stn. spund, spundloch; dickes brett mit einem spunde (falz) am rande; eingerammte pfähle eines rostes.

spunzieren s. sponsieren.

spuole, spuol swstm.spule, bes. die weberspule; röhre; federkiel.

spuon anv. unpers. mit dat. von statten gehn, gelingen; im eines d. sp. lâzen sich etw. angelegen sein lassen, sich womit sputen, es beschleunigen.

spuot stf., ndrh. spût glückliches fortschreiten, gelingen; schnelligkeit, beschleunigung.

spuot adj. glückl. fortgang habend, erfolgreich.

spür,'spur stn. f. = spor stn. (mit spur der spur nach).

spur-galze s. spargolze.

spur-halz adj. lahm.

spür-hunt stm. spürhund.

spurkel f. ndrh., surkelmânôt stm. februar.

spürn swv. der fährte des wildes suchend nachgehn, überh. etw. aufsuchen, spüren, wahrnehmen (einen sp. seiner spur folgen).

spürnen swv. spornen.

spürzeln, spürzen s. spirz-.

spût s. spuot.

spützen s. spiutzen.

spûwen s. spïwen.

squâme, squâm f. schuppe (lat. squama).

staben swv. intr. starr, steif werden, sich steifen (in er-, ge-, verstaben). — tr. mit einem stabe versehen; leiten, anweisen (mit gs. od. zuo); zuweisen, einweisen, zu eigen übergeben; einem den eit staben od. bloss einem staben den eid vorsagen, abnehmen (unter berührung des richterl. stabes); die rede st. formulieren.

stabe-swërt stn. dolch.

stabunge stf. beeidigung.

stachel stm. stachel.

stade s. state.

stade swm. gestade, ufer.

stadel stm. scheune, scheunenartiges gebäude; herberge, wohnung; des kriuzes st. stamm. -hof stm. herrenhof, -stall. -meister stm. besitzer eines stadels, einer herberge. -trôn stm. standpunkt eines sternes u. gleichsam dessen thron. -wise stf. melodie zum tanz in der scheune.

stadelære, -er stm. aufseher über den stadel; inhaber eines stadelhoves.

stadelen swv. vor gericht stellen (vgl. studelen).

staden swv. land(e)n, an dem gestade sich sammeln.

stadie stf.stadion(längenmaß).

staf s. stap.

stalfel s. stapfel.

stahel, stâl stmn. stahl; stählerne rüstung, stählerne panzerringe; stahlbogen der armbrust; st. trennen turnieren. -biȥe swm.stahlbeisser:schwert. -bleich adj. bleich wie stahl. -gewant stm. panzerring von stahl. -herte adj. stahlhart. -huot stm. stahlhelm. -kleit stn. = stahelgewant. -rinc stm. panzerring von stahl. -schal stm. lärm der stählrüstung. -spange swf. stahlstück an der rüstung. -stange f. stange von stahl. -starc adj. kräftig wie st. -vaȥ stn. stahlgefäss: helm. -veste adj. fest, hart wie stahl. -wât stf. = stahelgewant. -wêre stm. dasselbe. -zein stm. z. von stahl.

stahelen, -in s. *stehelen*, *-in*.
stal, -*lles* stm. n. steh-, sitz-,
wohnort; stand; ort zum einstellen des viehes, stall. — *stal*
n. (in Compositis:) gestalt, gestelle, stütze. -boum stm. hoher
alter waldbaum (?), vgl *stele*.
-gëlt stn. stallgeld; s. v. a.
stantgëlt. -gesinde stn*.* stall-
genossenschaft. -miete stf. =
stalgëlt. -tage swm. waffenstillstand, friedensverhandlung.
stäl s. *stahel*.
stalde swm. steiler weg.
stälen, stælen s. *steheler.*
ställn, stælin s. *stehelin*.
stallen s. *stellen*.
stallunge stf. stellung, das
sicheinfinden an einem bestimmten orte; waffenstillstand,
friedensverhandlung, -vertrag;
stallung, stall, ställe; herberge.
stalt stm. besitzer (in *hage-*,
vriheitstalt).
stalt stf. = *gestalt*.
stam, -*mmes* stm., stamme
swm. stamm, baumstamm;
grund, quelle, ursache; ge-
schlechtsstamm, geschlecht, abstammung; sprössling eines geschlechts; stück, abschnitt
(einer erzählung); *des kriuzes
st.* arbor crucis.
stamelen, stamlen, stammeln,
stammern swv. stammeln.
stameler, stemeler, stamerer
stm. stammler.
stammen swv. abstammen
von.
stampenie, stempenie stswf.
eine liedergattung heitern in-
halts, gewöhnl. zur fiedel gesungen; zeitvertreib, unnützes
werk; ein kunstausdruck der
meistersinger (wohl die kunst
von zerspaltung der lieder); afz.
estampie, lt. *stampania* vom
deutsch. *stampfen.*
stampf stm. werkzeug zum
stampfen, stampfmaschine,
-mühle, mörserkeule (bildl. u.
persönl. klotz); werkzeug zum
stempeln; mörser.
stampfen swv. stampfen, zerstossen; enthülsen.
stän, stën, standen anv. (stv.
VI) an einer stelle sich befinden,
stehn, zur seite stehn, stehn
bleiben, stille stehn, beharren,
beruhen auf etw. (*lâ stân* lass
sein wie es ist, lass genug sein,
höre auf!); stand halten, fort-
bestehn, dauern, *st. in*, *ûf* beharren; sich verhalten, sich befinden, sein; *ûf einen* feindlich entgegentreten; anstehn,
ziemen mit dat.; zu stehn kommen, kosten; *st. nâch* streben,
gerichtet sein; sich stellen,
treten (*von dem rosse st.* absitzen); mit inf. anfangen, beginnen; *ez stât mir wol* es geht

mir gut; *wol st.* von der kleidung; *daz riche stât an einem*
hängt von ihm ab; *diu schrift,
der brief stât* lautet.
stanc, -*kes* stm. geruchssinn;
wohlgeruch; gestank.
standart s. *stanthart.*
staude swf. stellfass, kufe.
standener, stantner, stentner
stm. stellfass, kufe; das stehn-
bleiben, bes. auf der gasse um
zu plaudern.
standert s. *stanthart.*
stange stswf. stange (*st.* in
der hand des *griezwarten*, den
kampf zu scheiden, daher: *der
stangen gern, begern* sich für
überwunden erklären); horn,
geweih; feder aus einem pfauen-
schwanze.
stant, -*des* stm. stand, sitz;
statio; schiessstand, -stätte; bestand; das bestehn worauf,
innehaltung, besitz; zustand,
lebensweise; amt, würde. -bære
adj. standhaft. -gëlt stn. abgabe für den verkaufsplatz.
stanthart stm. ndrh. *standart,*
standert standarte (fz. *estendard*
v. lat. *extendere*).
stantner s. *standener.*
stap, -*bes* stm. (md. auch
staf) stab, stock (zum schlagen,
stützen; bildl. stütze); stecken-
pferd; pilgerstab; *krumber st.*
hirtenstab, stab des bischofs u.
der hohen geistlichkeit (persönl.
der bischof); herrscherstab; *st.*
des gesandten, hofbeamten,
richters (auch jurisdiktion, gerichtsbarkeit); stab des kreuzes, kreuz; massstab. -kërze
swf. windlicht. -reise stf. auszug innerhalb des gerichtsbezirkes. -slinge swf. schleudermaschine. -swërt stn. stock-
degen.
stapf stm. schritt.
stapfe swm. f. auftreten des
fusses, tritt; fussspur; s. v. a.
stigele. *in stapfen wis* gradatim.
stapfel, staffel stswm. stufe,
grad; grad einer einteilung;
stufe der verwandtschaft; sta-
pelplatz; schuppen, hütte; bein
eines hölzernen hausgerätes.
stapfeln swv. mit stufen versehen.
stapfen, stepfen swv. fest auftretend schreiten; *einen an st.,
gegen einem st.* losgehn auf; *zesamen st.* aufeinander losgehn.
stapfens, stapfes adv. im
schritt.
star stn. s. *ster.*
star swm. star (vogel).
star adj. starr, stier, unbeweglich, in:
star-blint adj. staarblind.
starc, -*kes* adj. stark, gewaltig, kräftig; schwer zu ertragen,
schwierig, unlieblich, schlimm,

böse. — adv. s. *starke.* -heit
stf. stärke. -liche s. *stercliche.*
-muotic adj. kräftiges sinnes.
-türstic adj. sehr kühn, verwegen.
staren s. *starren.*
staren, starn swv. mit unbe-
wegten augen blicken, starren,
stieren; tr. *an st.*
starke, stare adv. gewaltig,
sehr.
starken swv. *starc* sein od.
werden.
stærlinc s. *sterlinc.*
starn s. *staren* 2.
starren swv. md. *staren* starr,
steif sein od. w.
starzen s. *sterzen.*
stat, -*des* stm. n. gestade, ufer,
landeplatz.
stat stm. stand, zustand,
lebensweise, würde.
stat stf. ort, stelle, stätte,
(*an — stete* anstatt, *an*, *in*,
enstete, *ûf*, *ze* [der] *stete* [*stat*]
auf der stelle, sogleich); raum
(*einem st. geben*); ortschaft,
stadt. -amman stm. bürgermeister. -bëte stf. stadtsteuer.
-buoch stn. rechtsbuch einer
stadt. -gerihte stn. stadtge-
richt. -gesinde stn. stadtbevöl-
kerung. -halter stm. stellvertreter. -hüeter stm. stadtwäch-
ter; als schachfig. siebenter
vende. -lich adj. städtisch.
-liute pl. zu -man stm. stadtbewohner. -meister stm. befehlshaber einer stadt; bürgermeister; städtischer baumeister od. werkmeister. -menige
stf. stadtvolk. -müre stf. stadtmauer. -müs stf. stadtmaus,
gegens. zu *vëltmûs*. -porte,
-phorte f. stadttor. -rât stm.
ratsversammlung einer stadt.
-redener stm. der im namen der
stadt zu sprechen hat. -rëht stn.
stadtrecht; bürgerrecht u. damit verbundene gerechtsame;
eines bürgers abgabe od. leistung für die stadt. -rihtære,
-er stm. richter einer stadt.
-rümie adj. stadtflüchtig. -schri-
ber stm. stadtschreiber, -kanz-
ler. stat- (stete-)stiure stf.
stadtsteuer. -varre swm. stadt-
stier (als schimpfwort). -veste
stf. die *veste* (burg) einer stadt.
-vole stn. stadtvolk. -vride stn.
stadtgebiet. -wahte stf. stadtwache. -wandel stn. städtische
geldstrafe. -wehter stm. stadt-
wächter. -wer stf. stadtbefesti-
gung. -zeichen stn. stadtbanner.
state, stat stf., md. auch
stade bequemer ort od. zeitpunkt, gute gelegenheit; be-
dingende verhältnisse, umstände, lage (gerne im pl.); hilfe;
über st. in hohem masse. -(stat-)
haft, -hattic adj. der seine *state*

besitzt, in der lage ist etw. zu
tun, gerüstet, angesehen, begütert, vermögend, wohlhabend, gewaltig. -(stat-, stete-)
liche adv. mit *state*, gehörig, angemessen; ruhig, gemach; bequemlich, stattlich.
stæte (stæt) adj. was steht u.
besteht, fest, beständig, anhaltend. — adv. fest, beständig,
stets. — stf. festigkeit, beständigkeit, dauer (*mit, ze stæte*
beständig, für immer); bestätigung. -haft adj. = *stæte*. -lich
adj., -lichen adv. = *stæte*.
-lös adj. unbeständig, unzuver-
lässig.
stætec, -ic adj. = *stæte*. -heit,
stætekeit stf. festigkeit, beständigkeit; sicherheit, bestimmtheit; bestätigung. -lich adj.,
-liche adv. = *stæte*.
staten swv. zu *stat* stf.: an
seinen ort bringen, anbringen,
verwenden; mit dp. einem
stand halten, es mit ihm aufnehmen; erstatten, ersetzen. —
zu *state*: wozu verhelfen, zufügen mit dat. u. acc.; zugeben,
gestatten mit dp. u. gs., inf. od.
untergeord. s.
stæten swv. *stæte* machen,
befestigen, bestätigen, bekräftigen.
stætes adv. beständig.
stat-haft s. *statehaft*.
stætigen swv., mfr. *stêdigen*
= *stæten*.
stætiges adv. = *stætes*.
stat-liche s. *stateliche*.
statunge stf. erstattung, vergütung.
stætunge stf. befestigung, bestätigung.
statze f. krämerbude, apotheke (lat. *statio*).
statzen swv. aufrecht sitzen,
sich brüsten.
statzen swv. stottern.
statzian stf. station des kreuz-
weges. (lat. *stationem*).
stationierer stm. reliquien-
krämer; statzûner krämer, apotheker (mlat. *stationarius*).
stebære, -er, steffer stm. der
die eidesformel vorsagt.
stebelære, -er stm. dasselbe;
stabtragender beamter oder
diener; eine Schweizermünze
(auch *steblermünze*, urspr. so
benannt nach dem darauf geprägten stabe der bischöfe von
Constanz).
stebelen swv. *den eit st.* =
staben.
stebelin, stebel stn. dem. zu
stap.
stebel-meister stm. = *stebe-*
lære, stabträger.
stebene stf. md. schiffsvorder-
teil, steven.
stebler-münze s. bei *stebelære*.

stëc, -ges stm. schmale brücke,
steg, schmaler weg überh.
stëchære, -er, sticher stm.
stecher, gedungener mörder,
assassine; turnierer; stechende
waffe, stechmesser, dolch.
stëchel, stichel, stickel adj.
stechend, spitzig; jäh, steil.
-halde stf. steilhang.
stëchen stv. IV stechen (*diu*
ougen st. gen ins auge fassen);
bestechen; abs. turnieren. —
stecken.
stëchen stn. das stechen; das
turnieren.
stechen s. *stecken*.
stëch-hof stm. turnierhof,
turnier. -mezzer stn. dolch.
-ros stn. turnierpferd. -schit
stn. grabscheit. -wort stn.
stichelrede (mnd. *stecke-w.*).
-ziuc stmn. turnierzeug.
stëcke swm. stickhusten.
stecke swm. stecken, knüttel,
pfahl, pflock. steckelin, steckel
stn. kleiner *stecke*; knüttel-,
prügelholz.
stecken, stechen swv. tr. refl.
stecken, stechend befestigen,
fest heften; *diu ars st.* spornen.
— intr. stechend festsitzen, fest-
haften, weilen.
steffer s. *stebelære*.
stefninger, stevning stm. eine
burgund. münze (lat. *moneta*
Stephaniensis, so gen. von d.
kathedrale St. Stephan in
Besançon.)
stëft s. *stift* 1.
stëge swstf. treppe.
stëgelin stn. dem. zu *stëc*.
stëgen swv. intr. *stëc* oder
stëgen betreten, überh. gehn,
steigen, bildl. streben, trachten
nâch, zer; als *stëc* führen. — abs.
u. tr. *stëc* od. *stëgen* bereiten mit
dp. — tr. gehn auf, über; mit
einem *stëge* versehen, verbinden;
leiten, führen.
stëge-reif stm., ndrh. *stêreip*
vom sattel hangender ring zum
einsetzen des fusses beim besteigen des pferdes u. beim
reiten, steigbügel (*einem den st.*
haben zum zeichen d. lehns-
untertänigkeit); *sich nern in,*
ûz, von dem st. durch umherschweifen zu pferde, durch
räuberei sich nähren.
stëgeren swv. aufwärts steigen.
stëger-haft stf. = *stëgereif*.
stëg-rêht stn. eine abgabe
der schiffe beim aus- u. einladen.
stehelen, stahelen; kontr. stælen, stâlen, stëlen swv. stählen.
stehelin, stahelin adj. von
stahel, wie von *st*. (kontr.
stælin, stêlin, stâlin.)
steic, -ges stm. das emporsteigen (der töne); abgesang.

steide adj. mfr. = *stæte*.
steifen redv. 4 emporsteigen,
klettern.
steige stf. steile strasse; steile
anhöhe; s. v. a. *steic*.
steigel, steil adj. steil.
steigen swv. tr. *stîgen* machen,
aufrichten, erhöhen (*die noten*
st. in hohen u. starken tönen
spielen); antreiben; bedrängen.
— refl. sich erheben, aufsteigen.
steigern swv. erhöhen (den
preis).
steigerunge, steigunge stf. erhöhung (des preises).
steigunge stf. erhöhung.
steil s. *steigel*.
steim stm. gewühl, gedränge.
stein stm. fels; hohler stein,
felshöhle; felsen-, bergschloss,
feste; stein (*stein und bein* totes
und lebendiges). — spezielle anwendungen: (steinerne) stufe
einer treppe; mühlstein; mauer-,
baustein; ziegelstein; opfer-
stein; grabstein; wetz-, probierstein; geschützstein, steinku-
gel; blasenstein; magnetstein;
edelstein. — stein in einer
frucht. — hagelschlosse. —
figur im schachspiele. — ein
gewicht. -ackes, -ax stf. stein-
axt. -bërc stm. petra. -boc
stm. steinbock. -boge swm.
boge, mit dem steine geschossen
w. -brëche swf. werkzeug zum
steinbrechen; der steinbrech
(pflanze, so genannt, weil sie
den blasenstein zerbröckeln u.
abtreiben soll). -bruch stm.
steinbruch. -bückin adj. vom
steinbocke. -bühse f. büchse
von stein, salbenbüchse; geschütz, aus dem steinkugeln geschossen w. -dach stn. ziegeldach. -decker stn. ziegeldach-
decker. -gadem stn. speisege-
wölbe. -geiz stf. steingeiss. -ge-
schürze stn. steingerölle. -ge-
velle stn. durch *steine*, losge-
stürzte felsblöcke unwegsame
gegend. -gruobe f. steinbruch.
-herte, -hart adj. steinhart, hart
wie stein. -hërze n. steinhartes
herz. -hol stn. felsenhöhle.
-houwe swm., -houwer, -höwel
stm. steinmetz, -hauer, -bre-
cher. -hüfe swm. steinhaufe.
-huon stn. steinhuhn. -hûs stn.
haus von stein, herrenhaus,
schloss. -hütte swf. steinmetz-
hütte. -iule f. steineule. -ka-
mer f. = *steinhütte*, -gadem,
-kole swf. steinkohle. -kûle f.
md. steingrube. -lichen adv.
wie ein stein. -man stm.,
-meister stm., -meize, -metze
swm. steinmetz, bildhauer.
-meizel stm. dasselbe; werkzeug
des steinmetzen. -rosche, -rot-
sche, -rusche, -rütsche, -rutsche
swstf. felsenklippe, jäher berg-

abhang mit felsen u. gerölle, höhlen u. spalten. -schëver stm. steinsplitter. -schraft stf. abgerissenes felsstück. -schrove swm. zerklüfteter fels. -setzer stm. grenzsteinsetzer. -strâʒe stf. steinweg, chaussee. -want stf. felsenwand; felsenhöhle; mauer. -wate swf. zugnetz, das durch einen daran gehängten stein auf den grund des wassers hinabgesenkt wird. -wëc stm. = -strâʒe. -wërc stn. steine, steinbau, steinmetzarbeit. -wërker stm. steinmetz. -wurf stm. steinwurf; strecke, so weit ein stein geworfen wird. -würke swm. steinmetz.

steinach, steinech stn. gestein. **steinec, -ic** adj. steinig. **steinech** s. steinach. **steinëht** adj. = steinec. **steinel** s. steinlîn. **steineln** swv. hageln. **steinen** s. steinîn. **steinen** swv. tr. mit steinen, bes. edelsteinen versehen, besetzen. — abs. marksteine setzen. — tr. mit marksteinen versehen, abgrenzen; steinigen. — intr. zu stein w. **steinin, steinen** adj. von stein, steinern. **steinlære** stm. der die steine, edelsteine kennt, damit handel treibt. **steinlîn, steinel** stn. dem. zu stein. **stele** swf. hoch an der wand angebrachtes gefach. vgl. bërc-, himel-st. **stële-haft** adj. gestohlen. **stëlen** s. stehelen. **stëlen** s. stëln. **stëler** stm. dieb. **stel-hamer** stm. = rihthamer. **stellec, -ic** adj. stillstehend (st. machen stillen; mit beschlag belegen). **stellen, stallen** swv. tr. refl. zur stelle, an eine stelle (stal) bringen, zum stehn bringen, auf-, feststellen; stellen nâch, ûf, umbe, ze (mit ausgelass. obj. netz, falle) trachten, streben, nachstellen; vor augen stellen, gestalten, anstellen, machen, tun, vollbringen (part. gestellet, -stalt aussehend, gestaltet, beschaffen); in eine richtung bringen, richten, einrichten (part. gestellet, -stalt gerichtet, gestimmt). — tr. in einen stall bringen (auch abs. mit dat.), überh. halt machen; vür einen st. ersatzmann bei der arbeit sein; stallen abs. (vom pferde) harnen. **stëln, stëlen** stv. IV tr. heimlich und widerrechtlich sich aneignen, stehlen; überh. etwas heimlich erlangen, tun, verheimlichen. — refl. sich heim-

lich wegbegeben, verstohlen gehn. **steltnisse** stfn. s. gesteltnisse. **stelz** stn. ein weinmass. **stelzære, -er** stm., **stelze** swm. der auf stelzen geht (vgl. schemelære). **stelze** swf. stelze, stelzbein, krücke; schemel auf dem sich ein krüppel fortbewegt; der schmal auslaufende teil eines ackers od. einer wiese von der stelle an, wo das grundstück von der regelmässigen gestalt eines vierecks abweicht. **stelzen** swv. auf stelzen gehen. **stemeler** s. stameler. **stëmen** stv. V einhalt tun. **stemmen** swv. tr. stehn machen, steif machen, befestigen (die speerspitze an den schaft); der âventiure prîse st. dichten. — intr. vom wasser: aufgestaut werden, anschwellen, austreten. **stempenie** s. stampenîe. **stempfel, stempel** stm. stempfel, stössel; grabstichel; münzstempel, prägstock; petschaft; das durch einprägung hervorgebrachte bild; schiefstehender holzstamm zur auszimmerung der gruben im bergbau. -graber stm. graveur des münzstempels. **stempfen** swv. stampfen, schlagen, prägen, mit einem gepräge od. stempel versehen, eingraben, auch bildlich: in daz hërze st. **stën** s. stân. **stën-boum** stm. stehender baum, waldbaum. **stendel** stnm.? = stande, stander. **stenen** swv. md. stöhnen. **stengel, stingel** stm. stengel; angelrute; stange. -boum stm. schranke, gerichtsschranke. **stengelin, stengel** stm. dem. zu stange. **stengen** swv. md. an st. antreiben (zur arbeit). **stenke** swm. übelriechender atem. — stf. gestank. -vaʒ stn. riechfläschchen. **stenken** swv. stinken machen. **stent-lich** adj. stabilis. **stentner** s. standener. **stentnerlin** stn. dem. zu standener. **stepfen** s. stapfen. **stëppen** swv. stellenweise stechen, reihenweise nähen, durchnähen, sticken. **stër** swm. = stör, stür. **stër, stëre, stërre** swm. (stm.) widder. **ster, star** stn. ein mass, namentl. für getreide (it. staro v. lat. sextarius, s. sëhster). **stërbe** swm., stf. das sterben, der tod; ansteck.krankheit, pest.

stërben stv. III, 2 sterben, häufig mit gen. causae: des spers, vrostes, hungers st.; mit ds. = einer sache absterben, durch den todesfall frei werden. **stërben** stn. = stërbe. **sterben** swv. stërben machen, töten. **stërben-lich** adj. das sterben betreffend. **stërbent** stm. = stërbe. **stërb-lich** adj. sterblich. -lîcheit stf. sterblichkeit. -ohse swm. ochse als besthoubet. -rëht stn. das recht ein besthoubet zu nehmen. **stërbôt(e)** stm. n. = stërbe. **stërbunge** stf. = stërbe. **sterc-lich** adj. stark, gewaltig. -(starc-)liche adv. gewaltig, heftig, sehr. **stë-reip** s. stëgereif. **steren** swv. = staren. **stërke, stirke** swf. md. mutterkalb. **sterke** stswf. stärke, gewalt; als kardinaltugend: fortitudo; verstärkung, vermehrung; stärkemehl. **sterkede** stf. stärke. **sterken** swv. tr. u. refl. starc machen, stärken; verstärken, vermehren; aufmuntern, behilflich sein zu (an, zuo); mit stärkemehl steif machen, stärken. **sterkerunge** stf. stärkung, bekräftigung. **sterkunge** stf. stärkung; verstärkung, vermehrung. **stërl** stn. kleiner widder (stër). **sterl** stn. dem. zu stër stn. **sterlinc, stærlinc, -ges,** sterlinger stm. sterling, eine münze (mlat. sterlingus, esterlingus). **stërne, stërre** swm., **stirn** stm. stern (tunkel st. abendstern, der lieht st. morgenstern). -var adj. sternfarb, glänzend. -warter stm. = stërnwarte. **stërn-himel** stm. firmamentum. -kunst stf. astrologie. -lebse stf. astrolabium. -lieht adj. hell wie ein stern. -prüever stm. mathematicus. -schôʒ stn., -schuʒ stn. sternschnuppe. -(stërnen-)sëher stm. astrolog, astronom. -vürbe stf. sternschnuppe. -warte swm. sternseher. **stërnen-luoger** stm. sternseher. -pfaffe swm. astrolog. **stërnlin** stn. dem. zu stërn. **sterre** adj. starr, steif. **stërre** s. stër, stëre. **stërre-schieʒe** swm. = stërnschôʒ. **stërz** stm., md. stërt schweif; stengel, stiel; pflugsterz. **stërzel, störzel** stm. = stërzer. -krût stn. die fenchelrute, gerte. -meister stm. bettelrichter.

stërzen stv. III, 2, sterzen, starzen swv. intr. steif emporragen; stelzen; sich rasch bewegen, umherschweifen. — tr. starr aufwärts richten, erigere.

stërzer stm. vagabund, betrügerischer bettler.

stërz-meise f. schwanzmeise.

stete stswf. stätte, platz; gestade, ufer.

stetec, -ic adj. nicht von der stelle zu bringen, bes. von pferden.

stete-liche s. stateliche.

steteliu, stetlin, stetel stn. dem. zu stat, kleiner ort, plätzchen; städtchen.

stetenen, steten swv. befestigen; eine stätte geben in(acc.).

steter stm. stadtbewohner.

stete-stiure s. statstiure.

stetichin stn. md. städtchen.

stetisch adj. städtisch.

stevel s. stival.

stevning s. stefninger.

stibel s. stivel.

stic stm. s. stich.

stic adj.: stic und vinster (v. der nacht) so finster, daß man keinen stic (punkt), gar nichts sehen kann. vgl. gesticket bei sticken.

stic s. stîge 2.

stic, -ges stm., stîge stf. steig, pfad.

stich stm. stich (auch das speerstechen); knoten; punkt (auch stic); augenblick; abschüssige stelle, steile anhöhe.

stichel s. stëchel.

stichel stm. stachel.

stichelic adj. stechend, spitz.

stichelinc, -ges stm. stachel; ein kleiner fisch mit stacheln auf dem rücken.

sticher s. stëchœre.

stichel-suht stf. kolik.

stich-mezzer stn. = stëchmezzer.

stichten s. stiften.

stich-win stm. der zur probe mit dem heber aus dem fass genommene (gestochene) wein.

stickel s. stëchel.

stickel stm. spitzer pfahl, spitze, stimulus; (steiler weg?).

stickel stf. anhöhe.

sticken swv. md. = stecken intr.

sticken swv. mit feinen stichen erhobene figuren nähen, sticken; dar-, hinstellen, gestalten; fälteln; mit (zaun-) stecken, pfählen versehen; ersticken; part. gesticket auch = stic adj.

stic-lëder stn. steigriemen.

stieben, stiuben stv. II, 1 stieben, als od. wie staub umherfliegen; staub von sich geben, stäuben; schnell laufen, rennen, fliegen.

stief adj. steil.

stief adj. nicht unmittelbar in leibl. verwandtschaft stehend; nur in den komposs. stiefbruoder, -kint, -muoter, -sun, -swester, -tohter, -vater.

stiege stswf. = stëge.

stiegel stm. grad, stufe; s. v. a. stigele.

stieg-liche adv. gradatim.

stier stm. junges männliches rind; stier (auch im tierkreise).

stierlin stn. kleiner, junger stier.

stiezen stv. II, 2 stossen.

stif adj. adv. starr, fest, aufrecht, wacker, stattlich. ,-liche adv. fest.

stift, stëft stm. stachel, dorn, stift; oberstes ende, spitze; stengel.

stift stfmn. stiftc stf. stiftung, veranlassung, gründung, grundlage, bau; bes. geistl. stiftung, gotteshaus; stadt; begründung, bewirkung, anordnung, einrichtung; rechtlich festgestelltes, bes. die feststellung eines pachtvertrages, pacht, miete, sowie der tag, an welchem eine grundherrschaft die pachtzinsen einnimmt, die pachtverhältnisse bestätigt, erneuert od. aufhebt. diu niuwe (alte) st. das neue (alte) testament; des gelouben st. die heilige schrift?; der sünden st.herrschaft,gewalt ders.

stiften swv., ndrh. (md.) stichten hin- und feststellen, stiften, gründen, bauen; bewirtschaften, bebauen; bestiften, besetzen mit, einsetzen auf (als nutzniesser, pächter, mieter), belehnen; überh. einrichten, in ordnung bringen; ins werk setzen, veranstalten, veranlassen, anstiften; erdichten, ersinnen, erfinden. — sich st. ûf sich auf etw. einstellen.

stifter stm. stifter, gründer, urheber; bestifter, belehner eines gutes; ein- und absetzer (des pächters etc.).

stiftunge stf. stiftung, gründung; bestiftung, belehnung.

stîge swstf. = stîc,stëge,stiege.

stîge, stic stswf. verschlag, stall für kleinvieh.

stigel stm. pflock, spitze.

stigele, stigel swstf. vorrichtung zum übersteigen eines zaunes, einer hecke.

stiglî́nk, stigliz, -itze stswm. distelfink, stieglitz (slav.).

stîgen stv. intr. steigen, aufsteigen, sich erheben. — tr. be-, ersteigen.

stîger stm. steiger, besteiger; hurer.

stig-leiter f. steig-, sturmleiter. -zluc stmn. steig-, sturmgerät.

stil stm. stiel, griffel.

stil-heit, stillekeit stf. ruhe, stillschweigen.

stille adj. still, heimlich, ruhig, schweigend.

stille adv. im stillen, geheim, ruhig, schweigend.

stille stswf. ruhe, stillschweigen; zeit nach den letzten propheten; heimlichkeit, verborgenheit (in stillen heimlich) s. v. a. stilmësse.

stillec-liche adv. = stille.

stillen swv. tr. stille machen, zur ruhe, zum schweigen bringen, beruhigen, besänftigen; zurück-, aufhalten, hindern, abbringen von; befriedigen; geheim halten. — intr. st. werden, zur ruhe kommen, sich besänftigen, aufhören, schweigen, ablassen von.

stil-liche adv. = stille.

stillieren swv. destillieren (mlat. stillâre).

stillingen adv. stille, heimlich.

stillunge stf. das stillmachen; das stillsein, schweigen; s. v. a. stilmësse.

stil-mësse stf. der canon missae, der mit dem sanctus beginnt und mit dem pater noster endigt.

stilnisse stn. ruhe, stillschweigen, verstummen; s. v. a. stilmësse; geheimnis, verborgenheit.

stim stm. = steim.

stimern swv. spottend lächeln.

stimme stswf. stimme, ton, ruf, schrei; musik. die solmisationssilben.

stimmen swv. intr. eine stimme hören lassen, rufen. — tr. mit einer stimme versehen, erfüllen; anstimmen; gleichstimmend, -lautend machen; nennen, benennen; festsetzen, bestimmen; taxieren, abschätzen.

stingel s. stengel.

stinken stv. III, 1 intr. einen geruch von sich geben, riechen; einen üblen geruch von sich geben, stinken. — tr. durch den geruchssinn wahrnehmen, riechen.

stinz, stinze stswm. der stint (fisch).

stiper stf. md. stützholz.

stipern swv. mit stipern stützen.

stirede stn.? widder (s. stёr).

stirk- s. sterk-.

stirne swstf. stirne.

stirner stm. s. v. a.

stirn-stœzel, -stœzer stm. eine art landstreicher.

stiuchelin stn. dem. zu stûche.

stiudelin stn. dem. zu stûde.

stiur stn. steuerruder.

stiurære, -er stm. steuermann; beistand bei gericht; steuereinnehmer.

stiur-bære adj. steuerbar, -pflichtig; behilflich.

stiure, stiur, stiuwer stf. stütze; steuerruder; hinterteil des schiffes; anstoss; antrieb; unterstützung, hilfe, gabe, beitrag; s. v. a. *heimstiure;* unterstützung des herrn durch abgabe, steuer; einkommen, erträgnis. — *âne alle st.* ohne erfolg; *nach der lêrer st.* autorität.

stiure swm. steuermann; beistand des anwaltes.

stiuren swv. stützen; das steuer od. mit demselben lenken; lenken, leiten überhaupt; lindern, beschränken, einhalt tun (mit as., ds.), mässigen; treiben, stossen, bedrängen mit dat.; unterstützen, helfen, wozu verhelfen, versehen mit, beschenken, ausstatten. — intr. als abgabe entrichten, steuer zahlen; steuer auflegen, erheben. — tr. versteuern. — refl. sich stützen.

stiuric adj. steuerpflichtig.

stiur-lich adj. zur hilfe gereichend, geeignet. -man stm. steuermann. -meier stm. steuereinnehmer. -meister stm. steuermann; steuereinnehmer. -rint stn. zinsrind. -ruoder, -ruodel stn. steuerruder. -win stm. zinswein.

stiurunge stf. stütze; steuer, abgabe.

stiuwer s. stiure.

stiuz, stouz stn. steiss.

stivâl, stival, -el stswm., md. auch *stevel* stiefel (it. *stivale,* fz. *estival* vom lat. *aestivale* aus leichtem leder bestehnde sommerbekleidung des fusses).

stivel stswm., md. *stibel* stütze, bes. hölzerne stütze, stange für den weinstock.

stivelen swv. stützen.

stiven swv. die *stive* (altfz. *estive*), schalmei blasen.

stöber, stöberer stm. = *stöuber.*

stoc, -ckes stm. stock, knüttel, stab; grenzpfahl; weinstock; baumstamm, -stumpf (*des kriuzes st.*); brunnenstock; ambossstock; almosen-, opferstock; bienenstock; block um die füsse der gefangenen, gefängnis überh.; das recht in den *stoc* zu setzen; mauerstock, stockwerk; salzstock; ein teil der geschützausrüstung; stumpf, storren eines zahnes. -ar swm. jochgeier. -brunne swm. röhrbrunnen. -guldin stm. = *stocmiete.* -holz stn. stock-, rammholz. -houwe stf. das ausreuten der baumstöcke. -hûs stn.

---

stockhaus, gefängnis. -meister stm. stock-, gefängniswärter. -miete stf. dem *stocmeister* zu entrichtende bezahlung. -rëht stn. dasselbe; abgabe für den holzschlag; das recht holz zu schlagen. -visch stm. stockfisch. -warte swm. = *stocmeister.* -warter, -werter stm. dasselbe.

stocken, stöcken, stücken swv. ausreuten, mit grenzpfählen versehen; in den *stoc,* ins gefängnis setzen; steif machen (?); intr. *wider einen stocken* mit einem stocke auf ihn losgehen.

stocker stm. = *stocmeister.*

stockunge stf. das setzen von grenzpfählen.

stôle, stôl stswf. die stola des messpriesters, priesterbinde, -gewand; sinnbild des geistl. amtes, der geistl. gewalt (*diu st. und daz swert* papst u. kaiser); geistliches leben (gr. lat. *stola*).

stôlen-wis nach art einer st.

stolle swm. stütze, gestell, pfosten, fuss (in der kunstsprache der meistersinger sind die *stollen* die zwei gleichen ersten teile einer dreiteiligen strophe, die zusammen den aufgesang bilden); hervorragender teil, spitze, zacke; grosses stück; bildlich stück, streich, schwank; bergm. ein wagrechter gang, der ins gebirge getrieben wird.

stöllelin stn. dem. zum vorig.; kleines fussgestell.

stollen swv. stützen.

stolz adj. adv. töricht, übermütig; stattlich (*st. um die brust* vollbusig), prächtig, herrlich, hochgemut. -gemuot adj. = *stolzmüete.* -heit stf. hochmut; stolzes, hochgemutes wesen. -lich adj. = *stolz.* -liche adv. stattlich, herrlich, hochgemut; hoch-, übermütig. -müete adj. *stolz* gesinnt.

stolzec-heit stf. hochmut, stattlichkeit, pracht, herrlichkeit.

stolzec-liche adv. stattlich.

stolzen swv. *stolz* sein oder werden; stolz einhergehn.

stolzen swv. hinken (vgl. *stelzen, stülzen*).

stolzieren swv. stolz einhergehn.

stopf stm. kurzer stich oder stoss (vgl. *stupf*).

stopfen swv., md. *stoppen* stechen; stopfen, verstopfen; ausbessern; verbergen.

stopfen swv. = *stüpfen,* stechend stossen.

stör störe, stür stüre swm. der stör (fisch). vgl. *stër.*

stœræra, -er stm. störer, zerstörer; absetzer (*gegens. stifter*);

---

unbefugt ein handwerk treibt; auch handwerker, der in fremden häusern gegen kost und tagelohn arbeitet.

storbisch adj. md. einem gestorbenen angehörend.

storch storche, storc storke stswm. storch.

störchinne stf. weibchen des storchs.

storch-snabel stm. storchschnabel; spitzhammer.

stôre s. *storie.*

stœre stf. störung, zerstörung.

storen s. *stürn.*

stœren . swv. auseinanderstreuen, zerstreuen; hindern, stören, in verwirrung bringen, vertreiben, vernichten, zerstören.

stœric adj. verwirrt, in unordnung gebracht.

storie, storje, stôre stf. schar; menge, gedränge, bes. kriegerschar; auflauf, tumult, bedrängnis (afz. *estoire,* mlat. *storium*).

storm s. *sturm.*

stœrnisse stf. vernichtung, zerstörung.

storp stm. ndrh. riemen, schlinge.

storre swm. baumstumpf, klotz; zahnstorren, -stumpf.

storren swv. starr sein oder werden, steif hervorstehn.

storunge s. *stürunge.*

stœrunge stf. störung, zerstörung; vertreibung, absetzung.

störzel s. *stërzel.*

storzen swv. strotzen.

stotze swv. stamm, klotz.

stotzen swv. = *storzen.*

stoub s. *stoup.*

stoubec adj. staubig.

stoubelin stn. dem. zu *stoup.*

stouben, stöuben swv. *stieben* machen, staub erregen, aufwirbeln; fig. trinken, sich betrinken. — tr. staubig machen; aufscheuchen, aufstöbern, aufscheuchend verjagen.

stöuber stm. aufstöbernder jagdhund.

stoubin adj. von staub.

stouf stm. f. becher ohne fuss; ein bestimmtes mass; hochragender felsen und als berg- und ortsname (davon *Stoufer*).

stöun s. *stöuwen.*

stoup, -bes, stoub stm. staub; staubmehl, mehlstaub; was stiebt, schnell läuft. -hüle stf. = *stoupvël.* -mël stn. das feinste mehl; mehlstaub in der mühle. -müle stf. mühle für staubes, der niedrigkeit. -vël stn. traghimmel.

stoupmël. -sünde stf. sünde des

stöuwen stouwen, stöun stoun swv. klagen über, anklagen, schelten; (scheltend) einhalt tun, gebieten (mit gs.). — refl. sich stauen.

stouȝ s. *stiuȝ.*

stôȝ stm. stich, stoss; das zusammentreffen, begegnen, bes. feindl. zusammenstoss, streit, zank, hader, hindernis; eisstoss; holzstoss; die *stœȝe* balken, gerippe des schiffes (?).

stœȝec adj. in streit befangen, uneins; strittig, angefochten.

stœȝel stm. werkzeug zum stossen; der den pflasterern mit dem *stœȝel* nachstösst.

stôȝen redv. V tr. stossend berühren, bewegen, forttreiben (diu ros in den wagen st. einspannen, vom falken herabstossen auf, allgemein von einer bewegung: stellen, setzen, stekken, stopfen usw.); hinzufügen *zuo*; zusammendrängen; stampfen, zerstampfen. — refl. sich stossen, anstoss nehmen, sich zusammendrängen; sich begeben, zutragen; *sich in einen roc st.* — intr. sich anstossend bewegen, wohin gelangen; sich erstrecken, reichen, grenzen; *von dem lande st.* abfahren (vom schiff).

stœȝer stm. der stösser, der das salz in die kufen stösst; s. v. a. *stirnstœȝer;* klöppel.

stôȝ-vihe stn. hornvieh.

strabeln swv. zappeln, ringen und trachten *nâch.*

strac adj. gerade, straff, ausgestreckt; stramm, scharf, stark; steif; gerade, unmittelbar. — adv. geradezu, auf der stelle, stracks.

stracken swv. *strac* sein, gestreckt liegen, sich ausdehnen.

strackes adv. = *strac.*

straf, -ffes adj. straff, strenge.

strâfære, -er stm. tadler, schelter; bestrafer, züchtiger.

strâfe stf. schelte, tadel; strafe, züchtigung.

strâfen swv. mit tadelnden worten zurechtweisen, schelten (ein gerihte, ein urteil st. es durch berufung anfechten, nicht gelten lassen); *âne, sunder str.* in wahrheit, sicherlich; bestrafen, züchtigen; mit leibesod. geldstrafe belegen; *einen von hinnen str.* verbannen.

strâf-gëlt stn. geldbusse. -turn stm. straf-, gefängnisturm.

stræf-lich adj., -lîche adv. tadelnswert, sträflich.

strâfunge stf. zurechtweisung, tadel (st. des gerihtes anfechtung eines urteils desselben); strafe, bestrafung, züchtigung; strafgewalt.

strageln swv. schlagen, stossen, antreiben.

stræl stm. kamm. strælære stm. dasselbe; kammacher.

strâle stswf. swm., strâl stfm. pfeil; wetterstrahl, blitz; streifen. strâl-blic stm. blitzstrahl.

-snitec adj. mit einem pfeile verwundet.

strælen swv. kämmen; glatt streichen.

strâm, strân stm. das strömen, strömung (meres str.); weg, richtung; streifen, lichtstreifen, strahl.

strâmec adj. strömend.

stræmelîn stn. kleiner lichtstreifen, strahl.

strâmes adv. strömend.

stranc, -ges swm., strange stswf. swm. strick, strang, seil (spez. brackenseil); haarsträhne; arm eines flusses; streifen (an kleidern); lichtstreifen; strahl; schmaler streifen feldes, streifen erde, den der pflug beim hin- und herfahren umstürzt und deren mehrere das ackerbeet bilden; verknüpfung, verschränkung, knoten, rätsel; strophe.

strandeln swv. wackeln; in der rede stecken bleiben, stottern.

strange s. *stranc, strenge.*

strange adv. gewaltig, stark, sehr; tapfer; strenge, unfreundlich. — swm. tapferer kämpfer.

strankeit s. *strengheit.*

strant, -des stm. strand, küste.

stranz stm. prahlerei, hochmut.

strât stm. bett, bettgewand, decke, laken (mlat. *stratum, stratus).*

strâȝe stswf. strasse (astr. diu str. an dem himel milchstrasse, sterrkreis); erdzone; streifen (an kleidern); die unterlagsbalken des schlittens oder wagens in der sägmühle (lat. *strata,* näml. *via).*

strâȝ-rouben swv. auf strassenraub ausgehn, str. treiben. -roup stm. strassenraub.

strëbe swm. streber (in komposs.).

strëbe stf. das streben.

strëbe-katze swf. = *katzenstrëbel.*

strëbel, strëber stm. streber (in komposs.).

strëben swv., md. auch *strëven* intr. sich heftig regen, bewegen, zappeln; widerstand leistend sich aufrichten *gegen, wider;* sich ausstrecken; sich abmühen, ringen, kämpfen; ringen und trachten (dar, an, nâch, úf, von); sich nach einem ziele bewegen, vorwärts drin-

gen, eilen (gegen, in, vür, ze); wimmeln, gedrängt voll sein, starren, steif sein, strotzen. — tr. heftig, rasch bewegen.

strecken swv. *strac* machen, gerade machen, ausdehnen, -breiten, -spannen, strecken, wenden; refl. s. v. a. *streckunge tuon.* — stn. *des windes st.* treibende kraft des windes.

streckunge stf. das strecken (str. tuon mit ausgebreiteten armen sich nach der länge auf den boden legen); verlängerung, erstreckung.

streich stm. schlag, hieb, streich.

streichëht adj. gestreift.

streichen swv. streifen, berühren; streicheln; glatt streichen; pflegen.

streif stm. streifzug. -reise stf. streif-, raubzug.

streifëht adj. = *strîfëht.*

streifen swv. intr. streifen, gleiten; streifen, ziehen, marschieren; mit dem streichgarn fischen. — tr. abhäuten.

streim, streime stswm. (vgl. *strîm),* streimel stn. dem. streifen (weiȝ str. milchstrasse).

streimelëht adj. = *strimelëht.*

strempfel stm. stössel.

strën, strëne swm. strähne, flechte von haaren, flachs usw. (die wîȝen strënen milchstrasse).

strenge, strange adj. stark, gewaltig, tapfer; hart, unfreundlich, herbe, unerbittlich; schwierig. — stf. das *strenge* sein, die strenge, härte; die kehlsucht der pferde; langfurche, langer und schmaler acker.

strengec-heit stf. das *strenge* sein; strenge, enthaltsame lebensweise. -lich adj. = *strenge.* -(strenge-)lîche adv. = *strange,* strenge swv. *strenge* machen.

strengen swv. kräftig ausüben, verkürzen; abstumpfen; bedrängen, belästigen, strecken, richten nach; intr. str. wider sich sträuben.

streng-heit, strenkeit, strankeit stf. = *strengecheit.*

strëven s. *strëben.*

strew- s. *strôuw-.*

stric, -ckes stm. band, strick, fessel, fallstrick und dgl.; knoten, verknüpfung, festknüpfung, umschliessung; argumentatio; häufig zur umschreibung, z. b. *tôtlicher st.* = *tôt.*

strich stm. strich, linie; richtung, weg (mit gen. oft nur umschreibend); landstrich; arm eines flusses; die richtung der fäden eines gewebes der länge nach; das streichen mit dem probiersteine, münzprobe; streich, schlag; *der sinne st.* niedergeschlagenheit.

strich stm. streich, schlag.
-holz stn. streichholz des kornmessers. **-kamp** stm. woll-
kamm. **-mâz** stn. ein getreidemaß, vier landmetzen enthaltend. **-nâdel** swf. probiernadel.
-schît stn. = *-holz.* **-stein** stm.
probierstein. **-stoc** stm. = *-holz.*
-tuoch stn. tuch zum durchstreichen, seihen der speisen.
striche swm. strich.
striche swf. streichholz des
kornmessers.
strichen stv. I, 1 abs. striche
machen. — tr. streichend bewegen, bes. um etw. scharf
zu machen oder zu prüfen (am
probiersteine); streichend messen. — tr. u. refl. glatt streichen
(kleidung), glätten, ordnen,
putzen; *an sich str.* streichend
anziehen (kleidung); streichend
etw. machen, zeichnen; streichend auftragen (von flüssigkeiten, salben, farben), bestreichen; streichend wegschaffen, bes. mit dem streichholze;
streichend berühren, streicheln;
auf einem streichinstrumente
spielen; streiche geben, schlagen, geisseln. — intr. sich rasch
bewegen, herumstreifen, ziehen,
eilen, gehn, fliegen (perf. mit
sîn und *haben*); *st. lâzen* (näml.
die *ros* usw.).
strich-weide stf. jagdgang.
stricke swf. = *stric.*
stricken swv. abs. zusammenfügen, verknüpfen. — tr. strik-
kend verfertigen, stricken; fest-
schnüren, heften, schlingen,
flechten, binden; be-, verstricken. — refl. sich binden,
knüpfen, verbinden (verpflichten).
stricker stm. seiler; der (dem
wilde) schlingen legt.
strickerin stf. verstrickerin.
strickunge stf. verbindung,
bündnis, vertrag.
striefen stv. II, 1 streifen.
strieme swm. = *streim.*
strife swm. streifen.
strifëht strifelëht adj. gestreift.
strifeln swv. gestreift machen, vermischen *mit.*
striffel mn. ? streifenbild.
strigel stm. striegel; penis
(lat. *strigilis*). **strigelen** swv.
striegeln.
strim, strime stswm. =
streim.
strimel stn. = *streimel.*
strimelëht, strime-lich adj.
gestreift.
strit stm. md. schritt (nd.
strede).
strit, -tes stm. streit mit worten (vor gericht) oder mit waffen; *sinnes st.* innerer kampf;
widerstand, widerstandskraft
(*ûzer strîte, âne strît* unstreitig);
streitmacht, heeresabteilung,
schlachtordnung; rache; das
streben, begehren nach etw.;
wettstreit, -eifer (*in strîte, en
strîte, enstrîte, -strît, wider,
ze strîte:* wetteifernd, um die
wette). **-bære, -bærlic** adj.
streithaft, zum kampfe dienlich
oder gerüstet, des kampfes;
strittig. **-bæric-heit, -bærkeit**
stf. tauglichkeit zum streite.
-bær-lich adj. = *strîtbære.*
-genôz, -genôze stswm. mitkämpfer; gegner. **-geræte, -ge-
schirre** stn. kampfgerät. **-ge-
selle, -geverte** swm. = *-genôz.*
-gewant, -gewæte stn. kampfrüstung. **-geziuge** stn. kampfgerät. **-got** stm. Mars. **-haft**
adj. streithaft. **-heit** stf. kampf,
feindl. angriff. **-herte** adj. streithaft, im kampfe ausharrend.
-kleit stn. = *-gewant.* **-kriege**
adj. streithaft. **-küene** adj. zum
streiten kühn. **-lîch** adj., **-lîche**
adv. = *strîteclîch, -lîche.* **-liute**
pl. zu **-man** stm. krieger.
-müede adj. vom kampfe ermattet. **-muot** stm. streitsucht.
-schar stf. kriegsschar. **-schif**
stn. kriegsschiff. **-tac** stm.
kampftag. **-vane** swm. streit-,
kriegsfahne. **-var** adj. zeichen
des kampfes an sich tragend.
-wâfen stn. kampfwaffe. **-wer**
stf. kriegsrüstung. **-werlich** adj.
streitgerüstet. **-zeichen** stn.
horn, posaune, womit das zeichen zum kampfe geblasen
wird.
strite swm. streiter. — swf.
nebenbuhlerin.
stritec, -ic adj. streithaft,
kampflustig; streitsüchtig,
rechthaberisch; ungestüm, unlenksam; ungehorsam mit gen.;
eifrig; strebend, begehrend
nâch, ûf. **-lich** adj. = *strîtbære.*
-liche adv. streithaft; mit eifer,
sehr; eifersüchtig.
striten stv. I, 1 kämpfen,
streiten (mit worten oder mit
waffen); sich eifrig bemühen,
streben *nâch, umbe;* wetteifernd
etw. tun.
striter stm. streiter, kämpfer.
striterin stf. streiterin.
strites adv. streitend, mit
kampf; *über strîtes* wetteifernd.
striubeln swv. = *strûben.*
striunen swv. neugierig oder
verdächtig nach etw. forschen.
striuzach, strûzach stn. gebüsch.
striuzen swv. tr. u. refl.
sträuben, spreizen (*sich ûf einen
str.* ihn anrennen, mit ihm
einen *strûz* bestehn).
striuzin adj. vom strausse.
strô, -wes stn. (nbf. *strou,
strouw*) stroh; strohhalm; zur
verstärkung der negation;
strohlager, ärmliches lager;
strohgebund. *bî strô* im winter
(gegensatz: *bî grase* im sommer).
-brût stf. braut die einen
strohkranz erhält, die nicht
mehr jungfer ist. **-dicke** adv.
so dicht wie die halme des
getreidefeldes. **-halm** stm. strohhalm; rechtssymb. wie *halm.*
-huot stm. strohhut. **-meier**
stm. ein unterbeamter der ka-
meralverwaltung, dem die aufsicht über die erhebung der
zehnten an stroh, d. h. die
garbenzählung zugewiesen war.
— in Nürnberg waren die
strômeier, strômer mit dem
forstmeisteramte betraut.
-(strou-)sac stm. strohsack.
-schoup stm. strohbund. **-vuo-
ter** stn. aus stroh bestehndes
futter. **-wëlle** f. strohbündel.
-wërc stn. stroh, strohbündel.
-win stn. strohwein (weil man
die trauben bis weihnachten
auf stroh liegen lässt u. dann
erst keltert). **-wisch** stm. strohwisch, -bündel.
strobel, strobelëht adj. struppig.
stroben swv. = *strûben.*
strocken swv. straucheln.
strôel, strôlin stn. weniges,
schlechtes stroh.
strôfen s. *stroufen.*
stroffel-weide stf. streifweide.
strôlich stn. = *strôel.*
strôm s. *stroum.*
strômen s. *strûmen.*
strômer s. landstreicher.
strômer s. *strômeier.*
strotzen s. *strozzen.*
strou, ströu s. *strô, ströuwe.*
strouben swv. = *strûben.*
strouch s. *strûch.*
ströude stf. das streuen.
ströuf-bêre swm. streifnetz.
stroufe stf. bestreifung; leichte verletzung, schaden, verlust.
stroufen, ströfen swv. tr.
streifen, abstreifen, bes. die
haut abstreifen, schinden; streifen, schädigen. — refl. mit gen.
etw. von sich streifen; *sich in
etw. str.* hineinschlüpfen, es
über sich streifen. — intr. streifen, ziehen (*ûz der hût str.*
schlüpfen).
stroum, strôm stm. = *strâm,
strûm;* lichtströmung, streif.
strouw s. *strô.*
ströuwe, strewe, ströu stf.
streu.
ströuwen, strewen, ströun
swv. niederstrecken, zu boden
werfen; streuen, ausstreuen,
-schütten, vergiessen; ausbreiten, -spannen; abs. *str. nâch*
wonach langen, sich strecken;
zieraten od. als zierat über ein
gewand etc. hinsetzen; unter-

streuen, bes. zum lager (abs. mit dat. *dem rosse str.* streu geben); auseinander-, zerstreuen, verbreiten; bestreuen, beschütten, bedecken, belegen.

ströuwesal, strösel stn. streu.

strœwin adj. von stroh.

strozze swf. luftröhre, gurgel.

strozzen, strotzen swv. strotzen; aufwallen.

strûbe stswf. das sträuben der federn des habichts; eine art backwerk, spritzkrapfen. -(strûp) adj. starrend, rauh emporstehend (von haaren, federn), struppig; lockig, krausköpfig; voll, erfüllt von (gen.).

strûben swv. intr. starren, rauh emporstehn (von haaren, federn). — tr. starr emporrichten, sträuben. — refl. mit *wider* sich widersetzen.

strûch, strouch stm. das straucheln, der sturz. -gevelle stn. das straucheln u. fallen.

strûch stm. strauch, gesträuch. -diep stm. strauchdieb. -genger stm. wegelagerer, strauchdieb. -han stm., -huon stn. wegelagerer (vgl. *snaphan*). -morder stm. strauchmörder.

strûchêht stn. sentes.

strûcheln, strûchen swv. strauchen, stolpern, zu falle kommen, sinken, stürzen (die ursache im gen.).

strudel stm. strudel.

strudeln swv. vor hitze wallen.

strum stn. = *trum.*

strûm stm. = *strâm, stroum.*

strûmen, strömen swv. strömen, hin- u. herfahren, stürmend einherziehen; verzweifeln.

strumpf stm. stummel, strumpf; baumstumpf; verstümmeltes glied; rumpf.

strunc, -kes stm. strunk.

strunkeln swv. straucheln, irren.

strunze swm. stumpf; lanzensplitter.

strunzel stf. lanzensplitter.

strunzûn stm. = *trunzûn.*

struot, strût stf. sumpf; gewoge, flut; gebüsch, buschwald, dickicht.

strûp s. *strûbe.*

strupfe swf. strippe, lederschlinge.

strupfen swv. streifen, abrupfen.

struppe swf.? gestrüpp.

strûtære, -er stm. der gebüsch (*struot*) ausreutet; wegelagerer, buschräuber, -klepper.

strûten swv. md. rauben, plündern. — tr. berauben.

strûterie stf. md. räuberei, buschklepperei.

strützel, strutzel stm. längliches brot von feinem mehl, stolle.

strûz stm. widerstand, zwist, streit, gefecht; strauch (zu folgern aus *gestriuze* und *striuzach*).

strûz, strûze stswm. der vogel strauss. **strûzes-slaht** adj. straussenartig. **strûz-ei** stn. straussei. -vëder f. straussfeder.

strûzach s. *striuzach.*

stube swf. stube, heizbares gemach (spez. badegemach, speisesaal, trinkstube einer zunft, zunftstube, -herberge); kleines wohnhaus. **stuben-glas** stn. fensterglas. -heie swm. stubenhocker. -knëht stm. diener einer *stube.* -meister stm. vorsteher einer zunftstube. -want stf. stubenwand.

stübechin, stübichin stn. md. dem. zu *stübich*: stübchen, quart, kanne.

stübelin, stübel stn. dem. zu *stube.*

stübich, stubich stm. packfass (mlat. *stopa, stupa*).

stubich stn. reisig.

stuche swm. schröpfkopf.

stûche swf. m. der weite, herabhängende ärmel an frauenkleidern; kopftuch, schleier; tuch, schürze.

stuchen swv. schröpfen.

stücke stück, stucke stuck stn. teil wovon, stück (bei vorgesetzten zahlen kann das wort auch fehlen s. *endriu, enzwei*; *daz meiste* s. größtenteils); abschnitt, artikel; der zehnte einer mark; ein einzelner ganzer gegenstand. — allgemeiner: ding, sache, angelegenheit, art u. weise; ein stück leinwand, tuch, kleiderstoff; ein bestimmtes mass. **stück-hamer** stm. hammer, womit etw. in stücke zerschlagen wird. -meister stm. flickschuster, -schneider. -mezzer stn. tranchiermesser.

stückelëht adj. von zweierlei stoff od. farbe; adv. stückweise, zerstückt.

stückelëht, -oht adv. in stücken, stückweise.

stückelin, stückel, stuckel stn. dem. zu *stücke.*

stückeln swv. zerstückeln; flicken.

stücken s. *stocken.*

stücken swv. in stücke brechen, zerteilen.

stud stf. stütze, pfosten, säule. -vol adj. ganz voll. -vül adj. sehr faul.

stûdach stn. gesträuch, gebüsch.

stûde swf. staude, strauch, busch; buschichter baum; rute; obsc. für penis.

studel, stuodel stn. f. unterlage, pfosten, säule.

studelen, stuodelen swv. tr. festhalten, nehmen. — intr. sich stellen *ze*, mit dp. einem wozu verhelfen.

stüden stn. feststellung, gesetz.

stûden-stric stm. zusammengeflochtene, als zaun dienende stauden.

studente swm. schüler, student (it. *studente* von lat. *studens*).

studieren swv. studieren (mlat. *studiari*).

studierunge stf. das studieren, die studien.

studium stn. universität.

studori stf. studier-, schreibstube (mlat. *studorium*).

stüefe, stüef adj. gerade, fest, stark, wacker, tapfer.

stüefen, stuofen swv. hervorbringen, anstiften; stufenweise führen, wozu anstiften.

stüelen, stuolen swv. abs. *stüele, sitze* bereiten. — tr. mit *stüelen, sitzen* versehen; auf einen *stuol* setzen, erheben. — intr. stuhlgang haben.

stum, stump, -mmes, -bes adj. stumm.

stumbel, stumpel stm. abgeschnittenes stück, stummel.

stümbeln, stümmeln, stummeln swv. schneiden, abschneiden, beschneiden, bes. ein glied abschneiden, stümmeln, verstümmeln.

stümben, stumben swv. dass. **stum-lich** adj. = *stum.*

stumme, stumbe swm. f. ein stummer, eine stumme.

stumme, stumbe swm. stummheit; was keinen klang hat.

stummec adj. stumm.

stummede stf. stummheit.

stummen, stumben swv. intr. *stum* sein; tr. *stum* machen.

stumminne stf. die stumme.

stump s. *stum, stumpf.*

stümper stm. stümper, schwächling.

stumpf adj., md. *stump* verstümmelt, abgestutzt, stumpf, bildl. unvollkommen, schwach (von sinnen, vom auge); übel, böse, hart (vom wetter).

stumpf, stumpfe stswm., md. *stumpe* stumpf, stummel; stoppel; baumstumpf; verstümmeltes glied; beinbekleidung.

stumpfëht, stumpfelëht adj. = *stumpf.*

stumpfelingen, stumpfelinges adv. kurzweg, gerade, schnell, plötzlich.

stumpfen swv. *stumpf* machen.

stumpfes adv. = *stumpfelingen.*

stumpf-, stump-heit stf.
stumpfheit.

stumpf-liche adv. auf stüm-
perhafte, nicht kunstgerechte
weise; s. v. a. stumpfelingen.

stün s. stuwen.

stunc, -ges stmn.? in einem
stunge auf einmal, plötzlich.

stunde, stunt stswf. zeitab-
schnitt, zeitpunkt, zeit (bî der
stunde, bî den stunden in der,
zur zeit, damals, under stunden
bisweilen, in der stunde, in stunden jetzt, ûf, von der stunt
sofort, ze stunde, stunden dann,
sogleich); passlicher zeitpunkt,
gelegenheit, mal (nie stunt niemals, ê stunt ehemals, ein stunt,
drî stunt etc. einmal, dreimal,
einer st. auf einmal, mit einem
schlag); frist, aufschub: st.
geben frist gewähren, stunden;
stunde; manige übele stunde viel
unangenehmes (? spät!).

stundec, -ic adj. stündlich,
immerwährend; gezeitigt, reif.

stundec-liche adv. zeitig, sofort; zu jeder stunde.

stündelin, stündel stn. dem.
zu stunde, kurze zeit.

stunden swv. in st. einteilen. — intr. sich aufhalten, beharren.

stundunge stf. zeitlichkeit;
einstellung, aufhebung.

stunen, stunden swv. md. auf
etw. losgehn, treiben, stossen,
schlagen.

stunge swf. stachel, antrieb,
anreizung. vgl. stunc.

stungen swv. stechen, stossen,
antreiben; vertreiben.

stunt-glocke f. stundenzeit-
glocke.

stunt-huldunge stf. nur auf
gewisse zeit geleistete huldigung.

stunz adj. stumpf, kurz.

stunze swm. kleiner zuber.

stuod- s. stud-.

stuof stm. einzelnes stück erz
od. metall.

stuofe sw(?)f. stufe, grad.

stuofen s. stüefen.

stuol stm. stuhl, sitz (auch
für mehrere); st. halten sitzen.—
in spez. anwendung: st. eines
herrschers (gottes, des kaisers,
königs etc.), thron; richterstuhl (vrier st. freistuhl des
westfäl. freigerichts); kanzel,
lehr-, singstuhl; weberstuhl;
dachstuhl; nachtstuhl; stuhlgang. -bruoder stm. mitrichter,
gerichtsbeisitzer; laienbruder,
kirchendiener. -ganc stm. stuhlgang. -genôʒ, -genôʒe stswm.
gerichtsbeisitzer; genosse, gefährte. -gewant, -gewæte stn.
= stuollachen. -hêrre swm.
herr, besitzer eines freigerichts.
-küssen stn. stuhlkissen. -la-
chen stn. stuhlteppich, teppich
überh. -sæʒe, -sæʒe, -sëʒʒe
swm. gerichtsbeisitzer, schöffe.
-schriber stm. gerichtsschreiber
oder der für die rechtsparteien
schriften verfasst; bücherab-
schreiber (auch schreiblehrer?).
-stange f. stuhlbein. -veste stf.
feier des ehverlöbnisses vor dem
pfarrer (stuol = brûtstuol); einlage in die zunftbüchse. -vluʒ
stm. stuhlgang.

stuolen s. stüelen.

stuoler stm. stuhlflechter; s.
v. a. stuolbruoder 2?

stuot stf. herde von zucht-
pferden, gestüte; stute; weibl.
tier überh. -garte swm. gestüt-
hof (davon Stuttgart). -hengest
stm. herdehengst. -phert stn.
stute. -ros stn. beschäler; stf.
stute. -rosser stm. beschäler.
-weide stf. weide für eine stuot.

stûpe swstf. md. staupe,
schandpfahl.

stupf stm. = stopf.

stupfe swf., stupfel stswf.
stoppel.

stupfel-ber f. vom stupfeler
nachgelesene trauben.

stupfeler stm. der stupfelt.

stupfel-, stupfen-halm stm.
stoppelhalm, stoppel. -man
stm. ährenleser.

stüpfelin adj. von stoppeln.

stupfeln, stüpfeln swv. ähren
od. trauben nachlesen.

stupfel-win stm. wein aus
stupfelberen.

stüpfen, stupfen swv. tr.
stechend stossen; stacheln, antreiben; mit den fingern berühren (als zeichen des gelöb-
nisses); wegstossen, heimlich
entfernen. — intr. (mit stosse)
hervordringen, keimen üʒ.

stuppe f. werg (lat. stuppa).

stüppe, stuppe stn. = ge-
stüppe; pulver zu arzenei u.
zauber.

stüppelin stn. stäubchen.

stüppen, stuppen swv. tr. zu
staub od. pulver machen. —
refl. zu staub werden.

stür, stüre s. stör.

sturbec, sturbe-lich adj. sterblich.

stürel stn. werkzeug zum
stürn.

sturm stm., md. auch storm,
unruhe, lärm; sturm der elemente, unwetter; kampf, bildl.
innerer kampf, heftige gemütsbewegung; sturm auf eine stadt;
sturmläuten. -dinc stn. sturmgerät. -gezouwe stn. sturmgerät. -genôʒ stm. kampfge-
noss. -gewant stn. kampffrü-
stung. -gir, -gîr adj. kampf-
begierig. -glocke f. sturm-,
lärmglocke. -grimme adj.
grimm im kampfe. -herte adj.
= strîtherte. -karc adj. heftig
im kampfe. -küene adj. kampf-
mutig. -lich adj., -liche adv.
stürmisch, heftig. -lingen adv.
stürmisch. -müede adj. =
strîtmüede. -ræʒe adj. ræʒe im
kampfe. -recke swm. kampf-
held. -schal stm. kampflärm.
-schar stf. = strîtschar. -starc
adj. starc im kampfe. -stimme
stf. = sturmschal. -tôt adj. in
der schlacht gefallen. -van stf.,
-vane swstm. sturm-, kriegsfahne. -var adj. nach kampf
aussehend, blutgefärbt. -veste
adj. fest, ausharrend im kampfe.
-vreise stf. sturmesnot. -waʒ-
ʒer stn. stürmisches gewässer.
-weigen stn. angriff, kampf.
-wëter stn. sturmwetter, -wind,
ungewitter. -wint stm. sturmwind, sturm; bildl. persecutio.
-ziuc stmn. kampf-, sturmgerät.

sturm adj., ndrh. storm, stürmisch.

sturm stf. ellipt. für sturmglocke.

stürmer, kämpfer.

stürmærinne stf. stürmerin.

stürmec adj. lärmend, stürmisch; zum sturme, zur berennung dienend.

stürmen swv., md. sturmen,
stormen intr. unruhe machen,
lärmen; in menge od. laut sich
bewegen, schwirren; wüten,
stürmen (von wind u. wasser);
streiten, kämpfen. — abs.
berennen; im anlaufe gewinnen. — tr. u. abs. läuten, bes.
mit der sturmglocke. — abs. =
phulsen.

stürmen stn. kampf; berennung, sturmlauf.

sturmes adv. im sturme, mit
berennung.

stürmische adv. stürmisch.

stürmunge stf. sturm, ge-
wittersturm.

stürn swv., md. storen, sto-
chern; stacheln, antreiben.

stürunge stf. störung, aufruhr; md. storunge öffnung der
ader, aderlass.

sturz stm. sturz, fall (st. nemen stürzen, fallen); sturz-,
sturmregen; deckel, stürze;
schleier, bes. trauerschleier,
auch trauerkleid; je eine lage
eines zusammengelegten tuch-
stückes.

' stürze swstf. deckel eines ge-
fässes, stürze; deckstein, steinplatte.

stürzel, sturzel stswm. pflan-
zenstrunk; kamingesims.

stürzen, sturzen swv. tr.
fallen machen, stürzen; umwenden; (umwendend) setzen
od. decken (über, ûf, zuo), über-

stülpen (v. helm); *korn st.* umwenden, umschaufeln; giessen *in*; mit einem *sturz* bekleiden. — intr. umsinken, fallen, stürzen (*dar under st.* vom rosse springen).

stutze swm. trinkbecher, stutzglas.

stutze swf. gefäss von böttcherarbeit in form eines abgestutzten kegels.

stütze stf. stütze.

stützel stm. stütze, säule; scheibe, marmel, klicker (als kinderspielzeug).

stuwen, stûn swv. md. schröpfen (vgl. *stuchen*).

stuz, *-tzes* stm. stoss, anprall; s. v. a. *stutze* swf.

stûz stm. steiss, kruppe des pferdes.

sû stf. (gen. *siuwe, sû,* pl. *siuwe, siu*) sau. -hirte swm. sauhirt. -hût stf. sauhaut. -lac stm. saustall. -lache f. saulache.

suben s. *siben.*

sûber, sûver, sûfer adj. sauber, rein, schön. - adv. rein; schön, hübsch; ganz u. gar. -heit, -keit stf. reinheit, schönheit; vornehmheit. -(siuber-)lich adj. = *sûber*; artig, züchtig, anständig. -liche adv. auf schöne, artige weise. -licheit stf. sauberkeit.

sûbern, siubern swv. tr. u. refl. *sûber* machen, säubern, reinigen; refl. die nachgeburt ablegen.

sûberunge stf. säuberung, läuterung.

substanzje, substanz swstf. substantia. substanz-, substenz-lich adj. substantialis.

subtil adj. subtilis. -(subtilec-)heit stf. subtilitas. -(ec)lich adj. -(ec)liche adv. subtiliter.

suc, soc, *-ges* stmn. ? säugung, säugezeit; saft.

süch- s. *siuch-, siech.*

suckenie, suggenie stswf. kleidungsstück für frauen u. männer, das über dem rock u. unter dem mantel getragen wurde (slav.).

sûde swm. schmutzkerl, feigling.

sudelen, suden swv. beschmutzen.

sûden s. *sunden.*

sûdenære stm. südwind.

sûden-wint stm. dasselbe.

süechel m. art dolch.

süel, süen s. *sûl, siuwen.*

süemen swv. lieblich (*suome*) machen, schmücken.

süene adj. versöhnlich. -bære adj. versöhnung bringend; *süeneb. man* = *suonman.*

süenen, suonen swv. abs. tr. refl. versöhnen, ausgleichen

(refl. mit dp, *gegen, wider, mit, ûf*). — tr. abhelfen, beseitigen.

süener, suoner stm. sühner, versöhner.

süenerinne, suonerinne stf. sühnerin, versöhnerin.

süen-, suon-lich adj. zur *suone* dienend. -liche adv. in versöhnlicher, friedfertiger weise.

süenunge stf. sühnung, versöhnung, friede.

süez-becke swm. süssbrotbäcker.

süeze, suoze adj., md. *sûze* u. *sôze* süss; milde, angenehm, lieblich; freundlich, gütig.

süeze, suoze stf. süssheit, süssigkeit, lieblichkeit, annehmlichkeit, freundlichkeit, gütigkeit; wohlgeruch.

süezec adj. = *süeze* 1. -heit stf. = *süeze* 2. -lich adj. = *süeze* 1.

süezede stf. = *süeze* 2.

süezelin, süezel stn. liebling.

süezen, suozen swv. tr. *süeze,* angenehm machen; erquicken, erfreuen. — intr. *süeze,* angenehm sein, werden. — refl. angenehm w., süss schmecken.

süez-lich adj. = *süeze* 1.

suf, sof, *-ffes* stm. suff, schlurf.

sûf stm. trank; s. v. a. *sûft.*

sûfe f. suppe.

sûfen, soufen stv. II, 1 tr. schlürfen, trinken. — intr. versinken, untergehn.

sûfen stn. schlürfbare flüssigkeit.

sûfer, sûfern s. *sûb-.*

sûfezen swv. schlürfen.

snf-lich adj. schlürf-, trinkbar.

sûft stm. seufzer (eig. das einschlürfen des atems).

sûgelîne, *-ges* stm. säugling.

sûgen stv. II, 1 saugen intr. u. trans.; *daz kint s.* = *sougen.*

suggeln swv. in kleinen zügen saugen.

suggenie s. *suckenie.*

suht stf. md. *sucht* (auch stm.) krankheit (spez. pest, aussatz; fieber; rheumatisches übel; tobsucht, wahnsinn). -brunne swv. verpesteter brunnen. -haft, -haftic adj. krank, krankhaft.

sühtec adj. dass.

sukenie s. *suck . . .*

sul, sol stf. salzwasser, -brühe.

sûl stf. (nbff. *soul, sûel, siule, sûwel*) säule, pfosten, pfeiler; bildl. stütze; bildsäule; feuer-, wolkensäule; heersäule; aufgerichteter pfahl, bes. schandsäule, pranger. -stein stm. steinerne säule.

sulch, sülch s. *solich, sumelich.*

sulde, sult s. *schulde.*

süle swf. = *salhe.*

sulgen s. *soligen.*

sûl-milch s. *sûrmilch.*

suln s. *soln* 1 u. 2.

sulre s. *sölre.*

sülwen, sulwen swv. = *soln* 1.

sulze, sülze, sulz stswf. salzwasser, -sole; sülze, brühe; gallertartige speise, sülze, und die dazu verwendbaren fleischstücke; das schlachtessen (würste u. dgl.).

sulzen, sülzen swv. sülzen.

sulzener, sulzer stm. kuttler.

sulzer stm. hüter od. wärter von gefangenen.

sulz-visch stm. eingesülzter fisch.

sum pron. adj. irgendeiner von allen, mancher; pl. einige, manche, zum teil.

sûm stm. das säumen, zögern.

sumach stm. färber- od. gerberbaum (it. *sommaco*).

sumber, summer stmn, sümmer sümer stmn. geflecht, korb; bienenkorb; getreidemass, obd.: simri; handtrommel, tambourin, pauke. sumber-dôz stm. trommel-, paukenschall. -slahen, -slagen stn. das schlagen des *sumbers.* -slegge swm. = *sumberer.*

sumberer stm. trommel-, paukenschläger.

sumbern, summern, sumren swv. den *sumber* schlagen.

sûme stf. = *sûm.*

sume-, süme-lich pron. adj. = *sum* (nbff. *sum-, süm-, süm-lich, same-, seme-, semlich, simelich*; kontr. *sulch*).

sümen swv. tr. mit as. auf-, hinhalten, verzögern; versäumen; mit ap. warten lassen, auf-, abhalten, hindern. — refl. u. intr. sich aufhalten, zögern, säumen, sich verspäten; unpers. mit abh. satz: es dauert.

sumer, sümer s. *sumber.*

sumer stm. sommer; eine fieberkrankheit. -bluot stf. sommerblüte. -hûs stn. sommerhaus, -laube. -kleit stn. kleid für die sommerzeit; kleid des sommers. -kraft stf. kraft, fülle des sommers. -kunft stf. ankunft des sommers. -lanc adj. lang wie im sommer, bildl. sehr lang. -late, -latte swf. diesjähriger, in einem sommer gewachsener schössling. -lëben stn. sommerliches leben, das aufblühen im sommer. -lich adj., -liche adv. sommerlich, des sommers, nach art des sommers. -lieht adj. hell wie im sommer. -mæzec adj. aestivalis. -ouwe f. die aue im

sommer. -saf stn. sommersaft.
-sanc stmn. gesang im sommer.
-sâʒe swm. vieh, das den sommer über auf der weide gewesen ist. -tac stm. sommertag,
pl. sommer. -tocke swf. som-
merpuppe: sommerlich heraus-
geputztes mädchen, geliebte;
obsc. für vulva. -tocken swv.
wie eine *sumertocke* herausputzen. -var adj. von sommer-
lichem aussehen. -wât stf. =
sumerkleit. -wêter stn. sommer-
wetter, sommer. -wise stf.
sommermelodie. -wünne, -wun-
ne stf. wonne des sommers.
-zeichen stn. signum australe.
-zit stf. sommer.

sumeren swv. intr. sommer
werden.

sumeric adj. = *sumerlich.*

sumers adv. gen. im sommer.

sûmesal stm. f. n. saumseligkeit, versäumnis; entschuldigung wegen des ausbleibens bei
der tagsatzung. sûmeseli, -sele
stf. saumseligkeit. sûmeselic
adj. saumselig.

sûm-, sûmic-heit stf. säumigkeit.

sûmic adj. säumig.

sûmige stf. säumigkeit.

sum-, sûm-lich s. *sumelich.*

sûm-lich adj., -liche adv.
säumig.

summe stswf. summe, inbe-
griff; gesamtzahl; betrag, summe; anzahl, menge (lat. *summa*).

summen swv. summen; *sum-
men* stn. das rasche schwingen
eines körpers und das dadurch
entstehende geräusch.

summen, summieren swv.
summieren (lat. *summare*).

summer, sûmmer s. *sumber.*

sûmnisse stf. auf-, hinhal-
tung, hinderung; säumnis, zögerung.

sumpf, sunpf stm. sumpf.

sûm-tage swm. versäumnis.

sûmunge stf. dasselbe, saumseligkeit.

sun, suon stm., md. auch *son,
sûn* sohn; das männl. junge von
tieren. -heit stf. wesen des
sohnes, als sohn. -lich adj.eines
sohne gemäss, eines sohnes.
-liehelt stf. = *sunheit.*

sun-âbent s. *sunnenâbent.*

sunc stm. das untersinken.

sündære, -er stm. sünder.

sündærinne, -erinne, -in stf.
sünderin.

sünde adj. sündlich; *mir ist
sünder* ich habe grössere sünde
auf mich geladen. - (sünte,
sunte) stf. sünde. -bære adj.
sündhaft. -haft adj. mit sünde
behaftet. -lich s. *süntlich.* -lin
stn. dem. zu *sünde.* -lös
adj. ohne sünde. -(sunden-)
meilic, -mælec adj. mit sünde

befleckt. -riche adj. voll sünden. -siech adj. sündenkrank.
-sippe stf. was der sünde verwandt ist, nahe steht.

sündec, -ic adj. sündig, die
sünde betreffend (*ein s. weinen*
ein weinen über die sünden).

sünden, sunden swv. intr.
sündigen. — refl. sich versündigen. — tr. mit ap. für einen
sünder erklären, ihm zur sünde
anrechnen.

sunden, sûden stn. süden.
-(sundenän) adv. von süden her,
südlich. -wint stm. südwind.

sünden (sunden) -arm adj.
durch s. arm. -bar, -blôʒ adj.
ohne sünden. -mâl, -meil stn.,
-mâse swf. entstellender sünden-
flecken. -mæligen swv. mit s.
beflecken. -reine, -rein adj.
von s. rein. -riuwic adj. die
sünden bereuend. -rumpf stm.
sündhafter mensch. -ruof stm.
ruf der sünden, des sünders.
-ruoʒ stm. sündenruss, beflekkung durch s. -sac stm. sünden-
sack, sünder. -site stm. sündhafte gewohnheit. -stift stf. anstiftung zur sünde. -suht stf.
sündenkrankheit, sünde. -sun
stn. sündensohn (Judas). -vrî
adj. frei von s. -vröude stf.
sündliche freude. -warm adj.
mit frischer sündenschuld beladen. -wêrc stm. sündige tat.
-worhte swm. sünder.

sunder adj. abgesondert, allein stehend, einsam, besonder,
ausschließlich, eigen; ausgezeichnet. - (sunderen) adv. auf
eine gesonderte weise, abseits,
im einzelnen, für sich, insbesondere, ausschliesslich; vorzüglich, ausgezeichnet, sehr. —
präp. mit. acc. ausser, ohne. —
konj. ausgenommen, ausser;
gleichwohl, vielmehr, indessen,
aber; sondern. - stf. besonderheit. -art adj. besondere art.
-bar, -bâr adv. ohne beschränkung, unverzüglich; einzeln,
insbesondere, vorzüglich; sondern. -bære, -bar adj. besonder,
ausgezeichnet; alleinstehend,
unverheiratet. -brôt stn. *sîn s.
haben* sein eigenes brot, seinen
eigenen herd haben. -drön stf.
besondere drohung. -ê stf. besonderes gesetz, privilegium.
-êre stf. besondere ehre. -gêlt
stn. besondere bezahlung. -glast,
-gliʒ stm. besonderer, ausgezeichneter glanz. -guot stn.
eigenes vermögen. -haft adj.
abgesondert, ausgeschlossen;
gross, ausserordentlich. -heit
stf. abgesondertheit, besonderheit; *in s.* insbesondere. -her
stn. besonderes heer. -holde
swm. besonderer liebling. -kröne
stf. besondere k. -lant stn. be-

sonderes, einzelnes, eigenes land
-lêger stn. abgesondertes lager.
-lich adj., -liche adv. = *sunder.*
-liep adj. besonders, sehr lieb.
-marke stf. provinz. -munt
stm. der den mund nur für sich
hat, mit andern nicht spricht
oder nicht sprechen kann, da
er ihre sprache nicht versteht.
-name swm. besonderer name
für einz. dinge. -niuwe adj.
ganz neu. -nôt stf. ausserordentliche *nôt.* -rât stm. abgeson-
derte, heimliche beratung. -re-
de stf. heimliche unterredung.
-rinc stm. abgesondertes zelt-
lager, abgesteckter kampfplatz.
-rote stf. besondere schar, schar
mit einer besonderen bestimmung. -sæʒe adj. abgesondert,
einzeln wohnend. -sâʒe swm.
einzelperson. -schar stf. =
-rote. -schîn stm. besonderer,
ausgezeichneter glanz. -siech
adj. aussätzig (weil die aus-
sätzigen in abgesonderten häusern untergebracht wurden).
-siz stm. besonderer sitz. -slâ
stf. der besondere, eigene weg,
den man reitet. -slâf stm. das
getrenntschlafen der eheleute.
-spise stf. = -brôt. -sprâche stf.
besondere sprache, dialekt; geheime unterredung. -sprâchen
swv. sich heimlich besprechen,
beraten. -storje stf. besondere
kriegsschar. -sühtige stf. der
aussatz. -trahte stf. ein aus-
gesuchtes, köstliches gericht.
-teil stm. besonderer teil.
-trût stm., -trûte swm., triutel
stn. besonderer liebling. -varwe
stf. besondere, verschiedene
farbe. -vluz stm. besondere
strömung, meeresarm. -vriunt
stm. besonderer, vorzüglicher
freund. -wal stf. besondere auswahl. -wân stm. hoffärtige zuversicht. -wanc stm. *âne s.*
sicher, zuversichtlich. -wêsen
stn. eigenart. -zal stf. *mit s.*
mit zählung jedes einzelnen.
-zunge stf. = -sprâche.

sunder adj. südlich. -, sundert adv. nach, von süden, südlich. -(sünder-)gôu stn. südgau.
-wint stn. südwind.

sünder-ambet stn. das *ambet*
des sünders. -kempfe swf. vor-
kämpferin für die sünder.

sunderic adj. = *sunder* 1.

sunderlinc adj. besonders,
einzeln.

sunderlingen adv. = *sunder* 1.

sundern swv. sondern, ab-
sondern, trennen, unterscheiden; refl. in geistlichem sinne.

sundern = *sunder* adv.,
präp., konj.

sundern adv. nach, im sûden.

sunders adv. abgesondert,
auf besondere weise.

sundert adv. s. *sunder* 2. **-halp** adv. im süden.

sunderunge stf. absonderung, trennung; rechtl. protestatio, renuntiatio.

sündigen swv. sündigen. — retl. sich versündigen.

sûne s. *siune, suone.*

sünelin stn. dem. zu *sun.*

sunfzen, sünfzen swv. = *siuften.*

sungeln, sunkeln swv. knistern.

sungen, sunken swv. intr. anbrennen, versengt werden.

sun-, sunne-giht stf. sonnengang = *sunnewende.* **-giht-tac** stm. Johannistag.

sün-lich s. *sumelich.*

sun-naht s. sunnen-.

sunne swstf. stswm., md. auch *sonne* sonne; sonnenschein, tageslicht; sonnenbeschienener platz; die östliche himmelsgegend. **-bërnde** part. adj. den sonnenschein bringend, hell. **-giht** s. *sungiht.* **-halben** adv. = *sunnenhalp.* **-(sunnen-)schin** stm. sonnenschein, tageslicht; sonnenstrahl. **-(sun-, sunnen-)tac** stm. sonntag (*der wize s.* sonntag invocavit, *swarze s.* der fünfte sonntag in der fasten, weil die altäre schwarz verhüllt sind). **-(sunnen-)var** adj. hell wie die sonne. **-(sun-)wende** stf. sonnenwende im sommer, solstitium, Johannistag; sonnenblume. **-wender** adj. solstitialis. **-went-tac** stm. Johannistag.

sunnec-lich adj. sonnig, sonnenhaft.

sünnelin stn. dem. zu *sunne.*

sünnen, sunnen swv. der sonne aussetzen.

sunnen-(sun-)âbent stm.sonnabend. **-bære** adj. sonnig. **-blic** stm. sonnenschein, -glanz (adjekt. gebraucht: *ein sunnenblicker schûr* von der sonne beleuchtetes gewitter). **-blint** adj. von der sonne geblendet. **-brât** stn. von der sonne ausgedörrtes land. **-brëhen** stn., **-glanz, glast** stm. sonnenglanz, -schein. **-glas** stn. lichtgefäss der sonne. **-got** stm. sonnengott. **-halp** adv. auf der sonnen-, südseite. **-heiz** adj. sonnenheiss. **-lëhen** s. ein lehn, worüber man keinen lehnsherrn anerkennt als die sonne. **-lich** adj. heliacus, solaris. **-lîeht** adj. sonnenhell. **-lieht** stn. sonnenschein. **-naht** stf. nacht zum sonntag, sonntagsnacht, sonntag. **-schîn** s. *sunneschîn.* **-spil** stn. Jesus, gott. **-stërre** m. sonne. **-stoup** stm. sonnenstäubchen. **-stric** stm. heller streifen der sonne, wenn sie wasser zieht. **-stüppe**

stn. = *-stoup.* **-tac** s. *sunnetac.* **-wendel** stm. sonnenwende; sonnenblume; ein edelstein. **-wërbel, -wirbel** stm. sonnenwirbel, -blume. **-zeichen** stn. zeichen des tierkreises.

sunpf s. *sumpf.*

sunst s. *sus.*

sunt, -des stm. süd.

sunt, -des stm. sund.

sunt adj. = *gesunt.* **-liche** adv. gesund. **-nisse** stf. gesundheit.

sun-tac s. *sunnetac.*

sünte s. *sünde.*

sünt-hûs stn. bordell. **-(sünde-)lich** adj., **-liche** adv. sündlich sündhaft.

suoch stm. das suchen, nachforschen, die untersuchung; nachricht (*einen s. gedenken* nachsinnen über); benutzung um nahrung od. gewinnes willen: weide, erwerb, zinsen. **suoche, suochede** stf. das suchen, nachforschen.

suochen swv. suchen, aufsuchen (*die erde s.* niederfallen); durchsuchen, erforschen; versuchen; sich bemühen, bestreben mit inf.; aufsuchen, besuchen (*heime s.* im hause besuchen, heimsuchen); feindlich anhalten, nachstellen, aufsuchen, mit kriegsgewalt gegen jem. ziehen (*einen heime s.* ihn mit gewalt in od. bei seinem hause anfallen); *ein dinc an einen s.* jmd. für etw. bestrafen. **suocher** stm. sucher, erforscher; angreifer, verfolger.

suoch-hunt stm. spürhund. **-man** stm. jäger, der das wild aufsucht. **-stolle** swm. bergm. probierstollen.

suochunge stf. suchung, erforschung; versuchung; anforderung; verfolgung.

suome adj. angenehm, lieblich.

suon s. *sun.* [lich.

suon- s. *süen-.*

suon, suone stm. f. urteil, gericht; sühne, versöhnung, frieden, ruhe.

suone-ambet stn. sühnmesse. **suone-brief** stm. friedens-, vergleichsurkunde.

suonec-liche adv. auf versöhnliche weise.

suon-liute pl. schiedsleute, -richter. **-man** stm. versöhner, vermittler; schiedsmann, -richter. **-schaft** stf. versöhnung. **-stat** stf. versöhnungsstätte. **-tac** stm. tag des urteils, des (jüngsten) gerichts. **-zeichen** stn. zeichen der versöhnung.

suot stm. schäumende wogen(?).

suoze s. *süeze.*

suoze adv. auf süsse, liebliche, angenehme weise.

suoz-gemuot, -müetec adj. liebenswürdig. **-müetecheit** stf. liebenswürdigkeit.

süpân, suppân, sôpân stm. slavischer edelmann, fürst; verwalter eines gutes (slav. *župan*).

supfen swv. schlürfen.

supparje, suppierre swf. = *suppe.*

suppe, soppe swstf. brühe, suppe; spez. morgensuppe, frühstück; mahlzeit überh.; mistjauche (md. für hd. *supfe,* vgl. *süfe*).

suppelin, suplin stn. süppchen; gift.

suppen-zît stf. frühstück- od. abendbrotzeit.

sûr- s. *siur-.*

sûr, sûwer adj. sauer, herbe, scharf, bitter (bildl. schwer, lästig, mühsam; hart, böse, schlimm, grimmig; grausam, blutgierig). — subst. stn. bitterkeit, übel, nachteil (*ze sûre komen* zum nachteil ausgehen). **-becke** swm. sauerbrotbäcker. **-brôt** stn. brot mit sauerteig gebacken. **-heit** stf. bosheit. **-liche** adv. herbe, hart. **-(sûl-)milch** stf. saure milch. **-öuge** adj. rinnäugig. **-teic** stm. sauerteig.

surch stm. mohrenhirse, sürch.

sûrde stf. bitterkeit, herbheit.

sûre, sûr adv. auf *sûre* weise.

sûrec adj. sauer, bitter.

sûrec-heit, sûrekeit stf. bitterkeit, herbheit.

sûren, siuren swv. *sûr* sein od. werden, s. schmecken. - stn. feindselige gesinnung.

sürfeln, sürpfeln swv. schlürfen.

surkôt stn. m. oberkleid der männer u. frauen: schleppe (fz. *surcot,* mlat. *surcotium*).

surt, sort stmnf. stuprum (s. *sorte*).

sërten, dann überh. als schimpfwort u. zur bezeichnung des ganz nichtigen dienend.

surt-hart stm. hurer.

surtôt = *surkôt.*

surzengel stm. obergurt (fz. *sursangle,* vgl. *übergurt*).

surziere f. = fz. *sorciere,* zauberin.

sus, sust, sunst adv. so (in solchem grade, so sehr, in solcher weise, nach beding. vordersatze: so); *umbe sus, sust:* nur um dies selbst, umsonst, ohne grund; ellipse einer negat. bedingung: sonst; gegensatz: so aber.

sûs stm. das sausen, brausen; saus und braus.

sûse swm. eine art jagdhund.

sûsen, siusen swv. sausen, brausen, rauschen, summen,

zischen, knirschen, knarren; sich sausend bewegen (imperat. ausruf *súsâ!*).

sus-lich adj. = *solich.*

suste swf. niederlagsgebäude (it. *susta*).

suster, süster s. *swester.*

sûster-s. *schuochsûter.*

sûsunge stf. das sausen.

sut stm. das sieden; das gekochte, gebraute. **-meister** stm. sied-, braumeister. **sute, sutte** stswf. (siedende) lache, pfütze, bildl. hölle; der unterste schiffsraum; allgemeine krankenstube im spitale (Nürnberg).

sûter stm. schneider, schuster. **-stat** stf. schusterwerkstätte.

sütic adj. siedend heiss.

suttern swv. im kochen überwallen.

sûver, sûver- s. *sûb-.*

sûwel s. *sûl.*

sûwen, sûwer s. *siuwen, sûr.*

sûwer-brunne swm. sauerbrunnen.

swâ, swô konj. (aus *sô wâ*, ältere form *swâr*) wo irgend, wo auch, wo (mit od. ohne korrelat.).

Swâbe s. *Swâp.*

swæbisch adj. schwäbisch.

swach stm. unehre, schmach; verletzung; ab-, auflösung (?).

swach adj. schlecht, gering, unedel, niedrig, armselig, verachtet (*ein swacher man* von niedrigem stande); kraftlos, schwach. **-gemuot** adj. von niedriger, schlechter gesinnung. **-heit, swacheit** stf. geringheit; unehre, schmach; invalitudo; servitus. **-(swech-)lich** adj., **-liche** adv. = *swach, swache.* **swache, swach** adv. auf *swache* weise (*swache leben* nicht standesgemäss leben). **swache** stf. unehre, schmach.

swachen swv. intr. *swach* sein oder werden. — tr. u. refl. *swach* machen oder achten, verachten, tadeln; schänden; sich *sw. an einem* sich verunehren.

swade swm. md. reihe abgemähten grases oder getreides (bildl. von abgerissenem fleische am körper).

swade, swaden m. md. schwadengras, bluthirse.

swadem, -en stm. dicke ausdünstung, brodem.

swademen, swedemen swv. vaporare.

swader stm. reiter-, flottenabteilung (it. *squadra*, fz. *escadre*).

swaderer stm. schwätzer.

swâger stm. schwager; schwiegervater; schwiegersohn.

swægerinne stf. schwägerin.

swæger-lich adj., **-liche** adv. schwägerlich.

swæher s. *swêher.*

swal s. *swalwe.*

swal, -lles stm. schwall, angeschwollene masse.

swalch, swalc stm. schlund; flut, woge. — *des swalges slunt* höllenschlund.

swalm stm. bienenschwarm.

swalwe swalbe, swale swal swstf. schwalbe; eine art englischer harfe.

swam, -mmes stm. überschwemmung.

swam, -mmes, swamp, -bes stm., **swamme** swm. schwamm, pilz.

swamen swv. schwimmen.

swan s. *swanne.*

swan, swane stswm. schwan.

swanc, -ges, -kes stm. schwingende bewegung, schwingen, schwung (*sw. tuon mit ougen* umherblicken); schicksalsschlag; schlag, wurf, hieb, streich, fechterstreich; lustiger oder neckischer einfall, streich oder erzählung eines solchen.

swanc adj. schwankend, stürmisch; beweglich; biegsam, schlank, dünn, schmächtig.

swaner stm. herde, rudel.

swanger adj. schwanger (mit gen. od. *an*, *von*); schwankend.

swangern s. *swengern.*

swangern swv. schwanger sein.

swankel adj. = *swanc.*

swankeln, swänkelieren swv. schwanken, taumeln.

swanken swv. dasselbe. — tr. schwingen, schwenken.

swanne, swenne konj. (auch *swann, swan; swenn, swen*) wann irgend, wann auch, sobald, wenn.

swannen adv. wenn irgendwoher: woher immer, woher auch, woher (gehäuft *von swannen*).

swant, -des stm. das ausreuten des waldes; s. v. a. *swende*; verwüstung.

swantel stn. schwendholz, gesträuch.

swanz stm. schwenkende, tanzartige bewegung; schleppe, schleppkleid; bildl. schmuck, zierde, glanz, herrlichkeit; zierliches, stutzerhaftes gepränge; schwanz; schlusserweiterung einer lyrischen strophe; männl. glied. **swanzel** s. *swenzel.*

swanzen swv. intr. schwenkend sich bewegen, hin und her schwanken; umherstreifen. — tr. zierlich und höflich bewegen. — intr. sich zierlich oder geziert, bes. tanzartig bewegen, tanzen, einherstolzieren. **swanzieren** swv. einherstolzieren.

Swâp, -bes stm., **Swâbe** swm. Schwabe; dat. pl. *Swâben* als landsname: Schwaben.

swar konj. wenn irgend wohin: wohin irgend, wohin auch, wohin (mit od. ohne korrelat). — adv. vor präpp. (*swar an*, *nâch*).

swâr s. *swâ.*

swarc adj. finster (gewölke, gewitter).

swærde stf. schmerz, kummer, leid; schwierigkeit, schwere, gewicht.

swære, swær, swâr adj. weh tuend, schmerzlich, leid, unangenehm, lästig, beschwerlich, widerwärtig (*einem swære machen* machen dass es einem schwer oder drückend wird); bekümmert, betrübt; gewichtig, schwer; schwer, unbehilflich; nicht *ringe*, vornehm, angesehen; schwanger (mit gen. od. *von*).

swâre, swære adv. auf *swære* weise.

swære swm. leid, schmerz, kummer.

swære stf. leid, schmerz, kummer, beschwerde, bedrängnis; grosses gewicht, schwere. *âne sw.* ohne umstände.

swærec-heit stf. schwere; schwierigkeit, hindernis.

swâren, swæren swv. *swære* sein oder werden; vor alter gebrechlich werden.

swæren swv. *swære* machen, in *swære* bringen.

swær-gemüete stn. edelmut, bonitas.

swær-, swâr-heit stf. = *swære* stf.

swær-lich adj., **-liche** adv. = *swære, swâre; sw. trahten* tief nachsinnen.

swarm stm. bienenschwarm.

swarmen, swermen swv. schwärmen (bienen).

swær-müetic adj. gedrückten mutes.

swærnisse stf. bedrückung, last.

swâr-suhtec adj. schwerkrank.

swarte, swart swstf. behaarte kopfhaut, menschl. haut überh.; behaarte oder befiederte haut der tiere; speckhäutlein, -rinde; schwartenbrett.

swærunge stf. bedrückung, last.

swarz adj. dunkelfarbig, schwarz (*sw. buoch* nigromantisches buch, zauberbuch. *sw. kunst* zauberkunst; *swarzez gelt* gelt das auf schwarz geprägt ist, mehr kupfer als silber enthält); übertr. vom leumund. **-gevar** adj. = *swarzvar.* **-haft** adj. schwarz. **-heit** stf. schwär-

ze. **-kunster, -künstler** stm. zauberkünstler, **-lieh** adj. glänzend schwarz. **-mâl** adj. schwarzfarbig, schwarz. **-var** adj. dasselbe. **-wilt** stn. schwarzwild. **swarze** swm. der schwarze (mohr, teufel). **swarzen** swv. schwarz sein oder werden. **swarzlot** adj. schwärzlich. **swâs** stmn.? heimlicher ort, abtritt; gestank. **-hûs** stn. kloake. **-(swês-)liche** adv. in der stille, heimlich. **swateren** swv. rauschen, klappern. **swatie** s. *swetic.* **swattgen** swv. plätschernd auf dem wasser fahren, schwanken. **swatzen** s. *swetzen.* **swaz** s. *swêr.* **swaz, -tzes** stm. geschwätz. **swâz** stm. ausguss, -schutt. **swê** s. *swie.* **swêbe** stf. schwebe. **-holz** stn. schwimmfähiges holz. **-leite** swf. bergm. hängende schicht? **swêbel, swêvel** stm. schwefel. **-hitze** stf. schwefelhitze. **swêbelic** adj. schwefelig. **swêbelin** adj. von schwefel. **swêbellouch** stm. schwefelflamme. **-rinc** stm. pechkranz, -fackel. **-var** adj. schwefelfarb. **-vliez** stn. torrens sulfuris. **swêben** swv. (perf. mit *sîn* und *haben*) sich fliessend, schiffend, schwimmend, fliegend hin und her bewegen; in der schwebe, unentschieden sein. **swechen** swv. tr. *swach* machen. — refl. sich erniedrigen. **swechenôn** swv. duften. **swechern** swv. *swach, swecher* machen. **swecherunge** stf. herabsetzung, schmälerung. **swech-lich** s. *swachlich.* **swedemen** s. *swademen.* **swêder** pron. condit. u. concess. wenn irgendwelcher von beiden, welcher auch von beiden (ohne od. mit gen.). — unfl. n. *sweder* auf welche von beiden weisen auch, *sweder* — *oder* sei es — oder. **-halp** adv. auf welcher, auf welche von beiden seiten. **swêgel-bein** stn. knochenrohr als pfeife. **swêgele, swêgel** swf. eine art flöte; röhre, speiseröhre. **swêgelen** swv. auf der *swêgelen* blasen; pfeifen, blasen überh. **swêger-, swiger-hêrre** swm. schwiegervater. **swêher, swæher, swêger, swêr** stm. schwiegervater. **swei** s. *sweige.* **swelbeln** swv. schwanken, taumeln.

swelben swv. intr. sich schwingen, schweben, schweifen, schwanken. — tr. schwenken, schwenkend spülen. **sweichen** swv. ermatten, nachlassen; ruhen, liegen. **sweie** s. *sweige.* **sweif** stm. schwingende bewegung, gang, umschwung, umfang, umkreis; umschlingendes band, besatz eines kleidungsstückes; schwanz; bergm. der ausläufer eines erzganges und die in demselben gefundene erzart. **sweifen** redv. 4 tr. in rund umschliessende, drehende bewegung setzen, schweifen, schwingen. — intr. schweifen, bogenförmig gehn, sich schlängeln; schwanken, taumeln; bogenförmig, sich schlängelnd abwärts hangen. **sweifen** swv. schweifen, schwingen. **sweige, sweig** stf. (auch *sweie, swei*) rinderherde; viehhof, sennerei und dazu gehöriger weideplatz. **sweigen** swv. armentari; käse bereiten. **sweigen** swv. *swigen* machen, zum schweigen bringen, stillen (mit priv. gen., mit *an*); verschweigen. **sweiger** stm. der *swigen* macht (die menschen verlockt, nicht zu beichten). **sweiger** stm. der als eigentümer, pächter oder knecht eine *sweige* bewirtschaftet, bes. käse bereitet, senne. **sweigerie** stf. = *sweige.* **sweigern** swv. zum schweigen bringen. **sweig-hof** stm. hof, auf dem viel vieh gehalten und käse bereitet wird. **-kæse** stm. auf einer *sweige* bereiteter käse. **-mate** swf. zur viehweide bestimmte matte. **- vihe** stn. vieh einer *sweige.* **sweim** stm. das schweben, schweifen, schwingen, der schwung, umschwung. **sweimen** swv. sich schwingen, schweben, schweifen, fahren; überfließen. **swein, sweinære, -er** stm. hirte, knecht. **sweinen** swv. *swinen* machen, verringern, schwächen, verscheuchen, vernichten. **sweiz** stm. schweiss; blut. **-bader** stm. der ein *sweizbat* bereitet. **-bat** stn. schwitzbad. **-loch, -löchel** stn. pore. **-tuoch** stn. schweisstuch. **-vensterlin** stn. pore. **-var** adj. schweissig. **-wurst** stf. blutwurst. **sweizen** swv. intr. schweiss vergiessen, schwitzen; nass

werden, bes. vom blute nass sein, bluten. **sweizen** swv. tr. schweiss vergiessen; heiss machen, rösten; schweissen, in glühhitze aneinander hämmern. **sweizic** adj. von schweisse nass; des schweisses; von blute nass, blutig. **sweizigen** swv. *sweizic* machen. **swel** s. *swelch, swil.* **swelc** adj. welk, mürbe. **swelch, swelh, swelich, swel** pron. (md. auch *swilch, swilich*) condit. u. concess. wenn irgend welch: welch irgend, welch auch, welch. **swelch, -hes** stm., **swelhe** swm. schlinger, säufer; das saufen, schlemmerei. **swelge** stm. was man einschluckt (vom blumenduft). **swelgen, swelhen** stv. III, 2 schlucken, verschlucken, saufen. **swelhe** swm. s. *swelch.* **swelher** stm. säufer. **swelken** swv. intr. *swelc* werden. — tr. *swelc* machen. **swelle** swm. geschwulst, schwiele. **swelle** stswf. n. balken zum hemmen, schwellen des wassers; balken überh., bes. grundbalken, schwelle. **swellen** stv. III, 2 schwellen, anschwellen; verschmachten (*hungers, von hunger*). **swellen** swv. tr. *swellen* machen; mit *swellen* versehen; aufstauen, bildl. hemmen. **sweller** stm. schwelle. **swelzen** stv. III, 2 intr. brennen, verbrennen. **swemme, swem** stf. schwemme. **swemmelin** stn. dem. zu *swam.* **swemmen** swv. *swimmen* machen: ins wasser tauchen, darin waschen; *durch, über ein wazzer sw.* (mit ausgelass. obj. *ros*) darüb. schwimmen, übersetzen; mit räuml. acc. *den sê sw.*; aufschwemmen (*den teic*); etw. umwälzen. **swemmer** stm. schwemmer, mausaller. **swen** s. *swanne.* **swendære** stm. verschwender. **swendærinne** stf. vernichterin. **swende** stf. ein durch *swenden*, ausreuten des waldes gewonnenes stück weide oder ackerland; s. v. a. *swendunge?* **swenden** swv. *swinden* machen: schwach. ausreuten, bes. das unterholz eines waldes; tr. fortschaffen, zu nichte machen, vertilgen, verbrauchen,

verschwenden, -zehren; *den walt
sw.* hyperbolisch: speere brechen im turnier.

swendunge stf. ausreutung
des unterholzes; abmagerung;
mühe, anstrengung.

swengel, swenkel stm. was
sich schwingt, zipfel (am *ban-
nier*), schwengel; vorrichtung
zum schleudern; der, welcher
schleudert.

swengeln swv. schwingen.

swengern swv. schwängern.

swenke adj. sich schwingend.

swenken swv. tr. *swingen*
machen, in *swanc* bringen,
schwenken, hin und her schwingen, schleudern. — intr. einen
swanc tun, in schwankender
bewegung sein, schweifen,
schweben, sich schlingen.

swenne s. *swanne.*

swenzel, swanzel stn. =
swenzelin.

swenzeleren swv. einherstolzieren.

swenzelin, swenzel stn. dem.
zu *swanz*; schleppkleid, fest-
anzug.

swenzeln, swenzen swv. tr.
schwenken; putzen, zieren. —
intr. s. v. a. *swanzen.*

swëp, *-bes* stm. schlaf,
schlummer.

sweppe s. *swippe.*

swër s. *swëre.*

swër, swaz pron. condit. u.
concess. wenn irgend wer: wer
irgend, wer auch, wer (ohne od.
mit gen.); *swaz, umbe swiu*
adverbial: so sehr als, wie sehr.

swër s. *swëher.*

swërben stv. III, 2 sich wirbelnd bewegen.

swëre, *-kes* stn. dunkles gewölke, finsternis (s. *swarc*).

swërde swm. stf. leibl.
schmerz, leid.

swërde swm. (aus *swërnde*)
der schmerz empfindet.

swëre, swër swstm. leibl.
schmerz, bes. geschwulst, geschwür.

swëric s. *swiric.*

swermen s. *swarmen.*

swërn stv. IV wehe tun,
schmerzen (mit ap., dp.);
schmerz empfinden; schwellen,
schwären, eitern (mit ap., dp.).
von einem sw. durch aus-
schwären heil w.

swern stv. VI mit j- präs.
intr. (u. tr.) schwören, eidlich für
wahr erklären, versichern,
überh. bestimmt aussprechen,
behaupten (*meines sw.* falsch
schwören); mit dat. huldigen;
sw. ûf (mit dat.) die hand auf
etw. legend schwören, *zuo
samene sw.* sich eidlich verbinden, verschwören, *über, ûf,
wider einen sw.* sich gegen ihn

verschwören. — tr. (ohne od.
mit dp.) als wahr, als sicher
schwören; zu tun, zu halten
schwören, geloben; verloben.

swërt stn. schwert; sinnbild
des ritterl. standes (*sw. geben*
zum ritter machen, *swert leiten*
od. *nemen* zum ritter gemacht
werden); sinnbild der weltl. gewalt, s. *stôle; friunt nâch dem
swert* verwandter von väterlicher seite, vgl. *swërtmâc*;
richtschwert. **-bale** stm.
schwertscheide. **-brief** stm. geschriebener schwertsegen, der
gegen schwerthiebe fest macht.
-brücke stf. schwertbrücke.
-bruoder stm. schwertritter.
-dëgen stm. knappe, der das
ritterschwert erhalten soll od.
eben erhalten hat. **-genôz** stm.
der mit einem anderen zugleich
ritter geworden ist. **-grimmec**
adj. schrecklich durchs schwert.
-halben adv. von männlicher,
väterlicher seite. **-klanc** stm.
schwertklang. **-lêhen** stn.
mannslehen. **-leite** stf. schwert-
führung, techn. ausdruck für
die schwertumgürtung, wehr-
haftmachung, für das ritter-
werden. **-mâc, -mâge** stswm. verwandter von väterlicher seite.
-mæzic adj. reif für das schwert,
für den ritterschlag. **-rüezel**
stm. schwertfisch. **-scheide** stf.
schwertscheide. **-sëgen** stm.
schwertsegen (s. *swërtbrief*).
-slac stm. schwerthieb. **-spil**
stn. schwertspiel, kampf. **-stiure**
stf. st. zur schwertleite. **-swanc**
stm. schwerthieb. **-var** adj.
schwertfarbig, blank. **-vaz** stn.
schwertscheide. **-vëger** stm.
schwertfeger, waffenschmied.
-vezzel stm. band, mit dem
man das schwert umgürtet.
-vürbe swm., **-vürber** stm.
schwertfeger. **-wahs** adj. scharf
mit dem schwerte.

swërtel, swërtele f. m. schwer-
telkraut.

swërtelin, swërtel stn. dem.
zu *swërt.*

swërtlinc, *-ges* stm. = *swërtel.*

swerze stf. schwärze, schwarze farbe (der haut, der federn);
stswf. schwarze farbe zum färben oder anstreichen; dunkelheit der nacht, finsternis.

swerzen swv. swarz machen,
schwärzen.

swês-liche s. *swâslîche.*

swester stswf. (md. gewöhnl.
suster, süster) schwester; titel
geistl. frauen; klageschwester,
-frau. **-barn, -kint** stn. schwe-
sterkind. **-lich** adj. schwester-
lich. **-schaft** stf. schwester-
schaft, schwester. **-sun** stm.
schwestersohn.

swesterlin stn. dem. zu
swester.

swetic, swatic adj. weich,
morsch, schwammig.

swetzen, swatzen swv. schwatzen. **swetzer** stm. schwätzer.

swetzic adj. geschwätzig.

swëvel s. *swëbel.*

swi s. *swie.*

swibel, swübel stm. riegel.

swibelen swv. taumeln.

swibelen, swivelen swv. schwe-
feln.

swibel-swanz stm. schleppkleid, tanzanzug.

swi-boge swm., dem. *swi-
bogelin* schwibbogen.

swic, *-ges* stm. das stillschweigen, verbot zu sprechen.

swich stm. gang, lauf (der
zeit); vgl. *â-, beswich.*

swiche, swich stf. falschheit,
betrug.

swichen stv. I, 1 intr. im
stiche, verderben lassen, entgehen mit dat. — tr. betrügen,
heucheln.

swicken swv. intr. hüpfen,
tanzen; hineindringen *in.* — tr.
winden, binden, heften.

swie = *swiu, swê.*

swie adv. u. konj. (md. auch
swî, swê) kondit. u. konzess.
wie immer, wie auch; wiewohl,
obgleich (mit konj. od. ind.);
kondit. wenn irgend, wenn;
tempor. sobald.

swifen stv. I, 1 refl. sich bewegen, sich begeben, sich
schwingen.

swifte swm. ruhig, beschwich-
tigt. **-stf.** ruhe. **swiften** swv.
zum schweigen bringen, beschwichtigen.

swigære, -er stm. der schwei-
ger, der stumme; der zum
schweigen bringt, verstummen
macht; böser geist, der die
menschen vor der beichte abhält; der von ihm besessene.

swige stswf. = *swîc.*

swigeli stn., **swigelichi, swi-
gelicheit** stf. alem. das schweigen; schweigsamkeit als buß-
übung.

swigen stv. I, 1 u. sw. intr.
schweigen, verstummen; mit
gen. od. präpp. von etw., zu
etw. schweigen; mit dat. dem
gruoze sw. den gruss unerwidert
lassen, *einem sw.* ihn schweigend anhören, der *werlde sw.*
für die welt verstummt sein. —
subst. inf. *daz sw.* erster teil
des messkanons bis zur präfation; *daz ander sw.* von der
präfation bis zum pater noster;
daz dritte sw. stillgebet nach
dem pater noster. — tr. zum
schweigen bringen, verschweigen.

swiger stf. schwiegermutter.

swiger-hërre s. *swëgerhërre*.
swig-heit stf. schweigsamkeit.
swil stm. zuchteber, schwein.
swil, swel, swile stm. n. schwiele, geschwulst; fusssohle; übertr. qual?
swilch, swilich s. *swelch*.
swilch adj. schwül. - adv. schwül, ängstlich.
swilich adj. lau. **swillchen** swv. lau sein od. werden.
swimel, swimmel stm. schwindel.
swimen stv. I, 1 sich hin und her bewegen, schwanken, schweben. *sw. über* emergere.
swimmen stv. III, 1 schwimmen (mit räuml. acc. *daʒ waʒʒer sw.*).
swin stn. schwein (bild der faulheit, der fruchtbarkeit); wildschwein, eber (bild des mutes); zuchteber. **-âʒ** stn. schweinefutter. **-gadem** stn. schweinestall.**-gëlt**stn.schweinezins. **-hërte** stf. schweinherde. **-hirte** swm. schweinehirte. **-kobe** swm. schweinestall. **-muoter** stf. = *muoterswin*. **-rëht** stn. das recht, schweine in die eichelmast zu treiben. **-rüde** swm. saurüde. **-seil** stn. jagdseil für wildschweine. **-spieʒ** stm. sauspiess. **-zurch** stm. schweinemist.
swinære stm. schweinehirte; ersonn. sektenname.
swinc, -ges stm. schwingung, schwung.
swinde, swint adj. gewaltig, stark, heftig, ungestüm, rasch, gewandt, schnell; grimmig, scharf, böse, schlimm, gefährlich, verderblich; hart (eig. und übertr.). - adv. auf *swinde* weise: gewaltig, stark, heftig, leidenschaftlich, ungestüm, gefährlich, schnell, geschwind. - stf. stärke, ungestüm, heftigkeit; raschheit im verfolgen eines zweckes, geschwindigkeit. - stn. schwindsucht.
swindec-heit, swindekeit stf. kühnheit, rasche entschlossenheit, klugheit, list.
swindel stm. schwindel.
swindeln swv. schwindeln.
swindelunge stf. schwindel; schwindsucht.
swinden stv. III, 1 abnehmen, schwinden, vergehn, bes. krankhaft schwinden, abmagern, welken; bewusstlos werden; in ohnmacht fallen (unpers. mit dat.).
swinder stm. heftigkeit, ungestüm; abnahme, verwelkung.
swindes adv. heftig.
swinen stv. I, 1 intr. abnehmen, dahinschwinden, bes. krankhaft schwinden, abmagern, welken; bewusstlos wer-

den, in ohnmacht fallen (unpers. mit dat.); tr. = *sweinen*.
swinge swf. flachs-, hanfschwinge; getreideschwinge; futterschwinge; verächtl. für schwert; tor, torflügel.
swingen stv. III, 1 tr. schwingen, schwingend bewegen, schütteln; mit geschwungenem dinge schlagen. — refl. u. intr. (eigentl. tr. mit ausgelassenem obj. *vlügel*) sich schwingen, fliegen, schweben, schweifen; sich bewegen.
swinin, -en, swinisch adj. vom schweine.
swinlin stn. dem. zu *swin*.
swin-suht stf. schwindsucht.
swint s. *swinde*.
swint-liche adv. = *swinde*.
swint-suht stf. = *swinsuht*.
swippe, sweppe, swope swf. m. md. peitsche.
swir swm. uferpfahl.
swiric, swëric adj. schwärend.
swister adj. schweigsam.
switzen swv. intr. schwitzen; tr. (obj. *sweiʒ, bluot*).
switzic adj. schwitzend.
swiu, swie instrum. von *swaʒ, s. swër*.
swivelen s. *swibelen*.
swiz, -tzes stm. schweiss.
swô s. *swâ*.
swope s. *swippe*.
swübel s. *swibel*.
swülken swv. nauseare.
swulst stf. schwiele, geschwulst.
swummen swv. md. schwimmen.
swunc, -ges stm. schwung.
swüngel stm. ? dasselbe.
swuor stm. eid, schwur; gotteslästerliche rede, fluch.
sy- s. *si-*.
symphonie stswf. symphonia, ein musikal. instrument (drehleier?).
symphonien swv. auf der *symphonie* spielen.
synderesis, synteresis natürliche kraft der seele zum guten (myst.).
szëpter, -ris stn. s. *zëpter*.

T

(vgl. auch *D*)

tabellion m. notar.
taber, teber stm. befestigung, befestigter ort, bes. befestigtes lager, wagenburg u. dgl. (slav. *tabori*). **taberer, teberer** stm. verteidiger des *tabers*.
tabërnakel stm. tabernaculum.
tabulête swf. verzeichnung (des laufes der planeten) auf einer tafel (mlat. *tabulata*).

tac, -ges, tag stm. tag, tageszeit, zeit überh. (*über t.* den tag über, täglich, *nie tac* niemals, *ze tage* künftighin, *des tage* dann, *in etelichen tagen* einst, einstmals, *âne t.* immerfort, *der oberste t.* dreikönigstag, *verworfene tage* unglückstage); tag, auf den eine rechtl. verhandlung anberaumt ist u. die verhandlung selbst, gerichtstag, gericht; jüngstes gericht; *heilige tage* hohe kirchliche feste; frist, termin, aufschub, waffenstillstand; höheres alter (auch vom greisenalter), mannbarkeit, volljährigkeit; lebensalter, leben; *einen ze übel tagen slahen* tüchtig verprügeln; *ein leider tac* qual, schmerz.
tacke swf. decke, bes. strohdecke, matte.
tadel stm. n. tadel, fehler, makel, gebrechen (körperl. oder geistig); hautflecken, bes. auge od. schorf einer eiterung. **-haft, -haftic** adj. mit *tadel* behaftet.
tadelen swv. tadeln; verunglimpfen.
tagaldi, tagaldie, tageldie, tægari, tagalt stf. zeitvertreib, spiel, scherz. **tagalten** swv. sich die zeit vertreiben, spielen, scherzen. **tagalter** stm. der *tagalt* treibt. **tagalt-spil** stn. = *tagalt*.
tage-brief stm. citation zu einem rechtstage. **-dienest** stm. tagdienst, frone. **-(tege-)dinc, teidinc** stn. m., **-dinge, -dinc** etc. stf. auf einen tag anberaumte gerichtl. verhandlung, gerichtstag, gericht (übertr. auf den zweikampf, die schlacht); bestimmter tag, termin; frist, aufschub; verhandlung, unterhandlung, übereinkunft, auch besprechende, beratende versammlung. od. der dafür bestimmte tag; rede, gerede, worte, wortwechsel; geschäft, händel; schuldige leistung, abtragung einer schuld. **tagedinc-, teidinc-brief** stm. vertragsurkunde. **-liute** pl. zu **-man** stm. mittelsmann, schiedsrichter. **-(tege-)dingen, teidingen** swv. gerichtlich verhandeln, überh. verhandeln, unterhandeln, übereinkunft treffen (mit gp. über einen gericht halten, mit dp. einen tag anberaumen, vor gericht laden); jemandes sache führen; frist geben mit dp.; reden, worte machen. **-(tege-)dinger, teidinger** stm. redner vor gericht, sachwalter; schiedsrichter. **-guot** stm. auf unbestimmte zeit geliehenes gut.
-lanc, tâlanc adv. von jetzt an, den tag hindurch, zu dieser zeit des tages, heute (entstellt *tâ-*

lung, *dâling, tôlung, dôlig*;
dolme, talme = *tâlanc mê*).
-**lant**, -**lêhen** stn. = *tageguot*.
-**leisten** swv. = *einen tac leisten.* -**leistunge** stf. tagsatzung;
versammlung überh. -(**tege**-)-
lich adj. den tag hindurch od.
alle tage geschehend, täglich.
-(**tege**-)**liche** adv. täglich; nach
art des tages. -(**tege**-)**liches** adv.
dass. -**lieht** stn. tageslicht.
-**liet** stn. morgengesang des
wächters; lied von dem scheiden zweier geliebten bei anbruch des tages. -**lôn** stmn.
taglohn. -**menege** stf. höhe des
alters. -**mësse** stf. messe, welche
um tagesanbruch gelesen wird;
die hauptmesse des tages, das
hochamt. -**mësser** stm. der
eine *tagemësse* liest od. singt.
-**rât** stf. md. morgenröte (mndl.
dagheræt). -**reise**, -**reste** stf.
einen tag dauernde reise; an
einem tage zurückgelegte wegstrecke. -**rôt** stn. = *tagerât.*
-**schalc** stm. taglöhner. -**stat**
stf. ort, wo getagt wird. -**stërne**,
-**stërre** swm. morgenstern. -**vart**
stf. s. v. a. *tagereise*; der zur
abhaltung des gerichts festgesetzte termin. -**wan**, -**wen**,
-**won** stm. (kontrah. *tauwen*)
tagwerk, arbeit um taglohn,
fronarbeit von einem tage;
ein flächenmass (eig. so viel als
in einem tage von einem geackert, gemäht etc. werden
kann, vgl. *winnen*); taglohn;
ortsgenossenschaft, kirchengemeinde. -**waner**, -**wener**, -**woner** stm. (konträh. *tauwner, tauner*) fröner, taglöhner. **tage-
wan-lêhen** stn. mit frondiensten belastetes lehn. -**weide** stf.
s. v. a. *tagereise* (urspr. wohl von
wanderzügen mit vieh: so weit
vieh an einem tage weiden
kann). -**wërc** stn. tagwerk, arbeit um taglohn, fronarbeit
von einem tage; ein flächenmass. -**wërken** swv. als taglöhner arbeiten. -**wërker** stm.
taglöhner. -**wîle** stf. die zeit
eines tages. -**wîse** stf. = *tageliet.* -**würhte**, -**würke** swm. =
tagewërker. -**zît** stf. n. zeitdauer eines tages; tageszeit;
bestimmter tag, termin; eine
der sieben kanonischen horen,
sowie der gesang, das gebet in
derselben.
tagel s. *tagelîn.*
tagelîn, tagel, tegel stn. dem.
zu *tac.*
tagen, tegen swv. intr. *tagen*:
tag werden (subj. *ez*); leuchten,
wie wenn es *taget*, überh. leuchten, scheinen; zutage kommen,
sich zeigen; die tage hinbringen,
verbleiben; gericht halten, vor
gericht verteidigen; vermitteln,

unterhandeln; verhandeln;
einen tag anberaumen, auf
einen bestimmten tag berufen
mit dp. — tr. *tagen* u. *tegen* an
den tag, zum vorschein bringen; vor gericht bringen; vorladen; vertagen; *ie getaget* ewig.
tages gen. adv. am tage; an
diesem tage, heute; *ê tages, vor
tages* vor anbruch des tages;
ie tages an demselben tage.
tahe s. *dahe.*
tâhe, tâhele, tâle swf. dohle.
tâht stm. n. f. docht.
tain s. *tuon.*
tal stn., md. auch stm. **tal**
(*allez irdische tal* die ganze welt,
gên tal nach unten gerichtet,
abwärts, *ze tal* hinab, nieder,
flussabwärts). -**liute** pl. zu -**man**
m. eingesessener bewohner eines
tales. -**neige** stf. senkung, tiefe
des tals.
tâlanc s. *tagelanc.*
tale stf. md. estrich, fussboden.
tâle s. *tâhele.*
tale-slaht stf. convallis, tal.
talfialte swm. s. v. a. **talfin**
stm. dauphin (fz. *dalphin*,
mlat. *delphinus*).
talfinëtte stf. Dauphiné.
talgen swv. kneten.
talier stn. schnittwaren.
schmucksachen (vgl. *teller*).
talierer stm., **taliererin** stf.
händler, händlerin mit *talieren*,
tal-masge, -masche f. larve.
talmen swv. toben.
talpe swf. pfote, tatze.
tâlung s. *tagelanc.*
tam, -mmes stm. damm, deich.
tambûr stmf., **tambûre** stswf.
verk. *tâmbur, tâmber* handtrommel, tamburin (fz. *tambour*). **tamburære, tambürer**
stm. der den *t.* spielt. **tambüren, tamburieren** swv. den *t.*
spielen.
tamer, temer stn. lärm, getöse, aufstand.
tan, -nnes stm. n. wald; tannenwald. -**boum** stm. waldbaum; tannenbaum. -**walt** stm.
tannenwald.
tân s. *tuon.*
tandaradei interj. der freude
(nachahmung eines vogelschlags).
tænec, -ic adj. gestaltet, beschaffen.
tanne stswf. tanne; mastbaum; ausgehöhlter tannenstamm als nachen.
tannen-blat stn. tannennadel.
tanne-wezel stm. eine seuche.
tant stm. leeres geschwätz,
tand, possen; *ûf den t.* auf borg.
-**man** stm. spieler, possenreisser.
tanten swv. spielen, possen
reissen.
tanz stm. tanz (*einen t. machen, treten, trîben*); *ûf den t.*

ziehen hinhalten; gesang, spiel
zum tanze (fz. *danse*, it. *danza*
vom ahd. *dansôn* ziehen, s.
dinsen). -**geselle** swm. mittänzer. -**hûs** stn. theatrum.
-**liet** stn. zum tanz gesungenes
lied. -**meister** stm. der beim
tanze die aufsicht führt. -**rîmer**
stm. tanzlieddichter. -**spil** stn.
t. trîben ducere choreas. -**wîse**
stf. = -*liet.*
tanzen swv. tanzen. — tr.
die wîse, diu liet tanzen zu einem
tanzliede, einer *tanzwîse* tanzen.
tanzer s. *tenzer.*
tanzerie stf. tanz, tänzerei.
tâpe swf. pfote, tatze.
taphart, daphart stm. art
mantel (fz. *tabard*, mlat. *tabardum*). — ein tier.
tapfer, dapfer adj. fest, gedrungen, voll; gewichtig, wichtig, bedeutend, ansehnlich; anhaltend u. mit nachdruck
streitbar; adv. -**liche**.
tæpisch adj. täppisch.
tarant, tarrant, -tes, -des stm.
skorpion, tarantel, drache; ein
belagerungswerkzeug (it. *taranto*, mlat. *tarantula*).
tare-(der-)haft adj. schädlich.
tärkîs s. *terkîs.*
tarn, taren swv. schaden mit
dp. — tr. schädigen, verletzen.
tarnen, ternen swv. zudecken,
verhüllen, -**bergen.**
tarn-hût stf. unsichtbar machender mantel (von fellen).
-**kappe** f., -**kleit** stn. unsichtbar
machende *kappe* (mantel).
tarraz s. *tërraz.*
tarsche, tartsche, tarze swf.
ein kleinerer, länglichrunder
schild (fz. *targe* vom ags. *targa*,
s. *zarge*).
Tarte, Tarter s. *Tater.*
tarter stm. Tartarus.
tasche, tesche swstf. tasche;
leib, eingeweide; weibl. schamteile; verächtl. weibsperson.
taschen, tischen swv. tätscheln,
tändeln, schäkern.
tasen swv. = *tasten.*
tassël stn. spange am frauenmantel (afz. *tassiel*, mlat. *tassellus*).
tast stm. s. *têst.*
tasten swv. abs. u. tr. tasten,
herumfühlen, befühlen, berühren. — intr. mit einem klatschlaute niederfallen (it. *tastare*
vom lat. *taxitare*).
tât, tæte stf. tat, handlung,
werk; das tun, betragen.
tatele, tatel swf. = *datel.*
tateler stm. dattelbaum.
tæter stm. täter.
Tater, Tarter, Tarte stswm.,
Tatærære stm. Tatar. **tater-man**
m. Tatar: kobold; gliederpuppe,
figur im puppenspiel, scherzh.
vom turnierer.

tateren swv. schwatzen, plappern.

taterisch adj. tatarisch.

tattel-korn stn. heidekorn.

tatze f. tatze, pfote, hand.

tauwen s. *tagewan.*

tavel-bein stn. tischbein. -bli stn. blei in tafelform. -rotunde f. = -runde. -rundære, -er, -runderære stm. ritter von der tafelrunde; ritter, der am -runden teilnimmt. -runde, -runne stswf. die tafelrunde, bes. die *table ronde* des königs Artus; ein ritterspiel, wobei turniert wird. -runden stn. ritterspiel, turnier. -runder stf. = -runde. -schrage swm. tischgestelle. -vaz stn. schreibtafel. -wahs stn. wachs in tafelform.

tavele, tavel swstf. m. tafel: hangende tafel, gemälde, bes. altargemälde, geschnitzte tafel, schnitzwerk; spielbrett; tisch, speisetisch; gerichtstafel; schreibtafel; glastafel (lat. *tabula,* vgl. *zabel*).

tavelen swv. tafel halten, speisen; auf dem brette spielen; durch anschlagen an eine hölzerne tafel ein zeichen geben (statt des läutens).

tavërnære, tabërnære, -er, tavërnierer stm., tavërniere swm. schenkwirt; schenkenbesucher.

tavërne, tafërne, tabërne; tavërn etc. stswf. schenke (it. *taverna,* lat. *taberna*).

tavërniz stn. schankgerechtsame (mlat. *tabernitium*).

taz stm. abgabe, aufschlag (it. *dazio,* mlat. *dacia* vom lat. *datium*).

teber s. *taber.*

tëchan, dëchan (-ân); tëchant, dëchant, dëchent stm. dechant; führer von zehn mann; vorstand der jahrmarktsbesucher (lat. *decanus*).

tëcher s. *dëcher.*

tedelin stn. dem. zu *tadel.*

tege-dinc s. *tagedinc.*

tegel s. *tagelin.*

tëgel, tigel stm. tiegel, schmelztiegel.

tegelich s. *tagelich.*

tegen s. *tagen.*

tëhtier s. *tëstier.*

teic, teig adj. weich, bes. durch fäulnis weich geworden. -, -ges stm. teig.

teiche stf. vertiefung im strassenpflaster.

teid- s. *taged-.*

teil stn. m. *daz teil* teil von einem ganzen, stück, seite, abteilung (*âne t.* ungeteilt, einzig und allein, ganz und gar, *ein t.* ein wenig, iron. ziemlich, sehr; mit gen. oft nur umschreibend). — *der teil* anteil, zugeteiltes, eigentum (*ze teile* od. *enteil*

werden mit dat.· zugeteilt, eigen werden; *ze teile* od. *tuon* zuteilen, schenken); das teilen, die teilung; teil, partei. -bære adj. teilbar. -brief stm. teilungsurkunde. -genôze swm. teilgenosse. -guot stn. gut, von dessen ertrag jem. einen gewissen teil zu ziehen berechtigt ist. -haft, -haftic, -heftic adj., -hafteclîche adv. teilhaft, anteil habend od. nehmend, mit gen.; sich mitteilend. -lîch adj. particularis. -liute pl. die eine teilung unter sich machen. -nümftec, -nünftec adj. teil habend, nehmend mit gen. -sam adj. teilbar, geteilt.

teilære, -er stm. teiler. teilâte stf. teilung.

teile stf. teilung; zugeteiltes, eigentum.

teilec, -ic adj. teilhaft; teilbar.

teilen swv. teilen, zerteilen, zerstücken, trennen; mit-, zuteilen, zu teil w. lassen, vorschlagen mit dp.; einteilen (kleid in verschiedene farben, wappen in felder); einteilen, anordnen; aus-, verteilen (*swert t.* schwerthiebe austeilen); spez. von der erbteilung; *teilen, ein spil t.* zweierlei zur wahl vorlegen ohne od. mit dp.; urteilen, durch urteil entscheiden; mit dp. durch urteil zuerkennen od. auferlegen.

teilieren swv. teilen.

teilige swm. teilgenosse.

teilunge stf. teilung, trennung, ab-, einteilung, erbteilung.

teisch, teische stn. mist s. *rinder-t.*

tëlben, dëlben stv. III, 2 graben *in, ûz, nâch, zuo.*

telle swstf. schlucht.

teller, teler, tëller stn. teller (it. *tagliere,* fz. *tailloir* von *tagliare, tailler* zerschneiden, vgl. *talier*).

tellin stn. dem. zu *tal.*

telz adj. unausgebacken.

telzen swv. streichen, schmieren, anstreichen.

temer s. *tamer.*

temeren swv. schlagen, klopfen, hämmern.

temmen swv. mit einem *tamme* umgeben; grenze setzen, hindern, endigen

temnitze s. *timenitze.*

tëmpel, tënpel stn. m. tempel; templerorden. *Christi t.* leib Chr. (lat. *templum*). -bruoder stm. templer. -hërre swm. templerherr, templer; priester. -tuoch stn. vorhang im tempel. tëmpelære stm. templer, tempelherr; ritter der gralburg.

tëmpeleis, tëmpleis, -e stswm. tempelherr; ritter der gralburg (afz. nach mlat. *templensis*).

tëmperâtûr, tëmperîe stf. gehörige, angenehme mischung, mass, mässigkeit, vermischung.

tëmperien, tëmperieren swv. im gehörigen verhältnisse mischen (mässigen, mildern), überh. mischen, ein-, zurichten (lat. *temperare*).

tëmpern, tënpern swv. = *temperien;* schaffen, schöpfen; refl. sich mischen, entstehn.

tëmperunge stf. mischung im gehörigen verhältnisse, gehörige beschaffenheit, rechtes mass.

tëmper-vaste swf. = *quatembervaste.*

tëmpleis s. *tëmpeleis.*

tenc, tenk adj. link.

tendeler stm. trödler.

tendelieren swv. feilschen, schachern.

tendel-market stm. trödelmarkt.

tëner stm., tënre f. ? die flache hand.

tengelen, tingelen swv. dengeln, klopfen, hämmern; übertr. weiter ausführen, erklären.

tenisch, tensch adj. dänisch.

tenisch stn. das aus der haut des damhirsches verfertigte leder.

tenke swf. die linke hand.

tenne stn. stswm. stswf. tenne.

tennen swv. zur tenne, wie zur tenne machen, fest stampfen, ebenen.

tennin, tennen adj. von tannenholz, der tanne.

tenôr, tenûr stm. tenorstimme (lat. *tenor*).

tënpel s. *tëmpel.*

tënre s. *tëner.*

tënpern s. *tëmpern.*

tensch s. *tenisch.*

tente, tent swstf. zelt (fz. *tente* vom lat. *tendere*).

tenterie stf. tändelei.

tenzel stn. dem. zu *tanz.*

tenzeler, tenzer, tänzer stm. tänzer.

tenzerinne stf. tänzerin.

tepich, teppich, tepech, teppech, tepet; tepit, teppit, teppet, tept stmn. teppich (lat. *tapetum*).

tër stf. m. baum, in komposs.

tërciâne s. *tërz.*

teren s. *tern.*

terigen swv. schaden.

terken, derken swv. dunkel machen, besudeln.

terkis, tärkis stmn. köcher.

tërme, tirme stswf. grenze, sprengel, gebiet; äusserste grenze, höhe; gestalt, beschaffenheit.

tërmen, tirmen swv. an einen bestimmten ort setzen, bestimmen, zuteilen, widmen, weihen; formen, schaffen, be-

reiten. — refl. sich an einen bestimmten ort begeben (aus lat. *terminare*).

tërmenen swv. bestimmen *zuo*.

tërmenie stswf. grenze, umfang, gebiet, sprengel, bes. der bezirk, innerhalb dessen ein bettelkloster das recht hat almosen zu sammeln, sowie das einsammeln der almosen.

tërmenunge, tërminunge stf. grenze, begrenzung; gebiet, bezirk.

tërminen swv. begrenzen.

tërminieren swv. tr. begrenzen, bestimmen. — intr. in einem bestimmten bezirke almosen einsammeln (für die bettelklöster); eine rundreise machen und dabei amtsgeschäfte verrichten (mlat. *terminare*).

tërminierer stm. mönch, der das einsammeln für die bettelmönche besorgt (mlat. *terminarius*).

tërmunge, tirmunge stf. natürl. beschaffenheit.

tern, teren swv. schaden mit dp.; tr. schädigen, verletzen.

ternen s. *tarnen*.

tërraz, tarraz, -âz stm. n. wall, bastei, bollwerk, barrikade; erhöhter freier platz, erker, altan (fz. *terrace*, mlat. *terratia* v. lat. *terra*). **-bühse** f. festungskanone.

tërre stf. erde, land (fz. *terre*, lat. *terra*).

ters adj. adv. kühn, verwegen.

tërze, tërz swstm. n., **tërzel** stmn. art falke (mlat. *tertius*, weil nach der sage das dritte im neste ein männchen ist).

tërziâne swf. dreitägiges fieber (mlat. *tertiana*).

tërzje (-zit stf.), tërze, tërz swstf. die dritte kanonische hora; parzelle einer gemeinde (lat. *tertia*, näml. *hora, pars*).

tesche s. *tasche*.

teschelin stn. dem. zu *tasche*; knospenhülse, kelchblätter.

tësem, tisem(e) stm. moschus.

tëst stm. topf, tiegel; kopf; schlacke, metallschlacke; verworrenes, verflochtenes zeug; die scheibe, wonach man mit pfeilen schiesst (fz. *test*, lat. *testa*).

tëstier, tëhtier stn. kopfbedeckung. meist vom streitross: vorderer teil der *îserkovertiure*. (mfz. *testière*).

tetel stm. väterchen.

tetschen swv. patschen, klatschend sich (im wasser) bewegen.

tevel stn. = *getevel*.

tevelen, täveln swv. glatt einlegen, täfeln.

tevellin stn. dem. zu *tavel*.

teverie stf. schankgerechtsame und abgabe dafür (s. *tavërne*).

tibe stf. buhlerin.

tich stm. deich, damm; teich; fischteich. **-stat, -stete** stf. teichstätte, teich.

tichen stv. I, 1 tr. schaffen, treiben, betreiben, ins werk setzen, fördern. — intr. mit gen. wovon zu schaffen haben, wofür leiden, etw. büssen; schleichen, lauern; fliessen, sickern.

tichen swv. prüfen, versuchen; s. v. a. *îchen*.

tief, tiuf adj. weit, weitläufig; weit herabhangend, lang; breit; tief. **-müetic** adj. tief sinnend.

tiefe, tiufe stf. tiefe, vertiefung, abgrund.

tiefen, tiufen swv. in die tiefe versenken.

tiefene stf. = *tiefe*.

tiehter s. *diehter*.

tien s. *dien*.

tier stn. tier, bes. wildes tier (spez. das reh, damwild, hinde). **-bilde** stn. tiergestalt. **-garte** swm. tiergarten; eine art mehlspeise. **-gelich** stn. jedes tier. **-kreiz** stm. zodiacus. **-lich** adj. tierisch. **-licheit** stf. animalitas. **-spiez** stm. jagdspiess. **-wëc** stm. wildbahn. **-zirkel** stm. = *-kreiz*.

***tier** mnd. adv. gen. pl. *guoter tiere, tieren* guter art; benignus. = hd. *ziere*.

tierlach, tierlich stn. dem. u. coll. zu *tier* 1.

tierlin stn. dem. zu *tier* 1.

tievel s. *tiuvel*.

tigel s. *tëgel*.

tigen part. adj. = *digen*.

tigen swv. saugen.

tigere, tiger, -liche adv. md. sorgfältig, gänzlich, völlig.

tiger-tier stn. tiger.

tihtære, -er stm. verfasser, dichter; erdichter.

tihte stf. schriftl. abfassung; das dichten, die dichtung (auch vom malen u. sticken).

tihte, tiht stn. = *getihte*.

tihten swv. absol. u. tr. schreiben, schriftl. abfassen; dichten; dichten über, besingen; überh. (künstlerisch) erfinden und schaffen, hervorbringen, ersinnen, ins werk setzen, anstiften, tun; lügenhaft erfinden und erzählen; *tihten nâch* nachbilden; einrichten, festsetzen, bestimmen (lat. *dictare*).

tihten swv. md. dicht machen.

tihtener s. = *tihtære*.

tihterie stf. gedicht.

tile, tili s. *dil*.

tiligen, tilgen, tiljen, tillen swv. tilgen, vertilgen, austilgen.

tiliz, diliz, tilniz stm. langes messer.

tille stswf. m. dillkraut.

timber, timmer adj. finster, dunkel, trüb; dumpf, leis erklingend, heiser. - stn. finsternis, dunkelheit. **-haft** adj. finster, dunkel.

timbern, timmern swv. *timber* machen.

timel adj. dunkel, trübe. - stf. dunkelheit, tiefe (des wassers).

timenitze, temnitze f. gefängnis (slav.).

timit, dimit, zimit stm. ein mit doppeltem faden gewebter stoff (gr. δίμιτος).

timpel adj. = *timel*.

timpelieren swv. klingen (lat. *timpanare*).

timpentampen ein schallnachahmender term. techn. der falkenjagd.

tin-apfel stm. turmknopf (*tin* nd. = hd. *zin, zinne*).

tincte, tinte, timpte swf. tinte (mlat. *tincta* v. lat. *tingere*).

tingelen s. *tengelen*.

tinke swm. die schleie (lat. *tincus*).

tinne, tinge swstf. stn. stirn; pl. schläfe. **tinne-kleit** stn. von der stirne bis zum fuss herabhängender schleier.

tinten-(-tint-)horn, -vaz stn. tintenhorn, -fass.

tiranne swm. tyrannus.

tirannisch adj. tyrannisch; wild, brünstig (ross).

tirel stf. schmuck, zierat.

tiriac = *trîac* s. *drîakel*.

tirme, tirmen s. *tërm-*.

tirmec adj. an der äussersten grenze befindlich, hoch, erhaben.

tirmer swm. schöpfer.

tirm-stein stm. grenzstein.

tisch stm. tisch, speisetafel; (fig. das essen, die mahlzeit); krämertisch (gr. lat. *discus*). **-geselle** swm. tischgenosse. **-gerihte** stn. speise auf den tisch. **-krume** stf. tisch-, brotkrume. **-lachen, -lach** stn. tischtuch. **-tuoch** stn. tischtuch.

tischelin stn. kleiner tisch.

tischer, tischler stn. tischler.

tiselen s. *taselen*.

tisem adv. stille.

tite, titte swm. = *tute*.

titel, tittel stm. titel; s. v. a. ende, weil man den titel zuletzt schrieb (lat. *titulus*).

titelen swv. (das buch) mit einem titel versehen.

tiubelin, tiubel stn. dem. zu *tûbe*.

tiuber s. *tûber*.

tiuchel stmf. röhre, bes. für wasserleitungen.

tiuf- s. *tief-*.

tiufede stf. tiefe, abgrund.

tiuhte stf. bedrückung, beschwerde, kummer.

tiurde stf. hoher wert, kostbarkeit.

tiure (tiur) adj. (erweitert *tiwere, tiwer, tiuwer*) von hohem werte, wertvoll, kostbar; viel od. einen bestimmten preis geltend, herrlich, vortrefflich, ausgezeichnet, vornehm; selten, in geringem masse oder gar nicht vorhanden (mit dat. *mir ist, wirt etw. t. mir geht ab,* fehlt, ist versagt, *einem etw. tiure tuon* machen, dass er es nicht hat). - adv. (erweitert *tiwere*) herrlich; grossen wert worauf legend, hoch und teuer, dringlich, sehr; um hohen preis, teuer; mit seltenheit, in geringem masse, wenig. - stf. hoher wert, kostbarkeit; vortrefflichkeit; teurung.

tiuren, tiuwern swv. tr. *tiure* machen, verherrlichen, ehren, preisen; im werte anschlagen, schätzen; selten machen, benehmen, rauben mit dp. — intr. *tiure* w., sich verschönen; selten, teuer w., mit dp. selten sein, mangeln.

tiures adv. um hohen preis.

tiur-lich adj. kostbar, herrlich, ausgezeichnet. **-liche** adv. kostbar; *t. sprechen* beteuern. **-mæʒec** adj. teuer.

tiurunge stf. bestimmter wert, preis; teurung.

tiuschære, -er stm. täuscher, betrüger.

tiuschen s. *tûschen*.

tiuschen swv. tr. sein gespött mit jem. treiben, ihn betrügen.

tiuscherie, tüscherie stf. täuschung, betrügerei, spiegelfechterei.

tiusen swv. schleichen.

tiuslin stn. dem. zu *tûs*.

tiuten swv. intr. schallen. — abs. u. tr. schallen machen, *tiutsch* s. *diutisch*. [blasen.

tiuvel, tievel, tivel, tîvel stm. teufel (*den tiuvel* nicht das geringste, nichts); *die tiuvel* waldleute, riesen (gr. lat. *diabolus*). **-haft, -haftie** adj. vom teufel besessen; teufelmässig, teuflisch. **-klâwe** swf. scheltwort für putzsüchtige frauen. **-lich** adj. teuflisch. **-spil** stn. betrügerisches spiel. **-sühtic** adj. vom teufel besessen. **-warc** stm. teufelsbösewicht. **-winnic** adj. vom teufel besessen.

tiuvelære stm. teufelsanhänger.

tiuvelin adj. vom teufel abstammend, teuflisch. **tiuvelinne** stf. teufelin, weibliches ungeheuer. **tiuvelisch, tiuvelsch** adj. teufelmässig, teuflisch.

tiuwer, tiwer s. *tiure*.

tize stf. kostbarer (weisser?) stoff.

---

tjoste tjost, tjuste tjust; joste jost, juste just; schuste schust stf. m. ritterlicher zweikampf mit dem speere, speerstoss in einem solchen kampfe (afz. *jouste* vom lat. *juxta*).

tjostieren, jostieren, justieren, schustieren swv. eine *tjoste* kämpfen (nbff. wie bei *tjoste*).

tjostierer stm. der eine *tjoste* kämpft.

tjostiure, tjostiur stm. dasselbe (fz. *jousteur*).

tjostiure stf. = *tjoste*.

tjostiure stf. *just-lich* adj. der *tjoste* gemäss.

tobe-haft adj. = *tobic*. **-heit** stf. sinnlosigkeit, raserei, tollheit, wut. **-lich** adj. = *tobic*. **-liche** adv. in unsinniger, toller, heftiger weise. **-sin** stm. tobsucht. **-site** stm. dass. **-suht** stf. wahnsinn, tobsucht, verrücktheit, wut, raserei, besessenheit. **-sühtic** adj. wahnsinnig, wütend, rasend. **-trunken** adj. bis zur tollheit betrunken. **-wüetic** adj. tollwütig. **-zorn** stm. wütender zorn. **-zornic** adj. tobend zornig.

tobel stm. waldtal, schlucht.

tobel stm. ein edelstein.

toben swv. nicht bei verstand sein, unsinnig reden, toben, tollen, rasen (spez. von der rasenden kampflust, *t. an einem* wütend kämpfen mit); *t. nâch* nach etw. leidenschaftlich verlangen, jagen.

tobende part. adj. tobend, rasend, wütend (hund, sturm).

tobendic adj. = *tobic*.

tôber s. *tôuber*.

tobesal stn. toben, wut, sturm.

tobic, tôbic adj. wahnsinnig, rasend, toll.

tobic-heit stf. = *tobeheit*.

toblier, toplier stm. teller, schüssel (fz. *doublier*, mlat. *dublerius*).

tocke swf. puppe der kinder und im puppenspiel; junges mädchen, schmeichelwort für ein solches; walzenförmiges stück, stützholz, schwungbaum einer wurfmaschine; bündel, büschel.

tocke swstf. mütze, haube (fz. *toque*).

tocke swf. mutterschwein.

tockeler stm. stützpfeiler.

tockelin stn. dem. zu *tocke* 1.

tockel-müsen stn. heimlichkeit, duckmauserei. **-müser** stm. schleicher, heuchler, duckmäuser.

tocken swv. verbergen, versenken *in*.

tocken stm. flatterhaftigkeit.

tocken-lade stf. puppenbehälter. **-spil** stn. puppenspiel. **-wiegel** stn. puppenwiege.

---

tôdemic, tœdemic adj. storblich; totengleich; dem tode verfallen; tod bringend, tödlich; *der tœdmige* der erlöser Christus. **-heit, tôdenkeit** stf. sterblichkeit.

tœdem-, tœden-lich adj. sterblich.

toderer stm. stotterer, schwätzer.

todern swv. undeutlich reden, stottern.

tœdic s. *tœtic*.

togen s. *tugen*.

tohter an. f. tochter; mädchen (*gemeine, varende t.* hure). **-lich** adj. filialis. **-man** stm. schwiegersohn. **-sun** stm. tochtersohn.

tohterchin stn. md. dem. zu *tohter*.

tohterlin, töhterlin stn. obd. dem. zu *tohter*, töchterlein; mädchen; kuhkälbchen.

toiber s. *tôuber*.

tokzelen, tokzen swv. sich hin u. her bewegen, schwanken.

tol s. *twalm*.

tol, dol adj. töricht, unsinnig, toll; von stattlicher schönheit, ansehnlich. **-hart** stm. toller mensch. **-heit** stf. törichtes wesen.

tolc s. *tolke*.

tolde swstf. wipfel oder krone einer pflanze, eines baumes; quaste, franzen. **toldel** stn. dem. dazu; rispe des hafers.

toldeln, tolden swv. zu einer *tolden* bilden.

tole, tol swstf. wasserstrom; abzugsgraben; kanal, rinne; erdgang, mine.

tolke, tolc swstm. dolmetsch; auslegung, erklärung (slav.).

tolken swv. dolmetschen; erzählen, erklären; lallen.

tollen-, tolle-tranc stmn. = *twalmgetranc*.

tolmetze, tolmetsche, tulmetsche swm. dolmetsch (slav.).

tolmetzen swv. übersetzen, erklären, verdolmetschen; kauderwälschen, schwätzen.

tolmetzer stm. dolmetscher.

tölpel stm. = *dorpære*.

tôlung s. *tagelanc*.

tôn, tœn s. *dôn, tuon*.

top, dop, -bes, dob adj. nicht bei verstande, unsinnig, toll (hund).

topasius, topâzlôn (dies auch stn.), topâzje, topâʒe stswm. topas.

topel, toppel stm. n. würfelspiel (bildl. vom kampfspiele); einlage bei einem spiele; wettpreis (fz. *doublet* pasch im würfelspiele). **-brët** stn. würfelbrett. **-spil** stn. würfelspiel, hazardspiel überh. **-stein** stm.

würfel; würfelartig gewebter stoff. **-var** adj. würfelartig.
topelære, -er stm. würfelspieler.
topelen swv. würfeln.
topf stm. topf; hirnschale.
topf, topfe stswm. kreisel.
topfe swm. tupf, punkt.
topfe swm. quark, topfen.
töpfer, topfer stm., md. *topper* töpfer.
topf-knabe swm. mit dem kreisel spielender knabe.
topf-stein s. *tupfstein.*
toplier s. *toblier.*
tor stn. tor, tür. **-gat** stn. torverschlag. **-hûs** stn. befestigung über einem burgod. stadttore. **-stadel** stm. md. türpfosten. **-stud** stf. dasselbe. **-sûl** stf. torsäule, -pfosten. **-wahter, -wehter, -wart, -warte, -wartel, -wertel, -warter, -werter** stm. torhüter, pförtner.
töre, tôr swm. tor, narr, irrsinniger; tauber.
töreht tœrêht, töroht tœroht, tôrëhtic adj. töricht, närrisch, unbesonnen, dumm, verrückt; *tôreht vrouwen* feile dirnen.
tôrelin, tœrlin, tœrel stn. dem. zu *tôre.*
tôren swv. ein *tôre* sein oder werden, toll sein, rasen.
tœren, tôren swv. tr. zu einem *tôren* machen, betören, betrügen, hintergehn, äffen.
tôr-haft, -haftic adj. = *tôrëht.* **-heit** stf. torheit, narrheit, verrücktheit.
tœrinne stf. törin, närrin.
tœrisch, tœrsch adj. = *tôrëht.* **tœrisch, tœrischen, tœrschen,** adv. auf törichte, mutwillige weise. **tœrisch-heit** stf. = *tôrheit.* **tœrischen** swv. intr. närrische dinge treiben.
torkel, torkul swf. stm. kelter (lat. *torcular*).
torkelære stm. kelterer.
torkeln swv. hin und her schwanken, taumeln.
torken swv. keltern.
tôrlære stm. der tor.
tôr-lich adj., **-liche** adv. einem toren gemäss, töricht; merkwürdig, eigenartig.
torlin, törlin stn. dem. zu *tor.*
torm, torn s. *turn.*
tormënt, tormint stm. sturm (lat. *tormentum*).
tormëntâle stn. pein, marter, marterwerkzeug.
tormëntar, tormitar, dormiter s. *dormënter.*
tornamënt stn. md. turnier (mlat. *tornamentum*).
tornei, tornois s. *turn-.*
törpel, törper s. *dorpœre.*
torriure stf. strom, giessbach vgl. fz. *torrent*).

torse swm. kohlstrunk (mlat. *thyrsus*).
tort-hûs stn. folterkammer.
tortuke swf. schildkröte (lat. *tortuca*).
torze, tortsche swf. gewundene wachsfackel (fz. *torche,* mlat. *torchia* vom lat. *torquere*).
tôt part. adj. gestorben, tot, getötet; mit ds. abgestorben; welk, dürre; *tôter kouf* kauf auf ewige zeiten; *t. legen* töten.
tôt, -des stm. tod (*der gemeine t.* das natürliche sterben; *ein grôzer t.* pest, seuche); der tote, der leichnam; corruptio; *der bewegeliche t.* das irdische leben; plur. todesarten.
tôt-arm adj. im höchsten grade *arm.* **-bære** adj. todbringend; todeswürdig. **-besetzen** subst. inf., **-besitzunge** stf. testamentum (Luc. 22, 20; Marc. 14, 24). **-betliute** pl. testamentszeugen. **-bette** stn. sterbe-, todbett. **-bitter** adj. bitter wie der tod. **-bleich** adj. leichenblass. **-bluotec** adj. totenfarbig, bleich, grau (zu *blüejen?*). **-brief** stm. urkunde, womit etw. für ungiltig erklärt, ausser kraft gesetzt wird. **-gebeine** stn. leichnam. **-geschefte** stn. testament. **-geselle** swm. todesgefährte. **-gevar** adj. = *tôtvar.* **-gevëhede** stf. todfeindschaft, blutrache. **-gevelle** stn. tod. **-geverte** swm. = *-geselle.* **-halt** adj. zu tode erschöpft, gehetzt. **-holz** stn. = *toupholz.* **-leibe** stf. hinterlassenschaft nach dem tode. **-(tœt-)lich** adj. todbringend, tödlich; zum tode bestimmt; eines toten; sterblich. **-(tœt-)liche** adv. tödlich; dem tode gemäss. **-mager** adj. zum sterben mager. **-riuwesære** stm. der todesmatte, lebenssatte büsser. **-sêr** adj. zum tode verwundet. **-siech** adj. zum tode krank. **-siuchede** stf. krankheit zum tode, sterblichkeit. **-slac** stm. totschlag; der leichnam eines erschlagenen. **-slâf** stm. schlafsucht. **-slahen** stv. töten. **-slaher, -slager, -sleger** stm. totschläger, mörder. **-slech** adj. zum tode ermattet. **-stich** stm. stich, wodurch einer getötet wird. **-stumme** swm. ein ganz stummer. **-suht** stf. geistesabwesenheit. **-sühtic** adj. geistesabwesend. **-sünde** stf. sünde, die mit ewigem tode bestraft wird. **-sündec** adj. dazu. **-sünder** stm. der eine *tôtsünde* begeht. **-trüebe** adj. trübe wie der tod. **-val** stm. todes-, sterbfall; ein teil der erbschaft, welcher nach dem tode des eigenmannes der herrschaft fällig ist. **-var** adj. leichenblass.

-vêhe stf. todfeindschaft. **-vient, -vint** stm. todfeind. **-vintschaft** stf. todfeindschaft. **-vinster** adj. finster wie der tod, ganz finster. **-vuoric** adj. todbringend, tödlich. **-wunde** stf. todeswunde. **-wunt** adj. zum tode verwundet.
tote, totte swm. pate, bildl. förderer, beschützer; patenkind. **-** swf. patin.
tôte swm. toter, tote, leichnam.
tœte stf. tod.
tœteln swv. totengeruch an sich haben, verbreiten.
tôten swv. sterben, absterben.
tœten swv. *tôt* machen, töten; ungültig erklären, ausser kraft setzen, übertreffen.
tôten-bâre f. totenbahre. **-brief** stm. verzeichnis der verstorbenen, für die seelenmessen gelesen, jahrtage gehalten werden sollen. **-buoch** stn. dasselbe. **-gëlt** stn. begräbnisgeld, geld aus der sterbekasse. **-graber, -greber** stm. totengräber. **-grap** stn. grab für einen toten. **-houbet** stn., **-kopf** stm. totenkopf. **-mâl** stn. todeszeichen. **-rouber** stm. leichenräuber. **-suppe** swf. begräbnisschmaus. **-wëc** stm. weg für leichenzüge.
toten-gëlt stn., **-schenke** stf. patengeschenk.
toter, tuter swm. stn. dotter; dotterkraut.
tœter stm. mörder; der einem nach dem leben trachtet.
toter-ei stn. eidotter.
tot-gâbe stf. = *toten-gëlt.*
tœt-helfer stm. der töten, morden hilft.
tœtie, tœdic adj. todbringend, tödlich.
tœtic-heit stf. sterblichkeit.
tœtigen swv. töten.
tœtic-liche stf. sterblichkeit. **-licheit** stf. dasselbe; tod.
tœtunge stf. tötung, totschlag; abtötung; ungiltigkeitserklärung.
totzen swv. dutzend (fz. *douzaine,* mlat. *dozena*).
tou, -wes stn. m. tau.
toub s. *toup.*
toube swm. der taube; der empfindungslose, stumpfsinnige.
toube adv. auf tolle, heftige weise.
touben swv. intr. *toup* werden. — tr. (auch *töuben*) *toup* machen, betäuben; empfindungslos machen, abstumpfen; dämpfen, kraftlos, zu nichte machen, vernichten (*den ungelouben t.* mit dp. benehmen); töten.
touben stn. das blasen, flöten.
töuber, tœber, toiber stm. ein blasender musikant.
töubic adj. stumpfsinnig.

toubieren swv. musizieren (lat. *tubare*).

touc adj. geheimnisvoll, wunderbar.

töude s. *töuwende*.

töude stf. der tau.

touf s. *toufe*.

touf stm. untertauchung, tiefe (des meeres); taufe; taufwasser, dessen weihe am ostersonnabend; die christen, das christentum; *der jungistet*. letzte ölung. **-bære** adj. der taufe gemäss, die taufe habend, christlich. **-brunne** swm. taufwasser. **-gewant, -gewæte** stn. taufkleid. **-lich** adj. der taufe gemäss. **-mer** stn. tiefes meer. **-napf** stm. gefäss für das taufwasser. **-schenke** stf. patengeschenk. **-stat** stf. taufplatz in der kirche.

toufære, -er stm. täufer.

toufât stf. taufe.

toufe, touf stswf. taufe (*die t. begân, an sich nemen*); taufwasser; taufstein.

toufe-lôs adj. ungetauft.

toufen, töufen swv. untertauchen; taufen; part. *getouft* christlich. — refl. christ werden.

töufunge stf. das taufen.

touge adv. md. heimlich.

touge swm. md. geheimer vertrauter.

touge stf. md. heimlichkeit; geheimnis.

tougen adj. dunkel, finster; verborgen, geheim, heimlich; geheimnisvoll, wunderbar. — adv. heimlich, verborgen, im stillen; ohne aufhebens; geheimnisvoll; auch blosses flickwort.

tougen, tougene stnf. heimlichkeit, geheimnis; einsamkeit; privat(schlaf-?)gemach; wunderkraft, wundertat. - stm. mysterium, sakrament.

tougen s. *dougen, tugen*.

tougen-diep stm. heimlicher dieb. **-heit** stf. heimlichkeit; geheimnis, verborgenheit, geheimnisvolles wesen (*daz buoch der t.* apokalypse). **-lich** adj., **-liche** adv. verborgen, geheim, heimlich (*tougenlich gemach* schlafgemach); geheimnisvoll. **-trage** swm. (ein apostel als) träger des *tougen* (Christi). **-wort** stn. heimliches wort.

tougenen, tougen swv. verheimlichen, verbergen.

tougener stm. bewahrer der göttl. geheimnisse, ein engelchor.

tougenie stf. heimlichkeit; geheimnis, mysterium; apokalypse.

touhtic adj. feucht.

toum stm. dunst, duft, qualm.

toumen swv. dunsten, qualmen, rauchen.

töun s. *töuwen*.

tou-naʒ adj. mit tau benetzt.

toup, -bes, toub adj. nicht hörend, taub; nichts empfindend oder denkend, stumpfsinnig; unsinnig, närrisch, toll; was nicht od. worin nichts empfunden od. wahrgenommen wird: ohne leben, tot (ohne od. mit gen., *t. machen* vernichten), öde, wüste, leer, wertlos, nichtig; abgestorben, trocken, dürr (*toubeʒ loup, holz*). **-holz** stn. = *toubeʒ holz*. **-suht** stf. tobsucht.

töupel stf. frauenwirtin, hure.

touwec, -ie adj. tauig, betaut.

touwen swv. intr. tauen, unpers. mit subj. *eʒ*; tauig sein od. werden.

töuwen, touwen swv. (kontr. *töun, toun*) mit dem tode ringen, dahin sterben.

töuwende, touwende part. mit dem tode ringend, sterbend. — kontr. *tönde, töude*.

tozelære stm. der etw. unausgesetzt verlangt ohne sich abweisen zu lassen, der zudringliche.

trâc, -ges stm. trägheit.

trache tracke, drache dracke swm. drache, teufel (lat. *draco*).

trâc-heit, trâkeit stf. trägheit, verdrossenheit; pigritia.

trachen-stein stm. drachenstein; fels auf dem ein drache haust. **-tier** stn. = *trache*. **-var** adj. wie ein drache gefärbt. zu *trache*.

træc-lich adj., **-liche** adv. = *træge, trâge*.

trage stf. das getragene, die last.

trage swf. womit, worauf man etw. trägt; kindträgerin, amme.

trage swm. träger; gefäss zum tragen (ein sandmass).

træge adj. träge, langsam, verdrossen (mit gen., *an, gegen, von, ze*).

trâge adv. mit trägheit, langsamkeit, verdrossenheit (iron. gar nicht).

træge stf. trägheit.

trage-bære adj. tragbar. **-(tra**ge-**)lich** adj. zu tragen, erträglich.

trage-munt, treimunt stm. langes, schnellfahrendes kriegsschiff (afz. *dromon*).

Tragemunt, Trougemunt eigenname od. personifizierung eines länder- und sprachkundigen pilgers od. fahrenden (mlat. *dragumanus*, it. *dragomanno*, fz. *drogman*, dolmetscher; vom arab. *targomân* ausleger).

tragen stv. VI abs. od. tr., tragen (abs. eine last tragen, schwanger sein *bî einem* von jmd); an sich tragen, haben, besitzen, halten, bringen, führen; bildl. dulden, ertragen

(*über ein tr.* übereinkommen, -stimmen, sich vertragen; *enzwei tr.* dissentire, zweierlei sein; *gruoʒ tr.* entbieten; *einen tac tr.* festsetzen; *zorn tr.* hegen; *jâmer tr.* ertragen, dulden; *einem etw. tr.* reichen, entgegen bringen, zu teil werden lassen; *geliche tr.* gleiches mass haben, refl. sich gleichen). — refl. sich benehmen, betragen, zeigen; sich erheben; eine richtung nehmen, führen; sich fügen, kommen, gelangen *an*, sich erstrecken, sich beziehen *ûf, ze*.

tragen swv. abs. eine richtung nehmen. — tr. tragen (im mutterleibe, *ze einem tragene* bei einer schwangerschaft), an sich haben, besitzen. — refl. seinen unterhalt haben, sich nähren, leben (mit gen. od. *mit*).

trâgen, trægen swv. *træge* sein od. werden, refl. mit ds. sich entziehen; unpers. mit dat. verdriessen.

trager, treger stm. träger; vertreter, gewährleister.

tragerinne stf. *gotes tr.* gottes gebärerin.

tragnüsse stf. last; erträgnis, einkommen; gewährschaft.

trahen, trân stm. pl. *trahene, trehene, trêne*: träne; tropfen.

trahenen, trehenen swv. weinen.

traher, treher stm. träne.

traht stm. seufzer.

traht stm. = *trahte*, das denken woran.

traht stf. das tragen; schwangerschaft; träger; die last; holz, das bei einer belagerung zusammengetragen wird, um die gräben auszufüllen; belagerung.

trâht s. *drâht*.

trahte stf. fischzug.

trahte stf. das denken woran oder worüber; betrachtung, erwägung, das verlorensein in gedanken; das streben.

trahten swv. intr. woran, worüber denken, worauf achten, erwägen, nachsinnen (*nâch, ûf, umbe, von*); trachten, streben (*nâch, ûf, umbe*). — tr. bedenken, erwägen, aussinnen; streben, trachten nach; etw. beachten (mit gs.).

trahter, trehter, trihter stm. trichter (mlat. *tractarius*).

trahtîn s. *truhtîn*.

trahtunge stf. das denken woran od. worüber; erwägung, überlegung; das streben *nâch*.

trâm s. *drâm*.

tramîner stm. eine traubenund weinsorte (aus Tramin an d. Etsch).

trampeln swv. derb auftretend sich bewegen.
trân stm. strömung.
trân s. *trahen.*
tranc, *-kes* stnm. trank, getränke; trinken, trinkgelage; trunkenheit. -**gëlt** stn. = *trincgëlt;* zechschuld.
tranklære stm. säufer.
transsumpt stm. beglaubigte abschrift (mlat. *transsumptus).*
trapen = *draben.*
trappe swm. traubenkamm.
trappe, treppe swm. stswf. treppe.
trappe, trap swm. trappgans; tor, tropf.
trappenie, trapperie stf. garderobe (aus mlat. *trapus).*
trappierer, drappierer, trappier stm. der für die *trapperie* sorgt (mlat. *draparius, trappiarius,* fz. *drapier).*
trat stf. das treten, der tritt; weide, viehtrift. -**vëlt** stn. viehtrift.
tratzen, tretzen, trutzen swv. intr. trotz bieten, trotzen (mit dat. od. *mit).* — abs. u. tr. reizen, necken, zum besten haben.
tratzic, tretzic adj., md. *trotzic* trotzig.
traz (truz), *-tzes* stm., md. *troz* widersetzlichkeit, feindseligkeit, trotz. — als interj.: trotz (sei dir geboten)! — praep. mit dat. trotz. - adv. trotzdem. - adj. trotzig. -**(trez-, truz-)lich** adj., -**liche** adv., md. *trozlîch* trotzig. -**müetic** adj. trotzig, widersetzlich. -**muot** stm. trotz.
treber, trebern pl. treber.
trëchen stv. IV intr. ziehen. — tr. ziehen, zerren, schieben, stossen; *guot zesamen t.* scharren. — *viur t.* mit asche bedecken (um es zu löschen).
trechinne stf. weibl. drache.
trecken swv. ziehen.
trëf, trif, *-ffes* stmn. das zusammentreffen; entscheidender streich, schlag.
trëffære, -er stm. treffer.
trëffen stv. IV abs. *tr. an* ein ziel erreichen, betreffen, *tr. ze* ziel und ende worin finden, betreffen, gehören, sich passen zu, gleichkommen; *mit einem tr.* mit einem feindlich zusammentreffen, kämpfen. — tr. treffen (bes. mit einer waffe); antreffen, finden; angehn, betreffen.
trëf-, trëffe-, trëffen-lich adj., -**liche** adv. trefflich, vortrefflich, wichtig, hauptsächlich, vorzüglich, entsprechend, geeignet.
trëfs, trëfse stswm., md. *trësp* lolch, trespe.
tregec, -ic adj. tragbar.
tregede, treide stfn. was getragen wird, last; was der erdboden trägt, getreide.

tregel stm. träger.
trege-lich s. *tragelich.*
tregelin stn. kleine tragbahre; asina, asellus.
treger s. *trager.*
treher s. *traher.*
treheren swv. weinen.
trehtec, -ic adj. woran denkend; trachtend, strebend.
trehtec, -ic adj. trächtig, schwanger. **trehtec-heit** stf. schwangerschaft.
trehtelîn stn. dem. zu *trahte,* speise.
trehter s. *trahter.*
trehtin, trehten s. *truhtîn.*
trei stm. tanz.
treibel stm. treiber.
treide s. *tregede.*
treie s. *troie.*
treif stn.? eine art zelt od. hütte (afz. *tref* vom lat. *trabs).*
treimunt s. *tragemunt.*
treip, -bes. stm. viehtrieb.
treiros stm. eine art tanzlied, melodie.
trëmen stv. IV schwanken; tr. erschüttern (?)
tremontâne, trimuntâne, -ân, **trumetân** stswm. nordwind; nord-, leitstern (it. *tramontana).*
tren, trien swm. brutbiene, drohne; hummel.
trendel, trindel f. kugel, kreisel.
trendelen swv. wirbeln.
trenkære stm. säufer.
trenke stf. tränke.
trenken swv. trinken lassen, tränken; trunken machen; ertränken.
trenne stf. trennung, spaltung.
trennen swv. *trinnen* machen, scheiden, trennen, spalten.
treppe s. *trappe.*
trëse, trise swm., **trësem, trësen, trësel trisal, trisol, trësor** trisor stm. schatz; schatzkammer (fz. *trésor,* lat. *thesaurus).*
trëse-, trise-kamere f. schatzkammer.
trëseler, triseler, trësorer, trisorer stm. schatzmeister.
trësp s. *trëfs.*
trester pl. = *treber.*
trestern swv. intr. sich aufhäufen. — tr. pressen, keltern.
trëten, trëtten stv. V intr. treten (*nâch des gîgen tr.* tanzen, *hinder sich tr.* zurücktreten, *under sich* [*die vüeze*] *tr.* überwinden, *von dem rosse tr.* absitzen). — tr. treten, betreten.
trëten, trëtten swv. intr. treten, fest auftreten, stampfen. — tr. treten auf, niedertreten, zerstampfen.
trëter stm. treter; tänzer.
tretz- s. *tratz-.*
trëviers, triviers adv. *ze t.* (= fr. *à travers):* einer der 5 stiche im turnier: anreiten von der rechten seite auf die schildseite

des gegners zu; der deutsche ausdruck dafür ist *ze twirhes.*
triak, triakel s. *drîakel.*
triant stm. eine art *pfellel;* edelstein (vgl. *drîanthasmê).*
tribe swf. = *trîberinne;* diarrhöe, kolik.
tribel stm. treibel, schlägel; *der minne tr.* = penis.
tribeln swv. intens. zu *trîben.*
tribel-slage, -wegge swm. reiftreibel des büttners.
trîben stv. I, 1 wenden, treiben (abs. mit ausgelass. obj. *vihe, ros);* zubringen, vertreiben; sich fortgesetzt womit beschäftigen, etw. tun oder treiben. *dâhin, daran tr.* dahin bringen, darauf anlegen dass; *tr. unde tragen* plündern (φέρειν καὶ ἄγειν, ferre et agere). — part. *getriben* vom wege: viel gebraucht, betreten, geebnet. — stn. hinneigung.
triber stm. treiber.
triberinne stf. die huren zuführt, kupplerin.
triblât, driblât stm. ein seidenstoff (mlat. *triblathon* ein in drei farben gemusterter damaststoff).
triboc, driboc stm. eine belagerungs-, schleudermaschine (mlat. *trabucium, trabuchum, trabuchetum,* afz. *trebuchet).*
tribul, tripol, trippel stn. dreistimmiger musikal. satz (*proportio musicalis tripla).*
tribunge stf. das treiben, der antrieb.
triefen stv. II, 1 triefen, tropfen. — trotten, trollen.
triegære, -er stm., **triege** swm. trüger, betrüger.
triege-, triegen-heit stf. trug, falschheit. -**listic** adj. dolosus. -**listikeit** stf. dolus.
triegel stm. trüger, betrüger. - stm. n. trug, betrug, trugbild.
triegen stv. II, 1 trügen, betrügen.
triegolf stm. der gerne trügt.
triel stm. lippe; mund; maul, schnauze, rachen.
trieme swm. die gedrehten endfäden des aufzugs am webstuhle, die undurchschossen bleiben.
trien s. *tren.*
triester = *trester* s. *treber.*
trif stm. s. *trëf.*
trift stf. das treiben, schwemmen od. flötzen des holzes; trift, weide; bezirk, abteilung; was getrieben wird, herde; tun, treiben, art und weise, lebensweise (mit gen. oft nur umschreibend) *sunder tr.* ohne übertreibung.
triften swv. treiben, drängen.
triftic adj. treffend, das ziel nicht verfehlend; gehörend, gehörig.
trihter s. *trahter.*

trimuntâne s. *tremontâne.*
trinʒ stm. glanz.
trinc-gëlt stn. trinkgeld. -geselle swm. trinkgenosse. -glas stn. trinkglas. -liute pl. wirtshausgäste. -stube swf. trinkstube. -vaʒ stn. trinkgefäss.
trindel s. *trendel.*
trinitât stf. dreieinigkeit (lat. *trinitas*).
trinkære, -er stm. trinker, säufer.
trinkel stn. ein getränkmass.
trinken stv. III,1 trinken(abs., tr., mit partit. gen.); refl. seinen durst stillen.
trinken stn. getränke; getränkmass, zwei seidel.
trinkic adj. *tr. guot* getränke, wein etc.
trinnen stv. III, 1 davon gehn, sich absondern, mit dat. entlaufen.
trip, -bes stm. trieb, antrieb.
tripaʒ stm. dreieckiger schild.
tripol, trippel s. *tribul.*
trippenierse (trippânierse) swf. marketenderin (aus mnl. *tripiere* kupplerin, hure).
trip-sant stm. kies.
trisanet stn. trisenet, mit zucker gemischtes gewürzpulver, konfekt (fz. *trisenet*).
trisch stm. aalraupe.
trise, trisel, trisol, trisor s. *trëse.*
trit,-tes stm.tritt,schritt; tanz, tanzlied; fussohle; vorrichtung zum auftreten; fussspur; weg. -stuol stm. stuhl, auf dem man steht (beim messerwerfen).
tritel stn. dem. zu *trit.* -vuoʒ stm. trippelnder fuss.
triteln swv. kleine tritte machen, trippeln.
tritzen swv. aufwinden; quälen.
triu s. *triuwe.*
triubel stm. (md. *trûbele* swf.) traube, fruchtbüschel; rosine. -korn stn. uva. **triubelëht** adj. büschelig.
triubelin stn. dem. zu *trûbe.*
triun s. *trûwen.*
triure s. *trûre.*
triutærinne stf. liebhaberin; geliebte.
triute stf. liebe, liebkosung; lieblichkeit; hang, neigung. -bære adj. lieb (*einem tr. sîn* von ihm geliebt w.).
triutelëht adj. lieblich.
triuteln, triutel, trûtel stn. dem. von *trût* liebchen.
triuten, trûten, triutelen swv. liebhaben, lieben, liebkosen, umarmen (oft geradezu wie *minnen* für beschlafen); schmeicheln; wert halten.
triutinne stf. geliebte, gattin.
triut-, trût-lich adj., -liche adv. lieblich, lieb; schön, gut von ansehen.

triuwe, triwe, triu stf. wohlmeinenheit, aufrichtigkeit, zuverlässigkeit, treue (überh. das sittliche pflichtverhältnis zwischen allerhand einander zugehörigen); ministerium; gegebenes wort, gelübde, versprechen; waffenstillstand; *an guoten triuwen* in vollem frieden; beteurung: *bî mînen triuwen, in triuwen, entriuwen, triuwen* in wahrheit, traun! -(triuwen-) bære adj. treue habend, treu. -blôʒ adj. ohne treue. -brüchic adj. wortbrüchig, meineidig. - (triuwen-)hælter, -handeʒ, -hender stm. treuhänder; gewährleister, verpflichteter vollzieher. -lich adj., -liche, -lichen adv. treulich, treu. -lôs adj. treulos, wortbrüchig. -lôsiu *kunst* weltliche weisheit. -riche adj. reich an *triuwe*, sehr treu. -trager, -treger stm. = *triuwehander.* -var adj. treu aussehend.
triuwen s. *trûwen.*
*****triuwen** stv. II, 1 (nur *getrûwen* belegt) zutrauen, mit dp.
triviers s. *trêviers.*
troc, -ges stm. betrug, dämonisches blendwerk.
troc, -ges. stm. trog (futter-, teig-, brunnentrog); sarg.
trocken s. *trucken.*
trôdel m. holzfasern im hanfe, werg.
trofieren s. *trufieren.*
trohsen swv. drucksen, untätig sein.
trohtin s. *truhtîn.*
trol-aldei stm. ein tanzname.
troie, treie swf. jacke, wams (prov. *traia*).
trœl stn. zank, prozess.
trol-gast s. *trulgast.*
trolle, trol swstm. gespenstisches, zauberhaftes ungetüm, unhold; ungeschlachter mensch, tölpel.
trollen swv. intr.sich in kurzen schritten laufend fortbewegen.
trôn stm. thron; wipfel?; engel des obersten chors (gr. lat. *thronus*). -hërre swm. ein engel des obersten chors.
trœnen, trônen swv. auf den thron setzen.
tropel stm. einfältiger mensch, tölpel.
tropël, troppël, truppël stm. f. trupp, haufe (prov. *tropel*).
tropfe, trophe swm. tropfe; träne; *tr. der stimme* leiseste stimme; schlagfluss; tropf, armseliger od. dummer mensch.
tröpfeln, tröpfel stn. kleiner tropfe.
tropfen swv. tropfen.
tropfezen swv. tröpfeln.
tropf-stal stn. raum zur dachtraufe; traufrecht.

trôpisch, trœpisch adj. ungehorsam (aus dem slavischen?)
trôr stm. n. tropfende flüssigkeit: wässerige feuchtigkeit, saft, tau, regen, blut u. dgl.; duft.
trôrec, -ic adj. triefend, bluttriefend.
trôren swv. intr. triefen, tröpfeln (part. *trôrende* = *trôrec*). — tr. beträufeln, übergiessen; vergiessen.
trosse stf.gepäck(mlat.*trossa*).
trossen swv. packen, aufladen (mlat. *trossare*). **trosser, trossierer** stm. trossknecht.
trôst stm. freudige zuversicht, vertrauen, mut; ermutigung, zusagen von hilfe; hilfe; aufbesserung einer pfründe; sicherheit, bürgschaft; persönl. schützer, helfer, helferin, geliebte. -bære adj. *trôst* bringend, tröstlich, hilfreich. -brief stm. sicherheitsurkunde. -heilbërnde part. adj. trost und heil bringend. -geist stm. der hl. geist. -(trœst-)lich adj., -liche adv. zuversichtlich, mutig; zuverlässig; trost gebend, tröstlich, hilfreich. -lôs adj. ohne *trôst*, dazu -lôsekeit stf. -sam adj. tröstlich.
trœstære, -er stm. tröster, helfer: spez. der hl. geist; gewährleister, bürge.
trœsterinne, trœsterinne, -in stf. trösterin, helferin.
trœstegunge = *trœstunge.*
trœstelin stn. dem. zu *trôst.*
trœsten, trösten swv. tr. trösten, zuversichtlich machen, ermutigen, erheitern, vertrösten. — refl. mit gen. seine zuversicht worauf setzen, sich verlassen auf. — tr. sicherheit und schutz, sicheres geleite gewähren; zusichern, geloben, versichern mit gen.; bürgschaft leisten *vür.*
trôstunge, trœstunge stf. trost, tröstung; hilfe, erleichterung; gegenseitiges versprechen, einander keinen schaden zuzufügen; sicherstellung, bürgschaft; sicheres geleit.
trote, trotte swf. kelter. -boum stm. kelterbaum. -hûs stn. kelterhaus. -spille f. tortula.
troten, trotten swv. mit kurzen schritten laufen, traben (mlat. ital. *trottare*, fr. *trotter*).
troter stm. traber; eine art tanz.
trotz- s. *tratz-.*
troube s. *trûbe.*
trouf stn. m. das träufeln, die traufe; das beträufeln.
troufe, trouf stswf. traufe, dachtraufe; streifen des regenbogens; augenbalsam.
troufen, tröufen swv. tr. *triefen* lassen, träufeln; refl. sich unter die traufe begeben; intr. = *triefen.*

troum stm. traum; dem. **troumelîn** stn. -**gesîhte** stn. traumbild. -**lich** adj. traumartig. -**sager**, -**scheidære** stm., -**scheide** swm. traumdeuter. **troumære** stm. träumer. **troumen**, **tröumen** swv. (perf. mit stn u. hân) träumen. **troumic**, **tröumic** adj. traumerfüllt. - adv. im traume. **troun** s. trûwen. **trouw-** s. triuw-. **trübe**, **troube** swm. swstf. traube; überh. ein ganzes von mehreren zusammenhangenden einzelnen dingen. **trübele** s. triubel. **truc**, -ges stm. trug, betrug. **trucke**, md. truge adj. trocken. - stf. trockenheit, trockene stelle. **trucken**, **trocken** adj. trocken (truckene streiche schläge oder verletzungen, durch die kein blut fliesst; truckenez gelt blosses geld, keine naturalien). -**lich** adj. trocken. **trückene**, **truckene** stf. trokkenheit. **truckene** swf. trockentuch. **truckenen**, **trucken** swv. intr. trucken werden. **trückenen**, **trücken**, **truckenen trucken**, **trugen** swv. trucken machen. **trüebe** adj. lichtlos, glanzlos, düster, trübe, finster; unlauter; turbidus; traurig, bekümmert, betrübt. - stf. trübheit, unklarheit, finsternis; betrübnis; aufregung. -**haft**, -**lich** adj. betrübt. -**sam** adj. betrübt. **trüebec**, -**ic** adj. = trüebe. -**heit** stf. trauer, trübsal. -**lich** adj., -**liche** adv. trüb, betrübt. **trüebede**, **trübekeit** stf. = trüebe. **trüeben**, **truoben** swv. trüebe machen, beunruhigen, verwirren. — refl. sich betrüben. **trüebe-nisse** stfn., -**sal** stn. m. f., -**salunge** stf. trübheit, finsternis; trübsal, betrübnis. **trüejen** swv. wachsen, gedeihen. **trüel** stm. kelter. **truferie** stf. betrug, zauberei. **trufieren**, **trofieren** swv. täuschen, betrügen (mlat. trufare, afz. truffer). **truge** s. trucke. **trüge** swm. betrüger. **trüge(-ne, truge, -ne)**, -**de**, -**nie** trug, betrug. **trüge-(truge-)bilde** stn. trugbild. -**dinc** stn. trügerisches ding. - (trügen-)**haft** adj. trügerisch, betrügerisch. - (trügen-)**heit** stf. betrügerisches wesen, betrügerei, falschheit. -**köse** stf. falsche rede. - (trügen-)**lich** adj., -**liche** adv. trüglich, betrüglich, trughaft. - (trügen-)**list** stm. be-

trügerischer list. - (trügen-)**mære** stn. trügerisches, falsches mære. -**rät** stm. falscher rat. -**sam** adj. trüglich, täuschend. -**site** stm. betrügerische art und weise. -**vriunt** stm. falscher freund. -**vröude** stf. scheinfreude. - (trügen-)**wîse** stf. art und weise des betrügens; spukwerk des teufels. **trugelîn** stn. dem. zu troc. **trugen** s. trückenen. **trügenære**, **trugenære**, -**er**; **trügner**, **trugner** stm. betrüger. **trügen-(trugen-)hart** stm. der gerne betrügt. -**lêre** stf. irrlehre. -**man** stm. betrüger. -**vol** adj. voll trug. **trügenîe** stf. = trüge 2. **trügenisse** stfn. betrug, einbildung, spuk, blendwerk des teufels. **truhe** swf. lade, kiste (geldkiste), schrank; sarg; hölzernes gerinne, in dem ein bach über einen graben geleitet wird. **trühelîn**, **trühel** stn. dem. zu truhe. **truht**, **druht** stf. was getragen wird: last, frucht, nachkommenschaft; unterhalt, nahrung. -(truh-)**sæze** swm.der die speisen (s. truht) aufsetzt, truchsess. - (truh-)**sæzinne** stf. truchsessin. **truht**, **druht** stf. m. trupp, schar, haufe, volksmenge, kriegerschar; kriegerischer angriff. -**liche** adv. haufenweise. **truhtîn**, **trohtîn**, **trahtîn**, **trehtîn**, **trehten** stm. kriegsherr, heerfürst; im mhd. immer nur von gott. **trul-**, **trol-gast** stm. ungeladener gast, der durch seine lächerliche kleidung und possen die gesellschaft belustigt. **trülle** swstf. kebsweib, hure. **trüllen** swv. = trollen; gaukeln, spielen. — tr. betrügen, betören. **trüller** stm. gaukler, spielmann. **trüllerinne** stf. kupplerin. **trüllieren** swv. kuppeln. **trum** s. drum. **trumbe**, **trumpe**, **trumme**, **trume** swf. posaune, trompete; trommel; laute (it. tromba, fz. trompe). **trumbel**, **trumel** stf. trommel; lärm. **trumbelen**, **trumelen** swv. trommeln. **trumbelierer**, **trumlierer** stm. trompeter. **trumbel-nunne** swf. begine. **trumben**, **trumpen**, **trumen** swv. trompeten; trommeln. **trumbiere**, **trumiere** swf. = trumbe. **trumeln** swv. trampeln. **trümet**, **trümpet** swf. trom-

pete (fz.trompette).**trûmeten** swv. trompeten. **trûmeter**, **trûmmeter**, **trumpter** stm. trompeter; lautenschläger. **trümlen** swv. = türmeln. **trumpel** swf.unzüchtiges weib. **trumpendei** = troppaldei s. troi-aldei. **trumpfen** swv. laufen, trollen. **trunc**, -**kes** stm. was man mit einem male trinkt, trunk. -**gëlt**, -**vaz** s. trinc-. **trunkelîn** stn. dem. zu trunc. **trunken** part. adj. viel getrunken habend, betrunken. -**bolt** stm., -**bôze** swm. trunkenbold. -**heit** stf. trunkenheit; bildl. entzücken über (gen). -**liche** adv. im rausche. -**meil** stn. laster der trunkenheit. -**slunt** stm. trunkenbold. **trünne** stf. laufende schar, schwarm, rudel. **trünnec**, -**ic** adj. flüchtig. **trünnege** stf., nd. drunege trennung, spaltung. **trunze**, **drunze**, **drumze** swf., **trunzûn**, **trunzen** stm. n. abgebrochenes speerstück, splitter (afz. trons, tronce). **trunzel**, **trünzel**, **trumzel** stn. dem. dazu. aus trunze, drumze volksetymolog. auch drumzei(n) stn. **trunzen** swv. verkürzen. **truobe** adv. zu trüebe. **truoben** s. trüeben. **truoben** swv. trüebe sein oder w., bildl. traurig w., sich betrüben. **truoder**, **truodel** f. m. n. latte, stange, daraus gemachtes gestell oder verzäunung. **truop-heit** stf. trübheit. **trupfe**, **trüpfe** stswf. traufe, dachtraufe. **truppël** s. tropël. **trûrære** stm. der trauernde. **trûre**, **triure** stf. trauer. -**lôs** adj. ohne trauer. -**sam** adj. traurig. **trûrec**, -**ic** adj. traurig. -**heit**, **trûrekeit** stf. traurigkeit. -**lich** adj., -**liche** adv. = trûrec. **trûrede**, **trûrde** stf. trauer. **trûren** swv. intr. trauern (mit gen., nâch, umbe). — tr. traurig machen; leit, jâmer tr. verscheuchen. **trûrenisse** stf. traurigkeit. **trûrigen** swv. trûrec sein, w mit gs.; tr. machen. **trûr-lich** adj., -**liche** adv. = trûreclich, -liche. **trûster**, **drûster** stn. haufe. schar; monstrum. **trut** s. trute. **trût** adj. traut, lieb (von personen und sachen). - stmn. der, daz tr. liebling, geliebter; gemahl; sohn; pl. trûte die mannen. - stnf. die geliebte

trût-gebette

trût-gebette swf. liebe bettgenossin. **-gebâren** stn. zärtlichkeit. **-geselle** swm. lieber gefährte, freund, geliebter. **-geselle** swf., **-gesellin** stf. liebe gefährtin, freundin, geliebte. **-gespil** swmf. = **trûtgeselle**. **-hêrre** swm. lieber herr. **-kint** stn. liebes kind. **-liet** stn. liebeslied. **-minne** stf. geliebte, gemahlin. **-muoter** stf. liebe mutter. **-schaft** stf. liebe, liebschaft; persönl. geliebte. **-slac** stm. liebesschlag. **-spël** stn. liebesgeschichte. **-sun** stm. lieber sohn. **-vater** stm. lieber vater. **-zart** adj. lieb.

trûte swm. liebling, geliebter. - swf. geliebte. - stf. trautheit, wert, geschenk. - adv. auf liebliche weise.

trute, trut swstf. unholde, weibl. alp.

trûtel, trûten s. *triut-*.

truten-vuoz stm. drudenfuss.

trutschel stf.? kokette gebärde (der augen). **trutschelloht** adv. auf kokette weise.

trütscheln stn. brettspiel.

trützel-man stm. dolmetsch (umd. des fz. *trucheman* s. *Tragemunt*).

trûwen, triuwen, trouwen, trawen; triun, troun swv. (prät. *trûwete, trûte, troute*) intr. zuversicht haben, hoffen, erwarten, glauben, trauen; mit gen. od. nachs. glauben an, erwarten, vermuten, etw. vorhaben, beabsichtigen; mit inf. hoffen, zu können glauben, sich getrauen; mit dat. u. gen. von jemand glauben, ihm zutrauen, vertrauen, anvertrauen. — tr. mit dat. ehelich verloben, trauen, antrauen.

truz s. *traz*.

tschillier s. *schinnelier*.

tû = fz. *tout*.

tûbe swstf. taube.

tûbel stm. dübel, pflock, zapfen. nagel; stössel.

tûbelære, -er stm. taubenhändler.

tûben-bote m. taubenbote, **-post**.

tûber, tiuber stm. täuber.

tûb-heie swm. taubenhüter: täuber. **-hûs** stn. taubenschlag.

tubieren swv. ausrüsten (afz. *adouber*).

tûbisch adj. taubenartig.

tuc, duc, -ckes stm. schlag, stoss, streich; schnelle bewegung, gebärde; handlungsweise, benehmen, tun, gewohnheit; listiger streich, kunstgriff, arglist, tücke.

tûchære, -er stm. tauchente.

tûchen swv. tauchen; *tingere*.

tûcherlîn stn. dem. zu *tûchære*.

tücke, tucke stf. (md., entstanden aus dem pl. von *tuc*) handlungsweise, benehmen, tun, gewohnheit; arglist, tücke.

tücken, tucken swv. eine schnelle bewegung machen bes. nach unten, sich beugen, dukken intr. u. refl.

tückic adj. in plötzlich rascher bewegung. **-heit** stf. plötzlich rasche bewegung.

tuckisch, tückisch adj. adv. plötzlich; tückisch, heimtückisch.

tüecheler stm. tuchmacher, **-händler**.

tüechelîn stn. dem. zu *tuoch*.

tüechin, tuochîn adj. von *tuoch*.

tüele swf. vertiefung; wunde.

tüemen swv. würde geben, ehren, rühmen; ruhmredig sein, prahlen; vor gericht stellen; urteilen, richten.

tuft stm. dunst, nebel, tau, reif.

tüfteln swv. schlagen, klopfen.

tüften, tuften swv. *tuft* von sich geben, dampfen, dünsten.

tüge, tuge stf. tauglichkeit, kraft, giltigkeit. **-lich** adj. tüchtig, tauglich, brauchbar.

tugen, tügen anv. (präs. *touc*, prät. *tohte*, daneben seit dem 13. jh. ein regelm. swv. *tugen, togen, tougen*) von statten gehn, tüchtig, förderlich, brauchbar sein, kraft haben, nützen, angemessen od. schicklich sein (ohne od. mit dat., mit präpp., mit infin.).

tugende-bërnde part. adj. = *tugentbœre*.

tugenden swv. tr. mit *tugent* versehen, tüchtig machen. — intr. u. refl. *tugent* zeigen, tüchtig, tugendhaft sein oder werden.

tugent, tugende stf. brauchbarkeit, tauglichkeit; mannesalter; männliche tüchtigkeit, kraft, macht; heldentat; eigenschaft, bes. gute eigenschaft, vorzüglichkeit, tugend; edle, feine sitte u. fertigkeit; engel des zweiten chores, englisches wesen überh. **-bœre** adj. tüchtigkeit an sich habend, wacker, edel, fein gesittet und gebildet. **-bilde** stn. vorbild der tugend. **-forme** adj. dasselbe. **-haft, -haftic** adj. = *-bœre*; gewaltig, mächtig; tugendhaft. **-heit** stf. männliche tüchtigkeit; kraft; tugend. **-hêr** adj. *hêr* durch *t*. **-lich** adj., **-liche** adv. tüchtig, wacker, rechtschaffen, gut, feingesittet; tugendhaft. **-lôs** adj. ohne *t*. **-riche** adj. reich an tüchtigkeit, an edler, feiner sitte; tugendhaft. **-sam**

adj. voll edler, feiner sitte; tugendhaft. **-swende** swm. tugendverderber. **-vaz** stn. behälter, inbegriff der *t*. **-veste** adj. fest, beharrlich in der *t*. **-vliz** stn. eifer zur tugend. **-vrühtic** adj. *t*. als frucht hervorbringend.

tuht, duht stf. andrang; tüchtigkeit,kraft,gewalt; ruderbank.

tühtic adj. brauchbar, tüchtig, wacker; edel u. fein gesittet, gebildet.

tülle stn. wand od. zaun von brettern od. palisaden, pfahlwerk; vorstadt (die ausserhalb der mauer hinter pfahlwerk liegt); röhre, bes. die röhre od. zwinge, womit eine eisenspitze am schaft (des pfeiles od. speeres) befestigt wird; art steifer kragen. **tüllen** swv. mit einem *tülle* versehen.

tulmetsche s. *tolmetze*.

tult, dult stf. kirchl. fest; jahrmarkt; auf einer *tult* gekaufte ware. **tulten, dulten** swv. kirchlich feiern. **tultic, tult-lich** adj. festlich. **tult-tac** stm. festtag.

tum; tumb s. *tump*.

tumbe stf. unverständigkeit.

tumben swv. sich tummeln.

tumben, tummen swv. intr. *tump* sein od. w. — tr. *t*. machen.

tumbic-heit stf. unverständigkeit; stummheit.

tumbrël stm. = afz. *tomberel* karren, dessen kasten durch umstürzen entladen wird;=*tumeler*.

tumel stm.betäubender schall, lärm. **-slac** stm. donnerschlag.

tumelen stn. subst. inf. clamor.

tumeler, tumerer stm. eine belagerungs-, schleudermaschine.

tûmeln, tûmen swv. saltare; taumeln.

tûmerschîn stf. tänzerin, gauklerin (afz. *tumeresse*).

tum-küene adj. dummdreist.

tummeline stm. törichter mensch.

tummern, tumern swv. klopfen, schlagen; refl. sich herumschlagen.

tump-, -bes, tumb, tum, -mmes adj. schwach von sinnen od. verstande, dumm, töricht, unbesonnen, einfältig, unklug; unerfahren, jung; ungelehrt; stumm. **-haft** adj. töricht, einfältig. **-heit** stf. unverständigkeit, torheit, dummheit, unbesonnenes, unkluges, einfältiges wesen, törichte handlung; jugendl. sinn, unerfahrenheit. **-lich** adj., **-liche** adv. unverständig, töricht, einfältig. **-ræze** adj. unüberlegt, hitzig, tollkühn, dummdreist.

tümpel stf. weibl. scham, verächtl. für weib.
tümpel-vaz stn. rührfass.
tumpf stm. lache, pfütze.
tümpfel stm. tiefe stelle im wasser, strudel.
tunc, -ges stm., **tunc** stf.
unterirdisches (mit dünger bedecktes) gemach zur winterwoh-
nung, zum weben, zur aufbewahrung der feldfrüchte; gang,
höhle unter der erde; abgrund.
tünchen swv. tünchen.
tüne-wenge, -wengel stn.
schläfe vgl. *tinne.*
tunge stf. dünger; düngung,
bildl. stärkung, erquickung.
tungen, tüngen swv. düngen,
bildl. bedecken, bedrücken, beängstigen; erfrischen, stärken.
tunkel, dunkel adj. dunkel,
trübe; dumpf, leise (stimme);
unklar, unverständlich. - stf.
dunkelheit. **-bidërbe** adj. dem
scheine nach bieder, scheinheilig. **-êre** stf. scheinehre.
-guot adj. **=-***bidërbe.* **-kouf**
stm. scheinkauf. **-meister** stm.
eingebildeter *m.*, scheinmeister.
-müetekeit stf. einbildung, eigen-
dünkel, eitelkeit. **-sam** adj. *=tun-
kel.* **-stërne** swm. MF. 10,1 lies:
sam der tunkele st., der mit den
augen des geliebten verglichen
wird. **-var** adj. dunkelfarbig.
-vriunt stm. = *trügevriunt.*
tunkeln, dunkeln swv. *tunkel*
sein od. werden.
tunken, dunken swv. tunken,
tauchen.
tunne swf. sturzsee.
tunne, tonne swstf. tonne
(mlat. kelt. *tunna*).
tuoch stn., md. auch m.,
tuch; stück tuch von bestimmter länge, tuchballen; leinwand.
-gewender stm. tuchhändler.
-macher, -mecher stm. tuchweber. **-manger** stm. tuchhändler. **-schëre** swm., **-schërer**
stm. tuchscherer.
tuochen swv. abs. tuch weben. — tr. aus tuch verfertigen.
tuocher stm. tuchweber,
-händler.
tuochin s. *tüechin.*
tuochunge stf. das tuchweben.
tuofzere stm. erdloch am fusse
einer mauer, um deren einsturz
zu bewirken.
tuogen s. *tuon.*
tuom stm. macht, herrschaft;
würde, stand, lebensverhältnisse; würde, besitz, eigentuml.
zustand (als zweiter teil zahl-
reicher komposs.); urteil, gericht (*tuomes* tac jüngster tag).
tuom stm. n. bischöfl. kirche,
stiftskirche, dom; dom-, kolle-
giatstift (lat. *domus*, näml. *dei*).
-brobest, -probest stm. dom-
propst. **-meister** stm. dombau-

meister. **-hërre** swm. dom-,
stiftsherr. **-tëchan, -tëchant**
stm. domdechant. **-voget** stm.
domvogt. **-vrouwe** swf. dom-,
stiftsfrau.
tuomerie stf. domherren-
würde.
tuon anv. (nbff. *tôn, tœn,
tân, tain,* unorg. erweit. *tuogen,
tuonen*), präs. *tuon,* prät. *tëte
tët, tete tet,* pl. *tâten, teten;* part.
getân, tân: tun, machen, schaffen, geben (mit acc., mit infin.
od. part. praet. zur umschreibung des einfachen vb.). —
tuon kündigt das vb. eines pa-
rallelsatzes an, dient zur ver-
tretung eines vorhergehenden
vb., in dessen konstruktion es
dann in der regel eintritt. —
absol. tun, handeln, verfahren,
sich verhalten, befinden; geistlich: (ein sacrament) spenden.
— *ze einem t.* mit adv. sich verhalten gegen jmd; *wie tuot der
wie geht es ihm; umbe hin t.*
zurückdrängen (feinde); *mit
vride t.* frieden halten; *einem
rede t.* für jmd. fürsprecher sein;
die triuwe t. ein versprechen geben; *vrî t.* mit ap. befreien, erlösen, mit ap. und gs. berauben,
mit dp. und as. erlassen, freigeben; *enein t.* = tollere.
tupfen stm. n. topf.
tupf-, topf-stein stm. tuffstein.
tür, türe stf. tür; öffnung,
eingang überh. **-rinc** stm. ring
an der tür, mit dem man klopft.
-studel, -stuodel stn. f. türpfosten. **-sûl** stf. dasselbe.
-warte swm. türhüter.
tür- s. *tiur-.*
tür, türe stf. wertschätzung
(*mich nimt eines d. tür* ich lege
wert, achte darauf).
turc, -kes stm. md. schwankende bewegung, taumel, sturz,
umsturz.
turd stm. trespe, lolch.
türen s. *dûren.*
türen swv. *mich türet ein d.
oder eines d.* es dünkt mich zu
kostbar (*tiure*), dauert mich.
turin stn. ein edelstein.
türke swm. türkisches pferd.
türkel stm. = *türkîs.*
turke-man stm. kastrierter
hengst, wallach.
turkîs, turkoys stm. ein blau-
grüner edelstein; ein kostbarer
kleiderstoff (fz. *turquois* der
türkische, weil er zunächst aus
der Türkei kam).
türkisch, türks adj. türkisch.
turköpel stm. leicht bewaffnete krieger (mlat. *turcopulus,*
frz. *turcople*); im 15. jahrh. =
diener.
turkopelier stm. aufseher über
die *turkopel.*
turkoyte swm. leibwächter.

türlin stn. dem. zu *tür.*
turm s. *turn.*
türmel, turmel stm. schwindel. **türmel, türmelîe** adj. schwindelig. **türmeln, turmeln** swv.
schwindeln, taumeln. **türmen**
swv. dasselbe; schwindelig werden. **türmic** adj. tobend, ungestüm.
turmis stn. ein kostbarer
kleiderstoff.
türmisch adj. schwindelig.
türm-lich adj. sich drehend.
turn stm., md. *turm, torm,
torn* turm; gefängnis.
turnei, tornei, turnoi stm.
turnier (manchmal auch als
ernster kampf), *turneies man*
liebhaber von turnieren (prov.
tornie, fz. *tournoi* vom mlat.
tornare drehen); = *turnôs.*
turneier stm. turnierer. **turnei-
liute** pl. dasselbe. **turneisære**
stm. = *turnôs.* **turneisch** adj.
turniermässig.
türnen, turnen swv. mit
einem turme versehen; in den
(gefängnis-)turm setzen.
turner, türner stm. türmer,
turmwächter (auf dem wacht-
oder im gefängnisturme).
turner s. *turnier.*
turn-hüeter stm. *turner* 1.
turnier stm. turnier; persönl.
turnierer. **turnierære, -er** stm.
turnierer. **turnieren** swv. das
ross tummeln; turnieren (mlat.
it. *torneare*).
turn-iule swf. turmeule.
türnlin stn. dem. zu *turn.*
turn-lœse stf. abgabe eines
gefangenen oder gepfändeten,
damit er aus dem *turne* entlassen oder nicht in denselben ge-
sperrt wird.
**turnôs, turnois, turnes; tor-
nois, tornes** stm. *der t.* oder *der
grosse* (groschen) *t.:* grossus
Turonensis (fz. *gros Tournois*),
alte französische silbermünze,
die zuerst in Tours geprägt
wurde.
türre, dürre adj. kühn, verwegen.
turren anv. (präs. *tar,* pl.
turren, prät. *torste*) wagen, den
mut haben, sich unterstehn, sich
getrauen (manchmal auch mit
durfen vermengt), mit infin.,
der auch oft zu ergänzen ist.
turren swv. taumeln, stürzen.
türse, turse swm. riese. **türsen-
mære** stn. riesen-, lügenmäre.
turst stf. m. kühnheit, keckheit, verwegenheit. **türste** adj.
kühn, verwegen. **türstecheit** stf.
mut, iactantia. **türsten** swv.
kühn vollbringen. **türstic, tur-
stic** adj., **türstîclich, -lîche,**
türst-liche adv. = *türste.*
turtel stf. turteltaube (lat.
turtur).

turtel-, türtel-tûbe swf. dasselbe.
tûs, dûs stn. zwei augen im
würfelspiel, daus im kartenspiel (mfz. *deus*, fz. *deux*). *tûs
es* zwei und eins, also geringer
wurf; übertr. das niedere volk.
tûsch stm. spass, gespött,
schelmerei; täuschung, betrug;
tausch. -brief stm. tauschur-
kunde.
tüscheln swv. verbergen.
tuschen swv. sich still verhalten, verbergen.
tüschen, tiuschen swv. *tûsch*
treiben *mit*; tauschen.
tusem adj. sanft, matt. - stm.
dunst, nebel, caligo. tusemen
(tusmen) swv. flüstern.
tûsen swv. schallen, sausen.
tûsent num. card. (alem. u.
md. *tûsinc, tûseng, tûsig*) tausend. tûsentste, tûsentiste num.
ord. tausendste. tûsent-valt,
-valtic, -veltic adj. tausendfältig.
tusen-var adj. isabellfarbig,
gilvus (von pferden). -vêch adj.
aschgrau.
tûsinc s. *tûsent.*
tûsinc, -ges, tûsinger stm. der
zu einer schar von tausend
gehört.
tussen swv. s. *tuzzen.*
tuster stn. gespenst, kobold.
tüster-lichen adv. gespenst-
artig, schauerlich.
tusternis stf. finsternis.
tute, tutte swm. f. brustwarze, weibl. brust.
tütel swm. punkt.
tütelære stm. schmeichler.
tütelen, tütteln swv. schmeicheln.
tütelin, tütel, tüttel stn. dem.
zu *tute.*
tuter s. *toter.*
tût-horn stn. horn als blasinstrument.
tützen swv. zum schweigen
bringen, beschwichtigen.
tûze adv. stille, sanft, ruhig.
tûzen swv. sich still verhalten; still trauern.
tuzzen, tussen swv. verbergen; pressen, drücken.
twahel s. *twehele.*
twahen, dwahen, kontr. twân,
dwân stv. VI waschen, baden.
twâl stm. = *twalm*, traum.
twâle, twâl stf. m. (md. auch
quâle) aufenthalt, verzug, säumnis, zögerung.
twâlen swv. intr. sich aufhalten, verziehen, zögern.
twalm stm. n. (nbff. *twalben,
twallen*, kontr. *tolm, tol, dol*)
betäubung, ohnmacht, schlaf,
traum, vision; betäubender
dunst, qualm; betäubender
oder tötender saft (auch das
getränk, dem ein solcher beigemischt ist). -getranc, -trin-

ken stn. betäubendes getränk.
twalmic adj. betäubt.
twâl-tranc = *twalmgetranc.*
twâlunge stf. abirrung; zögerung.
twanc, -ges stm. zwang (*lîbes
tw.* leibesverstopfung), beengung, gewalt, einschränkung;
not, bedrängnis, ungemach;
verzierung am frauenkleide.
twancsal stn. f. zwang, gewalt,
einschränkung (*âne tw.* freiwillig); not, bedrängnis, ungemach. twangen stn. zwang,
gewalt, einschränkung, selbst-
überwindung.
twarc, quarc, -ges stm. quark-
käse, topfen.
twâs twas, dwâs dwas stm.
ndrh. tor, narr, bösewicht.
twâsen swv. betören.
twehel, zwehel stm. tuch.
twehele twehel, dwehele dwehel,
zwehel swstf. (kontr. *twêle, dwêle
zwêle*) leinenes tuch, bes. zum
abtrocknen nach dem waschen
(*twahen*), auch tischtuch, tuch
überh.; *twehel zwehel, twahel
zwahel* swstf. und stm. ehernes
waschbecken (vgl. *twuhel*). twe-
helin, twêlelin stn. kleines handtuch.
twellen swv. tr. verzögern,
aufhalten; plagen, quälen. —
intr. sich aufhalten, weilen,
zögern - stm. aufenthalt.
*twêln stv. IV in *er-, vertwêln.*
tweln, twelen swv. intr. sich
aufhalten, weilen, zögern.
twenge (vgl. *ge-tw.*) stn.,
twengel stm. zwang.
twengen swv. tr. *twanc* antun, drücken, zwängen, einzwängen, zusammenpressen, beengen, bedrängen, bändigen
'(getwenget an gedrückt an, an-
geschmiegt).
twêr, dwêr, quêr adj. quer,
schräge, zwischen inne liegend. — adv. quer, schräge.
twêr stf. quere; seitenwind.
twêrc, -ges, quêrch stn. (md.
stm.) zwerg.
twêrch, dwêrch, quêrch, -hes
adj. auf die seite gerichtet, verkehrt, schräg, quer; zwischen
inne liegend.
twêrch-ackes stf. queraxt.
twêre-lich adj. zwergartig.
twêres gen. adv. verkehrt, seitwärts, in die quere, überzwerch.
twêrgelin, twirgelin stn. dem.
zu *twêrc.*
twêre swv. intr. quer od.
schief gehn, · irren; tr. quer
anschauen.
twêrginne, -in stf. zwergin.
twêrhe stf. = *twêr 2.*
twêrhes, twirhes gen. adv.
= twêres (*tw.* über naht in der
nacht zwischen diesem und dem
folgd. tage).

twêrn, dwêrn stv. IV herum-
drehn, bohren; quirlen; durcheinander rühren, mischen, mengen.
twinc, -ges stm. das zwin-
gende, bedrängende; gerichtsbarkeit und gerichtsbezirk.
-hêrre swm. die gerichtsbarkeit
ausübender herr. -hof stm.
herrenhof, der hörige güter
unter sich hat. -lich adj. drängend, zwingend, bezwingend,
überwältigend. -lichen adv.
gezwungener weise. -liet stn.
drängendes, (zur *milte*) nö-
tigendes lied.
twingære, -er, zwinger stm.
zwinger, dränger, zwingherr;
exactor (Luc. 12, 58); raum
zwischen einer stadt- oder
schlossmauer u. dem graben,
befestigung daselbst.
twingærinne stf. zwingerin.
twingen, dwingen stv. III, 1
(nbff. *quingen, zwingen*) drük-
ken, zusammendrücken, -fügen,
pressen; zwängen, beengen,
drängen, bedrängen, not u. gewalt antun, bezwingen; wozu
drängen, zwingen, nötigen, mit
gen., mit inf. u. *ze*, mit nachs.;
bedecken, einschließen; beherrschen, bändigen, zaum anlegen.
twirel, twirl, quirel stm. quirl.
twirgelin s. *twêrgelin.*
twirhe stf. = *twêrhe.* s. *twêr 2.*
twirhen swv. tr. quer übereinander legen. — refl. quer,
verkehrt gehn.
twirhlingen adv. quer, verkehrt.
twirhes s. *twêres; ze twirhes
s. trêviers.*
twuhel f. badewanne.

U

übel adj., md. *ubel* übel, böse,
bösartig, boshaft, grimmig,
schlecht. - stn. böses, übel,
unheil, schlechtigkeit. *ez für ü.
hân* übel nehmen. -heit stf.
bosheit. -lâge stf. böse nachstellung. -lich adj., -liche adv.
= übel, übele. -listic adj. boshaft. -macher stm. übeltäter.
-tât stf. böse tat, missetat,
verbrechen; verfolgung, heimsuchung. -tæte swm., -tæter
stm. übeltäter, verbrecher.
-tætic adj. übel-, gewalttätig.
-tætiger = übeltæter. -tætunge
stf. = übeltât. -var adj. schlecht,
hässlich aussehend. -wille swm.
böser wille. -willic adj. übelwollend, feindselig.
übelære, übeler stm. übel-
gewalttäter.
übele, übel adv., md. *ubele,
ubel* auf böse, boshafte art; auf
schwierige art, schwer; auf

heftige weise, sehr; schlecht,
wenig, gar nicht.
übele, übel stf. schlechtigkeit, bosheit, bösartigkeit, er-
bostheit.
übelen swv. = übele tuon.
übelnisse stf. bösartigkeit.
über s. uover.
über präp., md. uber über mit
acc., ausdrückend eine bewegung über eine fläche oder einen
zeitraum (bei fristbestimmungen: nach, je nach, während:
über jâr während des ganzen
jahres; über einen tac einen tag
um den andern), nahe an etw.
unten liegendes (abstr. beziehung zu beherrschtem, be-
sorgtem), über eine linie od.
einen zeitpunkt hinaus, über-
schreitung od. verletzung des
massgebenden: gegen, wider,
trotz. — adv. über, hinüber,
herüber: bei advv. (dar, her, hin
über), bei präp. (gegen einem
über einem gegenüber), bei adj.
u. adv. über das gewöhnliche
hinaus, überaus, sehr, mehr als.
— bei verbis z. b. über belîben
übrig bleiben; haben refl. mit
gen. sich enthalten von; müezen
über (einen fluss gesetzt werden) müssen, sîn mit gen. überhoben sein; tragen intr. zu
weit dringen, tr. hinüber tragen; tuon übertreiben, sich überheben; wërden übrig bleiben,
mit gen. überhoben werden,
vermeiden.
über-ackern swv. = über-ern.
-adeln swv, an wert und tüchtigkeit übertreffen. **-æhte** stf. =
oberâhte. **-al** = über al: keinen,
nichts ausgenommen, alle, alles.
-arbeit stf. übermässige arbeit.
-âȥ stn. übermässiges essen. **-æȥe**
adj. einer speise überdrüssig.
-bein stn. überbein, bildl. hindernis, anstoss, unfall. **-be-
kantlich** adj. über alle erkenntnis. **-bëllen** stv. tr. über etw.
hinaus bellen. **-bern** swv. durch
schlagen, kämpfen wozu bringen. **-bilde** stn. ein höheres bild
od. was durch ein bilde nicht
darstellbar ist. **-bilden** swv. um-
gestalten; über bilde erhöhen.
-billen swv. überhauen, glätten.
-biten stv. durch bitten bewegen. **-biunden** swv. überzäunen,
einhegen. **-biȥen** swv. im beissen
übertreffen. **-blenken** swv. an
weisse übertreffen. **-blichen** stv.
glänzend überziehen; an glanz
übertreffen. **-bœsen** swv. durch
böses übertreffen. **-bote** swm.
ausserordentlicher bote. **-brâ** f.
augenbraue. **-braht** stm. übermässiges, übermütiges schreien
und lärmen, ungestüm, das
überschreien; das prahlen. **-brast**
stm. = überbraht. **-brëchen** stv.

brechend übertreten. **-breht**
stm. das überschreien. **-brehten**
swv. überschreien. **-breite** stf.
superficies. **-breiten** swv. überbreiten, -decken; an breite
übertreffen. **-bringen** stv. überein bringen, vergleichen. **-bruch**
stm. übertretung. **-brünstic**
adj. überhitzig, übereifrig. **-bû**
stmn. überbau, über die senkrechte linie eines hauses hinaus-
reichender, über die strasse oder
gemeindetrift vorspringender
bau; schädliche einrichtung
eines fischbaues; das pflügen
über die grenze. **-büegen** swv.
refl. zu falle kommen. **-bündic**
adj. ausbündig, auserwählt.
-bürdic adj. überschwer. **-bur-
zeln** swv. intr. kopfüber stürzen. — tr. überspringen. **-bû-
wen** swv. überziehen, besetzen,
bewohnen; einen überb. auf dessen grund u. boden etw. erbauen; s. v. a. über-ern. **-dach**
stn. = obedach. **-decken** swv.
mit einem überdache versehen,
überdecken. **-denen** swv. über
etw. ausdehnen, überdecken.
-denken swv. tr. mit gedanken
umfassen, ausmessen; nicht
daran denken, ausser acht lassen, vergessen. — refl. sich vergessen, irren; die besinnung
verlieren. **-derren** swv. übermässig austrocknen. **-dienest**
stm. ausserordentliche abgabe.
-dieȥen stv. überschallen. **-digen**
swv. überwinden. **-dihen** stv.
übertreffen; über einen macht
gewinnen, ihn zu etw. bewegen. **-dinc** stn. vergleich, vertrag. **-done** swv. worüber ausgespanntes, ausgebreitetes tuch,
bahr-, leichentuch. **-dön** stm.
übermässiger dôn. **-dœnen** swv.
(durch besseren klang) übertreffen. **-draben, -traben** swv.
überfallen, überraschen. **-drane**
stm. überwältigung; be-
drängnis. **-drangen** swv. überwältigen. **-dringen** stv. bedrängen, überfallen, überwältigen; überraschen. **-drô** stf.
übermässige drohung. **-dréȥ**
stf. überdruss. **-drücken** swv.
überwältigen. **-düren, -türen**
swv. tr. überdauern, -stehn. **-ein**
adv. insgesamt, durchaus; ü.
werden sich schlüssig w., übereinkommen. **-einzic** adj. über die
grenze desselben pflügen. **-eȥ-
gen** stv. übermässig, zu viel
essen. — tr. im essen übertreffen. **-eȥȥer** stm. der über-
izȥet. **-fine** stf. überschön-
heit. **-formelich** adj. überherr-
lich. **-formen** swv. umgestal-
ten, umgestaltend erheben,

in eine höhere forme bringen.
-formieren swv. dass.; über-
formen, -drucken. **-formunge**
stf. höherentwicklung. **-gâhen**
swv. refl. sich übereilen. **-gân,
-gên** stv. intr. übergehn,
-fliessen; vorübergehn, schwinden. — tr. über, durch etwas
gehn, schreiten; über etw.
gehn oder treten, überkommen,
-fallen, -treffen; über etw. sich
ausbreiten, es überfliessen, bedecken, (vom tage) aufgehn,
heraufkommen; umringen;
durchlaufen; über etw. hinausgehn; übergehn, auslassen;
übertreten, unterlassen; bewegen, überreden zu (gen.).
-ganc stm. übergang; übertretung. **-ganger** = übergêer.
-gëben stv. im spiele mehr
angeben (ein auge etc.) als der
gegenspieler, überbieten, übertreffen; im spiel vorgeben u.
sich dadurch schaden; einem zu
viel bieten, ihm zu nahe treten,
beeinträchtigen, schädigen, verletzen, beschimpfen; sich lossagen von, vernachlässigen,
aufgeben, verzichten. — refl.
sich überschlagen; sich aufgeben, schuldig bekennen. **-gë-
bisch** adj. allzuviel gebend, verschwenderisch. **-gëbunge** stf.
übergebung; aufgebung, verzichtung. **-gedanclich** adj. über
alles denken hinaus. **-gêer** stm.
übertreter. **-gelich** adj. erhaben
über die vergleichung mit (dat.)
mit pron. poss. durch grössere
macht ungleich. **-gëlt** stm. bezahlung über den wert, über die
forderung; was eine höhere geltung, einen höheren wert hat.
-gëlten stv. über den wert od.
die forderung hinaus bezahlen,
überbieten, genugtuung geben;
an wert übersteigen. **-genôȥ,
-genôȥe,** stswm. der mehr ist
als seinesgleichen, seinesgleichen nicht hat, der vornehmere,
mächtigere (unter standesgenossen), einen od. worin übertreffende mit poss. pron. od.
gen., dat. **-genuht** stf. über-
reiche fülle, überfluss, mehr als
genüge. **-gërn** swv. im gern
übertreffen. **-gesten** swv. übertreffen, -strahlen, übermässig
feiern. **-gëunge** stf. übertretung, sünde. **-gieȥen** stv. über.
überfliessen. — tr. hinüber
giessen; überfliessen, -strömen;
überziehen, bedecken. **-gift** stf.
verschwenderische gabe. **-giftic**
adj. verschwenderisch. **-giuden**
swv. tr. über etw. das maul aufsperren; im aufsperren des
maules übertreffen. **-gitec** adj.
überaus gîtec. **-glude** stf. überfluss; übermässige verschwendung. **-giuden, -göuden** swv.

übermässig, vollständig rühmen,
preisen; im rühmen, grosstun
übertreffen; überbieten. — refl.
sich übermässig rühmen, prahlen; an ruhm, preis übertreffen,
überh. übertreffen. -glanz,
-glast stm. übermässiger, alles
übertreffender glanz. -glesten
swv. tr. an glanz übertreffen,
überstrahlen. — intr. überaus,
überall glänzen. -glizen stv.
überstrahlen. -golt stn. = über-
gulde. -goumen swv. übersehen,
nicht beachten, übergehn. -grâ
adj. durchaus grau. -grif stm.
ungesetzmässige gewalttätigkeit. -grifen stv. tr. über etw.
hin greifen, sich darüber ausbreiten, es bedecken; über etw.
hinaus greifen, es nicht beachten; widerrechtlich, gewalttätig angreifen, beschädigen,
überlisten, benachteiligen. —
refl. zu viel tun, eine befugnis
missbrauchen. -griffenlich adj.
über alles begreifen, unbegreiflich. -grôz adj. überaus gross;
an grösse überragend, grösser
als, mit dat. -grœzen swv. überragen, übertreffen mit. -güeten
swv. an güete übertreffen; gütlich einen zu etwas vermögen.
-güften swv. = übergiuden.
-gulde stn. übergoldung. -gul-
den, -gülden swv. über-, ver-
golden; überbieten. -gülte,
-gülde, -gulde, -gult stf. was
etwas übergiltet, mehr wert ist
als alles andere, das höchste.
-gülten, -gülden, -gulden swv.
übertreffen. -guot adj. alle andern an güete übertreffend,
überaus gut. -guot stn. das
höchste gut, was noch mehr ist
als gut. -gurt stm. obergurt (des
pferdes). -guz stm. überström-
mender erguss. -haben s. überheben. -habunge stf. hochmut,
überhebung. -hähen redv. über-
hängen, über-, bedecken. -hanc
stm. über-, umhang; übergewicht,
von obstbäumen; übergewicht,
oberhand; s. v. a. überbû. -hant
stf. = oberhant. -hantic adj.
sehr bitter. -harren swv. intr.
ausharren. — tr. überdauern,
überwinden. -heben stswv. tr.
über etwas hinaus heben, vorziehen mit dat.; über eine gefahr hinweg heben, retten;
nicht treffen, verfehlen; sich
worüber erheben; sich über
etw. weg heben, etw. bezweifeln, übergehn, auslassen, verschweigen; einen über etwas
(gen.) hinweghelfen, entheben,
befreien, verschonen. — refl.
sich über etw. wegheben, davon
befreien; sich überheben, übermütig, anmassend werden, stolz
sein auf, mit gs. -heil stn. mehr
als heil, höchstes heil. -heilic

adj. überaus heilig. -hemede =
oberhemede. -hêr adv. herüber.
-her stn. überwältigendes heer,
übermacht. -hêr, -hêre adj.
überaus gewaltig; überaus vornehm; übermütig, stolz. -hêre
stf. übermut, stolz. -hêren swv.
als vornehmer und stärkerer
(hêr) od. als herr (hêrre) überwältigen, übertreffen, überragen. -hern swv. mit übermacht überziehn, bekriegen, bedrücken, bedrängen, überwältigen. -hêrren swv. überwältigen.
-herte adj. sehr hart. -herten
swv. tr. an herte übertreffen;
überwältigen, -treffen; drük-
kend überladen, bedrücken.
-hin adv. hinüber. -hitze stf. zu
grosse hitze od. erhitzung.
-hitzen swv. tr. zu heiss machen.
— intr. zu heiss oder hitzig sein,
werden. -hitzic adj. zu hitzig.
-hiuzen swv. überwinden, übertreffen. -hôch adj., -hôhe adv.
sehr hoch. -hoffen swv. durch
hoffnung übertragen in. -hœ-
hen swv. sehr erhöhen, sehr
hoch aufrichten; an höhe übertreffen; überh. überragen, übertreffen; hoffärtiger sein als.
-hœher stm. der an höhe übertrifft. -holn swv. herüber holen
(als fährmann). -hœrde, -hœre
stf. ungehorsam. -hœren swv.
aufsagen lassen, lesen lassen;
befragen, verhören; nicht hören,
überhören, nicht beachten od.
befolgen. -hœric adj. ungehorsam. -hort stm. höchster hort.
-houbet stn. oberhaupt; - adv.
s. houbet -houwen stv. ez
überh. das schlachtfeld hauend
durchschreiten; einen überh.
übertreffen, besiegen; durch
holzhieb beachtigligen. -hubel
stm. md. grosser haufe. -hube-
len swv. md. überhäufen. -hü-
fen swv. überhäufen, bedecken.
-hügen swv. worüber hinweg
denken, vergessen, einem untreu sein (ehebrechen), mit ap.
-huor stnmf. ehebruch. -huorer
stm. ehebrecher. -huorerinne,
-huorin stf. ehebrecherin. -hüp-
fen swv. intr. hoch hüpfen, sich
erhöhen, steigen. — tr. über-
hüpfen -springen, -gehn. -hû-
ren swv. intr. überwiegen, den
sieg gewinnen. — tr. überbieten,
-treffen, -tönen. -ilen swv. tr.
übereilen, einholen, zuvorkommen; überfallen; übervorteilen.
— refl. sich beeilen, überstürzen.
-jänen swv. mühselig gewinnen.
-jären swv. das jahr über od.
länger als ein jahr bleiben,
wohnen. -jæric adj. überjährig.
-jêhen stv. zu viel sagen. -jêsen
stv. überschäumen. -kempfen
swv. besiegen. -kepfen swv.
überkippen. -kêre,

-kêr stf. m. überfahrt; bekehrung; wendung. -kergen swv.
überlisten. -kiesen stv. aufgeben, verlieren; verzeihen; =
verkiesen. -klage stf. übermässige, ungerechte klage, beschwerde. -klâr adj. sehr klar.
-klæren swv. überklâr machen.
-kleiden swv. zu prächtig kleiden; an kleiderpracht übertreffen, überh. übertreffen.
-kleit stn. oberkleid. -klimmen
stv. höher, hinüber steigen über.
-klingen stv. übertönen. -klüe-
gen swv. an kluocheit übertreffen, überlisten. -komen, -ku-
men stv. intr. hinüberkommen;
den vorzug haben, die oberhand behalten; verhandeln,
verabreden, übereinkommen. —
tr. kommen über, hinauskommen über; zu etw. gelangen,
etw. gewinnen, in die gewalt bekommen; überfallen; zuvorkommen; übertreffen; überwinden; bezwingen; bestechen;
über-, verwinden, überstehn;
überreden, vermögen zu (gen.
od. nachs.); überweisen, überführen, mit gen. -komnisse stn.,
-komunge stf. übereinkunft,
vertrag. -kostelich adj. zu kostbar. -kouf stm. übervorteilung
im kauf. -kraft stf. überlegene
kraft, übermacht, oberhand;
übergrosse fülle. -kreften,
-kreftigen swv. an kraft übertreffen, überwältigen, besiegen.
-kreftic adj., -kreftecliche adv.
übermächtig, überlegen. -kreiz
stm. epicyclus. -kriegen swv.
überwinden, -treffen. -krigen
stv. überwinden, -wältigen.
-kripfen s. -krüpfen. -krœnen
swv. überkrönen, verherrlichen;
an herrlichkeit übertreffen.
-krüpfe stf. übermässige anfüllung des kropfes, übersättigung.
-krüpfen swv. den kropf überfüllen. -kündigen swv. überlisten. -lade, lat stf. überladung, bedrückung, übermass.
-laden stv. tr. u. refl. überladen,
ladend überdecken, überbürden, -lasten, bedrängen; zu
schwer beladen; überfüllen. -
ladunge = überlade. -laffen
stv. refl. übermässig trinken.
-lanc adv. sehr lange. -lant
stn. = oberlant, überlende. -last
stm., md. auch f., überaus
grosse, zu grosse last od. menge
(übermacht), überfülle. -mass,
gewalt, vergewaltigung, bedrückung, beschwerde, schaden.
— persönl. überwältiger, bezwinger; einer der zur last,
überflüssig ist. -lat s. -lade.
-lëben swv. länger leben als,
überleben. -lede stf. = -lade.
-legen swv. überziehen, bedecken, belegen mit; über-, zu-

sammenrechnen. -leichen swv.
betrügen. -leit stn. übermässiges, höchstes leid. -lende, -lent
stn. lediges, nicht bestiftez od.
behûstez gut, feld. -lêsen stv.
überlesen, ganz durchlesen;
lesend, betend aussprechen;
überschauen, -zählen. -leste,
-lestic adj. überaus gross,
schwer, drückend, beschwerlich,
überaus stark, überlegen gegen;
übermässig beladen mit (gen.).
-leste stf. = -last. -lesteclich
adj. überaus groß, schwer.
-lesten swv. überladen, überfüllen, bedrängen. -liberen swv.
md. überliefern. -liden stv.
über das liden hinwegkommen.
-liebe stf. übermässige liebe.
-liegen stv. im lügen übertreffen,
mehr lügen als; etw. überl. eine
noch grössere lüge sagen; anlügen, betrügen; mit lügen überdecken, verbergen. -lieht adj.
überaus glänzend. -ligen stv.
tr. liegen über, überlagern, besetzen; worauf liegen; beschlafen, schänden. — überlegen part. adj. ungelegen, beschwerlich mit dat. -linden swv.
an weichheit, milde übertreffen.
-list stm. höchster list. -listen
swv. durch list überwinden,
-treffen; mit gs. durch list zu
etw. bringen. -listic adj. sehr
listic. -lit stm. deckel. -liuhtec,
-liuhteclich adj. sehr, mehr
leuchtend als. -liuhten swv. be-,
durchleuchten; überblicken;
mehr leuchten als. -liute pl. zu
-man. -lobelich adj. über alles
lob erhaben. -loben swv. tr.
übermässig loben. -louf stm.
auflauf, tumult; überfall, angriff; überschuss. -loufen redv.
intr. = überlaufen. — tr.
kommen über, treffen, befallen;
hinaus laufen über, laufend
überholen, bild. übergehn, auslassen; laufen über, durchlaufen,
-gehn (lesend, erzählend), erwägen, darstellen. -louter stm.
der etw. in kürze behandelt,
durchgeht. -lüejen swv. im
brüllen übertreffen. -lust stm.
übergrosse lust. -lût adv. allgemein vernehmlich, laut u.
deutlich, unumwunden, öffentlich. -lûzen swv. lauernd versäumen. -maht stf. übergrosse
menge. übermacht. — adv.
übermässig, gewaltig, sehr.
-mahten swv. überwältigen.
-maln stv. wie mit mehlstaub
überziehen. -man stm. = obe-m.
-marken swv. mit ap. den
grenzstein auf jemands grund
vorrücken. -mâze, -mâz stf.
n. übermass, -fluss, das übrige;
über-, unmässigkeit. -mæze stf.
übermass. -mæzec, -mæzeclich
adj. übergross, übermässig,

übertrieben. -megenen, -megen
swv. an stärke übertreffen.
-mehtic adj. übermächtig, überlegen. -meien swv. den mai,
wie den mai an schmuck u.
schönheit übertreffen. -meister
stm. oberster herr. -menden
swv. sich freuen über (dat.).
-menen swv. einen ü. mit dem
zugvieh auf dessen grund fahren; übermässig antreiben u.
anstrengen. -menigen swv.
durch menge bewältigen, über-
mannen. -mëz stn. übermass.
-mëʒʒen stv. tr. messen über,
anmessen mit dp.; über-, ausmessen; mit den augen messend überblicken; über etw.
hinwegsehen, es übersehen, versäumen; über ein mass, eine
grenze hinausgehn; einen über-
m. übermässig besteuern. —
refl. sich überheben. -milte adj.
sehr milte. -milten swv. an
milte übertreffen. -minnen swv.
durch minne überwinden, betören. -minnic, -minneclich adj.
über die liebe hinausgehend.
-mittez, -mitz adv. vermittelst
mit gen. od. acc. -müede adj.
überaus müde. -müeder stn.
leibchen über dem hemde, mieder. -müete, -muot adj. stolz,
übermütig. -müete, -muot stf.
= übermuot. -müetec adj. übermuot habend. -müeten stn. =
übermuot. -mügen v. an. tr.
stärker sein als, überlegen sein,
übertreffen, -winden. -munt
stm. oberlippe. -muot stm.
stolzer, hochfahrender sinn.
-nahten swv. die nacht über
dauern. -name swv. beiname
-nâme stf. das nehmen über gebühr od. verdienst. -natürlich,
-natiurlich adj. übernatürlich.
-nehtic adj. eine nacht über
dauernd, worüber eine nacht
vergangen ist. -nëmen stv. abs.
zu viel nehmen, unternehmen.
— tr. die überhand gewinnen
über; einen übern. von einem
zu viel fordern. — refl. sich übernehmen, sich zu viel zumuten;
mit gen. übermütig werden.
-nëmunge stf. überforderung.
-nieʒen stv. tr. zu viel nutzen
(zins, abgaben) von einem fordernd od. nehmen. — refl. durch
übermässigen liebesgenuss sich
abstumpfen, impotent machen.
-nôt stf. überaus grosse nôt.
-nœten swv. überaus bedrängen,
bedrücken. -nütze adj. überaus
nützlich. -nuz stm. übermässiger ertrag, bes. zinswucher,
zinseszins u. zinsen überh.
-oben swv. übertreffen, -steigen.
-oberen swv. be-, überwältigen,
gewinnen. -parlieren swv. überreden zu (gen.). -pêne f. kon-
ventionalstrafe. -phliht stf.

überbietende leistung: der wunder ü. das grösste wunder. -rât
stm. f. grosser aufwand, vorrat,
überfluss. -rëchenen swv. zu
viel anrechnen, übervorteilen.
-redelich adj. über alle rede erhaben. -reden swv. tr. mit rede
od. durch zeugen überführen,
überwinden, widerlegen (gs.);
mit rede wozu bewegen, überreden (gs. od. nachs.). -rëgenen
swv. überregnen. -reichen swv.
hinaus reichen über; übertreffen. -reiten swv. überrechnen, -legen; durch rechnung
überführen od. übervorteilen;
verführen. -rennen swv. tr.
rennend überlaufen, -fallen;
rennend durcheilen. -riche adj.
überaus rîche. -richen swv. tr.
an kostbarkeit übertreffen,
überh. übertreffen. — refl.
prunken, sich zieren mit. -rin-
gen swv. mit anstrengung überwinden. -rinnen stv. tr. rinnend ganz bedecken. — intr.
mit etw. rinnendem ganz bedeckt sein. -rit stm. überfall
mit reiterei. -riten stv. tr. worüber hin-, hinausreiten; mit
reiterei überlaufen, -fallen; reitend überwinden; im kampfe
besiegen; reitend ein-, überholen. -rücke stn. der obere
teil des spinnrockens. -rücke
adv. auf dem rücken, auf den
rücken hin, rückwärts. -rüefen
swv. tr. über etw. hinwegrufen.
-ruofen stv. tr. an stärke des
rufs übertreffen, überschreien.
-rüste stf. überladung. -sage stf.
überführung. -sagen swv. mit
rede, als zeuge oder durch
zeugen überführen, überwinden,
widerlegen; als zeuge gegen oder
für jem. auftreten (gs. und an);
übersaget, -seit part. über-
wiesen, für gemeinschädlich erklärt; mehr sagen oder angeben
(vgl. übergëben). -sager stm.
zeuge. -sat adj. der zu viel gegessen hat. -satunge stf. voll-
kommene ,sättigung. -sâʒe stf.
übermass. -schal stm. höchste
freude; übermut; voluptas.
-schalken swv. überlisten.
-schallen swv. übertäuben.
-schar stf. bergm. die zwischenwand zwischen zwei angrenzenden gruben. -schëllen stv. tr.
lauter schallen als, übertönen.
-scher adj. überzählig. -schet-
tunge stf. überschattung. -schet-
zen swv. tr. mit allzu harten abgaben belegen; zu hoch schätzen, anschlagen. -schieʒen stv.
tr. über etw. hinwegschiessen;
über etw. hinausragen; überragen; mit einem überschuzʒe
versehen. -schîn stm. alles
übertreffender glanz. -schînen
stv. tr. scheinen über, beleuch-

ten. -schœne adj. überaus schön. = stf. ausgezeichnete schönheit. -schœnen swv. mit schönheit bedecken, verschönern; an schönheit übertreffen. -schrenken swv. intersecare. = stn. intersectio. -schriben stv. tr. überschreiben, eine über-, vufschrift machen; schriftlich berichten. -schrift stf. auf-, inschrift. -schriten stv. tr. schreiten über, überschreiten; über etw. hinaus schreiten: übertreten; besteigen; überreden, bewegen zu. -schütten swv. tr. überschütten, -häufen mit. — intr. niederstürzen, fallen. -schuz stm. das worüber hinaus ragende, der überschuss, bes. der über die senkrechte linie hinausragende teil eines gebäudes. -schuz ̇ stm. überschuss, rest. -sëhe swf. aufseherin. -sëhen stv. tr. hinabsehen auf, überschauen; (lesend) überblicken; aufsicht haben über; übersehen, unbeachtet lassen, gering achten, verschmähen; nachsehen, hingehn lassen, ungeahndet lassen, verzeihen; vergessen, versäumen; verzicht leisten auf; verschonen, mit gs. — refl. sich versehen, etw. versäumen. -sete stf. übersättigung. -settet part. übersättigt. -setze swf. die über etw. hinwegsetzt, es überflügelt. -setzen swv. hinüber versetzen; schriftlich verfassen; besetzen; übermässig besetzen, überbürden, -lasten, bedrängen. -sibenen swv. = besibenen. -sigelen swv. besiegeln. -sigen swv. tr. siegen über, besiegen. — refl. sich schwächen. -siht stf. weitsichtigkeit. -sihtic adj. weitsichtig. -silberen swv. über-versilbern. -singen stv. tr. singend probieren; im singen übertreffen. -sinnen stv. tr. überausdenken. — refl. übermässig sinnen. -sinnic adj. mit überspannten gedanken, unvernünftig. -sitzen stv. tr. sitzen auf, über, besetzen; kommen über, bedrängen; überwinden; sich über etwas wegsetzen, es unbeachtet oder ungeleistet lassen, versäumen; einen üb. länger als er (im wirtshause) sitzen. -siunic adj. = übersihtic. -slac stm. überwältigung durch schläge, besiegung; übergewicht; verlauf. -släfen redv. den tac üb. den ganzen tag über schlafen. -slahen stv. tr. schlagend überziehen, beschlagen mit; treibend überziehen (einen üb. oder einen mit vihe üb. vieh auf dessen weide treiben); schlagend überwältigen, niederwerfen, besiegen; in kürze sagen, erzäh-

len; überschlagen, auslassen; ungefähr berechnen, überdenken, -legen, schätzen. -slichen stv. schleichend überfallen. -slihten swv. glatt überziehen. -slunt stm. der sünden ü. der riesenrachen der s. -snellen swv. tr. überstürzen, rücklings niederwerfen; an schnelligkeit übertreffen; übervorteilen, prellen. — intr. auf der wage das übergewicht haben, sinken. -sniden stv. tr. einen üb. beim schneiden der feldfrüchte auf dessen grund übergreifen; besser schneiden als, bildl. übertreffen. -snien stswv. überschneien, wie mit schnee bedecken. -solden swv. übermässig belohnen mit (gen.). -soum stm. übermässige last. -spehtic adj. hoffärtig. -spiln swv. im spiele besiegen, überlisten; überdenken. -sprechelich adj. = überredelich. -sprëchen stv. tr. sprechend überschlagen, -rechnen; mit rede überwinden, widerlegen; sich im sprechen übereilen, sich versprechen, zu viel und unüberlegt sprechen, abs. u. refl. -spreiten swv. spreiten über, überdecken. -sprengen swv. überspritzen mit (gen.). -springen stv. tr. überspringen, berspringen. -sprunc stm. das überspringen; übergewicht. -starc adj. übermässig stark. -stecken swv. überstecken, besetzen mit. -stëgen swv. tr. einen stëc worüber machen. -stellic adj. überreif (obst). -sterken swv. an stärke übertreffen. -sticke stn. stecken oder stange über den ⋅ senkrecht in der erde steckenden weingartpfählen. -sticken swv. = überstecken; einen üb. mit dem stickelzaune auf dessen grund hinüberrükken. -stigen stv. hinüber steigen oder fliegen als, hinausschreiten über; bildl. überwältigen, -treffen; überstehn, aushalten. -stözen redv. stossend überwältigen, niederstossen; über-, bestecken mit. -strëben swv. durch strëben über etw. hinwegkommen; mit gegenwehr überwinden; refl. sich eifrigst bestreben. -strecken swv. strecken über, ausgestreckt bedecken. -strichen stv. intr. od. abs. streichen über, streichend berühren. — refl. sich in ausstelien von streichen übermässig anstrengen. -striten stv. tr. im streite od. wettstreite überwinden, überh. überwinden. — intr. mit dp. einem im streite oder wettstreite überlegen sein. — refl. sich im streite übermässig anstrengen. — tr. mit gs. od.

nachs. einen durch streit wovon befreien; überreden zu. -stützic adj. überflüssig; stützig (von pferden). -süeze adj., -süeze adv. überaus süss oder lieblich. -süezen swv. tr. übersüeze machen; an süeze übertreffen, lieblicher sein als. -summen swv. überrechnen, -schlagen. -sünden swv. durch sünden übertreffen. -suoch stm. das streben, trachten, bemühen. -swal stm. das überfliessen, -strömen; überfluss. -swanc stm. das überfliessen, -strömen; ent-, verzückung. -swanz stm. überschwang. -swære adj. übermässig schwer. -swære stf. übermässige schwere. -sweif stm. überragender teil. -sweifen swv. tr. u. refl. überschweifen, -schwingen. -swengel stm. übermässiger, überfluss. -swenke adj. überschwänglich, übermässig, übermächtig. -swenken swv. tr. überswenke machen; weit übertragen. -swenkic, -swenk-lich adj. = -swenke. -tât stf. unrechtliche tat, verbrechen. -teil stn. übermacht? -teilen swv. tr. übervorteilen. — refl. übermässig austeilen. -tiure adv. allzu teuer. -tiure, -tiurunge stf. überhoher wert; überschuss, mehrwert, -erlös, -ertrag. -tiuren swv. an wert übertreffen. -toben swv. übermässig toben. -toppeln swv. im spiel überlisten. -traben s. über-draben. -trac stm. übereinkunft vertrag, vergleich. -tragen swv. tr. an eine andere stelle tragen, versetzen; zum tragen auf sich nehmen, ertragen; tragen auf, überdecken (mit golde übertragen vergoldet); beladen, belasten, schmücken; durch zu langes tragen abnützen; mit sich herumtragen, überdenken, beraten, übertragen, -geben; zu hoch tragen, übermütig machen; schwerer an gewicht sein, übertreffen; bewahren, schützen, schonen mit gs. (des tôdes ü. werden überhoben w.); aufheben, beseitigen, vereiteln; unterlassen; ein übereinkommen treffen, etw. bestimmen, verabreden; wozu vermögen, bestimmen mit gs.; schlichten, versöhnen. — refl. sich überheben. — intr. über ziel und mass hinausreichen, höher (vornehmer) sein; geduld haben; über ein üb. in ein übereinkommen treffen; an einander üb. sich gegenseitig vertragen. -tragen swv. tr. übertreffen, verschonen mit (gen.). -trahten, -trehten swv. überdenken, erwägen. -tranc stnm. übermass im trinken; betrunkenheit. -trëffen

stv. überragen, -treffen; hinaustreten über, übertreten. **-trëffic, -trëfflich, -trëffenlich** adj. hervorragend, überragend, ausgezeichnet. — **-liche** adv. überaus, sehr. **-trëten** stv. tr. treten auf, darniedertreten, überwinden; über etw. treten, kommen; besteigen; hinaustreten über, übertreten; übertreffen. — refl. u. intr. über die schranken der sitte treten, sich vergehn. **-treten** swv. *einen üb.* vieh auf dessen weide *(trat)* treiben. **-trëter** stm. übertreter (eines gesetzes); überwinder, bezwinger. **-trëtunge** stf. = *-trit.* **-trîben** stv. tr. *einen üb.* vieh auf dessen weide treiben; zu hoch treiben; übertreiben; übermässig antreiben, überanstrengen; zu weit treiben, fortreissen, überladen mit (gen.); bedrängen, beherrschen. **-triegen** stv. überlisten. **-trift** stf. das recht über die weide eines andern auf seine weide zu treiben. **-trinken** stv. refl. zu viel trinken, sich betrinken. **-trinker** stm. der sich *übertrinket.* **-trip** stm. = *übertrift*; widerrechtliches beweiden fremder gründe. **-trit** stm. übertretung, vergehn; übertritt, abfall; überwältigung. **-trunkene, -trunkenheit** stf. betrunkenheit. **-trûren** swv. tr. trauernd sich worüber hinwegsetzen. **-tugende** swm., md. *übertogende* der höheres standes oder mächtiger ist. **-tugenden** swv. an *tugent* übertreffen; zur *tugent* erheben. **-tuoch** stn. = *überdon.* **-tuon** an. v. abs. mehr tun als nötig ist, sich zu viel zutrauen. — tr. übertreten; bedecken *mit.* — refl. sich übermässig hervortun, überheben. **-tür, -türe** stn. oberschwelle der türpfosten. **-türen** s. *überdüren.* **-twërch** adv. schräg. **-twingen** stv. überwinden, -wältigen. **-üeben** swv. tr. im übermass benutzen. **-ünden** swv. überfluten. **-unst** stf. missgunst. **-vâhen** redv. umfangen, bedecken. **-val** stm. = *anrîs, -val*; über den mantel fallender kragen; kehldeckel. **-vallen** redv. tr. überfallen; intr. überfliessend niederfallen. **-vane** stm. umfang, umkreis, oberfläche; übergriff auf fremden grund. **-var** stf. überfahrt; landungsplatz. **-var** stn. der platz wo man überfährt. **-varn** stv. tr. über etw. hinfahren; angreifen, bedrängen; auf einer rechtsverletzung betreten, ergreifen; mit worten anfahren, beschimpfen; übergehn, beiseite lassen; worüber hinausgehn, die grenze wovon überschreiten; entgegen han-

deln, übertreten; mit dp. einem etw. nicht halten; überführen mit gs. **-vart** stf. überfahrt, -gang; s. v. a. *mervart*; ort der überfahrt, furt; übertritt (zum christentume); übermässige erhebung; übergriff auf fremden grund; hingang, tod. **-varunge** stf. überfahrt; übertretung; übervorteilung. **-vasten** swv. etw. durch *vasten* überholen, durch einschränkung noch mehr wieder gewinnen. **-vaʒʒen** swv. refl. sich mehr schmücken als *(gegen), sich ü. mit* etw. übermässig tun. **-vëhten** stv. besiegen, refl. sich wehren. **-veigen** swv. einschüchtern. **-vengel** stm. der sich *übervanc* erlaubt, übertreter. **-vieren** swv. überaus stattlich machen. **-vil** adj. übermässig viel. **-viln** swv. erhöhen, mehren *mit.* **-vliegen** stv. intr. vorüber fliegen. — tr. höher fliegen als, bildl. übertreffen; fliegend überfallen. **-vlieʒen** stv. intr. vorüber fliessen; überfliessen, -strömen; überflüssig sein; überfluss haben, reichlicher sein als, mit dat. — tr. überfliessen, -strömen. **-vlücken** swv. tr. überfliegen; höher fliegen als. **-vlüge** stf. überflügelung. **-vluot** stfm., **-vlüete** stf. das überströmen, überströmende menge, überfluss. **-vluoten** swv. intr. überfliessen. **-vluʒ** stm., **-vlüʒʒe** stf. überfluss. **-vlüʒlichen** adv. überreichlich, im übermasse. **-vlüʒʒe** adj. überflüssig. **-vlüʒʒec** adj. überfliessend, -strömend, bildl. überreichlich; überflüssig mit gen.; überflüssig, unnütz. **-vlüʒʒecheit** stf. = *übervluʒ; des sweiʒes ü.* hervorbrechen d. schw. **-vlüʒʒeclich** adj., **-liche** adv. überreichlich, -flüssig, -vol adj. übervoll mit gen. **-volgen** swv. überholen, übertreffen. **-volle** swm. überfülle. **-vrâge** stf. überflüssige, ungehörige frage oder einrede bei gericht. **-vrâʒ** stm. = *überâʒ.* **-vrien** swv. abs. die oberhand gewinnen. — tr. werben um. **-vriesen** stv. intr. auf der ganzen oberfläche hin gefrieren. **-vruo** swv. intr. sich sehr früh aufmachen. — tr. früher sein als, es einem zuvortun; mit gs. einem zuvorkommen, ihm etwas entreissen. **-vüeren** swv. überführen, anführen, betrügen. **-vülle** stf. überfülle, das übervollsein (von speise u. trank). **-vüllen** swv. übermässig anfüllen, bes. mit speise od. trank. **-wac** stn. übergewicht. **-wachen** swv. zu wenig schlafen, nachtschwärmen. **-wæge** adj zu grosses gewicht habend, zu

schwer. **-wæhen** swv. verzieren mit; an zierlichkeit, herrlichkeit übertreffen. **-wahsen** stv. intr. übermässig wachsen, wuchern. — tr. überwachsen. **-wæjen** swv. überwehen. **-wal,** *-lles* stm. das überwallen,-fluten, -treffen. **-walt** stmf. übermacht. **-wandern** swv. darüber hinaus wandern. **-wænec** adj. übermütig, anmassend. **-wænunge** stf. anmassung. **-waten** stv. überwaten. **-wæren** swv. überführen, mit gs. **-wëgen** stv. intr. übergewicht haben mit gs., sich über etw. hinwegsetzen, es verweigern. — tr. schwerer sein als, überwiegen, -treffen; mit übergewicht niederziehen, überwältigen; mehr bezahlen für, mehrfach vergelten; erwägen. — refl. sich überheben. **-weichen** swv. refl. erweichen. **-wellen** swv. überwallen machen, hoffärtig machen. **-wellen** an. v. refl. über etw. hinaus wollen. **-welzen** swv. pertransire. **-wër** stf. sichere gewähr, bürgschaft. **-wer** stf. übermacht. **-wërden** stv. übrigbleiben. **-wërfen** stv. abs. das ross im schwunge umwenden. — tr. verschränken, kreuzen (reime); (werfend) übertreffen, mehr werfen als (beim würfelspiele). — refl. sich schwingend um und um drehen. **-wërn** swv. überdauern. **-wertic** adj. aufwärts gerichtet. **-wësenlich, -wëselich** adj. über das wesen erhaben; geistig-überschwenglich. **-wette** stn. f. = *aberw.* **-wiben** swv. intr. übermässig weiblich werden. — tr. ein besseres weib heiraten als. — refl. in unangemessener weise sich verheiraten. **-wieren** swv. mit gold oder edelsteinen besetzen. **-wigen** swv. intr. = *überwëgen.* **-wilden** swv. an seltsamkeit übertreffen. **-windelich** adj. zu überwinden. **-winden** stv. tr. überwältigen, -treffen, besiegen, überstehn; überreden zu, überzeugen von, mit gs. od. nachs.; überführen mit gs. od. bei-, erweisen; verwinden, verschmerzen. **-winden** stv. intr. sieger. **-winnen** stv. überwinden, besiegen; wozu überreden, vermögen. **-wint** stm. überwindung. **-witzen** swv. überklug machen; an *wiz* übertreffen. **-wiʒen** swv. an weisse übertreffen. **-wündec** adj. siegreich. **-wundern** swv. durch *wunder* übertreffen; durch *w.* überwältigen. **-wunne** stf. übergrosse wonne, ausschweifung. **-wunt** stm. das übertreffen, besiegen. **-zaln** swv. mehr zahlen als man schuldig ist. **-zeigen** swv. refl. sich allzu deutlich

kundgeben. **-zeln, -zellen** swv. überzählen, ermessen; part. *überzelt* auserwählt. **-ziehen** stv. tr. ziehen über; an sich ziehen, gewinnen; überziehen, bedecken; überfallen, besetzen; übertreffen. **-zierde, -ziere** stf. überaus grosser schmuck. **-zieren** swv. durchaus *ziere* machen. **-zil** stn. höchstes ziel. **-zile** s. *oberzile*. **-ziln** swv. über etw. als festgesetztes ziel hinweggehn, übertreffen. **-zimber** stn. was auf das fundament gebaut ist, überbau; bau über die grenzlinie hinaus. **-zimbern** swv. mit *zimber* versehen, überdecken; *einen ü.* durch *überzimber* beeinträchtigen. **-zinen** swv. mit zinn überziehen. **-zins** stm. mehr als der gewöhnliche *zins*, bes. eine über den gewöhnlichen *zins* noch an ein gotteshaus etc. zu entrichtende abgabe. **-zitec** adj. überreif. **-ziugen** swv. mit einem *ziuge* versehen, überziehen; zeugnis ablegen gegen einen; (mit zeugen) überführen, mit gs., *umbe* od. nachs. **-zoc** stm. überfall, feindl. angriff. **-zôch** stm. hindernis. **-zogen** swv. überziehen, -fallen. **-zuc** stm. überzug; s. v. a. *überzoc*. **-zuht** stf. überzug, -gang; s. v. a. *überzoc*; muster, vorbild.

überen swv. übrig sein, eine zeit lang verweilen.

überic, -ich, -ig, -ec, -ech adj. übrig, übrig bleibend; hinreichend, hinlänglich; übergross, übertrieben, übermässig, unverständig; übrig, ausser gebrauch; überflüssig, unnütz. *der sorgen ü.* überhoben. **überic** adv. übermässig, übergross; überflüssig. — *ü. werden, sîn* mit gen. frei w., überhoben sein. **überigen** swv. überwinden, -treffen.

ubering s. *urbarigen*.

ûch interj. = *ach, och.*

ûche swf. kröte.

ûebe, ûebede stf. übung, ausübung, handlung, art.

ûeben, uoben swv., md. *ûben*, ndrh. *ûven* tr. als landmann bauen, kultivieren; hegen, pflegen; verehren, anbeten; ins werk setzen, ausüben, verüben, tun, treiben; ergreifen, in bewegung setzen, in tätigkeit bringen, einwirken auf, unterweisen; in beständiger pflege, in beständigem gebrauche haben, gebrauchen; mit dp. vor-, beibringen; verursachen. — abs. u. refl. seine kräfte gebrauchen, sich tätig erweisen, tätig sein, sich hervortun, zeigen; *sich ü.* *mit einem* gegen jem. verfahren.

ûeber stm. ausüber, täter.

ûebunge stf. landbau; sorgfalt, eifer, mühe; ausübung, handlung, werk, beständiges tun u. treiben, geschäftigkeit; einwirkung, antrieb; gelegenheit; gebrauch.

ûehse s. *uohse.*

ûemet stn. = *â-mât.*

ûf, ouf präp. auf, räumlich mit acc. u. dat.; mit acc. einen räuml. oder zeitl. endpunkt oder ausschluss ausdrückend: bis auf; abstr. mit acc. od. infin. einen zweck, eine erwartung (*ûf genâde* in der erwartung *genâde* zu finden), zuversicht od. begründung ausdrückend (*ûf daz* in der absicht, damit); mit dat. zur bekräftigung: *ûf den triuwen mîn* bei m. t.; *daz habet ûf mîner sicherheit* dessen seid versichert. — adv. räuml. auf, hinauf (*wol ûf!* ellipt. zuruf). — bei verbis z. b. *ûf-bâren* auf die bahre legen. — *belîben* beharren — *bereiten* refl. sich rüsten, sich aufmachen. part. aufgeputzt. — *bieten* in die höhe strecken, erheben; andarbieten mit dp.; proklamieren, bekannt machen, aufgeben, stellen (fragen); *einem ûf b.* ihn zu den waffen rufen. — *binden* auf etw. setzen u. daran festbinden; in die höhe binden; auf-, losbinden, lösen; zurückhalten; refl. das visier öffnen, die vermummung ablegen. — *blâsen* abs. anfangen zu blasen; tr. blasen; aufblasen, schwellen. — *brëchen* intr. aufbrechen, sich erheben, bes. vom anbruche des tages; aufbrechen, sich öffnen; bekannt werden; tr. aufbrechen, öffnen; deuten, erklären; auseinander reissen; aufbrechen machen; abbrechen; verwenden; refl. sich aufmachen, erheben. — *brëhen* aufleuchten. — *bringen* in die höhe bringen; gross ziehen, pflegen; aufbringen, erfinden; zu stande bringen. — *bürn* tollere. — *dringen* sich erheben, emporsprudeln; aufheben? — *enthalten* tr. zurückhalten, behalten; aufrecht halten; einem aufenthalt, unterhalt geben; refl. sich zurückhalten, mit gs.; aufhalten, widerstand leisten. — *erheben* tr. in die höhe heben, erheben; erheben, gründen. — *gân, gên* hinauf-, aufgehn (von der sonne, von der feuer etc.), sich erheben, entstehn, hinausreichen über; zunehmen *an*, gedeihen; darauf gehn, verbraucht werden; *uf gânde brucke* zugbrücke. — *gëben* übergeben, verleihen mit dp.; aufgeben, fahren lassen; anheim stellen.

— *gehëben* trans. mit dp. vorwerfen. — *haben, hân* halten abs. od. mit gs.; aufhalten abs. u. tr.; festnehmen, verhaften; empfangen; offen halten; in die höhe halten, aufheben; aufrecht halten, erhalten. — *hâhen* bildl. erheben. — *halten* abs. anhalten, halt machen (obj. *ros* zu ergänzen); tr. in die höhe halten, aufrecht halten, erhalten, retten; aufenthalt geben, beherbergen; ab-, zurückhalten, verhindern; festnehmen, verhaften. — *heben* tr. in die höhe heben; erheben, womit beginnen; erheben, einfordern (geld, steuer); aufheben, für nichtig erklären; in die höhe ziehen; auffangen, anhalten, festnehmen, ergreifen; *den tisch ûfh.* die tafel aufheben; vorrücken, zur last legen. — *holn* hervorbringen; an sich ziehen, erwerben. — *horden* thesaurizare. — *komen* auf-, in die höhe kommen; in die höhe kommen, stark werden, heranwachsen; an den tag kommen; aufkommen, entspringen; aufkommen, am leben bleiben; sich öffnen. — *lâzen* empor, aufstehn lassen; im stich lassen, aufgeben; hinterlassen; feierlich aufgeben, in eines andern hand übergeben; refl. aufsteigen. — *legen* auflegen; auslegen, aufstellen, zeigen; ausdenken, ersinnen, erschaffen; anordnen, festsetzen, bestimmen, veranstalten, stiften; *mit einem* ausmachen mit jmd., *sicherheit, vriuntschaft ûf l.* einen bund schliessen. — *lûchen* aufschliessen, öffnen; ausziehen, -rupfen. — *machen* tr. errichten, bauen; spalten (holz); aufputzen; abs. vom bettspiel; refl. sich erheben, auf den weg machen, sich aufputzen. — *nëmen* tr. aufnehmen, -heben, in besitz` nehmen; abnehmen, merken, erkennen; intr. auf-, zunehmen. — *recken* in die höhe richten, erheben; auf-recken, mit dp. entgegen recken, darreichen. — *rihten* übertr. anstrengen (*sinne, kunst*). — *rücken* tr. in die höhe rücken, erheben; wieder zur sprache bringen, vorrücken; intr. aufrücken, sich erheben. — *sagen* abs. mit der rede beginnen; schwätzen; zum aufbruche rufen; tr. absagen, aufkündigen. — *schieben* aufschieben, verschieben; appellieren an; fristen, erhalten. — *sellen* übergeben, bes. rechtskräftig übergeben; aufgeben, entsagen, aufsagen. — *setzen* abs. aufladen; tr. aufs haupt setzen;

einen ûf s. einem geldbedürf-
tigen aufhelfen; *einem etw. ûf s.*
zuerkennen; auferlegen; einsetzen, -richten, anordnen, verordnen; einsetzen, aufs spiel
setzen; aussetzen, aufgeben;
aufsätzig, feindselig behandeln;
sich aufmachen (zu pferde steigen). — *slahen* tr. aufschlagen,
errichten; aufschieben, verzögern; *viur ûf sl.* anzünden;
durch schlagen öffnen, aufschlagen, -schneiden, schürfen;
aufspielen (auf der trommel
etc.), abs.; auf-, verschieben;
vorenthalten; abs. anfangen
aufzuspielen; den preis, lohn
erhöhen; intr. im preise steigen;
refl. sich entschlagen, verzichten; sich erheben. — *stân, stên*
aufstehn, sich erheben; *ûf
hôher st.* zurücktreten; auftreten, sich erheben, entstehn,
erstehn, zu teil w. — *stôȝen* tr.
aufstossen, öffnen; aufstecken,
aufrichten; anfechten, umstossen; abschliessen (*kouf*); intr.
begegnen; in streit geraten mit.
— *tragen* abs. in die höhe streben, reichen; refl. sich erheben;
tr. in die höhe schwingen; auftragen; darbringen, opfern. —
trëten auftreten, -gehn (sonne),
sich erheben; *ûf hôher tr.* zurückweichen; trans. einen hinhalten. — *trîben* tr. in die höhe,
emportreiben; errichten, erbauen; aufscheuchen, vertreiben *von*; beunruhigen, stören;
auferlegen; refl. sich erheben.
— *tuon* tr. u. refl. auftun,
öffnen (*win ûf t.* anzapfen);
sich erheben, aufschwingen in.
— *vâhen* fest fassen u. halten;
fest, gefangen nehmen; einfangen, -friedigen; auf-, wegfangen, aufnehmen. — *varn*
sich aufschwingen; aufspringen;
aufbrechen; ein besitztum an-
t reten. — *vüeren* assumere
(von Maria). — *wahsen* aufwachsen; anwachsen; sich ansammeln. — *wëgen* intr. sich
in die höhe bewegen; tr. in die
höhe heben; aufwägen. —
wërfen tr. in die höhe werfen,
strecken, erheben; umwenden;
auftun, öffnen; refl. aufkommen, gebräuchlich werden; sich
empören *wider*; intr. zu werfen
(würfeln) beginnen. — *ziehen*
intr. sich erheben; tr. in die
höhe ziehen, empor schwingen,
-heben, -richten; auf-, erziehen;
fördern, pflegen, gross machen;
an sich ziehen, einziehen, beanspruchen; hinziehen, verschieben; refl. sich in die höhe
ziehen, erheben. — *zücken* tr.
schnell u. mit gewalt in die höhe
ziehen, reissen; erheben.
ûf-baȝ adv. weiter hinauf.

ûf-behalt stm. aufenthalt.
ûf-bieter stm. der *ûfbietet,*
proklamiert.
ûf-blic stm. aufblick (zum
himmel).
ûf-bruch stm. aufbruch.
ûf-dinger stm. = *ûfbieter.*
ûfe, ûffe präp. u. adv. = *ûf.*
ûfe stf. md. höhe; erhebung,
hochmut.
ûfe s. *ûve.*
ûfe, ûffe; ûfen, ûffen präp.
mit acc. od. dat. auf; mit acc.
bis auf, gegen.
ûfen, ûffen swv. emporheben,
erhöhen; errichten; an-, aufhäufen. — refl. sich empor-
bringen, erhöhen, wachsen. —
intr. aufsteigen, sich erheben;
sich mehren, wachsen.
ûfenen, ûfen swv. tr. emporheben, erhöhen.
ûf-enthabe swm. f. aufrecht-
erhalter, -erhalterin.
ûf-enthalt stm. aufenthalt;
aufrechthaltung, trost; unterhalt.
ûf-enthalter stm. erhalter,
beschirmer.
**ûf-erstandenheit, -erstan-
dunge** stf., **-erstant** stm., **-er-
stentnisse, -erstêunge** stf. auferstehung.
uffen s. *offen.*
ûf-gâbe stf. übergabe.
ûf-ganc stm. das hinaufgehn;
vorrichtung zum hinaufgehn;
aufgang (der sonne), osten; anfang; das zunehmen, gedeihen;
zinsen.
ûf-gëbunge stf. aufgebung,
verzicht; übergabe; auferlegung.
ûf-gedrouwen part. erwachsen.
ûf-gëlt stn. darangeld.
ûf-genge stn. vorrichtung
zum hinaufgehn.
ûf-gerihtes adv. aufrecht,
recte.
ûf-gift stf. n. verzicht.
ûf-habe stf. aufhaltung, *âne
û.* ohne unterlass.
ûf-habunge stf. aufhebung,
festnehmung, verhaftung.
ûf-halt stm. aufenthalt; aufhaltung, verzögerung; erhaltung. **-halter** stm. erhalter.
-halterin stf. erhalterin. **-hal-
tunge** stf. erhaltung; aufrecht-
erhaltung; arrestation; hinhal-
tung, hinderung; das aushalten, ertragen.
ûf-hap stm. stütze; arrestier-
tes gut; abhub, überrest einer
mahlzeit.
ûf-hëbunge stf. erhebung;
aufhaltung, hemmung.
ûf-hër adv. herauf.
ûf-himil stm. der himmel oben.
ûf-hin adv. hinauf; aufwärts.

ûf-holunge stf. erwerbung.
ûf-hûs stn. saal im obern
stockwerke.
ûf-jac stm. erhebung.
ûf-lac stm. beschuldigung.
ûf-lâge stf. befehl, gebot.
ûf-leger stm. auflader.
ûf-legunge stf. auferlegung
auflage.
ûf-louf, -louft stm. auflauf,
aufruhr.
ûf-macher stm. kuppler, hurenwirt. **-macherinne** stf. die
sich aufputzt, schmückt; hu-
renwirtin.
ûf-mære adj. kund, ruchbar.
ûf-merker stm. aufpasser.
ûf-nëmunge stf. assumptio
(Mariae).
ûf-rëht, -rihtic adj. gerade aufwärts gerichtet, aufrecht, empor
strebend, schlank; aufrichtig,
ohne falsch; unverfälscht.
ûf-reichunge stf. darreichung,
übergabe, schenkung.
ûf-rîden stn. das aufkräuseln
der haare.
ûf-rihte stf. aufrichtung; gerüst.
ûf-rihtic s. *ûfrëht.*
ûf-runse, -runst stf. aufgang.
ûf-sage stf. = *abesage.*
ûf-satzunge stf. aufstellung,
einsetzung; das auflegen von
steuern od. abgaben sowie diese
selbst; festsetzung, verordnung,
bestimmung; betrug, falschmünzerei.
ûf-saz stm. das auflegen von
steuern od. abgaben sowie diese
selbst; aufgeld, zinsen von dar-
geliehenem gelde; festsetzung,
verordnung, bestimmung, satzung; vorhaben, vorsatz, absicht, plan, list (*âne ûfs.* ohne
absicht, hintergedanken); hinterlist, nachstellung, feindschaft,
hass; täuschung, fälschung, betrügerei.
ûf-schiube, -schiubunge stf.
aufschiebung.
ûf-schup stm. aufschub; bestechung.
ûf-sëhen stn. aufsehen, aufmerksamkeit, achtsamkeit.
ûf-sëher stm. aufseher.
ûf-seilen swv. aufbürden.
ûf-setzer stm. betrüger. **-setzic**
adj. hinterlistig, verschlagen;
feindselig gesinnt, aufsässig.
-setzunge stf. errichtung, ein-,
festsetzung; anordnung, gesetz;
auflage, steuer.
ûf-sitzer stm. der auf einem
tiere sitzt oder reitet, berittener
söldner.
ûf-slac stm. aufschlag, erhöhung des preises, der abgaben etc.; mehrforderung, spez.
die forderung neuer privilegien
zu den alten; teppich mit ein-
gewirkten figuren, gobelin;

aufschub, verlängerung der frist, waffenstillstand.

ûf-sluʒ stm. auflösung eines rätsels.

ûf-spëher stm. aufpasser.

ûf-sprunc stm. aufsprung; das emporspriessen, -wachsen.

ûf-stîc stm. das aufsteigen.

ûf-stôʒ stm. feindl. zusammenstoss, streit.

ûf-storʒer stm. auflader.

ûf-swanc stm. aufschwung.

ûf-trit stm. höhe.

ûfunge stf. erhöhung, mehrung.

ûf-vanc stm. = învanc.

ûf-vart stf. die fahrt stromaufwärts; himmelfahrt; aufbau (eines turms); beim ansässigmachen, beim antritte eines gutes dem lehnsherrn zu entrichtende abgabe.

ûf-wal stm. das aufwallen.

ûf-wëhsel stm. agio beim wechseln des geldes; umwechselung, tausch.

ûf-wërt, -wart adv. aufwärts.

ûf-zal stf. bestimmte zahl von münzen, die aus einem bestimmten metallgewichte geprägt werden.

ûf-zoc stm. aufschub, verzug.

ûf-zuc stm. vorrichtung zum aufziehen; aufschub, verzug; anziehnng, einfluss.

ûf-zuht stf. das auf-, hinaufziehen.

uhtât stfn. weideplatz.

uhte, uohte swf. zeit der morgendämmerung; nachtweide, weide überh.

uht-, uoht-weide stf. nachtweide.

ûle = iule.

ûle swf. topf (mlat. olla).

ulmic adj. faulig, von fäulnis angegriffen.

ûlner stm. töpfer.

ûlse stm. rüpel, narr?

ûlve swm alberner, tölpischer mensch, narr.

ûlven swv. refl. sich wie ein ülve betragen.

umbe umme, ümbe ümme, ump umb um präp. mit acc. räuml. um, im kreise; zeitl. kurz vor- oder nachher, gegen; bei zahlen: ungefähr; um, für (wechsel, tausch, preis, lohn); um, für, wegen, von, in beziehung auf (grund u. zweck od. auch nur den beteiligten gegenstand anzeigend); mit instrum. umbe diu, wiu darum, weshalb. — adv. kaus. um, wegen; räuml. um, herum, ringsum. — bei verbis trennbar z. b. umbe-bringen abwenden, verwehren; verderben lassen, vergeuden; ums leben bringen. — gân, gên umgehn, -laufen, herumgehn, sich drehen; einen

umweg machen; zu tun, zu schaffen haben, sich umgeben, umgehn mit; umbe g. lâʒen umhertreiben, herumgehn, sich drehen lassen; mit kinde u. gân schwanger sein. — komen vorüber, zu ende gehn; umkommen, sterben; mit gen. um etw. kommen. — nëmen umgeben, umschliessen, -armen. — sagen abs. umschweife machen, tr. umher sagen, verbreiten. — slahen tr. niederschlagen, besiegen; intr. umschweife machen; intr. sich verbreiten; intr. sich ändern, umschlagen, abfallen. — slîfen tanzend sich drehen. — trëten intr. umher treten, umlaufen; tr. umwenden. — trîben beunruhigen, plagen. — tuon herumbringen, von einer ansicht abbringen, überwinden. — ziehen tr. herumziehen, -zerren; refl. sich winden, spiralförmig in die höhe gehn.

umbe-boln swv. umherzerren.

umbe-gân, -gên stv. tr. umgehn, rund um etw. gehn, umkreisen, umgeben; durchwandern; pflegen, besorgen; etw. umgehn, sich einer sache entziehen.

umbe-ganc stm. das herumgehn, der umgang, -zug; begehung der grenze; hin- u. rückgang, kreislauf, kreis, umkreis, umfang; zeitverlauf; ringsum führender gang, kreuzgang, galerie; um-, seitenweg, schlich.

umbe-gëben stv. umgeben, -schliessen.

umbe-gëlt s. ungëlt.

umbe-gêr m. bergm. abdichtung, verschalung.

umbe-graben stv. tr. mit einem graben umgeben. — refl. einen graben um sich ziehen, sich verschanzen.

umbe-grif stm. das umfassen, -fangen, -armen; der umfang; um-, seitenweg. -grîfec adj. capax. -grîfen stv. umfassen, -geben, umarmen.

umbe-gürten swv. umgürten.

umbe-guʒ stm. umguss, veränderung.

umbe-haben swv. umstellt halten, umstellen, umringen.

umbe-hac stm. einhegung. -hagen swv. ringsum einhegen, umzäunen.

umbe-hâhen redv. umhängen.

umbe-halben swv. umringen, umgeben, umfassen.

umbe-halsen redv. umhalsen, umfangen.

umbe-halten redv. umgeben, umringen.

umbe-hanc stm. um-, vorhang, bes. rings um die wand

od. sonstwie aufgehängter (bilder-)teppich; bildl. vleisches u. leib.

umbe-heben stswv. umringen; einhüllen mit.

umbe-helsen swv. umhalsen.

umbe-hengen swv. mit teppichen zieren.

umbe-hin adv. hinum; um etw. herum; herum, wieder zurück.

umbe-hüllen swv. um-, einhüllen.

umbe-jage stf. umlauf.

umbe-kêre stf. umkehr,-wendung; wechsel, umschwung.

umbe-kleit stn. kleid, kleidung, bes. mantel; bildl. gestalt.

umbe-komen stv. tr. jem. eine sache auf umwegen beibringen.

umbe-kreiʒ stm. umschliessender kreis, umkreis, -fang; kreisförmiger gang; umweg, -schweif.

umbe-kreiʒen swv. кreisförmig umschliessen. — intr. umhergehen, umschweife machen.

umbe-kützen swv. bekleiden.

umbe-lâge stf. was sich kreisförmig um etw. herumlegt; belagerung.

umbe-lanc adv. ringsum.

umbe-legen swv. belegen, -decken, herumlegen, legend umgeben, umschliessen, rings besetzen; umstellen, belagern.

umbe-lëger stn. belagerung, belagerndes heer.

umbe-lëgern swv. belagern.

umbeler s. umbrâl.

umbe-ligen stv. tr. umstellen, belagern; umringen, um — herum wohnen.

umbe-liuhten swv. umleuchten, umstrahlen.

umbe-loben stn. auf alle einzelheiten sich erstreckendes, allseitiges lob.

umbe-louf stm. das laufen im kreise, umlauf; umkreis, -fang, ringsum führender gang, galerie; deck eines schiffes; auflauf. -loufen stv. tr. laufen um, umlaufen; überlaufen, -denken; umschweife machen.

umbe-mære stn. weitläufige erzählung.

umbe-miuren, -mûren swv. mit einer mauer, mit einer m. umziehen, ummauern.

umbe-rant stm. umgebender rand, bildl. schutz.

umbe-rede stf. umständliche, weitläufige rede, umschreibung; weitschweifige, das ziel od. das wahre auszusprechen sich scheuende rede, streitrede.

umbe-reif stm. umkreis. -reifen swv. umspannen, umfassen.

umbe-reise stf. kreislauf.

umbe-rennen swv. reitend umgeben, umringen.

umbe-rêre stf. abfall, überbleibsel.

umbe-riche stn. reich umher, nachbarreich.

umbe-riden stv. umdrehen.

umbe-rinc stm. umkreis (bes. der erde); kreislauf.

umbe-ringen swv. umringen, umzingeln.

umbe-rinnen stv. rinnend umgeben.

umbe-rîten stv. umreiten.

umbe-riʒen stv. umkreisen.

umbe-rüeren swv. umfangen, umschlingen.

umbe-sage stf. umständliche erzählung.

umbe-sæʒe, -sêʒʒe swm. nachbar; auflaurer, nachsteller.

umbe-schatewen, -schetewen swv. umschatten.

umbe-scheide stf. zerteilung rings umher, zerstreuung.

umbe-schern swv. umscharen, -stellen.

umbe-schimen, -schêmen swv. um-, beschatten.

umbe-schîn stm. das umscheinen, -leuchten.

umbe-schînen stv. umstrahlen, -leuchten.

umbe-schœnen swv. ringsum schön machen.

umbe-schouwe, -schouwunge stf. umschau.

umbe-schrane stm. umschränkung. **-schrenken, -schranken** swv. mit schranken umziehen.

umbe-schrîben stv. ringsum schreiben.

umbe-schrift stf. umschrift.

umbe-schrîten stv. umschreiten, -spannen.

umbe-serken swv. wie mit einem sarge umgeben, umschliessen *mit.*

umbe-setzen swv. rings besetzen, umstellen, -zingeln, belagern.

umbe-sêʒ stn. das herumliegen im kreise.

umbe-sêʒʒe swm. **-sêʒʒer** stm. s. *-sæʒe.*

umbe-sit adv. umher.

umbe-sitzen stv. = *umbesetzen; umbesêʒʒen* part. adj. in der gegend liegend, wohnhaft, ansässig.

umbe-sitzer stm. = *-sæʒe.*

umbe-slac stm. umschlag, umhüllung; wendung, umkehr; umschweif, ausflucht; gantversteigerung.

umbe-slahen stv. umgeben, -fassen, -zingeln, -armen; beschlagen; austrommeln, öffentlich verkünden lassen.

umbe-slieʒen stv. umschliessen, -fassen, -armen.

umbe-slîfen stn. das sich drehen beim tanze.

umbe-snîden stv. (an der vorhaut) beschneiden. **-snit** stm. schnitt ringsherum, beschneidung der vorhaut; umfang, -schweif. **-snite** swf. abfall beim schneiden, bildl. abfall der schläge.

umbe-spengen swv. mit *spangen* ringsum versehen.

umbe-spennen swv. umspannen.

umbe-sperren swv. sperrend umgeben, einschliessen *mit.*

umbe-stân stv. tr. umstehn, umgeben. **-stant** stm. das herumstehn; sachverhalt, umstand.

umbe-stecken swv. steckend umgeben *mit.*

umbe-stellen swn. umstellen, -geben; rings besetzen.

umbe-stender stm. beisitzer.

umbe-stic stm. herumführender pfad.

umbe-strâʒe swf. umweg.

umbe-strich stm. dasselbe.

umbe-striche stf. streichholz.

umbe-stricken swv. umstricken, -schlingen *mit.*

umbe-strîten stv. bestreiten.

umbe-suoch stm. das umhersuchen.

umbe-swanc stm. das herumschwingen, bewegung im kreise; das umherschweifen; wendung, umkehr; umfang, ausbreitung, fülle.

umbe-swanz stm. bewegung im kreise; distantia.

umbe-sweif stm. bewegung im kreise, umschwung; um-, einfang; umhüllung, schutz; umweg, umschweif, abschweifung; kreis, umkreis, umfang, ausdehnung. **-sweifen** redv. tr. umschweifen, durchstreifen; umnehmen (mantel, schleier); umschlingen, umarmen. **-sweifen** swv. umfassen, -kreisen. **-sweift** stm. umkreis.

umbe-sweim stm. umschweif.

umbe-swich stm. umlauf.

umbe-swif stm. umschwung, -fahrt, -kreis.

umbe-swimmen swv. tr. umschwimmen.

umbe-swingen stv. tr. umschlingen, -armen. — refl. sich umwenden, hin u. her wälzen.

umbe-tasten swv. umtasten, -fassen, -schlingen *mit.*

umbe-teilen swv. ringsum austeilen.

umbe-tragen stv. um etw. herumtragen, umgeben *mit.*

umbe-traht stf. zerstreuung.

umbe-trëte stf. das herumtreten, -springen. **-trëten** stv. um etw. herumtreten, es umgeben; feindlich umgeben, umringen, belagern.

umbe-trîbe f. diejenige, die einen zum besten hat. **-trîber** stm. vagabund; *u. der liute* der die leute zum besten hat.

umbe-trit stm. umlauf, umfang, umgebung.

umbe-tüllen swv. umzäunen, umgeben, bes. mit pfahlwerk, mit befestigungen.

umbe-turc stm. umsturz, zerstörung.

umbe-türnen swv. mit, wie mit türmen umgeben.

umbe-twingen stv. umfassen, -schlingen.

umbe-vach stn. fach um etw. herum, einschliessung.

umbe-vâhen, -vân redv. tr. umfangen, -geben, -schliessen; umarmen. *mit bete u.* inständig bitten.

umbe-vâher stm. umfänger.

umbe-valten redv. umfalten, umarmen *mit.*

umbe-vanc stm. umfang, kreis; das umfassen, stützen; umhüllung; umarmung.

umbe-vanenis stn. umarmung.

umbe-varn stv. umfahren, -reiten; durchfahren, -wandern; umschiffen; umgeben, -zingeln. **-stn.** unruhige bewegung. **-vart** stf. das umherwandern; kreislauf; durchgangszoll, ungeld. — *mit wislîcher u.* mit umsicht.

umbe-venger stm. = *umbevâher.*

umbe-vlëhten stv. umflechten, -zingeln.

umbe-vlieʒen stv. umfliessen.

umbe-vluoten swv. umfluten.

umbe-vrîden swv. umgeben *mit.*

umbe-vüeren swv. rings umziehen *mit;* in schaden bringen.

umbe-want stm. das hin- u. herwenden, überlegen. **um-bewant** = *un-b.*

umbe-wëc stm. umweg.

umbe-weif stm. was um den rocken gesponnen wird.

umbe-weigen stv. herumschwingen.

umbe-wëllunge stf. umwälzung.

umbe-wort stn. umschweif, trügerische rede.

umbe-würken swv. umgeben, einfassen *mit.*

umbe-ziehen stv. tr. umgeben, -zingeln, überfallen; herumziehen um, umgehn; belästigen (mit klagen vor gericht). — refl. sich umgeben, verschanzen. — *mit laster umbezogen* voll von l. **-zieher** stm. vagabund.

umbe-zil stn. umfang.

umbe-zinnen swv. ringsum mit zinnen umgeben.

umbe-zirkel stm. umkreis.
-zirkeln, -zirken swv. umzirkeln, umgeben, einfassen.
umbe-ziunen swv. mit einem, wie mit einem *zûne* umgeben.
umbe-zûwen stv. umziehen.
umbrâl, -âle, umbeler, umbler, umerâl stn. humeral, schultertuch bei der messkleidung (mlat. *humerale*).
um-gëlt s. *ungëlt*.
umm- s. *umb-, unm-*.
ummer s. *iemer*.
ump s. *umbe*.
um-trant adv. md. ringsum.
un- (vor lippenlauten gern angeglichen *um-*) untrennb. präf. vor subst. adj. adv. partiz. und verben das gegenteil od. die verneinung des einfachen, aufhebung des guten, verstärkung des bösen begriffes ausdrückend, vor part. perf. oft auch die unmöglichkeit bezeichnend.
un-adel stn. m. nicht edles geschlecht od. stand, unedles wesen (*ein unadels man* einer der nicht von adel ist).
un-adellich adj. nicht *a*.
un-ahtbære, -ahtec adj., **-ahtbærliche** adv. gering, unansehnlich; unbeachtet.
un-ahte stf. geringes ansehen; unachtsamkeit.
un-anspræche, -spræchic adj. unangefochten.
un-antæzlich adj. wofür kein ablass erteilt wird.
un-arbeitsam adj. unbeschwerlich.
un-art stf. schlechte *art*. - stm. missratener, ungezogener mensch; unhold. **-arten, -erten** swv. aus der *art* schlagen. **-artic, -ertic** adj. nicht von guter *art*, abstammung; der angebornen natur nicht entsprechend, ausgeartet, bösartig. **-artlich, -ertlich** adj. schlecht, widerlich (geruch, geschmack).
un-æzic adj. ungeniessbar.
un-bære, -bærec adj. adv. unfruchtbar.
un-barmec, -bermic, -barmhërzec adj. unbarmherzig, mitleidslos.
un-bedaht part. adj. unbedeckt; offenkundig, offenbar.
un-bedâht part. adj. ratlos, unwissend, unbesonnen.
ún-bedérbe, -bidérbe adj. adv. untüchtig, schlecht, ungerecht; unbenützbar, unnütz, nutzlos, schlecht.
un-bedinget part. adj. gerichtlich unangefochten.
un-bedroʒʒen part. adj. unverdrossen; überdrüssig. **-bedroʒʒenheit** stf. unverdrossenheit.

un-begëben part. adj. nicht in den geistlichen stand getreten, weltlich; *eines d. unbegëben sîn* es gewährt erhalten.
un-begrifelich (*-begrîchlich*), **-begrifel** adj. nicht fassbar; nicht zugänglich, nicht teilhaftig mit gen.
un-behaftec, -behaftet adj. deserta (mulier).
un-behage stf. missmut, widerwillen, schmerz. — *eʒ ist mir u.* es ist mir anstössig. **-behagele** adv. ndrh. unmutig.
un-behagen, -behegelich adj. unbehaglich.
un-behangen part. adj. ungeschmückt.
un-behende adj. adv. ohne die hand zu gebrauchen; nicht gut zu handhaben, schwer beweglich, ungefüg; unpassend, unbequem, ungeschickt, unverständig, unangenehm, hart, grob. **-behende, -behendecheit** stf. ungeschicklichkeit.
un-behert part. adj. nicht beraubt mit gen.
un-behiuret part. adj. nicht beglückt durch (gen.).
un-behuot part. adj. unbewahrt, -beschützt, -bewacht.
un-bekant, -kennet part. adj. unerkennbar, unerkannt, unbekannt. **-bekantlich, -bekentlich** adj. dasselbe. **-bekantnisse, -bekentnisse** stnf. das nichterkennen, unkenntnis.
un-bekêret part. adj., **-bekêric** adj. unbeugsam in bezug auf etw. (gen.); unverändert, ungebeugt; noch nicht bekehrt.
un-bekort par. adj. ungeprüft, unversucht.
un-bekumbert part. adj. unbeeinträchtigt.
un-beleidiget part. adj. unverletzt, unbeschädigt.
un-beloubec adj. s. *un-geloube* 2.
un-bendec adj. durch kein band gehalten, unbändig.
un-bequæme adj. unbequem, unpassend, **-bequâme** adv.
un-berat part. adj. ungerettet, nicht befreit.
un-berâten part. adj. ohne rat od. überlegung: ohne *rât* (vorrat); vom nötigsten entblösst, dem mangel preisgegeben, arm; noch nicht mit einem vermögen ausgestattet, unselbständig, unverheiratet.
un-berëhtet, -berëht part. adj. nicht vor gericht, nicht zur gerichtl. verhandlung gebracht.
un-bereit part. adj. nicht bereitwillig; nicht zugänglich, nicht vorhanden; ungeschickt, nicht fähig *ze*; nicht bereit gemacht, nicht fertig; nicht ausgestattet; ohne bezahlt zu haben. — adv.

ungeschickt, unbehilflich; ohne bezahlt zu haben.
un-bërhaft, -bërhaftic adj. unfruchtbar, nicht zeugungsfähig. **-bërhafticheit** stf. unfruchtbarkeit, untauglichkeit.
un-berihtet, -beriht part. adj. nicht geordnet, ungeschlichtet; unberichtigt, ungebüsst; noch nicht besorgt; nicht oder schlecht ausgeführt, vernachlässigt; ungehörig; nicht unterwiesen, unbelehrt; unkundig mit gs.
un-bërlich adj. unfruchtbar.
un-bërnde part. adj. dasselbe.
un-beroubet part. adj. unberaubt, ganz, vollständig; nicht beraubt, versehen mit (gen. od. *an, mit*).
un-berüerlich adj. unbeweglich.
un-beruochet part. adj. übersehen, nicht beachtet, vernachlässigt; unversorgt.
un-besachet part. adj. missgestaltet.
un-beschaben part. adj. nicht glatt geschabt, ungeglättet.
un-beschaffen part. adj. nicht erschaffen; missgestaltet.
un-beschart part. adj. ungeschmälert.
un-beschatzet part. adj. unbesteuert; unberaubt, ungeschädigt *an*; nicht nach seinem werte geschätzt.
un-bescheide stn. unkenntnis. **-bescheiden** part adj. nicht zugewiesen, -geteilt; unentschieden, unbestimmt; ohne bescheid, ratlos, masslos; ungebührlich, unverständig, ungezogen, rücksichtslos, ruchlos. **-bescheidenheit** stf. ungebührlichkeit, unverständigkeit, unüberlegtheit, rücksichtslosigkeit, unziemliche etc. handlung; masslosigkeit (im klagen). **-bescheidenlich** adj. ungebührlich. — **-liche** adv. auf ungebührliche, unbillige, unverständige oder rücksichtslose weise. **-bescheidenunge** stf. ungebührlichkeit, unverständlichkeit. **-bescheit** stmn. dasselbe.
un-besiht stf. mangel an umsicht, unvorsichtigkeit, sorglosigkeit, versehen. **-besihtecheit** stf. dass.; ein augenleiden.
un-besinnet, -besint part. adj. ohne besinnung, ohnmächtig; gedankenlos, töricht, einfältig; unsinnig, verrückt.
un-besliuʒen part. adj. nicht zu fall gekommen.
un-besnabet part. adj. ohne zu strauchein, ohne schaden.
un-besniten part. adj. ohne an der vorhaut beschnitten; ungeglättet, bildl. grob, roh, frech.

un-besorget part. adj. nicht
besorgt oder in acht genommen;
ohne sorge, unbesorgt; ohne
vorsorge getroffen zu haben,
rücksichtslos, mit gen. ohne
rücksicht auf.

un-bespart part. adj. unver-
schlossen, offen; uneingesperrt.

un-besprochen part. adj. von
übler nachrede frei, unver-
lästert, unbescholten.

un-bestanden part. adj. un-
bekämpft, unangefochten.

un-bestatet part. adj. unaus-
gestattet, unverheiratet.

un-bestriten part. adj. unan-
gegriffen, -angefochten.

un-besungen part. adj. nicht
mit gesang erfüllt.

un-besuochet part. adj. unbebaut, -bewohnt; unerfahren;
ohne ansuchen, auf eigene hand.

un-beswichen part. adj. un-
betrogen, unbetört, nicht in
schande gebracht.

un-beswichet part. adj. nicht
im stiche gelassen von (gen.).

un-beteilet part. adj. der seinen teil nicht erhalten hat.

unbêtelich adj., -liche adv.
was sich zu bitten nicht ge-
ziemt, unbescheiden.

un-beträget part. adj. unverdrossen an.

un-betrahtet, -betraht part.
adj. unüberlegt; unvermutet;
ungezählt. -betrahtunge stf. unüberlegtheit, unbesonnenheit.
-betrehtic adj. nicht überlegend,
unverständig; mit gedanken
unfassbar.

un-betrogen part. adj. nicht
zu betrügen; unbetrogen, -ge-
täuscht; klar, rein, untadelhaft;
nicht trügerisch, ohne falsch,
aufrichtig.

un-betuftet adj. klar, heiter
(ein stern).

un-betwungen part. adj. unbedrängt, ohne kummer und
sorge; nicht bezwungen oder zu
bezwingen, frei; unlenksam,
unbändig; von freudigem, tap-
feren mute; nicht erzwungen,
freiwillig; ohne zwang, dem
eigenen antriebe folgend, freiwillig; nicht gezwungen zu
(gen.). -betwungenlich adj.,
-liche adv. nicht bezwungen,
frei; freiwillig.

un-bewart part. adj. übel
angewendet, erfolglos, unnütz,
vergeblich; unverwandt, unablässig.

un-bewart part. adj. unbehütet, -beschützt, -bewacht;
ohne seine ehre (durch absage)
gewahrt zu haben.

un-bewëgec, -bewëgelich adj.,
-liche adv. unbeweglich. -be-
wëgen part. adj. unbewegt;
nicht gleich gewogen oder ver-

teilt. -bewëget part. adj. unbewegt, unbeweglich; unberührt.

un-bewerde stf. verwahr-
losung.

un-bewiset part. adj. nicht
belehrt über (gen.).

un-bewollen part. adj. unbefleckt.

un-bezilt part. adj. ohne ein
festgesetztes ziel.

un-bihtec adj. ungebeichtet.

un-bil adj. ungemäss. — adv.
auf unbillige, ungerechte weise.
-bilde stn. was nicht zum vorbilde taugt: frevel, unrecht, unbill; was über alles mass hinausgeht, ohne beispiel ist: das un-
begreifliche, ungeheuerliche,
wunder. -bilden swv. abs. über
gebühr unrecht oder gewalttätig handeln. — tr. etwas als
unbilde, als unrecht oder missbrauch einführen; nicht bilden,
abwenden, vereiteln; unpers.
mit acc. als unrecht oder unschicklichkeit dünken.

un-billich adj., -billiche adv.
unrecht, unschicklich, nicht gemäss, auffallend; ungerecht,
gewalttätig; unnatürlich.

un-blide adj. unfroh, traurig,
grämlich.

un-bû stm. nicht gehöriger,
unerlaubter bau; schlechter anbau, vernachlässigung eines feldes, gutes. -bûhaft adj. unbe-
wohnbar.

unc, -kes stm., unke swm.
schlange, basilisk.

und s. unde.

un-danc stm. kein dank, un-
dank (einem und. sagen) ihm
keinen dank sagen, ihn verwünschen); ungeneigtheit, widerwille (ze undanke wider willen,
gezwungen). -danc adv. unfreiwillig. -dancbære, -næme adj.
undankbar. -dankes adv. ungern, unfreiwillig, unvorsätzlich
(mînes, dînes etc. undankes
gegen meinen etc. willen).

un-dære adj. unfreundlich;
schmerzlich, unangenehm; unansehnlich, schlecht. -dâre adv.
unpassend, ungehörig, unfreundlich; betrübt; unansehnlich;
wenig, gar nicht.

un-darn s. undern.

unde, und, unt konj. und, als
copula zwei sätze oder satz-
stücke verbindend; im anfange
des hauptsatzes : absol.; nach
einem zwischensatze den unter-
brochenen hauptsatz weiter
führend, den rest des gleich-
artigen zusammenfassend: und
sonst, und überhaupt; adversa-
tiv: und doch, aber auch, indessen, gleichwohl; erklärend:
und zwar, nämlich. — vor nach-
sätzen (für die neuere sprache
pleonastisch): vor zeitl. nachs.

mit dô; vor nachs. mit der, daz,
swer, als, wie: vor fragen u. be-
dingenden sätzen: wenn, wenn
nur, als, solange als; und daz
obgleich. — und relativisch (sowohl für das relative pronomen
als für relative partikeln).

unde präp. unter mit dat. —
adv. unten; unter (dar unde,
drunde darunter); hinunter.

ünde, unde sstwf. flut, welle.

ünde adj. flutend, wogend.

ünden, unden swv. intr. fluten,
wogen, wellen schlagen.

unden undene, undenân un-
nen adv. unten; der unden darunter.

under s. unser.

under präp. unter mit dat. u.
acc.; unten an (under danc den
guten willen nicht erreichend,
wider willen); in der mitte, in
die mitte zweier (wechselwir-
kung), zwischen; in der, in die
mitte einer grösseren zahl, eines
grösseren ganzen (under stunden
von zeit zu zeit, zuweilen, inzwischen, under wegen mitten
auf dem wege, unterwegs);
zeitl. binnen, während, mit gen.,
instrum. (under diu unterdes),
mit adv. (under dannen, dan
unterdes). — adv. räuml. unten;
unter (dar under, drunder gegens. von dar über); räuml. u.
zeitl. in der mitte, zwischen
(hier under hier zwischen, hier-
bei); concess. gleichwohl; nach
unten hin, trennbar bei verbis
(z. b. under-gân untergehn. —
graben in die tiefe graben. —
ligen nach unten zu liegen kommen, unterliegen; unter einem
(dat.) liegen. — slahen nieder-
schlagen, unterdrücken, überwinden, -treffen. — tuon tr.
unterdrücken, überwinden; refl.
sich bücken, verbergen, erniedrigen). — under-, untereinander,
gegenseitig, kompon. mit recipr. verbis (underbâgen, -bîzen,
-grüezen, -kennen etc.).

under adj. unter.

under-âhte stf. niederer grad
der acht (gegens. zu oberâhte).

under-bâgen redv. sich gegenseitig schelten.

under-bant stn. verbindendes
band, verbindung; zwischen-
band, trennung; kopfband.

un-derbe stf. untüchtigkeit.

under-bende stn. kopfband;
trennung, unterbrechung.

under-biegen stv. sich beu-
gend unterwerfen.

under-binden stv. tr. unter
einander verbinden; dazwischen
tretend trennen, verbieten.

under-bint stn. was zwischen
zwei dingen ist um sie zu verbinden oder zu trennen: verbindung, trennung, grenze, un-

terschied, gegensatz (*âne, sunder und*. ohne unterschied, ohne unterlass, gleichmässig, ohne verzug); unterbrechung, pause; einlage, interpolation; ende.
under-bitter adj. mässig bitter.
under-bizen stv. refl. sich gegenseitig beissen.
under-bleich adj. mässig bleich.
under-bot stn. vermittelung. -bote swm. vermittler; botschafter (*internuntius*).
under-bougen swv. unterwerfen. -bougic adj. untertänig, -würfig.
under-bræche stf. unterscheidung. -brēchen stv. tr. dazwischen, hineinbrechen; beseitigend wozwischen treten, verhindern; beendigen; *einen mit worten underbr.* ihm eine mündliche botschaft bringen, mit ihm unterhandeln. -brich stm. das dazwischentreten, die unterbrechung.
under-briden stv. durchweben, -wirken, -sticken.
under-bruch stm. = *underbrich*; wechsel, verschiedenheit des tones im gesange.
under-bunt stm. trennung, unterschied, gegensatz.
under-dige stf. n. fürbitte, bitte, gebet. -digen swv. fürbitten.
under-dinge stf. n. gegenseitig festgesetzte bedingung, abmachung.
under-diuter stm. dolmetscher.
under-dringen stv. tr. mit ap. sich dazwischen drängend beseitigen, wegdrängen, trennen, überwältigen; mit as. etwas durch zwischendrängen wegnehmen, durch betrug gewinnen, und dp. einen von etwas trennen, es ihm wegnehmen, ihn davon befreien. — refl. sich untereinander mischen.
under-drücken swv. unterwerfen, bedrängen, unterdrükken. -drückunge stf. beseiteschaffung.
under-drumen swv. tr. bewirken, dass etw. in stücke fällt; verhindern, vernichten, zerstören, überwältigen.
under-gân, -gên stv. tr. gehn zwischen, die grenze begehn; wozwischen treten; worunter gehn, unterlaufen; überkommen, befallen; hindernd in den weg treten, hintergehn; vertreten, versperren (*wec, tür*); *einem daz swert etc. underg.* ins schwert fallen, dadurch den gebrauch desselben hindern; *sich mit einem underg.* schiedsrichterl. vergleichen. -ganc stm.

untergang der sonne, westen; untergang, verderben; begegnung, umgang; begehung und festsetzung der grenze; unterwerfung; vermittelnde dazwischenkunft; schiedsgericht, schiedsrichterl. vergleich. -gangen swv. die grenzen begehn und festsetzen.
under-gebende stn. verbindung; kopfband.
under-gēl adj. gelblicht.
under-genger stm. der die grenzen begeht und festsetzt.
under-genôz, -genôze stswm. gegens. zu *übergenôz*.
under-graben stv. untergraben; mit ap. hintergehn; erfüllen *mit:* hintertreiben *mit*.
under-grâzen swv. refl. gegenseitigen übermut zeigen.
under-grifen stv. hinunter greifend erfassen; dazwischen greifend ablenken, verhindern.
under-grüezen swv. refl. sich gegenseitig begrüssen.
under-halben, -halp präp. u. adv. unterhalb.
under-hœret part. adj., -hœrie adj. untertänig, gehorsam.
under-houwen redv. tr. unterhauen, -graben; begründen, auseinandersetzen mit worten; mischen, zieren *mit:* dazwischen hauend ablenken, verhindern. — refl. sich gegenseitig hauen.
under-komen stv. dazwischen kommen, mit dat. einem entgegentreten; verhindernd dazwischen treten, vorbeugen, verhindern mit gs. od. as., aufheben; überkommen, befallen. — intr. überrascht werden, erschrecken (gs. od. *von*).
under-kouf stm. zwischenhandel, gewinn des zwischenhändlers. -köufel, -köufer stm. zwischenhändler, makler.
under-kündel stn. gegenseitiges zündemittel.
under-kunft stf. dazwischenkunft, vermittelung.
unter-künten swv. absol. feuer worunter anzünden.
under-küssen swv. tr. u. refl. gegenseitig küssen.
under-lachen swv. gegenseitig, untereinander lachen.
under-lâz stm. (auch stnf.?) unterbrechung, pause; das beherbergen.
under-leinen swv. stützen, unterstützen *mit*.
under-libe stf. zeitweis eintretende schonung und ruhe.
under-lic stm. niederlage. — *den u. nemen = underligen*.
-ligen stv. nach unten zu liegen kommen, unterliegen; sich unterwerfen, unterworfen sein.
under-list stm. *âne u.* ohne rückhalt, wahrhaft.

under-louf stm. das dazwischenlaufen; succurs. -loufen redv. dazwischen laufend ablenken, verhindern. — refl. sich gegenseitig anlaufen.
under-machen swv. überwältigen, bezwingen; unterziehen, -füttern.
under-mâl stn. zwischenmahlzeit.
under-mâlen swv. unterschreiben, durch unterschrift bestätigen.
under-minnen swv. refl. sich gegenseitig lieben.
under-man stm. zwischenmann, stellvertreter.
under-mische stf. untermischung.
undern swv. erniedrigen, unterwerfen.
undern untern, undarn untarn stm. mittag (*ze undern, z'undern* mittags); mittagessen, vesperbrot.
under-name swm. beiname.
under-neigen swv. herabbeugen; refl. mit dat. zu dienste sein; sich unterwerfen.
under-nēmen stv. tr. abschneiden, unterbrechen, verhindern, wegnehmen. — refl. sich gegenseitig nehmen, fassen, fesseln *mit:* sich unterbrechen, aufhören; mit gp. sich jmds. annehmen, mit gs. etw. übernehmen, antreten.
undern-slâf stm. mittagsschlaf.
under-phant stn. unterpfand d. i. ein pfand, welches der pfandempfänger *under* (hinter) dem verpfänder belässt.
under-rede stf. zwischenrede, vermittelung; unterredung, -handlung, beratung. -reden swv. intr. dazwischen reden, beraten; — abs. u. tr. einreden, in die rede fallen. — tr. durch rede verhindern; *mit worten u.* bekennen, geloben. — refl. sich unterreden, beraten mit gs.
under-reifen swv. umreifen, umspannen.
under-reit stm. einschub.
under-reizen swv. refl. sich gegenseitig reizen.
under-rennen swv. refl. sich gegenseitig anrennen.
under-rihten swv. tr. einrichten, zustande bringen; anweisen, unterrichten; mit wechselrede zurechtweisen.
under-riten stv. tr. dazwischen reiten, dazwischen reitend trennen, ablenken, verhindern.
under-rôt adj. rötlich.
under-sagen swv. tr. gesprächsweise sagen, mitteilen; untersagen, verbieten.
under-saz stm. untersatz, -lage, stütze; *âne u.* ohne zu zögern.

under-sâʒe stf. unterlage, stütze. **-sâʒe, -sæʒe, -sëʒʒe** swm. untergebener, untertan. **-sâʒen** swv. festhalten, unterstützen; mit gs. wovon abbringen.

under-schaffen stv. tr. sich dazwischen drängen, arg zusetzen; untersagen, verbieten; weiterschaffen.

under-scheide stfn. s. *under-scheit*. **-scheiden** redv. tr. auseinander scheiden, trennen; unterscheiden; dazwischen versehen, in zwischenräumen schmücken; ausführlich auseinander setzen, erzählen, erklären; bescheid geben, anweisen, belehren mit gs. — refl. sich unterscheiden. **-scheiden** part. adj. getrennt, unterschieden; bestimmt, deutlich. **-scheidenheit** stf. verschiedenheit, unterschied; bestimmung, festsetzung. **-scheidenlich** adj. unterschieden, verschieden. **-scheidenliche** adv. verschieden, mit unterschied; bestimmt, deutlich, klar. **-scheidunge** stf. unterscheidung, unterschied; vernunft; bedingung. **-scheit, -des, -de** stmnf., **-scheide** stfn. scheidung, trennung (in der mitte); kapitel (eines buches), zwischenraum, trennende zwischenwand, mittelwand; grenze, lage eines landes; zeitgrenze, periode; pause; unterscheidung, fähigkeit dazu, unterschied, verschiedenheit; unterscheidendes merkmal, charakteristischer zug, symbolische bedeutung, begriff; mannigfaltigkeit, abwechselung, wechsel (in der heraldik die zeichnung des wappens); trennende, ausnehmende bestimmung, bedingung, entscheidung, bescheid; genaue auseinandersetzung, erklärung, belehrung, auslegung; häufig nur phraseologisch die art und weise bezeichnend. — *âne u.* für wahr; ununterbrochen.

under-schicken swv. auseinander teilen, abteilen, trennen. **under-schiden** part. adj. unter-, verschieden. **under-schiden** stv. unterscheiden. **under-schidunge, -schiedunge** stf. = *underscheidunge*. **under-schieben** stv. tr. darunter, dazwischen schieben. — refl. sich unterbrechen. **under-schieʒen** stv. tr. durchschiessen (den wollenzettel mit garn); *mit brete u.* contabulare; bekräftigen *mit.* — refl. sich überschlagen, untereinander stürzen.

under-schit, -schiet, -des stmn., **-schide** stf. = *underscheit.*

under-schoʒ, -schôʒ stn. unterlage, stütze.

under-schrôten stv. teilen, zerteilen; auseinander setzen, mitteilen; unterbrechen, hemmen.

under-schup stm. vorschub, hilfe.

under-schuz stm. unterhalt; unterschied, wechsel.

under-sëhen stv. tr. dazwischen sehen, vorkehrung treffen gegen, verhüten. — refl. einander sehen, ansehen.

under-setze stf. unterbrechung. **-setzen** swv. tr. zwischen, unter etw. setzen, stellen, legen, stützen; mit dp. unter einen etw. setzen, es ihm unterwerfen; ins werk setzen, veranstalten. — refl. mit dp. sich unterwerfen.

under-sitzen stv. tr. sich wozwischen setzen; subsidere.

under-slac stm. trennung, scheidung, trennende zwischenwand, mittelwand; einlage, exkurs; interjektion (redeteil).

under-slahen, -slân stv. tr. unter sich schlagen; senken, neigen; beiseite legen, unterschlagen; abseits setzen, verbergen; aufgeben; übergehn; *daʒ sper u.* unter den arm nehmen u. zum angriffe senken; schlagend zwischen etwas bringen; gewaltsam mitten abbrechen, unterbrechen, trennen, verhindern. — refl. einander schlagen; sich neigen, untergehn; mit gs. sich unterziehen.

under-sleipf, -slouf, -sluf stm. versteck, heimlicher aufenthalt.

under-sliefen stv. hintergehn, betrügen mit gs. (von erbschleicherei).

under-sliufære stm. betrüger. **under-sniden** stv. tr. in einzelne stücke zerteilen; schneidend, trennend dazwischen treten; anordnen, bestimmen; gewand mit andern od. aus verschiedenen stoffen mischen, stückweise oder bunt zusammensetzen. **-sniten** part. adj. unterschieden; befleckt, vermischt. **-snit** stm. buntheit, wechsel.

under-sprâche stf. unterbrechendes reden, einspruch. **-sprëchen** stv. abs. u. tr. dazwischen sprechen, in die rede fallen. — refl. sich unterreden.

under-springen stv. dazwischen springend ablenken.

under-stân, -stên stv. intr. *etw. understân lâʒen* für eine gewisse zeit stille sein, bewenden, unterbleiben lassen. — tr. sich worunter stellen; um einem beizustehn, um etwas an-, aufzuhalten, etwas bewahren, retten, über sich nehmen, unternehmen, zustande bringen, bewirken, erreichen; bestehn, bekämpfen; an sich reissen, mit dp. entreissen; sich wozwischen stellen, abwehren, verhindern. — refl. mit gs. etw. unternehmen, sich einer s. unterziehen, mit gp. geschlechtlich verkehren mit; ohne refl. pron. sich unterstehn (mit inf.). -stant stm. stütze; aufenthalt, verhinderung; unterschied.

under-stëchen stv. tr. dazwischen stossen, stecken. — refl. einander stechen.

under-steinen swv. mit marksteinen versehen.

under-stiuren swv. stützen, unterstützen; unterfüttern.

under-stivel stm. stütze. **-stivelen** swv. stützen.

under-stocken swv. mit grenzpfählen versehen.

under-stôʒ stm. zwischenstoss, unterbrechung, unterschied. **-stôʒen** redv. dazwischen stossen, stecken, schieben; hineinstecken, vollstopfen *mit:* darunter stossen, stecken; unterstützen; beiseite schieben, verstecken; unterbrechen.

under-strichen stv. mit abwechselnden farben malen, schminken.

under-striten stv. überwältigen, besiegen.

under-ströu stf. untergelegte streu, unterlager.

under-swanc stm. das dazwischenschwingen, unterbrechung, hemmung; was man zwischen etw. schwingt.

under-swarz adj. schwärzlich.

under-swingen stv. tr. im ringen unterfassen, bewältigen; sich zwischen etw. schwingen, drängen, untermischen *mit*, mit dp. sich dazwischen schwingend einem etw. unmöglich machen, beeinträchtigen, abhalten, verhindern.

under-tân part. adj. untertänig, untergeben, -worfen; dazwischen getan, untermischt, unter-, verschieden. **-tân** stm., **-tâne** swm. der untergebene. **-tâne** swf. die untergebene. **-tænec, -ic, -tæneclich** adj. = *undertân.* **-tæneccheit** stf. gehorsam. **-tænige, -tænige** swm. = *undertâne.* **-tænigen** swv. *undertænic* machen. **-tænigunge** stf. unterwerfung.

under-tât stn. knorpliche scheidewand zwischen den nasenlöchern, nasenknorpel.

under-teidingen swv. durch *tagedinc* unterhandeln, vermitteln, ausgleichen. **-teidinger** stm. unterhändler, vermittler.

under-teilen swv. sich dazwischen verteilen.

under-tëlben stv. untergraben.

under-tiefe stf. die tiefe darunter.

under-tiefen swv. bergm. abteufen.

under-tragen stv. unterfüttern mit; unterbrechen mit; unterhandeln mit; vorbringen, vortragen mit dp.; schlichten, beilegen.

under-trahte stf. mittagsmahl.

under-trëten stv. darnieder treten, unterdrücken; dazwischen tretend ablenken, -wehren; zwischen etw. treten, es vermitteln. -trëter stm. unterdrücker; mittler.

under-tribel stm. anstifter.

under-trit stm. das dazwischentreten, die vermittelung.

under-tuon an. v. verhindern, vereiteln, unterwerfen, -drükken; untermischen, verschieden machen.

under-vâhen, -vân redv. tr. auffangen, -halten, hindernd dazwischen treten, unterbrechen; ein ende machen, verhindern; mit stützpfeilern versehen. — refl. verhindert werden; sich gegenseitig umarmen, mit gs. sich woran machen, unterfangen; in besitz nehmen.

under-val stm. das dazwischenfallen, -treten; unterbrechung, pause; das niederfallen; occasus (solis etc.). -vallen redv. occidere.

under-var stf. = underlouf. -varn stv. mit stützpfeilern versehen; erfassen, überwältigen; erfahren, kennen lernen; dazwischen fahrend ablenken, verhindern; verschieden machen, untermischen.

under-viz stm. zwischenfaden. der die einzelnen vitze voneinander trennt; scheidewand.

under-vrâge stf. gegenseitige frage.

under-vrist stf. unterbrechung.

under-walten redv. beherrschen.

under-wart adv. nach unten, unten.

under-wât stf. unterbett.

under-wende stf. unterbrechung. -wenden swv. refl. mit gp. sich annehmen.

under-wërfen stv. unterwerfen, -jochen; unter den arm nehmen; in die erbschaftsmasse werfen.

under-wërren stv. refl. sich untereinander wirren, hin und her treiben.

under-wieren swv. tr. abwechselnd als schmuck einfügen zwischen: schmückend untermischen mit.

under-wîlent adv. bisweilen.

under-winden stv. refl. mit gen. über sich nehmen wofür zu sorgen, etw. zu tun oder zu leiden; in besitz nehmen, sich bemächtigen.

under-wint stm. das unterlassen, der verzug. u. hân unterlassen, verzichten.

under-wîsen swv. tr. mit wechselreden zurechtweisen, anweisen, belehren (mit gs. od. an, mit); ein guot u. als pfand stellen. — refl. sich stellen, halten zuo.

under-woner stm. hintersasse.

under-wort stn. zwischen-, wechselrede.

under-wurf stm. das dazwischenwerfen u. dazwischengeworfene; unterwerfung; objekt.

under-würken swv. tr. durchwirken, durchweben mit, versehen, beschlagen mit: trennen von.

under-zeigen swv. tr. zeigen, erklären mit dp.

under-ziehen stv. tr. unterstützen; unterfüttern, ein kleid füttern; abziehen, abbringen von (gen.); entziehen. — refl. mit dp. sich einem entziehen; mit gs. über sich nehmen wofür zu sorgen, etwas zu tun oder zu leiden; in besitz nehmen, sich bemächtigen.

under-zihen stv. refl. mit gs. sich wozu bekennen.

under-ziuc stm. unterfutter.

under-ziunen swv. durch einen zaun trennen.

under-zoc, -zuc stnm. unterfutter; unterstützung, hilfe; entziehung, verlust.

under-zücken swv. unterdrücken, nicht aussprechen, verschweigen.

under-zweiunge stf. übereinkommen, gebrauch.

ünde-slac stm. wellenschlag.

unde-wendic adv. unterhalb.

un-dienen swv. nicht dienen, schaden. -dienest stm. gegens. zu dienest. ich was sîn u. ich hasste ihn.

un-diet stf. m. schlechtes volk, gesindel, bes. von heiden od. sektierern.

un-dige swm. der nicht von edlem geschlecht ist.

un-dine stn. schlechtes ding; übel, unrecht; schaden, verderben.

un-dinge stn. = -ged. s. undinc.

un-döuwe stf. das nichtverdauen, erbrechen. -döuwen swv. evomere.

un-dult, -dulde stf. = ungedult; ungeduldige, heftige tat. -dult, -dultec, -duldec adj. ungeduldig, heftig.

un-durft stf. kein bedürfnis. -durfte, -durften adv. unnötig. -dürftic adj. nicht bedürftig.

un-durnehtie adj. unvollkommen.

un-ê stf. konkubinat; ehebruch.

un-ëben adj. nicht zusammenpassend, ungleich; unbequem; uneben, bildl. rauh, grausam, schlecht. -ëbene, -ëben adv. nicht zusammenpassend, nicht gleichmässig, ungleich; unbequem, ungelegen; ungerade; umsonst, vergebens; uneben, bildl. rauh, grausam, bösartig, schlecht.

un-edel adj. gegens. zu edel. -edele stf. unedle geburt. -edellich adj. = unadellich.

un-ëhaft adj. unehelich.

un-ehtec adj. von geringem ansehen; unbeachtet. — mit gen. nicht achtend. -ehtegî stf. verachtung.

un-eigenliche adv. aequivoce.

un-ëlich adj. -liche adv. gesetz-, rechtlos; ausser der ehe, unehelich.

un-ende stn. endlosigkeit; unzahl; nichtsnutzigkeit, herrlichkeit, böse streiche. -endehaft adj. unendlich; was nicht beendigt, zustande gebracht werden kann; unentschieden; zwecklos, unnütz. -endelich adj., -liche adv. endlos, zwecklos, zahllos; unvollendet; erfolglos, untüchtig, träge, erbärmlich, liederlich, schlecht. -endelicheit stf. unendlichkeit; trägheit. -endic adj. unendlich, endlos; verderblich (?).

un-entgolten part. adj. unbezahlt; ohne zahlung, busse zu leisten; ohne in kosten od. schaden zu kommen; nicht verpflichtet.

un-entsaget part. adj. ohne absage geleistet, fehde angekündigt zu haben.

un-erbe swm. der nicht erbt, kein erbgut besitzt.

un-erbolgen, -erbolget part. adj. nicht erzürnt, sanftmütig, zufrieden.

un-erdrozzen part. adj. unverdrossen.

un-êre stf. schmähung, kränkung; unehre, schande, schmach; hurerei, ehebruch. -êren swv. entehren, beschimpfen, schänden.

un-ergangen part. adj. nicht geschehen oder vollzogen, nicht abgetan.

un-erkant adj. unbekannt, fremd, selten.

un-erladen part. adj. nicht beladen mit (gen.).

un-ērlich adj., **-ērliche** adv. unehre bringend, schimpflich; nicht vornehm.

un-ernert part adj. ohne rettung verloren, nicht beim leben erhalten.

un-errachlich, -errechentlich adj. **-errechet** part. adj. unaussprechlich.

un-errochen part. adj. nicht gerächt, ungerochen.

un-ērsam adj. nicht ehrenwert, unanständig.

un-erschant part. adj. ungeschwächt, vollkommen, ohne tadel.

un-ersolken part. adj. ungemindert.

nn-ersuocht part. adj. undurchsucht; unbebaut, unbewohnt.

un-erten s. **-arten, -ertisch** adj. = **-artic. -ertlich** s. **-artlich**.

un-erværet adj. unbetrogen, untrüglich; unerschrocken.

un-ervorht part. adj. nicht gefürchtet; furchtlos, unerschrocken. **-ervorhten** adj. adv. furchtlos.

un-erwant, -erwendet part. adj. nicht abgewendet, unabwendbar, unbeugsam, unbehindert.

un-erwēgen part. adj. nicht wankend, unerschrocken.

un-erwende adj. unabwendbar, unbeugsam.

un-erwert part. adj. unverwehrt, unbenommen; nicht geschützt vor (gen.).

un-erworden part. adj. unverdorben, ungeschwächt, mit voller kraft. **-erwordenlich** adj. unvergänglich.

un-erworht part. adj. ungeteilt, ganz.

un-ēschaft stf. ehebruch.

un-eselen swv. einem esel ungleich machen.

un-gæbe adj. nicht annehmbar; nichts wert, nichtsnutzig, unrein, schlecht; ungewöhnlich, unziemlich.

un-gamper adj. steif.

un-ganz adj. nicht ganz, unvollständig, unvollkommen.

un-gar adj. nicht gar, ungekocht oder auf schlechte weise gekocht.

un-gastlich adj. nicht fremd, vertraulich u. innig.

un-gâz adj. ohne zu essen od. gegessen zu haben.

un-geahtet, -gahtet part. adj. unermesslich, unerfasslich; nicht geachtet, verachtet.

un-gearn, -garn part. adj. ungepflügt.

un-gearnet part. adj. unverdient.

un-gebachen part. adj. ohne zu backen, ohne backen zu dürfen; unausgebacken, unfertig; ungezogen.

un-gebadet, -gebat part. adj. ohne vom bader auf die gewöhnl. weise besorgt worden zu sein; überh. ungebadet, ungewaschen.

un-gebâr stm. = **ungebœrde**. **-gebœrde** adj. ungebärdig. **-gebœrde, -gebœre** stf. übles (unfreundliches, unziemliches, freudeloses, zuchtloses) benehmen u. befinden; hässlichkeit; jammergebärde, wehklagen. **-gebœre** adj. unangemessen, ungeziemend. **-gebœren** swv. *ungebœre* zeigen.

un-gebeitet, -gebeit part. adj. ungetrieben, ungenötigt, ungesäumt.

un-gebert part. adj. nicht geebnet, nicht ausgetreten.

un-gebihtet adj. ohne gebeichtet zu haben.

un-gebite stf. ungeduld. **-gebiten** part. adj. ohne zu warten auf (gen.).

un-geblant part. adj. ungeblendet.

un-geborn part. adj. nicht geborn; (beim tode des vaters) noch nicht geborn, nachgeborn; unedel geborn, von niedriger herkunft.

un-geboten part. adj. nicht vor gericht geladen; *ungeb. dinc* zu dem niemand besonders geladen wird, sondern die ganze gemeinde von selbst erscheinen muss.

un-gebunden part. adj. nicht zusammen gebunden; nicht verbunden; ungefesselt; ohne *gebende*, ohne den kopfschmuck der verheirateten frauen, unverheiratet; nicht verpflichtet, mit inf.

un-geburt stf. unedle abstammung.

un-gedâht part. adj. *mir ist, ich hân u.* ich denke nicht, mit gs., inf. od. nachs. ich denke nicht an etw., es ist mir undenkbar, kommt mir unerwartet.

un-gedanc stm. übler gedanke; gedankenlosigkeit.

un-gedanket part. ohne gedankt, vergolten zu haben.

un-gedienet part. adj. ohne gedient zu haben; ohne verdient zu haben; unverdient, unverschuldet.

un-gedigen part. adj. ungediegen, untüchtig, unredlich; missgestaltet, hässlich.

un-gedinge stn. = *undinc*.

un-gedult, -gedulde stf. ungeduld, heftigkeit; schmerz, verdruss; was ungeduld erregt, nicht zu ertragen ist. **-gedultic, -geduldic** adj. ungeduldig, heftig; unerträglich.

un-gehabe, -gehabede stf. übles gebärden, aufregung, ungestüm, bes. jammer-, trauergebärde, das aussersichsein, klage, leidwesen, jammer. **-gehaben** stn. schmerz. **-gehaben** part. adj. *u. win* gärender wein.

un-gehebe adj. unerträglich, unermesslich, gross; nicht anstellig; unbedeutend, nichts wert.

un-gehebede stf. = *ungehabe*.

un-gehirn stm. ungestüm, roheit, gewalt, unheil. **-gehirne** stnf. rastlosigkeit. **-gehiure** adj. nicht ablassend von (gen.); ungestüm, roh, wild, frech.

un-gehiure, -gehiuwer adj. unlieblich; unheimlich, ungeheuer, schrecklich. **-gehiure** stn. swmf. ungeheuer: heide, waldmann, drache, gespenstisches wesen, alp; (sittl.) scheusal.

un-gehiwet, -gehit part. adj. unverheiratet; nicht genotzüchtigt, ungeplagt.

un-gehôrde, -gehœrde stf. md. ungehorsamkeit. **-gehœre** adj. nicht hörend, ungehorsam mit gs. **-gehœret, -gehôrt** part. adj. nicht gehört; noch nicht gehört, unerhört; nicht hörend, taub; ungehorsam. **-gehôrsam** adj. ungehorsam mit gs. od. ze. **-gehôrsame** stf. ungehorsamkeit.

un-gehovet. -hoft part. adj. bäurisch.

un-geil adj. unfroh.

un-gelahsen part. adj. ungeschlacht.

un-gelæzen part. adj. nicht gott ergeben.

un-gelêbet part. adj. ohne lebensart.

un-gelëgen part. adj. nicht beendigt, zu fern gelegen; ungelegen, unbequem. **-gelëgenheit** stf. unwirtliche lage, wildnis.

un-gelenke adj. ungelenk, unbiegsam; ungeschickt.

un-gelich stf. ? ungleichheit, iniquitas. **-gelich, -glich** adj. ungleich. **-geliche, -geliches** adv. auf ungleiche weise; unverhältnismässig (beim kompar.). **-gelichen** swv. ungleich machen od. sein.

un-gelimpf stm. unzieml. betragen, unangemessenheit, ungeschicklichkeit. **-gelimpfen** swv. unangemessen, schonungslos behandeln, tadelnd vorwerfen.

un-gelinc stm., **-gelinge** swm. stfn. das misslingen, missgeschick, unglück.

un-gelobet, -gelopt part. adj. ungelobt, ruhmlos; nicht gelobt, nicht verabredet.

un-geloube swm. unglaube; ketzerei; aberglaube. -geloube, -geloubec adj. nicht glaubend, ungläubig; des unglaubens; abergläubisch; unglaublich. -gelouplich, -geloubelich adj. ungläubig; unglaublich.

un-gëlt stnm. abgabe . (die eigentl. nicht sein sollte) von einfuhr u. verkauf der lebensmittel, zehr-, verbrauchsteuer, accise (entstellt umbe-, umgelt). -gëlter stm. einnehmer des ungeltes.

un-gelücke, -glücke stn. unglück. -gelücken swv. unpers. unglücklich ausgehn, misslingen.

un-gelust stm. widerwille, ekel. -gelusten swv. unp. mit dat. ungelust empfinden. -gelustic adj. widerlich.

un-gemach adj. ungestüm; unfreundlich; unbequem, unangenehm, lästig, störend. - stnm. unruhe, verdruss; jammergebärde, klage; unbequemlichkeit, unannehmlichkeit, übelbefinden, leid, unglück (nâch ungemache auf unbequeme, störende weise).

un-gemachet part. adj. nicht gemacht; nicht zurecht gemacht, ungefälscht (wein); nicht abgerichtet (falke).

un-gemannet, -gemant, part. adj. ohne mann, unverheirat.

un-gemant part. adj. ohne an etw. gemahnt, erinnert worden zu sein.

un-gemære adj. = unmære.

un-gemæze, gemâz adj. ungleich, nicht zusammenpassend; nicht zu vergleichen; unvergleichlich; unpassend, unziemlich.

un-gemâzet part. adj. ohne mâze: unausgemessen, unbeschränkt.

un-gemechlich adj. unbequem, lästig, unpassend, unziemlich, verwerflich.

un-gemeilet, -gemeilt, -gemeiliget part. adj. ohne meil, unbefleckt, unschuldig, rein.

un-gemeine adj. ungemeinsam, getrennt, nicht zusammenstimmend, uneins; abgesondert von (dat.); nicht mitgeteilt, entzogen, unbekannt, fremd. -gemeine, -gemeinde stf. ungemeinschaftlichkeit.

un-gemeit adj. unfroh, traurig, missvergnügt; unschön, hässlich.

un-gemëldet, -gemëlt part. adj. nicht verraten; verborgen.

un-gemelich, -gemenlich adj. unerfreulich.

un-gemëʒʒen part. adj. ungemessen, unermesslich; nicht heranreichend an, nicht zu vergleichen mit (dat.); masslos, unmässig.

un-geminne adj. nicht in liebe vereinigt, unfreundlich, unliebenswürdig. -geminnet part. adj. ungeliebt, verhasst; s. v. a. ungeminne: ungeminte vische die noch nicht gelaicht haben.

un-gemische adj. ungemischt, rein.

un-gemücte stn. missstimmung des gemüts: missmut, aufgebrachtheit, verdruss, zorn, kummer, betrübnis, leid. -gemuot stm. missmut. -gemuot adj. übel gesinnt, böse; übel gestimmt, verdriesslich, zornig, betrübt; anmutlos, widerwärtig.

un-gemuot, -gemüet part. adj. nicht gemüejet, unbeschwert, -belästigt, -gestört; ungebraucht; unermüdlich.

un-genâde, -gnâde stf. unruhe, mühsal; ungunst, ungnade, kein erbarmen; trostloser zustand, unheil, missgeschick, unglück (strafe gottes). -genædec adj., -liehe adv. ungnädig, lieblos, grausam, feindselig; unselig, unglücklich.

un-genæme adj. was nicht gerne genommen wird, unannehmbar; unangenehm, widerwillen oder ekel erregend, widerwärtig, abstossend, unlieb, hässlich, wertlos.

un-genande, -genante stfnm. krankheit, deren namen man auszusprechen sich scheut, unheilbare krankheit. -genant part. adj. infandus; namenlos; geringfügig. — der vinger u. ringfinger.

un-genende adj. unfügsam, widerstrebend. - stf. mutlosigkeit, verzweiflung.

un-genennic adj. unnennbar.

un-genësen part. adj. nicht zu heilen; nicht geheilt, krank, bildl. geschärkt, verloren; mit gs. od. von nicht gerettet vor, nicht frei vor.

un-genge adj. ungangbar, nicht leicht zu gehn; nicht ohne mühe gehend od. nicht gehn wollend, störrig, träge.

un-genisic, -genislich adj. unheilbar. -genist stf. unrettbarkeit, das verlorensein, verderben, unheil.

un-geniten part. adj. unbeneidet, ungehasst.

un-genœtet, -genœt, -genôt part. adj. ungenötigt, -gezwungen, unnötig, freiwillig; unbedrängt, -belästigt.

un-genôʒ adj. ungleich, nicht gleichkommend; zu den hörigen eines andern herrn gehörig. -genôʒ, -genôʒe stswm. ungenosse, -gefährte; der nicht seinesgleichen hat; der nicht von gleichem, von geringerem stande ist; auswärtig, fremd; zu den hörigen eines andern herrn gehörig. -genôʒsame stf. übertretung der gemeinschaftlichen pflichten einer genôzsame: verehelichung mit einem od. einer ungenôzen, das dafür zu entrichtende strafgeld.

un-genoʒʒen part. adj. nicht genossen habend (blut und fleisch); keinen nutzen od. vorteil habend, unbelohnt.

un-genuht stf. ungenügsamkeit, unenthaltsamkeit, unmässigkeit, unvernunft, unschicklichkeit; ungenügendheit, armut; wucherndes ausbreiten, unkraut; übermass, mit u. gar sehr, im überfluss. -genühtec adj. ungenügsam, unenthaltsam, unmässig; verwildert an, unergiebig (acker). -genühtecheit stf. übermass; verwilderung.

un-gephehtet part. adj. in kein gesetz od. mass zu bringen, unmessbar, unergründlich.

un-gephendet, -gephant part. adj. nicht gepfändet, unberaubt mit gs. od. an.

un-geprüevet part. adj. ungezählt.

un-gerat, -gerade adj. ungleich, ungerade.

un-geræte stn. mangel an nötigem vorrat od. gehöriger zutat, überh. mangel, armut, armseligkeit, not, unglück, leiden; ratlosigkeit; böser rat od. handlung, die aus solchem hervorgeht.

un-gerâten part. adj. ungeraten, schlecht, bes. verschwenderisch.

un-gerëch adj. nicht in gehörigem zustande befindlich; hässlich, scheusslich. - stnm. missbehagen, kummer. - adverbial ze ungerëche in schlechtem zustande, krank.

un-geredet, -geret part. adj. ohne zu reden, sprachlos, stumm; unerwähnt.

un-gerëht adj. unrichtig, nicht gehörig, schlecht; unrecht, ungerecht; ungerechtfertigt, schuldig. - stm. das unzusammengehörige, verkehrte, das gegenteil. -gerëhtecheit stf. ungerechtfertigkeit; beschimpfung, beleidigung.

un-gereisic adj. zur kriegsfahrt untauglich, überh. unrüstig, schwach.

un-gereit adj. nicht bereit, ungerüstet od. machtlos, unfähig ze: unbereit, unzugänglich, nicht zur hand.

un-gereitet, gereit part. adj. ungerechnet, -gezählt; nicht in

anschlag kommend, nicht zu vergleichen *gegen.*

un-gerihte, -geriht stn. un-richtigkeit, fehler (im versmasse); unrecht, vergehn, verbrechen krimineller natur; geldstrafe für ein *ungerihte.* **-gerihtec, gerihtet, -geriht** part. adj. nicht *gerihtet;* der ein *ungerihte* begangen hat.

un-geriten part. adj. ohne zu reiten od. sich im reiten geübt zu haben; unberitten.

un-gerochen part. adj. ungerächt, ungestraft.

un-gerüemet part. adj. ohne zu rühmen, zu prahlen; ungerühmt.

un-geruowec adj., **-geruowet** part. adj. unruhig.

un-gesaget, -geseit part. adj. nicht gesagt, verschwiegen; unverraten; ohne etw. zu sagen, ohne absage geleistet zu haben; mürrisch, schweigsam; unsagbar, schlimm, nicht der redewert.

un-geschaffen part. adj. nicht erschaffen; ungestalt, hässlich. **-geschaffenheit** stf. das nichtgeschaffensein; hässlichkeit. **-geschaffet** part. adj. ungetan; nichts geschafft habend, unverrichteter dinge. **-geschaft** stf. eitles wesen, nichtigkeit.

un-gescheide stf. unterschied. **-gescheiden** part. adj. nicht geschieden, ungetrennt; unentschieden; ungebührlich, unverständig.

un-geschicket part. adj. missgestaltet; ungerüstet, -geordnet ungeschickt, unpassend; ungeschickt, ungebührlich.

un-geschiht stf. untat; missgeschick, unglück; widerwärtiger zufall (von *ung.* durch einen unglückl. zufall, zufällig).

un-geschorn part. adj. unbelästigt.

un-geschriben part. adj. nicht geschrieben, nicht aufgezeichnet; nicht beschrieben; unbeschrieben, unbekannt; unbeschreiblich.

un-geselle swm. böser *geselle.* **-gesellec** adj. ungesellig. **-geselleclich** adj., **-liche** adv. was gegen die art der *gesellen* ist, unfreundlich.

un-gesetzet part. adj. nicht ansässig; ohne angewiesenen platz (bei tische). **un-gesezzen** part. adj. nicht ansässig.

un-gesihtec, -gesihteclich, -sihtlich adj. unsichtbar; nicht sehend.

un-gesiunlich adj. unsichtbar. **un-geslafen** part. adj. ohne geschlafen zu haben, ohne zu schlafen, schlaflos.

un-geslagen part. adj. nicht geschlagen; unerfüllt; nicht erschlagen.

un-geslaht adj. nicht von derselben familie, demselben geschlechte; von niedrigem geschlechte; übel geartet, unartig, bösartig, roh; roh, unbebaut; knorrig, schwer zu spalten; abgestanden, verdorben (wein).

un-gesleht adj. nicht schlicht, nicht aufrichtig.

un-geslehte stn. unedles geschlecht, niedrige herkunft.

un-geslihte stf. ungeradheit, unrecht.

un-geslizzen part. adj. nicht zu ende gebracht.

un-gesmac, -gesmach adj. widerlich schmeckend oder riechend.

un-gesmæhet part. adj. ungeschmäht; ohne zu tadeln od. zu verschmähen.

un-gesmeichet part. adj. ohne zu schmeicheln.

un-gesmitzet part. adj. unbefleckt; unverletzt, nicht beeinträchtigt *an:* ungestraft.

un-gesniten part. adj. nicht zerschnitten; nicht belästigt, ungeschorn.

un-gesorget part. adj. unbesorgt, ohne sorge zu haben.

un-gesoten part. adj. nicht od. schlecht gekocht; unverdaut.

un-gespannen part. adj. nicht gespannt; nicht auf- oder eingespannt; *ungesp. sin* kein zugvieh besitzen.

un-gespart part. adj. nicht gespart oder erspart, nicht geschont oder zurückgehalten, nicht vorenthalten, reichlich vorhanden, ohne zu sparen, reichlich; ohne zu warten, ungesäumt.

un-gesperret, -gespart part. adj. unge-, unversperrt.

un-gespotet part. adj. unverspottet; ohne zu spotten.

un-gespræche adj. unberedt; schamlose reden führend. **-** stf. mangel an beredsamkeit. **-gesprochen** part. adj. nicht gesprochen; nicht genannt; nicht auszusprechen; ohne zu sprechen od. gesprochen zu haben, stumm; ohne sich (durch eine tat) zu äussern, unausgeführt.

un-gestalt part. adj. ungestalt, verunstaltet, hässlich, schmutzig. **-** stf. missgestalt, übles aussehen; larve.

un-gestelle adj. ungestüm, plump. **-gestellede** stf. missgestalt.

un-gestemen part. adj. nicht zurückgehalten; ungestüm.

un-gestillet part. adj. nicht stille gemacht; unbefriedigt.

un-gestiure adj. zügellos, ungestüm. **-** stf. sturm; lärm, ungestüm; unziemliche handlungsweise, gewalttätigkeit; leiden, qual. **-gestiuret** part. adj. unbesteuert, unversteuert.

un-gestout part. adj. unbehindert.

un-gestriten part. adj. nicht gekämpft, nicht ausgekämpft; ohne gekämpft zu haben, ohne kampf, nicht angegriffen.

un-gestüeme, -stüemec adj. ungestüm, stürmisch; improbus. **-gestüeme** stf. ungestüm, sturm; improbitas. **-** stn. impetus.

un-gesuht stf., **-gesühte** stn. böses siechtum.

un-gesundert part. adj. ungetrennt (*kinder von dem vater, von dem brôt ung.* noch im väterlichen hause, noch nicht selbständig).

un-gesungen part. adj. nicht gesungen; *ung. sin* ohne gesang sein, nicht singen; ohne gesungene messe, ohne gottesdienst, im interdikte befindlich sein.

un-gesunt adj. krank, verwundet; krankheit verursachend, unheil bringend; *tôt u.* todkrank; *u. machen* (ein wild) erlegen. **-** stm. krankheit, unwohlsein, das verwundetsein.

un-geswachet, -geswechet part. adj. ungeschwächt, unbehelligt mit gen. od. *an.*

un-geswäse adv. ndrh. ungestüm.

un-geswichen part. adj. *einem u. sin* ihn nicht im stiche lassen, ihm treu sein; mit gen. *des lônes u. sin* den lohn nicht versagen.

un-gesworn part. adj. ohne zu schwören.

un-getân part. adj. ungetan; nicht bearbeitet, unbebaut; nicht schön, missgestaltet, hässlich, ungeschlacht; nicht getan habend, unverrichteter sache. **—** adv. auf unartige, ungeschlachte weise.

un-getât stf. = *untât;* hässlichkeit. **-getætic** adj. unartig, ungeschlacht.

un-geteilet part. adj. nicht geteilt; *ungeteiltez spil* ungleiche verteilung der partien im kampfspiel, auch bildl. s. v. a. *unbeteilet.*

un-getelle adj. adv. ungeschickt, plump, täppisch.

un-getesche adj. missgestaltet.

un-getragen part. adj. ohne zu tragen; nicht getragen.

un-getriuwe, -getriwe, -getriu adj. adv. untreu, treulos

-getriuwe stf. treulosigkeit. -ge-
triuwelich adj., -liche adv. =
ungetriuwe.
un-getrunken part. adj. nicht
getrunken habend.
un-getwagen part. adj. ungewaschen.
un-getwede adj. störrisch,
unverständig.
un-geval stm. n. unfall, unglück, missgeschick.
un-gevangen part. adj. nicht
gefangen od. gefesselt, frei;
ohne etw. gefangen zu haben.
un-gevar adj. kein gutes aussehen habend, bleich.
un-gevar stn. = ungeverte.
un-geværliche adv. = âne
gevœrde.
un-gevarn part. adj. noch
nicht in der welt herumgekom-
men, unerfahren.
un-gevêch adj. nicht feindselig.
un-gevêder adj. nicht befiedert.
un-gevelle stn. = ungeval;
zufall.
un-gevellic adj. unpassend;
nicht gefällig, wenig ansprechend; unglücklich.
un-gevelschet part. adj. nicht
falsch oder betrügerisch gemacht; ungefälscht, rein, aufrichtig; ungeschminkt; ungeschmäht, unangetastet.
un - geverte stn. reisebe-
schwerde, überh. beschwerde,
schwierigkeit (für das verständnis), ungemach, leid; unwegsame gegend, unwegsam-
keit; üble art und weise, übles
oder rohes benehmen, böse umstände.
un-gevilde stn. unbebautes
und unwegsames land.
un-gevohten part. adj. ohne
gefochten zu haben, ohne
kampf, unangefochten.
un-gevordert part. adj. nicht
gefordert; ohne zu fordern.
un-gevrâget part. adj. ohne
gefragt zu sein, ungefragt; ohne
zu fragen (ung. sîn nicht fragen).
un-gevriet part. adj. nicht frei
gemacht; nicht leer gemacht.
un-gevriunt part. adj. ohne
freunde und verwandte.
un-gevüege, -gevuoge adj. unartig, unhöflich, unfreundlich,
unbeholfen, ungestüm; unanständig, unpasslich; beschwerlich zu handhaben, übermässig
gross und schwer, riesig, plump,
stark, heftig; böse, schlimm.
un-gevüere adj. unbequem,
nachteilig; ausschweifend. -
stn. schaden, nachteil, widerwärtigkeit; üble lebensweise.
-gevüerec adj. sich nicht führen
lassend, unfolgsam. -gevüeret

part. adj. nicht geführt; schlecht
geführt, ausschweifend.
un-gevuoc adj. = ungevüege.
- stm. unhöflichkeit, ungast-
lichkeit, ungehörigkeit, unfug;
ungereimtheit, widersinnigkeit;
nachteil, schaden. -gevuocliche
= -gevuoge, -gevuogen adv.
unhöflich, unfreundlich, ungestüm, übermässig, überaus; unpasslich, unschön. -gevuoge,
-gevüege stf. = ungevuoc, unvuoge: übermässige klage; jammergebärde; übergrosse menge,
übermässige grösse und stärke.
un-gewæge adj. = unge-
wêgen.
un-gewalt stmf. ohnmacht;
unfähigkeit; körperl. mangel,
gebrechen; in ungew. komen in
armut geraten. -gewaltic, -ge-
weltic adj. machtlos, schwach;
nicht mächtig, unvermögend,
der gewalt, des besitzes oder
gebrauches wovon beraubt,
einen u. tuon mit gs. berauben.
un-gewande stf. fremde, un-
heimliche gegend.
un-gewar, -gewaric adj. unvorsichtig, sorglos; unsicher, in
gefahr, mit gen. — adv. unvorsichtig, sorglos; unvermerkt.
un-gewære adj. nicht wahrhaft, nicht aufrichtig, unzuver-
lässig, falsch; mit gen. einer
sache ungewiss. -gewâre adv.
auf unaufrichtige, treulose
weise.
un-gewarheit stf. unsicherheit, schutzlosigkeit, die lage in
der man nicht gedeckt ist gegen
feindl. geschosse.
un-gewarnet part. adj. ohne
gewarnt, aufmerksam gemacht
worden zu sein, unvorbereitet,
überrascht; nicht gehörig geschützt oder gewaffnet; unvor-
hergesehen, unvermutet; unversorgt, ohne nahrung.
un-gewêgen part. adj. nicht
gewogen; nicht gleich gewogen
oder verteilt, ungleich, verschieden; nicht hold, ungewogen; ohne gewogen zu haben.
un-geweinet part. adj. unbe-
weint, -beklagt; ohne zu weinen,
zu klagen.
un-gewerde stf. zustand der
wehrlosigkeit.
un-gewerlich adj. unsicher,
gefährlich; keinen schutz bietend. -liche adv. unvorsichtig,
sorglos; unweigerlich; unvermerkt.
un-gewêrlich (?)adj.nicht aus-
zuhalten; -lichen adv. ohne
dauer.
un-gewêrt part. adj. nicht gewährt, ohne gewährung, unbefriedigt (mit gs., an).
un-gewert part. adj. ohne sich
zu wehren.

un-gewin stm. schaden, nachteil, unglück, verlust; bes. verlust des sieges, niederlage.
un-gewis adj. unwissend, unklug; keine sicherheit gewährend, unsicher, ungewiss, unzu-
verlässig (subj. u. obj.). -gewis-
heit stf. unsicherheit, unzuverlässigkeit. -gewislich adj. ungültig.
un-gewitere, -gewiter, -ge-
witter stn. schlechtes wetter,
ungewitter, sturm.
un-gewizzen part. adj. wovon
man nichts weiss, unbekannt,
unverständlich; nicht wissend
mit gs.; nicht wissend was sich
ziemt, unvernünftig, unverständig, unbesonnen. -gewizze-
ne, -gewizzen, -gewizzenheit stf.
unwissenheit; mangel an einsicht in das was schicklich ist,
unschicklichkeit, beschränkt-
heit.
un-gewon adj. ungewohnt.
-gewonheit stf. ungewohntheit,
was noch nicht vorgekommen
ist. -gewonlich adj. ungewöhnlich; ungewohnt.
un-gewunnen part. adj. nicht
gewonnen, unerobert, unbe-
siegt; ohne gewonnen, erobert
zu haben.
un-gewürme stn. menge von
würmern, schlangen.
un-gewürte stn. übler ruf.
un-gezalt, -gezelt part. adj.
ungezählt, unzählig; nicht gemessen, unermesslich, unaussprechlich.
un-gezæme adj. nicht geziemend, unangemessen, widrig;
nicht gewachsen, nicht tauglich für (dat.).
un-gezêsem adj. der geraden
linie nicht folgend, überh. abweichend von (dat.).
un-gezibel, -gezibere stn. ungeziefer (eig. unreines, nicht
zum opfer geeignetes tier).
un-geziuc stmn. nicht ge-
hörige rüstung.
un-gezogen part. adj. ohne
die gehörige bildung, unartig,
zuchtlos.
un-gezühte stn. = unzuht.
un-gezwîvelt part. adj. ohne
zu zweifeln.
un-gezzen part. adj. = un-
gâz.
un-gründic adj. unergründlich.
un-gruoz stm. kein gruss;
böser gruss.
un-güete stf. unfreundlichkeit, härte, bosheit, schlechtigkeit, grausamkeit. -güetic adj.
impius.
un-gunst stf. nichtbegünsti-
gung, missgunst; missgeschick,
übel; bosheit, grausamkeit.
-gunstec adj. missgünstig, übel-

wollend; ungünstig, unglücklich. **-gunsten** swv. übelwollend, mürrisch sein, sich verdriessen lassen.

un-guot adj. unfreundlich, übelwollend; übel, böse, schlecht grausam. **-** stn. übel, böses, schlechtigkeit. **-guotlich, -güetlich** adj. = *unguot*.

un-habe stf. = *ungehabe*.

un-hâle, -hælinge, -hælliche adv. unverhohlen.

un-heil stn. unheil, unglück, verderben. **-heiles** adv. unglücklich, zum unglück.

un-heimlich adj. nicht vertraut, fremd.

un-hělfelich, -hilfelich adj. nicht helfend, unnütz.

un-hôch adj. nicht hoch, niedrig; unfroh mit gen.

un-hoge s. *unhüge*.

un-hôhe, -hô adv. nicht hoch, gering, wenig, nicht.

un-holdære stn. unhold, teufel. **-holde** swm. der unliebe, böse, feindselige; unhold, teufel. **-holde, -hulde** swf. teufelin, hexe, zauberin. **-holt** adj. nicht geneigt, feindlich.

un-holz stn. geringes holz, abfallholz.

un-hœne, un-hônsam adj. nicht hochfahrend, herablassend, zuvorkommend.

un-hœrec adj. unfolgsam.

un-hôrsam adj., **-hôrsame** stf. = *ungeh-*.

un-hou stm. ungünstige zeit für den holzhieb.

un-hovebære, -hovelich, -hôvesch adj. dem hofe nicht angemessen, nicht anständig und fein genug.

un-hüge stf., md. *unhoge* trauer, unmut, leidenschaft. **-hügen** swv., md. *unhogen* in unmut, in zorn sein.

un-hulde s. *unholde 2*.

un-hulde stf. ungunst, übelwollen, ungnade, feindseligkeit.

unjô = lat. *unio* m. perle.

un-karc adj. unklug. — adv. reichlich.

unke s. *unc*.

un-kensam adj. unkenntlich.

unker stm. = *unc*; penis.

un-kiuschære stm. unkeuscher, wollüstiger mensch. **-kiusche** adj. unenthaltsam, blinder leidenschaft folgend, unbescheiden, frech; unkeusch. **-kiusche** stf. frechheit; unreine begierde, unkeuschheit; begattung, begattungszeit, empfängnis.

un-klage stf. falsche klage. **-klagebære** adj. nicht beklagenswert; s. v. a. **-klagehaft** adj. *einen u. halten, machen* entschädigen, dass kein grund zur klage mehr vorliegt. **-klagelich,**

-klegelich adj. nicht beklagenswert.

un-kôme adv. nicht leicht und bequem.

un-kouf stm. unerlaubter, widerrechtl. kauf und verkauf.

un-kraft stf. kraftlosigkeit, schwäche, ohnmacht; krankheit. **-kreftec, -kreftic** adj. kraftlos, schwach, ohnmächtig; ungiltig. **-kreften, -kreftigen** swv. *unkreftic* machen.

un-kristen adj. nicht christlich, heidnisch, gottlos. **-** stm. nichtchrist, heide.

un-krût stn. unkraut.

un-künde, -kunde stf. unkenntnis, unbekanntschaft; fremdes land, unbekannte gegend; unkraut. **-kündec** adj. unwissend; unbekannt; fremd, seltsam, unheimlich.

un-kunder stn. untier, ungetüm, monstrum.

un-künne stn. unebenbürtiger.

un-kunst stf. mangel an *kunst*, ungeschicklichkeit, unwissenheit, untüchtigkeit. **-künstec, -künstlich** adj. ungelehrt, unklug, ungeschickt; falsch, hinterlistig.

un-kunt adj. unwissend, unberaten; unbekannt; fremd, fremdartig, seltsam. **-kuntlich** adj. unsagbar (*smerzen*).

un-kust stf. mit verstärk. *un:* gute art, vortrefflichkeit. — mit neg. *un:* bosheit, falschheit, hinterlist.

un-küstic, -kustic adj. schlecht, bösartig, falsch, hinterlistig, unkeusch; invidus.

un-lanc adj. nicht lang; nicht von langer dauer. — subst. nicht lange zeit (*über unl.* in kurzer zeit, bald, bald darauf). — adverbial *bî unlangen* nicht lange. **-lange, -langen, -langes** adv. nicht lange, kurze zeit, in kurzer zeit. **-lenge** adj. kurz.

un-laz adj. unermüdlich.

un-ledec adj. nicht frei, unbefreit, verhindert; beschäftigt *an, mit*.

un-leidic adj. ohne leiden, unbetrübt.

un-lidec, -ic, -lidelich, -lidelich adj. frei von leiden, nicht leidend; ungeduldig; unleidlich, unerträglich, schmerzlich.

un-liebe stf. lieblosigkeit, hass, freudlosigkeit. **-liep** adj. *u. hân* nicht leiden können. **-liepliche** adv. *u. hân* unfreundlich behandeln.

un-liumunt, -liumt, -liun stm. übler, schlechter ruf.

un-liutsam adj. den menschen nicht wohlgefällig, nicht zugänglich.

un-lop stn. schmähung, schande.

un-lôs adj. nicht zuchtlos, nicht leichtfertig, nicht verschlagen oder arglistig.

un-lougen stn. = *âne lougen*.

un-lust stm. f. unfreude, missvergnügen, missfallen, widerwille; ungebührlichkeit, gewalttat; was ekel erregt, unrat, aas u. dgl. *mit u.* mit schmach. **-lusten** swv. unpers. mit dat. widerwillen, ekel empfinden. **-lustic, -lustlich, -lüstlich** adj. missvergnügt; *unlust* erregend, unangenehm, widerlich. **-lustigen** swv. *unlustic* machen.

un-lust stf. das nichtaufhorchen, unruhe, lärmen (wodurch eine gerichtl. handlung gestört wird).

un-lûtes adv. ohne laut zu geben (hund).

un-maht, -mahtlich adj. unmöglich. **-maht** stf. machtlosigkeit, kraftlosigkeit, schwäche; erschöpfung der kraft, besinnungslosigkeit.

un-mælic adj. unbefleckt, ohne makel, rein.

un-man stm. böser mensch, übeltäter.

un-manec adj. nicht viel, wenig.

un-manlich, -menlich adj. unmännlich, feige.

un-mære adj. unlieb. unwert, gering geachtet, zu schlecht, zuwider, widerwärtig, verhaßt, gleichgültig. **-mære** stf. unwert, geringachtung, -schätzung, gleichgültigkeit. **-mæren** swv. tr. *unmære* machen; für *unmære* ansehen, verschmähen. — refl. intr. sich *unmære* machen, *unmære* werden.

un-mâz adj. ungemässigt, masslos. **-mâze** stf. was über das gewöhnl. mass hinausgeht: ausserordentl. menge, masslosigkeit, unermesslichkeit, unmässigkeit, unziemlichkeit (*z'unmâze, z'unmâzen* unmässig). **-mâze, -mâzen** adv. übermässig, ausserordentlich, sehr. **-mæze** adj. übermässig, ausserordentlich, überaus, sehr. **-mæz** stf. unmässigkeit. **-mæzec** adj. unmässig, masslos; unmässig. **-mæzecheit** stf. übergrosse menge; unmässigkeit, unermesslichkeit, inmodestia. **-mæzec** lich adj. = *unmâzlich*. **-mæzen** swv. intr. *unmâz* sein, das gehörige mass überschreiten. **mâzlich, -mæzlich** adj. masslos, übermässig, unermesslich. **-liche** adv. masslos, ausserordentlich, überaus, sehr. **-mæzlicheit** stf. unermesslichkeit.

un-mehtec, -ic adj. kraftlos, schwach, ohnmächtig. **-mehtecheit** stf. schwachheit. **-mehten** swv. *unmehtec* werden.

un-meilic adj. = *unmælic*.

un-mein, -meine adj. ohne falschheit. **-meine** stf. reinheit, lauterkeit.

un-mensch stn. was nicht den namen mensch verdient. **-menschheit** stf. unmenschlichkeit; sodomie. **-menschlich** adj., **-liche** adv. un-, übermenschlich.

un-merclich adj. insensibilis.

un-mëʒ stn. masslosigkeit. **-mëʒlich** adj. ungemessen, unermesslich; verschwenderisch.

un-milte stf. feindseligkeit, hass. **-** adj. unbarmherzig, hartherzig, grimmig. **-miltecheit** stf. grimmigkeit; unfreigebigkeit.

un-minne stf. unrechte liebe; lieblosigkeit, hass, feindschaft, streit. **-minne, -minnec** adj. unfreundlich; nicht gerne gesehen, unbeliebt. **-minneclich** adj., **-liche** adv. unliebenswürdig, unfreundlich; feindselig.

un-müeʒec adj. unruhig, bewegt; fleissig, beschäftigt, unausgesetzt tätig (vom kampfe); *sich u. machen* sich beschäftigen, *einen unm. tuon* ihn sehr in anspruch nehmen, *einem unm. sîn* sich mit ihm beschäftigen, ihn ins gerede bringen. **-müeʒecheit** stf. arbeit, fleiss.

un-mügelich, -mugelich adj. unmöglich; was nur schwer geschehen kann, ganz ausserordentlich; nicht zu bewältigen, überaus gross. **-mügen** stn. unerwünschtes. **-mügende, -mugende** part. adj. unvermögend, kraftlos, schwach; impotent; ohnmächtig. **-** stf.? abneigung. **-muht** stf. md. (mit vérst. *un*) allmacht.

un-mündic, -mundisch adj. unmündig.

un-münec adj. unlustig.

-munst stm. unfreudigkeit, unlust, trägheit.

un-muosic adj. nicht essbar.

un-muot stm. missmut, missstimmung, aufgebrachtheit, zorn; betrübnis, schrecken. **-muotec** adj. missmutig, aufgebracht, zornig,betrübt. **-muotes** adv. missmutig, zornig, betrübt.

un-muoʒe stf. unruhe, mangel an zeit, beschäftigung, geschäftigkeit, mühe. **-muoʒlich** adj. = *unmüeʒec*.

un-nâch, -næhe adj. nicht nahe, entfernt. **-nâhe, -nâhen, -nâch, -nâ** adv. entfernt, weit ab, bei weitem nicht, kaum (d. h. nicht). **-nâhen** swv. sich entfernen.

unnen s. *unden*.

un-nennelich adj. unnennbar.

un-nôsel adj. unschädlich.

un-nôt stf. nicht not, keine veranlassung. **-nôtdürftic** adj. unnötig. **-nôte** adv. ungenötigt, freiwillig. **-nôtec** adj. der not enthoben, wohlhabend.

un-nutze adj. unnützes handeln. **-nütze, -nutze, nützelich** adj. ohne nutzen, zu nichts zu gebrauchen, zu nichts helfend, untauglich, schädlich. **-nuz** stm. schaden: nichtbenutzung; nicht zu gebrauchendes, wertloses ding.

un-ordenhaft adj. unordentlich, untüchtig; nicht ordensgemäß. **-ordenlich** adj., **-liche** adv. ordnungswidrig, ungehörig, unerlaubt. **-ordent** part. adj. ungeordnet. **-ordenunge** stf. unordnung.

un-phantbære adj. nicht verpfändbar; nichts zu verpfänden habend.

un-phlëc adj. nicht gepflogen, ungewohnt, unmöglich. **-** st. subst. nicht bebautes land. **-phlëge, -phlâge** stf. sorglosigkeit; schlechte pflege. unbequemlichkeit, unlust, not.

un-phliht stf. verletzung der pflicht; ungehörige, drückende verpflichtung oder leistung; s. v. a. *ungëlt*.

un-pris stm. schande,schimpf, tadel. **-prisen** swv. nicht preisen, schmähen, tadeln, erniedrigen; mit dp. zum vorwurf machen.

un-raste, -reste stf. unruhe, rast- und ruhelosigkeit.

un-rât stm. schlechter rat, kein rat; verrat; keine hilfe, schaden; unfülle, hilflosigkeit, dürftigkeit, mangel, not, unheil, nachteil (*u. sagen* seine not klagen); unkraut; unnützer aufwand, leckerei, naschwerk, backwerk. **-râtbære** adj. zum ratgeben nicht geschickt. **-râtlich, -rætlich** adj. besitz-, hilflos, dürftig; verschwenderisch.

un-rede stf. ungehörige, böse rede. **-redehaft** adj. nicht redend, stumm. **-redelich** adj., **-liche** adv. nicht redend, stumm; ungebührlich, unverständig, unvernünftig; schlecht, verdorben (*fleisch*). **-redelicheit** stf. unvernunft.

un-rëht adj. unrecht, unrichtig, ungerecht, ungebührlich, übertrieben, falsch. *u. kneht* abtrünniger knecht; *u. geist* dämon. — stn. unrecht, ungerechtigkeit, ungebühr; geldbusse für geringere vergehn. *u. hân* nicht richtig handeln, *u. tuon* zu nahe treten, *mit u.* mit unwahrheit. **-rëhte** adv. auf unrechte, unrichtige, ungerechte, ungebührliche weise. **-rëhten** swv. tr. einem unrecht antun. refl. mit *an* sich in einer sache ungerecht zeigen. **-rëhtvertic** adj. unrecht, unrechtmässig; *unrehtvertiger man* übeltäter.

un-reine, -rein adj. nicht rein; nicht gut, böse, unrecht, treulos; unkeusch. *der u.* teufel, dämon. **-reine, -reinde** stf. unreinheit. **-reinecheit** stf. unreinheit, unreinigkeit, schmutz, unrat. **-reinecliche** adv. *u. sünden* widernatürlich sündigen. **-reinen** swv. *unreine* machen (*ein vihë unr.* widernatürliche unzucht mit vieh treiben). — intr. *unreine* werden, sein.

un-reste s. *unraste*.

un-rihte adv. unrecht. **-rihtic** adj. unrecht, unrichtig; ungerecht *gegen*; nicht recht geschaffen, missgestaltet; nicht abgerichtet, aus der richtung gebracht, verrückt; zwiespältig.

un-riuwe stf. starke *riuwe*.

un-ruoch stm. sorglosigkeit, gleichgültigkeit, vernachlässigung; persönl. der etw. vernachlässigt, versäumt, rücksichtslos ist; unglück, leiden, unfall. **-ruoche** stf. sorglosigkeit, gleichgültigkeit, vernachlässigung. **-ruochen** swv. vernachlässigen, unbeachtet lassen. **-ruochlich** adj., **-liche** adv. sorg-, rücksichtslos, geringschätzig. **-ruochlôsecheit** stf. gleichgültigkeit.

un-ruowe, -ruo stf. unruhe, beunruhigung. **-ruowen** swv. beunruhigen, belästigen, plagen.

uns pron. (gen. *unser*, dat. *uns, üns*, acc. *unsich, uns*).

un-sagelich s. *unsegelich*.

un-sælde stf. unglück, -heil. **-sælec, -sælic** adj. unselig, -glücklich; bösartig, verderbenbringend, gottlos. **-sælicheit** stf. unglück, unheil, unseligkeit. **-sælclich** adj., **-liche** adv. unselig. **-sæligen** swv. *unsælic* machen.

un-sanfte, -samfte adv. zu *unsenfte*.

un-sat adj. nicht gesättigt von (gen.).

un-schadebære adj. unschädlich, unfähig zu etw. bösem; iron. nicht vorteilhaft. **-schadehaft** adj. ohne schaden; keinen schaden verursachend, unschädlich.

un-schamelich, -schemelich adj. keine schande bringend; sich nicht zu schämen brauchend; schamlos. **-schamic, -schemic** adj. sich nicht schämend, schamlos, unkeusch.

un-scheidic adj. untrennbar.
un-schol adj. unschuldig.
un-schœne adj. unschön, hässlich. **-schöne** adv. auf unschöne, ungebührliche, schonungslose, grausame weise. **-schœnen** swv. entstellen; schmähen *mit*.
un-schrêvels adv. unverwundet, unversehrt.
un-schulden swv. refl. seine unschuld dartun, sich entschuldigen. **-schuldic, schuldec** adj. akt. frei von schuld, schuldlos, unschuldig. *einem u. sîn* einem nichts schuldig bleiben. — pass. unverschuldet, nicht gebührend, ungehörend. **-schuldicheit** stf. schuldlosigkeit. **-schuldicliche** adv. in unschuld, unschuldiger, unverdienter weise. **-schuldige** stf. unschuld. **-schuldigen** swv. tr. jemandes unschuld dartun, ihn für unschuldig erklären. — refl. sich von einer schuld reinigen, einer anklage entgehn (durch eid od. gottesurteil). **-schuldunge** stf. schuldlosigkeit. **-schult** adj. schuldlos. **-schult, -schulde** stf. unschuld, schuldlosigkeit (*sîne unsch. tuon* den reinigungseid leisten; *umbe, von unschulde* unschuldiger, ünverdienter weise).
un-schundic adj. unverführbar, harmlos.
un-segelich, -sagelich adj. unsäglich, unaussprechlich.
un-sêhelich adj. unsichtbar.
un-senfte adj. unsanft, unlieblich, rauh, drückend, schwer. **-senfte, -senftecheit** stf. unsanftheit, unannehmlichkeit, ungemach, schwierigkeit. **-senfteciche** adv. = *unsanfte*.
unser pron. poss. unser (nbff. *ünser, unse, uns, under*).
un-sete stf. unersättlichkeit.
un-sic, -sige stm. verlust des sieges, niederlage. **-sigehaft** adj. des sieges verlustig; unbesieglich. **-sigende** part. adj. unterliegend, besiegt.
un-sihtec, -ic, -sihteclich, -sihtlich adj. unsichtbar verborgen.
un-sin stm. torheit, raserei, wahnsinn; bewusstlosigkeit. **-sinne** stf. unverstand, torheit; verrücktheit, wahnsinn; besessenheit. **-sinnec, -ic** adj. nicht bei verstande, sinnlos, verrückt, töricht, rasend (*der unsinnige pfinztac* donnerstag vor esto mihi). **-sinnecheit** stf. insipientia. **-sinnen** swv. *unsinnec* sein od. handeln.
un-sippe adj. nicht verwandt.
un-site stm. üble sitte oder gewohnheit, aufgebrachtheit, zorn, unfeines oder grobes benehmen. **-sitec, -ic** adj. mit *-unsite*; unfromm, unchristlich. **-siten** swv. *unsite* üben.
un-slêht adj. unaufrichtig; auf falscher fährte befindlich.
un-slihte stf. ungeradheit, unebenheit; ungerechtigkeit.
un-slit stn. unschlitt, talg (nbff. *ünslit, unsliht, unslet, inslet*). **-slitin** adj. von talg.
un-sliune stf. langsamkeit.
un-slummende part. adj. wachssam.
un-smac stm. schlechter *smac*.
un-smidic adj. ungeschmeidig, grob.
un-spræche adj. sprachlos, stumm; unaussprechlich. **-sprêchelich, -sprêchenlich** adj. unaussprechlich, unsäglich; unbegreiflich.
un-spüric adj. unerforschlich.
unst stf. (in komposs.) gunst, gnade.
un-state stf. pass. hilflosigkeit, ungünstige lage, mangel, ungeschick (*mit unstaten mit* ungeschick, mit mühe, kaum). — akt. (auch swm. ?) schlechte hilfleistung, schaden (*ze unstaten komen*). **-statehaft** adj. unvermögend. **-stateliche, -stateliche** adv. = *ze unstaten, mit unstaten*.
un-stæte, -stætic adj. nicht dauernd, vergänglich, sterblich, unbeständig, untreu; sich unruhig herumtreibend, ausschweifend. **-stæte** stf. unbeständigkeit, wankelmut, untreue. **-stæteu** swv. *unstæte* machen.
un-stiure stf. belästigung, beschwerde; schmerzhaftigkeit; unziemliche, ungestüme handlung oder handlungsweise, gewalttätigkeit.
un-süber, -souber adj. unsauber, unrein, unzüchtig. **-süberheit, -süberkeit** stf. unreinheit, unreinigkeit, unrat. **-sübern** swv. *unsüber* machen.
un-süeze adj. nicht süss, bitter, bildl. herbe, unlieblich, unfreundlich. **-** stf. bitterkeit, widerlichkeit; mühe. **-süeȥen** swv. *unsüeze* machen, werden.
un-sûmic adj. nicht säumig.
un-sündic, -sünthaft, -süntlich adj. sündlos.
un-suone stf. streitigkeit.
un-suoȥe adv. auf unsüeze art. **-suoȥen** swv. *unsüeze* werden.
unt s. *unde*.
un-tân s. *un-getân*.
untarn s. *undern*.
un-tât stf. üble tat, missetat, unrecht, verbrechen. **-tætic** adj. eine *untât* begehend, verbrecherisch.
un-teilec, -teilic, -teillich adj. unteilbar, ungeteilt.
untern s. *undern*.

un-tier stn. monstrum (spät). **un-tirmec** adj. unbegrenzbar, unendlich.
un-tirmen swv. missbilden, verunstalten.
un-tiure adj. von keinem hohen werte, gering (*mir ist etw. u.* gleichgültig); nicht selten, reichlich; überflüssig. — adv. reichlich; mit geringschätzung (des lebens). **-** stf. wertlosigkeit. **-tiuren** swv. *untiure* machen.
un-tödemic, -tœdemic, -tœdemlich adj. unsterblich (*vel u.* unverwundbar).
un-tötlich, -tœtlich adj. dasselbe.
un-trehter stm. schiedsmann **-trehtic** adj. uneinig. **-trehtic** adj. undenkbar, unfasslich.
un-triuwe, -triwe, -triu stf. treulosigkeit, betrug.
un-tröst stm. mutlosigkeit, entmutigung; entmutigende rede, handlung oder lage, trostlosigkeit; persönl. der keinen trost gewährt. **-trœsten** swv. entmutigen; refl. verzweifeln. **-tröstlich, -trœstlich** adj., **-liche** adv. entmutigend, niederschlagend; mutlos.
un-tugelich, -tugenlich adj. untauglich, unbrauchbar, ungültig.
un-tugenden swv. in *untugent* leben. trans. *den muot u.* schwächen. **-tugent, -tugende** stf. untüchtigkeit, schwäche; untugend, sittenfehler, laster; unedler sinn, mangel an feiner bildung. **-tugenthaft** adj. untüchtig, untauglich, unbrauchbar; tugendlos. **-tugentlich** adj. tugendlos, lasterhaft.
un-türe, -tür stf. nichtachtung, geringschätzung (*mich untüret* mich dünkt gering, ich achte nicht auf).
un-übergriffliche adv. ohne etw. zu übertreten od. zu umgehen.
un-val stm. unfall, unglück; pl. *unvelle* zufällige gerichtsbussen.
un-var adj. farblos.
un-varnde part. adj. am gehn, an freier bewegung gehindert (durch krankheit, fesseln usw.); unbeweglich (*habe, guot*).
un-vasel stn. böse frucht, böse nachkommenschaft.
un-veige adj. nicht dem tode verfallen.
un-veile adj. nicht feil, nicht käuflich. **-veiles** adv. ohne zu kaufen, ohne aufwand, umsonst.
un-vellic adj. nicht fallend, fest; unfall habend.
un-verant part. adj. nicht beendet.

un-verbeinet part. adj. unverhärtet.

un-verbolgen part. adj. nicht erzürnt.

un-verborgen part. adj. unverborgen; ungeborgen.

un-verbrochen part. adj. unverbrüchlich, ganz, fest.

un-verbunden part. adj. nicht verbunden; nicht vermummt; nicht geboten; nicht verpflichtet.

un-verdagen swv. nicht verschweigen. — unverdaget, -verdeit part. adj. pass. nicht verschwiegen, öffentlich; akt. nicht schweigsam.

un-verdaht part. adj. unbedeckt, unverborgen, offen.

un-verdâht part. adj. unbesonnen, unüberlegt, unerwogen; ohne besinnung; ohne verdacht zu erregen, unverdächtig. -verdâhtes adv. unbesonnen, unüberlegt. -verdæhtliche adv. dass.; unverhohlen.

un-verderblich adj. unverderblich, unvergänglich; unschädlich.

un-verdrücket part. adj. nicht unterdrückt.

un-verdrumt part. adj. unverstümmelt, ganz.

un-verdûret part. adj. et nuit et jour.

un-verêbenet part. adj. nicht geschlichtet, unbezahlt.

un-verendert part. adj. unverändert, nicht vermummt; nicht verheiratet.

un-vergêben part. adj. nicht weggegeben; unverziehen; ohne verziehen zu haben.

un-vergëȥȥen part. adj. pass. unvergessen. — akt. ohne zu vergessen, eingedenk.

un-vergiftet, -vergift part. adj. pass. nicht vergabt. — akt. ohne (testamentarisch) zu vergeben, zu verfügen.

un-vergihtic adj. u. werden nicht zu sagen vermögen.

un-vergolten part. adj. pass. unvergolten, unbezahlt. — akt. ohne bezahlt zu haben.

un-verhaft, -verheft part. adj. nicht fest, unhaltbar; nicht mit beschlag belegt.

un-verhalzen part. adj. unverschnitten. -verhalzet, -verhelzet part. adj. nicht lahm gemacht, nicht hinkend; unverschnitten, vom gleichen schnitte, gleich.

un-verheilet part. adj. nicht geheilt, unheilbar.

un-verhepfet part. adj. unerschüttert, fest.

un-verhert part. adj. nicht mit heeresmacht überzogen, unverheert; nicht beraubt, mit gen.; unverletzt, ganz.

un-verholn part. adj. adv. nicht verborgen, nicht heimlich.

un-verhouwen part. adj. unverletzt; ungeschmälert, ganz; ungehindert.

un-verirret, -verirt part. adj. ohne sich worin (gen.) zu irren; ohne sich zu verirren; ungestört, ungehindert.

un-verklaget part. adj. nicht verschmerzt; ohne daß vor einem richter geklagt oder ein urteil gefällt wäre.

un-verkorn part. adj. nicht unbeachtet, unvergessen.

un-verkrenket part. adj. ungeschwächt, unverdorben.

un-verkumbert part. adj. nicht mit arrest belegt, unverpfändet.

un-verkust part. adj. nicht abgeküsst, durch küssen nicht verdorben.

un-verladen part. adj. unbelästigt.

un-verlêhent part. adj. nicht belehnt; nicht als lehn gegeben.

un-verlogen part. adj. nicht erlogen; nicht lügenhaft.

un-vermant part. adj. ohne mann, unverheiratet.

un-vermant part. adj. unaufgefordert.

un-vermæret part. adj. unverraten, nicht ins gerede gebracht.

un-vermâset part. adj. unbeschädigt; ohne wundmale.

un-vermeilet part. adj. unbefleckt, rein. -vermeiliget part. adj. dasselbe; unbeschädigt.

un-vermeinet part. adj. unbewacht.

un-vermeinet part. adj. ohne falsch.

un-vermëldet, -vermëlt part. adj. unverraten.

un-vermüet part. adj. unermüdet, frisch.

un-vernêmelich adj. nicht verstehend, nicht zu verstehen. -vernomen part. adj. unbekannt; besinnungslos.

un-vernuust, -vernunft stf. unverstand, unkenntnis.

un-vërre adj. nicht weit, nahe; adv. unvërre, -vërren.

un-verrêret part. adj. unzertrennt, unverletzt.

un-verrihtet, -verriht part. adj. ungeordnet; nicht durch recht festgesetzt.

un-versaget, -verseit part. adj. nicht versagt, unverweigert, gewährt.

un-verschalt part. adj. unerschüttert.

un-verschalten part. adj. nicht weggestossen, gut aufgenommen; unverkürzt an.

un-verschart s. un-verscheltet.

un-verscheiden part. adj. -verscheidenlich adj. nicht ge-

trennt; unverschieden, ohne unterschied. -verscheidenliche adv. ohne untersch., insgesamt.

un-verschertet, -verschert, -verschart part. adj. nicht schartig gemacht, unverletzt, ganz; unbefleckt, rein.

un-verschröten part. adj. nicht zerschnitten od. zugeschnitten, ganz; unverletzt, -verwundet; bergm. ein unv. ganc, berc ungeöffnet, woraus noch kein erz gewonnen ist.

un-verschulde, -verschuldes adv. unverschuldeter weise, mit unrecht. -verschuldet, -verschult, -verscholt part. adj. unverschuldet, unverdient, pass. u. akt.; ohne schuld auf sich zu laden; unvergolten. -verschuldiget part. adj. nicht unverdient.

un-versent part. adj. nicht abgehärmt.

un-versichert part. adj. ohne bürgschaft geleistet zu haben; unerprobt.

un-versinne stf. unverstand, torheit. (spät).

un-versinnet, -versint part. adj. ohne besinnung, ohnmächtig; wahnsinnig.

un-verslagen part. adj. nicht betrügerisch, vollwichtig geprägt; die strâȥen unv. lâȥen den verkehr darauf nicht hindern.

un-versmogen part. adj. unverkrümmt, nicht verborgen.

un-versniten part. adj. unbeschnitten; unberührt, unverletzt; trefflich (rede u.).

un-versolken part. adj. nicht vermindert.

un-versolt part. adj. unverschuldet, unverdient.

un-verspart part. adj. pass. nicht ge-, nicht erspart, nicht geschont. — akt. ohne zu sparen, reichlich; ohne zu zögern, ungesäumt.

un-verspart part. adj. unversperrt, -verschlossen, geöffnet; unbedeckt, bloss.

un-versprochen part. adj. nicht zurückgewiesen, nicht abgelehnt; worauf kein anspruch erhoben wird; in gutem rufe stehend, unbescholten. -versprochenlich adj. unbescholten. -versprochenliche adv. ohne dass anspruch worauf erhoben wird, unangefochten.

un-verstanden part. adj. nicht verstanden, unbegreiflich; unverständig, ohne kenntnis und begriff.

un-versunnen part. adj. ohne besinnung, bewusstlos; in gedanken versunken; unbesonnen, unerfahren, unverständig; verrückt, wahnsinnig; was noch nicht aus- oder nachgesonnen ist.

un-versuochet part. adj. unbebaut, unbewohnt; ununtersucht, ungeprüft; unerprobt, unerfahren.

un-verswigen part. adj. pass. nicht verschwiegen od. verheimlicht, nicht zu verschweigen. — akt. nicht verschweigend, nicht verschwiegen.

un-vertân part. adj. nicht verbraucht, ganz.

un-vertec adj. unwegsam; nicht im stande zu gehn, krank; unrecht, unrechtmässig, nicht recht beschaffen, falsch; nicht rechtschaffen, leichtfertig, lasterhaft (*unvertige liute* verbrecher, *unvertige vrouwen* huren).

un-vertrac stm. unverträglichkeit. -**vertragelich, -tregelich** adj. unerträglich, unverzeihlich; unverträglich. -**vertragen** part. adj. nicht verträglich; nicht ertragen, nicht geduldet, nicht gestattet.

un-vervanc stm. erfolglosigkeit. -**vervanclich, -vervenclich** adj. unnütz, bedeutungs-, wirkungslos. -**vervangen** part. adj. dass.

un-verværet part. adj. unerschrocken, nicht ausser fassung oder zum wanken gebracht.

un-vervorht = *unervorht*.

un-verwælet part. adj. nicht beschädigt.

un-verwânet part. adj. unvermutet.

un-verwant part. adj. unbeteiligt *mit*; nicht abgewandt, unabwendbar; unveränderlich, beständig.

un-verwâzen part. adj. nicht verflucht, nicht zugrunde gerichtet.

un-verwenket part. adj. ununterbrochen, unerschüttert.

un-verwent part. adj. nicht verwöhnt; nicht ans schlechte gewöhnt, wohlgezogen.

un-verwertet, -verwert part. adj. wohl erhalten, unverwest; unverdorben, unverletzt; unbefleckt, rein.

un-verwildet part. adj. nicht verwildert.

un-verwipt part. adj. ohne weib, unverheiratet.

un-verwiset part. adj. nicht irre geführt; ohne inne zu werden, ohne absicht.

un-verwist part. adj. nicht gewusst, unbekannt.

un-verwizzen part. adj. ohne zu wissen; unverständig, dumm, rücksichtslos, roh; unberechenbar. -**verwizzenheit** stf. unwissenheit, unkenntnis, mangel an einsicht in das was sich zu tun gehört.

un-verworden part. adj. nicht verdorben, nicht verwest.

un-verworfen part. adj. nicht zurückgewiesen, nicht verdächtig (von zeugen); mit dat. nicht entfremdet.

un-verwürket, -verworht part. adj. nicht verarbeitet; nicht verdorben; unverletzt; unverwirkt.

un-verzigen part. adj. pass. unversagt (*unv. an* reichlich versehen mit). — akt. ohne zu verzichten auf (gen.).

un-verzogen part. adj. nicht aufgeschoben, nicht hingehalten; adv. = *âne verzuc*.

un-veste adj. nicht fest; unsicher, wankend.

un-vihe stn. ungeziefer.

un-vil adv. nicht sehr, iron. gar nicht; zeitl. nicht lange.

un-vindic adj. ungeschickt, unklug.

un-vlât stm. n., -**vlâte, -vlât** stf. schmutz, unsauberkeit, unreinigkeit, bildl. sittl. unreinigkeit, sünde, unkeuschheit; schande, schmach, untat. — pers. unsauberes wesen, auswurf. -**vlætic** adj. schmutzig, unsauber, unrein.

un-vlühtec adj. tapfer.

un-vogel stm. der pelecanus onocrotalus, eine pelikanart.

un-volc stn. = *undiet*.

un-vride stm. unfriede, unsicherheit, unruhe.

un-vriunden swv. tr. feindlich begegnen.

un-vriunt stm. feind.

un-vrô, -vrœlich adj. unfroh, freudelos, betrübt (mit gen., *an*).

un-vrome swm. s. *-vrume*.

un-vröude, -vreude stf. freudlosigkeit, trauer, kummer.

un-vrouwe stf. die den ehrennamen *vrouwe* nicht verdient.

un-vröuwen, -vröun swv. nicht erfreuen, betrüben.

un-vrüete stf. ungedeihen, zustand eines *unvruoten*. -**vrüetic, -vruotic** adj. ungesund.

un-vruht stf. üble frucht. -**vruhtbære** adj. kinderlos. -**vrühtec, -vrühtic** adj. unfruchtbar (*ze kinden*); üble frucht tragend.

un-vrume swm. stf. schaden, unheil, verderben; schlechtigkeit, sünde.

un-vruot adj. unweise, unverständig, töricht, unklug; unedel, unfein, unzart; unfroh, traurig; ungesund, krank. -**vruot** stm. unkluges, unbesonnenes, unfeines wesen. -**vruote** adj. unfroh, traurig.

un-vuoc adj. unpassend, ungeschickt. -**vuoc** stm. unanständigkeit, unziemlichkeit, roheit, schande, frevel. -**vuoge** stf. dasselbe; unnatürlichkeit, ungereimtheit, törichte handlung. -**vuoge** adv. auf unpas-

sende weise. -**vuogen** swv. abs. *unvuoge* zeigen, treiben. — tr. *ungevüege* machen.

un-vuore stf. üble, rohe art, womit etw. geführt wird; üble aufführung, schlechte lebensweise, ausschweifung, unfug; nachteil. -**vuoren** swv. *unvuore* zeigen, treiben. -**vuoric, -vüeric, -vuorlich** adj. schlechten lebenswandel führend, unordentlich.

un-vurt adj. = *âne vurt*. -**vürtic** adj. dasselbe; bildl. unergründlich.

un-wæge adj. unvorteilhaft, unangemessen, unangenehm; nichtswürdig; nicht gewogen, abgeneigt, hinderlich, mit dp. - stf. ungebühr.

un-wæhe adj. unschön, unfein, unansehnlich, gemein, hässlich. - stf. hässlichkeit. -**wæhen** swv. hässlich machen, entstellen.

un-waltic adj. = *ungewaltic*.

un-wandel stm. unbussfertigkeit. -**wandelbære** adj. fest, bestimmt, unabänderlich; unveränderlich, ewig; untadelhaft, makellos.

un-wæne adj. nicht zu vermuten, unwahrscheinlich. -**wænlich** adj. dasselbe; verdächtig, keinen glauben verdienend.

un-wâr stn. unwahrheit. -**wârhaft** adj. unwahr, falsch; nicht wirklich; die wahrheit nicht liebend. -**wârheit** stf. unwahrheit, falschheit.

un-wëc stm. schlechter weg, unwegsame strecke.

un-wëgec, -wëgelich adj. unbeweglich.

un-welger adv. nicht sehr.

un-wende, -wendec adj. nicht rückgängig zu machen, nicht zu ändern, unabwendbar; unaufhörlich.

un-wërde adv. auf unwürdige, schmachvolle, verächtliche, ärgerliche weise; unbeachtet, verachtet. - stf. unwürdige, schmachvolle lage, schmach; unwürdige, schmähliche behandlung. -**wërdec** adj. missachtet, gering, wertlos; unwillig. -**wërdechelt** stf. geringschätzung, verachtung, schmach; unwürdige, schmähliche behandlung. -**wërdecliche** adv. nicht geziemend, unwürdig, schmachvoll; mit geringschätzung, mit verachtung. -**wërden** swv. intr. *unwërt* sein. — tr. *unwërt* machen. — unpers. mit dat. u. gen. sich ärgern über.

un-wërdenlich adj. nicht werdend, nicht zum werden geeignet.

un-wërhaft adj. nicht dauernd, vergänglich, unbeständig.

un-werhaft adj. nicht wehrhaft od. streithaft. -**werlich** adj. dasselbe; untauglich; ohne widerstand.

un-wêrt adj. nicht geachtet, nicht geschätzt, verachtet, unlieb, unangenehm; *mir ist etw. unwêrt* es ist mir unangenehm, ich bin unwillig, ärgerlich über etw., *einen u. hân* gering achten; unangemessen, elend; gering, wertlos; unwürdig, mit gs. - stm. n. geringschätzung, verachtung, schmach; wertlosigkeit; verächtliches, niedriges ding; unwille, indignation. -**wêrtlich** adj. gering geschätzt, niedrig, verächtlich. -**wêrtliche** adv. mit geringschätzung; mit unwillen, indigniert; auf unwürdige weise.

un-wêsen stn. das nichtsein.
un-wêter stn. schlechte witterung, ungewitter.

un-wiben swv. refl. auf unweibliche weise sich befassen *mit.*

un-widersaget,-widerseit part. adj. ohne fehde, krieg angesagt zu haben.

un-wilden swv. vertraut machen.

un-wille swm. das nichtwollen (*mit unwillen* widerwillig, ungern); übelwollen, groll, feindseligkeit. -**wille** adj. unwillig; veraltet.

un-wille swm. ekel zum erbrechen. -**willen** swv. unpers. mit dat. zum erbrechen ekeln.

un-wip stn. die den namen *wip* nicht verdient. -**wiplich** adj. einem *wibe* nicht geziemend, unfraulich.

un-wirde stf. geringschätzung, verachtung, schmach, unehre, schande; unwille; unwürdige behandlung. -**wirdec** adj. nicht wert, unwürdig. -**wirdecheit** stf. herabsetzung, beschimpfung; vergebung der würde, wegwerfung; unwille. -**wirdeclich** adj. ungeziemend, unwürdig. -**liche** adv. mit geringschätzung, unwürdig, verächtlich; aufgebracht, unwillig. -**wirden** swv. intr. *unwêrt* sein oder werden. — tr. u. refl. *unwêrt* machen; unwert erachten, verschmähen. -**wirdesch**, -**wirdisch** adj. verächtlich, schmählich, hässlich; unwillig, zornig, unwirsch. -**wirdigen** swv. intr. unwillig, zornig werden. — tr. herabwürdigen, erniedrigen. -**wirdische, -wirdischeit** stf. unwille, indignation.

un-wis adj. = *ungewis.*
un-wis, -**wise** adj. unerfahren, unkundig, unverständig, töricht; unbekannt; unzüchtig (lied). -**wisheit** stf. unverstand,

torheit. -**wislich** adj. töricht. -**wistuom** stm. torheit.

un-wise stf. schlechte melodie.
un-witer stn. = *unwêter.*
un-witze stf. unwissenheit, unverstand, torheit; besinnungslosigkeit. -**witzen** swv. töricht sein. -**witzic** adj. unverständig, unklug, töricht. -**witzicheit** stf. unverstand. -**wiz, -witze** adj. ohne besinnung.

un-wiz adj. nicht gewusst, unbekannt. -**wizzecheit** stf. unwissenheit, unkenntnis. -**wizzen** part. adj. nicht gewusst, unbekannt. -**wizzende** part. adj. u. adv. nicht wissend, ohne zu wissen oder zu kennen, ohne wissen, unbewusst; bewusstlos. -**wizzende, -wizzene** stf. unwissenheit, unkenntnis. -**wizzenheit** stf. dasselbe; leichtsinn. -**wizzens** gen. adv. unbewusst.

un-wol adv. nicht gern.
un-worten swv. böse worte geben, schimpfen, zanken. -**wortlich** adj. nicht durch worte auszudrücken.

un-wünne, -wunne stf. unlust, leid, trauer.

unz s. *unze.*

un-zalhaft, -zallich, -zellich, -zellec adj. unzählbar, unermesslich, unsäglich.

un-zam adj. nicht *zam.*
un-zæme adj. = *ungezæme.*
unze, unz stswf. unze; als flächenmass (lat. *uncia*).

unze, unz präp. bis, bis zu, vor advv. (*unze, unz her, hin*), vor subst. mit andern präpp. (*unz an, in, ûf*). — konj. bis, so lange als, während. — adv. so lange, während dieser zeit.

un-zemde stf. unangemessenheit.

unzer stm. kleine schnellwaage.

un-zerbrochen part. adj. nicht zerbrochen; unverletzt, ganz; nicht unterbrochen.

un-zerganclich, -zergenclich adj. unvergänglich, ewig. -**zergancheit** stf. unsterblichkeit.

un-zerkloben part. adj. ungespalten, ungeteilt, ganz.

un-zerrüttelich adj. unzerreissbar.

un-zerscheiden part. adj. ungeteilt.

un-zervüeret, -zervuort part. adj. unverwirrt; unzerstört, unverletzt, ganz; unerörtert.

un-zerworht part. adj. nicht zerlegt.

un-ziere adj. unschön; traurig. - stf. unschönheit, schmach. -**zieren** swv. unschön machen.

un-zifer stn. = *ungezibere.*
un-zimelich adj., -**zimeliche** adv. unziemlich, ungeziemend.

un-zit stf. nicht die gehörige, unpassende zeit. -**zitec, -zitic** adj. nicht zur rechten zeit geschehend, nicht zeitgemäß; unpassend; was noch nicht die gehörige zeit, die gehörige reife erreicht hat.

un-zuht stf. betragen gegen die *zuht*, ungehörigkeit, ungeschicklichkeit, ungezogenheit, ungesittetheit, gewalttätigkeit, roheit; unsittlichkeit; leichteres rechtliches vergehn. *u. begân an einem* unrecht zufügen.

un-zwivelliche adv. ohne widerrede, ohne zaudern; zweifellos, wahrheitsgetreu.

uoben s. *üeben.*
uober adj. tätig.
uohse, üehse swf. achselhöhle.
uoht- s. *uht-.*
uop, -bes stm. landbau; treiben, handlungsweise; gebrauch, übung, sitte. -**lich** adj. üblich.
uo-sezzel stm. aufsatz.
uover stn., md. *über*, ufer.
uoveren swv, in md. *zusamne überen* an den ufern zusammenfliessen.

üppe, uppe stn. leerheit, vergeblichkeit; eitelkeit. - stf. üppigkeit. **üppec, üppic** adj. überflüssig, unnütz; nichtig, leer, eitel; leichtfertig, liederlich; übermütig, hochfahrend. **üppec-heit, üppekeit** stf. leben in überfluss; eitelkeit, nichtigkeit, vergänglichkeit; leichtfertigkeit; übermut. **üppeclich** adj. = *üppec.* **üppigen** swv. tr. unnütz machen, für nichtig, für ungültig erklären.

ûr s. *ûre.*
ûr, ûre stswm. auerochse.
ur-alt adj. sehr alt.
ur-ane, -ene, -aniche swm. urahn.

ur-bar s. *urbor.*
ur-bären swv. md. intr. u. refl. sich zeigen, zum vorscheine kommen, entstehn. — tr. sehen lassen, zeigen, offenbaren, hervorbringen, anstiften, ausüben, zubringen.

ur-baric adj. -**barigen** (*urbrigen, urbaring, urbering, urbring, urbaring, verbering*) adv. unvorhergesehn, plötzlich.

ur-bor, -bar stf. n. zinstragendes grundstück, zinsgut, zins von einem solchen, rente, einkünfte überh.; bildl. besitz, reich (vom himmelreich, gott). - swm. der zinspflichtige. **urbor-buoch** stn. verzeichnis von zinsgütern, abgaben und gefällen. **ur-borer, -burer** stm. zinseinnehmer. **urbor-liute** pl. zinspflichtige, die *urbor* d. h. etw. als *urbor* inne haben, wovon *urbor* geben oder entneh-

men, dann überh. etw. aus-
nutzen, handhaben, brauchen,
üben. — refl. sich hervortun,
anstrengen.
ur-bot stn. anerbieten; art
und weise wie man aufgenommen wird, behandlungsweise,
bewirtung; erlass.
ur-bû stm. = *unbû.*
ur-bunne, -bunst stf. missgunst, neid; feindseligkeit.
ur-burer s. *urborer.*
ur-bûwe, -bû adj. in *urbûwe*
befindlich, verfallen, unangebaut, öde.
ur-driuʒe, -drütze adj. unlust
erregend, lästig, peinlich; unlust empfindend, überdrüssig
mit gen. od. *an, von.*
ur-drütze stf. n., **-druʒ, -druz**
stm. überdruss, unlust, ekel;
langeweile.
ûre s. *ûr.*
ûre, ûr stswf. = *hôre, ôre,*
stunde; uhr.
ur-eigen stn. besitz.
ur-ene s. *urane.*
ur-êʒ adj. *ich werde urêʒ* mir
wird übel.
ur-gane stm. gang, ausgang,
spaziergang, -weg.
ur-gift stf. einkünfte, einkünfte tragendes gut.
ur-giht stf. aussage, bekenntnis (der sünden); aussage eines
missetäters vor gericht.
ur-grôʒ adj. sehr gross.
ur-gründe stn. erster grund.
ur-gûl stm. alter eber (vgl.
ursûl).
ur-haf stf. ursache.
ur-haft stf. ursprung.
ur-,ûr-,or-han swm.auerhahn.
ur-hap stmn. sauerteig; aufstand, aufruhr, streit, zank;
anfang, ursprung, ursache, anstiftung (persönl. urheber).
ur-heiʒ adj. sehr heiss.
ur-holz stn. = *unholz.*
ur-hou stm. verhau, grenze.
ur-, ûr-, or-huon stn. auer-
huhn.
urinâl stn. harnglas (lat. *uri-
nale*).
ur-kantnis stf. erkenntnis.
ur-kende stf. erkennung,
kennzeichen.
ur-kint stn. zwerg.
ur-klege adj. klaglos.
ur-kleine adj. ganz klein.
ur-kundære stm., **-künde,
-kunde** swm. zeuge. **-künde**
adj. geständig. **-künde, -kunde**
stn. f., md. *orkunde* zeichen,
anzeichen, kennzeichen, merkmal, zeugnis, beweis, bekun-
dung, angabe, bedeutung; erkundigung; anweisung, wille,
befehl; schriftl. zeugnis, urkunde, bibel, altes od. neues
testament; *heimelich urk.* geschlechtsteile. **-künden, -kun-**

den swv. tr. bezeugen; *einen
urkunden* ihm den richterl. ausspruch urkundlich mitteilen;
einem sînen willen urk. zu wissen tun. **-kundic** adj. urkundlich.
ur-kunft stf. das aufkommen, auferstehn.
ur-lage stf. schicksal; krieg.
urle swf. md. türangel, -band.
ur-leibe stf. überbleibsel.
ur-lende adj. ausserhalb des
landes.
ur-liugære, -er stm. krieger;
der krieg führt. **-liuge, -louge**
stn. krieg, kampf, streit, fehde.
-liugen, -lougen swv. krieg
führen, kämpfen, streiten; tr.
bekriegen.
ur-lôse stf. erlösung.
ur-loubede stf. = *urloup.*
-louben swv. tr. erlaubnis wozu
geben, erlauben, gestatten, mit
infin. u. *ze,* mit abh. s. u. dp.;
einem erlaubnis geben zu gehn,
ihn verabschieden, entlassen. —
intr. u. refl. erlaubnis nehmen
zu gehn, sich verabschieden
(*sich ze einem url.* von ihm sich
verabschieden, subst. inf. abschied); *sich eines d. urlouben*
entschlagen. **-loup, -lop, -lob**
stmn. erlaubnis, bes. die erlaubnis zu gehn, verabschiedung,
abschied (*von einem oder ze
einem url. nemen* sich von ihm
verabschieden).
ur-mære, -mâre, mæric adj.
herrlich, berühmt, sehr gross.
ur-mehtec adj. sehr mächtig.
ur-michel adj. sehr gross.
ûrn stf. ein flüssigkeitsmass,
bes. für wein (lat. *urna*).
urrâ interj. (vgl. *hurrâ*).
ûr-rint stn. auerochse.
ur-sache stf. (swf.) ursache,
veranlassung, grund. **-sachen**
swv. tr. veranlassen, nötigen. —
refl. veranlasst werden, entstehn. **-sacher** stm. urheber.
ur-sage swm. der etw. zuerst
gesagt hat, gewährsmann. —
stf. aufkündigung der freundschaft, kriegserklärung; die
zwischenzeit zwischen dieser
und dem beginne der feindseligkeiten.
ur-satzen swv. ersetzen, vergüten; verpfänden. **-saz** stm.
ersatz, vergütung; reugeld;
unterpfand. **-sæʒeadj.** = *â-setze.*
ur-schiltes adv. so dass man
den schild wegwendet, um zur
führung des schlages oder stos-
ses ganz frei zu sein, plötzlich(?)
ur-schîn stn. urglanz, ursprung des lichts.
ur-sete stf. sättigung.
ur-slaht, -sleht stswf. ausschlag (krankheit), pocken.
ur-sorge adj. sorglos, sicher.
- stf. sicherheit.

ur-sprinc stmn. das hervorspriessen; ausschlagkrankheit;
das hervorspringende, der quell,
bildl. ausgangspunkt, ursprung;
urheber, erreger. **-springe** stf.
der quell. **-sprunc** stmn. quell,
bildl. ausgangspunkt, ursprung.
urssier s. *ussier.*
ur-stat stf. unterpfand.
ur-stende stf. n. das erstehn,
die entstehung; auferstehung.
ur-sûl stn. alter eber (vgl.
urgûl).
ur-suoch stm. nachforschung,
untersuchung, prüfung; versuch; erstes versuchendes spiel
auf einem instrument, vorspiel.
-suoche stf. was man sucht,
wonach man forscht; ver-
suchung; veranlassung; ausflucht, spitzfindigkeit.
ur-tât stf. endgültiger akt,
vollzug (*ze urtæte koufen* definitiv, ohne vorbehalt).
ürte, urte stswf. wirtsrechnung, zeche; wirtshaus, in
demselben sitzende gesellschaft,
zechgelage; gesellschaft, gemeinde. **ürten-meister** stm.
zechmeister einer zunft.
ur-teil, -teile, -teilde, urtel
stnf. richterliche entscheidung,
urteil, verurteilung; jüngstes
gericht; meinung, ausspruch,
entscheidung. **-teilære, -er** stm.
urteiler, richter. **-teilen** swv. tr.
beurteilen; urteilen, mit acc. u.
infin., urteil sprechen, abs. mit
dp. od. *über,* tr. mit as.: verurteilen. **urteil-lich** adj. zum
urteil in beziehung stehend, des
urteils, entscheidend (*der ur-
teilliche tac* der entscheidende
tag, das jüngste gericht). **-smit**
stm. urteiler, richter.
ur-var stn. stelle am ufer,
wo man an- oder überfährt,
landeplatz, überfahrt.
ur-vêch adj. frei von feindschaft, unangefochten.
ur-vêhe, -vêhede stf., **-vride**
stm. verzicht auf rache für
erlittene feindschaft, urfehde.
ur-vuor stn. = *urvar.*
ur-wære adj. nicht wahr,
treulos.
ur-weche, -wach adj.schlaflos.
ur-wîse adj. ohne führung.
ur-wîse adj. sehr weise.
ûse f. das durch übung (lat.
usus) in der musik zu erler-
nende.
üsele, üsel, usele, usel swstf.
(stm.) asche, funkenasche,
aschenstäubchen. **usel-var** adj.
aschfarb.
ussier, urssier stm. boot,
barke (afz. *ussier*).
ûter, iuter stmn. euter.
ûve, ûfe swm. nachteule, uhu.
ûve, ûfe swfm. das zäpflein
im halse.

ûz, ouz präp. mit dat. aus (aus etw. heraus, von innen hervor), von etw. weg, hinaus über (*ûz der mâze* ausserordentlich), ausserhalb; ursprung, heimat, wohnort, stoff, ursache, mittel, vorzug bezeichnend. — adv. räuml. u. zeitl. aus, heraus, hinaus, draussen, fort, hindurch, zu ende. — bei verbis z. b. *ûz-berâten* verheiraten. — *bereiten* fertig machen, ausrüsten; ausschmücken. — *bescheiden* aussondern; bestimmen, festsetzen. — *bilden* eine nachbildung wovon zeigen. — *borgen* tr. ausborgen, gewinnen; durch geld auslösen. — *brëchen* intr. aus-, hervorbrechen, ausgehn, sich zeigen; tr. aus-, herausbrechen, ausreissen; bergm. *einen slac ûz br.* auf einem durchbrochenen gange weiter fort brechen. — *brësten* intr. aus-, hervorbrechen; *an dem lîbe ûz br.* anschwellen, beulen, ausschlag bekommen. — *bringen* aus-, heraus-, herbringen; hervorbringen, erfinden, austeilen, verwenden; unter die leute bringen, verraten; bekannt machen, preisen; zu ende, zu stande bringen. — *dingen* ausnehmen, vorbehalten, ausbedingen; ausnehmen, sichern, schonen. — *erbrogen* ertrotzen. — *gân, gên* aus-, heraus-, hervorgehn; über die ufer treten; ausgehn, zu ende gehn, verfliessen, sich verlieren; *eines dinges ûz g.* ihm ausweichen, sich ihm entziehen; *eines d. ûz g.* seine rechtl. ansprüche auf etwas aufgeben; *einem eines d. ûz gân* es ihm verweigern, abschlagen. — *gëben* ausgeben, versenden; ausstatten; verheiraten; aufgeben, vorlegen (*frâge*); aussagen, behaupten von, bekannt machen; anfangen. — *gebieten in ein lant* dört verkündigen lassen. — *heben* refl. sich aufmachen. — *klagen* mit gerichtl. klage verfolgen und aus dem besitze setzen. — *komen* aus-, heraus-, loskommen; entstehn, gewohnheit werden; bekannt werden, sich verbreiten; verfliessen, zu ende gehn, aus sein. — *kürnen* esmaillier. — *lâzen* abs. landen; *den geist û.* aufgeben. — *legen* zum verkauf auslegen, feil halten; besetzen, verbrämen; ausrüsten, erfüllen mit; schmücken; darlegen; an-, festsetzen, bestimmen, verabreden; hinweisen auf, andeuten; auseinander legen, auslegen, erklären. — *lieren* hervorleuchten, -blicken. — *ligen* aussen sein, bleiben; zu felde liegen; bis zu ende (im bette) liegen mit temp. acc. — *machen* vollenden; hervortreten lassen, putzen, zieren; refl. sich aufmachen, ausmarschieren. — *nëmen* tr. aus-, herausnehmen, auslösen; *zins ûz n.* erheben; ausnehmen, -schliessen; hervorheben, bestimmen; aus einer grösseren menge herausnehmen, sondern, hervorheben, auswählen, auszeichnen; refl. sich aus-, absondern, losmachen. — *rëhten* aufs rechte bringen, berichtigen; im wege rechtens ausmachen; aus-, entrichten. — *rihten* ausglätten, ausbessern; in ordnung bringen, schlichten, versöhnen; abs. recht sprechen; verwalten, regieren; versorgen, ausstatten, mit dem nötigen versehen (das abendmahl reichen); besorgen, ausführen, vollbringen; dichterisch gestalten; abfertigen; entrichten, bezahlen, vergüten; erklären, beantworten; loben, preisen, rühmen, tadeln, verspotten, durchhecheln. — *scheiden* auswählen; zuteilen, verleihn. — *schiezen* tr. auswerfen; hervortreiben (von pflanzen); ausnehmen, -schliessen; hervorbrechen (durch abwägen); refl. sich aus-, absondern; intr. sich erheben, herausschiessen, hervorbrechen; hinausragen. — *schrîen* tr. ausrufen, verkünden; intr. aufschreien. — *seigen, seigern* prüfend wägen und aussondern. — *setzen* absondern, entfernen; ausräumen, leeren; ausstatten, dotieren; verpfänden; festsetzen, bestimmen; ausnehmen, auslegen, verzieren; — *stîn* aussen sein; aus, zu ende sein. — *slahen* tr. ausschlagen, aus-pressen, -dreschen; umhauen; aus-, zurückschlagen, -weisen; austreiben, verjagen, verban-nen; auslassen, frei lassen, entlassen; verwüsten, zerstören; aufschlagen (*gezelt*); intr. nach auswärts schlagen, dringen; ausreissen, fliehen. — *stân* aus-, wegbleiben; ausruhen (vom pferde). — *stôzen* aus-, hinausstossen, verstossen; hinausstrecken; abs. landen. — *tagedingen, teidingen* durch unterhandlung frei machen, los-kaufen; eine sache gerichtlich zu ende führen. — *tagen, tegen* einen *ûztac* ansetzen; *die gevangen ûz t.* bis auf einen bestimmten tag entlassen. — *tragen* aus-, hinaustragen; *mit worten ûz tr.* ausdrücken, *die zît ûz tr.* hinbringen; zum austrage bringen, schlichten; ausmachen, festsetzen, bestimmen. — *trëten* aus-, heraus-, hervortreten; auf die seite treten, aus-, abweichen. — *tuon* tr. ausziehen, entkleiden mit ap., as.; ausmachen, -löschen; vollenden; austreiben; ausgehn lassen, ausbringen, verbreiten; verpachten; auftun, -machen, ausleeren; part. *ûz getân* der sich hervorgetan hat, ausgezeichnet; refl. sich vernehmen lassen, sich über etw. (gen.) erklären; sich ausgeben *vür* oder gs.; mit gen. sich einer person oder sache entäussern. — *varn* herausfahren, sich auf den weg machen, ausziehen, reisen; sich seiner haft od. eingegangenen verbindung entledigen, sich frei machen. — *vazzen* ausrüsten. — *warten* acht geben; mit dp. aufwarten, dienen, mit ds. sorgen für, richtig versehen, aufmerksam anwohnen, besuchen. — *wenden* abs. beim bestellen des feldes auf des nachbars acker fahren. — *wërfen: sich û. gegen* sich redend gegen jmd. erheben. — *wîsen* abs. ausweisen, beweisen; tr. mit ap. ausweisen, verweisen, -treiben; ausstatten, -steuern; gütlich vergleichen; *ein urteil ûz w.* aussprechen, verkünden. — *zeigen* zeigen, weisen; anweisen, zusichern. — *zeln, zellen* im passiv: zu ende sein; auswählen (*ûz gezelt* aus-gewählt, vorzüglich). — *ziehen* intr. ausziehen; tr. aus-, herausziehen; entkleiden; ausnehmen; befreien; abs. hervorholen, auskramen, erzählen; refl. entkleiden.

ûz-baz adv. weiter hinaus.
ûz-becker stm. bäcker von auswärts.
ûz-blâst stm. das ausblasen, ausatmen.
ûz-bruch stm. das hervorbrechen, der ursprung.
ûz-burger stm. einer, der erworbenes bürgerrecht auch auswärts beibehält.
ûz-dinc stn. endtermin.
ûze, ouze präp. mit dat. aus. —räuml. adv. aussen.
ûzen, ûz den.
ûzen s. *ûzenen.*
ûzen präp. mit dat. aus; ausser, ausserhalb. — adv. aussen, ausserhalb, hinaus.
ûzenân adv. aussen, ausserhalb.
ûzenen, iuzenen iuzen swv. refl. mit gen. sich fortmachen von, sich entäussern, enthalten.
ûzer = *ûz der.*

ûȝer, ouȝer präp. = ûȝ mit dat. — adj. äusser, äusserlich; auswärtig, fremd. -halben, -halbe, -halp adv. u. präp. mit gen. auf der äussern seite, ausserhalb. -heit, -keit stf. aussenseite, äusserlichkeit. -lich adj., -liche adv. äusserlich, die rechte grenze überschreitend; fremd. -licheit stf. äusserlichkeit, aussenwelt. -man stm. mann von ausserhalb. -schame stf. die scham vor den leuten.

ûȝerunge stf. äusserung, rede; entfernung,ausweisung. ûȝerunt, ûȝerent präp.mit dat.ausserhalb.

ûȝern, luȝern swv. = ûȝenen.

ûȝ-ganc stm. das herausgehn, ausgang, -tritt, -zug; durchfall, ruhr; hinein- oder hinausführender weg, tor; ausgang, endpunkt, ende.

ûȝ-gêber stm.austeiler,auszahler, schaffner; anstifter, urheber.

ûȝ-genomen part. adj. ausgezeichnet, vortrefflich.

ûȝ-gesinde stn. was nicht zum gefolge gehört.

ûȝ-gewande swf. ungepflügter streifen zwischen zwei angrenzenden äckern.

ûȝ-guot stn. gut in einem fremden gebiete.

ûȝ-guȝ stm. ausgiessung.

ûȝ-hêr adv. heraus.

ûȝ-hilfe stf. aushilfe, beisatz.

ûȝ-hin adv. hinaus.

ûȝ-hûs stn. erker, söller.

ûȝ-kint stn. kind aus der ehe mit ungenôȝen.

ûȝ-kouf stm. ablösung m. geld.

ûȝ-kundic adj. klug, geschickt.

ûȝ-kürnunge stf. glasur.

ûȝ-ladunge stf. = überbû in 1. bedeutung.

ûȝ-leger stm. ausdeuter. -legunge stf. auslegung, deutung, übersetzung; beantwortung; offenbarung; geldauslage.

ûȝ-lender stm. ausländer, fremder. -lendic, -lendisch adj. ausländisch, fremd.

ûȝ-libec adj. ûȝl. werden ohne nachkommenschaft sterben.

ûȝ-liute pl. zu ûȝman.

ûȝ-louf stm. auszug; durchfall, ruhr.

ûȝ-mælic adj. durch rang od. ansehen hervorragend, ausgezeichnet.

ûȝ-man stm. mann von ausserhalb.

ûȝ-manen stn. aufforderung zum auszug.

ûȝ-mehtec adj. sehr mächtig.

ûȝ-punct stm. excentricitas. -punctec adj. excentricus.

ûȝ-reise stf. auszug, abreise; s. v. a. reisenote.

ûȝ-rihte adj. tätig, umsichtig an. - stf. anweisung, auskunft; zurechtweisung, tadel; vergütung. -rihter stm. ausrichter, vollführer; testamentsvollstrekker; schiedsrichter; ausgeber. -rihtic adj. akt. ausrichtsam, tätig, umsichtig, geschickt, anstellig. — pass. in die ordnung gebracht, ausgeglichen, vergütet. -rihtunge stf. ausrichtung,besorgung,abfertigung;beantwortg.;ausgleichung,schlichtung, entschädigung, bezahlung.

ûȝ-saz stm. aussatz; das herholzes; ausnahme, bedingung, bestimmung; ausschnitt am kleide; excentricitas.

ûȝ-sæȝe adj. auswärts wohnend od. ansässig.

ûȝ-scheide stf. ausscheidung, weggang.

ûȝ-schellic adj. verlautbart, bekannt.

ûȝ-schieȝ stm. vorspringender bau, erker, bastion.

ûȝ-schin stm. das herausleuchten.

ûȝ-schrift stf. abschrift, kopie.

ûȝ-schrit stm. auszug; zug des läufers auf dem schachbrett.

ûȝ-setze, -setzige stf. aussatz. - swm., -setzel stm. der aussätzige. -setzic adj. aussätzig.

ûȝ-sidel m., -sideline stm. = ûȝman.

ûȝ-sieche swm. der aussätzige.

ûȝ-sloufen swv. ausplündern.

ûȝ-sprâche stf. ausspruch; û. des rehten urteil. -sprêcher stm. ausrufer; verordneter sprecher einer gemeinde bei einem teidinge. -spruch stm. ausspruch; schiedsspruch.

ûȝ-sprunc stm. das heraus-, hervorspringen; sprung auf d. schachbrette; das herausfliessen; ursprung, anfang.

ûȝ-stant stm.ausstehndes geld.

ûȝ-stellic adj. ausstehend; festgesetzt, bestimmt.

ûȝ-tac stm. endtermin; schweiz. frühling. -tagen swv. unpers. frühling werden.

ûȝ-trac stm. austrag, schlichtung, entscheidung. -tragen stm. das hinaustragen, der tod.

ûȝ-trit stm. austritt, -gang; entweichung.

ûȝ-vai stm. ausfall; das herausgefallene.

ûȝ-vanc stm. = ûȝladunge.

ûȝ-vart stf. das hinausgehn, der auszug, die wegreise; verbannung; hinausführender weg, ausgang.

ûȝ-vlieȝ, -vluȝ stm. ausfluss.

ûȝ-voget stm. vogt ausserhalb der stadt.

ûȝ-wallen redv. überkochen.

ûȝ-wart s. ûȝ-wêrt.

ûȝ-warte swm. markaufseher.

ûȝ-wêhsel stm. auswechsel, -tausch; entschädigung.

ûȝ-wende adv. auswendig. -wendic adj. auswendig, äusserlich; auswärtig. — adv. auswendig, äusserlich, von aussen, ausserhalb. — präp. mit gen., dat. ausserhalb.

ûȝ-wêrt, -wart adj. auswärtig. -wêrt adv. äusserlich; auswärts, nach aussen hin. -wêrtic, -wirtic adj.äusserlich;auswärtig.

ûȝ-wist stf. auskunft, belehrung.

ûȝ-woner stm. gegensatz zu inwoner.

ûȝ-zoc stm. auszug; einrede. -zuc stm. auszug; einwand, ein-, widerrede, ausflucht, ausnahme; gerichtl. einrede.

V F

fabele, favele, fabe stswf. erdichtete erzählung, märchen; unterhaltung (fz. fable, lat. fabula). fabelie, favelie stf. unterhaltendes gespräch. fabelierære stm. fabel- od. märchenerzähler. fabel-lich adj. märchenhaft. -sager stm. fabel- od. märchenerzähler.

vach stn. vorrichtung zum aufstauen des wassers und zum fischfange, fischwehr; fang (der vögel), fangnetz; stück, teil, abteilung (einer räumlichkeit, einer wand, mauer, der rüstung, des schildes usw., falte des schleiers, hemdes). -boum stm. baum zum aufstauen des wassers. vachen swv. abs. mit einem vache fischen. — tr. in vach bringen, einteilen, ordnen.

vâch stm. f. fang; capistrum. -garn stn. fanggarn. -valle swf. falle zum fangen.

vachen swv. ndrh. unpers. schläfern (nd. vaken).

vackel stswf. facula. vackelen swv. brennen wie eine fackel. vackel-lieht stn. brennende fackel.

vade, vate swf. zaun, umzäunung.

vadem, vaden stm. faden; garn; schnur; draht. -rêht stn.. -rihte stf. richtschnur, richtung nach derselben.

vagen swv. willfahren, gehorsam sein mit dp.

vager adj. schön, herrlich.

vâhen, vân stw. 2 tr. fassen, fangen, auffangen, greifen, ergreifen, einfangen, einnehmen, gefangen nehmen, festhalten; umfassen, -fangen, einfassen, einhüllen; auffassen, verstehen; anfangen; annehmen, bekommen. — refl. sich fassen, halten bî, ze handen; hinwenden zuo; sich einhüllen in. — intr. anfangen, begin-

nen; *vûrbaz v.* (in der erzählung) fortfahren; *an etw. v.* die richtung wohin nehmen, sich wenden zu; *v. nâch* nacharten; *v. ze* wonach greifen u. wozu gelangen, fassen u. an sich ziehen, mit etw. beginnen, anfangen. **vâher** stm. fänger. **vâhunge** stf. das fassen, fangen. **vahs** stnm., md. *vas, -sses,* die haupthaare. **-strëne** swm. haarflechte.

faile, vaiíen s. *væle, vælen* 1. **failieren, fâlieren, fallieren** swv. tr. u. intr. fehlen. — refl. fehl gehn (fr. *faillir,* lat. *fallere*). vgl. *vælen* 2. **failunge** stf. irrtum, lüge. **vake** swm. schwein. **val, *-wes*** adj. bleich, entfärbt, fahl, verwelkt; gelb, blond, falb. **vale-hære** adj. blondhaarig. **-vahs** adj. blondhaarig. **val-rôt** adj. hellrot.

val, *-lles* stm. fall (der würfel, des wassers, der töne), mündung (eines flusses), sturz, niederlage, verderben, untergang, tod; abfall; anheimfall eines lehns; straffall, geldbusse, strafe; das dem herrn eines gutes entrichtet wird, wenn dasselbe durch tod (*val*) oder sonstwie den besitzer ändert; anrecht auf eine wasserkraft. **-bære** adj. verpflichtet dem lehnsherren den *val* zu geben; wovon der *val* entrichtet werden muss. **-brücke** f. fall-, zugbrücke. **-guot** stn. = *valbærez guot.* **-isen** stn. türklinke. **-man** stm. der den *val* (abgabe) entrichten muss. **-porte** swf. fall tor. **-rëht** stn. recht den *val* zu nehmen. **-stoc** stm. grenzstock eines gerichtssprengels. **-übel** stn. (kontr. *falwel*)=*daz vallende übel.* **vâl** stf. s. *væle.*

vâlant, *-des* stm. teufel teufelähnliches wesen. **vâlantinne, vâlentinne, -dinne, -in** stf. teufelin, teuflisches, wildes weib. **valben** s. *valwen.*

vald- s. *valt-.* **væle, vêle, vêl, veile, faile** swstf. mantel (fz. *voile,* lat. *velum*). **vælen, vaiíen, feilen** swv. einhüllen; verschleiern, verheimlichen, übergehn.

væle, væl, vâl stf. das fehlen, verfehlen. **vælec** adj. fehlerhaft. **vælen, vêlen, vâlen, veilen** swv. fehlen, sich irren, trügen; mit as. übergehen; mit dp. fehlen, fehlschlagen, mangeln; fehlen, verfehlen, nicht treffen, abs. od. mit gen. (fz. *faillir,* lat. *fallere*). **vælic** adj. fehlend *an,* betrügerisch. **valgen, velgen** swv. umackern, umgraben.

valiere stf. das ansprengen mit dem pferde.

faljen swv. ndrh. = *failieren.* **vaíke** swm. falke als jagdvogel, als spielzeug der frauen u. als bild des geliebten (lat. *falco).* **valkelin, velkelin** stn. **valkenære, velkenære, -er** stm. falkner. **valken-bôz** stm. falkenstoss. **-klâr, -lieht** adj. hell wie das falkenauge. **-sëhe** stf. falkenblick. **-tërze, -tërz** m. n. = *tërze.* **valle** stswf. falle; türklinke. **vallen** redv. 1 fallen (*umbe die burc v.* die stadt belagern), stürzen, sinken, plötzlich kommen; zu falle kommen, sündigen; mit dp. zufallen, -kommen, zuteil werden. *an sine venje, sin gebet v.* anfangen zu beten, *an einen v.* um den hals fallen, *v. ûf* auf etw. verfallen. **vallen** swv. einen *val* (abgabe) leisten od. nehmen. — tr. für einen den *val* geben, von einem den *v.* nehmen. **vallende** part. adj. fallend (*vallendiu suht, daz vallende übel, leit* u. bloss *daz vallende* die fallsucht). **valle-tor, valtor, valter** stn. falltor; von selbst zufallendes zauntor.

faliieren s. *failieren.* **valsch. vals** adj. akt. treulos, unredlich, unehrenhaft, unwahrhaft. — pass. *unecht, nachgemacht, unrichtig, irrig, trügerisch (prov. *fals,* lat. *falsus*). - stm. betrügerisches wesen, betrug, unredlichkeit, treulosigkeit; unechtes, gefälschtes metall, falsches geld, falschmünzerei. **valschære, velschære, -er** stm. der treulose, verleumder; betrüger; fälscher, falschmünzer; irrlehrer, ketzer. **valschen** swv. *valsch* sein. **valscherie, velscherie** stf. betrug, fälschung. **valsch-haft (valschaft)** adj. mit *valsch* behaftet, treulos, unredlich, betrügerisch. **-heit (valschejt)** stf. untreue, unredlichkeit, betrug. **valschie** adj. = *valsch.* **valschlich, velschlich** adj., **-liche** adv. treulos, unredlich, betrügerisch. **falschôn (falschôn)** stm. krummer säbel.

vait stm. falte, faltenwurf. **-stuol** stm. falt-, klappstuhl (daraus afz. *faudestueil,* fz. *fauteuil*). **valte, valde** stswf. falte, faltenwurf; hautfalte; zusammenfaltung, lage eines zusammengelegten kleides, in welcher es aufbewahrt wird, dann überh. aufbewahrung, verschluss; lage eines buches; windung, umschlingung; ecke, winkel. **valten, valden** redv. 1 tr. falten, zusammenfalten, verschränken. — refl. sich falten, umbiegen, krümmen, beugen;

sich einhüllen; *ze* sich gesellen zu. **valten, valden** swv. falten. **valter, valter** s. *valletor.* **valwen** swv. *val* sein oder werden, sich entfärben, welken. **valwische, velwesche** stswf., **valwisch** stm. asche, flugasche, aschenstäubchen. **valz** stm., **valze** swm. falz, fuge, bes. die rinnenartige vertiefung längs der fläche oder dem rücken des schwertes.

valz stm. das begatten der vögel, namentl. der auerhähne. **valzen** redv. 1 biegen, krümmen.

faminelle stf. frauenkraut, -minze (mlat. *feminella*). **van** s. *vane, von.* **vân** s. *vâhen.* **vanc, -ges** stm. der fang, das auf-, umfangende. **vanc-, vencnisse** stf. gefängnis, gefangenschaft; gefangennehmung. **vanc-, vencnissen** swv. verhaften. **vanc-nüssede, -nüst, -nust** stf. n. gefangenschaft. **-sam** adj. *diu v. stat* gefängnis. **vanden, vannen** swv. besuchen (nhd. *fahnden*). **vandunge** stf., ndrh. *vandinge,* besuchung.

vane, van swstm. (md. auch stf.) fahne, banner; unter einer fahne stehnde heeresabteilung. **vanen** swv. mit einer fahne versehen, **vanen-meister** stm. fahnenträger. **-vüerer** stm. dasselbe; anführer einer heeresabteilung. **vaner, vâner** s. *venre.* **van-lêhen** stn. fahnlehn, ein grosses vom könige unmittelbar einem fürsten mit übergabe einer fahne verliehenes lehn. **vanke** swm. funke. **vannen** s. *vanden.* **vant, -des** stmn. naturalerträgnis von grund u. boden, habe u. gut.

fantasie f. (*fantasunge* stf.) einbildung, trugbild, anfechtung (gr. lat. *phantasia*). **vanten** s. *venden.* **vanz** stm. schalk; betrug. s. *ale-, anvanz, venzelin.* **var** s. *varwe.* **var, vare** adj. (flekt. *varwer, varber, varer*) farbig, gefärbt, gestaltet, aussehend nach (gen. od. *nâch*). **var-lôs** s. *varwelôs.* **var** stf. weg, bahn, zug, fahrt, reise; wilde jagd, wildes heer; aufzug, art und weise, *mit aller v.* durchaus. - stm. platz wo man überfährt od. landet, ufer, fähre. **-wëc** stm. fahrweg, -straße.

var, phar, -rres stm. stier. **varch, -hes** stn. schwein, ferkel. **-muoter** stf. zuchtsau. **fardël, vardël** stn. bündel, ballen, pack (it. *fardello*).

vâre stf., **vâr** stfm. nachstellung, hinterlist, falschheit, betrug (*âne*, *zunder v.* ohne böse absicht, aufrichtig), gefährdung, gefahr, nachteil; streben, begierde, aufmerksamkeit, eifer (*mit*, *ze v.* eifrig); furcht, befürchtung; rechtl. arrestationsrecht; strafe. **vǣre** stnf. *etw. ze vǣre tuon* aus böser absicht. **vǣrec**, **vǣrîc** adj. heimlich nachstellend, hinterlistig, feindselig. **vâren** swv. feindlich trachten nach,nachstellen, böses im sinne haben gegen, gefährden mit gp. od. gs.; wonach streben, trachten, worauf achten mit gs.; fürchten. **vâren** stn. nachstellung, hinterlist, betrug; ein hazardspiel; gefahr; furcht. **vǣren** swv. nachstellen, gefährden mit ap., gs.; wonach (gen.) trachten; strafen. — abs. täuschen. **vǣringen** adv. aus dem hinterhalte, hinterlistig. **vǣr-lich** adj. hinterlistig, verfänglich; gefährlich. **vǣr-liche** adv. aus dem hinterhalte, hinterlistig, in böser absicht. **vǣr-licheit** stf. hinterlist, betrug; fährlichkeit, gefahr. **vǣr-lingen** adv. = *vǣringen*. **vâr-listic** adj. hinterlistig. **vâr-slac** stm. hinterlistiger schlag. **vǣrunge** stf. bestrafung, strafe.

varm stm. was gefahren wird: nachen, fähre.

varm, **varn** stm. farnkraut.

varn, **varen** stv. VI (perf. mit *haben* u. *sîn*) intr. sich von einem ort zum andern bewegen, fahren, wandern, ziehen, gehn, kommen; *varn lâzen* nachlässig sein, geschehen lassen, aufgeben, aufheben, nachlassen, tilgen, ungestraft lassen; gehn, ergehn unpers. u. pers. konstruiert; verfahren, sich benehmen (*v. über* herfallen über); sich befinden, leben. — tr. fahren auf, durch; ausziehen auf, antreten, unternehmen. *ein buoch biz an daz ende v.* ganz durchlesen. **varnde** part. adj. fahrend, wandernd, umherziehend (*die varnden* das umherziehende volk der sänger u. spielleute, ebenso *varndiu diet*, *varndez volc*, *varnde liute*; *varnder man* spielmann, vagabund, *varnde frouwen*, *wîp*, *töhter* landstreicherinnen, huren); zu gange gebracht; hin u. her fahrend; unsicher, ungefähr; beweglich (*varndez guot*, *varndiu habe*); vergänglich. **farniz** s. **firnîs**.

varre, **pharre** swm. = *var* stier. **vart** stf. fahrt, zug, reise (zweikampf, kriegszug, wallfahrt), gang, lauf, umlauf, weg, fährte; *diu gemeine v.* tod, *d. g. v. varn* sterben. in allgemeinerer bedeutung: *an. ûf die v. bringen* dahin bringen (eig. auf den weg, die fährte); *der, an der, ûf der vart* an der stelle, sogleich; *ein vart* einmal, *alle vart* immer, überhaupt; in formelhaften wendungen zeitpunkt oder gelegenheit bezeichnend; was auf einmal geführt wird. -**genôz** stm., -**geselle** swm. reisegefährte. -**man** an. m. reisender, herumziehender kaufmann.-**müede** adj. müde von der reise. -**wëc** stm. fahrweg. **varvelen** pl. suppe mit geriebenem teig, mit gequirlten eiern. **varwe**, **var** stf. farbe (farbe der haut usw., farbe zum anstreichen, schminke; weidm. blut, schweiss); aussehen, glanz und schmuck, schönheit. **varwelin** stn. dem. zu *varwe*; stückchen farbe. **varwe-**, **varlôs** adj. farblos, bleich. **varwen** swv. farbe gewinnen, glänzen. **varz** stm. furz. **varzen** swv. pedere.

vas s. **vahs**.

fasân, **fasant** stm. fasan (umged. *vashan*), gr. lat. *fasianus*. **fasch**, **fasche** stswf. binde (lat. *fascia*).

vaschanc, **vaschang**, **vassang** stm. fasching, fastnacht. **vase** swm. faser; franse; einfassung, saum (des gewandes). **vasel** stm. der fortpflanzung dienendes männliches vieh, zuchtstier, -eber u. dgl. - stn. das junge, die nachkommenschaft; gezücht, gesinde. **vaselen** swv. gedeihen, fruchten. **vasel-muoter** f. zuchtsau. -**rint** stn., -**stier** stm. zuchtstier. -**swin** stn. junges zuchtschwein. -**vihe** stn. zuchtvieh. **vasen**, **vesen** swv. fasern bilden, wurzeln schlagen, sich fortpflanzen, gedeihen. **vaser** f. franse. **vashan** s. *fasân*. **vas-naht** s. *vastnaht*. **fasôl**, **phasôl** swf. bohne (mlat. *faseolus*, s. *visôl*). **vassal**, **vassel** stm. vasall; ritter, junker (mlat. *vasallus*, fz. *vassal*). **vassang** s. *vaschanc*. **vassen** swv. quaerere, investigare (ahd. *fasôn*). **vast** adj. fest, stark, befestigt (vgl. *veste*). **vaste**, **vast** adv. fest, enge sich anschliessend, nahe an, bis an; stark, gewaltig, schnell, sehr, recht; komp. *vaster* u. *vester* mêhr. **vaste** stswf. das fasten; fastenzeit; busse. **vastel-muos** stn. fastnachtspeise. -(**vestel**-)**naht** stf. = *vastnaht*. -(**vestel**-)

tac stm. fasttag. **vasten** swv. intr. fasten; mit gen. sich enthalten von. — tr. (mit fasten) büssen für. **vastenkiuwe** f. fastenspeise. -**mësse** stf. jahrmarkt in der fasten. **vaster** stm. fastender. **vaste-**, **vast-tac** stm. fasttag. **vast-muos** stn. fastenspeise, hülsenfrüchte. -(**vas**-)**naht** stf. vorabend vor beginn der fastenzeit, tag vor aschermittwoch (unterschieden werden: *diu rehte v.* dienstag vor aschermittwoch; *diu grôze*, *diu alte v.* sonntag Invocavit; *der herren*, *pfaffen v.* sonntag Estomihi; ebenso *aller manne v.*). -**woche** swf. woche in der fasten.

vate s. *vade*.

vater an. m. vater, spez. von gott, vom landesherrn, von geistl. würdenträgern (papst, kardinal, priester, name der ersten einsiedler, der s. g. altväter); pflegevater; pate; vorfahr; kolik. -**bære** adj. vatergemäss. -**halbe**, -**halp** adv. auf, von väterlicher seite. -**heim**, -**heime** stnf., -**heimuot** stf. vaterland, heimat. -**heit** stf. vaterschaft; väterlichkeit. -**kraft** stf. väterliche gewalt. -**lant** stn. vaterland, heimat; himmel. -(**veter**-)**lich** adj., -**liche** adv. väterlich. **vaterlin**, **veterlin** stn. väterchen. **vater-mâc**, -**mâge** stswm. verwandter von väterl. seite. -**riche** stn. vaterland. -**teil** stn.väterl. erbteil.-wân stm. glaube, einen vater zu besitzen. **fatzen** swv. foppen, necken. **fâve** stf. bohne (lat. *faba*). **favele** s. *fabele*.

vaz, -**zzes** stn. fass, gefäss, schrein, instrument usw.; häufig phraseol.-**binder**, -**bender** stm. büttner. -**zieher** stm. auflader. **vazzer** stm. aus- u. einlader (der salzschiffe). **vazzen** swv. tr. fassen, erfassen, ergreifen, ein-, zusammenfassen; zusammenpacken und aufladen; bepacken, beladen; mit gold, farbe u. dgl. überziehen; rüsten, kleiden,schmükken. — refl. sich anhäufen; fahren, ziehen *in*, *über*; sich unterziehen mit gs.; sich bekleiden, schmücken. **vazzunge** stf. fass, fässer; bekleidung, schmuck. **febrieren** swv. fiebern (lat. *febrire*).

vêch s. *vihe*.

vêch, -**hes** adj. mehrfarbig, gefleckt, bunt, bes. von pelzwerk; schillernd, die farbe wechselnd. - stn. buntes pelzwerk, bes. vom hermelin; das hermelin. -**gemâl** adj. bunt. -**gemuot** adj. wankel-

mütig. **-mâl** stn. bunter fleck.
-var, -gevar adj. buntfarbig.
-wëre stn. buntes pelzwerk.
-wise stf. bunte wiese.
vêch, -hes adj. feindselig.
vecher stm. aufseher über
das *vach* (beim fischfange);
der mit einem *v.* fischende.
vedemen swv. fädeln, reihen
an; einfädeln. — refl. sich einschleichen *in.*
vëdere, vëder stswf. feder
(flaum-, schreib-, schwung-
feder); flaumiges pelzwerk.
vëder-angel stm. feine fischangel, welche durch die statt
des köders zu beiden seiten
angebundenen federchen die
gestalt eines fliegenden insektes
bekommt und nur auf der oberfläche des wassers hin und her
gezuckt wird, so dass die fische
darnach schnappen. **-bette** stn.
federbett. **-boge** swm. gefiederter, beflügelter *boge.* **-ge-
want, -gewæte** stn. = *vëderwât.*
-lëse swm., **-lëser** stm. feder-
leser, schmeichler. **-lësen** stv.
federlesen, schmeicheln. **-lëserin**
stf. bettlerin durch schmeichelnde dienstleistung. **-slagen,
-slahen** swv. flattern. **-snuor**
stf. schnur zu dem *vëderangel.*
-spil stn. zur vogelbeize abgerichteter vogel, falke, sperber,
habicht; koll. vögel. **-spiler**
stm. falkner. **-stricher** stm.
schmeichler. **-vlocken** swv. die
flügel zum fluge heben. **-vlücke**
stf. das auffliegen. **-wât** stf.
tücher zu federbetten, bettzeug; federkleid der vögel.
-wisch stm. federwisch; die
federn an den pfeilen; teufelsname. **vëderich, vëderiht, vë-
derit** stswm. f. bettzieche.
vëderin s. *viderîn.* **vëdrach** stm.
federn, flügel.
vege stf. ausfegung, reinigung. **vege-stat** stf., **-viur** stn.
fegefeuer. **vegen** swv. fegen, reinigen, putzen, scheuern. — intr.
fortwischen, stürmen.
vëh, vëhe s. *vihe.*
vëhe, vëhede, vëde stf. hass,
feindschaft, streit, fehde. **vëhe-
den** swv. befehden, bekriegen.
vëheder stm. feind, befehder.
vëhelich adj. feindselig. **vëhen**
swv. hassen, feindlich behandeln, befehden. **vëhen** stn.
hass, feindschaft.
vëhen swv. intr. bunt (*vêch*),
fleckicht werden. — tr. bunt
machen.
**vehsenen vehsen, vessenen
vessen** swv. fangen; nehmen,
in dienst nehmen; einnehmen,
einernten, einheimsen. **veh-
sunge** stf. ernte.
vëhte stf. streit, kampf.
ëhten swv. IV intr. fechten,

streiten, kämpfen, ringen, **ûf,
nâch**; unruhig sein; die arme
hin und her werfen; sich abarbeiten. — tr. fechten, aus-,
erfechten; bekämpfen, besiegen. - stn. das fechten, gefecht, der kampf, streit. **vëhter**
stm. fechter, kämpfer; herumziehender, kampfsuchender ritter. **vëht-genôze** swm. kampfgenosse. **-isen** stn. fechteisen,
schwert. **-lich** adj. anfechtend,
anreizend.
veic-heit stf. unheil. **-lich**
adj. todbringend. **-liche** adv.
zum tode bestimmt. **-tac, -tage**
stswm. todestag, tod.
veichen stn. verstellung, arglist, betrug (betrügerisch ge-
backenes brot).
feie, fei, feine swstf. fee
(mfz. *feie*, mlat. *fata*).
veige adj. pass. der vom
schicksale zum tode oder unglücke bestimmt ist, der sterben
muss oder unglück haben soll;
verwünscht, unselig, verdammt;
der hat sterben müssen, tot
ist; eingeschüchtert, furchtsam, feige; biegsam, schlank. —
akt. tod oder unheil bringend.
veigen swv. tr. *veige* machen,
töten, vernichten, verderben,
verwünschen. — intr. *veige*
werden, sterben, verderben, zu
nichte werden. — refl. sich selbst
verderben; sich unterwerfen.
veil-bat stn. bad, welches
man gegen bezahlung brauchen
kann. **-becker** stm., **-becke**
swm. bäcker, der brot zum feil-
haben bäckt. **-trager** stm. feil-
bieter, trödler.
veile, veil adj. feil, käuflich;
wol veile, wolveil leicht zu
kaufen, wohlfeil, häufig; *übele
veile* teuer; preisgegeben. *sich v.
geben* sich bereit erklären, wagen.
veile s. *væle.* **feilen, veilen** s.
vælen.
veilen swv. käuflich machen,
käuflich hingeben, verkaufen;
geben, hingeben mit dp.; hin-,
preisgeben, verlieren, wagen;
erkaufen, erwerben. — intr.
feil stehn.
veilic s. *vêlic.*
veilic adj. feil, zu haben.
veilsen, veilschen swv. einen
preis bieten, um etw. handeln,
feilschen.
veim stm. schaum; abschaum
veimen swv. abschäumen, ab-
fegen. **veimer** stm. eine art
fischernetz.
vein adj. fest, unverbrennlich
(vom ebenholze?).
feine s. *feie.* **feinen** swv. nach
art der feen begaben oder bezaubern, fest machen.
veist stm. = *vist.* **veisten**
swv. = *visten.*

feit adj. geschmückt, schön
(fz. *fait*, lat. *factus*). **feiten,
feitieren** swv. zurecht machen,
ausrüsten, schmücken. **feitiure**
stf. gestalt, ausrüstung, putz
(afz. *faiture*, lat. *factura*).
veiz, veize adj. gemästet,
beleibt, feist, fett. **veize, veiz**
stf. fett, feistheit; fülle; zeit für
die hirschjagd. **veizen** swv. *veiz*
machen. **veizet, veizt** adj. =
veiz; fruchtbar, reich, ergiebig
(von land, erde und früchten);
gesättigt, dunkel (von farben);
fettig, mit fett gemischt; dicht.
veizete, veizte stswf. = *veize.*
veizet-heit stf. feistheit. **veizten**
swv. tr. *veizt* machen, mästen.
— intr. *veizt* werden.
vël, -lles stn. haut, fell; leib,
person; eine augenkrankheit,
die blind macht; pergament;
dünne eisdecke.
vël, vêle s. *væle.*
vëlber s. *vëlwer.*
vel-boum stm. block, auf
dem man glieder und knochen
verstümmelte.
vëlden swv. trans. in felder
teilen (wappen); bildl. dichterisch darstellen. — intr. zu
felde, aussen sein. — refl. zu
felde, übers feld gehn. **vël-
dener** stm. feldner, eine art
höriger. **vëldunge** stf. feld-
bezirk; abgeteilte fläche auf
wänden, säulen, wappen.
vëlge stswf. radfelge. **vëlgen-
houwer** stm. felgenmacher.
velgen s. *valgen.*
vëlhen stv. IV s. *bevëlhen,
enpfëlhen.*
vëlic, veilic adj. sicher, ausser
gefahr (nd.).
veis, veltsen stn. mantelsack,
felleisen (fz. *valis*, it. *valigia*,
mlat. *vallegia, valisia*).
vël-jâr stn.unfruchtbares jahr.
velkelin, velkener s. *valk-.*
velle stf. fall, sturz. **vellec,
vellic** adj. zu falle kommend,
zum fallen geneigt, fallend bes.
im kampfe, vor gerichte überwunden; fallend (vom tone);
baufällig; hinfällig; verpflichtet
den *val* zu geben. **velle-man**
stm. fallmeister, schinder. **vellen** swv. tr. fallen lassen; zu
falle bringen, fällen, niederwerfen, stürzen, verderben,
töten; *den vogel v.* durch die
zusammenfallenden netzwände
fangen. — refl. sich werfen,
stürzen. **vellesal** stn. vernichtung, verderben, persönl. als
schelte. **velle-spër** stn. speer
zum fällen des gegners. **-tor**
stn. falltor.
vel-lich adj. gelegen, passend.
vëllin stv. dim. zu *vël.*
vels, velse stswm. **fels;** felsen-
schloss, feste. **vels-bërc** stm.

felsberg. **-bühel** stm. felshügel.
velsêht adj. felsicht. **velsen** swv.
auf felsen erbauen; aus oder wie
aus felsen machen. **velsîn** adj.
aus fels, aus felsen bestehend.
velschære s. *valschære.* **vel-
sche** stf. falschheit, treulosigkeit. **velschelære** stm. verleumder. **velschen** swv. fälschen, verfälschen; treulos machen; täuschen, irre führen; für
unwahr, treulos, unredlich,
schlecht erklären, entehren,
herabwürdigen, der falschheit
usw. beschuldigen, verleumden.
vel-sloȥ stn. klinke, riegel.
vëlt, -des stn. feld, boden,
fläche, ebene (lager-, kampf-
turnierplatz), das freie überh.
(*ze velde bringen* fertigbringen,
ausführen, *ze velde tragen* bekannt machen, *an dem velde
ligen* draussen stehen, ausge-
wiesen sein, *sîn velt rihten* belagern); das vom bergmann
gebaute feld; feld im wappen,
auf dem schilde, der fahne; feld
des schachbrettes; seite des
würfels. **-bluome** swmf. feld-,
wiesenblume. **-bû** stm. feld-,
bergbau. **-burc** stf. feldlager.
-büwære stm. bergmann. **-gebû**
stm. bestelltes feld. **-gerihte**
stn. gericht über feldsachen.
-güsse stf. feldbewässerung;
überschwemmung. **-müs** stf.
feldmaus. **-phert, -ros** stn. stute,
auf der weide befindliches
pferd; streitross. **-rihter** stm.
vorsitzer des *vëltgerihtes.* **-siech**
adj. aussätzig. **-striche** f. =
vëltphert. **-strît, -sturm** stm.
offene feldschlacht. **-vlühtic**
adj. feld-, fahnenflüchtig. **-wal**
stn. schlachtfeld. **-weider** stm.
abdecker. **-zuc** stm. feldzug.
vëlwe swstf. swm., **vëlwer,**
vëlber stm. weidenbaum; geflecht aus weiden zum fischfang. **vëlwin** adj. von weiden.
velwe, vilwe stf. fahle farbe;
krankheit; fehler. **velweloht**
adj. etwas fahl. **velwen** swv.
val machen, entfärben.
velwesche s. *valwische.*
vëlze swm. rinnenartige vertiefung längs der fläche oder
dem rücken des schwertes.
velzen swv. an-, ineinander-,
ein-, zusammenlegen; passe-
menteriearbeit machen.
vëme stf. verurteilung, strafe;
heimliches freigericht, feme.
-dinc stn. femgericht. **-græve**
swm. vorsitzer des femgerich-
tes. **-meister** stm. = *vëmer.*
vëmen swv. verurteilen, strafen.
vëmer stm. nachrichter, henker.
vëme-stat stf. richtstätte.
venc-nisse s. *vancnisse.*
venc-vach stn. fangnetz.
vende swm., **vent, -des** stm.

knabe, junge; fussgänger, -krie-
ger; schachfigur in den vordern
reihen, bauer. **vendelin, vendel**
stn. dem. dazu.
venden, vanten swv. einernten, naturalerträgnisse beziehen; auffinden, mit gs. versuchen.
venelin, venel stn. dem. zu
vane.
vener s. *venre.*
vënge s. *vënje.*
venge, vengec adj. fangend,
fassend, umfassend.
vengen swv. zünden (vgl.
venken).
vënichel, vënchel stm. fenchel
(lat. *foeniculum*).
venin stn. gift (fz. *venin,* lat.
venenum). **veninen** swv. vergiften.
fênix, fênis stm. phönix.
vënje, vënige, vënge stswf.
kniefall zum gebet, kniefälliges
gebet, bussübung im kloster.
v. nemen = tun (lat. *venia*).
vënjen, vënigen swv. kniefällig
beten.
venken swv. entzünden.
venne stn. sumpf.
venre, vener, vaner stm.
fähnrich.
venre-tac stm. freitag (*dies
Veneris*).
venster stn. (md. auch *vinster*); lichtluke, fensteröffnung,
fenster; fensternische; öffnung,
loch. **-brët** stn. fenster-brett; -la-
den. **vensterëht** adj. löchericht.
vensterlîn stn. dem. zu *venster;*
foramen. **venstern** swv. intr.
wie fenster glitzern. — tr. mit
fenstern versehen. **venster-
schübel** stm. fensterladen. **-stein**
stm. fensterrahmen von stein.
vent s. *vende.* **vent-liche** adv.
nach art der *venden.*
venzelin stn. dem. zu *vanz,*
junger schalk, bastard.
ver s. *vere, vërre, vrouwe, vür.*
ver, vere, verje, verige, verge
swm. schiffer, fährmann.
ver-affen, -effen swv. intr.
töricht werden. — tr. auf
törichte weise hinbringen.
ver-aftern, -eftern refl. sich
verspäten.
ver-âȥeȥȥen swv. vergessen,
in vergessenheit bringen.
ver-âhten, -æhten swv. in
die acht erklären, ächten; verbannen, ausrotten; mit gs.
bringen um, berauben. **ver-
âhter** stm. der geächtete. **ver-
æhtigen** swv. = *veræhten.* **ver-
æhtunge** stf. ächtung.
ver-alten swv. intr. alt, zu
alt werden. part. praet. = alt;
diu veralteten reht das alte
testament. — tr. alt machen.
ver-andelangen, -andelagen
= *andelangen.*

ver-andern, -endern swv. tr.
ändern, verändern, wechseln;
bes. an einen andern ort, in
andern besitz bringen; *ëlichen v.*
verheiraten. — refl. sich ändern
verändern; sich umkleiden, verkleiden; einen andern wohnsitz
nehmen; reisen, wandern; sich
entfernen, abwenden *von,* sich
zurückziehen; heiraten; *sich
in ein geistlichez leben v.* in
den geistlichen stand treten;
sterben (genauer: *sich von der
erden zuo himele v.*). **ver-ande-
runge, -enderunge** stf. änderung,
veränderung, wechsel.
ver-anderweiden swv. wiederholen.
ver-anlâȥen swv. *ûf einen
etw. veranl.* oder *sich ûf einen v.*
ihn in einer sache als mittelsperson wählen.
**ver-antwürten, -antwurten,
-antworten** swv. antworten, beantworten; rechtfertigen, verteidigen, vertreten, repraesen-
tare. tr. u. refl. **ver-antwürter**
stm. verteidiger, anwalt.
ver-argen swv. *arc* werden.
ver-arken swv. einsargen.
ver-armen swv. in armut,
not geraten.
ver-arren swv. tr. durch
geben eines darangeldes (*arre*)
sichern, verbindlich machen.
ver-bachen, -backen stv. ver-
backen, zu brot backen; intr.
kleben *an.*
ver-backen swv. aufpacken,
aufladen.
ver-baden swv. tr. einem ein
bad geben oder für ihn bezahlen.
ver-balden swv. intr. übermässig *balt* werden. — refl.
sich erkühnen.
ver-ballen swv. tr. zu einem
bal machen, verkrüppeln; *die
zît verb.* mit ballspielen hinbringen.
ver-balmunden swv. für betrügerisch erklären; verleumden.
ver-bannen redv. unter strafandrohung gebieten od. verbieten; verbieten, versagen, entziehen mit dp. (und gs.); verstossen *von;* in den bann tun,
verfluchen, verdammen, verwünschen; durch bann zu-
eignen mit dp.
ver-barnen, -bernen swv.
versperren, einschliessen.
ver-barren swv. verschanzen,
versperren, einsperren.
ver-beinen swv. verknöchern,
verhärten (s. *unverbeinet*); verwünschen, verfluchen.
ver-beiten swv. erwarten.
ver-beitunge stf. erwartung.
ver-bëlgen stv., part. *verbol-
gen* zornig, erzürnt.
ver-bellen swv. beschädigen
so dass eine geschwulst entsteht.

ver-bennen, -bannen swv.
= *verbannen* redv.
ver-bёre stmn. versteck. *v.*
hân nicht offenbar sein. **-bёrgen**
stv. beiseite schaffen, aufheben, verbergen, verheimlichen.
— refl. sich zurückziehen.
ver-bёrn stv. nicht haben;
sich enthalten, unterlassen, ablassen von, aufgeben, meiden,
unberücksichtigt oder unangefochten lassen, verschonen; mit
gs. verschonen mit, überheben
(*einen zornes v.* nicht zum zorn
reizen). — refl. u. intr. nicht
vorhanden sein, unterbleiben.
ver-bernen s. *verbarnen, -brennen.*
ver-besten swv. verbinden.
ver-bёten swv. tr. *bёte* wofür
entrichten, versteuern.
ver-beʒʒern swv. gut, besser
machen; ausbessern, erneuen;
büssen; busse, wergeld zahlen
für.
ver-biben swv. zu ende beben.
ver-bichen swv. mit pech
überziehen, verpichen.
ver-bicken swv. abs. zerhauen, zuhauen *mit.* — tr.
stecken *in.*
ver-biderben, -bidern swv.
aufbrauchen, verzehren.
ver-bieten stv. tr. vorladen,
vor gericht laden; *ein spil,*
eʒ verb. ein höheres gebot als
der gegner tun; verhindern,
verhüten; anakoluth. für *gebieten*; untersagen; mit beschlag belegen. **-bieten** stn.
arrestation. **-bieter** stm. der auf
die güter eines andern beschlag
legt. **-bietunge** stf. verbot;
arrestation.
ver-bilden swv. zu einem bilde
gestalten; entstellen, trüben.
ver-binden stv. abs. mit
mörtel verbinden; im brettspiele *bünde* gewinnen od. solche würfe der würfel tun, dass
die steine zu *bünden* gestellt
werden können; weidm. eine
bestimmte richtung verfolgen.
— tr. fest binden; zusammenbinden, -fügen; zubinden, verhüllen; verstecken, unkenntlich, unsichtbar machen, bezaubern (durch nestelknüpfen);
einschliessen, fesseln; rechtl.
verpflichten. — refl. sich das
haupt verhüllen, sich vermummen; *sich (ʒe) einem verb.*
mit ihm ein bündnis schliessen;
sich verpflichten. **-bindunge**
stf., **-bint** stn. verpflichtung.
-bintnisse stfn. dasselbe; bund,
bündnis.
ver-birsen swv. durch *birsen*
versprengen.
ver-bismen swv. mit *bisam*
behandeln.

ver-bîten stv. intr. zu lange
oder vergeblich warten auf
(gen.). — tr. auf borg geben.
ver-blugen swv. verkaufen,
versteigern.
ver-biuschen swv., md. *ver-*
büschen nicht laut werden lassen, vertuschen, verstecken.
ver-biuten swv. als beute
verteilen; md. *verbûten* vertauschen.
ver-biʒ stn. maulkorb. **-biʒen**
stv. zusammenbeissen; zerbeissen, verzehren; totbeissen,
zerstören, vernichten; durch
aufeinanderbeissen der zähne
zurückhalten, verschweigen.
ver-biʒʒen swv. verkeilen.
ver-blæjen swv. wegblasen.
ver-blâsen redv. tr. wegblasen.
— intr. sich verschnaufen (von
pferden).
ver-bleichen swv. den glanz
verlieren; erbleichen. — tr.
bleich machen, verwischen, auslöschen (schrift).
ver-blenden swv. blenden,
verblenden, verdunkeln.
ver-blenken swv. verzieren.
ver-bliben stv. verbleiben;
ausbleiben.
ver-blichen stv. den glanz
verlieren, verbleichen, verwelken, -schwinden; *verbl. nâch*
sterben aus sehnsucht nach.
ver-blîden swv. fröhlich sein,
sich freuen, frohlocken intr.
u. refl. **-blîdunge** stf. freude
ver-bliehen stv. erlöschen.
ver-blinden swv. intr. blind
werden, erblinden. — tr. =
verblenden.
ver-bliuwen stv. unterschlagen, verschweigen.
ver-blœden swv. *blœde* machen, einschüchtern.
ver-blüejen swv. verblühen.
ver-blüemen swv. verblümen,
beschönigen.
ver-bluoten swv. verbluten,
intr. u. refl.
ver-bolgen s. *verbёlgen.*
ver-boln swv. verschleudern.
ver-borc stm. das ausleihen,
ausgeliehenes geld.
ver-bœren swv. belasten, verwirken.
ver-borgenheit stf. verborgenheit; geheimnis. **-borgenlich** adj., **-liche** adv. verborgen,
heimlich.
ver-born swv. an-, durchbohren, bohrend befestigen.
ver-bösen, -bœsen swv. intr.
schlecht werden. — tr. schlecht
machen, verleumden, verderben, verführen, verletzen; part.
verbôst sündhaft. — refl. sich
versündigen.
ver-bot stn. verbot; beschlag,
arrest; gerichtl. vorladung.
-boten swv. tr. einem durch

mündl. botschaft etw. zu wissen
tun; durch einen boten rufen
lassen, besenden, ein-, vorladen. — refl. sich zusammenbestellen. **-botenlônen** swv. tr.
als botenlohn ausgeben. **-bot-**
schaften, -botscheften swv. =
verboten. **-botunge** stf. vorladung.
ver-bouwen s. *verbûwen.*
ver-böʒen stv. zurückschlagen, vernichten.
ver-bræmen swv. mit dornen
umstecken, verdornen.
ver-brёchen stv. intr. u. refl.
zunichte, schwach werden, aufhören, enden. — tr. zerbrechen,
zunichte machen, zerstören,
entfernen, aufgeben, enden;
etw. gebotenes od. eine verbindlichkeit verletzen, übertreten, brechen; weidm. *die*
vart. v. einen zweig mit der
spitze, wo er abgebrochen
ward, in die fährte legen; refl.
als strafe verwirken; bergm. anbrechen; abs. beim fechten eine
rasche wendung machen. **-brё-**
cher stm. übertreter, verletzer.
ver-brennen swv. tr. verbrennen, versengen, durch feuer
verwüsten, zerstören, töten;
einen v. ihn durch brand schädigen; durch feuertod hinrichten; *gelt v.* einschmelzen. —
refl. sich verbrennen, übel ankommen. — md. auch intr. für
verbrinnen.
ver-brinnen stv. intr. verbrennen, abbrennen, durch
feuer verzehrt werden, umkommen; sich verbrennen, eine
brandwunde erhalten, durch
sonnenhitze gebräunt werden;
durch feuersbrunst schaden
leiden. — md. auch tr. für *ver-*
brennen.
ver-brieven swv. tr. durch
eine urkunde, durch unterschrift u. siegel bekräftigen. —
refl. sich durch eine urkunde
verpflichten.
ver-bringen an. v. vollbringen, vollenden, ausbauen; zu
ende bringen, durchsetzen; vertun; ums leben bringen, töten.
ver-brinnen stv. intr. verbrennen, abbrennen, durch
feuer verzehrt werden, umkommen; sich verbrennen, eine
brandwunde erhalten, durch
sonnenhitze gebräunt werden;
durch feuersbrunst schaden
leiden. — md. auch tr. für *ver-*
brennen.
ver-brüejen swv. tr. u. refl.
verbrühen, versengen.
ver-brüeten swv. refl. vor
hitze vergehn.
ver-brunken swv. des glanzes
berauben, auslöschen.
ver-bruodern swv. refl. (vom
erbe) sich unter brüdern (*ver-*
swistern unter schwestern) verteilen.
ver-bû stm. unerlaubter bau.
ver-bücken swv. verschliessen
(eine lücke).
ver-büegen swv. buglahm
machen.

ver-büeʒen swv. abs. eine geldbusse zahlen. — tr. mit as. ausbessern; gut machen; wofür entschädigung geben, busse zahlen; als busse zahlen. — mit ap. einem busse zahlen; für einen busse zahlen. **-büeʒunge** stf. auferlegung von geldstrafen.

ver-bunden part. adj. verhüllt, vermummt, maskiert; vom helm: mit heruntergelassenem visier.

ver-buuden swv. verbinden.

ver-bunnen an. v. missgönnen, nicht glück wozu wünschen, mit dat. u. gen. **-bunst** stf. missgunst.

ver-bunt stm. bund, bündnis. **-buntlich** adj. verpflichtet mit dp. **-buntnisse, -nus** stfn. bund, bündnis; versprechen, verpflichtung. **-buntunge** stf. bund, bündnis.

ver-buoben swv. als *buobe* vertun, verschlemmen.

ver-burerëhten swv. *ein guot v.* in ein rechtl. verhältnis zum *burcreht* bringen, zu einem *burcreht* machen. — refl. sich verbinden *mit*.

ver-bürge stf. bürgschaft. **-bürgen, -burgen** swv. bürgschaft leisten, verbürgen. — refl. *sich úʒ verb.* bürgen stellen u. sich dadurch aus gefangenschaft befreien.

ver-burn swv. verwirken.

ver-bürnen, -burnen swv. alem. u. md. für *verbrennen.*

ver-büten s. *verbiuten.*

ver-bützen, -butzen swv. vermummen; einwickeln *in.*

ver-büwen, -bouwen an. v. zubauen, zumauern; durch bau versperren, abwehren; bauend verwenden; *einen verb.* zum schaden desselben einen bau aufführen; umbauen, belagern; mit wall und graben umgeben, verschanzen, tr. u. refl.

vërch, *-hes* stn. leib u. leben, fleisch u. blut. - adj. an das leben gehend, tödlich. **-bau** stm. die das leben schützende rüstung. **-bluot** stn. lebens-, herzblut. **-genóʒ** stm., **-geselle** swm. blutsverwandter. **-grimme** adj. bis ans leben wütend, ans leben gehend. **-haft** adj. belebt, beseelt. **-lôs** adj. leblos. **-mâc** stm. nächster blutsverwandter. **-sêr** adj. zum tode verwundet; tödlich verletzend. **-sippe** adj. blutsverwandt. stf. blutsverwandtschaft. **-slac** stm. tödlicher schlag. **-tief** adj. bis aufs leben dringend. **-vient** stm. todfeind. **-wunde** stf. tödliche wunde. **-wunden** swv. tödlich verwunden. **-wunt** adj. zum tode verwundet.

ver-dachen swv. verdecken.

ver-dagen swv. intr. schweigen, verstummen. — tr. schweigen gegen, schweigen über, verschweigen, verhehlen.

ver-dâht part. adj. in gedanken vertieft, nachdenkend, bestürzt; bedacht, besonnen; verdacht habend, argwöhnisch; im verdachte befindlich, beargwohnt, verdächtig; überh. in berührung stehend, beteiligt. - stf. der verdacht. **-dâhtes** adv. bedachtsam, besonnen. **-dæhten** swv. verdächtigen. **-dæhtic** adv. überlegt, vorbedacht; mit gs. denkend an. **-dæhtlich** adj. dasselbe; argwohn erweckend, verdächtig. **-dæhtliche** adv. bedächtlich, wohlüberdacht. **-dæhtnisse** stfn. verdacht.

ver-damme stf. verdammnis. **-damnen, -dampnen, -dammen** swv. verurteilen, verdammen. **-damnisse, -dampnisse** stfn. verdammnis. **-damnunge, -dampnunge** stf. verdammung, verdamnis.

ver-danken swv. zu ende danken.

ver-decken swv. decken; be-, ver-, zudecken, verhüllen.

ver-dëhemen swv. tr. den *dëhem* wofür geben.

ver-dempfen swv. tr. dämpfen, ersticken. — intr. ersticken.

ver-denen swv. tr. dehnen, ausdehnen, -spannen. — refl. sich abmühen; *sich verd. an* seinen ganzen sinn worauf richten.

ver-denken swv. abs. denken, sich erinnern. — tr. mit as. ganz zu ende denken, bedenken, erwägen; mit ap. von einem nachteiliges, übles denken, ihn in verdacht haben, ihm etw. übel nehmen, verargen. — refl. sich besinnen u. entschliessen; *verdâht sîn, werden* in gedanken verloren sein. **-denkunge** stf. trug, täuschung.

ver-dërben stv. unnütz, zunichte werden, zu schaden kommen, umkommen, sterben (mit causal. gen.). **ver-derben** swv. tr. zu schaden bringen, zunichte machen, zugrunde gehn lassen, zugrunde richten, töten, hinrichten. — refl. sich zugrunde richten. **-derber** stm. verderber, vernichter. **-dërp** stm., **-dërpnisse** stfn. verderben, verderbnis.

ver-derren swv. *dürre* machen.

ver-despen, -diuben swv. heimlich wegschaffen, wegstehlen.

ver-dienen swv. tr. durch dienstleistung od. angemessenes handeln etw. erlangen oder sich dessen wert machen; durch dienstleistung erwidern, vergelten; einen dienst leisten für etw., mit dat. als dienstleistung darbringen. — refl. sich verdient machen. **-dienst** stm. verdienst, erwerb. **-dienunge** stf. verdienst.

ver-dieʒen stv. verhallen.

ver-dîhen stv. intr. gedeihen; mit dp. u. gs. zuvorkommen, übertreffen; abnehmen, in verfall geraten. — tr. übertreffen, überwinden.

ver-dimpfen stv. verdampfen.

ver-dinc, -dinge stswm. vertrag, accord, pachtvertrag; kontribution, brandschatzung. **-dingen** swv. durch einen vertrag binden, verpflichten; festsetzen, bestimmen; vertragsmässig erwerben, kaufen, überh. erwerben.

ver-diuhen, -dühen swv. vollständig drücken; unterdrücken.

ver-doln swv. tr. erleiden, ertragen, geschehen lassen, zulassen. — intr. ausharren.

ver-dœnen swv. tr. verklatschen.

ver-dorren swv. verdorren.

ver-dôsen swv. bei geräusch oder lärm überhören, nicht beachten.

ver-dœsen swv. verschwenderisch austeilen.

ver-doumen swv. verstopfen.

ver-döuwen, -döun swv. verdauen.

ver-draben, -draven swv. intr. u. refl. forttraben, verschwinden.

ver-dræjen swv. verdrehen, verrücken.

ver-drangen stn. bedrängnis.

ver-dræsen swv. refl. verschnauben.

ver-drieʒ stm. verdruss, überdruss, unwillen. **-drieʒen** stv. unpers. mit ap. u. gs. überlästig, zu lange dünken, überdruss od. langeweile erregen. **-drieʒic, -drieʒlich** adj. tediosus.

ver-drinc stm. verdrängung. **-dringen** stv. tr. ineinander, zusammendrängen; wegdrängen, verdrängen. — refl. sich hineindrängen; intr. verfliessen (zeit).

ver-driuhen swv. wegfangen, unterdrücken.

ver-drôʒ stm. = *verdrieʒ.*

ver-drôʒen swv. anhalten, warten.

ver-drôʒlich adj. = *verdrieʒlich.*

ver-drôʒnisse stf. verdrossenheit.

ver-droʒʒen part. adj. verdriesslich, träge; langweilig, lästig. **-droʒʒenheit** stf. ver-

drossenheit, überdruss, unwillen. **-droʒʒenlich** adj. überdruss erregend, verdriesslich.

ver-drücken, -drucken swv. gewaltsam darnieder drücken, unterdrücken, überwältigen, vernichten, verdrängen, vertreiben *von*; refl. sich ducken, demütigen; zudrücken; zusammendrücken, zerquetschen; heimlich wegbringen, unterschlagen; verbergen, verheimlichen. **-drückunge** stf. überwältigung, unterdrückung; bedrängnis; verheimlichung.

ver-drumen swv. tr. in stücke brechen; abhauen, verstümmeln; zu ende bringen, zerstören, vernichten, — refl. zertrümmern, zu ende gehn.

ver-drütze stn. = *verdrieʒ*, **-drützic** adj. verdriesslich, unwillig; überdruss erregend, mit dp. **-druz** stm. = *verdrieʒ*.

ver-düemen s. *vertüemen*.

ver-dühen s. *verdiuhen*.

ver-dulden, -dulten swv. = *verdoln*.

ver-dunken swv. den gedanken woran (gen.) fahren lassen, etw. aufgeben. — unpers. mit ap. (u. gs.) übel dünken, wunderlich vorkommen.

ver-dunstern swv. verfinstern.

ver-dürkeln swv. durchlöchern.

ver-dürnen swv. mit dornen bestecken, durch dornhecken einzäunen, absperren.

ver-dustern swv. verfinstern.

ver-dwâsen s. *vertwâsen*.

vere s. *ver*. **vere, ver** stfn. fähre.

ver-ëbenen swv. tr. ausgleichen, schlichten, versöhnen. — refl. sich vergleichen, aussöhnen, übereinkommen; niederfallen. **-ëbenunge** stf. vergleich, vertrag.

verec, veric adj. zur ausfahrt bereit.

ver-edelen swv. intr. aus edler art schlagen; entarten.

ver-effen, -eftern s. *veraf-*.

ver-eiden swv. durch einen eid bekräftigen; durch einen eid binden, verpflichten.

ver-eigenen, -eigen swv. zu eigen geben, machen.

ver-einbæren swv. einträchtig machen, vereinbaren, vereinigen. **-eine** stf. vereinigung, übereinkommen. **-einen** swv. tr. vereinigen, verbinden; einigen, versöhnen; worüber belehren, aufklären mit gs.; allein lassen (part. *vereinet* allein gelassen, vereinsamt; mit gs. od. *an, von* getrennt von). — refl. sich vereinigen, verbinden; in den besitz wovon (gen.)

gelangen (part. *vereinet* im besitz); mit andern od. mit sich übereinkommen, sich entschliessen mit gs. oder *daʒ* (part. *vereinet* entschlossen); *sich v. ûf* seine gedanken worauf richten, sich entschliessen zu. — refl. u. intr. sich vereinsamen, absondern, allein sein. **-einigen** swv. vereinigen, verbinden; einigen, versöhnen. **-einunge** stf. vereinigung.

ver-einzeln swv. an einzelne austeilen, verteilen.

ver-eischen, vreischen redv. swv. vernehmen, erfahren, erfragen, kennen lernen.

ver-eiten swv. verbrennen, mit brand verwüsten.

ver-êlichen swv. refl. sich verheiraten.

ver-ellenden, -enlenden swv. tr. aus der heimat, in das *ellende* schicken, verbannen. — refl. in die fremde gehn, sich entfremden; aus der fremde kommen.

ver-endede stf. ende. **-enden** swv. tr. ganz beenden u. dartun, vollenden, vollführen; vollständig dartun u. gewiss machen. — refl. sich endigen, in erfüllung gehn; womit zu ende, zu einem entschlusse kommen. — intr. ein ende nehmen, sich endigen; sterben. **-endunge** stf. perseverantia.

ver-endern s. *verandern*.

ver-engesten swv. refl. sich ängstigen.

ver-enlenden s. *verellenden*.

ver-erben swv. als erbe übertragen.

ver-ëren swv. beschenken *mit*.

ver-ergern swv. schlechter machen, verderben; fälschen.

ver-ermen swv. *arm* machen.

ver-êrunge stf. geschenk.

ver-erzenien swv. (geld) für arzneien ausgeben.

ver-etzen, vretzen swv. fressen machen od. lassen, abweiden, füttern, verfüttern; mit den zähnen od. dem schnabel packen lassen; mit windhunden od. jagdvögeln jagen; beissen, zerfleischen.

ver-ëʒʒen, vrëʒʒen stv. tr. aufessen, verzehren, fressen (von menschen u. tieren); bildl. härmen, abzehren. — refl. sich abhärmen, quälen, plagen; vergehen.

ver-gaffen s. *verkapfen*.

ver-galgen swv. tr. durch eile verlieren, übereilen. — refl. sich übereilen (mit gen. od. präp.).

ver-galstern swv. verzaubern.

ver-gän, -gên an. v. vergehn, vorübergehn, aufhören, ver-

schwinden; auseinander gehn, sich verlaufen; schwach, kraftlos werden, schwinden mit dp.; zugrunde gehn, verderben, umkommen, sterben. — tr. vorüber gehn an, übergehn, meiden, verfehlen, entgehn, aufgeben; einstehn, vertreten; hindernd wovor treten mit dp. u. as. — refl. vor sich, von statten gehn; dahinschwinden, zu ende gehn, aufhören (part. adj. *vergangen* fällig, verfallen); auseinander gehn, sich verlaufen; sich verirren; sich vergehn, verfehlen.

ver-ganclich s. *vergenclich*.

ver-gansen swv. tr. dumm wie eine gans machen.

ver-ganten swv. auf der *gant* verkaufen.

ver-gaten swv. md. besorgen, in ordnung bringen (vom nähren und stillen eines kindes gebraucht).

ver-gatern swv. intr. u. refl. sich vereinigen, zusammengeraten, -rennen. — tr. vereinigen, versammeln; *vergetern* mit einem *gater* versehen. **-gaterunge** stf. vereinigung, versammlung.

verge s. *ver*.

ver-gëbelich adj. nachsichtig, verzeihend. **-gëbeliche, -gëbenliche** adv. unentgeltlich; vergeblich, umsonst. **-gëben** stv. hingeben, schenken; zur ehe hingeben, verloben; aufgeben, unterlassen; zugrunde richten; vernichten mit dp.; die strafe wofür schenken, vergeben, verzeihen; abs. mit dp. einem etw. zum verderben geben, ihn vergiften. **-gëben** part. adj. unnütz, vergeblich; vergeblich, nur zum scheine gemacht. **-gëbene, -gëbenes, -gëbens** adv. schenkweise, unentgeltlich; umsonst, unnütz, vergeblich; zufällig. **-gëber** stm. verzeiher; vergifter. **-gëbnisse** stf. verzeihung. **-gëbunge** stf. verzeihung; vergiftung.

ver-geilen swv. refl. übermütig sein, sich in übermut vergessen; intr. zu ende geilen, aufhören übermütig zu sein.

ver-geisten swv. geistig machen.

ver-gelichen swv. ausgleichen; refl. sich vertragen *mit*, zusammenpassen.

ver-gelichesen swv. betrügen.

ver-gelichunge stf. verähnlichung.

ver-gellen swv. vergällen, verbittern.

ver-gellen swv. ausklingen lassen.

ver-gëlten stv. zurückerstatten, bezahlen (auch vom kampfe); eintragen, einkünfte

bringen. — refl. sich bezahlt machen, empfangene streiche vergelten.

ver-gĕlwen swv. *gĕl* werden.

ver-geizen swv. kastrieren.

ver-gemehelen swv. refl. sich vermählen.

ver-gēn s. *vergân.*

ver-genclich, -ganclich adj. vergänglich, irdisch, eitel.

vergenen swv. fangen, erhaschen.

ver-gengen swv. zum vergehn bringen.

vergen-lōn stm. fährlohn.

ver-genzen swv. *ganz* werden, zuwachsen.

ver-gĕrn stv. ausgären.

ver-gĕrn swv. aufhören zu *gern.*

ver-gerwen swv. vollständig bereit machen *ze.*

ver-gesten swv. refl. entfremden.

ver-getern s. *vergatern.*

ver-getzen swv. entschädigen.

ver-gewissen swv. *gewis* machen, sicherheit wofür geben, kaution leisten; mit gewissheit kund tun.

ver-gĕʒ, -giʒ stm. vergessenheit.

ver-gezoc stm. aufschub.

ver-gĕʒʒen stv. aus den gedanken verlieren, vergessen, mit gen. od. acc. — refl. sich in vergessenheit verfehlen. — unpers. mit dp. u. gs. in vergessenheit geraten. — part. adj. vergessen, im stiche gelassen; vergesslich, gedankenlos. **-gĕʒʒenheit** stf. vergessenheit, vergesslichkeit. **-gĕʒʒenlich, -gĕʒʒelich** adj. vergesslich. **-gĕʒʒenunge** stf. vergessenheit. **-gĕʒʒic** adj. vergesslich. **-gĕʒʒunge** stf. das vergessen.

vergieren s. *virgieren.*

ver-gieʒen stv. tr. vergiessen. ausgiessen, verschütten, bildl. ausbreiten, beenden, zerstören, vernichten; begiessen, überschütten; mit blei festgiessen. — refl. sich verschütten, ausbreiten.

ver-gift stf. n. m. gift. **-gifte, -gift** stf. vergiftung. **-giften, -giftigen** swv. tr. schenken, vergeben, vermachen; vergiften, -pesten. **-giftic** adj. giftig, vergiftet. **-giftnisse** stn. gift, vergiftung.

ver-giht stf. ausspruch, aussage, bekenntnis. **-gihten** swv. bekennen. **-gihtic** adj. ein-, zugestehend. **-gihtigen** swv. zum geständnisse bringen.

ver-giht, -gihte stn. zuckungen, krämpfe, gicht. **-giht, -gihtet** part. adj., **-gihtic** adj. gichtbrüchig. **-gihtigen** swv. *vergihtiget w.* an gicht leiden.

ver-gilwen swv. ganz *gĕl* machen od. werden.

ver-gimmen swv. mit edelsteinen besetzen.

ver-ginen swv. refl. sich vergaffen.

ver-giseln swv. tr. einen zwingen als geisel mitzufahren, das einlager zu halten, bildl. fremder willkür preisgeben, feindl. behandlung aussetzen, hilflos lassen; mit as. etwas durch das versprechen des einlagers sicher stellen. — refl. im einlager zugrunde gehn.

ver-gitern swv. mit einem *giter* versehen.

ver-giʒ stm. s. *vergĕʒ.*

vergiʒ-min-niht imperat. blumenname.

ver-glaben swv., part. *verglabet* sinnlos, ohne verstand.

ver-glarren swv. nicht recht sehen, übersehen.

ver-glasen swv. verglasen; mit glasur überziehen.

verg-lēhen stn. belehnung mit einer fähre.

ver-gleifen swv. ganz schief machen.

ver-gliʒen stv. aufhören zu glänzen.

ver-glucken swv. intr. zerbrechen.

ver-golden s. *vergulden.*

ver-goten swv. göttlich machen, in gott verwandeln.

ver-goumen, -göumen swv. tr. übersehen, verpassen.

ver-goumlōsen, -goumsaln swv. vernachlässigen, verwahrlosen.

ver-graben stv. begraben, vergraben; mit einem graben umgeben, durch einen gezogenen graben absperren od. unwegsam machen; refl. sich vergraben; sich verschanzen.

ver-gramazieren swv. durch lug u. trug abwendig machen, abschwindeln.

ver-gramen swv. intr. mit dat. einem gram werden.

ver-grasen swv. mit gras überwachsen.

ver-grāwen swv. alt werden, nach alter riechen.

ver-grempen swv. verschachern.

ver-grieʒen stv. ausstreuen, überschütten.

ver-grif stm. umfang; übereinkunft, vertrag. **-grifen** stv. abs. falsch greifen, fehlgreifen. — refl. sich vergreifen, einen missgriff tun. — tr. einschliessen, einbegreifen.

ver-grimmen s. *verkrimmen.*

ver-grüenen swv. ganz grün machen od. werden.

ver-güeten swv. vergüten; auf zinsen anlegen.

ver-güetern swv. mit gütern belehnen.

ver-güften swv. verschwenden.

ver-gulden, -gülden, -golden swv. vergolden, übergolden.

ver-gülten swv. vergelten, bezahlen (*ein guot verg.* davon die *gülte* geben).

ver-gunnen an. v. missgönnen (mit dp. u. gs.); in güte\ gestatten, vergönnen. **-gunst** stf. missgunst; erlaubnis. **-günsten** swv. gestatten, vergönnen; refl. sich in gunst bringen, aussöhnen *mit.*

ver-haben swv. zuhalten, verdecken, verschliessen, umschliessen; verhalten, zurückhalten.

ver-hacken swv. auseinander, klein hacken; ausholzen; refl. sich durch hacken verwunden.

ver-haft stm. arrestation.

ver-hagen, -hegen swv. durch einen *hac* versperren, einfriedigen, umzäunen, ein-, umschliessen.

ver-hähen redv. aufhängen; umhängen, verhängen, -hüllen; s. v. a. *verhengen* geschehen lassen. — intr. hangen bleiben; sich hinziehen.

verhælen swv. tr. verheimlichen. — refl. sich nicht entdecken, zurückhaltend sein.

ver-halten redv. tr. verschlossen halten; versperren, verschliessen; zurückhalten, vorenthalten, verbergen, verheimlichen, verschweigen. — abs. od. intr. sich zurückhalten, zögern, zu spät kommen; einen hinterhalt stellen, auflauern. — refl. sich festsetzen, verborgen halten. — part. adj. dasuz (*ein v. ros* das leicht durch das anziehen des zügels zurückzuhalten ist).

ver-halzen s. *verhelzen.*

ver-hamiten swv. durch einen *hamit* absperren.

ver-hancnisse s. *verhencnisse.*

ver-handeln swv. abs. auf verkehrte weise hand anlegen, fehlgreifen, verkehrt oder schlecht handeln, sich vergehn. — tr. handeln, tun; schlecht machen, ins gegenteil verkehren, fälschen; schlecht behandeln. — refl. sich zutragen, verlaufen; auf schlechte weise handeln, sich vergehn; sich ins gegenteil verwandeln, sich *verhandeln, -hendeln* sich mit verschränkten händen fassen. **-handelunge** stf. schlechte handlung, vergehn, verbrechen.

ver-hantvesten swv. durch *hantveste* bekräftigen.

ver-harmen swv. durch *harm* zugrundegehn.

ver-harren swv. verharren, bleiben; refl. sich aufhalten.
ver-harschen swv. verhärten, hart werden. -harschet part. adj. obstinatus, induratus.
ver-harsten swv. ganz hart werden, erstarren.
ver-harten swv. dasselbe; bildl. hartnäckig, verstockt werden (vgl. verherten).
ver-haʒʒen swv. hassen; verhaʒʒet part. adj. verhasst mit dp.
ver-heben stv. tr. zuhalten, verdecken, verschliessen; in die höhe heben; zu hoch heben, bildl. überhebend, übermütig machen; worüber (gen.) hinwegheben, überheben, entheben. — refl. sich die nase zuhalten; sich überheben. — abs. sich zurückhalten, zögern, zu spät kommen. -hebenisse stn. überhebung, selbstüberschätzung.
ver-heften swv. einheften, umstricken; fest machen, sichern; verbinden, verpflichten; zurück-, vorenthalten, besetzen; im rechtl. sinne arrestieren. -heftunge stf. arrestation.
ver-hegen s. verhagen.
ver-heien s. verhîen.
ver-heien swv. durch hitze verderben.
ver-heilen swv. heilen intr. u. tr.
ver-heimen swv. einfriedigen.
ver-heit s. verhîen. vër-heit stf. in die v. in longinquum.
ver-heizen redv. tr.verheissen, -sprechen; verloben; ablehnen. — refl. verheissen, geloben.
verhelin, verlin, verhel, verl; verkelin, verkel stn. dem. zu varch.
ver-hëllen stv. aussagen, gestehn.
ver-helligen swv. zerstören, verheeren. -helligunge stf. zerstörung, verheerung.
ver-hëln stv. verhehlen, verheimlichen, geheim halten, verbergen (unser vrouwen tac der verholne Mariä empfängnis), mit acc., mit doppelt. acc., mit acc. u. gen., mit dat. u. acc. — refl. sich verbergen, verstellen; sich verh. von sich wovon zurückziehen.
ver-helzen, -halzen swv. ganz halz machen, lähmen.
ver-hencnisse, -hancnisse stfn. zulassung, einwilligung, erlaubnis, schickung.
ver-hendeln s. verhandeln.
ver-henge, -hengede stf. einwilligung, erlaubnis; verhängnis, fügung. -hengen swv. hängen, schiessen lassen (dem rosse den zoum), bildl. nach-

geben, geschehn lassen, gestatten mit dp.; ergehn lassen, verhängen über. -hengunge stf. = verhenge.
ver-herde stf. verheerung.
ver-hëren swv. tr. verherrlichen; stolz, vornehm machen, aus stolz vorenthalten.
ver-hergern swv. = verhern.
verher-muoter stf. = varch-muoter.
ver-hern swv. mit heeresmacht überziehen und verderben, besiegen, verwüsten, zerstören; berauben mit gs.
ver-hërren, -hërn swv. tr. mit einem herrn begaben. — refl. sich jemand (an) als dem herrn ergeben.
ver-herten swv. tr. u. intr. hart machen oder werden.
ver-hetzen swv. verhetzen, verfolgen.
ver-hien, -heien swv. stuprare, bildl. schänden, zu grunde richten, zerstören. — verhît, -heit part. adj. entehrt, infam, niederträchtig, heimtückisch.
ver-hileichen, -hirâten swv. vermählen.
ver-höchverten swv. mit hôchvart vertun.
ver-hoffen swv. hoffen, erwarten; die hoffnung aufgeben, verzweifeln.
ver-hogen s. verhügen.
ver-hœhen swv. überhöhen.
ver-holn swv. tr. erwerben, verdienen. — refl. sich erholen von (gen.).
verholn-bære adj. verborgen, heimlich, rätselhaft ver-holne, -holn part. adv., -holnliche adv. verhohner weise, heimlich.
ver-hœnen swv. hœne machen, herabsetzen, entehren; verheeren, verderben, verhunzen.
ver-hœr stn. = verhœrde.
-horchen swv. anhören; überhören. -hœrde, -hœre stf. verhör. -hœren swv. hören, anhören, vernehmen, zu ende hören, prüfen; anhören, erhören; überhören.
ver-houwen stv. tr. zerhauen, hauend verwunden, verletzen, beschädigen, nieder-, weghauen (einem etw. v. ihn woran hindern); aushauen, -holzen; durch verhaue versperren; s. v. a. versnîden zur zierde aufschneiden, zerschlitzen; zu-, behauen; durch unrechtes hauen oder schneiden verderben. — refl. sich hauend verwunden.
ver-hovet part. adj. gegen die höfische weise gebildet.
ver-hüeten swv. tr. behüten, bewachen, bewahren (mit gs. od. vor); aufpassen, auflauern mit acc. od. gen.

ver-hûfen swv. in haufen versammeln; mit haufen umgeben, überdecken.
ver-hügen swv., md. verhogen vergessen.
ver-hüllen swv. ver-, umhüllen, einschliessen.
ver-hungern swv. intr. verhungern. — tr. aushungern; verzehren, abweiden.
ver-huoren swv. tr. durch ehebruch entehren; durch huoren vertun. — refl. huor treiben.
ver-hüren swv. md. verhandeln, verkaufen.
ver-hurten swv. durch hurten beschädigen.
verige swm. s. ver.
ver-ilen swv. refl. übereilen.
ver-innen swv. in kenntnis setzen, erinnern mit acc. u. gen.
ver-insigelen swv. siegeln, besiegeln.
ver-irren swv. tr. in die irre führen, irremachen, stören, verwirren, zerstreuen; mit gs. worin irreführen, woran hindern, einer sache berauben. — refl. sich verirren, verfehlen gegen. — intl. irrewerden, sich irren, verirren, in irrtum fallen.
ver-iuʒern, -ûʒern swv. tr. veräussern, verkaufen. — refl. sich nach aussen kehren.
ver-jagen swv. tr. in die flucht jagen, vertreiben; über die kräfte vorwärts treiben. — refl. sich jagend zu sehr anstrengen, sich jagend verirren.
ver-jägen, -jäzen swv. jâ sprechen, bejahen.
ver-jämern swv. refl. sich durch seelenschmerz abhärmen; sich schmerzlich sehnen nâch.
ver-jänen swv. verzehren, vertun, verschwenden.
ver-jâren swv. intr. alt werden, verjähren; -jæren swv. tr. verjähren lassen, das jahr wofür versäumen. — refl. verjähren.
ver-jâzen s. verjägen.
verje swm. s. ver.
ver-jëhen,-jën stv. sagen, erzählen, aussagen, zu erkennen geben, eingestehn, bekennen; versprechen, geloben mit gs.; einem etw. zugestehn, ihm worin beipflichten mit dat. u. gen.; nennen, bekennen, erklären, mit gen. u. ze. — refl. sich ausgeben, erklären als. -jëhnisse, -jëhunge stf. aussage, bekenntnis.
ver-jësen stv. = vergërn.
ver-jöuchen swv. verjagen.
ver-kallen swv. ausschwätzen, verschwätzen, aufhetzen.
ver-kalten swv. ganz kalt werden.
ver-kapfen, -kaffen, -gaffen swv. sich in starres schauen verlieren, intr. u. refl.

ver-kargen s. *verkergen.*

ver-kargen swv. aufhören freigebig zu sein.

ver-kasteln, -kasten swv. ein-, umfassen, einschliessen.

ver-kebesen, -kebsen, -kep-sen swv. zu einer *kebese* machen; eine *kebese* schelten.

verkelin s. *verhelin.*

ferker s. *vertiger.*

ver-kêræere, -er stm. verfälscher, betrüger, verführer, irrlehrer. **-kêrde** stf. üble auslegung, verdrehung. **-kêre** stf. verkehrung. **-kêren** swv. umkehren, -wenden, ändern, verwandeln, verdrehen, ins entgegengesetzte (gute oder böse) verändern (mit dp. übel anrechnen; entziehen; *daz gerihte v.* den urteilsspruch fälschen); an einen andern ort bringen, eine falsche richtung geben, vom rechten oder unrechten abbringen, abwendig machen, verführen (*den witwenstuol v.* wieder heiraten; *den pfleger, amptman verk.* absetzen, neu wählen, *daz gesinde v.* entlassen, *die ketzer v.* bekehren). — refl. sich ändern, umkehren, wenden, verwandeln, ins entgegengesetzte verkehren, vom rechten od. unrechten sich abwenden mit gs.; sich verstellen, verkleiden; sich abwenden, abtrünnig werden. — intr. sich verwandeln *in.* **-kêrlich** adj., **-liche** adv. verkehrt, nicht geziemend; *v. leben* von dem wahren glauben abgewendet. **-kêrnisse** stf. veränderung, veräusserung. **-kêrunge** stf. veränderung, ablenkung vom rechten; bekehrung.

ver-kergen, -kargen swv. überlisten, betrügen.

ver-keufen s. *verkoufen.*

verkies-brief stm. verzichturkunde.

ver-kiesen stv. wegsehen und nicht erwählen; tr. nicht beachten, verschmähen, verachten, nicht beachtend aufgeben, fahren lassen, verlieren, nachlassen, absprechen, preisgeben, verzichten, verschmerzen, nachsehen, verzeihen (*úf einen v.* abs. od. tr. ihm verzeihen); *verkorn wort* wort der verachtung, schmähwort. — refl. verzichten, mit gs.

ver-kinden swv. aufhören kind zu sein. **-kindischen** swv. kindisch werden.

ver-kiuten swv. tr. sich wogegen (acc.) erklären.

ver-kiuten, -kûten swv. vertauschen.

ver-klaffen swv. verschwätzen, verraten, verleumden.

ver-klage stf. anklage. **-klagen** swv. tr. mit klagen hinbringen; zu ende klagen, vollständig klagen; aufhören zu beklagen, verschmerzen; anschuldigen, verklagen. — refl. sich durch klagen abhärmen, zugrunde richten; klage vorbringen.

ver-klamben, -klammen swv. tr. fest an- oder zusammendrücken, einklemmen, -engen, umklammern. — refl. sich umklammern, ineinander flechten.

ver-klænen s. *verklênen.*

ver-klæren swv. erhellen, verklären; erklären, erläutern.

ver-kleiben swv. verkleben, verschmieren; mit metall ausgiessen, verlöten.

ver-kleinen swv. klein machen, erniedrigen.

ver-klênen, -klænen swv. verkleben, verschmieren.

ver-kliben stv. stecken bleiben, verkommen.

ver-klimmen stv. tr. fest zusammendrücken, einklammern, umklammern. — refl. sich schlingen, klammern *umbe.*

ver-klimpfen swv. refl. sich zusammenziehen, einschrumpfen.

ver-klüegen swv. beschönigen, bemänteln, vertuschen.

ver-klüsen, -klösen swv. ein-, um-, verschliessen.

ver-klütern, -klutern swv. verwirren, begaukeln. — refl. sich verwirren, verschlingen.

ver-knüsen swv. zerreiben.

ver-komen stv. intr. vorüber, zu ende gehn; ausgären; übereinkommen *mit;* mit gs. worin entgegenkommen, etw. vergelten. — tr. mit ap. vorangehn, zuvorkommen; sorgend entgegenkommen, zuvorkommend behandeln; mit as. sorgend verhüten, -hindern.

ver-korn part. adj. s. *verkiesen.*

ver-korn swv. s. *verkürn.*

ver-korunge stf. versuchung.

ver-kosten swv. aufwand machen, geld ausgeben, verzehren; kosten wenden *úf* (od. acc.); beköstigen, unterhalten, besolden. — refl. geld ausgeben, sich unkosten machen; sich zehrung verschaffen, beköstigen.

ver-koufære, -keufære, -er, -köufeler stm. verkäufer. **-koufersche** swf. md. verkäuferin. **-koufen, -keufen** swv. verkaufen, hin-, preisgeben. **-koufnisse** stn., **-koufunge** stf. verkauf.

ver-krâmen swv. abs. einen unnützen kauf machen, sein geld unnütz ausgeben. — tr. verkaufen, hin-, preisgeben, vertändeln.

ver-kreften swv. entkräften, schwächen; überwältigen.

ver-kreizunge stf. ärgerung, ärgernis.

ver-krempfen swv. krampfhaft zusammenziehen.

ver-krenken swv. ganz *kranc* machen; schwächen, herabsetzen, beschimpfen, vernichten.

ver-kretzen swv. verkratzen.

ver-kriegen swv. durch kriegführung verbrauchen, verlieren.

ver-krigen stv. erhalten.

ver-krimmen, -grimmen stv. abs. mit dp. krampfhaft, krallend ergreifen. — tr. krampfhaft zusammen-, zerdrücken.

ver-kristen stv. ausstöhnen.

ver-krœnen swv. krönen, überkrönen.

ver-krumben, -krummen swv. ganz krumm werden, erlahmen. **-krümben, -krümmen** swv. ganz krumm od. lahm machen.

ver-krumen swv. zerreiben, bildl. vertrödeln.

ver-kumbern, -kümbern; -kummern, -kümmern swv. arrestieren, in beschlag nehmen; auf-, vorenthalten; in die gewalt eines andern' geben durch tausch, verpfänden oder verkaufen.

ver-kûmen swv. ganz *kûme* werden.

ver-künden swv. kund tun, wovon kunde geben; öffentlich erklären als, mit dopp. acc.; erkunden, erfahren. **-kündigen** swv. aufkündigen (den frieden).

ver-kunnen anv. nicht kennen, nicht wissen wollen: tr. in zweifel, verzweiflung versetzen; mit acc. u. gen. einem etw. nicht zutrauen; mit dat. u. abh. s. einem etw. nachsehen, verzeihen. — refl. nichts erwarten von (*wider*), die hoffnung aufgeben, mit gs. verzichten auf, verzweifeln an.

ver-kuntschaften swv. durch *kuntschaft* beweisen; durch *kuntschaft* berichten; *einen v. = úf einen kuntschaft* bestellen.

ver-kürn swv., md. *verkorn* refl. sich freiwillig entschliessen; *sich úf einen v.* ihn zur mittelsperson wählen; *sich mit einem v.* freiwillig ein abkommen treffen.

ver-kürzen, -kurzen swv. verkürzen, verkürzen, abschneiden, vermindern, schwächen.

ver-küten s. *verkiuten* 2.

verl s. *verhelin.*

ver-lächen swv. mit *lâchsteinen* abgrenzen.

ver-laden stv. übermässig belasten, beschweren, bedrängen (*mit kinde verladen sîn* schwanger sein).

ver-lamen swv. ganz *lam* werden, erlahmen.

ver-lân s. *verlâzen.*

ver-langen swv. unpers. mit acc. sehnlichst begehren *nâch*; tr. verlangen. - stn. verlangen; verdruss, kummer.

ver-lankenieren swv. die seiten des rosses mit decken behängen.

ver-lantvriden swv. dem landfrieden gemäss bestimmen und urteilen; mit ap. vom landfrieden ausnehmen, die strafe des landfriedensbruches über einen verhängen.

ver-lâȝ stm. untätigkeit. - stf. hinterlassung, verlassenschaft. **-lâȝen, -lân** redv. tr. fahren lassen, fort-, loslassen, entlassen; mit gs. auf-, preisgeben, frei lassen von (mit gs., *an*); erlassen, anbefehlen; erlassen, nachlassen, verzeihen; lassen, zulassen, geschehen lassen, gestatten; überlassen, übergeben, übertragen, anvertrauen, anheimstellen; übrig lassen; zurücklassen, hinterlassen; verlassen; unterlassen, aufgeben. — refl. sich verlassen, vertrauend hingeben *an, ze*; enden. **-lâȝen** part. adj. ausgelassen, frech, unanständig, weltlich; erlassen, nachgelassen; zurückgelassen, hinterlassen. **-lâȝenheit** stf. ausgelassenheit, frechheit, weltlichkeit; einsamkeit. **-lâȝenlich, -læȝenlich** adj. ausgelassen, frech, unanständig, rücksichtslos; was erlassen, nachgelassen werden kann, lässlich. **-lâȝenliche, -læȝenliche** adv. auf ausgelassene, unanständige, freche, gottlose weise. **-lâȝunge** stf. ausgelassenheit, frechheit; erlassung, nachlassung.

ver-laȝȝen swv. tr. säumig betreiben, verzögern, vernachlässigen; intr. zögern.

ver-lëben swv. tr. verleben; *einen v.* überleben. — intr. ableben, verwelken.

ver-lëchen swv. aus-, vertrocknen.

ver-lege stf. beschlagnahme, pfändung.

ver-lëgen part. adj. durch zu langes liegen in trägheit versunken, entwertet, verdorben.

ver-legen swv. tr. an einen unrechten ort legen, verlegen; verlegen, abschliessen, versperren, hindern; verhaften, arrestieren; entwerten, beseitigen, verdrängen indem man etwas anderes od. besseres an die stelle setzt; die nötigen kosten bestreiten od. borgen, wofür aufkommen, mit ap. für einen geldauslagen machen, ihn

mit dem nötigen versehen; ihm zu verdienen geben. — refl. sich begeben *in*; sich beköstigen; eine missheirat tun.

ver-lëgenheit stf. schimpfliche untätigkeit.

ver-lëgenlich = *verlëgen.*

ver-lëhenen, -lênen swv. tr. belehnen; als lehn hingeben, überh. hingeben, verleihen.

ver-leiden swv. leid, verhasst sein, machen; mit leid belasten.

ver-leiden, -leiten swv. anklagen, denunzieren, verleumden.

ver-leidigen swv. verletzen.

ver-leisen swv. spurlos machen.

ver-leisten swv. tr. *die leistunge verl.* das einlager halten; im einlager verbrauchen, abnutzen, zugrunde richten. — refl. im einlager verbraucht werden, zugrunde gehn (pferd).

ver-leiten s. *verleiden 2.*

ver-leiten swv. irreführen, verleiten. **-leiter** stm. verführer.

ver-lemen swv. ganz *lam* machen.

ver-lënen, -linen swv. verstopfen, verschütten; überziehen *mit.*

ver-lênen s. *verlëhenen.*

ver-lengen swv. in die länge ziehen, aufschieben.

ver-lenken swv. verbiegen, verrenken; ablenken, abwenden.

ver-lërzen swv. verstummen.

ver-lëschen stv. intr. erlöschen.

ver-leschen swv. tr. auslöschen.

ver-lësen stv. zugrunderichten, verderben; - stswv. vorlesen, verlesen.

ver-letzen swv. mit einer *letze* umgeben, schützen; verletzen, verwunden, schädigen.

ver-lîben stv. bleiben, verbleiben, verharren; wegbleiben.

ver-lîben swv. einverleiben.

ver-lîden stv. intr. vorübergehn, vergehn; ganz mit leiden, mit schmerz erfüllt sein. — tr. zu ende leiden, aushalten.

ver-liegen stv. tr. lügen über, verleumden. — *verlogen* part. adj. lügenhaft, erlogen.

ver-lies stn. m. verlust; unterlassung, sünde. **-liesære, -er** stm. verlierer, verspieler; verderber, verfolger. **-liesen, vlie-sen** stv. abs. verlieren, verspielen (beim spiele, kampfe, lose); verloren geben, verdammt werden, sich verlieren, aufhören. — tr. verlieren, verlustig gehn; dem verderben hingeben, zugrunderichten, töten; mit dp. einen um etw. bringen, es ihm zugrunde richten; unnütz tun,

vergebens, ohne erfolg brauchen, part. *verlorn* unnütz, vergeblich; nicht tun, unterlassen. — refl. verloren gehn, sich verlaufen; sich verderben, schaden. **-liesunge** stf. verlust, verderben.

ver-ligen stv. tr. verlegen, versperren; durch zu langes liegen verschlafen, versäumen, überh. versäumen, vernachlässigen. — refl. zu lange liegen bleiben, durch zu langes liegen verderben; durch zu langes liegen in untätigkeit, trägheit versinken, erschlaffen. — intr. liegen bleiben, zurückbleiben; durch zu langes liegen in trägheit versinken.

ver-lîhen stv. als darlehn, als lehn od. in miete geben; geben, schenken, verleihen, zuteil werden lassen, zugestehn, mit dat. u. acc.; mitteilen, zu erkennen geben.

ver-lîhen swv. zugeben, veranlassen.

ver-lîher stm. verleiher.

ver-lîhten swv. erleichtern.

ver-lîmen swv. verleimen.

verlin s. *verhelin.*

verlin stn. dem. zu *var* stierkalb.

ver-linen s. *verlënen.*

ver-listen, -listigen swv. *durch list* überwinden.

ver-litgëben swv. ausschenken (*wîn*).

ver-litkoufen swv. wofür *litkouf* geben.

ver-liuhten swv. be-, erleuchten.

ver-liumunden, -liumden, -liumen swv. in übeln ruf bringen, verleumden. — part. *verliumundet* usw. in schlechtem rufe stehend; in gutem rufe stehend, berühmt.

ver-liuten, -lûten swv. verlautbaren, verkündigen, nennen; in übeln ruf bringen, verleumden; *einen v.* durch glockengeläute dessen verbannung bekannt machen.

ver-loben swv. tr. übermässig loben; geloben zu tun, versprechen; verloben, vermählen; geloben nicht zu tun, aufgeben, verzichten auf, verschwören mit as.; mit ap. aufgeben, fahren lassen, nicht umgehn mit, abweisen. — refl. sich verloben, sich verpflichten; mit gs. geloben nicht zu tun, verzichten. **-lobnisse** stfn. verlobung.

ver-locken swv. listen verlangen mit dp. und *nâch.*

ver-logen part. adj. s. *verligen.*

ver-lôn = *vergenlôn.*

ver-lônen, -lœnen swv. tr. als *lôn* geben für, bezahlen.

ver-lor (vlor) stm? stn? -lorn (vlorn) stn., -lornisse stfn. verlust, verderben.

ver-lösen swv. tr. heucheln, erheucheln.

ver-læsen, -lösen swv. auslösen; s. v. a. verlôsungen. -læser stm. erlöser. -lœsunge stf. erlösung.

ver-lösungen swv. tr. die lôsunge wofür entrichten, etw. versteuern.

ver-louben swv. erlauben.

ver-louben swv. tr. mit laub bedecken. — refl. mit gen. sich wovon lösen, abfallen; sich einer sache entschlagen, sie ablegen, ihr fremd bleiben.

ver-loufen redv. intr. vorüberlaufen, verlaufen. — tr. überlaufen lassen; hindernd vor etwas laufen. — refl. vorüberlaufen, vergehn; sich begeben, geschehen; weglaufen; sich laufend verlieren; sich laufend abnützen.

ver-lougenen, -lougen, -louken swv. tr. leugnen, verneinen, in abrede stellen, ab-, verleugnen, meist mit gen. -lougener stm. leugner, verleugner.

ver-lüben swv. refl. sich durch gelübde verpflichten.

ver-lücken swv. verlocken.

ver-lunzen swv. refl. ruhig bleiben, sich still verhalten.

ver-luodern swv. verprassen, verschlemmen.

ver-lüppen swv. mit gift bestreichen, vergiften; verzaubern.

ver-lûren swv. heimlich verbleiben.

ver-lust (vlust) stf. verlust, verschwendung; verderben, schaden. -lust- (vlust-)bære adj. verlust bringend od. habend. -lustec, -lüstec (vlustec, vlüstec), -ic adj. verlust erleidend, habend; verlust bringend, mit v. verbunden. -lusteclich adj. verlust bringend, mit v. verbunden, des verlustes.

ver-lusten swv. unpers. mich verlustet mir beliebt, ich will.

ver-lûtbæren swv. verlautbaren.

ver-lûten s. verliuten.

ver-lützeln swv. verringern.

ver-lûzen swv. versteckt halten, verbergen; versäumen.

ver-machen swv. tr. auseinander machen, zertrümmern, verderben, vernichten; festmachen, bekräftigen, bestimmen; zumachen, versperren, -stopfen, abschliessen; einschliessen, -fassen, -hüllen, -packen, vergolden, verbergen; einbalsamieren; durch testament vermachen, überh. schenken, übergeben. — refl. sich ver-

kleiden, vermummen mit. -machunge stf. verwirkung; schenkung, vermächtnis.

ver-mahelen s. vermehelen.

ver-mahelrinc stm. ehering.

ver-maht stf. das können, vermögen.

ver-maledien, -maldien swv. verwünschen, verfluchen.

ver-mälen swv. durch mâlsteine abgrenzen; malen.

ver-mâligen swv. = vermeiligen.

ver-mâlsteinen swv. = vermâlen in 1. bedeutung.

ver-manen swv. tr. nicht woran denken, verachten, verschmähen; zu verstehn geben, kundtun; erinnern, ermahnen, auffordern.

ver-mangelunge stf. md. vermischung, vereinigung.

ver-manicvalten, -valtigen swv. ganz manicvalt machen.

ver-mannen swv. tr. einen v. als vasallen in pflicht nehmen, ihm ein lehn erteilen; ein lehn verm. für verwirkt erklären u. einziehen. — refl. sich verheiraten; sich under einen verm. dessen lehnträger werden.

ver-manunge stf. verachtung, verschmähung; erinnerung, ermahnung, aufforderung.

ver-mæren swv. offenbaren, verkünden, angeben, verraten, ins gerede, in guten od. schlechten ruf bringen, berühmt od. berüchtigt machen. — vermæret part. adj. berühmt od. berüchtigt.

ver-marken swv. durch marksteine abgrenzen.

ver-marketen, -marken swv. verhandeln, verkaufen.

ver-mærsagen swv. die zît v. mit schwatzen hinbringen.

ver-martern swv. ganz martern.

ver-mâsegen, -mâsgen swv. beflecken, beschädigen. -mâsunge stf. befleckung.

ver-mâzen swv. einen verm. ihn worin in ungehörigem masse, in beschämender weise übertreffen.

ver-mêchen stv. md. aufhalten, hindern, schwächen.

ver-meheien, -maheien swv. verloben, vermählen.

ver-meilen, -meiligen swv. beflecken, -schädigen. -meilunge stf. befleckung.

ver-meinbêten swv. einen v. beten, dass einer gemeinschaftslos wird. -meinen swv. aus der gemeinschaft ausstossen, verbannen, ächten, verwünschen, verfluchen, bestrafen.

ver-meinen swv. durch mein verderben, durch missetat be-

flecken, bezaubern, behexen.

ver-meinen swv. meinen, denken, wollen, hoffen; zudenken, -messen mit dat. u. acc.; aus den gedanken schlagen, zurückweisen.

ver-meinsame, -meinsamunge stf. ausschluss aus einer gemeinschaft, exkommunikation. -meinsamen swv. = vermeinen 1.

ver-meistern swv. durch abrichten verderben.

ver-meiz stm. holzschlag.

ver-mêlde swm. angeber. -mêlden swv. kund tun wovon andere nichts wissen sollten, angeben, verraten. -mêlder stm. angeber. -mêldunge stf. das angeben, verraten.

ver-mengeln, -mengen, -menkeln swv. vermengen, vermischen.

ver-menigen swv. unter die menge bringen, verbreiten.

ver-menschen swv. zum menschen machen.

ver-merken swv. merken, bemerken, gewahr werden.

ver-mesten swv. übermästen.

ver-mezzen stv. tr. ausmessen; abmessen, bestimmen, verabreden; zumessen, übergeben; falsch messen, nicht treffen, verfehlen. — refl. das mass seiner kraft zu hoch anschlagen, übermütig, kühn sein, sich rühmen, prahlen; vermëzzen part. adj. verwegen, kühn, leichtsinnig; sich fest u. kühnlich entschliessen, erkühnen, anheischig machen, anmassen, behaupten, ohne od. mit gen. -mëzzenheit stf. entschlossenheit, kühnheit, verwegenheit. -mëzzenlich adj., -liche adv. verwegen, kühn, kühnlich.

ver-michellichen swv. vergrössern, vermehren.

ver-mîden stv. tr. fern bleiben von, ausweichen, vermeiden, unterlassen; unwirksam bleiben auf; schonen, verschonen, unbehelligt lassen, mit gs.; fern halten von, nehmen, mit dp. — abs. nicht treffen, fehlen. — refl. fern bleiben von, sich nicht kümmern um (gen.). -midunge stf. vermeidung.

ver-miesen swv. mit moos, wie mit moos sich überziehen, verwachsen.

ver-mieten swv. tr. verdingen, -mieten; — refl. mit dp.

ver-milten swv. tr. milte geben, als almosen erteilen; gegen einem vermiltet werden gegen ihn zu freigebig sein.

ver-minnen swv. tr. entzweien; gütlich ausgleichen, versöhnen.

ver-mischen swv. tr. mischen, vermischen.' — refl. sich geschlechtlich vermischen mit; sich verbergen in.

ver-missehëllen swv. widereinander v. im streite sein.

ver-missen swv. mit gen. nicht treffen, fehlen (im kampfe mit der lanze usw.); nicht finden, verfehlen, nicht wahrnehmen, übersehen; ermangeln, vermissen.

ver-mitteln swv. vermitteln (part. vermittelt mittelbar); hindernd wozwischen treten.

ver-miucheln swv. = vermûchen.

ver-modelen swv. verunstalten, verderben.

ver-moderen swv. vermodern.

ver-mompern swv. beschützen.

ver-morden s. vermürden.

ver-morgengâben swv. als morgengâbe geben.

ver-mosen swv. = vermiesen.

ver-müchen swv. heimlich auf die seite schaffen und verstecken.

ver-müeden swv. tr. u. refl. ganz müede machen.

ver-müejen, -müegen swv. ganz entkräften. — refl. sich abmühen.

ver-müge, -mügede stf. vermögen, kraft, fähigkeit. -mügen, -mugen an. v. intr. vermögen, im stande sein. — tr. vermögen, gewalt haben über, wozu imstande sein mit acc. od. gen.; wozu vermögen, überreden, mit acc. u. infin. — refl. kraft haben, sich verstehn, im stande, im besitze sein, besitzen (mit gen.); mündig sein. -mügen, -mugen stn., -mügent, -mugent, -mügenheit stf. vermögen, kraft, macht, machtvollkommenheit, fähigkeit. -mügic adj. vermögend, stark, mächtig.

ver-müln swv. zerreiben.

ver-munden swv. tr. bevormunden, leiten. — refl. sich in den schirm eines andern begeben.

ver-mundern swv. ganz munder machen, aufwecken.

ver-münzen swv. als münze prägen.

ver-mürden, -morden swv. ermorden.

ver-müren swv. tr. mit einer mauer umgeben, ein-, vermauern; bildl. umzingeln, einschliessen; durch eine mauer abschliessen, versperren; zu einer mauer, beim mauern verbrauchen.

vern swv. intr. fahren; zu schiffe fahren, intr. u. tr.

ver-nâdeln swv. vernähen, flicken.

ver-nagelen, -negelen swv. mit nägeln beschlagen; mit einem nagel durchschlagen, durchnageln.

ver-nahten swv. übernachten; übernächtig werden, erst am folgenden tage beim richter angezeigt werden.

ver-næjen swv. einnähen, ein-, zuschnüren; überall sticken, durchsticken.

ver-namen swv. durch zu häufige nennung missbrauchen; erfahren, vernehmen.

ver-narren swv. ganz zum narren werden.

vërne adv. nbf. zu vërre fern.

vërne, vërn, vërnet, vërt, vërnent, vërnt adv. im vorigen jahre. — substantivisch stn. ein verflossenes jahr.

ver-negelen s. vernagelen.

ver-neigen swv. herabbeugen, unterdrücken, demütigen.

ver-neinen swv. widersprechen, verneinen; abschlagen, verweigern.

ver-nëmen stv. tr. fest, gefangen nehmen; part. vernomen befangen, betrübt, ohnmächtig; berühmt; hören, anhören, vernehmen, erfahren; sehen, riechen; unternehmen, wagen, abs.; erfassen, begreifen, verstehn; abs. verständig werden, sein. — intr. mit dp. hören auf, anhören, auf jem. horchen.

ver-nemes s. vürnamens.

vërnen swv. ferne sein mit dp.

ver-nennen swv. nennen.

vërnent, vërnet s. vërne 2.

ver-netzen swv. durchnässen u. dadurch verderben.

ver-netzen swv. mit einem netze umstricken.

ver-nicken swv. = verneigen.

ver-niden stv. aus hass umbringen, zugrunde richten.

ver-nideren swv. herabsetzen, verschlechtern.

ver-nieten swv. vernieten.

ver-niezen stv. verbrauchen, verzehren; part. vernozzen zerknirscht, reumütig.

ver-nihten (-niuten), - nihtigen (-niutigen) swv. zunichtemachen; für nichts achten.

ver-niugërnen swv. vern. an die lust an etw. verlieren.

ver-niuwen swv. tr. u. refl. erneuen; neu od. erneuert hinstellen, auffrischen, restaurieren, reformieren, verjüngen, wiederholen; neu ergründen.

verniz s. firnîs.

ver-noijieren, -noigieren, -nôgieren swv. refl. renegat werden, vom christentum abfallen, überh. abfallen, sich empören; sich erheben, den kampf aufnehmen (afz. renoier, lat.

renegare). -noijierunge stf. abfall, apostasie.

ver-nôtboten swv. durch einen nôtboten vorladen.

ver-notelen swv. schriftlich festsetzen, urkundlich anfertigen.

vërnt s. vërne 2.

ver-nücken swv. tr. durch einnicken, einschlafen versäumen.

ver-nüegen swv. mit ap. u. gs. od. umbe befriedigen, zufriedenstellen; mit as. bezahlen.

ver-nüllen swv. zerwühlen.

ver-nunst, -nust; -nunft, -nuft stf. das vernehmen durch äussere od. innere sinnestätigkeit; geistige fähigkeit u. erkenntnis-, unterscheidungs-, urteilskraft, vis rationalis, verständnis, einsicht, klugheit; aufmerksamkeit. -nunstic, -nunftic, -nünftic adj. vernünftig, verständig. -nünstic-heit, -nünfticheit stf. was man vernimmt, die kunde; vernunft. -nunstclich, -nunfticlich adj. wahrnehmbar; vernünftig; wohldenkend. -nunstlich,-nunft-lich adj. vernünftig; vernunftliche tugende virtutes intellectuales.

ver-nützen, -nutzen swv. aufbrauchen, verbrauchen; unnütz brauchen; unnütz zubringen, unbenutzt vorübergehn lassen.

ver-œsen swv. in unordnung bringen, vernichten, chen; verwüsten, -nichten.

ver-pênen swv. einen v. ihm eine geldbusse auferlegen; einem verpênt sîn ihm zur strafe verfallen sein; verpênte gesetze deren übertretung mit geldbusse bestraft wird.

ver-petschaten swv. versiegeln.

ver-phæhen swv. = verphien.

ver-phælen swv. zu-, einpfählen, einschliessen.

ver-pheden swv. den phat versperren.

ver-phehten swv. verpachten.

ver-phenden swv. als pfand setzen, ein pfand wofür geben; als pfand nehmen; durch ein pfand sichern.

ver-phien swv. tr. vor einem phî ausrufen, ihm mit abscheu zurückweisen, verhöhnen.

ver-phlëgen stv. aufhören zu pflegen, sich einer sache entschlagen, sie aufgeben, mit acc. od. gen.; übel, nicht gehörig pflegen, mit gen. — tr. die stelle eines andern übernehmen; ihn mit dem nötigen versorgen u. für ihn bürgschaft leisten; aufenthalt geben, ver-

pflegen; zusichern, versichern
mit dp. u. gs. — refl. mit gs. sich
einer sache entschlagen, sie
aufgeben; sich verpflichten,
haftbar machen mit gs.
ver-phliht stf. verpflichtung.
-phlihten swv. tr. in verbindliche gemeinschaft setzen, verbinden mit (in, ze), sich verpflichten, haftbar werden für;
mit dat. zusichern. — refl. sich
in verbindliche gemeinschaft
setzen, sich verbindlich machen,
verbinden; sich zu etwas verpflichten, versichern, versprechen mit gs., mit infin. od.
abh. s.
ver-phuchzen swv. tr. vor
einem phuch ausrufen.
ver-poppeln swv. tr. = ver-
buoben.
ver-prîsen swv. refl. sein lob
verscherzen.
ver-quanten swv. vertauschen, verbergen, -hehlen, -tu-
schen.
ver-quæʒen swv. verprassen.
ver-quêden stv. versagen.
verquëln stv. intr. u. refl.
vor quâl vergehn, sich in sehnsucht verzehren, abmartern. —
verquoln, -koln part. adj. leidvoll, gequält; sehnsüchtig,
schmerzvoll woran hangend,
wornach verlangend: verquoln,
-koln sîn an, nâch, ûf, umbe;
aufgebracht, erzürnt gegen.
verqueln swv. tr. einzwängen,
fest einschliessen in; umarmen;
quälen, martern; abquälen,
-martern tr. u. refl.
ver-quetschen swv. zerquetschen.
ver-quînen stv. dahin schwinden.
ver-râmen, -ræmen swv. =
berâmen.
ferrän stm. ein leichter stoff,
dessen kette aus seide, der einschlag aus wolle besteht (fz.
ferrandine).
ver-ranken swv. refl. sich
verrenken.
ver-râten redv. durch falschen
rat irreleiten, verführen, vernichten; verraten; einen anschlag machen gegen; ein guot v.
besorgen, nutzbar machen.
-râtenschaft, -rætenschaft stf.
verrat, verräterei. **-râter, -ræter**
stm. verräter; wahrsager. **-ræ-
terîe** stf. verrat, verräterei.
-ræterisch, -ræterlich, -rætlich
adj. verräterisch. **-râtnisse,
-rætnisse** stfn. verrat, verräterei.
vërre adj. fern, entfernt, weit;
auswärtig, fremd. -, vër adv.
fern, entfernt, weit, von weitem; weit, sehr, viel, mit eifer,
vor kompar. u. vbb.; nach sô,
alsô, alse, als demonstr. u.

relat. begrenzend: so sehr, inso-
weit, sofern, nämlich so.
vërre stf. s. virre.
ver-rëchen stv. ganz rächen.
ver-rëchen stv. ganz zusammenscharren.
ver-rëchenen, -rëchen swv.
= verreiten.
ver-recken swv. tr. darreichen; vollstrecken, -ziehen;
auseinanderrecken, vernichten.
— intr. die glieder starr ausstreckend sterben.
ver-reden swv. tr. zu ende
reden; durch reden zu ende
bringen, austragen, stillen; ablohnen, zurückweisen, widerlegen; versprechen, geloben. —
refl. sich verreden, falsch od.
ungerecht reden; versprechen,
geloben; sich verloben. **-redunge**
stf. verabredung.
ver-rëhten swv. tr. vor gericht bringen, gerichtlich behandeln, verhandeln; durch gerichtl. verhandlung ausgleichen,
durch richterl. spruch entscheiden; durch eid rechtfertigen,
beweisen; unter eidlicher versicherung versteuern. — abs. ein
recht durch rechtsmittel erhärten. **-rëhtigen** swv. gerichtlich verurteilen; hinrichten.
ver-reinen swv. vermarken.
ver-reiteln swv. einhegen,
-zäunen.
ver-reiten swv. rechnung ablegen über, verrechnen.
ver-reizen swv. anreizen, verführen; vertun, vergeuden.
vërre-lîche adv. in die ferne.
-lingen adv. von fern, von weitem. **vërren** adv. fern, von
fern, von weitem (vërrenân a
longe schweiz. hs. 14. jh.): weit
weg, weithin, entfernt, mit eifer,
sehr. **vërren** swv. intr. in die
ferne schweifen. — intr. u. refl.
fern werden od. sein, sich entfernen od. fern halten. — tr. in
die ferne leiten, führen, schweifen lassen; fern halten, entfernen, entfremden, entziehen;
einen v. sich von ihm fern halten, ihm ausweichen.
ver-renken swv. tr. u. refl.
verbiegen, umbiegen, herum-
drehen, verdrehen, verführen.
ver-rennen swv. tr. überrinnen machen, übergiessen, bestreichen; ein ros v. übermässig
jagen, antreiben. — refl. zu
weit rennen, sich reitend verirren.
vërrens gen. adv. fernher,
von fern.
ver-renzen swv. verkitten,
verkleistern.
ver-rëren swv. tr. dahin fallen
lassen, verstreuen, verschütten,
-giessen, verlieren. — intr. ver-
rinnen, verderben.

vërre-sieche swm. = sunder-
siech.
ver-rîben stv. tr. aufreiben;
part. verriben gerieben, durchtrieben. — refl. sich aufreiben,
durch reiben verwunden.
ver-ricken swv. ein-, abschliessen, umstricken; ordnen,
verteilen.
ver-riden stv. abwenden; verdrehen, verkehren, verrenken
tr. u. refl., bildl. sich verkehren,
sich anders wenden.
ver-riechen stv. aufhören
einen geruch zu geben.
ver-rigelen swv. verriegeln,
versperren, einschliessen.
ver-rihten swv. tr. mit as.
zurecht, in ordnung bringen,
einrichten, in rechter weise herstellen; entrichten, bezahlen
für; ausrüsten, versehen; zu
ende führen, ausrichten, vollbringen; beilegen, schlichten;
klage v. durch rechtsspruch entscheiden. — mit ap. in ordnung,
zur besinnung bringen; absolvieren; fertig machen, ausrüsten, bes. mit der letzten
wegzehrung ausrüsten; zufriedenstellen; bezahlen; belehren,
unterweisen; ausgleichen, versöhnen; verurteilen. — refl.
eine richtung einschlagen, sich
begeben in, vür, zuo; sich einrichten, die nötigen anstalten
treffen, sich wieder in die richtige verfassung bringen, sich
zurechtfinden; sich zu helfen
wissen; sich bewegen, entschliessen ze; sich belehren, unterweisen umbe; sich fertig
machen, rüsten; bes. sich mit
der letzten wegzehrung ausrüsten; sich ausgleichen, versöhnen. **-rihtenlîche** adv. ver-
gleichsmässig. **-rihter** stm. ordner, verwalter. **-rihtic** adj.
recht, ordentlich, verständig;
an etw. v. sîn es zu verrichten
wissen, es verstehn. **-rihticlîche**
adv. ordentlich, verständig; in
ordneder weise. **-rihtigunge,
-rihtunge** stf. ausgleichung, versöhnung; vergleich; vertrag;
verwaltung.
ver-rinnen stv. intr. weg-
rinnen, verschwinden. — refl.
zu weit laufen, sich verlaufen,
herumirren. — tr. reitend absperren, umlagern.
ver-rîsen stv. herabfallen;
bildl. vergehn.
ver-rîten stv. intr. ausein-
anderreiten; ausreiten. — refl.
sich beim reiten übermässig
anstrengen; zu weit reiten,
reitend sich verirren. — tr.
reitend abschneiden (weg); reitend überholen; ein ros v. übermässig antreiben, zuschanden-
reiten.

ver-ritzen swv. ritzen, verletzen, -wunden.
ver-riuhen swv. refl. rauh werden, sich belauben.
ver-riuwen stswv. unpers. mit ap. aufhören schmerz zu bereiten; refl. sich ganz dem schmerze hingeben, mit ihm fertig werden.
ver-rizen stv. zerreissen.
ver-ronen s. verrunen.
ver-rosten swv. rosten, verrosten.
ver-rœsten swv. ganz rösten.
ver-roten swv. = verrosten.
ver-rœten swv. ganz rot, blutig machen.
ver-rücken, -rucken swv. intr. von der stelle rücken, weichen, abreisen; dahin schwinden, vergehn, sterben. — tr. von der stelle rücken, verrücken, -schieben (den witwenstuol v. wieder heiraten); ausser fassung bringen, verwirren; ans ende rücken, beendigen. — refl. sich verrücken, weichen; dahinschwinden, vergehn.
ver-rüefen, -ruofen swv. tr. öffentlich ausrufen, bekannt machen, proklamieren; eine münze v. durch öffentl. bekanntmachung ausser kurs setzen; einen v. öffentlich ausweisen. — refl. appellieren.
ver-rüegen swv. anklagen; namhaft machen; verraten; denunzieren.
ver-rüemen swv. tr. durch prahlen verscherzen. — refl. sich berühmen mit gs.; öffentlich vor gericht behaupten mit gs. -rüemet part. adj. berühmt.
ver-rüeren swv. tr. berühren, berührend verrücken. — intr. überfliessen.
ver-rûmen swv. tr. fortgehend verlassen, räumen. — refl. sich flüchten.
ver-runen, -rünen, -ronen swv. mit ronen verdecken, verrammeln, -sperren, eig. u. bildl.; überschütten, bewerfen; einen mit steinen v. steinigen.
ver-ruochen swv. tr. sich nicht kümmern um, verachten. — intr. nicht achten, vergessen. — refl. sich nicht kümmern um, entschlagen mit gen. — verruochet part. adj. acht-, sorg-, ruchlos; verruochet, verrachen sin úf versessen sein auf.
ver-ruof stm. verkündigung. -ruofen redv. intr. rufen mit dp.
ver-rûschen swv. vorüberrauschen.
vērs stswm. stn. vers; strophe (lat. versus).
ver-sachen swv. tr. zu endgültiger entscheidung, zustandebringen, ins werk setzen; befestigen, vermachen; streitig

machen mit gs., ableugnen, verleugnen, entsagen mit dat. od. gen. — refl. mit gen. entsagen.
ver-sagen, -segen swv. absägen.
ver-sagen swv. intr. od. abs. absagen, entsagen mit dp. — tr. sagen, an-, aussagen mit adj. präd. des obj. u. dp.; zu ende sagen; ableugnen, verleugnen; nein wozu sagen, versagen, verweigern, abschlagen; verleumden. — refl. sich einem herren v. sich von der hörigkeit eines herrn lossagen, sie ableugnen. -sager stm. verleumder.
ver-sejen swv. falsch, umsonst säen.
ver-salwen s. verselwen.
ver-salzen redv. ganz salzig machen, versalzen.
ver-samenen swv. vereinigen, versammeln. -samenunge stf. zusammenkunft, versammlung.
ver-sarken = verserken, s. be-s.
ver-satzen swv. ein gebot v. = versitzen. -satzunge stf., -saz stm. versetzung, verpfändung.
ver-sāzen stv. in die gewalt bringen, festhalten, mit dp. einem etw. benehmen, verwehren; einen v. ihm den weg verlegen, einen hinterhalt legen.
ver-schaben stv. refl. sich wegschaben, verschwinden; von sich abschaben mit gs.
ver-schaf stn. bestimmung, letztwillige verfügung. -schaffen stv. übel und zum verderben schaffen (part. praet. missgestalt); verwandeln, -zaubern; wegschaffen, verderben; zum nachteile, zum verderben machen, bestimmen, mit dp.; anordnen, bestimmen; vermachen, zuteilen, bes. testamentarisch; durch letztwillige bestimmung entziehen; überweisen, schriftlich zusichern. -schaffen swv. abschaffen, aufheben; verwandeln; vermachen, zuteilen, bes. testamentarisch.
ver-schalcnisse stf. schmähung. -schalken swv. zum schalke machen, verderben.
ver-schallen swv. überschallen, -täuben, übertreffen; in schal bringen, verschreien; mit schallen durchbringen, verjubeln.
ver-schaln swv. ganz schal werden.
ver-schalten, -schalden redv. tr. wegstossen, verstossen; vertreiben; verdammen; fehlstossen, verfehlen an. — refl. sich v. an zugrunde richten.
ver-schamen, -schemen swv. intr. u. refl. in scham (schande) versinken, sich schämen. — refl. über die scham und schande

hinwegkommen, aufhören sich zu schämen, schamlos werden; gegen die scham verstossen mit. — tr. einen v. machen dass er sich schämt, in schande bringen; schamlos machen; etw. v. sich worüber zu ende schämen, die scham überwinden. -schamt, -schemt part. adj. verschämt; schamlos, unverschämt. -schamte adv. verschämter weise.
ver-scharn swv. tr. verschaffen, absondern, ausschliessen; zerteilen, -streuen, vereiteln; verführen, -leiten; v. mit umstellen. — refl. sich fortbegeben, verlieren.
ver-schatzen swv. versteuern.
ver-schaz stm. fährlohn.
ver-schēhen swv. aufhören zu rennen.
ver-scheiden redv. intr. fortgehn, vergehn, verschwinden; sterben. — tr. einrichten, anordnen; gerichtl. oder gütlich entscheiden, beilegen. -scheidunge stf. das abscheiden, der tod (vgl. verschidunge).
ver-schelken swv. zum schalc machen, überlisten, betrügen.
ver-schellen stv. untergehn.
ver-schellen swv. betäuben; in schal bringen, verschreien; mit gewalt auseinander treiben, zum weichen bringen, stürzen, vernichten, zerschellen.
ver-scheln swv. mit brettern vermachen, verschalen.
ver-schelzen swv. intens. zu verschellen 2; tr. zerschellen.
ver-schemen s. verschamen.
ver-schēmen swv. verschimmeln.
ver-schenden swv. ganz zu schanden machen. — intr. schande treiben.
ver-schenken swv. ausschenken; schenken, geben.
ver-schern swv. ausschliessen von, berauben mit gs.; verletzen.
ver-schērren stv. verscharren.
ver-scherten swv. ganz schartig machen, verwunden, verletzen.
ver-schiben stv. zu ende schiben (die arbeit v. abtun).
ver-schicken swv. verschicken, fortschicken, in die verbannung schicken; abfertigen, befriedigen; hingehen, vermachen, bes. testamentarisch.
ver-schiden stv. richterlich entscheiden, vergleichen; trennen, ausschliessen von (gen.) -schidunge stf. = verscheidunge.
ver-schieben stv. tr. hinschieben úf; aufschieben, verschieben; fort-, wegschieben, -stossen; umschliessen, einschliessen, einsperren; versper-

ren; hineinschieben in, voll-,
verstopfen. — refl. zu ende
gehn; sich verstopfen. — intr.
zu ende gehn, sterben.
ver-schiezen stv. abs. aufhören zu schiessen. — tr. abschiessen, schleudern; verschies-
sen, schiessend verbrauchen;
ganz wund od. tot schiessen;
tief herabschleudern, -stürzen;
entziehen, *einem etw.*; verzichten auf, aufgeben, übergeben
(durch wegwerfen des halmes).
— refl. fehlschiessen, mit dp.
fehlschlagen; eilend verfehlen
mit gen.; sich entäussern (durch
wegwerfen des halmes), mit gen.
— intr. schnell wegfliessen,
stürzen *in.*
ver-schif stn. fährschiff,
fähre.
ver-schimpfen swv. verspotten.
ver-schinboten swv. durch
einen *schinboten* melden.
ver-schinen stv. aufhören zu
leuchten, erblassen; vergehn,
verschmachten; ablaufen, vergehn (von der zeit); in abnahme
kommen, vernachlässigt werden; mit temp. acc. *ein jâr v.*
ein jahr lang bleiben. **-schi-
nunge** stf. ablauf, verfluss (zeit).
ver-schirmen swv. beschützen, verteidigen.
ver-schiuhen, -schiuwen swv.
scheu empfinden.
ver-schizen stv. intr. u. tr.
zu ende *schîzen.*
ver-scholn s. *versoln.*
ver-schönen swv. verschonen.
ver-schœnen swv. verschönen, verherrlichen; an schönheit übertreffen.
ver-schopfen, -schoppen swv.
verstopfen. **-schopfunge, -schop-
punge** stf. verstopfung.
ver-schorn swv. zuschaufeln,
verscharren.
ver-schouwære stm. der *ver-
schouwet.* **-schouwen** swv. tr.
über etw. hinwegsehen, es verachten, nicht befolgen.
ver-schozzen swv. versteuern.
ver-schragen swv.durch *schra-
gen* einschliessen, verschränken.
ver-schræjen swv. bespritzen.
ver-schramen swv. mit *schramen* versehen.
ver-schrannen swv. ab-, versperren.
ver-schrâzen swv. verstossen.
ver-schrecken stv. auffahren,
erschrecken.
ver-schrecken swv. in schrekken setzen.
ver-schreien swv. verschreien.
ver-schrenken swv. mit
schranken umgeben, einschliessen, -engen, versperren, verschränken.

ver-schrenzen swv. zerreissen, -stören.
ver-schriben stv. abs. u. tr.
schreiben, aufschreiben, verzeichnen, schriftlich festsetzen,
beschreiben; proskribieren;
schriftlich mitteilen od. befehlen mit dp.; schriftlich vermachen, zuerkennen, abtreten;
sich lossagen von; verlustig machen, berauben mit acc. u.
gen. — refl. sich schriftlich verpflichten; verzicht worauf (gen.)
leisten.
ver-schrien stswv. verschrei-
en; überschreien.
ver-schrinden stv. risse bekommen, sich spalten, bersten.
ver-schröten redv. tr. abschneiden; zerhauen, -schnei-
den, verwunden, -letzen; fehlerhaft schneiden, durch schneiden
verderben; zu kleidern verschneiden. — refl. sich verletzen, schaden leiden; fehl-
hauen, sich irren. — intr. zugrunde gehn. - swv. refl. sich
im hauen irren, verhauen.
ver-schroven swv. zerreissen,
verderben.
ver-schulden swv. tr. durch
schuld verlieren, verwirken;
von gutem oder bösem selbst
für sich die ursache sein; verdienen, verschulden; eine schuld
abtragen, vergelten; schuldig
werden in bezug auf, übertreten. — refl. in schuld oder schulden geraten, sich vergehn;
part. *verschuldet, -schult* schuldvoll. **-schuldigen** swv. verdienen, verschulden. **-schul-
digunge** stf. schuld, vergehn.
-schuldunge stf. verwirkung;
verdienung; beschuldigung.
ver-schünden, -schunden swv.
-schunten swv. antreiben, verführen.
ver-schupfen swv. verstopfen; schleudern, verstossen *in.*
ver-schüren swv. verhageln.
ver-schüten swv. verschütten,
verdämmen; verschütten, vergiessen.
ver-schützen swv. beschützen.
verse f. junge kuh.
vërse s. *vërsen* 2.
ver-segen s. *versagen* 1.
ver-sëhen stv. tr. vorher sehen, vorherbestimmen; glauben, rechnen auf; vorsorgend
bedenken; abwenden, verhüten;
sorgen für, besorgen, ausstatten
mit; versorgen, verwalten, beschützen; weisen, anweisen; ansehen für, verwechseln mit;
übersehen; verachten; nachsehen, verzeihen. — refl. rechnen auf, sich versehen, vor-
hersehend hoffen oder fürchten, zuversicht haben, erwarten,
mit gs. od. *an, ûf, umbe, ze.*

-sëhenlich, -sëhelich adj., -liche
adv. mit gewissheit oder wahr-
scheinlichkeit zu erwarten.
-sëher stm. pfleger.
ver-seigen swv. ausseihen,
fliessen machen *ûz.*
ver-seilen swv. irre leiten.
ver-seinen s. *versenen.*
ver-seinen swv. refl. säumen,
zögern.
ver-seiten swv. binden.
ver-selken swv. *sëlken* machen.
ver-sellen swv. refl. vereinigen *mit.*
ver-sellen, -seln swv. =
sellen; verkaufen, verhandeln.
ver-selwen, -salwen swv. ganz
sal machen, beschmutzen, trüben, verdunkeln, bräunen.
versen swv. abs. verse machen.
vërsen, vërsene, vërse stswf.
ferse.
ver-senden swv. tr. aus-,
wegsenden, bes. in die verbannung schicken. — refl. sich
verlieren, -tiefen.
ver-senen swv., alem. auch
verseinen, tr. mit *senen* hinbringen. — refl. von sehnendem
verlangen durchdrungen sein,
nâch, ûf, sich in seelenschmerz
verlieren und vertiefen, sich
abhärmen.
ver-senften swv. ganz *senfte*
machen.
versen-gëlt stn.: *verseng. geben*
fliehen.
ver-senken swv. tr. zu falle
bringen, verderben, versenken.
— refl. zu falle kommen, dahin-
sinken.
versen-phenninc stm. kuh-
pfennig (eine abgabe).
ver-sëren swv. tr. u. refl. verstärktes *sëren.*
ver-serken, -sarken swv. =
beserken.
ver-sërten stv. verst. *sërten.*
ver-sêrunge stf. verletzung,
beschädigung.
ver-setzen swv. hinsetzen,
legen; als pfand setzen, versetzen, verpfänden; beiseite-
setzen, verlieren; ersetzen, vergüten; verwehren; abwehren;
parieren; festsetzen, überlegen;
hindernd besetzen od. umstellen,
bedrängen, versperren.
ver-sibenen swv. = *über-
sibenen,* s. *be-s.*
ver-sichern swv. *sicher* machen, stellen, schützen gegen;
befestigen; sicherheit leisten
für; versehen, -sorgen; versuchen, erproben; geloben, versprechen.
ver-siechen swv. intr. u. refl.
ganz *siech* sein od. werden, in
krankheit vergehn; in krankheit verzehren, verbrauchen.

ver-sieden stv. intr. kochen; tr. verkochen, totkochen; kochend verbrauchen.

ver-sigelen swv. intr. u. refl. sich segelnd verirren, verschlagen werden.

ver-sigelen swv. be-, versiegeln, fest verschliessen, verwahren; besiegeln, bekräftigen; *einen v.* für ihn siegeln; refl. sich einschliessen *in*; *versigelt erde* siegelerde.

ver-sigen stv. versinken; versiegen (wasser).

ver-sigen swv. besiegen, überwinden (kämpfend od.v.gericht).

ver-sihen stv. versiegen, vertrocknen.

ver-siht stf. einsicht, meinung. **-sihtlich** adj. vorsicht erheischend, schlimm; voraussichtlich.

ver-silbern swv. zu geld machen, verkaufen.

ver-sinken stv. versinken, untertauchen, -gehn; sich vertiefen *in*; in gedanken versunken, bedacht sein auf, mit gen.; tr. = *versenken*; bergm. **schächte** usw. **senkrecht in die tiefe treiben.**

ver-sinnen stv. tr. mit den sinnen wahrnehmen, merken. — refl. zur besinnung, zum bewusstsein, verstand kommen; seine gedanken zusammennehmen, sich besinnen, nachdenken, einsichtig sein, begreifen; seine gedanken worauf richten, bedenken, einsehen, merken, verstehn, sich verstehn auf, mit gen., nachs. od. präpp.; hoffen, erwarten mit gen. — intr. zur besinnung kommen. - swv. refl. mit gen. od. nachs. wie das vorige; falsch sinnen, sich irren, fehlen. **-sinnet, -sint** part. adj. in gedanken verloren, verwirrt; bedacht auf, mit gen.; *wol v.* wohlbedacht, besonnen. **-sinnicheit** stf. bewusstsein. **-sinnunge** stf. das *versinnet*-sein, irrtum.

ver-sitzen stv. tr. durch sitzenbleiben etwas übersehen, ausser acht lassen, versäumen, nicht leisten. — refl. zu seinem schaden zu lange sitzen. — intr. sitzen bleiben, zu lange sitzen u. dadurch etw. versäumen; *versëzzen sin* übel niedersitzen, an verkehrter stelle sitzen.

ver-siuren s. *versûren.*

ver-siuwen swv. vernähen, flicken; einnähen *in.*

ver-släfen redv. tr. verschlafen, schlafend hinbringen oder versäumen. — refl. u. intr. zu lange schlafen.

ver-slahen, -slân stv. tr. zerschlagen; verwunden, erschlagen, töten, verwüsten; abschla-

gen, abhauen; auseinanderschlagen, -treiben, bildl. auseinandersetzen, erklären, verhandeln; in einer richtung treiben, schieben; vertreiben, -kaufen; zu weit, an einen unrechten ort treiben, verschlagen; zurückschlagen, -treiben, bildl. abschlagen; ablehnen, zurückweisen, vermeiden, verschmähen, gering achten, verachten; wegnehmen, entziehen, unterschlagen; beschlagen; umschmieden; umprägen; schlagend bedecken, beschmutzen; verstecken, -hehlen; gaukelei treiben, betrügen; zuschlagen, versperren, -schliessen, einschliessen, fesseln; durch einen verschlag absperren, bildl. in verfall kommen lassen, abkommen lassen; kirchlich untersagen, mit interdikt belegen; in gedanken überschlagen, anschlagen, achten, erachten; unpers. *mich verslehet* mich dünkt. — refl. sich verstecken; sich bedecken, beschmutzen; in abnahme kommen, schwinden, sich entfernen *von*; sich entschlagen mit gen. **-slahunge** stf. gänzliche abholzung; geringschätzung, herabsetzung; interdikt.

ver-sleichen swv. heimlich wegbringen, vertauschen.

ver-slemmen swv. mit schlamm anfüllen, bedecken.

ver-slicken = *verslucken.*

ver-sliefen stv. intr. u. refl. schlüpfend sich verbergen, sich verkriechen, verlieren; part. *versloffen* verborgen.

ver-sliezen stv. ein-, verschliessen, verbergen (*ein verslozzen frouwe* inclusa); verstopfen.

ver-slifen stv. intr. dahin gleiten, schwinden. — tr. gleiten machen, vertreiben; wegschleifen. — refl. sich abschleifen, abnutzen.

ver-slihten swv. ganz *slëht* machen, glätten; beilegen, ausgleichen, aussöhnen, auch refl. mit gs.

ver-slinden, -slingen, -slinken stv. verschlingen.

ver-slizen stv. intr. sich abnutzen, verderben, zugrundegehn. — tr. zerreissen, bis zum zerreissen abnutzen; unnötig verbrauchen, verzehren; hin-, zubringen (*daz leben* usw.). — refl. sich abnützen, alt und runzlicht werden; vergehn, **-fliessen** (vom leben).

ver-sloffen part. s. *versliefen.*

ver-slûchen swv. verschlingen, verschlucken (*sich in bruochen v.* = frzs. habiter).

ver-slucken swv. dasselbe.

ver-smæchelt, -smâchelt stf. schmach, beschimpfung, geringschätzung.

ver-smackunge stf. übeler *smac.*

ver-smæhe adj., **-smâhe** adv. verächtlich. **-smæhe, -smæhede** stf. entehrende geringschätzung, verächtl. behandlung, beschimpfung, verachtung. **-smæheden, -smæhten** swv. schmählich behandeln. **-smæhekeit** stf. schmähliche behandlung. **-smæhe-lich** adj., **-liche** adv.schimpflich,schmachvoll, mit verachtung. **-smæhen, -smâhen; -smæn, -smân** swv.tr ganz *smæhe* machen, in entehrender weise geringschätzen, schmählich behandeln, verschmähen, verstossen, ver-, achten. — part. praet. niedrig, schlecht. **-smâhen, -smân** swv. intr. ganz *smæhe* werden od. sein, verächtl. od. geringfügig erscheinen, dünken, nicht gefallen. *mir versmâht ein dinc, eines dinges od.* abh. satz mir missfällt. **-smæhenisse, -smâhenisse** stfn. verschmähung; verächtliche behandlung u. zurückweisung. **-smæher** stm. der *versmæhet.*

ver-smahten swv. verschmachten.

ver-smæhten s. *versmœheden.*

ver-smehten swv. verschmachten lassen, aushungern.

ver-smëlzen stv. intr. zerschmelzen, auseinanderfliessen. — tr. u. refl. zerschmelzen. **-smelzen** swv. zerschmelzen, vergehn machen, auflösen.

ver-smërzen stv. intr. verschmerzen; aufhören zu schmerzen.

ver-smieden swv. tr. schmiedend verarbeiten; fest schmieden, an-, einschmieden.

ver-smiegen stv. tr. wegdrükken, beseitigen. — tr. u. refl. ein-, zusammenziehen, schmiegen, verbergen.

ver-smirwen swv. zu-, beschmieren.

ver-smorren swv. ganz vertrocknen, einschrumpfen.

ver-smücken swv. verst. schmücken; refl. sich ducken, demütigen.

ver-snellen swv. tr. fortschnellen; zuvorkommen; übereilen, verfehlen; übervorteilen, -listen.

ver-snîden stv. tr. auseinanderschneiden, zerschneiden, -hauen; zuschneiden; fehlerhaft zuschneiden u. anfertigen; s. v. a. *undersnîden* mit verschiedenfarbigen stoffen zusammensetzen; ab-, wegschneiden, bildl. beschränken, schwächen, verkürzen, betrügen; be-

schneiden (die vorhaut); kastrieren; schneidend verwunden
od. töten, vernichten (*daʒ
leben*). — refl. weggeschnitten
werden, aufhören; sich im
schneiden irren, bildl. sich
versehen, in nachteil kommen,
betrogen werden; sich verwunden, verletzen.
ver-snîwen, -snîen stswv. tr.
ver-, zuschneien. — intr. ein-
geschneit werden.
ver-snorren s. *versnurren*.
ver-snûden stv. verschnaufen.
ver-snüeren swv. mit schnüren binden, zuschnüren, bildl.
beeinträchtigen, schmälern; in-
einanderflechten.
ver-snurren, -snorren swv.
tr. weidm. die spur des wildes
durch den spürhund verfehlen.
— refl. fehlschiessen. — intr.
aufhören zu *snurren*, abge-
schossen sein.
ver-sochen swv. refl. abquälen.
ver-solden swv. bezahlen, belohnen, -schenken; in sold
nehmen, besolden. **-soldenen**
swv. an *solt* ausgeben. **-sol-
dunge** stf. besoldung.
ver-solgen swv. beschmutzen.
ver-soln, -scholn swv. tr.
durch schuld verwirken; verschulden, verlieren; vergelten.
— refl. in schuld geraten; part.
verscholt schuldvoll, frevelhaft.
ver-sorc stm. fürsorge, abhilfe. **-sorcnisse** stf. vormundschaft; bürgschaft; schutz-
bündnis.
ver-sören swv. tr. vertrocknen, verdorren.
ver-sorgen swv. intr. aufhören zu sorgen. — tr. = *besorgen*; sicherstellen, bes. hypo-
thekarisch. — refl. sich in sorgen verzehren.
ver-sorteullche adv. eingeschrumpft.
ver-soufen swv. ertränken.
ver-spalten redv. auseinanderspalten, spaltend verderben.
ver-spanen stv. verlocken.
ver-spannen redv. festspannen.
ver-sparn swv. sparen, schonen; aufschieben.
ver-spæten, -späten swv. tr.
u. refl. verspäten, -säumen. —
intr. säumen.
ver-spëhen swv. auskundschaften; *mir ist verspeht* ich
bin beraten. **-spëher** stm. aus-
kundschafter.
ver-spènden swv. spendend
austeilen.
ver-spengen swv. mit spangen
verschliessen, verbinden.
ver-spennen swv. verschleiern, verhüllen.
ver-sperren swv. zu-, einschliessen, verschliessen, versperren, verbergen.
ver-spiln swv. spielend hinbringen; spielend verlieren;
durch spiel zunichte machen,
täuschen.
ver-spirzen, -spürzen swv.
anspeien.
ver-spitzen swv. tr. conspuere.
ver-spitzen swv. tr. zu spitz
machen. — refl. auf eine spitze
auslaufen.
ver-spîwen, -spîen stswv. ver-
speien, anspeien; verachten,
-schmähen.
ver-spot stm. verspottung.
-spotten swv. verspotten; mit
spotten hinbringen.
ver-sprächen swv. anreden;
verloben.
ver-spræjen swv. zerstreuen.
ver-sprangen swv. intr. zu
ende springen.
ver-sprëchen stv. intr. *vür
einen v.* für ihn ein versprechen
leisten, bürgen. — tr. sprechend
vertreten, verteidigen, fürsprache tun, entschuldigen;
verloben, zur ehe geben, mit
gen.; in anspruch nehmen, einfordern, mit beschlag belegen;
durch rede festsetzen, bestimmen, versprechen; übel sprechen von, mit worten beschimpfen, beschuldigen mit gs. od.
abh. satz; wogegen sprechen,
widersprechen, leugnen, verleugnen; verweigern; sprechend
ablehnen, verreden, ausschlagen, zurückweisen, verschmähen, verzichten auf. — refl. sich
verteidigen; sich verantworten
umbe; *sich zuo einem v.* sich
ihm verdingen; sich verbindlich machen, geloben; *sich
einem v.* verloben; unrichtig
sprechen; sich zum schaden od.
ungebührlich sprechen; sich
des sprechens enthalten; verzichten auf, mit gen. **-sprëcher**
stm. anwalt, verteidiger,
schutzherr. **-sprëchnisse** stfn.
fürsprache, verteidigung,
schutz; versprechen, gelöbnis;
festsetzung, bestimmung.
ver-spreiten swv. ausbreiten,
zerstreuen.
ver-springen stv. tr. durch
springen verlieren. — intr. fort-
springen, vergehn. — refl.
sich v. in verbinden mit.
ver-spruch stm. fürsprache,
verteidigung, schutz. **-spruch-
nisse** stf. versprechen; festsetzung, bestimmung.
ver-spulgen swv. aufhören zu
pflegen, eine gewohnheit ablegen.
ver-spünden swv. verschliessen.
ver-spürzen s. *verspirzen*.
ver-stân, -stên anv. intr. stehn-
bleiben, aufhören; nicht vorwärts kommen, ausbleiben;
über die rechte frist hinaus
stehn bleiben und dadurch verfallen (von pfändern). — abs.
nützen (mit dat. od. ze); verstand haben. — tr. zum stehn
bringen, stillen (blut); jemandes
stelle vertreten, ihn vor gericht
vertreten, verteidigen; stell-
vertretend, schützend, verbergend, hindernd wovor treten; verstehn, wahrnehmen,
vernehmen, merken (auch mit
gs.); *einen verstân lâzen* ihm zu
verstehn geben, wissen lassen,
mitteilen, benachrichtigen. —
refl. zu lange stehn und dadurch
steif werden; verstehn, einsehen, wahrnehmen, merken,
mit gs.; verständig sein. **-stan-
den, -stân** part. adj. verständig,
geschickt; verstockt, erstarrt.
-standenheit stf. verständigkeit,
verstand. **-standenlichen** adv.
verständig. **-stant** stm. verständnis, verständigung. **-stant-
nisse, -stentnisse** stfn. geistige
fassungskraft, denkvermögen,
verständnis, einsicht, verstand.
ver-starren swv. ganz starr
werden; eifrig bedacht sein.
ver-stætigen swv. fest machen.
ver-stëchen stv. abs. zu ende
stechen. — tr. stechend aufbrauchen, zerbrechen; verstechen, vernähen.
ver-stecken swv. = *erstecken*.
ver-stëhelen swv. stählen.
ver-steinecheit, -steinunge
stf. verstocktheit. **-steinen** swv.
intr. zu stein, hart wie ein stein
werden, erstarren, verstocken.
— tr. mit steinen versehen,
bedecken; mit marksteinen
versehen, abgrenzen; steinigen.
-steinigen swv. steinigen.
-stellede stf. entstellung.
-stellen swv. tr. zum stehn bringen, im fliessen aufhalten,
stillen; verwandeln; entstellen,
unkenntlich machen. — refl.
sich verwandeln; sich verstellen, unkenntlich machen.
ver-stëln stv. heimlich wegnehmen, stehlen; heimlich beibringen, mit acc. u. dat.; geheim halten, verheimlichen. —
refl. unbemerkt fort oder wohin
gehn.
verstempfen swv. zustampfen.
ver-stên s. *verstân*.
ver-stenden swv. (blut) zum
stehen bringen. **-stendic** adj.
verständig; aufmerkend; *v. sin*
mit acc. verstehen. **-stendicheit**
stf. = *verstantnisse*. **-stentnisse** s.
verstantnisse. **-stendiclich, stent-
lich** adj., **-liche** adv. verständlich, verstehend, verständig.
ver-stërben stv. intr. sterben,
wegsterben. — refl. durch den

tod des besitzers frei werden.
-sterben swv. töten, vernichten.
'ver-sterren swv. ganz starr machen.
ver-sticken swv. tr. hineinstecken. — intr. u. tr. ersticken.
ver-stieben stv. intr. wegstieben. — tr. fliehen von.
vërs-tihter stm. dichter.
ver-stillen swv. tr. im fliessen aufhalten, stillen.
ver-stiuren swv. versteuern.
ver-stocken swv. stocken, verstocken, erstarren.
ver-stolne, -stoln part. adv., -stolnliche adv. verstohlner weise.
ver-stopfen, -stoppen swv. verstopfen, verschliessen, vorenthalten.
ver-stœren, -stören swv. zerteilen; vertreiben von; stören, beunruhigen, verwirren; verwüsten, zerstören, vernichten. -stœrer stm. zerstörer.
ver-storren swv. ganz steif, zu einem storren werden.
ver-stœrunge, -stœrnisse stf. verwirrung, zerstörung.
ver-stouben swv. verscheuchen.
ver-stôzen redv. tr. nach einer richtung bewegen, stossen in; weisen, hin-, anweisen; verstecken in; etw. aus der richtung bringen, es ändern; wegstossen, vertreiben, entfernen, zurückweisen; mit gs. einem etw. entziehen, ihn berauben, enterben; auseinanderstossen, vertun, vergeuden; zustossen, verstopfen, -schliessen. — refl. eine richtung nehmen, verlaufen; eine andere richtung nehmen; sich irren, einen fehltritt begehn; sich verbergen; sich vertreiben von. — intr. irregehn, sich verirren, sich irren, einen fehltritt begehn.
ver-stræten swv. einhalt tun, stillen, heilen; abhalten, vereiteln.
ver-strëben swv. strebend über etw. hinkommen.
ver-strecken swv. tr. erstrekken, verlängern; vollstrecken; vollmachen, begaben mit (gen.). — intr. zögern.
ver-strichen stv. tr. ver-, überstreichen, verschmieren; überstreichend heilen; ausstreichen, vertilgen (schrift). — refl. sich strichend (reitend, turnierend) bewegen u. abmühen, sich eilend od. heimlich fortmachen. — intr. vergehn.
ver-stricken swv. fest zusammenstricken, verflechten, -binden; einsperren, versperren; verbergen, verheimlichen; verbinden, verpflichten, tr. u. refl.; festsetzen, stipulieren; ein

pfant v. versetzen. -stricknisse, -strickunge stf. verbindung, bündnis.
ver-striten stv. durch kampf ganz vernichten oder abnutzen, verbrauchen.
ver-ströuwen, -ströun swv. auseinanderstreuen, zerstreuen, -trennen.
ver-stüefen swv. zurückdrängen, aufhalten; decken, schützen.
ver-stummen, -stumben swv. intr. ganz still, stumm werden. — tr. ganz stumm, klanglos machen; part. verstumt ganz stumm; verstockt, ungläubig.
ver-stumpfen swv. übermässig stumpf machen.
ver-stürn swv. zerstören.
ver-stürzen, -sturzen swv. stürzend umwenden, umstürzen, verkehren, fortschaffen, verderben, vernichten; umstürzend aus-, vergiessen.
ver-süenen, -suonen swv. tr. mit as. sühnen, gutmachen, ausgleichen, stillen; mit ap. aussöhnen, versöhnen. — refl. sich versöhnen. -süener stm. versöhner.
ver-süfen stv. intr. versinken in. — tr. ersäufen.
ver-sûgen stv. zu ende saugen, überh. aufhören.
ver-sûme stf. säumnis. -sûmec, -sûmeclich, -sûmelich adj., -liche adv. säumig, nachlässig. -sûmecheit stf. säumigkeit, vernachlässigung; versäumnis. -sûmen swv. tr. mit as. ungetan oder unbeachtet lassen, versäumen; verpassen; mit ap. saumselig machen, ab-, auf-, zurückhalten, irren, unbeachtet lassen, vernachlässigen, im stiche lassen, durch saumseligkeit in nachteil bringen; mit gs. um etw. bringen. — intr. sich versäumen. — refl. säumen, saumselig sein, sich verspäten. -sûmheit stf. = versûmecheit. -sûmnisse stfn., -sûmunge stf. vernachlässigung; versäumnis.
ver-sünden, -sündigen swv. tr. in sünden stürzen, durch sünden verderben. — refl. sich versündigen.
ver-sunnen part. adj. wohlbedacht, besonnen.
ver-sünnen swv. sonnig machen.
ver-sunnenlich adj. bewusstsein seiner selbst habend.
ver-suoch stm. das streben, trachten, unternehmen; prüfung, untersuchung. -suochen swv. tr. zu erfahren, kennen zu lernen suchen, forschen nach, prüfen, auf die probe stellen; in versuchung führen; angrei-

fen; zu erlangen od. zu tun suchen (obj. ez); s. v. a. besuochen aufsuchen, besuchen, wohin kommen, bebauen, benutzen, bewohnen. — refl. sich versuchen, einen versuch anstellen; sich suchend verirren. -suocher stm. der auf die probe stellt, münz-, weinprobierer; versucher, verführer. -suochnisse stfn., -suochunge stf. das prüfen, probieren, kosten; das auf die probe stellen; versuchung, prüfung, verführung.
ver-süren, -siuren swv. ganz sûr werden.
ver-swachen swv. intr. ganz swach werden. -swachen swv. tr. ganz swach machen, herabsetzen, in den schatten stellen, beschimpfen, verringern; verderben.
ver-sweifen redswv. fortschwingen, wegschleudern.
ver-sweigen swv. zum schweigen bringen.
ver-sweimeln swv. schwindlig werden.
ver-sweinen swv. verswinen machen, vernichten; in den schatten stellen, übertreffen; bluot v. vergiessen.
ver-swëlhen (-swëlgen) stv. tr. verschlucken, -schlingen. — refl. u. intr. versiegen, vertrocknen, -schwinden.
ver-swëllen stv. übel anschwellen, zuschwellen. -swellen swv. anschwellen machen, aufstauen, verdämmen; durch hunger krank machen, verschmachten lassen, verderben.
ver-swemmen swv. wegschwemmen.
ver-swenden swv. verswinden machen; zerbrechen, aufbrauchen, verzehren, vernichten, beseitigen, hinbringen, -geben (je nach dem obj.). -swendunge stf. sin selbes v. machen detrimentum sui facere.
ver-swenken swv. wegschwenken, beseitigen.
ver-swerer stm. der von einem durch einen eidschwur lossagt. -swern stv. intr. falsch schwören; mit dp. sich durch eidschwur von einem lossagen. — tr. eidlich angeben; eidlich geloben, versichern; schwören etw. nicht tun od. haben zu wollen, sich durch einen eidschwur lossagen von, verzichten auf, ab-, verschwören. — refl. falsch schwören; sich eidlich verpflichten, einen schwur leisten; eidlich verzichten auf (gen.), sich durch eid lossagen.
ver-swërn stv. zu schmerzen od. zu schwären aufhören, zuschwären; eintrocknen (eiter), vernarben.

ver-swerzen swv. ganz schwarz machen, verfinstern.

ver-swigen stswv. intr. nicht laut werden, schweigen; *einem v.* ruhig zuhören. — tr. zu nennen unterlassen, mit stillschweigen übergehn, wovon schweigen, verschweigen. — refl. seinen namen nicht nennen; durch schweigen, nichtfordern zu schaden kommen, verlieren. -swigen part. adj. schweigsam, verschwiegen.

ver-swiln swv. schwielig werden.

ver-swimen stv. = *verswinen.*

ver-swinden stv. unsichtbar, unwirklich werden (refl. sich unsichtbar machen); vergehn, zunichte werden, verschwinden, umkommen, sterben. — unp. mit dat. ohnmächtig werden.

ver-swinen stv. unsichtbar werden, verschwinden, vergehn; bes. krankhaft schwinden, abmagern.

ver-swingen stv. tr. wegschwenken, im schwunge fortwerfen, *mich verswinget etw.* schwingt sich an mir vorbei, wird mir nicht zuteil. — intr. aufhören zu schwingen, die schwungkraft verlieren. — refl. sich fliegend verirren.

ver-swistern swv. s. **verbruodern.**

ver-switzen swv. refl. verschwitzen, verbluten.

vërt s. *vërne* 2.

ver-tagedingen, -teidingen swv. vor gericht ziehen, laden; vor gericht verhandeln, übereinkommend festsetzen u. ausgleichen; vor gericht verteidigen.

ver-tagen swv. tr. einem einen tag od. termin ansetzen; aufschieben, verschieben; versäumen. — intr. jahr und tag bleiben, wohnen. — refl. (von der zeit) ablaufen.

ver-tammen s. *vertemmen.*

ver-tanzen swv. mit tanzen hinbringen (zeit).

ver-tân part. adj. verflucht s. *vertuon.*

ver-tarnen swv. wohl verbergen, -hüllen.

ver-tarrazen s. *vertërrazen.*

ver-tasten swv. betasten, schlagend od. stossend berühren.

verte swm. gefährte. - swf. weg.

ver-teben swv. unterdrücken, verderben.

vertec, vertic adj. gehn können, beweglich; gehend, weggehend; in gange, in übung, üblich; zur *vart* bereit oder tüchtig; gang-, fahrbar; in ordnung

befindlich, gut, recht beschaffen; rechtschaffen, gut; geschickt, gewandt, tauglich.

vertegen s. *vertigen.*

ver-teidingen s. *vertagedingen.*

ver-teilen swv. ver-, zerteilen; bei der teilung beeinträchtigen od. übergehn, enterben; den anteil absprechen, für verlustig erklären, des anteiles woran berauben, mit acc. u. gen.; durch urteil absprechen, nehmen; recht u. unrecht zu jemandes schaden teilen: ihn zum unglücke bestimmen, verurteilen, verdammen, verfluchen mit dp. ap., mit as. verfluchen, verwünschen. **-teilunge** stf. verurteilung, verdammung.

vertelin, vertel stn. dem. zu *vart.*

ver-temmen, -tammen swv. mit einem damme versehen; verdämmen, dämpfen, erstikken; hindern.

ver-tennen swv. ganz wie eine *tenne,* ganz eben machen.

ver-terken, -tirken swv. verdunkeln, -hüllen.

ver-tërrazen, -tarrazen swv. mit *terrazen* versehen, verbarrikadieren.

vertic s. *vertec.*

vërtic adj. vorjährig.

ver-tiefen swv. vertiefen, versenken. — refl. sich in sünden verstricken.

vertigen, vertegen swv. *vertic* machen, zur fahrt ausrüsten od. bereit halten, brauchbar machen, zustandebringen; im gerichtl. sinne zufertigen, übertragen, im geistl. sinne absolvieren; schicken, fortschaffen; abfertigen, entsenden, entlassen, verabschieden. **vertiger,** ferker stm. spediteur (s. *salzvertiger).* **vertigunge** stf. ausstattung, -steuer; ausfertigung (*des brieves*); zufertigung, übergabe; abfertigung, entlassung; auftrag, mission; spedition, fracht.

ver-tilger stm. vertilger, vernichter.

ver-tiligen, -tilgen, -tilken; -tiljen, -tiljen, -tilen swv. wegtilgen, vertilgen, vernichten.

ver-tirken s. *verterken.*

ver-tiuchen swv. refl. vertiefen, untertauchen *in.*

ver-tiuren swv. zu *tiure* machen; = *übertiuren.*

ver-tiuvelen swv. teuflisch werden.

ver-toben swv. tr. durch *toben* vertun. — intr. u. refl. aufhören zu *toben,* austoben; übermässig in den zustand des *tobens* geraten, rasen.

ver-tokzen swv. *daz guot v.,* durch *tokzen* vertun.

ver-tolken swv. verdolmetschen.

ver-topeln, -toppeln swv. durch würfelspiel verlieren.

ver-tören swv. intr. vollständig ein *tôre* werden, sich gänzlich vernarren. **-tœren, -tôren** swv. tr. vollständig zum *tôren* machen, vollends betören; als *tôre,* törichter weise vertun. — refl. = intr. *vertôren.*

ver-töten swv. intr. absterben.

ver-touben swv. intr. ganz *toup* werden. — tr. ganz *toup* machen, betäuben; vernichten, töten. — refl. enden, aufhören.

ver-trac stm. vertrag (*eines v. hân* schonen), verträglichkeit; dauer, bestand; zeitvertreib; eintrag, gewinn.

ver-tragen stv. tr. mit sachl. obj. weg-, forttragen, mit persönl. obj. dahintragen, zu weit oder in falsche richtung führen, verleiten, verleumden; bis ans ende tragen: ertragen, erdulden, geschehen u. sich gefallen lassen, mit acc. u. dat. sich etw. von jemand gefallen lassen, ihm es nachsichtig hingehn lassen, gestatten. — abs. mit dat. mit einem nachsicht u. geduld haben, ihn verschonen; verschonen mit ap.; *eines d. vertragen sîn* damit verschont, davon befreit, dessen überhoben sein; gütlich beilegen; aussöhnen. — abs. *über ein, under ein v.* übereinkommen, einen vertrag schliessen; — refl. zu ende kommen, vergehn; irregehn; übereinstimmen, gleichlautend sein; *sich mit einem v.* übereinkommen, einen vertrag oder frieden schliessen, gleich.

ver-traht stf. m. vertrag, vergleich.

ver-trahten swv. refl. sich in gedanken verlieren, grübeln.

ver-trëchen stv. überziehen, verbergen.

ver-trecken swv. verziehen, verzerren.

ver-, vür-trëffen stv. übertreffen.

ver-tregelich adj. erträglich; verträglich.

ver-tregic adj. verträglich.

ver-trenken swv. tränken, voll tränken; zum sinken bringen, ertränken; durch einen trank vergiften. — refl. sich betrinken; sich ertränken.

ver-trëten stv. intr. dahingehn, enden, verlaufen. — tr. wegtreten, -stossen; verschmähen, verleugnen, entsagen; dazwischentretend verhindern, versperren; niedertreten, zertreten, vernichten; vor einen od. etw. treten, an

dessen stelle treten, vertreten; gutstehn für, haften; hinausgehn über. — refl. fehltreten; dahingehn, enden.
ver-treten swv. ver-, zertreten.
ver-tribe swm. vertreiber.
-triben stv. tr. übermässig treiben; übermässig an-, auseinandertreiben; wegtreiben, vertreiben, -stossen; leermachen, verwüsten; vertun,durchbringen; hinbringen (*daz leben* usw.); verkaufen. — refl. sich verlaufen, verfliessen, vergehn.
-tribenlich adj. verderblich, zugrunderichtend. **-tribnisse** stfn., **-tribunge** stf. vertreibung.
ver-triegen stv. betrügen.
ver-trinken stv. intr. ertrinken; tr. durch trinken vertun; durch trinken verlieren.
ver-trip stm. vertreibung.
ver-triuten swv. verloben.
ver-triuwen s. *vertrûwen.*
vertrogen part. adj. hinterlistig, betrügerisch.
ver-trœsten swv. abs. bürgschaft leisten *vür.* — tr. mit ap. sicher stellen, einem bürgschaft leisten, mit as. sicherheit wofür gewähren, mit dopp. acc. einem wofür sicherheit gewähren. — refl. mit gen. über den verlust wovon sich trösten, vergessen, verzichten. **-trœstunge** stf. zusage von hilfe.
ver-truckenen swv. vertrocknen (md. *vertrûgen*); trocken machen.
ver-trunkenheit stf. trunksucht.
ver-trûwen, -triuwen swv. intr. trauen, vertrauen. — tr. anvertrauen *einem etw.*; versprechen, geloben; freien um, sich anverloben, sich vermählen *mit*; ehelich verloben od. vermählen mit dat. u. acc.; kirchlich trauen. — refl. zuversichtlich sein, mit gen.; gelobt, geschworen werden; sich anvertrauen, angeloben mit dp.; sich ehelich verloben. **-trûwunge** stf. verlobung; vereinigung.
ver-tücken swv. refl. sich beugen, neigen.
ver-tüemen swv. verurteilen, verdammen. **-tüemnisse, -tuomnisse** stn., **-tüemecheit, -tüemunge** stf. verdammung, verdammnis.
ver-tüllen swv. verzäunen, versperren.
ver-tumben, -tummen swv. intr. u. refl. ganz *tump* werden. — tr. in unverstand hinbringen.
ver-tûmelt part. adj. betäubt.
ver-tunkeln swv. verdunkeln.
ver-tuoære stm.verschwender.

ver-tuomlich adj. verdammlich.
ver-tuon an. v. vertun, aufbrauchen, verzehren; hinbringen (von der zeit); vergeblich tun; wegschaffen, hingeben, benehmen mit dp.; vertilgen, verderben; versperren. — refl. sich abseits zusammentun, versammeln; verschwenderisch leben; sich durch handeln verfehlen; part. adj. *vertân* verbrecherisch, schuldig, verflucht, böse.
ver-türen swv. unpers. = *betüren*, s. *betiuren.*
ver-tüschen swv. vertauschen.
ver-tuƷƷen, -tussen, -dussen; -tuschen, -tüschen swv. intr. betäubt werden, vor schrecken verstummen, ausser fassung kommen. — tr. zum schweigen, zum aufhören bringen; bedecken, verbergen, verheimlichen; in trauer versetzen, betrüben. — refl. sich verbergen.
ver-twälen swv. intr. zurückbleiben, von kräften kommen. — refl. sich aufhalten.
ver-twäsen, -dwäsen swv. tr. töricht, nichtig machen; vernichten. — refl. töricht sein.
ver-twëln stv. verschmachten, verkümmern, zugrundegehn.
ver-tweln swv. tr. zurückhalten, verkümmern. — refl. sich aufhalten.
ver-twengen, -zwengen swv. einklammern, zusammenpressen.
ver-twingen stv. bezwingen, zusammenpressen.
ver-übelen swv. auf böse weise behandeln; an übel übertreffen.
ver-üeben swv. refl. sich zu ende *üeben.*
ver-ultern swv. quälen, plagen, martern.
ver-underphenden swv. zum unterpfande setzen.
ver-ungëlten swv. tr. wofür *ungëlt* zahlen.
ver-ungenædigen swv. ungnädig behandeln.
ver-ungenôƷen, -genôƷsamen swv. tr. u. refl. mit einem *ungenôƷen* verheiraten.
ver-unleitunge stf. falsche leitung, verführung.
ver-unnamen swv. mit einem spottnamen belegen.
ver-unrëhten swv. einem unrecht antun, ihn beeinträchtigen.
ver-unreinen, -unreinigen swv. verunreinigen.
ver-unruochen swv. unbeachtet lassen, verachten.
ver-unsælen swv. verwünschen, verfluchen.

ver-untriuwen swv. tr. mit ap. gegen einen treulos sein, ihn treulos behandeln, schädigen; verraten; einem etw. veruntreuen, ihn bestehlen; mit as. veruntreuen. — refl. sich treulos beweisen *gegen.*
ver-unwërden swv. ganz *unwërt* machen.
ver-urliugen swv. mit krieg überziehen, durch krieg vertreiben, verwüsten.
ver-ursatzen swv. verpfänden.
ver-urteilen swv. richterlich entscheiden, als *urteil* verkünden; verurteilen.
ver-urvëheden swv. *sich gegen einem v.* ihm urfehde schwören.
ver-ûƷern s. *veriuzern.*
ver-vachen swv. ab-, hinlegen, verteilen *in.*
ver-vähen, -vân redv. tr. fassen, erfassen, fangen; weidm. die witterung in die nase fassen, spüren; antreffen, erreichen; erwerben, gewinnen; rechtl. ein entfremdetes gut als eigentum in anspruch nehmen od. gewinnen; beschlag legen auf; einfriedigen, einfassen; zusammenfassen; schriftlich verfassen; vernehmen, wahrnehmen; geistig auffassen, aufnehmen, beurteilen, anrechnen; hart beurteilen, tadeln; fassen u. vorwärts schaffen; zuwegebringen, ausrichten, fördern; mit unpers. subj. förderlich sein, helfen, frommen, nützen, abs. od. mit ap., dp.; *einem etw. v.* zugestehn, ihm gegenüber zu etw. sich verpflichten, ihm etw. benehmen, ihn woran hindern. — refl. sich unterfangen, unter-, übernehmen, beginnen, mit gs.; sich verfangen, verstricken. — refl. sich verpflichten, mit gs.
ver-vælen swv. fehlen, sich irren; fehlen, nicht treffen; unp. fehlschlagen. — refl. fehlen, mangeln, fehlgehn.
ver-vallen redv. intr. zu tief fallen, herab-, hinabfallen, versinken; abfallen *von*; bildl. in schuld od. sünde geraten; verfallen, geraten *in*; ein-, zufallen, zusammenfallen, -stürzen; zu tode fallen, zugrundegehn, verderben; als eigentum zufallen, anheimfallen; zur busse verfallen, schuldig werden. — tr. fallend versperren. — refl. fallen, geraten *in*; zufallen, sich verstopfen; durch fallen zugrundegehn; durch schlechtes fallen (der würfel) verloren gehn.
ver-valten redv. zusammenfalten.
ver-valwen swv. entfärben; *val* werden.

ver-vanc stm. schaden, nachteil.

ver-vanclich, -venclich adj. tauglich, nützlich, wirksam, von erfolg.

ver-væren swv. tr. beunruhigen, erschrecken. — refl. sich fürchten, mit gen.

ver-værlich adj. gefährlich.

ver-varn stv. intr. vorübergehn, vergehn; dahinfahren, verschwinden, euphem. sterben; verlorengehn, verderben; falschen weg gehn, sich verirren. — tr. fahren auf, wandeln (weg, spur); fahrend vermeiden, ausweichen. — refl. sich verirren, mit gs. ausweichen, vermeiden.

ver-vazzen swv. tr. in sich aufnehmen; refl. sich vereinbaren wegen (gen.).

ver-vehten stv. tr. fechten für, verteidigen; heimlich wegnehmen, stehlen. — refl. sich müde fechten; sich heimlich begeben, stehlen in.

ver-veigen swv. ganz veige machen.

ver-veilen, -veilsen swv. feilbieten, verkaufen, preisgeben.

ver-vellen swv. tr. auseinanderfallen machen, zum fallen bringen, zu haufen stürzen, verschütten; zu falle bringen, verführen; herausfallen machen, reissen ûz; verlieren, verwirken; für verfallen erklären; zugrunde richten, verderben. — refl. versinken, sich verlieren, zugrundegehn.

ver-vellic adj. anfallend, erblich; einem etw. v. sin als busse zahlen müssen.

ver-velschen swv. verfälschen.

ver-velwen swv. ganz val machen.

ver-vemen swv. verurteilen, verfemen.

ver-vendern swv. verhandeln, verkaufen; verwahrlosen.

ver-verren swv. entfernen.

-verrunge stf. entwendung.

ver-verwen swv. tr. verfärben, ein anderes aussehen geben, verändern. — refl. sich färben; entfärben; sich durch farbe unterscheiden, bildl. sich trennen von.

ver-vesten, -vestenen swv. festsetzen; festmachen, bekräftigen; einem ein guot vervesten es ihm in festen besitz geben; verhaften; ächten. -vestenunge, -vestunge stf. ächtung.

ver-viln swv. unp. mit acc. u. gen. zuviel werden od. dünken.

ver-vilzen swv. verfilzen.

ver-virren swv. sehr weit entfernen.

ver-viulen swv. ganz faul machen.

ver-vliegen swv. intr. u. refl. wegfliegen, sich fliegend verirren.

ver-vliezen stv. intr. fliessen, dahinfliessen; zerfliessen; zu ende fliessen, vergehn. — tr. zerfliessen machen, verderben. — refl. vollfliessen, sich anfüllen mit.

ver-vlizen stv. refl. sorgfalt u. eifer anwenden, eifrig bedacht sein. -vlizzen part. adj. eifrig.

ver-vlougen swv. dispergere (oves Marc. 14, 27).

ver-vlücken swv. verfliegen; verflackern.

ver-vluht stf. flucht. -vlühtic adj. flüchtig.

ver-vluochen swv. intr. mit dat. fluchen. — tr. verfluchen, verwünschen.

ver-volgen swv. intr., mit dat. u. gen. folge leisten, beistimmen; folgen, nachkommen. — tr. befolgen, zugeben, nachkommen; verfolgen. — tr. verlaufen, in erfüllung gehn.

ver-vraten swv. verst. vraten, s. vreten.

ver-vrevelen swv. tr. durch ein vergehn verlieren; refl. sich vergehn, freventlich benehmen.

ver-vriden swv. einzäunen u. dadurch schützen; ausser frieden setzen, bekriegen.

ver-vriesen stv. erfrieren.

ver-vriunden swv. durch freundschaft verbinden.

ver-vröuwen swv. erfreuen.

ver-vrumen swv. ganz hinderlich sein zu (an).

ver-vüegen swv. intr. mit dat. passen, anstehn.

ver-vüeren swv. tr. vollführen, ausüben; wegführen, entführen; versetzen in; in die verbannung führen; ächten; irre führen, verführen, -leiten; auseinanderführen, zerreissen, zerstören; durch fahren verderben; fahrend umgehn. — refl. sich entfernen von; sich zerstreuen, vergehn. -vüerunge stf. vollführung; verführung.

ver-vülen swv. verfaulen.

ver-vüllen swv. ganz anfüllen, erfüllen; füllen, giessen in; erfüllen; befolgen.

ver-vürhten swv. refl. sich fürchten, erschrecken.

ver-vürwizen swv. seine lust büssen an, es satt werden.

ver-wachen swv. bewachen; als wahtgelt wofür entrichten.

ver-wäfenen, -wäpenen; -wäfen, -wäpen swv. ganz bewaffnen, wappnen, rüsten; vermachen, -schliessen.

ver-wagen swv. schwanken.

ver-wæhen swv. verunstalten.

ver-wahsen stv. intr. zu-, zusammenwachsen. — tr. u. intr. überwachsen.

ver-wæjen swv. verwehen.

ver-walken redv. zusammenwalken, verfilzen.

ver-wallen redv. tr. aufhören zu wallen. wallen. den muot v. sich beruhigen.

ver-wallen swv. refl. sich wandernd verirren.

ver-waln swv. beim kegeln (waln) verspielen.

ver-walten redv. tr. in gewalt haben, verwalten, sorgen für. — refl. gewalt, kraft haben; in gewalt haben, können, verstehn, mit gen.; sich frei bewegen. -walteren swv. md. refl. mit gen. in gewalt haben, können, verstehn. -waltigen, -weltigen swv. überwältigen, gewalttätig behandeln.

ver-wandelicheit stf. veränderlichkeit.

ver-wandeln swv. tr. umdrehen, herumwerfen; umwenden, zerstören; umwenden, -kehren, verändern, vertauschen, -wechseln, -lassen, vorbeigehn; in das gegenteil verwandeln; den lip, daz leben v. sterben; den sin v. von sinnen kommen, den verstand verlieren; den schaden usw. v. vergüten; als entschädigung, als busse zahlen. — intr. mit gen. des libes, des lebens v. sterben. -wandelunge stf. transsubstantiation.

ver-wandern swv. tr. verändern, verwandeln.

ver-wænen, -wänen swv. tr. hoffen, erwarten; einen v. von ihm hoffen, erwarten; überdenken, beachten, mit gen. — refl. vermuten, erwarten, glauben; sich zu hoch meinen, überheben: part. verwænet anmasslich. -wænunge stf. zusage, vorausgehnde verabredung.

ver-wäpenen s. verwâfenen.

ver-wâr = vür wâr.

verwære, -er stm. färber; maler.

ver-wæren swv. als wâr dartun, beweisen, versichern.

verwærinne stf. färberin; malerin; die sich schminkt.

ver-warlösen swv. tr. u. refl. unachtsam behandeln oder betreiben, verwahrlosen; beflecken.

ver-warn swv. behüten, bewahren.

ver-warnen swv. warnen. -warnunge stf. warnung, mahnung.

ver-warten swv. intr. warten, bis zu ende warten; warten auf, erwarten, mit dat.; auf-

lauer̄n, mit gen.; sorgen für, behüten, mit dat.; verwahr-losen, mit gen. — tr. zu ende warten, mit temp. acc.; auf-lauern, sorgen für, behüten.
ver-warunge stf. verwahrung; vorbehalt.
ver-waschen swv. wegwaschen.
ver-wasen swv., part. *verwaset* mit rasen bedeckt u. dadurch unkenntlich gemacht (weg). **-wasic** adj. mit gras, moos bedeckt.
ver-wasten swv. verwüsten.
ver-wāȝen redv. tr. zugrunde-richten, verderben; verdam-men, -fluchen, -wünschen; von sich weisen, verstossen, ver-bannen. **-wæȝen** swv. von sich stossen, verwünschen, -fluchen. **-wāȝene, -wāȝenunge, -wāȝunge** stf. verwünschung, verfluchung.
ver-wēben stv. verweben, vereinigen.
ver-wecken swv. aufwecken; anreizen. **-weckunge** stf. auferweckung.
ver-wēgen stv. tr. an gewicht übertreffen, überwiegen; auf-wiegen, mit dp.; unpers. mit acc. u. gen. gewicht haben für, kümmern. — refl. sich auf die glückswage legen, sich (aufs geratewohl) frisch wozu ent-schliessen, mit gs., inf. od. abh. s.; *verwegen* part. adj. frisch entschlossen, etw. aufs spiel setzend; sich wovon fort-bewegen, worauf verzichten, mit gen. **-wēgenheit** stf. ent-schlossenheit. **-wēgenliche** adv. frisch entschlossen, vermessen, verwegen.
ver-wēhsel stm. tausch, um-wechselung. **-wēhseln** swv. wechseln, umwechseln, -tau-schen, verwechseln, -tauschen.
verwe-hūs stn. färbhaus, fär-berei.
ver-weichen swv. auf-, er-weichen.
ver-weinen swv. tr. weinend verderben, ausweinen (*ougen*). — refl. sich ausweinen, sich durch weinen entkräften, ab-härmen.
ver-weisen swv. intr. u. tr. zum, zur *weisen* werden oder machen, verwaisen.
ver-welben swv. wölben.
ver-welhen swv. tr. verän-dern. — refl. sich verkleiden, vermummen.
verwelin stn. dem. zu *varwe.*
ver-wellen stv., part. *ver-wollen* rund, schön gerundet.
ver-wellen swv. tr. einrollen, absperren mit. — refl. sich be-sudeln mit.
ver-wellen swv. refl. sich durch übermässiges aufwallen

(einer leidenschaft) schaden tun.
ver-weltigen s. *verwaltigen.*
verwen swv. tr. ein aussehen geben; färben; malen, bemalen; farbig sticken; beschönigen. — refl. sich färben, ein aussehen annehmen; sich schminken.
ver-wendecliche, -en adv. den kopf wendend, zurück-schauend; den kopf eitel, hoch-mütig, trotzig ab- oder um-wendend.
ver-wenden swv. tr. rück-gängig machen, abwenden,-weh-ren; abwenden, entfernen *von*; umwenden, -kehren; verwan-deln; umkehren, zerstören; widerlegen; *ez v.* auf verkehrte, böse art treiben; verleiten; verweisen, hinweisen *ûf*; an-, unterbringen: verheiraten; aus-statten, schmücken; *verwant* part. adj. in beziehung, in ver-bindung stehend, verwandt. — refl. sich abwenden von, ent-schlagen mit gen.; sich ver-wandeln, eine andere gestalt annehmen.
ver-wenen swv. verwöhnen; in übler weise an etw. (gen.) gewöhnen. **-wenet** part. adj. verwöhnt, bevorzugt, köst-lich.
ver-wentlich adj. was sich abgewendet hat, rückgängig ge-worden ist.
ver-wēpfen swv. umschlagen, kahnig werden (wein).
ver-wērben stv. erwerben; *einem etw. v.* verhandeln, ver-kaufen.
ver-wērde stf. exitium.
ver-wērden stv. zunichte werden, verderben, verloren-gehn.
ver-wērfen stv. tr. ab-, hin-, weg-, niederwerfen; überwin-den; wegwerfen, verschleudern; zurückweisen, verschmähen; verweigern, verstossen, -trei-ben, verwünschen; *verworfen* part. adj. verstossen, ausge-setzt; schlecht, untauglich, armselig; unselig, unglücklich; bedecken, bewerfen; zuwerfen, verschütten; werfend aufbrau-chen. — refl. sich stürzen *in*; abfallen *von*; sich verlaufen; ein ende nehmen, sich verlieren; sich entzweien mit. **-wērfe-nunge, -wērfunge** stf. ab-, weg-werfung, zurückweisung; das durcheinanderwerfen.
ver-wērken swv. tr. verar-beiten; vermachen, eindämmen; durch sein tun verlieren, ver-wirken. — refl. sich hinein-schaffen, begeben *in*; sich ver-fehlen, versündigen *an.*
ver-wērn swv. tr. *einem etw. v.* ihm dafür gewähr leisten. —

refl. mit gen. wofür einstehn, etw. unternehmen.
ver-wern swv. tr. abwehren, verhindern; verwehren, ab-halten von (inf.).
ver-wērrærinne stf. verwir-rerin, bestrickerin. **-wērren** stv. in verwirrung, unordnung, un-ruhe bringen; erschrecken; un-lösbar verwickeln; *sich mit etw. v.* befassen; auseinander bringen, feindselig entzweien. **-werren** swv. in unordnung bringen, verletzen. **-wērrenlich** adj. verwirrend. **-wērrunge** stf. verwirrung, verwicklung.
ver-wērten swv. intr. ge-brechlich, alt werden. — tr. u. refl. schlecht machen, verder-ben, verletzen.
ver-werzen svw., intens. zu *verwērren*, verwirren, schädigen, verletzen.
ver-wēsen stv. intr. zunichte werden, vergehn, herunterkom-men. — tr. zunichte machen, verderben, aufbrauchen; an jemandes stelle treten, ver-treten; verwalten, verwesen, versehen, sorgen für. **-wesen** swv. jemandes stelle vertreten. **-wēsenlich** adj. verweslich, ver-gänglich. **-wēser** stm. stellver-treter; verwalter. **-wēsunge** stf. verwesung; verwaltung.
ver-wēten stv. verbinden.
ver-wetten swv. tr. wetten; durch ein pfand sichern, ver-pfänden; durch eine wette ver-lieren; als busse zahlen.
verwie, virwie adj. farbig.
ver-wickeln, -wicken swv. wickeln, einwickeln *in*; ver-wickeln, verstricken.
ver-wicken swv. verzaubern. **-wickunge** stf., md. *vorwickunge* vorhersagung (durch zauber).
ver-widemen swv. zum nutz-niess stiften, übergeben; *einen ûf ein guot v.* es ihm als dotation anweisen.
ver-wideren swv. tr. sich sträuben gegen, zurückweisen, ausschlagen, verweigern; wider-sprechen, verneinen; erwidern, vergelten; rückgängig machen; in rückgang, schaden bringen, hinderlich sein, herabsetzen.
ver-wieren swv. mit gold od. edelsteinen durchlegen, durchwirken, schmücken; gold oder edelsteine einlegen, ein-wirken (*an, in, ûf*).
ver-wilden swv. tr. *wilde* machen, entfremden; eine frem-de gestalt geben, entstellen. — refl. sich *in die wilde* ver-lieren, sich verbergen; eine fremde gestalt annehmen, sich verwandeln. — intr. *wilde,* fremd werden, sich entfrem-den, verwildern.

ver-wîlen swv. intr. säumen, zurückhalten *an*. — tr. zubringen (*daʒ leben*). — refl. sich aufhalten; sich versäumen *an*.

ver-willekürn swv. tr. freiwillig wählen; freiwillig aufgeben, verzichten auf. — refl. freiwillig ein abkommen treffen *mit*; sich freiwillig verpflichten, mit gen. **-willen** swv. refl. sich freiwillig verpflichten, mit inf. u. *ze*; *sich ûf einen v.* ihn freiwillig zum schiedsrichter wählen. **-willigen** swv. intr. zu etw. willig sein, einwilligen, mit gen. od. dat. — tr. bewilligen, zugestehn. — refl. sich willig zeigen zu, einwilligen, mit gen. od. dat. **-willigunge** stf. bewilligung, einwilligung, erlaubnis. **-willunge** stf. dasselbe; freie wahl eines schiedsrichters.

ver-winden stv. tr. windend ausdehnen (faden); einwickeln, umwinden; zusammendrehen; besiegen; überwinden, -wältigen, -stehn; wozu bringen, nötigen; vor gericht besiegen, überführen; verwinden, verschmerzen. — refl. sich wickeln, verwickeln, schmiegen *in*. **-windunge** stf. rechtliche überführung.

ver-winkeln swv. in den *winkel* stecken, verbergen.

ver-winnen stv. tr. überwinden, besiegen; vor gericht besiegen, überführen; übertreffen; wozu bringen, mit gen.; verwinden, verschmerzen. — refl. sich schmiegen *zuo*.

ver-wirken, **-würken** swv. tr. kunstmässig verarbeiten, prägen; durch kunstarbeit bringen, fassen *in*, einfassen *mit*; vermachen, einschliessen *in*, verwickeln *in*; einfriedigen, umhegen; ins unglück bringen, zugrunde richten, verderben; vorübergehn lassen, versäumen; durch sein tun verlieren, verwirken. — refl. sich ins unglück stürzen; durch sein tun sich verfehlen; durch sein tun verlieren. — *verworht* part. adj. verbrecherisch, böse, verdammt, verflucht; geschändet.

ver-wirren, **-würren** swv. intr. sich verwickeln. — tr. entzweien.

ver-wis stm. anweisung, verschreibung eines gutes.

ver-wischen swv. tr. wegwischen, austilgen; vorübergehn an, nicht bekommen, entbehren, verlieren. — intr. (plötzlich) verschwinden, verloren gehn.

ver-wîsen swv. tr. falsch weisen, irre leiten, verführen; ab-, weg-, ausweisen, verbannen; verweigern; überfüh-

ren, für überführt, verurteilt erklären; hinweisen *an*; zuweisen, übertragen.

ver-wissen swv. durch pfand sichern.

ver-wîsunge stf. beweis; ausweisung, verbannung; vermächtnis.

ver-witewen swv. zur witwe machen oder werden.

ver-wiʒ stm. strafender tadel, verweis. **-wiʒen** stv. strafend oder tadelnd vorwerfen, vorrücken, mit dat. u. acc.

ver-wiʒʒen an. v. tr. wissen; *einen eines d. v.* ihn in einer sache für unschuldig halten. — refl. bei verstandeskräften sein. part. adj. verständig.

ver-wollen part. adj. s. *verwëllen*.

ver-worfen part. adj. armselig. **-worfenheit** stf. der zustand wo etw. verworfen ist od. sich verwirft, abscheu. **-worfenlich** adj. abgenutzt.

ver-worht part. adj. s. *verwirken*.

ver-worrenlich adj. in unordnung gebracht, verworren.

ver-worten swv. tr. mit worten, in der sprache missbrauchen; durch worte darlegen, sagen. — refl. *sich an einen v.* sich mit ihm in unterhandlung einlassen.

ver-wüesten, **-wüestenen** swv. ganz *wüeste* machen, verwüsten; unschön machen, verderben, -letzen, unnütz vertun; einsam machen, verlassen.

ver-wüeten swv. intr. u. refl. ganz in *wuot* geraten, wahnsinnig werden; austoben.

ver-wunden swv. verwunden, verletzen (*die erden v.* den boden in seiner ertragsfähigkeit verschlechtern).

ver-wundern swv. intr. ganz wundervoll sich zeigen; sich verwundern. — refl. sich zu ende wundern, genug wundern; sich verwundern, mit gen. — unpers. *mich verwundert* nimmt wunder; ich wundere mich zu ende, höre auf mich zu wundern über (gen.).

ver-wurfnisse stfn. auswurf.

ver-würken s. *verwirken*.

ver-würren s. *verwirren*.

ver-zabelen swv. intr. u. refl. zu ende zappeln, auszappeln, ruhig werden.

ver-zadelen, **-zâdelen** swv. refl. vor mangel umkommen, verschmachten. — tr. in dürftigkeit bringen, vor mangel umkommen lassen.

ver-zagelich, **-zagenlich** adj., **-liche** adv. verzagt, mutlos.

-zagen swv. intr. ein *zage* wer-

den, den mut, die zuversicht, fassung verlieren, scheu werden, verzagen, ohne od. mit gen. od. mit präpp. — *verzaget*, *-zeit* part. adj. mutlos, verzagt, scheu. **-zagetliche** adv. = *verzageliche*. **-zagnisse** stf. verzagtheit. **-zegen** swv. verzagt machen.

ver-zëhenden swv. tr. den zehnten wovon geben; den zehnten mann töten.

ver-zeln, **-zellen** swv. tr. erzählen, berichten; *einem etw. v.* vorzählen, tadelnd vorhalten; *einem etw. v.* vorenthalten; geringschätzen; ausscheiden *von*; verurteilen, -dammen, für verfallen erklären.

vërzen stv. III, 2 bombisare, pedere.

ver-zerer stm. verzehrer, verschwender. **-zerlich** adj. vergänglich, verweslich. **-zern**, **-zeren** swv. tr. verzehren, aufzehren, aufwenden, verbrauchen, vernichten; hinbringen (*zît, leben* usw.); *einen v.* unterhalten, verköstigen; *mit einem etw. v.* für ihn brauchen zum unterhalt. — refl. seine habe verzehren, nichts mehr zu leben haben; sich abzehren, entkräften; durch überanstrengung schaden leiden, zugrundegehn.

ver-zerren swv. auseinanderzerren, zerreissen.

ver-zerten swv. verweichlichen, verzärteln.

ver-zetten swv. zerstreut fallen lassen, verstreuen, verlieren.

ver-zic stm. verzicht. **-bære** adj. fähig verzicht zu leisten.

ver-zicken swv. bezichtigen, verdächtigen, unredlich behandeln, gefährden.

ver-ziehen stv. tr. untereinander ziehen, mischen; auseinander ziehen, zerstreuen *in*; herausziehen, -zücken; wegziehen, entfernen, beseitigen; wegnehmen, entziehen; verweigern; übergehen *mit*; verleiten; schieben *ûf*, hinhalten, -ziehen, aufschieben, verzögern; vollziehen. — refl. sich entfernen *von*; sich entziehen, entrinnen, mit dat.; sich hinziehen, verzögern; in verzückung geraten. — intr. warten, verzögern. **-ziehnisse** stf. aufschub.

ver-zigenheit stf. *sin selbs v.* selbstverleugnung. **-zigenisse** stfn. verzichtleistung. **-zihbrief** stm. verzichtbrief. **-zihen**, **-zîen** stv. versagen, abschlagen mit dat. u. acc. od. gen., mit acc. u. gen.; nicht wovon reden wollen, verzichten auf, aufgeben, verlassen, mit gen., mit

ap. sich lossagen von, verlassen, verschmähen. — refl. worauf verzichten, sich lossagen von, aufgeben, mit gen.; verzeihen mit dp. **-zihenisse** stn. = **ver-zigenisse. -zihenunge** stf. = *verzihunge.* **-ziht** stf. entsagung, verzichtleistung. **-ziht-brief** stm. = *verzihbrief.* **-zihunge** stf. verzichtung.

ver-zîln swv. tr. an einen ort bestellen; aus den augen verlieren, versäumen; s. v. a. *enzwei ziln* zerhauen. — refl. unterbleiben.

ver-zimbern swv. verbauen, zubauen; bauend verbrauchen (*holz*).

ver-zimen swv. unp. mit acc. = *zimen.*

ver-zimieren swv. mit rittermässigem schmucke versehen.

ver-zinen swv. verzinnen.

ver-zingeln swv. verschanzen.

ver-zinsen swv. tr. den *zins* wovon od. wofür bezahlen. — refl. für sich den *zins* bezahlen.

ver-zittern swv. aufhören zu zittern.

ver-ziugen swv. mit zeugnis überwinden, überführen, mit gs.; mit zeugnis gewinnen.

ver-ziunen swv. verzäunen.

ver-zoc, -zuc stm. verzug.

ver-zogen swv. intr. vorbeiziehen; zögern, säumen. — tr. entziehen; verzögern.

ver-zollen swv. tr. den *zol* wovon od. wofür geben. — tr. mit dem massstabe abmessen.

ver-zuc s. *verzoc.*

ver-zücken, -zucken swv. tr. zücken, verdrehen; schnell hinwegnehmen oder hinwegführen, bes. heimlich od. räuberisch; im geiste, durch verzückung entführen, entrücken. — refl. sich verrücken. — intr. verziehen.

ver-zürnen swv. intr. aufhören zu zürnen. — refl. in zorn geraten.

ver-zwicken swv. tr. mit eingefügten *zwecken* ausbessern; mit z., wie mit z. befestigen, festnageln, einklemmen, verkeilen.

ver-zwivel stm. verzweiflung. **-zwiveln** swv. die hoffnung aufgeben, verzweifeln.

vêse swf. hülse des getreidekorns, spreu, bildl. das geringste; der unenthülste spelt.

vêsel stn. spreu.

vêsel s. *visel.*

vesel, veselic adj. fruchtbar (von tieren).

veseln swv. pflegen, unterhalten.

veseloht adj. voll fasern.

vesen s. *vasen.*

vêsper stf. die vorletzte canon. stunde (6 uhr abends) u. der betreffende horagesang (lat. *vespera*). **-lich** adj. abendlich. **-zit** stf. zeit der *vesper*; bildl. der jüngste tag.

vêsperîde stf. s. v. a. **vêsperie, vêsperi** stf. lanzenrennen einzelner am vorabende eines grösseren turniers; das turnier selbst; s. v. a. *vêsperzit.*

fêst, fest stn. festtag (lat. *festum*).

fêste stf. *eines d. feste hân* sich darüber freuen.

veste, vest adj. nicht weich, fest, hart, stark, beständig, eig. u. bildl. (gewaltig, gross, standhaft, tapfer, unerweichlich); ehrenfest; sicher. - adv. = *vaste.* - stf. festigkeit, härte; unerweichlichkeit, beständigkeit; feste, geschlossene schar, reihe; sicherheit, sicherer ort, schutz; befestigter ort, feste stadt, burg; gefängnis; bekräftigung, sicherung; trauung.

vestec-heit stf. festigkeit, stärke; standhaftigkeit; befestigter ort, schloss. **-lich** adj. fest, hart, stark, beständig; standhaft. **-liche, -en** adv. fest, beständig, standhaft, stark, gewaltiglich, sehr.

vestel-naht, -tac s. *vastel-.*

vestenen, vesten swv. tr. fest u. beständig, standhaft machen, festsetzen, bestätigen, bekräftigen, beglaubigen; an etw. festhalten; woran befestigen; begründen, erbauen; befestigen, verschanzen, als festung erbauen; gefangen setzen; verloben, antrauen, mit dp. — refl. eine befestigte stellung einnehmen, sich verschanzen *vür einen* (ihm gegenüber).

vestene, vesten, vestin swstf. festung, vestenunge stf. befestigung, festung; festsetzung, bestätigung, -kräftigung; festigkeit, kraft; grundfeste. **vestigunge** stf. befestigung, festung.

vestnisse stf. firmamentum.

vestunge stf. befestigung; bekräftigung; festigkeit, kraft; grundfeste; s. v. a. *vervestenunge.*

festivieren, festîieren swv. festlich feiern, ein fest begehn; festlich bewirken (lat. *festivare*).

vest-lich adj. fest. **-liche** adv. fest, stark, sehr.

vet adj. fett (nd.).

vêtach, vêtech, vêtich, vitech, vitich stm., **vêtache, vêteche, viteche** swfm. fittich; eine art schutzwehr.

vetel stf. altes weib, vettel (lat. *vetula*).

vetere, veter swm. vatersbruder, vetter; bruderssohn. — pl. stammverwandte. **veteren** swv. intr. mit dp. sich als vater zeigen. **veter-lich** s. *vaterlich.* **-licheit** stf. vaterschaft; väterlichkeit.

veterlîn s. *vaterlîn.*

vetten, vetzen swv. fett machen.

vetze swm. fetzen, lumpen.

vetzen swv. reissen, zerfetzen; s. v. a. *vazzen.*

vewen, vowen swv. sieben.

veʒʒât stfn.? hinterbacken, hinterer (fz. *fesse*).

veʒʒel stmf. band zum befestigen und festhalten des schwertes, des schildes, des falken.

vêʒʒel, viʒʒel stm. teil des pferdebeines zwischen huf und unterstem gelenk, wo man das pferd beim weiden anzubinden pflegt. **-bant** stn. band zum festhalten des falken.

veʒʒelen, veʒʒenen, veʒʒen, veʒʒeren swv. fesseln.

veʒʒeler stm. fassmacher.

veʒʒelîn, veʒʒel stn. dem. zu *vaʒ:* fässchen, schränkchen, büchschen.

veʒʒer swf. md. fessel.

veʒʒeren s. *veʒʒelen.*

veʒʒich stn. coll. zu *vaʒ.*

fi, fîa s. *phiu.*

viandinne, viendinne stf. feindin. **viant, vient, vint** stm. feind. — adjektivisch mit dat. *vint sîn* (gesteigert *vînder, vîndest*) feind sein.

fianze stf. untertänigkeitsgelübde des entlassenen besiegten od. gefangenen; gelöbnis der schuldpflicht, das der entlassene schuldner dem gläubiger leistet (afz. *fiance,* mlat. *fidentia,* vgl. *sicherheit*).

fiaʒ s. *phiaʒ.*

vic, -ges stmn. feigwarze (lat. *ficus,* vgl. *fîge*). **-blâter** swf. feigwarze. **-(vigen-)boum** stm. feigenbaum.

vicâr, vicâri, vicârier stm., **vicârje** swm. stellvertreter, verweser (lat. *vicarius*). **vicârie** stf. amt des vikars.

ficken swv. reiben.

ficken swv. heften (lat. *figere,* it. *ficcare*).

videlære, -er stm. fiedler. **videl-boge** swm. fiedelbogen. obsc. penis. **videle, videl** swf. geige, fiedel (mlat. *vitula, fidula*). **videlen** swv. geigen, fiedeln; obsc. futuere. **videlîn** stn. dem. zu *videle.* **videl-stap** stm. = *videlboge.*

fiden swv. tr. refl. sich verlassen auf.

vider stn. = *gevider.* **videren** swv. mit federn versehen, befiedern; euphem. erdichten,

lügen; mit flaumigem pelzwerk besetzen. **viderin, vëderin** adj. von federn.
fieber, vieber stn. fieber (lat. *febris*, s. *biever*). **-siech, fieberic** adj. fieberig. **fiebern** swv. fiebern.
viehtach stn. fichtenwald. **viehte** swstf. fichte; trinkbecher aus fichtenholz. **viehtin** adj. von der fichte.
viendinne s. *viandinne.*
vienen swv. übel, ränkevoll handeln, zum besten haben, betrügen.
vient s. *viant.*
vient-, vînt-lich adj. feindlich. **-liche** adv. auf feindliche, feindselige weise; gewaltig, heftig, sehr. **-schaft** stf. feindschaft. — astr. oppositio.
fier, vier adj. stolz, stattlich, schön (fz. *fier*, lat. *ferus*).
vier num. card. vier (oft nur formelhaft eine unbestimmte zahl ausdrückend, ähnlich wie nhd. „ein paar"). **-beine** adj. vierbeinig. **-ecke, -eckëht** adj. viereckig. **-halben** adv. nach den vier seiten hin. **vier-halter** stm. = *vierharter.* **-harten** swv. durch kniffe im spiel betrügen (vgl. *viertœten*). **-harter** stm. betrüger im spiel, falscher spieler. **-klê** stm. vierblätteriger klee. **-lanket** adj. vierseitig. **-lei** = *vier leie* (s. *leie*). **-lich** adj. vierfach. **-man** stm. mitglied eines viererkollegiums. **-mâz** stn. der vierte teil eines viertels. **-mæzic** adj. vier *mâz* enthaltend. **-ort** stn. viereck. **-ortic** adj. viereckig. **-ortigen,** **-orten** swv. viereckig machen. **-schiltec** adj. von vier ritterl. ahnen abstammend. **-schrœte** adj. viereckig, v. zugehauen; mit vier feldern. **-schrœtic** adj. dasselbe, bildl. von gewaltiger grösse und stärke. **-schutzic** adj. dasselbe. **-site** adv. auf vier seiten. **-spilde** adv. vierfach. **-tage** adj. viertägig. **-tæten** swv. im würfelspiel betrügen (s. *virne* stf.). **-tæter** stm. betrüger im würfelspiel. **-tegic** adj. viertägig. **-tegelich** adj. dasselbe. **-teil, viertel** stn. viertel; bruchteil überh.; als trocken- u. flüssigkeitsmass; als flächenmass. **-teil- (viertel-)bühse** swf. viertelbüchse, kartaune. **-teilen** swv. vierteilen, bes. in vier stücke reissen u. dadurch töten. **-valt, -valtic, -veltic** adj. vierfältig. **-var** adj. von vier farben. **-(viern-)zal** stf. ein getreidemass. **-zëc, -zic** num. card. vierzig; *vierzec unde vier* für eine unbestimmte grosse zahl. **-zëhen** num. card. vier-

zehn. **-zëhende, -zëhendest** num. ord. der vierzehnte.
vierde, vierte num. ord. **vierte** (oft nur für eine unbestimmte zahl). **-halp** adj. drei und ein halber.
vierdelinc, vierlinc, -ges stm. viertel eines masses; ein viertel vom hundert.
vierdic adj. *daz vierdige teil* ein viertel.
vierdunc, vierdinc, -ges stm. viertel eines masses oder gewichtes, namentlich eines pfundes (geldmass).
viere s. *vire.*
fieren, vieren swv. *fier* machen, schmücken.
vieren swv. refl. je zu vieren sich verbinden, vervierfachen. — tr. unter vier verteilen, vierfach zusammensetzen; viereckig od. würfelförmig machen, viereckig zusammenfügen, festbauen; bildl. *gevieret, -viert* fest, beständig.
vieren s. *vîren.*
vierer stn. eine münze; mitglied eines viererkollegiums.
vierlei s. *firlei.*
vierlinc s. *vierdelinc.*
viern-zal s. *vierzal.*
vierre s. *virre.*
vierst s. *virst.*
vierunge stf. quadrat.
viez, vieze stswm. held, schlauer feind, teufelskerl, teufel.
vige swf. feige; *einem die vîgen bieten, zeigen* ihn höhnen (prov. *figa,* fz. *figue,* vgl. *vîc*).
vigern s. *vîren.*
figieren swv. treffen wie mit einem geschosse (lat. *figere,* vgl. *fischieren*).
vigilgen swv. aus mnl. *vêligen, veiligen* tr. einem sicheres geleit erteilen; s. *vêlic, veilic.*
vigilje stf. gottesdienst am vorabend eines festes od. bei einer beerdigung, totenamt (lat. *vigilia*).
figûre, figûr stswf. gestalt; symbol, gleichnis, bedeutung; ding überh. (lat. *figura*).
figûren, figûrieren swv. gestalten.
vihe, vêhe stn. tier, vieh. **-halter, -hërter** stm., **-hirte** swm. viehhirte. **-hûs** stn. viehstall. **-krippe** swf. viehkrippe. **-lich** adj., **-liche** adv. tier-, viehartig, viehisch. **-licheit** stf. viehisches wesen. **-liute** pl. stm. hirten. **-maget** stf. vieh-, stallmagd. **-muoter** stf. weibl. gebärendes vieh. **-nôz** stn. = *nôz.* **-quarter** stf. viehherde. **-stërbe** swm. viehseuche. **-stiure** stf. = *klâstiure.* **-trat** stf,. **-treip, -treibe** stswm., **-trift**

stf., **-trip, -trip** stm. viehtrift, viehweide. **-warte** swm. viehhirte. **-weide** stf. viehweide.
vihelech stn. dem. u. coll. zu *vihe.*
vihelen s. *vilen.*
vihelin stn. dem. zu *vihe.*
vihic adj. viehisch.
vihisch adj. = *vihelich.*
vil, vile adj. adv. viel (substantiv. ohne od. mit gen. viel, vieles, persönl. viele), in fülle, in menge, sehr (zur steigerung von adj. u. adv.), vor kompar. viel. **-bî** adv. beinahe. **-kôse** stf. viele rede. **-nâch** adv. beinahe. **-var** adj. vielfarbig.
vilân, villân stm. dörfler, bauer (fz. *vilain,* lat. *villanus*). **vilânie** stf. = *dörperheit.*
vile stf. vielheit, menge.
vile stf. feile.
vilen swv. feilen; ritzen. **viler** stm. feilenhauer.
filje swf. tochter (lat. *filia*).
villâte, villât stf. geisselung, züchtigung.
ville stf. dasselbe.
ville stswf. dorf (fz. *ville,* lat. *villa*), landgut.
villec adj. eine haut, ein fell habend.
villen swv. das *vël* abziehen, schinden, blutig schlagen, geisseln, stäupen, züchtigen, strafen, quälen.
viller stm. schinder; peiniger.
fillöl, phülöl stmf. geistl. sohn od. tochter, patenkind (lat. *filiolus, -a*).
viln swv. intr. viel werden, sich mehren.
vilwe s. *velwe.*
vilz stm. filz; strohmatte; bildl. grober od. geiziger mensch; moor, moorgrund. **-gebür, -gebûre** swstm. grober bauer. **-huot** stm. filzhut; persönl. als schelte wie *vilz.*
vilzehtic adj. verfilzt.
vilzen swv. zu *vilz,* von *vilz* machen.
vilzin adj. von filz.
vimel stm. schwanken, schimmern.
vimme f. haufen.
vimpen swv. glühen(?).
fin, vin adj. adv. fein, schön (fz. *fin* vom lat. *finitus*). **-gevar** adj. von feiner farbe. **-lich** adj. adv. = *fin.*
vinæger stm. weinessig (fz. *vinaigre*).
finanzie, finanze swf. unredliches geldgeschäft, wucherei, betrug (mlat. *finantia*).
vindære, -er stm. finder; erfinder, erdichter. **vindærinne** stf. finderin, erfinderin.
vinde stf. findung.
findel s. *fündel.*

vinde-lâge stf. nachstellung der feinde.

vindelîn stn. findling.

vinden stv. III, 1 finden (sich vinden lâzen sich zeigen, erweisen; vinden an finden bei, erlangen von, vernehmen von); wahrnehmen; ein urteil v. die aus der ganzen verhandlung sich ergebende entscheidung ermitteln und aussprechen; erfinden; dichten, komponieren. — refl. sich erfinden, als wahr herausstellen. -lich adj. mit finden verbunden. vindunge stf. findung, auffindung; erforschung.

fîne stf. feinheit, schönheit.

finen swv. fîn machen. — intr. f. sein.

vinf s. vünf.

vinger stm. finger; der v. ungenant der vierte finger, der ringfinger; d. eilfte v. penis; hand; kralle; fingerring. -diuten stn. tadel oder hohn, indem man auf einen mit dem finger deutet. -grôz adj. fingerdick. -lèsen stv. mit finger-, zeichensprache sich verständlich machen. -zam adj. fingerzahm, so zahm, dass man vom finger frisst, sich mit einem finger leiten, sich um den finger wickeln lässt. -zeic stm. = vingerdiuten. -zeige stf. dasselbe. -zeigen swv. abs. u. tr. mit dem finger deuten auf (um zu zeigen oder um zu tadeln, verspotten).

vingeride, vingerin, vingerlach stn. fingerring.

vingerler stm. ringfinger.

vingerlîn stn. dem. zu vinger; fingerring.

vingerlinc stm. fingerring, siegelring.

vingern swv. abs. mit den fingern zeichen machen. — tr. mit den fingern rühren.

finieren swv. = finen.

vinke swm. finke.

vinne, vinnic s. phinn-.

vinnëht adj. = phinnic.

vinsel-wërc stn. spielwerk, tand.

vinster s. venster.

vinster adj. dunkel, finster. -, vinsterîn, vinsterî, vinstere stf. dunkel, dunkelheit; verfinsterung, finsternis; eclipsis solis; hölle; dichte menge, schar (übers. des lat. legio). -heit, vinsteric-heit, vinsterkeit stf. dunkel, finsternis. -lich adj. = vinster. -licht adj. die finsternis erleuchtend. -metten stf. kirchl. chorgesang am karfreitag. -var adj. dunkelfarbig. -wërc stn. schattenwerk.

vinsterlingen adv. im finstern.

vinstern swv. tr. vinster machen. — intr. vinster sein, werden.

---

vinsternisse stfn. dunkelheit, finsternis; dunkelheit, unklarheit; gefängnis; übers. des lat. legio (s. vinster).

vint s. vîant.

vintâle, -teile, -taile stswf. der teil der goufe, der vor das gesicht herabgelassen werden kann. (fz. ventaille).

vintnisse stf. das finden, der fund.

vintselic adj. feindselig.

vintûse swf. schröpfkopf (fz. ventouse, mlat. ventosa).

vintûsen swv. schröpfen.

viol, viole stm., viole swf. viole, veilchen (lat. viola). -bëre stm. Sion. -garte swm. veilchengarten. -riche adj. reich an veilchen (reich an zartheit und bescheidenheit). -ruch, -smac stm. veilchengeruch. -stûde swf. veilchenstaude (Maria). -val adj. veilchenfalb. -var adj. veilchenfarbig, veilchenblau. -vëlt stn. veilchenfeld.

violât, violate, violet stm. veilchenfarbener kleiderstoff.

viole swf. phiole (mlat. fiola).

viôle swf. ein musikal. blasinstrument; geige.

violieren swv. veilchenartig machen.

violîn stn. dem. zu viôl. - adj. veilchenblau. -brûn adj. violett. -gevar adj. = violvar.

viper, vipere, vipper swf. viper, schlange (lat. vipera). -hürnîn adj. von der hornhaut der viper gearbeitet. -nâter swf. viper.

vipperic adj. der viper gleich.

vir, vir- s. vrouwe, ver-.

vir-âbent stm. feierabend, vorabend eines festes.

virde stf. = vire.

virdic adj. = virne.

vire, vierde, vier stf. festtag, feier; das feiern, ausruhen von der arbeit. — stn. festtag. -lich adj. feierlich, festlich. -(vir-)naht stf. vorabend eines festes. -(vir-)tac stm. feier-, festtag. -tegelich adj. feiertäglich. — subst. aller viretegelich alle feiertage.

virebel s. vrevel.

viren swv. (nbff. vieren, vigern, virren) tr. feiern, als feiertag begehn. — intr. feiern, in ruhe, müssig sein; mit gen. (od. an, vor) müssig sein in bezug auf.

virgel stfn. = lat. virgula.

virgelen, virkeln swv. intr. hin und herfahren, hüpfen. — tr. hin und herziehen; untersuchen, erforschen.

virgieren swv., md. vergieren (den wein) mittelst der virgula messen.

virgilje, virilje stf. das siebengestirn (mlat. vergilia).

---

firlei, vierlei, firlefei stm. eine art tanz (wohl gekürzt aus:) firli-fanz stm.

firmamënt(e) stn. die himmelsfeste; orientierung nach dem kompasse (lat. firmamentum).

firmarie stf. krankenstube.

firm-binde f. firmband, firmtuch.

firme stswf. firmament; firmelung (bildl. vom kampfe); s. v. a. firmbinde.

firmelunge stf. firmelung.

firmen swv. stärken, bekräftigen, befestigen. — refl. sich f. vor bewahren. — abs. tr. refl. firmeln, weihen (bildl. vom kampfe); lat. firmare.

firmnisse, firmunge stf. firmelung.

virne adj. alt; erfahren, weise, schlau (ohne od. mit gen.). — md. = vërre.

virne stf. missetat, schuld; sünde.

virnen swv. virne werden, in ervirnen.

firnis, firniz, firnes, verniz, farniz stm. firnis; schminke (mlat. fernisium).

virnisch adj. alt (wein).

firnisen swv. mit firnis, wie mit firnis überziehen.

virre, vierre, vërre stf. ferne, weite (die virre weit, weithin); das fernsein, der mangel; was sich weithin ausdehnt; strecke, reihe.

virrec, virric adj. weithin verbreitet.

virren, vierren swv. tr. u. refl. entfernen, entfremden, fern halten. — refl. sich weithin erstrecken, ausdehnen. — intr. mit dat. = vërren.

virreu s. viren.

virsch s. vrisch.

virst, vierst, md. vërst stm., virste stf. spitze des daches, first; spitze des helmes; gebirgskamm. -sûle stf. giebelsäule.

vir-tac s. virne-tac.

virwic s. verwic.

vir-witze, -witzecheit, -witzede stf. = virwiz. -wiz, -witze, -witzec adj. neugierig, fürwitzig. -wiz stnm. wissbegierde, neugierde, vorliebe (vgl. vürwiz).

visamënte, visamënt, visimënte stn. f. gesicht, physiognomie; aussehen, gestalt, schönheit; modellierung; visierung, einteilung, beschreibung eines wappens (s. visieren).

visch stm. fisch (ältere form visc). -banc stf. m. fischbank, fischtisch auf dem fischmarkte. -bër stn. sackförmiges fischernetz. -ei stn. pl. fischrogen. -garn stn. fischernetz.

-gëlt stn. fischzins. -grât stm.
fischgräte. -gülte stf. = -gëlt.
-köufel stm. fischhändler. -mâl
stn. fischspeise. -menger stm.
fischhändler. -milch stf. männl.
same, samenstrang der fische.
-pfennine stm. ≈ -gëlt. -riche
adj. fischreich. -rogel, -rogen
stm. fischrogen. -rudel stn.
stange zum aufstören der fische.
-vloȝȝe swf. fischflosse. -weide
stf. fischerei, fischfang, das
recht zu fischen. -wërc stn.
allerlei fische. -zagel stm. fisch-
schwanz. -zülle swf. fischerboot.
vischære, -er stm. fischer.
vischec adj. *vischege hende*
hände mit denen man fische
gegessen hat.
vischelech stn. koll. u. dem.
zu *visch*.
vischelin, vischel stn. dem.
zu *visch*.
vischen swv. fischen; bildl. *wol
v.* einen guten gewinn machen;
vor dem bër v. etw. verkehrtes,
sinnloses unternehmen.
vischenze, vischenz stswf. ort
wo gefischt wird, das recht zu
fischen (umd. des lat. *piscatio*)
vischerie stf. fischerei, das
recht zu fischen; bildl. raubzug.
vischer-wërc stn. fischerei.
fischieren swv. mit einer
spange befestigend gürten (fz.
ficher, vgl. *figieren*).
vischin adj. vom fische.
visel, vësel stm. penis.
visel pl. *die viseln* fasern,
fransen.
visel stmn. scherz.
viselen swv. nagen, knaupeln.
viseliia stn. dem. zu *visel*.
visiere, visier stnf. helmgitter, visier (fz. *visière*).
visieren swv. modellieren,
darstellen, schildern, in kunst-
gerechter weise beschreiben;
abeichen (fz. *viser*).
visierer stm. eichmeister.
visier-ruote swf. visierrute,
eichstab; obsc. penis.
fisike swf. naturkunde (mlat.
phisica).
visimënte s. *visamënte*.
fisiôn stm. kenner der natur.
visiôn, -ûn, -ûne stswf. traumgesicht, vision (lat. *visio*).
visitieren swv. visitare.
visöl stf. = *fasôl*.
vist, vist stm. fist, crepitus.
fistel stswf. fistel, ein in röh-
ren oder gängen tiefgehndes
geschwür (lat. *fistula*).
visten stv. I, 1 visten swv.
fisten.
vitache, vitech, vitich s. *vëtach*.
vite swf. leben, lebensbe-
schreibung (lat. *vita*).
vitschen-brûn, -vêch s. *viȝ-
ȝelbrûn, -vêch*.
vitz, vitze s. *viz*.

vitzelin stn. fädchen.
kitzen swv. part. *gevitzt* mit
künstlich eingewebten mustern
versehen.
vitzer swm. pfeil.
viuf s. *vünf*.
viuhte adj. feucht. - stswf.
feuchtigkeit; feuchtheit. -lôs
adj. ohne feuchtigkeit. viuhtec,
viuhtic adj. feucht. viuhtegen
swv. *viuhtec* machen. viuhten
swv. *viuhte* machen, *v.* werden.
viuhtenunge, viuhtunge stf.
feuchtigkeit, befeuchtung.
viule stf. fäule, fäulnis.
viulen swv. tr. fäulen, zugrunde richten.
viumf, viunf s. *vünf*.
viur, viwer, viuwer stn.
feuer; *daz wilde v., sant An-
tônjen v.* eine krankheit (ery-
sipelas); scheiterhaufen; s. v. a.
viurglocke. -beschouwe stf.
besichtigung der wohnungen
zur entdeckung von feuerge-
fährlichkeiten. -geziuc stm.,
-gezouwe stn. feuerzeug. -glocke
f. brand-, sturmglocke; glocke,
womit das signal zum austun
des feuers bei einbruch der
nacht gegeben wird. -haft adj.
feurig. -heiȝ adj. heiss wie
feuer. -holz stn. brennholz.
-muke stf. lichtmotte. -niuwe
adj. von einem feuer neu entzündet. -niuwen swv. von
neuem anfeuern, entzünden.
-pfil stm. brandpfeil, rakete.
-ram stf. feuerbehälter, ge-
mauertes viereck, in dem feuer
brennen kann. -rôt adj. von
feuer gerötet, feurig rot. -schabe
swf. lichtmotte. -schöȝ stn.
brandgeschoss, brandpfeil. -së-
hen stn. pyromantie. -stat stf.
feuerstätte, herd; herd als
inbegriff der wohnung; haushaltung; stätte des lager-
feuers, lager; brandstätte. -stêle
swf. feuerstehlerin: lichtmotte.
-stêlin stf. dasselbe. -trager
stm. Lucifer. -vanke, -vunke
swm. feuerfunke. -var adj.
feuerfarb. -wërc stn. brenn-
material. -wilde adj. wild wie
das feuer. -ziuc stmn. feuerzeug.
viurære stm. anfeurer.
viurærinne stf. die feuer oder
feurig macht (*Minne*).
viurec, viuric adj. feurig.
viuren swv. intr. feurig werden oder sein, glühen. — tr.
feuer oder feurig machen, entzünden, glühen, läutern.
viurin adj. aus feuer be-
stehend, feurig.
viurlin stn. dem. zu *viur*.
viustelin, viustel stn. dem.
zu *vûst*.
viustelinc, -ges stm. faust-
handschuh; faustrohr, kurzes
gewehr.

viusten swv. in die faust
nehmen, in der faust halten.
viuwer, viwer s. *viur*.
vî-valter stswm. schmetterling.
fîvel stf. feifel, eine drüsen-
krankheit der pferde (mlat.
vivolae).
fîx adj. rasch, schnell (fz.
fixe).
viz, vitz stm., vitze stf. eine
beim haspeln durch einen quer
darum gewundenen zwischenfaden abgeteilte u. für sich verbundene anzahl fäden.
viȝlach -loch s. *viȝȝeloch* 2.
viztuom stm. statthalter, verwalter (lat. *vicedominus*).
viȝȝel-brûn adj. verst. *brûn*
(nbf. *vitschenbrûn*).
viȝȝeloch adj. mit einem *viȝȝeloch* versehen.
viȝȝeloch, viȝloch, viȝlach,
viȝȝerleich stn. der kötzenkopf
über der fessel des pferdes.
viȝȝel-vêch adj. verst. *vêch*
(nbf. *vitschenvêch*).
flac stm. lau.
vlach, flach adj. flach; gerade, glatt; nicht rauh, glatt,
von der stimme; bildl. schlicht,
platt; konkav. -smit stm.
kupferschmied.
flacken swv. *flac* sein oder
werden.
vlacker stm. das flackern.
vlackern swv. flackern.
vlade swm. breiter, dünner
kuchen, fladen; honigscheibe;
kuhfladen. -hûs stn. kuchen-
bäckerei.
vladeke, vladike swm. adeliger (slav. *vladika*).
vlader stm. kuchenbäcker.
vlader stm. geädertes holz,
maser (vom ahorn, von der
eibe, esche).
vlâder stm. eine art fischnetz.
fladeren swv. flattern.
fladesal stn. fladenzeug, flad-
sel.
vlâge stf. phlâge, plâge swstf.
md. stoss, feindl. angriff, sturm;
gewittersturm.
vlâgen swv. quälen.
vlahs stm. (md. *flas, -sses*)
flachs. -manger stm. flachs-
händler.
vlæjen, vlæen, vlæn s. *vlöu-
wen, vlöun* swv. tr. spülen,
waschen, säubern. — intr. sich
(im wasser) hin u. her bewegen.
vlæjunge, vlæwunge stf. waschung, spülung.
vlam s. *vlamme*.
flæme swf. innere fetthaut.
vlæmen swv. *mit der rede vl.*
nach art der Flamänder sprechen.
Vlæminc, -ges stm. Flamänder; mann von feiner sitte und
bildung.

vlæmisch adj. flämisch. **-heit** stf. art eines Flamänders.

vlamme, vlam stswf. stswm. flamme (lat. *flamma*). **-lich** adj. flammend. **-var** adj. feurig.

vlammen swv. intr. flammen. — refl. sich entzünden.

vlammern swv. intr. flammen. — tr. anzünden.

vlammic adj. flammig.

flamnieren swv.intr. flammen.

vlæn s. *vlæjen.*

vlanc, *-ges* stm. funke.

vlans stm. mund, maul, bes. verzerrtes maul.

vlansch stn. zipfel.

vlarre, vlerre swf. breite, unförmliche wunde.

flas s. *vlahs.*

vlasche s. *vlatsche.*

vlasche, flesche stswf. flasche; schlag, maulschelle (mlat. *flasca, flasco* zu *vlëhten*).

vlaschener, vlaschen-smit stm. flaschner, klempner.

vlaschen-vol adj. betrunken.

vlât stf. sauberkeit, zierlichkeit, schönheit.

vlætec, vlætic adj. sauber, zierlich, schön. **-heit** stf. = *vlât.* **-lich** adj. = *vlætec.*

vlater-tasche swf. plaudertasche.

vlatsche, vletsche swf. schwert mit breiter klinge (auch *vlasche, plasche*).

vlæwunge s. *vlæjunge.*

vlê s. *vlêhe.*

vlêc, *-ckes* stm., **vlêcke** swm. stück zeug, fetzen, lappen; stück haut, schwimmhaut; stück zerschnittenen eingeweides, pl. kaldaunen; stück überh.; stück landes, landstrich; platz, stelle; marktflecken; andersfarbige stelle, fleck; entstellender flecken, beschmutzung, makel; gerstenkorn im auge; breit auffallender schlag; breite wunde; nicht dickes, tellerförmiges brot. **-haft, -haftic** adj. = *vlëckëht.* **-lich** adj. befleckt.

vleche stf. fläche, platz.

vlecke stf. eine art zugnetz.

vlecke swf. brett, bohle.

vlëckëht, vlëkoht, vlëcket adj. fleckig, gesprenkelt; befleckt.

vlëckelin, vlëckel stn. dem. zu *vlëc, vlëcke.*

vlëcken swv. vom flecke schaffen, fördern; schlagen; beflecken, beschmutzen.

vlëckic adj. = *vlëckëht.*

vledelin stn. dem. zu *vlade.*

vlëder stm. fähnlein des banners.

vlëderen,vlëdern swv. flattern.

vlederin adj. von *vlader.*

vlëderin adj. gefedert, gekräuselt.

---

vlëder-mûs stf. fledermaus; motte.

vlëder-wisch stm. = *vëder-wisch.*

viegel stm. flegel, dreschflegel.

vlegelen swv. dreschen; flagellare.

vlêhe, vlêge, vlêje, vlê stf. schmeichelndes, demütiges, dringendes bitten, flehen. **-lich** adj., **-liche** adv. flehend, flehentlich.

vlêhec, vlêhic, -lich adj. demütig bittend, flehend.

vlêhede stf. = *vlêhe.*

vlêhen, vlêgen, vlên swv. schmeichelnd, demütig, dringlich bitten, anflehen (die sache wird ausgedrückt durch einen untergeord. s., durch den gen. oder mit *umbe*).

vlêhen-lich adj. = *vlêhe-lich.*

vlëhser stm. flachsverkäufer.

vlëhsin adj. von flachs.

vlëhte stswf. flechte, flechtwerk, haarflechte.

vlëhten stv IV drehen, flechten, verflechten, ineinander flechten (bes. vom kampfgewirre), verbinden.

vlêhtic-liche adv. flehentlich.

vlêhunge stf. = *vlêhe.*

vleisch, fleisch, fleis stn. fleisch des tierischen od. menschlichen körpers; stück fleisches; *vleisch* od. *vleisch unde bein, vl. unde bluot* der menschl. leib; bildl. *vleisch unz an daz bein* fleisch ohne bein: mangellos, untadelhaft; *vleisch* im gegens. zum *geist* das leibliche, sinnliche; fleisch des obstes. **-banc** stf. fleischhalle, schlachthaus. **-hacker, fleischacker** stm. metzger. **-hafte** stf. fleischlichkeit, sterblich-körperliche natur. **-haften** swv. zum menschen machen. **-heckel, -houwer.** **vleischouwer** stm. fleischer. **-hûs** stn. schlachthaus. **-kouf** stm. kauf und verkauf des fleisches, fleischpreis. **-lich** adj. fleischlich, leiblich, sterblich-körperlich, sinnlich. **-licheit** stf. fleischlichkeit, sinnlichkeit. **-man, -manger, -menger** stm. fleischer. **-scharne, -scharre** s. v. a. *scharne.* **-slahter, -slehter** stm. metzger, **-tac** stm. gegens. zu *vastetac.* **-wêre** stm. fleischerhandwerk. **-wërker** stm. fleischer.

vleischelin, vleischel stn. stückchen fleisch.

vleischen, vleisen swv. tr. mit *vleisch* versehen, überziehen; fleischen, zerfleischen, verwunden; das fleisch von der haut abschaben; schleppen, schleifen. — refl. sich mit fleisch versehen, schlachten; *sich in*

---

menschen vleisch v. mensch werden.

vleischer stm. fleischer; henker.

vleischic adj. fleischig, fett.

vleischin adj. von fleisch.

vleischunge stf. zerfleischung.

vleisen s. *vleischen.*

flêje s. *vlêhe.*

vlên s. *vlêhen.*

flenner stm. der weint, heult.

vlenselin, vlensel stn. dem. zu *vlans.*

vlerre s. *vlarre.*

vlerren swv. ausbreiten, spreizen.

vlesche s. *vlasche.*

vleschelin, vleschel stn. dem. zu *vlasche.*

vlêtach stm. = *vëtach.*

vletsche s. *vlatsche.*

vletschen swv. die zähne weisen. fletschen.

vletze, vlez stn. stswf. geebneter boden: tenne. hausflur, vorhalle, stubenboden, lagerstatt; stelle, platz; ebenes flussufer. **-wit** adj. weit, breit wie ein *vletze.*

vletzen swv. ebenen, ausbreiten.

fleuge s. *vliege.*

vlicken swv. einen *vlëc* ansetzen, flicken, ausbessern.

vlie stf. (md. nd.) ordnung, art und weise.

vliedel stn., **vliedeme, vlieme** swfm. aderlasseisen, fliete (lat. *phlebotamum*).

vliege swstf. fliege (ältere form *fliuga,* darnach später *fleuge, fleug*).

vliegen stv. II, 1 fliegen, gleichsam fliegen.

vliehe-bure stf. = *bërcvrit.*

vliehe-hûs stn. dasselbe.

vliehen, vlien stv. II, 2 abs. fliehen, sich flüchten (*an einen vl.* zu einem zuflucht nehmen); mit lokal. acc. fliehen über. — tr. fliehen vor, sich flüchten, entfernen von.

vlieher stm. der fliehende, flüchtling.

vlieme s. *vliedeme.*

vlien s. *vliehen.*

vlien, vlihen swv. (md. nd.) = *vlæjen.*

vlies, vlius, vlus stn. vlies.

vliesen s. *verliesen.*

vliez stmn., **vlieze** stf. fluss, rivulus, strömung.

vliezen stv. II, 2 intr. fliessen, strömen, herausströmen; mit gen. voll sein, überfliessen von; vom fliessenden wasser getrieben werden, schwimmen; verfliessen, ablaufen (von der zeit); sich rasch bewegen, schiessen. — tr. fliessen, sich ergiessen über; wegspülen, schmelzen.

flîhe swf. eine art pfeife.

vlîhen s. *vlien.*

vlîmen-slac stm. mfr. eisenwunde, stigma (vgl. *vliedeme*).

flinderlîn stn. flinder, flitter.

vlins stm. kiesel, harter stein, fels. **-herte** adj. steinhart. **-hërze** stn. steinhartes herz. **-lich** adj. kieselhart. **-stein** stm. kieselstein.

vlins stm. zitterndes fliessen, schimmern.

vlinsen swv. zittern, schimmern.

vlinsen swv. refl. zu stein werden, sich verhärten.

vlinsic adj. adv. kieselhart, felsenfest.

vlittern swv. flüstern, kichern.

flittich stm. = *vlĕtach.*

fliuga s. *vliege.*

vlius s. *vlies.*

vliʒ stm. beflissenheit, eifer, wetteifer, sorgfalt (ze *vliʒe* sorgfältig, *mit v.* absichtlich); widerstreit, widerspiel, kontrast, gegensatz. **-haft** adj. beflissen. **-lich** adj. = *vlîʒeclich.* **-liche** adv. = *vlîʒecliche.*

vliʒe, vliʒ adj. adv. eifrig, sorgfältig.

vliʒe stf. fleiss.

vliʒec, vliʒic adj. beflissen zu, eifrig bemüht oder besorgt um, aufmerksam gegen, mit gen. od. *an, gegen, über, ze* od. abh. s. **-heit** stf. = *vliʒ.* **-lich** adj. = *vlîʒec.* **-liche** adv. mit beflissenheit, eifer, sorgfalt.

vlîʒegen swv. refl. sich befleissigen.

vlîʒen stv. I, 1 u. swv. eifrig sein, mit eifer u. sorgfalt beschäftigt sein, streben, sich bemühen, befleissen, abs. u. refl., mit gen. od. *an, gegen, nâch, ûf, wider, zuo.* — refl. sich eifrig schmücken. — tr. mit eifer wenden *an.*

vlîʒen adv. genau.

vlôch, vlô stm. floh.

vlocke swm., **vloc, -ckes** stm. flocke (schneeflocke, von den blüten der bäume, von den funken des feuers); flaum; flockwolle.

vlocken swv. fliegen, sich schwingen, intr. u. refl. — tr. auffliegen machen *gegen;* flockig machen; pflücken.

vlockin adj. von flockwolle.

vlôder, vlûder stn. m. f. das fliessen, fluten; gerinne einer mühle; aus baumstämmen verbundenes floss, fracht auf einem solchen.

vlôdern, vlûdern swv. intr. flattern. — tr. flattern mit, schwingen.

vlôder-tocken swv. intr. sich hin u. her bewegen, flattern.

vlôgen s. *vlougen.*

vlœhenen, vlœhen swv. flüchten, durch flucht entfernen, in sicherheit bringen.

floier stmn. ? md. kopfputz mit flatternden bändern.

floieren, flogieren, floyieren swv. md. hin und her schwanken, flattern; schmücken (mit dem kopfputze).

vloitære, vlœter, vloitenære, floitierære, floitierre stm. flötenbläser.

vloite, floite, floit, flöute swstf. flöte (afz. *flaüte* aus lat. *flatus*).

floitieren swv. auf der flöte blasen.

vlokzen, vlogzen swv. intens. zu *vlocken*: in zitternder bewegung sein, herumfliegen, flattern.

flôre stswf. blume, blüte (afz. *flor, flour*).

flôren swv. mit blumen oder blumenförmigem zierate schmücken, überh. zieren, schmücken, stattlich kleiden od. ausrüsten, auszeichnen, verherrlichen.

flôrezieren swv. schmücken.

flôrie, flôri stf. blume, blüte, frischer blühender glanz (der haut).

flôrieren swv. = *flôren.*

flôrîn, flôrên stm. die zuerst in Florenz mit dem wappen der stadt, der lilie, geprägte goldene münze, der gulden (mlat. *florinus, florenus*).

flôris adj. geschmückt, schön.

flôrsen stn. schmuck, zierde.

vlosch stm. alem. sickergrube, teich.

vlœter s. *vloitære.*

flottichen, vlöudern swv. flattern.

vlougen, vlôgen swv. fliegen machen, verscheuchen.

vlôun, vlôuwen s. *vlæjen.*

flöute s. *vloite.*

flöuten swv. flöten.

vlôʒ stm. strömung, flut, strom, fluss, flussbett; rheuma; eine katarrhalische krankheit; floss (stmn.). **-galle** swf. flussgalle, geschwulst am kniegelenk der pferde. **-liute** pl. zu **-man** stm. flösser. **-ougen** swv. weinen. **-wëre** s. flösserhandwerk, recht es auszuüben.

vlôʒe swf. katarrh.

vlœʒen swv. fliessen machen; wegspülen, fort-, hinabschwemmen; übergiessen, waschen; flüssig machen, untereinander mischen; schmelzen.

vlœʒer stm. flösser.

vlœʒic adj. vom katarrh befallen.

vloʒʒe stswf. kehle.

vloʒʒe swf. flosse.

vluc, -ges stm. flug; eiligste bewegung, s. *vluges;* flügel; die flügel einer schar, eines heeres; falkenjagd. **-mære** stn. fliegendes *mære*, gerücht. **-sinder** stm. fliegender feiner *sinder.* **-viur** stn. flugfeuer.

vlücke adj. befiedert zum ausflug aus dem neste, flügge, fliegend, gleichsam fliegend. - stf. flatternder zipfel an dem kopfschmucke.

vlückec adj. = *vlücke.*

vlücken, vlucken swv. tr. *vlücke* machen; mit flatternden zipfeln schmücken; flackern, lodern machen. — intr. u. refl. *vlücke* sein od. werden, fliegen, flattern, sich schwingen; flakkern, lodern, sprühen.

vlucken-balc stm. mit flokken besetztes pelzwerk.

vlüder, vlüdern s. *vlôd-.*

fluech, flueh s. *vluo.*

vlüejen swv. fliessen, strömen.

vlüet- s. *vluot-.*

vlüge stf. flug; flügel, flügelpaar.

vlügel stm. flügel.

vlügelen swv. mit *vlügeln* versehen.

vlügelingen, vluges adv. fliegend, in eiligster bewegung, flugs.

vluht stf. flucht; zuflucht; ausflucht.

vlühtec, vlühtic adj. fliehend, flüchtig (*vl. werden* fliehen; *einen vl. tuon* in die flucht schlagen; *einem vl. sîn vor* ihm fliehen). - **liche** adv. flüchtig.

vluhtsal, vlühtesal stf. m. flüchtung, flucht, bergung; betrügerische übergabe eines gutes an einen andern zum nachteile der gläubiger, betrug überh. flucht.

vlüm, vlüme s. *phlûm.*

flunst stf. zitterndes fliessen, schimmern.

vluo, fluo stf. hervorstehnde u. jäh abfallende felswand, fels (ältere formen *fluoh flueh, fluoch flueh*).

vluoch stm. verwünschung, verfluchung, fluch.

vluochen swv. fluchen, verfluchen, verwünschen, abs. (mit dat.). — tr. mit ap. verfluchen, -wünschen; mit as. fluchen über. **-ære** stm. der *vluochet.*

fluoh s. *vluo.*

vluor stm. flur, feldflur, saatfeld; saat, samen; boden, bodenfläche (*der werlde vl.* erdboden).

vluorer stm. flurschütze.

vluot stf. m. fliessendes, strömendes wasser, sich aus-

breitende wassermasse, flut;
überströmende menge.
vluoten, vlüeten swv. intr.
fliessen, strömen, fluten.
vluotic, vlüetic adj. flutend,
strömend, überströmend; flöss-,
schiffbar.
flûrs stf. blume (fz.).
vlus s. *vlies.*
vluʒ,-ʒʒes stm. das fliessen, die
strömung; (erst spät = fliessendes wasser, fluss, strom); guss,
erguss, ausströmung (myst.);
bildl. einfluss; das schwimmen;
rheuma; metallguss, aus metall
gegossenes. **-gane** stm. weg
durch den etw. fliesst. **-öuge,**
-öugic adj. rinnäugig.
vlüʒʒec, vlüʒʒic adj. flüssig,
fliessend, sich ergiessend, bildl.
vorübergehend, unbeständig;
rheumatisch.
lochen swv. fauchen, blasen.
vochenze, vocheuz swstf. eine
art kuchen od. weissbrot (mlat.
focatia, aus lat. *focus).*
vocht, vochten s. *vorhte,*
vürhten.
vod- s. *vord-.*
vogel stm. vogel, jagdbarer
v.; schwimmvogel: gans, ente;
fliegendes insekt. **-beiʒe** stf.
vogeljagd. **-boum** stm. vogelbeerbaum. **-dœnen, -gedœne**
stn., **-gesanc** stmn. vogelgesang.
-grien stm. = *vogelhërt.* **-heit**
stf. zu starker geschlechtstrieb,
geilheit. **-hërt** stm. vogelherd.
-hunt stm. hund zur vogeljagd. **-hurt** stf. hürde, gestelle
zum vogelfang. **-hûs** stn. vogelhaus, käfig. **-liche** adv. nach der
weise eines vogels. **-riche** adj.
reich an vögeln. **-sanc** stmn.
gesang der vögel. **-schal** stm.
dasselbe. **-spise** stf. vogelbra-
ten. **-vri** adj. vogelfrei. **-weide**
stf. ort, wo wildes geflügel zu
weiden u. zu hausen pflegt od.
gehegt und gejagt wird; vogeljagd. **-wise** swm., **-wiser** stm.
augur.
vogelchin stn. md. dem. zu
vogel.
vogelen, vogln swv. abs.
vögel fangen; vom begatten der
vögel (abs., refl. u. tr.).
vogeler stm., dem. **voglerlin**
stn. vogelfänger, vogelsteller;
geflügelhändler; eine art schiesswaffe, kleine kanone; erdich-
teter sektenname.
vogellin, vogelin stn. dem. zu
vogel.
voget, vogt, voit, vout stm.
rechtsbeistand, fürsprecher;
vormund; verteidiger, schirmherr, beschützer; patron,
schirmherr (eines gotteshauses,
einer stadt, der römischen kirche: kaiser od. könig von Ŗom);
landesherr, könig, fürst, herr,

gebieter (*der werlte v.* gott, *der*
helle v. teufel); statthalter, be-
aufsichtigender beamter; höherer weltl. richter, gerichtsbe-
amter (mlat. *vocatus* für *ad-*
vocatus). **-bære, -bar** adj. dem
vogete unterworfen; minorenn;
ohne vormund, mündig. **-dinc**
stn. vom *vogete* zwei- oder dreimal im jahre gehaltenes gericht.
-hërre swm. schirm-, gerichts-
herr. **-liute** pl. zu **-man** stm.
der einem *vogete* unterstellt ist,
eigen- od. zinsmann einer
vogtei. **-rëht** stn. recht u. einkünfte eines *vogetes.* **-stiure** stf.
an den *voget* zu entrichtende
steuer.
vogeten vögeten, vogten vög-
ten swv. abs. in schutz und
schirm nehmen. — tr. mit einem
vogete versehen, einen *v.* unterstellen. — refl. *sich an einen*
vogten sich seinem schutze unterstellen.
vogetie, voitie stf. vogtei:
vormundschaft; das amt, der
amtsbezirk, die pflichten, rechte und einkünfte eines *vogetes.*
vogetinne, vögetinne stf. fürsprecherin; schirmherrin; königin, herrin (bes. von Maria).
vogetunge stf. gewalt, amt
des vogtes.
vohe swf. fuchs, füchsin.
vohelin stn. füchslein.
vohen-vist stm. der gemeine
staubschwamm.
vohinne, vohin stf. füchsin.
voit s. *voget.*
vol swm. s. *vole.*
vol, -lles adj. voll, angefüllt;
(als präd. adj. ohne od. mit
st. sw. flexion) mit gs. od.
von; gesättigt, berauscht; in
fülle vorhanden; vollständig,
vollkommen. **vol, volle, vollen**
adv. vollständig, gänzlich, vollkommen, vollends, in fülle, zur
genüge, sehr (in zusammens.
mit adj., adv. u. vbb., um das
völlige, vollständige, fertige,
durchgeführte zu bezeichnen).
-ahten swv. die volle zahl, vollständig angeben. **-bat** stn. voll-
bad. **-bërn** stv. völlig hervorbringen. **-brâht** s. *-bringen.*
-born stswm. januar; februar.
-bort stf. n. md. zustimmung,
erlaubnis, vollmacht (entstellt
volwort); macht, fähigkeit, fülle;
persönl. der verleiher. **-borten,**
-borden swv. md. zulassen, zustimmen, genehmigen. **-bräh-**
techeit stf. vollkommenheit.
-brähteliche adv. vollkommen.
-brëchen stv. geschehen, zu-
standekommen. **-brinc** stm.
vollbringung. **-bringen, -bren-**
gen an. v. an das ende des
weges, bis an das ziel bringen;
erreichen; bis zu ende führen;

ausführen, vollenden; vollständig berichten; zu stande bringen, vollbringen; in der rechtsspr. eine behauptung, klage
usw. gerichtlich durchführen,
erweisen. — *volbrâht* part. adj.
vollendet, vollkommen. **-brin-**
ger stm. vollbringer. **-brin-**
gunge stf. ausführung, vollendung, erfüllung. **-büwen** swv.
fertig bauen, ausbauen. **-dan-**
ken swv. vollständig u. gebührend danken. **-denken** swv.
vollständig u. zu ende denken.
-dienen swv. vollständig dienen. **-dinc** stn. das feierliche,
ungebotene vollgericht. **-donen**
swv. zu ende gehn. **-drücken,**
-drucken swv. intr. mit voller
kraft und wirkung drücken u.
vorwärts, gegeneinander dringen, kämpfen. — tr. vollständig
vorwärts dringen mit; kämpfend ganz beiseite drängen,
überwinden; zu ende führen,
beenden. **-enden** swv. zu vollem ende bringen, ausführen,
vollbringen, -enden; vollständig
darstellen, beschreiben. **-gän,**
-gên anv. vollständig, bis zum
ziele gehn; ganz aufgehn; in
erfüllung gehn, vollzogen, be-
friedigt werden, geschehen.
-gëlten stv. ganz bezahlen.
-gröʒ adj. ganz, genug gross.
-gründen swv. vollständig ergründen. **-haben** swv. in fülle
haben. **-harren** swv. bis zum
ende bleiben, ausharren. **-heit**
stf. das vollsein, die fülle (*volh.*
der zit die rechte zeit); völlerei.
-herten swv. intr. ausdauern,
-harren. — tr. bis zum ende
aushalten; ganz fest, entschlossen machen. **-herter** stm. der
ausharrende. **-hertlich** adj.
ausdauernd. **-hertunge** stf.
ausdauer. **-jagen** swv. intr. fort-
u. zu ende jagen, stürmen. —
tr. zu ende führen, vollführen,
vollenden. **-klagen** swv. zu
ende beklagen; die gerichtl.
klage bis zu ende durchführen.
-komen, -kumen stv. vollständig kommen, zum ende, ziele
kommen, vollendet, ausgeführt
werden, sich ereignen; voll w.;
in der rechtssprache wie *vol-*
bringen. **-komen, -kumen** part.
adj. ausgebildet, -gewachsen;
vollständig, vollkommen. **-ko-**
mene stf. vollkommenheit. **-ko-**
menheit stf. vollkommenheit
(*von mehte volkomenheit* mit
machtvollkommenheit). **-ko-**
men-lich adj., **-liche** adv. vollkommen. **-krüpfe** adj. mit
vollem kropfe. **-künden** swv.
vollständig kundtun. **-lägen**
swv. durch nachstellung ganz
und gar berücken, mit dat.
-langen swv. intr. bis zu ende

reichen. — tr. vollständig erreichen. **-leist, -leiste** stm. f.
vollendung, vervollständigung;
vollständigkeit, fülle, vorrat;
kraft, macht, vermögen etw.
zu leisten; hilfe, mithilfe, beistand, unterstützung; pers. aus-
führer, vollstrecker; hervorbringer, urheber, helfer, mithelfer. **-leisten** swv. vollenden,
genug tun, volle hilfe leisten.
-leister stm. urheber, helfer,
mithelfer, beistand. **-leistic**
adj. vollständig leistend, entsprechend; behilflich. **-lich**
adj. völlig. **-liche** = vollec-
liche. **-loben** swv. vollständig
loben, ausloben. **-lônen** swv.
völlig vergelten. **-loufen** stv.
zu ende laufen, den lauf
vollenden. **-machen** swv.
fertigmachen, vollenden, -brin-
gen. **-machet** part. adj. vollkommen. **-maht** stf. vollmacht,
gültigkeit. **-mahtheit** stf. vollkommenheit. **-mäne** m., -mæne
stn. vollmond. **-mehtic** adj.
völlig imstande; bevollmächtigt. **-mẽʒʒen** stv. völlig zu-,
ausmessen. **-müete, -müetic** adj.
hochgemut, voller begier. **-munt**
s. fundamẽnt. **-prisen** swv. vollständig, zu ende preisen.
-prüeven swv. zu ende prüfen,
ausprüfen, erkennen. **-rât** stm.
voller, versammelter rat; dezember. **-rẽchen** stv. vollständig rächen. **-rechen** s. vol-
recken 2. **-recken** swv. tr. vollstrecken, vollführen, verrichten, vollenden; vollständig darreichen, vergüten, mit dp. —
intr. zum ziele gelangen, die
gehörige grösse u. ausbildung
erreichen. **-recken, -rechen**
swv. ganz sagen, ausführlich erzählen, vollständig erklären.
-reden swv. aus-, zu ende reden.
-reichen swv. vollständig erreichen, ermessen, ausdenken;
intr. ganz ausreichen; sich
erfüllen. **-reiten** swv. zu ende
rechnen, zählen, ganz schätzen.
-rennen swv. bis ans ziel rennen.
-rihten swv. zu ende richten.
-riten stv. intr. ans ende, bis
ans ziel reiten; eine sache ausfechten, durchsetzen, vollbringen. — tr. aus-, zu ende reiten.
-rücken swv. zu ende rücken,
vollenden, vollziehen. **-sagen**
swv. vollständig sagen, erzählen. **-schaffen** swv. beendigen.
-schinec adj. vollscheinend.
-schriben stv. aus-, zu ende
schreiben, vollständig beschreiben. **-sẽhen** stv. ganz sehen.
-singen stv. vollständig singen
oder besingen. **-spẽhen** swv.
vollständig erforschen. **-sprẽ-**
chen stv. = volsagen. **-stân**
stv. bis zu ende stehn, aus-

harren, bleiben, mit dp. ausharren bei, beistehn, treu bleiben. **-stẽrben** stv. ganz sterben.
-tihten swv. zu ende dichten,
verfassen, beendigen; dichtend
zu ende beschreiben; genügend
besingen. **-trahten** swv. völlig
zu ende denken, ergründen.
-trẽten stv. tr. zu ende treten,
durchschreiten. — intr. ausharren, in erfüllung gehn; ein
gebot vollführen. **-triben** stv.
zu ende treiben, vollenden.
-triuwen swv. völlig trauen.
-tuon an. v. tr. vollständig tun,
vollenden; abs. mit dp. genüge
tun, befriedigen, entschädigen.
-varn stv. bis zum ende fahren,
zum ziele kommen; rechtl. seine
sache durchführen, sein recht
beweisen; mit gen. vollenden,
ausführen, erfüllen; vollständig
fahren über, überfallen; mit
dat. genüge tun, ausführen, in
erfüllung gehn. **-vordern** swv.
eine clage v. vor gericht zu ende
führen. **-vüeren** swv. zu ende
bringen, vollständig machen,
ausführen; rechtl. durchführen,
durchsetzen, beweisen. **-vüerer**
stm. vollführer, vollstrecker.
-wahs stm. gegens. zu misse-
wahs. **-wahsen** stv. aus-, gross-
wachsen, erwachsen. **-warten**
swv. bis zu ende warten mit gs.
-wẽrn swv. vollständig bezahlen, gewähren. **-wẽrt** stn.
volle standesehre. **-wihen** swv.
vollständig oder zu ende segnen.
-wonen swv. ausharren, bleiben.
-wonunge stf. immerwährende
wohnung. **-wort** s. volbort.
-würken swv. fertig machen,
vollenden. **-zeln, -zellen** swv.
zu ende, vollständig zählen oder
sagen. **-ziehen** stv. tr. vollständig ziehen; vollziehen, ausführen. — intr. mit gen. ausführen
helfen, worin unterstützen; mit
dat. vollständig schritt womit
halten; gewachsen sein, gemäss
verfahren, genügen, befriedigen. **-zieren** swv. ganz
schmücken. **-zuc** stm. voll-
ziehung; persönl. koll. vollbringer.

volc, -kes stn. leute, volk
(kriegsvolk, heer, untertanen,
dienerschaft), schar, menge,
haufen; die schachfiguren ausser
dem könige. **-dẽgen** stm. held,
der alles volc überragt, im ganzen volke berühmt ist. **-haft**
adj. volkreich. **-magen** stm.
volksmenge, heeresmacht. **-ri-**
che adj. bevölkert. **-sturm** stm.
volkskampf, kampf an dem
ganze volke sich beteiligen.
-swant stm. volksvertilger. **-wic**
stm. n. kampf zweier heere,
grosse schlacht. **-wip** stn. weib
aus dem volke.

vole, vol swm. junges pferd,
männl. fohlen; ross, streitross;
pferd für frauen.
volgære s. volger.
volge stf. gefolge, begleitung;
aufgebot, heeresfolge; verfolgung; nachfolge, befolgung;
bei-, zustimmung, bes. die
rechtl. bei-, abstimmung zur
fassung eines urteils (mit gemeiner v. einstimmig, diu mêrer
od. diu meiste v. die mehrheit,
diu minner v. die minderheit
der stimmen); im turni r: der
stich zer volge = der damen-
stich. **-bant** stn. gängelband.
voigen swv. heerfolge leisten;
leiblich folgen, nachgehn, folgen, mit dat.; folgen, nachkommen, beipflichten, bei-, zustimmen, bereit sein zu, gehorchen, mit dat., mit gen. u.
dat.; durch rechtliche volge
zuteil werden mit dp.
volger, volgære stm. der
volget: begleiter, nachfolger, anhänger, befolger; rechtl. der bei-
stimmende, der urteilsanhänger.
volgerin stf. nachfolgerin.
volgern swv. folgen.
volgic adj. = gevolgic.
volgunge stf. recht, ein aufgebot zu erlassen; abstimmung,
exekution des urteils. v. nâch
gote nachfolge gottes.
volkelech stn. s. v. a. volkelin
stn. kleines, geringes volk.
volle- s. vol-.
volle swm. swstf. fülle, überfluss, genüge, vollkommenheit.
— adverbial den (die) vollen
(volle), in, mit, ze vollen (volle)
vollständig, gänzlich, vollkommen, zur genüge, in fülle, sehr.
fölle swf. asche (lat. favilla).
vollec, vollic adj. voll, vollständig, reichlich. — adv. vollständig, zur genüge, völlig.
-heit stf. vollheit, fülle. **-lich**
adj. vollständig, vollkommen,
in fülle vorhanden, reichlich,
stark. **-liche** adv. in fülle,
reichlich, vollständig, ganz,
ausführlich, vollgültig, tüchtig,
kräftig.
vollemunt s. fundamẽnt.
vollen- s. vol-.
vollen swv. voll werden,
sich füllen. — tr. voll machen,
füllen.
vollene, vollen stf. fülle, ge-
nügende anzahl; aufwand,
pracht.
vollunge stf. das vollsein,
die fülle; vollmachung, vervollständigung; gerichtliche anerkennung des anspruches auf
ein gut; exekution des urteils
(auch vollenunge).
voltern s. vultern.

vom, vome = von deme.

von, vone, van 1. präp. von, aus, mit dat.: räuml. den ausgang, ursprung, stoff, die absonderung, trennung bezeichnend, auch den privat. od. partit. gen. umschreibend; zeitl., den anfangspunkt bezeichnend: von her, von an, seit (*von kinde*); kausal: von, durch, vor, wegen, aus, die ursache oder den urheber, den grund anzeigend, in letzterem fall auch mit instrum. (*von diu* deshalb, relat. weshalb); modal den präd. gen. umschreibend (*von wârheit* in wahrheit). — 2. adv. räuml. mit dat. bei vbb. fern, getrennt von; mit räuml. adv. (*von danne, von hinnen* usw., *dâvon, dar von dervon*); kausal: dadurch, darüber, deshalb, weshalb, fragend *wâ von*.

vonen swv. intr. sich entfernen, fern sein mit dat. od. *von*.

von-kêr stm. abwendung.

fontâne, funtâne, fontenie stswf. quelle (fz. *fontaine*; mlat. *fontana*).

vor s. *vrouwe, vür*.

vor- s. *ver-*.

for s. *vurch*.

vor, vore 1. präp. vor mit dat., gen.: räuml. vor, einen vorzug anzeigend, bei worten der befreiung (*ledec, vrî vor, bewarn vor* usw.); zeitl. vor (*vor des* zuvor, *vor tages, vor mir* eher als ich); kausal bei innern oder im hintergrunde liegenden motiven eines äussern tuns. — 2. adv. räuml. u.zeitl. vor, vorn, voran, voraus, vorher, zuvor, bei verbis (mit dat.) z. b.: *vor brëchen* hervorbrechen, sich verbreiten; hindurchdringen. — *entsitzen* m. dp. sich behaupten gegen. — *gehaben* abs. standhalten vor; tr. behaupten vor, vorenthalten, ebenso *vor halten*. — *sagen* vor-, vorher sagen. — *sîn* vorgesetzt sein, beschützen. — *sprëchen* abs. vor andern das wort führen; tr. sprechend vorbringen, vorschlagen, empfehlen; voraussagen. — *stân* bevorstehen; sorgen für, regieren — *ziehen* vorenthalten.

vor- s. auch *vür-*.

vor-abe adv. vor voraus. **-altern** pl. voreltern. **-bedæhte** stf. vorausgehnde bedachtsamkeit. **-bedæhtlc** adj. vorbedächtig. **-bedæhtichelt** stf. = *vorbedæhte*. **-bedæhtnisse** stf. dasselbe. **-behüge** stf. vorbedacht **-besiht** stf. das vorhersehen, -wissen, sehergabe; vorsehung, voraussehende fürsorge. **-(vür-)besihtlc** adj. vorsichtig. **-besihticheit** stf. = *vorbesiht*. **-be**smackunge stf. vorgeschmack. **-betrahtikeit, -betrehticheit, -betrahtunge** stf. vorbetrachtung, erwägung; vorbedachtsamkeit. **-bëtunge** stf. fürbitte. **-bezeichenunge** stf. vorbedeutung, vorzeichen, **-bild. -bilde** stn. vorbild. **-bildunge** stf. vorbedeutung, vorzeichen. **-bote** swm. der im voraus verkündigt, vorbote. **-brenner** stm. der brennend vorauszieht. **-bû** stmn. vorbau, vorgebäude. **-burc** stf. gebäude, stadtteil ausserhalb der burgmauer. **-bürge** stn.=*-burc*; vorhof. **-gâbe** stf. geschenk, das man vor andern voraus hat, vorzug, vorteil; vorteil im krieg, vorteilhafte stellung; was einer dem andern im (kampf-)spiel vorausgibt. **-ganc** stm. vorgang, -tritt. **-ganger, -genger, -gêer** stm. vorgänger; vorsteher, vorgesetzter. **-gelæze** stn. vorzeichen, prophezeiung. **-geleite** swm. anführer. **-gerihte** stn. vorgericht, das dem gerichte des jüngsten tages vorhergehnde gericht. **-gesiht** stf. prophezeiung. **-getæne** stn. vorbild(?). **-gewerbe** stn. vorspiel; vorrede. **-hanc** s. *vürhanc*. **-helle** stf. vorhölle. **-hin** adv. zeitl. zum voraus, zunächst; vorher, zuvor. — räuml. voraus. **-hocke** swm. = *vürkoufer*. **-hof** stm. vorhof, befestigter hofraum vor einem schlosse. **-holz, -houbet** s. *vür-h*. **-hûs** stn. vorhaus, -halle, vorraum der zelle. **-kempfe** swm. vorkämpfer. **-kirche** swf. vorhalle einer kirche. **-kume** swm. vorgänger. **-lâge** stf. das liegen, gelagertsein vor jemand, den man erwartet. **-lant** stn. acker, auf den der bebauer eines lehngutes besondere rechte hat. **-lêræere** stm. der mit seiner lehre den weg zeigt. **-lês** stn. das vorlesen im weinberge. **-lop** stn. früheres lob. **-loube** swf. vorlaube, vorhalle. **-louf** stm. einleitung; vorläufer; der erste wein beim keltern; s. v. a. *vorlouft*. **-loufer** swm. = *vorlouft*. **-loufer, -lüufer** stm. vorläufer, -gänger; s. v. a. **-louft** stm. jagdhund, der auf der spur des wildes der erste ist. **-mâl, -mâles, -mâlen** adv. ehedem, früher. **-munde. -münde** swm. = *vormunt*, **-munden** swv. tr. beschirmen, schützen, bevormunden; intr. vormunt sein mit dp. **-munder** stm. = *vormunt*. **-mundic** adj. unter vormundschaft stehend. **-mundunge** stf. vormundschaft; fürsprache. **-munt** stm. fürsprecher, beschützer, vormund. **-muntschaft** stf. schutz, vormundschaft. **-namens, -nems** s. *vürnamens*. **-nemelich** adj. namentlich, bestimmt. **-nuniftende** part. adj. verständig, geistig. **-rät** stm. vorrat; vorberatung, vorbedacht, überlegung; anweisung, weistum. **-rede** stf. die vorige rede; einleitende, vorberatende *rede*; verabredung, bedingung. **-redenære, -reder** stm. fürsprecher, wortführer. **-rëgel** stf. anfangsregel. **-rëht** stn. recht, lohn, den man vor andern voraus hat. **-reichen** swv. darreichen, übergeben. **-reise** stf.vorhut; swm. s.v.a.*-reisel*, **-reiser** stm. wegweiser. **-ritære, -riter** stm. der voraus reitet. **-sage** stf. prophezeiung. **-sage** swm., **-sager** stm. prophet. **-saz** s. *vürsaz*. **-sâze** stf. vorsatz. **-senger, -singer** stm. vorsänger. **-sihtic** s. *vürsihtic*. **-sitzer** stm. vorsitzer; aufwärter, kellner. **-slac** stm. erster schlag. **-snit** s. *vürsnit*. **-spil** stn. vorspiel auf einem instrumente; vorzeichen. **-sprëche** s. *vürsprëche*. **-spruch** stm. = *vürsprëche*. **-sprune** stm. vorsprung. **-stat** stf. vorstadt. **-stëer** stm. vorstand. **-stëerinne** stf. vorsteherin, äbtissin. **-stender** stm. = *vorstëer*. **-steter** stm. bewohner der vorstat. **-strit** stm. kampf von vorn; eröffnung des kampfes, angriff. **-ströuwære** stm. der vor einem etw. ausbreitet oder ihm vorhält. **-tanz** stm. vortanz. **-tanzer, -tenzer** stm. vortänzer. **-teil** stmn. teil voraus, vorausempfang; vorteil, vorrecht. **-teiles** adv. im voraus. **-teilisch** adj. betrügerisch. **-tenzel** stm. = *-tanzer*. **-traber** stm. vortraber, einer vom vortrabe. **-trit** stm. vortritt, vortanz. **-urteile** stf. richterliche entscheidung, die dem endurteil vorangeht. **-ûz** adv. voraus, vor andern, im voraus (subst. *der v.* das geld, das die arbeiter voraus erhalten); besonders, vorzüglich. **-var(e)** swm. vorgänger, vorfahr. **-vëhtære, -er** stm., **-vëhte** swm. vorfechter, vorkämpfer. **-vëhten** stn. = *vorstrit*. **-venre** stm. die fahne vorantragender fähnrich. **-virâbent** stm., **-vîre** stf. tag vor einem feste. **-vluht** stf. das flüchten. **-vlüge** stf. das voranfliegen, **-vordern** pl. vorfahren. **-vorhte** stf. furcht im voraus. **-wæge** adj. mit übergewicht versehen, nach vorn sich neigend. **-waht** stf. wacht vor mitternacht. **-wëre** stn. vor der stadt gelegenes gehöft, landgut; vorstadt; äusseres festungswerk, bollwerk (bildl. von der rüstung). **-wërken** swv.

das landgut, feld bestellen.
-wickunge stf. s. *verwickunge.*
-wise stf. das voranweisen, die
vorbezeichnung, bedeutung.
-wiser stm. wegweiser. **-wi-
sunge** stf. = *vorwîse.* **-witze,
-wiʒʒenheit, wiʒʒunge** stf. das
vorauswissen,die vorausgehende
kunde. **-(vür-)wort** stn. voraus-
gehndes wort; vorher ausgesprochene bestimmung, verabredung,bedingung,vorbehalt,
vertrag. **-(vür-)worten** swv.
refl. sich durch worte binden,
verabreden. **-wurf** s. *vürwurf.*
-zeichen stn. vorzeichen, vorbild; prognostikon; was man
vorzeigt; ausweis. **-ziln** swv. dp.
as. zumessen. **-zins** stm. zins der
vor anderen entrichtet werden
muss.
vorch s. *vurch.*
vorder- 's. auch *vürder-.*
vorder, voder adj. räuml.
voranstehnd, -gehnd, vorder;
ansehnlich, vorzüglich, vorzüglicher; zeitl. vorangehend,
früher, vorig, vormalig. **-** stf.
forderung, anspruch. **-, vordere** swm. f. vater, mutter;
ahne, vorfahr; vorgänger; vorgesetzter. — pl. ahnen, vorfahren, eltern; vorgänger. **-lich**
adj. erforderlich; ausgezeichnet,
vorzüglich, vornehm, edel.
-liche adv. vorher, früher: vorzüglich, vorzugsweise, vornehm.
vorder-brief s. *vürderbrief.*
vorderer stm. forderer, kläger.
vorderic adj. vorig.
vordern, vodern swv. verlangen, fordern (mit dp., mit *an*
mit acc. od. dat., *von, zuo
einem,* mit dat. u. inf.); auf-,
herausfordern, kommen lassen,
vorladen; rechtlich vor gericht
fordern, stellen, bringen.
vorderst sup. adj. vorderst,
vornehmst, vorzüglichst. —
adv. *ze vorderst* ganz voran,
zuvörderst, an der oder die
spitze; zuvörderst, vor allem.
vorderunge, voderunge stf.
verlangen, forderung, spez.
rechtliche forderung, klage.
vorebel s. *vrevel.*
forëht, forët stn. = *forëst.*
forëhtier stm. = *vorstœre.*
foreisære stm. ritter der am
foreis teilnimmt.
forës(t), foreis(t), forât, foris,
stn. wald, forst; ein ritterspiel im walde (afz. *forest,* mlat.
foresta).
forësten swv. das ritterspiel
forest aufführen.
vorhach stn. coll. zu *vorhe*
föhrenwald.
vorhe swf. föhre.
forhe, forhel, förhel swf., **for-
hen** stf.. forelle.
vorheline stm. föhrenstamm.

vorhin, vörhin adj. von
föhren.
vorht stm. furcht.
vorhte, vorht stf. (md. *vorchte,
vorcht, vocht, vorte, vort*) furcht,
angst, besorgnis (mit gen. des
obj. od. mit *an, von, ze* vor),
gotes v. gottesfurcht; was furcht
erregt, schrecken. **-bære, -bær-
lich** adj. furcht hervorbringend,
furchtbar, schrecklich. **-(vorht-)
lich** adj., **-liche** adv. furchtvoll,
furchtsam; gefürchtet, fürch-
terlich, furchtbar.
vorhtec, vorhtic adj. furcht
habend, furchtsam; furcht, ehrfurcht habend vor (gott);
furchtbar, schrecklich. **-heit**
stf. furcht, furchtsamkeit. **-lich**
adj. = *vorhtec.*
vorhtelin stn. dem. zu *vorhte.*
vorhten-lich adj. = *vorhtlich.*
vorhtigære stm. der fürchten
macht.
vorht-lûniʒ adj. blödsinnig.
-(vorhte-)sam adj. furchtvoll,
furchtsam, ängstlich; gottesfürchtig; scheu, unterwürfig;
furcht erregend, furchtbar, gewaltsam, tapfer. **-samlich** adj.
furchtsam; furcht erregend.
forich s. *vurch.*
forme, form stswf. form, gestalt; vorbild, muster; art und
weise (lat. *forma*). **-(form-)lich**
adj., **-liche** adv. was die äussere
gestalt wovon hat, ein vorbild
seiner art ist; herkömmlich,
schicklich. **-lös** adj. ohne *forme.*
-schaft stf. gestalt.
formen, formieren swv. formen, gestalten, bilden (lat.
formare).
formunge stf. gestalt; gestaltung, anfertigung.
vornân, vornen adv. vorn.
vorne, vorn adv. räuml. vorn,
vor; zeitl. vorher, hievor.
vornes adv. vorn.
vorschære, -er stm. forscher,
erforscher.
vorsche, vorsch stf. forschung,
nachforschung, frage.
vorschen swv. forschen, fragen (mit gen. od. *nâch, umbe*
mit untergeord. s.). — tr. mit
as. erforschen, forschend durchziehen, mit ap. ausforschen,
peinlich verhören.
forst, vorst stn., **vorste** stswf.
= *forëst.* **-dinc** stn. wald-
gericht. **-huobe** f. forsthaus;
forsterei, forstbezirk. **-meister**
stm. förster, oberförster. **-rëht**
stn. recht der waldnutzung und
abgabe dafür.
forstære, -er stm. förster,
forstamtmann.
vort, vorte s. *vorhte,
vurt.*
vort adv. räuml. vorwärts,
weiter; zeitl. fortan, weiter.

-mêr, -mê adj. weiterhin,
fernerhin, item.
vorten s. *vürhten.*
vorten adv. = *vort.*
fortüne stf., glück; zufall
(lat. *fortuna*).
vorz, vorzen s. *varz, varzen.*
fossiure stswf. grotte (fz.
fossure, lat. *fossura*).
fotze, futze swf. vulva.
foune swf. föhn.
voul s. *vûl.*
voust, vout s. *vûst, voget.*
fowen s. *vewen.*
vrabel s. *vrevel.*
vrademen, vredemen swv.
dunsten, duften (vgl. *brâdemen*).
vrag- s. *phrag-.*
vrâgære, -er stm. der fra-
gende, umfragende (die *vrâger*
die zwei vorsitzenden, die umfrage haltenden bürgermeister).
vrâge, vrâg stf. frage, nach-
frage, forschung (*âne, sunder
vr.* ungefragt, *vrâge gewinnen*
antwort bekommen, *v. bekant
tuon* eine frage beantworten);
umfrage, bes. nach einem votum
oder urteil; peinliche frage,
rätselfrage; beratung; amts-
periode der *vrâger* (bürgermeister). **-bære** adj. fraglich.
vrâgen swv. intr. fragen, forschen, sich erkundigen (mit
gs., präpp. od. indir. fragsatze).
— tr. fragen, befragen (mit ap.
u. gs., präpp. oder mit indir.
fragsatze).
vram, fram adv. räuml. vorwärts, fort; zeitl. sofort, sogleich. **-bære** adj. ausgezeichnet, herrlich. **-bære** stf. herrlichkeit. **-leite** stf. verirrung.
-schuʒ stm. schuss aus der
ferne. **-(fran-)spuot** stf. gelingen,
glück (verderbt *fransmuot*).
-spuotic adj. *framspuot* habend.
-spuoticheit stf. = *framspuot.*
-spuotigen swv. fördern. **-wêrt,
framort** adv. sofort, hinfort,
fernerhin.
vrame swm. entfernung.
framort s. *framwêrt.*
franc-weide s. = *almende.*
frangel stm. = *franse.*
frank (die franz. silbermünze).
franse swf. franse, schmuck
(fz. *frange*).
franzen swv. mit fransen besetzen.
franzisch adj. französisch.
franzois, franzeis adj. französisch; inkl. n. subst. französische sprache.
franzoisisch, franzoisch adj.
französisch.
vrast stf. kühnheit, mut,
standhaftigkeit. **-gemunde,
-munde** adv. mutig, herzhaft,

freimütig. **-munt, -munde** stf.
= *vrast*.
vrat stn. verstand, sinn.
vrat adj. halb faul, zerbrök-
kelnd; wund gerieben, entzündet, bildl. abgerieben, durchtrieben, verschlagen.
vrate, vraten s. *vrete, vreten*.
fraterschëlle swm. mitglied
einer sekte, sie sich zum dritten
orden des hl. Franziskus be-
kannte (it. *fraticello*, lat. *frati-
cellus*).
fratz (aus *ver-atz*) stm. geldabgabe an die obrigkeit.
vrâʒ stm. fresser, vielfrass,
nimmersatt; das essen, fressen,
gefrässigkeit, schlemmerei.
-ertac stm. faschingsdienstag.
-heit stf. gefrässigkeit, schlemmerei. **-liche** adj. gefrässig.
-mântac stm. faschingsmontag.
vræʒec, -ic adj. gefrässig.
vræʒec-heit stf. = *vrâʒheit*.
vræʒinne stf. schlemmerin.
vraʒʒenie, -rie s. *vrêʒʒ-*.
vrebel s. *vrevel*.
vrêch adj. mutig, kühn, tapfer, keck, dreist, lebhaft (mit
gs. od. *an*). **-gemuot** adj. =*vrêch*.
-heit, vrêcheit stf. kühnheit,
keckheit, verwegenheit. **-lich,
-liche** adj. adv. = *vrêch,
vrëche*.
vrëche adv. kühn, dreist.
vrëche stf. kühnheit, keckheit.
vrêchen mfr. = *wrêchen* s.
rêchen.
vrêde s. *vride*.
vredemen s. *vrademen*.
vrêge stf. = *vrâge*.
vrêgen, vrêgen swv. =
vrâgen.
vreidære stm. apostat.
vreide adj. abtrünnig; flüchtig, geflohen; mutig, kühn. —
adv. übermütig, trotzig. - stf.
abtrünnigkeit, treulosigkeit;
gefährdung, gefahr; mut, kühnheit; wohlgemutheit; übermut,
heftigkeit. - swm. übermut,
gewalttätigkeit. **-bære** adj.
gefahr und verderben bringend,
schrecklich.
vreidec, vreidic adj. treulos,
abtrünnig, flüchtig; dem recht-
mässigen eigentümer entzogen,
herrenlos (gut); schrecklich;
wild, trotzig, keck, ausgelassen,
mutwillig, übermütig, prahlerisch; leichtsinnig; frisch, munter, wohlgemut, mutig, kühn.
-heit, vreidikeit stf. übermut,
trotz, ausgelassenheit; wohlgemutheit, mut, kühnheit,
stärke. **-lich** adj., **-liche** adv.
mutig, übermütig, keck, heftig.
vreiden stn. = *vreide*
swm.
vreidigære stm. frevler, mord-
knecht.

vreidigen swv. tr. verjagen.
— refl. mit dat. fliehen vor.
vreis stm. = *vreise*.
vreisam s. *vreissam*.
vreischen s. *vereischen*.
vreise adj. grausam, schrecklich. - stswf. swm. gefährdung.
gefahr, verderben, drangsal,
not, schrecken, ungestüm (der
tobenden elemente); grausamkeit, frevel; wut, zorn; angst,
furcht, schrecken; gericht über
leben und tod.
vreisec, -ic, -lich adj. verbrecherisch, straffällig, furchtbar. **-heit** stf. gefahr, drangsal.
vreisen swv. abs. in gefahr u.
schrecken bringen, grausam verfahren *an, gegen, ûf*; unpers.
mit acc. schaudern.
vreisener stm. = *vreiser (des
meres v.* seeräuber).
vreisen-riche adj. voll schrekken, schrecklich.
vreiser stm. wüterich, tyrann.
vreis-heit stf. grausamkeit.
-lich adj. gefahr u. verderben
bringend, schrecken erregend,
furchtbar, schrecklich, wild,
grimmig, verwegen, entsetz-
lich; zornig, zornmütig. **-liche**
adv. auf verderben bringende,
furcht erregende, schreckliche,
grausame weise; in erschreck-
ter, ängstlicher weise, über die
massen, sehr. **-licheit** stf. =
vreisheit. **-sam, vreisam** adj. =
vreislich.
vreist, vreiste stf. gefahr,
gefährdung, drangsal; grausamkeit.
vreit stm. = *vreide*.
vreit-liche adv. = *vreidec-
liche*. **-sam** adj. kühn, verwegen, trotzig.
**vremde vremede, vrömde
vrömede** adj. fremd, gegens.
von nahe (fern, entfernt von,
mit dat.), von eigen (eines
andern, einem andern gehörend), von einheimisch, von
bekannt und vertraut (mit
dat.), von gewöhnlich (auffallend, befremdlich, seltsam,
wunderlich, sonder-, wunderbar,
selten, nicht vorhanden). - stf.
entfernung, trennung; die fremde; unbekanntheit, unvertraut-
heit; entfremdung, feindschaft.
vremdec-heit stf. entfernung,
trennung; fremdheit. wunder-
bare weise; ungewohnter, be-
schwerlicher zustand; seltenheit. **-lich** adj. fremd, fremdartig. **-liche** adv. auf fremde,
wunderbare, seltsame weise.
vremde-liche adv. dasselbe.
vremdelinc, -ges stm. fremdling.
**vremden vremeden, vrömden
vrömeden** swv. tr. *vremd* machen, entfremden, entziehen,

fern halten, fern bleiben von,
meiden — refl. sich fern halten,
mit dp. meiden. — intr. mit
dat. fern werden od. sein. -
stn. das fernsein, ausbleiben,
fremdtun.
vremdnisse stf. entfremdung,
feindschaft.
vremdunge stf. = *vremden*
stn.
vremen swv. vorwärts schaffen, bringen; vollführen.
frenkisch, frensch adj. frän-
kisch.
vrete, vrate stf. entzündung,
wunde.
vreten, vretten, vraten swv.
entzünden, wund reiben, bildl.
herumziehen, quälen, plagen.
vreterie, vretunge stf. quäle-
rei, schererei.
**vreud- s. *vröud-*.
vreun, vreuwen s. *vröuwen*.
vreunt- s. *vriunt-*.
vrevel, vrävel, vrevele adj.
(nbff. *vrabel, vrebel, vreven,* md.
virebel, vorebil, vorevil) mutig,
kühn, unerschrocken; gewaltig,
übermütig, mutwillig, verwegen,
frech. **-haft, -haftic** adj. vermessen, verwegen, kühn. **-heit** stf.
kühnheit, verwegenheit, frevel.
-lich adj. = *vrevel*. **-liche** adv.
auf mutige, kühne, unerschrok-
kene weise; auf vermessene,
verwegene, übermütige, mutwillige, freche weise; in recht-
verletzender weise. — stf. =
vrevel. **-man** stm. kühner mann;
übeltäter, böswicht. **-val** stm.
geldbusse für einen *vrevel*.
-wandel stm. dasselbe.
vrevele, vrevel stfm. mut,
kühnheit, unerschrockenheit;
gewalttätigkeit, vermessenheit,
verwegenheit, übermut, frechheit; rechtl. vergehn, bes. ein
geringeres, geldsühnbares vergehn, geldstrafe dafür.
vrevelen swv. intr. gewalttätig, vermessen, wider das gesetz handeln. — tr. gewalttätig
behandeln, sich vergreifen an,
notzüchtigen. *gefrävelt* kühn,
abenteuerlich verziert.
vreveler stm. der frevelt.
vreveline swf. = *vrevele* geldstrafe.
vrewen s. *vröuwen*.
vrêʒʒen s. *verêʒʒen*.
**vrêʒʒenie, vraʒʒenie; vrêʒ-
ʒerie, vraʒʒerie** stf. fresserei,
schlemmerei.
vri adj. nicht gebunden od.
gefangen, frei, los, unbeschränkt (*gemüetes v.* frech);
mit gen. od. präp. frei von
etw., es nicht besitzend; unkundig; frei für etw., zugänglich; freigeborn, adlig; frei
von sorgen, unbekümmert (mit

gen.), sorglos, froh, ausgelassen, zuchtlos. — stn. freiheit; s. v. a. *vrîguot.* -bote swm. unverletzlicher gerichtsbote. -brief stm. freibrief, privileg. -gedinge stn. freigericht. -gëlt stn. abzugsgeld. -gerihte stn. freigericht. -gräve swm. vorstand des freigerichts. -guot stn. freigut, freizinsgut. -hals stm. freier mann; freiheit (eig. freier hals, der kein joch, keinen knechtschaftsring trägt). -hart stm. berufs- und herrenloser landstreicher, der sich für sold anwerben lässt, vagabund, gaukler, spielmann. -heit stm. dasselbe; gerichtsdiener. — stf. landstreicherin. — freiheit; stand eines freien, edeln; emunität, privileg; asyl. -heise stf. freiheit, emunität, privileg. -hërre swm. freiherr. -kur, -kurec adj. freien willen habend, freiwillig. -kure stf. freier wille, wahl. -lâʒ stm. freilassung. -lêhen stn. freies, nicht zu dienst verpflichtetes lehn. -lich adj. frei, schrankenlos, unbehindert, unbefangen. -liche adv. frei, unbe-, unverhindert, unbekümmert; freimütig, ohne rückhalt; freiwillig, frischweg, ohne zaudern, mutig, kühn; freilich, sicher, allerdings. -liute pl. zu -man stm. freier mann, nicht leibeigener knecht; scharfrichter. -market stm. freimarkt, freimarktskauf. -müetic adj. freimütig, standhaft. -rëht stn. recht der freien; freiung wovon, abgabe dafür. -rihter stm. richter der freien. -sâʒe, -sæʒe swm. freisasse. -schaft stf. freiheit. -scheffe, -schepfe swm. frei-, femschöffe. -scheftic adj. frei, nicht hörig. -stift stf. freistift. mitbesitz eines von der herrschaft auf widerruf verliehenen gutes und dieses gut selbst. -stuol stm. freigericht. -stuol-sæʒe swm. beisitzer eines freigerichtes. -tuom stm. freiheit; privileg. -vrouwe swf. freifrau. -wip stn. nicht leibeigene magd; weib eines *vrîmannes.*
vriât, vriâte stf. freiheit; privileg.—stf. brautwerbung,freite.
vride, vrit, -des stswm. stf., md. auch *vrëde* friede, waffenstillstand, ruhe, sicherheit, schutz; busse für friedensbruch; einfriedigung, eingehegter raum, bezirk. -bân stm. friedgebot unter strafandrohung, spez. der befehl das turnier zu endigen. -bære adj. friedlich, friedfertig; zu frieden und schutz dienend; geschützt. — stf. friedfertigkeit. -bot stn. friedgebot. -brëche, -bræche adj. den frieden, den landfrieden brechend. -brëche

swm., -brëchel, -brëcher stm. friedensbrecher. -brëche stf. swm. friedensbruch. -brief stm. friedensurkunde, bes. schriftl. verordnung des landfriedens. -bruch stm. friedensbruch. -brüchic adj. = *vridebrëche.* -buoch stm. buch mit strafbestimmungen gegen friedensbrecher. -hac stm., -hege swf. schützende einfriedigung. -hemede stn. schirmendes hemd, schutzkleid. -huot stm. schützender hut. -hûs stn. asyl; friedenshaus, tempel. -kreiʒ stm. bannmeile. -lëben stn. friedliches, gesichertes leben. -lich adj., -liche adv. friedlich, friedfertig, ruhig; schutz gewährend, schützend, schliessend. -lôs adj. friedlos; aus dem frieden gesetzt, geächtet, vogelfrei. -macher, -mecher, -man stm. friedensstifter. -meister stm. beschützer. -müre stf. grenzmauer. -naph stm. = *vridehuot.* -phenninc stm. jährl. abgabe für gewährung von sicherheit und schutz. -port stm. friedens-, schutzhafen. -sam, -samlich adj. friedlich, friedfertig, ruhig. -same stf. friedfertigkeit. -saz stm. waffenstillstand. -schaz stm. = *vridephenninc.* -schilt stm. schützender schild; *einen v.* geben einen schutzbefehl erlassen; schutz, schirm, beschützer, beschützerin (Maria). -stat stf. friedensstätte, asyl. -stein stm. grenzstein. -sûl stf. säule an der grenze der bannmeile. -tac, -tage stswm. friede, gottesfriede. -vëlt stn. eingezäuntes feld. -zeichen stn. friedenszeichen. -zit stf. friedenszeit.
vridel s. *vriedel.*
vridelin stn. dem. zu *vride;* persönl. friedensstifter, zufriedensteller.
vriden swv. tr. in frieden bringen, friedlich beilegen, stillen; versöhnen (tr. od. abs. mit dp.); frieden verschaffen, gebieten, in schutz u. schirm nehmen, schützen, erhalten, retten; einen zaun machen. — refl. *sich mit einem vr.* frieden schliessen; *sich eines d. vr.* davor bewahren.
vrider stm. friedenbringer, friedenstifter, schützer.
vridunge stf. friedensstiftung; schutz.
vrid-ûʒ interj. es sei aus mit dem frieden.
vrie swm. der freigeborne, freiherr. — stf. freiheit; befreiung von (mit gen.)
vrie stswf. liebes-, brautwerbung, heirat. -bære adj. heiratsfähig.

vriedel stm., md. *vridel* geliebter, buhle, bräutigam, gatte.
vriedele swf. geliebte, braut, gattin. **vriedelinne, -in, -in** stf. dasselbe (auch *vriundelin,* auf *vriunt* bezogen).
vrien, vrigen swv. tr. frei machen, erlösen, erretten. — tr. u. refl. mit gs. od. präpp. frei machen, entledigen, berauben von. — tr. frei lassen; mit einem privileg begaben. — **vrien** swv. freien, um eine braut werben, heiraten (mit dat. comm.); stuprieren; überh. werben *nâch, umbe.*
vrier stm. freier, freiwerber. — *vriese* swm.damm-u.schlammarbeiter.
vriesen, vrieren stv. II, 2 frieren intr. u. unpers. mit acc.; zufrieren. .
vrigen s. *vrien.*
vriin stf. freifrau.
vriline, -ges. stm. freigelassener.
vrisch adj., md. *virsch* frisch, neu, jung, munter, rüstig, keck. -gemuot adj. von keckem mute. -grüene adj. frischgrün, jugendlich kräftig. -heit, vrischeit stf. frische. -liche adv. frisch, frischweg, munter, rüstig, mutig, kecklich.
vrischen swv. *vrisch* machen, auffrischen, erneuern; intr. *v.* sein.
vrischine, vrischline, -ges stm. junges tier (schaf od. schwein), das sich von der mutter getrennt hat, frischling.
vrist stf. m. n. freigegebene zeit, nach deren ablauf ein anderes verhältnis eintritt, aufschub; abgegrenzte zeit überh., anfangender, während er u. abgelaufener zeitraum, frist. -mâle, -mâl stm. aufschub, verlängerung, zeitraum bis zu einem termin; erhaltung, bewahrung.
vristen swv. tr. hinhalten, auf-, verschieben; mit acc. u. gen. einen womit hinhalten, ihm es einstweilen vorenthalten; verweilen machen, auf-, zurückhalten; aufrecht erhalten, erhalten, bewahren; schützen, retten, tr. u. refl.; abs. säumen, mit dat. *einem vr. an* längere zeit geben für.
vristunge stf. aufschub, frist; erhaltung, bewahrung, schutz.
vrit s. *vride.*
vri-tac stm. tag der *Fria* (gemahlin Wuotans), freitag (*der stille vr.* karfreitag).
vrît-hof stm. vorhof eines tempels; eingefriedeter raum um eine kirche, kirch-, friedhof.

fritschâl stm. ein feines nie-
derländisches tuch gelber od.
grüner farbe (mlat. *fritsalum,
friscalius*).
vriundelin s. *vriedelinne.*
vriunden swv. (md. gekürzt
vründen, vrunden) tr. u. refl.
mit *vriunden* versehen; zum
vriunde, gevriunt machen.
vriundinne, -in, -in stf.
freundin, geliebte; gemahlin,
beischläferin.
vriunge stf. befreiung von
gewissen beschränkungen im
handel od. von abgaben (markt-,
maut-, zollfreiheit), emunität,
privileg; freiungsrecht; freistätte, asyl; stand der freien.
vriunger stm. besitzer einer
freistätte.
vriunt, -des stm. (md. gekürzt *vrünt, vrunt*) freund; koll.
freundschaft; liebhaber, geliebter, auch freundin, geliebte;
verwandter. -bære adj. freundschaftlich, freundlich. -gæbe
adj. unter freunden annehmbar,
verkaufbar, überh. gut, brauchbar. -holt adj. seinen freunden
od. verwandten zugetan, ergeben, dienstfertig, überh. freundlich, freundschaftlich. -hulde
stf. begünstigung der verwandten, standesgenossen. -lich
adj., -liche adv. einem *vriunde*
gemäss, nach art der *vriunde*,
eines *vriundes*; lieblich, angenehm; mit dat. befreundet mit.
-schaft stf. freundschaft; liebschaft, liebe; verwandtschaft;
bündnis. -selde stf. freundes-
wohnung.
vriuntel stn. dem. zu *vriunt.*
vrô s. *vrouwe.*
vrô adj. (komp. *vrôwer
vrœwer, vrôer vrœer*) froh, heiter,
erfreut, vergnügt, zufrieden
(ohne od. mit gen. od. präpp.
úf, von, mit *ze* u. inf., mit
abh. s.). -gemuot, -müete,
-muot adj. frohen mutes, heitern sinnes. -sanc stmn. freu-
dengesang, alleluja. -sangen
stn. dasselbe.
vrô swm. herr (der milde,
gnädige).
vröde, vrœde s. *vröude.*
vröid-, vröiw- s. *vröud-,
vröuw-.*
vrœ-lich adj., -liche adv. froh,
fröhlich, heiter, erfreut.
vrom- s. *vrum-.*
vrömd-, vrömed- s. *vremd-.*
vrôn adj. was den herrn
(geistl. od. weltl.) betrifft, ihm
gehört: heilig (gottes, Christi),
herrschaftlich, öffentlich.
vrôn s. *vrône.*
vrôn, vrône stswm. gerichtsbote, büttel.
vrôn-altâr, -alter stm. heiliger
altar, hochaltar. -ambet stn.

hochamt. -bërc stm. herrschaftl.
bergwerk. -(vrône-)bote swm.
.bote gottes, von gott; unverletzlicher bote (auch stellvertreter) des richters, amts-, gerichtsbote, büttel. -dienest
stm. herren-, frondienst. -ge-
lœte stn. polizeilich festgesetztes gewicht. -gerihte stn.
gericht des grundherrn. -ge-
wihte stn. = *vrôngelœte.* -hant
stf. herrnhand, lehnsherr.
-(vrône-)hof stm. herrnhof;
hof, platz um oder an einer
kirche. -holz stn. = *vrônwalt*;
holz aus einem fronwalde.
-höuwer stm. heumacher als
fröner. -hûs stn. herrnhaus.
-këller stm. herrn-, kloster-
keller. -kost stf. polizeilich
festgesetzter preis; abgabe in
die herrschaftl. küche. -kriuze
kreuz. -licham, -lichname swm.
Christi leichnam, hostie. -mâz
stn. polizeilich festgesetztes
mass. -mësse stf. messe auf dem
vrônaltâr, hochamt. -mësser
stm. der die *vrônmësse* hält.
-mëz stn. = *vrônmâz.* -rëht stn.
öffentl. recht, stadtrecht; gerichtl. beschlagnahme. -snitter
stm. schnitter als fröner. -stap
stm. gerichtsstab. -tac stm.
frontag. -tisch stm. das heilige
abendmahl. -tor stn. tor des
herrschaftshauses od. klosters.
-(vrône-)vaste swf. heilige fasten, die alle drei monate gehalten wird, quatember. -va-
sten-gëlt stn. quatemberzins.
-veste stf. öffentl. gefängnis.
-wâc stm. herrschaftl. fischwasser. -wâge stf. öffentl. waage,
stadtwaage. -walt stm. herrschaftl. wald. -wazzer stn. =
vrônwâc. -weibel stm. gerichtsdiener. -zeichen stn. zeichen
der öffentl. beglaubigung bei
mass u. gewicht.
vrœnde stf. frondienstiges
land; fronarbeit.
vrœnder stm. der frondienst
leistet.
vrône, vrôn stf. herrschaft,
herrschaftlichkeit, herrlichkeit,
heiligkeit; gewaltherrschaft,
zwingburg, gefängnis; herren-,
frondienst; gerichtl. beschlagnahme u. das in beschlag genommene gut.
vrône-bære adj. mit heiligkeit
verbunden, heilig. -guot stn.
fiskalisches gut. -kempfe swm.
kämpfer des herrn (gottes).
-kint stn. christkind. -kôr stm.
heiliger chor. -marter stf. marter Christi. -reste stf. geheilig-
ter platz. -sal stm. tempel,
kirche. -spîse stf. das heilige
abendmahl. -stadel stm. herren-
scheuer. -vaste s. *vrôn-vaste.*

vrœnen, vrônen swv. tr. zum
herrn machen, erhöhen, heiligen, verherrlichen, schmükken; mit dat. u. acc. als abgabe
überreichen, geben überh. —
abs. u. tr. (für den herrn) in
beschlag nehmen, aus-, abpfänden. — intr. ohne od. mit
dp. dienen, frondienst leisten.
vrœner, vrôner stm. fröner,
arbeiter im herrschaftlichen
dienste; diener, beamter; pfänder.
vrœnlinc, -ges stm. fröner,
dienstmann.
vrœnunge, vrônunge stf.
herrschaft, herrschaftl. gebiet;
frondienst; gerichtl. beschlagnahme.
vrœren swv. tr. *vriesen* machen; unpers. für *vriesen.*
vrœrer stm. fieberfrost.
vrosch stm. (pl. *vrosche* u.
vrösche) frosch. -diech stn.
froschschenkel.
vröschelin, vröschel stn. dem.
zu *vrosch.*
vrost stm. kälte, frost; bildl.
kaltsinn, innerer schauer.
vrostec, vrostic adj. kalt,
frostig; fröstelnd, schauernd.
vrosten swv. unp. m. ap.
frieren.
vrouchin stn. md. dem. zu
vrouwe.
vröude, vröide, vreude stswf.
(nbff. *vröuwede, fröwede, fröude.
vrouwede, vrowede, vroude, vrôde,
froide, frœde, frœd*) frohsinn,
freude, erfreuendes, unterhaltendes (gerne im pl.). -bar adj.
ohne freude. -(vröuden-)bære
adj. freude habend od. hervorbringend. -(vröuden-)bërnde
part. adj. freuden hervorbringend. -(vröuden-)haft adj.
freude habend, froh gestimmt.
-hëlfe stf. erfreuliche hilfe.
-(vröuden-)lëben stn. freuden-
leben. -lich adj. wonnig.
-(vröuden-)lôs adj. freudlos;
lebensüberdrüssig. -mære stn.
erfreuliche nachricht. -(vröu-
den-)rîche adj. reich an freuden,
sehr erfreuend. -væle stf. freudenmangel. -wende stf. ver-
eitelung, störung der freude.
vröudelin stn. kleine freude.
-(vröuden-)bære stf. das stil-
barwerden der freuden. -bruch
stm. freudenmangel. -danc stm.
freudiger dank. -gëbe swm.
freudenspender. -halp adv. von
seite der freude. -hôchgezît
stf. freudenfest, höchste herrlichkeit der freuden. -hüge stf.
freudige erinnerung. -künic
stm. freudenkönig, Christus.
-muot stm. freudiger sinn. -rôt
adj. rot vor freuden. -rote
stf. freudenschar. -sange swf.
freudengarbe (Maria). -schîn

stm. freudenschein, -glanz.
-spil stn. freudenspiel. -stern
stm. freudenstern (geliebte).
-tac stm. freudentag. -trör stm.
freudentau (Maria). -tröst stm.
anrede an die geliebte. -wip stn.
freudenweib, -mädchen. -zaher,
râr stf. freudenträne.
vröun s. *vröuwen.*
vrouwe, vrowe swf. (stf.) (vor
namen u. in der anrede abgek.
*vrou, vrô, vor, vuor, ver, vir,
vür*) herrin, gebieterin, geliebte;
unser vr. Maria; in der anrede
u. als titel vor eigennamen; frau
oder jungfrau von stande,
dame, gegens. zu *wip*; gemahlin; weib im gegens. zur jungfrau; weibl. wesen überh.
(*heilige vrouwen* nonnen, *die
gemeinen vrouwen* huren).
-(vröuwe-)lich; vrou-, vröu-
lich adj., -liche adv. einer
vrouwen gemäss, der *vrouwen,*
weiblich.
vrouwelin, vröuwelin, vröu-
lin stn. dem. zu *vrouwe:* herrin,
gebieterin, frau od. jungfrau
von stande, dame; von der
jungfr. Maria; als schmeichelnde
anrede für die geliebte niederen
standes; herablassende bezeichnung für ein mädchen niederen
standes, mägdlein; feile dirne,
hure; nachtfahrerin; tierweib-
chen.
vrouwen swv. zur herrin,
zum weibe machen.
vröuwen, vrouwen, vrolwen,
vrowen, vreuwen, vrewen;
vröun, vreun swv. tr. *vrô*
machen, erfreuen. — refl. sich
freuen (ohne od. mit gen. od.
mit präpp. *an, gegen, ûf, von,
ze* u. gen., mit inf., mit untergeordn. s.).
vrouwen-, vroun-bilde stn.
= *einer vrouwen bilde,* frauen-
bild, frau. -diener stm. frauen-
diener. -dienest stm. das dienen
um der liebeslohn einer dame,
höfischer frauendienst. -ge-
reite stn. frauenreitzeug, damen-
sattel. -gespünne stn. =
-spünne. -gewant stn. = *vrou-
wenwât.* -hâr stn. frauenhaar;
pflanzenname. -hûs stn. hurenhaus. -lop stm. lob, preis der
frauen; ein lied, spruch, ton des
dichtersFrauenlob. -minnerstm.
liebhaber, verehrer der frauen.
-name swm. frauenname, frau.
-ritter stm. ritter, der einer
dame dient; dienstmann eines
Marienstifts. -sieche swf. weibl.
kranke. -spünne stf. muttermilch. -wât stf. frauenklei-
dung. -wirt stm. hurenwirt.
-zeichen stn. weibl. geschlechtsteile.-zimmer stn frauengemach.
vröuwin adj. aus *vrouwen* bestehend; *vrouwen* gehörend.

vrow- s. *vrouw-.*
vrowede, vrowen s. *vröude,
vröuwen.*
vrüeje, vrüe adj. u. adv. früh
(*vr. wesen* früh auf sein).
vrüejen s. *vrüewen.*
vrüeline, -ges stm. frühling.
vrüe-suppe swf. frühstück.
vrüete, vruot stf. verständigkeit, instinkt, weisheit; schönheit; fröhlichkeit; himmlische
seligkeit.
vrüete adj. = *vruot* schön,
reinlich.
vrüeten swv. *vruot* machen.
vrüetic, vruotic adj. rasch
zur tat, eifrig, behende, munter,
rüstig, tapfer.
vrüe-ürte f. frühzeche.
vrüewen, vruowen, vrüejen
swv. refl. früh werden, als
morgen sich zeigen; früh auf
sein, sich früh, beizeiten zu
etwas halten.
vruht stf. frucht, baum-,
feldfrucht (bildl. *âne vr.* ohne
nutzen, gewinn, *der sælden vr.*
gipfel der vollendung); leibesfrucht; das junge, die brut;
kind; sprosse, nachkommenschaft; menschenkind, geschöpf,
wesen, bes. in schmeichelnder
anrede; abstammung, ge-
schlecht, familie. -bære, -bæric
adj. frucht bringend, fruchtbar;
nützlich, heilsam. -bærec-heit,
-bärkeit stf. fruchtbarkeit.
-boum stm. obstbaum. -bræh-
tec adj. fruchtbar. -bû stm. feldbau. -gëlt stn. fruchtzins. -lich,
-sam adj. fruchtbar, zuträglich. -winderin f. verdeutschung
für lat. auster.
vrühtec, vrühtic adj. frucht
od. nutzen bringend, fruchtbar,
ergiebig; schwanger. -heit stf.
fruchtbarkeit. -lich adj. =
vrühtec.
vrühten, vruhten swv. abs.
frucht tragen, fruchtbar sein. —
tr. als frucht tragen oder zur
folge haben, hervortreiben;
fruchtbar machen, befruchten;
den fruchtgenuss wovon haben.
— intr. aufkeimen, empor-
sprossen.
vrühtigen swv. abs. frucht
tragen. — tr. fruchtbar machen,
befruchten; mit frucht bestellen.
vrum, vrom adj. von perss.:
tüchtig, brav, ehrbar, gut,
trefflich, angesehen, vornehm,
wacker, tapfer; förderlich, nützlich mit dat.; helfend, nützlich,
brauchbar *zuo*; gottgefällig,
fromm — von sachen: tüchtig,
ausgiebig, wirksam, bedeutend;
förderlich, nützlich mit dat.;
nützlich, brauchbar *zuo.* -man
stm. = *vrumer man.* -wêrc
stn. bestellte arbeit. -wêrker

stm. handwerker, der auf bestellung arbeitet.
vrume, vrum, vrome swstm.
stf. nutzen, gewinn, vorteil.
vrümec, vrumec, -ic adj. gut,
brav, ehrlich, tüchtig, wacker,
tapfer, unerschrocken. -heit,
vrümekeit stf. gutes, gutheit,
bravheit, tüchtigkeit, tapferkeit. -lich, -liche adj. adv. =
vrümec.
vrümede, vrumede stf. bravheit, tüchtigkeit.
vrume-lich adj. förderlich,
nützlich mit dat. -liche adv. =
vrümec-liche.
vrumen, vromen swv. intr.
vorwärts kommen *an*; förderlich sein, nützen, frommen,
helfen mit dp., ap. und gs.
vrümen, vrumen, vromen
swv. tr. vorwärts schaffen,
befördern, schicken, schaffen,
machen, bereiten, bewirken,
tun, bestellen, stiften (mit präd.
adj. oder partic., mit inf.); beibringen (*einen slac*).
vrund-, vründ-, vrunt-, vrünt-
s. *vriund-, vriunt-.*
vrunzen swv. falten.
vruo adj. u. adv. früh, mit od.
ohne bezug auf die tageszeit
(*vruo wesen* früh auf sein, *ze
vruo wesen, komen* mit dp. nicht
zur rechten zeit, ungelegen
kommen, nicht passen). -ëzzen
stn. frühstück. -imbiz stm. dasselbe. -(vrüe-)mësse f. frühmesse. -(vrüe-)mësser stm.
der die frühmesse liest. -mor-
gen stm. der frühe morgen.
-(vrüe-)stücke stn. frühstück.
vruot, -lich adj. verständig,
weise, klug (mit gen. od. *an, ûf,
ze*); schön; gut, edel, brav,
tüchtig, wacker, fein, artig,
gesittet (mit gen. od. *gegen,
nâch, ûf*); froh, frisch, munter,
gesund.
vruot, vruotic s.*vrüete,vrüetic.*
vruote adv. munter, frisch.
vruowen s. *vrüewen.*
vüdel, vüdelin stn. dem. zu
vut; mädchen, magd. -(fude-)
nol stm. mons Veneris.
vuder, vüder-s.*vurder,vürder-.*
vüec-lich, -sam s. *vuoc-.*
vüederic, vuoderic adj. ein
vuoder als mass haltend, ein
vuoder schwer; zu einem lastwagen gehörend.
vüederlin stn. dem. zu *vuoder.*
vüege adj. angemessen, passend.
vüegede stf. verbindung.
vüegel stf. schliesserin, tür-
hüterin.
vüegelerinne stf. dasselbe;
kupplerin.
vüege-lich s. *vuoclich.*
vüegen, vuogen swv. tr.
passend zusammen-, hinzu-

fügen, verbinden, wohin bringen od. schicken; passlich gestalten, mildern, bessern; machen od. zulassen, dass etwas
geschehe,bewerkstelligen,schaf-
fen, ermöglichen, gestatten;
mit dp. zufallen lassen, bescheren, zufügen, -teilen, gewähren. — refl. sich fügen,
schmiegen, schliessen an, umbe;
nach passlichkeit kommen, sich
verfügen, begeben in, von, zuo;
sich passen, schicken; sich gestalten, begeben, ereignen, geschehen. — intr. füglich sein,
sich passen, schicken, anstehn.
vüegen-lich adj. = vuoclich.
vüegerinne stf. zusammen-
fügerin, schöpferin, urheberin,
anordnerin; kupplerin.
vüegunge stf. zusammenfügung, verbindung, art und weise.
vüele stf. das fühlen, gefühl;
das kosten, wahrnehmen.
vüelen swv. fühlen, wahrnehmen, empfinden, mit acc.
(u. adjekt. präd., infin.) od.
gen. oder untergeord. s.
vüerât, vüeráte stf. fuhre.
vüeren swv. varn machen,
in bewegung setzen, treiben,
fortschaffen, führen, leiten,
herbeiführen, bringen, ausführen, -üben, tun, stiften;
mit, bei oder an sich haben,
tragen (als last, kleidung, waffen, schmuck), besitzen. — refl.
sich benehmen.
vüerunge stf. führung, leitung; fuhrwerk.
vüet- s. vuot-.
vüezelin, vüezel stn. dem.
zu vuoz.
vüezen swv. mit füssen versehen.
vuhs, vuohs stm. fuchs.
-balc, -belz stm. fuchsbalg.
-brün adj. fuchsbraun. **-huot**
stm. hut, mütze aus fuchspelz.
-hüt stf., **-vêch** stn. fuchspelz.
-zagel stm. fuchsschwanz. den
v. rîten mit jem. hintergehn.
vühselin, vühsel stn. dem.
zu vuhs.
vühsin adj. vom fuchse, füchsisch.
vühs-lich adj. füchsisch.
vûl, voul adj. morsch, faul,
verfault, durch fäulnis verdorben, stinkend; gebrechlich,
schwach; träge. **-heit** stf.
fäulnis; trägheit. **-lich** adj. faul.
vûl s. vülin.
vül swm. = vole.
vülde, vüle stf. fäulnis, ver-
faultes. — swm. faulenzer (aus
vûlende).
vülec-heit, vülkeit stf. fäulnis, faul-, trägheit.
vûlen swv. faulen, verfaulen;
träge sein; zum fäulen bringen.

vûlezen swv. faul schmecken;
faulenzen.
vülhe swf. weibl. füllen.
vülîn, vülî, vüln, vüle, vül
stn. das füllen.
vülle stf. fülle, menge, überfluss, das gefülltsein, die vollheit; ergänzung; erfüllung;
füllung des bauches, frass,
völlerei; wurst-, krapfenfülle;
pelzfutter; uferbefestigung.
vüllede stf. fülle, menge,
überfluss, vollheit; erfüllung.
vulle-, vul-mânot, -mânt stm.
september; oktober; november.
vulle-mâne swm. september.
fullemunt s. fundament.
fullemunt-lichen adv. von
grund aus.
vüllen swv. tr. vol machen,
füllen, anfüllen (mit gen. od.
mit); in ein gefäss tun, einfüllen; vülle in etw. hineintun;
damit ausfüllen; überziehen,
bedecken mit; mit einem besatz
od. unterfutter versehen. —
refl. sich satt essen, übermässig
essen u. trinken; sich an v. bedecken, bekleiden. — intr. sich
betrinken, schwelgen.
vüller stm. fresser u. säufer,
schwelger; der den mörtel
einfüllt u. den maurern zuträgt.
vuller stm. walker (mlat. ful-
lare walken v. lat. fullo).
fulle-stein stm. stein zum
füllen des gegrabenen funda-
mentes, grundstein; bruch-
stein zum ausfüllen bei mauer-
oder fachwerk.
vüllunge stf. anfüllung mit
etw.; völlerei.
fulmunt s. fundamênt.
vülnis stf. fäulnis.
vulter stm. rauhes, unreines.
vultern, voltern swv. foltern.
vülunge stf. das faulen, die
fäulnis.
ful-zan, -zant stm. milch-
zahn eines füllens.
vûm stm. = veim.
vümen swv. = veimen.
vunc adj. funkelnd, glänzend.
vunc, -kes stm. der glanz,
das funkeln.
fundamênt stn. grundmauer,
fundament; grundlage, grund
(umgedeutscht daz und der
fundamunt, fulle-, fulmunt, volle-
volmunt).
vündec, -lich, -vündic adj.
erfinderisch; findbar (in mis-
se-v.).
fündel, findel stf. findelhaus.
vunde-liche adv. in fundes
weise.
vündelin stn. kleine erfindung;
findelkind.
vundeline, -ges stm., **vündel-,
vindel-kint** stn. findelkind, findling.

vündeln swv. forschend finden, bes. dichterisch er-
finden.
funden, fundieren swv. gründen, stiften (lat. fundare).
vünf (nbff. vunf, vümf vumf,
viunf viumf, vinf, viuf; diese
nbff. auch bei den komposs.)
num. card. fünf. **-man** stm.
der entscheidende obmann zu
vier richtern. **-teil** stn. der
fünfte teil. **-valt** adj. adv. fünf-
fältig, -fach. **-zêc, -zic** num.
card. fünfzig. **-zêhen, -zên** num.
card. fünfzehn. **-zêhende** num.
ord. fünfzehnt. **-ziger** stm. der
über fünfzig männer gesetzt
ist. **-zigist** num. ord. fünfzigst.
vünfe stf. ein hazardspiel; s.
v. a. vünfergerihte.
vünfen swv. fünffach zusammensetzen, aufstellen.
vünfer stm. mitglied eines
aus fünf männern bestehnden
schieds- oder rügegerichtes.
-gerihte stn. das aus den
vünfern bestehnde schieds- oder
rügegericht, das betr. gerichtshaus. **-stube** f. amtsstube des
vünfergerihtes.
vünferlin stn. fünfkreuzer-
stück.
vünfte num. ord. fünft (nbff.
wie bei vünf).
vünfte-halp adj. fünfthalb.
vünft-man = vünf-man.
vunke swm., **vunkel** stm.,
dem. vünkelin stn. funke.
vunken swv. intr. u. refl.
funken von sich geben; funkenartig schimmern, glänzen. — tr.
synon. zu viuren. **-glizen** stv.
funkenartig glänzen. **-tac** stm.
Martinstag (weil am vor-
abende festliche feuer angezündet wurden).
vunst s. vûst.
vunt, -des stm. das finden;
der fund, das gefundene; bergm.
neuentdeckte lagerstätte, edler
aufschluss; erfindung (niuwe
vünde neue mode); dichterische
erfindung, lied; ausgedachtes,
ersonnenes, kunstgriff, kniff,
ausflucht (niuwe vünde uner-
hörte kniffe); oft zur umschreibung. **-kint** stn. =
vündelkint. **-rêht** stn. dem finder zukommende anteil.
funtâne s. fontâne.
vuoc stm. = vüege. —, -ges
stm. schicklichkeit, angemessenheit, passlichkeit, passende,
erwünschte gelegenheit; geschicklichkeit, kunstfertigkeit.
-heit stf. dasselbe **-(vüec-,
vüege-)lich** adj. schicklich, passend, angemessen. **-(vüec-)sam**
adj. dasselbe. **-stein** stm. ein
auf einen unterbau gefügter
stein als grundlage für darüber
aufgerichtetes.

vuoder stn. fuder, fuhre, wagenlast, bildl. übergrosse menge.
-mæʒe, -mæʒic adj. einer wagenlast an grösse gleich, fuderartig.
vuoderic s. *vüederic.*
vuodern s. *vürdern.*
vuoge stf. zusammenfügung, feste vereinigung; stelle eingreifender verbindung zueinander, fuge: passlichkeit, schicklichkeit, passende gelegenheit, gebührende weise, wohlanständigkeit; festsetzung; geschicklichkeit, kunstfertigkeit, kunstgeschick; bewerkstelligung, zutun.
vuoge stf. musikal. fuge (it. *fuga*).
vnogen s. *vüeʒgen.*
vuohs s. *vuhs.*
vuor s. *vrouwe.*
vuore stf. fahrt, weg; fahrweg, strasse; was mit- od. nachfährt, begleitung, gefolge; fuhre, fuhrbenützung; was *varnde* macht, unterhalt, speise, futter; heil, rettung; art zu *varn,* sich zu benehmen, lebensweise, art u. weise überh.
vuoren swv. unterhalten, nähren, speisen, füttern.
vuorer stm. ernährer.
vuor-liute pl. zu *-man.* **-lôn** stm. n. fuhr-, fährlohn; bezahlung für die fütterung des viehes im winter. **-man** stm. fuhrmann, schiffsmann. **-vihe** stn. vieh, das im winter gegen *vuorlôn* gefüttert wird. **-win** stm. eine in wein bestehnde abgabe von wein, der ausgeschenkt oder im grossen verkauft wird.
vuorunge stf. nahrung, speisung, ernährung.
vuote stf. nahrung.
vuoten, vüeten swv. unterhalten, nähren, füttern, mästen, weiden; abweiden, ausplündern.
vuoter stm. ernährer.
vuoter stn. nahrung, speise, futter; futterfeld; unterfutter; futteral, schwertscheide. **-ræhe** adj. in den gelenken steif von schlechtem od. unreifem futter. **-rëht** stn. das recht mit futter zu handeln. **-sac** stm. mit viehfutter gefüllter sack. **-stric** stm. strick zum zusammenbinden des viehfutters. **-tuoch** stn. *tuoch* zu unterfutter.
vuoterære, vüeterære, -er stm. fütterer; der im kriege futter auftreibt, fouragiert; der das vieh, bes. die pferde füttert u. besorgt od. der mit futter handelt.
vuotern, vüetern swv. tr. futter geben, füttern, nähren, mästen; *einen v.* auf dessen

grund futter schneiden, holen. — intr. mit futter handeln; futter holen, fouragieren; auf fremdem grunde futter schneiden, holen; futter geben mit dat. — tr. unterfüttern; mit etw. überdecken, überziehen, umgeben.
vuoterunge, vüeterunge stf. speise, nahrung, futter, fourage, fütterung, fouragierung, lieferung von futter.
vuotunge stf. ernährung, erziehung.
vuoʒ stm. fuss des menschen od. eines tieres (*über v.* holen) man mit dem fusse darüber schreitet, sogleich; *eines v. suochen* zu füssen fallen); *v.* als längenmass; fuss eines berges, tisches; metr. fuss, versglied; behälter, kämmerlein auf einem flussschiffe. **-gëlt** stn. marktzoll eines karrenführers. **-gënde, -genge** swm., **-gengel, -genger** stm. fussoldat. **-gesinde** stn. fussvolk. **-gewant, -gewæte** stn. fussbekleidung. **-her** stn. fussvolk. **-isen** stn. fusseisen, fessel. **-jeger** stm. jäger zu fuss. **-knëht** stm. fusssoldat. **-kröuwel** stm. fusskralle. **-liute** pl. fussvolk. **-loufer** stm. schnelläufer. **-nagel** stm. nagel einer fusszehe. **-phat** stm. n. fusspfad. **-riste** swm. wölbung des fusses. **-schamel, -schemel** stm. fussbank, -schemel. **-slac** stm., **-spor** stnf., **-staphe** swmf. fussstapfe, -spur. **-stic** stm. fusssteig. **-striter** stm. fusssoldat. **-suht** stf. podagra. **-taphe** swm. = -staphe. **-tile** f. gedielter fussboden. **-trit** stm. fusstritt, -spur. **-val** stm. fussfall. **-vallen** redv. zu füssen fallen, mit dp. **-vende** swm. fusssoldat. **-volc** stn. fusssoldaten. **-zoi** stm. = *vuozgëlt.*
vuoʒen swv. sich stützen, stossen *úf.* — refl. sich zu füssen legen.
vür s. *vrouwe.*
vür- s. *ver-.*
vür, vüre präp. mit acc. vor, für: räuml. vor etwas hin (bei vbb. der bewegung); entgegentretend (bei *guot, hëlfen, vrumen* usw.): gegen; zum besten, für, um; stellvertretung u. gleichgeltendes bezeichnend: statt, als, wie, ganz so wie; vorbei an (md. auch mit dat.); räumlich vorwärts, über etw. hinaus; zeitl. fernerhin, von — an, seit (*vür daʒ* von da an dass, seitdem, sobald); übertreffen u. bevorzugung bezeichnend: mehr als, lieber als, vor, über.
— adv. vor, nach vorne hin, hervor, hinaus, voraus, vorbei,

vorwärts, weiter vorwärts bei advv. (*dar, dâ vür* davor, hervor, voraus, dagegen, statt dessen, *hin vür* nach vorn hin hinaus, *her vür* hervor, heraus), bei vbb., z. b. *vür-bieten* vor sich halten; vorladen. — *brëchen* intr. hervorbrechen, auf-, emporkommen; tr. = *verbrëchen* (weidm.) — *bringen* hervorbringen, in werk setzen, ausführen; zur welt bringen; darlegen, vortragen, bringen vor (dat.). — *gân* hervortreten, -gehn; vorangehn, vorwärts gehn, fortgang haben; vorübergehn. — *kêren* intr. vorbei, weiter gehn od. reiten; tr. hervorkehren. — *komen* intr. hervorkommen, sich einstellen, erscheinen; hervorkommen, bekannt, ruchbar werden; vorauskommen, -gehn, mit dat. weiter kommen, eilen als, zuvorkommen, vorbeugen, verhindern; hinauskommen über, überholen; von der zeit: herbeikommen, gegenwärtig werden, vorübergehn, verfliessen. — *legen* vor augen legen, vor-, darlegen, vorbringen, -stellen, auferlegen. — *nëmen* tr. losgehn auf, angreifen; gerichtlich belangen, anklagen, zitieren; vorgeben, -schützen; intr. zunehmen; refl. sich hervorragen, sich hervorhcben, -tun. — *schieʒen* tr. vorschieben; intr. hervortreten. — *sëhen* intr. vorwärts sehen; refl. sich vorsehen, wofür sorge tragen. — *setzen* vorsetzen, vorlegen, vor augen stellen, den sinn worauf richten, sich vornehmen. — *slahen* tr. vorschlagen; treiben (*vihe*) intr. im übergewichte sein; veranschlagen, rechnen; weidm. die spur des wildes mit den hunden verfolgen. — *teilen* mit dat. zur wahl vorlegen. — *tragen* tr. vornhin tragen, vor augen bringen; auftragen: in worten vorbringen, -tragen; vorbei, vorüber tragen; fördern, glücken, fruchten. — *wëgen* überwiegen, grösser sein als (dat.). — *wërden* vorübergehn; zugrundegehn, verderben, sterben.
vür-an adv. fortan, in zukunft. **-ban** stm. richterl. verkündigung in betreff eines vor gericht unschuldig od. im recht befundenen, dass er gegen den kläger od. angreifer in dem schutz des gerichtes stehe. **-banc** stf. bewegliche bank, die zum sitzen vor etw. gestellt werden kann. **-baʒ, -baʒʒer** komp. adv. mehr vorwärts, fürder, weiter, ferner in raum, zeit u. grad (noch mehr). **-besiht** stf. = *vorbesiht.* **-bëte**

stf. gesuch, bitte; fürbitte.
-bieter stm. vorlader. -bite
stf. fürbitte. -bot stn. gerichtl.
vorladung. -bote swm. ein bote
od. gesandter, der die sache
eines andern führt; unterhändler, vermittler. -bringer stm.
der vür bringt: zeuge, angeber,
verleumder. -büege stn. vorder-
zeug der pferde; vorderbug.
-bündic adj. ausbündig, ausgezeichnet. -dâhtes adv. absichtlich. -dæhtlich adj. voraus-
bedenkend. -danc stm. =
vürgedanc. -dinc stn. = vür-
gedinge. -dinger stm. der vor-
sitzende des vürdinges. -gâbe
stf. = vorgâbe; angabe. -gân
anv. tr. übertreffen. -ganc stm.
das vorausgehnde, die einleitung; der vorgang, -tritt;
fortgang, fortschritt, erfolg;
das heraustreten. -gebot stn.
= vürbot. -gebüege stn. =
vürbüege. -geburt stf. erstgeburt. -gedanc stm. vorher-
gehndes denken, vorsatz, überlegung, vorbedacht. -gedinge
stn. gericht, schöffengericht;
im voraus (vor der richterl.
entscheidung) geschlossener vertrag; im voraus festgesetzte, an
einem bestimmten tage zu
leistende abgabe; im voraus gehegte erwartung, zuversicht.
-gespanne stn. = vürspan.
-gespenge stn. = vürspange.
-gewæge stn. übergewicht. -ge-
zoc stm. = vürzoc. -gezœhe
stn. höherhebung. -glenzen
swv. an glanz übertreffen.
-grif, -grift stm. übereinkunft
zwischen arbeitgeber u. arbeiter, accord. -habenisse stn.
selbstüberhebung. -(vor-)hanc
stm. vorhang. -(vor-)heischun-
ge stf. vorladung. -(vor-)holz
stn. vorwald, waldsaum. -(vor-)
houbet stn. vorderer teil des
kopfes, stirn; vor einem acker
(gleichsam als dessen kopf)
liegendes stück boden; der vorgesetzte. -houwe stf. vorheu-
ernte. -kêr stm. das vorüber-
kehren, fortfliehen. -komen
stv. tr. vorbeikommen an,
überholen, zuvorkommen, übertreffen; hindernd od. verhindernd zuvorkommen, sorgend
verhüten, -hindern; mit as.
verbergen. -kouf stm. vorweg-
kauf zum behuf wucherhaften
wiederverkaufs. -koufe swm.,
-köufel, -köufer stm. der vürkouf treibt. -köufeler stm. =
-koufe; kleinhändler, höker.
-koufen swv. vürkouf treiben.
-kündic adj. bekannt. -lâz
stm. vogelartiges, an einer dünnen leine in die luft geworfenes
gebilde zur abrichtung des
jagdvogels; lockmittel, bes.

was im kriege zum heranlocken
des feindes dient; s. v. a. verlâz. -lêder stn. = vürvël. -lege
stf. mündliche oder schriftl. darlegung, vortrag einer sache.
-leger stm. wortführer, anwalt.
-legunge stf. = vürlege; das vorgelegte, die frage; vorgelegte
speise, bes. von den schaubroten.
-loufen redv. tr. zuvorlaufen,
laufend überholen, übertreffen.
-müte stf. wegmaut. -næme adj.
vorzüglich, ausgezeichnet, vornehm. -(vor-)namens adv. vorzugsweise, ganz u. gar, im vollen
sinne des wortes, in der tat (gekürzt vürnamen, vürnames,
-nams, -nemes, -nems). -næ-
misch adj. sich herausnehmend,
vermessen. -nëmen stv. refl.
sich vordrängen. -phaffe swm.
phaffe höheren ranges; vikar.
-phant stn. unterpfand. -renner
stm. vorrenner, vorläufer. -rihter
stm. der die speisen zum auftragen anrichtet. -rite swm.
vorreiter. -riten stv. tr. reiten
vor; s. v. a. verrîten. -riute
stf. ausgereutete, nicht wieder
als wald anzubauende fläche.
-satzunge stf. pfand. -saz stm.,
md. vorsaz vorspann; was sich
vür setzet, vorsatz, vorhaben,
entschluss; was versetzet wird,
einsatz, pfand, pfandnehmung,
-setzung. -schël adj. überaus
laut tönend, lärmend, toll.
-schëllic adj. scheu vorwärts
springend. -schilt stm. zum
schutze vorgehaltener schild;
bildl. beschützer. -schranc stm.
ein pfahldamm als uferbe-
festigung. -schrift stf. empfeh-
lungsschreiben. -schup stm.
riegel; vorschub, hilfe. -schuz
stm. überschuss; schutzwehr,
widerstand; s. v. a. überschuz.
-sëhen stv. vorher sehen; voraus
ausersehen ze; versehen, versorgen mit; beschützen. -se-
hunge stf. für-, obsorge, schutz,
vorsehung. -setzer stm. vor-
setzer; pfandnehmer. -siht stf.
fürsorge, vorsicht. -(vor-)sihtic
adj. voraussehend, vorausbedacht, einsichtig, verständig.
-(vor-)sihticheit stf. voraussicht, vorsicht, vorbedachtsamkeit, einsicht; verständigkeit
(auch als titulatur); göttl. vorsehung; das versehen mit etw.,
vorrat. -slac stm. befestigung,
einschliessende belagerung; s. v.
a. vürschranc; überrechnung,
berechnung der kosten. -slahen
stf. damm, schutzbau; der
herrschaft vorbehaltener holzschlag. -smac stm. vorge-
schmack. -snalle swm. vorlau-
ter schwätzer. -snël adj. vorschnell. -(vor-)snit stm. das
recht vor andern zu ernten.

-sorge stf. auf die zukunft sich
erstreckende besorgnis. -span
stn. das gewand vorn zusammenhaltende spange (bes. als
schmuck). -spange f. dasselbe.
-(vor-)sprëche swm., -sprëcher
stm. der jemand sprechend vertritt, fürsprecher, bes. verteidiger vor gericht, anwalt.
-(vor-)sprëche swf., -sprëch(er)-
inne stf. fürsprecherin, schutz-
frau. -stân anv. = verstân, vertreten, verteidigen, beschützen.
-stant stm. vertreter, bürge;
vorzug, vorrecht. -strit stm.
= vorstrit. -strit stm. vorkämpfer. -tanzel stm. = vor-
tenzel. -trager stm. truchsess
-trahtunge stf. das vorausdenken, überlegen. -trëffen s.
vertrëffen. -trëflich adj., -trëffenlich
adj., -lîche adv. vortrefflich.
-tregenlich adj. förderlich, nützlich. -trehtic adj. vorwärts
trachtend, hinstrebend nâch;
vorbedacht, behutsam. -trëten
stv. = vertrëten, vertreten.
-tuoch n. pallarium. -vâhen
redv. durchaus einnehmen, in
beschlag nehmen. -vanc stm.
beschlagnahme eines gestoh-
lenen gutes sowie die gebühr,
die dem richter dafür zu zahlen
ist. -var stf. vorbeifahrt. -varn
stv. tr. einem vorangehn mit.
-varnde part. adj. vergangen.
-vart stf. das vorwärts-, vor-
sichgehn; eine abgabe für die
erlaubnis mit einem schiffe an
einer bestimmten ortschaft
vorüberzufahren. -vëhte swm.
= vorv. -vël stn. schurzfell.
-vuoz stm. socke. -warnen swv.
voraus verwarnen. -wëhsel stm.
agio und provision. -wenden
swv. tr. mit ap. vor gericht zur
verantwortung ziehen; mit as.
in worten vorbringen, darlegen.
-wëre stn. = vorwërc. -wërn
swv. überdauern. -wërt, -wart
adv. räuml. u. zeitl. vorwärts,
weiter, fortan. -wëser stm. =
verwëser. -wisen swv. = ver-
wisen verführen; in vorschlag
bringen, präsentieren. -wisunge
stf. präsentationsrecht. -witze
stf. = virwitze. -witze, -witzec
adj. = virwitze, -witzec. -wiz
stm. = virwiz. -(vor-)wurf stm.
gegenstand, objekt; vorgesun-
genes lied als aufforderung zum
gesang. -wurflich adj. obiec-
tivus. -würhte swm., md. vur-,
vor-wurchte vertreter, bes. im
gerichtl. zweikampfe. -würhte
stv. = verziehen (den weg) versperren, bevorzugen. -zoe, -zuc
stm. n. verzug, hinderung, gerichtl. einwendung.

vürbe stf. reinigung.
vürben, vurben swv. reinigen,
säubern, putzen, fegen.

vürber stm. reiniger, putzer.

vürbunge stf. reinigung.

vurch stf., md. *vurich, forich, vorch, for* furche (mit dem. pfluge gezogene vertiefung, dann auch gepflügtes feld); einer furche vergleichbare vertiefung. **-genôze** swm. einer dessen acker von dem des andern bloss durch eine furche geschieden ist.

vürder adj. = *vorder.* —, **vurder, vuder** adv. räuml. u. zeitl. weiter nach vorn, vorwärts, fürder, weiterhin, fortan; fort, weg. **-(vorder-)brief** stm. empfehlungsbrief. **-lich** adj. fördernd, förderlich. **-liche** adv. auf fördernde weise; schleunig, alsbald, sofort. **-mâl, -mâle** adv. von jetzt ab, fernerhin.

vürderer stm. förderer, unterstützer.

vürderlc adj. fördernd, behilflich.

vürderin adj. förderlich.

vürdern, vurdern, vudern swv. (auch *fürdern, fudern, fuodern*) tr. vorwärts bringen, helfend tätig sein für, fördern, befördern, beschleunigen. — refl. sich sputen, eilen. — intr. vorwärts kommen.

vürdernisse stfn. förderung, unterstützung, beihilfe; empfehlung, fürsprache; erlaubnis, gestattung. **vürdersal** stn. förderung, beihilfe. **vürderunge, vurderunge, vuderunge** stf. förderung, unterstützung, beihilfe.

vürer adj. weiter, ferner. **vürer** adv. weiter, fernerhin; mehr, eher. **vüre-wise** adj. falsch geführt, irre geleitet.

furgge s. *furke.*

vurhen swv. furchen ziehen, pflügen.

vürhten, vurhten, vörhten vorhten swv. (md. *vurchten, vorchten, vorten, vochten*) intr. furcht, angst, besorgnis empfinden, mit gen. (für, um, vor); mit refl. dat. sich fürchten, in angst, besorgt sein; staunen *über.* — refl. sich fürchten. — tr. fürchten (mit ap., as., nachs. mit od. ohne *daz,* mit inf.).

vürhtunge stf. befürchtung, furcht.

vurich s. *vurch.*

furke, furgge swf. gabel, gabelförmiges (lat. *furca*).

fürken swv. gabeln.

furkie stf. gabelung, befestigung der eingeweide des hirsches an einer *furken.*

vürlinc, -ges stm. vorausgabe; vorzug.

furnieren swv. = *furrieren.*

---

füro adv. fernerhin, hinfür; weiterhin (räuml.); darüber hinaus, mehr.

furrier stf. unterfutter (fz. *fourrure* vom deutsch. *vuoter*).

furrieren swv. futtern, mit unterfutter beziehen (fz. *fourrer* vom deutsch. *vuotern*); füllen.

vürst sup. adj. erst, vornehmst. — präp. u. konj. *vürst daz* od. bloss *vürst = vür daz* von da an dass, seitdem, sobald; *vürst den tac* von dem tage an. **-(vürsten-)ambet** stn. fürstenamt, fürstenwürde. **-engel** stm. erzengel; engel des chores principatus. **-(vürste-, vürsten-)lich** adj., **-liche** adv. fürstlich, fürstengemäss. **-man** stm. ein fürst der vasall ist. **-tuom, vürstuom** stm. n. (uneig. komp. *vürstentuom* stn.) fürstenstand, -würde, fürstengewalt; von einem *vürsten* regiertes land, fürstentum; engelchor.

vürste swm. der alle andern überragt, -trifft, der vornehmste, höchste; herrscher eines landes (auch von gott, Christus), der ihm an rang zunächst stehnde geistl. oder weltl. lehnsmann. **-bære** adj. fürstenmässig. **-lich** s. *vürstlich.*

vürstec-lich adj. = *vürstlich.* **vürsten** swv. tr. zum *vürsten* machen, mit fürstenrang bekleiden; einem fürstentume gleichstellen; mit einem fürsten versehen und dadurch zum fürstentum erheben. — refl. sich zur fürstl. würde erheben.

vürsten-lich s. *vürstlich.* **-rëht** stn. fürstlicher rechtsstand. **-schaft** stf. herrschaft. **-schaften** swv. herrschen über, bei (dat.). **-slaht** adj. aus fürstl. geschlechte entsprossen. **-stift** stm. fürstbistum.

vürstie stf. fürstenwürde. **vürstinne, -în, -in** stf. die alle andern übertrifft, die vornehmste; fürstin.

vurt stm. furt; flussbett; bahn, weg. **vürtec, -ic** adj. was einen *vurt* hat, durchwatbar.

vürten swv. tr. vermittels einer furt durchwaten, überh. durchwaten, -wandeln, einen weg bahnen.

vurz, vorz stm. = *varz.*

vurzen, vorzen swv. = *varzen.*

vüst, voust stf. faust (alem. auch *vunst,* pl. *vünst*). **-grôz** adj. faustgross. **-slac** stm. schlag mit der faust. **-stap** stm. knüttel der die faust füllt. **-streich** stm. faustschlag.

vut stswf. cunnus, vulva; spottname für frauen (vgl.*vüdel*).

futze vgl. *fotze.*

W

wâ, wô, wâr pron. adv. wo; woher (bei *nemen*); abh. fragesatz mit *wâ* hinter *sehen, schouwen, hœren* u. ähnl. als veranschaulichende umschreib. des acc. mit dem inf. (sah liegen, sah wie dort lag usw.); *wâ, wâ nu!* ausruf, eigentl. wo bist du, wo sind usw. dann als interj. wohlan! auf!; irgendwo (*wâ unde wâ* hie und da, an mehreren stellen; *sô wâr* wenn irgendwo, wo irgend). — konj. für *swâ:* wo auch, so fern, wenn, im falle.

wabe swmf. honigwabe.

wabelen, wabern, waberen swv. in geschäftiger bewegung sein.

wac, -ges stn. gewicht. **wâc, -ges** stm., **wâge** stf. (aus dem pl.) bewegtes, wogendes wasser: strömung, flut, woge, strom, fluss, meer, see, teich, wasser überh. (*der ougen w.* tränen). **-gedrenge** stn. zusammendrängen des wassers, flut. **-gewitere** stn. unwetter auf der see, sturm. **-sant** stm. flussufer. **-vlüetec** adj. von wogen fliessend. **-wise** adj. seekundig.

wach, wâch interj. ausruf des staunens und des unwillens.

wach adj. = *wacker.*

wach stm., **wache** stf. das wachen, die wache.

wâcheit, wâch-heit s. *wœheheit.*

wachen swv. munter sein oder werden, wachen, erwachen.

wach-heit stf. wachsamkeit.

wachunge stf. vigilia.

wacke swm. feldstein; nackt aus dem boden hervorstehnder steinblock.

wackeln swv. hin und her schwanken, wackeln, wanken.

wackel-sam adj. schwankend. **wacker** adj. wach, wachsam; munter, frisch, tüchtig, tapfer (gen. od. *in, ûf, ze*). **-heit** stf. wachsamkeit; munterkeit, frische. **-lich** adj. munter, frisch. **-(wecker-)liche** adv. auf wachsame, muntere, frische, mutige weise.

wade s. *wate.*

wade swm., **-bein** stn. wade. **-schinkel** stm. wade.

wadel adj. mit langen haaren versehen, zotticht; schweifend, unstät. -, **wedel** stm. n. büschelartiges zum hin und herbewegen; pinsel, spreng-, weihwedel, fächer, büschel von federn (als schmuck), buschichter baumwipfel, laubbüschel, büschel von reisern zum streichen und peitschen im bade, (buschichter) schwanz eines tieres,

haarbüschel am schwanzende; das schweifen, schwanken, die wanderschaft; *der* u. *daʒ w.* ab- und zunehmen des monds, vollmond; zeitlauf, periode, zustand (auch nur umschreib. mit gen.).

wadelære stm. umherschweifer, flüchtiger.

wadelen, wedelen swv. intr. schweifen, schwanken, flattern, fliessen; in den zunehmenden mond eintreten (monat). — tr. wedeln mit; mit dem *wadel* streichen, peitschen.

wadelic adj. wandelbar, arm, dürftig.

wadelunge stf. schwankung, wasserschwall.

waden s. *waten.*

waden-gezouwe stn. zugnetz (s. *wate*).

wâfen, wâpen stn. waffe (im sing. bes. das schwert), was zur bewaffnung gehört, rüstung (*wâfen tragen, nemen* zum ritter gemacht werden; ellipt. *wâfen, wâfenâ*! not-, hilfs-, wehe- und drohruf); wappen (an schild, rüstung, fahne usw.); ritterstand.

wâfen stn. = *gewæfen.*

wâfenen, wâpenen, wæfenen swv. (im inf. verk. *wâfen, wâpen, wæfen*) waffnen, wappnen, rüsten.

wâfen-(wâpen-)genôʒ adj. stm. zur wappenführung berechtigter, siegelmässiger. **-geschrei** stn. not-, hilfs-, wehe-, drohgeschrei. **-heit** stf. bewaffnung. **-heiʒ** stm. ruf zu den waffen, herausforderung. **-hemde** stn. = *spaldenier.* **-(wâpen-)kleit** stn. an den leib (des mannes, ros-es) zu legende schutzwaffe, rüstung. **-(wâpen-)lich** adj. zur bewaffnung, rüstung, zum waffenkampfe gehörend. **-lût** adj. *wâfen*! rufend, wehklagend. **-rieme** swm. riemen zum festbinden der rüstung. **-(wâpen-)roc** stm. über den panzer gezogenes oberkleid (meist von seide und schön verziert). **-ruoft, -schrei** stm. ruf zu den waffen. **-trage** swm., **-trager** stm. waffenträger. **-tuom** stmn. wehgeschrei, jammer.

wâfenunge, wâpenunge stf. bewaffnung.

wage stf. bewegung. **-(wagen-)haft** adj. bewegung habend, sich in bewegung setzend, unruhig.

wage swstf. wiege.

wâge s. *wâc.*

wâge stf. waage (*âne w.* ungewogen); öffentl., städtische waage, waagamt; kippe, bildl. ungewisser ausgang; das aufsspielsetzen, wagnis; gewicht, ein

bestimmtes gewicht; vorrichtung zum spannen der grösseren armbrüste; folterwerkzeug. **-gëlt** stn. gebühr fürs wiegen auf einer öffentl. waage. **-meister** stm. = *wæger.*

wæge stn. = *gewæge.*

wæge adj. das übergewicht habend, sich neigend *zuo*; was zu erwarten ist, nahe bevorstehnd mit dp.; ein übergewicht, einen vorteil habend oder gebend, überlegen (mit gen. des masses), vorteilhaft, angemessen, gut, tüchtig; gewogen, geneigt, hold mit dp.

wagen stm. (pl. *wagene, wegene,* kontr. *wâne, waine, weine*) wagen; der wagen oder schlitten in einer sägmühle; der wagen als sternbild, der grosse bär. **-bühse** f. fahrbares geschütz (grösser als die *karrenbühse*). **-burc** stf. wagenburg. **-haft** s. *wagehaft.* **-holz** stn. holz zum wagenbau. **-isen** s. *wagense.* **-knëht** stn. fuhrknecht. **-knëhtlin** stn. astr. Bootes. **-leise** stswf. wagengleis; spurweite eines wagens. **-leist** stmn. wagengleis. **-leite** stf. abgabe für fuhrwerk. **-leiter** f. wagenleiter. **-liute** pl. zu **-man** stm. fuhrmann. **-minner** lin stn. astr. Bootes. **-phert, -ros** stn. wagen-, zugpferd. **-rat** stn. wagenrad. **-salbe** swf. wagenschmiere. **-seil** stn. wagenseil. **-smalz** stn., **-smër** stnm. **-salbe**. **-stërn** m. das siebengestirn (vgl. *wagen*). **-strâʒe** f. fahrstrasse für wagen. **-tribe** swmf. wagenlenker, -lenkerin. **-triber, -vüerer** stm. wagenlenker, fuhrmann. **-vurt** stf. *vurt* für wagen. **-vart** stf. *vart* mit wagen, verkehr. **-wëc** stn. = *wagenstrâʒe.* **-zeine** swf. wagenkorb.

wagen swv. tr. bewegen, schütteln, wiegen (in der wiege, auf die waage). — intr. bewegt, erschüttert werden, sich bewegen, schwanken, wackeln. **wâgen** swv. tr. u. refl. auf die *wâge* legen, aufs geratewohl daran setzen oder tun, wagen.

wægen s. *vœjen.*

wagener stm., md. kontr. *wainer, weiner* wagenmacher; fuhrmann.

wagense, wagese swm. pflugschar (umgedeutet *wagenîsen, wegîsen*).

wagenunge stf. zank, gebalge.

wâger stm. wager.

wâger stm. wâger, wagemeister au der stadtwaage. **-halp** adv. auf die seite, zugunsten des übergewichts, des bessern teils.

wagunge stf. wagen, frachtwagen, fuhrwerk.

wæhe adj. adv. glänzend, schön, fein, kunstreich, zierlich, kostbar, schmuck, stattlich; sich auf zierliche arbeit verstehend, kunstreich; gut, angemessen, wert, lieb. — stf. schönheit, zierlichkeit, köstlichkeit; verstelltes gebaren, ziererei, schöntun; kunst, kunstvolle ausführung, verherrlichung. **-heit, wæch-heit, wâcheit** stf. = *wæhede.* **-lich** adj. herrlich.

wæhede stf. schönheit, köstlichkeit.

wæhen swv. *wœhe* machen, gestalten, verherrlichen.

wahs adj. s. *was.*

wahs stm. in *beinwahs* u. ä.: das wachsen. **-mündic** adj. erwachsen u. fruchttragend, fruchtbar. **-munde, -munt** stf. fruchtbarkeit. **-tuom** stn. wachstum, fruchtertrag.

wahs stn., md. *was*; **-sses** wachs; schreibtafel mit wachs überzogen; wachsbild. **-gël** adj. wachsgelb. **-gieʒer** stm. wachszieher; der durch wachsgiessen wahrsagt. **-var** adj. wachsfarb. **-zeichen** stn. siegel.

wahsen stv. VI (nbf. *wassen,* prät. *wuos, wuosen*) wachsen, auf-, erwachsen, bildl. entstehn, zum vorschein kommen, zunehmen, sich mehren; sich begeben *dar, in.*

wahst stf. (in komposs.) wachstum, wuchs.

wahtære, wehtære, -er stm. wächter.

wahtærinne stf. wächterin.

waht-bære adj. wache haltend, wachsam. **-gëlt** stn. abgabe für bewachung. **-phenninc** stm. dasselbe; abgabe anstatt des wachtdienstes.

wahte prät. s. *wecken.*

wahte, waht stf. das wachen, wachsein; die wache, wacht, bewachung; ort, wo gewacht wird; abgabe anstatt des wachtdienstes.

wahtel stswf. wachtel. **-bein** stn. (aus einem gänse- oder hasenbein verfertigte) wachtel-, lockpfeife. **-bri** stm. brei aus wachteln. **-sac** stm. sack in dem wachteln stecken; lügensack, lügner. **-stric** stm. fangstrick für wachteln.

wahten swv. wache halten; die *wahte* (abgabe) geben.

wahterlin stn. kleiner wächter.

waine, wainer s. *wagen, wagener.*

wæjen, wægen, wæn, weien swv. wehen; wehen machen.

wak-hart stm. wackler, behänge an etw. (vgl. *walchart*).

wakzen swv. bewegen.

wal s. *wol*.

wal, *-les* stm. walfisch. -râm stm. walrat, öl des pottfischs.

wal, *-lles* stm. das wallen, wogen, aufkochen; erhöhung, wölbung.

wal, *-lles* stnm. wall, ringmauer (aus lat. *vallum?*).

wal, wale stn. m. f. schlachtfeld, walstatt, kampfplatz, dann allgemeiner: feld, au. -bluot stn. kampfblut. -genôʒ stm. kampfgenosse. -phat stm. weg über das schlachtfeld (vgl. *walstrâʒe*). -(wel-)recke swm. held der walstatt. -roup stm. beraubung der auf der walstatt gefallenen, raub überh. (entst. *waltroup*). -stat stf. schlachtfeld, kampfplatz (entst. *waltstat*). -strâʒe f. = -*phat*. -vlôʒ stm. blutstrom auf dem schlachtfelde.

wal, wale stf. wahl, auswahl, freie selbstbestimmung, verfügung; besondere weise, lage, schicksal. -hêrre swm. kurfürst. -vürste swm. kurfürst.

walap stm. galopp (nordfz. *walop*, fz. *galop*).

walbe swm. die einbiegung des daches schief herab an der giebelseite eines gebäudes, walm; gewölbtes vorder- oder oberblatt der schuhe. wal-bruoder s. *wallebruoder*.

walc, walke stswm. kampf, gefecht.

walc, walke stswf. walkmühle.

Walch, Walhe stswm. Welscher, Romane, Italiener od. Franzose. — dat. pl. als landsname.

walch adj. = *walhisch*.

walc-hart stm. pl. die beiden von der bischofsmütze herabhängenden bänder (vgl. *wakhart*).

walden s. *walten*.

waldenære stm. waldbewohner; waldaufseher.

waldenberger stm. tyrann; violens.

wale s. *wal, wol*.

wale swf. wiege.

wâle stf. fächer.

wæle, wæl stf. vorrichtung am heime zur befestigung des helmbusches.

waleis stn., waleise stf. schlachtfeld.

wale-kugel = *bôʒkugel*.

walen s. *waln*.

wælen swv. fächeln.

waler stm. kegelspieler.

wale-veige adj. in der schlacht dem tode verfallen.

walgeln stn. kegelspiel.

walgen swv. intr. sich wälzen, rollen, bewegen, wimmeln. — tr. wälzen, rollen; unpers. mit dat. ekel empfinden, sich erbrechen wollen.

walgern, welgern swv. = *walgen*.

walhisch, welhisch, walsch welsch adj. welsch: italienisch, französisch, romanisch; *daʒ* od. *diu w.* (näml. *zunge*) die italienische usw. sprache.

walke, walken swstm. balkon (it. *balcone* vom deutschen *balke*).

walke s. *walc*.

walken redv. 1 tr. walken, vertilgen; schlagen, durchbläuen, prügeln.

walker, welker stm. walker.

walkieren swv. dicht machen, dicht durchflechten.

walk-mül, -müle stswf. walkmühle.

wallære, -er stm. fahrender mann, wanderer, pilger, wallfahrer.

walle swm. = *wal* walfisch.

walle- (wal-)bruoder stm. pilger, genosse auf einer pilgerfahrt. -geheder stn. wanderkleid. -kappe swf. reisenmantel. -sac stm. pilgertasche. -(wal-)stap stm. pilgerstab. -(wal-)vart stf. wallfahrt.

wallen redv. 1 intr. wallen, aufwallen, -kochen, sprudeln, wogen. — refl. hin u. her wogen.

wallen swv. (perf. mit *wesen* u. *haben*) wallen, wandern, pilgern wallfahrten.

wallerie stf. pilgerfahrt.

waller-kleit stn. reise-, pilgerkleid.

wallunge stf. wallfahrt.

wallunge stf. das aufwallen.

walm stm. das wallen, sieden; dampf, qualm.

waln, walen swv. tr. wälzen, rollen (*die kugel w.* oder bloss *walh* kegeln). — intr. sich wälzen, rollen.

walopieren swv. = *galop-*.

walsch s. *walhisch*.

wal-stap stm. s. *walle-stap*.

walt, *-des* stm. wald (*den walt swenden, verswenden* viele speere verstechen); waldgebirge; baumstand, waldholz; die laubigen äste und zweige eines baumes. -affe swm. waldaffe; riese. -brobest stm. waldaufseher. -bruoder stm. einsiedler. -bûr, -bûre stswm. = siedler. *waltgebûr*. -esel stm. waldesel. -eselinne stf. waldesclin. -röp, -feine f. waldfee. -gast stm. waldungeheuer. -gebûr, -gebûre stswm, waldbauer. -gedinge stn. gericht in waldsachen. -geiʒ

stf. rehgeiss. -gëlt stn. abgabe für die erlaubnis zur waldrodung. -genôʒe swm. = *waltgeselle*; teilhaber an einem waldrechte. -gerihte stn. = *waltgedinge*. -geselle swm. der mit andern . im walde haust, waldungeheuer. -gesinde stn. einwohnerschaft des waldes (vögel). -gevelle stn. das umstürzen der bäume im walde; abschüssiges tiefes tal, bergschlucht. -gevilde stn. waldung. -gewilde stn. bewaldete wildnis. -heier stm. waldhüter. -honic stm. wilder honig. -horn stn. wald-, jagdhorn. -horn-affe swm. eine besondere art glasscheiben, vgl. *waltschîbe*. -houwer stm. holzfäller. -hunt stm. wolf; riese. -huobe stf. hufe landes im walde. -hûs stn. waldhaus. -in adv. waldeinwärts. -luoder stn. wilder waldmensch. -man stm., pl. -liute waldbewohner, waldmensch, waldgeist, satyr; einwohner einer *waltstat*; waldhüter. -meister stm. forstmeister. -mies stn. waldmoos. -minne stswf. waldweib, waldnymphe. -morder stm. im walde hausender mörder. -müede adj. von der waldreise ermüdet. -obeʒ stn. waldfrüchte. -ohse swm. = *ûrohse*. -obsenzagel stm. colurus. -ratte swm. wilde ratte, waldratte. -recke swm. waldrecke, riese. -rêht stn. recht der waldbenutzung, abgabe dafür. -reise stf. zug in den wald, jagd. -rihter stm. richter im *waltgerihte*. -rint stn. = *ûrrint*. -rivicre stf. waldgegend. -roup s. *wal-roup*. -schîbe swf. eine art glasscheiben (aus dem Schwarzwalde). -schrate swm. waldteufel, waldgeist. -schütze swm. waldhüter. -singer stm. sänger des waldes, vogel. -smit stm. bergmann, der das gewonnene eisen selbst schmelzt und verarbeitet. -stat s. *walstat*. — stf. .ort, ortschaft im walde. -stîc stm. waldpfad. -strâʒe f. strasse durch den wald. -strômeier, -strömer stm. = *strômeier* in der letzten bedeutung. -swende swm. waldzerstörer, bildl. der viele speere versticht, lanzenbrecher. -swin stn. wildschwein. -töre swm. waldmensch. -trêter stm. waldwanderer, einsiedler. -vischer stm. waldräuber. -vogel stm. vogel des waldes. -vogellin stn. dem. zum vorigen. -vorster, -vürster stm. waldförster. -vrouwe swf. waldweib, waldnymphe. -waʒʒer stn. waldwasser. -wêc stm. waldweg. -weide swm. der im walde

speise sucht od. lebt, wilder
waldmensch. -wêrc stn. arbeit
im walde. holzschlagen. -wicke
swf. kreuzweg im walde. -wilde
adj. wild im walde lebend. -wint
stm. wind vom walde her. -wis
adj. wald-. jagdkundig -wiser
stm. waldauiseher. -worhte
swm. arbeiter in wald u. berg,
bergmann.
walt stmf. = gewalt. -bate
swm. abgesandter stellvertreter
des he rschers, bevollmächtigter. -sam adj. waltend, mächtig, in sich fassend mit gen
waltære, -er stm. walter
herrs bei. fürsorger.
waltec, waltic, weltic adj.
= gewiltec.
walten, walden redv. 1 mit
gen. gewalt haben, herrschen;
in gewalt haben, mächtig sein,
besitzen, haben, gebrauchen;
sich mit etw. abgeben, es treiben, üben, tun (oft nur umschreibend z. b. slâfes w. schlafen, des tôdes w. sterben); sich
annehmen, sorgen für, besorgen,
pflegen, beschützen, mit gen.;
mit dat. comm. unterrichten.
walten swv. walten, mit gen.
waltendic adj. waltend, herr-
schend.
waite-, walten-wahs, -wahse
stswm. nerv, sehne.
waltigen, weltigen swv. tr.
einem die gewalt übergeben.
walunge s. welunge.
wal-vart s. wallevart.
wal-visch stm. walfisch.
walzen redv. 1 intr. sich
wälzen, rollen, drehen, wenden.
— tr. = welzen.
walzer stm. der sich dreht,
walzenartig bewegt.
wambe, wampe, wamme
stswf. bauch, wanst, bes. mutterleib, -schoss; bauchteil am
tierfell; unedle eingeweide ge-
schlachteter tiere.
wambeis, wambis, wambas,
wambes stn. bekleidung des
rumpfes unter dem panzer,
wams (afz. wambais, mlat.
wambasium v. ahd. wamba).
wambeiser, wambeiseler stm.
verfertiger von wämsen.
wampen-vlêc stm. = kutelvlêc.
wan s. man, wande, wanne,
wannen, wante.
wan adj. nicht voll od. das
volle mass nicht haltend, leer;
unerfüllt. erfolglos. -sinnic adj.
irrsinnig.
wan adv. u. konj. (durch ver-
wechselung mit wanne, wande
die nbff. wane, wanne, wann,
uande wand, wene wen, wenne
wenn, wente wend): niht wan
od. blosses wan als posit. beschränkung eines posit. satzes
od. satzgliedes: nur; posit. be-

schränkung einer negation:
ausser. als, als nur; negat. beschränkung eines posit. satzes
od. satzgliedes: ausgenommen,
ausser, nur nicht; wan daz od.
blosses wan vor einem nachs.
den vorhergehenden posit. oder
negat. hauptsatz beschrän-
kend: aber nur, aber noch,
gleichwohl, vielmehr nur, sondern; ellipt. mit nom.: wäre
nicht,wäre nicht gewesen ;ellipse
des negat. satzes; konj. sondern, aber (ohne od. mit freie-
ren ellipt. beziehungen).
wan stm. werk, arbeit (vgl.
tage-wan).
wân stm. ungewisse, nicht
völlig begründete ansicht oder
meinung, das blosse vermuten,
glauben,erwarten, hoffen,überh.
gedanken (âne, sunder w. gewisslich, nâch wâne aufs ungewisse, auf geratewohl, ûf wân,
ûf den w. in hoffnung auf, in
der absicht; beteuernd mir ist
wân); schein, vorwand. -bruoder
stm. vermeintlicher bruder.
-brût stf. vermeintliche
braut, gattin. -(wæn-)lich
adj. glaublich, wahrscheinlich,
zu vermuten. -priester stm.
einer der durch betrug für
einen priester gilt. -sam adj. zu
erwarten, erdenklich. -sangen
stn. hoffnungs-. freudengesang.
-schaffen adj. ungestalt. -sin-
nic adj. s. wan-s. -sippe
stf. vorgetäuschte verwandtschaft. -triuwe stf. verdacht.
-zît stf. zeit, die man zu haben
glaubt.
wæn s. wœjen.
wân-aldei stm. eine art tanzlied.
wanc, -kes stm. bewegung
nach vorne, zur seite oder rückwärts, blick. unstätigkeit, untreue, zweifel (âne, sunder w.
ununterbrochen, fest, stät, treu,
unzweifelhaft); seiten-, rück-
weg. wanc adj. = wankel.
-liche adv. unstät.
wande s. wan.
wande, wand, want fragew.
u. konj. (nbff. wanne, wann,
wane, wan, wende, wenne,
wenn, wen): fragew. warum
(wande ne, mit abgeschliffener
oder weggefallener negat. wanne, wane, wan, wen: warum
nicht, in imperativ. fragen);
wan in wünschendem ausruf
wie das lat. utinam. — konj.
denn, weil.
wandel stnm. rückgang, rück-
gängigkeit; änderung, tausch,
wechsel; wandelbarkeit, gebrechen, makel, fehler, tadels-
wertes, tadel; ersatz eines schadens, vergütung eines unrechts,
busse. strafgeld (ze wandel stân

wofür büssen); handel u. wandel, aufenthalt, umgang, verkehr; art zu gehn, gang; lebenswandel. -ænic adj. ohne
wandel, unveränderlich. -bære,
-bar, -bærec adj. veränderlich,
wankelmütig, unstät, schadhaft, mangel-, fehlerhaft, tadelnswert, straffällig, busswür-
dig, böse; gehend, wandelnd;
gang-, fahrbar. -bære, -bæri
stf. wandelbarkeit. -bernde
part. adj. fehler und gebrechen
an sich tragend. -blöz adj. untadelig. -buoch stn. brevier;
strafbuch. -haft, -haftic adj.
mit fehlern behaftet, böse.
-kêre stf. veränderung (des
mânen w. mondwechsel). -kêrze
swf. grössere kerze, die bei einem
messamte vor der wandelunge
angezündet wird u. bis zum
ende der stilmesse brennt;
grössere kerze, windlicht bei
prozessionen u. dgl. -lich. -wan-
delich adj., -liche adv. =
wandelbære. -mælic adj. ein
mâl des wandels an sich tragend. -meil stn. durch wandel
entstandenes meil. -müetic adj.
unbeständig, untreu. -(wen-
del-)muot stm. unbeständiger
sinn, wankelmut, untreue.
-riuwe stf. wankelmütiges mitleid. -schulde stf. verschuldung, vergehen, wofür wandel
(busse) zu leisten ist. -stein
stm. grenzstein. -tac stm. tag
des (mond-)wechsels. -vellic
adj. buss-, straffällig. -wertic
adj. wandelbar, veränderlich,
buss-, straffällig.
wandelât stf. umänderung.
wandel-bruoder stm. pilger.
wandeler, wendeler stm. wanderer.
wandelieren swv. intr. u. refl.
mit schleifenden schritten geh,
wandeln (von den verschlin-
gungen des tanzes). — tr. ändern, tauschen, wechseln (musik. eine melodie in eine andere
tonart umsetzen od. statt des
hexachords ein anderes nehmen); verwandeln.
wandel-man stm. reisender,
pilger.
wandel-mer s. wendelmer.
wandeln swv. tr. rückgängig
machen, zurücknehmen; tauschen, wechseln, ändern, um-
ändern, verwandeln (spez. von
der transsubstantiation); in
andere lage bringen, wenden;
ins schlechte verkehren; verhandeln. bes. gerichtl. verhandeln, abmachen, vergleichen,
überh. vor sich gehn lassen; begehn. treiben, tun; ersatz wofür
leisten, vergüten, büssen; mit
geldbusse belegen, bestrafen;
tadeln, strafen, schlecht be-

handeln *mit*. — intr. wandeln, wandern, reisen, gehn, spez. auf erden wandeln, leben; umgehn, verfahren *mit*; sich bewegen, ändern.

wandelunge stf. änderung, tausch, wechsel, um-, verwandelung (*gegen der w.* gegen den anfang des frühlings); transsubstantiation; gerichtl. verhandlung, vertrag über kauf u. verkauf, verzichtleistung usw.; wandelbarkeit, gebrechen, makel, fehler, tadel; gang, lauf; wandel, lebenswandel, lebensart,umgang,verkehr,aufenthalt; ausübung, begehung; handel.

wander stm. wechsel; fehler; gang, lebenslauf.

wander-man stm. = *wandel-*, **wandern** swv. intr. in bewegung sein, gehn, ziehen, wandeln, wandern, reisen (mit zeitl. od. örtl. acc.); leben; — tr. verwandeln.

wanderunge stf. verwandlung; wanderung, wandel, lebenswandel.

[**wæne** stf. meinung, vermutung (*in wæne* sicherlich, Haupt zu Obd. Serv. 1332 nach Otfr.)?]
wænec, wænic adj. meinend; vermutend (in komposs.); gedankenlos, töricht.

wænen, wænnen swv. meinen, glauben, vermuten, ahnen, erwarten, hoffen: mit gen., inf. mit od. gewöhnl. ohne *ze*, acc. u. inf., nachs. mit *daz* od. indirekter rede (posit. statt des negat. ausdruckes). — *ich wæne, wæn ich* od. *wæne, wæn* (meistens parenthet.) ich meine, vermute, halte dafür (mit obig. konstrukt. od. mit direkter rede, mit relativ gebautem konj. od. ind. satze).

wane-witzen swv. wahnwitzig sein.

wange swstn. (md. auch f.) wange, backe; antlitz. **-küsselin** (kontr. *wanküsselin*) stn. dem. zu **-küssen, -küsse** stn. dem. zu *küssen*. wangen-, kopfkissen (kontr. *wanküssen, -küssin*). **-slagen** swv. tr. einen backenstreich geben. **-vleisch** stn. fleisch an den wangen.

wangel s. *wengelin*.
wangen-bûz stm. backenstreich.

wanger stm. = *wangeküssen*.
wankel (wankelich) adj. schwankend, unbeständig, sittlich unfest. — stm. unbeständigkeit. **-bolt** stm. wankelmütiger. **-haftec** adj. = *wankel*. **-heit** stf. unbeständigkeit. **-müete, -muot** adj. wankelmütig. **-muot** stm. sittlich unfester sinn, wankelmut. **-sam** adj. = *wankel*. **-site** stm. unbeständiges wesen. **-spîl** stn. unbeständiges spiel, unbeständigkeit. **-wiz** adj. wankelmütig. **-zit** stn. unbeständige zeit, zeit des ird. lebens.

wankeln swv. wanken.
wanken swv. *wanc* sein, einen *wanc* tun, wanken, schwanken.
wan-küssen s. *wangeküssen*.
wannân s. *wannen*.
wanne s. *wan, wande, wanne, wannen, wante*.
wanne, wenne pron. adv. (gek. *wann wan, wenn wen*) zeitl. fragew. wann, in dir. und indir. fragen. — konj. für *swanne*.
wanne swstf. getreide-, futterschwinge; wasch-, badewanne; langrundes metallgefäss zum backen; flächenmass (lat. *vannus*).
wannêht adj. wie eine *wanne* gestaltet.
wannen swv. in oder mit der futterschwinge schwingen, überh. schwingen.
wannen, wannân pron. adv. (gek. *wanne, wann, wan*) räuml. fragew. woher; für *swannen* woher auch.
wænnen s. *wænen*.
wannen-wëhe swm., -wëher stm. turmfalke.
wanner-lôn stm. lohn fürs reinigen des getreides.
wânolf stm. der gerne *wænt* (fing. name).
wanst stm. wanst, bauch, bauchstück.
want stn. = *gewant*.
want stf. wand, seitenfläche, seite eines gebäudes, gemaches od. anderer gegenstände; felswand, steiler abhang; scheidewand; *vleischlîchiu w.* körperliches leben. **-lûs** stf. wanze. **-mûre** stf. mauerwand. **-wurm** stm. = *wantlûs*.
wan-, wen-te adv. u. konj. (assim. *wanne*, abgek. *wan, wen*, erweitert *wen ze, biz*) md. bis.
wante stf. drehung, wendung.
wanten swv. drehen.
wantsal stn. verdrehung, betrügerisches wesen.
wænunge stf. erwartung, hoffnung.
wan-wiz, -witze, -witzic adj. leer an verstand, unsinnig.
wanze f. wanze.
wap, -bes stn. gewebe; wuchs.
wâpeliu stn. dem. zu *wâpen*.
wâpen s. *wâfen*. **-knabe, -knappe** swm. schildknappe. **-man** stm. = *wâpenære*. **-schilt** stm. wappenschild. **-volger** stm. = *parzivant*. **-wât** stf. rüstung. **wâpenære, wæpenære, -er** stm. gewaffneter, kämpfer zu fuss; waffenträger, schildknappe.

wappen swv. in schwankender bewegung sein.
war pron. adv. wohin.
war, ware stf. m. wahrnehmung, beobachtung, gesichtskreis, acht, aufmerksamkeit, obhut (*war haben, nemen, tuon* mit gen., präpp.od.abh.s.: acht haben auf, sich umsehen od. suchen nach, bemerken, wahrnehmen, beachten,untersuchen, in erwägung ziehen, rücksicht nehmen auf, in pflege oder obhut nehmen, sorgen für, sich hüten). — adj. aufachtend, behutsam (in *gewar*). **-geleite** stn. wahrzeichen, das dem boten mitgegeben wird. **-lôs** adj. nicht wahrgenommen, unbewusst. **-lœse, -lôse** stf. achtlosigkeit, verwahrlosung. **-lôsecheit** stf. unachtsamkeit. **~mâl, -zeichen** stn. erkennungs-, wahrzeichen, merkmal.
war, ware stf. ware, kaufmannsgut, habe.
wâr s. *wâ*.
wâr adj. wahr, wahrhaft, wirklich, gewiss, echt, recht. *der wâre* = Christus. — *wâr* stn. wahrheit, recht (*w. sagen* die wahrheit sagen, wahrsagen, *w. haben* recht haben, *w. lâzen* erfüllen, leisten, *vür w. sagen, sprechen, schrîben* als etwas wahres sagen usw., daraus ellipt. *vür wâr* in wahrheit, wahrlich, fürwahr, ebenso ellipt. *bî wâr, ze wâre, zwâre*). **-bære** adj. wahrhaft. **-bæren** swv. *wârbære* machen. **-bihtec** adj. aufrichtig. **-habe** swm. fidejussor; satisfactor. **-haft, -haftic** adj. wirklichkeit habend; wahrheit liebend und übend, worttreu. **-heit** stf. wahrheit, wirklichkeit, wirklicher sachverhalt, bestätigung, bewährung von etw. (*von der, von wârheit* in wahrheit, wirklich, *diu wort, diu buoch der w.* der heil. schrift); bei den höf. dichtern synon. mit *âventiure*: die rechte quelle, überlieferung; rechtl. beweisführung, zeugnis, eid; wahrhaftigkeit, aufrichtige und treue gesinnung, gegebenes wort (*die w. behalten, lœsen* das gegebene wort einlösen, *die w. zerbrechen* nicht wort halten). **-meinec** adj wahrhaftig. **-riuwec** adj. aufrichtig bereuend. **-sage** swm. wahrsager. **-sagen** swv. wahrsagen, prophezeien. **-sagunge** stf. wahrsagung.
warbe s. *warp*.
warbe swf. kreis, versammlung.
warbel adj. beweglich.
warc, -ges stm. mensch von roher, verbrecherischer denk-

und handlungsweise, wüterich. teufel, bes. als schelte. **-gengel** stm. würger, neuntöter (der wie ein *warc* einhergeht). **warc, warch** stn. eiter. **wardin** stm. münzwardein (aus einem mlat. *wardinus* v. deutsch. *warten*). **wâre** stf. vertrag u. daraus herrührender friede. **wære** adj. wahr, wahrhaft. — stf. wahrheit, wirklichkeit. **wærëht** adj. = *wære.* **waren** s. *warn.* **warf** s. *warp.* **warf** stn. aufzug od. die kette eines gewebes, werfte, zettel, zettelgarn, garnknäuel. **warkus** stmn. eine art oberkleid, brustgewand, joppe (mlat. *gardacorsium, wardecorsum*). **wær-lich** adj. wahr, wahrhaft. **-liche** adv. der wahrheit gemäss, in wahrheit, wahrhaftig, wahrlich, sicherlich, in der tat (beteuernd). **warm** adj. warm; warme empfindung habend oder erregend. **-heit** stf. wärme. **warme** adv. warm. **warmen** swv. intr. *warm* werden. **warn, waren** swv. mit gen. aufmerken auf, achten, beachten. **warne, werne** stf. vorsicht, fürsorge; warnung. **warnen** swv. refl. sich vorsehen, vorbereiten, versehen mit, rüsten, mit gen. oder präpp.; sich in acht nehmen, hüten *vor.* — tr. mit ap. vorbereiten, rüsten; warnen, behüten, schützen *vor*; mit as. vorbereiten, ausrüsten; durch warnung abwenden, verhüten. **warner** stm. warner; spion; beistand vor gericht, beim zweikampfe. **warne-sanc** stm. = *tageliet.* **warnunge** stf. vorbereitung, zurüstung, versorgung; schutz, vorsicht, achtsamkeit; warnung, warnende nachricht; vorzeichen. **warp, -bes, warf** stm. drehung, wendung; adverbial: mal (*manic warbe, werbe* manches mal, *ander warbe, werbe* zum zweiten male, wieder, *tûsentwarp, -warbe* tausendmal usw.); kreisförmiger gerichts-, kampfplatz; wall; geschäft, gewerbe. **wart** s. *wërt, wort.* **warte** swm. wärter, aufseher (in komposs.). **warte, wart** stf. achtgebendes, erwartendes, spähendes ausschauen, das wachen, bewachen, lauern, bes. die wacht, der vorpostendienst, die rekognoszierung (*w. nemen* mit gs. = *warn*): platz od. gebäude von

dem aus gespäht, gelauert wird; weidm. der anstand, trieb und die dazu gehörigen leute; platz von dem aus zugeschaut wird; kampfplatz; aufbewahrungsort; erwartung; rechtl. anwartschaft. **wartel, wertel** stm. = *warter.* **warten** swv. abs. oder mit nachs. acht haben, spähen, schauen, zuschauen, wahrnehmen; mit gen. acht haben auf, ausschauen nach, lauern, warten auf, gehorchen (*ûf*), wahrnehmen, sich vorsehen, verlassen auf (*an* od. gs.), sorgen für, pflegen; für die zukunft worauf rechnen, anwartschaft haben, erwarten, mit gen.; achten auf, ausschauen nach, beobachten; aufgeben (im ballspiel), untergeben sein, folgen, dienen, mit dp. **warter, werter** ſtm. wärter, hüter, aufseher, fürsprecher; der anwartschaft auf etw. hat. **warterinne** stf. wärterin, hüterin; die auf einen wartet, lauert. **warte-spil** stn. schauspiel; hoffnung, aussicht auf erbschaft. **wart-hûs** stn. warthaus, warte. **-kint** stn. hirtenknabe. **-man** stm. (pl. *wartman, -liute*) mann auf der *warte*, wächter, aufpasser, späher, vorposten, kundschafter. **wartolf** stm. eine art netz. **wartunge** stf. das achthaben; erwartung, anwartschaft. **warunge** stf. bewahrung, vorsicht, richtschnur. **warze, werze** swf. warze; brustwarze. **was** s. *wahs.* **was, -sses, wasse, wesse**; wahs, wehse adj. schneidend, scharf. **wasch** stm. waschung. **waschen, weschen** stv. VI waschen, spülen; reinigen (*von*); bildl. schwatzen. **waschunge, weschunge** stf. waschung. **wase** swm. grasbewachsene erdfläche, rasen (als symbol bei übergabe von grund u. boden ins eigentum). **wasse** adj. s. *was.* — stswf. schärfe. **waste** stf. u. adj. = *wüeste.* **wastël** stn. = *gastël.* **wasten** swv. verwüsten. **wât** stf. kleidung, kleidungsstück; rüstung; gewandstoff, zeug. **-gadem** stn. tuchladen. **-gademer** stm. tuchhändler. **-liute** pl. zu *wâtman.* **-mâl** stn. wadmal, grobes tuch zur kleidung. **-man** stm. tuchhändler. **-manger, -menger, -mangener** stm. tuchhändler, tuchmanger.

-phelle swm. zur kleidung bestimmter *phelle.* **-sac** stm. reisetasche, mantelsack. **-sæʒec** adj. als kleidung angemessen. **-schar** stf. zerreissung der kleider; schneiderei. **-scharte** stf. dasselbe. **-schêre, -schære** stf. kleiderschere. **-scherten** swv. tr. eine *wâtscharte* beibringen. **-ziere** adj. kleidgeschmückt, schön gekleidet. **wate, wade** stswf. grosses aus zwei wänden u. einem sack in der mitte bestehndes zugnetz. **waten, waden** stv. VI intr. waten, schreiten, gehn, dringen. — tr. durchwaten, durchdringen. **wæten** swv. kleiden, an-, bekleiden. **wæt-lich** adj. schön, stattlich; schön wenn es geschähe, angemessen; leichtlich geschehend od. werdend, wahrscheinlich. **-liche** adv. schön, herrlich; angemessen; leichtlich, wahrscheinlich, vermutlich, iron. (mit konj.) schwerlich. **-liche** stf. schönheit. **wat-schar** stf. abgabenpflichtiges gut, abgabe eines solchen. **waʒ** s. *wër.* **wâʒ** stm., **wâʒe** swm. das wehen, der sturm; atem, hauch; duft, geruch den etw. von sich gibt; geruchsinn. **-gewitere, -wëter, -witer** stn. sturmwetter. **-witeric** adj. sturmwetter erregend. **wâʒen** redv. I, 2 duften, riechen **waʒerlei** = *waʒ der leie* welcherlei. **waʒʒer** stn. wasser (als element, als meer, see, fluss usw., als trink-, bade-, waschwasser; *waʒʒer nëmen* vor der mahlzeit sich die hände waschen); augenwasser; tränen; harn; gebranntes wasser; scheidewasser. **-âder** swf. brunnenader, wasserquelle. **-bat** stn. wasserbad. **-bër** swm. wasserbär, eisbär. **-bërlin, -përlin** stn. wasserperle. **-bruch** stm. wasserstrudel; überschwemmung, durch überschwemmung angerichteter schaden, erdrutsch. **-dahs** stm. seehund. **-feine** swf. wassernymphe. **-gadem** stn. zisterne. **-galle** f. quellige stelle im erdboden. **-ganc** stm. wasserleitung; wasserfall; wasserweg eines schiffes. **-gelte** swf. wasserkübel. **-grabe** swm. mit wasser gefüllter graben; wasserleitung. **-grâve** swm. geschworner kunstverständiger in sachen des wasserbau- und mühlwesens. **-güsse** f. wolkenbruch, überschwemmung. **-heilige** swm. heiliger, der auf der

see angerufen wird. -holde swf.
wassernymphe. -huon stn. wasserhuhn. -kalp stn. wassersucht. -klister stm. asphalt.
-kruoc stm. wasserkrug. -küele
adj. wasserkühl. -leite stf.
wasserleitung. -lendelin stn. insula. -lich adj. voll wasser, was-
serreich. -lôs adj. ohne wasser.
-læse stf. wasserlosigkeit. -louf,
-louft stm. wasserlauf. -löufel
stm. talpula. -man stm. an
einem wasser lebendes waldun-
getüm; schiffer; ein bei der
wiesenbewässerung angestell-
ter; w. als zeichen des tierkreises. -mære stn. schiffermärchen.
-mies stnm. wassermoos. -miune
swf. wassernymphe. -müede adj.
von der wasserreise ermüdet.
-muor stn. sumpf, moor. -nixe
swf. sirene. -nôt stf. bedrängnis
auf dem meere; gefahr durch
eindringendes wasser im berg-
baue; unmöglichkeit ein wasser
zu überschreiten (als êhafte nôt).
-pêrlin s. wazzerbêrlin. -phert
stn. seepferd. -rabe, -rappe
swm. seerabe. -ræhe adj. eine
besondere art des steifseins der
pferde. -rat stn. mühlrad. -reise
stf. meerreise. -riche adj. reich
an wasser. -rinne f. wasser-
rinne, kanal; obsc. vulva. -rôr
stn., -rœre swf. wasserröhre;
obsc. penis. -rouber stm. seeräuber. -runs, -runst stmf.,
-runse stswf. bach, wasserlauf,
-graben, -leitung, bewässerungs-
recht. -sage stf. kanal. -schuc
stm. wasserstoss, welle. -schuʒ
stm. wasserfall. -sëgen stm.
segensformel über wasser gesprochen oder zu sprechen.
-seige stswf. neigung des bodens, der der abfluss des wassers folgt, wasserscheide; bergm.
die grundfläche des stollens,
worauf das wasser abfliesst.
-siech adj. wassersüchtig. -sip-
pe stf. verwandtschaft durchs
taufwasser, gevatterschaft. -slac
stm. schlag ins wasser. -slaht
stf. schutzdamm gegen das
wasser. -slange swm. wasserschlange. -slinge f. wasserwirbel. -sluoht stf. tiefes wasser-
gerinne. -snëcke swm. im wasser lebende schnecke. -snuor
stf. angelschnur. -sprinc,
-sprunc stm. wasserquelle. -sta-
de swm. ufer. -stange f.,
-stëcke swm. obsc. penis. -stein
stm. stein wie er im wasser
liegt, kiesel. -stelze f. bach-
stelze. -stoup stm. wasser-
staub, sprengwasser. -strâm
stm. wasserstrom, -wirbel.
-strâze f. weg auf dem wasser.
-stube swf. wasserbehälter, sam-
melkasten einer wasserleitung;
die s. g. arbeitskammer beim

bau eines strompfeilers. -suht
stf. wassersucht. -sühtic adj.
wassersüchtig. -tier stn. was-
ser-, seetier. -trager, -treger
stm. wasserträger; der wasser-
mann im tierkreis. -trouf stm.,
-troufe f. dachtraufe. -tuft
stf. wasserdunst. -ünde stf.
wasserwoge. -urteil, -urteile
stnf. gottesurteil durch wasser.
-var adj. wasserfarb. -vart stf.
wasserlauf; wasserfahrt, seereise. -varwe stf. wasserfarbe.
-vaʒ stn. wassergefäss. -veste
adj. durch wassergräben befestigt. -veste stf. mit wassergräben umgebene veste. -vlâge
swf. aqua inundans. -vlieʒ stm.
wasserstrom. -vliezende part.
adj. weinend (augen). -vlôʒ
stm. überschwemmung. -vluot
stfm. wasserfluss, -strom; überschwemmung. -vluʒ stm. fliessendes wasser, fluss, strom;
bach-, flussbett. -vrouwe swf.
wassernymphe. -wâc stm. wasserflut, wasserwoge. -wëc stm.
weg auf dem wasser; wasserlauf. -weide stf. wasserfahrt.
-wilt stn. wildes seetier. -wint
stm. fahr-, segelwind; wind der
vom wasser herweht, südwind.
-wip stn. wassernymphe. -wolf
stm. der hecht. -wurm stm.
wasserschlange; blutegel. -zaher
stm. wassertropfen. -zol stm.
wasser-, fährzoll. -zouberære
stm. hydromanticus.
wazzerëht adj. wässericht.
wazzerer stm. aquarius (sternbild).
wazzeric s. wezzeric.
wazzern swv. wässerig sein.
wê s. wër, wie.
wê adv. weh (wê sîn, wer-
den, geschehen, tuon mit dp.);
ellipt. ausruf des schmerzes, unwillens, des staunens oder
hohnes ohne od. mit dp., gs.
od. mit nachfolgd. fragesatze
der verwunderung, des wunsches. — -wes stn., wê stf.,
wêwe, wêch, wê stswm. stswf.
wehe, schmerz, leid, krankheit;
geburtswehe. -lich adj., -liche
adv. weh, jammervoll. -müete,
-muot stn. wehmut. -schrei
stm. wehgeschrei. -tac, -tage
stswm. leibl. schmerz, leiden,
krankheit. -tât stf. das wehtun,
der schmerz. -tuom stm.
schmerz. -tuon stn. = wêtât.
-tuonde part. adj. schmerzvoll.
wêbære, -er stm. weber; pl.
schachfig. dritter vende. wëber-
knëht stm. webergeselle. -mei-
ster stm. weber. -tunc stf.
textrina.
webbe s. weppe.
wëbe-drât stm. webefaden.
-(wëber-)hûs stn. textrina.
-(wëber-)isen stn. s. v. a.

-(wëber-)kamp stm. weber-
kamm. -stat stf. textrina.
wëbelen swv. hin und her
schwanken, wackeln.
wëben stv. V intr. hin und
her fahrend sich bewegen;
weben, wirken, flechten, spinnen.
weben swv. weben.
wëberen swv. in reger ge-
schäftiger bewegung sein, hin
und her wandern.
wëberinne stf. weberin.
wëberisch adj. zum weben
gehörig.
wëb-netzel stn. spinnennetz.
webse, webze s. wefse.
wëc, -ges, wëg stm. weg,
strasse (der gotes w. kreuz-,
wallfahrt; under wegen blîben
unterbleiben, lâzen unterlassen,
übergehn, im stiche lassen, ze
wege hier am wege, zur stelle,
zustande, auf den rechten weg,
beider wege auf beiden seiten;
alle wege immer; under wegen
unterwegs). — adv. weg, fort.
-gerihte stn. = dorfgerihte.
-geselle, -geverte swm. reisegefährte.
wech s. wehe.
wech interj. = wê.
wëche s. woche.
wecheln swv. wehen, flattern.
wechic adj. wachsam.
wëcholter f. = quëckolter.
wech-tac stm. eine bes. art
zinsgut, von geringerem umfange als die huobe.
wecke, wegge stswm. keil;
keilförmiges zeugstück an der
kleidung, zwickel; keilförmiges
backwerk, weck.
weckelin stn. kleiner wecke.
wecken swv. keil-, zwickel-
förmig machen.
wecken swv. (prät. wacte,
wahte) wach machen, wecken;
erwecken, erregen, beginnen.
wecker stm. wecker; ein gewisser fechthieb.
wecker-liche s. wackerliche.
wedel s. wadel.
wedelieren swv. = wadelen.
wedel-schim stm. mondschein
wëder s. wider.
wëder pron. welcher von beiden; welcher von mehreren. —
wëder unfl. n. als disj. fragewort
zur einleitung einer dir. od.
indir. doppelfrage (welches von
beiden, ob), auch mit auslass.
des zweiten gliedes; ausser der
frage vor nachfolgd. oder (= welches von beiden es sei). -halp,
-halbe adv. s. v. a. -sit adj.
auf jeder von beiden seiten.
wëde-wal s. witewal.
wëtel s. wëvel.
wefse, webse, webze, wespe,
vespe swf. m. wespe.

wëg s. wëc.

wëgære, -er stm. wegweiser.
wëgære, -er stm. = wæger;
helfer, beschützer.
wege stf. = wage 1.
wëge-bluome swm. sonnen-
blume (vgl. wegewîsbluome).
-breite, -breit stf. m. wegebreit
(pflanze). -brôt stn. viaticum
-(wëg-)gëlt stn. weggeld, -zoll;
geld zur unterhaltung, ausbes-
serung der wege; = wâgegëlt.
-haft adj. auf dem wege befindlich, gehend. -läge stf.
weglagerung. -lägen swv. weg-
lagern. -lägerunge, -lägunge
stf. = -läge. -lange swf.
gelände am wege hin. -leite
stf. wegweisung. -leiter stm.
wegweiser. -liute pl. reisende.
-lôn stm. weggeld. -lôs adj.
ohne weg, nicht wissend wohin
sich zu wenden. -(wëg-)lœse
stf. abgabe an den guts- oder
zinsherrn beim abzuge von
einem gute, bei der veräusserung eines solchen. -man stm.
reisender. -meister stm. =
wâgemeister; weg-, strassen-
meister. -müede, -muode adj.
von der reise ermüdet. -reise
stf. zug auf dem wege, reise,
pilgerfahrt. -reise swm., -reiser
stm. wanderer, pilger. -rich stm.
= -breite. -rihte stf. weg-
richtung. -scheide stswf. wegscheide, scheideweg. -scheidele
swf. dasselbe. -schiehe adj. weg-
scheu, scheu. -spise stf. wegzehrung. -stein stm. stein, in einer
gassegesetzt,damit man trocken
gehn könne; pflasterstein. -trëte
swf., -trit stm. der wegetritt
(pflanze). -vart stf. reise.
-vertic adj. des weges fahrend,
reisend. -vreise stf. reisegefahr.
-vüerer stm. wegweiser. -warte
f. wegwart (pflanze). -weide stf.
= -vart. -wernde part. adj.
den weg verwehrend. -wis-
bluome swf. sonnenwirbel,
wegweis. -wise adj. wegkundig.
-wise swm. wegweiser. -wise
swmf. wegweis. -wise stf. weisung des weges; wegzehrung,
letztes abendmahl (spät auch
stm.). -wiser stm. wegweiser.
-wist stf. m. wegzehrung. -zil
stn. wegstrecke.

wëge, wëgede stf. hilfe, fürbitte. -haft adj. sich für jemand
verwendend, helfend. -(wëgen-)
lich adj. beweglich, hilfreich.
wegelen swv. = wackeln.
wegelin stn. dem. zu wage 2.
wegelîn s. wegenlîn.
wëgen stv. V, manchmal
bes. md. unter einfluss von
gewähenen nach VI wuoc (wûc),
wuogen: intr. u. refl. sich bewegen, die richtung nehmen
(dar, nider, gegen, ûf, von, widar,
ze). — intr. gewicht, zahl, wert

haben (ohne od. mit acc. d.
masses, dp.); abs. gleichen wert
haben; mit dp. helfen, beistehn
(für swv. wëgen). — tr. in bewegung setzen, richten, bringen; wägen, schwer oder leicht
(hôhe, swære, ringe, lîhte) an gewicht, an wert anschlagen,
schätzen, erachten; unpers.
mit dp. dünken, sich kehren an;
mit dp. zuwägen, -teilen, geben;
auf der folter wägen, foltern;
genau festsetzen, bestimmen.
wëgen swv. gewogen sein,
helfen, sich verwenden für,
beistehn mit dp.
wëgen swv. einen weg bah-
nen; wëge w. wege gehn, betreten; auf einen weg bringen.
wëgen dat. pl. von wëc: von
— wëgen mit dazwischentre-
tendem gen. von — seite, auf
anlass, mit rücksicht auf, in
betreff, wegen, aus.
wëgen swv. wigen machen, bewegen, wiegen, schwingen,
schütteln; erwägen, bedenken,
beraten.
wëgene stf. in der w. in der
weise.
wëgen-lich s. wëgelich.
wëgen-lîn, wegellîn, wegelîn
stn. dem. zu wagen.
wëger s. wëgære.
weger stm. bewëger.
wëgesalunge stf. wegzehrung.
wegge s. wecke. dazu:
wëggët adj. keilförmig.
wegisen s. wagense.
wëgunge, wegunge stf. be-
wegung (der erde w. erdbeben).
wehe, wech swm. der weihe.
wëhe s. wê 2.
wëhen stv. V blinken, strahlen; widar w. mit dat. (mit
blanker waffe) kämpfen, sich
widersetzen. — swv. ausdruck
starker gemütsbewegung: er-
blühen(wangen), pochen (herz),
schmachten; laut werden, anschlagen (der hunde).
wëhen s. wëwen.
wëhsede stf. wachstum.
wëhsel stm., md. wechsel,
wessel (auch stn.) wechsel,
tausch, austausch, ersatz, handel; vorkaufsrecht; lied in ge-
sprächsform. -angesiht stf.
wechselndes aussehen. -balc
stm. wechselbalg. -banc stf.
tisch des geldwechslers. -brief
stm. wechselbrief, wechsel. -hûs
stn. bankhaus. -kint stn. =
wëhselbalc. -kouf stm. wechselseitiger kauf, tausch. -kus
stm. wechselseitiger kuss. -lich
adj., -liche adv. abwechselnd,
wechselseitig. -loube f. wechselbank. -mære stn. wechsel-
gespräch. -phose swm. geldbeutel des wechslers od. des
kaufmanns. -rede stf. wechsel-

rede; veränderliche, sich widersprechende rede. -rëht stn.
recht und gerechtsame der
wechsler. -sage stf. wechselrede. -schaft stf. wechsel, umtausch. -schiht stf. vertau-
schung. -site stm. unbeständigkeit. -slac stm. gegenseitiger
schlag. -spil stn. wankelmut
in der minne. -strit stm. gegenseitiger strît. -wort stn. wech-
selwort, -rede.
wëhselære, -er stm. der wech-
selt, abwechselt; geldwechsler;
als schachfigur vierter vende.
wëhselât stf. wechsel.
wëhsele, wëhsel stf. tausch,
wechsel; wechselbank.
wëhselîn stn. dem. zu wahs.
wëhseln swv. (alem. auch
wihseln, md. wechseln, wesseln)
wechseln, um-, einwechseln,
-tauschen, vertauschen, ändern
(mit gen., acc.); abs. vom wechsel des wildes.
wëhselunge stf. wechselwir-
kung.
wehsen, wehsin adj. von
wachs. -lich adj. wie von
wachs, biegsam, unbeständig.
wehten swv. wache halten.
wehter s. wahtære.
wei interj.
weibel stm. gerichtsbote, gerichtsdiener. -ruote f. ruote
(schwert) des weibels.
weiben, weibeln swv. sich
hin und her bewegen, drehen,
schwanken, schweben.
weibe-zegelen, -zëlen swv.
schweifwedeln.
weich adj. weich; biegsam,
schwank; schwach, furchtsam,
milde; schwach, furchtsam.
-heit, weicheit stf. weichheit;
weichlichkeit. -liche adv. auf
weiche, milde weise; verweich-
licht.
weiche adv. weich; furchtsam, feige. — stf. weichheit; die
weiche am menschl. körper.
-gürtel stmf. gürtel um die
weiche.
weicheline, -ges adj. weibischer mann, weichling.
weichel-muot stm.wankelmut.
weichen swv. intr. weich werden. — tr. weich machen; lenken; rückgängig machen (urteil).
weichunge stf. erweichung.
weid s. weit.
weide, weid stf. futter, speise;
nahrungserwerb; weide, weideplatz; tagreise, weg; jagd;
fischerei. -ganc stm. gang,
trieb auf die weide; weiderecht;
gang zur jagd. -gat stn. =
weideloch. -geselle swm. jagdgefährte. -geselleschaft stf.
verhältnis von jagdgefährten.
-hûs stn. jagdhaus. -lëhen stn.
jagdlehn. -lich s. weidenlich.

-liute pl. zu *weideman.* -loch
stn. afterloch des wildes. -man
stm. jäger, fischer. -mezzer
stn. jagdmesser. -nache swm.
fischernachen. -schif stn. fischerkahn. -spiez stm. jagdspiess. -spruch stm. jäger-
spruch, -schrei. -tac stm. jagdtag. -wērc stn. weidwerk, jägerei; zur jagd gebrauchte tiere.
-zülle swf. fischerkahn.
weidec-lich adj., -liche adv.
stattlich.
weidelin stn. kleine weide.
weidelinc, -ges stm. fischerkahn, kleiner nachen.
weidel-wērc stn. = *weide-*
wērc.
weiden swv. weiden tr., intr.
u. refl.; ausweiden; refl. m. gs.
geniessen.
weidenære, -er stm. fütterer;
jäger; jagdmesser, hirschfänger.
weidenen swv. weiden, jagen.
weiden-heit stf. jägerei;
schönheit, stattlichkeit. -(wei-
de-)lich adj., -liche adv. jäger-
mässig, jagdgerecht; frisch,
keck, tüchtig, ausgezeichnet,
stattlich, schön.
weidenie stf. jagd; fischerei.
weie, weige stf. gewieher.
weien s. *wœjen.*
weien, weijen, weigen swv.
wiehern.
weife f. garnwinde, haspel.
weifen swv. haspeln; ent-
falten, schwingen.
weifler, weifiere stnf.? eine
art spitzen (vgl. afz. *guipure* von
got. *veipan*, mhd. *wîfen*).
weige, weigen s. *weie, weien.*
weigen swv. intr. schwanken,
wackeln; tr. wackelnd bewegen.
weiger stf. das widerstreben.
-lichen adv. stolz, stattlich;
sich widersetzend, verteidigend.
weigern swv. sich wider-
setzen, weigern; versagen, verweigern mit gs.; *úf einen w.*
in einer sache, die man zu tun
sich weigert, auf einen andern
sich berufen, ihn vorschieben.
weigerunge stf. weigerung.
weijen s. *weien.*
wein-bærlich adj. kläglich.
-leich stm. klagegesang. -(wei-
ne-)lich adj., -liche adv. weinend, weinerlich, kläglich, betrübt.
weine stf. n. das weinen.
weine-klagen swv. weinend
klagen, beklagen.
weinen, wēnen, weinern swv.
intr. u. refl. weinen. — tr.
weinen um, wegen; beweinen.
weinende, weinde part. adj.
weinend, wehklagend; bewei-
nend.
weinendic adj. weinend.
weiner stm. der weinende.
weiner s. *wagener.*

weinic s. *wēnec.*
weinôt stm. das weinen.
weise adj. verwaist; beraubt,
entblösst. — swmf. waise; der
nicht seinesgleichen habende
edelstein der deutschen königs-
krone, diese krone selbst; reim-
loser vers in einer strophe.
-(weisen-)kint stn. waisenkind.
-tuom stn. zustand, lage eines
waisen.
weiselin stn. waise.
weisen swv. weise, zum weisen
machen.
weisen-bære adj. waisenhaft.
weisinne, -in stf. die waise.
weit, weid stm. waid, das
färbekraut; befleckung. — adj.
blau. -asche f. waidasche. -hâr
adj. mit waidfarbem haare.
-hûs stn. waidniederlage.
-kouf stm. waidkauf, waid-
handel. -krût stn. waidkraut.
-var adj. = *weitin.*
weit stn. eine art netz.
weitære stm. der mit dem
weit fischt.
weitære stm. blaufärber.
weitin adj. blau, bläulich.
weiz-becke swm. weissbrotbäcker. -brôt stn. weizenbrot.
-gēlt stn., -gülte f. weizenzins.
-(weizen-)korn stn. weizenkorn.
-(weizen-)mēl stn. weizenmehl.
weize, weizze, weiz, weize
stswm. weizen.
weizel stm. = *meizel*, charpie.
weizeln swv. = *meizeln.*
weizen-var adj. weizenfarb.
weizin adj. von weizen.
wel s. *welch.*
wēl, -lles adj. rund.
wel s. *wele.*
welære,-er, weller stm.wähler.
wēlben stv. III, 2 refl. u. intr.
sich in die runde ausdehnen.
welben, welwen swv. bogenförmig gestalten,wölben;wälzen.
wēl-boum s. *wēlleboum.*
wēlc, welh, wilch adj.feucht;
lau; weich, milde, gelinde;
welk.
welch, welh, welich, wel;
wilech, wllich, wilh, wllh pron.
interr. mit subst. wie beschaffen, welch; ohne subst. welch,
wer; relat. für *swelch.*
wele, wel stf. = *wal* wahl,
auswahl.
wēlede stf. wohlbehagen.
wēledic adj. üppig, behaglich.
welen s. *weln.*
wēlf, wēlfe stswm. n. junges
von hunden u. von wilden tieren. — *Welf, Welfe* persönl. u.
geschlechtsname. -lewe swm.
junger löwe.
wēlf adj. s. *gēlf.*
wēlfe stf. = *gēlfe* übermut,
gewalt.
wēlfelin, wēlfel stn. dem. zu
wēlf.

wēlfen swv. junge werfen.
welgeln swv. wälzen.
wēlgen stv. III, 2 refl. rollen.
wälzen.
welgern s. *walgern.*
welhisch s. *walhisch.*
welhischen adv. romanisch.
wēlic adj. reich, im wohl
stande lebend.
welich s. *welch.*
welich-heit stf. qualität.
wēlken swv. = *swēlken.*
welker s. *walker.*
wēl-kropf s. *wēllekropf.*
wēlle stswf. woge, welle;
walze, wellbaum; stroh-, reisig-
bündel; tuch-, leinwandballen.
-(wēl-)boum stm. walze, wellbaum. -(wēl-)kropf stm. winden-
rad zu einer armbrust.
wēllec adj. rund (s. *sin-*
wēllec). wellic (wallic) adj.
wallend, siedend.
wēllegen swv. wogen schlagen.
wellen s. *weln.*
wellen, wollen, wöllen, wullen an. v. wollen, beabsichtigen,
verlangen, wünschen, abs. (d. h.
mit einem zu ergänzenden inf.,
bes. eines zeitw. der bewegung),
mit acc. (wobei auch oft ein
vb. der beweg. zu ergänzen ist),
mit inf. ohne od. mit ze, mit
acc. u. inf., mit nachs., die
person von der man etwas *wil*
im gen.; als hilfsverb des futurums (bes. vermutend), im
prät. zur bildung kondit. sätze
dienend, zum ausdrucke einer
beabsichtigten aber nicht aus-
geführten tätigkeit. — der
meinung sein, glauben, vermuten, mit inf.; behaupten,
bedeuten.
wēllen stv. III, 2 runden,
rollen, wälzen (part. *gewollen*);
streichen, schmieren.
wellen swv. runden, rollen,
wälzen.
wellen swv. wallen machen,
zum sieden od. schmelzen
bringen. — intr. = *wallen* stv.
wēllen-gezouwe stn. eine art
zugnetz.
wellent = *swelhen, welhen*
enden: nach welcher seite,wohin.
weller s. *welære.*
weln, welen, wellen swv.
wählen, er-, auswählen.
wēlp s. *wēlf.*
wel-recke s. *wal-recke.*
wels stm. wels (fisch).
welsch s. *walhisch.*
wēlt s. *wērlt, wērlt-.*
weltic, weltigen s. *waltec,*
waltigen.
welunge, walunge stf. wahl,
erwählung.
welwen s. *welben.*
welzeln, welzern swv. wälzen
intr. sich umwälzen.

welzen swv. *walzen* machen, wälzen, rollen, drehen; gleichsam abrollend erzählen. — intr. = *walzen.*
welzern swv. s. *welzeln.*
wemmerzen swv. wehklagen.
wempel, wembel stn. dem. zu *wambe.*
wen s. *wan, wande, wanne, wante.*
wen stf. leerheit.
wêne s. *wênec.*
wende s. *wan, want, wande.*
wende stf. wende, rückwendung, -kehr (*âne w.* unabwendbar, unleugbar, sicherlich); ort des wendens; ende, grenze; seite, himmelsgegend; richtung, weise, handlungsweise; schande. -höch stn. hebe- und wendegerät, kran. -kriec stm. dasselbe. -lich adj. wendbar. -mül stf. handmühle. -zagelen swv. schweifwedeln.
wendec, wendic adj. rückgängig; abwendig, befreit von (gen.. *an*); beendet; gerichtet *ze.*
wendel stm. = *wender.*
wendeler s. *wandeler.*
wendelin stn. = *gewendelin.*
wendel-(wandel-)mer stn. das rings um die erde gehnde, sich wind nde meer, weltmeer. -muot s. *wandel-muot.* -sê stm. = *wendelmer.* -stein stm. wendeltreppe. -stiege f. dasselbe.
wenden swv. tr. anrühren, betasten; umwenden, -kehren; rückgängig machen, abwenden, wehren, hindern, verhindern, ohne od. mit dp., mit gs. abwenden von, verhindern an; verwandeln; kehren, richten *an, in, von* usw.; ausrichten (*botschaft*); an-, verwenden, vermachen. — *gewant* part. adj. angebracht, verwendet, ausschlagend *ze*, zuteil geworden, zuständig mit dat., jem. verhältnissen angemessen, sich verhaltend, bewandt, beschaffen; im verhältnis stehnd zu, geneigt, beteiligt (mit dat. oder *ze*). — intr. (für refl. oder mit zu ergänz. obj. *ros, schif*) eine richtung einschlagen, sich wenden, umkehren; sich erstrecken; grenzen *an*; sich enden, aufhören.
wender stm. wender, hin-, um-, abwender.
wenderinne stf. abwenderin.
wendunge stf. abwendung (des schadens).
wênec, wênic adj. adv. (ält. form *weinic*, nasal. *wêninc*, synkop. *wênc*) akt. weinend, klagend. — pass. zu beweinen, erbarmenswert, unglücklich *wênc, wêng* nach andern interj. ausrufung des leides und des mitleides); klein, gering,

schwach. — unflekt n. subst. *wênic, ein w., vil w.* wenig, nichts (meist mit gen.). — adv. wenig, kaum, nicht (*vil w.* durchaus nicht, gar nicht, *w. ieman* kaum jemand, fast niemand, *w. iht* nichts, gar nicht, *w. ie* nie). -heit stf. elend, not, unglück; kleinigkeit.
wenen, wennen swv. tr. gewöhnen, gewöhnen an (mit gen. od. *an, nâch, ûf, zuo,* mit inf. od. nach.); sich angewöhnen. — refl. sich gewöhnen, sich g. an (mit gen., *an, ûf* od. nachs.).
wênen s. *wœnen, weinen.*
wengelin, wengel, wangel stn. dem. zu *wange.*
wenke stf. wendung.
wenkel stn. dem. zu *wanc.*
wenkelieren swv. = *wenken.*
wenken swv. intr. einen *wanc* tun, wanken, schwanken, weichen, schweifen; eine winkende bewegung machen, winken. — tr. wenden, bewegen; tadeln.
wenkic adj. wankend.
wenne s. *wan, wande.*
wennen s. *wenen.*
wente s. *wan, wante.*
went-lich adj. veränderlich, unbeständig. -lichen adv. mit schanden.
wenz adv. u. konj. = *wante.*
wepfe, wepf swm. stn. zettelgarn, einschlag.
wepfen swv. springen, hüpfen.
weppe, webbe stn. aufzug eines gewebes, das gewebe selbst; spinnengewebe; gürtel; riemen.
wêr s. *wir.*
wêr, waz pron. interr. wer, was (in dir. u. indir. fragen, ohne od. mit gen.) ohne fem. u. pl., die formen des m. gelten auch für das fem. — *waz* mit gen. was für, wie viel; *waz* adv. wozu, wiefern; in ellipt. verwendung; *waz obe* wie wenn, vielleicht; *waz denne, danne, dar umbe* u. dgl. was tut es? was liegt daran? meinethalben. — gen. *wês* wessen, wovon; *wês* adv. weshalb. — instr. *an, in, von, mit, ze* usw. *wiu* woran, worin, wozu, womit, weshalb. — *wêr, waz* als pron. indef. für *etewêr, -waz* als relat. für *swêr, swaz.*
wêr stm. mann (in *wêrgëlt, wêrwolf, wêrlt*).
wêr stf.dauer.—,**wêre** swm.der gewährt od. gewährleistet; gewährsmann, bürge. — stf. gewährung; bürgschaft; bezahlung, wert, preis; geldwährung. -bære adj. imstande bürgschaft zu leisten. -bürge swm. gewährleister. -haft, -haftic adj. dauerhaft; gewährend; ge-

setzlichen zahlungswert habend (geld). -lich adj. einer gewährung würdig. -liute pl. zinsleute. -man stm. gewährsmann, bürge. -schaft stf. gabe, geschenk; bezahlung, sicherstellung, bürgschaft; gewährleistung des besitzrechtes. -schulde swm. bürge. -wart stn. zusicherndes, gewährleistendes wort.
wer, were stf. = *gewer* 1, investitura, besitzrecht, besitz, gewalt, amt, *phlege.*
wer, were stf. verteidigung, wehr, kampf, widerstand, weigerung; gesamtheit der verteidger, krieg macht, heer; was zur verteidigung dient: waffe, brustwehr, befestigung, hindernis. — stn. waffe; wehr in einem flusse. -haft, haftic adj. kampfgerüstet, kampfbereit, bewaffnet, tapfer; auf verteidigung eingerichtet, schutz bietend, befestigt. -hûs stn. propugnaculum. -kampf stm. wehr-, verteidigungskampf. -lich adj., -liche adv. = *werhaft.* -lôs adj. wehrlos, unbewaffnet; dessen verteidigung vor gericht nicht angebracht wird. -schaft stn. wort der abwehr. entschuldigung, ausrede, ausflüchte.
wêrbære, -er stm. der ein geschäft treibt; der sich um etw. bewirbt.
werbe s. *warp.*
wêrbe stn. = *gewêrbe.*
wêrbe, wêrve stf. wirbel, strudel; damm, dammstrasse an einem flusse.
wêrbe-lôs adj. ohne gewerbe.
wêrben, wêrven stv. III, 2 intr. sich (in einer kreislinie, um eine achse) bewegen, drehen; sich umtun, bemühen (*an, ûf, nâch, umbe*), benehmen, tätig sein, streben, handeln, verfahren, sich bewerben. — refl. seinen weg nehmen (von den flüssigkeiten im körper); unpers. *ez ist geworben* ergangen, geschehen. — tr. in bewegung setzen; mit ap. sich bewerben um; (durch einen boten) berufen, einladen, bestellen; mit as. ins werk setzen, tun, schaffen, betreiben, ausrichten, sich bewerben um; mit dat. u. acc. für einen (als brautwerber) werben um; ausrichten, besorgen; bittend erwerben, bitten um.
werben swv. wälzen, rollen, drehen.
werberîe s. *urbarigen.*
wêrberinne stf. werberin, kupplerin.
wêrbe-zagel stm. wedelnder schwanz.

wёrc, wёrch, -*kes*, -*ches* stn. werk, tat, handlung, geschäft, arbeit; gemachtes, vollendete hand- od. kunstarbeit; bauwerk; zu weiterer verarbeitung zubereiteter rohstoff; was auf einmal verarbeitet wird, bes. die zum ausprägen einer bestimmten anzahl stücke einer geldsorte gemischte masse von silber u. kupfer od. von gold u. silber; werg; maschine, maschinerie, bes. belagerungs-, wurfmaschine; rüstung. -**art** stf. fronarbeit. -**arten** swv. roboten. -**bære** adj. handwerksmässig. -**brēt** stn. schutzbrett. -**gadem** stn. arbeitshaus, werkstätte. -**genōʒe** swm. handwerksgenosse. -**gerüste** stn. werkgerät. -**geziuc** = *wёrcziuc*. -**holz** stn. nutz-, bauholz. -**hūs** stn. werkstätte; haus für klösterliche handarbeit. -**hütte** swf. bauhütte. -**lich** adj., -**liche** adv. kunstgerecht gemacht, künstlich, wunderbar, wunderlich. -**lm** stn. dem. zu *wёrc*; flocke wergs. -**liute** pl. zu *wёrcman*. -**lōn** stn. arbeits-, tagelohn. -**man** stm. schöpfer; werk-, baumeister, künstler (bes. in schmiedearbeit), handwerker, arbeiter, maschinenmeister. -**meister** stn. dasselbe; vorsteher des stadtrates; aufseher über die *mentager*. -**schuoch** stm. schuh als längenmass der zimmerleute und maurer. -**spæhe** adj. = *wёrcwise*. -**stat** stf. werkstätte. -**tac** stm. werk-, arbeitstag. -**wip** stn. arbeiterin. -**wise** adj. geschickt in der arbeit, kunstfertig. -**woche** swf. arbeitswoche. -**ziuc** stmn. werkzeug; belagerungswerkzeug.

wёrde adv. herrlich, zu ehren, zur freude.

wёrde, wёrdec- s. *wirde, wirdec-*.

werde stf. md. = *wer* 2 verteidigung.

werde swm. = *wert* insel.

wёrde-lich adj. zum werden geeignet, werdend.

wёrdelin, wёrdel stn. dem. zu *wert* kleine insel.

wёrde-lōs adj. ohne werden.

wёrden stv. III, 2 eine richtung einschlagen, kommen, gelangen *ze* (*enein, über ein w*. mit gen. übereinkommen, mit sich selbst eins werden), mit dp. zufallen, widerfahren, zuteil werden, bekommen; mit dat. u. *ze*: werden, ausschlagen, gerichen zu; geboren werden, entstehn, wachsen, zustande kommen; anfangen zu sein, werden, vor sich gehn, geschehen, (mit subst. präd. im

nom., mit präd. flekt. od. unflekt. adj., mit part.präs.; durch abschleifung der partic. in die infinitivform entwickelt sich die umschreibung des futurums u. des präteritums; mit part. prät. zur umschreib. des passivums); mit gen. werden zu, gerechnet werden zu; werden aus, geschehen mit.

wёrden swv. *wёrt* halten, würdigen, schätzen, verherrlichen.

werder stm. insel (s. *wert*).

wёrdern swv. abschätzen.

wёrderunge stf. abschätzung.

wёrelt, wёrelte s. *wёrlt*.

weren, wёren s. *wern, wёrn*.

wёrer stm. gewährleister, bürge; gläubiger.

wёrfære, -er stm. werfer.

werfe stswf. = *warf*.

wёrfen stv. III,2 tr. in schnelle bewegung setzen, werfen, zur welt bringen, schleudern, stossen, rasch wenden, jagen, streuen u. dgl. — refl. *sich zesamene w.* sich rasch versammeln; *sich von einem w.* abfallen. — abs. (je nach dem ausgelassenen obj.) schleudern, schiessen, steinigen; würfeln, fliegen lassen; bergm. schürfen.

wergel stm. = *warc-gengel*.

wёr-gёlt stmn. geldbusse für totschlag (eig. zahlung für einen mann).

***wёrgen** stv II, 2 würgen.

wergen swv. reissen. **werigen** s. *wern*.

wёriit s. *wёrlt*.

wёrke-licheit stf. = *wirke-*.

wёrkelin stn. dem. zu *wёrc*.

wёrke-lōs adj. ohne (gute) werke.

wёrkel-tac stm. = *wёrctac*.

wёrken swv. intr. arbeiten, handeln, wirken. — tr. tun, machen, erzeugen, bearbeiten, **wёrkenisse** stn. ? werktätigkeit.

wёrker stm. arbeiter, handwerker.

wёrkunge stf. das inswerksetzen, die tat.

wёrlde s. *wёrlt*.

werlin stn. kleines wehr in einem flusse.

wёrlt stf. (nbff. *wёrelt, wёrilt, wёrlet, wёrlit, wёrlint, wёrnet, wёrnt, wёrlt; wёrelte, wёrlde, wёrlnte, wёlte, wёlde*) zeitalter, jahrhundert, -tausend; die ganze schöpfung, welt, erde als wohnsitz der menschen und als gegens. zum meere; menschengeschlecht, menschheit, volk, leute; weltliches, sündiges leben im gegens. zum geistlichen u. himmlischen. -**affe** swm. = *-tōre*. -**arm** adj. von der ganzen welt verlassen. -**ēre**

stf. weltliche ehre. -**girlc** adj. nach weltl. besitztum gierig. -**got** stm. gott d. welt. -**goucu** stm. weltlicher tor. -**kreiʒ** stm. weltkreis, welt. -**künec** stm. könig der erde. -(**wёlt-**)**lich** adj., -**liche** adv. (auch *wёrnt-, wёrlich*) zur welt, zum leben gehörend, weltlich (gegens. zu geistlich u. himmlisch); weltlich gesinnt. -**licheit** stf. weltlicher stand, laien; weltl. rechte, einkünfte, güter. -**lichtuom** stn. weltlichkeit, weltliches leben. -**lust** stm. freude der welt. -**man** stm. mann, mensch auf erden; weltlich gesinnter mensch. -**mer** stn. weltmeer; bildl. meer der weltlichkeit. -**minnære** stm. liebhaber der welt. -**minne** stf. weltl. liebe. -**narre** swm. = *-tōre*. -**rāt** stm. aller nur möglicher vorrat. -**riche** adj. reich an weltl. gütern. -**ruom** stm. weltl. ruhm. -**sache** stf. sache, ding der welt. -**sælde** stf. weltl. glück. -**sælic** adj. weltliches glück habend, in irdischem glücke lebend. -**schal** stm. lärm der welt. -**schande** stf. schande vor aller welt, öffentliche schande. -**siech** adj. aussätzig. -**süeʒe** stf. süssigkeit, lieblichkeit der weltfreuden. -**tōre** swm. tor auf der welt, den die welt betört hat. -**tump** adj. von weltlichem unverstand. -**twenge** swm. weltbedränger. -**vröude** stf. freude der welt. -**wip** stn. frau, weib auf erden. -**wise** adj. vor allen menschen und nach aller menschen urteil weise. -**wünne, -wunne** stf. freude, wonne dieser welt. -**wuostinne** stf. wüste dieser welt. -**zage** swm. erzfeigling, den alle welt kennt. -**zit** stf. zeit der welt bis zum jüngsten tage.

wёrlten, wёrlden swv. mit der welt verbinden, in die welt einreihen.

werme, wermede stf. wärme.

wermen swv. *warm* machen, wärmen, erwärmen.

wermunge stf. erwärmung.

wёrmuot, wёrmuote, -üete stswf. n. wermut (pflanze). -**saf** stn., -**souc** stm. wermutsaft. -**win** stm. mit wermut angesetzter wein.

wёrn, wёren swv. 1. *durare*: von perss. verweilen, ausdauern, bei kräften sein, lebend bleiben; von sachen: bestand haben, dauern, währen, bleiben. — 2. *praestare*: abs. zahlen, geben; mit gen. leisten, gewähren, vollziehen. — tr. leisten, gewähren, bezahlen, beschenken (mit ap̄., as., acc. u.

gen., dat. u. acc., mit dopp. acc.); gewährleisten, bürgen, sicherstellen.

wern, weren, werigen swv. 1. defendere: schützen, verteidigen (mit dp. verteidigen gegen). — refl. mit gen. sich schützen vor, sich verteidigen, wehren, sträuben gegen — wehren, ver-, abwehren, fern halten, versagen, -bieten, hindern, verhindern (mit dat., mit dat. u. acc.) — 2. investire: in besitz setzen, in die gewalt bringen. *ûf einen w.* etwas auf einen wenden.

werne s. *warne.*

wёrnet, wёrnt s. *wёrlt.*

werpfe swm. = *warf.*

wёrre stswf. swm. verwirrung, verwickelung, störung, schaden, not, bedrängnis, leid; ärgernis, zerwürfnis, zwietracht, streit, streitigkeit, aufruhr, krieg; gefecht, scharmützel; vorrichtung zum abschliessen, gatter, falltor (davon mlat. *guerra*, it. *guerra*, fz. *guerre*).

wёrrёht adj. verwirrt, in unordnung.

wёrren stv. III, 2 durcheinander bringen, verwickeln, -wirren, uneins machen, in zwietracht bringen. — refl. sich verwirren, -wickeln, veruneinigen. — intr. sich verwickeln, durchschlingen; stören, hindern, schaden, kümmern, verdriessen, mit dat.

wёrren swv. hindern.

wёrrer stm. der verwirrung, zwietracht stiftet.

wёrrunge stf. = *wёrre.*

wёrs, wёrst s. *wirs.*

wёrt s. *wirt.*

wёrt, -des adj. einen gewissen wert habend, geltend, gekauft od. käuflich für (gen.); substantiviert als unfl. n. (*eines pfenninges* usw. *wert*); würdig zu empfangen, teilhaft zu werden, zu besitzen mit gen. — abs. von hohem werte, kostbar, herrlich, ausgezeichnet, ehrenvoll, angesehen, vornehm, edel; teuer, lieb. — stn. m. kaufpreis, wert; wertsache, ware; standesehre; geltung, ansehen, würdigkeit, herrlichkeit. **-genant** part. adj. als würdig bekannt. **-lich** s. *wёrltlich.* **-lich, -sam** adj. = *wёrt* 2.

wёrt stf. *bî w.* + gp. zu lebzeiten.

wёrt, wart adj. gewendet, gerichtet (als adj. nur in komposs.). — adv. die richtung habend, -wärts, nach andern advv. u. präpp.

wert, -des stm. insel, halbinsel, erhöhtes, wasserfreies land zwischen sümpfen; ufer.

wertel, werter s. *wart-.*

werten swv. schädigen, verderben.

wёrunge stf. gewährung, bezahlung; sicherstellung, gewährleistung des besitzrechtes; gewährleisteter münzwert, gold-, silberwährung einer stadt od. eines landes.

wёrve, wёrven s. *wёrb-.*

wёr-wolf stm. werwolf d. i. mensch (*wёr*) der zugleich ein wolf sein kann.

wёrz s. *wirz.*

werze s. *warze.*

werzelin, werzel stn. dem. zu *warze.*

wesche stf. wäsche. — swf. wäscherin. **weschen** s. *waschen.*

wescher stm. wäscher. **we-scherinne** stf. wäscherin. **wesch-hûs** stn. waschhaus. **weschinne** stf. wäscherin.

weschel-zagelen swv. = *wen-de-zagelen.*

wesёht adj. = *was* adj.

wesel adj. dasselbe.

wesel adj. schwach, matt.

wёse-lich s. *wёsent-lich.*

weselîn stn. dem. zu *wase.*

wёse-lôs adj. ohne wesen.

wёsen stv. V bleiben, verweilen, sich aufhalten; sein, vorhanden sein, da sein, existieren, bestand haben, dauern, geschehen (mit subst. od. adj. präd., mit partic. präs. zur umschreibung des einfachen vb., wobei das part. wie bei *werden* in die infinitivform abgeschleift werden kann; *was* mit part. prät. zur umschreib. des plusquamperf., mit *ze* u. inf. zur umschreib. des pass., passiver möglichkeit od. notwendigkeit; mit gen. um eigentum, eigenschaft, abstammung auszudrücken; *was* mit dp. es ist widerfahren, zu leide geschehen. — der konj. prät. *wёre* bezeichnet eine voraussetzung, bedingung od. konzession, eine einschränkung od. ausnahme: es wäre denn, ausser, nur; mit *ne, ni: newёre, niwёre,* verkürzt *niwer, newer, niur, neur, nuor,* md. *nûr* (woraus nhd. nur). — sw. prät. u. part. prät. *weste* u. *gewes(i)t.* — stn. das sein, essentia, verweilen, wohnen, der aufenthalt; aufenthaltsort, wohnung, hauswesen; existenz; wesenheit, leben, art zu sein, eigenschaft, zustand, lage; ding, sache.

wёsende part. adj. seiend; anwesend.

wёsent-heit stf. wesenheit, wirklichkeit. -(wёsen-, wёsc-)**lich** adj., **-liche** adv. wesen habend, wesenhaft, wirklich, dauerhaft; mit wesen, häuslich. **-licheit** stf. = *wёsentheit.*

wёsenunge stf. dasselbe.

weserёht adj. = *wesёht.*

wespe s. *wefse.*

wёsse, wesse prät. adj. s. *wizzen, was.*

wёssel s. *wёhsel.*

wёst, wёsten stm. westen. **weste-barn** s. *westerbarn.* **wёsten** adv. von, in, nach westen. — *die w.* pl. die westleute. **-wint, wёstener** stm. westwind.

wёster adj. westlich. — adv. westwärts. **-halben, -halp** adv. im westen. **-lant** stn. abendland. **-luft** stf. westen. **-mer** stn. westliches meer. **-riche** stn. das reich im westen. **-site** f. westliche seite, westen. **-wint** = *wёstenwint.*

wёster stf. taufkleid. **-bar** stm. md. kind im taufkleide, täufling. **-(weste-)barn** stn. m. dasselbe. **-hemde** stn. taufkleid, taufhemd; glückshaube. **-huot** stm. taufkleid. **-kint** stn. = *westerbarn.* **-kleit** stn. taufkleid. **-lege** stf. die anlegung des taufkleides. **-touf** stm. taufe (im *westerkleide*). **-wât** stf. taufkleid.

wёstert adv. = *wёster.*

wёstvâlen swv. zu einem Westfalen machen.

wёsunge stf. wesen, wesenheit, wirklichkeit, dasein, leben. **wet, wete** stf. bucht. — s. *wette* 2.

wёten, wёtten stv. V binden, ein-, zusammenjochen, verbinden.

weten, wetten swv. intr. waten, gehn. — tr. gehn machen; gehn durch, niedertreten.

weter, wёtter stn. wetter (gutes oder böses), witterung, gewitter, ungewitter; freie luft. **-blic** stm., **-blitzen** stn. blitz. **-glast** stm. blitz. **-han** swm. wetterhahn. **-hёrre** swm. *die wetterherren* heilige (namentl. Johann und Paul), die gegen gewitterunglück angerufen werden. **-lёche, -lёch, -liche, -leich** stswm. blitz. **-lёchen, -lichen, -leichen** swv. blitzen, wetterleuchten. **-lich** adj. das wetter betreffend. **-litzen** swv. wetterleuchten. **-liuten** stn. das läuten bei einem gewitter. **-sager** stm. wetterprophet. **-slac** stm. blitzschlag. **-sorgære** stm. der um das wetter besorgt ist; der abergläubisch auf das wetter achtet. **-stæte** adj. im unwetter ausharrend. **-tac** stm. tag mit günstiger witterung. **-var** adj. wetterfarbig, vom wetter gekennzeichnet. **-wise** adj. wetterkundig.

wёteren swv. tr. in der freien luft trocknen.

wetscher, wetschger s. *wetzger.*

wette adj. abbezahlt, wett.

wette, wete, wet stn. wette, pfandvertrag, rechtsverbindlichkeit, gesetz; zeichen einer rechtsverbindlichkeit, pfand, bes. der einsatz, preis eines wettspieles; wettstreit (*in wette, enwette, ûf, umbe, ze wette* um die wette); spiel überh.; erfüllung und aufhebung einer rechtsverbindlichkeit, bezahlung einer schuld, vergütung eines schadens, ersatz für, beseitigung von (gen.); geldbusse, in die man gegen den richter verfällt, bes. versäumnisstrafe bei nicht geleisteter zahlung. **-gĕlt** stn. = *wette* geldbusse. **-haft** adj. des *gewettes* schuldig, straffällig. **-louf, -louft** stm. wettlauf. **-loufer** stm. wettläufer. **-phenninc** stm. = *wettegĕlt.* **-phenninger** stm. einnehmer des *wettephenninges.*

wĕtten, wetten s. *wĕten, weten.*

wetten swv. pfand geben mit dat.; durch ein pfand sichern mit dat. u. acc.; ein pfand einsetzen, wetten (mit gs., nachs. od. *umbe); gewette* geben, zahlen.

wetten stn. = *wettunge.*

wĕtter s. *wĕter.*

wettunge stf. pfandvertrag, wette.

wetze adj. = *was.*

wetzel-stein = *wetzestein.*

wetzen swv. *was* machen, schärfen, schleifen, wetzen; bildl. anfeuern, reizen (*den sin w. nâch, ûf* mit begierde richten). — *sich w. gen einem* angreifen, *an einem* sich reiben an.

wetze-, wetz-stein stm. wetz-, schleifstein.

wetzger, wetzker, wetschger wetscher stm. reisetasche, felleisen (entstellt aus *wâtsac?*).

wĕvel, wĕfel stn. der einschlag beim gewebe.

wĕwe s. *wĕ* 2.

wĕwen, wĕhen swv. schmerzen, wehtun mit dat.

wĕwic-heit stf. schmerz, leid.

wĕʒʒerer stm. wässerer, bewässerer.

wĕʒʒerîc, waʒʒerîc adj. wässerig, feucht.

wĕʒʒerlîn stn. dem. zu *waʒʒer.*

wĕʒʒern swv. wässern, bewässern; dazu **weʒʒerunge** stf.

wî s. *wir.*

wî interj. = *wê.*

wîære s. *wîwære.*

wîb s. *wîp.*

wibel stm. wiebel, kornwurm. **-æʒic** adj. vom kornkäfer zerressen. **-brôt** stn. brot aus wibelæʒigem getreide. **-val, -var** adj. fahl wie ein kornwurm.

wibelen swv. wimmeln.

wibeler stm. durch zu innigen umgang mit weibern weibisch gewordener mann.

wibelin, wibel stn. dem. zu *wîp.*

wiben swv. intr. weiblich sein, für ein weib sich ziemen. — intr. u. refl. sich als *wîp* betragen, zeigen. — tr. zum weibe, weibisch machen; mit einem weibe versehen, vermählen. — intr. u. refl. ein weib nehmen, sich beweiben.

wibin adj. weiblich; weibisch.

wibisch adj. weibisch.

wic, -ges stmn. kampf, krieg, schlacht; anfechtung. **-gar** adj. kampfgerüstet. **-gare** stf. kampfrüstung. **-genôʒ** stm. kampfgenosse. **-gerüste** stn. kriegsrüstung; kriegsmaschine. **-gesanc** stmn. kampf-, siegeslied. **-geselle** swm. = *wicgenôʒ.* **-geserwe** stn. kriegskleidung, kriegsrüstung. **-gewæfen** stn. bewaffnung zum kriege. **-gewant, -gewæte** stn. = *wicgeserwe.* **-geziuc** stmn. was zur rüstung und bewaffnung gehört. **-got** stm. kriegsgott. **-haft** adj. streithaft, im kriege zu brauchen, befestigt. **-herte** adj. = *strîtherte.* **-horn** stn. kriegs-, schlachthorn. **-hûs** stn. für den krieg festes gebäude, festungsturm, blockhaus u. dgl.; turm auf einem elefanten. **-hûsen** swv. mit verteidigungswerken versehen. **-klamme** stf. kampfschlucht. **-leich** stm., **-leise** swm. = *wicgesanc.* **-lîch** adj. kriegerisch. **-lîche** adv. kampfgerüstet, kriegerisch, tapfer. **-liet** stn. = *wicgesanc.* **-man** stm. kriegsmann. **-nôtle** adj. im kampfe bedrängt. **-ræʒe** adj. kampfwild, kampfgierig. **-schar** stf. kriegsschar. **-spæhe** adj. kampfkundig. **-stat** stf. kampfplatz. **-vaʒ** stn. streitsüchtiger. **-wer** stf. kriegs-, schlachtrüstung; verteidigungswerk.

wich, wich stm. das weichen, wanken, fliehen. **-haft** adj. weichend, flüchtig. **-lîch** adj. weichend, nachgebend.

wîch, -hes adj. heilig (*diu wîhe naht* Christnacht, pl. *gegen, ʒe* usw. *den wîhen nahten, nahten* kompos. *wîhenahten, -nehten, winnahten, vinahten, -nehten*). **-(wîh-)bischof** stm. weihbischof. **-(wîh-)boum** stm. cassia. **-brunne** swm. weihwasser. **-dorn** stm. = *wîchboum,* kreuzdorn. **-keʒʒel** stm. weihwasserkessel. **-tuom** stmn. weihe, weihung; zustand der heiligkeit. **-vaste** f. quatemberfaste. **-vleisch** stn. geweihtes fleisch. **-(wîh-)waʒʒer** stn. = *wîchbrunne.*

wîch stm. wohnsitz, stadt (in kompos.). **-(wîc-)bilde** stn. bild, kreuz zur bezeichnung der grenze des stadtgebietes; stadt-, ortsgebiet; gerichtsbarkeit über stadt und stadtgebiet; stadtrecht; nach stadtrecht besessene liegende güter; bischöfl. sprengel. **-grāve** swm. stadtrichter. **-vride** stm. stadtfriede, stadtschutz.

wîchen s. *wîhen.*

wîchen stv. I, 1 eine richtung nehmen (*nâch einem* folgen), seitwärts od. rückwärts gehen, ausweichen, sich zurückziehen, entweichen, fliehen; mit gen. ablassen von, mit dat. weichen, zurücktreten vor, aus dem wege gehn, platz machen; mit loc. acc. entweichen auf, durch.

wicke s. *wieche.*

wicke swstf. wicke; etwas wertloses. — stf.? schlimme künste, schlechtigkeiten.

wickelîn stn. dem. z. vorigen.

wickeln, wicken swv. wikkeln.

wicken swv. = *meiʒeln* (wunde).

wicken swv. tanzen, hüpfen.

wicken swv. zaubern, wahrsagen (nd.).

wicker stm. zauberer, wahrsager; gaukler.

wid, wide s. *wit.*

widach stn. weidicht.

widder s. *wider.*

wide swf. weide. **-gerte** f. weidenrute.

widelîn stn. dem. zu *wit.*

widelin stn. dem. weidenʒute.

widem-buoch stn. aufzeichnung des *widemen.* **-gĕlt** stn. abgabe des *widemers.* **-guot** stn. zu einem *widem* gehöriges, ihm zinsbares gut. **-hof** stm. zu einem *widem* gehöriger hof, pfarrhof. **-rĕht** stn. wittumsrecht.

wideme, widem, widen swstm. stf. was bei eingehung der ehe der bräutigam der braut (urspr. als kaufpreis ihrem vater) zu eigen gibt, brautgabe, wittum; dotierung einer kirche, eines klosters bes. mit grundstücken, die zur dotation einer pfarrkirche gestifteten grundstücke oder gebäude, bes. der pfarrhof.

widemen swv. als *widem* stiften, als *w.* zueignen, ausstatten, dotieren.

widemer stm. inhaber eines *widemen.*

widemunge stf. ausstattung, dotierung.

widen swv. mit *widen* binden; drehen *úʒ;* mit *widen* schlagen,

überh. schlagen, züchtigen, quälen, kasteien.

wider stm. (md. auch *widder*, *wëder* stmn.) widder. -**horn** stn. widderhorn.

wider (md. auch *widder*, *wëder*) 1. präp. mit dat. od. acc. wider, gegen (räuml. und zeitl., eig. und bildl., freundl. u. feindl.); gegenüber mit acc., gegenüber, trotz mit dat.; in vergleichung mit, im gegensatz zu mit dat.; tausch, abwechslung, verhältnis zwischen zweien, gegenseitigkeit ausdrückend, mit dat. acc. (*wider ein* gegen-, untereinander, *wider strît* um die wette); nach, gemäss, mit instrum.; mit adv. gen. gegen (*wider berges, wazzers*). — 2. adv. *wider, widere*: gegen, entgegen (*wider sin, werden* mit dat. widerwärtig, verhasst sein, verdriessen), zurück, (*w. unde vort* [*vür*] rückwärts u. vorwärts, hin u. her), wieder, wiederum bei demonstr. adv. (*dâ, dar, her, hin wider*) u. bei vbb. (trennbar und untrennbar, was nicht genau zu sondern ist; trennbar z. b. *wider-gëben* zurückgeben; *kêren* zurückkehren; *loufen* zurücklaufen; *sprëchen* entgegnen; *trëten* zurückkehren usw.). -**ahten** swv. zurückweisen, hintertreiben, zunichte machen. -**ahtunge** stf. hintertreibung. -**antwurt** stf. antwort, entgegnung. -**bâbest** stm. gegenpapst. -**bâgen** redv. scheltend widersprechen. -**bëllen** stv. entgegen *bëllen*, heftig widersprechen. -**bërn** stv. von neuem gebären. -**bërnkreiz** stm. circulus antarcticus. -**bic** stm. gegenstich, gegenschlag. -**biegen** stv. zurückbiegen. -**biete** stf. = *widerbot* fehde-, kriegsankündigung. -**bieten** stv. durch botschaft ansagen, gegenbefehl erteilen, widerrufen; durch botschaft aufkündigen; fehde oder krieg ankündigen. -**bil** stm. = *widerbillen* stn. -**bil** stm. streit, trotz; widerwärtigkeit. -**bilde** stn. ab-, ebenbild. -**bildec** adj. abbildlich. -**bilden** swv. tr. ein ebenbild von etw. darstellen. — refl. sich versetzen in, sich etw. vorstellen. -**bildunge** stf. schaffung eines ebenbildes; einbildungskraft. -**bille** adj. entgegenbellend, ergrimmt. -**billen** stn. das entgegenbellen. -**billen** swv. entgegenschlagen, abwehren mit dat. -**biz** stm. gegenbiss. -**bizen** stv. beissen (vom gewissen). -**blic** stm. gegenblick; reflex; blitz. -**blicken** swv. intr. zurückstrahlen, -scheinen. — tr. wieder anblicken. -**blœze** stf. widerschein, reflex. -**bot** stn. gegengebot, gegeneinsatz im spiel; gegenantrag, antwort; fehde-, kriegsankündigung. -**böuge** (md. -boige), -**böugunge** stf. widerstand. -**brëche** stf. = *widerbruht*. -**brëchen** stv. tr. von neuem brechen; refl. widerstreben. -**bredigen** swv. tr. predigen gegen. -**brëhen** stv. intr. u. refl. zurückstrahlen. -**brehten** swv. geschrei erheben gegen (dat.). -**bringen** an. v. wiederbringen; wieder einbringen, wieder herstellen, ersetzen, vergüten; zurückbringen, erlösen, -retten von (gen.). -**bringer** stm. zurückbringer, wiederhersteller. -**bringerinne** stf. erretterin, erlöserin (Maria). -**bringunge** stf. wiederherstellung; zurückbringung, errettung von (gen.). -**bruht** stf. widersetzlichkeit, trotz. -**bruht**, -**brühtic** adj. widersetzlich, ungehorsam. -**brust** stf. = *w.-bruht*. -**cardinâl** stm. kardinal des gegenpapstes. -**danc** stm. gegendank. -**dienen** swv. durch dienen wieder gutmachen, vergelten. -**dienest** stm. erwiderung des dienstes, gegendienst. -**diez** stm. = *widerdôz*. -**digen** stv. widerhallen. -**dige** swm. der aus der art geschlagen ist. -**dôn** stm. echo. -**dœnen** swv. widerhallen. -**dôz** stm. gegenschall, widerhall, echo. -**dranc** stm. zurückgewendetes gedränge. -**driez** stmn. verdruss, ärger, groll, beschwerde, was verdruss usw. erregt. -**driezen** stv. dasselbe. -**drô** stf. gegendrohung. -**dröuwen** swv. entgegendrohen. -**dröz** stm. = *widerdriez*. -**gâbe** stf. zurückgabe, rückvergütung. -**galm** stm. widerhall. -**gân**, -**gên** anv. intr. einen *widerganc* tun; wieder-, zurückkehren; entgegengehn, kommen, begegnen, mit dp.; widerfahren, zustossen, mit dp.; entgegentreten, entgegnen; zuwider sein, mit dat. -**ganc** stm. das entgegengehn, die begegnung; widerstand; wieder. um-, rückkehr; rücklauf, wechsel des wildes; objectum. -**gëben** stv. zurückgeben. — stn. das zurückgeben; gegengabe, lohn; das erbrechen, speien. -**gëber** stm. zurückgeber, wiedererstatter. -**gebot** stn. = *widerbot*. -**gëbunge** stf. = *widergâbe*. -**gëllen** stv. widerhallen. -**gëlt** stmn. gegeneinsatz (im spiele, kampfe), erwiderung, vergeltung, rückerstattung, zurückzahlung, entgelt, schadenersatz. -**gëlten** stv. zurückzahlen, vergelten; wieder einbringen. -**gemechte** stn. = *widerlege*. -**genge**, -**gengic** adj. rückgängig. -**gesiht** stn. das hingerichtetsein auf einen gegenstand, von dem ein einfluss ausgeht. -**gevüere** stn. vorteil, gewinn. -**gilt** stf. gegengabe. -**giht** stf. entgegnung. -**glanz**, -**glast** stm. widerschein, abglanz. -**glesten** swv. intr. entgegenglänzen mit dat.; tr. u. intr. zurückstrahlen. -**gliz** stm. = *widerglanz*. -**got** stm. Antichrist. -**graben** stv. ausgraben. -**grin** stm. das gegenbrummen, die gegenwehr. -**grullen** stn. md. das gegengrollen, die gegenwehr. -**güite** stf. gegenleistung. -**habe** stf. widerstreben, widerstand; rückhalt. -**haben** swv. abs. u. refl. widerstand leisten, sich widersetzen. — refl. sich festhalten mit. — tr. aufhalten. -**haft** stf. erwiderung; verzögerung; widerhaken. -**hâke** swm. widerhaken; widerstand. -**hal** stm. widerhail, echo. -**hallen** swv. = *widerhëllen*. -**halte** stf. widerstreben. -**halten** redv. abs. gegenstreben, -halten. — tr. erhalten, tragen; zurück-, verhalten. — refl. sich widersetzen. -**hap** stmn. widerstand. -**hære** adv. gegen das haar, gegen den strich. -**hart** stm. widerstand. -**hëben** swv. aufhalten. -**hëllen** stv. widerhallen. -**hëllic** adj. widersprechend, -spenstig. -**hende**, -**hent** adv. sogleich wieder, sofort, alsbald. -**herten** swv. widerstand leisten, ausdauern. -**hiuze** stf. rivalität. -**hiuzen** swv. gegeneifern, gegenstreben. -**hœre**, -**hœrec** adj. widerspenstig, ungehorsam. -**hœre** stf. strafe für widerspenstigkeit. -**houwen** redv. zurückschlagen. -**hurten** swv. zurückstossen, -treiben. -**inganc** stm. wiedereintritt. -**jagen** swv. zurückjagen. -**jëhen** stv. widersprechen, als falsch darstellen. -**jungen** swv. wieder jung werden. -**kallen** swv. widerreden. -**kapfen** swv. wieder hineinschauen. -**kempfe** swm. gegner. -**kempfen** swv. tr. kämpfe gegen, bekämpfen. -**kêr** stm., -**kêre**, -**kêr** stf. das zurückgehn, um-, rückkehr, heimkehr; das hin- und zurückgehn; das aufhören, sinnesänderung; rückerstattung, ersatz, entschädigung; das kehren ins gegenteil, umwandelung. -**kêren** swv. tr. zurückwenden -führen, -treiben; zurückgeben, erstatten, vergüten; ins gegenteil verwandeln. — intr. mit gen. von etwas abkommen, abstehn von. — umkehren. -**kêrer** stm. tropicus. -**kêrunge**

stf. = *widerkêre*. -kicken s.
widerquicken. -kip stm. widerstreit, gegenrede. -klaffen swv.
intr. klaffen, streiten *gegen*. —
tr. klaffen gegen, bestreiten.
-klaft stm. widerspruch. -klage
stf. gegenklage. -klanc stm.
echo. -knote swm. md. feindl.
verbindung, empörung. -komen
stv. wieder zu sich, zu kräften
kommen, sich erholen, in sich
gehn, sich bessern; mit gs. zurückkommen, aufgeben, einbringen, bessern; mit dat. begegnen, widerfahren, entgegentreten, entsprechen. -komen
st n. wiederkunft; ersatz. -kôsen
stn. gegenrede, anrede. -kouf
stm. wieder-, rückkauf u. rück-
kaufsrecht (um dieselbe summe), wiedereinlösung eines pfandes; rückzahlung; wiedervergeltung, entschädigung. -kou-
fen swv. zurückkaufen, einlösen. -kôufic, -köuflich adj.
rückkaufbar, einlösbar. -kraft
stf. gegenkraft, feindl. kraft.
-kriec stm. gegenkampf, widerstreit, -spruch. -kriegen swv.
intr. u. tr. widerstreiten. -krie-
gende part. adj. oppositus
(astr.). -krist stm. Antichrist.
-künden, -kündigen swv. re-
nuntiare; *briefe w.* für nichtig
erklären. -kunft stf. rückkehr.
-kür stf. wiederwahl. -ladunge
stf. zurückladung, -rufung.
-lâge stf. widersetzlichkeit. -last
stn. gegengewicht. -lâȝen redv.
entgegengehn lassen (blick).
-lëben swv. intr. das gegenteil
tun von leben, das wesen des
lebens nicht erfassen; tr. wieder
erleben. -lege stf. gegengabe,
äquivalent, bes. das einer frau
zugesicherte äquivalent ihres
mitgebrachten, die widerlage.
-legen swv. eine *widerlege* wofür
geben oder zusichern, etw. erstatten, ersetzen, vergüten, wieder gutmachen, vergelten,
spez. einer frau als widerlage
geben oder zusichern; *die rede
w.* darauf antworten. — abs.
widerstand leisten, sich widersetzen. — tr. umbiegen, um-
legen. -legunge stf. = *wider-
lëge*. -lêren swv. als gegenteil des gelehrten lehren, zeigen.
-liebe stf. gegenliebe. -litzen
swv. tr. streben gegen. -lôike
f. gegenlogik, gegenschlauheit.
-lôn stmn. gegenlohn, vergeltung. -lônen swv. vergelten.
-lœsunge stf. wiederkauf, wiedereinlösung. -louf stm. gegen-,
wieder-, rücklauf (weidm. wie
widerganc); rückkehr; rekurs,
appellation; widerstand. -lou-
fen redv. intr. mit dat. entgegen-
laufen, -gehn, begegnen. — tr.
rückgängig machen, *wider-

rufen. -lût stm. widerhall.
-lûten swv. widerhallen. -ma-
chen swv. von neuem machen,
wiederherstellen. -machet part.
adj. widernatürlich. -mære
adj. = *unmære*. -mære stn.
wiedererzählung. -meinunge
stf. der rückgedanke, gedanken-
reflex. -mëȝȝen stv. messend
vergleichen; gleich messend
zurückgeben, vergelten. -miete
stf. gegenlohn, vergeltung.
-minne stswf. gegenliebe.
-müete, -muote stfn., -muot
stm. widerwärtigkeit, missgeschick, ungemach, trübsal,
schwermut; unmut, zorn; widersetzlichkeit, ungehorsam.
-müete adj. widerwärtig. -müe-
tic adj. trübselig, schwermütig.
-mugen an. v. m. dp. wider
jemd. etw. vermögen; m. as.
oder ds. entgegenwirken.
-muot stm. feindseligkeit; scha-
bernack; = -müete. -muo-
ten stn. widersetzlichkeit. -mur-
mel stm. das entgegenmurren.
-natiurlich adj. wider-, unnatürlich. -niete stf. gegenstreben, gegenkampf. -nis stn.
widrige umstände. -niuwen
swv. erneuern. -nüllen swv.
entgegenwühlen, durch eine
gegenmine vereiteln. -orde-
nunge stf. unordnung. -parte
-part stswf. stswm. gegenpartei, -teil, gegensatz, gegner-
schaft, feindschaft, feindseligkeit, zwiespalt, persönl. gegner,
feind; widerwärtigkeit. -partie
adj. gegnerisch. -partie stf.
gegenpartei. -paulen swv. tr.
im gegensatze von Paulus sich
zu etw. stellen (vgl. *saulen*).
-phant stn. gegenpfand, entgelt. -phlëgen stv. das gegenteil tun von *phlëgen*, entgegenwirken. -phliht stf. gegens. zu
mitephliht. -pîn stm. feindseligkeit. -punct stm. nadir.
-quicken, -quïcken swv. wieder
beleben. -râche stf. gegenrache.
-rangen swv. intr. sich widersetzen, sträuben. -rât stm.
abratung. -râten redv. tr. wovon
abraten. -rëchen stv. revindi-
care. -rëchenen, -rëchen swv.
= *widerreiten.* -rede stf. gegenrede als antwort od. widerspruch, rechtl. antwort, replik
des beklagten. -reden swv. abs.
einspruch oder einwand erheben, widersprechen. — tr. wogegen sprechen, sich ablehnend,
verneinend, weigernd verhalten.
-reise stf. rückfahrt, rückkehr,
-zug. -reiten swv. gegenrech-
nen, gegenseitig abrechnen.
rechnung, rechenschaft ablegen
von. -rigen swv. gegen an-
kämpfen, widerstreben. -rihten
swv. wieder gutmachen (den

schaden). -ringen stv. intr.
gegenkämpfen. -rise stf. md. =
w.-reise. -rîten stv. intr. zurückreiten; entgegenreiten, ent-
gegeneilen, reitend begegnen,
mit dat. — refl. gegeneinander
reiten. — tr. reitend wiederherstellen, aufhalten, hindern. -ruc
stm. rückkehr. -ruof, -ruoft
stm. das gegenrufen; widerspruch, weigerung. -ruofen,
-rüefen redswv. ab-, zurückrufen; widerrufen, zurückkneb-
men; absetzen, entthronen;
widerlegen. -ruowe stf. gegen-
ruhe, ruhe nach der arbeit.
-ruowen swv. ausruhen. -sache
swm. gegner in einem rechts-
handel, der angeklagte; überh.
gegner, widersacher, feind. -sa-
che stf. gegenteil; gegenmei-
nung, widerspruch; feindschaft.
-sachen swv. widerstreben mit
dat.; rückgängig machen. -sa-
cher, -secher ȿtm. = *widersache*
swm. -sag-brief stm. fehdebrief.
-sage swv. widersprecher, gegner. -sage stf. gegenrede, antwort; widerspruch, weigerung,
fehde-, kriegsankündigung. -sa-
gen swv. das gegenteil von etw.
sagen, widersprechen, -rufen,
verneinen; aufkündigen, absprechen, abschlagen, versagen
mit dat. u. acc.; untersagen,
verbieten mit dat. u. inf.;
mit dat. entsagen, sich lossagen
von, intr. u. refl.; frieden u.
freundschaft auf-, fehde u.
krieg ankündigen, feind werden.
-sagen stn. widerspruch; fehde-,
kriegsankündigung, feindschaft.
-sager stm. = *widersage* swm.
-sagunge stf. widerspruch; entsagung; kriegsankündigung.
-sanc stmn. ein dreistrophiger
gesang. -satzunge stf. gegensatz; widerstreben, widersetzlichkeit. -saz stm. gegensatz,
gegenteil; astr. oppositio; widerwärtigkeit; entgegnung, erwiderung; widerstand, -streben,
hindernis, widersetzlichkeit,
feindseligkeit, falschheit; gegenpartei, persönl. gegner,
feind; das bangesein, entsetzen.
-saz stm. widerstand. -sâȝe
stf. dasselbe. -sâȝe swm. gegner. -sæȝe, -sæȝic adj. widersetzlich. -sâȝen swv. wieder ersetzen. -schâch stm. âne,
sunder w. ohne feindliche absicht; ohne widerstand zu
finden. -schaffen stswv. wieder-
bilden, -erschaffen, -bringen;
d. gegenteil von etw. tun, entgegenwirken, rückgängig machen. -schal stm. widerhall.
-schëllen stv. widerhallen; ent-
gegenlauten. -schëlten stv. da-
gegenschelten. -schërnen swv.
dagegen scherzen, spotten.

-schickunge stf. missgeschick, unfall. -schilt stm. gegenschild, schutz. -schim, -schin stm. widerschein. -schinen stv. entgegenglänzen, -leuchten. -schouwen swv. zurückschauen; stn. reflex. -schriben stv. schriftlich aufkündigen, ablehnen. -sehric stm. abschreckung. -schrift stf. abschrift, niederschrift, schriftl. antwort, replik. *der minnen w.* die göttliche offenbarung. -schünden stn. anreizung zur widersetzlichkeit. -sëhen stv. zurücksehen; stn. reflex. -setzen swv. refl. widerstand leisten, sich widersetzen. -setzie adj. = *widersœzie.* -siech adj. rezidiv. -sin stm. entgegengesetzter sinn. -sinden, -sinnen stv. um-, zurückkehren. -sinnes adv. entgegengesetzt, verkehrt. -sitzen stv. intr. widerstand leisten mit dat.; bange werden, sich fürchten mit refl. dat. — tr. bange werden, zurückschrecken vor, fürchten. -slac stm. wiederholter schlag; das widerstehn; rückschlag, gegenteil, abwehr (beim fechten); widerschein, reflex. -slahen stv. tr. zurückschlagen, -weisen, spez. von schall u. licht (*diu horn w.* den schall der hörner erwidern, *daz gesiune w.* blenden). — intr. u. refl. wiederhallen; zurückstrahlen, reflektieren. -snaben swv. tr. auftreten gegen, widersprechen. -snellen swv. widerstreben. -sniden stv. nach einem muster schneiden (kleid); refl. sich als ebenbild von etw. darstellen. -sorge stf. gegensorge, gegenbedenken. -spaht stf. widerrede. -span stm. harter *span* im holze, der bei der bearbeitung dem beile widerstand leistet; das widerstreben, die widerspenstigkeit, streit, zank; ringelung der locken (s. *span*). -span, -spæne, -spænic, -spænisch adj. der bearbeitung widerstrebend (holz); widerspenstig. -spannen swv. = *widerspenen.* -spannie adj. = *widerspenic.* -spël stn. wiedererzählung. -spene, -spenic, -spennie adj. widerspenstig; widerwärtig. -spenen swv. widerspenstig sein, widerstreben mit dat. -spenicheit, -spennieheit stf. widerspenstigkeit. -spenigen swv. = *widerspenen.* -spenstie adj. widerspenstig. -sperre stf. das widerstreben. -sperre, -sperrec adj. widerstrebend. -spenstig. -sperren swv. refl. widerstreben, sträuben. -spien stv. tr. speiend abwehren *von.* -spiener stm. widerspenstiger. -spil stn. gegenteil. *w. sagen* im spiel den

kampf aufnehmen. -spiln swv. intr. zurückstrahlen. -spor stf. gegenspur, falsche fährte. -spot stm. gegenspott. -sprâche, -spræche stf. gegenrede, einwand, ein-, widerspruch. -sprëchen stv. intr. widersprechen (mit dp., gs.). — tr. das gegenteil wovon aussagen, in abrede stellen, verneinen, leugnen; ausschlagen, verschmähen, ablehnen; sich lossagen von, verleugnen. -sprieʒ stm. widerspenstiger. -sprieʒe stf., -sprieʒen stn. widerstand, widerspenstigkeit. -spruch stm. widerspruch; widerruf. -sprüchec adj. widersprechend. -staben swv. in hinsicht auf fragliches oder kontroverses (ahd. *widarstab*) den wortlaut ändern. -stal stm. entstellung. -stalt stf. gegengestalt, unähnlichkeit. — part. adj. widerwärtig. -stân, -stên anv. intr. widerstehn, entgegentreten, widerstand leisten, sich widersetzen, mit dat.; widerlich sein, mit dat. — tr. entgegentreten, verhindern; -standunge stf. widerstand; auferstehung. -stant, -stat stm. widerstand. -stat stm., -state stf. ersatz, entschädigung. -staten swv. wieder erstatten, ersetzen. -statunge stf. = *widerstate.* -stëchen stv. entgegen-, zurückstechen; mit spitzer rede antworten u. dadurch verletzen. -stelle, -stellc adj. widerstrebend. -stellen swv. refl. widersetzen. -stende stf. = *widerstant.* -stendic adj. widerstand leistend; widerlich. -stentnisse, -stënisse stfn. = *widerstant.* -stëunge stf. auferstehung. -stich stm. gegenstich. -stillen swv. gegenseitig zum stehen bringen. -stöʒ stm. gegenstoss, gegendruck, feindl. entgegentreten, widerstand, trotz; widerwillen, abneigung. *w. haben* wieder gut gemacht werden. -stôʒen redv. tr. wogegen stossen; zurückstossen, -treiben. — intr. mit dat. aufstossen, anrühren, begegnen, zurückweisen. -strâʒe stf. gegenstrasse. -strëbe stf. widerstreben, -stand. -strëbe adj. widerstrebend, unähnlich. -strëbe swm. aufständischer; gegner. -strëben swv. widerstreben, widerstehen; entgegen sein ge- gen (acc. u. dat.). -strëbic adj. widerstrebend, -setzlich. -strit stm. gegenkampf; widerstreben, -stand, widerstreit mit worten; wettstreit (*in, ze widerstrite* um die wette); rechtl. wechselseitige anfechtung eines rechtes; gegensatz. -strit stm., -strite swm. gegner, feind.

-strite swf. gegnerin. -striten stv. intr. u. tr. streiten gegen, sich widersetzen mit dp. — tr. mit gs. einem etw. weigern. -stritic adj. widerstrebend, -setzlich. -strûben swv. widersträuben. -sturm stm. gegenwehr. -sturz stm. umschlag, umsturz; gegenschlag; rückfall (in eine krankheit). -stürzen swv. um-, zurückstürzen. -stuz stm. widerstand. -süenerin stf. aussöhnerin. -swal stm. gegenschwall, gegen-, rückströmung. -swalm stm. wasserstrudel. -swanc stm. rückschwung, rückkehr, rückfall; gegenhieb. -sweif stm. rückschwung, -sprung. -swich stm. aufenthalt, zögerung. -tân part. adj. entgegengesetzt, feindselig. -tän, -tât, -tôt stm. widerton (kraut). -tât stf. gegentat, vergeltung; widerstand. -tâte swm. gegner. -teil stmn. gegenteil; misshelligkeit, zwiespalt, feindschaft; gegenpartei, gegner. -teilen swv. mit dat. u. acc. (durch urteil) absprechen. -tengen swv. abatumpfen. -tôt s. *widertân.* -tragen stv. tr. zurücktragen; refl. sich zurückbeziehen *ûf,* sich zurückbegeben. -traht stm. gegengedanken, bedenken; widerwillen, unzufriedenheit. -traz stm. wider-, gegentrotz. -trëten stv. entgegentreten mit dp. u. gs.; begegnen. -triben stv. tr. zurücktreiben, rückgängig machen, hintertreiben, abwehren, hindern; zurückgeben, vergelten; widerlegen. — refl. sich widersetzen, nicht gelingen. -trip stm. das zurücktreiben, verhindern. -trit stm. rücktritt, rückgang. -truz, -troz stm. = *widertraz.* -tuon an. v. ungeschehen, rückgängig, wieder gutmachen; aufheben, vernichten; zurückgeben, erstatten, vergelten. -turc stm. md. das zurücktaumeln, -fallen; der widerstand. -twengen stn. gegenzwang, widerstreben. -vâhen redv. entgegenhandeln, aufhalten. -val stm. rückfall, bes. rückfall eines lehngutes. -valt stm. zurückbiegung, ringelung des haares; das abhauen (des ohres). -valten redv. wiederholen, refl. sich zur wehr setzen. -vane swf. entgegengesetzte bewegung (der planeten). -varn stv. intr. mit dp. in den weg kommen, entgegentreten (freundlich od. feindlich), begegnen; ins gegenteil ausschlagen. — widerfahren, zuteil werden; abs. vor sich gehn, geschehen. -vart stf. rück-, umkehr, rückreise, -weg. — *die widervart* adv. acc. rück-

wärts; hingegen. -vêhe swm.
widersacher. -vêhtære stm.,
-vêhte swm. gegenkämpfer,
gegner. -vêhte stf. widerstreben. -vêhten stv. intr. mit dat.
kämpfen gegen, widerstreben,
-stehn. -vellic adj. rückfällig.
-vliʒen stv. contra niti. -vluotic
adj. entgegenströmend. -vluʒ
stm. das zurückfliessen. -vor-
derunge stf. zurückforderung.
-vreise stf. schreckliches unwetter. -vüegen swv. ungeziemend heissen, tadeln. -vüeren
swv. tr. entgegenführen, -tra-
gen, mit dp. -vuoc adj. unbequem. -wac stm. widerwärtigkeit. -wäc stm., -wâge stf.
gegenströmung. -wâge stf.,
-wæge stn. gegengewicht; ersatz, entgelt. -walte swm. widersacher. -walten redv. zuwider-
handeln. -wanc stm. bewegung
nach rückwärts, das umwenden,
zurückweichen, -treten (bes.
im kampfe), die rückkehr. -want
stf. umkehr; widerstand.
-wart s. widerwërt. -wart stf.
widerwärtigkeit. -warte, -wart
swstm. widersacher, gegner,
feind (böser feind, teufel).
-warte stswf. gegnerin, feindin;
gegensatz; widerwärtigkeit.
-warte stf. erwartung, dass zu-
rückerstattet wird. -wartecheit
stf. ungnade. -wartes adv.
= widerwërt. -wëc stm. rück-
weg, rückkehr. -wëgen stv. das
gegengewicht halten od. geben,
aufwiegen, intr. u. tr.(mit dat.);
wägend zurückgeben, erstatten,
vergelten. -wëgunge stf. erstattung, vergeltung. -wëhe
swm., -wëher stm. widersacher,
gegner. -wëhsel stm., -wëhsele
stf. gegen-, umtausch, ersatz,
vergeltung. -wende stf. das
umwenden, zurückweichen,
-treten, die rückkehr, das aufhören. -wende swm. wider-
sacher. -wenden swv. tr. zu-
rück-, abwenden, -wehren; md.
intr. = widerwinden. -wer stf.
gegenwehr, verteidigung, widerstand. -wër stf. wiedergewäh-
rung, vergeltung. -wërben stv.
zurückkehren, sich erneuern.
-wërc stn. widerstrebende feindselige tat. -wërfen stv. tr. rückgängig machen, zurückweisen,
umstossen, verwerfen, anfechten; umwenden (ross); refl. sich
umwenden, ins gegenteil verkehren. -wërfunge stf. das zu-
rückwerfen; myst. die objek-
tivierung. -wërn swv. widerstreben. -wërn swv. zurück-
gewähren, -erstatten. -wërt,
-wart adj. entgegengesetzt,
feindlich, zwieträchtig. -wërt,
-wart adv. entgegen, zurück,
wiederum; umgewendet, ver-

kehrt. -wertic, -wartic adj. ent-
gegenstrebend, -gesetzt, kon-
trär; widersetzlich, feindlich,
feindselig, zwieträchtig; unangenehm, widerwärtig, zuwider.
-werticheit stf. das entgegen-
gesetztsein, der gegensatz;
feindseligkeit; widerwärtigkeit,
unglück. -wertige swm., -werti-
ger stm. = widerwarte. -wette
stnf. gegeneinsatz, pfand; wettpreis. -wic stm. gegenkampf.
-wille swm. zwist, auflehnung,
widersetzlichkeit; unannehmlichkeit, ungemach. -winc stm.
= widerwanc. -winde stf. widerstreben, widerstand; widerwärtigkeit. -winden stv. intr.
sich umwenden, zurückkehren,
mit gen. wovon zurückkommen,
ablassen; ende od. ziel finden,
gehn bis, aufhören, ruhen, fest
sitzen, haften. — tr. zurücktreiben, überwinden. — refl.
mit gen. wogegen streben, sich
widersetzen. -winken swv.
winkend abwehren. -winne,
-wünne swm. widersacher,
gegner, feind. — adj. widerwärtig, zuwider. -wint stm.
das sich zurückwenden, aufhören; widerstreben, widerstand, widerspruch; widerwärtigkeit. -wint stm. gegenwind,
ungünstiger wind; zugwind,
zugluft. -wort stn. gegenrede
als antwort od. widerspruch.
-wünne s. widerwinne. -wurf
stm. = widerwërfunge; ob-
iectum. -zal stf. ndrh. widerspruch, widerrede. -zæme,
-zæm adj. unziemlich, -schick-
lich, tadelnswert; widerwärtig,
widerlich, widerwillen oder ekel
erregend, missfällig, unlieb ohne
od. mit dat.; gehass, feind, mit
dat. -zæme stf. missfälligkeit,
abscheu; ungehörigkeit. -zæ-
men swv. widerzæme machen.
-zæmic adj. = -zæme. -zæmic-
heit, zæmunge stf. = -zæme.
-zan adj. entgegenknurrend, widersetzlich. -zëme adj. = -zæme.
-zæme. -zëmen stv unziemlich,
unschicklich sein; widerstreben,
zuwider sein, missfallen, mit
dat.; refl. sich widerwärtig
machen. -zenner stm. heraus-
forderer, angreifer. -ziehen stv.
zurückziehen, -halten zum stillstand bringen. -zuc stm. das
zurückziehen; rückkehr, -zug.
-zügel stm. zügel zum hemmen.
widern, widern swv. tr. zuwider machen, verleiden; entgegen sein, sich widersetzen,
weigern, verweigern, mit acc.,
refl. mit gen.; rückgängig machen, aufheben, abwenden, hindern; zurückweisen, verachten,
verschmähen; erwidern, ver-

gelten, rächen; restituere; wiedergeben, wiedererzählen.
widerin adj. vom widder.
widerunge stf. das wider-
streben, sich bewegen oder
stemmen gegen, aufhalten, entgegenhandeln; s. v. a. ver-
vâhen ein entfremdetes gut als
eigentum in anspruch nehmen.
wid-hopfe s. witehopfe.
widin adj. von weidenholz.
wie s. wir.
wie adv. fragewort in dir.
und indir. frage: wie, auf welche weise, aus welchem grunde,
warum, in welchem grade; in
ausrufungen: wie, welch; vergleichend: sowie, als; indef. auf
irgendeine weise, irgendwie. —
konj. wie, gehäuft wie daʒ (mit
ind. oder konj.) vor indir. rede
= daʒ; wie immer; wiewohl,
obgleich; statt swie.
wie, wige, wihe, wiwe swm.
der weihe.
wieche swstm. f., md. wicke,
wieke, wike docht von garn gedreht, gedrehte charpie in eine
wunde, lunte; zopf.
wieg- s. wig-.
wie-liche, wielichheit stf.
qualitas.
wien s. wihen.
wien swv. wie ein wie schreien.
wienisch adj. wienerisch.
wier s. wir.
wier s. wiwære.
wierde s. wirde.
wiere stf. geläutertes, feinstes
gold (od. gold-, silberdraht?),
schmuck aus solchem.
wieren swv. gold läutern; in
gold fassen, mit eingelegtem
gold, mit goldgefassten edelsteinen schmücken, überh.
schmücken, zieren (od. gold und
silber zu draht verarbeiten und
daraus schmucksachen herstellen?).
wie-tân part. adj. = wie getân.
wierlin, wigerlin stn. kleiner
weiher.
wif, -ffes stm. schwung,
schnelle bewegung.
wife, wifel f. markzeichen von
grundstücken.
wifelen swv. tr. mit der nadel
stopfen od. sticken.
wifelin adj. w. tuoch =
wifelinc, -ges stm. grober zeug-
stoff, dessen zettel linnengarn,
der einschlag wolle ist.
wifen stv. I, 1 winden, schwingen.
wift stm. faden, zwirn fein-
ster art; honigwabe.
wigant stm. (md. auch sw.
wigande) krieger, held.
wige, wiege swstf. wiege.
wige s. wie.
wige-gëlt stn. = wâgegëlt.
wigelen swv. wanken.

wigelîn stn. kleine wiege.

wige-meister stm. = wâgemeister.

wigen, wiegen swv. wiegen, sich wiegend bewegen.

wigen stv. I, 1 streiten, kämpfen; an wigen kriegerisch angreifen.

wigen swv. verteidigen, bewahren.

wigen-man stm. das christkind in der wiege.

wiger stm. wâger.

wiger s. wiwœre.

wigerlîn s. wierlîn.

wih-bischof, -boum s. wichb-.

wihe s. wie.

wihe adv. zu wich. -, wihede stf. weihung, segnung, einsegnung, (priester)weihe; heiligkeit des gotteshauses. -kraft stf. weihende, heiligende kraft.

wihelen, wiheren, wihen swv. (alem. winhelen) wiehern.

wihen stv. I, 2 schwächen, erschöpfen, vernichten.

wihen, wien, wichen swv. weihen, kirchlich segnen, einsegnen. —refl. die (priester-)weihe empfangen.

wihe-, wihen-naht s. wich 2.

wihenen swv. = wihelen.

wiher s. wiwœre.

wiheren s. wihelen.

wiheren swv. md. hüpfen, springen.

wih-rouch, wirouch stm. n. weihrauch.

wihsel, wissel, wisel swstf. weichselkirsche.

wihseln s. wëhseln.

wihsen swv. mit wachs überziehen, bestreichen.

wiht stmn. daz w. geschöpf, wesen, ding, etwas, ein w. nichts (s. iht, niwiht, niht); der, daz w. lebendes wesen, wicht (von menschen, tieren, dämonen, kobolden, zwergen).

wiht stm. docht (vgl. wieche).

wihtec adj. was nach dem gewichte verkauft wird.

wihte-gelich adj. alle geschöpfe, tiere.

wihtelin, wihtel stn. wichtel, kobold, zwerg; puppe im puppenspiel.

wihte-schal stf. wagschale. -stein stm. gewichtstein, gewicht.

wihtinne stf. zu wiht, zwergin.

wih-wazzer s. wichwazzer.

wike s. wieche.

wil s. wîle.

wilch s. wëlc, welch.

wildære stm. = wilderœre.

wilde, wilt adj. unangebaut, nicht von menschen gepflegt u. veredelt, wild wachsend (pflanzen u. dgl.); unbewohnt, wüst; abgestorben, faul; ungezähmt, wild, in der wilde wohnend, dämonisch; irre, unstät,

untreu, unwahr, sittenlos; unbekannt, fremd, ungewohnt, fremdartig, entfremdet, wunderbar, seltsam, unheimlich; entfernt, abgewendet von, mit gen. — adv. auf wilde weise. — stf. wildnis; wildheit, heftigkeit, verkommenheit, wildes, irres wesen; wunderbares, unbegreifliches wesen. -, wilt-lich adj., -liche adv. = wilde.

wildec-heit stf. wildheit, wildes, ausgelassenes wesen. -lich adj., -liche adv. = wilde.

wilden swv. tr. entfremden, entfernen, mit dp. — intr. u. refl. wilde sein od. werden ohne od. mit dp.

wildenære stm. wildschütz, jäger; wildbrethändler.

wilderære stm. jäger.

wilderie stf. wildnis.

wildern svw. refl. fremd tun gegen, entfremden.

wile stf. landsitz (lat. villa).

wile, wil stm. schleier, bes. nonnenschleier, -haube (lat. velum).

wilc, wil stswf. weile, zeit, zeitpunkt, raum, stunde (in den wîlen damals, bî wîle jetzt, bî den wîlen um diese zeit, bî wîlen = be-, biwîlen, under wîlen, underwîlen, -wîlent inzwischen, von zeit zu zeit, zuweilen. eine wîle eine zeitlang, ein wîl ... ein wîl bald ... bald. alle w. allzeit, alle wîle w., die wîle adv. acc. die zeit hindurch, während dessen, als, konj. solange, während, indem, da, weil; ohne art. wîle längst, solange als); fatalist. zeit der geburt, des todes, schicksal.

wilech, wilich s. welch.

wilec-liche adj. zu jeder zeit, zu jeder stunde.

wilen swv. tr. verschleiern (mit dem nonnenschleier). — refl. den schleier nehmen (lat. velare).

wilen swv. weilen, sich aufhalten.

wilen, wilent dat. adv. vor zeiten, ehe-, vormals; längst; zuweilen; wilen ... wilen bald ... bald.

wiler stm. n. weiler, einzelnes gehöft, kleineres dorf (mlat. villare v. lat. villa).

wilge f. salix.

wil-gelich adj. zeitlich. -sælde stf. das von der wîle abhängige. durch die zeit der geburt bestimmte schicksal. -walte swf. = wil-sælde. -wertic adj. in der zeit veränderlich, unsicher und unbeständig.

wil-heit stf. das wollen, der wille. -kür s. willekür. -lich adj., -liche adv. willig, freiwillig.

wille swstm. der wille, das wollen, belieben, wünschen, verlangen, entschluss oder geneigtheit etw. zu tun, gesinnung (gemeiner w. das gegenseitige wollen, durch ... willen um ... willen, wegen. mit willen aus freien stücken, gern). -brief stm. schriftlicher konsens. -gunst stf. zuneigung. -klage stf. freiwilliger, verstellter schmerz. -kome, -kume, -kom, -kum adj. nach willen, nach wunsch gekommen, willkommen (ellipt.); meist partizipial umgebildet: wille-, wilkomen ohne od. mit dat. -kome swm., -komen stn., -kum stm. das willkommensein, bewillkommnung, freundl. begrüssung. -(wil-)kür stf., md. willekure, -kor freie willenswahl, freier wille, freiwillige entschliessung, neigung, zu-, übereinstimmung, gutdünken; rechtl. autonomisches statut. -kürde stf., md. wullekorde willkür. -kürer stm. arbiter. -küric, -kürlich adj. freiwillig. -kürn swv., md. willekurn, -korn tr. freiwillig wählen, belieben, beschliessen, durch freie zustimmung bestätigen, einwilligen in. -lôs adj. ohne willen. -riche adj. voll gutes willens, sehr willig. -tôre swm. der freiwillige tor.

wille, wülle swm. ekel zum erbrechen.

willec, willic adj. akt. willen habend, willig, gut-, bereit-, dienstwillig, geneigt, freundlich, eifrig, entschlossen; pass. gewollt, gewünscht, beabsichtigt, freiwillig übernommen, freiwillig. — adv. = -liche. -heit stf. guter wille, bereit-, freiwilligkeit. -lich adj. = willec. -liche adv. willig, gut-, bereit-, freiwillig, gern.

willen swv. tr. willec (akt.) machen. — refl. mit gen. willens sein, sich wozu entschliessen; part. gewillet, -wilt geneigt ze, nâch.

willen, wüllen swv. part. wüllende swv. part. unpers. mit dat. zum erbrechen ekeln.

willendes, willens adv. absichtlich, freiwillig.

willen-gëlt stn. taxe für den herrschaftl. konsens.

willent-haft, -lich, -liche adj. adv. freiwillig.

willen-varn stv. zu willen sein, willfahren mit dat.

willigen adv. gern.

willigen swv. tr. willec (akt.) machen; einen mit etw. w. od. refl. mit dat. einem worin zu willen sein, ihm etw. be-

willigen; *úf einen etw. w.* ihm
zur freien entscheidung übertragen. — intr. *vür einen w.* einwilligen vor ihm zu erscheinen.
wilt adj. s. *wilde.* wilt, -des
stn. wilde tiere, das wild. -ban
stm. wildhegung, wildpark;
jagdbezirk und ausschliess-
liches recht darin zu jagen.
-bat stn. natürliches, warmes
quellenbad, mineralbad, überhaupt badeanstalt mit warmen
bädern. -brât, -bræte stn.
wildfleisch, wildbret. -gehac
stn. wildgehege. -gevar adj.
wild, fremd aussehend. -ge-
ville stn. felle von wild.
-grâve swm. = *rûgrâve.* -huobe
f. jägerhufe. -huober stm.
inhaber einer *wilthuobe.* -huon
stn. huhn vom federwild.
-kalp stn. kalb vom hochwilde.
-lich s. *wildelich.* -netze stn.
jagdnetz. -schleʒer stm.,
-schütze swm. wildschütze,
-dieb. -swin stn. wildschwein.
-vanc stm. = *wiltban;* fremde
(gleichsam wie ein wild ein-
gefangene) person. -vlügel stm.
fremde, nicht bürgerrecht be-
sitzende person. -vuore stf. =
wiltban. -werc stn. wild; weidwerk; pelzwerk. -werker stm.
kürschner, pelzhändler. -wer-
kin adj. von pelzwerk.
wiltnisse stfn. wildnis.
wil-tüechelin stn. schleier-
tüchlein. -vrouwe swf. nonne.
wimelen swv. = *wimmen.*
wimer s. *wimmer 3.*
wimmât s. *windemât.*
wimel, wimmel stmn. ? wohl
= glanz.
wimmel-, windel-, winde-
bote swm. aufseher bei der
weinlese.
wimmen swv. sich regen,
wimmeln.
wimmen s. *windemen.*
wimmer s. *windemer.*
wimmer stn. gewinsel.
wimmer, wimer stm. knorriger auswuchs an einem baum-
stamme; warze, bläschen usw.
auf der haut.
wimmern swv. zusammenwachsen.
wimmerzen swv. wimmern.
wimmet, wimmôt s. *winde-*
mât.
wimpel, winpel stswf. m.
wimpel, stirnbinde, kópftuch;
banner, fähnlein; schiffswimpel.
wimpelin stm. dem. z. vorig.;
kleine zeugstreifen, charpie.
win s. *wine.*
win, -nnes stm. md. erlangung, gewinn.
win stm. wein (*gemachter w.*
mit künstlichen zutaten angemachter wein, *gesoten w.* eingekochter wein, der süss bleiben

soll, *gebranter w.* branntwein);
weinrebe, weintraube. -ast stm.
weinrebenast. -ban stm. wein-
schankgerechtsame u. abgabe
dafür. -ber, -bere stn. f. weintraube, -beere (frisch oder ge-
dörrt). -bërc stm. weinberg.
-ber-kërn m., -korn stn. weinbeerkern. -berlin stn. dem. zu
winber; halszäpfchen. -biunte
f. weingarten. -blat stn. wein-
blatt. -bluot stm. weinblüte.
-boum stm. weinstock. -büwer
stm. weinbauer. -ern, -erne
stmf. weinlese. -eʒʒich stn.
weinessig. -gart stm. weinrebe. -gartbërc stm., -garte,
-gart swstm. weingarten, -berg.
-gartener, -gertener, -garter
-gerter stm. winzer. -gart-liute
pl. zu -gart-man stm. winzer.
-gart-stiure stf. abgabe von
weingärten. -gëlt stn. wein-
gülte, weinzehent. -gemechte
stn. was dem weine (zur ver-
besserung od. verschlechterung)
beigemischt wird. -gërwe swf.
weinhefe. -gïr adj. weingierig.
-gïte swm. trunkenbold. -glocke
f. glocke, mit der abends das
zeichen zum schliessen der
weinhäuser gegeben wird; dies
zeichen selbst. -gülte f. =
wingëlt. -hefe, -hefen m. f.
weinhefe. -hof stm. weinhof,
weinschenke. -holz stm. weinrebe, rebholz. -hüeter stm.
weinberghüter. -hûs stn. wein-
haus, weinschenke. -kar stm.
weinpresse. -keller stm. wein-
keller. -këler stf. weinkelter.
-kërn m. weinbeerkern. -kieser,
-koster stm. amtlich bestellter
weinprüfer. -kouf stm. wein-
litkouf; abgabe (in wein) von
einem kauf; weinkauf, -preis.
-korn stn. = *winkërn.* -köufel
stm. = *winstëcher.* -krût stn.
weinkraut, ruta. -lëhen stn.
weinberglehn. -leite f. fort-
führung des weines, weinfuhre.
-lësât, -lëse stf., -lësen stn.
weinlese. -lëser stm. weinleser.
-liute pl. zu *winman.* -loup
stn. weinlaub. -lüeme adj.
weinberauscht. -man stm. weinbauer, winzer; weinhändler,
weinschenk; s. v. a. *winkieser.*
-mânôt stm. weinmonat, oktober. -market stm. weinmarkt.
-mâʒ stn. weinmass. -meister
stm. aufseher, verwalter der
weingüter. -mene stf. weinfuhre
als frondienst. -mërôt, -mërt
stm., -mërunge stf. = *mërâte.*
-mëʒ stn. = *winmâʒ.* -meʒʒer
stm. amtlich bestellter wein-
messer. -presse stf. weinpresse,
kelter. -rëbe, -rëb f. m. weinrebe. -rëbin adj. von weinreben. -riche adj. reich an

wein. -ruofer, -rüefer stm. ausrufer des zu verkaufenden
weines. -saf stn. eingekochter
traubensaft. -schanc stm. wein-
schank. -schenke swm. weinschenk. -schoʒ stn. wein-
schössling. -schrôter stm. der
weinfässer auf- und ablädt.
-slûch stm. weinschlauch.
-slunt stm. weinschlund, wein-
säufer. -smac stm. weingeruch.
-stam stm. weinstock. -stëcher,
-sticher stm. weinmakler. -stein
stm. weinstein. -stoc stm.
weinstock. -sûf stm., -süfe,
-suppe swf. = *mërâte.* -ta-
bërne f. weinschenke. -trëber
stf. weintreber. -trenker, -trin-
ker stm. weintrinker. -triubel
stm. weintraube. -trote swf.
weinkelter. -trübe, -trüb swstm.
f., -trübele swf. weintraube.
-ungëlt stn. weinakzise. -var
adj. weinfarb. -vaʒ stn. weinfass. -vrouwe swf. weinwirtin.
-vuore stf. weinfuhre. -wahs
stm. f. n. weingarten, weinberg. -wërc stm. md. weinbau.
-wringe m. md. weinkelter.
-wurm stm. biblo. -zapfer,
-zepfener stm. weinverzapfer,
weinschenk. -zëhende swm.
weinzehent. -zëlle f. wein-
keller. -zieher stm. arbeiter bei
einer weinniederlage, fasszieher.
-zins stm. weinzins.
winbrâ s. *wintbrâ.*
winc, -kes stm. der wink;
das wanken.
winde swf. winde, vorrichtung zum winden, kran; arm-
brustwinde; in nonnenklöstern
die wagerecht drehbare vorrichtung zum ein- und auslassen der dinge; eine vorrichtung am zelte; winde
(pflanze).
winde s. *winne.*
winde-bluome swmf. die
winde.
winde-bote s. *wimmelbote.*
windec, -ic adj. windig; blähend.
windêht adj. gewunden.
windel, wintel stswf. windel.
-bant stn. windel-, wickelband.
-snuor stf. = *windelbant.* -tuoch
stn. windel.
windel-bote s. *wimmelbote.*
windeln, winteln swv. in windeln einhüllen, -wickeln, gleiss.
einwickeln.
windellin stn. dem. zu *windel.*
windemât, wimmât, wimmôt,
wimmet stm., -neme swf.
weinlese (lat. *vindemiae*).
windemen, winmen, wimnen,
wimmen swv. weinlese halten
(lat. *vindemiare*).
windemer, wimmer stm.
weinleser.
windemunge stf. = *windemât.*

winde-muos stn. mahl bei der weinlese.

winden, winten stv. III, 1 tr. u. refl. winden, ringen, drehen; wickeln, um-, einwickeln; eine richtung geben, wenden *ze*. — intr. sich umwenden, reichen bis, das ende finden, aufhören; *ane w.* mit acc. sich wenden gegen, feindl. angreifen; gehören zu, angehören.

winden swv. intr. windig sein, wehen. — tr. worfeln.

winder stm. arbeiter an einem krane.

winder s. *winter*.

windin stf. weibl. windhund.

windine, *-ges* stm. beinbinde, strumpf.

windisch, windesch adj. windisch, wendisch, slavisch. — wetterwendisch.

wiadume-, winde-mânôt stm. monat der weinlese, oktober.

wine, win stm. freund, geliebter, gatte. —, **winege, winige** stf. geliebte, gattin. **-holt** adj. = *vriuntholt*. **-hulde, -huldunge** stf. = *vriunthulde*. **-lîch** adj. freundschaftlich. **-lîet** stn. freundschafts-, gesellschafts-, volkslied. **-schaft** stf. freundschaft, liebe, bündnis, gattenverhältnis.

winen swv. intr. nach wein schmecken.

winhelen s. *wihelen*.

winic adj. ganz rein (wein); voll wein, trunken.

winige s. *winege*.

winkel stm. winkel, ecke, ende; abseits gelegener, verborgener raum (*ze w.* beiseite, abseits); schwerverständliche stellen eines buchs. **-banc** stf. bank im winkel. **-diupe** stf. heimlicher diebstahl. **-ê** stf. heimliche ehe. **-haft** adj. winklig. **-halp** adv. in einem winkel, schief. **-isen** stn. eisernes winkelmass. **-lîch** adj. winkelig. **-mâz** stn., **-mâze** stf. winkelmass. **-mæzic** adj. dem winkelmass entsprechend. **-mêz** stn. = *winkelmâz*. **-prediger** stm. winkelprediger. **-rât** stm. heimliche ratsversammlung; heimlicher, falscher ratgeber. **-rûmer** stm. abtrittäumer. **-slange** swm. winkelschlange: heimlicher verleumder. **-stat** stf. platz im winkel. **-stein** stm. winkel-, eckstein. **-sûl** stf. ecksäule, -pfosten. **-tugent** stf. für winkel passende *tugent*. **-wîp** stn. kupplerin, hure. **-wirt** stm. hurenwirt. **-zan** stm. eckzahn.

winkelêht adj. winkelig.

winkellin, winkelin stn. dem. zu *winkel*.

winkel-sêhen stv. mit den augen zwinkern, die augen verdrehen. — *zu winc*.

winken swv. (st. praet. *wanc* nur Wigam. 1837) sich seitwärts bewegen, wanken, schwanken, nicken; durch eine bewegung (der augen, der hand) ein zeichen geben, winken mit dp.; herausfordern.

winkunge stf. das winken.

winlin stn. dem. zu *win*.

winmen s. *windemen*.

winnahten s. *wîch* adj.

winne swm. in *widerwinne*.

winne, entst. **winde, wint** swstf. schmerz.

winne-brôt = frz. gaaignepains.

winnec, winnic, windic adj. wütend, rasend, toll. **-lichen** adv. ohne besinnung.

winne-, wunne-mânôt stm. weide-, wonnemonat, mai.

winnen stv. III, 1 sich abarbeiten, wüten, toben, heulen, rasen, streiten.

winnende part. adj. = *winnec*.

winnunge stf. gewinn, errungenschaft.

winpel s. *wimpel*.

winseln, winsen swv. winseln.

winster adj. link. **-halben, -halp** adv. linkerhand, links.

winstere, winster swstf. die linke (näml. *hant*).

wint s. *winne* f.

wint, *-des* stm. wind (bildl. etwas nichtiges, das nicht in betracht kommt, ohne wirkung bleibt); *des viures, der viurheize, viuwerrôte w.* die von hieben aufsprühenden funken, *der steheline w.* schwerthiebe; blähung im leibe; freie luft; duft, geruch; windhund. **-bant** stn. hundeseil. **-bêrge** swf. schutz vor dem winde gewährender ort, mauerzinne. **-brä, -bräwe, winbrâ** stswf. wimper. **-bracke** swm. windhund. **-bruch** stn. windbruch, vom winde umgestürzte bäume. **-brüt** stf. windsbraut. **-burgelin** stn. kleine zinne. **-dürre** adj. vom winde ausgetrocknet. **-gestœze** stn. coll. zu *wintstôz*, sturmwint. **-geverte** stn. windrichtung. **-hûs** stn. windkammer eines orgelwerkes, orgel. **-lieht** stn. windlicht, wachsfackel. **-ræhe** adj. eine besondere art des steifseins der pferde. **-schaffen** part. adj. beschaffen, dass es sich wie der wind dreht, wetterwendisch; was sich an der freien luft krumm gezogen hat, verdreht. **-seil** stn. seil, womit das zelt vor dem winde sicher gespannt wird. **-siusen** swv. stürmisch werden. **-snël** adj. schnell wie der *wint*. **-spil** stn. windhund. **-stôz, -strûz** stm. windstoss.

-val stm. == *wintbruch*. **-vanc** stm. worin der *wint* sich fängt. **-velle** stn. = *wintval*. **-vlühtic** adj. vor dem wind fliehend, in bewegung. **-wæjen** swv. intr. = *winden* 2. **-warp** stm. windwirbel, sturmwind. **-wêhe** swm., md. *wintwach* = *wannenwêhe*. **-wer** = stf. *wintbêrge*. **-werfe** swf. = *wintval*. **-wêter** stn. sturmwetter. **-wurf** stm. = *wintval*, **-zohe, winzohe** swf. windhund.

wintel, winteln s. *wind-*.

wiuten s. *winden* 1.

winter stn. = got. *weina-triu* weinstock, pl. weinreben. **-butze** swm. vogelscheuche in den reben. **-hol** stn., **-trol** stf., **-trübe** f. wilder weinstock.

winter, winder stm. winter. **-ban** stf. winter-, schlittenbahn. **-bû** stm. wintersaat. **-kalt** adj. winterlich kalt. **-kleit** stn. winterkleid. **-kloup** stm. der winter als abpflücker, räuber der naturschönheiten. **-korn** stn. wintergetreide. **-lanc** adj. lang als 'im winter. **-leit** stn. leiden des winters. **-lîch** adj., **-liche** adv. winterlich. **-lôn** stn. lohn für arbeit im winter. **-mânôt** stm. wintermonat (schwankend zwischen oktober bis januar). **-reise** stf. reise im winter. **-rîfe** swm. winterlicher reif. **-saf** stn. wintersaft. **-sât** stf. wintersaat. **-schuoch** stm. winter-, filzschuch. **-sorge** f. sorge im winter. **-sunnewende** stf. solstitium hiemale. **-tac** stm. wintertag. **-trüebe** adj. winterlich trübe. **-vêlt** stn. mit wintersaat bestelltes feld. **-vruht** stf. winterkorn. **-vuore** stf. die fütterung der winter über. **-wêre** stn. winterarbeit. **-zeichen** stn. signum septentrionale. **-zêlge** swf. = *wintervêlt*. **-zît** stf. wintersazeit.

winteric, winterisch adj. winterig, des winters.

winterline, *-ges* stm. wilder weinstock.

wintern swv. intr. winter, zum w. werden; den winter über bleiben, überwintern. — tr. den winter über einstellen und füttern.

wint-halsen swv. den hals drehen, über die achsel schauen.

wintline, *-ges* stm. bohrer; die winde (pflanze).

wints-prüt stf. = *windes brût* wirbelwind. **-prütic** adj. wirbelwindig, wirbelnd.

winzen swv. = *winen*.

winzer stm. = *wînzürl*.

winzic adj. überaus klein, überaus klein.

winzohe s. *wint-zohe*.

wînzürl, wînzürle, -zürne stswm. winzer (lat. *vinitor*).

winzürler stm. dasselbe.

wip, -bes, **wib** stn. (pl. *wîp*, *wîp*), später auch *wiber*) weib: gegens. zu *man*, zu jungfrau; gemahlin; euphem., kebsweib; gegensatz zu *vrouwe*. **-haft** adj. effeminatus. **-heit** stf. das weibsein, weiblichkeit, rechte weibl. art u. gesinnung; frauentum im gegens. zum *magettuom*; das ganze weibl. geschlecht. **-here** stn. ein heer von frauen. **-hüeter** stm. der ein weib od. weiber hütet, weiberknecht. **-huore** stf. hurerei mit weibern. **-kunne** stn. weibl. geschlecht. **-lich** adj. von weibesart; einem weibe geziemend; des weibes, der weiber. **-liche** adv. in, von, nach weibes art; einem weibe geziemend. **-sælie** adj. durch frauen beglückt. **-schende** swm. der weiber in schande bringt. **-trugenære** stm. betrüger der weiber.

wipf stm. = *wif*.

wipfel stm., md. *wippel* wipfel: spitze eines baumes, eines gebäudes; rute aus schwankenden zweigen.

wipfeler stm. ein *gewipfelter* baum.

wipfelinc, -ges stm. baumwipfel.

wipfeln stn. dem. zu *wipfel*.

wipfeln swv. durch abhauen des wipfels kürzen.

wipfen swv. hüpfen, springen.

wip-luppen stn. wipfendes erheben.

wippe, **wüppe** stn. gewebe.

wippel s. *wipfel*.

wir pl. zu *ich* (nbff. *wêr*, *wier*, *mir*, *mêr*, md. verkürzt *wi*, *wi*, *wie*).

wirbe swf. wirbel, scheitel.

wirbel stm. wirbel, scheitel; am saiteninstrument; spiraltreppe; was sich kreisförmig dreht, bes. die kreisförmige bewegung von wasser u. luft. -(wirvel-)**loc** stn. haarlocke am scheitel. **-suht** stf. epilepsis, frenesis.

wirbic adj.wirblicht, schwindlicht.

wirde, **wierde** (md. *wêrde*) stf. wert, wertvolle beschaffenheit, ansehen, würde, ehre, ehrenbezeigung, verehrung (mit einem adj. oft nur zur umschreibung eines adv. dienend). **-bære** adj. *wirde* habend od. bringend. **-lich** adj. = *wirdeclich*. **-riche** adj. reich an *wirde*. **-sam** adj. würdig, geziemend.

wirdec, **wirdic** adj. *wêrt* habend, trefflich, angesehen, edel. -(wêrdec-)**heit** stf. was wert u. würdig ist, würdigkeit, hohes ansehen, herrlichkeit, amt u.

würde, ehre, auszeichnung. -(wêrdec-)**lich** adj., **-liche** adv. würdig, ehrenvoll, herrlich.

wirden swv. intr. *wirde* haben, würdig sein. — tr. mit *wirde* versehen, wert, lieb machen, schätzen, ehren, verherrlichen. — refl. sich auszeichnen.

wirdern swv. = *wêrdern*.

wirdige stf. würde, rang.

wirdigen swv. *wirdec* machen od. halten.

wiric adj. dauerhaft.

wirke, **würke** swmf. der, die wirkende (in komposs.). -(würke-)**lich** adj. tätig, wirksam, wirkend. -(würke-)**licheit** stf. tätigkeit, wirksamkeit, werktätigkeit.

wirkel stm. hervorbringer, schöpfer.

wirken, **würken**, **wurken** swv. an. (prät. *worhte*, part. *geworht*. *gewirket*, *-würket*, *gewürkt*) abs. tätig sein, handeln, arbeiten, wirken, verfahren. — tr. ins werk setzen, er-, bewirken, schaffen, machen, tun, verfertigen, spez. nähend, stickend, webend verfertigen; be-, verarbeiten.

wirker, **würker** stm. der etw. ins werk setzt, hervorbringt, schafft, arbeitet, bearbeitet, bewirkt. **wirkerinne**, **würkerinne** stf. die etw. wirkt od. bewirkt.

wirkin adj. von werg.

wirkunge, **würkunge** stf. das wirken, die wirksamkeit, ausübung.

wirme, **wirmen** stf. wärme.

wi-rouch s. *wîhrouch*. **-rouchen** swv. räuchern. **-rouch-vaz** stn. weihrauchgefäss.

wirre adj. verwirrt u. verwirrend, gestört u. störend. — stf. s. *wêrre*.

wirren swv. in verwirrung bringen. — refl. sich durcheinander schlingen.

wirs, **würs** (md. auch *wêrs*) adv. komp. zu *übele*, gegens. zu *baz*; übler, schlimmer, schlechter, niedriger, weniger. — mit nochmal. steigerung: komp. *wirser*. sup. adj. u. adv. *wirsest*, *wirst*, *würst*, *wêrst*.

wirsen, **wirsenen**, **wirsern** swv. übler machen, schädigen, verletzen; ärgern.

wirserunge stf. verschlechterung; ärgernis.

wirsic adj. schlimm, übel.

wirt stm. (md. auch *wêrt*) ehemann; männchen eines tierpaares; haus-, burgherr, bes. im gegens. zu *gast*; landesherr, gebieter, herr (*des himels w.* gott, Christus, *der helle w.* teufel); schutzherr; bewirter, gastfreund; begleiter der braut-

leute, hochzeitsgast; inhaber eines wirtshauses, gasthalter, -wirt; als schachfigur sechster *vende*. -g'ebe swm. ehemann. **-lich** adj., **-liche** adv. einem *wirte* angemessen. **-liute** pl. eheleute. **-schaft** stf. (md. auch *wêrtschaft*) tätigkeit des hausherrn, des wirtes, schenkwirtes; bewirtung u. was zur bewirtung gehört, gastmahl, gasterei, schmaus, überh. fest, festliche freude; einsetzung des hl. abendmahls und dies selbst. **-schaften**, **-scheften** swv. ein gastmahl, eine gasterei halten, schmausen. **-volc** stn. die dienstgeber im gegens. zum *dienestvolc*.

wirt stn. meereswirbel.

wirte swm., **wirtel** stm. wirtel, spindelrinft.

wirten swv. bewirten.

wirtinne, **-in**, **-in** stf. (md. auch *wêrtinne*) ehe-, hausfrau, herrin.

wirvel-loc s. *wirbelloc*.

wirz, **wirz** stn. (md. *wêrz*) würze, bes. bier-, metwürze, überh. süsser,aromatischer stoff.

wis adj. = *gewis*.

wis stf. s. *wise* 3.

wis, **wise** adj. verständig, erfahren (alt), klug, kundig, unterrichtet, gelehrt, weise, ohne od. mit gen. **-brief** stm. urteilsurkunde. weitere Komposita bei *wis-heit*.

wisage s. *wissage*.

wisant s. *wisent*.

wisære, **-er** stm. führer; anführer, oberhaupt; lehrer; beiständer; der zeigefinger.

wisât s. *wîsôt*.

wis-boum stm. wiesbaum.

wisch stm. n. (md. *wusch*) strohwisch.

wischen, **wüschen** swv. (prät. *wischte viste*, *wüschte wuschte*, *wüste wuste*) tr. refl. wischen, abwischen, reinigen, trocknen. — intr. leicht u. schnell sich bewegen, schlüpfen, entschlüpfen. **wisch-tuoch** stn. tuch zum abwischen, abtrocknen.

wise swstf. wiese. **-bluome** swmf. wiesenblume. **-gëlt** stn. abgabe von wiesen u. grundstücken. **-heie** swm. wiesen-, feldhüter. **-lamp** stn. weidelamm. **-mât**, **-mat**, **wismat** stn. f. wiese die gemäht wird. **-vlëcke** swm. stück wiese, freier platz einer wiese. **-wahs** stm. f. n. ertrag der wiese; die wiese als ertrag gebende. **-wazzer** stn. wiesenwasser, bes. als bild der unzuverlässigkeit.

wise adj. s. *wis*.

wise swm. führer, anführer, oberhaupt.

wise, **wis** stf. art u. weise, bes. in adv. ausdrücken (wobei

die verkürzte form *wîs* auch als stmn. gebraucht wird, z. b. *in zwei wîs, zwein wîs* zwiefach, einen, deheine *wîs* auf eine, auf keine art, keineswegs); besondere erscheinungsform; melodie, gesangsstück, lied; anweisung.

wîsec-lîche adv. = *wîslîche.*

wîsegen swv. = *wîsen.*

wîsel s. *wîsele.*

wîsel s. *wîhsel.*

wîsel stm. führer, anführer, oberhaupt; bienenkönigin, weisel. **-lôs** adj. ohne führer.

wîsele, wîsel swstf. wiesel.

wîselîn stn. dem. zu *wîse.*

wîse-, wîs-lôs adj. ohne führer, nicht geleitet od. gelenkt, irre gehend, hilflos, verlassen, verwaist (*w. eȥ here* die menschheit); ohne besondere erscheinungsform.

wîsen stv. I, 1 ausweichen, meiden (in *entwîsen*).

wîsen swv. intr. *wîs* werden, — tr. anweisen, belehren, unterrichten, wissen lassen (mit acc. u. gen., mit dopp. acc., mit acc. u. inf., mit nachs.); zeigen, anzeigen, kundtun, offenbaren; dartun, beweisen, mit gen. — tr. weisen, führen, lenken, leiten; warnen, abmahnen *von*; einweisen in, belehnen mit (gen.).

wîsen swv. sehen nach, sich annehmen, besuchen, auf-, heimsuchen (mit gen. od. acc.); suchen *nâch*; mit dat. bei festlicher besuchsgelegenheit ein geschenk (*wîsôt*) bringen.

wîsen-blez stm. = *wîsevlëcke.*

wîsent, wîsente, wîsant st. swm. wisent, bisonochse. -horn stn. horn des *w.* -hût stf. haut des *w.* -tier, wîsentier stn. = *wîsent.*

wîsen-vlez stm. wiesenboden, wiese.

wîserin stf. leiterin, lehrerin.

wîset s. *wîsôt.*

wîse-tief adj. gründlich weise.

wîs-heit stf. = *gewîsheit.*

wîs-heit stf. verständigkeit, erfahrung, wissen, gelehrsamkeit, weisheit, kunst; als titulatur gegenüber dem städt. rate. **-lîch** adj. = *wîs.* -lîche adv. auf verständige, kluge weise. -lôs s. *wîselôs.* **-man** stm. = *wîser man.* -rât stm. ratgeber, beiständer. -redic adj. disertus. **-tuom** stm. n. = *wîsheit*; rechtsweisung, urteil.

wîs-lîchen adv. sicherlich.

wîsmat s. *wîse-mât.*

wîsôt, wîsât, wîset, wîsôde, wîsœde stn. m. f. geschenk od. abgabe (bes. in naturalien) zu festzeiten an braut, kirche, herrn. -brôt stn. brot als *wîsôt*

(ähnlich *wîsôt-haber, -huon, -kërn*).

wispel stm. das zischeln, pfeifen. -wort stn. zauberwort des schlangenbeschwörers.

wispeler stm. der *wispelt*, durch *wispeln* lockt.

wispeln swv. zischeln, pfeifen.

wissage, wîsage swm. weis-, wahrsager, prophet (entstellt aus ahd. *wîzago, wîȥego*). — swf. wahrsagerin, prophetin. — stf. weissagung, prophezeiung.

wissagen, wîsagen swv. (ältere form *wîȥigen*) wahrsagen, prophezeien.

wissager stm. = *wissage* swm.

wissagerinne, wissaginne, -in stf. = *wissage* swf.

wissag-tuom stm. das weissagen.

wissagunge stf. = *wîssage* stf.

wissege-lich adj. weissagend.

wissel s. *wîhsel.*

wist stm. f. das wissen.

wist stf. aufenthalt, wohnung; lebensunterhalt, nahrung; fürsorge, pflege; welt, menschheit.

wîsunge stf. weisung; offenbarung, ausweis, inhalt; leitung führung; einweisung auf ein rechtl. zugesprochenes od. lehngut; beweisführung, rechtsweisung. — besuch, heimsuchung; s. v. a. *wîsôt.*

wit s. *wîte.*

wit, -de, wide, wid stf. flechtreis, strang aus gedrehten reisern (*bî der wide* bei strafe des henkens, bei todesstrafe); band als schmuck.

wit adj. weit, von grosser ausdehnung (gen. des masses); weithin wirksam u. bekannt. -gesaȥ part. adj. sich weit erstreckend. -hendic adj. von grossem umfang. -louf, -löuf, -löuftic adj. weitläufig, -schweifig. -mære, -mæric adj. weit bekannt, berühmt. -reiche f. bezirk, bereich. -schellic adj. weithin besprochen u. ruchbar. -spür adj. spuren weit hinterlassend. -sweife, -sweif, -sweific adj. umherschweifend (auch: mit den augen); weitschweifend, weitläufig. -sweife stf. das umherschweifen; die weite. -veltic adj. abschweifend. -vengec adj. weit fassend, viel aufnehmend mit gen. -weide, -weidec adj. weit hinaus weidend, weit schweifend, weitschweifig.

wit-busch stm. weidenbusch.

wîte, wît stm. n. holz, brennholz.

wîte, wît adj. weit, weithin; weither; weit umher. — stf. weite, breite, weiter raum oder umfang, weites offenes feld.

wite-, wit-, wid-hopfe swm. wiedehopf.

wite-manger stm. holzhändler.

witen swv. intr. u. refl. *wît* werden, sich erweitern. — tr. *wît* machen, erweitern; verbreiten; entfernen *von.* **witen** stf. = *wîte.*

witen, witene adv. räuml. = *wîte*; zeitl. lange.

witenân, witenen adv. weit, weithin.

witen-halben adv. weit umher.

witer stn. = *gewiter.*

witern, wittern md. s. *wideren* (repetere).

witeren, witern, wittern swv. mit subj. *eȥ* wetter sein oder werden. — abs. wetter machen. — tr. zum gewitter machen (*an einem bœse wort w.* ihn mit bösen worten bestürmen); *weidm. an w.* mit acc. als geruch in die nase bekommen.

witern swv. intr. u. refl. *witer* werden. — tr. *witer* machen, erweitern. — refl. sich entfernen *von.*

wite-, witte-wal (md. *wëdewal*) stm. f. goldamsel.

witewe, witiwe, witwe, witib stswf. witwe. **-lîch** adj., -lîche adv. einer witwe gemäss, nach art einer witwe.

witewelinc, witlinc, -ges stm. witwer.

witewen swv. viduare.

witewen-(witewe-)stuol stm. witwenstuhl, -stand. -tuom stmn. witwenstand.

witewer, witwer stm. witwer. -stuol stm. witwerstand.

wit-hou stm. holzschlag.

witlinc s. *witwelinc.*

wit-man stm. witwer.

wit-reite, -reitine stswf. ödung, die, urbar gemacht, dem lehnsherrn die *lantgarbe* trägt.

wittern s. *witeren.*

witte-wal s. *witewal.*

wit-trager stm. holzträger.

witunge stf. weite, umfang in der weite.

wit-vrouwe f. witwe.

witze stf. sw. wissen, verstand, besinnung, einsicht, klugheit, weisheit (mit *witzen* verständig, klug, *von den, ûȥ den witzen komen* den verstand, die besinnung verlieren), in verbind. mit einem adj. oft nur zur umschreibung des darin enthaltenen begriffs (*mit zühteclîchen witzer* = *zühteclîche*). **-bœre** part. adj. weisheitsvoll. **-haft** adj. verstand besitzend. **-(witz-)lîch, -lîche** adj. adv. = *witzec.* **-lôs** adj. unverständig, besinnungslos. **-rîche** adj. reich an *witze.*

witzec, witzic adj. kundig verständig, klug, weise. **-lîch, -lîche** adj. adv. dasselbe.

witzegen swv. = *witzen.

witzen swv. *witzec machen.

wiu instr. s. *wër.

wiwære, wiwer, wiher, wiger, wizære, wier stm. welher (lat. *vivarium). — dem. *wierlîn stn.

wiwe s. *wîe.

wî-wint stm. sturmwind.

wiz adj. weiss, glänzend (*wîzer phenninc, wîzez gelt mehr silber- als kupferhaltiges geld). -blâ adj. hellblau. -brôt stn. = *wîzez brôt. -dorn stm. weissdorn. -gehant adj. weisshändig. -gerwer stm. weissgerber. -hiutec adj. weisshäutig. -mâler stm. weissgerber. -niuwe adj. neu und deshalb noch weiss. -phennine stm. = *wîzer ph. -schin, -schinic adj. weiss-, hellfarbig, glänzend. -var adj. hellfarbig, weiss.

wizære stm. tadler, strafer, peiniger.

wize, wiz stn. das weisse (*daz wîze vür kêren die augen verdrehen, sterben; *daz wîze die blasse gesichtsfarbe als symbol der schuld). — stf. reinheit.

wize stf. n. strafe, bes. fegefeuer-, höllenstrafe, fegefeuer, hölle; peinliche strafe, tortur.

wizegære stm. strafer, peiniger; scharfrichter.

wizegen swv. strafen, peinigen.

wizegunge stf. strafe, pein.

wizen stv. I, 1 beachten, bemerken; mit dat. u. acc. (oder präp. *umbe) jemand einen vorwurf woraus od. weshalb machen, ihm es schuld geben, verweisen; mit ap. bestrafen.

wizen swv. intr. weiss sein od. werden, glänzen. — abs. u. tr. weiss machen, tünchen.

wizenære stm. = *wizegære.

wizene stf. strafe.

wizenen swv. = *wizegen.

wizigen s. *wissagen.

wîz-lich adj. *wizzelich.

wizlot adj. weisslicht.

wizôd, wizôt s. *wizzôt.

wizunge stf. = *wizegunge.

wizzec adj. wissend, verständig. -liche adv. wissentlich.

wizze-, wîz-lich adj. bewusst, bekannt.

wizzen anv. (präs. *ich weiz, pl. *wizzen; prät. *wisse we(ê)sse, *wiste we(ê)sse, woste, wuste; part. *gewist, -west, st. gewizzen) abs. u. tr. (auch mit inf., acc. mit inf., mit folgd. direkter rede, mit untergeord. s.) wissen, verstehn, kennen (imp. *wizze bei beteuerungen; *ich enweiz wâ, *war, wer, waz, wie kontr. in *neiwâ, neizwar, neizwer usw.; *wizzen lân mit dat. mitteilen, zu wissen tun, danc w. mit dat., ohne od. mit gs. danken, er-

kenntlich sein). — stf. das wissen, die einsicht; gewissenhaftigkeit, redlichkeit; gewissen. -(wizzent-)haft adj. bekannt, offenkundig. -haftic adj. kundig, erfahren. -(wizzent-)heit stf. einsicht, wissen, bewusstsein. -(wizzent-)lich adj., -liche adv. bewusst, bekannt, offenkundig. -lôs adj. ohne wissen. -(wizzent-)schaft stf. wissen, vorwissen, genehmigung. -tuom stm. weisheit.

wizzende stf. wissen, vorwissen, einsicht.

wizzôt, wîzôt, wizôd stm. n. gesetz; sakrament; das heil. abendmahl.

wô s. *wâ.

wôch, wôh interj. = *wach.

woche, wuche, wêche swf. viertel des mondlaufes, woche. -gelich adv. jede woche. -lich s. *wochenlich.

wochec-liches adv. wöchentlich.

wochenære, -er stm. der den wochendienst hat.

wochen-gëlt stn. wöchentliche abgabe, wochenzins. -gerihte stn. wöchentl. gericht. -gesuoch stn. wochenzins. -halter stm. = *wochenære. -koste f. wöchentl. ausgaben. -lanc adj. adv. eine woche lang dauernd. -(woche-)lich adj., -liche adv. wöchentlich. -market stm. wochenmarkt. -spise stf. speise für eine woche. -tac stm. wochentag. -wërc stn. vorgeschriebene wochenarbeit.

wôcher s. *wuocher.

wôchzen swv. *wôch rufen.

wôh s. *wôch.

wol, wole, wale, wal adv. gut, wohl, sehr, völlig, gewiss, leichtlich, fast (in ellipt. ausrufungen *wol dan! wol dar! wol her! usw.; glücklich preisend u. segnend mit dat. oder acc. *wol mir, wol dich); *swie, wie wol obwohl, obschon. -anst stf. wohlwollen. -bedâht part. adj. adv. verständig. -behagen stn. md. wohlgefallen, freude. -bendic adj. md. zahm. -bevellecheit stf. wohlbehagen, selbstgefälligkeit. -dân interj. wohlauf, vorwärts! — subst. *der wôldan kriegshaufe, der auszieht um anzugreifen od. beute zu machen; der zug eines solchen haufens, angriff, losbruch, gefecht. -erborn = *hôchgeborn. -ganc stm. wohlergehn, wohlbefinden. -gebære adj. von schönem aussehen. -geborn part. adj. = *hôchgeborn. -geline stm. guter Erfolg. -gelust stm. = *wollust. -gesit part. adj. gut gesittet. -gemeit adj. verstärktes *gemeit. -gemuot

= *wol gemuot. -gemuot stm. wohlgemut (pflanze). -gên stn. = *wolganc. -gerâten part. adj. wohlgeraten; wohlversorgt. -gesmac adj. wohlschmeckend, -riechend. -gespræche stf. wohlredenheit, beredsamkeit. -gestalt part. adj. = *wol gestalt (s. *stellen). -, -gestaltheit, -getæne stf. schöne gestalt, schönheit. -gevallenheit stf. gefälligkeit, freundlichkeit, anmut. -gevar adj. wohl, schön aussehend. -gewæge adj. vollwichtig. -heit stf. annehmlichkeit. -lichen swv. wohlgefallen. -lip stm. wohlleben. -lust stmf. wohlgefallen, freude, vergnügen, lust; wollust, wohlleben, genuss. -lüste stf. wollust, genuss. -lustec adj. *lust erweckend, reizend. -lustecheit' stf. seligkeit (des paradieses). -mügen stn. wohlbefinden. -reden stn. wohlredenheit. -smac stm. wohlgeschmack, -geruch. -smeckende part. adj. wohlschmeckend, -riechend. -tac stm. freude. -tât stf. gutes tun, gute tat, wohltat. -tætic adj. milde, rechtschaffen. -tæter stm. wohltäter. -tuon stn. = *woltât; das wohltun, die angenehme empfindung. -varn stn. wohlfahrt. -veil adj. s. *veile. -vîle stf. das feilsein, die wohlfeilheit. -vellen swv. *w. verkaufen. -vertic adj. verst. *vertic. -willic adj. wohlwollend. -willecheit stf. das wohlwollen. -zuht stf. gute anweisung, lehre.

wôl s. *wuol.

wolbe swm. = *walbe.

wöle f. wohlgefallen, wohlbefinden.

wole-maht stf. gesundheit.

wolf, -ves stm. wolf (alleg. für *merker); hautentzündung durch reibung, um sich fressendes geschwür; werkzeug zum erz-, steinbrechen; die türpfosten verbindende oberschwelle; fehlerhaft geschnittenes brett; fehler in einem bau. -angel stm. wolfseisen, wolfsfalle. -æzic adj. von wölfen angefressen. -biz stm. wolfsbeissen, wolfseinfall. -lich adj., -liche adv. = *wolfîn. -mânôt stm. november, dezember, januar. -milch stf. wolfsmilch (pflanze). -sëgen stm. wolfssegen, spruch um das vieh beim austreiben gegen den wolf zu segnen. -sëgense f. = *wolfangel. -strâl, -strël stm. wolfskamm (pflanze). -vræzec adj. bissig wie ein wolf. -zant, -zan stm. wolfszahn; unnatürlicher zahn.

wolfin, wulfin, wolfisch adj. wölfisch, wolfartig.

wolgen swv. unp. = walgen.
wolgern swv. unp. = walgern.
wolke swm. stswf. swn.,
wolk stm. = wolken.
wolkelin, wötkelin, wölkel,
wülkelin stn. kleine wolke.
wolken, wulken stnm. wolke,
gewölk. -blâ adj. himmelblau.
-brust stf. wolkenbruch. -brü-
stie adj. wolkenbrüchig. -duʒ
stm. wolkenschall, donner.
-güsse stf, wettermachende
hexe. -hël adj. wolkenfarb.
-lich adj. wolkenartig. -lôs
adj. ohne wolken. -riʒ stf.
wolkenbruch. -schöʒ stm. blitz.
-sûl stf. wolkensäule. -var adj.
wolkenfarb. -trüebe stf. trübe
wolken.
wolkenen swv. voll wolken
sein.
wolkern swv. mit seiner rede
wie in den wolken umherfahren.
wolkern, wulkern stf. trüber,
gebrochener harn.
wolkin adj. von wolken.
wolle swf. wolle. wolle-,
wollen-boge swm. boge des wol-
lenschlägers. wollener, woller
stm., wollen-, wolle-slaher, -sle-
her, -sleger stm. wollenschläger.
wollen-, wullen-wëber, wollen-
wërker, -würker stm. wollen-
weber.
wollen, wöllen s. wellen.
wolnus, wolnust stf. wohlleben, freude, vergnügen.
wolvelin, wölvelin stn. dem.
zu wolf; wolfskraut.
wonder s. wunder.
wone, won stf. aufenthalt,
wohnung; gewohnheit, ge-
brauch, sitte. wonegen swv.
wohnen. wonen swv. sich aufhalten, weilen, bleiben, hausen,
wohnen, sein (dem râte mit w.
beistimmen); gewohnt werden
od. sein, zu tun pflegen, mit
gen., an, infin. u. ze. woner
stm. wohner, bewohner. won-
gezimber stn. wohnung. -haft
adj. wohnung habend, wohnhaft, angesessen; bewohnbar.
-haftie adj. wohnhaft, angesessen. -heit stf. gewohnheit.
-hûs stn. wohnhaus. -lich adj.,
-liche adv. wohnlich, traulich,
vertraut. -licheit stf. gewohnheit. -stat stf. wohnstätte,
wohnsitz. wonunge stf. bleiben,
aufenthalt, wohnung; gegend,
himmelsstrich, klima; gewohnheit.
worbele stf. worum sich etw.
als um seine achse dreht.
worc, -ges stm. das erwürgen.
worfen swv. worfeln.
worgen s. würgen.
worgen swv. intr. erwürgt
werden, ersticken; mühsam u.
bis zum ersticken schlucken,
einen laut von sich geben wie

ein erstickender, bildl. sich abquälen; sich würgen, mühevoll
verschluckt werden.
worht, worhte s. wurht, würhte,
wirken. -lich adj. wirksam.
worst s. wurst.
wort stn. (bair. österr. alem.
auch wart) name; wort, pl. rede
(ein altsprochen w. sprichwort,
mit ganzen uorten vollständig,
ausführlich, mu kurzen worten
kurz, ze worte bringen begriff-
lich ausdrücken); rede von, ruf
(eines w. tuon an stelle jmds.
reden, eines w. sprechen für-
sprech sein für jmd., w. geben
m. dp. nachsagen, w. hân in
(üblem) rufe stehn, wort machen nachrede verursachen, in
wort, ze worte komen, wort gewinnen ins gerede, in übeln ruf
kommen, von dem worte komen
dem übeln rufe entgehn); ver-
teidigungsrede, verteidigung,
fürsprache, entschuldigung (einem sin w. sprechen seine klage
vorbringen; einen verteidigen);
ausrede, ausflucht, vorwand;
verabredung, bedingung (in
den, mit den od. bloss den worten, daʒ unter der bedingung
od. in der absicht, dass); zustimmung, erlaubnis; zauberwort, beschwörung, segen; zunge; text eines gedichtes, gedicht (wort unde wîse text und
melodie); silbe, verssilbe. worte-
arzât stm. der durch worte heilt.
wortec-liche adv. mit worten.
worte-lîn wortel, wörtelin wör-
tel stn dem. zu wort. -lôs adj.
unsagbar. worten swv. worte
machen, sprechen; zanken.
wort-herte adj. = -rœze. wor-
tigen swv. in worte fassen, aussprechen. wort-lâge stf. ver-
fängliche rede. -lich adj. wörtlich, durch worte ausgedrückt.
-rœʒe adj. in worten scharf
oder bitter. -spæhe adj. zierlich in worten, beredt. -strît
stm. wortwechsel. -wëhsellich
adj. mit wortwechsel verbunden. -wîse adj. verständig im
reden, redegewandt. -zeichen
stn. zeichen daʒ die stelle der
worte vertritt od. in worten gegeben wird; wahr-, kenn-
zeichen, merkmal, erkennungs-
wort, parole; beweis, beispiel.
worte s. würhte.
worz s. wurz.
wuche s. woche. wüchec adj.
wöchig.
wüchz stm. geschrei. wüch-
zen swv. schreien, brüllen (vgl.
wôchzen).
wüefen swv. einen wuof ausstossen, rufen, schreien, brüllen,
jammern, klagen, weinen.
wüegen swv. gedenken ma-
chen, in erinnerung bringen.

wüelen swv. wühlen. wüel-
schër swm. maulwurf.
wüer, wüere s. wuor. wüeren
swv. eine wuor machen. wüer-
siac stm. wasserdamm, wasser-
wehr.
wüeste, wuoste adj. wüst,
öde, einsam, verlassen, leer (mit
gen.); unschön, hässlich; akt.
verschwenderisch. wüeste, wuoste stf. öde gegend, wildnis,
leere; endlosigkeit; weiche,
gegend zwischen weiche u.
hüfte; pl. = kutel-, wampen-
vlëc. wüestec-heit stf. wüste;
unsauberkeit; unsittlichkeit.
wüestede stf. wüste. wüesten
swv. wüeste machen, verwüsten,
ausplündern ausrotten, vernichten, zerstören, vereiteln,
mit ap. entstellen verderben;
jemandes eigentum od. land
verwüsten, ihn ausplündern,
brandschatzen. — reil. das
eigene land verwüsten; sich
schädigen, verderben an.
wüestene, wüesten-heit stf. wüste. wüestenie stf. wüstenei.
wüestenunge stf. öde gegend,
wüste, ödung. wüest-gëlt stn.
abgabe von urbar gemachtem
lande. wüestunge stf. = wüestenunge; verwüstung, verderben, schaden.
wüetel-, wuote-göʒ stm. auf-
geregter, stürmischer, rasender
mensch, wüterich.
wüeteln swv. wimmeln.
wüeten swv. wüten, rasen
(mit ds. gegen), bes. von der
rasenden kampflust.
wüetendic adj. = wüetic.
wüeter stm. wüterich.
wüete-, wuote-rich, -rich,
wüetrich, wuotrichstm. tyrannus;
wüterich; scheltwort (ohne prä-
gnante bedeutung); schierling.
wüetic, wuotic adj. wütend,
toll, aufgeregt.
wuffun stm. possenreisser,
schalksnarr (it. buffône).
wulbe swm. = walbe.
wulgern = walgern.
wulk- s. wolk-.
wülle s. wille.
wullen- s. wollen-.
wullen, wüllen s. wellen, willen.
wül-lichen adv. auf ekeler-
regende weise.
wüllln, wullin adj. von wolle;
mit wollenem gewande (als
büsser) gekleidet.
wüllunge stf. nausea.
wülpe swf. wölfin. wülpinne
stf. dasselbe; weib von wölfi-
scher art (scheltwort).
wulst stm., wulste stf. wulst.
wülven swv. wie ein wolf sich
gebärden. wülvin adj. vom
wolfe; wolfartig, wölfisch. wül-
vinne, -in stf. wölfin. wülvi-
sehen adv. wölfisch.

wundât, -âte stswf. wunde,
verwundung. wunde swstf.
wunde. wunden swv. verwunden. wunden-swêr swm. wun-
denschmerz. wunder stm. der
verwundet.

wunder stn. (md. auch *wonder*) verwunderung, neugier (unpers. *mich ist, hât, nimt w.* oder
persönl. *ich hân, nime w.* mit
gen., präpp. od. nachs. ich
wundere mich, bin neugierig zu
erfahren); gegenstand der verwunderung: tat, ereignis, wesen, eigenschaft von ausserge-
wöhnlicher art, monstrum, wunder, neuigkeit; aussergewöhn-
lich grosse menge, unmasse,
unzahl (in komposs. erstaun-
ich, überaus, sehr; *wunderalt,
-arm, -breit, -enge, -quot, -kleine,
-küene* etc., vgl. *wundern* adj).
wunderære, -er stm. der wunder oder wunderbare taten tut,
wunderbar lebt; der sich wundert. wunderât s. *wunderôt.*
wunder-bære adj. wunderbar.
-haft, haftic adj. wunderbar;
sich wundernd. -heit stf. wun-
derbares unbegreifliches wesen.
-lich adj. obj. wunderbar, seltsam; subj. sich leicht verwun-
dernd, reizbar, launisch. -liche,
-lichen adv. wunderbarlich;
erstaunlich, überaus, sehr.
-licheit stf. was zum verwundern ist. -sache stf. wunderbare
sache, wunder. -sanc stmn.
wunderbarer gesang. -spil stn.
wunderbares spiel, wunder. -wêrc
stn. wunderbare tat, wunder.
-zeichen stn. wunderzeichen,
wunder. wunderlin stn. kleines
wunder. wundern swv. intr. u.
refl. in verwunderung geraten,
sich wundern, zu wissen gespannt sein (*über, von, in,* mit
nachs.), ebenso unpers.
mit acc. u. gen. (nom.) od.
nachs. — tr. bewundern. —
abs. u. tr. wunder wirken, auf
wunderbare weise tun oder
machen. wundern adj. wunderbar: als erster teil in komposs.
wie *wunder* zur verstärkung des
begriffes (erstaunlich, überaus,
sehr: *wundernalt, -arm, -küene,
-schœne*). wunderôt stf. verwunderung; md. *wunderôt* wundertat. wunderunge stf. verwunderung, bewunderung; wunderzeichen.

wundic adj. verwundet.

wune stswf. wuhne, in das eis
eines wassers gehauenes loch.

wünne, wunne stf. augen-
und seelenweide, freude, lust,
wonne, herrlichkeit, das schönste und beste. wünnec-
(wunne-)bære adj., -bérnde
part. adj. *wünne* hervorbringend oder besitzend.

wunne-garte swm. lustgarten.
-jâr stn. jubeljahr. -mânôt s.
winnemânôt. -miete stf. bezahlung für weide. wünnen, wun-
nen swv. intr. in wonne sein;
mit dp. lobpreisen. — unpers..
mit acc. freuen. — tr. erfreuen,
wonniglich behandeln; zur wonne machen, gestalten. wünne-
(wunne-)riche adj. reich an
wünne. -sælic adj. wonniglich.
-(wunne-)sam adj. =*wünneclich.*
wunne-same adv. wonniglich.
-samen swv. mit wonne erfüllen. -schaft stf. wonne. wünne-
(wunne-)spil stn. freudenspiel,
hohe freude. -(wunne-)var adj.
wonnig anzusehen. wunne-weide
stf. paradies.

wünnec adj. wonniglich. -heit
stf. wonne, freude. -(wunnec-)
lîch adj., -liche adv. mit wunne
verbunden, w. erregend, wonniglich. wunnec-liche stf. anmut, herrlichkeit.

wunsch stm. vermögen etw.
aussergewöhnliches zu schaffen,
personif. schöpfer und verleiher
aller vollkommenheit, alles segens und heiles; kraft dieses
vermögens ausgesprochenes begehren, wunsch; inbegriff des
schönsten, besten, vollkom-
mensten: ideal (*ze wunsche* vollkommen); mittel etw. aussergewöhnliches zu schaffen: zau-
berstab, wünschelrute; glückwunsch, segen. -amie swf. ein
ideal, muster einer geliebten.
-kint stn. ein ideal, muster
einer jungen dame. -lében stn.
das vollkommenste, glücklichste
leben. -lich adj., -liche adv.
was *ze wunsche* beschaffen ist.
-spil stn. ein muster von einem
spil, ein rechtes kampfspiel.
-wint stm. günstiger fahrwind.
wünschel-gerte f. = *wünschelris.*
-ris stn. wünschelrute. -ruote f.
dasselbe; penis. -stap stm. penis.
-wîp stn. wunschweib, schwan-
jungfrau. -zwî stn. wünschelrute. wünscheln stn. dem. zu
wunsch. wünschen, wunschen
swv. intr. einen *wunsch* tun, wünschen, verlangen (*nâch,* gen.). —
tr. auf wunderbare und voll-
kommene weise schaffen, *ze
wunsche* gestalten; verlangen,
wünschen ohne od. mit dp.;
adoptieren. wünscher stn. der
wünscht. wünschunge stf. optio,
adoptio.

wunt, -des adj. wund, verwundet. -arzt stm. wundarzt.
-isen stn. wundeisen, sonde.
-ségen stm. segensformel zur
heilung einer wunde. -suht stf.
wundfieber. -tranc stn. m. heiltrank für eine wunde.

wuoc prät. s. (*ge)wähenen,
wëgen.*

wuocher stmn. (md. *wûcher,
wôcher*) ertrag, frucht; leibesfrucht, kind, nachkommen-
schaft; zuchtvieh, zuchtstier;
gewinn, profit, bes. zinsprozent
von ausgeliehenem gelde (*w.
geben abe* zins von etw. zahlen);
übermässige und unerlaubte
zinsen, wucher. -ban stm. über
den wucher ausgesprochener
bann. -bære adj. fruchtbringend.
-boum stm. fruchtbaum. -guot
stn. durch wucher erworbenes
gut. -haft adj. frucht- od. ge-
winnbringend, habend, fruchtbar. -haftige stf. fruchtbarkeit.
-heit stf. frucht. -meister stm.
aufseher über das zuchtvieh.
-rint stn. zuchtstier. -schaz stm.
durch wucher erworbenes vermögen. -spil stn. wucher.
-stier stm. zuchtstier. -swin
stn. zuchtschwein. -vihe stn.
zuchtvieh. wuocherære stm.
wucherer. wuocherie stf. wucher. wuochern swv. intr.
frucht bringen; wachsen, gedeihen *an.* — tr. als frucht
hervorbringen, tragen; als bo-
denertrag bringen; gewinnen,
erwerben, retten. — intr. gewinn suchen, wucher treiben;
seinen besitz mehren. wuoche-
runge stf. das *wuochern.*

wuof stm. geschrei, bes. jammergeschrei, klage. -klam stm.,
-klamme stf. jammerschlucht,
-tal. -tal stn. jammertal. wuofen
stv. red. I, 3 schreien, jammern, klagen, wehen. wuoft
stm. = *wuof.* wuofzen stn. wehklage.

wuohs-haft adj. gut wachsend.

wuol stm. (md. *wûl, wôl*) niederlage, verderben; sitz, thron;
befehlerisches wesen.

wuol-lache f. = *sû-lache.*

wuor swore, wüer wüere
stmn. f. damm im wasser, wehr
zum abhalten od. ableiten des
wassers.

wuos prät. s. *wahsen.*

wuost adj. *wüest-.* wuost stm.
verwüstung; wust, schutt. wuo-
sten, wuostinne, wuostnüsse
stf. wüste.

wuot stf. heftige bewegung;
heftige gemütsaufregung, wut,
raserei; heftiges verlangen.
wuot- s. *wüet-.* -grimme adj.
wutgrimmig. -scherlinc stm.
wutschierling, wutscherling.
wuote-gôz s. *wüetelgôz.*
wüppe s. *wippe.*

wurf, -fes stm. wurf, bes. der
w. beim würfelspiele (in bildl.
anwendung auf den kampf);
bei der falkenbeize; fischerei
mit dem *wurfgarn*; bergm.
schürfung. -ackes stf., -barte
swf., -bihel, -bil stn. wurf-,
streitaxt. -garn stn. wurf-,

zugnetz. -hacke swf. = wurf-bîhel. -spër stn. wurfspeer. -stein stm. geschleuderter stein. -zabel stn. würfelspiel. triktrak. würfei stm. würfel; etwas würfelförmiges. -bein stn. würfel. -klouber stm. würfelspieler. -leger, lîher stm. würfelleiher, veranstalter eines würfelspiels. -spil stn. würfelspiel. -zinke swm. die fünf auf dem würfel. würfelære, -er stm. würfelspieler; veranstalter und aufseher eines würfe spiels; würfelmacher. würfelëht adj. würfelförmig. würfeln swv. würfeln. würgel, würger stm. würger, henker. würgen swv. (md. wurgen, worgen) tr. an der kehle zusammenpressen, würgen; ersticken, erwürgen; heftig reissen, zerren; zusammenpressend, mühevoll aussprechen. — refl. sich abquälen. wurht, worht stf. das wirkende, die ursache. würhte, worhte swm., md. worte täter, diener, gehilfe; verfertiger, arbeiter (in komposs.). würk- s. wirk-. wurm stm. wurm, insekt (auch fliegendes); natter, schlange, drache, bildl. teufel (von der schlange im paradiese); um sich fressendes geschwür, eine pferdekrankheit. -æçe, -æçic adj. wurmstichig. -beiz stm. schlangenbiss. -biçic adj. = wurmœçic; mit dem wurme (pferdekrankheit) behaftet. -garte swm. wo gehegte schlangen oder wilde tiere liegen, schlangengarten, bildl. die erde. -läge stf. = wurmgarte. -ouwe stf. schlangenaue. -stichic, -vræçic = -œçic. wurmec, würmic adj. wurmstichig, voll würmer. würmelin, würmel stn. dem. zu wurm. würmelin adj. = würmîn. wurmen swv. verminare. würmîn adj. vom wurme, des wurms. würminne stf. weibl. wurm, drache. wurpôç stm. md. wurzelstock eines baumes (nd. worbôte). würs s. wirs. wurst stf. (md. auch worst) wurst; obsc. für penis. wurz stf. (md. auch worz), wurze swstf. pflanze, kraut; wurzel. -(wurze-)garte swm. garten, in dem (wohlschmeckende und wohlriechende) kräuter gezogen werden. -wîhe stf. wurzweihe, das fest Mariä himmelfahrt. würz-kräm stm. würzkram, gewürzladen. würze würz, wurze wurz stf. kraut, wurzel; gewürzkraut, würze; aroma; was mit w. angemacht wird, gebräu; frucht, obst. wurze-lôs adj. wurzellos. -salbe swf. kräuter-

salbe. -smac stm. pflanzenduft. -stein stm. mörser. wurzel stswf. wurzel. übertr. geschlecht. -kraft stf. kraft der wurzel od. kraft wurzel zu fassen. -saft stnm. von der wurzel aufsteigender saft. -smac stm. geruch von wurzeln. -vëse swf. wurzelfaser. wurzelin, würzelin stn. dem zu wurz wurze. wurzeln, wurzelen swv. intr. wurzel fassen, wurzeln. — tr. wie durch wurzelfassen befestigen. wurzen, würzen swv. wurzel fassen, wurzeln, übertr. seinen ursprung nehmen. würzen, wurzen swv. mit würze bereiten, würzen; balsamieren. wurzerin, würzerin stf. gemüseverkäuferin. wusch s. wisch. wüschen s. wischen. wutsch stm. die ohreule.

Y

ym(m)is, ympnus m. hymnus, 7. und letzter Teil einer kanon. hore.

Z

zâ, zazâ interj. aufmunterungsruf beim kampfe; lockruf für hunde. zabel s. zobel. zabel stn. spielbrett und brettspiel (lat. tabula). -brët, -zâlbrët stn. spielbrett. -hûs stn. spielhaus. -rede stf. rede wie man sie beim brettspiele zu führen pflegt, scherzrede. -spil stn. brettspiel; bildl. vom minnespil. -stein stm. brettstein, schachfigur. -wort stn. = zabelrede. zabel stn. das zappeln. zabelære stm. brettspieler. zabelen, zabeln swv. auf dem brette spielen. zabelen, zabeln swv. mit den gliedern hin und her fahren, zappeln (auch zaplen, zappeln), ruhelos tätig sein; im zweifel sein, schwanken. zabelîn stn. dem. zu zabel 1. zâber s. zouber. zâch, zæch s. zæhe. zäch, zäh stswm. docht, zacke swf. zacke. [lunte. zadel, zâdel stm. gebrechen, abgang, mangel bes. an lebensmitteln, das hungerleiden. -wurm stm. hungerwurm, hunger. zadelen swv. refl. in zadel leben. zâfe, zaf stf., zâf stmf. anbau (v. äckern); pflege, schmuck. zâfel, zâvel stm. putz, schmuck. -rede stf. schmuckrede. zâfen, zâven swv. (md. auch zôfen, zoffen) intr. ziehen. — tr.

ziehen, erziehen; in zucht halten, züchtigen; hervorbringen; in aufnahme bringen, passend einrichten, pflegeh; zieren, schmücken. zaft stf. zug, anleitung, zierde, schmuck. zage adj. hasenmässig, mattherzig, zaghaft, verzagt, feige. — swm. verzagter, feiger mensch, überh. als schimpfwort: elender geselle, durchtriebener kerl, faulpelz und dgl. -bære adv. zaghaft, feige. -(zag-)haft, -haftic adj. = zage. -(zag-)heit stf. hasenherzigkeit, feigheit, verzagtheit. -(zege-)lich adj., -liche adv. hasenmässig, feige, verzagt, des feiglings. zagel stm., kontr. zail, zeil schwanz, schweif; wimpel (pl. die zegel der helmbusch; die beiden bänder an der bischofsmütze); männliches glied; stachel der biene usw.; der nachtrab des heeres der letzte einer schar, ende eines dinges. -bein stn. schwanzbein, schwanzstück. -holz stn. wipfelholz. -strumpf stm. schwanzstumpf. -vihe stn. vieh mit einem zagel, rinder und pferde. -weiben swv. mit dem z. wedeln. zagelëht adj. geschwänzt. zagen swv. zage sein. zagnisse stf. verzagtheit, feigheit. zäh s. zâî. zähe s. zâch. zæhe, zæh, zæch, zâch adj. zäh, was sich langsam ausdehnt, ziehen lässt, nicht leicht bricht, geschmeidig ist; was sich anhängt, schleimig oder klebrig ist. — stf. zähigkeit. zæhen swv. zæhe machen. zaher, zeher stm. (md. auch f. u. kontr. zâr, pl. zêre, zâre) zähre; tropfen, tropfende flüssigkeit überh.; bildl. von blitzstrahlen, feuersfunken. -güsse stf. zährenflut. -naç adj. tränenfeucht. -rêre stf. das herabfallen der zähren. zâî, zay, zâhi, zahî, zâh interj. heissa. zail s. zagel. zal, zale stf. zahl, bestimmte oder unbestimmte anzahl, menge (auch bei nicht zählbaren dingen: bluotes z.), schar; zählung, berechnung, aufzählung (ûç der zal nicht mitgezählt, ausgeschlossen, nâch rehter z. richtig berechnet, âne, sunder z. ohne zu zählen, ungezählt, unermesslich, diu mêrer, diu minner z. die zählung oder zeitrechnung nach jahrhunderten, innerhalb eines jahrhunderts); zahl der jahre, alter; bericht, erzählung, rede (z. sprechen,

tuon erzählen, *volle zale tuon* zu ende erzählen, *der zal buoch* chronik); sprache. -bære adj. vollzählig. -brēt stn. zahltisch. -buoch stn. zinsbuch.

zāl stf. nachstellung, gefahr. zalas stm. herberge (ung. *szállas*).

zāl-brēt s. *zabelbrēt*.

zale-haft adj. geschwätzig, prahlerisch; ermesslich, zählbar.

zaler stm. zahler; schuldner.

zaln, zalen swv. zählen, rechnen, berechnen, aufzählen; berichten, erzählen von.

zāl-sam adj. gefahrvoll.

zalunge stf. zahlung, bezahlung.

zam adj. zahm, gezähmt; willfährig, mit dat.; vertraut, wohlbekannt, mit dat.; geziemend, angemessen.- stn. zahmes tier. -lôs adj. ungezähmt, wild.

zām s. *zoum*.

zæme adj. = *gezœme*.

zamen s. *zesamene*.

zamen swv. intr. zam, vertraut werden (mit dat. od. *an*). — refl. sich bezähmen, enthalten *von*. — tr. = *zemen*.

zamunge stf. mansuetudo.

zan s. *zant*.

zan-biჳen stn. zähneknirschen

zander swm. glühende kohle?

zane-biben stn. zähneklappern.

zanegen, zangen swv. intr. = *zannen*.

zanen swv. intr. kauen *an*. — tr. part. *gezanet* = *gezan*.

zange stswf. zange; lichtputze.

zangen swv. ziehen, fassen, zerren.

zanger, zenger adj. beissend, scharf (von geschmack, geruch, stimme); bildl. frisch, munter, lebhaft, rührig. -heit stf. pertinacia.

zanke swin. zacken, spitze.

zankëht adj. zackicht.

zanken, zenken swv. zanken.

zanne stf. heulen, keifen.

zannen swv. knurren, heulen, weinen; den mund verziehen; sich spaltend voneinander stehn, klaffen.

zant, -des, zan stm. (pl. *zende zend zande, zene zane*) zahn. -(zan-)klaffen swv. mit den zähnen klappern; beim spotten und lachen die zähne zeigen. -klaffer stm. der mit den zähnen klappert. -(zan-)lôs adj. zahnlos. -siechtuom stm. zahnkrankheit. -smërze swm. zahnschmerz. -(zan-)swër swm. zahnschmerz; zahngeschwür. -(zan-)vleisch stn. zahnfleisch. -wê stm. zahnschmerz.

zapfe swm., md. *zappe* zapfen; bier-, weinzapfen, ausschank; schankgerechtsame; fruchttraube.

zapfen, zepfen swv. mit zapfen versehen; anzapfen, vom zapfen schenken.

zapfenære stm. weinzapfer.

zaplen, zappeln s. *zabelen*.

zar, -rres stm. der riss, das abgerissene.

zār s. *zaher*. -lich s. *zeher-l*.

zarge stswf. seiteneinfassung, seitenwand, zarge (um einen mühlstein, turm, um ein zelt; z. des helms, des tamburins; bildl. menschl. körper, als schelte für ein altes weib); mauer, wall, umwallung; bildl.: etwas niedriges; ein getreidemass.

zarren s. *zerren*.

zarren swv. intr. einfallen, einschrumpfen.

zart adj. lieb, geliebt, teuer, vertraut; lieblich, schön, fein, stattlich; zärtlich; zart, schwächlich, weich; weichlich. — stm. zärtlichkeit, liebkosung, liebevolle und wohlwollende behandlung oder gesinnung; schonung; das zarttun, die zier-rei; zierlichkeit, schönheit anmut; lust, vergnügen. wohlleben, weichlichkeit. — stm. f. lieber, liebling, geliebter, geliebte. zarte, zart adv. zärtlich, liebevoll, wohlwollend; weichlich. zar-. zertec-liebe adv. dasselbe.

zarten swv. freundlich sein, wohlwollen zeigen, liebkosen, schmeicheln ohne od. mit dp.; weichlich sein od. werden. — intr. mit dat. u. tr. sorgsam behandeln, pflegen. — tr. verweichlichen. — refl. mit dat. sich beliebt machen, einschmeicheln. zarten stn. liebkosung.

zart-heit stf. feinheit, schönheit; wohlleben, weichlichkeit. -(zert-)lich adj., -liche adv. zart, anmutig, lieblich, liebevoll, wohlwollend, zärtlich; weich, sanft, milde; weichlich. -lust stm. lieblichkeit, wollust. -(zert-)nisse stfn. dasselbe. -wunne stf. = *zartlust*.

zaspen swv. scharren; schleifend gehn.

zāv- s. *zâf-*.

zâwe, zawen s. *zouwe, zouwen*.

ze, zuo (md. *zu, zú, zô*) präp. mit dat. (instrum.), nur md. bisweilen mit acc.: räuml. bezeichnet es ein räumliches ziel der bewegung od. ein ziel unräumlicher u. unsinnlicher tätigkeit sowie den punkt des verweilens: zu, in, an, bei; hinzufügung: samt, nebst, ausser; vor adj. u. adv. hinzufügung zu dem rechten mass, übermass: mehr als genug (*niht ze gar* nicht), md. vor kompar. um so, desto. — zeitl. die zeitdauer (bis zum endpunkt), den zeitraum, -punkt bezeichnend. — abstraktere verhältnisse bezeichnend: zweck, erfolg oder begleitende wirkung der tätigkeit oder begleitende umstände, betreff, rücksicht, art und weise (*ze strîte* im wettstreit, *ze vlîze* sorgfältig), vor inf. (*ze gebenne*); zahl, grad, rangordnung bezeichnend vor zahlww. u. adverb. superlativen.

ze- präf. s. *zer-*.

zê s. *zêhe*.

zēc, -ckes stm. ein kinderspiel. -zec, -zic zahlw. zehn: zur bildung der komposs. (*zweinzec, ahtzec* usw.).

zêch-ambet stn. kasse und verwaltung einer *zeche*; seelenmesse für *zechliute*. zêchære stm. anordner, ordner. zêche stswf. verrichtung, die in einer bestimmten folge unter mehreren umgeht (wachtdienst usw.); ordnung nach einander, reihenfolge, reihe, stufe (*ze zeche, von zeche, zechen* der reihe nach, *eines zechen verstân, vertreten* jmd. vertreten); anordnung. veranstaltung, einrichtung; gesamtheit von personen desselben standes, vereinigung mehrerer zu gemeinsamen zwecken, auf gemeinschaftliche kosten (trink-, zechgesellschaft, zunft, verein, bruderschaft, kirchgemeinde, bergwerksgenossenschaft u. das ihr verliehene feld), ort ihrer zusammenkunft; geldbeitrag zu einer *zeche*, vermögen derselben, bes. geldbeitrag zu gemeinsamer zehrung, gelage oder gemeinsamer schmaus einer gesellschaft; wirtsrechnung für gelage und schmaus; bestimmter geldeinsatz bei einem spiele. zêchen swv. tr. fügen, verfügen, anordnen, schaffen, veranstalten, ins werk setzen, zustandebringen; befördern, schicken; sich fügen, verfügen intr. u. refl.; auf wirtshausrechnung trinken, zechen, intr. u. tr.; tränken *mit*. zêch-liute du. zu -man stm. vorstand, ausschussmitglied, genosse einer *zeche*. -meister stm. vorstand und verwalter einer *zeche*. -ürte f. ein gelage in oder seitens der *zeche*.

zêche, zêcke swmf. zecke, holzbock; eine art unkraut.

zecken swv. einen leichten stoss oder schlag geben, reizen, necken; zücken, raufen. — stn. geplänkel, scharmützel. zekketzen, zetzen swv. intens. zu *zecken*. — refl. *sich mit einem z.* scharmützeln.

zedele, zedel, zetel stswf. m. n. beschriebenes od. zu beschreibendes blatt, zettel, schriftl. instrument (lat. *schedula*). **zedelen** swv. ein schriftl. instrument verfertigen. **zêdelin** stn. dem. zu *zedele*.

zêder, cêder stm. zeder (gr. lat. *cedrus*). **zêderin, zêdrin** adj. von zedernholz, der zeder.

ze-gater adv. md. insgesamt. **ze-gegen, -gegene, -gagen, -gagene, -gein** adv. gegen, entgegen mit dat.; gegenüber mit dat. od. acc.; gegenwärtig, zugegen.

zegelen swv. tr. an etw. einen *zagel* machen.

zege-lich s. *zagelich*.

zegellin, zegelin stn. dem. zu *zagel*.

zegerle stf. zaghaftigkeit.

zeginer s. *ziginer*.

ze-hant adv. auf der stelle, sogleich, alsbald; sobald als.

zëhe, zêhe, zê swstf. zehe; kralle.

zëhen (zeben), zên, zin (md.) num. card. zehn, grosse zahl überh. **zëhende, zëhente, zênde** num. ord. der zehnte. **zëhende, zëheute, zënde, zëhent** swstm. der zehnte teil bes. als abgabe von vieh und früchten (*daz was sîn zehende und sîn reht* er hatte das recht, den zehnten verurteilten mann frei zu geben); bezeichnung eines distriktes um die stadt Augsburg. **zëhenden** swv. abs. den zehnten geben. — tr. den zehnten wovon geben. **zëhendenære, zëhendære, -er** stm. zehntmann, zehntpflichtiger; zehnteinnehmer. **zëhener** stm. zehner, eine münze; dem beim bestschiessen zehn treffer gelingen; zehntherr. **zëhengrêve** swm. centurio. **zëhenste, zëhendiste** num. ord. = *zëhente*. **zëhen-teil** stn. zehntel. **-valt, -valtic, -veltic** adj. adv. zehnfalt. **-valten, -valtigen** *zëhenvalt* machen. **-zec, -zic, -zenzic** num. card. hundert. **zëhenzecvalt, -valtic** adj. adv. hundertfalt. **zëhenzec-valten** swv. hundertfältig machen. **zëhen-zigest** num. ord. hundertst.

zeher s. *zaher*. **zeheren** swv. tränen vergiessen, weinen; triefen. **zeher-lich** adj. tränend, kontr. *zêr-, zârlich*. **-naz** adj. von tränen benetzt. **-riche** adj. tränenreich.

zeichen stn. zeichen, anzeichen, beispiel, merkmal, stigma; vorzeichen; symbol; feldzeichen; wappenbild; gepräge; siegel; schriftzüge eines buches; feldgeschrei, parole; bild des tierkreises; wunderzeichen, wunder. **-bære** adj. symbolisch bedeutsam. **-haft, -haftic** adj. wundertätig. **-lich** adj., **-liche** adv. worin ein zeichen oder wunder liegt, symbolisch bedeutsam, wunderbar. **-ruote** stf. stab zum zeichengeben. **-trager** stm. signifer. **zeichenære** stm. der zeichen und wunder tut. **zeichenen, zeichen** swv. mit einem *zeichen* versehen, zeichnen, bezeichnen; aufschreiben, verzeichnen; abs. wunder tun. **zeichenisse** stf. verzeichnis; schriftcharakter. **zeichenlin** stn. dem. zu *zeichen*.

zeicher stm. schwager.

zeige st(sw)f. weisung (des weges), anweisung. **zeigec, -ic** adj. offenbar. **zeigel** stm. zeigefinger; aushängeschild eines wirtshauses. **zeigen** swv. abs. zeigen, deuten; mit dat. den weg zeigen, anweisung geben. *einem z. von* jmd. unterrichten über. — tr. zeigen, weisen, anzeigen, bezeichnen. — refl. sich zeigen, zum vorschein kommen. **zeiger** stm. zeiger, an-, vorzeiger; zeigefinger; wegweiser; aushängeschild eines wirtshauses; zeichen, signal; uhrzeiger, uhr.

zeil s. *zagel*.

zein stm. n. reis, rute, rohr, stäbchen, stab; männliches glied; pfeilschaft, pfeil; strahl, strahlenschein; metallstäbchen, metallspange. **zeine** swstf. m. geflecht aus *zeinen*, korb u. dgl. **zeinelin, zeinel** stn. dem. zu *zeine*. **zeinen** swv. (metall in *zeine*) schmieden; *die korbe z.* flechten. **zeiner** stm. zeinschmied. **zeinler** stm. korbflechter.

zeisel stf. karde, distel. **zeisen** redv. 4 (auch swv.) zausen, zupfen bes. wolle (*mit einem' z.* in streit geraten).

zeiz adj. zart, anmutig, angenehm, lieb.

zëlch stm., **zëlche** swm. zweig, ast.

zëlden s. *zëlten*.

zelebrant m. in fabelhafter fisch (lat. *piscis celebrandus*).

zelen s. *zeln*.

zeler, zeller stm. zähler, rechner.

zëlge swm. = *zëlch*. **zëlge** swf. pflugarbeit zur saat; bestelltes feld bes. als der dritte teil der gesamtflur bei anwendung der dreifelderwirtschaft.

zëlle, cëlle stswf. wohngemach, kammer, zelle; kapelle, tempel; zelle in einem bienenstocke usw.; kleines neb**o**nkloster, klostergut (lat. *cella*).

zellen, zeller s. *zeln, zeler*. **zel-lich** adj. zählbar.

zeln, zelen, zellen swv. zählen, rechnen, berechnen, vergleichen, halten od. betrachten als, erklären für, ernennen zu, einreihen in (*vür, ze*); zuzählen, als anteil geben, beilegen, bestimmen mit dp. (*einem sœlde z*. ihm glück zuschreiben, ihn glücklich preisen); *z. von* ausnehmen, *hin z*. beiseite lassen, übergehn; aufzählen, erzählen, überh. mündlich mitteilen, sagen, sprechen, nennen.

zëlt stn. zelt. **-snuor** stf. seil zum ausspannen u. zur befestigung des zeltes. **-stange** f. zeltstange.

zëlt stm. passgang. **zëlten, zëltenen, zëlden** swv. intr. den *zëlt* gehn. — tr. den *zëlt* gehn lassen. **zëltener** stm. = *zëlter*. **zëlten-phert** stn. (aus *zeltend phert*) s. v. a. **zëlter** stm. passgänger, zelter. **zëlte** swm. flaches backwerk, kuchen, fladen. **zember** stn. zirbelnuss (lat. *cembra*). **zemde** stf. zahmheit. **zëmen** stv. IV ziemen, passen, zukommen, angemessen sein, eigen sein, dürfen, sich eignen, taugen (*ze*), scheinen, dünken, geziemend dünken, wohlgefallen, behagen: mit persönl. od. sächl. subj. (inf.) ohne od. mit dat. (acc.) od. präpp., unpers. mit dat., acc. od. präpp. (gs., inf. od. nachs.). **zemen** swv. *zam* machen; zähmen; locken, verlocken, reizen. **zemen, zemne** s. *zesamene*. **cêmënt** s. *zimënte*. **zem-lich** adj. zähmbar. **zên** s. *zëhen*. **zëndâl, -ât, zëndel** s. *zindâl*. **zëndel-dach** stn. dach von *zindâl*. **zenden** swv. mit zähnen versehen. **zendlin, zenlin, zendel** stn. dem. zu *zant*. **zendrinc, zentrinc, -ges** stm. stück fleisch, zum räuchern bestimmt od. geräuchert. **-zu** *zander*. **zenen, zennen** swv. reizen, locken. **zengelin, zengel** stn. dem. zu *zange*. **zenger** s. *zanger*. **zengern** swv. *zanger* sein. **zenken** s. *zanken*. **zen-stürn** stn. zahnstochern. **zënt, cënt** stf. gerichtsbezirk (urspr. von hundert ortschaften). gericht (mlat. *centa*). **zënte, zënten** swstm. zenter (md.); hundert stück (mlat. *centenarius*). **zëntenære, -er, zëntner** stm. zentner; centrichter. **zën-ter** stm. zentner. **zënter** stn.

centrum. **zënt-gerihte** stn. centgericht. **-grāve** swm. centrichter. **-scheffe** swm. schöffe beim centgericht. **zëntnerin** stf. geschütz, das einen zentner schiesst. **zentrinc** s. *zendrinc.* **zënzic** s. *zëhenzëc.* **zepfe** swm. traube, rispe, ähre. **zepfelin, zepfel** stn. dem. zu *zapfe.* **zepfeln** swv. putzen, zieren. **zepfen** s. *zapfen.* **zeppel** stm. zank, streit. **zeppeln** swv. streiten, rechten. **zëpter, cëpter** stmn., **-ris** stn. zepter (gr. lat. *sceptrum*). **zer** s. *zere.* **zer-, ze-** (md. *zur-, zu-*) präf. bei verbis, eine ab- u. auflösung bedeutend (bei den folgd. komposs. ist nur *zer-* angesetzt). **zer-bāgen** redv. refl. durch hadern in feindschaft geraten. **zerbenzerī, zerbentīne, zerbenzīne** stswf. eine spezerei, zerebinthe (mlat. *tere-, cerebintina*). **zer-bern** swv. zerschlagen, zerbläuen, zertreten. **zer-bicken** swv. zerstechen, zerhauen. **zer-binden** stv. auseinanderbinden. **zer-biuten** swv., md. *zubûten* (als beute) verteilen. **zer-blæjen, -blægen, -blæn** swv. tr. auseinanderblasen, zerteilen; aufblasen, aufblähen, aufschwellen. — refl. sich aufblähen. **zer-blāsen** redv. auseinanderblasen; aufblasen. **zer-bletzen** swv. in stücke hauen. **zer-blichen** stv. ganz verblassen, verbleichen. **zer-bliuwen** stv. zerbläuen. **zer-boln** swv. zerstreuen, ausbreiten. **zer-bōȥen** redv. zerklopfen, zerstossen. **zer-brëchen** stv. intr. entzweibrechen, zerbrechen, auseinanderfallen, bersten; part. praet. unvollkommen; sündig (*herze*). — tr. brechen, entzweibrechen, zerbrechen; zerreissen, zerrupfen; zerkratzen; verletzen, schädigen, bildl. verletzen, übertreten, nicht halten; abtun, beendigen, beilegen; zunichte machen, vernichten, niederreissen, zerstören, verwüsten. **zer-breiten** swv. auseinanderbreiten, ausbreiten, verbreiten. **zer-brësten** stv. intr. zerbrechen, zerreissen, zerbersten, platzen.

zer-brinnen stv. = *verbrinnen.* **zer-brisen** stv. losschnüren, lockern. **zer-brücken** swv. zerbröckeln. **zer-denen, -dennen** swv. auseinanderdehnen, spannen, reissen. **zer-dieȥen** stv. aufschwellen machen, ausdehnen. **zer-dinsen** stv. hin und her ziehen, schleppen. **zer-dræjen** swv. auseinanderdrehen. **zer-drëschen** stv. zerdreschen, zerbläuen. **zer-drinden** stv. schwellend aufgetrieben werden, an-, auseinanderschwellen. **zer-drümelen, -drumen, -dromen** swv. in stücke hauen, zertrümmern. **zere, zer** stf. was man zehrt, mahlzeit; auf-, verzehrung; lebensunterhalt, nahrung; kosten, aufwand bes. für essen und trinken. **zeren** s. *zern.* **zerer** stm. der grossen aufwand macht; zecher. **zer-gadem** stn. speisekammer, speisemagazin. **-gëlt** stn. zehrgeld. **-geselle** swm. zehrgenosse. **-haft, -haftic** adj. sumptuosus. **-lich** adj. was zur zehrung, nahrung dient. **-sac** stm. reisesack mit lebensmitteln. **-tuoch** stn. tischtuch. **zer-gān, -gēn** stv. intr. auseinandergehen, zergehn (schmelzen), aufhören, ein ende nehmen, in verfall geraten, ver-, untergehn. — unpers. mit gen. aus-, zu ende gehn, mangeln. — intr. untereinanderwachsen, sich vermischen. -ganc stm. das zer-, vergehn. -ganclich, -genclich adj. vergänglich, eitel. -gancnisse, -gencnisse stfn. vergänglichkeit, untergang. **zer-gëben** stv. tr. auseinander geben, verteilen. — refl. sich zerteilen, verbreiten. **zer-geiseln** swv. mit geisselhieben ganz zerschlagen. **zer-genclicheit** stf. vergänglichkeit. **-gengen** swv. *zergān* machen, zerstören, vernichten. -gënglich adj. = *zerganclich.* **zer-genzen** swv. zerstückeln. **zer-gieȥen** stv. auseinandergiessen, giessend verbreiten; zerschmelzen. **zer-gliden** swv. = *zerliden.* **zer-gliten** stv. auseinandergleiten, verschwinden; vergehn. **zer-glōsen** swv. erklären. **zer-hacken** swv. zerhacken, zerhauen. **zer-hadern** swv. zerfetzen. **zer-hangen** part. adj. zerfetzt. **zer-hëllen** stv. nicht übereinstimmen, misshellig sein.

zer-houwen redv. zerhauen, zerschneiden, tothauen; (gewand zur zierde) aufschneiden, schlitzen; bergm. den gang gänzlich aushauen. **zer-hüllen** swv. aufdecken, erklären. **zer-hurten, -hurtieren** swv. = *verhurten.* **zer-jouchen, -jochen** swv. auseinanderjagen. **zer-kinen** stv. intr. auseinanderspalten, bersten; anschwellen, quellen. **zer-kiuwen, -kiun** stv. zerkauen, zerbeissen. **zer-klecken** swv. zerschellen, zerbersten. **zer-klīben** stv.vergehn. **-klīben** stv. tr. intr. refl. spalten, zerreissen; zerspringen. **zer-klucken, -klocken** swv. tr. zerklopfen, -brechen. — intr. zerbrechen (bes. von eiern). **zer-knëllen** stv. intr. mit geräusch zerspringen. — tr. zerdrücken, zerquetschen. **zer-knīfen** stv. zerkneifen, zerkratzen. **zer-knisten** s. *zerknürsen.* **zer-knitschen** swv. zerdrücken, zerquetschen. **zer-knüllen** swv. zerschlagen, durchprügeln. **zer-knürsen, -knüsen, -knüsten, -knisten, -knüstern, -knutzen** swv. zerdrücken, zerquetschen. **zer-krachen** swv. zerspringen. **zer-kratzen, -kretzen, -krellen** swv. zerkratzen. **zer-kriegen** swv. refl. entzweien, in streit geraten *mit.* **zer-krimmen** stv. zerdrücken, zerkneipen, zerkratzen. **zer-küssen** swv. mit küssen bedecken. **zer-lāȥen, -lān** redv. tr. auseinandergehn lassen, entlassen; expandere; aufweichen, -lösen, schmelzen. — refl. auseinandergehn, sich trennen, zerstreuen, schmelzen, sich ausbreiten, aufhören; sich erklären *gegen.* **zer-lëchen, -lëchzen** swv. vor trockenheit risse bekommen u. flüssigkeit durchlassen. **zer-ledigen** swv. = *erledigen.* **zer-legen** swv. tr. auseinanderlegen, beilegen, schlichten. — refl. sich zerteilen. **zer-lëschen** swv. = *erleschen.* **zêr-lich** s. *zeherlich.* **zer-liden** swv. zergliedern, zerlegen. **zer-lœsen** swv. tr. losmachen, auflösen, lösen; auseinandersetzen, erklären; abtun, beilegen, vergüten; verderben, vernichten. — refl. sich auflösen, aufhören; sich erklären *gegen.*

zer-loufen redv. auseinander-
laufen, zer-, vergehn.
zer-lûchen stv. durchlöchern.
zer-lühten swv. zerzupfen,
zerzausen.
zer-main stv. zermahlen, zermalmen.
zer-mîlwen swv. zu *mêl* machen.
zer-mischen s. *zermürsen.*
zer-mucken swv. zerdrücken,
zermalmen.
zer-müeden swv. ganz ermüden.
zer-mülln, -müllen, -mülmen
swv. tr. zerreiben, zerquetschen,
zermalmen.
zer-mürfen swv., md. *zu-
murfen* mürbe machen, zerquetschen.
**zer-mürsen, -müschen, -mi-
schen** swv. zerdrücken, zerquetschen.
zêrn stv. IV s. *zer-zêrn.*
zern, zeren swv. abs. für essen
und trinken aufwand machen,
auftreten, leben. — tr. mit as.
auf-, verzehren, sich nähren
von; verbrauchen, hinbringen
(zeit); mit ap. verköstigen; vernichten, töten. — refl. sich aufzehren, enden.
zer-nagen stv. zernagen.
zer-næjen swv. tr. stickend
nähen auf, besticken.
zer-niuwen, -nûwen stv. zerstampfen, zerschlagen.
zerper stn. stechmesser (vgl.
fz. *serpe*).
**zer-quaschieren, -quatschie-
ren, -quetzen, -quetschen, -que-
schen** swv. zerquetschen.
zer-recken swv. zerdehnen.
zer-reden swv. refl. in wortstreit geraten, sich entzweien.
-rednisse stf. zerwürfnis.
zerren swv., md. auch *zarren*
abs. zerren, einen riss machen
(*miteinander z.* streiten, zanken). — tr. u. refl. zerren, reissen, zerreissen, vertreiben, zerspalten; sich zerteilen, sich
öffnen.
zer-rennen swv. *zerrinnen*
machen.
zerrer stm. zerrer, abreisser.
zer-rêren swv. intr. ausein-
anderrinnen, verderben.
zer-rîben stv. auf-, zerreiben.
zer-riezen stv. zerfliessen.
zer-rinnen stv. zu ende gehn,
auseinandergehn, ausgehn,
mangeln, persönl. u. unpers.
mit ap. (od. relativs.), mit dp.
zer-risen stv. zerfallen.
zer-rîten stv. intr. ausein-
ander-, wegreiten. — tr. zer-
reiten, reitend zerstören.
zer-riuten swv. zerreuten,
zerraufen.
zer-riveren swv. zersplittern.

zer-rizen stv. zerreissen, zerzupfen, zerfetzen. zerfleischen;
zerstören, verwüsten.
zer-roufen swv. zerraufen.
zer-rücken swv. auseinander-
rücken, zerteilen, -streuen, zerreissen.
zer-rüeren swv. herum-
streuen; verwüsten.
zerrunge stf. das auseinanderzerren.
zer-rüsten swv. zerrütten,
zerstören.
zer-rütten swv. tr. u. refl.
zerrütten, -stören, verderben;
deflorare. — refl. entzweien
gegen, mit. -rüttunge stf. zer-
rüttung, zerstörung.
zêrs stm. männl. glied.
zer-sæjen, -sægen swv. aus-
einandersäen, zerstreuen; stikken (auf die satteldecke).
zer-samenen swv. = *ver-
samenen.*
zer-schëllen stv. zerspringen.
zer-scherten swv. zerhauen,
verwunden.
zer-schiezen stv. durch schiessen zerstören, verderben.
zer-schiten stv. zerspalten,
zerhauen.
zer-schiveren swv. intr. zersplittern, zerbröckeln.
zer-schræjen swv. auseinanderfahren, -spritzen; scharten bekommen, zersplittern,
zerbrechen.
zer-schrenken swv. in unordnung und verwirrung bringen.
zer-schrenzen swv. tr. zerspalten, zerreissen, zerbrechen.
zer-schrepfen swv. durch einschnitte zerreissen
zer-schricken swv. zerspringen, bersten.
zer-schrinden stv. intr. risse
bekommen, aufspringen. — tr.
durchstechen.
zer-schrôten redv. zerhauen,
zerschneiden.
zer-schürn swv. auseinander-
schüren, auslöschen (feuer).
zer-schüten swv. auseinan-
derschütteln.
zer-senden swv. auseinander-
senden, zerstreuen, -teilen.
zer-sërten stv. tr. schartig
machen, zerhauen, verderben.
— intr. scharten bekommen,
verderben.
zêrsîe adj. den *zêrs* betreffend.
zer-sîgen stv. zerfliessen,
schwinden.
zer-slahen, -slân stv. auseinander schlagen, ausbreitend auslesen; zerschlagen, zerbläuen,
bildl. nicht zustande kommen
lassen, vereiteln. — intr. sich
nicht einigen, nicht zustande
kommen, sich zerschlagen.

zer-sleifen swv. dem erdboden gleich machen, schleifen;
zerbrechen, -stören.
zer-sleizen swv. *zerslîzen* machen.
zer-slichen stv. zergehn, zerschmelzen; zerfallen, zerbrechen.
zer-slifen stv. intr. auseinandergehn; zerfallen, vergehn,
verschwinden. — tr. = *zer-
sleifen.*
zer-slihten swv. = *verslîhten.*
zërslin stn. dem. zu *zêrs.*
zer-slizen stv. intr. u. tr. zer-
schleissen, zerreissen. — tr.
hinbringen (zeit).
zer-smëlzen stv. zerfliessen,
zerschmelzen.
zer-smelzen swv. *zersmëlzen*
machen.
zer-snîden stv. zerschneiden,
zerhauen; zur zierde aus-, aufschneiden (gewand).
zer-snitzeln swv. = *zersnîden*
(gewand).
zer-snurren swv. mit geräusch auseinanderfahren.
zer-spalten redv. intr. tr. refl.
zerspalten.
zer-spænen swv. tr. zersplittern.
zer-spannen redv. auseinander spannen, dehnen; dadurch
zerstören.
zer-spelten swv. tr. *zerspalten*
machen.
zer-spënden swv. tr. als geschenk verteilen; als beute verteilen, überh. zerstreuen, ver-
schleppen.
zer-spennen swv. = *zerspan-
nen.*
zer-sperren swv. auseinander-
sperren, spreizen.
zer-splizen stv. tr. zerspalten.
zer-spræjen swv. auseinanderspreiten, streuen. *den lôn z.*
verteilen.
zer-spreiten swv. auseinanderspreiten, dehnen; aus-,
verbreiten, zerstreuen. **-sprei-
tunge** stf. zerstreuung.
zer-sprengen swv. *zerspringen* machen, auseinandersprin-
gen, zerstreuen.
zer-springen stv. zerspringen.
zer-sprizen stv. intr. zersplittern. - swv. tr. zersplittern.
zer-stân, -stên anv. ausein-
ander-, wegtreten, weggehn,
ende nehmen, vergehn, intr. u.
unpers. mit gen.; fehlen, mangeln mit dp.
zer-stëchen stv. tr. zer-,
durchstechen; stechend zersplittern (*sper*).
zer-stieben stv. intr. auseinander stieben, zersplittern.
zer-stœren swv. vollständig
auseinander bringen u. zerstreuen, in zwietracht, verwir-

rung, verfall u. verderben bringen, zunichte machen, zerstören, verwüsten; mit ap. und gs. verlustig machen, berauben. — refl. schwach werden. **-stœrer** stm. zerstörer, vernichter. **-stœrerinne** stf. vernichterin.

zer-stôʒen redv. zerstossen, stossend vernichten.

zer-strēben swv. auseinanderstreben.

zer-strichen stv. mit ruten zerpeitschen.

zer-strifen swv. streifenweise, aus verschiedenem tuch zusammensetzen (gewand).

zer-strobelen, -strouben swv. struppig machen, zerzausen.

zer-ströuwen, -ströun swv. hin und her streuen, zerstreuen; ausbreiten, -spreizen; auflösen (hâr); zerspalten, zerstückeln; zerstören. **-ströuwunge** stf. zerstreuung; uneinigkeit.

zer-stücken swv. zerstückeln, zerspalten; s. v. a. *zerstrifen*.

zer-stürmen swv. im *sturme* od. wie im *st.* zerstören.

zer-swelfen redv.auseinanderfliessen.

zer-swēllen stv. auseinanderschwellen, schwellend sich erweitern.

zer-swellen swv. *zerswēllen* machen.

zer-swingen stv. auseinanderschwingen.

zerte stf. liebkosung, zärtlichkeit, liebe; zartheit, zierlichkeit, schönheit.

zer-teilen swv. entzweiteilen, in teile zerlegen, zerteilen; trennen, uneins machen; trennen von (gen.); ausdehnen, erweitern; zerstreuen, verteilen; auseinanderstreuen, vernichten; austeilen (*schaz, hort*).

zertel stn. liebchen. **zertelinc, -ges** stm. verweichlichter mensch, zärtling. **zerteln** swv. intr. zart, schwächlich sein. **zerten** swv. intr. zärtlich sein, liebkosen. **zert-lich** s. *zartlich*. **zert-licheit** stf. lieblichkeit, anmut.

zer-tragen stv. auseinandertragen, zerstreuen, -reissen, vernichten; austragen, ausgleichen. — refl. uneins werden, sich entzweien *mit*.

zer-trēchen stv. auseinanderziehen, zerreissen, -brechen.

zer-treigelen, -tregelen, -trögelen, -treigen, -treien swv. zerstreuen. **-treiger** stm. zerstreuer, verschwender.

zer-trennen swv. auseinander-, auftrennen, -lösen, zerstreuen, -hauen, -reissen, zerbrechen.

zer-trēten stv. zertreten, zerstampfen.

zer-treten, -tretten swv. dasselbe.

zer-triben stv. auseinandertreiben, zerstreuen; vertreiben, vernichten; breittreten; in unordnung bringen, verwirren; abnutzen; flüssig machen; reibend od. rührend vermischen *in*.

zer-tuon an. v. tr. auseinander tun, ausbreiten, öffnen. — refl. sich ausbreiten, zerstreuen

zer-tuschen swv. zerschlagen.

ze-rücke = *ze rücke* zurück, rückwärts, hinter sich.

zerunge stf. nahrung, ausgaben dafür, aufwand, unkosten; zehrgeld, reisegeld.

zer-vallen redv. auseinanderfallen, zerbrechen, ein-, verfallen.

zer-varn stv. auseinander-, in stücke gehn, zerbrechen, zerfallen, vergehn.

zer-vellen swv. *zervallen* machen, zerfällen, auseinandernehmen; zerteilen, zerlegen (*visch*).

zer-vieren swv. in vier stücke zerteilen, vierteilen.

zer-vilen stv. zerfeilen.

zer-vitzen swv. tr. in fetzen reissen.

zer-vlēcken swv. zerschlagen, zerhauen, zerspalten; aus flekken zusammensetzen.

zer-vlēhten swv. auseinanderflechten, aufflechten.

zer-vlerren swv. zerreissen, zerfetzen.

zer-vlieʒen stv. intr. auseinanderfliessen, zergehn, schmelzen; vergehn, schwinden. — abs. flüssig machen, schmelzen. — tr. zergehn machen.

zer-vlocken˙ swv. in *vlocken* zerteilen, zerzausen.

zer-vlockeren swv. hin und her u. aneinanderflattern.

zer-vlieʒen swv. *zervlieʒen* machen, schmelzen.

zer-vüeren swv. *zervarn* machen: auseinanderbringen, zerstreuen, -trennen, -reissen, auflösen; mit gen. trennen von, berauben; in unordnung bringen, zerzausen, verwirren; vertun, verschwenden; zergehn machen, beenden, beilegen, schlichten; zerstören; verwüsten, verderben, -nichten. — refl. ein ende nehmen.

zer-vülen swv. verfaulen.

zer-wæjen swv. tr. auseinander wehen.

zer-walken redv. gründlich durchwalken, prügeln.

zer-weichen swv. etw. so erweichen, dass es zergeht.

zer-wērfen stv. tr. auseinanderwerfen, ausspreiten; hin und her, durcheinanderwerfen,

zerstreuen; in unordnung bringen, verwirren, zerzausen; werfend zerbrechen, zunichte machen. — refl. u. intr. sich entzweien, streiten, zanken; mit gs. im zweifel sein über. **-wērfnisse** stf. zerwürfnis, zwiespalt, streit.

zer-wērren stv. in unordnung bringen, verwirren.

zer-widen swv. zerschlagen.

zer-wirken, -würken swv. zerhauen, zerschneiden, zerlegen, bes. weidm. zerlegen.

zer-wiʒen swv. etw. rotes ganz weiss, bleich machen und dadurch entstellen.

zer-wüelen swv. durch-, auseinanderwühlen.

zer-wurst stf. zerwürfnis, streit.

zer-zanegen, -zaneken swv. mit den zähnen zerreissen.

zer-zeisen swv. zerzausen, zerzupfen.

zer-zēn stv. zerreissen.

zer-zerren swv. auseinanderzerren, zerreissen, -stücken, zertrümmern; uneins machen; abquälen, martern.

zer-ziehen stv. hin und her, auseinanderziehen, zerstreuen; ausspannen, zerdehnen.

zer-zihen stv. = *verzihen*.

zer-zücken swv. auseinanderziehen, zerreissen.

ze-samene, -samne, -samen adv. zusammen (kontr. *zamen, zemne, zemen*); mit verben komponiert: *-behalten* zusammenfassen, *-wenden* zusammenfügen.

ze-sament, -samt adv. zusammen, zugleich mit (dat.).

*zēse adj. (flekt. *zesewer, zeswer*, auch *zesem, zesn*) recht, dexter. — *zēsewe, zēswe* (näml. *hant, sîte*) swf.

zēsem, zēsen stm. ununterbrochene linie od. reihe; firmament, himmel.

zesin stm. dukaten (it. *zechino*).

zēsper stmn. md. rasen, rasenplatz (lat. *cespes*).

zēsse stf. brausende woge, unwetter.

zēswe swf. s. *zēse*.

zēswen-halben, -halp adv. rechter hand, rechts. **-kraft** stf. kraft der rechten hand.

zēte, cēte swm. grosser fisch od. fischartiges tier (gr. lat. *cetus*).

zete-brief stm. brief-, amuletverteiler, wahrsager.

zetel s. *zedele*.

zeten s. *zetten*.

zēter, rēther, zetter interj. hilf-, klage- u. erstaunensruf.

zettel stm., **-garn** stn. aufzug od. kette eines gewebes. **-wolle**

f. wolle als *zettel.* **zettelen** swv.
den *zettel* machen, zu einem gewebe aufziehen. **zetten, zeten**
swv. streuen, zerstreut fallen
lassen, ausbreiten. **zetzen** s.
zeckezen.
zevalier stm. = *schevalier.*
ze-vorn adv. voran, zum voraus, vorher.
ziber, zifer stn. opfertier (in
ungezibere, unzifer).
zibolle s. *zwibolle.*
zibôrje (ziborne) stswf. n.
hostienkelch mit baldachin-
artigem deckel, säulenhäuschen
(für heiligenbilder u. dgl.),
baldachinartige krönung (gr.
lat. *ciborium*).
ziburgel stn. dasselbe.
zic, -ckes stm. leise berührung, leichter stoss od. druck,
neckerei; fehler, makel; arg-
listiges benehmen, unredliche
handlung.
zic, -ges stm. beschuldigung,
anklage.
zich stf. aussage, beweis; auszeichnung, ansehen, ruhm.
zichâ, zickâ interj. = *zâhî.*
zickelin, zickel stn. zicklein.
zickeln swv. abs. zicklein
werfen.
zicken swv. abs. *zicken vür*
hinausgreifen über. — tr. u.
refl. stossen, necken.
zidelære, zidler stm. zeidler,
bienenzüchter, zur bienenzucht
im walde berechtigter (slav. ?).
zidel-gerihte stn. gericht, vor
dem klagen der zeidler vorge-
bracht wurden. **-huobe** stf.
huobe mit der berechtigung zur
bienenzucht. **-meister** stm. vorgesetzter oder richter der zeidler. **-weide** stf. bienenzucht u.
waldbezirk, in welchem sie be-
trieben wird; recht zur wald-
bienenzucht. **-wëre** stn. bienenzucht.
zidel-bast stm. seidelbast,
kellerhals.
zidele stf. = *citôl.*
ziech-brunne swm. zlehbrun-
nen.
zieche, ziech swstf. zieche,
bettdecken-, kissenüberzug;
sack (gr. lat. *theca*). **ziechener**
stm. ziechenweber.
ziegel stm. ziegel, dach- u.
mauerziegel (lat. *tegula*). **-ba-
cher, -becker** stm. ziegelbrenner. **-dach** stn. ziegeldach.
-decker stm. dachdecker. **-eite**
stf. das ziegelbrennen. **-hûs**
stn. ziegelei. **-meister** stm.
laterator. **-oven** stm. ziegel-
ofen. **-rôt** adj. rot wie ein *z.*
-stein stm. backstein. **-stiure**
stf. abgabe an ziegeln. **-var** adj.
ziegelfarb. **ziegeler, ziegler** stm.
ziegelbrenner. **ziegelin** adj. von
ziegeln.

ziehen stv. II, 2 (md. *zihen,
zihen, zien*) intr. (perf. mit
haben, obj. *wëc* u. dgl.) ziehen,
einen weg einschlagen, sich begeben, bewegen (*hin z.* sich hinweg begeben, das übergewicht
erlangen), spez. ins feld ziehen;
sich hinziehen, erstrecken, reichen; *ziehen ze* ausschlagen od.
gereichen zu, sich beziehen auf,
passen zu, ein zeichen sein von;
ziehen an sich einer sache wegen
berufen auf, appellieren an.
— refl. den weg nehmen, sich
begeben, ziehen (*sich ze hôhe z.*
zu hoch streben, hoffärtig sein,
sich einem gelich z. vergleichbar
sein, *sich zierlîche z.* ornari);
sich hinausziehen, erstrecken;
sich z. ze ausschlagen od. gereichen zu, sich beziehen auf,
sich an einen machen, zur last
fallen, sich an etw. machen,
sich daran halten, sich begeben;
sich z. an sich einer sache wegen
(gen.) berufen auf, appellieren;
sich z. ze vor gericht als sein
eigen nachweisen, anspruch machen auf, in besitz nehmen;
sich erziehen, bilden; *sich z. von*
oder *abe* mit dp. sich entziehen,
sich fernhalten. — tr. ziehen
führen, leiten, bringen, richten
(je nach dem obj.); entrücken
(*ûf gezogen sîn* verzückt sein,
in sich gezogen werden in betrachtung versinken); *under
sich z.* unterwerfen, *bluot zer
erden z.* vergiessen, *rede z. în*
erklärungen z. anknüpfen; *an
einen etw. z.* auf ihn beziehen,
mit ihm vergleichen, sich einer
sache wegen auf ihn berufen,
an ihn appellieren; auf-, gross-
ziehen, erziehen; belehren, bilden; ernähren, füttern, unterhalten, pflegen. — abs. (je nach
dem ausgelass. obj.) ziehen,
segeln; schach spielen; ein ross
vorführen; in den letzten zügen
liegen.
zieher stm. der welcher zieht,
der aufziehende pfleger.
ziemer stm. krammetsvogel.
zierde, ziere, zier stf. schmuck,
schönheit, pracht, herrlichkeit.
ziere, zier adj. prächtig, kostbar, herrlich, schön, schmuck;
froh mit gs. **ziere** adv. prächtig,
schön. **zieren** swv. *ziere* machen,
zieren, putzen, schmücken; verherrlichen; *z. in* worein klei-
dend schmücken; rühmen, preisen; zur zierde gereichen. —
refl. sich zieren, schmücken für
gegen; sich rühmen. **zier-garte**
swm. schmuck-, lustgarten.
-heit stf. zierde, schmuck
(schmuckgegenstände, kostbarkeiten), ausschmückung, schönheit, pracht, herrlichkeit. **-kem-
min** stn. schornstein-, türm-

chenartige verzierung an häusern, ähnlich wie *cibôrje.* **-lich,
-liche** adj. adv. = *ziere.* **-licheit**
stf. geschmücktheit, schönheit,
gepränge. **-sam** adj. = *ziere.*
zierôt stm. zierat. **zierunge**
stf. schmuck.
zieter stmn. deichsel für vorspann, vordeichsel.
zifer s. *ziber.*
zifer, ziffer stf. ziffer (it.
cifra).
zige swf. ziege.
zigeiner s. *ziginer.*
zigen-bein stn. ziegenbein
(als waffe, vgl. *geizuoz*). **-bône**
swf. ziegenkot. **-milch** stn.
ziegenmilch.
zigener stm. = *ziger.*
zigenin s. *zigîn.*
ziger stswm. die festere masse,
die sich beim gerinnen der molken ausscheidet, quark. **-brüe**
stf. käswasser. **-kæse** stm. käse
aus *ziger.* **zigere** swf. butter.
zigerin adj. aus *ziger* bereitet.
zigerlinc, -ges stm. = *z.-kæse.*
zigin, zigenin adj. von der
ziege.
**zigîner, zigeiner, zigeuner,
ziginger, zeginer** stm. zigeuner
(it. *zingano, zingaro*).
zihen stv. I, 2 tr. aussagen von,
zeihen, beschuldigen (mit gs.,
as., inf., nachs.). — refl. mit gs.
sich denken, einbilden. **ziher**
stm. der zeiht und beschuldigt,
lästermaul. **zih-lichen** adv. auf
eine weise, die eine beschuldigung in sich schliesst. **ziht**
stf. beschuldigung, anklage.
**ziklât, ciclât, ciclâs; siglât,
sigelât, siglât, sigilôt** stm. kostbarer, golddurchwirkter seidenstoff (mlat. *cyclas, cyclatum*,
afz. *siglaton*). **ziklâtin** stm. gewand aus *ziklât.* **ziklât-sîde** f.
= *ziklât.*
zil stnm. ziel, ziel des laufens,
schiessens, angreifens usw.; festsetzung, bestimmung, zweck,
absicht; festgesetzter, abschlies-
sender od. abgegrenzter zeitpunkt, ende, frist, termin (*âne,
sunder z.* unaufhörlich, *ûf daz
zil, daz* so lange bis, *von kindes
z.* von jugend auf); grenze, abgegrenzter raum, mass (*über
der sinne z.* über das geistige
vermögen hinausgehend, *âne,
über z.* unermesslich viel); art
und weise, mit gen od. adj.
meist nur umschreibend (*nâch
rîchlichen ziln* in kostbarer
weise). **-besitzer** stm. der das
ziel erreicht hat. **-brunne** swm.
brunnen als grenzzeichen. **-lou-
fer** stm. der nach dem ziele
läuft. **-stat** stf. zielstätte, ziel.
-strecke stf. bestimmte strecke
weges.
zil s. *zile.*

zil stmn. dornbusch, hecke.

zilach stn. dorngebüsch.

zilant stm. seidelbast.

zilde stn. md. zeitpunkt.

zile, zil stf. reihe, linie (auch gebogene); gasse.

zilêht adj. am ziele befindlich, grenzständig (baum).

zilêht adj. in reihen oder streifen geteilt.

zilen swv. tr. u. refl. reihen, in reihen stellen.

ziler stm. zieler, der die auf die scheibe gefallenen schüsse markiert.

zilge swm. md. = zëlge 1.

zilic adj. mässig gross, mittelmässig, schmächtig, klein.

zilige stf. schindel des wundarztes. zilgen swv. schindeln.

ziln, zilen, zillen swv. intr. zielen, ringen, streben (an, gegen, nâch); mit dat. (an einen ort) bestellen. — tr. als zil aufstellen, fest machen, feststellen, -setzen, einrichten, angeben, bestimmen, zumessen ohne od. mit dp.; z. von entfernen; bestellen úf; abgrenzen; hervorbringen, erzielen, bewirken, machen, zeugen; enzwei z. mit der waffe zerhauen; zusammenstellen, vergleichen, es so nennen, mit dat. od. gegen. — refl. eine richtung nehmen gegen.

zimbal, zimbel, zimel stm. n. kleinere (mit einem hammer geschlagene) glocke, schelle (gr. lat. cymbalum). zimbele, zimmele swf. dasselbe; becken als tongerät. zimbellin stn. glöckchen.

zimber, zimmer, zimer stn. m. bauholz; holzbekleidung eines stollens; bau, gebäude (von holz), wohnung; haufe; vierzig stück pelzwerk. -holz stn. bauholz. -man stm., pl. -liute zimmermann; als schachfig. zweiter vende. -snuor stf. richtschnur der zimmerleute. -stiure stf. beihilfe zum hausbau (mit bauholz). -wërc stn. zimmermannsarbeit, -handwerk. -ziuc- stm. handwerkszeug des zimmermanns.

zimbere, zimere swf. rückenstück des hirsches od. rehes, ziemer; zeugungsglied des hirsches (fz. cimier).

zimbern, zimpern, zimmern swv. mit der zimmeraxt behauen; bauen, erbauen.

zime: (zim-)lich adj. schicklich, passlich, gebührend, geziemend, angemessen; mässig, billig, nicht zu hoch od. zu teuer; gefällig, angenehm, entsprechend, zuträglich. -(zim-)liche adv. schicklich, passlich, angemessen; mässig; gleichmässig; billig, nicht zu teuer.

-liche, -licheit stf. schicklichkeit.

zimen swv. refl. mit gen. sich dünken für.

zimênte, zimênt, cimênte, cêment stnm. cement; eine art beize zum scheiden od. reinigen der metalle (fz. cêment, lat. caementum). zimênten swv. beizen, scheiden, reinigen; mit mörtel versehen.

zimer, zimere s. zimb-.

zimet s. zinemin.

zim-haft adj. = zimelich.

zimier, zimiere, zimierde stn. zimier, helmschmuck u. sonstiger ritterlicher aufputz an mann und ross, schmuck überh. (fz. cimière v. cime gipfel). zimieren swv. mit dem zimiere, mit ritterlichem schmucke versehen, überh. schmücken; zum zimier machen, als z. nehmen, wählen.

zimin s. zinemin.

zimmer, zimmern s. zimb-.

zimlt s. timit.

zim-lich s. zime-.

zimmele s. zimbele.

zimpern s. zimbern.

zin, cin stn. zinn.

zin s. zëhen.

cinamôm -s. zinemin.

zincibêr stm. = ingewër.

zindâl, zindâl, zendâl zendel, sindâl sëndel stm., zindât zendât stf. zindel, eine art taffet (it. zindalo, zendalo, afz. cendal von gr. lat. sindon). zindâlin, zendalin adj. von zindâl.

zindeln, zinneln swv. zacken-, kammförmig machen.

zinden, zinnen stv. 1,3 brennen, glühen.

zinel, zinnel n. büschel od. gebinde flachs.

zinemin, zimin, zinmênt, zinmint, zimet stm. zimmt (auch cinamôm, cynamôme swm.), mlat. cynamonium, gr. κίναμον.

zinen swv. verzinnen. ziner stm. zinngiesser.

zingel stn. kleiner zacken, häkchen.

zingel stm. f. sattelgurt; äussere verschanzungsmauer einer stadt od. burg; stadtgebiet (lat. cingulus, -a). zingeln swv. abs. eine verschanzung machen.

zinin adj. von zinn.

zinke swm. zacken, zinke, spitze; blashorn.

zinke swm. weisser fleck im auge.

zinke swm. die fünf auf dem würfel (fz. cinq von lat. quinque).

zinkelêht adj. mit widerhaken versehen.

zinken swv. verfünffachen.

zinne swstf. zinne. zinnelêht adj. zackig.

zinnel s. zinel.

zinneln s. zindeln.

zinnen s. zinden.

zinnen swv. mit zinnen versehen; zinnenförmig machen od. hinsetzen.

zinober, zinopel stm. zinnober (mlat. cenobrium v. gr. κιννάβαρι). -rôt adj. rot von od. wie z.

zins stm. abgabe, tribut, zins; oft auch nur phraseolog. in den z. schrîben ins steuerverzeichnis aufnehmen (lat. census). -acker stm. zinsbringender acker. -banc stf. verkaufsbank, für die zins bezahlt wird. -bære adj. zinspflichtig. -buoch stn. buch für die zinseinnahme. -gëbe swm. zinsgeber, zinszahler. -gedinge stn. vertragsmässiger zins. -gëlt stn. zinsgeld, zins. -gëlte swm. = -gëbe. -gëltic, -gültic adj. zinspflichtig. -guot stn. zinspflichtiges gut; was als zins gegeben wird. -haft, -haftic adj. zins-, tributpflichtig. -hërre swm. h. dem zins entrichtet wird. -jâr stn. Ræmer z. = R. zinszal. -knabe swm. zinspflichtiger junger mensch. -lant stn. zinsgebendes lant. -lêhen stn. zins-, erbzinslehn. -lich adj. als zins gegeben, zinsartig. -man stm , pl. -liute, zinsmann, zinspflichtiger. -meister stm. zinseinnehmer, -einforderer. -phenninc stm. zinsgeld, abgabe vom zinslehn. -rêht stn. zinsrecht; vertragsmässig zu leistender zins. -stiure stf. Ræmer z. = R. zinszal. -tac stm. tag an dem zins bezahlt wird. -vellic adj. zinsfällig, nach dem zinsvertrage verfallend. -win stm. wein der als zins gegeben wird. -zal stf. Ræmer z., ræmische z. indiktion, eine zeit von 15 jahren in welcher die röm. kaiser dreimal, von fünf zu fünf jahren einen gewissen kopfzins einfordern liessen).

zinsære, -er stm. zinsgeber, zinspflichtiger; zinseinnehmer, -einforderer.

zinsærîn stf. zinsgeberin.

zinsec, -ic adj. zinsgebend, tributpflichtig; ergiebig.

zinsel = zisel, s. zise.

zinsel stf. rauchfass (mlat. incensarium).

zinselîn s. zîselîn.

zinsen swv. abs. den zins geben, zahlen. — refl. für sich den zins geben; sich verzinsen, zinsen tragen mit as. abwerfen; mit dp. jmd. zinspflichtig sein. — tr. als zins geben, überh. hin-, preisgeben; etw. zinsen mit bezahlen.

zins-tac s. zins- u. zîstac.

zint, -des stm. zacken, zinke;
zindel-, zingelfisch, eine art
barsch; ein blasinstrument.
zin-wêrc stn. zinnbergwerk.
zinn-wêrt stnm. zinnware,
zinngeschirr.
zinzel stm. ein runder gegenstand, obsc. wohl für cunnus.
zinzelêht adj.rundlicht. zinzeln
swv. schmeicheln, kosen; sich
leise,schmeichlerisch bewegen.
zinzer-lich adj. niedlich, zärtlich.
ziper-boum stm. = zipres-b.
zipf stm. punica (pflanze).
zipf stm. spitzes ende, zipfel.
zipfel stm. dasselbe; anhangen-
der od. zwischeneingehnder
land-, waldstreifen. zipfelêht
adj. mit zipfeln versehen. zip-
feler stm. schmarotzer. zipfellin, zipfelin stn. md. cippelin
zipfelchen. zipfeln swv. mit
zipfeln versehen. zipfel-riuwe
stf. reue auf dem sterbebett
(wenn der sterbende mit den
fingern an der bettdecke zupft).
-wêrc stn.schmarotzerei. -(zip-
pel-)zêhen swv. trippelnd auf
den zehen gehn (beim getrete-
nen tanze).
zipfen swv. in kleinen an-
sätzen gehn, trippeln.
cippelêrin stf.schülerin(nach
lat. discipula).
cippelin s. zipfellin.
zippel-trit stm. trippeltritt.
zipperlin stn. podagra.
zippern swv. etw. nützen,
eintragen.
zipres, zipresse stswm., zi-
pres-, zipressen-boum stm. cypresse (lat. cypressus). zipres-
sin adj. von cypressenholz.
cyprian stm. cypresse.
zir- präf. = zer-.
zirbel stswm. wirbel; werkzeug zum fischen (vgl.zwirbel).
-wint stm. wirbelwind.
zirben swv. im kreise herum-
drehen, wirbeln.
zirben, zirm stfm. zirbel-
kiefer (lat. pinus cembra).
zirc, zirk stm. kreis, zirkel,
umkreis, bezirk (lat. circus).
zirk stf. rund-, streifwache.
zirkære stm. der die runde
macht, patrouille. zirke swm.
kreis, zirkel, kranz. zirkel stm.
kreis, zirkel; kreislauf; rund-,
streifwache; goldener reif als
hauptschmuck der könige und
königinnen; zirkel als instrument zum ziehen eines kreises
(lat. circulus). -kreiz stm. kreis.
-krumpe stf. kreisform. -mâze,
mâz stf. zirkelmass, kreis.
zirkelêht adj. kreisförmig. zir-
keler stm. = zirkære. zirkele-
rinne stf. die die runde macht
(im kloster). zirkeln, zirken
swv. intr. die runde machen,

patroulllieren — tr. mit dem
zirkel messen,nach dem zirkel-
masse verfertigen. zirkener
stm. = zirkære.
zirm stfm. s. zirben 2.
zise swf.accise (mlat. accisia).
zise stswf. zeisig (slav.).
zisec, zisic stm. dasselbe.
zisem stm. penis (mischung
von zêrs u. fisel?).
zisel stm. = zisemûs.
zisel, zinsel stmf. = zîse.
ziselin, zinselin stn. dem. zu
zîse, zîsel.
zisel-wêrc stn. pfuscharbeit.
zisemen swv. in gerader richtung gehn, nachfolgen, nacharten (nâch einem).
zise-mûs stm. zieselmaus.
(mlat. cisimus, mus citellus).
zisenlin, zisendlin stn. eine
art speise.
ziser s. kicher.
zisma stn. schisma, zwie-
tracht (gr. lat. scisma).
zispen swv. intr. schleifend
gehn. — tr. treten auf.
zispezen swv. zischeln.
zis-tac stm., verderbt zinstac
dienstag (tag des gottes Ziu).
zistel stf. korb (lat. cistella).
zistêrne, zistêrn swstf. zisterne (lat. cisterna).
zit stf. n. (im. sommerszeit)
zeit,zeitalter,lebensalter,leben,
lebensumstände, das zeitliche
leben ;jahres-,tageszeit,stunde,
betzeit, kanon. hore (begân =
halten), zeitpunkt (die z. das
zeitl. leben; guote zîte angenehme stunden; ein z. . . . ein
z. die eine . . . die andere zeit;
alle z. jedesmal, immer; nie,
kein z. niemals; bî zîten, bî den
zîten damals; in zît, in der zît
bei zeit, sogleich; damals, zugleich; ê zît vor der zeit; bezîte
adv. bei zeiten; bezîtes adv.
früh). -buoch stn. zeitbuch,
chronik. -glocke f. stundenglocke. -kleit stn.der jahreszeit
entsprechendes kleid. -kuo stf.
zweijährige, zur nachzucht reife
kuh. -kürzel stn. zeitkürzerin,
geliebte. -lich adj. der endlich-
keit angehörend, zeitlich, weltlich; erntbar, reif; was an der
zeit ist, den umständen ent-
spricht, zeitgemäss, angemessen. -liche, -en adv. beizeiten,
frühzeitig; zeitgemäss, angemessen. -licheit stf. zeitlichkeit.
-lôse s. zîtelôse. -löselin stn.
kleine zîtlôse. -vange adj. ausgewachsen, reif. -vertrip stm.
zeitvertreib, kurzweil. -vogel
stm. vogel, der flügge wird.
zite adv. frühzeitig.
zitec, -ic adj. was die rechte
zeit erreicht hat,ausgewachsen,
reif; zur rechten zeit geschehend, zeitgemäss; der jah-

reszeit entsprechend; den verhältnissen entsprechend, reif-
lich überlegt.
zitegen swv. intr.reif werden.
— tr. reif machen.
zite-lich adj. s. zît-lich.
zite-, zit-lôse swf. m. eine
weisse od.gelbe frühlingsblume,
krokus, narzisse.
ziten swv. intr. reif werden;
mit subj. ez zeit sein.
ziter, zitter stm. das zittern,
beben. ziterære stm. zitterer.
zitern, zittern swv. zittern,
beben. ziteroch, ziteroche
stswm. flechtenartiger ausschlag, zittermal. ziterunge,
ziterunge stf. das zittern. ziter-
wise stf. das zittern.
zitôl, zitôle, zitolle stswf.
zither (gr. lat. cithara). zitôlen
swv. z. spielen. zitôlin stn.
dem. zum vorig.
zitter s. ziter.
zitter-mâl stn. = ziteroch.
zitunge stswf. nachricht,
kunde, botschaft.
zitwar, zitwan stm. zitwer,
ein früher gebräuchliches heilmittel u. gewürz (mlat. zedua-
rium v. arab. zedwâr).
zitze swf. (m.) weibl. brust,
saugwarze (vgl. tute).
zitzern swv. zwitschern.
ziu interj. (aus zahiu).
ziuc, -ges, ziug stm. n. handwerkszeug, gerät; ausrüstung,
rüstung u. waffen aller art, geschütz; gerüstete kriegerschar;
zeug, stoff, material; zeugnis,
beweis; zeuge. ziug-bære adj.
durch zeugen erwiesen. -holz
stn. werk-, nutzholz. -same,
-schaft stf.zeugnis,beweis.ziuge
swm. zeuge. — stf. zeugenbe-
weis. ziugen swv. zeugen, erzeugen; verfertigen, herstellen,
machen lassen, die kosten wovon bestreiten; verfassen
(buoch); anschaffen, sich verschaffen, erwerben; ausrüsten;
zeugnis ablegen, bezeugen,
-weisen; an einen z. daz zum
zeugen anrufen für, etw. z. ûf
sich auf jem. als den zeugen,
auf etw. als das zeugnis wofür
berufen, etwas als zeugnis
gegen jmd. aussagen. ziugnisse
stfn., ziugunge stf. das machen,
tun; zeugnis.
ziunelin, ziunlin stn. dem. zu
zûn. ziunen swv. zäunen, flechten; umzäunen, -flechten; einschliessen. ziunin adj. geflochten. ziununge stf. umzäunung.
ziuschen swv. brennenden
wundschmerz (durch rasche,
die haut schindende bewegung)
erzeugen.
zô s. ze, zuo.
zobel stm. (md. auch zabel)
zobel; zobelfell, -pelz (slav.).

-swarz adj. schwarz wie zobel.
-tier stn. zobel. -var adj. =
zobelswarz. zobelîn adj. von
zobel.
zoc, -ges, zog stm. das ziehen,
der zug (im schachspiele); appellation; auszug, kriegszug;
gefolge, schar; die spannung
(des bogens); schlägerei, balgerei.
zoche swf. knüttel, prügel.
zockel swfm. holzschuh.
zocken, zochen swv. ziehen,
zerren, reissen; locken, reizen.
zoc-ohse swm. md. = zug-
ohse.
zôfen, zoffen s. zâfen.
zoge-brücke swf. md. zug-
brücke.
zogel stm. md. der zieht, an
sich zieht, sammelt.
zogelen swv. md. intr. ziehen.
zogen swv. intr. sich auf den
weg machen, ziehen, gehn,
marschieren, eilen, laufen. —
unpers. mit dat. (mir zoget, ich
lâze mir z.) u. gs. (womit) eilig
sein, eilen; persönl. mit refl.
gen. zoget iuwer! beeilt euch.
— refl. den weg nehmen, sich
begeben, kommen; sich hinziehen, verzögern; sich zanken,
raufen. — tr. zerren, zupfen,
reissen, raufen; hinziehen, -hal-
ten, verzögern, verschieben.
zogeren swv. zerren, herum-
zerren.
zôhe swf. hündin. zôhen-
krote swf. hundskröte (schelte).
-sun stm. hundesohn (schelte).
zœhen swv. ziehen machen,
ziehen, führen, treiben.
zœhin stf. = zôhe.
zoigen, zöigen s. zôugen.
zol, -lles stm. cylinderförmi-
ges stück; baumklotz, baumstamm; kurbel.
zol -lles stm. f. zoll als mass.
zol, -lles stm. n. zoll als abgabe (ungevüegen z. geben grossen verlust haben, unterliegen);
zollamt, zollstätte (gr. lat. telo-
nium). -bære adj. zollpflichtig.
-schrîber stm. zolleinnehmer u.
verrechner. -vrî adj. zollfrei.
zolch stm. klotz (als schimpfwort), s. zol 1.
zolle swf. ein Kinderspielzeug.
zollen swv. abs. zoll geben,
zahlen. — tr. zoll wovon geben;
als zoll geben, zahlen; zoll fordern, auferlegen.
zoller stm. zolleinnehmer,
zöllner.
zolnære, -er stm. dasselbe
(lat. telonarius).
zôm s. zoum.
zônen s. zounen.
zopf, zoph md. zop stm. zopf;
zopfförmiges geflochtenes backwerk; hinterstes ende, schwanz,
zipfel.

zopfen swv. mit einem zopfe
versehen.
zopfen, zoppen stn. spring-
tanz.
zorfen stn. heller laut, schall.
zorftel adj. hell, leuchtend,
glänzend.
zorftel stn., zorftele stf. helligkeit, glanz.
zorn stm. (md. auch zorne
swm.) plötzlich entstandener
unwille, heftigkeit, zorn, wut;
worüber man aufgebracht ist,
beleidigung; heftiger wortwechsel, zank, streit; von elementen:
wut, heftigkeit, ungestüm. zorn,
zorne adj. adv. (das adjektivisch u. adv. ausgedeutete subst.
zorn) zornig, erzürnt (ich bin,
werde z. zornig, aufgebracht;
mir ist, wirt, tuot zorn es erzürnt mich, ich werde zornig
über; es tut mir leid). zorn-
(zorne-)bære adj. zornig. -bleich
adj. blass vor zorn. -drô stm.
zornige drohung. -druc stm.
zorniger druck. zornec, zornic
adj. zornig, zürnend, erzürnt;
heftig, grimmig. -lich adj. dasselbe. -liche adv. mit zorn, ungestüm. zornelîn, zörnelîn stn.
kleiner zorn. zornen, zörner s.
zürnen, zürner. zorn-galle swf.
bitterer zorn. -haft, -haftic adj.
= zornec. -herte adj. vor zorn
heftig. -lich adj., -liche adv.
= zorneclîch, -lîche. -mære stn.
zornrede. -müetic adj. erzürnt,
erbittert. -muot stm. = zorniger muot. -râche stf. die im
zorn beschlossene rache. -rede
stf. zornige rede. -schal stm.
lauter ausbruch des zorns. -sîn
stm. = zorniger sîn. -sûs stm.
= -schal. -tac stm. tag des
zorns, jüngster tag. -var adj.
zornfarb, -rot, nach zorn aussehend. -vluoch stm. im zorn
gesprochener fluch. -wæhe adj.
sich auf zorn verstehend.
zote, zotte swf. m. was zotticht herabhangt, zotte, flausch.
zotêht, zottêht adj. zotticht.
zoten swv. in zotten nieder-
hangen; herabhangen, anhangen; langsam gehn, schlendern.
zouber stnm. (nbff. zouver,
zûber) zauber, zauberei; zauber-
mittel, -spruch. -brief stm.
geschriebener zauberspruch.
-buoch stn. zauberbuch. -gerte
stf. zauberrute. -kunst stf. =
-list. -küsselîn stn. kleines zau-
berkissen. -lich adj., -liche adv.
zauber betreffend, zauberisch,
zaubermässig. -linde stf. linde,
bei der zauber im spiele ist.
-list stm. f. zauberkunst, zauberei. -listic adj. zauberkundig.
-mære stf. zauberrede. -sache
stf. zauberbehandlung. -salbe
f. zaubersalbe. -schaft stf. zau-

berei. -schrift stf. zauberschrift.
-spil stn. zauberei. -stein stm.
zauberstein, d. i. bernstein.
-wêrc stn. zauberei. -wort stn.
zauberwort. -wurz stf. zauberkraut. zouberære, -er stm.
zauberer. zouberærinne stf.
zaubrerin. zouberât stf. zauberei. zouberîc adj. zauberisch.
zouberîe stf. zauberei, zauber-
mittel, -spruch. zouberlehe stn.
zauberei. zoubern swv. intr.
zaubern, durch zauberei bewirken; tr. bezaubern. zouber-
nisse stfn. zauberei. zouberunge
stf. das zaubern.
zöugen, zougen, zoigen, zöigen swv. vor augen bringen,
zeigen; erzeigen, erweisen mit
dp.
zouke swf. schnabel einer
kanne.
zou-liche s. zouwelîche.
zoum, zôm, zäm stm. zaum,
zügel; wurfriemen; z. an einer
winden. -diep stm. zaumdieb.
-haft stf. fesselung vermittelst
eines zaumes. -strenge adj. fest
im zaume. -vüerer stm. zaum-
führer. zoumelîn stn. kleiner,
schlechter zaum. zöumen, zou-
men swv. tr. den zaum anlegen,
zäumen; im z. halten; ein ros z.
am zaume führen; einen z.
einen gefangen nehmen, indem
man ihn zum zaum seines rosses ergreift, ihn gefangen fortführen,
überh. zu pferde fortführen;
einen z. sein pferd am zaume
führen (aus ehrerbietung); mit
dem zaume lenken, reiten auf.
zoumer stm. zaummacher.
zoun s. zûn.
zounen, zönen swv. md. sehen
lassen, zeigen, offenbaren.
zouver s. zouber.
zouwe, zäwe stn. = gezouwe.
zouwe stf. eile. -(zowe-, zou-)
liche adv. eilig, schnell, mit gutem gelingen.
zouwen, zowen, zawen swv.
intr. von statten gehn, gelingen
pers. od. unpers. mit dat. (u.
gen. od. infin. mit ze); eilig
ziehen, marschieren; eilig sein,
eilen, sich beeilen mit gs.; mit
refl. gen. sich beeilen; zouwen
lâzen eilig sein, eilen (mit refl.
dat. u. gs.). — unpers. mit dat.
(acc.) u. gen. womit eilig sein,
eifrig verlangen nach.
zöuwen, zouwen swv. ab-
tun, verfahren. — tr. machen,
fertig machen, bereiten. — refl.
sich bereit machen, schmücken,
rüsten, aufmachen, beeilen.
zouwer stm. art tuchweber.
zouwic, zawic stf. bei der
hand, eilig.
zubel s. zwibolle.
zûber, zuber, zuober, zwuber,
md. zober (ahd. zwibar) stm.

gefäss mit zwei handhaben, zuber. -wîn stn. für die dienstboten bestimmter, schlechter wein, tropfwein. **zuberlîn** stn. kleiner zuber.

zuc, -ges, zug stm. handlung des ziehens, zug (des zügels, netzes, ruders, fiedelbogens, streich, schlag, zug auf dem schachbrette), bewegung, griff (nach dem schwerte); atemzug; winkelzug,kunstgriff;aufschub, verzug, frist; appellation; unterhalt, unterhaltungskosten; vorrichtung zum ziehen, aufziehen, ziehgerät; gespann; ort, wo ein schiff ans land gezogen wird; bewegung nach einer richtung fort, wanderung, reise, weg, pfad, zug bes. gegen den feind (kriegs-, kreuzzug); weg, art u. weise (mit einem adj. umschreibend); gezogene od. sich ziehende linie, schriftzug; bereich, landstrich, gegend.

zuc, -ckes stm. kurzes, geschwindes, heftiges ziehen oder reissen; verzückung.

zücken, zucken swv. schnell und mit gewalt ziehen (empor, heraus, zurück, fort); schnell ergreifen, an sich reissen, fortreissen,entrücken,wegnehmen, entreissen, rauben, stehlen. — refl. sich zerren; *sich mit einem z.* mit ihm tanzen usw. *sich ane z.* anspruch worauf machen, sich aneignen mit gen., acc. — intr. *hin z.* von dannen ziehen.

zücker, zucker stm. räuber.

zucker, zuker stm. zucker (mlat. *zucara* vom arab. *sokkar*). **zucker-balsam** stm. süsser balsam. **-honec** stm. zuckersüsser honig. **-huot** stm. zuckerhut. **-linde** adj. mild wie zucker. **-mæ̂ze, -mæ̂ʒic** adj. wie zucker, zuckersüss. **-mël** stn. gestossener zucker. **-munt** stm. zuckersüsser mund. **-nar** stf. zuckerspeise. **-rör** stn.m.zuckerrohr. **-rôsat** stm. mit zucker angemachter rosensaft. **-sâme** swm. zuckersame, **-mehl.** **-schîbe** stf., **-stücke** stn. stück zucker. **-stûde** swf. zuckerstaude. **-süeʒe** adj. süss wie zucker.— stf. zuckersüssigkeit. **-violêt, -violât** stf. mit zucker angemachter veilchensaft. **-wabe** swf. zuckersüsse honigwabe.

zuckern swv. verzuckern, zuckersüss machen.

zuc-lich adj., **-liche** adv. rapidus, rapide.

zuc-rihe stf. gewisse reihenfolge.

zuc-wandel stm. geldbusse für das zücken von waffen.

zûder stm. eine gerichtsperson (böhm. *cûdăr*).

züge stf. zug.

zügel stm., md. *zugel* zügel; wurfriemen; riemen, strick, band überh., woran etw. hängt, womit etw. umwunden wird; die zucht, das gezüchtete. **-brëche** swm. der wie ein wildes pferd den zügel zerreisst.

zügelen swv. züchten.

zugen swv. intr. = *zogen*.

zuge-seil stn. zugseil.

zuge-weich adj. schwank, biegsam; für den zügel empfindlich, weichmäulig.

zug-gerîhte stn. gericht höherer instanz.

zug-nôz stn. zugvieh.

zug-ohse swm. zugochse.

zug-rëht stn. recht zu appellieren.

zuht stf. das ziehen, zerren; zug, richtung, weg, gang (*des weges z.* reise); appellation; das schaffen, bilden; erziehung; züchtigung, strafe; bildung des innern und äußern menschen, wohlgezogenheit, feine sitte und lebensart, sittsamkeit, höflichkeit, liebenswürdigkeit, anstand (*in hôhen zühten* mit vollem anstande, *ûz den zühten* mit hintansetzung der gewöhnlichen sittsamkeit; *sîne z. mêren an einen edel* behandeln); ernährung, unterhalt, nahrung; abstammung; das gezogene, gezüchtete; kind, junges, brut, nachkommenschaft, frucht; ort wo junge gross gezogen werden, brutplatz; ort wohin das unreine wasser sich zieht, senkgrube; wasserlauf, -leitung, darüber festgesetzte ordnung. **-ban** stm. busse für eine gesetzwidrigkeit. **-bære** adj.*zuht* habend, darauf hindeutend, mit z. verbunden. **-bëseme** swm. zuchtrute. **-zühtec, -ic** adj. züchtigend; wohlgezogen, artig, höflich, von feinem anstande, gesittet; geziehlich, fruchtbringend. **-heit** stf. = *zuht*, wohlgezogenheit usw. **-lîch** adj., **-lîche** adv. = *zühtec*, wohlgezogen usw. **zühtegen, zühtigen** swv. tr. züchtigen, strafen. — refl. sich ziehen, bilden. **zühteger, zühtiger** stm. züchtiger; scharfrichter, henker; büttel. **zühtegunge** stf. züchtigung, strafe. **zuhten** intr. sich mit *zuht* benehmen. **zühten** swv. nähren, aufziehen, züchten. **zühter** stm. der junge tiere aufzieht. **zühte-rîche** adj. reich an *zuht*, sehr wohlgezogen. **zuht-lich** adj., **-liche** adv. = *zühteclich, -liche.* **-lôs** adj. ungezogen, rücksichtslos. **-meister** stm. erzieher. **-meisterinne** stf. erzieherin. **-merkære** stm. der auf anstand aufpasst. **-muoter** stf. zuchtmutter, er-

zieherin; zuchtsau, sau die geworfen hat. **-sal** stn. unterhalt, nahrung; stoff, element. **-swîn** stn. zuchtschwein. **-vlieher** stm. der vor dem anstand flieht, von ihm nichts wissen will. **-wîse** adj. in anstand erfahren.

zülle, zulle swf. flussnachen, flussschiff (*du bodemlôse zülle* als schelte).

zümfen, zumft s. *zünfen, zunft.*

zumpf, zumpfe; zump, -e stswm. das männl. glied. **zumpfelîn** stn. dem. zum vorig.

zumpfen-hüetelin stn. vorhaut.

zûn, zoun stm. hecke, gehege, zaun, umzäunung, verpalisadierung. **-brüchel** stm. zaunbrecher, -beschädiger. **-gerte** swf. zaungerte. **-heit** stf. was zur verzäunung gehört. **-holz** stn. holz zu einem zaune. **-reite** swf. ein umzäunter raum. **-schranc** stm. zaun als schranke. **-slüpfel** stm. zaunkönig. **-stal** stn., **-stat** stf. platz wo ein zaun steht, stehn soll oder darf. **-stecke** swm. zaunpfahl; bildl. plumper mensch. **-stelle** stf. durch einen zaun bezeichnete grenze. **-vride** stm. einfriedigung durch einen zaun.

zündec, -ic adj. akt. entzündend. — pass. entzündet, brennend.

zundel stm. = *zunder*.

zündel stm. anzünder, entflammer.

zünden, zunden, zünten swv. tr. entzünden, anzünden. — abs. sich entzünden, brennen, leuchten.

zunder stm. n. feuerschwamm; zunder bes. brennender, daher auch feuer, brand. **-minne** stf. leicht entzündbare *minne.* **-rôt** adj. feuerrot. **-var** adj. feuer-, brandrot.

zündesal stn. feuersbrunst.

zunêl, zünêl stn. schelle am pferdezeug (mlat. *cinalum* aus *cymbalum*).

zünfen, zümfen swv. abs. mit dp. der schicklichkeit und wahrheit gemäss mitteilen, überliefern.

zunft, zumft stf. regel, schicklichkeit, würde; nach bestimmten regeln eingerichtete gesellschaft, zunft, verein oder gesellschaft überh. (*des tôdes z. enphâhen* sterben). **-brief** stm. stiftungs- und bestätigungsurkunde einer handwerkszunft. **-bruoder** stm. zunftgenosse. **-gëlt** stn. geldbeitrag der zunftgenosse. **-genôʒe** stm. zunftgenosse. **-geselle** swm. dasselbe; handwerksgeselle. **zünftic** adj. einer zunft angehörend.

zunft-knëht stm. handwerks-

geselle. **-liute** pl. zunftgenossen.
-meister stm. städt. vorgesetzter des zunftwesens. **-rëht** stn.
rechte und pflichten einer zunft.
zunge swstf. zunge, bes. als
werkzeug der sprache, die
sprache selbst, die sprechende
mensch (*mit gemeiner, gelîcher
z.* einstimmig), bes. die gemeinschaftl. sprache eines volkes; volk; land, heimât; zun-
genähnliches (bes. in pflanzen-
namen); rüssel des elefanten.
züngelære stm. schwätzer, verleumder, **zunge-lich** adj. lin-
guosus. **zungelin, züngelin,
zungel züngel** stn. kleine zunge.
zunge-, zungen-lôs adj. ohne
zunge. **zungen-klaffer** stm. =
züngelære.
   zunt, -des stm. = *zunder.*
zünten s. *zünden.* **zünt-loch** stn.
zündloch eines geschützes. **-pul-
ver** stn. pulver fürs zündloch.
zuo s. *ze.*
   zuo adv. (md. *zû, zô*) räuml.
zu, hinzu, herzu bei advv. (*her
hie hin dar dâ war zuo,* voran-
gestellt *zuo her, hin*), bei verbis
z. b. *zuo-bringen* herbei bringen;
zuwege, zustande bringen,
vollenden. — *boten* m. dp. verkünden. — *dringen* sich hin-
zudrängen, mit dat. zusetzen,
überwältigen; m. dp. u. as.
einem etw. aufdrängen. – *eischen*
trans m. dp. etw. von jmd. verlangen. – *gân, gên* herzu, herangehn, kommen; herannahen; vor
sich gehn, sich ereignen; untergehn (sonne); zugehn, sich
schliessen; mit dp. zu einem
gehn, ihm zusetzen, ihm zu teil
werden, *zuo g. lâzen* mit dat. zukommen lassen. — *gebâren* m.
dp. sich einem gegenüber benehmen. – *gestên* m.dp.u.gs.mit
jmd. einmütig sein in etw. —
grîfen abs. zugreifen, hand anlegen, anfangen; mit dat. greifen
zu, in angriff nehmen. — *hœren*
zuhören; angehören; zustehen.
– *komen* heran-, herzukommen,
eintreten, part. praes. zukünftig; mit dp. kommen zu, an,
begegnen, dem eigentume eines
rechtlich beikommen; zu etw.
kommen, damit auskommen;
zugehn, geschehen. — *legen* abs.
zunehmen, kräftiger werden,
gedeihen, sich vervollkommnen;
hinzusetzen, legen, mit dp.
einem zusetzen, ihn bestrafen,
verfolgen; jemandes kraft und
macht verstärken, partei für
ihn ergreifen, ihm helfen; tr. zusammenlegen, zusammenfalten,
mit dp. anlegen, -ziehen; erlauben, zumessen; beimessen,
schuld geben, bezichtigen; beilegen, vermählen; refl. beilager
halten. — *losen* zuhören. —

nëmen intr. zunehmen, wachsen. — *phlihten* m. dp. u. as.
zuteilen. — *reiten* tr. hinzu-
rechnen, mit dp. zurechnen;
refl. rüsten. — *sagen* abs. mit
gen. zustimmen; zusagen, versprechen, als eigentum zusprechen; bekennen, gestehn;
ankündigen (*vintschaft*). — *sëhen* betrachten, sich überlegen;
m. ds. auf etw. achten, sorgen
für, sich beschäftigen mit. —
seilen zuerteilen, übergeben. —
sîgen herannahen, hereinbrechen; zufliessen, -strömen mit
dp. — *slâfen* einschlafen. —
slahen tr. zuschlagen; *die spîse
z. sl.* für die mahlzeit zurichten;
abs. zuschlagen, drauflos
schlagen; intr. heran-, zusammenkommen, refl. sich zugesellen. — *sprëchen* mit dat. zu
einem sprechen, ihm zusprechen, -reden; anfordern, anklagen *umbe*; mit dat. u. acc.
zu einem etw. (*wort*) sprechen.
— *stân* zu, verschlossen sein;
mit dp. zu einem treten, ihm
beistehn, ihm zuteil werden;
zustehn, -kommen, angehören,
zuständig sein. — *vâhen* zugreifen, anfangen; empfangen.
— *vallen* hinzukommen, sich ereignen. — *varn* herzu fahren,
kommen; sich aufmachen, rasch
zu werke gehn, etw. unternehmen. — *wellen* anv. mit
dat. sich machen an, es abgesehen haben auf. — *zeln* trans.
zuerteilen, anvertrauen; refl.
sich zutrauen. — bei ellipt.
zurufe (mit ausgelass. vb. der
bewegung): *nu zuo* wohlan.
— zeitl. *immer zuo, immer mêr
zuo* immerfort.
   zuober s. *zûber.*
   zuo-bereitunge stf. vorbereitung.
   zuo-binden stn. verbindung.
   zuo-bindunge stf. verbindung, verpflichtung.
   zuo-blæser stm. conflator.
   zuo-bote swm. hilfsbote.
   zuo-bringære stm. *ψυχοπόμ-
πος.*
   zuo-bringerin stf. zuträgerin;
kupplerin.
   zuo-brôt stn. zubrot, zukost.
   zuo-buoz stm., **-buoze** stf. zugabe, -wage.
   zuo-gâbe stf. zugabe; mitgift.
   zuo-ganc stm. zugang, -tritt;
herankunft; abgabe bei dem
antritte eines besitzes; untergang (der sonne).
   zuo-gedranc stn. das drängen
zuo.
   zuo-gegen adv. gegenwärtig.
   zuo-gehœre stnf., **-gehœrde,
-gehœrunge** stf. zubehör; wohin man gehört.

   zuo-gëlt stn. heiratsgut, mitgift.
   zuo-genôz stm. mitgenosse.
-genôzen swv. refl. beigesellen
mit dat.
   zuo-geschiht stf. zutat.
   zuo-geselle swm. mitgenosse;
hilfsgeistlicher.
   zuo-gesinde stn. beigegebene
dienerschaft.
   zuo-gewante swm. = *verwante.*
   zuo-gift stf. zugabe.
   zuo-grif stm. das zunehmen;
das zugreifen, wegnehmen, arrestieren; feindlicher einfall.
   zuo-haften stn. anhänglichkeit.
   zuo-hal stm. widerhall.
   zuo-halt stm. zugehörigkeit,
zuflucht, schutz; das hinzukommen.
   zuo-haltunge stf. assensus.
   zuo-hëllunge stf. zustimmung; widerhall.
   zuo-kapfer stm. zuschauer.
   zuo-kêr, -kêre stmf., **-kê-
runge** stf. hinwendung, einkehr,
zufluchtsort.
   zuo-kint stn. unehel. kind.
   zuo-kirche swf. filialkirche.
   zuo-klünzer stm. zubläser,
verleumder.
   zuo-knëht stm. mit-, bei-
knecht.
   zuo-kunft, -kumft stf. das
kommen, herzukommen, die
ankunft, herabkunft (gottes
usw.); verfolgung; zukunft.
-künftic adj. kommend, künftig, nächstkünftig, noch zu erwarten.
   zuo-leger stm. beiständer,
helfer, parteimann. **-legunge**
stf. hinzulegung; beistand,
hilfe.
   zuo-lëhen stn. bauernlehn.
   zuo-lende stn. landung, landungsplatz. **-lendic** adj. zur
landung geeignet.
   zuo-lich adj. schmiegsam;
weich.
   zuo-louf stm. zulauf, andrang; das hinzulaufen, nach-
springen; anlauf zum sprunge;
zuflucht.
   zuo-luoger stm. zuschauer.
   zuo-man stm. beimann, ci-
cisbeo.
   zuo-maz stn. zur zuspeise
dienende viktualien.
   zuo-müese, -muose stn. zuspeise; feldfrüchte außer getreide.
   zuo-müller stm. gehilfe des
müllers.
   zuo-name swm. beiname.
-namen, -nemen swv. einen bei-
namen geben.
   zuo-neigen stn. zuneigung.
   zuo-nëmen stn. zunahme,
wachstum. **-nëmer** stm. zu-
nehmer. **-nëmunge** stf. zu-

nehmung, vermehrung. **-nunft** stf. die zunahme.

zuo-nuz stm. hinzukommender nutzen.

zuo-phifer stm. zuflüsterer, verleumder.

zuo-phlёge stf. lebens-, handlungsweise.

zuo-phliht stf. hingebender eifer, gemeinsamkeit, art und weise. **-phlihtecheit** stf. dienstbeflissenheit.

zuo-punctec adj. concentricus.

zuo-quinkler stm. zublinzler, schmeichler.

zuo-rede stf. zusatz in der rede. **-rederer** stm. allocutor.

zuo-sage, -sagunge stf. zusage, versprechen. **-sager** stm. aus-, vorhersager.

zuo-salunge stf. zugabe.

zuo-samen = *zesamene.*

zuosamen-hёllunge stf. übereinstimmung, **-stōӡ** stm. zusammenlegung, gütergemeinschaft der eheleute.

zuo-saz stm. zusatz, hinzufügung, bes. die legierung; beihilfe, aushelfende person; hilfstruppen; besatzung (mit hilfstruppen); beigeordneter, beisitzer.

zuosaz-liute pl. beigeordnete.

zuo-schaz stn. = *zuogëlt.*

zuo-schouwe swm. zuschauer.

zuo-schriber stm. hilfsschreiber.

zuo-schröter stm. fleischhacker.

zuo-schup stm. hilfe, bes. heimliche hilfe, begünstigung, vorschub.

zuo-schuӡ stm. dasselbe; das losfahren auf einen.

zuo-schuz stm. schutz.

zuo-sёhære stm. zuschauer.

zuo-sitec adj. conterminalis.

zuo-slāfe swf. beischläferin.

zuo-smeicher stm. der sich anschmeichelt.

zuo-sprāche stf. das zureden, ermahnen; einsprache, -rede; s. v. a. *zuospruch.* **-sprëcher** stm. ansprecher; der einen anspruch, eine anklage erhebt. **-sprёchunge** stf. ermahnung. **-spruch** stm. anspruch, rechtliche forderung oder klage.

zuo-stōӡ stm. anbau, nebengebäude.

zuo-sunne swf. nebensonne.

zuo-tal stn. convallis.

zuo-tætic adj. zutätig, sich anschmiegend, umgänglich, einnehmend.

zuo-trager stm. zuträger, klätscher.

zuo-triben stn. suggestio. **-triber** stm. zustandebringer; der huren zuführt, kuppler. **-triberinne** stf. kupplerin.

zuo-trit stm. anfang, angriff.

zuo-tuon stn. zutun, beihilfe; verlängerung.

zuo-tütelen stn. das anschmeicheln. **-tütler, -tutler** stm. = *zuosmeicher.*

zuo-vāhen stn. empfängnis.

zuo-val stm. zufall, veränderlichkeit, wandel; accidens; das zuteilwerden; was einem zufällt als abgabe oder einnahme, bes. nebeneinkünfte; beifall, zustimmung, anschluss, bes. die bei stimmengleichheit die majorität bewirkende stimme des obmanns; anfall, angriff.

zuo-varre swm. zweiter zuchtstier.

zuo-vart stf. zu-, eingang, einfahrt; landung; das herbeiziehen, herzukommen, die ankunft.

zuo-vellic adj. zufallend, zufällig; hinfällig.

zuo-verlāӡ stm. zuversicht, zuflucht.

zuo-versiht stf. hinblick auf künftiges, was man zu erwarten, was man sich zu versehen hat, gewisse erwartung (von etw. gutem oder bösem), hoffnung (als kardinaltugend = spes), zuversicht und dasjenige worauf sich diese gründet (unterstützung, zuflucht); zuverlässigkeit; dauer.

zuo-vlicker stm. schmeichler.

zuo-vlieӡ stm. zufluss.

zuo-vluht stf. zuflucht.

zuo-vluӡ stm. zufluss. **-vlüӡzec** adj. herausströmend, reichlich vorhanden.

zuo-vor, -vorn adv. zuvor, im voraus.

zuo-vrouwe swf. kebsweib.

zuo-vüegunge stf. zusammenfügung, verbindung.

zuo-vuoc stm. verbindung; konjunktion (redeteil).

zuo-wart stf. zuwärts.

zuo-warte, -wart stf. anwartschaft.

zuo-wendec adj. conterminalis.

zuo-wenunge stf. angewöhnung.

zuo-wip stn. kebsweib.

zuo-wort stn. adverb (redeteil); beistimmung, lob.

zuo-wurf stm. zusammenwurf, vereinigung (der länder).

zuo-ze praep. zu.

zuo-zuc stm. instinctus.

zuo-zuht stf. zusammenzug, zusammentreffen; was mit aufgezüchtet, desselben tiergeschlechts ist.

zûpe swf. hündin.

zürch, zurch stm. kot (von pferden, schwelnen, schafen).

zürchen swv. den kot von sich lassen, misten.

zurn stm. = *zorn.* **zürnec,**

-ie adj. = *zornec.* **zürnen** swv. (md. *zurnen, zornen*) tr. zürnen, aufgebracht sein über. — abs. zürnen, aufgebracht sein, streiten (mit gs. od. an, mit, über, ûf, umbe, wider od. nachs.). — refl. sich erzürnen (mit gs. od. umbe). — intr. mit dat. = *zorn tuon.* **zürner, zörner** stm. der zürnt, ein zornmütiger. **zürnerin** stf zürnerin.

zürzerōn swv. = *kürzern* kürzer machen.

zûs stm. das zausen.

zûsach stn. gestrüppe.

züschen s. *zwisc.*

zûse stswf. gestrüppe; haarlocke, haarstrang.

zusse f. = *kotze* 2.

zutzel stm. sauglappen.

zûwen stv. II, 1 intr. ziehen.

zvâl stm. der planet Saturn (arab. *zuhal*).

zw- s. auch *tw-*.

zwac stm. biss.

zwach-tuoch stn. handtuch.

zwacken swv. zwacken, zupfen, zerren.

zwahen stv. = *twahen.*

zwanc, -ges stm. n. = *twanc.*

zwange swf. zange.

zwangen swv. tr. = *twengen,* kneipen.

zwatzler, zwetzler stm. penis.

zwёc, -ckes stm. nagel von holz oder eisen, bolzen; euphem. dreck; nagel inmitten der zielscheibe, zielpunkt; kegel.

zwёck-silber = *quëcsilber.*

zwёgen s. *zwein.*

zwei s. *zwêne. diu zwei* sternbild der zwillinge. **zwei** stf. zweiheit, alternative. **zweiec** adj. entzweit. **zweien** swv. tr. (nbf. *zweigen, zwёgen, zweihen*) zu zweien vereinigen, gesellen; in zwei teile zerlegen, scheiden, entscheiden, sondern, trennen (*in gezweietem muote* in geteilter stimmung; *gezweiet sitzen* gegenübersitzen). — refl. sich zu zweien vereinigen, sich paaren; sich scheiden, unterscheiden, verschieden oder zwiespältig sein, sich entzweien. — intr. sich scheiden, verschieden sein; sich entzweien, streiten. **zweien** stn. vereinigung, paarung; entzweiung, streit. **zweies** gen. adv. zweimal. **zweigen, zweihen** s. *zweien. zweijæric* adj. zweijährig. **zweilinc, -ges** stm. zweier (münze); ein zwei zoll dickes brett. **zweinen** swv. refl. sich entzweien. **zweinunge** stf. entzweiung. **zwein-, zwёn-zec, -zic** num. card. zwanzig. **zwein-zegest, -zigest** num. ord. zwanzigst. **zweinziger** stm. zwanziger, aus 20 kleineren münzen bestehende münze. **zwei-russer** stm. der zweispännige. **-rüssic**

-ie adj. = *zornec.*

adj. zweispännig. **-schĕllic** adj. uneins, zwiespältig. **-schĕl-**
licheit, -schĕllunge stf. widersprechende meinung, zwiespalt.
-spaltic adj. zwiespältig. **-teil** stn. hälfte. **zwei-trac** stm. = *zwitraht.* **zwei-traht** s. *zwitraht.*
zwelunge stf. entzweiung, zwiespalt, streit; schisma; (unter kindern) verschiedenheit eines der eltern. **zwei-zuht** stf. zwietracht.
zwelf, zwe-lif, -lef, zwolf, zwölf num. card. zwölf. **zwelf-bote** swm. apostel (sing. aus pl. *die zwelf boten).* **zwelfboten-tuom** stm. das apostelamt. **zwelf-jæric** adj. zwölf jahre alt. **zwelft** num. ord. zwölft; *der zwelefte* (näml. der zwölfte tag nach dem weihnachtstage) epiphanias. **zwelf-teil** stn. zwölftel. **zwelver** stm. mitglied eines zwölferkollegiums.
zwêne m., **zwô, zwuo** f., **zwei** n. num. card. zwei.
zwĕrchen swv. = *twĕrchen;* refl. kreuzen.
zwĕrgen stv. III. 2 drücken, kneten, kneifen.
zwĕrn stv. IV = *twĕrn* durcheinander rühren.
zwĕr-wâfen stn. queraxt.
zwetzler s. *zwatzler.*
zwî stn. zweig, reis; pfropf-, setzreis.
zwibel s. *zwivel.*
zwibolle, zibolle swm. (stf.) zwiebel (auch *zwivolle, zwivulle, zwival, zwifel, zwibel, zubel* u.a.; umd. aus lat. *caepulla).*
zwi-brüsten swv. *an einander zw.* sich umarmen.
zwic. -ckes stn. nagel, bolzen; zwickel, zwickelartige falte an einem kittel; einmaliges zwicken mit der zange, kniff, schlag, schmiss.
zwic, -ges stn. m. = *zwî.*
zwickel stm. keil.
zwicken swv. tr. mit nägeln, wie mit nägeln befestigen; einklemmen, -keilen; stechen; mit eindrücken, tupfen versehen; mit zwickeln versehen, fälteln; packen, fest einhüllen; zwicken, zupfen, rupfen, zerren.
zwiden swv. willfahren, gewähren, erhören. **zwidesal** stn. gewährung, geschenk.
zwiel stn. dem. zu *zwî.*
zwien swv. pfropfen; zweigen, verzweigen, ausdehnen.
zwier s. *zwir.*
zwieren swv. das auge blinzelnd zusammenkneifend, verstohlen blicken.
zwifel s. *zwivolle.*
zwi-gebel adj. zweizackicht, wie eine *gabele.*
zwigelin, zwigel stn. dem zu *zwîc* zweiglein.

zwi-gĕlt stn. doppelte zahlung, doppelter ersatz. **-gĕlte, -gĕlten** adv. doppelt bezahlend.
zwigen swv. = *zwîen* pfropfen, pflanzen; hervorbringen; abzwicken, pflücken; wie zweige ausstrecken; mit zweigen (geweih) versehen. — intr. zweige treiben.
zwigen swv. = *zwîden.* (aus *zwîdigen).*
zwi-genge adj. zwiefach gehend, doppelt.
zwi-gülte stf. = *zwigĕlt.* **-gülten** swv. doppelt bezahlen oder ersetzen.
zwi-kœse stf. zwiegespräch.
zwilehinc stm. = *zwilich.*
zwilhen swv. zweifädig weben, bildl. verdoppeln.
zwi-lich, zwilch adj. doppel-, zweifädig; zwiefach; aus zwilch gemacht. — stm. zweifädiges gewebe, zwilch.
zwilich-kint stn. zwilling.
zwilinc s. *zwinelinc.*
zwi-louf, -louft stm. zwist, zwietracht. **-löufic, -löuftic** adj. zwistig, zwieträchtig.
zwinelin stn., **zwinelinc, zwilline, zwiline, -ges** stm. zwilling.
zwing- s. *twing-.*
zwingel-hof stm. zidatelle.
zwingolf stm. = *zwinger* antemurale.
zwinken swv. blinzeln.
zwinzen swv. (aus *zwinkezen)* intens. zu *zwinken.*
zwir, zwier, zwire adv. zweimal; zweifach.
zwirbel stm. kreisförmige bewegung.
zwirben, zwirbeln swv. = *zirben.*
zwirch adj. = *twĕrch.*
zwiren, zwirôn swv. ausgehn, gebrechen, mangeln.
zwiren zwirn, zwirent zwirnt, zwirunt, zwürent adv. = *zwir.*
zwir-halben, -halp adv. zwiefach.
zwir-liche adv. indem einem etwas ausgeht, aus mangel (an stoff).
zwirn stm. zweidrähtiger faden, zwirn.
zwirnen swv. je zwei fäden zusammendrehen, zwirnen.
zwirôn swv. s. *zwiren* 1.
zwis adv. md. zweimal.
zwisc, zwisch adj. zwiefach, je zwei; pl. beide *(under iu zwisc* zwischen euch; *under zwisken, zwischen* in der mitte beider; gegenseitig, untereinander; tempor. indes, inzwischen; *in zwischen, enzwischen* od. bloss *zwischen,* auch *zwü-schen, züschen,* md. *zwuschen, zuschen* als präp. mit dat. acc. gen. zwischen); *dâ, dar zwischen*

adv. räuml. und zeitl. dazwischen, inzwischen.
zwi-scharf adj. zweischneidig.
zwischel, zwiskel, zwischelie adj. zwiefach.
zwischeln swv. *zwischel* machen.
zwischen-komen stv. interponere.
zwischen-liebe stf. gegenseitige liebe.
zwischen-lieht stn. zwielicht.
zwischen-saz stm. interpositio.
zwischen-würken swv. vermitteln.
zwisel adj. doppelt.
zwisele, zwisel stf. gabel, etw. gabelförmiges. **zwiselec, zwi-selĕht** adj. gabelförmig. **zwi-selen** swv. gabelförmig spalten.
zwiselinc = *zwinelinc*
zwiselisch adj. zwiefach.
zwis-golt stn. zweifarbiges gold.
zwi-slehtic adj. von doppeltem geschlecht, zwitterhaft.
zwi-span stm. streitigkeit, streitsache.
zwi-spĕl adj. zwiefach.
zwi-spĕln s. *zwispilden.*
zwispeln swv. flüstern.
zwi-spil stn. das doppelte; doppelter betrag. **-spil** adv. zwiefach, doppelt. **-spilde, -spilt** adj. adv. dasselbe, **-spilde** stf. = *zwispil* 1. **-spilden, -spil-ten, -spĕln** swv. in zwei teilen; verzwiefachen, -doppeln; doppelt vergüten. — refl. sich verdoppeln.
zwi-spiz stm. stein-, spitzhaue.
zwist stm. entzweiung, zwist.
zwitarn, zwitorn stm. zwitter, bastard.
zwi-teilen swv. entzwei teilen.
zwi-, zwei-traht stf. uneinigkeit, zwietracht. **-trehten** swv. refl. sich entzweien -(zwei-)
trehtic adj. zwieträchtig; zwiefältig. **-trehticheit** stf. zwietracht, entzweiung.
zwitzen swv. klaffen, schwatzen.
zwitzern swv. int. zwitschern; zittern, flimmern. — tr. etw. schwingen, dass es saust oder flimmert.
zwitzieren swv. zwitschern.
zwiu = *ze wiu* s. *wĕr.*
zwiunge stf. insertio, plantatio.
zwi-vach, -vachtic adj. zwiefach. **- vachen** swv. intr. *zwi-vach* werden.
zwival s. *zwibolle.*
zwi-valt stf. zwiespältigkeit. **-valt, -valtic, -veltic** adj. zwiefach, doppelt. **zwi-valten, -val-den, -valtigen** swv. verdoppeln; doppelt vergelten. — refl.

sich entwickeln, entfalten. **-val-tes** gen. adv. um das doppelte. **zwivaltic-lich** adj. = *zwivalt.* **zwivel** s. *zwibolle.* **zwivel** adj. ungewiss, zweifelhaft. **zwivel** stm. (md. auch *zwîbel*) zweifel als ungewissheit, besorglichkeit, misstrauen, unsicherheit, hin- und herschwanken, wankelmut, unbeständigkeit, untreue, verzweiflung. **zwivelære, -er** stm. der zweifelt oder verzweifelt. **zwivelât** stf. ungewissheit, zweifel. **zwivelbêre** stm. erfülltsein mit z. **-bürde** stf. last des zweifels, der ungewissheit. **zwivelen** s. *zwiveln.* **zwivel-haft, -haftic** adj. ungewiss, zweifelhaft (akt. u. pass.). **zwivelic** adj. dasselbe. **zwivel-lëben** stn. ungewisses und unbeständiges leben. **-lich**

adj., **-liche** adv. = *-haft*; ohne feste zuversicht, verzagt, verzweifelnd; besorgnis erregend, peinlich; hoffnungslos, zum verzweifeln. **-lop** stn. zweifelhaftes, zweideutiges lob. **-mære** stn. zweifelhafte erzählung. **-muot** stm. zweifelnder sinn, unentschlossenheit, verzagtheit. **zwiveln, zwivelôn, zwivelen** swv. intr. in ungewissheit sein, zweifeln (mit gen. od. *an*); wankelmütig, untreu werden an; verzagen, -zweifeln. — unpers. mit dp. zweifelhaft sein. — tr. einen bezweifeln, in verdacht haben. **zwivel-nôt** stf. die pein des zweifelns. **zwivelôn** s. *zwiveln.* **zwivel-slac** stm. mit verzweiflung geführter schlag. **-sünde** stf. sünde des zweifelns und verzweifelns. **zwivelunge** stf. zwei-

fel, verzweiflung. **zwivel-vart** stf. ungewisse, bedenkliche, gefahrvolle reise. **-wân** stm. bange ansicht der zukunft. **zwi-veltigen, -veldigen** swv. *zwivaltic* machen, verdoppeln; doppelt bezahlen. **zwivolle, -vulle** s. *zwibolle.* **zwi-was, -wahs** adj. zweischneidig. **zwi-wurft** stf. zerwürfnis, zwiespalt, feindschaft. **zwô** s. *zwêne.* **zwolf, zwölf** s. *zwelf.* **zwô-zal** stf. zwei drittel. **zwuber** s. *zúber.* **zwungen-schaft** stf. zwang. **zwuo** s. *zwêne.* **zwürent** adv. s. *zwiren.* **zwüschen** s. *zwisc.* **cyplîne** swf. züchtigung (lat. *disciplina*).

BERICHTIGUNGEN
ZUM UNVERÄNDERTEN NEUDRUCK
DES HAUPTTEILS

aber-âhte	*verstärkte acht* zufügen!
ach	**anch** streichen!
adel-wîp	und **-vruht** umstellen!
æderlîn	und **æderîn** umstellen!
æderîn	statt *aus seillitze* Bedeutung *aus sehnen verfertigt* einsetzen!
agelster	**ageleister** zufügen!
agene	*grashalm* zufügen!
aht-bære	*wertvoll* zufügen!
ahte	*zustand, beschaffenheit* zufügen! âne ahte *unbestimmbar (von gott)* zufügen!
ahten	*für etwas halten* zufügen!
ahtode	*ahtende* als nebenform, *der achte tag* und *oktave* als Bedeutung zufügen!
â-keit	ganzen Artikel streichen!
alevanz	*bestechung* zufügen!
ant-werc	statt *berufsmäßige arbeit mit werkzeugen* einfach *handwerk*!
ant-vâher	**-t-** streichen!
apfel-tranc	*apfelwein* nicht *äpfelwein*!
armuot	*auch stm.* zufügen!
asch-man	*stn.* zufügen!
bade-gewant	*vestis mutatoria* zufügen!
banc-kleit	ganzen Artikel streichen!
banc-zins	nach **banc-hart** einordnen!
baz	*adj.* streichen!
be-nîden	*stv.* zufügen!
berc-mæzic	in **-ze(c)** ändern!
bescheiden *redv.*	die letzten 4 Zeilen sind nicht reflexiver, sondern transitiver Gebrauch!
be-schouwelich	in **be-schouwe(n)lich** ändern!
be-trüebede	**-trüebesal** streichen!
be-velhen	*swv.* zufügen!
bider-man	in **bider(b)-man** ändern!
bîzen	statt II lies I!
bluom-var	in **bluom(en)-var** ändern!
bringen	**brëngen** streichen!
briuwen	statt III lies II!
der, diu, daz	**daz** als konjunktion auch konditional.
diutsch	**dûze** zufügen!
don	*stf.* streichen! dafür *stm.* einsetzen!
drîzigeste	*swm.* streichen! dafür *swn.* einsetzen!

durch *adv.*	zufügen: durch-*komposita besonders beliebt im geblümten stil, z. b. minneburg, oft reines verstärkungssuffix*!
durchmirken	lies **durchmerken**!
durch-schœne	durch-schœnen *swv.* zufügen!
eben-hellungo	lies **ebenhellunge**!
eben-teil	*auch stm.*
edeline	lies **edelinc**!
ei, eiâ	**ey, eyâ** zufügen!
en-eben	**nement** zufügen!
eninkel	statt *onkel* lies *enkel!*
en-kleiden	**ent-kleiden** und *auch refl.* zufügen!
ent-schepfen	*stv.* zufügen!
êr	*adv.* streiche: *mit nachfolgd. komparativsatz*!
er-bîten	hinter *mit gs.: oder mit* zuo einfügen!
êre	*auch swf.* zufügen!
er-gremmen	ganzen Artikel streichen!
er-lingen	*swv.* streichen! dafür *stv.* einsetzen!
ermel	**erbel** zufügen!
er-schreien	hinter *rufen: singen* einsetzen!
ersigen	streiche: ersigen *erschöpft*!
ert-bibe	**ert-bebunge** zufügen!
er-weigen	*refl. schmerzen* streichen! dafür *ins wanken bringen; refl.* wakkeln *(von zähnen)* einsetzen!
êwartlich	**-eclich** zufügen!
gâbe	*swf.* zufügen!
galiôt	**galiotte** ohne Akzent!
galmen	ganzen Artikel streichen!
gar-lîche	in **gar-lîche(n)** ändern!
gazze	*stf.* zufügen!
ge-dinge³	*gedanke* streichen!
ge-dultsame	in **ge-dul(t)same** ändern!
ge-loube	in **ge-loube(n)** ändern!
gelouben	*auch ap.* zufügen!
ge-meinlîche	in **ge-meinlîche(n)** ändern!
ge-muozen	**ge-müezegen** einfügen!
ge-nasche	in **ge-nasch(e)** ändern! *auch stm.* zufügen!
ge-nühtec	**ge-nuhtlich** *adj.* zufügen!
ge-ruoweclîche	in **ge-ruoweclîche(n)** ändern!
ge-sellen	statt *paarweise* lies: *sich mit andern freundschaftlich verbinden*!
ge-selline	lies: **ge-sellinne**!
ge-slithe	in **ge-slihte** ändern!
gevilde	*gelegentlich auch swn.* zufügen!
ge-vratet	in **ge-vrat(et)** ändern!
ge-win	**ge-winne** *swm.* zufügen!
gift	*stn.* streichen! dafür *stf.* einsetzen!
giht³	ganzen Artikel streichen!
gimme	*swm.* zufügen!
ginster	ganzen Artikel streichen!
girde	*auch swf.* zufügen!
giric-heit	zweites **-r-** streichen!
glas	*stm.* zufügen!
glast	*stf.* zufügen!
glitze¹	*speer* zufügen!

glitze²	*glanz* umstellen!
gliz	lies **glitz**!
hant-werhte	lies **hant-worhte**!
herhaft	streiche: *gewaffnet und*!
herzen-jâmer	in **herze(n)-jâmer** ändern!
hin-lâzen	ganzen Artikel streichen!
hin-legen	ganzen Artikel streichen!
hiuren	*beglücken, beseligen* streichen! dafür *schön machen, erheben, adeln* einsetzen!
hôhunge	*stf.* zufügen!
inbîz	lies **inbiz**!
îsenhert	lies **îsenherte**!
kembel	**kemmel** als erstes Stichwort einsetzen, **kembel** nachordnen!
kembelîn	dasselbe!
kêren	lies *swv. trans. u. refl.*!
kiusche	*adj.;* am Schluß *aus conscius* zufügen!
knappe-schaft	vor **knarpeln** einordnen!
contrârie	ganzen Artikel streichen!
kriuselen	statt *zucken* lies *jucken*!
lîp-heit	lies **-haftecheit**!
liumunt	*unterabteilung* bis *paragraph* streichen!
mage-zoginne	**mei-zoginne** in **mei(t)-zoginne** ändern!
manec-valtigen	lies **-valten**!
meie	*auch stm.* zufügen!
mêr	4. *konjunkt. vielmehr* zufügen!
mer-ruoder	ganzen Artikel streichen!
misse-wende *stf.*	*das abweichen vom rechten wege* einsetzen!
mite-slüzzel	ganzen Artikel streichen!
molte	*swm.* zufügen!
mœre, mêre	**mære** zufügen!
ôster-lant	*stm.* streichen! dafür *stn.* einsetzen!
presse	*swf.* zufügen!
ran	streichen! dafür **ranc** einsetzen!
rœseleht, -loht	**rôseliht** zufügen!
rüeren	*scheinbar* streichen! dafür *anscheinend* einsetzen!
schanze	die beiden Artikel umstellen und vereinen! *reiserbündel* streichen!
schîn *adj.*	im ersten Teil der Klammer lies: schîn wesen *sich zeigen, bekannt werden*!
schrîten	lies *schreiten* statt *schreisen*!
serge	nach *prov.*: **serga** für *serge* einsetzen!
slieme	*in die fenster* streichen! dafür *in den fenstern* einsetzen!
smerzen *swv.*	ganzen Artikel streichen!
sorge-bære *adj.*	in **sorge(n)bære** ändern!
strich	*auch stm.* zufügen!
sunne-wende	**sunnen-wende** zufügen!
teic	*auch stm.* zufügen!
teller	*stm.* zufügen!
titel	*stfn.* zufügen!
tohter	*auch swf.* zufügen!
tunkel-sterne	ganzen Artikel streichen!
under-reit	*einschub* streichen! dafür *zwischenritt* einfügen!

understân	statt *um einen* ... bis *aufzuhalten* lies: beistehen!
un-gemach	*adj.;* ganzen Artikel streichen!
un-genande	*f.* streichen! *swmn.* zufügen!
uop-lich	*üblich* streichen! dafür *festlich* einsetzen!
uo-sezzel	in **uo-setzel** ändern! *stn.* und *flicklappen* zufügen!
vale-hære	ganzen Artikel streichen!
vater	streiche *kolik.*!
ver-graben	*swv.* zufügen!
ver-schern	*verletzen* streichen!
versigelen	streiche: einen v. *für ihn siegeln!*
ver-tân	vor **ver-tanzen** einordnen!
ver-vriden	*außer frieden setzen* streichen!
veste *stf.*	*auch swf.* zufügen!
vetach	*auch stn.* zufügen!
vimpen	ganzen Artikel streichen!
flôrin	*swm.* zufügen!
vluht	*auch m.* zufügen!
vor-gesiht	*stn.* zufügen!
vorhte	*swf.* zufügen!
vor-ziln	ganzen Artikel streichen!
furke	lies *gabelförmiges instrument!*
wal *stf.*	*stn.* zufügen!
waten	*swv.* zufügen!
wê-tac	*auch stf.* zufügen!
wec	nebenform **wëg** streichen!
wërren *swv.*	als **werren** ansetzen!
wîch-tuom	*zustand der heiligkeit* streichen!
wîe	*auch stm.* zufügen!
wimel	*wohl* streichen!
winden[1]	von *ane w.* bis *angehören* streichen!
winkel-prediger	in **winkel-brediger** ändern!
wipluppen	statt *wipfendes* lies *wippendes!*
wîte	statt *adj.* lies *adv.*
wolken-var	und **wolken-trüebe** umstellen!
zûhten	*swv.* zufügen!

NACHTRÄGE ZUM MITTELHOCHDEUTSCHEN TASCHENWÖRTERBUCH

UNTER MITHILFE VON

DOROTHEA HANNOVER UND RENA LEPPIN

NEUBEARBEITET

UND AUS DEN QUELLEN ERGÄNZT

VON

ULRICH PRETZEL

Unveränderter Nachdruck

S. HIRZEL VERLAG STUTTGART

1986

An der 1. Auflage hatte WOLFGANG BACHOFER,
an der Neubearbeitung hat zuletzt CHRISTA HEPFER mitgeholfen

VORWORT
ZUR NEUBEARBEITUNG DER NACHTRÄGE

Als wir vor vierzehn Jahren die ersten, lange sehnlichst erwarteten Nachträge zum „Kleinen Lexer" zusammenstellten und dabei vor allem auch die bis dahin nur spärlich verwendeten Sonderglossare der inzwischen neugedruckten Texte aller Art nutzten, sahen wir es als unsere Hauptaufgabe an, den reichen Wortbestand des Mittelalters auch anderen Wissenschaften, die mit mittelhochdeutschen Quellen umgehen müssen, zugänglich zu machen, also auch Historikern, Theologen und Juristen neues, lexikalisch freilich sehr ungleiches Material in Auswahl darzubieten; besonders die in spätmittelhochdeutscher Zeit schon reiche Fülle von Verbalkompositis sind damals etwas vollständiger registriert worden. Außerdem waren wir darauf bedacht, die oft sehr zufällige Auswahl LEXERS aus dem schon bekannten Wortmaterial wenigstens hie und da zu ergänzen. Die Rücksicht auf den vom Neuhochdeutschen abweichenden Bedeutungsgehalt, auf die feinere Bedeutungsbegrenzung, die sorgfältigerer Interpretation mittelhochdeutscher Dichtung dient, stand damals noch zurück. Bei der Neubearbeitung und Erweiterung unserer „Nachträge" haben wir diesmal besonders wieder die Germanisten im engeren Sinne im Auge gehabt, und vor allen Dingen haben wir die damals erst begonnene Einfügung kurzer syntaktischer Verbindungen und innerlich oder äußerlich verbundener Sinngruppen stärker vermehrt (wie die damaligen Artikel brechen, bringen, haben, hant, kêren, muot, sin, süeze, wec). Zu diesem Zwecke haben wir gleich nach Erscheinen der ersten Nachträge noch einmal die wichtigsten Dichtungen der mittelhochdeutschen Blütezeit: das ganze Nibelungenlied, Minnesangs Frühling, die Legenden Hartmanns, mehrere Hauptbücher des Parzival und später vor allem Gottfrieds Tristan, der lexikalisch noch längst nicht nach Gebühr ausgeschöpft ist, genauer erfaßt; Erek und Iwein, Walther von der Vogelweide und andere waren schon im alten Mittelhochdeutschen Wörterbuch reicher und zuverlässiger interpretiert. Andere Dichtungen sind daneben gelegentlich in knapper Auswahl berücksichtigt worden. Auf diese Weise sollte das Buch nun auch wieder für den germanistischen Unterricht ein verbessertes Hilfsmittel werden, obwohl immer noch die Crux der Zwei-

teiligkeit weiterbesteht und wir ja nur Ergänzungen zu dem ersten allzu knappen, im Breviaturstil gehaltenen Teil des Wörterbuchs liefern. Für die damaligen Bearbeiter war ja der Vorsatz, den Umfang nicht zu erweitern, ein außerordentliches Hemmnis.

Da wir nun doch ein neues Manuskript für unsere Nachträge herstellen mußten, haben wir die Gelegenheit benutzt, noch einmal die damaligen Neuaufnahmen sorgfältig zu überprüfen und dabei auch in der Auswertung der schon gedruckten Sonderglossare, die noch viele Irrtümer offenbarten, kritischer zu verfahren, als es seinerzeit möglich gewesen war. So ist auch z. B. dem mystischen Wortmaterial sorgfältiger nachgespürt worden; QUINTS verdienstvolle Register geben ja leider keine Bedeutung an, und gerade sie richtig und sinngemäß zu greifen, ist natürlich oft besonders schwer.

Daneben haben wir nicht versäumt, auch noch wieder einen Teil der seinerzeit fortgelassenen Wörter des „Großen Lexer" nachzuprüfen und nachzutragen, obwohl unsere Arbeit weiterhin an dem Auswahlprinzip festhalten mußte. Um so lebendiger ist im Laufe der Arbeit der Wunsch in uns wach geworden, endlich einmal durch Zusammenfügung und Ausgleichung der beiden Teile und Neubearbeitung des ersten Teils von Grund auf, wie sie HENSCHEL und KIENAST seinerzeit nicht vornehmen konnten, ein immer noch handliches, aber nicht kompendiöses mittelhochdeutsches Wörterbuch zu schaffen, wie es den drei Herausgebern des großen Mittelhochdeutschen Wörterbuchs vor nunmehr fünfundvierzig Jahren vorgeschwebt hatte.

Die Arbeit an diesem war in der damaligen Akademie der Wissenschaften in Berlin auf Anregung von ARTHUR HÜBNER 1936 begonnen und nach zeitbedingten Unterbrechungen erst in Berlin und nach dem Kriege auch in Hamburg fortgesetzt worden. Daß dieses in seinem ersten Teil, dem „Frühmittelhochdeutschen Wörterbuch", schon weit vorgeschrittene Werk 1961 stillgelegt wurde, ist im Interesse unserer Wissenschaft sehr zu bedauern. Wenn man es für eine Hauptaufgabe der Sprachwissenschaft, gerade auch der Lexikographie, hält, uns Gehalte und Inhalte richtig verstehen zu lehren, müssen Bedeutungswörterbücher mithelfen, uns einen reichen Besitz, die geistigen Schätze des deutschen Mittelalters, lebendig zu erhalten.

Die kritische Mithilfe jedes Benutzers wird uns weiterhin willkommen sein.

Inzwischen ist der eine der drei Männer, die im Jahre 1928 den Plan zu einem Mittelhochdeutschen Wörterbuch faßten, von uns gegangen: ERICH HENSCHEL, der an der vor dreizehn Jahren schon zum Druck fertiggestellten ersten Lieferung des Frühmittelhochdeutschen Wörterbuchs maßgeblich beteiligt war. Er ist im Dezember 1971 gestorben.

Bis zuletzt lebte er in der Hoffnung, daß dies Wörterbuch doch endlich seine Weiterführung und allmähliche Vollendung erleben könnte. Seine Arbeit daran soll nicht vergessen werden.

Hamburg, im Februar 1973

ULRICH PRETZEL

abbeteie, abbetîe *stf.* abtei.

abbet-stap *stm.* stab des abtes.

abe *adv.* eintweder abe oder an *so* oder *so.*

abe *adv.* bei verben:

-æhten *swv.* zugrunde richten.

-bediuten *swv.* deutend abfordern.

-beheben *stv.* entziehen, wegnehmen.

-bellen *swv.* anbellen.

-bern *stv.* abnehmen.

-bern *swv.* abhauen.

-betwingen *stv.* abnötigen.

-biegen *stv. tr.* abbrechen (einen zweig).

-bieten *stv.* abschaffen, verbieten.

-binden *stv.* abbinden (helm).

-biten *stv. dp.* durch bitten abverlangen; *ap.* freibitten.

-blundern *swv.* rauben, wegnehmen.

-brennen *swv.* durch feuer zerstören.

-bresten *stv. intr.* abbrechen.

-brevieren *swv.* im auszug abschreiben.

-buosemen *swv.* aus dem busen ziehen.

-decken *swv.* abdecken (tisch).

-dieben *swv.* stehlen.

-dingen *swv.* rechtlich übereinkommen, ausbedingen; durch versprechen ei-

nes lohnes abwendig machen.

-döuwen *swv.* verdauen.

-dringen *stv.* abnötigen.

-dröuwen *swv.* durch drohen abzwingen.

-drücken *swv.* herunterschlucken (das essen), „verdrücken".

-drumen *swv.* abschlagen, abhauen (wald).

-eischen *swv.* abfordern, die herausgabe fordern.

-entrinnen *stv.* sterben.

-entrîten *stv.* wegreiten.

-entvâhen *redv.* der sünde a. befreien von.

-entwîchen *stv. gs.* verzichten auf.

-erbeizen *swv.* absitzen.

-erbiten *stv.* abbitten; abhandeln.

-erbrogen *swv.* abtrotzen; rauben.

-erdræjen *swv.* durch drehen abgewinnen.

-erdröuwen *swv.* durch drohungen abwenden, abbringen.

-ergrînen *stv.* durch greinen abnötigen.

-erîlen *swv.* (einem etw.) abjagen.

-erkennen *swv.* abschaffen.

-erkôsen *swv.* abschwatzen.

-erlecken *swv.* übertr. durch betteln abgewinnen.

-erliegen *stv.* durch lügen abgewinnen.

-erlôsen *swv.* abgewinnen, abluchsen, abschwindeln.

abe-ern *redv.* abpflügen, abernten.

-ernœten *swv.* abzwingen.

-ersterben *stv.* absterben, hinsterben.

-erstrîten *stv.* im kampf abgewinnen.

-ertriegen *stv.* durch trug abgewinnen.

-ertwingen *stv.* im kampf abgewinnen (lant).

-ervehten *stv.* im kampf erwerben, jem. etwas abkämpfen.

-ervlêhen *swv.* durch bitten erlangen.

-ervrîen *swv.* durch werben gewinnen.

-erzürnen *swv.* (gott etw.) abringen.

-etzen *swv.* abweiden.

-ezzen *stv. trans.* essen, abfressen; refl. bildl.: sich besänftigen.

-gân *redv.* aufhören; sich entfernen, fehlen, ablassen von; mit gs. oder ds. aufgeben; unpers. a. an hôher wirde dp. einbüßen an.

-gebaden *swv.* auch übertr. abwaschen.

-gebern *stv.* abnehmen(?).

-gebinden *stv.* abbinden (helm).

-gebrechen *stv.* guot a. wegnehmen, rauben.

-gegân *redv. gp.* aufgeben, verlassen.

-gelegen *swv.* gebresten a. fehler ablegen, abschaffen.

abe-geliden *swv. ablösen.*

-gelten *stv. abzahlen, bezahlen.*

-gemerren *swv. losbinden.*

-genemen *stv.* stunde a. *dp. zeit vertreiben; intr.* an der varwe a. *sein gesundes aussehen verlieren.*

-gereden *swv. absprechen.*

-gerihten *swv. abtragen, gutmachen.*

-gerîzen *stv. abreißen, vom leibe reißen.*

-geschinden *swv. as. dp. bildl. wegnehmen (geld, vgl. das fell über die ohren ziehen).*

-geschrôten *redv.* hâr a. *abschneiden.*

-gesitzen *stv. absitzen, vom rosse steigen.*

-geslahen *stv. abschlagen.*

-gespüelen *swv.* schüzzel a. *abspülen.*

-gestân *anv. gs. ablassen, aufgeben;* lîbes a. *sein leben hingeben, verlieren; dp. im stich lassen, verzichten auf; gs. dp. leugnen.*

-gestrîchen *stv. verscheuchen.*

-gestrûchen *swv. sinken,* genzlichen a. *vollends zu boden fallen.*

-getreten *stv. dp. abfallen von.*

-getuon *anv. abschaffen; refl. mit gen. sich trennen von.*

-gewenken *swv.[1] ap. abborgen von.*

-gewenken *swv.[2] schwanken;* a. an *ds. ablassen von.*

-gewinnen *stv. dp. as. erlangen von.*

-gewischen *swv. auch übertr. abwischen.*

-geziehen *stv. ausziehen* (gewant); *dp. abnehmen* (krône).

-geziugen *swv. durch zeugnis abgewinnen (jur).*

-gezwicken *swv. abziehen (panzerringe).*

-glipfen *swv. abgleiten.*

-güeten *swv. vergüten.*

-gunnen *anv. dp. gs.* mißgönnen.

-gürten *swv. entgürten.*

-haben *swv. abhalten.*

-hacken *swv. abschneiden (haare); amputare, detruncare.*

-heben *stv. herunterheben.*

-helfen *stv. herunterhelfen (vom pferde, sessel); dp. gs. freimachen, erlösen von etw.*

-hîrâten *swv.wegheiraten (den eltern die kinder).*

-houwen *redv. übertr.* kurzlich a. *as. kurz abmachen, abhandeln.*

-îlen *swv. durch überrumpelung wegnehmen.*

-jeten *stv. abpflücken.*

-kennen *swv. aberkennen.*

-kêren *swv. declinare; (vom schiff) an land gehen, anlegen.*

-klûben *swv. abpflücken.*

-klucken *swv. =* abe brechen; *abbrechen (hals); wegnehmen (besitz).*

-komen *stv. mit gen. oder von:* aufgeben, hinwegkommen über, loskommen von; *dp.* entkommen; niht a. lâzen *gs. beisammen halten;* der wunden a. *genesen;* eines kindelîns a. *gebären;* mit as.: sînen lîp a. *sein leben verlieren.*

-koufen *swv. übertr. as. dp. (be)nehmen (schmerzen, durch schmerzensgeld).*

-kriechen *stv. sich verkriechen.*

-lâzen *redv. trans. ablassen, nachlassen, auf-*

hören, aufgeben, fahren lassen, loslassen; den rât setzen und a. *den rat einsetzen und absetzen; niederlassen (die brücke); refl. abtrünnig werden.*

-ledigen *swv. ablösen.*

-legen *swv. übertr. as. (meist mit dp.) abwenden, ablegen, erstatten, entschädigen.*

-leiten *swv. abführen, eindämmen (auch bildl. vom zorn); von der klage abhalten.*

-leschen *swv. auslöschen.*

-lesen *stv. abernten.*

-lônen *swv. ablohnen.*

-lœsen *swv. ap. einlösen; ablösen; abtragen (einen turm); losbinden.*

-mæjen *swv. auch bildhaft abmähen.*

-maln *stv. ausmahlen (von getreide).*

-meizen *redv. schlagen (holz).*

-mezzen *stv. erbe a. den besitz (durch falsches vermessen) mindern.*

-nagen *stv. abnutzen (zähne); durch leid abnagen, aufzehren (herz).*

-næjen *swv. abnähen (joppe).*

-nemen *stv. abschlachten (vieh).*

-niezen *stv. abs. essen und trinken; trans. verzehren, als futter verbrauchen.*

-nœten *swv. abzwingen.*

-œden *swv. (ein gut) verkommen lassen.*

-phanden *swv. abpfänden.*

-phehten *swv. eichen (maß).*

-pressen *stv. auspressen, keltern (wein).*

-raffen *swv. wegnehmen.*

-rechen, -rechenen *swv. abrechnen.*

abe-reden *swv. verabreden, hin und her reden;* *refl. sich herausreden; gs. abschlagen.*

-reichen *swv. intr. herunterreichen.*

-reinegen *swv. dp. durch grenzziehung zuteilen.*

-reiten *swv. abrechnen (mit jmd.); bezahlen.*

-reizen *swv. ablocken, „abluchsen".*

-rîben *stv. durch reiben entfernen (z. b. rost); übertr.: sünden.*

-rihten *swv. ausstatten; intr. eine spur aufnehmen (vom hunde).*

-rîsen *stv. allenthalben a. überfließen; abfallen.*

-rîten *stv. intr. wegreiten; trans. durch niederreiten verderben.*

-riuten, -routen *swv. ausreißen, -reuten, -roden.*

-rîzen *stv. herabreißen (gebende); rauben (absol. oder as., auch übertr.); auch subst. raub, betrug.*

-rouben *swv. einem etw. rauben.*

-rücken *swv. trans. ausziehen (rock, gewand), wegziehen, entfernen.*

-rüefen *swv. trans. abrufen, absetzen.*

-rûmen *swv. abräumen, spez.: den aberûm eines steinbruchs wegnehmen; abbrechen (bau).*

-sagen *swv. leben a. dp. jem. zum tode verurteilen; subst. = abesage.*

-schaben *stv. trans. (geschriebenes) ausradieren, übertr. tilgen; vertreiben; intr. sich fortbegeben (vgl. „schab ab!").*

-schatzen, -schetzen *swv. taxieren; (geld, beute) gewinnen; (erbe) wegnehmen, rauben.*

-scheiden *redv. intr. dis-*

cedere; *trans. lostrennen, entfernen, entlassen, verabschieden; subst. trennung von eheleuten.*

-scheln *swv. abschälen.*

-schern *stv. abscheren (auch übertr.), abrasieren.*

-scherren *swv. abscharren, -kratzen.*

-scherten *swv. abnagen (einen baum).*

-schieben *stv. trans. entfernen.*

-schiezen *stv. intr. abfallen, schadhaft werden; trans. abschlagen (houbet).*

-schimpfen *swv. scherzhaft abgewinnen (gruß).*

-schinden *stswv. abhäuten; hût a. haut abziehen.*

-schrecken *swv. as. dp. durch drohung abnehmen; blümelnd: daz leben a. dp. töten.*

-schrîben *stv. abschreiben, auch: abstreichen.*

-schrôten *redv. übertr. abschneiden, verkürzen (lebenszeit, ehre).*

-schüten *stv. abschütteln, sich entschlagen; ablegen (harnisch u. ä.).*

-segen *swv. absägen.*

-sengen *swv. versengen.*

-setzen *swv. ap. vom pferde setzen; (die pferde) ausspannen; von einem amt absetzen; as. für ungültig erklären (brief); an gehalt verringern (münze).*

-sîgen *stv. fallen.*

-singen *stv. absingen (stollen); subst. abgesang.*

-sinnen *swv. in gedankensünden geraten.*

-sitzen *stv. absitzen (vom pferd).*

-sleifen *swv. verwirtschaften (ein gut).*

-sleizen *swv. abreißen, zerreißen.*

-slîchen *stv. intr. weggehen, sich entfernen.*

abe-slîfen *stv. unpers. dp. entgehen.*

-slîzen *stv. abstreifen, abreißen, verschleißen.*

-sloufen *swv. abziehen.*

-smelzen *swv. abschmelzen (eis der sünde).*

-sneiteln, -sneiten *swv. abhauen (äste).*

-snîden *stv. auch übertr. abnehmen, abwerfen, zerstören, befreien von.*

-spannen *redv. detendere, abspannen.*

-spenen *swv. der mutterbrust entwöhnen; übertr. abwendig machen.*

-spennen *swv. übertr. unterbrechen, rauben.*

-sprechen *stv. absprechen, ableugnen.*

-springen *stv. absitzen (von den rossen).*

-spüelen *swv. abspülen, abwaschen.*

-stân *anv. intr. absteigen vom pferd, abtreten von einem amte; im rückstand bleiben, fehlen; mit dem tôde a. sterben; dp. abfallen; gen. verzichten, abstehen von; trans. aus dem wege räumen; mir stât daz urteil abe ich bin nicht einverstanden.*

-stechen *stv. vom roß herunterstechen, töten; sich den vuoz a. beim stechen (turnier) den fuß verlieren.*

-steinen *swv. durch steine abgrenzen.*

-stellen *swv. absetzen, entfernen; abbrechen (gebäude).*

-steln *stv. refl. sich wegstehlen.*

-sterben *stv. aussterben.*

-stiften *swv. verliehene güter entziehen.*

-stîgen *stv. herab-, hinabsteigen; übertr. an vröuden a. traurig werden.*

abe-stiuren *swv. aus-steuern (töchter).*

-stöcken *swv. baumstamm fällen.*

-strælen *swv. abkämmen.*

-streifen *swv. dp. abnehmen (geld).*

-strichen *stv. abstreichen, abstreifen, nehmen, rauben;* dem wirt daz trinken a. *zechprellen.*

-stricken *swv. abwenden, wegnehmen.*

-strifen *stv.* schult a. *befreien von.*

-striten *stv. as. dp. durch kampf abgewinnen.*

-stroufen *swv. abstreifen (kleidung u. ä.); aus den händen reißen, übertr. befreien von; pass. verlustig gehen.*

-strumpen *swv. abhauen.*

-sûbern *swv. säubern.*

-sundern *swv. abreißen;* der werlte abgesundert sîn *,der welt abhanden gekommen sein.'*

-swenken *swv. abreißen (harnisch); etw. durch einen schwung des schwertes abschlagen.*

-swern *stv.* êre unde guot a. *dp. jem. (durch meineid) um ehre und gut bringen; ds. verzichten auf; verschwören, abiurare.*

-swîchen *stv. untreu werden, im stiche lassen.*

-swinden *stv. übertr. an wert verlieren.*

-swingen *stv. trans. herabschütteln, -schlagen; durch einen schwung des schwertes abschlagen; intr. herabfliegen.*

-tîligen, tilgen *swv.* sünde a. *auslöschen.*

-traben *swv. wegreiten.*

-tragen *stv.* kouf a. *ausladen (aus dem schiff).*

-trennen *swv. abtrennen, an sich reißen.*

abe-treten *stv. intr.: ab-, zurückweichen; enden; dp.: abfallen von; gs.: etw. abtreten (an jmd.); trans.: betreten; übertr.: verzichten auf, abstehen von, verlassen;* die stîge a. *dp. den weg abschneiden.*

-trîben *stv. ab-, wegtreiben.*

-trinken *stv.* gelt a. *dp. jem. arm trinken.*

-trôren *swv. obez a. herunterwerfen, -schütteln.*

-trossen *swv. abladen.*

-troufen *swv. abträufeln.*

-trucken(en) *swv. abstergere, abwischen, abtrocknen.*

-trumen *swv.* die rede a. *das gedicht abschließen.*

-tuon *anv. trans.: wegschaffen; (ein tier) schlachten; dp. as. wegnehmen, befreien von, refl.: gs. sich entäußern, etw. zurückweisen, aufhören, etw. zu tun; gp. sich trennen, sich absondern von.*

-twahen *stv. abwaschen (schminke, salbe).*

-twingen *stv. dp. as. gewaltsam wegnehmen.*

-vâhen *redv. ab-, wegfangen (dp.);* die hunde a. *von der koppel loslassen.*

-vallen *redv. abfallen; vom pferde steigen.*

-varn *stv. abfahren; spez.: von seinem besitztum a. es verkaufen; mit dat. abfallen.*

-vellen *swv. aus dem sattel heben, zu boden strecken.*

-vergelten *stv. refl. seine schuld bezahlen.*

-veretzen, -vretzen *swv. abweiden.*

-versteln *stv.* den muot a. *das herz rauben.*

-vîlen *swv. abschleifen; übertr.* laster a.

abe-vlæjen, -vlöuwen *swv.* sünden a. *abwaschen.*

-vremden *swv. refl. sich entfernen, abweichen.*

-vüeren *swv. abführen, wegnehmen.*

-vûlen *swv. abfaulen.*

-wahsen *stv.* an vröuden a. *arm werden an.*

-wæjen *swv. abreißen (durch wind).*

-walgen *swv. wegwälzen.*

-walzen *redv. wegwälzen.*

-waschen *stv. übertr. (von sünden).*

-wehseln *swv. umtauschen.*

-wellen *stv. abwälzen.*

-welzen *swv. herabrollen, -stürzen.*

-wenden *swv.* stein a. *wegwälzen.*

-wenken *swv. abtrünnig, wankelmütig machen.*

-werben *stv. abwendig machen.*

-werken *swv. abhauen.*

-wesen *stv. fehlen; gs. verzichten auf; sich fernhalten von; dp. gs. mangeln, ledig sein.*

-wîchen *stv. abtreten, abziehen.*

-winden *stv. herabwinden; abnehmen (gebende).*

-winnen *stv. dp. abjagen (ein pferd).*

-wischen *swv. abwischen.*

-würgen *swv.* hals a.

-zeisen *swv. abzupfen.*

-zeln *swv. dp. abnehmen, entziehen; ap. absetzen, abberufen.*

-zerbrechen *stv. abbrechen.*

-zerren *swv. ab-, wegreißen, entreißen; auch subst. raub.*

-ziehen *stv. in harte zucht nehmen; a.* an spîse *dp. einem abzüge machen in der verpflegung, ihn schlecht verpflegen.*

abe-ziugen *swv. (das gut)*
durch zeugnis vor gericht
zu erlangen suchen.

-zwacken *swv. entreißen.*

-zwacken *swv. herunter-*
reißen.

abebreche *swf. emunc-*
torium, lichtschere.

abebrecher, âbrecher *stm.*
der abbruch tut, den armen
das gebührende vorenthält,
räuber, verleumder u. ä.

abebrechunge *stf. die*
enthaltsamkeit, das fasten,
knausern.

abebruch *stm. vollge-*
sponnene spindel.

abebû *stm. in a. komen*
ungepflegt verkommen (z.b.
von häusern).

abeburt *stf. fehlgeburt.*

â-bê-cê *stn. das abc.*

abeduche *swf. senkgrube.*

abegengec *adj. a. wer-*
den verloren gehen.

abegesaget *part. adj.*
(feind) der absage geleistet
hat.

abegeschaben *part. adj.*
verbraucht; alt unde a. am
ende.

abegescheidenlîche(n)
adv. a. stân der welt abge-
storben sein (vom geist).

abegescherpfet *part. adj.*
sinewel a. abgerundet (von
den hufen des pferdes).

abegeschriben *part. adj.*
der ist a. erledigt (von per-
sonen).

abegeschrift *stf. trans-*
scriptum, abschrift.

abegesetze *, stn. absatz,*
strophe.

abegezogen *part. adj.*
mit abegezogener rede *ora-*
tione abstracta.

abegezogenheit *stf. in*
der a. *in abstracto.*

abeheldecheit *stf. pro-*
clivitas, abschüssige lage.

abehellec *adj. mißtö-*
nend.

abeher *adv. hinab, her-*
unter.

abekêrec *adj. abtrünnig.*

abekêrunge *stf. unbe-*
ständigkeit, abfall.

abekündunge *stf. ab-*
kündigung.

abekünftec *adj. abstam-*
mend.

abelâz *stm. das ablassen,*
aufhören.

abelæzec *adj. entsagend.*

abelæzecheit *stf. nach-*
lassen, nachlässigkeit.

abeleger *stm. auf- und*
ablader.

abelegunge *stf. vergü-*
tung; schuole der a. *schule*
der selbstentäußerung.

abeleibe *stf. s. âleibe.*

abeleiten *stn. ein a. ge-*
ben *ausrede machen;* abe-
leitens list *kunst der ab-*
lenkung.

abelœse *stf. kreuzab-*
nahme.

abelœser *stm. schimpf-*
wort, etwa: zerstörer.

abelœsunge *stf. auf-*
lösung, ablösung; kreuz-
abnahme.

abelougenunge *stf. ver-*
leugnung.

abelûtec *adj. mißtönend.*

abemeizunge *stf. das ab-*
holzen.

abenâme *stf. abnahme.*

abeneigen *stn. declinatio.*

abeneigunge *stf. a. der*
sunnen *das sinken.*

abenemer *stm. berauber.*

abenemunge *stf. ver-*
minderung; tabescentia, de-
trimentum.

âbent *stm. westen.*

âbentgespræche *stn. col-*
latio, das abendgespräch.

âbenthan *swm. hahn,*
welcher am abend kräht.

âbentimbîz *stn. abend-*
essen.

âbentiur *stf. s. âven-*
tiure.

âbentkeller *stm. nach*
westen gelegener keller.

âbentlanc *adv. im laufe*
des abends.

âbentlieht *stn. cognitio*
vespertina; vgl. â.-schou-
wen.

âbentmærlîn *stn. ein â.*
welzen *abenderzählung (â-*
ventiure) *zum besten geben.*

âbentmaz *stn. abend-*
essen.

âbentopfer *stn. abend-*
liches opfer.

ab-entrunne *swm. ab-*
trünniger.

ab-entrünner *stm. der*
abtrünnige (gotes a.).

âbentruowe *stf. abend-*
ruhe.

âbentsanc *stm. abend-*
gebet.

âbentscheme *swm. abend-*
schatten.

âbentschouwen *stn. das*
schauen am abend; myst.
für: cognitio vespertina.

âbentsenende *part. adj.*
â. klage *nächtliche liebes-*
klage.

âbentsolt *stm.nächtlicher*
liebeslohn.

âbentsterne *swm. abend-*
stern.

âbentstunde *stswf.*
abendstunde.

âbentsunne *swstfm.*
abendsonne.

âbentsunnenschîn *stm.*
übertr. abendsonne des le-
bens.

âbenttanz *stm. tanz am*
abend.

âbenttisch *stm. abend-*
mahl.

âbenttranc *stm. abend-*
gelage, collatio.

âbenttückelîn *stn. (ein*
â. begân) coitio.

âbenttunkele *swf. abend-*
dämmerung.

âbentvesper *stf. abend-*
essen.

âbentwirtschaft *stf.*
auch: heiliges abendmahl.

âbentwolf *stm. nacht-*
wolf.

âbentzît *stf. abendzeit,*
lebensabend.

abenutz *stm. nießbrauch.*

abepfundec *adj.* a. ma-
chen *entwenden, wegneh-*
men.

aber *adv. u. konj. außer-*
dem; a. und iemer *immer*
wieder; a. mê *noch mehr;*
a. etewaz *noch etwas.*

aberâhtbrief *stm. äch-*
tungsbrief.

aberæhter *stm. der mit*
der aberâhte *belegt ist, der*
geächtete.

aberane *swm. urgroß-*
vater.

aberedec *adj.* a. sîn
leugnen.

aberedunge *stf. verab-*
redung.

aberellenschîn *stm.* der
volle mône des a.-s *(april).*

aberêr *stf. (n.?) abfall.*

aberihtunge *stf. ent-*
richtung, bezahlung.

aberîsel *stm. das herab-*
tröpfeln, -fallen.

aberîzer *stm. betrüger,*
räuber, dieb.

aberkennunge *stf. nich-*
tigkeitserklärung.

aberlist *stm. wiederholte*
list, unklugheit.

æbern *swv. auftauen,*
sichtbar werden.

aberrûte, affrûsch *pflan-*
zenname (abrotanum).

aberûmunge *stf. weg-*
räumung, abbruch.

ab-erwenken *stn.* âne
allez a. *beständig.*

abesage *stf. zurücknahme*
eines gegebenen wortes.

abesaz *stm. auch: ent-*
legener, sicherer ort.

abeschache *stm. ab-*
grund.

abeschar *stf. ernte.*

abescheiden *stn. beendi-*
gung, weggang.

abescheidenheit *stf. ab-*
geschiedenheit (in a. leben).

abescheidenlîche *adv.*
abgeschieden, abseits.

abescheidunge *stf. ab-*
schied; bescheid, reichstags-
beschluß.

abescheit *stm.* = abe-
scheidunge; *unterschied;*
tod.

abeschiht *stf. mangel.*

abeschît *stm. abschied.*

abeschrift *stf. abschrift.*

abeschuz *stm. schuß.*

abesetzunge *stf. abset-*
zung, entsetzung.

abeslage *stf.* âne a. *ohne*
abzug.

abeslahunge *stf. ablei-*
tung eines gewässers.

abesleipfunge *stf. ab-*
wirtschaftung.

abesneite *stf. abfall beim*
schneiden.

abesnîdunge *stf. precisio,*
sustinentia; verhinderung.

abesnitz *stm. holzschnit-*
zel.

abespil *stn. abfall.*

abesteic *stm. das fallen*
der töne.

abestendec *adj. abge-*
standen (vom wein); a.
werden *gs.* zurücktreten
(vom dienst), abfallen.

abesterben *stn. tod.*

abestîc *stm. weggang.*

abestich *stm. oberster*
teil des steinbruchs; abge-
stecktes maß; aller sorge a.
tod aller sorgen.

abestô *stm. ein edelstein.*

abestrich *stm. abstrich,*
reinigung.

abeteil *stmn. abspaltung.*

abeteiler *stm. schisma-*
ticus.

abetilgunge *stf. aufhe-*
bung.

abetragunge *stf.* = abe-
trac *wegnahme.*

abetreger *stm. dieb, räu-*
ber.

abetreter *stm. abtrünni-*
ger.

abetrinner *stm. der ab-*
trünnige, apostata.

abetritec *adj. abtrünnig.*

abetrünnecheit *stf. ab-*
trünnigkeit, apostasie.

abetwingunge *stf. er-*
pressung.

abevellec *adj. abtrünnig,*
treulos.

abevlühtec *adj. flüchtig.*

abewahsen *stn. deminu-*
tio, verkürzung, verlust.

abewazzer *stn. abfließen-*
des wasser einer mühle.

abewec, -wege *adv. hin-*
weg.

abewesecheit *stf. ab-*
wesenheit.

abęwesen *stn. dass.*

abewesunge *stf. dass.*

abewîse *stf. s.* âwîse.

abewîsec *adj. verirrt;*
subst. der verirrte.

abewîsunge *stf. abwei-*
sung.

abezelunge *stf. abzäh-*
lung.

abezoge *swm. räuber.*

abezuht *stf. discessus,*
abitus, abgang.

abgoter *stm. götzen-*
diener.

abgothûs *stn. heidnischer*
tempel.

abgründecheit *stf. grund-*
lose tiefe gottes.

abgrüntlich *adj. ab-*
grundtief.

abgrüntlicheit *stf. grund-*
lose tiefe gottes.

abher *adv. herab.*

abît *stm. auch: habitus*
mentis, geistige haltung.

ablager *stn. klage* a.
stätte des schmerzes.

ablegec *adj. feige.*

ablegecheit *stf. desidia,*
trägheit, müßiggang.

ablenges *adv. abwärts.*

abluoge *stf. verleugnung.*

abkünftec *adj. später geboren.*

abneigunge *stf. senkung.*

âbrahæmisch *adj. hebräisch.*

âbrech(e) *swf. s.* abebreche.

âbrich *stm. abfall beim dreschen* (abebrich?); *vollgesponnene spindel.*

âbrust *stm. diebstahl.*

absagebrief *stm. fehdebrief.*

absager *stm. abdicator.*

absaz *stm. verringerung, verschlechterung der münze.*

abschabunge *stf. was beim schaben abfällt, späne.*

abscheide *f. ende.*

abschinder *stm. abhäuter; bildl. verschwender.*

absent, absentz *stf. pfründe, die nicht durch persönliche anwesenheit wahrgenommen wird.*

absist *stm. ein edelstein (absint).*

absîten *adv. abseits.*

absolutîe *stf. absolution.*

abstinencie *f. myst. kasteiung.*

abtessin *stf. s.* eppetisse.

abtîchunge *stf. abmessung, visierung (der gewichte).*

abeturne *adj.* = abetrünne.

âbunstikeit *stf. mißgunst.*

abwaschunge *stf. abwaschung.*

abwende *stf. wasserstauwerk, wehr.*

abwendec *adj. flüchtig.*

abwendunge *stf. umkehrung, abwendung.*

abwerf *stm. plunder.*

abwerfunge *stf. das abwerfen.*

abwertes *adv. abwärts.*

achat(es) *stm. (edelstein).*

achgrunt *stm. tal mit bach.*

achmardî(n) *stn. grünes seidenzeug aus Arabien.*

achmuoter *f. bett eines baches.*

achstein *stm.* = agestein.

achter-rîten *stv. durch reiten einholen.*

ack *stm. aas.*

ackerbolz *stm. tribula, dreschflegel.*

ackerer *stm. bauer.*

ackerguot *stn. bauerngut.*

ackergurlach *stn. ackergaul.*

ackergurre *swf. dass.*

ackerhöu *stn. heu.*

ackerknabe *swm. bauer.*

ackerkneht *stm. knecht.*

ackerkunst *stf. feldbau.*

ackerlenge *stf. (wegmaß).*

ackerlôn *stmn. agrarium (bodensteuer).*

ackermâze *stf. aussehen, das der boden durch das pflügen erhält; schon vermessenes ackerstück.*

ackerrûte *swf. ackerraute.*

ackerspîse *stswf. feldfrüchte.*

ackerstube *swf. knechtstube.*

ackervelt *stn. acker.*

ackerwerc *stn. ackerbau.*

ackerwurm *stm. tirus (schlange).*

ackerwurz *stf. origanum (wohlgemut).*

ackerzins *stm. ackersteuer.*

ackesen *swv. mit der axt bearbeiten.*

ackesstil *stm. stiel der axt.*

adamantenstückel *stn. diamantbruchstück.*

adamantîn *adj. diamanten.*

adamas *stm. auch: stählerner helm.*

adê *interj. aus frz. à dieu; s.* aldê.

adel *stm. edle gestalt.*

adelbruoder *stm. leiblicher bruder.*

adelerbe *swm. rechtmäßiger erbe.*

adelerbe *stn. rechtmäßiges erbe.*

adelhaftec *adj.* = adelhaft.

adelkleit *stn. dem adel geziemendes kleid.*

adelman *stm. fürst.*

adelsarc *stm. edler, kostbarer schrein.*

adelschaft *stf. procerietas, nachkommenschaft.*

adelspar *stm. edler sperling oder vogel.*

adelunge *stf. edle abkunft oder gesinnung.*

adelvater *stm. rechtmäßiger vater.*

adelvrî *adj. persönl. frei (vom besitzer eines freien erbgutes).*

adelwise *swstf. ererbte wiese.*

âder *stf. muskel;* al mîns herzen â. *mein ganzes herz.*

âdereht, æderic *adj. nervosus, sehnig.*

æderîn *adj. aus muskeln oder sehnen gefertigt.*

âderlâzen *redv. subst.* aderlâß.

âderlâzer *stm. der zur ader läßt.*

ædern *swv. mit linien bemalen.*

âderslac *stm. schlag mit peitsche aus sehnen.*

âderstôz *stm. pulsschlag, herzschlag; bildl.* âne â. *ohne mit der wimper zu zucken.*

âdersuht *stf. arthritis.*

âderwurz *stf. (pflanze).*

afe, af- *s.* abe, abe-, ab-.

affalterboum *stm. apfelbaum.*

affe, äffelîn, effelîn *stn. (schimpfwort)*.

affeclich *adj. töricht.*

affehte *adv. auf törichte weise.*

affenbanc *stf. narren-, spötterbank.*

affenbêre *swm. ein fischernetz.*

affengezouwe *stn. dass.*

affengot *stm.* = abgot.

affenhût *stf. narrenhaut, -kleid.*

affenkleit *stn. narrenkleid.*

affen-, effenlich *adj.*

-lîche *adv. närrisch, unsinnig, töricht, albern.*

affenmuot *stm. torheit(?).*

affenrât *stm. rat der toren.*

affensalbe *stf. betrügerische salbe; auch übertr.: falsches lob.*

affenseil *stn. narrenseil.*

affensmalz *stn.* = affensalbe.

affenspîse *stf. narrenspeise.*

affental *stn. irrenanstalt.*

affentanz *stm. abschätzig vom glanz der welt.*

affentier *stn. affe.*

affenvuore *stf. albernheit, torheit.*

affenwort *stn. narrenwort.*

affenzagel *stm. abschätzig für wertlose dinge.*

afferîe, efferîe *stf. äfferei.*

aften *adv. u. präp. a.* des hernach.

after *präp. mit dat. über – hin, durch – hin, über – hinaus; a.* lande *auch: im ganzen lande.*

afterâder *swf. hämorrhoide.*

afterdeheme *m. nachmast der schweine.*

aftererbe *swm. proheres, erbe zweiten grades oder* der an stelle des ersten erben bestimmte.

aftergir *stf. hinterlistiges verlangen.*

afterhêrre *swm. der gericht und herrschaft zu lehen hat.*

afterkapf *stm. einer, der das nachsehen hat.*

afterklage *stf. nachklage.*

afterkœse *stn. nachrede.*

afterkumelinc *stm. nachkomme.*

afterkünde *stn.* = afterkünne.

aftermuoder *stn. hinterer teil des gewandes.*

afterreif *stm. schwanzriemen der pferde; ring am schwert.*

afterruom *stm. nachruhm.*

aftersil *swm. das hintere riemenzeug.*

afterslage *stswf. abfallholz.*

aftersnit *stm. verleumdung.*

afterspil *stn. verleumdung.*

aftersprâchen *swv. nachreden.*

afterstellec *adj. rückständig.*

afterstranc *stm. strang von geringerer sorte.*

aftertagezît *stf. nachmittag.*

aftertal *stn. hinteres tal.*

ageleie *f. akelei.*

ageleistervar *adj. bunt wie eine elster.*

agelsternest *stn. elsternest.*

agelsterouge *swn. hühnerauge.*

agenhuof *adj. mit splitter im huf.*

agewîs *adj.* = egewîs.

âgezzelec *adj. vergeßlich.*

âgezzelheit *stf. vergessenheit.*

âgezzellen *swv. vergessen.*

âgezzelunge *stf. das vergessen.*

âgreifen *swv. fehlgreifen, nicht treffen.*

ahâ *interj. des staunens.*

ahei, aheiâ *interj.*

aher *stn.* = eher, ähre.

ahorn *stm. ahorn.*

ahornboum *stm.*

ahörnîn *adj. aus ahorn.*

ahsel *f.* über a. blicken *sich umsehen.*

ahselnote *swm. name eines tanzes.*

ahselspange *f. armspange.*

ahsendrum *stn. für beinstumpf oder holzbein.*

ahtbære, -per *adj. wertvoll.*

ahtbærecheit *stf. ansehen.*

ahtbærlîche *adv. ehrenhaft, angesehen.*

âhtbuoze *stf. ächtung.*

ahte *stf. zustand, beschaffenheit;* in der a. so beschaffen; a. gewinnen ze verfallen auf; ûz sîner a. lâzen *nicht daran denken;* in der a. mîn *wie ich glaube;* in eines a. sîn *unter der botmäßigkeit stehen;* âne a. *unbestimmbar (von gott), ohne rücksicht auf;* sunder a., ûzer a. *unwillkürlich, unbewußt;* ûz der a. über alles ermessen, zahllos.

âhtebrief *stm. ächtungsbrief.*

âhtebuoch *stn. buch, in welches die geächteten eingetragen werden.*

ahtecke *adj. achtschneidig; achteckig.*

âhteclich *adj. die acht (ächtung) betreffend.*

ahtellec *adj. acht ellen weit.*

ahten *swv. bestaunen, bewundern; a. as. ze dp.*

*jem. etw. zumuten; as. dp.
etwas als charakteristisch
ansehen für jem.*

âhtesalîn *stf. verfolgung,
strafe.*

âhtetac *stm. frontag.*

ahtetage *pl. woche* (in-
nerhalp den a.-n).

æhtigen *swv.* = âhten.

ahtjærec *adj. acht jahre
alt.*

ahtode, ahtede *swm. achter tag; oktave.*

ahtsamekeit *stf. achtsamkeit.*

âhtsniter *stm. schnitter
im frondienst.*

ahu, ahui *interj.*

âkambîn *adj.* â. tuoch
tuch aus âkambe.

âkust *stf. laster; gegensatz zu tugend.*

âküsteclîchen *adv. arglistig.*

albar *adj. ganz nackt.*

albesunder *adj.adv. jeder
einzeln; alle ausnahmslos.*

albiz *konj. bis daß.*

albizher *adv. bis hierher.*

albrehende *part. adj.
ganz glänzend.*

alchimiste *swm. alchi-
mist.*

aldâ *adv. auf der stelle
(sogleich).*

aldare *adv. dorthin.*

aldê *interj. aus frz.* à
dieu; adieu.

aldeste *adv.* a. baz *um so
mehr.*

aldô *adv. darauf, dann.*

aleine, -ein *adv. nur, zu-
mal, insgesamt; des a. davon ganz abgesehen; konj.
dagegen.*

alevanzer *stm. possen-
reißer.*

alfart, alfurt *stn. vogel
strauß (arab. arbat).*

algâhens, -gâhes *adv.
schnell, plötzlich.*

algar(e) *adv. verstärktes
gar.*

algemeine *adj.* nû jach
ir a.-r. munt *sie sagten
übereinstimmend.*

algemeinlich *adj. gemeinsam, gesamt.*

algenuht *stf. volle genüge.*

algernde *part. adj. voll
verlangen.*

allentac *adv. von tag zu
tag.*

allerdinge *adv. gänzlich.*

allerêrst *adv. erst jetzt.*

allerhêrest *adj.* daz a.
das vornehmste, wichtigste.

allerkrenkest *adj. der
allerkränkste, -schwächste.*

allermeist *adv. hauptsächlich.*

allernâhest *adv. letzthin;*
a. gân *dp. für jem. lebens-
wichtig sein (hilfe).*

allertegelîche *adv. verstärktes tagelîche.*

allerverrest *adv. (schon)
von weitem.*

allerwegen *adv. überall.*

almehtec *adj. (von gott).*

almechtecheit *stf. allmacht.* •

almechteclich *adj. allmächtig.*

almeistlîche(n) *adv.
hauptsächlich, größtenteils.*

almitten *adv. ganz in
der mitte.*

alrihte *adv.* in a. *sogleich.*

al(le)sam(e)t *adj. adv.
alle zusammen.*

al(le)sament *adj. adv.
dass.*

alsôtân *part. adj.* = sô-
getân.

alsus *adv. auch: in solcher verfassung.*

alt *adj. erwachsen, ende-
lîchen* a. *steinalt;* in a.-en
*tagen für den rest unserer
tage.*

altegelich *adj. (all)-
täglich.*

alter *stn.* a.-s *entgelten
veralten.*

alterhûs *stn. presbyte-
rium; altarraum.*

altertwehele *stf. altartuch.*

altervater *stm. großvater.*

alterzît *stf.* in a. *im alter.*

altiste *swm. altist.*

alwære *adj. unsinnig.*

alwegen *adv. überall,
immer, zugleich, zusammen
überhaupt.*

alzemâle *adv. zugleich,
zusammen, überhaupt.*

alzît *adv. immer.*

ambet, (ambahte) *stn.
dienstauftrag.*

ambethêrre *swm. ritterl.
dienstmann.*

ambetliute *pl.* des küniges a. *hofbeamte.*

âmehtec *adj. kraftlos,
schwach.*

âmehtecheit *stf. ohnmacht.*

âmen *(gebetsschluß).*

amerat *stm.* = amiral.

amesiere *stf.* bluotige a.
verletzung, wunde.

amîs *stm.* = vriunt unde
ritter.

ampellîn *stn. kleine
lampe.*

amsel *stf. amsel.*

âmügel *adj. debilis,
schwach.*

amûrschaft *stf.* a. mîden
keinen geliebten haben.

analter *stm. vorfahr.*

âname *swm. beiname.*

anbegenge *stn. anfang,
schöpfung.*

anbetunge *stf. anbetung.*

anclîche(n) *adv.* a. ahten
sorgfältig überlegen.

ancsmer *stmn. butter-
schmalz.*

andâht *stf. absicht, vorhaben.*

andæhtecheit *stf. andacht.*

andæhteclich *adj. -lîche
adv. religiosus.*

ande *swm. auch: heimweh.*
anden *swv. auch: sich sehnen.*
ander *adj.* daz steinlîn gap ûz der vinster schîn reht als ein ander gänsterlîn *wie ein richtiger funke;* des a.-n tages *auch: tags zuvor;* Adam, der a. *umschreibung für Christus;* a.-iu lant *ferne, weite länder;* ich bin iemer a. *zu zweit.*
anderleiweide *adv. zum zweitenmal.*
anderstunt *adv. dass.*
anderswâ *adv. anderswo,* **anderswie.**
anderswar *adv. anderswohin.*
anderwarbe, -werbe *adv. s.* warp.
andorn *stmn. (eine pflanze).*
ane *swmf. pl. großeltern.*
ane *adv.* eintweder abe oder a. *so oder so.*
ane *adv. bei verben:*
-begân *redv.* dinc a. *anstellen.*
-beginnen *stv. anfangen.*
-behaben *swv.* den sie a. *dp. jem.besiegen, gewinnen.*
-behalten *redv.* sînen roc a.
-beten *swv. anbeten.*
-bieten *stv. as. dp. od. dopp. acc. anbieten.*
-bilden *swv. ein gleichnis sein für.*
-bîzen *stv. anbeißen.*
-blâsen *redv.* tac a. *durch blasen ankündigen.*
-blicken *swv. anblicken.*
-bôzen *redv. swv. (an)-stoßen.*
-brîsen *stv.* hosen a. *die beinschienen mit schnüren festbinden.*
-digen *swv. anrufen.*
-erben *swv. (mit ap. oder dp.:) als erbe zufallen (von der erbschaft), auf einen*

vererben (vom erblasser gesagt).
-erbern *stv.* ez ist in erborn an.
-erbiten *stv. anflehen.*
-erdringen *stv. erfolgreich abfordern.*
-erliegen *stv. as. dp.* einen stich a. *dp. jem.* einen stich durch eine finte *beibringen.*
-ersehen *stv. erblicken.*
-ersterben *stv.* durch tôt a. *an jem. fallen (erbschaft).*
-erstrîten *stv. im kampf abgewinnen.*
-ezzen *stv. anfangen zu essen.*
-gân *redv. angehen, betreffen.*
-gehœren *swv. dp. od.ap. zukommen, ziemen.*
-gelachen *swv. ap. freundlich anlächeln.*
-gerâten *redv. ap. antreffen, im kampf aneinandergeraten, angreifen.*
-gesehen *stv. anschauen, ansichtig werden.*
-gesigen *swv. dp. besiegen; as. oder gs. durch sieg erzwingen.*
-gesinnen *stv. ap. ein ansinnen stellen.*
-gestrîten *stv. dp. bedrängen, überwältigen, etwas im kampf abringen.*
-getragen *stv. tragen (kleider); etwas ersinnen, ins werk setzen, zuwege bringen.*
-getrîben *stv. beginnen.*
-gevallen *ap. fallen auf; zufallen (z. b. erbe, lehen).*
-geziehen *stv. unpers. ap. zustehen, sich schicken.*
-gucken *swv. ansehen.*
-haben *swv. trans. sich an etw. halten, jem. angreifen.*
-hâhen *redv. anhängen, aufhängen,*

ane-hangen *swv. anhaften; sich anschließen, sich hingeben.*
-harpfen *swv. mit dem harfenspiel beginnen.*
-heften *swv. anlegen (vom schiff).*
-hellen *stv. nacheifern.*
-herten *swv. beharren.*
-hœren *swv. ap. jem. (an)gehören.*
-hûchen *swv. anfauchen.*
-huohen, -huochzen *swv. verspotten.*
-kapfen *swv. anstarren.*
-kêren *swv. trans. angehen, ansprechen (umb hilfe).*
-klîben *stv. anhaften.*
-klocken *swv. anklopfen.*
-komen *stv. ap.* an oder über einen *(plötzlich) kommen, hereinbrechen; sich nähern; as. anfangen, angreifen; auf etw. eingehen;* tiure a. *ap. teuer zu stehen kommen.*
-künten *swv. anzünden.*
-lachen *swv. anlachen.*
-legen *swv. angedeihen lassen, gestatten;* guot a. *verwalten;* wunden a. *dp. jem. verwunden.*
-liegen *stv. refl. sich selbst betrügen.*
-ligen *stv. (stets mit dp.) jem. angelegentlich bitten, antreiben, sich bemühen um jem.; von sachen: auf jem. lasten, ihm bevorstehen.*
-lîhen *stv. leihen, borgen.*
-machen *swv. refl. sich putzen, zurechtmachen.*
-muoten *swv. dp. gs. zumuten.*
-nemen *stv. refl. sich abgeben mit; sich bemühen um, auf sich beziehen, sich betroffen fühlen, sich kümmern; sich den anschein geben, sich eine rolle anmaßen (mit gen.oder präp.).*

ane-râten *redv. anraten.*
-recken *swv. anrühren.*
-rennen *swv. angreifen (zu pferde).*
-rihten *swv. einrichten.*
-rîten *stv. zu roß angreifen.*
-rüeren *swv. treffen, betreffen; anrennen, angreifen.*
-ruofen *redv. anrufen (bes. gott).*
-sagen *swv. nachsagen.*
-schicken *swv. lenken.*
-schiezen *stv. trans. bildl. mit einem schuß treffen (von den augen); heimsuchen; anbauen (erker).*
-schiffen *swv. abstoßen.*
-schimpfen *swv. verspotten.*
-schrîben *stv. aufschreiben, verzeichnen.*
-schrîen *stv. anrufen (bes. gott).*
-schuochen *swv. anlegen (beinschienen, waffen).*
-sehen *stv. erstreben; untersuchen.*
-seigen *swv. bewerfen (mit geschossen).*
-setzen *swv. ansetzen, angreifen, anstellen, ins werk setzen.*
-sîgen *stv.* diu naht beginnet a. *sinkt herab.*
-sinnen *stv. ansinnen, zumuten.*
-spannen *redv. anschnallen (sporn); übertr. zusammentun (z. b. ein ungleiches paar).*
-sprechen *stv. ansagen, erzählen, berichten;* mir ist angesprochen mir ist bestimmt.
-staren *swv. anblicken.*
-stellen *swv. einstellen, aufschieben.*
-stôzen *redv. intr. beginnen; in see stechen; trans.* fingerlîn a. *anstekken; ap. befallen (von*

krankheit u. ä.); viur a. *anstecken.*
-stricken *swv. as. dp.* jem. etw. anhängen, jem. verdächtigen.
-stürmen *swv. angreifen.*
-suochen *swv. belästigen, anstellen.*
-teilen *swv.* spil a. diė wahl geben.
-tragen *stv. überreden; as. dp. schenken, darbringen; refl. dp. sich anbieten.*
-treffen *stv. betreffen.*
-trîben *stv. etw. intensiv tun; anstiften, ausüben, tätigen, fortsetzen.*
-varn *stv. in besitz nehmen.*
-vienden *swv. anschwärzen.*
-vüegen *swv. intr. sich anschmiegen (gewand).*
-wæjen *swv. anwehen.*
-wænen *swv. verdächtigen.*
-weigen *swv. angreifen, verfolgen; betreffen; berühren.*
-weinen *swv. weinend anrufen.*
-werden *stv. hinzufügen.*
-wîgen *stv. subst. anfechtung; s.* wîgen.
-winden *stv. tr. zugehören, angehören; sich wenden gegen, angreifen.*
-wîsen *swv. aufklären, hinweisen auf.*
-ziehen *stv. refl. sich berufen auf.*
-zücken *swv. refl. sich anmaßen.*
-zünden *swv. auch übertragen.*
âne *präp. unabhängig von; abgesehen von;* er starp âne alle missetât *absolviert von allen sünden; adv. mit gen.:* âne werden *verlieren, einbüßen;* âne tuon *befreien von, abtun, hinweg-*

tun, berauben; güeter â. haben *ap. güter rauben.*
anebete *stfn. das angebetete.*
anedûht *stf. gedanke.*
anedunst *stmf. anhauch.*
aneganc *stm. auch: element.*
anegenge *stnf. pl. urelemente der schöpfung.*
anehaft *stf. verbundenheit.*
anehanc *stm. beziehung, anhänglichkeit, vertraulichkeit.*
anehou *stm. amboß.*
anelich *adj. großväterlich.*
ânen *swv. refl. sich lösen von.*
ânendecheit *stf. unendlichkeit.*
aneruofunge *stf. anrufung (gottes).*
anevengic *adj. anfänglich.*
anewande *stf. randstreifen des ackers, wo der pflug wendet; bildl. ende.*
ange *swm.* ûz dem a.-n varn *außer rand und band geraten.*
ange *adv. unentrinnbar, ausweglos; peinvoll; unaufhaltsam.* dô dâhte ich mir vil a. *da erwog ich ernstlich.*
angeborn *part. adj. angeboren, ererbt; verwandt.*
angeburt *stf. abstammung.*
angedenclich *adj. eingedenk.*
angelsnuor *stf. angelschnur.*
angen *swv. tr. quälen, bedrängen; stechen (vom dornbusch); mit refl. dat. fürchten.*
angenomen *part. adj.* a. ûfsetze *zusätzliche gebote, regeln.*
angenomenheit *stf. myst. das aufgenommensein.*

anger *stm. wiese.*

angescheftec *adj. beschäftigt.*

angeschrîe *stn. das schelten.*

angest *stf. gefahr, schrekken, todesnot;* dich bestuont diu a. *befiel die krankheit.*

angestlich *adj.* ein a.-er slac *tödlicher schlag;* a.-iu nôt *drangsal, pein.*

angestlîche *adv.* a. strîten gefährlichen kampf auf sich nehmen.

angewin *stm. gewinn.*

anhaftunge *stf.* vestiu a. *innige verbindung.*

anhellic *adj.* a. sin *verlangen nach, anhängen.*

anhenclicheit *stf. anhänglichkeit.*

anklebelich, **-klebric** *adj. anhaftend.*

anloufunge *stf. überschwemmung.*

annæmlich *adj. zur annahme bereit, fähig.*

annîdunge *stf. anfeindung.*

anpfanclich *adj. annehmbar.*

anruofunge *stf. anrufung.*

anschouwede *stf. anschauung.*

anschouwelich *adj. contemplativus.*

ansehen *stn.* gotes a. *angesicht, anblick.*

ansehende *part. adj. auch pass.* sichtbar.

ansiht *stf. angesicht.*

ansihteclîche(n) *adv. sichtbarlich.*

anspræche *stf. anfechtung, anklage.*

ansuochunge *stf. versuchung, angriff.*

antbære *stf. benehmen.*

anteilec *stf. anteil habend;* a. tuon *gs. ap. jem. etw. mitteilen.*

antheiz *stm.* a. tragen

mit einem versprechen beladen sein.

antheize *adj. durch versprechen verpflichtet.*

antiste *swm. prälat (lat.* antistes).

antlâz *stm. abendmahl.*

antlæzec *adj. geringfügig, erlaßbar, erläßlich.*

antlæzlich *adj. (er)läßlich.*

antlâzvart *stf. fahrt, um ablaß zu erhalten.*

antlâzwoche *stf. karwoche.*

antragerinne *stf. kupplerin.*

antreitære *stm. ordner.*

antreitunge *stf. anordnung.*

antrîber *stm. anstifter.*

antrip *stm. weideplatz.*

antsage, -sege *stf. entschuldigung.*

antsæzec *adj.* mutig.

antvogel *stm. ente.*

antwerc *stn. erfindung, einrichtung.*

antwerckneht *stm. handwerksgeselle.*

antwercman *stm. handwerker.*

antwercmeister *stm. zeugmeister.*

antwürker *stm. handwerkcsknecht.*

antwürte *stf. anwesenheit;* zantwurte sîn zugegen sein.

antwürten *swv. richterlich zuerkennen;* a. vür als ersatzmann antreten.

antwürter *stm. beklagter.*

anval *stm. versuchung.*

anvaller *stm. angreifer.*

ânvar *adj. ohne farbe, bleich.*

anvehtære *stm. bekämpfer.*

anvengec *adj. s.* anevengic.

anvengunge *stf. gefangennahme.*

anvorderunge *stf. rechtmäßiger anspruch.*

anvrouwe *stf. ahnfrau, großmutter.*

anwegunge *stf. irritatio.*

anwirkunge *stf. leitung; einwirkung.*

apfelbiz *stm.* frouwen Even a.

apfelbluot *stmf. apfelblüte.*

apfelmuos *stn. apfelmus.*

aquilôn *m. nordwind.*

apostate *swm. abtrünniger.*

apostolisch *adj.* der a.-e stuol *oder* vater.

apotêker *stm. apotheker, spezereihändler.*

appellieren *swv.* a. an ap.

árabesch, arâbisch *adj.*

arbeit *stf. körperliche bewegung, anstrengung, strapaze;* grôze a. hân *auch:* sich zu schaffen machen; in minniclîcher a. *in mühsamer minneschule;* senlichiu a. liebesnot; vröude âne a. ohne qual.

arbeiten *swv. refl. sich in den kampf stürzen.*

arc *adj.* guot unde a. *als gegensatzpaar;* an die ergern hant vallen zu den unfreien gehören; zer ergern hant reizen zum schlimmen reizen.

archeit *stf. bosheit, niedertracht, schlechtigkeit.*

archerzec *adj. böse.*

archerzecheit *stf. bosheit.*

arclistec *adj. arglistig.*

arclistecheit *stf. arglist.*

arcspreche *swm. lästerer.*

arcwænec *adj. zweifelhaft, ungewiß.*

arcwænunge *stf. argwohn.*

ar(e)nvlügel *stm. adlerflügel.*

argument *n.* ein a. lêren.

argumentiste *swm.* argumentierer.

arlinc *stm. pflug.*

arm *adj. bedauernswert;*
vröiden a. *unglücklich;*
a.-e sêle *allgem. von der
seele eines verstorbenen.*

arm *stm.* an den a., zwischen sîne a.-e nemen *umarmen;* under a.-n condewieren *umgefaßt.*

arme *swm.* die armen
unde die hêren herren und
knechte.

armeclich *adj.* a.-ez leben *leben der armut und
weltentsagung.*

armgestelle *stn. (gestell
an den schilden für die
arme).*

armkneht *stm. leibeigener.*

armsêlgeræte *stn. was
den armen seelen zustatten
kommt.*

armstarc *adj. stark in
den armen.*

armwîp *stn. arme frau.*

arômât, arômatâ *stmnf.
duftendes kraut.*

aromâten, arômatieren
swv. balsamieren, einbalsamieren.

art *stf. oft nur umschreibend (z. b.* unstætiu
art = unstæte); diu Gahmuretes a. *das erbe G.-s;*
sîn (gottes) hôher a. *sein
lieber sohn; in künstlicher
komposition:* artspilman,
artribalt *der gelernte spielmann.*

arten *swv. vererben (von
eigenschaften).*

arthaftec *adj.* a. lant
pflugland.

artikel *stm. schriftabschnitt; übertr. erscheinungsform.*

artîsen *stn. pflugschar.*

artlant *stn. bau-, ackerland.*

arzât *stm., nb.-form* **arzeder** *arzt.*

arzâtliute *pl. ärzte.*

arzâtman *stm* = arzât.

arzebote *swm.* erzebote.

arzenîe *f. heilung.*

arzetbuoch *stn. arzneibuch.*

arzetgelt *stn. geld für
arzt oder arznei.*

arzetlist *stm. kunst des
arztes.*

aschenhûfelîn *stn. kleiner aschenhaufen.*

aschenwazzer *stn. lauge.*

ascherbrôt *stn. röstbrot.*

asisch *adj. asiatisch.*

âsmeckec *adj. ohne geschmack.*

aspe *swf. natter.*

astelîn *stm. kleiner ast.*

astrologî(e) *stf. astrologie.*

âswîchunge *stf. schande,
laster.*

âtemschal *stm.* = âtemzuc.

âtemstanc *stm. stinkender atem.*

atte *swm. auch: großvater.*

attravers *adv.* = treviers.

âtüeme *adj. ungewöhnlich, auffällig, unziemlich;
kraftlos.*

atzeln *swv. törichtes zeug
schwatzen.*

augustîn *m. augustinermönch.*

augustîner *stm. dass.*

auster *m. südwind.*

austerwint *stm. dass.*

auwich *adj.* = ebech.

avê *das lat. Ave.*

âventiure *stf. glück,
glückliches geschick, glücksfall; erfolg (*â. haben; âne
â.); liebiu â. *liebesglück,
erfüllung;* sîn â. *sein roman, seine liebesgeschichte,
liebesaffäre; etwas geheimnisvoll anlockendes, ungewöhnliches, unerklärliches;
von leblosem gegenstand,
geheimnis, geheimnisvolle*

eigenschaften. – von, durch
â. *durch zufall, unbeabsichtigt;* nâch â. *auf gut
glück;* an â. geben *as. wagen, aufs spiel setzen;* sich
an die â. ergeben *ins blinde
schicksal;* (ein) â. sîn *dp.,*
dunken *unglaublich, unwahrscheinlich vorkommen; übertr.:* â. suochen,
wie ... *auf (ausgefallene)
möglichkeiten, mittel sinnen, wie ...; als präd.
nom. (oder adj.?) auch:
abenteuerlich, verwirrend,
verwunschen (gar* â. ist diz
lant).

âwicke *stn. weglose
wildnis.*

âwitzec *adj. unverständig, närrisch.*

B

bâbes *stm.; nbff.* **pâbis,
pâves**

bac *stm. backe.*

bach *stmf. fließendes gewässer.*

bachoven *stm. backofen.*

backenzant *stm. backenzahn.*

badegelt *stn. geld zum
baden (für handwerker).*

badekleit *stn. badekleid.*

badekneht *stm. badediener.*

bademuolter *swstf. badewanne.*

badevaz *stn. badewanne.*

badewîbel *stn. badefrau.*

bâgen *stn.* âne b. *ohne
widerrede.*

bæhen *swv. dämpfen,
schmoren, rösten.*

balde *stf. mut, kühnheit.*

balde *adv.* vil b. *ungeduldig, aufgeregt, entschlossen;* ir sult iuch vröuwen b.
wirklich, von herzen freuen;

ich mac wol weinen b. *sehr weinen.*

baldeclîche *adv. mutig, eifrig.*

balderîche(n), belderîchen *adv. iron. noch in alter bedeutung: mutig.*

balîe *stf. ballei, ordensbezirk.*

balmunt *stm. ungetreuer vormund; übertr. rechte eines vogtes.*

balsamgarte *swm. balsamgarten.*

balsamlich *adj. balsamreich.*

balsammæzec *adj. b. stæte treue anhaltend wie b.-duft*

balsamrebe *swf. balsamrebe.*

balsamsaf *stn. saft des balsams.*

balsamschrîn *stm. auch übertr. (von Maria).*

balsamsmac *stm. balsamduft.*

balsamstoc *stm. balsamstaude.*

balsamtranc *stn. daz wazzer smackte als b.*

balsamtropfe *swm. auch übertr. (mariengruß).*

balsamtrôr *stmn. balsamduft.*

balsamvaz *stn. balsamgefäß.*

balster *stm. beule.*

balt *adj. frohen mutes, getrost, lebenslustig, gewandt, geistig lebendig;* jâmers b. *dem schmerz hingegeben.*

balteclich *adj. eifrig.*

baltlîche *adv. dreist, frech, unbedenklich.*

baltsprâche *stf.* rehtiu b. *freimütige rede.*

baltspræche *adj. gewagt redend, verfänglich.*

balz *stm. balz; auch von der hirschbrunst.*

ban *stm. einberufung* zum waffendienst; den b. künden *dp. jem. verwünschen;* in dem banne sîn *verachtet werden.*

bancschabe *f. werkzeug zum reinigen der fleischbänke.*

bande *swf. übertr. dienerschar.*

banec *adj. mit dem bann belegt.*

banen *swv.* den walt b. sich (eigenmächtig) einen weg bahnen durch den wald.

banholz *stn. zum holzschlag nicht freigegebener wald.*

baniervelt *stn. wappenfeld im banner.*

banmîle *stf. bannmeile.*

bannen *redv., auch swv. gs. berauben; gerichtlich vorladen.*

bant *stn. übertr. beschaffenheit, gefüge.*

banvîretac *stm. gebotener feiertag.*

banvisch *stm. (fisch als abgabeleistung).*

banvorst *stm. =* banholz.

baptiste *swm. täufer (Joh. Bapt.).*

bar *stf.* b. *decken blöße decken, sich in acht nehmen.*

barbarîn *adj. fremd.*

barbarisch *adj. barbarisch.*

bârbret *stn. bahre.*

barc *stm.(?) getreidemaß.*

barchanttuoch *stn. barchent.*

bâre *stswf. baldachin.*

bærec *adj. schwanger, trächtig.*

barel, barellîn *stn. pokal, becher.*

bærerinne *stf. mutter.*

bârhiuselîn *stn. leichenhaus.*

barhoubet *adj. mit entblößtem haupt.*

barke *stswf. auch größeres schiff (für truppenbeförderung).*

bârkleit *stn. totenkleid.*

bärlich, -lîche *adv. genau, einzig und allein.*

barlîche *adv.* b. getân *entblößt.*

barmeclîche *adv. erbarmen erregend.*

barmherzede *stf. mitleid.*

barmherzecheit *stf. dass.*

barmherzunge *stf. dass.*

barn *stnm. tochter, menschenkind.*

barn *swv. refl. sich entledigen.*

barône *swm. =* barûn.

barrüsse *adj. adv. auf ungesatteltem pferd (b. rîten).*

bars *stm. barsch.*

barschenkel *adj. mit bloßen schenkeln.*

bart *stm.* grâwen b. tragen *übertr. alt sein.*

bartbruoder *stm. laienbruder.*

bartlôs *adj. ohne bart.*

bârucambetstuol *stm. kalifenthron.*

barvüeze *swm. barfüßermönch.*

barvuoz *adj. barfuß.*

barvuozenbruoder *stm. barfüßermönch.*

base *swf. tante.*

baselîn *stswn. dem. zu* base.

basenkint *stn. nichte.*

basiliske *swm. basilisk.*

basis *f. architekton. ein* b. mit sûln zwô und drîzec.

bast *stmn. es ist mir als* ein b. *damit ist mir nicht geholfen.*

bastîe *swm. bastei.*

batêle *swm. kleines boot.*

batstande *stf. badekufe.*

baz *adv. bei verben der bewegung: schneller; aber auch: weiter (si fuorte in*

ein wênic in den garten b.);
mit adj. zur verstärkung
des komparativs; deste b.
um so mehr; wem ist deste
b. wer kann da noch froh
sein; mir ist nihtes deste
b. damit ist mir nicht geholfen.

bebergen stv. verbergen.
bebirsen swv. anpirschen,
nachspüren; übertr.: sich
anzueignen versuchen.
beblüejen swv. bebluot-
sîn mit blüten bedeckt sein.
beboten swv. benach-
richtigen.
bebreiten swv. bedecken.
bechen swv. wie pech
brennen.
becher stm. (auch zum
würfeln).
bechswarz adj. pech-
schwarz.
becherweide stf. zechgelage.
bechvalle stf. hölle.
beckenhûs stn. back-
haus.
bedaht part. adj. mit
b.-en worten verhüllt.
bedâht part. adj. be-
denklich.
bedæhtec adj. aufmerksam, zartfühlend.
bedæhticheit stf. das eingedenksein (mit gs.).
bedæhticlîche adv. vorsichtig, aufmerksam.
bedenken swv. ap. sich
jem.s annehmen; ap. gs.
einem etw. verdenken, ver-
argen.
bedenknüsse stf. ge-
dächtnis.
bederbenen swv. etw.
zum nießbrauch übergeben.
bedespen swv. verbergen,
begraben.
bediutærinne stf. diu
zunge, des herzen b. dol-
metscherin.
t **bediutecheit** stf. bedeu-
ung.

bediuteclîchen adv. verständlich.
bediuten swv. pass. gehalten werden für.
bediutunge stf. bedeutung, auch: auslegung.
bedonen swv. streben;
leben führen.
bedraben swv. daz mer b.
befahren.
bedriezen stv. subst. verdruß.
bedrozzen part. adj. verdrossen.
bedrückede stf. be-
drückung.
bedrückunge stf. be-
schwernis; auflage.
bedûht stf. verzückung.
bedunc stm. meinung.
bedunken swv. auch
subst.
bedûseln swv. betäuben.
b(e)eigenen swv. erwerben.
beellenden swv. unpers.
sich sehnen.
begâbunge stf. beschenkung.
begalen swv. bezaubern.
begân redv.refl.sich abgeben mit; sich ernähren von.
beganc stm. kult eines
heiligen an seinem feste.
begangen part. adj. betroffen, in verlegenheit.
begare adj. bereit, gerüstet.
begatern swv. umgittern.
begeben stv. auch: verzeihen; freilassen; ap. gs.
befreien von.
begedemen swv. in ein
gadem bringen.
begegenunge stf. begegnung.
begerlichheit stf. begierde.
begerwen swv. mit prie-
ster- oder meßgewand be-
kleiden.
begien stv. mfr. = bejehen.

begiezen stv. oft bildl.,
z. b. mit gnâden b.
begin stm. mithilfe, wirkung.
beginnærinne stf. an-
fängerin.
beginnen stv. mit gen.
oder inf. oft nur umschreibend.
beginner stm. unseres
heiles b. (von Joseph).
beginstnisse stf. anfang.
beglîmunge stf. erleuchtung.
begnâdunge stf. begna-
dung (gotes küniclichiu b.)
begoumen swv. achtha-
ben auf.
begraben stn. begräbnis.
begrebnis(se) stf. grabstätte; begräbnis.
begreifen swv. ergreifen.
begreinen swv. beweinen.
begrîfære stm. der zu
begreifen versucht, nach-
denkt.
begrîfen stv. finden;
subst. begriffsvermögen;
part. mit siechtagen be-
griffen krank.
begriffenlich adj. leicht
fassend.
begrîflicheit stf. tastsinn.
begripfen swv. rasch und
wiederholt ergreifen.
begrüenen swv. grün machen, grünen lassen (wald
u. feld).
begründen swv. be-
gründen, befestigen.
begruonen swv. grünen,
ersprießen (bildl. von der
freude).
begrûsen swv. refl. grausen empfinden.
begüeten swv. begütigen.
behaben swv. md. auch
beheven; reise b. weg
bahnen.
behabnus(t) stf. voll-
streckbares urteil.
behabunge stf. beweisführung.

behaft *stm. das verharren.*
behaftec *adj. vom teufel besessen.*
behaften *swv. haften bleiben.*
behagel *adj. stolz und froh.*
behagen *swv. dp. jem. froh machen; würdig dastehen vor, angemessen erscheinen;* wol b. *dp. edel, vornehm scheinen (von kleidung);* sich wol b. lâzen *ap. glücklich werden mit.*
behagenlich *adj.* = behagelich.
behagenlîche *adv. auf wohlgefällige weise.*
behagunge *stf. das behagen (myst.).*
behalbe *präp. md. ohne.*
behalben *adv. zur seite.*
behalten *redv. intr. stehen bleiben; trans. festnehmen; beachten (von festen); erlangen, erreichen (jahre); einhalt gebieten; einbalsamieren; refl. sich behaupten;* diu ros b. *die pferde gut versorgen;* sîne tarnkappe er ze b. truoc *brachte er weg, um sie zu verwahren.*
behaltsam *adj. heilsam.*
behaltunge *stf. befolgung der gebote; ausübung.*
behanc *stm. vorhang des tempels.*
behangen *swv. hängen bleiben.*
behebnisse *stf. haft.*
behefte *stf. das verbleiben, verharren;* b. der müede *fessel der müdigkeit.*
beheigen *swv. bewachen.*
beheiligen *swv. heiligen.*
beheimen *swv. versorgen.*
behelfunge *stf. behelf, hilfe.*
behelmen *swv. mit einem helm versehen.*

behelsunge *stf. umhalsung, umschließung.*
behendeclich *adj.* = behendec; mit b.-en rîmen *mit eleganten versen.*
behendeclîche (n) *adv. geschickt; schnell; sogleich.*
behentlich *adj. listig.*
behêret *part. adj. der* lîcham b. *heilig.*
behêrren *swv. ap. ermächtigen, erheben.*
beherzen *swv. as. zu etwas stehen, beherzigen.*
behilfec *adj.* = behülfec.
behinden *adv. hinten.*
behinder *adj. hinter, nachfolgend.*
behinder *adv. nach; hinterher (laufen, dp.).*
behirten *swv. (be)hüten, pflegen.*
behitzen *swv. erhitzen.*
behiuten *swv. schinden.*
behorden *swv. ansammeln (schatz).*
behœrlich *adj. schicklich.*
behœrlicheit *stf.* nâch b. *nach allgemeiner auffassung.*
behûchen *swv. behauchen.*
behüeten *swv.* daz er sich wol behüete *er möge beruhigt sein;* ez wirt behuot *es unterbleibt.*
behügen *swv. bedenken.*
behügnisse *stf. (form der) beglaubigung.*
behuot *stn. schutz.*
behuot *part. adj.* b. vor ds. *frei von.*
behuotsamlîche *adv.* sîniu werc b. tuon *ohne hast.*
behuotunge *stf. bewahrung; bewachung.*
behûsunge *stf. herberge, wohnung, (auch von einem schloß).*
beide *num.* b. . . . und sowohl . . . als auch.

beidentsamen *adv. beide zusammen.*
beidentsît *adv. beiderseits.*
beidersît *adv. dass.*
beidesamt *adv. beide zusammen.*
beierisch *adj. bayrisch.*
bein *stn.* ze b. und ze vuoze *zu fuß.*
beinîsen *stn. fußfessel.*
beite *stf. frist, aufschub, erwartung.*
beizman *stm. falkner.*
beizunge *stf. beizjagd.*
bejac *stm.* in der minnen b. *in reichweite des liebenden?*
bejagen *swv. tr.* swaz si mugen b. *alles, was in ihre reichweite kommt; refl. sich bemühen; gs. sich etw. zu verschaffen wissen; subst.* sîn b. trîben *seinen vorteil suchen.*
bejâmeren *swv. unpers. gs. leid tun.*
bejâren *svw. altern.*
bejehen *stv. mfr. begien.*
bejehunge *stf. bekenntnis.*
bekant *part. adj.* mir ist b. *ich besitze,* den êre was b.; b. tuon *dp. as. bescheid geben (über), bekannt machen.*
bekantlich *adj. erkennbar.*
bekantunge *stf. erkennungszeichen.*
bekennec *adj. bekannt.*
bekenneclîche *adv. erkennbar.*
bekennelich *adj. bekannt.*
bekennelichheit *stf. offenbarung.*
bekennen *swv. erfahren, in erfahrung bringen, kennen lernen, wissen, daz* hæte ich gerne bekant *bitte mich darüber aufzuklären!* — tugent, werde-

keit bekennen *oder* bekant
haben *besitzen; dp. gs. zu-*
erkennen (ehre, ruhm).

bekennisse *stf. erkennt-*
nis.

bekêren *swv.* die sinne b.
sich entschließen.

bekerzen *swv. mit kerzen*
versehen.

beklagen *swv. refl. gs.*
sich anklagen wegen.

bekleiden *swv. (eigentl.*
und bildl.).

beklemmen *swv. zusam-*
menpressen.

beklenen *swv. beschmie-*
ren.

beklieben *stv. spalten.*

beklûsen *swv. in eine*
klause einschließen.

beknehten *swv. refl. sich*
mit einem knappen ver-
sehen.

beknopfen *swv. knospen*
bekommen.

beknüdelen *swv. refl.*
sich in einer schlinge ver-
fangen.

beknüseln *swv. be-*
schmutzen.

bekomen *stv. abstam-*
men.

bekorn *swv. beschließen;*
den tôt b. *sterben.*

bekorn *stn.* in mînem b.
nach meinem dafürhalten;
daz ist mir ein niuwez b.
das ist eine neue erfahrung.

bekorunge *stf. begier.*

bekoufen *swv. verkau-*
fen.

bekriechen *stv. bekrie-*
chen (von spinnen).

bekrîzen *stv. refl. sich*
durch einen beschwörungs-
kreis sichern.

bekumbernisse *stf. kum-*
mer.

bekûmern *swv. occupare,*
mit beschlag belegen.

be-kützen *swv. ap. übertr.*
n anspruch nehmen; refl.
sich abgeben.

bekützet *part. adj. aus-*
gestattet mit.

belachen *swv. belachen,*
verlachen.

belancnüsse *stf. verlan-*
gen.

belangen *adv. endlich,*
allmählich.

belannen *swv. anketten.*

belasten *swv. refl. sich*
abgeben.

belde — *s.* balde —.

belêhenen *swv. belehnen.*

beleiden *swv. mit leid be-*
schwert werden.

beleinen *swv. schmücken.*

beleiten *stn. eigensinnig-*
keit, fehlerhaftigkeit.

beleitunge *stf. begleitung.*

belesten *swv. belästigen.*

belîben *stv. unterkunft*
finden, unterkommen; liegen
bleiben; sîner vart b. *seine*
fahrt aufgeben; unpers. ez
ist hier an beliben damit
hat es sein bewenden; er was
slâfende beliben schließ-
lich eingeschlafen.

be-licken *swv. verlocken.*

belieben *swv. ap. der*
liebe teilhaftig machen.

beliumen *swv. beliumet*
sîn in schlechtem leumund
stehen.

beliuten *swv. mit glok-*
kengeläut ehren.

belle *f. hinterbacken.*

bellîn *stn. dem., waren-*
ballen.

beloben *swv. refl. sich*
rühmen.

belônen *swv.* grôz lôn b.
zahlen.

belœsen *swv. ap. gs. jmd.*
von etw. befreien, iron.: ihm
beim spiel etw. abgewinnen,
abnehmen.

belouben *swv. mit laub*
versehen.

belougen *swv. leugnen.*

beltlich *s.* baltlich.

belzboum *stm. frisch ge-*
pfropfter baum.

belzvêch *adj. bunt von*
pelz.

bemachen *swv. fest-*
machen, beschützen.

bemangen *swv. mangeln.*

bemerken *swv.* starke b.
sich über etwas aufhalten.

beminnen *swv. beschla-*
fen.

bemüejen *swv. belästigen.*

benæjen *swv. benähen,*
einnähen, einschnüren.

beneichen(en) *swv. wei-*
hen, widmen.

benennen *swv. darlegen;*
vereinbaren (ein gelübede).

benîchen *stv. sich neigen,*
sinken.

beniden, biniden *adv.*
unterhalb.

benider *adv. dass.*

benihte *adv. auf keine*
weise.

bennige *f. die ange-*
traute.

benôt *part. adj. arm, in*
not befindlich.

benôtec *adj. nötig.*

bencœten *swv. ap. über-*
führen.

benüegelich *adj. zweck-*
mäßig, sachgemäß.

benüegen *swv. aus-*
reichen.

benunft *stf.* in b.-e, daz
in hinsicht darauf, daß.

benützen *swv. benutzen.*

beprüeven *swv. prüfen,*
visitare.

bequæmelich *adj.* = be-
quæme.

ber *stnf.* niht ein b. *gar*
nichts; umb ein b. *um*
nichts.

berâtenlîche *adv. mit*
vorbedacht, überlegung.

berætlîche *adv. dass.*

berc *stmn. versteck.*

bercknappe *swm. berg-*
mann.

bercmeister *stm. vor-*
steher eines bergwerks od.
weinbergs.

bercreht *stn. vom wein-berg zu entrichtende abgabe.*

bercrint *stn. (schimpf-wort).*

bercwerc *stn. bergwerk.*

berechen *stv. begraben.*

beredære *stm. der etw. beredet, über etw. spricht.*

bereden *swv. rechtsan-spruch erheben auf.*

berednüsse *stf. verab-redung, vertrag, reinigung, entschuldigung.*

bereffunge *stf. tadel.*

berefsunge *stf. bestra-fung, increpatio.*

beregenen *swv. beregnen; auch übertr.*

berehtunge *stf. an-spruch, forderung.*

bereit *adj. b. sîn dp. zu gebote stehen (von fähig-keiten).*

bereite *adv. daz er b. hin zim sprach jederzeit, be-quem mit ihm sprechen konnte.*

bereiten *swv. sich dan b. sich zur abreise rüsten; übeler mære b. ap. jem. eine lektion erteilen.*

bereiter *stm. pferde-knecht; spîse b. koch.*

bereitlîchen *adv. bereit-willig.*

bereitschaft *stf. erfor-dernis; ausstattung.*

bereitunge *stf. propa-gatio, entwicklung; zuberei-tung.*

berenthaft *adj. frucht-bar.*

bergen *stv. urspr.: etwas schützen, indem man es auf einen berg trägt;* lieht b. *licht löschen.*

bergewert *adv.bergwärts, aufwärts.*

berhafte *stf. fruchtbar-keit.*

berhaftec, -heftic *adj. fruchtbar.*

berhafteclich *adj. dass.*

berhaftikeit *stf. frucht-barkeit.*

berhtec *adj. glanzvoll.*

berhtheit *stf. glanz.*

berigelen *swv. auch vom brief.*

berihten *swv. ap. einem etw. mitteilen; refl. ûz einen ausweg aus einer lage fin-den.*

berihter *stm. pfleger (von bäumen).*

berihterinne *stf. b. der tugende (von der vernunft) ordnerin.*

berihtes *adv. richtig.*

berihtigunge *stf. vertrag.*

berihtnusse *stf. gütlicher vergleich.*

berillîn *adj. aus beryllus.*

beriuwesen, -riusen *swv. beklagen, betrauern.*

berleht *adj. mit perlen besetzt.*

bermde *stf. güte (dritte person der trinität).*

bermelich *adj. erbarmen erregend.*

bermit *s. pergamente.*

bern *stv. êre b. dp. ehre erweisen;* vride b. dp. jem. *schonen.*

bernerlîn *stn. (kleine münze).*

bernvuoz *stm. bärenfuß.*

berœten *swv. mit bluot b. rot färben.*

beroufen = berouben.

berücke *adv. rückwärts, hinten.*

berüemunge *stf. ruhm-redigkeit.*

berunen *swv. mit ronen bedecken.*

beruofunge *stf. ausru-fung, verkündigung, appel-lation.*

berwîn *stm. traubenwein (?).*

besachen *swv. begünsti-gen.*

besagen *swv. refl. sich einem verschreiben.*

besæjen *swv. besäen.*

besan *stm. besinnung, eingebung (aller guter werc b., vom hl. geist).*

besâzen *swv. in seine ge-walt bringen.*

beschaben *stv. übertr. ap. ausnützen, ausbeuten.*

beschaffen *stv. ordnen, verwalten.*

beschaffenheit *stf. schöp-fung.*

beschaffenlich *adj. vor-herbestimmt.*

beschaffunge *stf. beschaf-fenheit, schöpfung, ge-schöpf.*

beschatzen *swv. berau-ben.*

bescheiden *redv. als mor-gengabe geben; empfehlen; offenbaren;* troum b. *deu-ten; als ich iu b.-e folgen-dermaßen.*

bescheidenhaft *adj. be-scheiden.*

bescheidenheit *stf. ver-nünftiger beweggrund, ver-nünftiges maß.*

bescheidenlich *adj. ver-schieden, unterschiedlich (die evangelien).*

bescheidenlîche *adv. an-gemessen; dîn (gotes) kint bin ich b. ganz gewiß, – bei aller bescheidenheit; b. vrâ-gen um bescheid zu erhalten, d. h. mit überlegung.*

bescheidenunge *stf. ver-stand, einsicht.*

bescheitnisse *stf. be-scheid, bestimmung.*

bescheln *swv. berauben.*

beschernen *swv. verhöh-nen.*

beschetzer *stm. der kon-tributionen auferlegt.*

beschiht *stf. zufall, er-eignis, casus, hergang.*

beschilden *swv. mit schilden versehen.*

beschimpfen *swv. ver-spotten.*

beschizzer stm. betrüger.
beschollen swv. anhäufen.
beschorn part. adj. hôhe b. sîn ein vornehmer geistlicher, vornehm sein; vgl. hôchbeschorn.
beschœnigen swv. s. beschoenen.
beschœnunge stf. beschönigung.
beschouwecheit stf. betrachtung.
beschouwen swv. besuchen; begrüezen unde b. besuch machen bei; refl. sich umsehen.
beschrenkede stf. heuchlerischer betrug, supplantatio.
beschuldecheit stf. entschuldigung.
beschuoben swv. begraben.
beschützen swv. êweclich b. für das künftige leben erretten.
besehen stv. einsehen (intellegere).
besetzen swv. ausfüllen; zum pfand setzen; sînen sin b. sich entschließen; sînen muot b. sich den kopf zerbrechen.
besez stnm. unglück, prüfung.
besigelen swv. mer b. segeln.
besihiecliche adv. auf fürsorgliche, vorsichtige weise.
besitz stm. (sitz)platz.
besitzen stv. erringen; spil b. (aus)üben.
beslahen stv. beschlagen (pferd).
beslegede stn.verzierung.
besliezen stn. verschließen; einkäfigen (vögel); hort der nibelunge beslozzen hât sîn hant hat er in festem besitz.
besliezerin stf. beschließerin.

besliezunge stf. verschließung, einschließung (z. b. diu b. des ezzens in dem leibe); verstopfung (z. b. der nâslöcher); conclusio, abschluß (des psalters).
beslihten swv. klären; beschwichtigen.
beslozzen part. adj. fest umschlossen, verschlossen und befestigt.
beslozzenheit stf. umschließung (myst.).
beslozzenlîche adv. verschlossen.
besluzzede stf. abschluß, beschließung.
besmerunge stf. verspottung, lästerung.
besmitzunge stf. sündhaftigkeit.
besnîdunge stf. beschneidung.
besniten part. adj. geschnitzt; bildl. wol b. bescheiden, wohlgesetzt (rede).
besnitzet part.adj. ebene b. fein geschnitten (nase).
besorgen swv. sorglich behandeln.
besorgsamkeit stf. sorge, qual.
besoufen stv. sich in der werlte b. untertauchen.
bespannen redv. mit ketenen b. fesseln.
bespehen swv. prüfend beschauen.
bespîsen swv. verproviantieren (schiff).
besprechen stv. tadeln; den kampf b. rechtliche bedingungen des kampfes bestimmen; besprochen sîn im gerede sein.
bespringen stv. bespringen, benetzen.
bespunnen part. adj. versehen mit.
bestân stv. trans. beginnen, zufügen; ez bestât uns ze nihte oder kleine es geht uns nichts an;

intr. ob mir mîn lîp bestât wenn ich am leben bleibe; mich bestât ze mit inf. ich bin imstande zu.
bestandunge stf. zustand (meitliche b.).
bestantman stm. pächter.
bestechen stv. refl. mit dem kriuze b. sich bekreuzigen.
bestellen swv. holen lassen.
bestendecheit stf. beständigkeit; êwigiu b. ewigkeit.
bestendigen swv. befestigen.
besterinne stf. flickerin.
besteten, -stetenen swv. s. bestaten.
besteuwen swv. besetzen.
bestinken stv. beriechen.
bestrechen swv. refl. sich mühe geben (mit minne als liebender).
bestrichen stv. mit kunst b. as. geschickt vertuschen.
bestüelde stn. mit stühlen versehenes hohes brettergerüst.
bestummen swv. stumm werden.
bestützen swv. (unter-) stützen.
besüln swv. besudeln.
besunderlîche adv. abgesondert, besonders.
besunderunge stf. privileg.
besunnenheit stf. in b. sîn aufmerken.
besuochen swv. aussuchen, ersuchen.
beswærde stf. kränkung.
beswæren swv. unterdrücken, peinigen, beunruhigen.
beswærunge stf. b. der sêle belastung.
besweben swv. umfluten, umschweben.
beswern stv. besprechen von krankheiten.

beswîchede 374 bewarn

beswîchede *stf. betrug.*
beswiften *swv. beschwichtigen.*
betagen *swv. bis tagesanbruch verweilen.*
betasten *swv. (iron.) heimsuchen; ebenso* mit swertes slac b. *ap.*
betehûs *stv. auch von christlichen kirchen.*
betelærinne *stf. bettlerin.*
betelbrôt *stn. bettelbrot.*
betelken *swv. grob anrühren.*
betelman *stm. bettelmann.*
betelorden *stm. bettelorden.*
betelsac *stm. auch als schimpfwort.*
betelstab *stm. bettelstab.*
betelstücke *stn. almosen.*
betelwîp *stn. bettelweib.*
betemesse *stf. bittmesse.*
betenbrôt *stn.* = botenbrot.
betesal *stm. betsaal.*
betestiure *stf. erbetene hilfe.*
betouben *swv.[1] verpesten (die luft).*
betragen *stv.* mit geiseln b. *geißeln.*
betrahte *stf. erkenntniskraft, denkfähigkeit.*
betrahtec *adj. zuo ds. erpicht auf.*
betrahtegen *swv.* nâch *as. trachten; refl. überlegen.*
betrahten *swv. as. sich vorstellen, durchschauen.*
betrehtecliche(n) *adv. einsichtig; mit überlegung.*
betriegen *stv. hinters licht führen; im stich lassen* (sælde hât dich niht betrogen); betrogen sîn *iron.: s. u.*
betriuc *stm. betrug.*
betriuten *swv. beschützen.*
betrogen *part. adj. irregeleitet* (ein b. klôsterman);

b. an *ds.* vorsätzlich in unwissenheit gehalten über, hinters licht geführt (wie bin ich dâr an sô b.!), vorsätzlich ferngehalten von *etw. (ein königsohn an* küneclicher vuore b.); niht b. von *ds. iron.: nicht arm an* (von gezierde daz bette niht was b.)
betrogene *stf. betrug.*
betrogenheit *stf. unzuverlässigkeit.*
betrogenlich *adj. töricht.*
betrogenlîche *adv. töricht, als opfer eines plumpen betruges (etw. behaupten).*
betrüebe *stf. bedrängnis.*
betrüebec *adj. betrübt.*
betrüebecheit *stf. trübsal.*
betrüebeclich *adj. betrübt, traurig.*
betrüebeclîche *adv. dass.*
betrüebelichkeit *stf. betrübnis.*
betrüeben *stn. betrübnis.*
betrüebenisse *stf. dass.*
betrüeber *stm. störer, beleidiger.*
betrüebesal *stn. bosheit, ärgernis.*
betrüebunge *stf. verwirrung, erzürnung, beleidigung.*
betswester *stf. nonne.*
bettegelt *stn. übertr. für die ‚bezahlung‘ im bett.*
bettegenôz *swm. mitschläfer, bettgenosse.*
bettegeræte *stn. bettzeug.*
bettegeselle *swm.* = bettegenôz; *pl. mann u. frau.*
bettekamere *stf. schlafzimmer.*
bettemunt *stm. ehebettzins.*
betterisec *adj.* = betteris.
bettesac *stm. bettsack.*
betteschuoch *stm. pantoffel.*

bettestal *stn. bettstelle.*
betwingen *stv. erobern;* mit gerihte b. *überführen, strafen, (der regel) unterwerfen.*
betwungenheit *stf. bezwingung.*
betzel *swf. haube.*
beunreinen *swv. refl. sich versündigen.*
bevaehede *stf. netz zum fangen.*
bevâhen *redv. abschirmen (lichter);* mit rede b. *ap. ansprechen.*
bevâhunge *stf. das begreifen.*
bevangenheit *stf. einschränkung.*
bevazzen *swv. einfassen.*
bevelhen *stv. auch swv.;* vlîzeclîche b. *ans herz legen.*
bevelhnüsse *stf. auftrag, befehl.*
bevellec *adj.* b. sîn *dp. gefallen.*
bevestenunge *stf. schutz.*
bevestunge *stf. schutzwall.*
befieren *swv. verschönern.*
bevillen *swv. schinden.*
bevindunge *stf. empfindung, wahrnehmung.*
bevintnisse *stf. billigung, anerkennung.*
bevleckunge *stf. makel.*
bevollen *adv. völlig.*
bevrâgen *swv. befragen; refl. sich erkundigen.*
bevreischen *redv. erfahren.*
bevüegen *swv. refl. eine befugnis ausüben.*
bevürhten *swv. befürchten.*
bewallen *redv. hervorsprossen.*
bewæret *part. adj. (wohl-)begründet.*
bewarn *swv. refl. seine rechte wahren, seine pflichten erfüllen; sich schützen.*

bewærunge *stf. bewäh-rung, erprobung; ausle-gung; beweis.*

bewasen *swv. mit rasen bedecken.*

bewasenen *swv.* wo-nunge b. beräuchern.

bewegen *stswv. refl.; as. sich hinwegsetzen über, mißachten; gs.* an *dp. auf-kündigen, entziehen;* sich antlitzes b. *(menschen-)gestalt annehmen;* sich zor-nes b. *zornig werden.*

bewegunge *stf. körper-liche bewegung.*

beweisen *swv. zur waise machen.*

bewellen *stv.* mit ge-smelze bewollen *emailliert.*

bewenden *swv. dp. jem. etw. auslegen.*

bewerde *stf. versehung mit sterbesakramenten, communion.*

bewickelen *swv. ein-wickeln.*

bewîhen *swv. weihen.*

bewinden *stv. intr. um-kehren.*

bewirren *swv. in ver-wirrung geraten.*

bewîsen *swv.[1] ap. auf-klären.*

bewollen *part. adj. un-rein.*

bewollenheit *stf. be-fleckung;* bœse b. *verlok-kung, lust.*

beworrenlîche *adv. ver-wirrt.*

bewüefen *swv. beklagen.*

bezâfen *swv. pflegen, schmücken, zieren.*

bezaln *swv.* der den prîs hât bezalt *der (durch seine leistung im kampf) das an-recht auf den siegespreis erworben hat, der sieger.*

bezeichenhaft *adj. sym-bolisch.*

bezeichenisse *stf. sinn-bildliche bedeutung.*

bezeichenlîche(n) *adv. sinnbildlich.*

bezeigen *swv. rechtlich zuweisen, übereignen.*

beziehen *stv. beziehen; auch vom anbringen des köders am angelhaken.*

bezîte, -zît *adv. früh.*

bezouwen *swv. bereiten.*

bezûnen *swv. s.* beziu-nen.

bezzern *swv. vervollstän-digen, vervollkommnen, durch unterricht fördern.*

bezzerunge *stv. vervoll-kommnung;* ze b. komen *sich vervollkommnen.*

bezzist, best *adj. superl. subst.:* die besten alge-meine *die vornehme gesell-schaft;* daz beste *die edel-sten eigenschaften.*

bî *präp.* bî den jâren da-mals; bî ein *miteinander;* liep unde leit bî ein ge-tragen *miteinander tragen;* bî spote sîn *zu spott auf-gelegt sein.*

bî *adv. bei verben:*

-hellen *stv. dp. zustim-men, beistimmen.*

-legen *swv.refl. sich hin-zulegen.*

-lûten *swv. im laut über-einstimmen.*

-sîn *anv. beistehen.*

-stân *stv. dp. gs. einem etw. zugestehen.*

-wesen *stv. dp. besit-zen;* sanfte b. *dp. freund-lich zu jem. stehen.*

-wonen *swv. dabeisein, beistehen.*

bîben *swv.* = biben *beben.*

bickelhiubel *stn. helm.*

bickelhûbe *stf. dass.*

bickelwort *stn. unver-ständliches, hingewürfeltes wort.*

biderbe *adj. mfr. auch* birve; *gescheit, vernünftig.*

biderben *swv. für den hausgebrauch schlachten.*

bidervrouwe *swf. ehr-bare (ehe-)frau.*

bidewen *swv.* = bidemen.

biegen *stv. auch refl.*

biegunge *stf. verbeugung.*

biet *stm.* in keinem b. *unter keiner bedingung, in keiner weise.*

bieten *stv. tr. umschrei-bend:* genâde b. *danken;* lougen b. *ableugnen;* stiure bieten ze *verhelfen zu.* – *refl. (mit bezeichnung einer richtung) sich wohin be-wegen, begeben, beugen:* sich an den wec b. *auf den weg machen,* sich zu lande b. *aufs land begeben,* sich engegen b. *sich wider-setzen;* sich zem slage b. *ausholen;* sich in den tôt b. *den tod auf sich nehmen.*

bietunge *stf. anerbie-tung, verheißung.*

bîgelegen *part. adj. be-nachbart.*

bîgesellec *adj. zugesellt.*

bîgesezze *swm. tisch-genosse.*

bîgestendec *adj.* b. sîn *dp. beistehen.*

bîgiht, bîhte *stf.* bîhte ruofen *beichte halten.*

bîhtât *stf. beichte.*

bilde *stn. zeichen;* vriun-des b. tragen *sich den an-schein eines freundes ge-ben; phraseol.:* gelückes b. = gelücke.

bilden *swv. tr. zum vor-bild nehmen, nachahmen; refl. sich einprägen.*

bildesam *adj. vorbild gebend.*

billich *stm. schicksal oder bedeutsamer zufall;* nâch dem b. -e *wie es zu gehen pflegt.*

billîche *adv. verdienter-maßen; ziemlich, einiger-maßen,* b. wol *ziemlich gut.*

billîchen *swv.dp.as.jem. etw. zubilligen.*

bilungs *adv. (halb-) kreisförmig gebogen; auch:* in b.; *(heraldischer terminus).*

bînâhe *adv. beinahe.*

binden *stv.* ze beine b. *auf sich nehmen, sich belasten mit, ‚ans bein binden'.*

binezîn *adj. aus binsen* (körbelîn b.).

biniden *adv.* (= beniden) *unterhalb.*

bînider *adv. dass.*

bîrede *stf. sprichwort.*

birnenkumpost *stm. birnenkompott.*

birse, berse *stf. (pirsch-) jagd.*

bîschaft *stf. beispiel.*

bîslâfelinge *stf.* = bîslâfe *concubina.*

bîspeln *swv. in gleichnissen reden.*

biten *stv. bitten auch mit ap. as; werben um (gp.); beten* (umbe *ap. für jem.*); *absol. auch: betteln.*

bîten *stv. dp. gs. frist geben zu etw.*

bitter *adj. scharf und unbarmherzig, schneidend (schwert, hagelschauer); spitzig, stechend (nägel); bissig, reißend (raubtier); erbittert, ergrimmt (zorn, schlacht).*

bitter (e) *stf. qual (höllenpein).*

bitterlich *adj. bitterlich, schwer, grausam, scharf* (nôt, tôt, swert).

bitterlîche *adv. schwer, hart, grausam, scharf, oft nur verstärkend.*

bitterunge *stf. der mirre* b. *das bittermachen (des Christus gebrachten trankes).*

biut *stf.* = biet.

bîvart *stf. umweg.*

bîvuoz *stm.* (= bîbôz) beifuß.

bîwerf *stm. rost, schmutz.*

bîwesen *stn. nähe, gegenwärtigkeit.*

bîwesunge *stf. pl. umstände.*

bîzen *stv.* des trankes b. *trinken.*

bizze *swm.* bizzen *(akk.) negiert: nicht ein bißchen, gar nicht,* du bist niendert bissen wunt, daz ist nirgen bissen wâr.

blæjunge *stf. blähung.*

blanc *adj. blank; farblos;* b. werden *beraubt werden.*

blancgevar *adj.* = blanc *(harnisch; tischtuch).*

blatern, (platern) *swv. refl. sich glätten.*

blâvuoz *stm. blaufuß (falkenart).*

blechrinc *stm. panzerring.*

blecket *adj. blank, rein.*

blende *stf. blendwerk.*

blendunge *stf. (Christi geißelung)* mit b. sîner ougen *so daß er kaum noch sehen konnte.*

blîblende, plîlinde *swf. bleiblende, bleiglanz; bleierz.*

blic *stm.* durch die blicke *um ihres anblicks willen.*

blîche *stf.* ze b. an sich nemen *sich schminken.*

blickelîn *stn. demin. zu* blic.

blîelîn *adj. bleiern.*

blindelingen *adv. blindlings.*

blint *adj. ohne, frei von (gs. oder an ds.),* an êren b . *keinen anstand habend, des gelouben* b.; *sie mahte im alle sorgen b. befreite ihn;* blinde vrechheit *tollkühnheit,* verblendung.

blœde *adj. vergänglich.*

blœdinc *stm. blödkopf.*

blotschen, plotzen *swv. mit lärm hinfallen.*

blôz *adj. armselig; offenbar;* an vröuden b. *ohne freude, glücklos;* b.-ez *gevilde freies gelände.*

blunderspil *stn.* b. trîben *(unbest. bedeutung).*

bluomballe *swm. blumenknospe.*

bluomenrîs *stn. (bildhaft) blütenzweig.*

bluomenschapel *stn. blumenkranz.*

bluotbach *stm. blutstrom.*

bluotgiezende *part. adj. blutend.*

bluotgiezer *stm.* der b. Judas *mörder.*

bluotsweizec *adj. blutüberströmt, blutend.*

bluotvergiezen *stn. blutvergießen.*

bluotvergiezer *stm. mörder, blutvergießer.*

bluotverswender *stm. dass.*

blûweclîche *adv.* = blûclîche.

bockelære *stm. bock (als schimpfwort).*

bodemlôs *adj. bodenlos (vom abgrund).*

boge *swm. brückenbogen.*

bogelîn *stn. schlinge beim vogelfang.*

bogen *swv. refl. sich beugen.*

bol *adj. geschwollen.*

bolgen *swv. zürnen.*

bolsterhundelîn *stn. schoßhund.*

bolz *stm.* **bolze** *swm. pfeil.*

bölzelîn *stn. demin. zu* bolz.

borc *stm. borges* phlegen *sich geld borgen.*

bordûne *swf. lange trompete (frz. bourdon).*

borgære *stm. gläubiger.*

bormære *adj. iron.: gleichgültig.*

bort *stmn.* geselleclîchen über b. gân *vor herzlichkeit überströmen.*

bœse *adj. krank (z. b.*
vom magen); iron.: b.-r rât
keine hilfe; bœsiu mære
dummes gerede; b.-z bilde
nemen falsches vorbild.
   bote *swm. abgesandter;*
einen b.-n tuon *dp. jem.*
benachrichtigen.
   botenlôn *stm. botenlohn.*
   boteschaft *stf. auch:*
brief.
   boum *stm. säule.*
   boumach *stn. weingar-*
ten.
   boume *swm. paradies-*
baum.
   boumgarte *swm. auch:*
zwinger.
   boumöl *stn. harz.*
   boumwolle *swf. baum-*
wolle.
   boumwollîn *adj.* pheit
b. *kleid aus baumwolle.*
   bovelvolc *stn. pöbel.*
   bræhen *swv. md. dün-*
sten.
   braht *stmf.* ane b. belîben *geheim bleiben.*
   brahtunge *stf. geschrei,*
lärm.
   brantlich *adj.* b. haz
brennend.
   brasteln *swv. schreien.*
   brâtvisch *stm. bratfisch.*
   bratze *swf.* = bratsche.
   brechen *stv. trans. unter-*
brechen (rede); übertreffen
(den wurf mit sprunge);
brechen, verletzen, nicht ein-
halten, aufheben (recht, ver-
sprechen, abmachung); as.
dp. jem. etw. abstreiten, sich
ihm in etw. widersetzen;
intr. in ir herze b. *ihr herz*
gewinnen; refl. diu rede
sich ze kampfe brach *lief*
hinaus auf; sich treiben,
hinreißen lassen (zu sün-
den); sich von d. bœsen
zu d. guoten b. *sich durch-*
ringen; absol. die treue
brechen, jem. betrügen, hin-
tergehen.

   brechenlich *adj. schad-*
haft.
   brechîsen *stn. brecheisen.*
   bredigunge *stf. predigt.*
   breit *adj.* eines hâres b.
nur ein bißchen.
   brennen *swv. trans. ap.*
ûf der hürden b. *auf dem*
scheiterhaufen verbrennen.
   brennoven *stm. ofen.*
   bresse *stf.* = presse.
   brestelîn *stn. kleiner*
kummer.
   bretsnîder *stm. sägemül-*
ler.
   brief *stm. zeugnis, be-*
weis; einen b. lesen *dp.*
eine lektion erteilen.
   bringen *anv. herbrin-*
gen, holen; hervorbringen
(frucht), vollbringen (wun-
der); übertragen, übersetzen
(von kriechischer zunge in
kaldäisch; ze tiutsche);
aufweisen, an sich haben
(varwe, spæhe); zeinem
ende b. *as. aus-, durch-*
führen, vollziehen (auch
minne); ze gîsele b. *ap.*; ze
liehte b. an *ap. etw. zu er-*
kennen geben (minne); ze
wegen b. *zuwege bringen;*
an ritters namen b. *ap.*
zum ritter machen.
   briuten *swv. liebkosen.*
   briuwen *stv.* ein wunder
b. (an *dp.*) *ein wunder voll-*
bringen.
   brochsen *stn. krach, lärm.*
   brœde *adj. brüchig (erde,*
lehm); b. oder balt *zaghaft*
oder kühn.
   brosche *swf.* bratsche.
   brôt *stn.* niht ein b.
adverbiell gar nichts; daz b.
ûflegen *den tisch decken.*
   brôtsac *stm. brotbeutel.*
   brôttisch *stm. brotbank.*
   brôtvar *adj. in gestalt*
des brotes.
   bruch *adj. mfr. brüchig.*
   brüchlîchen *adv. wie es*
sich gehört.

   brücke *stswf. schiffs-*
brücke.
   bruckentor *stn. tor an*
der fallbrücke.
   brüeten *swv. auch übertr.*
tugenden im herzen b.
   brûn *adj. auch blau oder*
violett.
   brunn(en) âder *stswf.*
quellader (bild für Maria).
   brûnrôt *adj. braunrot*
(vom sardonyx).
   brunst *stf. auch: glanz.*
   brünsten *swv. (vom*
hirsch).
   bruoch *stf. unterhose.*
   bruochrieme *swm. hosen-*
gurt.
   bruoderschaft *stf. leib-*
liche oder geistige bruder-
schaft; gemeinschaft von
klosterbrüdern; b. swern.
   bruoderwîp *stn. schwä-*
gerin.
   bruothenne *stswf. brut-*
henne.
   brustbilde *stn. (als reli-*
quienbehälter).
   brüstec *adj. brüchig.*
   brustleder *stn. brustpan-*
zer aus leder.
   brustsloz *stn. harnisch.*
   brustswer *swm. brust-*
schmerz.
   brûtbette *stn. brautbett.*
   brûtkleit *stn. braut-*
kleid.
   bû *stmn. hof, besitz*
(einen von sînem bûwe
dringen).
   bûchswer *swm. bauch-*
schmerz.
   buckære *stm. trompeter.*
   bucke *swf. schild.*
   bûden *swv. auch: trom-*
meln.
   büezen *swv. geldstrafe*
zahlen; viur b. *feuer näh-*
ren; sînen hunger b. *stillen,*
sich satt essen.
   bühsenstein *stm. ein*
durch ein feuerrohr ge-
schleuderter stein.

buntgevar *adj.* = bunt.
buntlich, -liche *adj., adv.*
bündig, endgültig, klipp
und klar.
buoch *stn. lit. quelle;* zen
b.-en twingen *zur schular-*
beit zwingen; diu b. lêren
lesen u. schreiben beibrin-
gen.
buochmachære *stm.*
schriftsteller.
buochvinke *swm. buch-*
fink.
buolære *stm. buhler;*
auch: liebesdichter.
buolbrief *stm. liebesbrief.*
buole *swm. schwager.*
buosem *stm.* in sînem b.
haben *übertr.: sicher in sei-*
nen besitz sich einverleibt
haben (der teufel einen
menschen).
buosemluoc *stnm. ,de-*
kolleté'.
buoz *stm. unpers. dp. gs.*
frei sein von (mir ist kum-
bers b.).
buozære *stm. reuiger*
sünder.
buoze *stf. heilung.*
buozlîche *adv. durch, in*
buße.
burcberc *stm. burgberg.*
burcgesinde *stn. burg-*
bewohner.
burczinne *stswf. burg-*
zinne.
bürde *stswf.* in menschlicher b. *in menschlicher*
gestalt; der minne b. *liebes-*
kummer.
bûretrol *stm. bauern-*
tölpel.
burgære *stm. einwohner.*
burgerinne *stf. bürgerin.*
bûsache *stf. baumaterial.*
busûnschal *stm. posau-*
nenschall.
but *stn. angebot.*
bütelære *stm. büttel.*
bûvellic *adj. baufällig.*
bûwen *swv., auch st. part.*
prät.; den arcwân b. *das*

mißtrauen nähren; dar
ane b. *as. etw. darauf*
gründen.
bûwerc *stn. baukunst.*

D

dach *stm. oberstoff.*
daffer *s.* taverne.
damnunge *stf. verdamm-*
nis (êwige d.).
dampf *stm. bildl.: not,*
pein.
dampfec *adj. dampfend;*
asthmatisch, schwindsüch-
tig.
dampfen *swv.* an der
schwindsucht leiden.
dan *m. vor namen: herr.*
danc *stm. das denken;*
einem ze danke *mit jmds.*
wunsch übereinstimmen;
mit d. *freiwillig;* âne d.
gegen den willen, unab-
sichtlich; versehentlich;
iemer d. hân *(etw.) nicht*
vergessen.
dancbærkeit *stf. dank-*
barkeit; d. der gâbe *frucht-*
barkeit der gabe.
dancnæmeliche *adv. frei-*
willig, offenherzig; will-
kommen, dankbar.
dancwille *swm. freier*
wille.
dancwillen *adv. freiwil-*
lig, aus freien stücken.
danken *swv. auch: loben.*
dankêr, danekêr *stm.*
den d. tuon *umkehren.*
dankes *gen. adv. absicht-*
lich.
dankunge *f. bedankung.*
danne *adv. demonstr.*
ouch danne *obendrein,*
noch dazu; rel. (al)sô danne
sobald (neben seltenerem
alsô balde, alsô schiere);
interj. waz denne *was*
macht das schon.

dannen komen *stv. heil*
davonkommen, überleben.
dannenscheide *stf. das*
hinscheiden.
dannenscheiden, dan-
scheiden *stn. das weggehen;*
abschied.
dannenwanc *stm. das*
fortgehen.
dannoch *adv. späterhin;*
selbst dann.
dâr, dâ, dar *adv. verbun-*
den mit adv. (oder konj.):
-engegene *adv. dagegen;*
in erwartung dessen.
-under *adv. u. konj. trotz-*
dem, außerdem, dabei, in-
zwischen, gleichwohl.
-von *adv.* d. (ge)sîn *es ver-*
meiden, davon frei bleiben.
-wider *konj. anderseits.*
-zuo *adv.* d. sprechen
(= dar sprechen) *für etw.*
sprechen; dazu raten.
darbetac *stm. notstand.*
darbunge *stf. mangel.*
dare, dar *adv.* d. dienen *s.* dienen; d. trinken
drauflos trinken; d. sprechen = dar zuo sprechen;
(vgl. die trennbaren verbal-
komposita im folgenden).
In verbindung mit einem
adv. nicht immer von dâr
abzugrenzen:
darübere *adv. hinüber.*
trennbare verbalkomposita:
-schieben *stv. bis zuletzt*
aufschieben.
-tragen *stv. refl. unpers.*
sich zutragen.
dâre *adv. zu* dære; *de-*
center, geziemend.
darkunft *stf. das kom-*
men.
darsetzer *stm. betrüger.*
darwert *adv. dorthin.*
decke *auch swf.*
deckekleit *stn. schutz-*
gewand, decke.
deckemantel *stm. übertr.*
gelîchsenheite d. *deck-*
mantel der heuchelei.

deckementelîn *stn. ebenfalls übertr.*

decken *swv. auch: flikken.*

degen *stm.* ein d. sîn *ein mann, ein kerl, tüchtig sein.*

degenbalt *adj. kühn wie ein held, männlich, tapfer.*

degenhaft *adj. tapfer.*

degenîn *stf. heldin.*

degenlîche *adv. tapfer.*

degenschaft *stf. heldenhaftigkeit.*

degentuom *stn. reinheit.*

deheinest, dekeinest *adv. irgendeinmal, jemals, niemals.*

dehsenmist *stm. dünger aus zweigen von nadelholz.*

demant, dement *stm. diamant.*

denclîche *adv.* d. erkennen *anerkennen.*

denen *swv.* sînen lîp d. *sich anstrengen; refl. übertr. vom herzen: weit werden.*

denke *stf.* in d. sîn *eingedenk sein, sich erinnern.*

denken *swv. as. bedenken; gs. auch meinen;* d. zuo *nachdenken über (einen ausweg); mir ist gedâht ich beabsichtige, habe zu erwarten.*

derhalben, -halp *adv. auf dieser seite.*

derp *adj. hart, tüchtig.*

derren *swv. häufig übertragen.*

diamant(e) *stswm. diamant.*

dîasper *m. feiner wollstoff.*

dicke *adj.* dicker munt *volle lippen;* dicker schilt *von gediegener arbeit.*

dicke *adv. immer wieder.*

dickeleht *adj. ein wenig dick, voll.*

dickewerf *adv. oftmals.*

dictieren *swv. diktieren.*

diehterîn *stf. enkelin.*

dielich *adj. knechtisch.*

diemüete *adj. freundlich, gnädig.*

diemüete *stf. auch: gottesdienst, geistliche amtspflicht.*

diemüetecheit *stf. bescheidenheit (z. b. von kleidern).*

diemüeteclich *adj.,* **diemüeteclîche** *adv. demütig.*

diemuotlîche *adv. gnädig, herablassend.*

dienen *swv. sich widmen; untertan sein (von ländern oder völkern)* diu zwei lant solten d. dîner hant; *trans.:* einem daz lant d. *zum dienst bestellen, untertan machen;* dar d. *hilfe leisten bei etw. (bes. im kriege);* nâch tôde d. *die letzte ehre erweisen.*

dienest *stmn.* d. gegen *bemühung um;* einen ze dienste an sich ziehen *jem. einen dienst abverlangen;* getriuwelîcher d. huldvoller gruß; d. sagen, enbieten *ergebene grüße senden, sich empfehlen;* im ze d. ihm *zuliebe;* durch den d. mîn *bitte!*

dienestheit *stf. gestalt* der d. knechtsgestalt.

dienestkneht *stm. diener, knecht (der getriuwe d.).*

dienestlich *adj.* d. e reht (leisten) *dienstpflichten.*

dienestmaget *stf. dienstmagd.*

diep *stm. räuber, hehler; betrüger, hinterlistiger; verschwender, schlemmer.*

dieplîche(n) *adv. heimlich;* d. entragen *stehlen.*

dierne *stswf. für die hl. jungfrau.*

diet-eltiste *swm. ältester im volk.*

dietlant *stn. volk.*

dîhen *stv. unschône d. übel ausgehen.*

dinc *stn. schicksal;* kristenlich d. *bischöfliches sendgericht; das, worauf man einen rechtsanspruch hat:* ir ziehet an iuch iuwer dinc *macht euer recht geltend;* mîniu d. *geschäfte;* sîniu d. schaffen *anordnungen treffen;* wie mîn d. stê *wie es mir geht;* mîn d. stât dar *mich zieht es dorthin;* ein schœnez d. *geschichte, erzählung; phraseol.:* schemelichez d. *schande, schmach;* vür lîhtiu d. hân *für gering, schlecht halten;* in disen dingen *unterdessen;* (uns) ze guoten dingen *zum glück, zu unserm besten.*

dinge *stm.* = gedinge.

dingen² *swv. versammlung abhalten.*

dinster *adj. link.*

dinster(e) *stf. dunkelheit, finsternis.*

discantieren *swv. diskant singen.*

dise, diser *pron. demonstr. in der anrede:* dise degene *ihr männer!*

disehalp *adv. diesseits.*

disputieren *swv. diskutieren.*

diuhen *swv. auch: tauchen.*

diutære *stm. dolmetscher.*

diute *stfn. meinung:* ze diute sagen, schrîben *erzählen, sagen.*

diuteclîche(n) *adv. klar, deutlich.*

diuten *swv. meinen, verdeutlichen, andeuten;* waz tiutet ir? *was meint ihr?*

diutunge *stf. offenbarung.*

dô *adv. (in der erzählung)* jetzt, jetzt plötzlich; zur gleichen zeit.

doch *adv. verstärkend:* im ganzen; allerdings, freilich, wirklich.

doctor *stm.* ein d. aller wîsheit *umschreibung für gott.*

dol *stf. phraseol.:* mit gernder d. *wie er es sich wünschte.*

dollîche *stf. duldsamkeit* (mantel der d.).

doln *swv.* wol d. *erwartungsfroh sein.*

dôn *stm.* windes d. *windesbrausen;* tôdes d. *todesschrei;* in engelischem d.-e *in der sprache der engel;* in einem slehten dône *schlicht.*

doner *stm. auch blitzschlag.*

donergebirge *stn. feuerberg.*

donerlich *adj. donnernd, dräuend.*

donerschal *stm. donner- (schall).*

dorfgebûre *stm. dorfbewohner.*

dorfkrage *swm. verächtlich für bauer.*

dornouwe *stf. dornenhag.*

dörpecheit *stf.* = dörperheit.

dörpelsite *stm. bäurisches benehmen.*

dörperheit, -keit, -echeit *stf. ungehöriges oder unedles benehmen; grobe verfehlung, entgleisung (spez. vom ehebruch).*

dörperîe *stf.* daz ist michel d. *ist ganz unziemlich.*

dortenhalben *adv. dort; jenseits.*

douwunge *stf. verdauung.*

dræjen *swv. modellieren; part.* gedræt *rund.*

drangen *swv. refl.* sich nâch minne dr. *dem drang nach liebe nachgeben.*

dræte *stf. strömung des flusses.*

drîe *stf. trinität.*

drîecke, -eckeht *adj. dreieckig.*

drîen *swv. verdreifachen; dritteln (tr. und refl.).*

drîerleie *adj. dreierlei.*

drîheht *adj. spitz, stachlig.*

drîhürnec *adj. dreihörnig, dreieckig.*

drîjærec *adj. drei jahre alt.*

drînamet *adj.* drei namen führend.

dringen *stv.* sich *(im kampfe)* tummeln; *ap.* bedrängen; *subst.:* gedränge; zudringlichkeit.

drîsinnec *adj.* dreier sprachen kundig.

drîstrenge *adj.* dreisträngig.

drîwarp, -warf *adv.* dreimal.

drîwegec *adj.* dreifältig.

drîweide *adv.* dreimal.

drîzec *num. card. formelhaft für eine hohe zahl.*

drô *auch stm.*

droschelîn *stn. drossel.*

drouwe, drô *stf. sorge, befürchtung.*

drouwelîche, drôlîche *adv. bedrohlich.*

druc *stm. zärtliches ansichdrücken.*

drücken *swv. paniere* d. senken.

drumeren *swv. zertrümmern.*

druppe *swf. mfr.* = trupfe.

dult *stf. s.* tult.

dultec *adj. geduldig.*

dultecliche *adv. geduldig.*

dulten *swv. s.* tulten.

dultunge *stf. passion.*

duncnis *stf. meinung,* ansicht.

dünne *adj. sparsam; kärglich; spärlich; gelichtet (z. b. vom haar); leicht (vom schlaf); fadenscheinig (auch übertr.).*

dupple *stn.? (frz. doublé) plattierung mit gold oder silber, unechtes gold.*

durch *präp. zum andenken an;* er starp durch den bâruc *im kampf für den Baruch; oft final:* durch suone *in versöhnender absicht;* durch daz *auch:* damit, weil.

durchædern *swv. part.:* geädert.

durchblüemen *swv. mit blumen zieren.*

durchborn *swv. durchbohren.*

durchbrehen *stv. durchglänzen.*

durchbresten *stv. auseinanderbrechen, aufbrechen* (daz der himel niht durchbrast).

durchbûwet *part. adj. solide gebaut.*

durchdenken *swv. durchdenken.*

durcherlûht *part.adj.*d.-e vrouwe *erhabene herrin.*

durchflôren *swv. mit blumen schmücken.*

durchflôrieren *swv. dass.*

durchformen *swv. durchsetzen, -tränken.*

durchgarnen *swv. durchweben.*

durchgenzen *swv. völlig durchsetzen.*

durchgræte(c) *adj. von* sunden d. *von sünden durchsetzt wie ein grätiger fisch.*

durchgründe(c) *adj. tiefgründig.*

durchgründen *swv. von grund auf erfüllen* (mit liebe gar durchgründet).

durchguot *adj. vollständig, ganz gut.*

durchhecheln *swv. durch und durch weich schlagen.*

durchhitzen *swv. erhitzen, auch übertr. auf personen.*

durchhol *adj. durch und durch hohl.*

durchjagen *swv. übertr.: durchdringen.*

durchkernen *swv. erfüllen.*

durchkirnen *swv. durchdenken.*

durchklæren, -klârieren *swv. erläutern.*

durchklingen *stv. vom ruhm:* die heidenschaft d.

durchkomen *stv. ap. durchdringen.*

durchkrispen *swv.durchkräuseln.*

durchkrüllen *swv. dass.*

durchlesen *stv. durchlesen;* sîn herze d. *intensiv nachdenken.*

durchlieht *adj. lichtdurchlässig* (daz d.-e glas).

durchliuhtecheit *stf.* d. des gemüetes *contemplatio.*

durchliuhte(c)lich *adj. hell, strahlend* (ir minneclichiu varwe gap in.-en schîn); *klar, durchsichtig* (wîsheit durchliuhtlich ûz und innen).

durchliuhtet *part. adj. dp. verständlich.*

durchliutern *swv. völlig klar machen, läutern.*

durchloufen *stv.* (diu zeichen, die diu sunne durchloufet).

durchmâlen *swv. intens. zu* mâlen.

durchmeistert *part. adj. vollkommen.*

durchmerken *swv. erforschen, ergründen (z. b. das herz).*

durchmezzen *stv. durchmessen, ermessen.*

durchmilte *adj. gütig, freigebig.*

durchmischen *swv. durchmischen, versetzen.*

durchnagelen *swv. (bei* Christi kreuzigung).

durchprüeven *swv. durchprüfen.*

durchrinnen *stv. as. durchfließen;* bluotes d. *von blut überströmt werden.*

durchrîset *part. adj.reich verzweigt.*

durchrunsec *adj.* (d.wazzer) *fließend.*

durchschenden *swv.ganz zu schanden machen.*

durchschouwec *adj. durchsichtig, durchschaubar.*

durchsihteclîche *adv. einsichtsvoll.*

durchsoten *part. adj.* durchsoten golt, gimme *rein.*

durchsprechen *stv.durchsprechen, bereden; verkündigen.*

durchstecken *swv.* die wiesen mit bluomen durchstecket *über und über besät.*

durchsuochen *swv. durchprüfen; nachforschen.*

durchswachen *swv. ganz entehren.*

durchvallen *part. adj. zerrissen (vom schuh).*

durchvarlich *adj. durchdringend.*

durchvellec *adj. zerbrochen (schwert); übertr. vom glück.*

durchvertec *adj. porös (vom schwamm).*

durchvertlich *adj.durchdringend, scharf.*

durchvlehten *stv. refl. sich hindurchwinden (von adern).*

durchvliegen *stv. bildl. gedanklich durchdringen.*

durchvluoten *swv. bildl.* die sêle d. *(gott reinigt die seele).*

durchwahsen *part. adj.* d.-er walt *dicht.*

durchwandern *swv. ein* buoch tihtende d. *damit zu rande kommen.*

durchwern *swv. gs. reichlich versehen mit.*

durchwitern *swv. durchbleuen.*

durchzoc *stm. durchzug, vorübergehen.*

dûren *swv. tr. aufschieben.*

durft, durf *auch stm.*

durnehteclich *adj. rein, edel.*

durnehte(c)lîche(n), -nehtlîche(n) *adv. vollständig, ganz und gar; ex integro; von ganzem herzen, ganzer seele . . .*

durnehtunge *stf. vollkommenheit.*

dürre *adj. übertr.: kraftlos (vom alter).*

dürrecheit *stf. trockenheit; unfruchtbarkeit.*

dürrunge *stf.* in d. *vertrocknet.*

durstebernde *adj.* d. smerzen *durstig machend.*

dûze *adv.* = dâ ûze.

E

ê *adv. rechtzeitig; zunächst einmal.*

ê *konj. ohne daß.*

eben *adj. deutlich.*

eben, ebene *adv. ebenfalls;* e. gân *im schritt gehen (von pferden);* e. ligen *in ordnung sein;* e. stân *ausgeglichen sein (bildl., vom gemüt). –* eben *steht in mehr oder minder fester komposition mit adjektiven und adverbien:* ebenbrûn ebenso violett, *-dicke gleichmäßig oft; -genôzsam; -gerâde* gotes e.-r rât; *mit* e.-m rât *in der gleichen absicht; -gewalteclîch(e); -grüene; -guot; -hellec*

übereinstimmend; -hôh(e);
-holt *gleich freundlich;*
-klâr *gleich l.ell;* -kunt
ebenso bekannt; -kurz;
-lanc;-lieht;-mehtec*gleich
kräftig;* -niuwe *gleich, entsprechend neu;* -schœne;
-snelle; -starc; -strenge
gleich gewaltig; -suoze;
-swære; -vol *gleichmäßig
voll;* -wahsen: ein e. man
*nicht zu groß, nicht zu
klein;* -wîse; -ziere *gleich
schmuck.*

ebenbarmede *stf. erbarmen mit dem mitmenschen.*

ebenbildec *adj. vorbildlich.*

ebenbilden *swv. refl. con-
figurare; gleichgestimmt
werden.*

ebendoln *swv. dp. bemitleiden.*

ebendolunge *stf. duldsamkeit.*

ebenes,ebens *adv. gerade.*

ebengelîche *adj. subst.
(m. gen.) ebensoviel.*

ebengelîchnis *stf. ähnlichkeit.*

ebengenôz *stm. der von
gleichem stande ist.*

ebengewizzede *stn. gewissen.*

ebenhiuzec *adj. neben-
buhlerisch.*

ebenhiuzeclich *adj. dass.*

ebenlîche *stf. in e. adverbial: in gleicher art und
weise.*

ebenmagenkraft *stf. (die
e. von gottvater und sohn).*

ebenmâzen *swv. refl. sich
angleichen.*

ebenmâzunge *stf. gleichnis.*

ebenrîchen *swv. refl. dp.
sich vergleichen.*

ebenschœne *stf. gleiche
schönheit.*

ebenverrer, -verrerinne
*stmf. paralleli quasi aequi-
distantes (astron.).*

ebenvröuwen *swv. refl.
sich mitfreuen.*

ebenwîse *stf. konformi-
tät (von den drei personen
der trinität).*

ebenwizzene *stf. ge-
wissen.*

eberzant *stm. eberzahn.*

êbrêisch *adj. hebräisch.*

echzen *swv. ächzen.*

edele, edel *stf. kraft.*

edelen *swv. erheben,
adeln.*

edelhaft *adj. = adelhaft.*

edellîche(n) *adv. vorzüglich, herrlich.*

edelman *stm. edelmann.*

edelsanc *stm. mit e. ze
himelrîche gân lobprei-
sung.*

edelstein *stm. edelstein.*

edeltuom *stmn. adel.*

edelvalke *swm. edel-
falke.*

edelvrî *adj. adlig frei.*

êdoch *adv. = iedoch
dennoch.*

effede *stf. torheit.*

effenlîche *adv. s. affen-
lîche*

egewîs *adj. schrecklich,
furchtbar.*

êhaft *adj. ê.-iu nôt notstand, höhere gewalt (im
jurist. sinne); unausweich-
liche, höchste not; unab-
dingbares schicksal; todes-
kampf.*

êhaltec *adj. dem gesetz
gehorsam.*

êhaltecheit *stf. religio,
glaubensübung.*

eht *adv. wiederum, wieder.*

ehten *swv.[1] fühlen.*

ehten *swv.[2] heiraten.*

eiermuos *stn. (eine eier-
speise).*

eigen *stn. unbewegliches
vermögen.*

eigen *swmf. leibeigener,
-eigene.*

eigenen *swv. intr.: zu*

*eigen sein; tr.: unterwer-
fen; überantworten.*

eigenlant *stn. stamm-
land (kompositum?).*

eigenlicheit *stf. eigen-
heit, eigenschaft, eigentümlichkeit; selbstigkeit.*

eigenlîn *stn. kleines besitztum.*

eigenschaft *stf. das
eigentliche wesen.*

eigenscheftlichkeit *stf.
gebundenheit an das eigne
ich.*

ein *num. u. art.:* in e.
schînen *gleich bleiben, unverändert aussehen;* in e.
setzen *(die füße) neben-
einandersetzen;* under e.
*miteinander. – als unbest.
pron.: jeder, alle. – wie frz.
art. partitif verwendet:* rôt
als e. bluot *rot wie blut. –
in stark demonstr. sinn:* ein
zuht *das richtige verhalten,*
ein rîchiu küniginne *die
königin des landes; sogar
superlativisch:* ein nôt *der
schwerste kampf, auch für
das possessivum und in der
anrede:* Michael, ein engel
hêr *du herrlicher engel! – in
demonstrativer umschrei-
bung für den namen:* ein
Guntheres man *Hagen.*

ein *stn. einheit.*

einbære *adj. vollkommen
eines sinnes, einträchtig.*

einbærelîche *adv. durch
und durch, gänzlich.*

einbærunge *stf. vereinigung.*

einborn *part. adj. einzig
(sohn).*

einec *adj. e. vrouwe
alleinstehende frau; e. tuon
gs. befreien von.*

eineclich *adj. einzigartig.*

einelîche *adv. in einem
fort.*

einegen *swv. auch mit dp.*

einegunge *stf. übereinkunft; vereinigung.*

einerhaft *adv. allein, nur* (sô . . . e.; niht e.).

eingemuot *adj. einträchtig.*

einhellecheit *stf. übereinstimmung.*

einhellunge *stf. einmütigkeit.*

einlich *adj. u. adv. eine einheit bildend.*

einlicheit *stf. vereinzelung.*

einlœtec *adj. aus gleichförmiger masse gebildet.*

einmüetecheit *stf. übereinstimmung.*

einmüetecliche *adv. übereinstimmend.*

einmuot, -muote *stmf. einmütigkeit, eintracht.*

einmuoten (**geeinmuoten**) *swv. überein bringen* (alle zungen geinmuotet ze einer zungen).

einmuoterleine *adj. mutterseelenallein.*

einouget *adj. einäugig.*

einrihte *stf. eigensinn.*

eintrehtecheit *stf. mystische einheit.*

eintrehteclîche(n), eintrehtlîche *adv. einträchtig.*

eintwederhalp *adv. weder auf der einen noch auf der andern seite.*

einüsse, einüsside *stf. einheit.*

einvalt (ec) *adj. aufrichtig, rückhaltlos zugetan (dp.).*

einvaltecliche(n) *adv. einfach, ordentlich, ungeteilt, durchaus; aufrichtig, arglos, ohne vorbehalt* (e. tuon an einem).

einvaltende *part. adj. einfach, einzig (von gott).*

einvaltlîche(n) *adv.* = einvalteclîche(n).

einvar *adj. von einer gestalt; wolkenlos (vom sternenhimmel).*

einvart *adv. einmal(?).*

einwelec *adj. einstimmig gewählt.*

einwîclich *adj. einzeln.*

einzeclîche *adv. einzig und allein.*

eise *adj. schrecklich.*

eistlich = eislich.

eit *stm. anrufung des göttlichen gerichts;* ûf mînen e. sagen *schwören;* mit triuwen und mit eide *auf* treu und glauben.

eiterbîzec *adj. von giftigem biß verletzt.*

eitergiftec *adj. giftig.*

eiterklôz *stm. giftballen.*

eiterlich *adj. giftig; eitrig(?).*

eitgeselleschaft *stf. schwurbrüderschaft.*

eizlich *adj. eiterbeulig.*

ekub *afz. aucube, zelt.*

electuârje *swf. s.* latwârje.

element *gelegentl. masc.*

êlich *adj. ê. wort gesetz, gebot;* ê. dinc *ordentliches schöffengericht;* ê. machen *legitimare;* ê. jâr *volljährigkeit.*

êliche *swm. ehemann.*

êliche(n), êlich *adv. gesetzlich, ehelich;* ê. gehîen, ê. nemen *ap. heiraten.*

êlicheit *stf. ehestand.*

êliep *adj. êlieber man* lieber ehemann.

ellenbreit *adj. ellenbreit (bart).*

ellende *stn. auch das jenseits.*

ellende *adj. der heimat beraubt; verlassen; subst.: fremdling; übertr.:* e. mit gedanken sîn *seine gedanken schweifen lassen.*

ellendesanc *stn. klagelied (des heimatlosen).*

ellenlanc *adj. ellenlang.*

ellenmâz *stn.(f.?) elle.*

ellenthaft, -hafte *adv. mannhaft, tapfer, kühn.*

ellenwît *adj. ellenbreit.*

em(e)de *swf. unglück.*

emzeclîche(n) *adv. häufig.*

emzigen *swv. häufig aufsuchen.*

enantworten *swv. überantworten; gefangennehmen.*

enbieten *stv. mitteilen lassen.*

enbîten *stv. mit acc.: erwarten.*

enblanden *redv. part.* enblanden *beschwert.*

enbore *adv.* e. gân *weitergehen;* ûf e. höher, weiter.

enbrechen *stv. mangeln, gebrechen.*

enbrehen *stv. hervorstrahlen, aufleuchten.*

ende *stn. rand, ort, stelle;* des e.-s sîn *an dem betr. ort sein;* von e. unz e. *von anfang bis zu ende;* von e. her *von anfang an;* swelhes e.-s *wohin auch immer;* unz an ir e.-s zît *zeitlebens;* zem urteillichen e. *beim jüngsten gericht;* zeinem e. bringen *aus-, durchführen;* ze e. komen *gs. zu rande kommen mit, sich klar werden über etw.;* ûf dem e. sîn *klar sehen, seiner sache gewiß sein;* ûf ein e. *absichtlich.*

endecken *swv. entblößen; part:* diu heide was endecket *kahl, nackt.*

endehaft *adj. unumstößlich abgemacht, festgesetzt; in ordnung.*

endelest *adj.* der e.-e ort *rand der welt, äußerster winkel.*

endelîche *adv. kurzum, endgültig, zu guter letzt.*

endelhen *swv. aufdecken, aufgraben.*

endelôs *adj. ziellos, vergeblich.*

ender *stf. änderung.*

endestat *stf. endziel.*

endrumeren *nwv. zertrümmern.*

enein, in ein (e) *adv. zusammen, miteinander;* e. gehaben *vereinigen, übereinbringen;* e. werden *(be)merken; mit sich eins werden, sich entschließen zu (gs);* e. sîn *entschlossen sein; s. auch* ein *num. u. art.*

engân *stv. dp. vergehen (schmerzen);* mit rehte e. *im rechtsweg entbunden werden.*

enge *adj. knapp, dicht;* enger rât *kabinettsitzung.*

enge *stf. gedränge, bedrängnis.*

engegenen *swv. begegnen.*

engegenwert *adv. entgegen.*

engellant *stn. land der engel; England.*

engellende (r) *stm. engländer.*

engelschar *stf. schar der engel.*

engelt *stm. kapital, einkünfte.*

engen *swv. (be)hindern* (ane).

engenôte *stf. enge.*

engésten *swv.[2] ap. oder refl. rüstung abnehmen, ablegen; auch übertr.*

engestlich *s. angestlich.*

englisch *adj. englisch.*

engstel *stn. dem. zu* angster.

enhant *adv.* e. gân *als sklave verkauft werden.*

eninne *s.* ininnen *adv.*

enkeinest *adv. niemals.*

enkeren *s.* ankern.

enklemen *swv. gewaltsam verbiegen.*

enphâhen, entvâhen *redv. as. als geschenk erhalten; rechtl. etwas zulassen; mit ap. oder dp.: willkommen heißen;* sich e. einander begrüßen.

enphallen, entvallen *redv. entgehen, sich entziehen (dp.); erschrecken.*

enphelhen *stv. anvertrauen, etw. auftragen, empfehlen;* der erden e. *begraben; refl. sich hingeben, in die gewalt begeben;* got enpholhen sîn *gott ergeben sein.*

enphelhnisse *stf. empfehlung.*

enphelhunge *stf. dass.*

enphengære *stm.* ein e. der minnen *der die liebe entzündet (vom heiligen geist).*

enphinden, entvinden *stn. tastsinn, gefühl.*

enphliehen, entvliehen *stv. phraseol. umschreibend:* den rîchiu kost niht enpflôch *der sehr kostbar war.*

enphlocken *swv. refl. sich entfalten, öffnen (von der rose).*

enphreiden *swv. ausschließen, verstoßen.*

enphüeren, entvüeren *swv. entführen;* zol e. *zoll unterschlagen.*

enrihte, in rihte *adv. s.* rihte *stf.*

ensament *präp. mitsamt, zugleich mit.*

enste *stf. erbarmen;* durch sîne e. *um seinetwillen.*

enstec *adj. voll erbarmen.*

ensteclich *adj. dass.*

ensten *swv. dp. jmd. wohlgefallen, jmds. wohlgefallen erwerben.*

enstlich *adj.* = enstec, enteclich.

enstundelîchen *adv. sofort, sogleich.*

entblüemunge *stf. defloratio.*

enthaben *swv. subst.:* selbstbeherrschung.

enthabnüsse *stf. enthaltung, enthaltsamkeit.*

enthalt *stm. stütze, fester halt, ausdauer, widerstand.*

enthebec *adj. enthaltsam.*

enthebede *stf. zurückhaltung, bescheidenheit.*

entheben *swv. refl. sich beherrschen.*

entheften *swv. haften.*

entheizen *stv. absprechen; bekennen.*

enthellen *swv. sich entzweien.*

entheln *stv. aus dem grabe nehmen.*

enthüllen *swv. aufdekken (auch von gräbern).*

entjehen *stv. gp. lossagen von.*

entkomen *stv. entkommen.*

entkreften *swv. ir* kraft sich gar e. sol.

entkreftigen *swv. befreien von.*

entlêhenen, -lêhen *swv. dp. entlehnen von.*

entleiten *swv. herausführen, befreien.*

entlesten *stv. refl. gs.* sich entledigen; tr. *befreien, entsetzen (eine burg).*

entlîben *stv. erbarmen; sparen, zurückhalten, schonen (gs.), auch übertr., z. b.* der ruote e.

entlîchesen *swv. unkenntlich machen, verhehlen.*

entlîmen *stv. dp. nachlassen, schwinden (von schmerzen).*

entlînen *stv. abweichen von.*

entliuten *swv.* entliutet werden *der läuterung nicht teilhaftig werden.*

entlochen *part. adj. aufgeschlossen, geöffnet (von rosen).*

entlôsen *swv. intr.: gehen.*

entloufen *redv. dp.: ent-*

fliehen, entgehen (jmdn.,
etw.) fliehen, bildl: mir
entlief der slâf.
entmachunge *stf. abfall*
(von gott); vernichtung.
entnafzen *swv. ent-*
schlummern.
entordenunge *stf. ver-*
wirrung.
entquellen *swv. entrin-*
nen.
entragen *stv. nehmen.*
entrâten *stv. gs. verzich-*
ten auf.
en-trennen *swv. ap. ds.*
abwendig machen; as. von
dp. fernhalten, ersparen;
refl.: sich trennen, lösen
(z. b. freundschaft).
entrihtec *adj. geschickt.*
entrîsen *stv. ausfallen*
(vom haar).
entrücken *swv. fort-*
tragen; übertr.: der sinnen
entrücket *entrückt.*
en-trünne *adj. abtrün-*
nig.
entsachen *swv. vernich-*
ten.
entsagunge *stf. excusa-*
tio; ân aller untsagunge
drow *ohne kriegserklärung.*
entsâzen *swv. refl. sich*
entsetzen.
entschaffen *stv. part.:* e.
sîn *entstellt sein.*
entscharn *swv. refl. sich*
auseinanderformieren.
entscheidenheit *stf. ent-*
scheidung, entscheid.
entscheinen *swv. offen-*
baren.
entschuldec *adj.* sich e.
geben *sich entschuldigen.*
entschulden, -schuldi-
gen *swv. refl. sich recht-*
fertigen, von einer anschul-
digung reinigen.
entsebunge *stf. sinnen*
und trachten.
entsegelen *swv. davon-*
segeln.
entsêren *swv. verwunden.*

entserwen *swv. vergehen.*
entsetzen *swv. aus dem*
sattel werfen.
entsigelen *swv. entsie-*
geln.
entsinnen *stv. refl. sich*
erinnern.
entsinnet *part. adj. von*
sinnen.
entsitzen *stv. aus dem*
sattel fallen.
entslâfen *redv. übertr.:*
ersterben.
entslahen *stv. refl. sich*
enthalten, abstehen von.
entsliezen *stv. ausschlie-*
ßen, auch i. s. v. dissimu-
lare.
entslihten *swv. eben ma-*
chen; subst.: vernichtung.
entsperren *swv. dp. er-*
öffnen (mitteilung); ent-
sperret werden *dp. be-*
kannt werden, befallen
(subj. z. b. kummer).
entspriezen, -spriuzen
stv. entsprießen; aufgehen
(vom samenkorn); tr.: of-
fenbaren, aussagen.
entstân *stv. auferstehen.*
entstandunge *stf. aufer-*
stehung.
entstoppen *swv. enthül-*
len.
entstricken *swv. oft bildl.*
oder übertr.: befreien (von
sünden), lösen (treueid,
konflikt, rätsel).
entstrickunge *stf. auf-*
lösung.
entvâhen *s.* enphâhen.
entvallen *s.* enpfallen.
entvalten *swv. erklären.*
entvliehen *s.* enphliehen.
entvüeren *s.* enphüeren.
entvürhten *swv. fürch-*
ten.
entwahsen *stv. part.:* ent-
wahsen, *mit ds.* außer
reichweite.
entwerdunge *stf. erlö-*
sung(?).

entwerfen *stv. anfangen;*
sîne mære e. *vermutungen*
anstellen; (ein geweih)
kûme wider entworfen
eben erst neugebildet.
entwîchen *stv. mit dat.:*
den vorrang lassen.
entwirken *s.* entwürken.
entwurzeln *swv. bildl.:*
von grund auf beseitigen
(z. b. eine feindschaft).
envar *adv.* in varre weithin, *im gange, im schwange.*
envollen *adv.* e. vruo
früh genug.
envor *adv.* hie e. früher,
ehemals, vormals.
envreise *adv.* sînes lîbes
e. *mit gefahr seines lebens.*
enwar *adv.* e. werden =
gewar werden.
enwec *adv. in mehr oder*
minder fester komposition
mit verben: -gân *redv.;*
-geben *stv.;* -loufen *redv.;*
-tragen *stv.;* -vliehen *stv.*
enwette *adv. um die*
wette.
enwiderstrît *adv. wett-*
eifernd, um die wette.
enzelt *adv.* e. gân, varn
den passgang gehen etc.
enzemen, entzemen *stv.*
= zemen *(mit dat.).*
enziehen *stv. rauben.*
enzît *adv. bald, beizeiten.*
enzwei *adv. in allmäh-*
lich fester werdender kom-
position mit verben: -bre-
chen *stv. auch: zerstören;*
-klouben *swv.;* -rîzen *stv.;*
-slahen *stv.;* -snîden *stv.;*
-spalten *redv.;* -teilen *swv.;*
-tragen *stv.*
epistel (e) *stswf. brief.*
êr *stn.* ein slac ist von
êre er trifft.
êr *adv., präp., konj.*
ê(r) . . . denne, . . . des bevor, ehe.
êrbære *adj. untadelig.*
êrbærlîche (n) *adv. an-*
gemessen, stattlich.

erbarmer *stm. der sich erbarmende (gott); miserator.*

erbarmecheit, erbermekeit *stf. etwas erbarmungswürdiges.*

erbarmeclîche, -berme(c)lîche *adv. voll mitleid; erbarmenswert, mitleiderregend.*

erbe *stn. pl. reich.*

erbeclîche *adv. erbmäßig.*

erbegebreste *swm. bildl.: erbsünde.*

erbehaz *stm. ererbter haß.*

erbeizen *swv. halten.*

erbeknabe *swm. erbsohn.*

erbelgen *stv. auch tr.: erzürnen.*

erben *swv. intr. und im passiv auch: dauern.*

erbenôz *stm. miterbe.*

erbermeclich *adj. s.* erbarmeclich.

erbermeclîche, erbermelîche *s.* erbarmeclîche.

erbern *stv. intr. wol e. gelingen.*

erbert *part. adj.[1] entblößt (zu* erbarn *swv.).*

erbert *part. adj.[2] erschlagen, gelähmt.*

erbeschaft *stf. e.* sprechen ûf *als erbe beanspruchen.*

erbestat *stf. (gott ist) der sêle rehtiu e. angestammte heimat.*

erbesünde *stf. erbsünde.*

erbetelen *swv. erbetteln.*

erbetôt *stm. unser e. unser (ererbter) ewiger tod.*

erbevater *stm. ich wil dîn e. sîn dich als sohn und erben annehmen.*

erbeveste *stf. ererbte burg.*

erbevîntschaft *stf. erbfeindschaft.*

erbevoget *stm., -vogetîn stf. alleinherrscher(in).*

erbicken, (erpicken) *swv. (mit dem schnabel) aufhacken.*

erbieten *stv. trans. dp.: bringen, zufügen, antun (tod, leid);* kumpanîe e. *dp. sich zugesellen; ·refl.: sich zeigen, erscheinen.*

erbietunge *stf. anerbieten, darreichung.*

erbinden *stv. tr. gs. lösen, befreien; refl. zuo ds. sich verpflichten zu.*

erb-insigel *stm. ererbtes siegel.*

erbittern *swv. konkret: bitter machen; ap. peinigen, martern.*

erbizzen *part. adj. zerbissen.*

erblant *part. adj.* sîner witze was er e. *nicht herr seiner sinne.*

erblecken *swv. entblößt, der kleider beraubt werden.*

erblîchen *stv. verbleichen, verblassen; auch refl.*

erborn *part. adj.* erborner mâc *blutsverwandter.*

erbôzen *redv. herausstoßen (ûz).*

erbschulde *stf. erbsünde.*

erbûwen *anv.* den muot hôhe e. *erheben, aufrichten;* klage e. *klage erheben.*

erdâht *part. adj. ausgeklügelt, vorsätzlich (e.-er spot).*

erde *stswf.* ein e. *ein stück land (spez.: 3 joch);* tiuschiu e. *Deutschland;* zer e. *zu fall, nieder etc.;* ûf die e.-n geborn *zur welt gekommen.*

erden *swv. intr. zu erde werden.*

erdenbodem *stm. s.* ertbodem.

erdenklôz *stmn. erdklümpchen, tonklumpen; übertr.: mensch* (sæleclichez e.); *erdball.*

erdenlast *stf. erde* (himel unde e.).

erdenmezzer *stm. geometer.*

erdenmezzerinne *stf. geometrie.*

erdenplân *stm. erde.*

erdenschate *swm. erdschatten.*

erdentuom *stn. der* wunsch ûf e. *höchstes glück auf erden.*

erdenvruht *stf. feld-, gartenfrucht(?)*

erdesippe *swm. (Christus)* du e. muoterhalp.

erdiezen *stv. widerhallen, ertosen; (herab)strömen, emporquellen, aufwallen.*

erdoln *swv. ertragen.*

erdreschen *stv. totschlagen.*

ere *stf. erde*

êre *stf.* ê. bieten *jur. abbitte leisten;* ez stêt im zen êren *seine ehre steht auf dem spiel;* in êren last sitzen *in angesehener stellung leben, sein;* nâch êren standesgemäß; herze an ê.-n dürre *herz, dessen feingefühl verdorrt ist.*

êr(e)absnîderinne *stf. ehrabschneiderin.*

êrebernde *part. adj. ehre bringend.*

êregernde *part. adj. nach ehre strebend.*

êren *swv. gehorchen, willfahren; ehrenvoll empfangen, ehre erweisen;* einen ê. mit ds. *ihm etw. ,verehren', ihn mit etw. beschenken.*

êrenbote *swm. (in bez. auf Maria); beiname* Reinmars von Zweter.

êrenbrecher *stm. ehrabschneider.*

êrengir *adj. ehrgeizig, -begierig.*

êrentrôn *stm. übertr.:*

ûf ê. sitzen *höchste würde innehaben.*

êrenwîse *stf. ehrenhaftes betragen.*

êreveige *adj. ehrlos, ehrvergessen, ruchlos.*

ergân *anv. intr.: sich erfüllen;* swiez ergê was auch kommen mag; *tr.:* ir gedanke e. ihre gedanken *in beschlag nehmen.*

ergateren *swv. erzittern, erschrecken.*

erge *adj. = arc;* e.-r sin.

ergeben *stv. tr.: as. erzählend wiedergeben;* rede e. *rechenschaft ablegen; refl.: wahrnehmbar sein, sich bemerkbar machen (erdbeben, geruch, leuchten);* sich ze valle e. *sich fallenlassen.*

ergelten *stv. bezahlen.*

ergen *swv. verringern.*

erger *stm. bösewicht, aufrührer.*

ergern *swv. jur. beschädigen.*

ergernis *stf.* e. lîden.

ergerwen *swv. erwerben.*

ergetac *s.* ertac.

ergetzerinne *stf. die entschädigt, vergessen macht.*

ergetzunge *stf. freude.*

ergiezen *stv. refl. überfließen (z. b. augen); hervorquellen, -brechen;* in die sêle mac sich got e. *hinüberfließen.*

ergiezunge *stf.* des meres e. *anprall der wogen.*

ergischen *swv. auch subst.*

ergitzen *swv. stammeln, stottern.*

ergiuden *swv. aufjauchzen.*

erglemmen *swv. trans. in brand setzen.*

ergozzen *part. adj. gegossen* (e., niht gemâlet; als ein bilde e.).

ergraben *part. adj. ge-*

schnitzt, gemeißelt, ziseliert (von bildern u. ä.); übertr.: *eingeprägt (von gedanken, vorstellungen); verbohrt, vertieft, versessen (wille).*

ergramt *part. adj. vergrämt; dp. gram.*

ergrîfen *stv.* den list e. *dahinterkommen;* die vart e. *sich aufmachen.*

ergrînen *stv. tr. zum weinen bringen.*

êrgrittec *adj. ehrsüchtig.*

ergrûsen *swv. erschauern, schaudern; tr. schaudern machen.*

ergüften *swv. intr. hoch aufjubeln.*

ergürten *swv.* einem daz vel e. *schinden.*

êrhafte *adv. ehrenvoll (leben, begrüßen); prächtig (kleiden).*

êrhaftecheit *stf. ehre.*

erharten *swv. hart werden.*

erheben *stv.* den tisch e. die tafel aufheben; *intr.:* unhôhe e. *dp. gleichgültig sein.*

erheben *auch swv.*

erhebunge *stf. überheblichkeit.*

erherten *swv.* erhertet werden *sich verhärten (übertr., vom herzen u. ä.).*

êrhin *adv. früher.*

erhitzen *swv. intr.: erglühen (vor erregung, scham); refl. oder erhitzet* sîn ûf darauf brennen, glühend darauf versessen sein.

erhœhen *swv.* erhœhet sîn vür *oder* sich e. vür *as. überragen.*

erholeren *swv. unterkellern.*

erholn² *swv. dass. (zu hol adj. u. subst.).*

erholn¹ *swv. (zu holn holen); tr.: etw. verschul-*

den, verdienen, ,sich einbrocken' (wie wol siz erholte, daz leit daz si nû dolte!); *refl.: sich entschuldigen* (wider einen).

erhœren *swv. zu hören bekommen; (part.:)* erschollen und erhôrt *weithin berühmt, gerühmt.*

erhügen *swv. erquicken, bestärken.*

erîlen *swv. überholen; bildl.: mit worten heranreichen.*

erjagen *swv. bildl.* = erîlen.

erjeten *stv. part.* erjeten *bildl.: nicht vorhanden,* e. vor *ds. frei von.*

erkalten *swv. part.* erkaltet *erkältet. – meist bildl.: erkalten (liebe), sich beruhigen (furcht) u. ä.*

erkant *part. adj. dp. wohlbekannt.*

erkante *swm.* sînen e.-n *seinen bekannten.*

erkantnisse *stfn. bekanntschaft.*

erkargen *swv. tr.* waz er het erkarget *sich vom munde abgespart hatte.*

erkempfen *swv. erkämpfen, erstreiten.*

erkennec *adj. kenntlich.*

erkenneclich *adj. wunderbar, bewunderungswürdig.*

erkenneclichen, erkenneliche *adv.* e. ansehen *ap. mit dem ausdruck des wiedererkennens anblicken;* sich e. wîsen *dp. sich zu erkennen geben.*

erkennen *swv.* (nebenform: erkenden) an prîse e. *ap. jmds. ruhm anerkennen;* mit ap. und gs. jmd. etw. zutrauen, es bei ihm voraussetzen, kennen; *dp. sich kant werden vor dp.; sich unterscheiden lassen von;* erkant werden vür *as.*

*allgemein gelten als, be-
kannt sein als.*
erkennerîn *stf. das vermögen des erkennens.*
erkenntnisse *stf. (er)-
kenntnis.*
erkerren *stv. wiehern;
subst.: gewieher.*
erkiesen *stswv.* lop e.
sich ruhm erringen; erkorn
sîn ze *bestimmt sein für.*
erkînen, -kîmen *stv.
keimen, ausschlagen.*
erkirnen *swv. begreifen,
erkennen.*
erklæren *swv. erleuchten.*
erknellen *stv. laut schlagen, klopfen (herz); knallen, dröhnen* (lâ swertes
knopf ûf brust e.).
erkomen *stv. sterben.*
**erkomelîchen, erko-
menlîche** *adv. schrecklich;
erschrocken.*
erküelen *swv. intr. u.
refl. sich abkühlen.*
erkünden *swv. auskundschaften.*
erlachen *swv. dp. jmdm.
,lachen', gewogen sein
(glück u. ä.);* inneclîche
wider sich e. *in sich hin-
einlachen.*
erlangen *swv. zu ende
führen.*
erlâzen *redv. (ap. gs.)
jmdm. etw. ersparen.*
erledigunge *stf. befreiung.*
erlegen *swv. ap. zum
erliegen, zusammenbre-
chen bringen (einen kran-
ken, durch überanstren-
gung).*
erleschen *stv. oft bildl.
od. übertr.: intr. enden,
sich legen (gefahr, zorn);*
daz im muost daz lieht e.
*(lebenslicht); tr.: as. be-
schwichtigen u. ä.; ap. in
den schatten stellen, des
lichtes berauben, verdun-
keln.*

erleschunge *stf.* bœser
girde e. *auslöschung.*
erlesen *stv.* ein urteil e.
*dp. jmdm. ein urteil ver-
künden, sprechen;* zu teile
erlesen werden *dp. zuteil
werden (schicksal u. ä.).*
êrlich *adj. kostbar; be-
trächtlich, prächtig.*
erlîden *stv. durchstehen
(kampf); durchmachen
(leiden);* niht e. mugen
*nicht leiden mögen (jmd.,
etw.).*
erliegen *stv. zur lüge
machen, brechen (gelübde).*
erligen *stv. intr. sterben
(Christus am kreuz);* niht
erlegen sîn an *ds. reichlich
haben* (an vröuden wâren
si niht erlegen). – *tr. überwinden (leid).*
erlimmen *stv. donnern
(vom gewitter).*
erliuhtegunge *stf. erleuchtung.*
erliuhtet, erliuht *part.
adj.* erleuchtet (muot, man);
erliuhtet in bescheiden-
heit *wissend kraft innerer
erleuchtung.*
erliuhter *stm. erleuchter
(Hl. geist).*
erliuhterîn *stf. erleuch-
terin.*
êrlôse *stf. ehrlosigkeit.*
erlœsen *swv. dp. as. auflösen, offenbaren* (nû er-
lôste im got die geschiht).
erlœserinne *stf. erlöserin (Maria).*
erlœsunge *stf. erlösung.*
erlouben *swv.* daz lant e.
zur plünderung freigeben;
e. dp. über einen *jmdm.
einen ausliefern, zur be-
strafung überlassen;* sô ist
über die cristen erloubet
*solcherart werden die chri-
sten ihren verfolgern aus-
geliefert.*
erloufen *redv.* erjagen,
erhaschen (glück); erwer-

ben *(himmelreich, irdisch
gut);* von dem wîn erloffen
mit wein ,vollgelaufen'.
erlouge(ne)n *swv. ableugnen.*
erlouplich *adj.* niht e.
*dp. nicht erlaubt, gesetzlich
nicht zugestanden.*
erlüften *swv. in die luft
heben.*
erlüftigen *swv. erfrischen* (die leblichen geist
lebensgeister).
erluodern *swv. refl. (mit
gen.) schwelgen, sich sättigen (übertr. von den
augen).*
erlustigen *swv. ap. erfreuen, beglücken.*
ermachunge *stf.* la-
bunge und e. *erfrischung
und stärkung.*
êrmâlen *adv. früher.*
ermanen *swv. antreiben;
mit gs. oder daz-satz: zu
etw. bewegen, veranlassen;
part.:* hôhe ermant *tief bewegt.*
erme = ermede.
ermenden *swv. froh werden.*
ermezzen *stv. metiri;
subst.: das ermessen* (über
allez e.).
ermic *adj. arm (be-
dauernswert)* (mîn e. herze
unruowe treit).
ermôvieren *swv. refl. =
sich baneken* sich *tum-
meln.*
ermurren *swv. erdröh-
nen.*
ernacken *swv. entkleiden.*
erne *stf.* niuwe e. *junge
brut.*
ernenden *swv.* ûf *ap.
auch: (im sturm) angrei-
fen;* ûf *as.: herausfordern
(gotes zorn).*
ernern *swv. bewahren,
erneuern, erhalten (einen
gegenstand).*

ernest *stm. strenge, ent-schlossenheit, ernst;* von e.-e gân *tödlich ernst sein (die liebe). − ein übergang zum adj. zeigt sich in ver-bindungen wie* mir ist e. *ich bin fest entschlossen, mir ist ernst.*

ernest *adj. ernsthaft.*

ernesthafte *adv. ernst-haft, mit ernstem eifer, ernst(lich), eindringlich;* e. engegen treten *dp. zum kampf.*

ernestheit *stf.* mit e. *ernsthaft.*

ernestlich *adj.* e. ge-schiht *zwingender grund;* e.-e ritterschaft *ernst-kampf.*

ernestliche(n) *adv.ernst-(lich), eindringlich, un-nachgiebig (sprechen, for-dern);* an formen ernes-lich gevar *mit ernstem gesichtsausdruck.*

erniuwen *swv. wieder-holen.*

ernüehtern *swv. wieder zu sinnen kommen.*

eroffenen *stv. refl. dp. sich offenbaren.*

erougen *swv.* lieben wân e. *dp. hoffnungen wecken.*

erquicken *swv.* kint, diu von mînem lîbe sint ge-wahsen unde erquicket *von mir (selbst) in die welt gesetzt sind.*

erraehet *part. adj.* mîn ros ist e. *von der pferde-steifheit befallen.*

errâten *redv.* zuo der sîten ern erriet *(mit dem schwert) er traf ihn (ge-zielt) in die seite.*

errechen *stv. rächen; be-strafen.*

erreden *swv.* sich mit einem e. *besprechen.*

erringen *stv. erreichen (konkr. und übertr.); er-werben (nahrung); sich an-*

maßen *(ein amt); gewin-nen (wettkampf, spiel).*

errinnen *stv. aufgehen (vom samenkorn, von pflan-zen);* daz ist von Ruolante errunnen *das haben wir R. zu verdanken (iron.).*

ersalwen *swv. schmutzig werden, part.* ersalwet *be-schmutzt, schmutzig (hän-de).*

êrsam *adj. (im unter-schied zu* êrlich *hauptsächl. auf die person selbst bezo-gen) angesehen.*

êrsame *adv. ehrenvoll, angesehen.*

êrsamlîchen *adv. ehrbar.*

erschaffen *stv. erschaffen (himmel u. erde).*

erschamen *swv.* sich vor leide e. *durch ein unglück eingeschüchtert sein.*

erscheiden *redv. deuten (träume).*

erscheinen *swv. subst.: erscheinung, traumgesicht.*

erschellen *swv. erschüt-tern (den gegner, durch an-rennen).*

erschiezen *stv. ausma-chen. verschlagen, ins ge-wicht fallen* (als wênig als ein tropfli erschüsset in der hôhen tiefe des meres); *dp. anschlagen* daz im der wîn ze wol erschôz *(iron.: zu gut be-kam.)*

erschînunge *stf. sicht-barwerdung, erscheinung.*

erschreckelich *adj. schrecklich.*

erschrecken *stv. subst.:* mit e. vor angst schlotternd.

erschrecknisse *stf. schrecken.*

erschrinden *stv. intr. aufreißen, sich klaffend auftun (gräber).*

erschrocken *part. adj. verstört, verängstigt.*

erschrockenlîche *adv. er-*

schreckt, verstört, veräng-stigt, zu tode erschrocken.

erschrüdelen *swv. scru-tari, erforschen.*

ersehen *stv. tr. finden, entdecken;* nû enkunder niht e., wie ... *konnte sich aber nicht vorstellen;* e. vür *ansehen, halten für; refl. sich in anschauung ver-lieren, sich nicht sattsehen können.*

ersenden *swv.* ein lant e. nâch *dp. es durchforschen lassen nach jmdm.*

ersîgen *stv. ins grab sinken* (sîn lop mit im ersîget).

erslahen *stv. refl. kämp-fen, sich ,schlagen', d. h. verteidigen.*

ersparn *swv. absparen* (über iren munt vom munde).

erspiln *swv. springen (fische).*

erspringen *stv.* mit rede was ersprungen, daz ... *es war ,herausgekommen', bekanntgeworden.*

êrst *adj. superl.* zem êrsten, des êrsten *zuerst;* von êrste *eben erst.*

erstandunge, -stendun-ge *stf. auferstehung.*

erstantnisse *stf. dass.*

erstarken *swv. größer werden, erstarken (von her-anwachsenden tieren, früchten; vom frühen tage); obigescere.*

erstarren *swv. starr wer-den.*

êrste *adv. erst, zuerst, zum ersten mal; nun erst, jetzt erst richtig.*

êrstebarn *stn. erster sohn.*

êrstecheit *stf. ursprung, vorrang.*

êrsten *adv. erst.*

ersterben *stv. auch: um-kommen; part.* erstorben:

*(längst) tot, umgekommen,
verstorben; auch übertr.:
,(er)sterben'.*

ersterben *swv. tr. zunichte machen.*

êrstgeburt *stf. erstgeburt
(Esaus).*

erstreben *swv. erreichen.*

erstrîchen *stv. streicheln.*

erswechen *swv. kraftlos
machen, schwächen.*

erswelken *swv. welken;
auch von der weinbeere im
reif.*

erswern *stv.* = swern,
schwören.

ertbewegunge *stf. erdbeben.*

ertbodem *stm. erde, welt.*

ertecheit *stf. gute beschaffenheit.*

erteilen *swv. gestatten;
antworten.*

ertgruobe *stf. erdgrube.*

ertkrote *stf. erdkröte.*

ertoln *swv. den verstand
verlieren.*

ertoplen *swv. ap. im
würfelspiel besiegen.*

ertôren *swv. betäuben;
taub werden.*

ertouwen *swv. sich mit
tau bedecken.*

ertragen *stv. ertragen
(leid); aufrecht erhalten,
durchführen.*

ertropfen *swv. abtrop-
fen.*

ertrüeben *swv. kränken.*

ervarn *stv. e. an dp. erfahren von jem.*

erveilen *swv. erkaufen,
erwerben.*

ervinden *stv. mit den
sinnen (mit allen sinnen)
wahrnehmen; erkennen, be-
weisen, begreifen.*

ervindunge *stf. versuch.*

erviuhtigen *swv. feucht
machen.*

ervolgec *adj. e. sîn folgen.*

ervolleclîche *adv.* singe
wir demo herro e. *zu seinem
ruhm.*

ervorscher *stm. der erden e.*

ervorschunge *stf. nachforschung.*

ervüelen *swv. merken,
wahrnehmen.*

ervüllunge *stf. fülle, erfüllung.*

erwallen *stv. zusammen-
fließen, sich vermengen.*

erwalten *stv. ausführen,
unternehmen.*

erwalter *stm, unterneh-
mer.*

erwaltunge *stf. prae-
sumptio, vermessenheit.*

erweln *swv. as. sich
entscheiden für.*

erwelunge *stf. erwählung, erwähltsein.*

erwenden *swv. weg-
schütten.*

erwern *swv.[2] gewähren.*

erwern *swv.[3] ap. ds.
schützen, bewahren vor.*

erweschen *swv. abwa-
schen (sünden).*

erwinden *stv. intr. etw.
auf sich beruhen lassen.*

erwinnen *stv. in wut geraten.*

erwirbec *adj. ein e. bote
(zuo dp., gs.) erfolgreich.*

êrwirdecheit *stf. verehrung, ehrfurcht.*

êrwirdeclîche *adv. ehr-
erbietig(?).*

erzebote *swm. bezeichnung für die ersten apostel.*

erzebistuom *stn. erz-
bistum.*

erzebuobe, erzbuobe
*swm. ir erzbuoben und
schelke!*

erzeigunge *stf. ein e. der
werk daß man werke tut,
aufzuweisen hat.*

erzengel *stm. erzengel.*

erzenlich *adj. heilkräftig.*

erzetugent *stf. kardinaltugend.*

erzhuore *stf. (schimpfwort).*

erziehen *stv. züchtigen;
(das schwert) zücken.*

erziteren, -zittern *swv.
erzittern; erbeben (von der
erde).*

erziugen *swv. herstellen,
verfertigen; erzielen (einen
ertrag); leisten (dienst).*

esel(e) *stf. eselin.*

esten *swv. e.* unde umbevâhen *bildl., von tugenden (eig. äste bekommen,
sich verzweigen, d. h. wachsen), sich steigern.*

esterîche *adj. dicht belaubt.*

est(e)rîchen *swv. pflastern.*

eteslich *adj. jeweilig,
entsprechend.*

êther *m. äther.*

êwangêli, êwangelje *stn.
evangelium.*

êwangelier *stm. evangelist.*

êwangelista, -e *swm.
dass.*

êwangelje *swm. Levit;
evangelist.*

êwe *swm. prophet.*

êwe, ê *stf. sitte, weise;*
sîne ê behaben *die eheliche
treue halten;* ê lêren *tugend-
lehre beibringen.*

êwede *stf. ewigkeit* (von
êwedon ze êwedon).

êwelîche *adv.* = êwic-
lîche; ê. leben *gesetzestreu,
nach gottes gebot.*

êwerc *stn. eheliches leben.*

êwic-, êweclîche(n) *adv.
ewiglich, (für) alle zeit.*

êwirdec *adj.* = êrwirdec
(in der anrede); heilig.

êwirdecheit *stf. ehrfurcht.*

êwirdeclich *adj. erhaben,
feierlich.*

êwirdeclîchen *adv. ehrfürchtig; ê.* haben *ap. in hohen ehren halten, verehren.*

êworhte *stm. der die gebote befolgt.*

exempel *stn. muster, zeichen, vorbild; grundriß; beispiel.*

exemplâr *stn. vorbild; literar. quelle; exemplar.*

experimenten *swv. beweisen.*

ezzelich *adj. eßbar.*

ezzen *stv. oft absol.; (vom vieh:) fressen, weiden; -trans.: übertr.:* sîne arbeit, sîn almûsen e. *sich nähren, leben, existieren von;* sich selben e. *sich verzehren (aus gram, wut).*

ezzenkochen *stn.* daz e. *in dem magen die verdauung.*

ezzenmacher *stm. eines* vürsten e. *koch.*

ezzenzît *stf. essenszeit.*

ezzich *stm.* den e. in den ougen tragen *sauer sehen.*

ezzichen *swv. trans. mit essig zubereiten.*

ezzichtranc *stm.* Christus mit galle und e. laben *bildl. für: beleidigen.*

G

gæbe *adj.* gæbiu phant *wertvolle pfänder.*

gâberîche *adj. wohltätig.*

gâbunge *stf. beschenkung.*

gâchmüete *adj. jähzornig.*

gâchmuotecheit *stf. eilfertigkeit.*

gâchsprunc *stm. übereilter, unüberlegter sprung.*

gack *interj. (ruf des huhns).*

gadem *stnm. kaufladen, krambude* (g. ûf tuon).

gæhe *stf.* in einer g. sprechen *ungestüm, schnell.*

gâhe *adv. sofort.*

gâhen *swv. inständig, innig streben.*

galtbrunne *swm. trockener brunnen.*

gamanje *stf. weiblicher hofstaat.*

gamenen *swv. bespotten.*

gampel *stf. scherz, possenspiel.*

gampelvröude *stswf. ausgelassene freude.*

gân *redv.* sitzen g. *platz nehmen;* hinder sich g. *zurückschreiten;* g. an reichen, grenzen an as.; über ein g. *übereinstimmen;* vür sich g. *zur wirkung kommen;* g. ûf *sich beziehen auf;* zur last fallen; an daz leben g.; ez gât mir an den lîp! es geht mich (in hohem grade) an!

ganc *stm. lauf eines flusses; bewegung eines sterns.*

ganchaft *adj. (vom bergbau).*

ganz *adj.* mit ganzen worten *unverkürzt, ausführlich;* g.-er wirde ruom *unbeschränkte herrschermacht, herrscherstellung.*

ganzecheit *stf. ganzheit.*

ganzliche(n) *adv. gänzlich, vollständig.*

gar *adj. fertig;* g. machen *abrichten (jagdvogel).*

garnrocke(n) *swm. garnrocken.*

garnspinnerîn *stf. garnspinnerin.*

garst *adj. bitter.*

garte *swm.* beslozzen g. *(für Maria).*

gartwîn *stm. selbstgebauter wein.*

gast *stm. besucher;* mit gen. g. sîn *nicht besitzen;*

g. tuon *berauben;* g. werden *im stich lassen; mit dat.: fehlen, abgehen.*

gasteclîche(n) *adv. feindlich(?).*

gastlîche *adv. in der art eines fremden; gastlich, freundlich.*

gastwîse *adv. als fremder.*

ge- *präf. bei verben oft nur zur kennzeichnung des plusquamperfekts, z. b.* als er gebadete *(gebadet hatte),* daz ezzen was bereite.

geæder *stn. arabeske.*

geæhten *swv. verfolgen.*

geahten *swv. erkennen, bemerken; nachrechnen, abschätzen.*

gearten *swv.* sich in gute art verwandeln *(daz iemer* unart g. müge).

gebærde *stf. auch swn.?*

gebære *adj. geeignet; mit* ds. *gehörig zu, sich beziehend auf:* morde g. *verbrecherisch.*

gebâren, -bæren *swv.* wol g. *freude zeigen;* ir munt kan niht g. mit lachen *sie hat das lachen verlernt.*

gebecken *swv.* = bicken, becken; *(immer wieder) stechen, hacken.*

gebeidet *part. adj. doppelt.*

gebeizen *swv. peinigen.*

geben *stv. intr. u. absol.* geschenke machen (mir gît diu muoter mîn); ze gebene han mittel in der hand haben. — *trans. verleihen, anvertrauen;* g. vür *als ersatz schenken für;* g. umbe *opfern, hingeben für;* mit sale g. *(länder) rechtlich übermachen;* spîse g. *bewirten;* dp. as. über jem. etw. verhängen; *(ein mädchen)* zeinem manne g. *verheiraten;* phliht g. dp. *umgang pflegen mit;* rîter-

schaft g. *kämpfen;* die
vluht g. *fliehen, flüchten;*
den zorn g. *dp. jem. zu-
liebe den zorn aufgeben;*
viur g. *feuer speien; (vom
echo)* einander g. *einander
zuwerfen; refl. sich verhalten, sich auf etw. verlegen.*

gebenedîunge *stf. segen.*

geberc *stmn. zuflucht;
heimlicher gedanke, vor-
behalt, hintergedanke.*

gebere *stm. geburt od.
sohn.*

geberinne *stf. (von der
liebe).*

geberlîche(n) *adv.
schöpferisch.*

gebern *stv. intr. ent-
stammen; tr.* wurzelîn g.
wurzeln schlagen.

gebernisse *stn. das gebären.*

gebieten *stv. erschaffen,
werden lassen* (got der
himel und erde gebôt); *dp.
macht gewinnen über;
swenne ir gebietet wenn
ihr erlauben wollt;* gebietet
mir *abschiedsformel (etwa:
„erlaubt, daß ich abschied
nehme").*

gebilden *swv. (er)rech-
nen.*

gebirgit *part. adj. gebir-
gig.*

gebite *stf. benehmen.*

gebîtec *adj. langmütig.*

gebiurischlîche *adv.* mit
worten g. *ûzlegen naiv
interpretieren.*

gebiuwe *stn. erbauung.*

geblüemet *part. adj. geschmückt, auch als fach-
ausdruck der poetik.*

gebluowet *part. adj. ver-
blüht.*

gebornheit *stf. geburt,
geborensein.*

geboesern *swv. schlechter
machen.*

gebot *stn. befehl, anweisung, botschaft.*

gebote *swm. bote.*

geböugen *swv. biegen.*

gebrech *adj. gebrechlich,
schwach.*

gebreche *swm. verbrecher, sünder.*

gebrechen *stv. trans.
dp. entziehen;* das herze
enzwei g. *in zwei teile aufbrechen; refl. von dp. sich
lösen, sich abkehren (von
gott).*

gebrenge *stn. prunk,
lärm.*

gebrest, gebreste *stswm.
bruchstück, splitter; scharte;* ein ganzer misvalle der
g.-en *zerknirschung über
die schwächen, sünden.*

gebresten *stv. unpers.
dp.: die besinnung verlieren; unpers. dp. gs.: verborgen,; vorenthalten bleiben
unpers. dp.* an ds. es fehlen
lassen an, versagen in.

gebrestunge *stf. mangel.*

gebröhsel *stn. lärm.*

gebrouchlich *adj. biegsam, nachgiebig.*

gebruch *stn. sumpf.*

gebrümme *stn. etwa:
laute werberufe.*

gebüezen *swv. dp. gs.
einem helfen von.*

gebürde *stfn. geschöpf.*

geburst *adj. borstig.*

geburt *stf.* dîne g. *dein
eignes kind.*

gedanc *stm.* mit gedanken umbegân *grübeln.*

gedanchaft *adj.* g. sîn
zuo *beabsichtigen, daran
denken.*

gedegenet *part. adj.
tapfer.*

gedenke *stn. das denken.*

gedenken *swv. beden-
ken;* ich gedenke mir
kommt die erkenntnis;
einem an sîne êre g. *seine
ehre antasten;* gedenc-
an-mich *als blumenname
(nicht vergißmeinnicht).*

gedihte *adj. dicht.*

gedinc-, gedingetac *stm.
gerichtstag.*

gedinge *swm. gottvertrauen; hoffnungsvolle
nachricht;* g.-en hân ûf
hoffen auf; hân mit an-
wartschaft *haben auf.*

gedinster *adj. dunkel.*

gedornech *stn. dornen-
gestrüpp.*

gedorren *swv. dürr,
trocken werden.*

gedrange *adj. fest, innig.*

gedrange *adv.* g. tuon
dp. jem. bedrängen.

gedrangen *swv. intr. im
gedränge sein; tr. bedrängen, belästigen, zur last
fallen.*

gedrâte *adv.* = drâte.

gedræte *adj.* = dræte.

gedriet *part. adj. dreieinig* (got).

gedrücken *swv. refl. sich
demütigen; dulden.*

gedulteclich *adj. geduldig.*

gedulten *swv. mit refl.
dat. ruhig werden.*

gedul(t)sam *adj. geduldig.*

gedul(t)same *adv. dass.*

gedunken *swv. an.* =
dunken.

gedurfen *anv.* = bedurf-
fen.

geehtlicheit *stf. vorstellung.*

geeischen, geischen *redv.
fordern, verlangen.*

geenden *swv. auch:* in
einklang bringen.

geern *swv. ernten.*

gegen *präp.* gên den
lüften *an der (die) fri-
sche(n) luft;* gein dem
winde *in den luftzug.*

gegenleder *stn. zugrie-
men.*

gegenlich *adj. gegenseitig.*

gegenniet *stm.* ein g. sîn

ds. etw. aushalten, ihm standhalten (Parzivâles hôhiu brust was ein g. manger tjost).

gegensetzunge *stf. gegensatz.*

gegenswanc *stm.* g. tuon *gp. aufdringlich grüßen.*

gegenwertec *adj. gleichzeitig, auch: gegensätzlich.*

gegenwerteclîche(n) *adv. gegenwärtig, leibhaftig.*

gegenwertigen, -würtigen *swv. gegenüberstellen.*

gegenwürten *swv. vergegenwärtigen, praesentare.*

gegern *swv.* = gern.

gegerwet *part. adj.* bereit unde g. *(hendiadyoin).*

gegettere *stn. coll. zu* gater.

gegiht *adj. gelähmt.*

gegot(t)et *part. adj. gott gleich.*

gegründen *swv. grund finden.*

gegunnen *anv. gönnen.*

gegzen *swv. subst. (vom schreien der elster).*

gehaben *swv.* rihter g. *einen richter erlangen.*

gehaften *swv. haften bleiben.*

gehæle *adv. heimlich.*

gehalter *stm. besitzer.*

gehandeln *swv. verhandeln.*

gehaz *adj. gehässig;* g. sîn *dp. feindschaft erklären; verachten.*

geheften *swv.* sîn herze g. *sein inneres darauf richten; refl.* an sich binden an.

geheim *stm.* g. verjehen *geheimnis verraten.*

geheimen *swv. refl. heimisch machen.*

geheize *stnf. auch m.*

gehelfen *stv. dp. as. jem. vcrhelfen zu.*

gehellen *swv.* in ein g. zustimmen.

geherbergen *swv.* = herbergen.

gehêre *adj. heilig.*

gehêret *part. adj. hehr.*

geherzec *adj. beherzt.*

geherzet *part. adj. dass.*

gehît *part. adj. niulich* g. *jung verheiratet.*

gehiure *adj. verlockend.*

gehiurlîche *adv. anmutig.*

gehoffen *swv.* = hoffen.

gehorden *swv. sammeln.*

gehœren *swv. gs. aufhören mit.*

gehôrsamecheit, gehôrsamkeit *stf. gehorsam, gelübde.*

gehôrsamheit *stf. gehorsam.*

gehôrsamîn *f. klosterregel, (mönchs-) gelübde* (g. emphâhen, geheizen).

gehûfen *swv. refl.* = hûfen.

gehügec *adj. eingedenk.*

gehugnisse *stfn.* g. machen *mentionem facere, erinnern.*

gehürne *stn. blashörner.*

geil *adj. hoffnungsfroh;* des wære ich g. *das wäre mir eine labsal.*

geilerinne *swf. die frohmütige, leichtsinnige.*

geilunge *stf. übermut, ausgelassenheit.*

ge-irren *swv. irre machen, stören, hindern, in verwirrung bringen.*

geiseln *swv. auch subst. geißelung.*

geiselstap *stm. peitschenstiel.*

geislerin *stf. (zu* geiseler *stm.)* begîne und geislerin.

geist *stm. plur. auch: lebensgeister.*

geistlîche *adv. mystisch.*

geist(e)lôs *adj.* g. werden oder stân *den menschlichen geist dem göttlichen hingeben (myst.).*

geizvellîn *stn. ziegenfellchen.*

gejâhêrren *swv. schmeicheln, ja sagen.*

gejehen *stv. zusagen; gs. bekennen; gs. dp. zugestehen, zuerkennen.*

gekallen *swv. bellen.*

gekennen *swv. erkennen.*

geklepper *stn. geklapper.*

gekræjen *swv.* = kræjen.

gekriuzegen *swv.* = kriuzegen.

gekrümbet *part. adj.* g. ohse *ein sternbild.*

gelachen *swv. gs. und gp. lachen über;* g. an *ap. anlachen; subst. das lachen.*

gelangen *swv. sich erstrecken.*

gelâz *stm. haltung; sinnbild* (ein g. der kiusche); *raum, vorratskammer.*

gelæzec *adj. ds. entsprechend, angemessen* (ritters art g.).

gelâzen *part. adj. gottergeben (myst.).*

gelegen *swv. as.* an *ap. jem. mit etw. begaben, ihm etw. zuteil werden lassen, daz* vremde wunder *(die wundersame ähnlichkeit), daz* von gelîcheite got an si geleite; *sîn houbet* g. *sich zur ruhe begeben.*

gelegene *swf. nachbarin, verwandte.*

gelegenheit *stf. gesellschaftlicher stand;* verre g. *getrennte lagerung, entferntheit; mit waz g.-e auf welche weise; in der g. in derselben weise; dehein g. an wegen keinerlei zugang.*

gelegenlîche *adv. angrenzend.*

geleist *stf. das wirken.*

gelengec *adj. verlangend, begierig.*

gelêret *part. adj. subst.:* gelehrter.

gelf, gelpf, gelph *adj.* mit g.-en ougen *mit leuchtenden augen.*

gelfe *stf. (hilfs)bereitschaft, eifer.*

gelfen *stn. glanz, schimmer.*

gelfheit *stf. glanz, pracht.*

gelfwort *stn. übermütige rede.*

gelîch(e) *adj. identisch; substantivisch mit instr. pron.:* diu g. *oder im gen.:* des gelîches *dergleichen;* diu g. tuon *sich entsprechend verhalten; subst. mit poss.:* alle sîne g.-en *alle in gleicher lage.*

gelîche *adv.* der *oder* des *oder* dem g. *ebenso; übereinstimmend;* g. ligen *gleich viel gelten.*

gelîche *stf. abbild, götzenbild; astron. aequans,* norden(?).

gelîchnisse, gelîchnussede *stfn. rätsel, erzählung;* in der g. *im verhältnis.*

gelîchsame *stfn. gleichnis, ebenbild, persona.*

gelîchsât *stf. heuchelei.*

gelîchsenunge *stf. gleißnerei, heuchelei.*

gelieben *swv.* daz geliepte im *er wurde froh darüber.*

geliegen *stv. lügen; dp.* vorlügen.

geligen *stv. perfektiv:* aufhören, sich legen (sturm, zorn, unbill); zum (er)-liegen, zur ruhe kommen; krank darniederliegen; tot hingestreckt liegen; vür tôt g. wie tot liegenbleiben. (an einem zeitpunkt) liegen, (auf einen zeitpunkt) fallen. (eines kindes) niederkommen. nâhe g. (m. dat.) ans innere greifen.

gelîhten *swv. leicht machen.*

gelîmen *swv. leimen.*

gelimpf *stswm. unbefangenheit;* guot g. *feingefühl, einfühlung;* senften g. *geben schonend behandeln.*

gelimpfen *swv.* ze tugenden g. *as. dp. als vorzug auslegen oder anrechnen.*

gelingen *stv. schicksal, ausgang haben;* wie mir gelinget *wie es mir ergeht.* – *auch subst.*

gelit *stn. inneres organ., jur.: verwandtschaftsgrad.*

gellecht *adj.* mit gallen (geschwülsten) behaftet.

geloben *swv. verabreden, übereinkommen.*

gelogen *part. adj.* verlogen.

gelohen, -lochzen *swv.* flammen.

gelouben *swv.* von einem g.; dp. jem. gehör schenken, rücksichtsvoll sein gegen, vertrauen; vrouwe ir sult g. ihr müßt zugeben; sich g. gs. aufhören mit.

gelten *stv. helfen, wirksam sein.*

geltschuldec *adj. subst. plur. leute, die schulden machen.*

gelübnis *stn. versprechen.*

gelücke *stn. glückliches gelingen;* mîn g. *das, woran sich mein schicksal entscheidet (schicksalswende, chance).*

gelück(e)sælec *adj.* glückselig.

gelust *stmf. auch mit gp.*

gelutter *stn. schlechte ware, unrat.*

gemach *stmn.* ez ist sîn g. *tut ihm wohl, ist ihm erwünscht; phraseol.:* solches wunders g. *etw. so wundersames.* – an g. ziehen *in den stall bringen (pferde).*

gemachen *swv. bewerkstelligen, etwas ausmachen.*

gemagen *swv. mächtig werden.*

gemaht *stf. macht.*

gemæle *stn. münzprägung.*

gemanecvaltet *part. adj. bunt zusammengeflickt.*

geman(e)de *stn. ermahnung.*

gemanen *swv.* mich gemanet (gs.) *mir fällt ein.*

gemechede *stn. liebchen.*

gemehelîn *stf. alem. ehe.*

gemeine *adj. üblich, regelmäßig, natürlich; allgemein verfügbar;* mir ist g. *ich habe anteil an;* g.-r nutz *öffentl. einkommen;* mit g.-m râte (biten) *übereinstimmend;* g. werden *sich versammeln, vereinigen.*

gemeine *stf. kirchliche gemeinde.* – g. hân mit *sich beziehen auf.*

gemelich *adj. rücksichtsvoll, schonend;* nâch g.-er sache *um sich zu erholen.*

gemelîche *adv. auch: grotesk.*

gemêren *swv. stärken.*

gemerke *stn. das zielen;* des selben g.-s *ebenso bemerkenswert, kostbar.*

gemezzen *stv. ermessen, abschätzen; aufteilen (lant), in übereinstimmung bringen.*

gemezzen *part. adj. dp. jemdm. gewachsen.*

gemezzenlich *adj. mittelmäßig.*

gemilder(e)n *swv. refl. sich mildern (gegen dp.).*

geminner(e)n *swv. verringern.*

gemischet *part. adj.* rosa, rosig (rose, wangen).

gemodelen *swv. refl. sich vergleichen.*

gemüejen *swv. beküm-*
mern, beschweren, in not
bringen, kränken.

gemüete *stn. bereitschaft;*
g. hôhe tragen den kopf
hoch tragen.

gemuot *adj. unbeirrt, un-*
bekümmert.

genâde *stf. jur. guter*
wille, billiges ermessen (an
eines g.-n stân); g. bieten
danken; ûf g. geben, komen, dienen *u. a. m. aus-*
geliefert an, im vertrauen
auf jem.s schutz, verschwie-
genheit usw.; ûf g. sagen
streng vertraulich; g. unde
guot hilfsbereitschaft.

genædec *adj. segen spen-*
dend (von reliquien).

genædecheit *stf. gnade,*
nachsicht, milde, gewogen-
heit (sîner vrouwen dienen
ûf g.); *als anrede:* deiner
g. *vestrae clementiae.*

genâden *swv. dp.* genâde in got! *(formelhaft);*
auch mit ap.

genâdenbære *adj. gna-*
denvoll.

genâdenviur *stn. begei-*
sterung.

genâdenzît *stf. prägn. für*
tempus novi testamenti.

genâhen, -næhen *swv.*
intr. und refl., mit dat. oder
ze: *sich nähern; treffen,*
stoßen auf; übertr. mit
worten heranreichen an.

genæmen *swv.* genæme
machen.

geneigen *swv.* prîs g. *dp.*
ruhm mindern.

geneizen *swv. verfolgen.*

genemen *stv.* sîn reht g.
sein recht wahrnehmen.

genende *adj. auch mit*
ze: ze gote g. *zu gott ver-*
langend.

genenden *swv. sich ver-*
lassen auf.

genesen *stv.* mit einem
g. *gut auskommen, glück-*

lich sein; eines kindes g.
ein kind gebären.

geniezen *stv. genießen*
im neutr. sinne, zu sich
nehmen (wasser). – g. lân
ap. gs. zum guten anrech-
nen; niht g. lân *ap. gs.*
nicht entgelten lassen; dâ
wil ich g. ir bescheiden-
heit ich vertraue auf ihre
einsicht.

genihte *stn. nichts.*

genist *stf. auch stm.*

genisten *swv. nest bauen.*

genôte *adv. streng, genau.*

genœte *adj. gs. erpicht*
auf.

genôz(e) *stswm. ehege-*
mahl; auch weidegenosse. –
des hasen g. *ein hasenfuß.*

genôzsamen *swv. gleich-*
machen.

gensebrâte *swm. gänse-*
braten.

gensemære *stn. dum-*
mes geschwätz, „ente".

genüege *adj. zufrieden.*

genüegen *swv. subst.*
auch: vergnügen.

genuht *stf.* mit g. *in*
reichlichem maße.

genühtecheit *stf. abun-*
dantia, überfluß.

genühteclich *adj. reich-*
lich.

genuhtsameclich, -lîche
adj., adv. im überfluß.

genuhtsamen *swv. abun-*
dare, überfluß haben.

genuocsameclîche *adv.*
= genuhtsameclîche.

genuocsamen *swv. über-*
hand nehmen.

genuomen *swv. nennen.*

genuz *stm. nutzen, vor-*
teil; lebensunterhalt.

genzec *adj. vollkommen.*

geordenet *part. adj.* g.-e
liute *ordensleute.*

gephlanzen *swv.* = phlanzen.

gepredigen *swv.* = bredigen.

geprüeven *swm. ap.* ze
dp. jem. ausweisen als.

gequeclich, -lîch(e) *adj.,*
adv. kühn, dreist, frech.

gequeln *swv. tr. u. absol.*
quälen, martern.

ger *adj.* = gir.

ger *stf. trieb, gemüts-*
bewegung; rîcher g. we-
sen ehrgeizig, machtsüchtig
sein; in (mit) inneclicher,
vriuntlicher, mildeclicher
g. *phraseol.: innig, freund-*
lich, gütig (adverbiell).

gerach *stf. rache.*

geraht *part. adj. zu* ge-
recken *swv.* wol g. *in*
guter haltung.

gerasten *swv. gs. ablas-*
sen von.

gerastet *part. adj. geruh-*
sam (g.-er vride).

geræte *stn. unterhalt;*
die erforderlichen mittel,
hilfsmittel; urteil.

gerâten *stv. schlüssig*
werden über; veranlassen,
ursache sein zu; zu etw.
werden; einen wec g. *zu-*
fällig auf einen weg stoßen.

gerech *stnm. das zum*
lebensunterhalt notwendige.

gereche *adv. zufällig.*

gereden *swv. auseinan-*
dersetzen, erörtern.

gereht *adj.* g. ûf geeicht
auf.

gerehtecheit *stf. iron.*
selbstgefälligkeit.

gerehten *swv. refl.* gegen *dp. sich rechtfertigen*
vor.

gerehtheit *stf. gleich-*
heit, gerechtigkeit, recht-
fertigung.

gerehtec *adj. gerecht.*

gerehtvertigen *swv. sich*
rechtfertigen.

gereise *swmf. gefährte,*
weggenosse.

geriben *stv.* = rîben.

gerich *stmn. zorn;* g.
kêren an büßen lassen.

gerîch(e)sen *swv. reich werden.*

gerihte *stn. entscheidung, buße;* g. haben *rechtshandlung (lehnsverteilung) vornehmen;* von g.-s halben *auf grund eines gerichtsurteils;* — gerüst.

gerihtec *adj. bei sinnen,* „ganz richtig".

gerihten *swv.* widere g. *zurücklenken (schiff).*

geringe *adj. adv.* mir ist g. *ich bin bestrebt.*

gerische *adv.* = rische.

geriten *part. adj. befahren (straße).*

geriute *stn. rodung.*

gerjen *swv.* = gerwen.

gerlich *adj. zu* gern *swv.* zu gerlicher geluste *(das kruzifix erhalten) zur erbauung.*

gern *s.* geern *swv.*

gern *swv. gs. inständig bitten um; gp.* ze *ds.* (eines ze dem grâle g.) *berufen, auserwählen zu;* niht g. *nicht brauchen.*

gernde *part. adj. bereitwillig.*

gerne *adv. freiwillig.*

geröuche *stn.* = gerouche.

gerren *s.* kerren *stv.*

gerücken *swv.* den schilt g. *(zum schutz) hochreißen.*

gerüeren *swv. berühren; refl. sich bewegen.*

gerûmen *swv. in r. dp.* platz machen, ausweichen; *unz* uns diu naht gerûmet *bis es tag wird; absol.:* abziehen, das feld räumen, fortgehen; *ebenso:* ez g.; — *tr. as.* räumen, säubern (straße); verlassen (land, raum).

gerûnen *swv. raunen, flüstern; dp.* zuflüstern (swaz der hl. geist dem herzen gerûnet).

geruochen *swv. gs. in anspruch nehmen, annehmen.*

geruoweliche *adv. ruhig.*

gerütz *stn. sputum.*

gesamenen *swv. vereinigen, sammeln, versammeln; refl. auch: sich freundschaftlich treffen.*

gesametheit *stf.* in der g. *in concreto.*

gesanc *stnm. auch spiel von instrumenten.*

gesâzelîchen *adv. besonnen, ruhig.*

geschaden *swv. schaden verursachen (dp.).*

geschaffen *stv. erschaffen; machen, bewirken; verrichten,* niht g. an ds. *nichts ausrichten gegen; anordnen, besorgen.*

geschaffen *part. adj.* beschaffen; g. creatûre *irdische kreatur.*

geschaffenheit *stf. natur, zustand.*

geschamen, -schemen *swv. refl. sich schämen; negiert: sich nicht zu schämen brauchen.*

gescheffen, -schepfen *stswv. schaffen, erschaffen.*

geschehen *stv. erfüllt werden (wunsch); sinneclîchen im geschach* ihm kam ein kluger gedanke; *mir geschiht sanfte* ich werde gut behandelt, *mir wird wohl.*

gescheide, gescheit *stn. trennung, abschied.*

gescheiden *redv. tr. hindern; intr. sterben, verscheiden.*

geschelle *stn. musik.*

geschenden *swv.* = schenden; blamieren.

geschicke *stn.* von g. zufällig.

geschicketheit *stf. inneres verhalten.*

geschicknisse *stf. zustand.*

geschîde, -schide *adv. ge-*

nau, entschieden, getrennt, einzeln.

geschidecheit *stf. gescheitheit.*

geschiezen *stv. tr.* und *absol.* schießen, treffen; *intr. eilen; refl. sich aussondern (ûz).*

geschiht *stf.* an der g. *bei der gelegenheit.*

geschihteclich *adj. zufällig.*

geschînen *stv. leuchten, erscheinen.*

geschiuhen *swv. trans. meiden; einer sache aus dem wege gehen.*

geschrenken *swv. einfangen, einsperren.*

geschrîben *stv. beschreiben, aufzeichnen, schildern.*

geschrift *stf. literar. gesamtwerk,* „schriften" (als quelle).

geschrocke *stm. schrekken.*

geschütze *stn. geschütz.*

gesegede *stfn. gerede.*

gesehen *stv. besuchen; wiedersehen; subst.: augenlicht; formelhaft:* gesach *in got etwa:* ‚wohl ihm' *(gott hat ihn angesehen).*

geselle *swm. kompagnon; mitglied eines kollegiums; gegner im kampf.*

geselle *swf. freundin, geliebte.*

geselleclich *adj. liebend vereint;* g. sîn *dp. gemeinschaft haben mit.*

gesellecliche *adv. liebend vereint;* g. gân *zusammen gehen.*

gesellen *swv. refl. mit dp. oder zuo sich auf jmds. seite stellen.*

geselleschaft *stf. begleitung; heeresabteilung; handelsgesellschaft, -flotte;* g. geben *dp. gesellschaft leisten;* gesellschefte phlegen *brüderlich teilen.*

gesellinne *stf.* g. ze dem venster *pförtnerin, spez. im kloster.*

gesetze *stn.* daz alte unt niuwe g. *testament.*

gesetzet *part. adj.* be-sonnen, ruhig.

gesez *stn. stadt, burg.*

gesezzen *part. adj. dp.* benachbart; untertänig, hörig.

gesidele, -sedele *stn.* zu-schauertribüne.

gesîhen *stv.* = sîhen.

gesiht *stf.* **gesiht(e)** *stn.* zu gesihte *vor augen, vor aller augen;* die g. werfen ûf *blicke schweifen lassen über.*

gesîn *anv.* = sîn.

gesinde *stn. geschlecht, stamm;* g. sîn *zum hause, hofe gehören.*

gesingen *stv. in einem liede sagen.*

gesippe *adj. angestammt, natürlich.*

gesitzen *stv. abs. im sattel (sitzen) bleiben.*

geslahen *stv.* daz sper undern arm g. *(festklemmen).*

geslehte *stn.*[2] *gattung, sorte.*

gesliefen *stv. hinein-fließen (myst.).*

geslihte *stf. rechtlich-keit.*

gesloufen *swv.* = sloufen.

geslozze *stn. auch all-gem.: knochen.*

gesmie *stn. metall.*

gesmiegen *stv.* = smie-gen.

gesmuc *stm. putzsucht.*

gesnetze *stn.* = gesmet-ze.

gesoten *part. adj.* gebrâ-ten unt g.

gespan *stm. verlockung.*

gespan *stn. bergmänn. werkzeug.*

gespænec *adj. strittig.*

gespanst *stf. suggestio, eingebung.*

gespil(e)de *f. gespielin.*

gesprechen *stv. tr. ap.* sich *besprechen mit;* zu hilfe *rufen; intr.* ûf *ap.* anspruch *erheben auf;* an den lîp g. *dp. zum tode verurteilen.*

gespreide *stn. busch, ge-büsch, gesträuch.*

gestalten *swv.* gestalt(et) sîn *gestalt haben.*

gestân *stv. aufhören (dô* gestuont ir klage niemer mêre); g. *in geraten in; dp. gs. jmdm. für etw. gut stehen, bürgen;* g. vor *ds. sich retten vor; ez hierane* g. *lâzen sich damit zu-frieden geben, einverstan-den erklären; ds. zustim-men, beistimmen* (einer rede); ze staten g. *dp. zustatten kommen; ze rede* g. *gs. etw. bekennen, ein-gestehen.*

gestanden *part.adj.* g.-er muot *standhaftigkeit,stand-hafter charakter.*

gestarken *swv. intr. er-starken, convalescere.*

gestæten *swv. bestärken, rechtsgültig festmachen, rechtsgültig übertragen (z.b. morgengabe).*

gestecken *swv.* diu ougen g. an got *fest auf gott rich-ten (myst.).*

gesteigen *swv. steigern, erhöhen (abgaben); hin-ausschieben, verzögern.*

gesteinen *swv.* = steinen.

gestelle *stn. das aus-sehen.*

gesten *swv.*[1] *refl.* sich an wîsheit g. *sich der weis-heit begeben,* sich an liebe g. *in der liebe zurückhal-tend sein.*

gester *adv.* hiute lieber denne g. *lieber heute als morgen.*

gesternet *part. adj. mit sternen versehen (krone).*

gestetet *part. adj.* g. stern *fixstern.*

gestift *stfn. naturbe-schaffenheit; das anstiften;* altez g. *altes testament.*

gestirre *stn.* = gestirne.

gestirn(e)t *part. adj.* g. himel.

gestrandelen *swv.* wan-ken.

gestrange *adv. heftig.*

gestrenc *adj.* = ge-strenge.

gestrengecheit *stf. stren-ge, gewalt, enthaltsame le-bensweise.*

gestrengeclîche(n) *adv.* = strengelîche.

gestrichen *part. adj.* = gestreichet.

gestüele *stn.* g. des ober-sten gotes *(Maria).*

gestunge *stf. reue (com-punctio).*

gestungede *stf. intentio, andacht, hingabe.*

gesüen(d)e *stf. versöh-nung.*

gesüezet *part. adj.* = süeze.

gesûmen *swv. ap. war-ten lassen, hinhalten, hin-dern (auch mit gs. oder* an); *as. dp. vorenthalten, ver-weigern; refl. gs. aufgehal-ten, verhindert werden.*

gesunt *stm.* læzet mir got mîn(en) g. *bleibe ich am leben;* den g. nemen *dp. den todesstoß geben.*

gesuntheit *stf.gesundheit.*

gesuntmachunge *stf.hei-lung.*

gesuoch *stm. wucher.*

geswellen *swv. intr. ver-schmachten; trans. verwun-den* (sîn houbet er im geswalt).

geswîchen *stv.* daz müe-ze dir got g. *gott soll dich dafür strafen.*

geswîgen *stv. schweigen,
verstummen; g.* heizen *dp.
jmdm. gehör, stille ver-
schaffen; von, zu etw.
schweigen oder verschwei-
gen (mit gs. oder auch
trans.).*
geswîgen *swv. schweigen;
dp. jmd. ruhig anhören.*
geswindeclich *adj.schnell,
geschwind, kühn.*
geswinden *stv. unpers.
dp. bewußtlos werden;
subst. bewußtlosigkeit* (in
einem g. ligen).
geswistrîde *stn.* = ge-
swister.
gesworn *part. adj. dp.
(mit) jmdm. verlobt.*
getæne *stfn.* dîn trûrec
g. *deine angst, bedrückung.*
getasten *swv. anfassen,
befühlen.*
getât *stf. befinden.*
geteilet *part. adj.* g.
herze *zwiespältig.*
geteilte *stn. zugeteilte
aufgabe.*
getelîche *adv. in richtiger weise.*
getempfe *stn. dampf.*
getihte *stn. spez. vers-
dichtung; rechtsspruch;
trugbild.*
getihten *swv. auch: vorschreiben, ersinnen (recht).*
getiuret *part. adj. wert.*
getorste *stn. kühnheit.*
getragen *stv. verst.* tragen; *intr.:* der slac ge-
truoc „saß"; *trans.:* in die
werlt g. *zur welt bringen;*
in ein g. *as. vermitteln, zustande bringen;* den rât in
ein g., daz ... *gemeinsam
beschließen, übereinkom-
men; refl.: sich betragen,
verhalten; sich zutragen,
fügen;* (ob sich diu zît alsô
getrage, daz ... *es mit
sich bringt*).
getrahten *swv. bedenken, sinnen, erwägen.*

getranc *stn.* ein g. lîren
*ein rezept (einen heiltrank)
sagen.*
getreffen *stv. verst.* treffen; an einen g. jem. *(als
erbschaft) zufallen.*
getregede *stn. phraseol.*
vil wünneclich g. = wünne.
getriuwe *adj. fürsorglich, liebevoll.*
getriuwe *stn. vertrauen.*
getriuweclîche *adv.* =
getriuwelîche.
getriuwelich *adj.* g.-er
tôt *tod aus liebe.*
getriuwelîche(n) *adv. in
treuer, anständiger gesinnung* (sprechen); *treuher-
zig; ganz ehrlich.*
getrûwen *stn. das vertrauen.*
getugendet *part. adj.*
epitheton ornans.
getünche *stn. versammlung von kutten (für: kloster).*
getünge *stn. dung.*
getuoche *stn. leichentuch (Christi).*
getuon *anv.* = tuon; *dp.
auch jem. etwas ,tun'.*
geturst *auch stm.*
getürstecîîche *adv. verwegen, dreist.*
getwenge *adv. eingeengt.*
getwungenlîche *adv.* ein-
engend.
getzen *swv. nebenform
von* gatzen.
getzsal *stn. trost (des
vergessens); freude.*
ge-un- *in zahlreichen
bildungen kann* -un- *zwischen präfix und wurzel
treten. z. b.:*
ge-unreinen *swv. refl.*
verunreinigen, beflecken.
ge-unsinnen *swv. sich
geistig verirren.*
ge-unvrumen *swv. verhöhnen, beschimpfen.*
gevâhen *redv. wieder-
erlangen;* eine strâze g.

auf eine straße stoßen, geraten.
gevahse *stn. haar.*
geval *stmn.* nâch allem
ir g.-le *zu ihrer freien verfügung.*
gevælen *swv. sich irren*
(an).
gevallen *redv. von sachen: dp. vorkommen, be-
gegnen; zur verfügung stehen, vorbehalten sein; von
personen:* g. an *verfallen
auf, kommen auf, ermit-
teln;* vil gar daran g. *sich
ganz dem gedanken hin-
geben.*
gevallesam *adj. angemessen.*
gevalwen *swv. fahl werden.*
gevancnisse, -nüste *stfn.
auch bildl. für sündhaftigkeit.*
gevangen(e) *swm. der
gefangene* (sîn gesicherter
gevangen).
gevangenschaft *stf. gefangenschaft.*
gevanger *stm. gefangener.*
gevâren *swv. forschen,
rechnen, berechnen, su-
chen(?);* wie sol ich des g.
*wie soll ich das bewerkstel-
ligen.*
gevaterschaft *stf.* von g.
als pate, patin.
gevederet *part. adj.* vogel g. *gefiedert.*
gevelle *stn. unglück, abgrund; das „fällen" des
hirsches bei der jagd.*
gevelleclich *adj. schicklich, passend.*
gevelleclîche(n) *adv. auf
passende weise.*
gevelse *stn.* = vels.
gevelze *stn. eingelegte
arbeit.*
geverte *swm. begleiter
(z. b. einer dame, bei einem
aufzug); gefährte.*

geverte *stn. das verfahren; die erlebnisse.*

gevierecket *part. adj. viereckig.*

gevieret *part. adj. durchtrieben, verschlagen; vierschrötig.*

gevirren *swv. trans. fernhalten, entfernen; intr. fern sein, fehlen.*

gefloire *stn. kopfputz, blumenschmuck.*

geflôret *part. adj. geschmückt (epitheton ornans).*

gevlühtic *adj. =* vlühtec.

gevluote *stn. zu* vluot; *übertr. gewimmel, gewühl:* der nâtern g. „otterngezücht".

gevolgen *swv. gp. zustimmen; dp. gs. jmdm. etw. glauben;* der mirs g. wolde *glaubt mir nur!*

gevolgunge *stf. übereinstimmung.*

gevöllec, -lich *adj. vollständig.*

gevrâgen *swv. negiert, gs. nicht fragen nach, sich nicht kümmern um.*

gevratet, -vrat *part. adj. bescholten.*

gevregen *swv. fragen.*

gevremeden *swv.* von gote g. *abspenstig machen.*

gevriden *swv. trans. beschützen; intr. ruhe finden.*

gevruhten *swv. frucht bringen.*

gevüegen *swv. verschaffen; refl.* ze sich einstellen auf.

gevüere *stn.* ein g. sîn *dp. gs. jem. etw. einbringen.*

gevülle *stf. erfüllung.*

gevuocheit *stf. kunstgriff.*

gevuoclîche *adv. behutsam.*

gevuoge *adv. mäßig, behutsam.*

gevuoge *stf. anmut, liebreiz.*

gevuogen *swv. meistern, zu handhaben wissen, beherrschen (sprache).*

gewähenen *stv.* lachens g. *zu lachen wagen.*

gewahsen *stv. erwachsen werden, aufwachsen.*

gewahsen *part. adj. erwachsen, wol* g. *voll erwachsen.*

gewalt *stmf. heeresmacht; hohes amt (des papstes);* g. hân an *dp. macht haben über;* in sîne g. *gewinnen besitzer werden;* lâ mir daz ze g.-e erlaube mir; g. tuon *grausam sein.*

gewaltec *adj. subst. potestates, rang der engelhierarchie.*

gewalteclich *adj. gewaltig.*

gewaltecliche *adv. mit gewalt.*

gewaltigen *swv. intr. macht haben; herrschen.*

gewaltnisse *stf. gewaltanwendung.*

gewalzen *redv. von dp.* von jmdm. wegrollen *(rad der fortuna).*

gewanden *swv. kleiden.*

gewandeln *swv. den lîp* g. *sterben.*

gewandern *swv. wandern.*

gewant *part. adj. verwandt.*

gewant *stn. (als bezeichnung für:) reisegepäck.*

gewantbanc *stf. verkaufstische der tuchhändler(?).*

gewanthûs *stn. tuchhaus, gewandhaus.*

gewantkamer *stf. tuchmagazin(?).*

gewantloube *swf. verkaufsstand für tuche.*

gewantmeister *stm. auf-*

seher der kleiderkammer (in der sêle clôster sol demüetecheit g. sîn).

geware *adv. vorsichtig, trefflich, gut, edel, bedachtsam.*

gewære, -wâre *adj.* got der g. *der getreue gott.*

gewârec *adj. wahr.*

gewæren *swv. probare, als wahr erkennen.*

gewârhaften *swv. sichern.*

gewarheit *stf. vorsorglichkeit;* sich guote g. schaffen *für sich sorgen, vorsorge treffen;* nâch g. *ordnungsgemäß.*

gewærlîche *adv. in wahrheit, sicherlich.*

gewarsamkeit *stf. =* gewarheit.

gewegen *swv.³ trans. auf die waage legen; refl.* an sich mit dem gedanken an etw. vertraut machen; refl. gs. sich entschließen zu.

gewegenlich *adj. beweglich (myst.).*

geweide *stn.* weide(-land).

gewelbe *stn. schatzkammer.*

gewelle *stn. wind, sturm, procella.*

gewellen *swv. refl.* in as. *sich mischen mit.*

gewende *stn.* êrstez g. *anfang;* letztez g. *jüngster tag.*

gewende *stf.* g. nemen *umkehren.*

gewenden *swv. abwendig machen.*

gewenen *swv. refl.* ûf sich einstellen auf.

gewer, gewere *stf.¹* g. hân gewähr haben; g. hân an rechtsanspruch haben auf.

gewerdec *adj. würdig.*

gewerden *swv. gewähren.*

gewerf, gewerp *stm. anliegen.*

gewerlich *adj.* g.-e wege sichere wege.

gewerlîche *adv.* aufmerksam, behutsam, vorsichtig, sicher.

gewern *swv.*[2] *ap.* befriedigen.

gewerren *stv.* hin unde her g. durcheinanderschütteln, übertr. hin u. her bedenken, erwägen.

gewert *adj.* wert.

gewesche *stn.* g. nemen sich waschen.

gewîchen *stv. intr.* weichen, seinen platz verlassen; mit dat.: entweichen; ausweichen, zurückweichen vor (dp. oder vor); niht g. dp. immer gegenwärtig sein, nie verlassen: dem nie geweich diu wârheit.

gewidemen *swv.* übereignen.

gewideren *swv.* zurückbringen.

gewîhede *stf.* ordinatio; priesterweihe.

gewîhet *part. adj.* heilig.

gewîht *stf.* sacerdotium, priesteramt.

gewilde *adj.* wild.

gewin *stm.* auch *stn.* besitz, habe; preis, wert, einkünfte; ergebnis, resultat; fang, fund; ze g.-ne kêren auf zins legen; den g. lâzen auf triumph verzichten; heiles g. seelenheil.

gewinden *stv.* wickeln.

gewinne *swm.* gewinn.

gewinnec *adj.* gewinnsüchtig.

gewinnen *stv.* im prät. oft rein phraseol. für: haben, besitzen; daz lant zuo sich g. die herrschaft übernehmen; für sich g. *ap.* vor sich kommen lassen.

gewinner *stm.* gewinner, lucrator; als berufsname nicht ganz eindeutig (viel-

leicht auf pacht- oder dienstverhältnis beruhend); frühmhd. gewinnære vielleicht noch: „vorkämpfer".

gewinnunge *stf.* (mit gs.) adquisitio, das streben nach etw. (gegensatz zu vermeidunge); zuwachs (an ehre, neid).

gewis *adj.* g. sîn überzeugt sein; g. tuon gs. ap. jem. etw. zusichern, eine rechtskräftige zusicherung geben.

gewîsen *swv.*[1] *ap.* von ds. abbringen von.

gewisheit *stf.* wahrer glaube; g. tuon gs. dp. sich jem. durch sein wort verpflichten, etw. auf seinen eid nehmen.

gewispelen *swv.* subst. geheimnisvolles rauschen.

gewitern *swv.* gewittern (wie dâ was gewittert).

gewizzen *part. adj.* der sünden g. sîn gs. sich einer sünde bewußt sein.

gewizzende *part. adj.* bekannt, bewußt.

gewizzende, gewizzene *stf.* „das innere".

gewizzenheit *stf.* erfahrung.

gewürhte *stn.* anlage, begabung.

gewürken *swv.* hervorbringen, wirken, tugend g. üben; g. an acc. einwirken auf.

gewürze *stn.* gewürz.

gewurzen *swv.* wurzel schlagen, festwurzeln; auch übertr.: daz ir saelde dester baz muge g. ihr heil umso sicherer (befestigt) würde.

gezal *m.* schar, gruppe.

gezeigen *swv.* zeigen, vorweisen.

gezeln *swv.* g. ûz herausnehmen.

gezeltrîme *swm.* zeltspruch.

gezemen *stv.* erwünscht, willkommen sein; gefällig, willfährig sein; zustehen.

geziehen *stv.* sich hinziehen, ausdehnen; ausfallen.

gezieret *part. adj.* geziertiu wort aufgeputzt, geschraubt.

gezierlich *adj.* schön.

geziln *swv.* kint g. zeugen.

gezîte *adv.* deste gezîter umso rascher, so rasch wie möglich.

gezît-zal *stf.* zeitzählung, -ordnung, kalender.

geziuc *stm.* märtyrer.

geziuch *stm.* ze g. als zeugnis.

geziucnisse *stfn.* zeugenschaft; beispiel; diu wâre g. = diu wâre ê.

geziuge *stn.* werkzeug (des arztes, des fischers).

geziugen *swv.* (be)zeugen, erzeugen.

gezöumen *swv.* einfassen.

gezouwen *swv.* sich beeilen.

gezühtec *adj.* anständig, gesittet.

gezweiet *part. adj.* zwiespältig.

gezwinelîn *stn.* zwilling.

gezwîvalten *swv.* verdoppeln.

gibel *stm.* spitze.

gief *stm.* der starke ein g. schwächling.

giel *stm.* gefräßigkeit.

giez *stm.* wasserflut.

giezen *stv.* vom wasser auch: rauschen; ez giuzet es regnet.

gift *stf.* hœhste g. jüngstes gericht; verderben.

giftec *adj.* g. sîn geben, spenden.

giftecheit *stf.* giftigkeit.

gifteclich *adj.* giftig (unkrût, slange).

gîgelîn *stn. kleine geige.*

gigirsch *adj.* = girisch.

gigirschheit *stf. gier,*
habgier.

giht *stf. das jasagen.*

gihtigen *swv. g.* mit
kampfe *(eine aussage)*
durch gerichtl. zweikampf
erhärten.

gil, -les *stm. lärm, ge-*
schrei; heimelîchen sunder gil *unvermerkt.*

gil s. giel.

gîle *stf.* durch g. *wahr-*
haftig.

giljenvar *adj. lilienfar-*
ben.

ginnunge *stf. klaffender*
grund.

gippentuoch *stn. jak-*
kenstoff.

gir *stf. (vgl.* ger *stf.)* mit
guoter g. *mit gutem wil-*
len; diu ritterliche g. *der*
wunschtraum ein ritter zu
sein.

gîraffe *stf. giraffe.*

girden *swv. begierig sein,*
verlangen (nâch mordes
werc).

girheit *stf. begehrlich-*
keit.

girlande stf. *blumen-*
gewinde, kranz (kopf-
schmuck).

girse *swm. falkenart.*

gîseler *stm. geißler.*

gît *stm.* êren g. *ehrgeiz.*

gîteclîche *adv. gierig,*
habgierig.

gîtege *stf. geiz, habsucht.*

gîtlichen *adv. gierig.*

gîtslundec *adj. gierig*
schluckend.

giudeclîche *adv. ver-*
schwenderisch, prahlerisch.

giudenlich *adj. prahle-*
risch.

giuder *stm.verschwender.*

giudunge *stf. verschwen-*
dung, vergeudung.

gîz *stm. geiz.*

glanst *adj. glänzend.*

glanz *stm.* himlischer g.
erscheinung, sunder g.
ohne heuchelei.

glanzheit *stf. schönheit.*

glanzrîche *adj. glänzend;*
klar; auch übertr.: mit einem g.-n, liehten under-
scheide *etwa: (begabt mit)*
klarer erkenntnisgabe.

glaseschîbe *stf. glas-*
scheibe.

glasevaz *stn. glasgefäß.*

glaseväzzelîn *stn.demin.*

glasîn, -erîn *adj.* = glesîn, -erîn *(gläsern).*

glaslieht *stn.* = ampel
(ewige lampe).

glast *stm. blendender*
(d. h. störender) licht-
schein.

glasvar *adj. durchsich-*
tig.

glene *stswf. lanze.*

glenzezît *stfn. frühlings-*
zeit.

glesîn *adj. gläsern, zer-*
brechlich, unbeständig (diu
g. saelde, ggs.: diu staete
saelde); g. vingerlîn *(in-*
begriff der nichtigkeit).

glimmern *swv. glühen,*
leuchten.

glinstern *swv. glänzen,*
strahlen.

glinsterwîz *adj. glän-*
zend weiß.

gliten *stv. subst. der sturz.*

globede *stfn.* = gelübede.

gloc-hûs *stn. glocken-*
haus, glockenturm.

glockensnuor *stf. glok-*
kenseil.

glockenstranc *stm. dass.*

glockenturm *stm. glok-*
kenturm.

glohzen, glotzen *swv.*
flammend leuchten.

glorificieren *swv.* glori-
fizieret werden *des himm-*
lischen ruhmes teilhaftig
werden.

glôriôs *adj. ruhmvoll.*

glôriôslich *adj. dass.*

glosenzunder *stm. feuer-*
schwamm.

glüejen *swv. tr. auch*
faktitiv: zum glühen brin-
gen.

gluothert *stm. feuerherd.*

gnittern *swv. krachen.*

gogelmære *stn. ausge-*
lassene geschichte.

gogelrîche *adj. sehr aus-*
gelassen.

gol *stm. schlemmer, pras-*
ser.

golfe *swm. golf.*

golt *stn. goldener ring.*

goltgebirge *stn. (für den*
Kaukasus).

goltgewant *stn. gold-*
durchwirktes gewand.

goltrant *stm. (eines*
schildes).

goltreif *stm. goldreif.*

goltrîche *adj. reich an*
gold.

goltrinc *stn. (als kopf-*
schmuck); aureole.

goltsmidinne *stf. gold-*
schmiedin.

goltsnuor *stswf. (als gür-*
tel).

got *stm.* ein g. *der liebe*
gott; formeln: nâch g.-es
genâden *gottseidank;* gote
weiz! *oder* weiz got!; sô
dir got! *(beteuerung).*

gotelicheit *stf. göttlich-*
keit; religio.

gotelop *interj. gottlob!*

gotergebunge *stf. religio.*

gotesacker *stm. friedhof.*

gotesdienst *stm. gottes-*
dienst.

gotes-ê *stf. sakrament.*

gotesgâbe *stf. pfründe.*

goteshûs *stn.* = gothûs.

goteskaste *swm. opfer-*
stock.

goteskint *stn. christ.*

gotesreht *stn. sakrament.*

gotesrîche *stn. reich got-*
tes.

gotesritter *stm. ordens-*
ritter.

gotessun *stm. gottessohn.*
gotestrût *stf. (die seele).*
gotesvart *stf. kreuzzug.*
goteswec *stm. wallfahrt.*
goteswint *stm. hauch
gottes.*
goteswort *stn. wort got-
tes.*
goteswunne *stf. wonne
oder seligkeit in gott.*
gotformec *adj. göttlich-
keit besitzend (von Christi
leichnam).*
gotformecheit *stf. gott-
ebenbildlichkeit.*
gotgebildet *part. adj.
nach gott gebildet (g. mensche).*
gotgeformt *part. adj.
dass.*
got(e)leidec *adj. ver-
dammt, verworfen.*
got(e)leit *adj. gott widerwärtig; subst. (für sünder).*
gotlîche *stf. göttlichkeit.*
gotmeinunge *stf. liebe
zu gott.*
gotminnende *part. adj.
ein g. sêle (myst.).*
göubühel *stm. gauhügel.*
gouch *stm.* tumber g.
dummer junge, dummkopf.
gouchheit *stf. narrheit.*
gouclich *adj.* g.-e arbeit
narretei.
goukelærinne *stf. zau-
berin.*
goukelblic *stm. durch
zauberei hervorgebrachtes
bild.*
goukelheit *stf. betrug.*
goukelkappe *swstf.
gauklergewand (von einer
als verkleidung dienenden
mönchskutte).*
goukelkunst *stf. zaube-
rei.*
goukellist *stmf. dass.*
goukelmære *stn. lüge.*
goukelwîse *stf. gauke-
lei.*
goukelwort *stn. zauber-
formel.*

goume *stfm.* g. haben,
nemen, tuon *mit* gs. *oder*
umbe *sich befassen mit,*
achthaben *auf, wahrneh-
men;* mit g. *oder* sunder
g. *flickwendung.*
gouse *stf.* = goufe.
göutôre *swm. dummer
bauernjunge.*
gôz *stmn. schlußstein.*
grabe *swm. grab.*
graben *stv.* in daz herze
g. *einprägen.*
grach *stn. gras.*
gracken *swv. krächzen.*
grâdal *stn. meßgesang
(lat. graduale).*
grâgevar *adj. grau.*
gral *stm. lärm.*
gram *adj.* g. sin ds.
gefeit gegen.
gramatica *stf. gramma-
tik.*
gramaticus *stm. der sich
auf lesen und schreiben
und auf die latein. sprache
versteht;* dehein bezzer g.
kein tüchtigerer schüler,
,lateiner'.
gramelich *adj.* = greme-
lich.
gramerzîen *swv. dank
sagen.*
gran, grane *stswf. wim-
per.*
grânâtstein *stm. granat.*
grant *stm. zorn.*
gras *stn. wiese.*
grasgrüene *adj. grün wie
gras.*
gras(e)wec *stm.* an dem
g. varn *auf abwege geraten.*
grât[1] *stm.* über g. *übermäßig.*
grât[2] *stm.* tôdes g. *stachel des todes; abgrenzung;
dachfirst.*
grâve *auch stm.*
grævelîn *stn. kleiner
graf.*
grâzen *stn. wut, zorn,
schrei.*
grellecheit *stf.* groll, *zorn.*

grellen *stv. jaulen (von
hunden).*
gremelîche, gremlî-
che(n) *adv. erzürnt, grimmig, schrecklich; gramvoll.*
grienen *swv. toben, wü-
ten.*
griez *stmn. spez. staub,
in den sich der leib des menschen auflöst.*
grifeklâ *stf. greifenklaue.*
grîfen *stv.* vürbaz g. *in
der erzählung ,,ausgreifen,
ausholen".*
grîfengevidere *stn. grei-
fengefieder.*
grîfenvuoz *stm. greifen-
fuß.*
griffelvuoter *stn. griffel-
futteral.*
grimlichen *adv. grimmig.*
grimme *adv. (als ver-
stärkung:)* g. leit *ganz zuwider.*
grimmec *adj. grausam.*
grîsgevar *adj. grau
(haar).*
grisgrînen *stv.* = gris-
gramen.
grîtecheit *stf.* = gîte-
heit.
griteliche *adv. rittlings,
mit gespreizten beinen.*
gritelingen *adv. dass.*
griuselîche *stf. grauen.*
griuslîchen *adv. grausen
erregend.*
griuwelich *adj. grausam,
unerbittlich.*
griuwelîche(n), griu-
lîche *adv. schrecken erregend, grausig, grausam, unerbittlich.*
griuweliche *stf. wildheit.*
griuwelicheit, griulich-
eit *stf. dass.; grausigkeit.*
grop *adj. übermäßig.*
grosse *swm.? feige (lat.
grossus).*
grotzen *swv. rülpsen.*
grôz *adj. breit (fluß);
,,wunderbar"; subst.* die
grôzen *die mächtigen.*

grôze, grôzen *adv. groß-*
zügig, aufwendig; in großer
zahl.

grœze *stf. etw.* (rechen,
besem) *oder jmdn.* bî der
g. begrîfen *am kopfende,*
beim schopf packen.

grôzgemuot *adj. hoch-*
gesinnt.

grôzheit *stf. größe.*

grôzhêrre *swm. groß-*
vater.

grôzlich *adj. außer-*
ordentlich; g.-en sin haben
zuo *ds. besonders viel von*
etw. verstehen.

grôzlîche(n) *adv.* „gröb-
lich"; g. schînen *eindrucks-*
voll in erscheinung treten
(*Brunhilds* kraft).

grôzmüetec *adj. mutig,*
beherzt.

grôztürstec *adj. sehr*
kühn.

grôzwille *swm. starker*
wille.

grüebelîn *stn. grübchen.*

grüene *adj. unreif (vom*
korn).

grüen(e) *stn.* spenisch g.
grünspan.

grüengevar *adj. grün.*

grüenlîchen *adv. grün.*

grüenspeht *stm. grün-*
specht.

grüenunge *stf. das grü-*
nen oder das grüne laub.

grüezære *stm. begrüßer.*

grüezen *swv. begrüßen;*
zum reden bringen; ich wil
den künec g. *sprechen;*
mit guote g. *ap. sich um*
jem. kümmern, für ihn
sorgen; — subst.: gruß;
swachez g. *unfreundlich-*
keit.

grüezenlîche *adv. grü-*
ßend.

grummen *swv. subst.*
brummen, grollen, nörgeln.

grunt *stm. md. auch stf.*

gruntboum *stm. balken*
des brückenjochs.

gruntlîche *adv.* g. schaffen = gründen.

gruntvestigen *swv. grün-*
den.

gruntvestigunge *stf.* =
gruntveste.

gruobe *stswf. fallgrube,*
graben, grab.

gruonen *swv. sprießen.*

gruoz *stm. begrüßung,*
hôher g. *ehrenvolle,* schœ-
ner g. *freundliche,* swacher
g. *nicht geziemende begrü-*
ßung; engelisch g. *Ave*
Maria; ez bringen ze,
komen ze iemannes g. *von*
jem. begrüßt, aufgesucht
werden, ihn treffen; gotes
g. *gottes gnade (billigung,*
anerkennung); sô nâhet
iu der gotes g. *spricht*
gott aus euch; sîne grüeze
sein präludieren (auf einem
instrument).

grûs *stm.* veiger g.!
(scheltwort); manigen (harten, scharfen *o. ä.*) g. dulden böse worte.

grûsamheit *stf.* schrekken.

grûsamlîche *adv. auf*
schrecken erregende weise.

grüsch *stn. auch zur*
bezeichnung des geringen:
umb ein g.

grûsenlîche *adv. grausen*
erregend.

grütze *stf. grützbrei.*

grûwen *swv. auch sub-*
stantiviert.

gubernieren *swv. regie-*
ren.

güete *stf. auch: gunst der*
frau; vollkommenheit des
wesens.

güetegen *swv. begütigen.*

güeten *swv. begütigen,*
beschwichtigen.

güffen *swv. refl. sich rüh-*
men.

guft *stfm.* bestreben,
wunsch; durch g. *oft nur*
flickwendung.

guld(e)locht *adj. goldig.*

gülte *swm. schuldner.*

gumpelære *stm. etwa:*
lockerer vogel.

gumpelvuore *stf.* =
gampelvuore.

gumpelwîse *stf. ausge-*
lassenes treiben.

gunnen *anv. schenken;*
vil leides g. „bescheren".

gunseln *swv. winseln.*

gunst *stfm. vorteil.*

günsteclich *adj. wohl-*
wollend.

guome *swstm. kehle, ra-*
chen.

guot *adj. (für viele be-*
deutungen): „soziale grundlage auch des ethischen"
(Trier); wertvoll (vom waf-
fenrock); g.-e liute *auch:*
die gutgesinnten und wohl-
wollenden; mit g.-en siten
in aller form; g.-en teil
haben gerechten anteil; g.
gelücke *gnade des schick-*
sals; g.-e sinne hân *sich*
richtig überlegen; z'eben-
mâzene g. *zum vergleich*
geeignet; vür g. nemen
freundlich aufnehmen.
subst. pl. penates.

guot *stn.* varndiu g. *be-*
wegliche habe, güter, übertr.: glücksgüter; daz hœhste (oberste) g. *summum*
bonum; lûter g. *(von gott,*
myst.); genâde unde g.
hilfsbereitschaft; ze g.-e gedenken *dankbar sein.*

guotelach, -lech *stn.*
coll. zu guot
stn.

guoten *swv. wohltun.*

guotherzecheit *stf. gut-*
herzigkeit.

guotkeller *stm. vorrats-*
keller.

guotlich *adj. alem. ne-*
benform guonlich; *freund-*
schaftlich; passend.

guotlîche *adv. liebevoll;*
beglückend.

guotlîchen *swv. auch:*
güenlichen *(alem.); refl.*
sich rühmen.

guotlich(k)eit *stf. güte.*

guotnisse *stf. güte.*

guotwillekeit *stf. benevo-*
lentia, gewogenheit, milde.

gürtelære *stm. gürtler.*

gürten *swv. auch öfter*
bildl.: sich mit tugenden
g. *sich stark machen.*

güsse *stf. überfluß.*

gützen *swv. vergießen;*
speien, sich erbrechen.

H

habe *stf. substantia;*
preis, wert; bî h. sîn *in gu-*
ten lebensumständen sein.

habech *stm. md. kurz-*
form hock.

habechschelle *swf. ein*
den abgerichteten habicht
schmückendes glöckchen.

haben, hân *swv.* I. *trans.*
1. *halten, festhalten, be-*
haupten; 2. *haben, be-*
sitzen, empfangen (z. b.
minne, rât); *erringen (z. b.*
êre, prîs); *etw. davontra-*
gen; mit ap. verheiratet
sein mit jem.; haben soln
as. *brauchen, benötigen;*
3. *häufige verbindungen:*
a) *mit subst.:* ende h.;
namen h. *führen;* reht h.;
danc h. *verdanken;* goume
h. *wahrnehmen;* künde h.
erfahren; pflihte h. *teil-*
haben; sicherheit h. *unter-*
werfung annehmen; ich
hân zît *es ist die höchste*
zeit; b) *mit adj. oder adv.:*
liep h. *lieb haben;* wert h.;
smæhe, unmære h. *ver-*
abscheuen; veile h. *feil-*
bieten; hæle h. *verheim-*
lichen; gewis h. *für sicher*
nehmen, halten; baz h.

auch: behandeln; daz man
mich sinnelôsen hât *für*
unverständig hält. c) *mit*
präp.: h. an *(etw.)* ein-
wenden gegen, entgegen-
halten; daz hab ûf mir
darin verlaß dich auf mich;
habt ez ze mir *haltet euch*
an mich; − *überwiegend*
mit vür *oder* ze: haben, an-
sehen als, halten *für:* vür
einen man, einen zagen,
vür spil, lîhtiu dinc, êre,
lüge, schande; ez dâ vür
haben *fest überzeugt sein;*
ze got, ze hêrren, zeinem
lügenære, ze trôste, ze
nîde *(sich ärgern). mit*
gerundiv: etewaz ze ge-
bene, sagene, klagene h.
d) *unpers.* mich hât gâch =
mir ist gâch; mich hât
wunder *ich möchte gern*
wissen, es interessiert mich
(selten: mich wundert). e)
daz habe dir ,habeas'.
II. *intr.* halten, aufenthalt,
stellung nehmen, stehen;
stille h. *halt machen;* habe
vür hin eile!; habe ûf mich
rechne auf mich, glaube mir.
III. *refl.* sich verhalten, be-
tragen; sich halten, festhalten an (ane, ûf); *sich*
beugen (über).

habeniht *stm. habe-*
nichts.

habenisse *stn. tenacu-*
lum, halter.

haberacker *stm. hafer-*
feld.

haberaugust *stm. juli.*

haberbrie *stm. haferbrei.*

haberjœl, habriol *stn.*
teil der ritterrüstung (wohl
aus frz. halbergeon).

haberkorn *stn.* vür ein h.
für ein nichts.

habermâne *stm. juli.*

habermel *stn. hafermehl,*
-brei.

haberoust, -ougest *stm.*
juli; auch für september.

haberstrô *stn. haferstroh.*

habît(e) *stn. kleid, ge-*
wohnheit; s.: abît.

habunge *stf. haltung.*

hachelwerc *stn. außen-*
werk der festung.

haderspil *stn. streit, rau-*
ferei.

haderunge *stf.* zank, streit.

hafer(e) *swstm.* = habere, haber.

haft *stm. anhalt;* niht
ein kleiner h. *kein geringer*
halt; hebel.

haftec *adj. beharrlich,*
stark.

haftunge *stf. (myst. vom*
haften der seele an gott).

hage *stf.* zeiner h. *zur*
stärkung, zum trost.

hagel *stm. bildl.:* h. an
rîterschaft *sturmwetter im*
kampf.

hagen *stm.*[1] *dichtes ge-*
hölz zur befestigung.

hâkenspiez *stm. spieß*
mit widerhaken.

halbenteil *adv. zur hälfte.*

halbes *adv. halb.*

hæle *stf. heimlichkeit.*

hælinc *stm. heimliches*
wegschleichen (zuo dp.).

halm *stm.* den h. durch
den munt ziehen *schmei-*
cheln, betrügen; den h. vor
ziehen *dp. (wie einer katze)*
jem. foppen, übervorteilen).

halmel *stn.* daz h. vor
ziehen *dp. jem. foppen,*
übers ohr hauen.

halpgrâ *adj.* h.-wer man
(gegens. zu kint).

halphêrre *swm. un-*
ebenbürtiger sohn eines
geistlichen od. ritters.

halpkraft *stf. halbe kraft.*

halpnacket *adj. halb-*
nackt.

hals *stm.* schilt ze h.-e
nemen *sich den ritterstand*
anmaßen.

halsblech *stn. teil der*
rüstung.

hâlscharlich *adj. heimtückisch, hinterlistig.*

halsen *auch swv.*

halsgezierde, halszierde *stf. halsschmuck.*

halshâr *stn. nackenhaar.*

halskrage *swm. teil der rüstung.*

halsslac *stm. ritterschlag.*

halssnuor *stf. halsschnur,* **-kette.**

halsunge *stf. umarmung.*

halsvahs *stn.* = halshâr.

halswide *stf. strang zum hängen.*

halt *adv. etwa, wohl.*

haltec *adj. haltend, festhaltend.*

halten *redv. aufbewahren, beherbergen, aufnehmen; beobachten;* den strît h. *die oberhand im kampfe haben;* meisterschaft h. sîme lîbe *herr sein über sich;* daz rîch h. *beherrschen; feiertage, gesetze, capitel, regeln (ein)-halten, heilig halten;* orden h.; h. ap. ze jem. zu etw. *anhalten;* got halt iuch! *gott schütze euch!* — *subst.: sparsamkeit.*

haltnusse *stf. halt.*

hâltürlîn *stn. verborgenes pförtlein.*

hamersmit *stm. schmied in einem hammerwerk; übertr.* mîner sinnen h.

hamerunge *stf. das hämmern, schmieden.*

handeln *swv. verkaufen; subst. handlung, auch rein phraseol.*

handelôs *adj. ohne hand, hände.*

hanenstein *stm. im hahnenmagen gefundener edelstein.*

hanerei(e) *swm. hahnrei.*

hanfsâme *swm. hanfsamen.*

hanfswinge *swf. hanfschwinge (gerät).*

hanse *stf. handelsabgabe, handelsrecht.*

hant *stf. in festen verbindungen: (mit einem adj.):* bezzer h. *rechte hand;* bluotige h. *henker;* lebende h. *person, die eigentum veräußert;* mit ûfgehapter h. *mit einem eid;* ûz voller h. (geben) *reichlich;* mit kreftiger h. (rîten) *mit starker heeresmacht; (mit einem verb):* die (sîne) hende valten dp. jem. *huldigen, ihm danken, für ihn beten;* hende winden *ausdruck des schmerzes, der reue; (mit einer präp.):* an die h. geloben *mit handschlag;* bî der h. geben ap. dp. *in* jem.s gewalt geben; in h. gân *in gefangenschaft geraten;* mit henden unde vüezen; under handen in jem.s gewalt, mitten unter; vor handen hân sich beschäftigen mit; vür die h. nemen as. zu (be)arbeiten anfangen; hant wider hende mann gegen mann; ze getriuwen henden; ze handen nemen ap. od. as. sich vornehmen, zuwenden, widmen; sich ze handen nemen sich vereinigen; ze handen komen dp. zuteil werden, begegnen; ze h. wesen zur stelle, anwesend sein; ze (eines) handen stân jem. untertan sein; ze sînen handen haben aufzuweisen haben; zer ergeren h. reizen zum schlimmen treiben; allez zeiner h. gân lâzen, kêren nicht mehr unterscheiden, alles in allem nehmen; — welher hande welches geschlechts; jur. übergabe; als maßbegriff: eine handvoll.

hantgemahelschaft *stf.*

der handschlag als versprechen.

hantgetriuwe *swm. testamentsvollstrecker.*

hantreichunge *stf. hilfeleistung.*

hanttuoch *stn. handtuch.*

hantveste *stf. schuldurkunde.*

hantvollecht *adj. handvoll.*

hantwerkec *adj. hantwerkige liute handwerker.*

hantwerkkneht *stm. gehilfe.*

hâr *stn.* eines h.-es breit *nur ein bißchen;* solher h. *von solcher art.*

hære *swf. haardecke aus kilikischem ziegenhaar.*

hârlachen *stn. härenes tuch.*

harmmantel *stm. hermelinmantel.*

harmsal *stn. missetat.*

harmval *adj. weiß wie hermelin (?).*

harmvel *stn. hermelinfell.*

harmwîz *adj.* = harmblanc, *weiß wie ein hermelin.*

harnas *stnm. raum für die rüstung, rüstkammer.*

harnaschkneht *stm. geharnischter knecht.*

harnaschmeister *stm. zeugmeister.*

harnaschrâmec *adj. von harnaschrâm beschmutzt.*

harnaschrinc *stm. panzerring.*

harnaschroc *stm. rock, der über den harnisch gezogen wird.*

harnscharlich *adj.* h. vâr *beschwerliche nachstellung.*

harpfenklanc *stm. harfenklang.*

harpfenseite *stf. harfensaite.*

harpfenspil *stn. harfenspiel; harfe.*

harrunge *stf. das ver-langen; das beharren.*

hârschopf *stm. haar-schopf.*

harte *adv.* sam h. sô *kaum daß.*

hartebî *adv. nahebei.*

harteclîche *adv.* = her-teclîche.

harteleben *stn. bußleben.*

hartheit *stf. härte.*

hase *swm.* eines h.-n ge-nôz *ein hasenfuß.*

hasel *stswf. haselwurz.*

haselbluome *swmf.hasel-blume.*

haselhuon *stn. hasel-huhn.*

hasenswanz *stm.* h. sen-den *(einem feigen).*

havenschirbe *swm. ton-scherbe (topfscherbe).*

havenslec, -slecke *stswm. topfgucker, topfauslecker (als schimpfwort).*

havenziegel *stm. dach-ziegel* (hûs bedaht von rôten h.-n).

haz *stm. verfolgung, vor-wurf, tadel;* spot unde h. dulden *unwillen und ver-achtung;* h. tragen *dp. schlecht zu sprechen sein auf jem.;* âne h. lâzen a*s. sich gefallen lassen, hinnehmen.*

hazlich, hezzelich *adj. tückisch, schlimm (schwert-schlag);* der h.-e vluoch *die gottesstrafe.*

hazliche, hezzeliche(n) *adv. feindselig, haßerfüllt, gehässig, zornig, böse, er-grimmt; lästerlich.*

hazzærinne *stf. des has-sers weib.*

hebede *stf. gabe.*

hebelbrôt *stn. gesäuertes brot.*

heben *stv. mit* haben ver-mischt; *refl. hervorquellen (vom blut).*

hecke *swm. übertr.: stich des herzens.*

hecken *swv.*[1] *zwischen.*

hecken *swv.*[2] *ausbrüten.*

heckunge *stf. stich, biß; nachkommenschaft.*

hederich *stm. hederich.*

hefelen *swv. säuern,* ge-hefelt brôt.

heften *swv.* h. ûf *sich verlassen auf.*

hegeln *swv. schichten.*

heiden *stm.*[1] übel h. *teufel.*

heidenher *stn. heiden-, sarazenenheer.*

heidenlant *stn. heiden-land (z. b. Ägypten).*

heil *stn. schicksal; vor-teil, privilegium; ewiges heil, seligkeit.*

heilære *stm.* ein h. der sêle wunden *(vom papst).*

heile *stf. rettung aus der hölle.*

heilec *adj.* heilige tage = gebundene tage *(s.* tac).

heilecheit *stf. wunder, heiliges geheimnis, göttlich-keit.*

heilecmachunge *stf.* hei-ligung.

heilectuom *stn. mon-stranz.*

heilîche *stf. günstige ge-legenheit;* h. suochen.

heiligunge *stf. heilig-keit.*

heilsalbe *swf.* h. der sêle *(von Christi blut).*

heilsamliche(n) *adv.heil-sam, gesund.*

heilschouwunge *stf. weissagung.*

heilunge *stf. heilung, heilbehandlung.*

heilvüerec *adj. heilsam, heilbringend, wohltätig* (heilvuoriger regen).

heime *adv.* dâ heime *zu hause.*

heimelich *adj. ungestört;* h. sîn *dp. freien zugang haben zu jem.*

heimelîche *adv. unge-stört.*

heimelîche *stf.* ze sîner h. gewinnen *ap. ins vertrauen ziehen;* h. hân *wohnen.*

heimelîcheit *stf.* = hei-melîchkeit.

heimelîchen *swv. refl. sich häuslich niederlassen.*

heimetze, heimtze *sw. subst. ein getreidemaß.*

heimgevert(e) *stn. heim-fahrt.*

heimholde *swmf. haus-genosse, -genossin.*

heim-île *stf. heimreise.*

heimladunge *stf.* gotes h. *heimrufung zu gott.*

heimlichære *stm. heim-lichtuer, schmeichler.*

heisen *swv. heiser sein.*

heiterlîche(n) *adv. hei-ter;* h. stân *(vom himmel); klar, deutlich,* h. gesehen *deutlich sehen, sehvermögen erlangen.*

heitrîn *stf.* = heitere.

heiz *adj. warm;* mir ist h. *ich bin begierig.*

heizen *redv. bedeuten; ap. anweisen;* liegen h. *ap. der lüge zeihen, lügen strafen.*

heizlich *adj. hitzig.*

heizmüetec *adj. heftig od. leidenschaftlich auf-brausend.*

heizmüetecheit *stf. jäh-zorn.*

heizmuot *stm. auch: (todes)not.*

hel *stm. stimme.*

helde *swstf.* = halde.

helfe *stf.* ze h. komen *dp. (mit sachl. subj.) zu-statten kommen.*

helfen *stv. dp.: verhelfen zu, mit gs. präp. oder abh. satz; abhalten von (gegen).*

hellebodem *stm. höllen-grund.*

hellegrîfe *swm. höllen-hund (teufel).*

hellegruobe *stf. höllen-abgrund* (allernideroste h.; in die h. varn).

hellehaft *stf. höllen-fessel, gefangenschaft.*

hellekarkære *stm. kerker der hölle.*

hellekraft *stf. höllen-gewalt, -macht.*

hellekrücke *swf. schimpf-wort.*

helletür *stf. höllentor.*

hellevreise *stf. höllen-verderbnis.*

hellevreiserinne *stf. zer-störerin der hölle (von Maria).*

hellevürste *swm. von Lu-zifer.*

hellen *swv.[2] verdammen.*

hellen *swv.[4] bekannt ma-chen, preisen; refl. sich be-merkbar machen.*

helm *stm.* under h.-e gân *gewaffnet.*

helmackes, helmaxt *stf. stielaxt.*

heln *stv. refl. sich zu-rückhalten, vorsicht üben.*

hemeide *stswf. hinder-nis.*

hemde *stn. untergewand.*

hemischeit *stf.* in h. *mit gespielter freundlichkeit.*

hemischlîchen *adv. auf boshafte, heimtückische weise.*

hendeblôz *adj. ganz arm; mit leeren händen.*

hengen *swv.* klage h. über *anklage veranlassen, erheben gegen.*

hengunge *stf. spez. frei-willige hingabe an das böse (permissio).*

henkerinne *stf. henke-rin.*

her *stn. heerlager;* mit lîbes her *aus leibeskräften;* nôtec h. *menschen in be-drängnis.*

her *adv.* her und dar, alem. har und dar *hierhin*

und dorthin, hin und her, hie und da, überall. als verstärkendes adv. vor zahl-reichen verbalen komposi-tis: -bî, -durch, -nider, -über, -ûf, -ûz, -vür, -wider, -zuo.

hêr *adj. kühn.*

herberge *stswf.* h. nemen *quartier machen.*

herb(e)sten *swv. wein lesen.*

herbestzit *stf. herbst.*

her(e)horn *stn. posaune des jüngsten gerichts.*

herîn *adv. verbale kom-posita* mit herîn (-gelangen, -gelâzen, -getreten, -kap-fen, -kêren, komen, -leiten, -luogen, -rüefen, -sehen, -setzen, -slahen, -vallen, -werfen, -ziehen) *sind in der myst. sprache Taulers sehr häufig.*

hern *swv. schmälern.*

hernâch *adv. in zukunft, von jetzt ab.*

hêrre *swm. schirmherr gegen unrecht; adliger; ge-mahl;* unser h. *Christus;* unsern h.-n emphân *das heilige abendmahl emp-fangen.*

hêrschaft *stf.* übervlüz-zege h. üeben *freigebigkeit üben;* diu Etzelen h. *die würde von Etzels namen;* die vil edele h. *die gottes-holden.*

hêrschaftsam *adj. mäch-tig, gewaltig.*

hêrschunge *stf. herr-schaft, herrschen.*

hêrsedel, hêrsidel *stn.* = hêrstuol.

herstiure *stf. hilfe für ausrüstung, kriegssteuer.*

hêrtac *stm. pl. feiertage.*

herte *adj. tapfer, streng.*

herte *stf. tapferkeit;* h. des lîbes *verstopfung.*

hertecheit *stf. strenge, hartherzigkeit.*

hêrtuom *stnm. reliquie.*

herunder *adv. inzwi-schen.*

herwecheit *stf. schärfe.*

herze *swn. gelegentl. stn.* h. unde kraft *die seelische u. körperliche kraft, wider-standskraft;* wîsez h. *(als gabe des dichters);* an daz h. gân *zu herzen gehen;* sînes h.-n sinne abe komen *seinen verstand verlieren;* in sîn h. lesen *as. sich vor-stellen, ausmalen, ,nach-vollziehen';* von ir h.-n aus freiem willen.*

herzeblic *stm. mit tiefen* herzeblicken *beten.*

herzebrecher *stm. (vom Rheinländer).*

herzegunst *stf. freund-lichkeit.*

herzekünic *stm. (als an-rede).*

herzeleide *stf. auch:* heimweh.

herze(n)lich *adj. be-herzt, herzhaft.*

herzeliep *stn.* zwei h. *zwei liebende.*

herzelôs *adj. verstört, verängstigt; geistlos, seelen-los.*

herzenreine *adj. reines herzens.*

herzenschœne *adj.* h. degenkint *edle knaben.*

herzeschric *stm. tiefe besorgnis.*

herzevriuntschaft *stf. herzliche freundschaft.*

herzevrouwelîn *stn. dem.* zu herzevrouwe.

heschen *swv. nach atem ringen.*

hetze *stf. elster.*

hetzengeil *adj. ausge-lassen.*

hewe *swf. splitter.*

hie-ûf *adv. mit, in bezug darauf.*

hie-umbe *adv. darum.*

hie-vor *adv. davor.*

himel *stm. verstärkungs-element in zusammenset-zungen.*
himelahse *stf. himmels-oder weltachse.*
himelbluome *swmf. (von Maria).*
himelisch *adj. h.-e krône.*
himelkörper *stm.pl. planeten.*
himellouf *stm. motus im astron. sinne.*
himelsnuor *stf. breiten-grad.*
himelsphêre *f. konstel-lation der gestirne.*
himelstec *stm. enger weg zum himmel.*
himelsterne *swm. stern.*
himelstîge *swf. weg zum himmel.*
himelstîgunge *stf. him-melfahrt.*
himelsunne *stswf. (für Christus).*
himelwîz *adj. h.-e schar engel.*
himelzelt *stn. himmels-zelt.*
hin *adv. h. unde her; sus h. hinfort.*
bei verben:
-brechen *stv. zusammen-stürzen; refl. sich hin-wenden.*
-gân *redv. trans.: h. lâ-zen verzichten auf, nicht beachten; intr.: vergehen (von zeitabschnitten); dp. verloren gehen, entgehen; ez engienc sô niht hin ... es blieb nicht aus ..., war un-vermeidlich; absol.: h. lâ-zen laufen, rennen, vor-wärtsstürzen; auch ellipt.: das pferd antreiben.*
-geben *stv. veräußern (jur.), preisgeben, verraten.*
-giezen *stv. intr. triefen.*
-helfen *stv. weiterhelfen.*
-komen *stv. fort-, durch-kommen.*

hin-lâzen *redv. vermie-ten, verleihen.*
-legen *swv. beilegen (jur.); absehen von; er-ledigen, bereinigen; zwîvel h. aufgeben; auch syn. mit verstôzen.*
-rûmen *swv. intr. ver-gehen.*
-schieben *stv. ap. einem vorschub leisten.*
-sîgen *stv. triefen, flie-ßen.*
-tragen *stv. refl. sich begeben.*
-tuon *anv. beenden; überwinden, absetzen.*
-vallen *redv. umfallen; h. gegen dp. jem. zu füßen fallen.*
-varn *stv. verscheiden.*
-volgen *swv. ds. kämp-fen um, verfolgen.*
-warten *swv. ds. entge-gensehen, voraussehen.*
-werfen *stv. wegwerfen, ablegen; abwerfen (geweih).*
-ziehen *stv. verscheiden daz herze h. anziehen, an-locken.*
-zücken *swv. fortreißen.*
hinabe *adv. hinab.*
hinbaz *adv. hinweg.*
hindanne *adv. abseits.*
hindenân *adv. zurück.*
hindennâch *adv. nach-her.*
hinder *präp. auch: unter (inter).*
hinderganc *stm. rückbe-wegung (von sternen).*
hindergêer *stm. rück-wärtsläufer (von sternen).*
hindergesæze *stn. das hintenaufsitzen.*
hinderkomen *stv. trans. überkommen, überwältigen.*
hinderunge *stf. hemmnis.*
hinderwertec, **-lîchen** *adv. von hinten.*
hinderwerten *adv. von hinten.*
hinevart *stf. untergang.*

hinvür *adv. voran.*
hinvürdec *adv. in zu-kunft.*
hinwesunge *stf. abwe-senheit.*
hirne *stn. schädel.*
hirres *stm. = hirz.*
hirse *stswf. hirse.*
hirtenhûs *stn. hirten-hütte.*
hirtenphat *stm. hirten-pfad.*
hirzgewîge *stn. hirsch-geweih.*
hirzîn *adj. von hirsch-leder.*
hitze *swf. fieber, flamme.*
hitzelîche(n) *adv. mit feuer, eifer.*
hiune *swm. gewahsen als ein h. hühnenhaft, statt-lich.*
hiuselîn *stn. armez h. ärmliche kate.*
hiute, hiuten *adv. auch kurzform hie; als h. heute vor ... jahren (am jahres-tag eines vergangenen er-eignisses gesagt).*
hiutestages *adv. noch jetzt, heutzutage.*
hiuze *adj. arg.*
hiuzen *swv.[2] wetteifern.*
hôch *adj. h. und nider hoch und niedrig, arm und reich; hôhiu vart fahrt mit hohem ziel; hôher gruoz ehrenvoller empfang; hôhe vürche tiefe furchen. sehr häufig als bloße verstär-kung in meist übertragener bedeutung.*
hôcherwelt *part. adj. (vom kaiser).*
hôchgebære *adj. vor-nehm.*
hôchgebirge *stn. hoch-gebirge.*
hôchgesalbet *adj. (von Christus).*
hôchgescheft *stfn. schwierige aufgaben.*
hôchgetât *stf. großtat.*

hôchgetriben *part. adj.*
ein sabbat h. *hoher feiertag.*
hôchgewin *stm. höchstes ziel; höchster preis.*
hôchgewirdet *part. adj. hochgeehrt.*
hôchgezalt *part. adj. angesehen.*
hôchgezelt *stn. vornehmes, prächtiges zelt.*
hôchgezît *stfn.* vröuden h. *höchstes glück.*
hôchgezîtlich *adj. festlich.*
hôchgezîtlîche(n) *adv. dass.*
hôchgülte *stf. kostspieligkeit.*
hôchheilec *adj. (von der dreifaltigkeit).*
hôchlîche(n) *adv. auf höchste weise.*
hôchmittac *stm. hohe mittagszeit.*
hôchmüeteclîche *adv. hochgemut, stolz; hochmütig, arrogant.*
hôchvertec *adj. gewaltsam.*
hôchwert *adj. hoch angesehen.*
hôchwirdecheit *stf.* die h. der beschouwung *altitudo contemplationis; majestät (anrede).*
hof *stm.* ze hove erloubet sîn *dp. vor den herrscher treten dürfen;* ze hove gân *am hofe erscheinen;* honneurs machen; *deist niht dâ her von hove getân das war unhöflich.*
hoffenunge *stf. zuversicht, vertrauen.*
hôhe *adv.* h. stân *ap. teuer zu stehen kommen;* gemüete h. tragen *kopf hoch tragen; komp.:* hôher baz *in einiger entfernung;* (ûf) hôher stân *zurück-, beiseitetreten;* (ûf) hôher wîchen *zurückweichen, sich zurückziehen.*

hœhe *stf.* der h. gern nach einem hohen ziel greifen.
hœheleht *adv. erweiterte bildung zu* hôch, *alem.*
hœhen *swv. steigern (ir* lop h. *sie noch höher preisen); aufrichten (*hœhe im sîn gemüete!*); stolz machen (*mich hœhet, daz . . . ich bin stolz darauf); sîn leben h. sich hervortun.
hoi, hoy *interj.*
holn *swv.[1]* âventiure h. bestehen.
holt *adj.* h. sîn *dp. jem.s freund, jem. ergeben sein.*
holtlich *adj. liebevoll.*
holzackes *stf. axt.*
holzdorn *stm. stachel.*
holzheit *stf. holzsubstanz.*
hône *adv.* zu hœne; h. sprechen und gedenken.
honec-krâten *swmf. gebäck aus honig.*
honec-kuochelîn *stn. honigkuchen.*
honecregen *stm. (vom himmel).*
honectrân *stm. honigtropfen, wabenhonig.*
hônheit *stf. verspottung.*
horaspehen *swv. sterne beobachten.*
hœren *swv. dp. jem. (genau) zuhören;* h. lân *öffentlich bekennen, zu seiner behauptung stehen;* h. ûf *ap. jem. gehören, gebühren; dâ vür oder dâ wider hœret dehein list dagegen hilft keine kunst.*
horn *stn. hornhaut.*
horngebläse *stn.* h. und busûnen *(der engel).*
hornvel *stn. hornhaut (einer riesin).*
hortelære *stm.* = hortære.
horvaz *stn. schmutzfaß.*
houbet *stn.* über h. *ganz und gar, bestimmt;*

über h. gewinnen *im sturm nehmen; hauptstadt.*
houbetküssen *stn. kopfkissen.*
houbetlene *stf. lagerstatt; stelle, wo man das haupt bettet; übertr. von* Maria *als hauptstütze der trinität.*
houbetlist *stm. das wesentliche einer sache.*
houbetman *stm.* h. der wâren zuht *vorbild.*
houbetpîn *stm. hölle.*
houbetswîn *stn. großes wildschwein.*
houbetvürste *swm. stammesfürst.*
houbetwegen *stn.* âne h. gân *ohne sich umzusehen.*
höubluome *stm. wiesenblume.*
höurecher *stm. der heu zusammenharkt.*
hovedinc *stn. gericht am hof.*
hovejuncvrouwe *swf. hoffräulein.*
hovelecheit *stf. höflichkeit.*
hovelen *swv. den hof machen.*
hovelîche *adv.* daz kunde er h. *das verstand er ausgezeichnet.*
hovemeisterinne *stf. erzieherin.*
hövesch *adj. liebenswürdig; fein; höfschiu! (anrede) teure! liebe!,* dîn h.-er vater *dein herr vater;* der h.-e lügenære *der elegante flunkerer.*
höveschheit *stf. freundlichkeit, liebenswürdigkeit; großmut; spez.: höfische liebesaffären.*
höveschlîche *adv. höflich, freundlich.*
hovieren *swv. einherstolzieren.*
hübesche *stswf. buhlerin, buhlverhältnis.*

hüeten *swv. verhüten;*
(gp.:) schutz gewähren; vor
der welt verbergen (eine
frau, durch huote); *iron.:*
mit nîde h. *aufs korn neh-*
men.

hûfe *swm.* (in) den h.-n
brechen *die feindliche*
schar sprengen.

hûfen *swv. refl. sich häu-*
fen; zusammenkommen;
auch übertr.: sich ver-
mehren.

hügel *stm. hügel.*

hui *interj.* (hui, wie
schutten sie die sper!);
auch subst.

hulde *stf. gehorsam;*
h. swern *(vom könig gegen-*
über dem land); h. tuon
dp. (einem herrscher) hul-
digen; ûz ir h.-n komen
ihrer gunst unwürdig wer-
den.

hüle *stf., auch sw. spez.:*
gebirgskluft.

hülse *swf. decke, schleier.*

hülwec *adj. sumpfig.*

hülwen *adj. sumpfig.*

hundetrîber *stm. treiber.*

hungermælec *adj. vom*
hunger gezeichnet.

hungersnôt *stf.* = hun-
gernôt.

hungervar *adj. hungrig.*

huntvliege *stf. hunds-*
fliege, cynomia.

huobe *stswf. acker.*

huofslac *stm.* stîc âne h.
fußweg.

huorærinne *stf. buhlerin*
(von Venus).

huorensun *stm.(schimpf-*
wort).

huote *stf. schutz, hüte-*
platz, talisman; h. hân *sich*
in acht nehmen; auch von
der fesselung, bindung
durch die liebe.

hürde *swf.* = hurt; *schei-*
terhaufen.

hurgen *swv.* = horgen;
schmutzig machen.

hurten *swv. angreifen.*

hurtlich *adj.* = hurtec-
lich.

hûs *stm.* der diutschen
h. *deutschorden;* h. haben
wohnen; ze h.-e ziehen
einzug halten; ze h.-e komen *heimkehren;* ze h.-e
laden *zu sich nehmen;* mit
h.-e wesen *seinen sitz ha-*
ben, residieren (vom könig);
refl. sich mit h.-e nider
lâzen *residieren.*

hûsgenôz(e) *stswm. pl.*
landsleute.

hûsgeræte *stn. woh-*
nung.

hûsrouch *stm. rauch aus*
dem hausschornstein.

hût *stf.* ez gât dir ûf
dîne h. *es geht dir ans*
fell; sich ze h.-e und ze
hâre wern *sich mit händen*
und füßen seiner haut weh-
ren.

hütten *swv. seine zelte*
aufschlagen, sich lagern,
kampieren.

I

ie *adv. immerfort.*

iedoch, êdoch *adv. jeden*
augenblick; allerdings, frei-
lich.

iemerleben *stn.* ûf i. *auf*
ewig.

iemernôt *stf. ewige pein.*

iemitten *s.* mitten.

ierne *adv.* = iergen; *mfr.*
girgen.

iesâ(n) *adv. alsbald.*

ievor *adv. vor langer zeit.*

iewerlde *adv. immerzu.*

ieze *adv.* = iezuo.

îferlich *adj. leidenschaft-*
lich.

igelinne *stf. igelin.*

iht *stn. myst. gegensatz*
von niht; wesenheit, sein;

gotes ungeschaffenez iht
gottes ursein.

îhten *swv.* = îchen.

île *stf.*[1] *geschäft.*

îleclich *adj. eilig.*

îlentlîche *adv. eilig, ei-*
lends.

ilg, îlig *adj. stumpf (von*
zähnen).

ilgern *swv. obstupescere;*
stumpf werden.

illuminieren *swv.*
schmücken.

îlunge *stf. eile, eifer, be-*
mühung.

impfeter *stm. impfreis.*

în *adv. bei verbis:*

-**bevâhen** *redv.* die greb-
nis î. *die gruft abschließen.*

-**bezûnen** *swv. einzäu-*
nen.

-**biegen** *stv. einbeulen*
(vom helm).

-**blâsen** *redv. dp. as.* ein-
hauchen; übertr. anraten,
anstacheln.

-**blatzen** *anv. angestürzt*
kommen.

-**bringen** *anv. einbringen,*
gewinnen.

-**brocken** *swv. einbrok-*
ken.

-**diezen** *stv. hereinströ-*
men (von menschen).

-**drücken** *swv. eintau-*
chen (vom ruder).

-**erquicken** *swv.* leben î.
dp. wieder zum leben brin-
gen.

-**geben** *stv. übergeben.*

-**gebern** *swv. (myst.)*
wider î. *(etwas empfange-*
nes) austragen; daz mir
îngeborn wirt *innerlich*
einverleibt wird.

-**geisten** *swv. eingeben,*
inspirare.

-**gesehen** *stv. genau be-*
trachten.

-**gevazzen** *swv.* got in
sich î. *in sich aufnehmen*
(myst.).

-**gevüllen** *swv. einfüllen.*

in-gewinden *stv. ein-hüllen.*

-gewinnen *stv. in besitz nehmen.*

-giezen *stv. übertr. eingießen (vom geist); wazzer î. einflößen.*

-graben *stv. schuld î. begraben sein lassen.*

-heischen *redv. einlaß begehren.*

-kêren *swv. hineingehen, umkehren; heimkehren; übertr. sich hinwenden zu.*

-klingen *stv. î. lâzen anstimmen (einen leich).*

-knüpfen *swv. in gotes hant îngeknüpfet werden.*

-komen *stv. hereinkommen (oft bildlich); daz wort kumt niht wider în gesagt ist gesagt.*

-laden *stv. einladen.*

-lâzen *redv. einlassen.*

-legen *swv. einfassen (von edelsteinen).*

-lîben *swv. einverleiben.*

-loufen *redv. hineinlaufen.*

-mezzen *stv. übertr. zumessen (wie du ûzmissest, alsô wirt dir wider îngemessen).*

-nemen *stv. burgeschaft î. bürgschaft annehmen.*

-ruofen *redv. dp. jem. berufen.*

-schatzen *swv. schätze anhäufen.*

-schiezen *stv. übertr. (vom geist).*

-schînen *stv. übertr. (von göttl. sonne).*

-segenen *swv. einweihen.*

-senden *swv. einflößen; hineinschicken; inspirieren.*

-senken *swv. versenken.*

-sîgen *stv. einsinken.*

-sitzen *stv. î. in sich selbe (von gott) sich selbst genug sein (myst.).*

-slahen *stv. hinein-schlagen; sporen geben; în-geslagen sîn (vom anker) grund fassen.*

-sleichen *swv. tr. unvermerkt hineinführen.*

-slîchen *stv. sich einschleichen (von der minne).*

-sliefen *stv. hinein-schlüpfen.*

-slinden *swv. verschlingen.*

-smelzen *swv. myst. eingehen.*

-smiden *swv. in fesseln schmieden.*

-snîden *stv. einernten.*

-spannen *swv. einspannen, einschließen.*

-sperren *swv. einsperren.*

-stapfen *swv. im schritt hineinreiten.*

-stecken *swv. hinein-stecken.*

-stîgen *stv. hineinsteigen.*

-stôzen *redv. eintauchen; einstecken, einflößen (brei).*

-strîchen *stv. hinein-streichen.*

-ströuwen *swv. refl. sich einbetten.*

-tragen *stv. einbringen; dp. nützen; mit golde î. hineinwirken.*

-trîben *stv. vergelten.*

-troufen *swv. eintröpfeln.*

-tunken *swv. brôt î. (vom abendmahl).*

-tuon *anv. wider î. ap. zurücktreiben.*

-vâhen *redv. einschließen; mit mûre î. (ein gebiet) einfassen.*

-valten *redv. zusammenfalten; zwîvel î. einflößen.*

-varn *stv. einfahren.*

-verlâzen *redv. hineinlassen.*

-versenken *swv. refl. sich versenken (myst.).*

-versinken *stv. (myst.). subst.: versenkung (in got).*

-vlehten *stv. hineinflechten (bildl.).*

in-vliegen *stv. i. lâzen einfließen lassen (wörter).*

-vliezen *stv. hinein-fließen (myst.).*

-vordern *swv. einfordern, eintreiben.*

-vüeren *swv. hineinführen.*

-werfen *stv. hineinwerfen; gefangen setzen.*

-weten *stv. refl. sich einmischen.*

-winden *stv. einwickeln, umwinden.*

-wischen *stv. intr. hineinschlüpfen.*

-wonen *swv. bewohnen (daz lant î.).*

-wurzelen *swv. nôt î. dp. (von der erbsünde); der natûren îngewurzelt sîn eingewurzelt sein.*

-ziehen *stv. gedanken î. auf sich ziehen.*

inane, ienan *konj. daher, also.*

inbarmen *swv. erbarmen.*

inbinnen *adv. u. präp. = enbinnen.*

inbîzzît *stf. essenszeit; vesper.*

înblicken *stn. einblick.*

inboven *adv. u. präp. = enbobene.*

inbrüstecliche *adv. heiß verlangend.*

inbrüstlîche *adv. i. gedenken an ap.*

indenke *adj. s.* indæhtic.

indiâsch(e) *adj. indisch.*

inein *adv. s.* enein.

înerliuhtunge *stf. illuminatio, innere erleuchtung (myst.).*

înformunge *stf. himelische î. aufnahme gotlîcher formen in die seele.*

îngeberunge *stf. eingeborenheit.*

îngedrucketheit *stf. eingedrungensein (myst.).*

îngegeistecheit *stf. î. go-*

tes *die verborgene geistigkeit gottes (myst.).*

îngehiuse *stn. inneres gemach.*

îngeistunge *stf. inspiratio, einhauchung des heiligen geistes (myst.).*

îngêndic *adj.* daz î. jâr *das anfangende jahr.*

îngenôte *s.* iegenôte.

ingesin(ne) *stn. ingesinde.*

îngeslozzenheit *stf. inbegriff (myst.).*

îngesmogen *part. adj. eingefallen (vom pferd).*

îngevelle *stn. einfall.*

îngevlozzenheit *stf.* î. mit engeln *(myst.).*

îngezunge *stf. eingeborenheit.*

ingruntlîchen *adv. aus dem innersten grunde.*

ininnen *adv. inne(n).*

inkomen *stn. ankunft.*

inlachenes *adv. innerhalb (eigentl. des gewandes).*

înleiter *stm. führer (myst.).*

inne *präp. acc. in.*

inne *adv. bei verbis:*

innebehalten *redv.* =inne halten.

-bringen *anv. überzeugen.*

-gesitzen *stv. (vom verbleiben des mönchs innerhalb des klosters).*

-haben *swv. innehaben.*

-halten *redv. obtinere, bringen; ap. gs. überzeugen, kennen lehren.*

-ligen *stv. zu bett liegen;* kindelbettes i. *im wochenbett liegen.*

-werden *stv. gewahr werden, bemerken.*

-wonen *swv. übertr.* got innewonet in einem liehte.

innebelîben *stn.* ein i. in gote *innerliches einssein mit gott.*

innecheit *stf. das seeleninnere (myst.), auch der aus*

der unio sich ergebende zustand des beglücktseins.

inneclich, innerclich *adj.*
i. gedanc *fähigkeit des miterlebens.*

innen *adv. von innen.*

innen *swv.* inne werden.

innentzuo *adv. inwendig, von innen.*

inner(e), inrent, inrunt *adv.* her i. komen *hier herein kommen.*

innerec *adj. innerlich.*

innern *swv. gs. mahnen.*

innerwertes *adv. inwärtig.*

înrîsen *stn. das hinzutreten (myst.).*

inschrift *stf. inschrift.*

insigelære *stm. siegelträger, -hersteller.*

însîn *stn. das in gott sein (myst.).*

însitzen *stn. das einwohnen, die einheit (myst.).*

însliezen *stn. vereinigung (myst.).*

însliezunge *stf. verbindung (myst.).*

înstân *stn. das in-sich-selbst-sein (myst.).*

înswebunge *stf. die einbezogenheit in gott (myst.).*

interpretieren *swv. deuten, erklären.*

întrit *stm.* î. des rîches grenze.

învalschaft *stf. zusammentreffen, einheit (myst.).*

învliezunge *stf. (myst.) für die zeugung des gottessohns.*

învluot *stf. ûzvluot und* î. des meres *die gezeiten.*

învlüzzec *adj.* î. werden gs. unter dem einfluß stehen.

învlüzzecheit *stf. einwirkung (myst.).*

inwendiclîche(n) *adv. innerhalb, innerlich.*

inwert *adv. innerhalb.*

înwesen *stn. das in gott sein (myst.).*

înwesende *part. adj. darinseiend.*

irdenschlich *adj. irdisch.*

irre *adj. mit gen. frei:* eins herren i. varn *nicht im herrendienst stehen;* irre sterne *planeten.*

irrec *adj. zornig.*

irreclîche *adv. umherirrend.*

irredraben *stn. verwirrung.*

irren *swv. auf-, abhalten;* den wec i. *dp.;* des weges i. *ap. jem. den weg versperren;* poinder i. *das kampfgewühl durchbrechen.*

irrevüeren *swv.* den lîp oder sich i. *ein anstößiges leben führen.*

îs *stn. auch für glatteis.*

îsackes *stf. eispickel.*

îsenbant *stn. fessel;* besliezen in ein î.

îsenblech *stn. eisenblech.*

îsenbruoch *stf. eisenhose.*

îsenbû *stm. eisernes rüstzeug, gerät.*

îsengrâ *adj. eisengrau.*

îsenhamer *stm. eisenhammer.*

îsenhose *swf. eisenhose.*

îsenketene *swstf. eisenkette.*

îsenkolbe *swm. kolben von eisen.*

îsenlaz *stm. eiserne fessel.*

îsenpanzer *stn. rüstung.*

îsenrâmec *adj. von harnaschrâm beschmutzt.*

îsenrinc *stm. (eiserne) fessel.*

îsenspiez *stm. eiserner spieß.*

îserkovertiure *stf. pferdedecke aus eisen.*

ismahêlisch *adj. ismaelisch.*

ispanisch *adj. spanisch.*

îtelhant *adj. mit leerer hand.*

îtelschaft *stf. nichtigkeit.*

iuwelnouge *swn. eulenauge.*

iuwelnslaht *adj. eulengleich.*

J

jâ *interj. ausruf der überraschung.*

jage *stf. zeitlauf.*

jagegeselle *swm. jagdgenosse.*

jagetac *stm. jagdtag.*

jâmer *stmn. calamitas, unglück;* mit j. *auf grausame weise.*

jâmerbanc *stf. klagebank.*

jâmerblic *stm. blick voll jammer.*

jâmerburde *stf. bürde des leidens.*

jâmercheit *stf. betrübnis.*

jâmerclîche *adv. =* jâmerlîche.

jâmergrunt *stm. ûz herzen* jâmergrunde *aus tiefer herzensnot.*

jâmerkrî *stm. wehgeschrei.*

jâmerleben *stn. schmerzensreiches leben.*

jâmerleit *stn.* j. doln *schmerz leiden.*

jâmerlich *adj.* j.-iu wort sprechen *die totenklage erheben.*

jæmerlîche *adv.* j. var *krank aussehend.*

jâmerlîp *stm. jammerleben.*

jâmerpîn *stf. herzeleid, qual.*

jâmerquâl *stf. schmerzensqual.*

jâmerrede *stf. klage.*

jâmerriuwe *stf. betrübnis, schmerz, kummer.*

jâmerschar *stf. beklagenswerte schar.*

jâmersiufzen *stn. klageseufzer.*

jâmersorge *swf. drückende sorge.*

jâmerstimme *stf. klagende stimme, jammergeschrei.*

jâmerstunde *stf. stunde der pein.*

jâmerwê *stn. herzeleid.*

jâmerweinen *stn. schmerzliches weinen.*

jâmerwerc *stn.* j. tuon *dp. schmerzliches unrecht tun.*

jâmerzeichen *stn. zeichen der trauer.*

jârgelîch, jærgelîch, -lîches *adv. jährlich, alle jahre.*

jârgezal *stf. =* jârzal.

jârrente *stf. jährliche einnahme.*

jaspis *stm. ein edelstein.*

jâzint *stm. =* jâchant.

jegerstranc *stm. einen* j. legen *eine schlinge legen.*

jehe *stf. behauptung.*

jehen *stv. mfr. auch* gên, gien; *eingeständnis machen;* an daz wort j. *einer aussage zustimmen;* an einen geweren j. *sich auf einen gewährsmann berufen;* eines dinges j. ze etw. *beanspruchen als;* ze bewærde j. *gs. etw. als zeugnis anführen;* der krône j. *dp. jmd. die krone antragen;* ze konen j. *gp. als frau erwählen;* ze kirchen der ê j. *dp. (einer frau) in der kirche das eheversprechen geben;* Kriemhilde vür Brünhilde j. *K. den vorzug geben vor B.*

jeinec *pron. jemals irgendeiner.*

jeithof *stm. jagdhof.*

jerachîtes *m. ein edelstein.*

jerarchîe, gerarchîe *swf. himmlische rangordnung, himmel (auch in halblat. form* jerarchîa).

joch, jouch *adv. konj.* doch.

jochen *swv. ins joch spannen.*

jochrieme *swm. jochriemen.*

jochtier *stn.* jochtier.

jopel *stn. dem. zu* jope.

juden *swm. =* jude.

judenhûs *stn. auch* jodenhûs *judenhaus.*

judenkint *stn. judenkind.*

judenkleit *stn. judenkleid.*

judenschade *swm. judenzins, schulden bei einem juden.*

judenschar *stf. judenschar.*

judenvolc, -vulc *stn. judenvolk.*

jüdeschlich *adj. jüdisch.*

judiste *swm. wucherer.*

jugentlich *adj.* j.-e zît *jugend.*

jugenunge *stf. verjüngung.*

junc *adj.* mîne junge stunde *meine jugend; superl.* daz jungeste guot, der jungeste schatz *das höchste gut, der höchste schatz; diu jungeste mittel äußerste, genaue mitte (des mondes);* ze jungest am ende, am jünsten tag.

juncvrouschaft *stf. (von* Maria) *jungfräulichkeit.*

junge *swm. auch: sohn.*

junge *swf. diu süeze* j. *das liebe mädchen.*

juppenkleit *stn. joppe.*

justen *swv. s.* gusten oder tjostieren.

jûvente *stf. =* jugent.

jûwezunge *stf. (zu* jûwen) *jubelruf.*

K

kabel *stfmn. bildl.* der triuwen anker unde kabel.

kabezblat *stn. weißkohlblatt.*

kacheloven *stm. kachelofen.*

calandbruoder *stm. angehöriger einer religiösen bruderschaft.*

kalb(e)slebere *swf. kalbsleber.*

kalc *stm. auch als gift; als schminke.*

calcedôn *stm. ein edelstein.*

kalcgruobe *stf. kalkgrube.*

calcofôn *stm. ein edelstein.*

kalcoven *stm. oven zum kalkbrennen, kalkbrennerei.*

kalcstein *stm. kalkstein.*

kalif *m. kalif.*

kaltherzec *adj. kaltherzig.*

kaltnisse *stf. kälte.*

kamere *stswf.* die k. gewinnen *zum kämmerer ernannt werden;* ze k. empfâhen *ap. in seine wohnung aufnehmen.*

kamerlêhen *stn. kleine leihsumme; kleines ackerlehen.*

kamerlinc *stm.* = kemerlinc.

kamertür *stf. kammertür.*

kampf *stm. gottesurteil;* mit k.-e gihtigen *durch gottesurteil (zweikampf) überführen;* offenlîcher k. *offene auseinandersetzung.*

kampfmeister *stm. kampfrichter.*

kampfrahe *stswf. stange zum kämpfen, knüppel.*

kampfros *stn. streitroß.*

kampfslac *stm. schlag im kampf.*

kampfzît *stf.* ze guoter k. komen *rechtzeitig zum zweikampf kommen.*

kane *swm. kahn.*

kanonike *swm. kanonikus.*

canoniziere *f. kanonisierung.*

canonizieren *swv. kanonisieren; heiligsprechen; dogmatisch anerkennen.*

kantnusse, kannusse *stf.* = kantnisse.

kanzelærinne *stf. übertr. sachwalterin.*

kanzelschrîber *stm. kanzlist.*

kapellelîn *stn. kleine kapelle.*

kapitelbruoder *stm. mitglied eines kapitels.*

kapitelhûs *stn. capitularium, kapitelhaus.*

kappe *swstf. mönchskutte.*

kar *adj.* zu kar *stf.;* der kare vrîtac *der karfreitag.*

karacter *stswm.* k. buochstap *zauberbuchstabe.*

karbûn *stf. kohle.*

karc *adj. sparsam; auch: verständig, vorsichtig.*

karc *stm. list.*

karclich *adj.* = kerclich.

kardenâl *stm. in kompositionen zur verstärkung; auch adjektivisch* diu kardenæle tugent.

karfunkelklâr *adj. rotleuchtend wie ein rubin.*

karfunkelvar *adj. rubinrot.*

karte *swf.[1] kardendistel.*

kartenspil *stn. kartenspiel; ein spiel karten.*

karthiuser *stm. karthäusermönch.*

kæsebrüeje *stf. molken.*

kastânenboum *stm. kastanienbaum.*

katzenhuot *stm. hut aus katzenfell.*

katzensmer *stn. katzenfett.*

katzenspil *stn. neckspiel mit einer katze (als bild für den lohn der welt).*

katzenvaz *stn. katzennapf.*

katzenvensterlîn *stn. katzenloch in einer tür.*

kebeshalben, -halp *adv. unehelich.*

kebeslîche *adv. unehelich* (k. kint erwerben).

keffech *stn.* = kefach.

kegelspil *stn. kegelspiel.*

cegôlite *swm. ein edelstein.*

keiserambet *stn. amt des kaisers.*

kelchvaz *stn. kelchgefäß.*

kellerkneht *stm. kellerknecht.*

kellerschrîber *stm. schreiber eines kellermeisters.*

kellertür *stf. kellertür.*

keltuoch *stn. halstuch.*

kembelhâr, kem(m)elhâr *stn. kamelhaar.*

kembunge *stf.* das kämmen des haares.

kemenâte *swstf. auch coll. für die frauen.*

kemmelwolle *swf. kamelhaar.*

kempfe *swm. favorit, champion.*

kempferinne *stf. kämpferin.*

kempfinne *stf.* = kempferinne.

kenne *stf. kenntnis, erkennung.*

kennec *adj.* k. werden *kennen lernen; hören, vernehmen.*

kennen *swv.* kenne got vergelt's gott.

kenner *stm. erkenner.*

kenneschaft *stf. erkennungsvermögen.*

kennunge *stf. bekanntschaft (mitteldeutsch).*

kerbelîn *stn. kleine einkerbung (am kinn).*

kercliche(n) *adv. listig, schlau.*

kerdern *swv.* = querdern.

kêren *swv. mit angabe der richtung, des ziels:* 1. *intr. und refl.: seinen weg nehmen;* ze himele k. ins himmelrîch eingehen; sich ûf die rehten vart k. *den rechten weg einschlagen;* sich (niht) kêren an sich (nicht) kümmern um. 2. (trans.): sînen muot k. ze *sich verstehen zu;* sîn gemüete k. *sich bekehren.* 3. *trans.: lenken, steuern* (z. b. ein schiff); einen an schildes ambet k. *bringen, berufen zu;* von einander k. *(kämpfende) trennen;* ze nutze k. *as. nützlich an-, verwenden;* grôz rîchheit k. an *as. daran wenden; übersetzen* (in tiutische zunge; ûz der welsche). *ohne richtungs-, zielangabe; part. prät., unpers.:* ez ist gekart umbe *ist bestellt um, hat eine bewandtnis mit.*

kerlinc *stm. mann des niederen volkes oder typus des fahrenden.*

kerlingisch *adj. französisch.*

kern *swv. das pferd kert (leckt) die hand seines herrn.*

kers(e)boum *stm. kirschbaum.*

kers(e)negelkîn, -neilchen *stn. kirschnelke.*

kers(e)wîn *stm. ein mit kirschsaft vermischter wein.*

kerzenstadel *stm.* = kerzestal.

kerzlach *stn. kleine kerze.*

kesser *stm. fangnetz.*

kesteltuoch *stn. kostbares tuch.*

kestigerinne *stf. peinigerin.*

kestenblat *stn. kastanienblatt.*

kestenunge *swf.* = kestigunge.

kestenwalt *stm. kastanienwald.*

ketenhantschuoch *stm. kettenhandschuh.*

ketzergeloube *swm. ketzerglaube(n).*

ketzerinne *stf. ketzerin.*

ketzerisch *adj. ketzerisch.*

ketzerkint *stn. ketzerkind.*

ketzern *swv. hetzen.*

kezzelkrût *stn. im kessel gekochtes kohlgericht.*

kezzelîn *stn. kleiner kessel.*

kîchen *stn.* tôdes k. todesröcheln.

kicher *stswfm.* niht ein k. *gar nichts.*

kîdekorn *stn. kohlsamenkorn;* niht ein k. nicht ein bîzchen (verstärkung der negation).

kiel *stm. coll. für die auf dem schiff fahrenden.*

kiesen *stv. spüren;* k. lâzen *zeigen;* bilde k. bî *beispiel nehmen an;* schaden k. *unglück haben.*

kieserinne *stf. prüferin.*

kimmîsen *stn. stemmeisen.*

kindegelîch *jedes kind.*

kindelgeschrei *stn. geschrei eines kindes.*

kindelîn *stn. knappe.*

kindelrede *stf. kindische rede.*

kindeltouf *stm. kindtaufe.*

kinderen *swv. ein kind gebären.*

kindesjugent *stf.* von der k. *von kind an.*

kindeskint *stn. enkel.*

kindeslich *adj. jung;* von k.-en jâren *von jungen jahren.*

kindischeit *stf. kindheit.*

kintwesen *stn. kindheit.*

kintwesende *part. adj. als kind.*

kîp *stm. zank, streit.*

kiperisch *adj. aus Cypern.*

kipfe *swm. kleines weizenbrot.*

kippendorn *stm. hagebutte.*

kirche *später auch stf.*

kirchenkôr *stm. kirchenchor, kirche.*

kirchenvaz *stn. abendmahlskelch, auch allg. altargerät.*

kirchenvîster(inne) *stmf. eifrige(r) kirchgänger(in).*

kirchenvride *stm. schutz vor strafverfolgung im bereich des kirchengebäudes.*

kirchgerüste *stn. auch ausstattung für den kirchgang.*

kirchschatz *stm. kirchenschatz.*

kirchtür *stf. kirchentür.*

kirchwîhunge *stf.* = kirchwîhe.

kiste *stswf. auch ins geistl. übertr.: gefäß.*

kît *adj. schlank, gelenkig.*

kittelîn *stn. kleiner kittel.*

kitze, kiz *stn. zicklein, böckchen.*

kitzevel *stn. fell eines zickleins.*

kiusche *adj. zart, fein, besonnen; sündenlos;* k.-z herze *demut; subst.:* der k. *und der vrâz der bescheidene und der nimmersatt.*

kiuscheclîche(n) *adv. jungfräulich, rein.*

kiuschede *stf.* = kiusche.

kiuschlîche *adv.* k. smielen *zart lächeln.*

kiutel *stn. spreu;* niht ein k. sprechen *nicht ein wörtchen sprechen.*

klaffen *swv. auch bloßes sprechen.*

klâfterlanc *adj. eine klafter lang.*

klâfterlenge *stf. klafterlänge.*

klage *stf. ärger; schmerz;* mit k. sîn *tief bekümmert sein.*

klagegesanc *stnm. gesungene totenklage.*

klagegewant *stn. trauerkleidung.*

klageliche(n), klegeliche(n) *adv.* k. klagen *wehklagen; gerichtlich anklagen.*

klageliedel *stn. klagelied.*

klagemüede *adj. vom klagen ermüdet.*

klagen *swv. schmerz empfinden;* k. von *dp. sich beschweren über;* k. helfen *im leid beistehen;* nâch genâden k. *um gnade bitten;* ap. bedauern.

klagen *stn. trauer.*

klagerede *stf. klagegesang, klagelied.*

klagesingen *stn.* des wehtæres k. *der trauer wekkende wächterruf.*

klagetwanc *stm. schmerzenspein.*

klanc *stm.* mîne niuwen klenge *neuen gesänge.*

klapfelîn *stn.* ein k. slahen *dp. bildl. jem. verleumden.*

klâre *adv.* der mâne schein vil k. *hell.*

klârecheit *stf. verklärung (Christi).*

klârheit *stf.* geburte k. *adel.*

klavicimbel *stn. klavizimbel.*

kleben *swv. bildl.* an einem hâre k. *an einem haar hängen;* an der sîten k. *dp. jem. nicht von der seite weichen.*

kleberec *adj. übertr. hartnäckig, zäh.*

klêblat *stn. kleeblatt, klee.*

kleffeln *swv. klappern.*

kleiderchîn *stn. kleidchen.*

kleiderlîn *stn. kleidchen.*

kleidertuoch *stn. stück tuch, lappen, flicken.*

kleine *adj.* mit k.-n sinnen ûfgeleit und vorbedâht *vom minnetrank;* iron. k.-n sin hân ûf as. *nicht auf den gedanken kommen; kleine unde grôz alles ohne unterschied.*

kleinecheit *stf.* mîne k. *meine wenigkeit.*

kleinecliche *adv. wenig.*

kleinmuoticheit *stf. kleinmut, verzagtheit.*

kleinôt *stn. coll. schatz, schmuck.*

kleinouge *adj. kleinäugig.*

kleinvel *adj. in zusammensetzungen wie* kl.-rôter munt *zarthäutig.*

kleinvüege *adj. geringfügig; genau.*

kleinvüegec *adj. zart, fein (von der weinbeere).*

kleinvüegunge *stf. kleinste unkörperliche gestaltung.*

kleit *stn. auch für kopfbedeckung;* îsens kleider *panzer; pluralisch (kleit) für das auf einer fahrt mitgeführte ‚gepäck', ‚sachen'; bildl. von der natur:* des maien k., *(des waldes)* grüeniu kleider; k. tragen *die rüstung anlegen (zum ritterschlag).*

klenc *adj.* klenger bart *struppig.*

kleric, cleric *stm. kleriker.*

klie (clie) *stf. eine art pfeife.*

klieben *stv. refl. sich entfalten (von blumen).*

klimmen *stv. kriechen (vom käfer).*

klimmen *swv. nebenform zu* klemmen.

klingenpfat *stm. fußpfad durch eine schlucht* (klinge).

klingenrieme *swm. schwertriemen.*

klingensmit *stm. klingenschmied; schwertschleifer.*

klinken *stv. =* klingen.

kliusel(în) *stn. kleine klause.*

kliusencliche *adv. auf schmeichelnde art.*

klôse *swf. übertr. auch potestas.*

klôsterbruoder *stm. mönch.*

klôstergiege *swm. klosternarr.*

klôsterhof *stm. klosterhof.*

klôsterknappe *swm. spöttische benennung eines mönchs.*

klôsterleben *stn. leben im kloster.*

klôsterman *stm. klosterbruder.*

klôstermûre *stf. klostermauer.*

klôsternarre *swm. klosternarr.*

klôsterpîn *stm. mühsal des klosterlebens.*

klôsterpriester *stm. mönch.*

klôsterwort *stn.* klôsterzuht und k. *das, was für mönche zu reden sich gehört.*

klôt *stm. =* klôz.

klöuwen *swv. klagen.*

klûbisch *stm. bündel, büschel.*

klüege *adj. =* kluoc.

kluff *stm. =* klupf *schreck.*

klumpern *swv. klimpern.*

klumpf = klupf.

klungeler *stf. troddel, quaste.*

klungelîn *stn. knäuel.*

klunkel *stn.* = klungelîn.

kluoc *adj. fröhlich, munter; diskret.*

klûterhaft *adj. unrein.*

klutterât *stf. arglistiger anschlag.*

knabende *part. adj. der was kleine* k. *kaum knappe geworden.*

knappenschappelîn *stn. kopfschmuck eines knappen.*

knarren *swv. knarren.*

knehtchîn *stn. md. knäblein.*

knehtlîcheit *stf. knechtisches wesen.*

knirsen *swv. knirschen.*

knolle *swm. md. auch knospe* (= bolle).

knopfen *swv. knospen.*

knôst *m. knorren.*

knoter *stm. knotenstrick.*

knüpfel, knipfel *stm. knüttel.*

knütelholz *stn. prügel.*

knütelhübesch *adj.* sich k. dünken *wunder wie hübsch.*

knütelwerc *stn.* k. wirken *prügel verabreichen.*

kocke *swm. segel.*

koffelîn *stn. hure.*

kolbengerihte *stn. lynchjustiz.*

kolbenslac *stm. kolbenhieb* (einen k. geben *oder* wegen).

kolbenstreich *stm. dass.*

kolc *stm. wasserloch.*

kôlegruobe *stf. leidensgrube (für das erdenleben).*

kolswarz *adj. schwarz wie kohle.*

koltrager *stm. kohlenträger.*

komen *stv. dp. zu statten kommen;* k. ûf stoßen *auf; mit ap. auch jem. ver-*trauen, sich verlassen auf; mir kumt baz *mir wird besser;* mir kumet niemer baz *eine so günstige gelegenheit kommt mir nicht wieder;* rehte k. *dp. geeignet sein für, passen;* ze rede k. sich verantworten; *von sîner varwe* k. *erbleichen;* von sîner schœne k. seine schönheit verlieren; *von sîner kraft* k. *besiegt werden, unterliegen;* von dem wâne k. *von dem irrtum frei werden;* ze orse k. *aufsitzen;* über ein k. *mit gen. od. abhängig. satz eine sache austragen.*

komende *part. adj. künftig.*

comête *swm. komet.*

komît *stn. begleitung.*

kompânîe *stf.* k. erbieten *dp.* sich jem. zugesellen.

kompâninne *swf. gefährtin.*

kompânjûn, kumpânjûn *stm.* = kompân; *getreuer, kamerad.*

compilieren *swv. schriftstellerisch arbeiten.*

còmplêtzît *stf. zeit in der die* còmplêt *gesungen wird.*

komplieren *swv. aus* complere; *erfüllen (pflicht, stundengebet).*

concipieren *swv. empfangen (ein kind).*

concordanz *stf. konkordanz.*

concordieren *swv. einträchtig sein.*

concubîne *swf. konkubine.*

condiment *stn. gewürz.*

konelîche *adv. ehelich.*

confect *stn. medikament.*

confession *stf. beichte, bekenntnis.*

consul *m. konsul.*

contenanze *stf. haltung.*

conventbruoder *stm. klosterbruder.*

kôr *stm. auch von der schafherde.*

körbel *stn.* = körbelîn.

korber *stm. korbmacher.*

korelle *swstm.* = koralle.

kôrganc *stm. das hingehen zum chor.*

kôrgesinde *stn.* geschaffen ze k. *zum geistlichen stand vorbestimmt.*

kôrgewant *stn. chorhemd.*

korn *stn. als kleinstes maß.*

kornbolle *swf. ein unkraut im getreide.*

korneôl, korniôl *m. ein edelstein.*

kornûfschütter *stm. kornwucherer.*

kornvar *adj. von der sonne gebräunt (von Christi haut).*

körperlich *adj.* k.-e natûre *körpergestalt.*

körperlîn *stn. dem. zu* körper.

kôrpfaffe *swm. chorgeistlicher.*

corporâlgewæte *stn.* = corporâl.

kôrröckelîn *stn. chorrock.*

kœsede *stf. gespräch.*

kôsen *swv.* mit gote k. (*myst.*).

koste *stf.* die k. geben *etwas stiften.*

kostebære *adj. köstlich* (k. mâl).

kostgelt *stn. kostgeld.*

kostelîcheit *stf. köstlichkeit, kostbarkeit.*

kôsunge *stf.* vertrauliches reden.

kotte *swm.* = kotze.

kötze *stswf. korb.*

koufen *swv. eintauschen;* êre k. *ansehen erwerben.*

koufkneht *stm.* dîn (*gottes*) armer k. *dein knecht, den du losgekauft hast.*

koufschanze *stf. gewagter handel.*

koufschiff *stn. handels-schiff.*

koufunge *stf. handel.*

covertiure *stf. auch pars pro toto: berittener krieger.*

krachen, krechen *stn. das krachen, brechen.*

kraft *stf. wirkung, bedeutung;* k. begân *heldentaten begehen;* von sîner k. komen *besiegt werden, unterliegen;* durch liebe k. *freudig.*

krage *swm.* die k.-n abesnîden *dp. hals abschneiden;* der tôt mir sitzet ûf dem k.-n *sitzt mir im nacken.*

kræjen *swv. subst.* sîn k. tuon *krähen.*

kræjennest *stn. krähennest.*

kraken *swv. kratzen.*

krâmerzunft *stf. krämerinnung.*

krampf *stm.* der minne k. *liebesleidenschaft.*

krâmstat *stf. krambude.*

kranc *adj.* kranker sin *verblendung, trotz;* kranken sin, kranke sinne hân *unreif, kleinmütig sein, auch iron.: nicht daran denken;* kranker muot *kleinmut.*

krancgemuot *adj.* = krancmüetec.

krancheit *stf.* k. begân *unzucht treiben.*

kranclîche *adv.* k. sprechen *mit schwacher stimme.*

krancvar *adj. schwach aussehend, blaß.*

kranechhals *stm. kranichhals.*

krangeln *swv. zudringlich bitten.*

krast *stm.* einen k. tuon *krachend zerspringen.*

kratzeln *swv. kraulen.*

kratzen *swv.* dar wider k. *sich gegen etw. sträuben.*

kraz *stm.* der huofslage k. *hufspur.*

crêatiure *swstf.* menschliche c.

crêdo *stn. glaube, credo.*

krefte(n)rîche *adj. kräftig, kraftvoll, zahlreich (heer), mächtig (minne).*

kreftic *adj. reich (städte, länder).*

krefticheit *stf. stärke, gesundheit.*

kreftigunge *stf. macht, kraft; jur. spez. rechtskraft.*

krempel *stmn. übertr. geringfügige sache.*

krenken *swv.* den sin k. *das herz schwer machen;* stæten lîp k. *standhaftigkeit erschüttern.*

krepfen *swv.* k. und roufen *sich haken.*

kribeln *swv. md.* krebeln; *unpers.* ez kribelt im in dem nacken *etwa: es lief ihm kalt den rücken hinunter.*

krîdenwîs *adj. kreideweiß.*

kriec *stm. trotz, hartnäckigkeit;* den k. lân *dp. jem.* den sieg, preis *überlassen;* den k. verlân *dp.* das feld räumen.

kriecgemuot *adj. kriegerisch gesonnen.*

kriefen *swv. kriechen;* k.-de tier *reptilien.*

kriegen *swv.* in ein k. *miteinander wetteifern*

kriegen *stn. eifer;* k. der planêten *der den sternen entgegengesetzte lauf der planeten.*

kriegunge *stf. streit.*

kriepen *stv.* = kriechen.

krimmec *adj.* = grimmec.

kringeleht *adj. kreisförmig; rund.*

krinnel *stm. strähne, locke.*

krip *stf. pferdekruppe.*

krippelîn *stn. (kleine) krippe.*

krisem *stm. salböl, übertr.* der vröiden k.

krisemhuot *stm. kopfbedeckung des (gesalbten) täuflings.*

krisempfeit (lîn) *stn. taufhemd.*

krisopras *stm. ein edelstein.*

krispelieren *swv.* = krispen.

kristâbent *stm. abend vor weihnachten.*

kristenbarn *stn. christenmensch.*

kristenbluot *stn. christenblut.*

kristendiet *stf. christenheit.*

kristengot *stm. gott der christen.*

kristenheit *stf.* k. empfahen *den christl. glauben empfangen, getauft werden.*

kristenkint *stn. christ.*

kristenkirche *swf.* die christl. kirche.

kristenlant *stn. christenland.*

kristenleben *stn. christenheit.*

kristenmensche *swm. christ.*

kristenname *swm.* k.-n hân *christ sein.*

kristenvolc *stn. christenheit.*

kristmesse *stf. weihnachtsmesse.*

kristnaht *stf. christnacht.*

kristtac *stm. weihnachtstag.*

kriuze *stn. auch zeichen der gerichtlichen beschlagnahme von immobilien durch fronboten;* k. nemen *od.* tragen *auf den kreuzzug ziehen;* in k.-s wîse *od.* stal ligen *beim beten in form des kreuzes liegen.*

kriuzerorden *stm. orden der kreuzherren od. ordensritter.*

kriuzigunge *stf. kreuzigung.*
kriuzlîche *adv. kreuzartig.*
kriuzwurz *stf. kreuzkraut.*
krockeleht *adj. runzlig.*
krône *stswf. bildl. das höchste, z. b.* aller wîbe k.; under k. gân *könig(in) sein.*
krœnen *swv.*[1] *beklagen.*
krônetrage *swm. kaiser oder könig.*
krônhêrre *swm. herrscher, kaiser oder könig.*
krotelich *adj. beschwerlich.*
kröuwel *stm. teufelskralle.*
krûchen *stv. md. nebenform von* kriechen.
krucken *swv. auf krükken gehen.*
krümbunge, krümmunge *stf.* k. der gelider, *verkrümmung.*
krump *adj.* (werc) *unredlich.*
krümpel *adj. krumm.*
krümpeleht *adj. krumm.*
krupfei *stm. satter stolzer hahn.*
krûsel *stf. md.* = kriusel.
kruseln *swv. jucken (des herzens vor minne).*
krûspen *swv.* gekrûspet hâr *gelockt.*
krût *stn. laubbüschel; heilmittel; würzkonfekt.*
krûtec *adj. krautig.*
krûtenære *stm. apotheker.*
krûtmezzer *stn. messer zum krautschneiden.*
krûtvaz *stn. faß für sauerkraut.*
küchel *stf.* = küchen(e).
küchelære *stm. koch.*
küchelmel *stn. küchenmehl.*
küchendienest *stm.* = küchenstiure.

kûfen, kuofen *swv. untertauchen der seele (myst.).*
kugelhuot *stm. kopfbedeckung (von mönchen).*
kûlen *swv. in der grube liegen.*
kulterlîn *stn. kleine steppdecke.*
kumber *stm. beschwerde.*
kumberbüezec *adj. von kummer befreiend.*
kumberhaft *adj.* k. wesen mit *dp.* sich *jem. widmen, sich einlassen, sich unterhalten mit.*
kumberpîn, -pîne *stmf. verst.* pîn.
kumbe(r)rîche *adj.mühselig.*
kumbersal *stn. bekümmernis.*
kumbersmerze *swm. schwerer kummer.*
kûme *adv. nahezu.*
künde *adj.* kündiu mære *(pl.) eine bestimmte tatsache.*
künde *stfn. mitteilung, bericht; bekanntsein;* k. hân *erfahren, sich auskennen;* k. hân gp. *mit jem. umgehen.*
kündec *adj.* k. sîn *erfahrung haben.*
kundeclîche *adv. öffentlich.*
künicane *swm. ahne eines königs.*
künicgerte *stf. szepter.*
künicrîche *stn.* k. besetzen *thron besetzen.*
künicslaht *adj. von königlichem geschlecht.*
künne *stn. art.*
kunnen *anv.* k. mit *bescheid wissen über.*
kunrieren *swv. refl. sich ausruhen.*
kunst *stf. gelehrsamkeit, wissenschaft; begriffsvermögen; einsicht; geisteskraft;* meisterliche k. *philosophie; auch phraseol.* guote k. = güete.

kunstehalbe *adv. was die kunst betrifft.*
kunstlôs, künstelôs *adj. ungeübt.*
kunt *adj.* k. werden *dp. zuteil werden.*
kunterfeit *stn. falscher edelstein.*
kuntlicheit *stf. kenntnis.*
kuntvêch *adj. ein kuntvêche katze gefleckt.*
kuolnisse *stf. kühlung.*
kuomûl *stn. kuhmaul (als minderwertige nahrung).*
kupfermünze *stf. kupfermünze.*
kupferrôt *adj. kupferrot.*
kuppelærinne *stf. kupplerin.*
kuppelspil *stn. kuppelei.*
kür *stf.* willige k. *einwilligung;* mit willen k. *mit bereitwilligkeit; von* hôher k. *hochgeboren, erlaucht;* diu beste k. *die beste lösung.*
kûren *swv. spähen.*
kurhêrre *swm. kurfürst.*
kürst *stf. wahl.*
kürsten *swv. wählen.*
kurtieren *swv. zieren, schmücken.*
kurtîse *swf. freundin, geliebte.*
kurtlîche *adv.* = kurzlîche.
kurvürstentuom *stn. kurfürstentum.*
kurz *adj.* ze kurzen wîlen *für kurze zeit;* in kurzen zîten *kürzlich,* vor kurzem; k. gedinge *kleine hoffnung.*
kurzeclich *adj. kurz.*
kurzeclîche *adv. kurz.*
kurzgewant *stn. kurzes gewand.*
kurzlîches *adv. in kurzer zeit.*
kurzsprecher *stm. (von den niederländern).*

kürzunge *stf. verkürzung.*

kurzwîle *stf. fest; kampfspiel* (k. vlîzen); *minne.*

kûte *f. ableger von weinstöcken.*

kuttentuoch *stn. tuch zu einer kutte.*

L

lâ *stn. ton der musikalischen skala.*

laben *swv. md.* milch l. *gerinnen machen.*

labesal *stn. was zur erquickung dient (wohl konkret).*

lachen *swv.* vor liebe l. *vor freude strahlen;* mit l.-dem muote *voll freude; subst.* l. bieten *dp. jem. anlächeln;* minneclich l. *freundliches lächeln.*

lachendic *adj.* lachendige erben.

lâchentuom *stn. medizin.*

laden *stn. verlockung.*

lâgen *swv. listig umstellen.*

lâgunge *stf. bedrängnis durch die sinne;* l. des tiuvels *nachstellung.*

lahs *stm. spez. als fastenspeise.*

lâhter *stswf.* = klâfter.

lam *adj.* l. an *ds. einer sache beraubt, ohne.*

lampenvaz *stn. leuchte.*

lanc *adv.* l. gewahsen *groß;* ze l. hân *langweilen;* ie l. baz *immer besser.*

lancbeinic *adj. langbeinig.*

lancmüetec *adj. auch ausdauernd.*

lancsêr *stm. hüftschmerz.*

lancsîte *swf. langschiff.*

lancslâfen *stn. langes schlafen (als laster).*

lancstundec *adj. weitschweifig.*

lange *adv.* langer *in zukunft;* bî lengest, belangen *endlich;* niht lange sîn *nicht lange auf sich warten lassen.*

lanke *stswf. niere.*

lanken *swv. umschlingen.*

lant *stn. pl. auch: völker;* in daz l. komen *heimkehren;* von lande vüeren *mitnehmen;* ze lande bringen *bei uns einführen;* ein l. besitzen *ein königreich regieren;* in eteslîche l. *irgendwohin.*

lantbescheidunge *stf. grenzbestimmung.*

lantgesinde *stn. landsleute.*

lantliute *pl. menschen.*

lantmaget *stf. jungfrau(en) eines landes.*

lantman *stm. freier gemeindegenosse.*

lantmarschalc *stm. landmarschall.*

lantreht *stn. iron.* lâ dîn l. hör *auf zu rechten.*

lantrinc *stm.* in ir lantringe belîben *im bereich ihres landes (ihrer länder) verweilen.*

lantschaft *stf. auch: landschaftsbild.*

lantschal *stm. skandal.*

lantschande *stf. (gegensatz zu:* werltlichiu schande).

lantschouwer *stm. einer, der fremde länder sieht.*

lantstrîcher *stm. landstreicher.*

lantsweifer *stm. vagabund.*

lantveste *stn. landbesitz.*

lantvogetinne *stf. (zu* lantvoget).

lantwîp *stn. landsmännin.*

læren *swv.* vröuden l. *glück rauben.*

larrûn *stm. räuber.*

last *stm.* in êren l. sitzen *in angesehener stellung leben.*

lasterære *stm. der gote* l. *lästerer der götter;* die laster der l. *schmähungen derer, die dich schmähen.*

lasterbærlich *adj. tadelnswert.*

lasterbart *stm. schimpfwort.*

lasterkleit *stn. schandkleid (vom geiz).*

lastermez *stn. schandmaß.*

lastermunt *stm. lästermaul.*

lasternôt *stf. m. kränkung.*

lastersac *stm. der schanden* l. *schimpfwort.*

lasterspot *stm. lästerung.*

lasterstat *stf.* des kriuzes l. *richtstätte, schandstätte.*

lastervuore *stf. schimpfl. charakter.*

lasterwerc *stn. schändliches werk.*

lasterwunde *stf. übertr.*

lâsûrîn *adj. farbig wie lasur.*

lavande *stf. lavendel (zu ital. lavanda).*

laz *adj.* l. werden *vergehen;* geburt ein wênic l. *nicht von hoher geburt; superl. adverbiell:* ze lezzes(t).

lâz *stm. loslassen eines hundes von der koppel.*

lâzen *redv. hinterlassen (erbschaft);* ez an etwaz lân *etwas wagen, sich für etw. entscheiden; spez.: (loslassen) abschießen (pfeil).*

lâzunge *stf. (myst.). das sich selbst überlassen an gott.*

lebeküechelîn *stn. lebkuchen.*

lebelich *adj.* l. kraft *vegetative kraft (animalis);*

l. gebâren *ein geordnetes leben führen.*

leben *stn. lebensunterhalt; lebzeit* (ze sînem l.-e); reinez l. *(heiliges) leben als mönch;* senftez l. *glück, liebesglück; phraseol.* daz wünnecliche l: = wünne, *liebesfreuden.*

lebende *part. adj.* l.-z wazzer; in mînen l.-n jâren *zu meinen lebzeiten.*

lebenhaftic *adj.* mach mich l. *erfülle mich mit leben.*

lebenkreiz *stm. circulus zodiacus.*

lebenthaft *adj. lebendig.*

lebenzeichen *stn. lebenszeichen.*

leberlîn *stn. kleine leber; gericht aus leber.*

leckerheit *stf. verschlagenheit, zügellosigkeit, gaunerei.*

leckerlîche *adv. auf essen u. trinken gierig (auch von tieren).*

lectuârie *stswf.* = latwârje.

lecze *swstf.m.* einen leczen lesen *dp. strafpredigt halten.*

ledec *adj.* = lûter *(myst. von gott); rein, frei von allen* zuovellen, wîsen und werken, *bereit zur unio (myst. von der seele).*

ledeclîche *adv. unverheiratet.*

ledecvrî *adj. frei.*

ledegen *swv. erlösen.*

lederbant *stn. als bestandteil der rüstung.*

ledersac *stm. sack aus leder.*

ledervel *stn. lederdecke.*

ledervrâz *stm. redensartl.* er sî ein l. er hat leder gefressen.

leffel *stm. die ohren des hasen.*

leffeler *stm. löffelmacher.*

legede *swf. niederung, wiese.*

legen *swv.* einen termin *festlegen oder aufschieben;* opfer l. *opfer bringen;* (die geste) schône l. *gut unterbringen; ap. zu fall bringen;* in sîn herze l. *ap. in sein herz schließen;* (bürge unde lant) wüeste l. *zerstören;* etwaz an iem. l. *ihm zuwenden.*

legende *f. lesung, lektüre, heiligengeschichte.*

lêhen *stn. jur. formel* (l. noch eigen).

lêhenrehtbuoch *stn. lehnsrechtbuch.*

lêhensatzunge *stf. lehenssatzung.*

lêhenvorderunge *stf. lehenforderung.*

leibelîn *stn.* l.-s brôt *brotlaib.*

leichen *swv. täuschen.*

leichen *stn. laichen der fische.*

leide *stf. unheil* (mir troumte l.).

leide *adv. unerquicklich.*

leidebernde *part. adj. betrübend.*

leidegunge *stf. schmerzen.*

leiden *swv. ap. jem. sorge machen.*

leidesmort *stm. aller* manne l. *(von der frau).*

leienbruoder *stm. an. laienbruder.*

leienswester *stf. nbf.* leiswester, leigenswester *laienschwester.*

leigelich *adj.* = leiisch.

leimgruobe *stswf. lehmgrube.*

leimhûs *stn. lehmhütte.*

leimvüerer *stm. der eine lehmfuhre fährt.*

leisten *swv. (waffen) stellen;* iemannes gebot l. *in seinem dienst stehen.*

leit *stn. sorge; auch: un-*

heil; beleidigung; verholnez l. *gewissensqual;* sich ze leide nemen *as.* bereuen; ze leide ergân *gefährlich werden.*

leit *adj.* daz ist mir l. *dagegen lehne ich mich auf;* daz was im sider l. *wurde ihm zum verhängnis;* im ist l. er bedauert.

leitbuoch *stn. leitbuch (z. b. zur hausordnung).*

leite *stswf. berglehne.*

leiten *swv.* l. von *ds. abbringen von;* lûterliche minne l. *treu lieben;* tôt unde leben l. *leben und sterben.*

leiterboum *stm. leiterstange.*

leitgemuot *adj. schmerzerfüllt.*

leiting *stm. polarstern.*

leitrechen *stv. subst.* l. vristen *vergeltung aufschieben.*

leitsam *adj. böse, schmerzlich; traurig.*

leittuon *anv. unrecht handeln.*

leitunge *stf.* l. geben *leiten.*

leme *stf.* diu getâne l. *jur. körperverletzung.*

lemen *swv. verwunden.*

lemmet *stn. baumwollfaden als docht für öllampe.*

lendebrâte *swm. lendenfleisch.*

lenden *swv. heimkehren.*

lendenierstric *stm. die den lendengürtel haltende schnur.*

lenken *swv. auch: zuschneiden (von kleidungsstücken).*

lerchboum *stm. lärche.*

lêrche *auch masc.*

lêrchenmunt *stm. kosewort.*

lêre *stf. anweisung, befehl, ratschlag; bildung.*

lêrec *adj.* von lêriger unkunst *unerfahrenheit in der christl. lehre.*

lêren *swv. wissen lassen, mitteilen; veranlassen; zwingen; auch: imbuere, einweihen, vertraut machen, gewöhnen an; as. ap. zulassen, erlauben.*

lêrjunger *stm. jünger.*

lernen *swv. subst. eifer.*

lernerinne *stf. lehrerin (von Maria).*

lerze *stf. das linkische.*

lerzec, -ic *adj. linkisch, ungelenk.*

lesen *stv. predigen;* einen brief, einen leczen l. *dp.* eine lektion, einen sermon halten; sîn gebet l. *beten;* lesen unde singen *obsequien halten;* gelesen hân *as.* von *ds. etw. wissen, verstehen von;* ze herzen l. *as. sich erinnern an;* in sîn herze l. *as. sich etw. einprägen, vorstellen;* zwîvel in sîn herze l. *zweifeln;* hin heime l. *as. sich zu eigen machen;* iemannes sicherheit an sich l. *jmds. unterwerfung erzwingen;* sîn herze an sich l. *sich aufrichten.*

lesen *stn. lehrfach, lehre, unterricht.*

lesenlich *adj. lesbar.*

leste *stf.* des lebens l. *ende des lebens.*

lesunge *stf. lectio, das lesen.*

lette *swm. tonmergel.*

lettenacker *stm. töpferacker.*

letter *stn. auch: zinne.*

letzen *swv.* leben l. *leben nehmen;* an lîbe l. *mit krankheit schlagen.*

letzer *swm.* snœder l. *als schimpfwort.*

levite *swm.* priester und leviten; die l.-n lesen.

lewengeslehte *stn. löwengeschlecht.*

lewengruobe *f. löwengrube.*

lewenherze *stn. löwenherz.*

lewenkint *stn. auch übertr.*

lewenkraft *stf. löwenkraft.*

lewenzan *stm. zahn des löwen.*

lezzec, -ic *adj. müde, lässig;* l. gegen got *lau.*

liberen *swv.[1] gerinnen (vom blut).*

lîbesher *stn. fülle der körperkraft.*

lîcham *stswm.* gotes l. *heiliges abendmahl.*

lîchenhaft *adj.* l. sîn *mit leiblich zusammensein mit.*

lîchlachen *stn.* = lînlachen.

lîchnisse, -nüsse *stf.* = gelîchnisse.

lîdærinne *stf. dulderin.*

lidebrechen *stn. brechen der glieder.*

lideliche *adv. glied für glied.*

lîden *stv. fahren (bes. noch rhein.); stn. unrecht.*

lîdenhaftec *adj. leidend.*

lîdenis, ₁nus *stfn. compassio, das (mit) leiden.*

lîdenlîchen *adv. unbekümmert um leiden; geduldig;* êre l. lîden *ehren als peinlich empfinden.*

lidernacket *adj. splitternackt.*

lîdeschertic *adj. verstümmelt.*

lîdsamheit *stf. md. patientia, geduld, langmut.*

lîdunge *stf. leid, schmerz.*

liebe *stf. liebeszuversicht, glückliche liebe;* vor l. *aus freude und dankbarkeit.*

liebegernde *part. adj. freude suchend; nach liebe strebend.*

liebelôs *adj. freudlos, lieblos.*

lieben *swv. as. sich zu eigen machen* (triuwe).

liebesdiep *stm. heimlicher liebhaber.*

liederbuoch *stn. liederbuch.*

liegen *stv. sich aufspielen; vorgaukeln; sein spiel treiben mit;* daz ist gar gelogen *reine phantasie (reiner schwindel);* an einen l. *jem. etw. unterstellen; subst.* l. heizen *ap. der lüge zeihen.*

lieht *adj. kahl (von bäumen);* mit liehten ougen *sehenden auges.*

liehtebrehende *part. adj. hell strahlend.*

liehtecheit *stf.* = liuhtecheit.

liehtgemâl *adj. epith. ornans.*

liehtgrüene *adj. hellgrün.*

liehtval *adj.* l.-ez hâr *blond.*

liep *adj. gott wohlgefällig, fromm; angenehm; verehrt; verliebt* (mit lieben ougen ansehen); dû bist mir l. *ich liebe dich;* als l. ich dir sî *wenn du mir den gefallen tun willst.*

liep *stn. liebe.*

liephaberinne *stf. liebhaberin.*

lieplich *adj. liebevoll.*

liepsælec *adj. durch liebe beglückt.*

ligen *stv. wohnen;* sunder l. *einzeln gefangen liegen;* an einem l. *von jmd. abhängen, beruhen auf;* an sînem zorne l. *sich seiner wut überlassen;* als daz reht was gelegen *wie das recht herrschte.*

lîhen *stv. zur verfügung stellen.*

lîhte *stf. erleichterung.*

līhteclīche *adv.* 1. varndiu maht *leichtbewaffnetes heer.*

līhtmüeticheit *stf. leichtsinn, unbescheidenheit.*

liljenblat *stn. lilienblatt.*

liljenbluome *swm. übertr. für keuschheit.*

liljengarte *swm. übertr. für Maria.*

liljenglîz *stm. lilienglanz.*

liljenkrût *stn. übertr. für Maria.*

liljenöle *stn. lilienöl (als heilmittel).*

liljenrôse *swf. lilie.*

liljenrôsevarwe *stf. aus lilien und rosen gemischte farbe.*

liljensaf *stm. liliensaft (als heilmittel).*

liljenstengel *stm. übertr. (Maria, keuschheit).*

lîm *stn.* = lün.

lîmen *swv. auch: beweglich, gelenkig machen (magisch, mit göttlicher hilfe).*

limmen *stv.* mit strîte l. *wüten.*

linde *adj. köstlich, fein.*

lindecheit *swf. weichheit, schlaffheit.*

lindeclîche *adv. sanft.*

lindenblat *stn. lindenblatt.*

lindenloup *stn. lindenlaub.*

lindenrîs *stn. lindenreis.*

lineberge *swf. erkerfenster; ruhebank.*

lingen *md. auch swv.*

linienstrich *stm. grenze, linie.*

liniieren *swv. (von der bemalung der neger).*

lînöle *stn. leinöl.*

linsenkoch *stn. speise von linsen.*

linsenkorn *stn. linsenkorn.*

linsîn *adj.* 1. muos.

lînwâttuoch *stn. leinwand.*

lîp *stm.* des lîbes *ein lebelang;* ze lîbe kêren *ins leben zurückkehren, wieder gesund werden;* l. bestân *leben bleiben;* an den l. gebieten *bei todesstrafe.*

lîpgedinge *stn. altenteil; lebenshoffnung.*

lîpgesinde *stn. leibwache.*

lîpkranc *adj. kränklich, leidend.*

lîplôs *adj. entrückt; sich vom leben abwendend.*

lîpnarunge *stf. lebensrettung.*

lippenlappen *swv. faseln.*

lîpvarwe *stf. körper-, hautfarbe.*

lîre *swf. zupfinstrument.*

lîse *adj. langsam.*

lîse *adv. heimlich, leicht, schnell;* l. blicken *unauffällig, unmerklich.*

lispen *swv. stammeln, sich versprechen (bildl. für ,sich irren').*

list *stmf. gesammelte erfahrung; das erkennen im bibl. sinne; erkenntnisdrang;* valscher l. *reine heuchelei;* âne valschen l. *aufrichtig;* durch einen l. *mit bedacht, mit absicht, bewußt, aus vorsicht;* einen l. hân vür *ein mittel haben gegen;* vrâgen mit listen *mit allen mitteln zu erfahren suchen.*

listebære *adj. klug.*

listeclîche *adv. klugerweise, scharfsinnig.*

listelîn, lüstelîn *stn.* l.-s spil *ein hazardspiel.*

listwürke *stm. artifex, künstler.*

lit *stn. auch: grabplatte.*

liuhtærinne *stf. (von Maria)* in der vinster l.

liuhteclîche *adv. leuchtend.*

liuhtevaz *stn.* = liehtvaz.

liumunden, liumden, liumen *swv. in schlechten ruf bringen.*

liumunt *stswm. meinung, sinn, nachrede.*

liut *stmn.* mîn l. *meine leute (meine dienerschar);* ez ist der l.-en gelîch *hat menschengestalt;* got und ouch die liute *gott und die welt (verlieren).*

liutære *stm. mesner.*

liuthûs *stn. gast- oder wirtshaus;* vgl. lîthûs.

liutisch *adj.* 1. leben *das menschliche leben.*

liutsælechaft *adj. anmutig, wohlgefällig.*

liutsæleclîche *adv. auf gewinnende weise.*

liutschiech *adj. menschenscheu.*

lobebære *adj. berühmt, ruhmvoll.*

lobelich *adj. ehrenvoll.*

lobelîche *adv. auf ehrenvolle weise.*

lobemunt *stm.* = liumunt.

loben *swv. zustimmen; ansagen, anbefehlen;* an die hant l. *mit handschlag versprechen.*

loberede *stf. lobrede.*

loberîe *stf. das rühmen.*

lobesam *adj.* engel l. *heiliger engel.*

lobesame *adv. löblich, preisenswert.*

lobesmære *stn. lobrede.*

lochereht *adj.* l.-e zunge *lockere zunge.*

lockeht *adj. lockig.*

locuste *stf. heuschrecke.*

lois (= *frz.* loi) l. und lantreht *gesetz.*

lomen *swv.*[1] *subst. geräusch.*

lônerin *stf. die belohnende.*

lônhêrre *swm. handwerksmeister.*

lonker *stm.* = lœdingære.

lônkneht *stm. mietsknecht; geselle.*

lop *stnm. auch: das verheißene.*

lopbuoch *stn. das Hohelied, cantica canticorum.*

lôrloup *stn. lorbeerlaub.*

lôrölboum *stm. lorbeerbaum.*

lôrschappelekîn *stn. lorbeerkranz.*

lôs *adj. (subst.)* munt des l.-en *falsches maul.*

lôsærinne, lœsærinne *stf. erlöserin.*

lôse *stf.* âne l. *aufrichtig.*

lœselich *adj. anmutig, lieblich.*

lœsen *swv.* ertrîche l. *grund und boden an sich nehmen; refl. sich abwenden von.*

lôsheit *stf. ausgelassenheit, übermut.*

lôt *stn. lot (auch münzbezeichnung).*

lœten *swv.* swert l. *härten.*

loufen *redv.* ez enloufet die lenge niht *geht auf die dauer nicht gut.*

löuferhunt *stm. jagdhund.*

louferinne *f. botin, vorbotin: krankheit und alter als* l. *des todes.*

lougen *stn.* l. bieten *unschuld beteuern* (si buten vaste ir l.).

lougenen *swv. mfr.* lounen, lônen; *subst.* daz l. begân *oder* betuon *leugnen.*

loug(e)nis *stn. verleugnung.*

loum *m. dampf, dunst.*

loupgrüene *adj.* grün belaubt (l. este).

lôzwerfære *stm. eine best. art von wahrsager.*

lübede *stfn.* = gelübede.

lücke *adj. schwach.*

lûfern *swv. md.* = liberen[2].

luft *stmf. luftraum; duft;* gên den lüften *in frische(r) luft.*

lufteclich *adj. luftig.*

lüge *stf.* vür l. hân *leugnen, nicht glauben.*

lügebære *adj. lügnerisch.*

lüge(n)geist *stm. allegorische gestalt.*

lügelîche(n) *adv. lügnerisch, lügenhaft.*

lüge(n)list *stm. lüge.*

lügeman *stm. lügner.*

lügenære *stm. angeber, schwindler.*

lügenærinne *stf. lügnerin, betrügerin (von der minne).*

lügenmâl *stn. beflekkung durch lügen.*

lügenpfütze *stf. lügenpfuhl* (l. der hôchvart).

lügensprâche *stf. lüge.*

lügenstrâfen *swv. ap. der lüge zeihen; verleumden.*

lügentihter *stm. verleumder.*

lügespræche *stm. leugner.*

lüge(n)wort *stn. lüge.*

lügewürhte *stn. lügengespinst.*

lüg(e)nisse *stf. lug, trug.*

lulecke *swm. ein unkraut.*

lunder *stm. brand; übertr.* minnen l.

lûne *stf.* gedanken l. *pl. wahnvorstellungen.*

lünec *adj. glühend, sinnverwirrt.*

luoder *stn.* mit l. *hinterhältig;* sunder *oder* âne l. *ganz offen (formelhaft);* der werlte l. ,allerweltslüderjan'.

luof *stm. abgrund (von der hölle).*

luogen *swv. md.* lûgen; ausschau halten.

lüppen *swv.* gelüppet *part. adj. vergiftet, verfälscht;* der g.-e eit *bildl. vom doppelsinnigen reinigungseid.*

lüppecheit *stf. giftigkeit.*

lüppeclîchen *adv. wenig, gering.*

lürpen *swv.* mit der zunge anstoßen.

lust *stf. md. gehör;* l. geben *dp. gehör schenken.*

lustbærekeit *stf. lust, wohlgefallen, freude.*

lustbærlich *adj. wohlgefallen erregend, reizend.*

lusterîche *adj. anmutig, lieblich.*

lustgevar *adj. lieblich.*

lustgezierde *stf. freude erregende pracht.*

lusthaft *adj. wohlgefällig.*

lustigen *swv. froh machen; auch lustig sein.*

lustlîche *adv. mit wohlgefallen.*

lustsam *adj. reizend.*

lût *stm. lautung.*

lût *adj.* l. werden *(vom hunde) laut geben.*

lûtbernde *part. adj. laut.*

lûtbreht *adj. offenbar.*

lûterbrûn *adj.* l. als ein glas *(vom helm)* stahlblau.

lutergrâ *adj. ottergrau.*

lûterkeit *stf.* starke l. konzentriertheit *(vom wein);* l. des herzen *(bes. myst.).*

lûterschaft *stf. lauterkeit.*

lûtersnel *adj. klar und schnell fließend.*

lûthaft *adj.* l. sîn *ertönen.*

lûtisch *adj.* = liutech.

lützen *swv. nbf. zu* lüejen.

lûzen *swv. heimlich wohnen; herumhocken.*

M

machen *swv.* den schaden m. *dp. jem. ins un-
glück bringen;* einen leich
m. *spielen (auf der harfe);
subst.:* ein natürlich m.
beginnen.
machmetiste *swm. mo-
hammedaner.*
magenkraft *stf. spez.*
anrede an gott.
magenkreftic *adj. stark.*
magensêr *stm. magen-
schmerz.*
magetbære *adj. jung-
fräulich.*
magetlichheit *stf. jungfräulichkeit.*
maget-, meitzoginne *stf.
mädchenerzieherin.*
magistrieren *swv. lehren.*
mâhenkörnelîn *stn.
mohnkorn.*
mahelkôsen *swv. liebkosen.*
maht *stf.* ze sîner m.
komen *zu kräften kom-
men;* mit vlîzeclîcher m.
sorgfältig, eifrig.
mahtlîche *adv.* = mehtlîche.
mâl *stn.* niht zeinem
m.-e *mehr als einmal.*
malât *stn. lepra.*
malâtsuht *stf. dass.*
malgram *stm. auch:*
most von m. *(granat-
äpfeln).*
malhe *swv. stand im
pferdestall.*
maltersac *stm. malter-
sack.*
malzant *stm.* malzende
der lewen *gebiß der löwen.*
mammende, mamende
stf. sanftmut.
man *stm.* zeinem manne
geben *(ein mädchen) ver-
heiraten;* der guote m.
spez. der klausner; m.-nes
hant *menschenhand.*
man *unbest. pron.* sô

man saget *wie die quelle
sagt.*
manære *stm. mahner.*
manærinne *stf. mahne-
rin.*
manbete *stf. kopfsteuer.*
manchersît *adv.* an vielen
stellen.
mandâte *stf/n.* m. tuon
übertr. mahlzeit halten.
mandelboum *stn. man-
delbaum.*
mandelbluot *stf. man-
delblüte (von Maria).*
mandelkæse *stm. (speise
aus mandeln, milch und
eiern).*
mandelkern (e) *stswm.*
(minne) der süeze ein m.
mandelkuoche *swm.
mandelkuchen.*
mandelmilch *stf. mandelmilch.*
mandelmuos *stn. man-
delmus (aus mandelmilch,
semmeln und äpfeln).*
mænec *adj. lunaticus,
mondsüchtig, geisteskrank.*
manecformeclich *adj.
multiformis, vielförmig.*
manechornec *adj. viel-
hörnig.*
maneclich *s.* mannegelîch.
manectûsentvalt *adj.
vieltausendfältig.*
manecvach *adj. vielfältig.*
manecvalt (e) *stf. viel-
fältigkeit.*
manecvaltclîche *adv.
auf vielfältige weise.*
manecvar *adj. buntfarbig, bunt.*
mânedeg (e) **lich** *adj.
monatlich.*
mangerîe *stf. nahrung,
ernährung.*
manlich *adj.* ez ist vil m.
es ehrt einen mann.
manlicheit *stf. mannhaf-
tigkeit, tapferkeit.*
manna *n. manna.*

mannabrôt *stn.* got, dû
mannabrôt!
mannasmac *stm. manna-
geschmack, -aroma* (ditz
wazzer hât m.).
mannebilde *stn. mann.*
mannesname *swm.
männliches geschlecht.*
manschier *stn.* = manger, mangier.
manschieren *swv. kauen.*
mantelsnuor *stf. man-
telschnur (als verschluß).*
manunge *stf. erinnerung.*
marcrîche *adj.* m.-r koste
wert *viele mark kostend,
teuer.*
mardel *stm.* = marder.
mære *adj.* m. werden,
m. komen *bekannt werden
(nachricht, neuigkeit);* daz
ist alsô m. *eins so lieb wie
das andere, einerlei.*
mære *stnf. literarische
quelle; sinn, verkündigung*
(der wâren buoche m. *der
sinn der bibel);* ankün-
digung, benachrichtigung
(sich sûmen mit den m.-n);
vermutung (sîne m. ma-
chen, entwerfen); *frage* (ir
aller m.-n antwurten); *fall,
angelegenheit, vorfall* (dem
m. nâch gên); einen der
m. vrâgen *oder ohne pers.
obj.* m. vrâgen *fragen, sich
erkundigen; behauptung*
(m. machen, (ze) m. sagen,
mit abh. satz: behaupten,
erzählen); ein verlogenez
m. *wahnidee; leumund,
verdacht, gerede* (in daz m.,
ze m.-n komen; einen ze
m. bringen); ze m. komen
*dp. zu ohren kommen (von
einer nachrede); eteslîche
m. dies und das.*
mæregrôz *adj. sehr groß.*
marke *stf.*[1] *auch: mark-
grafschaft.*
market *stn. geschäft* (den
m. schaffen); *marketen-
derwagen.*

marketliute *pl. durchreisende handelsleute.*

marketmære *stn. geschwätz.*

marketmeister *stm. marktaufseher.*

markettac *stm. markttag.*

marmel-, (**mermel**)**herte** *adj. hart wie marmor (herze).*

marmels *adv. betäubt.*

marmel-, (**mermel**)**steinîn** *adj. aus marmor.*

marnærinne *stf. schiffsführerin (für Maria).*

marocheise *swm. Marokkaner.*

marschalcambet *stn. amt des marschalks.*

marsche *stf. marsch, reise.*

marterbære *adj. qualvoll.*

marterbürde *stf. schwere der marter.*

marterkestigunge *stf. kasteiung.*

marterkrône *stswf. krone des märtyrers.*

marternôt *stf. martervolle not.*

marterpîn *stf. qual der marter.*

marterstat *stf. stätte des martyriums.*

marterstunde *stf. todesstunde Christi.*

marterzît *stfn. passionszeit.*

maselsühtec *adj. = miselsühtec.*

massenie *stf. lebens- und wohngemeinschaft;* er ist hie m. *ist mitglied der gemeinschaft, ist uns vertraut.*

materjelich *adj. stofflich.*

materjelichheit *stf. stofflichkeit, materialität* (verre aller m.).

materjer, materger *stm. mitwirker.*

maz *stn.*[1] *krippe.*

mâze *stf. mit gs. ein hohes maß an, viel von;* ûz der m.-n, ûz der m.-n wol *außerordentlich, überaus;* ze m.-n alt *in mittlerem alter;* ze m.-n sîn *dp. erträglich sein;* m. nemen *gs. mäßigen (oft iron.); phraseol.:* der wege m. nemen *einen weg einschlagen, verfolgen,* der reise m. nemen *eine reise antreten.*

mæzeclîche(n) *adv. maßvoll.*

mâzelôse *stf. maßlosigkeit.*

mâzen *swv.* einen wurf m. *zum (gezielten) wurf ausholen;* sich m. *gs. iron.: etw. bleiben lassen.*

mâzen *adv. =* mâze.

mâzhaftec *adj. abgemessen.*

mæzlîche *stf. enthaltsamkeit.*

mæzlîn *stn. ein trinkgefäß.*

meditieren *swv. nachsinnen.*

medizinære *stm. arzt.*

megelech *stn. kleiner magen.*

megeren *swv. refl. sich kasteien.*

mehteclîche(n) *adv. mit heeresmacht.*

mehtlîche *adv. dass.*

meidichîn *stn. dem. zu* maget.

meienbluot *stmf. maienblüte; übertr.* daz mære wirt im ein m.

meienkranz *stm. übertr.* aller manne schœne ein m. *(vom antlitz).*

meientou *stn. tau* im mai.

meientouwec *adj. naß vom maientau.*

meientouwen *swv.* alsam ez meigentouwete *(erquickt werden) wie vom maientau.*

meil *stn.* âne m. *makellos.*

meilnis *stf. bosheit.*

mein *stmn. gebrechen, fehler.*

meine *stf.* âne m. *ohne innere beteiligung (z. b. weinen).*

meinen *swv. ap. es auf jem. abgesehen haben.*

meingewelde *stn. gemeindewald.*

meinstrenge *adj. tapfer.*

meinswern *stv. falsch schwören.*

meinwerc *stn. übeltat.*

meist *adj. einzig (z. b.* ir meistiu zuoversiht *einzige hoffnung); subst.* daz meiste auch *,das schlimmste'.*

meister *stm. spez. rechtsgelehrter, urheber von gesetzen; arzt, doktor; auch vom papst;* m. gewinnen an ds. *übertroffen werden in;* m. sîn *gp. sieger sein über.*

meisterambet *stn. amt des ordensmeisters.*

meisterarzât *stm. gelehrter, meisterhafter arzt.*

meisterbredigære *stm. meisterprediger.*

meistergeselle *swm. schüler.*

meisterhant *stf. meisterhand* (des smides m.).

meisterköchinne *stf. oberste köchin.*

meisterschaft *stf. versammlung der lehrmeister; kunst, können;* âne m. *unvollkommen;* m. hân mit *gemeinschaft haben mit.*

meisterschütze *swm. meisterschütze.*

meisterspil *stn. (von den wunderzeichen Christi).*

meistersterne *stm. hauptstern.*

meisterwerfer *stm. meister im steinwerfen.*

meiten, gemeiten *swv. froh machen.*

meitmuoter *stf. jungfräuliche mutter (Maria).*

melancolîe *stf. melancholie.*

melde *stf.*² *ze* m. komen *verraten, angegeben werden.*

melissenwazzer *stn. melissenwasser (-geist); übertr.* daz m. ir güete.

melkede *stn. das melken.*

melm *stm.* ûf dem m. *metaphor. für turnierfeld.*

menclich, meneclich *s.* mannegelîch.

mengart *stm.* = gart, *übertr. stachel.*

mengeln *swv. subst. zerstreuung, ablenkung.*

mengen *swv. durchsetzen (z. b. mit edelsteinen).*

mengunge *stf. mischung.*

menige *stf. ausmaß.*

menniclîchen *adv. männlich, tapfer.*

menschenantlitze *stn. menschliches angesicht.*

menschenar *swm. menschenadler (bezeichnung für Johannes Evangelista).*

menschenâtem *stm. atem des menschen.*

menschenbære *adj. menschliche gestalt tragend.*

menschenbilde *stn. menschliche gestalt.*

menschenbluot *stn. menschenblut.*

menschenforme *stf. menschliche gestalt.*

menschenheil *stn.* dû krône m.-s! *(Parzival als gralskönig).*

menschenherze *swn. menschenherz.*

menschenleben *stn. lebensdauer eines menschen.*

menschenlip *stm. mensch.*

menschenmunt *stm. menschenmund.*

menschenouge *swn. menschenauge.*

menschenpersône *swf. rolle, ansehen des menschen.*

menschensêle *stf. menschenseele.*

menschensin *stm. menschlicher verstand.*

menschensippe *stf.* nâch m. *art des menschen.*

menschenspîse *stf. speise, die menschen gebührt.*

menschentier *stn. etwa: menschliche kreatur.*

menschenvleisch *stn. menschenfleisch.*

menschenvrâz *stm. menschenfresser.*

menschenwîse *stf.* in menschenwîs *auf menschliche art und weise (gekleidet).*

menschheit *stf. menschliche wesensart, menschsein, menschliche gestalt (Christi);* sîne m. laben *für sein leibliches wohl sorgen.*

mensch-, (mens)-lîche *stf. humanitas, menschlichkeit, freundlichkeit.*

mer *stn. als grenze; spez.: das mittelmeer.*

merblâ *adj. meerblau.*

mêre *adv.* um so mehr als; *lieber, vielmehr.*

mêren *swv.* ir varwe mêrte sich *sie errötete; subst. fruchtbarkeit.*

mergans *stf. meergans.*

mergras *stn. alge.*

mergrunt *stm. nbf.* merigrunt *meeresgrund.*

merhunt *stm. canis maris, seehund.*

merjuncvrouwe *swf. sirene.*

merken *swv. subst.: zielen, treffen (als bild für geistige konzentration auf ein ziel).*

merküniginne *stf. meergöttin.*

merlen *swv.* slüzzel gemerlet harte reine *sorgfältig gefeilt.*

mermuschel *swf. seemuschel.*

mersalz *stn. meersalz.*

merschal (e) *stf. muschel.*

merslange *swmf. meerschlange, meerungeheuer.*

mersnecke *swm. testudo, ostrea, torpedo.*

merspinne *swf. meerspinne, seekrebs.*

mêrteil *stn. der größere oder größte teil.*

mervarer, -verer *stm. seefahrer.*

mervrouwe *stf. meerweib.*

merwazzer *stn. meerwasser.*

messe *stf.*² unser vrouwen m. *(das fest) Mariä himmelfahrt.*

messegelt *stn. marktgeld.*

messenærinne *stf. mesnerin, küsterin.*

messepriester *stm. meßpriester.*

messincsmit *stm. messingschmied.*

mête *f. zielpunkt, ende (aus lt. meta).*

metsieder *stm. metsieder (vgl.* metbriuwe).

mettenbuoch *stn. mettenbuch.*

metzelîn *stn. mägdlein, spez. dorfmädchen.*

metzelvleisch *stn. opferfleisch.*

mezzen *stv. intr.* hin unde her m. *überlegen; tr.* ein bilde m. *dp. vorbild geben; etw.* m. *gein ds. anwenden auf.*

mezzer *stn.* m. zücken; m. werfen *(auch als bild für das dichten).*

michel *stf. nbf.* michele.

michelheit *stf. dauer, größe, ausmaß.*

michelmüetec *adj. großmütig.*

mîden *stv. meiden;* mit

gruoze m. *ap. nicht an-
sprechen;* abgote m. *ihnen
abschwören.*

milchkamer *stf. milch-
kammer.*

milchlinc *stm. weichling, milchbübchen.*

mîle *stf.[1] zeit, in der
man eine meile geht.*

milte *adj.* m. *oder karc
verschwenderisch oder sparsam.*

miltecheit *stf. sanftmut,
pietas.*

milteclich *adj. sanftmütig, liebevoll.*

miltmüetec *adj.* (milt-
müetige senftikeit).

minne *stswf.* ze liep und
ze m. *aus liebe;* stæte
m. *ehe;* ze minnen *zum
dank;* mit mînen m.-n
*mit meinem einverständ-
nis;* ze m.-n komen *übereinkommen.*

minnebolt *stm. minne-
held.*

minnelast *stf. liebeslast.*

minnelîche *adv.* = min-
neclîche.

minnelîm *stm. das, was
gott und die seele zusam-
menzwingt (myst.).*

minnen *swv. zur ehe nehmen;* as. m. *an ap. jem.
erkenntlich sein für.*

minnenbrunst *stm. min-
neglut.*

minnenreht *stn. liebes-
recht.*

minnenrite *swm. minne-
fieber.*

minnerbruoder *m. mi-
norit.*

minnesuht *stf. liebes-
krankheit.*

minnesühtec *adj. liebeskrank.*

mirren, myrren *swv. mit
myrrhen salben;* (wîn m.)
mit myrrhen durchsetzen.

mirre(n)smac *stm. myr-
rhenduft.*

mirre(n)wîn *stm. myr-
rhenwein, -saft(?).*

mischen *swv. zusam-
mensetzen, -fügen, -geben;*
klârheit m. = trüeben;
sich zesamene m. *sich aneinander schmiegen.*

miselec *adj. aussätzig.*

miselsühtecheit *stf. aussatz.*

miserisch *adj. elend (als
schimpfwort).*

missebieten *stv. dp. (mit
worten) zu nahe treten,
beleidigen.*

missedraben *swv. fehl-
gehen.*

missegengic, misgengic
*adj. in falscher richtung
gehend.*

misse-, misgetuon *anv.
übel tun.*

misse-, misgevüeren
swv. refl. sich versündigen.

misse-, misgewirken
swv. refl. dass.

misse-, misgezemen *swv.
mißfallen.*

missehellede *stf. dissen-
sio, zwietracht.*

misselîche *adv.* m. sprechen *abweichend urteilen.*

misselich-, mislîcheit *stf.
verschiedenartigkeit.*

missemüete *adj. unselig.*

misserede *stf. böses wort
(über jem.).*

misse-, missage *stf. falsche behauptung.*

missetân *part. adj. verunstaltet (aussätzig und
blind).*

missetât *stf. unrecht,
sünde, falsches tun.*

missetuon *stv. eine sünde
auf sich laden.*

mis(se)valle *swm.* ein
misfalle der gebresten
zerknirschung, reue über
sünden.

missevellen *swv. miß-
glücken, mißraten.*

missewende *stf.* âne m.
auf schickliche weise.

missewendelich *adj.
schändlich.*

mist *st. mn. staub, erde;
nebel.*

mistbreiter *stm. mist-
streuer.*

mistgruobe *stswf. mistgrube.*

mistkorp *stm.* mistkorb.

mit *präp.* m. ein *auf
einmal, zusammen.*

mît *stm. vermeidung,
unterlassung.*

mitalle *adv. gänzlich,
durchaus; stracks, unver-
weilt.*

mite *als adv. bei verben:*

-doln *swv. mitdulden.*

-gâhen *swv. mit-, nacheilen.*

-gân *redv. folgen, befolgen; ds. oder dp. umgehen
mit, sich befassen mit;* einem site m. *einer gepflo-
genheit treu bleiben.*

-gegân *redv. dass.*

-gereden *swv.* si gerette
nicht vil mite *sprach
nicht viel mit ihm.*

-gestrîten *stv. mit einem
kämpfen, ihn bekämpfen.*

-geteilen *swv. refl. sich
mitteilen.*

-gevarn *stv.* einem übele
m. *ihm schaden verursa-
chen.*

-haften *swv. anhängen,
anhaften, hängen bleiben
an.*

-hellen *stv. zusammenklingen; subst. zustim-
mung.*

-hengen *swv. nachgeben.*

-kêren *swv. mitziehen.*

-lîden *stv. subst. mitleid.*

-loufen *redv. mitlaufen;*
der tôt lief im mite er
mußte sterben.

-lûten *swv. consonare.*

-nemen *stv. mitnehmen.*

mite-rîchen swv. zusammen regieren, mitregieren.

-rûnen swv. geheimnisse austauschen.

-sîn anv. gesellschaft leisten; anhaften; dp. gs. gestatten.

-spiln swv. jem. mitspielen; des selben m. ebenso behandeln.

-teilen swv. rât m. rat geben; lant, guot m. übergeben.

-trûren swv. zusammen mit jem. trauern, contristari.

-varn stv. mitfahren; verbunden sein mit; behandeln, handeln an.

-vehten stv. kämpfen mit.

-volgen swv. beistimmen.

-vüeren swv. (etw. für jem.) mitführen.

-wandeln swv. conversari, umgang haben.

-wesen stv. = mite sîn; begleiten.

-wonen swv. jem. eignen, zu eigen sein (tugenden); zuteil werden (hilfe); getragen werden (rüstung).

-ziehen stv. dem tôde m. mit dem tode leben.

-zogen swv. folgen (der tag der nacht).

mitehaft stm. conjunctio, verbindung.

mitehandel stm. m. hân teilen.

miteheller stm. vertrauter freund.

mitejunger stm. mitjünger.

mit(e)lîdenlich adj. mitleidend.

miteredec adj. unterhaltsam, leutselig.

miteredunge stf. confabulatio, gespräch.

miterihtære stm. mitrichter (beim jüngsten gericht).

mit(e)samen(e) adv. m. ligen beilager halten.

miteslüzzel stm. gemeinsamer schlüssel; mitbewohner.

mit(e)spilære stm. mitspieler.

mit(e)vröude stf. gemeinsames glück (myst.).

mitewandelunge stf. umgang, verkehr.

mitte stf. sînen sin in die m. werfen sich auf dem goldenen mittelweg halten.

mittelôde stf. m. der sêle (myst.) das innerste.

mittelort stm. fachausdruck der zimmerleute.

mittelpunct stm. zentrum (astron.).

mittelschaft stf. mittelweg.

mittelverre adj. in der mitte befindlich; der m. buochstap (das v in ave).

mittelvinger stm. mittelfinger.

mittelvrîe swm. halbfreier (rechtsbezeichnung).

mitten adv. mitteninne; ie m. stân zwischen vergangenheit und zukunft stehen.

mitterman stm. der zwischen den parteien stehende.

mittewahsen part. adj. von mittlerer größe.

miuchel-, mûchelzelle stf. ,naschzelle' o. ä. (ort des verbotenen genusses).

molchen-, molkendiep stm. ,milchdieb', schmetterling.

molchen-, molkenstæle swm. dass. du ungetruwe molkenstellen! (zu einem flatterhaften gesagt).

molle swm. schweinskeule.

monarchîe stf. herrschaft (diu m. über al der erde hêrschaft die herr-

schaft über alle fürsten der erde).

montâne stf. nbff. montanîe, montange, muntâne.

morderære stm. mörder.

morderhant stf. mörderhand.

morderhol stn. räuberhöhle, mördergrube.

morgenstunde stf. morgenzeit, morgenstunde.

môrkint stn. mohrenkind.

môrlant stn. mohrenland.

mort stnm. daz ist ein m. ist eine todsünde.

mortgalle swf. teuflisches oder tödliches gift.

mortgeil adj. mordlustig.

mortgeselle swm. spießgeselle.

mortgesinde stn. mördergesindel (von den ,mördern' Christi).

mortgiriclich adj. mordgierig.

mortgîticlîchen adv. zum vorigen.

morthunt stm. mordhund (schimpfwort).

mortloch stn. mördergrube.

mortmezzer stn. mordmesser.

mortræte adj. mordstiftend.

mortschade swm. mörderisches gemetzel.

mortswert stn. mordschwert.

mortswinde adj. gewalttätig.

mosgras stn. sumpfgras.

mostvaz stn. faß für most.

mouchelzelle s. miuchelzelle.

mouwe stswf. auch als wappenbild.

müechen swv. = müejen.

müede *stf. erschöpfung.*
müejen *swv. refl. sich
vergebens abmühen.*
müenis *stf. mühsal.*
müeten *swv.* = muoten;
(den mut) stärken.
müezecgang *stm. müßiggang;* sich dem m. er-
geben.
mügelich *adj. wahr-
scheinlich.*
mügelîche *adv. verdien-
termaßen, mit recht ver-
dient, nach vermögen.*
mügen *anv. subst. vermögen, kraft.*
mugenheit *stf.* = müge;
*potentia (in der trinitäts-
formel).*
mun *stm. gesinnung, erinnerung.*
münec *adj. m. ûf as.
bedacht auf; (mit gs.):*
witzen m. *scharf an geist,
scharfsinnig; auch: mutig,
tapfer.*
münechgenôz *stm.* niht
m. sîn *kein wahrer mönch
sein.*
munt *stm.* dicker m.
volle lippen; eines mannes m. *ein mensch (bei
verben des sagens);* bî, mit,
ûz einem *oder* gemeinem
munde *einhellig, einstimmig (sprechen);* m. halten
den mund halten; mit
dem munde, von munde
mündlich (z. b. grüßen).
muntaffen *swv. maul-
affen feilhalten.*
muntkur(e) *stf.* ze m.
bringen *ins gerede brin-
gen.*
muntrûm *stm. mund*
(ûz sînem mundrûme
vand er vil kûme mit
sneller rede unterschaid
*konnte er nicht so schnell
die passenden worte her-
vorbringen, äußern).*
muoder *stn.* mang m.
mensch *(kompos.?)* men-

schenkind, -bild, allerlei
volk.
muot *stm.* grimmiger m.
zorn; guoter m. *auch: gut-
willigkeit;* hôher m. *stolz;*
kranker m. *kleinmut;* mil-
ter m. *güte;* senfter m.
geduld; stæter m. *treue,
gewissen;* tougenlichen m.
tragen *dp. heimliche neigung hegen für;* durch tu-
gentlichen m. *um der mo-
ral willen;* vrîer m. *freie
entscheidung;* vrœlichen
m. tragen *glücklich sein;*
williger m. *willenskraft;*
wunniclicher m. *lebens-
freude;* rât ze m.-e bern
*ermutigung geben, ermuti-
gend sein;* m. haben *gs.
beabsichtigen, streben nach,
sich entschließen zu;* ze
m.-e sîn *oder* werden *unpersönl. mit dp. und gs.
oder abh. satz: jmds. ab-
sicht sein (das ist mir ze
m.-e das ist meine ab-
sicht);* einen m. hân *einträchtig handeln, einmütig
sein;* er sprach durch
sînen m. *wie es ihm ein-
kam, unbekümmert;* âne
m. *ohne innere beteiligung,
zwingendes bedürfnis;* sînen m. sagen *dp. seine
meinung sagen;* mit ende-
haftem m.-e *(jem. lieben)
entschlossen, unerschüt-
terlich.*
muoterstille *adv.* m. swî-
gen *ganz still.*
muotertohter *f. lediges
mädchen, das mutter wird.*
muotertuom *stm. mut-
terschaft.*
muotgedœne *stn. see-
lenmelodie.*
muotgelust *stmf. lust,
freude, vergnügen; willkür.*
muotgelüste(n) *stn. dass.;*
herzen m. *herzenslust.*
muotlich *adj. gemütvoll.*
muotlôs *adj. entmutigt.*

muotwilligen *adv. freiwillig.*
muozec-,müezeclîche(n)
*adv. allmählich, nach und
nach.*
mûrbreche *stf. belagerungsgerät.*
murmelære *stm. mur-
melnder, murrer.*
murmeln *swv. subst. gemurre, gemurmel.*
murren *swv. stöhnen.*
murrot *adj. stumpfnasig*
murtlich = mortlich.
murzeln *swv. zerreiben,
zermürben.*
muscâtblüete, **-bluot**
stf. muskatblüte; bildl. ir
lîp ist guot sam m.
muscâtboum *stm. mus-
katbaum.*
muscâtnegel, **-negelîn**
stn. muskatnelke.
muscâtstengel, **-stingel**
stm. muskatstengel.
müseln *swv. beflecken.*
mûshunt *stm. katze.*
mûsloch *stn. mauseloch.*
myrre *s.* mirre.

N

nâch *präp. in verbindung mit substantiven, die
eine aktion ausdrücken,
bezeichnet* nâch *zugleich
mit der zielrichtung der bewegung auch ihren zweck:*
nâch stichen *(aufeinander
zureiten): zum zwecke des
stoßes; mit nachgestelltem
wegen: auf grund von.*
nâch *adv. bei verben:*
-bilden *swv. tr. imitari,*
nachahmen.
-bringen *swv. mit dat.*
nachbringen.
-gân, gegân *redv. hinter-
hergehen; mit dat. folgen,
befolgen;* dem mære n. *es*

verfolgen; guotlîchen n. *dp.*
gütig im auge behalten, acht
haben auf.

nâch-geben *stv. mit dat.*
nachgeben.

-giezen *stv. nachgießen.*

-heben *stv.* sich ûf die
slâ n. *der spur nach-*
folgen.

-hengen *swv. dp. gs. ein-*
willigen.

-hupfen *swv. dp. nach-*
folgen.

-îlen *swv. mit dat. ver-*
folgen.

-kapfen *swv. mit dat.*
nachspähen.

-kêren *swv. folgen, hin-*
terherziehen.

-komen *stv.* nachkommen, *folgen;* übertr. einer
bete n.

-kôsen *swv. dp. nach-*
reden.

-kriegen *swv. dp. nach-*
streben.

-lâzen *redv. (mit acc.)*
aufgeben.

-loufen *redv. (mit dat.)*
verfolgen, hinterherlaufen.

-luogen *swv. mit dat.*
aufmerksam nachschauen.

-machen *swv. nach-*
machen, -bilden (ein ding,
dabî man ein ander
ding schephet und nâch
machet, daz heizet ein
regula).

-rinnen *stv. nach-*
schwimmen.

-rîten *stv. (mit dat.)*
nachreiten, verfolgen.

-schieben *stv. übertr.*
nachhelfen.

-schouwen *swv. trans.:*
nachweisen (wer kan im
daz n.).

-schürgen *swv. nachsto-*
ßen.

-sehen *stv. (mit dat.)*
nachschauen; hinwarten
unde n. *ds. etw. voraus-*
sehend durchdenken.

nâch-senden *swv. nach-*
senden.

-singen *stv. nachsingen*
(vorsingen − nâchsingen).

-sinnen *stv. ds. nach-*
grübeln.

-slîchen *stv. (mit dat.)*
nachgehen, -folgen; tougen
n. *nachschleichen.*

-sliechen *stv.* = -sliefen
folgen, verfolgen.

-sloufen *swv. trans. hin-*
ter sich herschleifen.

-sprechen *stv. (mit dat.)*
hinterherrufen.

-stapfen *swv. nach-*
reiten.

-stellen *swv. danach*
trachten (im feindlichen
sinn).

-streifen *swv. nachreiten,*
folgen.

-strîchen *stv. (mit dat.)*
hinterherjagen.

-swimmen *stv. (mit dat.)*
hinterherschwimmen.

-swingen *stv. nachflie-*
gen.

-trüllen *swv. nachtrollen.*

-tuon *anv. (gebete)*
nachsenden.

-varn *stv. mit dat. folgen.*

-volgen *swv. dass.*

-wæjen *swv. nachwehen*
(vom wind).

-wandern *swv. folgen.*

-warten *swv. nachblik-*
ken.

-ziehen *stv. folgen; dp.*
auch: *auf jemandes hand-*
lungsweise eingehen.

-zogen *swv. folgen.*

nâchbildec *adj.* n. sîn
nachbilden.

nâchgebûr(e) *swstm.*
herzen n. sîn *sich im herzen*
festnisten.

nâch-, nâhegesezze *stm.*
nachbar.

nâchkünftic *adj.* n. geschiht *künftiges ereignis.*

nâchlôn *stm. künftiger*
lohn.

nâchsage *stf. nachrede.*

nacke *s.* nac.

nackensnuor *stf. haar-*
band.

nacketage *stswm. übertr.*
abgerissene kleidung.

nacketvar *adj. nackt.*

nâdelkar *stn. nadel-*
büchse.

nâdelnacket *adj. split-*
ternackt.

nagelgebende *stn. von*
den am kreuz befestigten
händen Christi.

nâhe(n) *adv.* n. gân
(dp.) bedrängen, ins inner-
ste dringen, schaden; einen
rât n. tragen *beherzigen;* n.
sprechen *(dp.) jem. durch*
worte verletzen; näher gên-
de sîn *einen bevorzugten*
platz im herzen einnehmen;
komp. oft durch baz *ver-*
stärkt; komp. auch allg.:
weiter weg.

nâhen(en) *swv. nahe be-*
vorstehen.

næherunge *stf. nähe-*
rung (myst.).

nâhest *adv. letzthin,*
jüngst.

nahtgruobe *stf. jagd-*
grube zum nächtlichen fang.

nahtlich *adj. nocturnus,*
nächtlich.

nahtlieht *stn. nachtlicht*
(am altar).

nahtschûr(e) *stswm.*
schauerliche nacht.

nahttropfe *swm. tau.*

nahttroum *stm. alp-*
traum.

name *stswm. begriff;* in
eime n.-n *aus einemmunde,*
zugleich; ritters n. *ritter-*
stand; des n. phlegen
seine standespflicht erfül-
len; dem n.-n widersagen
gegen seine standespflicht
verstoßen; mit n.-n *für-*
wahr.

namelîche *adv. sicher-*
lich.

namen *swv. berufen;* lobelîche n. *ruhmvoll feiern.*
nanne *m. vater.*
narren *swv. narr werden.*
narre(n)fex *m. tor, narr.*
narrenwagen *stm.* n. trîben *narrenpossen treiben.*
naschen *swv.* betteln,
stehlen.
nasebôz *stnm. schnup-
fen.*
nasewîse *adj. vorschnell
urteilend.*
nâter *swf. auch von
einem aal.*
nâterngesiehte *stn.* ,ot-
terngezücht'.
nâternzagel *stm. schwanz
einer natter.*
natûre *stswf. das sinnliche wesen des menschen,
körperliches befinden; naturreich.*
natûrlich *adj. der wesenheit gemäß, sinnlich; zum
naturreich gehörig.*
natzen *swv. einschlum-
mern, einnicken.*
naz *adj. auch betrunken.*
nebel *stm. ausdünstung;
rauch, dunst, qualm.*
nebeldunst *stm. staubwolke.*
nebensternunge *stf. konstellation.*
neben-dringen *stv.
durchsickern (des wassers).*
nebentür *stf. zweiter ausgang.*
necromatîe *s.* nigro-
manzîe.
nehticlîche(n) *adv. jeden abend;* aller n. *dass.*
neigen *swv.* unterdrükken; *zu fall bringen.*
nemen *stv. mit ap. jem.
bei der hand nehmen, bei-
seiteführen; jem. heiraten,
zum mann, zur frau neh-
men; einen dar abe, dar
von* n. *jem. von etw. abraten, abbringen, befreien;
mit ap. oder as.* an sich n.

*verantwortung übernehmen
für; mit as.* in sînen muot
n. *hoffen auf;* den prîs n.
den sieg erringen; minne n.
sich hingeben; unpers. mich
nimet angest *mich ängstigt;*
mich nimet vürwitze *ich
bin neugierig (ob . . .); –
spez.* zielen (ûf die brust n.
ap.); ze blicke an sich n.
(puder od. schminke) ,auf-
legen', *sich schminken.*
nement *adv. u. präp. =*
eneben, neben(t).
nemnen *swv.* = nem-
men, nennen.
nennelich *adj. nennbar.*
nennunge *stf. benen-
nung.*
nern *swv.* sich n. *sich
durchschlagen.*
nevemez *stn. handvoll.*
newan *adv. u. konj. =*
niuwan.
nîdeclich *adj. feindselig.*
nîden *stv. u. swv. ap. mit
haß verfolgen; subst.* daz n.
die feindschaft der welt.
nider *adv. (grundbedeu-
tung:* hinab *u. ä.) prägn.:*
zugrunde (himel unde erde
müeze ê n. *müßten eher zugrunde gehen). – (grund-
bedeutung:* niedrig, tief)
hôch unde n. *laut und
leise, in allen tönen* (ruofen); dâ n. ligen (muot).
nider *als adv. bei verben:*
-biegen *stv. tr. u. refl.
niederbeugen.*
-brechen *stv. tr. nieder-
brechen; übertr.* unterdrükken; *intr. u. refl. sich herabsenken.*
-bersten *stv. intr. nieder-
stürzen.*
-bringen *anv. trans. zu
boden schlagen.*
-bücken, -bocken *swv.
tr. niederbeugen; intr. sich
beugen.*
-dringen *stv. tr. eindrücken (tür).*

nider-drücken *swv. tr.
unterdrücken;* den bart n.
*den bart streichen; refl. sich
herunterbeugen;* nider ge-
drucket *part. adj. demütig.*
-drumen *swv. tr. nieder-
hauen, niederwerfen; auch
übertr. unterdrücken.*
-erbieten *stv. tr. nieder-
hängen lassen.*
-gâhen *swv. von bord
eilen.*
-gân *redv.* aber n. *wieder
umfallen, hinfallen.*
-gelegen *swv. tr. friedlich beilegen, beschwichtigen.*
-geligen *stv. zu fall kommen (nach hochfahrt).*
-gemachen *swv. refl. sich
herablassen (übertr.).*
-gesitzen *stv. sich hinsetzen.*
-geslahen *stv. tr. zugrunde richten, nieder-
schmettern.*
-getreten *stv. auftreten;*
ze keiner stunde unsanfte
n. *vor allen härten bewahrt
bleiben.*
-hagelen *swv. tr. niederwerfen, besiegen.*
-hegen *swv. tr. fällen
(bäume).*
-helfen *stv. dp. zu bett
helfen, bringen.*
-henken *swv. tr. hängen
lassen* (houbet).
-houwen *redv. tr. nieder-
hauen, fällen.*
-hurten *swv. tr. mit der
lanze vom pferd stoßen (vgl.*
hurt).
-kêren *swv. tr. u. refl.
herabsenken, -wenden.*
-kniewen *swv. niederknien.*
-komen *stv.* kindes n. *ein
kind gebären;* an guot n.
sozial sinken.
-laden *stv. tr. abladen.*
-lâzen *redv. tr. herablassen, senken (brücke, tor;*

die finger beim eid); be-enden (gebet, rede); ab-legen (ungemüete); *sînen muot* n. *seinen entschluß aufgeben, sich bescheiden; refl. sich herablassen, nie-dergehen (von vögeln); sich (häuslich) niederlassen, stellung beziehen, aufent-halt nehmen (auch bildl.);* sich ze vüezen n. *herab-steigen (vom pferd), um zu fuß zu gehen, ‚sich auf seine füße verlassen‘.*

nider-legen *swv. tr. über-tr. (jemandem)* unrecht tun, *abbruch tun; passivisch:* nidergeleit werden *scha-den nehmen, ansehen ein-büßen; etw. beilegen (feh-de), abbrechen (rede), auf-geben* (den herschilt).

-leiten *swv. tr. hinunter-leiten (wasser).*

-ligen *stv. zu fall kom-men; niedersteigen; unter-liegen, liegen bleiben;* der vride nider lac *lag im ar-gen.*

-mæjen *swv. tr. nieder-mähen (bildl.).*

-meizen *redv. tr. nieder-schlagen (bäume).*

-morden *swv. tr. nieder-metzeln.*

-neigen *swv. tr. senken* (houbet, sper); *refl. sich demütigen.*

-nicken *swv. absol. den blick senken; intr.* mit den ougen n. *dass.; tr. neigen* (daz houbet n.).

-nîgen *stv. intr. zer* erden n. *sich beugen, nie-derbeugen.*

-rîsen *stv. niederfallen (vom tau).*

-rîten *stv. intr. hinun-terreiten; tr. niederreiten.*

-riuten *swv. tr. nieder-mähen.*

-schiezen *stv. intr. nie-derstürzen.*

nider-schouwen *swv. hinuntersehen.*

-schrôten *stv. nieder-hauen, zu boden werfen.*

-sehen *stv. den blick senken, hinuntersehen.*

-senken *swv. tr. senken* (houbet, schaft); *versen-ken (schiff).*

-setzen *swv. tr. u. refl.* hinsetzen.

-sidelen *swv. sich nie-derlassen, sich ansiedeln.*

-sîgen *stv. niedersinken, absinken; refl. sich nieder-beugen.*

-sinken *stv. nieder-fallen.*

-sitzen *stv. sich (hin)-setzen; sich senken.*

-slahen *stv. hinmähen;* daz leben n. *das leben hin-bringen.*

-smücken *swv. refl. nie-derkauern.*

-snaben *swv. straucheln, übertr. in sünde fallen.*

-springen *stv. hinunter-springen.*

-stechen *stv. tr. vom pferde stechen.*

-stîgen *stv. hinunter-gehen, -steigen.*

-stôzen *redv. nieder-stoßen (im kampf).*

-strecken *swv. tr. u. refl.* hinlegen.

-strichen *stv. glatt strei-chen (kleid).*

-strûchen *swv. strau-cheln, niederfallen.*

-stürzen *swv. nieder-stürzen; auch refl.*

-swîfen *stv. refl. sich herabschwingen, sich vom pferd schwingen.*

-tragen *stv. schwer sein, tief gehen* (der slac truoc sêre n.).

-treten *stswv. tr. nieder-treten; vertuschen.*

-tuon *anv. trans. übertr. abbringen von; mit gs.*

einen sîner hôchmuot n.; *refl. nach unten streben.*

nider-vallen *redv. nieder-fallen, stürzen* (an die knie; ûf daz gras); *untergehen (gestirne); krank werden; vom pferd steigen.*

-varn *stv. hinab-, herab-steigen (z. b. in die hölle).*

-vellen *swv. tr. zu fall bringen; erschlagen.*

-vliezen *stv. herab-fließen (blut).*

-werfen *stv. tr. nieder-werfen.*

-ziehen *stv. trans. u. absol. herunterziehen; (bild der waagschale: Evas)* apfel, der uns alle vröude nider zôch; *(stimmen eines saiteninstruments:)* dise *(saiten u. wirbel)* zôch er nider, jene hôher.

-zücken *swv. tr. her-unterreißen.*

-zünden *swv. dp. jem. zu bett leuchten.*

niderbaz *adv. weiter un-ten.*

niderbrüstec *adj. nieder-brechend, -stürzend.*

niderduz *stm. das herab-strömen; des sweizes* n. *schweißausbruch.*

niderec *adj. niedrig.*

nidergewæte *stn. unter-kleidung.*

niderguz *stm. nieder-strömen des regens.*

niderhanc *stm.* mit des houbtes n. stân *mit ge-senktem haupt.*

niderlant *stn.* hie in ni-derlanden *hienieden.*

niderlegunge *stf. nieder-lage; beschlagnahme; be-herbergung.*

niderlender *stm. bewoh-ner des niderlandes.*

niderlendisch *adj. im tal wohnend.*

niderteil *stn. der untere teil.*

nidertrit *stm. (stelle zum) abstieg.*

nie *adv.* nie sô vaste *noch so sehr, um so mehr;* nie vor disem tac *nie zuvor.*

niemêr *adv. als interj. keineswegs!*

niener *adv. niemals.*

nieten *swv.[2] refl. auch rein phraseol.* sich sterbens n. *sterben.*

niezen *stv.* vröude n. *glücklich sein; subst.* andâht mit gerndem n. *(beim empfang des leibes Christi).*

niftel *swf. base.*

nîgen *stv. danken;* ze gote n. *gott danken.*

niht *stn. das nichts; (sündhafte) nichtigkeit.*

nît *stm. streben; ehrgeiz; streitbegehr; bosheit;* n. reden *böse gedanken aussprechen.*

nîtspil *stn. kriegsunternehmen.*

niumâne *stm. neumond.*

niunslaht *adj. neunfach.*

noch *adv. immer noch* (= noch ie); *bislang, bisher; schon;* noch wannen *noch irgendwann, in futuro;* noch eher, *morgen oder* noch spätestens morgen.

noch *konj.* noch . . . noch *weder . . . noch.*

nochdan *adv. immer noch; überdies.*

nordenwint = *norderwint.*

nordîn *adj.* n. wint *nordwind.*

nôsekeit *stf. lässigkeit, ,nusseligkeit' oder genußsucht?* (nœzekeit).

nôselich *adj. gleichgültig, lau; genußsüchtig* (nœzelich).

nôt *stf. notlage; zwangslage, höhere gewalt; verhängnis;* gerihtes n. *zwang, gebot, befehl;* lîbes n. *lebensgefahr; spez. kind-*

bett; *redewendungen:* ez tuot im n. *ist unvermeidlich, er kann nicht anders,* kann nichts dafür; *mit* micheler, maneger n. *mit müh und not;* grôze n. hân *sich abquälen;* grôze n. machen *aufhebens machen;* âne n. *ungerechtfertigt, sinnlos;* âne n. lâzen *in ruhe lassen;* ze n. antwurten *nur das nötigste antworten.*

nôtdurft *stf. durch, von* n. *nötigerweise.*

nôte *adv. schwerlich; komp. unpers.* dô wart ir nœter vil dan ê *verlangte sie noch dringender* (nach . . .).

nôteclîche *adv.* n. leben *in bedürftigkeit, in not.*

nôthaft *adj.* n. sîn *ein kümmerliches dasein führen.*

nœten *swv.* niht n. *ap. einem nichts anhaben.*

nôtnemen *stv. tr.* = nôtzogen.

nôtrede *stf. schiedsrichterliche entscheidung.*

nôtsweiz *stm. angstschweiß.*

nouwecheit *stf. mühsal.*

novizenmeisterin *stf. erzieherin der novizen.*

nû *konj.* nû . . . denne *bald . . . bald.*

nû *stn.* nû der êwicheit *nunc aeternitatis;* in eime einzigen nû.

nüehterlîche *adv. mäßig;* ezzen und trinken n. *(als gebot).*

nulle *swm. hals.*

nuofer = *uover.*

nuos = *nuosch.*

nutzebære *stf. brauchbarkeit, fruchtbarkeit.*

nützecheit *stf. nutzen, nutzbarkeit.*

nützelich *adj.* mit n.-em sinne *praktisch.*

nutzhaft *adj. nützlich.*

nutzheit *stf. nutzen.*

nuzgarte *swm. obstgarten od.* nuß(baum)garten.

nuzkerne *swm.* nußkern.

nuzschale *stf.* nußschale; niht ein n. *gar nichts.*

O

obe, ube *konj.* o. schône *wennschon, obschon, obgleich (vereinz. seit 13. jh.).*

obe *präp. über; gelegentl. mit gen.* dû sihst den rihter ob dîn.

obe *präposit. adv. bei verben:*

obe haben *swv. as. ds.* disen dingen hât diu welt niht o. *höheres kennt die welt nicht.*

-sweben *swv. ds. übertreffen;* (lop) daz der mâze swebet o. *das alles gewohnte maß übersteigt.*

-sweimen *swv. überragen (an).*

-vliegen *stv. mit dat. überflügeln, übertreffen.*

obene *adv.* daz mære von o. hin ze grunde sagen *gründlich u. genau.*

oberbild(e) *stn. eine spielkarte (dame).*

oberbrahten *swv. übermäßig lärmen.*

oberdach *stn. (bildl.:) krone, krönung, gipfel (aller schönde ein o.).*

obergewant *stn. bettdecke.*

oberhêrre *swm. oberherr, lehnsherr.*

oberhimel *stm. fixsternhimmel, firmament.*

oberschepfe *stm. oberschöffe.*

obersnabel *stm. (des adlers) oberschnabel.*

oberteil *stn. oberteil, oberseite (z. b. des würfels).*

obese *stswf. vorhalle.*

obic *adj. ober, höher;* o.

rîche *regnum aeternum; himmelreich, Olymp.*

ochezen *swv. och rufen; vgl.* ach(ez)en *wehklagen.*

octâv *stf. oktave; sopran(?).*

ode *konj.* weder .. o. *weder ... noch;* ê ... ode *eh ... eh, lieber ... als.*

of *konj. md. oder.*

offen *adj. offenkundig;* o. urkunde *manifestum argumentum, beweisendes zeugnis.*

offenbâr *adv. laut, vernehmlich* (singen).

offenbære *adj. unbefangen, frei.*

offenen *swv.* die strâzen o. *den weg freigeben.*

offenlich *adj.* o.-er kampf *offene auseinandersetzung.*

offer *s.* opfer.

offerende *f. opfergabe.*

olanglich *adj. s.* alanc *vollkommen.*

olbentîn *stn.* = olbente *kamel.*

ölbrunne *swm. ölquelle.*

öle *stn.* das heiz ö. *(von geschmolzenem blei gesagt).*

ölvarwe *stf.* si ist gefirnüsset mit guter glantzer ö. *(d. h. schminke).*

opfer, offer *stn.* o. tragen *opfergeld spenden;* ‚opfern‘.

opferdienest *stm. opfer, opferdienst.*

orden *stm. sitte, art, religion, konfession;* den o. anlegen *dp. ordenskleid.*

ordensman *stm. mitglied eines ordens.*

orizon *m. horizont.*

orthabe *swm. oberhaupt,* ‚spitze‘: daz houpt, ein o.

des lîbes ob allen den geliden.

ortvrumunge *stf. auctoritas, urheberschaft.*

ôse *swstf. schöpfeimer.*

ôsterbrôt *stn. osterbrot.*

ôstergelt *stn. osterzins.*

ôstergloie *swf. frühlingslilie.*

ôsterheilec *adj.* die ôsterheiligen tage *osterfeiertage.*

ôsterimbîz *stn. ostermahl.*

ôsterisch *adj. österlich* (daz ô.-e pascha).

ôstermâl *stn. ostermahl.*

ôstermorgen *stm. ostermorgen (auferstehung).*

ôsternaht *stf. osternacht.*

ôsterspîse *stf. ostermahl.*

ôstersunne *stf. ostersonne.*

ôsterteil *stn. osten.*

ôstertulde *stf. osterfest.*

ouge *swn.* mit den o.-n vremeden *ap. jemds.* anblick meiden; under o.-n ane sehen *ap. jem. ins* gesicht sehen, auge in auge gegenübertreten; an den o.-n ligen *dp. deutlich vor* augen stehen; âne o.-n wesen *blind sein;* mit liehten o.-n *sehenden* auges; sîn o. lâzen in as. hineinspähen; under o.-n legen *as. dp. jem. etw.* (tadelnd) vorhalten; mit den o.-n sehen *ap., daz ...* jem. so ansehen, als ob ...

ougebein *stn. stirnbein.*

ougeglas *stn. brille.*

ougen *swv. refl.* sich zeigen, erscheinen; zum vorschein kommen *(sterne).*

ougenbilde *stn. augenlicht, augen;* bî iuwerm o. = bî iuwern ougen.

ougenender *stm. horizont.*

ougengruobe *stswf. augenhöhle.*

ougenmeil *stn. augenfehler.*

ougensalbe *swf. salbe für die augen; auch übertr.*

ougenschalc *stm. augendiener, schmeichler.*

ougenschîn *stm. augenschein, (an)blick* (in den o. komen); sînes herzen o. *sein geistiges auge; das beschauen; autopsie.*

ougenswanc *stm.* nie ein einic o. *nicht ein einziger blick oder lidschlag.*

ougentrôst *stm. augentrost (heilpflanze).*

ougepfelîn *stn. dem. zu* ougapfel.

ougesêre *stm. augenleiden.*

öust *stn. schafherde.*

ovenviur *stn. feuer im (schmelz)ofen.*

P

palas *stnm. schloß.*

paliure *f. blässe.*

palm(e)âbent *stm. vorabend des palmsonntags.*

palmbluot *stmf. palmblüte.*

palmwîn *stm. palmwein.*

papelrôse *swf. stockrose, malve.*

paradîsapfel *stm. paradiesapfel; granatapfel.*

paradîsîn *adj. paradiesisch (beiwort für Maria).*

pære *stf.* = bære[3] *(zu* bar *adj.) kahle stelle am weinberg.*

parisapfel *stm. apfel des Paris.*

parlieren *swv. tuscheln.*

paternoster *stn. pater noster, vaterunser.*

pech *s.* bech.

pel(l)ikân, pel(l)ikîn *stm. pelikan.*

pennic *stm.* = phenninc umb einen rehten p. *für einen passenden kaufpreis.*

peregrîn *stm. pilger.*

perle *s.* berle.

persich *stm. eine fischart, (vgl.* bars, bersich).

petschaft *s.* petschat.

perûle *stf.* = berle *perle.*

pf- *vgl. im hauptteil* ph.

pfaffensamenunge *stf. konzil.*

pfaffenwîhe *stf. priesterweihe.*

pfælen *swv. pfähle machen, (im weingarten) pfähle stecken.*

pfâlholz *stn. holzpfahl (zum brückenbau).*

pfankuoche *swm. pfannkuchen.*

pfannensmit, -smet *stm. pfannenschmied.*

pfannenstil *stm. pfannenstiel.*

pfant *stn. beutestück;* ze pfande setzen *as. sich verbürgen mit etw.;* zwîfels pf. machen *dp. jem. von zweifel befreien.*

pfatgewant *stm. reisekleid.*

pfâwenvedere *stf. pfauenfeder.*

pfefferkorn *stn. pfefferkorn.*

pfeffersac *stm. pfeffersack (als schimpfwort).*

pfellel-, pfellenkleit *stn. festliches (seiden)gewand; auch übertr.*

pfellel-, pfellorrock *stm. purpurgewand.*

pfellelvar *adj. purpurfarbig.*

pfellelvarwe *stf. farbe des blauen purpurs.*

pfenden *swv. ap. gs. einem etw. abgewinnen.*

pfenninc, **pfennic, pfenninge** *stm. jur. geldforderung.*

pfennincdiep *stm. gelddieb.*

pfennincrîche *adj. reich;* ein pf.-r man *mann, der viel geld hat.*

pfennincstiure *stf. geldsteuer.*

pfîen *swv. verspotten, pfui rufen.*

pfifenschal *stm. pfeifenklang.*

pfîlsegen *stm. pfeilsegen (beim ausziehen des pfeils aus der wunde).*

pfimpfen *swv. vor hitze dampfen.*

pfingestâbent *stm. abend vor pfingsten.*

pfingestheilic *adj. die* pfingestheiligen tage *pfingstfeiertage.*

pfitzen *swv.* = pfîen.

pflanz(e)rîs *stn. steckling.*

pflegære *stm. beschützer, bewahrer, wächter.*

pflege *stf. versorgung, verpflegung;* unwerdiu oder swachiu p. *mangelnde pflege, vernachlässigung;* in sîner p. haben *as. verfügung, gewalt haben über (z. b. ein kastell).*

pflegen *stv. mit gen. verehren; vormundschaft üben über;* der lande pfl. *das reich verwalten;* sîn selbes pfl. *sich schützen;* sîner zungen pfl. *seine zunge hüten;* rehter dinge pfl. *gerechtigleit walten lassen;* guotes pfl. *sich um besitz kümmern;* der triuwen pfl. *sich freundlich zeigen;* schalles pfl. *einen festtag halten;* – tr. in banden pfl. *ap. in banden halten.*

pflegunge *stf. fürsorge, obhut.*

pfliht *stf. pflicht, aufgabe, verpflichtung, umgang; anteil, anspruch;* pfl. nemen *gs. anstoß nehmen;*

phraseologisch: in leides pfl. *in schmerzen;* in troumes pfl. *im traum.*

pflihteclich *adj. verpflichtend.*

pfluocrat *stn. rad am pflug.*

pfochsnîden *stn. beutelschneiderei.*

pfrille *swm. (eine fischart).*

pfropflinc *stm. pfropfreis.*

phariseus *stm. pharisäer.*

philosophie *stf. philosophie.*

physike *swf. heilkunde.*

pillele pillule *swf. pille.*

pinol *name eines weines.*

pinselwerc *stn. gemälde.*

plân *stm. kampfplatz, schlachtfeld; bildl.* ûf der minnen pl. gân; *phras.* ûf. der trugen pl. *heimtückisch.*

plange, planie *auch* swf.

plânie *swf.* = plân.

planken *swv. (md; vgl.* mnd. plengen) bôsheit pl. *anstiften.*

platzen *s.* blatzen.

plecketzen *swv. intensiviertes* plecken, *blöken.*

poinder *stm. schlachtgewühl.*

pol, pôl *stm. spitze.*

port *stmn.* in herzen p. *im tiefsten herzen.*

posûn *s.* poisûn.

prasen *nbf. zu* prasem.

predigâte *s.* bredigâte.

predigunge *s. bredigunge.*

pregant(e) *swm. fußsoldat; brigant.*

presse *stswf.* kelter: die p. treten; *übertr. quälender kummer.*

prîe *s.* brîe.

primâte *swm. primas.*

prîm(e)zît *stfn.* erste kanonische stunde.

principât *stm. oberste herrschaft.*
prîs *stm. ansehen;* bî p.-e sîn *sich (im kampfe) auszeichnen.*
prîsen *swv. refl. sich anmaßend benehmen, selbstgefühl zeigen;* sich pr. mit *sich auszeichnen durch.*
prîsûner *stm. gefangener.*
probieren *swv. beweisen, prüfen; refl. sich erweisen als.*
provincie *stf. provinz, landesteil.*
prüevelich *adj.* p.-er tîch *probatica piscina, teich für die ausgewählten (opferschafe).*
prüeven *swv. (sich) überzeugen; beurteilen;* wunder p. *etw. wunderbares erfahren;* wât p. *dp. kleider anmessen, anfertigen lassen, jem. einkleiden.*
psalmenklanc *stm. gesanc von dem sußen p. etwa: feierliches psalmodieren.*
psalmiste *swm. psalmist.*
psalter *stm.* p.lesen *beten.*
pühel *s. buchel, fackel.*
pûkendôz *stm. paukenschlag.*
pünctelîn *stn. dem. zu* punct.
punieren *swv. auch einfach: reiten.*
purper-, purpurkleit *stn. purpurgewand.*
pûse *stswf. wägung, pfund.*
pütze, bütze *s. phütze.*

Q

quadrant *stm. quaderstein.*
quadrante *swm. meßinstrument.*

quallen *s. quellen.*
quant *stm. sunder* qu.
phraseologische flickwendung in vielfältiger bed.
quecke, kecke *adv. munter.*
quecke *f. (unkraut).*
quecsilber *stn. nbf.* kocsilber.
queln *stv.* qu. nâch *sich sehnen nach.*
quelsunge *stf.* qual, marter.
quetschiure *s.* quatschiure.
quick *stm. erquickung.*
quicken *swv.* qu. unde reizen (zuo) *anregen, anspornen (z. b. zum bösen).*
quil *stf. schmerz, qual.*
quît *adj.²* qu. werden *oder* sîn *mit gen. verlieren;* qu. machen *as. begleichen.*
quortel *s. quarter.*

R

rampant *adj. aufrecht, aufgerichtet:* ein löwe r. *(fachausdr. der heraldik).*
rangen *swv. (vor freude) hin u. her springen;* mit einem r. buhlen.
râsen *swv. subst.* vîentlichez r. ansturm.
râsende *part. adj. tobsüchtig; auch subst.*
raspe *swf. eine pflanzenart (taubhafer); gesträuch (= rispe), bildl.: der minnen r.* mich überwuchs.
rast *swm. =* raste.
raste *stf.* sîne r. enphâhen *herberge finden.*
rastebreit *adj. oder adv.* dâ vor lac r. ein plân.
rastelanc *adv.* si wâren wol r. gevarn *(vgl.* raste.)
rât *stm. urteil, urteilsvermögen; pl.* ræte an-

schlag, ränke; r.-es hân sich (bei jem.) rat holen; r. hân mit gs. oder umbe oder abh. satz: verzichten auf, nicht nötig haben, die fülle haben; auch: sich etw. verbitten; – r. tuon dp. gs. (oder mit präp.) jem. von etw. befreien; ze r.-e tuon gs. ein ende machen mit; einen r. tuon dp. umbe as. jem. mit etw. aushelfen; unpers. r. werden gp. wohlergehen; des enwas dehein r. es mußte so sein oder: es half alles nichts.
râtbuoch *stn. ratsprotokoll.*
rate *swf. auch molch.*
ræteclîche *adv. verständig.*
rætelbuoch *stn. rätselbuch.*
rætelnisse *stf. rätsel.*
râten *redv. dp. helfen; dp. as. jem. etw. eingeben, nahelegen; dp.* zuo *ds. jem. zu etw. verhelfen;* r. *sie hilfreich beantworten, sein ,problem' lösen.*
râtgedinge *stn. ratsgericht.*
râtglocke *swf. glocke am rathaus, (die zur ratsversammlung ruft).*
râtische, rætsche *stswf. weitere nbff.:* rætters, rætersche, retelse.
râtkamer *stf. beratungsraum, secretarium; als coll. übertr.:* r. der götelichen drîvalt.
rætlich *adj. ratsam:* daz ist r. getân *ist das klügste;* mit rat und tat zur stelle.
râtmæzec *adj. von personen: dem rate angehörend; zu weisem rat befähigt.*
râtnüsse, -nusse, -nisse *stfn. rätsel.*

râtpalas *stn. rathaus.*

râtschaz *stm. eine fest-*
gesetzte abgabe.

râtschranne *f. gerichts-*
haus.

râtslac *stm.* in r. gên *sich*
beratschlagen.

râtslagen *swv. berat-*
schlagen.

râtslagunge *stf.beratung.*

ratsmit *stm. radschmied,*
wagner.

râtstube ,-stabe *swf. rats-*
stube.

râtwort *stn. ratschluß.*

ravenne(?) *ein musik-*
instrument.

râwen *swv. klagend*
schreien, heulen (lautma-
lend, bes. von tieren).

rê *stm.* an den rê komen
den tod erleiden.

rechære *stm. aufrührer,*
friedensbrecher.

rechen *stv.[1] ap. strafen,*
schelten; as. tadeln, übel-
nehmen; sich auflehnen
gegen (sîn leit r.); *as.* an
dp. jem. entgelten lassen
für etw.; an im selben r.
as. sich ungelegenheiten
machen um etw.

rechenschaft *stf.* r. geben *dp. rechenschaft geben.*

rêchkitze *stn. rehkitz.*

rêchlîn *stn. rehlein.*

reckholter, rekolte(r)
stm. wacholder, -zweig.

rede *stf. beratung, zu-*
sammenkunft; thema; er-
zählte geschichte; gedicht;
lied; stil; grundsatz; um-
schreibend: waz der r. was
wie die sache stand; ûf die
r. bringen *dazu bringen;*
ze r. komen *sich verant-*
worten; mitr. *ausdrücklich;*
der r. wert sîn *der rede*
wert sein, lohnen; âne r.
lâzen *ohne nachrede las-*
sen; in eine grôze r. bringen *in schlimmes gerede*
bringen.

redebære *adj.* r. machen
ap. sprache verleihen.

redelich *adj. wahrhaft*
(eine geschichte); auf-
richtig (danc).

redelîche *stf. ratio, ver-*
nunft.

reden *swv. mit sich*
selbst zwiesprache halten,
räsonieren; r.-de gân zuo
dp. jem. nach dem munde
reden; r., daz . . . *vorschla-*
gen, raten; pass. unpers.
mir wirt geredet an *as.*
mir wird gerichtlich anberaumt *(ein zweikampf);* mit
den engeln redende sîn
gleich den engeln sprach-
mächtig sein.

rederîch *adj. redemäch-*
tig.

redewîsheit *stf. rhetorik*
(als lehrfach).

redewort *stn. wort,*
(pl.) rede.

regele, regel *stswf. vor-*
schrift, norm, maß; windes
r. *segelkunst.*

regelzuht *stf. correctio*
regularis, klosterregel.

regenen *swv.* swenne ez
r. wolte *wenn es nach regen*
aussah.

regenlich *adj.* r.-er dôz
gewitter(regen).

regenrisel *stm. regen-*
schauer (kalter r.).

regenwetter *stn. regen-*
wetter.

regiererinne *s.* regierinne.

reht *adj.* mit r.-en triuwen *aus voller überzeugung,*
aus *innerem herzen;* reh-
te(re) hant *rechte hand;*
rehte sîte *rechte seite.*

reht *stn. natur der dinge;*
wesensart; natürliches an-
recht; r. der natûre *gesetz*
der natur; von r.-e *seiner*
natur nach; mit r.-e *wie zu*
erwarten, wie es natürlich
ist; wider ritter r.-e *un-*

ritterlich; r. gewinnen *sein*
recht suchen, holen; ze r.-e
komen *zu seinem recht ge-*
langen; gotes r. *kirchen-*
recht; daz r. tuon über *ap.*
jem. vor gericht stellen; sîn
r. begân *seine pflicht tun.*

rehtbot *stn. rechtliche*
entscheidung.

rehte *adv. dem wunsch*
gemäß.

rehthaftic *adj.* rehthaf-
tigez bluot *blut der ge-*
rechten.

rehtlêrer *stm. jurist.*

rehtlîche, -lîchen *adv.*
von natur.

rehtmeister *stm. jurist.*

rehtschrîbære *stm.*
schriftgelehrter.

reichen *swv.* verre r. vür
weit übertreffen; refl. gegen
ds. sich beziehen auf.

reif *stm.* der sunnen und
des mânen r. *kreisförmige*
bahn; mit r.-e gân *könig*
sein.

reigern *swv.* (= reien)
reigen tanzen.

reine *adj.* r.-z leben
(heiliges) leben als mönch.

reineclîchen *adv. aus*
tiefem herzen (minnen);
aufrichtig (beichten).

reinegen *swv. läutern.*

reise *stf. werbefahrt,*
brautfahrt; tagesreise (als
zeit- u. wegmaß); die r.
schicken *(mit adv. des*
zieles) den weg (wohin)
richten, nehmen.

reisen *swv.[1] marschie-*
ren (durch).

reisenote *stf. auch: ein-*
zugsmarsch (ein r. blasen).

reisgezelt *stn. kriegszelt.*

reismantel *stn. reise-*
mantel.

reiten *swv.[1] vorrechnen.*

rêkleit *stn. totenhemd.*

remedie, remedige(n)
stn. eindeutschung von re-
medium, heilmittel.

reste *stf.* juncvrouwen r. nonnenkloster.

restunge *stf. ruhe.*

ric *stm. vogelstange.*

ric *s.* rücke.

richart *stm. eichelhäher.*

rîche *adj. gut gestellt; selbständig; großzügig; hochmögend;* under ougen r. *mit edlen gesichtszügen;* r.-r ger (sîn) *ehrgeizig, machtsüchtig;* r.-s muotes *stolz, froh, glücklich;* vröiden r. *glückspendend;* der r. dürftige *der königliche bettler;* r. loupvahse *dichtbelaubte zweige.*

rîche *adv.* r. nîgen *lauten od. großzügigen beifall spenden.*

rîchen *swv. beschenken; reichlich versehen* (den sal mit gesidelen r.).

rîchesen *swv. thronen.*

rîchheit *stf. hohe stellung; herrschaft.*

rîchsenunge *stf. herrschaft.*

rîchtuom *stn. himmelreich.*

riebe *swf.* = rippe.

riechlich *adj. rauh.*

rienen *swv. flüstern.*

riet-heige(r) *stm. ein vogelname.*

rîfe *swm. auch: frost.*

rihtære *stm. vom papst: religiöses oberhaupt.*

rihte *stf.* si legete sich an r. *sie legte sich zum sterben bereit.*

rihte *stn. richtplatz.*

rihtecheit *stf. gerechtes urteil.*

rihteclîche *adv. geradeaus.*

rihtegunge *stf. regierung;* r. der hêrschunge *ausübung der herrschaft.*

rihtelîn *stn. kostprobe.*

rihten *swv. refl.* sich von dan r. *sich abwenden.*

rihtunge *stf. führung im leben;* r. des urlouges *kriegsführung.*

rîm *stm.*[2] *vers.*

rinc *stm.* in einem ringe *zugleich.*

rindshâr *stn. pl. rinderhaare.*

rindsmarc *stn. rindermark (zur salbenherstellung).*

rîneschheit *stf. rheinische tracht und mode.*

ringe *adv. flink, schnell.*

ringe *stf. leichte bekömmlichkeit.*

ringen *stv.* einander r. *sich umarmt halten.*

ringen *swv.*[2] *gering achten.*

rinnen *stv.* an die erde r. *vom pferde fallen.*

rinôceros *n. rhinozeros.*

risch *adj. gewandt.*

rise *swm. bildl.:* aller zühtecheit *oder* êren ein r. sîn *von strengster ehrenhaftigkeit sein.*

rîsen *stv. überlaufen (gefäß).*

rîtære *stm.* in rîters wîs alt werden *umschreibend für: nie lesen lernen.*

rîten *stv. traben (vom kamel); gleiten (speerschaft in der hand); spez. im turnier reiten.*

ritterlich *adj. hochgemut (von einer frau gesagt); elegant (von frauengewändern).*

ritterlîche(n) *adv. wie ein echter ritter.*

ritterleben *stn. ritterliches leben.*

ritterschaft *stf. ritterliche kultur; kämpferisches meisterstück (auch iron.);* r. geben *satisfaktion geben.*

rittervart *stf. übertr. von der bewegung des königs im schachspiel.*

ritterwerc *stn. (pl.) rittertaten.*

riuten *swv.* steine r. *für: steine häufen.*

riuwe *stswf. qual;* âne r. *gern; phraseol.* sunder valsche r. *ohne falsch.*

riuwen *stv.* daz ez got iemer riuwe *erbarme.*

riuwesærinne *stf. büßerin.*

riuwetrahen *stm. träne der reue.*

rivier *stmfn. fluß.*

rîzen *stv. refl. sich spalten* (alle steine rîzent sich in gelîcher stücke viere).

robede *f. kleidfutter.*

roc *stm. kleid.*

rockenmel *stn. roggenmehl.*

roden (rôden) *swv. md.* (= riuten) *urbar machen.*

rode(n)bruch *stm. eine bruchpflanze.*

roie *m. könig* (Salomon, der wîsheit ein r.).

rôr *stn., auch m.! vorschrift, richtlinie.*

rœselieren *swv. gerœselierter munt* rosenrot *geschminkt.*

rôse(n)blüende *part. adj. wie rosen blühend.*

rôsenbusch, rôsbusch *swm. rosenstrauch, dornbusch (Moses sah)* einen rôsenbuschen brinnen.

rôsengertelîn *stn. rosengarten.*

rôsenkrenzelîn *stn. rosenkranz (als zierde; als geschenk).*

rôsenmunt *stm. rosenmund.*

rôsensâme *swm. rosensamen.*

rôsenwange *stswn. rosenwange.*

rôsenwazzer *stn. rosenwasser.*

rossemarket *stm. pferde-markt.*

rôt *adj. schamrot.*

roten, rotten *swv.²trans.* an sich roten *um sich scha-ren; intr. sich versammeln* (mit tiuvels knehten r.).

rottenvisch *stm. eine fischart, salmo alpinus.*

rôtwîn *stm. rotwein.*

rotze *s.* rosche

rouch *stm. r. in sich* vazzen *sich benebeln las-sen.*

rouchholz *stn. brennholz.*

roupgîtec *adj. räuberisch.*

roupnis, -nus *stf. übertr. das fehlen, nichtvorhanden-sein.*

rubînvar *adj. rubinrot.*

ruchbære *adj. duftend.*

rûchen *swv. rauh werden.*

rücke *swm. alem. auch* ric.

rückeholz *stn. stamm des kreuzes.*

rücken *swv. im allg. vorwärts rücken, bewegen; aber auch:* ie baz r. *sich immer weiter zurückziehen.*

rüefunge *s.* ruofunge.

rüeren *swv. ap. angehen, betreffen;* snellîche hin r. *los-, entgegenrennen, -ra-sen;* her gerüeret komen *dahergerannt, angebraust kommen;* ze Weisefort în r. *hereinreiten;* mit sporn r. *(ohne obj.)* dem roß die sporen geben.

rûm *stm. öffnung (einer tür, eines türschlosses);* den r. wîten *den kampfraum ausweiten.*

rûmen *swv.* daz lant r. *aufbrechen;* sin guot r. mit spil *seinen besitz verspielen.*

rumpeln *swv. irruere, einstürzen.*

rundengrœze *stf. sphae-ra, himmelskugel.*

rundengrœzec *adj. sphaeralis, kugelförmig.*

rûnen *swv. tuscheln (von den merkern).*

runzenvar *adj. runzlig.*

ruoch *stm.* mit vlîzec-lichem r.-e *mit aufmerk-samer hingabe.*

ruoche *stf.* durch r. *fürsorglich.*

ruochelôse *adv.* r. lân *vernachlässigen.*

ruochen *swv.* ich enruo-che *es ist mir gleich (gültig) (mit abh. satz).*

ruofen *redv.* nâher r. dp. *herbeirufen.*

ruofunge, rüefunge *stf. das rufen; berufung.*

ruore, ruor(e)de, ruor *stf.* r. des bûches, r. des lîbes *solutio ventris (als medizinische maßnahme).*

ruowe *stf.* sich eine r. nemen, eine r. halten *halt machen, eine erholungs-pause einlegen.*

ruowen *swv. sich er-holen; part.* geruowet *er-holt;* geruowet lân *in ruhe lassen.*

rupte, ropte *stf. fels-stück, steinmasse.*

ruschâ *interj. (ausruf der ermunterung).*

rûschen *swv. flitzen.*

rusten *swv. rasten.*

S

sâ *adv.* sâ ... sâ *sowohl ... als auch.*

sacroubære *stm. plün-derer, räuber.*

sacrouben *swv. plün-dern, rauben.*

sacröubisch *adj. räube-risch.*

sache *stf.* von swachen s.-n *aus schlechtem, gerin-gem material (gold machen wollen);* dîn *(Alexanders)*

jærlich ergangen sach *an-nales historiae; geschichten, anekdoten; (beides) was* ge-zilt mit einen s.-n *hatte die gleiche ursache.*

sachen *swv. veranlassen;* zesamene s. *mischen;* ete-waz s. zuo dp. *zum vorwurf machen;* an einen s. umbe as. etw. *erbitten von; auch* = besachen.

sachunge *stf. wirkung* (ein sache aller s. *die ur-sache aller wirkung).*

sacken *swv. tr. mit säk-ken beladen (esel).*

safrângel *adj. safrangelb.*

sage *stf.* der liute s. *urteil der menschen;* nâch oder von s. *vom hörensagen.*

sagen *swv.* s. as. ûf ap. *jem. einer sache bezichti-gen;* s. as. dp. zuo ds., z. b. einem etw. ze trügeheite s. *auslegen als betrug.* = subst. bzw. gerund.: mit s. *mündlich;* ze s.-ne sîn *mitteilbar sein.*

sal *stmn. vielfach bildl.,* s. des lîbes *(raum des kör-pers);* der vrône s. *himmel-reich.*

salben *swv.* (mit mirre) *einbalsamieren.*

sælde *stf. schicksal.*

sældekunst *stf. hohe (dicht) kunst.*

sældenarm *adj. glücklos, unglücklich.*

sældenbarn *stn. sonn-tagskind.*

sældenkraft *stf. das ver-mögen,* sælde *zu erringen.*

sældenruote *stf. strafe, die zum heil gereicht.*

sældenvlühtic *adj.* s.-mâl *zeichen des unheils.*

sældenvingerlîn *stn. glücksring.*

sælec *adj. glücklich zu preisen; (anrede an frauen)* sæligiu massenie! *etwa: meine hochverehrten.*

sælecheit *stf. gnadengabe, charisma; rettung, paradies;* (dienest) âne s. *ohne himmlischen lohn.*

sæleclîche *adv. segensreich;* daz kint ist s. getân *ein holdes gottesgeschenk.*

salzstein *stm. salzsäule.*

sambalde *adv. alsbald, sogleich.*

sambesttac *s.* sameztac.

samenen *swv. tr.* schaz s. *sparen; absol.* in ein scheide s. *unter einer decke stecken (redensartlich).*

samenieren *swv. refl. sich zusammenschließen,* sammeln (sich s. zu einem hûfen).

sament, samet *adv.* samet unde sunder *samt und sonders.*

samenunge *stf. auch für monasterium.*

samitroc *stm. gewand aus samt.*

sanc *stm. dichtung,* dichten.

sanfte *adv. gern; komp.* s.-r lieber (sô wære ich s.-r tôt); *sanfte* gemuot *friedlich* (ein lützel s.-r gemuot werden).

santvüerer *stm. sandfahrer.*

saphîrblâ *adj. saphirblau.*

saphîrvarwe *stf. saphirfarbe (symbol der treue).*

sargewant *stn. kampfgewand, rüstung.*

sarrazînesch *adj.* sarazenisch (wir vernæmen s. baz *etwa: das ist uns böhmisch).*

sarwerhter *stm. verfertiger von rüstungen.*

sarwürhter *m. dass.*

satelkneht *stm. reitknecht.*

satelruc *stm. hinterer teil des sattels.*

sateltasche *swstf. satteltasche.*

satsamecheit *stf. sättigung, sattheit.*

saz, satzes *stm. stand, status;* den alten s. tragen *den alten kleidervorrat tr.*

schaben *swv.* die armen sch. und schinden *quälen und schinden.*

schâch *stmn. sunder* krieges sch. *ohne wortstreit;* ir süezen ougen sch. *ihr blick, der mir die besinnung raubt* (= schâchblic).

schâcherîe, schæcherîe *stf. (straßen)raub.*

schade *swm.[1] niederlage; unglück; verlust des lebens, auch direkt: tod.*

schadec, schedec *adj. schädlich; geschädigt.*

schaffen *stv.* sch. umbe as. *sich bemühen um etw.;* ez endelich wol sch. *es zu einem guten ende bringen,* selig sterben.

schaffunge *stf. dispositio, ordnung, satzung.*

schâflembelîn *stn. schaflämmchen.*

schal *stm.* sch.-les phlegen *einen festtag halten.*

schalchaft *adj. roh, brutal.*

schalclich *adj. listig, schlau (ohne abwertenden sinn).*

schalen *swv. trübe werden (augen).*

schalholz *stn. trockenes holz (z. b. zum brückenbau).*

schaltwort *stn. s.* scheltwort.

schamegen *swv.* = schamec machen, schamec werden.

schamelich *adj.* sch.-e bürde *schande (z. b. der armut).*

schamunge *stf. schmähung.*

schande *stf.* âne alle sch. *in allen ehren;* âne sch. belîben *ehre einlegen.*

schandenvar *adj.* sch. werden *sich entehren.*

schandenvezzel *stm. als schimpfwort (für lüsternen pfaffen).*

schantwagen *stm. der* schande mit sich führt *(schimpfwort).*

schanze *stf.[2] wechselnde lage;* der welte sch. *der welt lauf.*

schâpel *stn. stirnband, diadem.*

schapelbluome *swf. blume im kranz.*

schapelkleit *stn.* sch. tragen *für: jungfrau sein.*

schar *stf. tonsur;* ein werlîchiu sch. *ein kriegerorden;* des grâles sch. *die gralsgemeinschaft.*

scharben *swv.[1] unterscheiden, verstehen.*

scharben *swv.[2] refl. sich gesellen zu.*

schardrun *stn. teil einer schar, abteilung (vgl. schwadron).*

scharpf *adj. gehässig* (sch. werden *dp. gegen jem.).*

schatehuot *stm. baldachin.*

schavernac *stm. wein aus Chiavenna.*

schazhalterinne *f. schatzmeisterin,* sch. der kunst und der wîsheit *(vom gedächtnis).*

schazkiste *swf. schatzkiste.*

schazmeister *stm.* sch. der gemeine *steuereinnehmer o. ä.*

schechen *swv. prügeln.*

schedelich *adj. peinigend, schmerzlich, gefährlich.*

schedelîche(n) *adv.* sch. erwerben *unter verlusten erwerben;* sch. komen *dp. teuer zu stehen kommen.*

schefe, schöpfe *nbff. zu* scheffe *swm.*

scheffe *stfn. schöpfung, geschöpf.*

scheffelbrief *stm. vom schöffen ausgestellte urkunde.*

schehenzen *swv.* = schâchen[2]; *subst. freibeuterei.*

scheide *stf.* in ein sch. samenen *unter einer decke* stecken.

scheiden *redv. ap.* von ds. *jem. etw. entziehen, rauben (ehre, rechte), ihn vertreiben von (besitz), befreien von (kummer);* — *part. adj.* gescheiden *entzweit;* von witzen g. *ohne verstand;* — *subst. trennung.*

schêlen *swv. md. schielen.*

schellebære *adj.* sch. tavele *tabula sonora, gong.*

schellen *swv. refl. sich hören lassen.*

schellenklanc *stm. klang von glöckchen.*

scheller *stm. ausschreier.*

scheltec *adj.* sch. wort *blasphemisch.*

schelten *stv. lästern;* subst. *für vituperatio, (gerichtliche) anklage.*

scheltlich *adj. lästerlich.*

scheltlîche *adv. auf tadelnde weise.*

scheltman *stm. mann, der tadel verdient.*

scheltmære *stn. üble nachrede.*

schem(e) *stf. schande, blamage.*

schemelbanc *stf. schemel.*

schemelich *s.* schamelich.

schemen *swv. refl. gs. etw. als schande empfinden.*

schenel *stm. schienbein.*

schenken *swv. mit ausgelassenem objekt auch (mit dp.) den willkommenstrunk reichen;* — *subst. freie bewirtung mit getränken;*

minneclichez sch. *liebesopfer (von Christi blut).*

schenker *stm. ausschenker, schenke, spender, gnâdenwînes* sch. *(von Christus).*

schentlich *adj.* sch.-iu nôt *schande.*

schepfærinne *stf.* mîner vröud ein sch. *urheberin meines glücks.*

schepfen *swv. bilden, herstellen, erzeugen; bestätigen, fördern; refl. sich bilden (fruchtknoten).*

scherflôn *stmn. lohn des steinmetzen.*

scherlôn *stmn. lohn für einen schneider.*

scherpfe *stf. grausamkeit.*

scherremeister *stm. s.* schirremeister.

schicken *swv. unpers.* ez schicket mich wol *steht mir gut, ziert mich.*

schicknisse *stf. geschick, schicksal.*

schieben *stv.* in den sac sch. *ap. in den sack stecken, redensartl. für: jem. überlegen sein.*

schieches *adv. scheu.*

schiere *adv. früh;* als sch. sô *sobald als;* nie sô sch. sô *kaum daß.*

schifambet *stn. der des* sch.-s phliget *der fährmann.*

schifbreche *stf. naufragium, schiffbruch.*

schifbrechunge *stf. dass.*

schif-, schefbret *stn. schiffsbalken, -planke.*

schiffelîn *stn. ruderboot.*

schifgrabe *swm. kanal.*

schifhaven *stm. hafen.*

schifladunge *stf. das beladen des schiffes.*

schiflôn *stm. schiffslohn, fährgeld.*

schifmiete *stf. dass.*

schifwant *stf. schiffswand.*

schift *stf. abschüssige stelle.*

schilhende *part. adj. schief,* sch.-r kreiz *ellipse.*

schilt *stm.* under sch.-en rîten *kampfbereit reiten.*

schiltreht *stn. recht der ritter.*

schimber, schimmer *stm. schimmer, glanz.*

schimbern, schimmern *swv. subst. (der ougen sch.)* = schimber.

schimpf *stm.* in sch.-e (sprechen) *anzüglich, neckend.*

schimpfelieren *swv. minnespiel treiben.*

schimpfheit *stf. schande.*

schîn *stm.* sînen sch. üeben *leuchten.*

schîn *adj.* sch. sîn vor dp. *erscheinen, hintreten vor.*

schînbærecheit *stf. erscheinung.*

schînen *stv. subst.* nâch dem sch. *dem anschein nach.*

schînunge *stf. äußere erscheinung,* allein an der sch. *nur scheinbar.*

schirmen *swv. (gs.) bewahren, hüten.*

schirremeister *stm.* **schirrmeister** (sch. der pferde).

schivilier *m.* = schevalier.

schnipschnap *interj.* sch. gân *hops, futsch gehen.*

schochen *swv.* = schiuhen *scheuchen.*

schodel *stm. troddel.*

scholderphenninc *stm. im glücksspiel* (scholder) *gewonnenes geld.*

schœne *adj. stattlich;* sch. sîn *sich sehen lassen können;* sch.-r sin *klugheit;* sch.-r gruoz *eindrucksvolle begrüßung.*

schône *adv.* sch. spre-

chen *etw. gutes reden;* sch.
stân *obenauf sein.*

schœnen *swv. intr. schön
werden; leuchten* (die wisen
grüenent und schœnent).

schottel *stn. quark.*

schou *stm.* von lobeli-
chem sch.-we *herrlich anzusehen.*

schouben *swv. zusam-
menbinden, bündeln (stroh).*

schoup *stm. stroh; stroh-
jackel.*

schouwe *stf.* sch. nemen
umschau halten.

schouwen *swv. absol.
ausschau halten (aus dem
fenster).*

schrâ *stf. gestöber;* spor
sunder sch. *nicht zuge-
schneite spur.*

schrecke *swm. auch be-
drohung.*

schreck(e)sal *stf. schreck-
nis (z. b. für sturm u. unwetter).*

schreck(e)salunge *stf.
dass.*

schregeln *swv. vgl.* schrigelen; *kreuzweise verbinden (holz).*

schrenken *swv. übergehen,
hinüberschreiten, transire.*

schrîben *stv.* in sîn geselleschaft sch. *ap. aufnehmen;* geschrîben sîn an
as. *gehören zu.*

schrieten *stv. fallen.*

schrift *stf. schriftabschnitt;* in der sch. *im ge-
setzbuch (vom röm. recht);*
hôhe sch. *Hoheslied;* sch.
des grâles *gralsgesetz.*

schriftelîn *stn. schrift,
inschrift.*

schrinnen *nbf. zu* schrinden.

schrîpstuol *stm. schreib-
sessel.*

schrîpvaz *stn. tintenfaß.*

schrôtlôn *stm. schneider-
lohn.*

schüffe *stswf.* = schuofe.

schuldære *stm. auch
gläubiger.*

schulde *stf.* âne sch. *unverdient.*

schuldehaft *adj. gebührend.*

schultheize *swm. richter.*

schultheiz(en)ambet *stn.
richteramt.*

schünden *swv. ermah-
nen; verlocken.*

schuochbant *stn. schuh-
band.*

schuochgewant *stn.
schuhzeug.*

schuochwerc *stn. schu-
sterarbeit, schuhe.*

schuofen *swv. (zu* schuofe) *schöpfen.*

schuolbuoch *stn. schul-
buch.*

schuolkint *stn. schul-
kind, schüler.*

schûp *s.* schûbe.

schûrbôz *stm. hagel-
schlag, auch übertr.*

schürzetuoch *stn.schürze.*

schützec *adj. ergiebig,
ersprießlich, vorteilhaft;
dauerhaft, haltbar* (brôt).

schützelîn *stn. sternbild
des schützen.*

schûvel, schüffel *stswf.
grabschaufel;* sch. unde
houwe *umschreibung für
grab oder tod.*

schuz *stm.[1] stechender
schmerz.*

schüzzec *adj.* sch. werden *hervorschießen (vom
wasser).*

schüzzelîn *stn. schüssel.*

schüzzelknabe *swm.
küchenjunge.*

scorpe, scarpe *swm.* =
schorpe *skorpion als sternbild.*

scorpiôn *m. ein züch-
tigungsgerät* (mit sc.-en slahen).

scrupelen *swv. zweifeln.*

sechlichkeit *stf. causali-
tas, ursächlichkeit.*

seckeltreger *stm.* (= bur-
senære), *geldverwalter* (der
s. Judas).

sectenhûs *stn. tempel
einer alttestamentlichen
sekte.*

sedel *stmn.* von dem s.-e
stân *absitzen.*

segel *stm. auch allg.
schiffsgerät.*

segen *stm.* s.-es wort
zauberwort; des swertes s.
schwertzauber; den s. lâzen
*(dp.) die erlösung schen-
ken.*

segenruof *stm. segens-
ruf, glückwunsch* (des volkes s.).

segete *stf. eine schiffsart.*

sehen *stv. tr. erkennen,
ausmachen; mit ansehen;*
daz sæhe ich gerne *möchte
ich noch erleben; – pass.*
ze s.-ne *dp. vor jemds.
augen;* gesehen werden
vür *gehalten, angesehen
werden für;* lange tôt gesehen sîn *phraseol. lange
tot sein; absol. der gerne
s.-de* man *der schaulustige;
– imper.:* sehet, sêt *ex-
plizierend: nämlich;* si,
sich nû! *ecce! bedenke! –
intr. dreinschauen; – in
präp. verbindungen* s. zuo
ds. *sich kümmern um,
achten auf, sich angelegen
sein lassen;* in daz herze s.
*ins innerste treffen oder das
innerste betreffen; – subst.
sehkraft, gesicht, gesichts-
sinn.*

sehsjæric *adj. sechs jahre
alt.*

seicsam *adj. langsam
tröpfelnd.*

seifengolt *stn. wasch-
gold.*

seigermacher *stm. der
den seiger herstellt.*

seilerinne *f. seilerin (al-
legor. für die göttliche
liebe).*

seim *stm. trug, falschheit;* sunder s. *formelhaft: wahrhaftig.*

seitenspan *stm. saitenspannung.*

sêlant *stm. küstenland.*

selbestâunge *stf. hypostasis, (Christi)* s. oder persôn *das auf-sich-selbstberuhen.*

sêle *stswf. die seele eines verstorbenen im jenseits;* der s. warten *dp. (eines todkranken) ende erwarten;* die s. verliesen *sein seelenheil aufgeben;* bî der s. mîn *meiner treu.*

selplîche *adv. zu* selp.

selpvundec *adj.* s. sîn *sich von selbst verstehen, selbstverständlich sein.*

selpwillære *stm. der seinem eigenen willen folgt (ein sektenname).*

selpwillen *adv. freiwillig.*

selter *s.* salter.

selwe *stf. schmutz; formelhaft:* âne s. *rein.*

sendec, senedec *adj.* = senec.

sendeclich *adj. dass.*

senden *swv.* s. nâch *dp. jem. einladen; as.* an *ap. jem. etw. übertragen, überlassen.*

sendesiech, senedesiech *adj. sehnsuchtskrank.*

senelich *adj.* s. gebende *(kopfbedeckung einer trauernden).*

senelîche *adv. gramvoll; verhärmt (im sinne von asketisch, entsagend).*

senen *swv. auch refl.*

senende *adj.* s.-r kumber *liebesschmerz.*

senende, senede *swm. der liebende.*

senfte *adj. weichlich, schwächlich (gegens.: geherzet); glücklich* (s.-r tac, s. naht); s.-n muot

hân *sich gedulden;* ein s.-z spil = senftenunge.

senfte *stf. erleichterung;* ze s. *zum trost.*

senften *swv. mildern;* daz leben s. *in glücklichere bahnen lenken.*

senftenunge *stf. erleichterung, linderung.*

senftmüete *adj. sanftmütig.*

sengerinne *stf. sängerin;* oberste s. *vorsängerin.*

senken *swv. subst. der* sêle s. *das versenkt werden, untergang der seele.*

sensine *nbf. zu* segense.

sentole *swf. ein musikinstrument.*

sentstuol *stm. gerichtsstuhl.*

sêr *adj. todwund.*

sêr *stnmf.* s. hân *(nâch dp.) schmerzliche sehnsucht haben.*

seravîn *stm. ein edelstein.*

serclîn *stn. dem. zu* sarc; s. des lîbes *(leib als sarg der seele).*

sêre *adv. konsequent, radikal; grausam; schrecklich, furchtbar.*

serf *stm.* = seravîn (?).

sêrlich *adj.* = sêr (s.-e smerzen, s.-iu nôt).

serpentîn(?) *(ein mittel zum schlangenfang).*

serpfîn *stf.* s. *scherpfe.*

serwec *adj. dahingewelkt, verstorben.*

setzen *swv.* ze pfande s. *as. sich mit etw. verbürgen; refl. sich aussetzen (se exponere); abschwellen (geschwulst).*

sibenhornec *adj. siebenhörnig (übertr. vom lamm gottes).*

sibenlei, sebenlei *adj. siebenerlei.*

sibenougec *adj. siebenäugig (übertr. vom lamm gottes).*

sibenslâfære *stm. siebenschläfer (pl. für das datum).*

sibentegic *adj. sieben tage alt.*

sibenvalt *stm. siebenfältigkeit.*

sibenzal *stf. die sieben gaben des heiligen geistes.*

sibenzît *stf. die sieben kanonischen horen.*

sicherheit *stf. gottvertrauen;* diu getriuweliche s. *der treubund.*

sicherlîche *adv. unter eid;* s. bestân *ap. ohne gefahr, bestimmt mit jem. fertig werden.*

sicherlinc *stm. verschwörer, (jem., der seine* sicherheit gegeben, *sich* jem. zu etw. verpflichtet, *verschworen hat);* sicherlinge des mordes ûf daz leben mîn *mitglieder des mordanschlages auf mich.*

sîdebluome *swm. seidenblume (blumenart).*

sider *adv. vorher.*

siechmeisterinne *stf.* oberste krankenpflegerin.

siechstube *swf. krankenstube.*

sieden *stv. tr. (leichen) verbrennen.*

sige *stm.* s. erringen an *dp. (den sieg über jem.).*

sigen *swv.* s. an *dp. jem. besiegen.*

sîgen *stv. sich (behutsam) niederlassen.*

sihtec *adj. klar erkennend.*

sihtecheit *stf. sehkraft.*

sîhtern *swv. refl. seichter werden.*

sihthaft *adj. deutlich.*

silbererze *stn. silbererz.*

silberpfenninc *stm. silbergroschen.*

silberwurm *stm. silberner wurm (als schmuckelement).*

sin *stm.* daz wære ein s. *wäre das vernünftigste;* âne s. *ohne vernünftige überlegung;* durch welhen s.? *zu welchem zweck?;* durch ir schœnen s. *weil sie klug war;* tobenden s. gevâhen *in wut geraten;* mit allen s.-nen *mit allen kräften;* von allen mînen s.-nen *von ganzem herzen;* guote s.-ne *gesunden gemütes sein;* kranker s., kranke s.-ne *verblendung, verwirrung der gefühle;* kranken s., keine s.-ne hân *(gs. od. präp.) gar nicht denken an;* s. hân zuo *ds. begabung, fähigkeit haben für;* die s.-ne hân, daz ... *so klug, sensibel sein, so feines gefühl haben, daß* ...; s. hân *mit abh. satz willens sein;* s. gebender geist *(vieldeutig, nicht nur ,verstand verleihend').*

sin *anv.* niht gar von manne sîn *nicht nur für den mann gelten.*

singen *stv. absol. oft für ,messe singen';* nâch helfe s. *rufen, schreien nach.*

sinheit *stf. eigentliches wesen.*

sinnec *adj. zart empfindend.*

sinneclîche *adv. wohlweislich;* s. verstân *as. mit voller deutlichkeit verstehen.*

sinnen *stv. gs. dp. einem etw. zudenken.*

sinnenrîch *adj. nachdenklich; beziehungsreich (worte).*

sinneshalp *adv. von seiten der sinne.*

sinode *stf. synode.*

sinwel, -welle *stf.* s. der himel *sphaera, himmelswölbung.*

sippeschaft *stf. freundschaft.*

sît *adv.* sît her *seither.*

site *stswm. altes recht;* hêrlich s. *fürstliche, königliche haltung;* sich s. nieten *sich höflich benehmen;* mit guoten s.-n *in aller form; umschreibend: umstand, tatsache.*

sîte *stswf.* einander an den s.-n wonen *seite an seite leben.*

sitecheit *stf. bescheidenheit; auch personifiziert.*

sitzen *stv.* ûf daz ros s. *aufsitzen;* mit urliuge s. gegen *krieg führen gegen.*

siuftec *adj.* s. sîn *seufzen müssen.*

siuftôt *stm. der seufzer.*

slac *stm.* ez wære ein s. *wäre unangenehm (dp.);* sünden s. *sündenfall;* minnen s. *stachel der liebe;* êren s. *schande.*

slacregen *stm. wolkenbruch, platzregen.*

slâf *stm.* s. wenden *dp. den schlaf rauben.*

slæferinne *stf. bettenmacherin* (= slâfmeisterinne); *(übertr. von der keuschheit).*

slâfernis *stn. schläfrigkeit.*

slâfgebet *stn. nachtgebet.*

slâfmeisterinne *f. vorsteherin des schlafgemaches.*

slâfträcheit *stf. trägheit.*

slâftranc *stm. schlaftrank, (-mittel).*

slahen *stv.* sl. zuo *dp. zustoßen;* mit handen *in die hände klatschen;* ze *dp. (mit einem bogen, bogenschuß) jem. treffen.*

slahte *stf.* aller sl. *jeder art.*

slahunge *stf. das pochen (der schläfe).*

slam, slamme *swm. übertr. der sunden slam.*

slangîn *adj.* sl. zagel *schlangenschwanz.*

slê *stf. schlehe;* alsô breit sam ein slê *(als bezeichnung des geringsten ausmaßes).*

sleckern *nbf. zu* slecken.

slegel *stm.* den sl. werfen *jem. herausfordern, ihm etwas überantworten.*

slegel(e)n *swv. dreschen.*

slehte, slihte *adv.* sl. geschriben *deutlich sichtbar.*

slenginne *f. schlange (neid, diu hübsche sl.).*

slenken *swv. besprengen.*

slenzen *swv. liebkosen (md.).*

slich *stm. ausweg.*

slîchære *stm. schleichender dieb.*

slîfen *stv. entschlüpfen.*

slihter *stm. auch als helfer des dichters, der stil und vers glättet.*

slîme *adj.* slîmegez siechtuom *schleimkrankheit (terminus der säftelehre).*

slingen *stv. sich drehen.*

slinnec *adj. schnell.*

sloufluoc *stm. unterschlupf, schlupfloch, versteck.*

sluc *stf.* in der slücke *während des schluckens.*

slûch *stm. verächtlich für bauch.*

smæhe *adj. schändlich;* sm. sîn *(iron.) nicht vorhanden sein.*

smæhede *stf. ärger.*

smakostern *swv. mit ruten schlagen (osterbrauch).*

smecken *swv. (intr.) mit dp. auch: zuwider sein.*

smeichenhaft *adj. schmeichelhaft.*

smeichenheit *stf. schmeichelei.*

smeichenlîche *adv. schmeichlerisch.*

smerze *swm. elend; krankheit.*

smerzecheit *stf. schmerz.*

smerzlîche *adv. schmerzhaft.*

smierlîche *adv. ironisch lächelnd.*

smit *stm.* der hœhste sm. *(für gott, den schöpfer).*

smöckære *stm. knickriger mensch.*

smuger *adj. md. lecker, lüstern.*

snateren *swv. klappern (vom storch, mit dem schnabel).*

snatz *stm. arm.* sn. *vergängliches gut.*

snecken-, sneggenhûs *stn. schneckenhaus;* in daz sn. ziehen *sich zurückziehen.*

sneckenschâle *stf. muschel.*

sneisen *swv. auch absondern, trennen.*

snel *adj.* gein prîse sn. *auf ruhm bedacht.*

sneter *nbf. zu* snitære.

snêwazzer *stn. schmelzwasser.*

snidemezzer *stm. messer (des chirurgen).*

snîden *stv.* wol oder wît gesniten an ap. *passend, reichlich für jem. zugeschnitten.*

snüerel *stn.* hänfîn sn. *schnur.*

sôgetân *adj. derartig.*

soldanîe *stf. sultanat.*

soldaninne *stf. sultanin.*

soldiment *stn. (wie* solt) *auch phraseol.*

solicheit *stf. so beschaffenheit, individualität.*

sollempnizieren *swv. festlich begehen.*

solt *stm.* zinses s. *(lehns)-tribut.*

sorclich *adj.* sorclich ervinden as. *als unheimlich empfinden.*

sorge *stswf. unbill; leid.*

sorgen *swv. subst.* minne gerndez s. *liebeskummer.*

sorgenbrunst *stf. brennende sorge.*

sorgenjoch *stn. last der sorgen.*

sorgenslac *stm.* in s. tuon ap. *(dem geliebten) kummer zufügen.*

soumlade *stswf. lastbehälter (für kamele).*

spache *swmf. span, splitter.*

spæhe *adj.* spæhiu rede *gewandte rede;* der sp. videlære *der sangeskundige spielmann;* sp.-r sin *klugheit.*

spæhe *stf. auch: schimpfliche erniedrigung; prüfung, versuchung.*

spæhelîche *adv. verschlagen, schlau.*

spân *stm.* unz an den eilften sp. *bis ins elfte glied.*

spangel *stn. spange.*

spângrüen *stn. grünspan.*

spænisch *adj.* sp. grüene = spângrüen.

spannen *redv. eng verbinden, festmachen, verspannen;* bouge, ringe an die hant sp. *(armringe) überstreifen;* die scher sp. *(krebsscheren) weit öffnen.*

sparkruoc *stm. sparbüchse.*

sparn *swv.* schilde sp. *dem kampf ausweichen.*

spat(e) *swm. spaten.*

spâte *adv. iron. nie, nie mehr.*

spatschît *stn. spaten.*

spehærinne *stf.* sp. der götlîchen tougen *erkennerin des göttl. geheimnisses.*

spehen *swv.* mit worten sp. *ausfragen;* wunder sp. an sich *vergaffen in.*

spel *stn. auch: warnendes beispiel.*

spelten *swv. (sprachlich) ableiten (von).*

spengen *swv. einzwängen.*

sperære *stm. speermacher.*

sperren *stn.* sp.-s rât hân *nicht zuschließen.*

spertuoch *stn. vorhang.*

speteleht *adj. aussätzig.*

spiegel *stm.* ein sp. gottes *ebenbild (von der frau gesagt).*

spiegelglas *stn.* der werlte vröude ein sp. *verkörperung der lebensfreude.*

spiegellich *adj. vorbildlich.*

spiezstich *stm. stich mit der lanze.*

spil *stn. freude, wonne u. ä.;* mînes herzen sp., sîner ougen sp. *herzenswonne, augenweide;* ein sp. vor teilen dp. *jem. vor eine entscheidung stellen;* daz ist mir ein swærez sp. *(ein hartes los), das ist zu hart;* ûz dem sp. gân, bringen *(as.) ernst werden, ernst machen mit.*

spilærinne *stf. musikantin (organistin).*

spillust *stf. lust zum minnespiel.*

spiln *swv. tanzen; hüpfen; wedeln, schöntun (wie ein hündlein);* sp. gegen *(mit dat.) entgegenhüpfen,* übertr. *(von gedanken) sich befassen mit;* wol sp. dp. *jem. einen gefallen tun, eine freude machen;* unz an den ort sp. as. *sehr weit treiben, weitgehen mit etw.;* sîn spilndiu jugent *seine strahlende jugend.*

spilstap *m. stößer beim billard.*

spilwîp *stn. tänzerin.*

spin-gewürme *stn. pl. ungeziefer, spinnen.*

spîsen *swv. mit mörtelspeise binden (ziegelsteine).*

spitâlbruoder *stm. Johanniter; krankenpfleger.*
spitâlgruobe *stf. grab der spitalinsassen.*
spitâl-, spittelhêrre *swm. leiter eines krankenhauses.*
spitâlhof *stm. spitalhof.*
spitâlkirchhof *stm. spitalkirchhof.*
spitâlliute *pl. ordensbrüder.*
spitâlmünich *stm. spitalmönch.*
splizze *stf. schälmesser.*
spor *stn. fußstapfe;* sîn sp. zeigen *dp. mit eigenem beispiel vorangehen.*
spot *stm. auch: schelte;* kindes sp. trîben *spielen;* sp. üeben an *dp. spott treiben mit;* bî spotte sîn *gern spotten;* âne sp. *auch: ganz aufrichtig.*
spottærinne *stf. verspotterin* (sp. ander liute).
sprâche *stswf. die* sp. brechen *dp. am sprechen hindern, die stimme brechen* (wand ir der sûft die sp. brach); von maniger sp. *aus vieler herren länder.*
spranz *stm. formelhaft:* wârheit ân allen sp. *die reine wahrheit.*
spræwunge *stf. das sprühen.*
sprechen *stv.* sp. wider *ap. einem erwidern;* wol sp. *dp. gutes nachsagen, rühmen;* ja sp. *ds. begrüßen, ja sagen zu;* sp. nâch *ds. oder dp. anspruch erheben auf, für sich verlangen;* sp. an, ûf *as. oder ap. dass.;* sp. *dp.* an as. *(z. b.* einem an sîne triuwe sp.) *jem. etw. absprechen, in frage stellen, anzweifeln, antasten; — subst.* mîn sp. *meine poetische schilderung.*
sprîzen *stv. refl. zersplittern.*
spruch *stm. auch: behauptung, gerede, beleidigung;* ze sp.-e lâzen zu worte kommen lassen.
sprunc *stm. anfang, beginn.*
spünec *adj. muttermilch gebend; bildl. honig spendend, honigfließend.*
stache *swm. stange (vom zaun).*
stacheldorn *stm. dorniges unkraut (übertr.).*
stachelic *adj. dornig (übertr. von der sünde).*
stacken *swv. intr. stecken* (in).
stagelen *swv. stottern.*
stahelbant *stn. stahlband.*
stahelblech *stn. stahlblech* (hosen von st.).
stahelgrâ *adj. stahlgrau (augenfarbe).*
stahelhertecliche *adv.* si (die geliebte) ist mir in mîn herze st. gedrücket *eingraviert.*
stahelmeize *swm. stahlmeißel.*
stahelmeizel *stm. dass.*
stahelnapf *stm. napf aus stahl.*
stahelnât *stf. stahlscharniere.*
stahelruote *stf. stahlrute (als waffe).*
stahelschôz *stm. teil der rüstung.*
stahelslôz *stn. stahlschloß.*
stahelviurîsen *stn. feuerstahl zum feuerschlagen am viurstein.*
stâle *stf. diebstahl.*
stamgelt *stn. anteil des försters am erlös für bäume.*
stamkünic *stm. gründer eines königsgeschlechtes.*
stamstecke *swm. zaunpfahl.*
stân *anv. st. von, ûz u.ä. aufstehen, sich erheben* (von dem sedele), *auf-*erstehen (ûz dem grabe); von leger st. *(wild) aufgetrieben werden;* st. von *übertr. abstehen von;* stille st. *sich aufhalten, verweilen;* schône st. *obenauf sein, unversehrt sein;* st. vor (den sternen) *überstrahlen, verdunkeln;* st. nâch *streben nach, trachten nach;* ze wer st. *sich zur wehr setzen, sich verteidigen;* ze staten st. *dp. helfen, zu hilfe kommen, zustatten kommen, nützen;* ze rehte st. *sich vor gericht verantworten;* st. âne *as. oder ap. etw. od. jem. nicht haben, entbehren müssen;* âne lougen st. *gs. etw. frei bekennen;* niht z'enberne st. *zur verfügung stehen;* st. umbe *as. sich beziehen auf, sich handeln um* (dem ez umbe daz leben stuont dessen leben auf dem spiele stand); kosten (ez stê wênic oder vil).
stap *stm.* holer st. *blasrohr;* schwertscheide; an einem stabe gân *am stock gehen, zu fuß gehen (als ausdr. für soziale schwäche).*
stapfen *swv. stapfen; auch von langsamer gangart beim reiten; übertr.:* sanfte st. *bedachtsam, nicht überstürzt vorgehen.*
starc *adj. gesund;* starkez schiffelîn *seetüchtig, seefest;* niemen lebet sô starker, ern müese ligen tôt *niemand ist gegen den tod gefeit;* starkiu reise *anstrengend,* starkiu mære *gewichtige kunde;* starkiu wunde *todeswunde;* starker vîant *todfeind;* daz starke hazzen *unnachgiebiger haß.*
starcgemuot *adj. mutig.*
starcmüetecheit *stf. standhaftigkeit.*

starke *adv. (bes. vor verben); kräftig; fest, eindringlich; nachdrücklich.*

star(r)unge *stf.* st. der hende unt vüeze *starrwerden, krampf; contemplacio, unverwandtes hinschauen auf gott (myst.).*

stat *stmn.* stades varn ans ufer streben, *bildl. für: sich retten wollen.*

stat *stf. platz;* ze stete stân *unbeweglich stehen (bleiben);* vaste ze stete treten *fest auftreten, aus dem stand zum sprung ansetzen;* ein heimlich st. *pudenda, schamteile.*

state *stf. möglichkeit;* ze st.-n (ge)stân, komen *dp. helfen, zustatten kommen, nützen;* daz sol ze guoten st.-n gestân *schön und gut!;* ze st.-n und ze nôt *(antworten) passend und knapp;* über st. und über maht *(synon.) mit aller kraft.*

stæte *adj. standhaft;* st.-r lîp *standhaftigkeit;* st. sîn *dp. zu jem. halten;* st. sîn *(von sachverhalten) rechtskräftig, bindend;* st. machen *(as. dp.) vertraglich bestätigen;* st. minne ehe.

stæte *stf.* st. gewinnen bî *dp. sich festsetzen.*

stætecgemuot *adj. von beständiger, treuer gesinnung.*

stætegemuot *adj. dass.*

stætecheit *stf. treue.*

stæten *swv.* den rât st. *den beschluß fassen.*

statgrabe *swm. stadtgraben.*

stathêrre *swm. bürger.*

statkneht *stm. büttel.*

statschuoch *stm. schuh als längenmaß in einer bestimmten stadt.*

steckenholz *stn. stangenholz.*

stêer *stm. stationarius (planet in bestimmter stellung).*

stegegelt *stn. abgabe zur erhaltung der stege.*

stein *stm. gefäß aus stein, steinschale; steinschwelle; als gewichtsmaß: ein viertelzentner.*

steinacker *stm. steiniger acker.*

steinalter *stn. das höchste alter.*

steinber *stf. schiebkarre für steine.*

steinbrecher *stm. als berufsbezeichnung.*

steinbrücke *stf. steinerne brücke.*

steinen *swv. pflastern.*

steinharte *adv.* st. tôt ligen *tot liegen wie ein stein.*

steinherzec *adj. hartherzig.*

steinkeller *stm. felsenkeller.*

steinmûre *stf. ziegelsteinmauer.*

steinnapf *stm. napf aus steingut.*

steinobez *stn. steinobst (ggs. zu kernobst).*

steinoven *stm. steinerner ofen.*

steinrîche *adj. reich an steinen; sehr reich.*

steinritze *stf. felsspalte.*

steinvalke *swm. steinfalke.*

stellemacher, -mecher *stm. stellmacher.*

stellen *swv.* den eit st. *formulieren, eidesformel aufsetzen;* jâmer st. *schmerz zeigen;* wunder st. an *dp.* an jem. *wunder vollbringen; part.* wol gestalt zuo *befähigt zu.*

steln *stv.* minne st. *redensartl. für: sich heimlichem liebesgenuß hingeben.*

sterenis *stf. stärkung.*

sterke *stswf. auch: stimmkraft;* mannes st. *männlichkeit.*

sterkern *swv. confortare, stärken.*

sternec *adj.* diu siben sternigen zeichen *signa septentrionalia.*

sternenerkenner *stm. astrologe.*

stern(en)kunst *stf. astrologie.*

sternenschîn *stm. sternenglanz.*

sternglanz *stm. sternenglanz (von Maria).*

sternseherinne *stf. astronomin.*

sternstœzer *stm. sternschnuppe.*

sterz *stm. strunk.*

sterzen *stv. stolzieren.*

stetenen *swv.* sîn gesiht st. an *as. den blick heften, unverwandt richten auf.*

stîc *stm.* st. âne huofslac *fußpfad;* stîge abetreten *dp. weg abschneiden.*

stich *stm. (speer)stoß.*

stillec *adj.* = stille.

stillen *adv. nbf. zu* stille.

stilmüetec *adj. still, ruhig (von worten).*

stimme *stf. gesang.*

stirp *adj. unfruchtbar.*

stiure *stf. spende, gebühr, stipendium;* mit st. unt mit bete *mit abgaben und forderungen;* ze st. hân *verfügen über.*

stîve *f. dudelsack.*

stîven *swv. dudelsack blasen.*

stoc *stm. holzklotz; fußbank; pflock; götze;* st. unt stein *(in verschiedenen wendungen) stock und stein.*

stolzen *swv. stolz machen.*

stolzlîche *adv. frohgemut.*

stôz *stm. windstoß.*

stôzen *redv. intr. bzw. absol.:* an den sê st. *in see stechen; tr.:* st. an as. *schieben, stecken auf;* zil st. *dp. oder* vür *ap. jem. leiten, ihm ein leitbild hinstellen.*

stôzleder *stn. teil der ritterrüstung.*

strâferinne *stf.* der kinde str. *ermahnerin (allegorie der buße).*

strælunge *stf. das kämmen.*

strâmgolt *stn. flußgold.*

streben *swv. sich strekken.*

strecken *swv. tr. hinstrecken; eine art des folterns;* die schenkel st. *für: schnell laufen; refl. sich strecken.*

strenge *stf. stärke.*

strengelîche *adv. auf harte weise.*

stric *stm. verstrickung.*

strît *stm. konflikt; ringen; schlacht;* st. leisten *kämpfen;* mit st.-e bestân *ap. kämpfen gegen;* st.-es beginnen an, gegen; den st. halten *sich behaupten;* den st. lân *dp. von jem. ablassen, ihn aufgeben;* den st. lân, ‚aufgeben', *einer sache den abschied geben, sie ablegen;* âne st. *(etw. finden) widerstandslos, friedlich, ohne anstrengung;* âne (sunder, ûzer) st. *unbestreitbar.*

strîtbanier *stfn. kampffahne, kriegsfahne.*

strîten *stv. uneins sein;* st. umbe as. *sich mit etw. auseinandersetzen;* st. an *ap.* mit jem. *kämpfen.*

strîtgernde *part. adj. streit begehrend.*

strîthaft *adj.* st.-iu nôt *kampf.*

strîtlöufe *adj. kampferfahren.*

strîtscheiden *stn. schlichten des kampfes;* str.-s verzagen *nicht den schiedsrichter spielen.*

strîtwort *stn. streitgespräch* (mit str.-en *kriegen).*

strôdach *stn. strohdach.*

stroufen *swv. umherstreifen.*

strûten *swv. durchsuchen, untersuchen; ausmessen.*

strûzenei *stn.* = strûzei, *straußenei* grôz als ein st.

stûche *swfm. halstuch.*

studel *stnf. gestell des webstuhls.*

studelen *swv.* darûf st., daz *in gedanken damit umgehen.*

stûf *adj. stumpf.*

stummen *swv. subst. stummheit.*

stunde *stf.* mîn vlîz und mîne st. *all meine zeit und mühe;* mîn junge st. *meine jugend;* an den st.-n *gerade jetzt;* keine st. *keinen augenblick;* ze manigen st.-n *oft;* in kurzer stunt *bald, rasch;* von stunt *sofort;* zaller st. *fortwährend, jederzeit.*

stundelîche *adv. sofort.*

stunt *adv. längst.*

stuntwîle *stf. augenblick.*

stunz *adj. abgestumpft.*

stunze *stf. lanzenstumpf.*

stuol *stm.* einen st. nemen *platz nehmen.*

stuolmacher *stm. stuhlmacher.*

sturmschal *stm. warnruf der kriegsfanfare, auch bildl.*

sturmwâc *stm. sturmflut; bildl.:* die sturmwæg der bôsheit.

stürzeln *swv. stürzen; subst.*

stutz *stm.* in einem st. *plötzlich.*

sublimieren *swv. veredeln, verherrlichen:* mit varwen s.

subprîor *stm. unterprior.*

subprîolin *stf. unterpriorin.*

sûdenlant *stn. südliches land.*

süeze *adj. bezeichnet heiligkeit, göttlichkeit, gottbezogenheit; häufiges attr. zu* got *oder* Krist; − ein s.-r donreslac *(der gnade gottes) heilig;* ein süeziu stunde *die heiligste stunde;* ein offen s. wirtes wîp *die in der heiligen ehe offen, rechtsgültig angetraute frau;* süeziu vart *heilige erdenwanderung (Christi);* s.-z geverte *kreuzzug;* daz s. liet *das Hohelied;* süeziu minne *gottesminne (myst.)* süeziu lêre *für: evangelium, weihnachtsbotschaft; religiöses epos, heiligenlegende;* Bedas süeziu lêre *kirchengeschichte;* süeziu rede *geistliche dichtung; erbarmungsvoll* (der s. gott); *himmlischen trost spendend, heilsam, rein* (s. luft; dîn süeziu jugent); ûz s.-m munde *mit frommem, reinem munde;* nâch s.-m lanclîbe *langem, gott wohlgefälligem leben;* süeziu arbeit *bemühung im dienste gottes;* s.-r wille *christliche gesinnung;* der s. Anfortas *der heilige dulder A.;* diu s. *(selige)* Herzeloyde; süeziu rede *auch: scheinheilig;* süeziu wort *auch: verführerische worte.*

süeze *stf. werltliche s. irdisches glück;* durch die s. *um des schönen aussehens willen.*

süezeclîche *adv.* got s. minnen *mit inbrunst, inbrünstig.*

süezgesanc *stm. harmonie.*

süezmüete *stf. gnade, güte (gottes).*

süezmüetec *adj. liebreich.*

süfflîn *stn. tränklein.*

süffer, soffer *stm. säufer.*

suht *stf. übertr. gift, plage* (huote, diu wâre s. der minne).

sûler *stm. schattenformen bei sonnen- und mondfinsternis.*

sûlvuoz *stm. basis der säule.*

sum *pron. adj. ein gewisser.*

sûmede *stf.* = sûm.

sumelich *pron. adj. s. ...* s. die einen ... die andern.

sûmen *swv. refl. sich selbst od. seine zeit unnütz vertun.*

sumer *stm. frühling und sommer.*

sumerbernde *part. adj. sommerlich.*

sumerblüemelîn *stn. frühlings- oder sommerblume.*

sumerbluome *stf. dass.*

sumerdorn *stm. löwenzahn.*

sumererne *stf. sommerliche ernte.*

sumergetreide *stn. sommergetreide.*

sumergewant *stn. sommerkleidung, -gewand.*

sumergruoz *stm. frühlings-, sommergruß (der lerchen).*

sumerspil *stn. frühlings-, sommerspiel (vom ballspiel).*

sumersüeze *adj. sommerlich mild, lieblich* (des meien s. wunne).

sumersunne *swf. sommersonne.*

sumertou *stm. sommertau.*

sumerwant *stn. sommerkleid(ung).*

sun *stm. auch von geistlicher kindschaft.*

sünde *stf. schuld;* sîner s.-n verjehen *sündenbekenntnis ablegen.*

sündecheit *stf. sünde, sündhaftigkeit.*

sündeclich *adj. sündhaft, sündig.*

sunden *swv. ap. gesund machen, heilen (von salbe).*

sünden *swv. refl. eine schuld auf sich laden, unrecht tun, schändlich handeln.*

sündenbürde *stf. sündenlast.*

sündenleben *stn. sündiges leben.*

sündenschric *stm. jäher überfall der sünde* (mînes lîbes s.).

sündensumpf *stm. sündenpfuhl.*

sündenval *stm. sündenfall.*

sündenvaz *stn. sündengefäß (der mensch).*

sündenvlec *stm. sündenbefleckung, sündigkeit;* Adames s.

sündenvlecke *swm. dass.;* s.-n âne rein, frei von sünden.

sunder *adj.* samet unde s. *samt und sonders; als verstärkungskomponente in nicht immer eindeutig fester komposition:*

sundergewalt *stf.* monarchîa, daz ist in tiusche s. *(z. b. des Perserkönigs).*

sundericheit *stf.* in s. *im besonderen.*

sunderkraft *stf.* mit maniger s. *auf grund vieler vereinzelter kräfte, mächte.*

sunderleben *stn. besondere art, daseinsform, sonderstellung (der amazonen, der samariter);* sich in ein s. ergeben *sich absondern.*

sunderlop *stn. besonderer (besonders lauter) lobpreis.*

sundermære *stf. besonderer bericht, besondere darstellung.*

sundermarke *stf. auch: südliche grenze.*

sunderscheidenlich *adj. unterschiedlich.*

sunderstrît *stm. einzelkampf.*

sunderwerc *stn. arbeit, die nicht der allgemeinheit gilt;* sunderwerkes pflegen *selbstisches eigenleben führen.*

sunderwort *stn. hövische s. gewählte worte.*

sunneheiz *adj.* = sunnenheiz.

sunnendach *stn. firmament.*

sunnenklâr *adj.* = sunnenlûter, sonnenklar *(von seelen).*

sunnenlouf *stm. sonnenlauf, -bahn.*

sunnenlûter *adj. rein wie die sonne (von der gottheit).*

sunnenparadîse *stn. etwa: paradies des ewigen lichtes.*

sunnenstift *stm. sonnenstich.*

sunnenwagen *stm. sonnenwagen (myth.).*

sunnenwendic *adj.* s.-wendiger punct höchster stand der sonne bei someranfang.

sunne(n)wentâbent *stm. vorabend des johannistages.*

sunnewentviur *stn. sonnwendfeuer.*

sunschaft *stf. sohnschaft.*

suochen *swv. urspr.: aufspüren, angreifen;* ap. angehen, bitten; as. zu-

sammensuchen; diu kleit s.
,packen', *reisegepäck vorbereiten.*

suochunge *stf. angriff.*

suone, süene *stf. abrechnung;* zeiner s. legen
*as. beilegen, zum ausgleich
bringen;* s. vüegen *sich
versöhnen;* ein s. machen
einen vergleich schließen;
in valscher s. stân *(durch
vertragsbrüchigen partner)
hintergangen werden.*

suonestac *stm. gerichtstag, ,todesurteil'.*

suppen, soppen *swv. eintauchen, -tunken.*

sûrgemuot *adj. böse,
hartherzig, zornig.*

sus *adv.* sus hin *im übrigen, hinfort, künftig.*

sustân *part. adj.* = sô-
getân.

sute, sutte *swf. schiffs-
jauche.*

sutentür *stf. tür zum
unteren schiffsraum.*

swach *adj.* von swa-
chen sachen *aus schlech-
tem, geringem material;*
swacher gruoz, swaches
grüezen *unfreundlichkeit,
höhnische anrede, beleidigung;* swachez leben *dürf-
tiges leben;* swachiu bete
bescheidene bitte.

swachlich *adj. geringfügig, unerheblich.*

swal(we) *swstf.* alsam
ein swal *sinnbildl. für
plötzlichen wechsel, un-
stetigkeit, untreue.*

swalwenzagel *stm.
schwalbenschwanz; schwal-
bendreck.*

swanc *stm. anfechtung.*

swandelieren *swv. einherstolzieren.*

swanz *stm. der rockteil
des kleides* (hemdes).

swære *adj.* ein swærez
spil *gefährliches, schwieri-
ges spiel; hartes los;* swæ-

riu zît *schlechte jahreszeit,
winter.*

swære *stf.* überfülle,
*schwerfälligkeit; schwer-
mut; verzweiflung; not,
erdenleid, schwierigkeit,
schaden; schwerer traum,
alptraum;* senende s.
liebesqual.

swærmüetecheit *stf.
schwermut.*

swarz *adj.* sw.-ez leben
hân *umschreibung für:
dem Benediktinerorden an-
gehören.*

swarzen *swv. trübe, dunkel werden.*

swâsheit *stf. privat-
zimmer, abort.*

swaten *swv.* in sich
sw. *as.* in sich *hinein-
schlingen.*

sweboum *stm. schwe-
bebaum.*

**swebelkerze, swefel-
kerze** *swf. schwefelkerze.*

swebelstinkende *part.
adj. nach schwefel stin-
kend;* sw.-r mist *(von der
hölle.)*

sweben *swv. sich schwebend stille verhalten; vom
wasser: flimmern, sich
kräuseln o. ä.* (eine lachen
sw. sehen); sîn gemüete
beginnet im sw. *sein verstand wird getrübt (be-
schwipst).*

swede *swf. wundpflaster.*

sweimes *adv.* sw. varn
schweben.

sweiz *stm.* blanker sw.
blanker schweiß.

swellenlâge *stf.* nâch
sw. *(parallel zu den grundbalken des hauses), hori-
zontal, grundrißartig.*

swere *swm. schwörer.*

swerer, swerære *stm.
dass.*

swert *stn.* swert ûfgeben
*nicht mehr den ritterberuf
üben; auch für schwert-*

schlag: diu sw. vielen ge-
nôte *(dicht.).*

swertgürtel *stm. schwert-
gürtel.*

swîc *stm.* sînen sw. halten *oder* brechen *schweige-
gelöbnis.*

swîclich *adj. schweigsam.*

swîclîche *stf. das schweigen, die schweigsamkeit.*

swie *konj.* swie aber
(aber) wie auch immer.

swim *stm.* s. swîmel
schwindel.

swînbære *adj. hinwel-
kend, verfallend.*

swînesmage *swm.
schweinsmagen (als min-
derwertige speise).*

swingen *stf.* gâbe von
hende sw. *großzügig
schenken.*

swînhaz *stfm. sauhatz,
wildschweinjagd.*

swip, swîp *stm. schwung,
heftige bewegung.*

swirbelen *swv. schwanken, taumeln.*

T

tac *stm.* von tage ze
tage tag *für* tag aufs neue;
nâch disen tagen *in einiger
zeit;* des ist manic t. *das
ist lange her;* in allen mînen tagen *mein ganzes
leben lang, meiner lebtage;*
ich bin in den tagen, daz
bin alt genug; etewaz unz
ûf den t. bringen, daz
*soweit bringen, daß; etw.
ze* tage tragen *ans tageslicht ziehen;* sich ze tage
bieten *sich verhandlungs-
bereit erklären;* mîn t.
tag *meiner niederkunft;*
heilige tage = gebundene
tage *(dies feriati),* zeit

eingeschränkter gerichts-
tätigkeit; mit swæren tagen
= mit swære *in drangsal.*
taczal *stf.* dîner tage t.
die zahl deiner tage.
tagedingerinne *stf. sach-*
walterin.
tagehorn *stn. eine form
des tageliedes.*
tagelanc, tâlanc *adv.* tâlanc deste ê *so lange zu-*
vor, viel zu früh.
tagelinc *stm. tagelöhner.*
tagelôner *stm. dass.*
tagen *swv. von der
sonne: aufgehen.*
tageweide *stf. tages-*
ration.
tagezîter *stm. tagelöh-*
ner.
tal *stn.* ze t. setzen *as.
auf den boden setzen, nie-*
dersetzen; ze t. sitzen *sich
niedersetzen;* her ze tal
(spot bieten) *von (dort)
oben herab.*
talganc *stm. feldweg.*
talmut, talamuot *m.
talmud.*
tamburîn, tamerîn *stn.
tamburin.*
tämris *ein baumname
bei Wolfram.*
tanelier *stm. kavalier.*
tarsche *swf. ein münz-
name.*
tartarisch *adj. tartarisch.*
tast *stm. tastsinn; berührung (mit der hand).*
tate *swm. vater.*
tateleboum *stm. dattelbaum.*
tavele *swstf. eine art
gong:* t. geslahen.
tavelgolt *stn. goldtafel,
-platte.*
tegant *nbf. zu* techan.
teil *stnm. gebühr;* ein t.
etwas, etwas bestimmtes; t.
haben *gs. iron.: ganz besitzen.*
teilec *adj.* mit gs. *teilhaftig.*

teilen *swv. absol.:* ob ich
t. unde welen solde *wenn
ich die wahl hätte; trans.
mit as. auch: anordnung
treffen über;* sich t. *as. sich
etwas versprechen (z. b.
das himmelreich);* unge-
rehte t. *ap. ungerecht, zu
unrecht verurteilen.*
teiler *stm. vermittler.*
teilerinne *stf. austeile-
rin (alleg. von der liebe).*
teilhaftic *adj. adv. teilweise.*
teilhafticheit *stf. (mit
gen.) das teilhaftwerden
(an).*
teilsamkeit *stf. das teilhaben.*
teingen *s.* tagedingen.
teischen *swv. heraus-
kriechen.*
tempelhûs *stn. tempel.*
tempelmeister *stm. heidnischer oberpriester.*
tempelorden *stm.*
tempeltrete *stf. ‚kirchen-
läuferin‘.*
tempelwerc *stn. tempel-
bau.*
tempern *swv. part. adj.*
getempert *milde, leicht
(nahrung), lind (lenz);*
getempertiu mâze *aus-
geglichene lebensweise.*
tengen *swv. beginnen.*
tenne *stmn. fußboden.*
tennebanse *stm. weiter
scheunenraum zur seite der
tenne.*
tervaltecheit *s.* drîval-
techeit.
tesemtier *stn. moschus-
ochse.*
tetzman *stm. verball-
hornt aus* decima; *der
zehnte:* t. geben.
text *stm. text.*
tîch *stm. sumpf.*
tief *adj. übertr.: bedeu-
tungsvoll, wichtig, schwer,
tief;* tiefer wec *hohlweg;
morastiger weg.*

tiefen *swv. ergründen.*
tiefunge *stf. tiefe, abgrund.*
tierbluot *stn. tierblut
(z. b. als dünger).*
tierisch *adj. tierisch,
sinnlich.*
tiermist *stm. mist, dung.*
tiername *swm. tier-
name.*
tihtecheit *stf. das dichten.*
tihtenære *stm. dichter.*
tihtlich *adj.* ein t. kunst
dichtung.
tiligen *swv. auslöschen
(namen, schrift, sünden).*
timbern *swv. subst. das
dunkel; bildl.* der sorgen t.
timlitze *nbf. zu* timenitze.
tiure *adj. schätzbar;* t.
hân, nemen *wert halten.*
tiure *adv.* t. geben umbe
teuer bezahlen für.
tiurlich *adj. häufig als
beiwort für personen, bes.
im heldenepos.*
tiuten *s.* diuten.
tiutschlant *stn. deutschland.*
tiuvellîn *stn. teufelchen.*
tiuvelschünde *stf.* der
t. luoder *teufelsköder.*
tobe *swm. unsinniger.*
tobegesühte *stf. schwer-
mütigkeit.*
tobelîche(n) *adv. außer
sich vor wahnsinnigem
schmerz.*
toben *swv. subst. formelhaft:* sunder t.
tobewüetende *part. adj.*
t. suht tobsucht.
tocken *swv. mit puppen
spielen.*
tôdesangel *stm. todes-
stachel.*
tôdeshalben *adv. nach
dem tode.*
tol *adj. mutig.*
tol *stfm. übermut.*
topelstein *stm. topas.*

topf *stswm. dübel.*

topmuot *stm. raserei, zorn, wut.*

tôre *swm. taubstummer.*

tôrensin *stm. torheit.*

tôrenspil *stn. gaukelspiel.*

tôrenspîse *stf. speise für toren.*

tôrenvedere *stf. narrenfeder* (t. ûf die hüete stecken).

torglocke *swf. torglocke;* von einer t. zuo der andern *zeit zwischen schließung und öffnung der stadttore.*

tôrheit *stf. lächerlichkeit.*

torste *stf.* mit t.-n *mit kühnheit.*

torwahte *swm. torwächter.*

torwartelinne *stf. torwächterin;* t. der helle *(bildl. von der sinnenlust).*

tôt *part. adj.* t. belîben *sterben;* t. ligen *gestorben sein; phraseol.* t. vunden werden *gestorben sein.*

tôt *stm.* mit tôde vallen *tot umsinken;* an sîme tôde ligen *im sterben liegen.*

tôtbant *stn. fessel des todes.*

tôtbringære *stm. übers. von lat.* letifer *(auf Lucifer bezogen).*

tœten *swv. bildl.:* marter bereiten; *auch subst.*

tôtengebeine *stn. totengebein.*

tôtenkleit *stn. totenhemd.*

tôtenknoche *swm. pl. totengebeine.*

tôtenschedel *stm. totenschädel.*

tôtenschilt *stm. gedenktafel für tote (in der kirche).*

tôtentuoch *stn. leichentuch.*

tôtgiftec *adj. todbrin-*

gend, tödlich giftig; tôtgiftigez eiter.

tœtic *adj. sterblich.*

tôtlich *adj.* t. gevar = tôtvar.

tôtmiete *stf. bestechungsgeld für erlassung der todesstrafe.*

tôtsiufzec *adj.* t. herzeleit *tödlicher schmerz.*

tôtsweiz *stm. todesschweiß.*

tôtvîendinne *stf. todfeindin.*

touben *swv. zum schweigen bringen.*

toufbottech, **-bottege** *swf. taufbecken.*

toufkerze *swf. taufkerze.*

toufname *swm. taufname.*

toufvaz *stn. taufbecken.*

toufwazzer *stn. taufwasser.*

tougen *swv. wirksam, fruchtbar machen.*

tougenbuoch *stn. buch der apokalypse.*

tougenheit *stf. heimliches stelldichein; das eigenste, persönliche, die dinge des herzens.*

tougenlîche *adv. stillschweigend.*

touwen *swv. heruntertröpfeln, -rieseln u. ä.*

trachenbluot *stn. drachenblut.*

trachenhoubet *stn. drachenhaupt* (z. b. als helmschmuck).

trachenkel *swm. schlund des drachen;* als ein t. glüejen *(vor liebe).*

trachensweiz *stm. drachenschweiß (oder -blut),* (ein schimpfwort).

trage *auch stf. hab und gut.*

træge *adj.* t. zuo *oder* gegen *ds. ungeschickt, untauglich für; nicht bereit zu, ohne* (gein valscheit tr.).

tragen *stv.* mit as. *(ein geheimnis) bewahren, für sich behalten;* krône tr. *gekrönt sein, könig sein; übertr.* krône tr. ob, über, vor *(mit dat.) übertreffen;* ûf sîner hant tr. ap. ,*auf händen tragen‘;* ze ôren tr. as. dp. *ins ohr raunen, zutragen;* nâhe tr. as. zu herzen nehmen; in ein tr. as. dp. *vermitteln, erwirken, in die wege leiten für jem.;* holden muot tr. dp. *lieben;* haz tr. dp. *feind sein;* sînem lîbe vorhte tr. *um sein leben bangen;* wân tr. ûf as. *bedacht sein auf, sich vorgenommen haben;* werre tr. *zwischen vriunden zwietracht säen;* sich tr. mit *sich beschäftigen mit.*

trâgesære *stm. zauderer.*

trahen, trân *stm. honigtropfen, honig.*

trahte *stf.[3] sehnsucht, verlangen, begehren;* in sîne tr. nemen *(ap.) nicht vergessen, gedenken.*

trahthaft *adj.* tr. sîn *streben, trachten.*

trancvaz *stn. trinkgefäß.*

transfigûren, -figurieren *swv. verklären (myst.).*

transformieren *swv. transformieren, verwandeln,* wir werden transformieret in got *(myst).*

traz *stm.* mir ze tratze, ûf mînen traz *mir zum trotz;* ze tratze dp. *auch: zum ärger.*

traz *präp. trotz, auch* schon mit gen.

trechen *stv. mitnehmen.*

treffen *stv. bedeuten;* eine vart tr. *einen weg einschlagen, geraten auf.*

trehernaz *adj. tränenfeucht* (trehernazziu ougen).

treiden *swv. schwanken:* hin und her tr.

treigern *swv. prüfen.*

tresenîe *stf. schatz.*

trîbe *stswf. triebkraft, schubkraft;* in starker tr. *mit gewalt* (die sêle ûz dem lîbe jagen).

trîben *stv.* einen site tr. *einen brauch üben;* inein tr. *as. durchsetzen.*

tribulieren *swv. plagen.*

triegærinne *stf. betrügerin.*

triegen *stv.* ir rîcheit niemen trouc *diese pracht war kein falscher schein;* sich tr. ûf *(mit acc.) sich fälschlich verlassen auf.*

trift *stf. strömendes wasser.*

trincgevæze *stn. (coll.* zu trincvaz) *trinkgeschirr.*

trincmâz *stn. trinkgefäß.*

trincpfenninc *stm. trinkgeld.*

trinkunge *stf. das trinken* (diu tr. des kalten wazzers).

triute *adj.* tr. sîn *dp. jem. lieb und wert sein, beliebt bei.*

triuten *swv. (begrüßung:)* zuo sich tr. *ap. an sich drücken, umarmen; ebenso* sich an einander tr. *einander um den hals fallen.*

triuwe *stf. mitleid, liebe, güte, das gute, tugend; charakter; gewissen; eid* (ûf sîne tr. nemen *as.);* mit rehten tr.-n *aus innerstem herzen;* der triuwen .pflegen *sich freundlich zeigen;* tr. leisten *dp. liebe zeigen;* âne tr. *hinterhältig;* ûf guote tr. *in freundschaftlicher gesinnung, absicht,* (ûf guote tr. her gesant *mit einer freundschaftsbotschaft).*

triuwebernde *part. adj. treu.*

trôn *stm. himmelsthron;*

thronhimmel (under einem tr.-e sitzen).

tropfe *swm. mit neg.: nichts.*

tropfeleht *adj. adv. tropfenweise, in tropfen.*

trôst *stm. auch: genugtuung.*

trôstbernde *part. adj. trostspendend.*

trœsten *swv. auch; helfen.*

trôsthaft, trôstehaft *adj.* tr. sîn *dp. jem. beschützen.*

troum *stm. trugbild, phantasiegebilde, phantom;* des blinden tr. *erscheinungsbild, vorstellung des blinden von der welt.*

truckenlîchen *adv. mit kurzen, trockenen worten* (sagen).

truckenscherer *stm. bartscherer.*

trüeben *swv. trüben:* dô wart getrüebet in der schal *(ihre fröhlichkeit).*

trüge *stf. von der trügerischen aufmachung der frauen:* man kôs an ir lîbe dekeiner slahte tr. *nichts künstliches, nichts trügerisches;* in trügen *heimtückisch;* ûf der tr.-n plân (erschlagen werden) dass.

trugel *stm. ein edelstein,* ein liehter tr. graw *(ev. metathese aus* türkel*).*

trügenærinne *stf. betrügerin.*

trügenetze *stn.* die tr. setzen vür *ap. (um ihn in die fallgrube der verführung zu bringen), vgl. etwa: ‚fallstricke legen‘.*

trügespot *stm.* sich des velschlichen tr.-tes abe tuon *dem albernen trug (des irrglaubens) entsagen.*

trügevaz *stn. behältnis des bösen.*

truhter *nbf. zu* trahter.

trumpte *nbf. zu* trumbe.

truop *stm. durch hezzigen* tr. *in gehässiger, böser absicht.*

trûrec *adj. zornig, wütend; bedrückt.*

trûren *swv. das haupt senken, sinnieren; subst. verzweiflung; sehnsucht.*

trûresam *adj. niedergeschlagen.*

trûrôt *stm. alem. trauer.*

trüster, drüster *stn. heuschrecke(?).*

trûtelbrût *stf. bräutliche geliebte.*

trûwen *swv. mit gen. bauen auf.*

tûchære *stm. taucher;* sîne t. an den grunt *(des meeres)* senden.

tugent *stf. charakter, wesen; gutes herz; tatenruhm;* âne t. ligen *ohnmächtig;* t. mit zeichen tuon *große wunder wirken.*

tugentkempfer *stm. tapferer kämpfer, held.*

tugentlîche(n) *adv.* ez t. bieten *dp. jem. großzügig, anständig, gut behandeln.*

tugentlôs *adj.* t. sîn *nichts taugen.*

tugentsite *swm. edle, feine sitte.*

tumelen *swv. subst. lärmen, tumult.*

tump *adj. kindisch;* tumber antheiz *sinnloses gelübde (in kindischer unverantwortlichkeit geleistet).*

tunkelblâ *adj. dunkelblau, violett.*

tunkelî *stf. alem. dunkelheit.*

tunne, tonne, tyne *swstf. auch: bottich.*

tuolîche *stf. tätigkeit.*

tuon *anv.* vrî t. *ap. gs. auch: bewahren vor;* erkant t. *dp. as. bekannt machen;* der ez dir hât getân *dir dies angetan hat;* iemannes

wort t. zuo *dp. jemandes fürsprecher sein bei, ein wort für ihn einlegen;* ez guot t. *seine sache gut machen, bes.: erfolgreich kämpfen;* wol t. *dp. hochgefühl, freude bereiten; refl.:* sich nider t. *sich niederziehen lassen;* sich ûf t. *sich erheben;* sich dannen t. *sich zurückziehen, zurückspringen; (ähnl. auch:* tuo her! *komm schon her!);* sich t. ze *sich verwandeln in.*

tuonihtbaz *m. tunichtgut.*

tuounge *stf. das tun, vollziehen;* diu t. *des willen.*

tuowelich *adj. tätig.*

tupfen *swv. tupfen, rühren.*

turkîsborte *swm. borte aus (dem gewebe)* turkîs *(?)*; t.-n *wirken.*

türkneht *stm. türdiener.*

türrigel *stm. türriegel, -klinke.*

tûsentbar *adv. tausendfach.*

tûsentleie *adv.* t. var *tausendfach.*

twâle, twâl *stf.* sunder tw. *unverzüglich, gleich.*

tweln *swv. trans.: irreführen.*

twingen *stv. mit ap. auch: unwiderstehlich ziehen, treiben:* daz vingerlîn in gein dem bette twanc; die hende gezogenlîche vür sich tw. *vor sich ineinanderlegen, falten.*

U

übel *adj. gefährlich* (ein ü. man).

übel *stn.* ez vür ü. hân *daran anstoß nehmen.*

übele *adv. leider, zum unglück; schlimm, schrecklich u. ä.;* mich dürstet ü. *sehr.*

übellich *adj.* mit ü.-en mæren anekomen *(ap. oder dp.) schwierigkeiten bereiten.*

übeltu(o)er *stm. übeltäter, verbrecher.*

über *präp. auch: wegen;* ü. tac *tag für tag;* ü. sê *jenseits des meeres.*

über *adv. trennbar bei verben (ob trennbar oder nicht trennbar, nicht immer eindeutig festzustellen):*

-bringen *swv. an. hinüberbringen, übersetzen (über einen fluß).*

-brücken *swv. as. ds. (eine brücke einen fluß) überspannen, überwölben o. ä. (vgl. jedoch* überbrücken *swv.).*

-diezen *stv. aufplatzen, überquellen.*

-gân *anv. hinübergehen;* überlaufen *(z. b. galle).*

-kêren *swv.* wider ü. *wieder zurück ans andere ufer kehren.*

-komen *stv. hinüberkommen; überlaufen (gefäß).*

-loufen *redv. überlaufen (gefäß, augen);* übrigbleiben *(besitz).*

-rinnen *stv. überlaufen (gefäß, augen).*

-schiezen *stv. übrigbleiben, übrigsein (geld).*

-schiffen *swv. intr. übersetzen* (mit kielen ü.).

-schûmen, -schiumen *swv. intr. überschäumen, aufwallen* daz ir gemüete über schiumet in die hœhe über al.

-segelen *swv. intr. übersetzen.*

-setzen *swv. übersetzen (ü. einen fluß);* ein hennen

ü. ze brüeten *auf die eier setzen;* übergesetzt werden in got *überführt werden, eingehen in gott.*

-sîn *anv. gs. überhoben sein; mit inf. und ze unterlassen.*

-slahen *stv. überströmen.*

-spreiten *swv. überbreiten, -decken.*

-sweimen *swv. überfließen.*

-swingen *stv.* den schilt ü. *über sich reißen; refl.* sich hinüberschwingen gein osten er *(der mond)* sich überswanc; *tr.* sîn gemüete ü. in die hœhe *(myst.) hinaufschwingen lassen.*

-treten *stv. hinübertreten.*

-varn *stv. intr. hinüberfahren, übersetzen.*

-vliezen *stv. überfließen, -strömen; mit gs. bildl.:* genâden ü.

-vüeren *swv. hinüberbringen.*

-wallen *redv. übergehen (augen).*

-zogen *swv. intr. hinüberziehen (ein heer über eine brücke).*

überal *adv. alles in allem; samt und sonders; überhaupt; ohne weiteres;* ü. und al *ganz und gar;* niht ü. *beileibe nicht.*

überbildelich *adj. übersinnlich.*

überbreit *adj. sehr breit; (Christus)* ein vürst überlanc und ü.

überbrücken *swv. eine brücke schlagen über.*

überdreschen *stv. ausdreschen; auch bildl.*

überdrücken *swv. unterdrücken; vergewaltigen.*

überdrüzzec *adj. mit gen. überdrüssig.*

übergân *redv. as. übertr.: ernsthaft betrachten, recht bedenken; ap. täuschen.*

übergeschrift *stf. überschrift, titel (eines buches).*

übergewin *stm. höchster besitz.*

übergleste *swm. der sunnen ü. der die sonne überstrahlt (Christus).*

überhellen *swv. überleuchten; heraldisch:* banervelt mit barellen überhelt.

überhœhe *stf.* rîchheit ü. *überfluß an pracht.*

überhœrde *stf. examen.*

überkapfen *swv.* niht ü. *nichts übersehen, übergehen; subst. das allzu lange schauen.*

überklæren *swv. ganz verklären, erleuchten;* von der gotheit durchklæret und überklæret werden; mit worten überklært *(grüßen).*

überkomen *stv.* lützel dâmit ü. *wenig dabei gewinnen, nichts dabei herauskommen sehen.*

überkrefticlich *adj.* mit ü.-er hant *mit großer übermacht (gewaffnet).*

überlanc *adj. sehr lang (vgl.* überbreit*).*

überlâzen *redv. aufgeben, verzichten auf.*

überlengen *swv. ap.* an *ds. jemandem sein recht auf etwas kürzen; part.* überlengt *überlang,* überhoch.

überlestigen *swv.* = überlesten.

überlîhen *stv. überlassen.*

überliuhten *swv. überstrahlen.*

überloufen *redv.* dô in der tôt überlief überkam.

überlût *adv.* stille und ü., *überstille und ü. formelhaft: laut und leise, d. h. geheim und öffentlich, in jeder weise.*

übermachen *swv.* mit strô ü. *umwinden.*

übermangen *swv. aufwiegen mit.*

übermeister *stm. vorgesetzter.*

übermüete *adj. verblendet; hoch gestimmt; (komp.* übermüeter*).*

übermüete *stf. vermessenheit; frevel.*

übemüeten *swv. subst. das prahlen.*

übernæjen *swv. übernähen, übersticken.*

übernemmen *swv.* einen übernamen *geben.*

überphellen *swv.* mit einem phellel *überziehen.*

überphleger *stm. jur. vormund über mündige, aber noch nicht volljährige personen.*

überprîsen *swv. tr. an* prîs *übertreffen.*

überriuhen *swv. übermäßig rauh machen; auch übertr.*

überrœren *swv.* mit zucker überrœret *überschüttet, bestreut.*

überrüemen *swv. refl.* sich zu sehr rühmen.

übersachen *swv. überwinden, übertreffen.*

übersæjen *swv. übersäen.*

überscharf *adj. sehr scharf;* ein ü.-ez swert.

überschatewen *swv. überschatten;* daz er *(hl. geist)* si *(Maria)* überschate.

überschenken *swv. ap. im schenken übertreffen.*

überschînen *stv. bestrahlen.*

überschouwen *swv. as.* an dp. etw. allenthalben an jem. erblicken.

übersenden *swv. übersenden.*

übersezze *stm.* usurpator.

übersiuren *swv. tr. übermäßig sauer machen; ap. übertr.: überlisten.*

überslac *stm. sprung, überschlag;* einen ü. tuon in daz gotliche abgründe *(myst.).*

übersliezen *stv.* ein lant mit gewalte ü. *unterwerfen, beherrschen.*

überstân *anv.* er überstuont die vierzic tage *er stand die vierzig tage lang (im wasser);* ü. lâzen *as. anstehen lassen;* ein reht ü. *dafür einstehen, es vertreten.*

überstille *adv.* ü. und überlût *(formelhaft) geheim und öffentlich.*

überströuwen *swv. gs. überstreuen mit,* daz velt lac tôter überstreut.

überstrûmen *swv. tr. überströmen, überziehen.*

überstürzen *swv. kopfüber stürzen.*

übersüeze *stf. übermäßige süßigkeit; auch übertr.*

überswanc *stm. myst.:* einen ü. tuon *sich hinüberschwingen, ,stürzen', sich fallen lassen* (in).

überswenke *stf. des* meres ü. *überwallen, flut.*

überswenklichkeit *stf.* ü. des liehtes *übermacht des (göttl.) lichtes (myst.).*

überswimmen *stv. tr. über-, durchschwimmen.*

überswindeclîchen *adv.* ü. starc *übermäßig.*

überswingunge *stf. das sich hinüber- oder hinausschwingen.*

übertihten *swv. tr. (eine geschichte)* mit bîspel ü. *mit beispielen versehen.*

übertiure *adj. unschätzbar, höchst wertvoll.*

übertolden *swv. (zweig)* mit rôsen blüete übertoldet *dicht voller rosenblüten.*

übertougen *adv. ganz geheim:* überlût und ü.

übertragen *part. adj. abgetragen:* ein übertragenez wambes.

übertrût *adj.* vor allen vrouwen du ü. *(Maria) am meisten geliebte.*

überünstic *adj. mißgünstig.*

übervart *stf. übergang; verwandlung;* ü. in ein gotformic wesen *(myst.).*

übervasten *swv.* ez ü. *sich durch überhohe buße freikaufen (z. b. hohen wehrausgleich zahlen).*

übervertigen *swv.* gebot ü. *übertreten, verstoßen gegen.*

übervluotec *adj. überfließend.*

übervlüzzecheit *stf.* die ü. vürben *(medizin.) schädliche überflüssige stoffe und säfte entfernen.*

überwæge *stf.* der lazheit ü. *übergroße faulheit.*

überwalgen *swv. tr.* sich über etwas wälzen.

überwallen *redv.* = über wallen; man sach des küniges ougen mit wazzer ü. *man sah den könig tränenüberströmt;* diu nase im mit bluote überwiel *war blutüberströmt.*

überwalten *redv. tr. überwältigen, bezwingen u. ä.;* daz daz wazzer daz schif niht überwaldet *mit sich reißt;* sîne *(gottes)* gewalt kein man überwaldet.

überwandelen *swv. verwandeln.*

überwandelunge *stf. verwandlung.*

überwê *adv. interj.* wê und ü.! *weh und nochmals weh.*

überwelben *swv. überwölben.*

überwendec *adj. adv. scheel, abschätzig musternd:* ü. durch die brâ anesehen *ap.*

überwendeclîche *adv. dass.;* ü. empfâhen *ap. kühl, scheel blicken.*

überwern *swv. ap. abwehren, fernhalten, loswerden.*

überwirdec *adj. überaus würdig, hochwürdig, heilig;* gotes oberwirdige êre.

überwîse *adj. überklug; hochweise; subst.:* die ü.-n *die weisen dieser welt.*

überwîsen *stv. jur. überführen.*

überwüeten *swv. mit* wüten übertreffen.

überzal *stf. mit gen.* überfluß.

überzart *adj. über alles geliebt; sehr zart (als poetischer terminus:* Frouwenlobs ü.-er dôn*).*

überzeln *swv.* iht ü. *dp. zu viel anrechnen, überfordern.*

üeben *swv. tr.* jâmer ü. *trauern; refl. sich regen;* sich ü. ûf *as. sich üben in.*

ûf *adv.* ûf hôher *zurück;* ûf und abe reden *hin und her reden; trennbar bei verben (nicht immer eindeutig festzustellen, ob trennbar oder untrennbar):*

-antworten *swv.* ein amt û. *wieder abgeben.*

-betagen *swv. part.* ûf betaget sîn *herangewachsen sein.*

-biegen *stv. part.* ûf gebogen *hochgebogen (ohren); refl. aufsteigen (rauch).*

-blæjen *swv. tr. aufblasen.*

-blicken *swv. aufblikken, bes. zum himmel aufblicken.*

-blüejen *swv. aufblühen; übertr.* in den ûf blüe-

jenden jâren *(kindheit und jugend).*

-bochen *swv. tr. as. aufbrechen, -schlagen.*

-breiten *swv. ausbreiten (hände, tuch).*

-brennen *swv. tr. anzünden.*

-bresten *stv. aufbrechen, sich erheben (morgenstern).*

-briezen *stv. refl. übertr. sich aufblähen, sich brüsten.*

-brinnen *stv. von abend- und morgenröte: erglühen, aufleuchten; auch bildl. vom erröten.*

-briuwen *swv. aufführen, anstiften.*

-brogen *swv. übermütig sich erheben* (über).

-diezen *stv. aufschwellen.*

-entheben *stv. enthalten;* daz leben, daz den lîp *(den körper, d. h. das leibliche leben)* ûf enthebet.

-entliunen *swv. auftauen.*

-entwinden *stv. aufwinden, losmachen.*

-entzünden *swv. entzünden.*

-erben *swv. ap.* jemdm. erblich zufallen, zukommen; *ap. as.* jem. etwas vererben.

-erbieten *stv.* = ûf bieten; mit ûf erboten vingern *(schwören).*

-erblicken *swv.* = ûf blicken.

-erbœren *swv. erheben,* mit ûferbôrtem swerte; *refl. sich empören.*

-erbrechen *stv. refl. sich erheben, hochschießen (von einer feuersäule).*

-erbürn *swv. erheben* (hant, swert).

-erbûwen *stv. aufbauen, gründen, errichten (bauerngehöft).*

ûf-erdiezen *stv. aufrau-schen, in die höhe quellen.*

-ergeben *stv. aufgeben* (mînen lîp, d. h. sterben).

-erquicken *swv. aufer-wecken.*

-errinnen *stv. aufgehen* (sonne).

-erschrecken *swv. trans.* (aus dem schlafe) auf-schrecken.

-erschricken *swv. auf-fahren.*

-erstân *anv. sich er-heben; erstehen; entstehen; vom grabe auferstehen; (plötzlich) geschehen.*

-erstîgen *stv. aufsteigen* (zuo).

-erwahsen *stv. aufwach-sen.*

-erwarten *swv. intr. auf-schrecken, sich ängstigen* (vor).

-erwecken *swv. auf-scheuchen, aufwecken.*

-erwegen *swv. aufrich-ten;* ein stam glîch (senk-recht) ûf erweget.

-ezzen *stv. aufessen.*

-geben *stv. as. dp. jem. etwas zur aufbewahrung geben; auf etwas zu jeman-des gunsten verzichten.*

-geblicken *swv. auf-schauen.*

-geborn *swv. aufbrechen* (eherne tore).

-gebrechen *stv. diu ou-gen û. emporblicken.*

-gegân *redv. aufgehen* (same).

-gehaben *swv. trans. aus-halten, ertragen (schmer-zen); refl. sich aufrecht halten; refl. mit gs. auf-hören,* sich weinens û.; absol. mit dat.: dem rosse û. es zügeln, zurückhalzen.

-gehalten *redv. aufrecht halten; ap. aufnehmen, be-herbergen.*

-geheben *swv. aufheben*

(tafel); *ap. erheben, er-höhen.*

-gehœren *swv. aufhören.*

-gelegen *swv. as. sich ausdenken.*

-genemen *stv. anneh-men, gelten lassen.*

-gerihten *swv. trans. und refl. aufrichten, erheben.*

-gerücken *swv. aufrich-ten.*

-gesehen *stv. aufblicken.*

-gesetzen *swv. aufsetzen, aufstellen.*

-gesitzen *stv. aufs roß steigen.*

-gesliezen *stv. aufschlie-ßen (den himmel).*

-gesnîden *stv. aufschnei-den.*

-gespringen *stv. auf-springen.*

-gestân *anv. aufstehen, sich erheben; entstehen.*

-gestôzen *redv. auf-pflanzen (fahne).*

-gestricken *swv. auf-knoten (schnüre).*

-getrîben *stv. aufrich-ten, errichten (gebäude).*

-getuon *anv. öffnen.*

-gevâhen *redv. in die höhe heben.*

-gewegen *swv., auch st.; refl. sich aufrichten, sich erheben.*

-gewinnen *stv. überwin-den.*

-geziehen *stv. refl. sich hinziehen.*

-giezen *stv. die leck û. auf heiße steine in der badewanne wasser gießen.*

-ginen *swv. gähnen.*

-glesten *swv. aufleuchten.*

-gnepfen *swv. intr. sich aufbäumen.*

-gogelen *swv. sich über einen û. übermütig erheben.*

-goumen *swv. intr. auf-merken, aufpassen; dp. aufwarten, pflegen; refl. sich aufschwingen.*

ûf-graben, *gegraben stv. aufgraben, ausheben (grube, grab).*

-gumpen *swv. in die höhe hüpfen.*

-gürten *swv. aufgürten, aufschürzen.*

-hacken *swv. aufbrechen.*

-hâhen *redv. aufhän-gen.*

-heben *stv. refl. sich er-heben, sich aufmachen; ab-sol. anheben, das wort neh-men:* si huop ûf unde sprach.

-heien *swv. schützen, fördern.*

-helfen *stv. dp. einem aufstehen helfen, aufhelfen.*

-henken, hengen *swv. suspendere, aufhängen.*

-hœhen *swv. erhöhen.*

-hœren *swv. aufhören, unterlassen; auch refl.*

-houwen *redv. auf-hauen, -brechen; umhauen; abbrechen (gebäude); aus-hauen, zerteilen (fleisch).*

-hûfen *swv. aufhäufen, anhäufen.*

-hüpfen *swv. empor-springen, -hüpfen.*

-îlen *swv. sich eilig auf-machen.*

-jagen *swv. anspornen, anstacheln.*

-kapfen *swv. in die höhe schauen, starren.*

-kepfen *swv. ragend in die höhe stehen.*

-kêren *swv. in die höhe richten.*

-kîmen *stv. aufkeimen.*

-kînen *stv. zerspringen, sich spalten.*

-klaffen *swv. ausein-anderklaffen.*

-klenken *swv. zum klin-gen bringen.*

-klieben *stv. sich spal-ten; auch refl.*

-klimmen *stv. ersteigen; auch übertr.*

ûf-klinken *swv. aufklinken (tür).*

-klœzen *swv. aufbrechen (siegel).*

-klûben *swv. aufheben, -klauben.*

-knöufeln, knöufen *swv. enodare, aufknoten, -knüpfen, -knöpfen.*

-komen *stv.* lebende *û. auferstehen.*

-kriegen *swv.* den berc *û. den berg emporstreben;* ûf kriegendiu kraft *aufstrebende, aufbrausende kraft (myst.).*

-krümben *swv. aufschlagen (hutkrempe).*

-künten *swv. anzünden.*

-laden *stv. aufladen.*

-laden *stswv. einladen, beherbergen.*

-legen *swv. as. dp. zudenken, aufbürden; auferlegen, vorschreiben (eidesformel).*

-leinen *swv. anlehnen, befestigen; refl. sich aufrichten; sich auflehnen (gegen).*

-lenken *swv.* mündlîn ûf und zuo l. *plappern.*

-lesen *stv. auflesen, aufheben, aufsammeln.*

-liegen *stv. ap. anlügen.*

-liuhten *swv. aufdämmern.*

-liunen *swv. auftauen.*

-losen *swv. aufhorchen, achtgeben.*

-lœsen *swv. auflösen; losbinden; daz* pfert *û. ihm den halfter lösen.*

-louchen *swv. öffnen.*

-loufen *redv. einen auflauf bilden; auflaufen, anschwellen, anwachsen.*

-luogen *swv. aufblicken; aufpassen.*

-mæren *swv. bekannt machen.*

-merken *swv. aufmerken, bedacht sein auf.*

ûf-mieten *swv. mieten.*

-mûren *swv. obenauf zumauern, bildl. vom obstverkäufer, der das schlechte obst mit gutem bedeckt.*

-mutzen, mützen *swv. ausschmücken; auch refl.*

-nemen *stv. as. einnehmen; annehmen; verstehen; in den himmel entführen.*

-nesteln *swv. aufnesteln.*

-offenen *swv. öffnen.*

-opfern *swv. (den eigenen freien willen gott) opfern.*

-phanden *swv. durch pfändung aufbringen.*

-phîfen *swv. zum tanze pfeifen, aufspielen.*

-phlanzen *swv. refl. sich aufputzen.*

-popelen *swv. aufsprudeln.*

-prellen *swv. intr. hervorbrechen; tr.* die êre *û. aufs spiel setzen, wegwerfen.*

-quellen *stv. emporquellen, sich heben, schwellen (herz).*

-ragen *swv.* ûf ragendez hâr sam die sweinporsten.

-rechen *swv. aufschüren;* daz viur mitten ûf r.

-reden *swv.* ûf und abe reden *hin und her reden.*

-regen *stv. =* regen.

-reichen *swv. darreichen, übergeben.*

-rennen *swv. abs. feindlich angreifen.*

-rîden *stv. aufdrehen.*

-riechen *stv. aufstoßen.*

-rihten *swv. tr. u. refl. aufrichten, aufstellen; ersetzen (einen schaden).*

-rimphen *swv.* die nasen *û. rümpfen.*

-ringen *stv. abs.* daz ir herze ûf rang *sich zusammenkrampfte.*

ûf-rinnen *stv. aufgehen (sonne); antreiben, angeschwemmt werden.*

-rîsen *stv. dp. zufallen, zuteil werden.*

-rîten *stv. in reih und glied vorreiten, sich zu pferde versammeln.*

-rizen *stv. aufreißen.*

-rûmen *swv. abs. aufräumen, ein ende machen; tr.* rinder *û. wegtreiben.*

-ruofen *redv. dp. jem. auffordern aufzustehen.*

-rüsten *swv. ausrüsten (esel, wagen); veranstalten (ein stechen); refl. sich bereit machen; sich schmücken.*

-samen *swv. aufsammeln.*

-schallen *swv. herausblöken, -brüllen (er schallet ûf sam er tobe).*

-schalten *redv. aufbewahren;* den himel *û. erschaffen (von gott).*

-schellen *swv. erschallen (trommel, pfeifen); die stimme erheben (von vögeln).*

-schiezen *stv. in die höhe wachsen; aufschießen.*

-schiffen *swv. ins schiff laden.*

-schiuhen *swv. aufschrecken.*

-schorn *swv. reinigen (das pflaster).*

-schræjen *swv. emporspritzen.*

-schrecken *swv.[1] intr. aufhüpfen.*

-schrecken *swv.[2] tr. aufspringen, auffliegen machen.*

-schrîen *stv. aufschreien.*

-schrîten *stv. aufsteigen.*

-schrôten *redv. aufladen.*

-schupfen *swv. intr.* abe und û. *auf und nieder hüpfen, hopsen.*

-schürfen *swv. aufschneiden.*

30*

ûf-schürzen *swv. aufschürzen; aufschieben (gerichtstag).*

-schüten *swv. emporschwingen (lanze); aufspeichern (getreide).*

-sehen *stv. aufschauen; die augen aufmachen.*

-seilen *swv. dp. aufbinden; aufbürden; zuteilen.*

-senden *swv. aussenden, ausgehen lassen (briefe); jur. aufkündigen, aufsagen (lîpgedinge, lêhen).*

-sîn *anv. aufstehen, sich aufmachen.*

-sinnen *stv. nachdenken, aussinnen.*

-sitzen *stv. aufsitzen, zu pferde steigen; sich einschiffen; auf der schneiderbank sitzen = als schneider arbeiten.*

-siufzegen *swv. aufseufzen.*

-siulen *swv. bildl.: wieder aufrichten, auferbauen; daz mich ûf siulet mîn einiger helfære.*

-sleichen *swv. refl. sich langsam emporrichten, in die höhe wachsen.*

-slîchen *stv. langsam heraufkommen, anbrechen (tag).*

-sliezen *stv. aufschließen, öffnen; schrift û. deuten; den haft û. für ein rätsel lösen.*

-slihten *swv. geraderücken, geradebiegen.*

-sloufen *swv. die kleider ausziehen.*

-smücken *swv. refl. sich herausputzen.*

-snîden *stv. aufschneiden.*

-snüeren *swv. aufschnüren.*

-snurren *swv. intr. in die höhe schnellen.*

-soumen *swv. as. auf saumtiere laden.*

ûf-spalten *red. refl. aufklaffen, sich öffnen (erdboden).*

-spannen *redv. aufspannen (zelt, segel).*

-sparn *swv. aufsparen.*

-spehen *swv. aufschauen; auflauern.*

-spennen *swv. = ûf spannen.*

-sperren *swv. tr. und refl. aufsperren, öffnen; dehnen.*

-spitzen *swv. aufstacheln.*

-spræjen *swv. intr. aufspritzen.*

-spreiten *swv. segel û. segel setzen; die hende û. (im tode).*

-sprenzen *swv. aufspreizen.*

-springen *stv. aufspringen, sich erheben.*

-staben *swv. auseinanderspreizen (von den händen Christi).*

-stechen *stv. tr. aufstecken (fahnen); intr. aufgehen (sonne).*

-stecken *swv. aufstellen (ziel); gesidele û. wohnstätte aufschlagen.*

-stegen *swv. erhöhen, erheben, aufsteigen lassen (jemandes ruhm).*

-steigen *swv. aufsteigen.*

-stellen *swv. refl. sich emporrichten.*

-sterzen *swv. steil in die höhe stellen; den pfluoc û. aufstellen.*

-stieben *stv. als staub oder wie staub auffliegen.*

-stîgen *stv. aufsteigen, sich erheben; an gewalte û. an macht zunehmen.*

-stolzen, -stolzieren *swv. sich stolz erheben.*

-stœren *swv. tr. aufbrechen, einbrechen in (haus).*

-stouben *swv. tr. aufscheuchen (enten).*

ûf-streben *swv. in die höhe streben.*

-strecken *swv. emporstrecken.*

-strîchen *stv. auf saiteninstrument spielen; aufspielen, auch tr. tanz û. (zum tanz).*

-stricken *swv. aufbinden.*

-striuzen *swv. refl. sich erheben, empören (gegen).*

-stürzen *swv. überstülpen, aufsetzen (helm).*

-stützen *swv. refl. sich aufstauen, aufsteigen; daz mer stützet sich ûf über alle berge.*

-sweiben *swv. intr. sich in die lüfte aufschwingen.*

-sweifen *redv. tr. in die höhe ziehen, zurückschlagen (gewand); mit gewalt öffnen (tor); refl. in die höhe gehen (zugbrücke).*

-swellen *stv. auf-, anschwellen.*

-swenken *swv. ze berge û. in die höhe wallen, sich emporschwingen (feuer, luft).*

-swenzeln *swv. tr. aufputzen.*

-swern *swv. aufschwellen, sich entzünden (wunde).*

-swingen *stv. intr. u. refl. auffliegen, sich aufschwingen, erheben; tr. aufschlagen.*

-telben, -delben *stv. aufgraben (grab).*

-trechen *stv. as. dp. jemandem etwas anrichten, ,einbrocken'; sich schaden û. auf sich ziehen.*

-treigen *swv. refl. sich erheben.*

-trennen *swv. auftrennen, spalten.*

-trîben *stv. ap. hinhalten; aufziehen, verspotten.*

-trossen *swv. aufpacken, -laden.*

ûf-trüllen *swv. aufspielen; betrügen, betören.*

-trumeten *swv. zum aufbruch blasen.*

-tüemen *swv. refl. sich überheben, prahlen.*

-tuon *anv. as. darlegen, erklären.*

-twingen *stv. mühsam öffnen (diu ougen).*

-vazzen *swv. schilt û. erheben.*

-videren *swv. part. prät.* ûf gevideret *mit flügeln in die höhe getragen.*

-vlammen *swv. aufflammen:* ûf vlammendez herze.

-vliegen *stv. sich emporschwingen, in die höhe fliegen.*

-vriesen *stv. auftauen.*

-wallen *redv. aufwallen.*

-warten *swv. dp. acht haben auf, dienen.*

-weigen *swv. refl. sich in die brust werfen.*

-wellen *stv. aufrollen.*

-wesen *stv. aufstehen, aufbrechen; aufgehen (sonne).*

-wetten *swv. verpfänden.*

-winden *stv. refl. sich aufschwingen (die lerchen);* stange û. *weit ausholen mit der stange.*

-wischen *swv. intr. auffahren, in die höhe schnellen.*

-zaln *swv. as. dp. etwas für jem. zahlen.*

-zeigen *swv. as. dp. zeigen, aufweisen.*

-zerren *swv. aufzerren, aufreißen (mûl û.).*

-ziln *swv. refl. sich losmachen, sich lösen, aufgehen.*

-zocken *swv. aufreizen.*

-zogen *swv. aufhalten.*

-zügeln *swv. kultivieren.*

-zünden *swv. anzünden.*

ûf-zwacken *swv. aufziehen, aufkneifen (nägel).*

ûfduz *stm. das aufwallen; schmerzausbruch.*

ûferborn *part. adj. angeboren.*

ûferhaben *part. adj. (myst.) abgelöst, erhoben (geist, gemüt).*

uffe *präp. nbf. zu* ûfe.

ûfgedrollen *part. adj. gerundet, rundlich; vgl. gedrollen.*

ûfgeschrift *stf. überschrift.*

ûfgeswommen *part. adj.* vaste û. *mächtig angewachsen (v. d. bevölkerung).*

ûfgevlogen *part. adj.* krûs und û. *mit krausem, losem haar.*

ûfgewollen *part. adj. mit schönen rundungen.*

ûfleite *stf. der grêde* û. *treppenaufgang.*

ûfreht *adv. senkrecht.*

ûfrihtunge *stf. aufrichtung, ein* û. *des gemüetes in got; auch astron. fachausdr. für eine aufsteigende planetenbahn.*

ûfstandunge *stf. auferstehung.*

ûftuounge *stf. das öffnen,* û. *der adern aderlaß.*

ûfvliegunge *stf. aufschwung.*

ultern *swv. aus mlat. ultrare; stoßen, schlagen.*

umbe *adv. trennbar bei verbis (nicht immer eindeutig festzustellen, ob trennbar oder untrennbar):*

-ackern *swv. umpflügen; auch bildl.*

-bekêren *swv. intr. sich umwenden; tr. as. von grund auf umkehren.*

-bevâhen *redv. umarmen.*

-bewahsen *stv. umwachsen,* den sê ein walt hât umbebewahsen.

umbe-binden *stv. umbinden, umgürten (schwert).*

-bisen *swv. umherrennen, umherschweifen.*

-bliuwen *stv. hin und her werfen.*

-boln *swv. umherschleudern.*

-brechen *stv. tr. fällen (baum); refl. sich aufraffen.*

-dræjen *swv. tr. umdrehen, umwenden; intr. und refl. sich umdrehen.*

-ern *swv. umpflügen.*

-gân *redv. eines u. einmal eine runde, ein tänzchen machen;* u. *mit sich beschäftigen mit, erfüllt sein von; mit witzen u. seinen verstand gebrauchen;* u. *mit* ap. *auf schritt und tritt begleiten;* wildeclîchen u. bî den vüezen lose umherschwingen (rockfalten).

-geben *stv. almuosen u. nach allen seiten hin geben.*

-gebinden *stv. =* umbe binden.

-gesehen *stv. =* umbe sehen.

-gestricken *swv. =* umbe stricken.

-gevliegen *stv. =* umbe vliegen.

-giezen *stv. as. etw. rundherum eingießen, einschenken.*

-graben *stv. umgraben (erde); fällen (baum); schleifen (festungen).*

-gumpen *swv. umherspringen, -hüpfen.*

-gürten *swv. umbinden, -gürten (gürtel, schwert).*

-hâhen *redv. umhängen.*

-jagen *swv. intr. umherjagen, -rennen; auch bildl. vom geistigen irren oder unruhigsein; tr. in bewegung, umdrehung (ver)setzen (rad des henkers).*

umbe-kapfen *swv.* lâ dîn u. *schau nicht rechts und links.*

-kêren *swv. intr. umkehren; tr. umkehren, -wenden, -kippen u. ä.; ap. zum rückzug zwingen; refl.* umbegekârt hân si sich ûz irer ordenunge *sie sind ihrem gesetz untreu geworden; part. prät* (umbekârt), *umgedreht, umgekehrt (daliegen).*

-krabeln *swv. umherkriechen;* in dem mist u.

-leiten *swv. herumführen.*

-lingen *stv. umherspringen.*

-lœren *swv. hinhalten, foppen.*

-loufen *redv. umlaufen (vom jahr und vom rad der Fortuna).*

-lûren *swv. umherlauern.*

-pfadelen *swv. umherpaddeln (käfer im tau).*

-reden *swv. disputieren.*

-rennen *swv. umherziehen.*

-rîben *stv. umdrehen (das schwert im leibe).*

-rîden *stv. tr. und refl. umdrehen (z. b. schlüssel).*

-rîten *stv. zurückreiten, umkehren.*

-rîzen *stv. umreißen, umbrechen.*

-rüeren *swv. herumrollen.*

-rûmen *swv.* rûmet umbe! *verzieht euch!, macht platz!*

-sappen *swv. herumtappen.*

-schîben *stv. umdrehen, umkippen, -werfen (schüssel, tisch).*

-schiezen *stv. refl. sich plötzlich herumwerfen (pferd).*

umbe-schouwen *swv. sich umsehen.*

-sehen *stv. refl. sich umblicken, sehen; übertr. aufmerken; aufpassen; sich vorsehen.*

-sîgen *stv. umfallen.*

-slahen *stv. hin- und herschlagen, -treiben (ball).*

-sleichen *swv. subst.* langez u. *große umschweife.*

-sleifen *swv. umherschleifen.*

-slingen *stv. im kreise herumschwingen.*

-snüeren *swv. nach allen seiten forteilen.*

-snurren *swv. herumsausen.*

-spannen *redv. umschnallen (sporen).*

-spehen *swv. umherschauen.*

-springen *stv. herumspringen.*

-spürn *swv. herumsuchen.*

-stân *anv. im werte abnehmen, schlechter werden.*

-stechen *stv. ap. (in einem stechen) den gegner gänzlich niederwerfen.*

-stôzen *redv. umstoßen, -stürzen; niederwerfen, besiegen.*

-stricken *swv. umbinden, umgürten (schwert).*

-ströuwen *swv. ausstreuen* (gâben miltéclîche u.).

-strûmen *swv.* die wîl diu reis *(heerfahrt)* umb strûmt *solange der krieg im gange ist.*

-stürmen *swv. umherstürmen, -ziehen.*

-stürzen *swv. intr., tr. und refl. umstürzen, hinstürzen.*

-swanzen *swv. umhertanzen, -schlendern.*

-sweimen *swv. in der höhe schwebend kreisen.*

umbe-swenken *swv. intr. herumschwingen, -gehen (sterne); tr. herumschwenken.*

-swingen *stv. umherfliegen, -schweifen.*

-tieren *swv. refl. sich rasch herumbewegen.*

-tragen *stv. ap. übertr. beunruhigen;* wie sich diu vluot *(die vier ströme des hl. geistes)* ummetreit *ausbreitet, fortpflanzt.*

-trîben *stv. tr. herumtreiben, umherjagen, in (kreisförmige) bewegung bringen, in umdrehung halten (kreisel, ball, sternenlauf).*

-vâhen *redv. sich ausbreiten.*

-vellen *swv. umstoßen.*

-vliegen *stv. herum-, umherfliegen.*

-vüeren *swv. herumführen, im kreis bewegen.*

-wagen *swv. umstimmen.*

-wallen *redv. umherwabern, -schwappen;* daz hirn im *(einem betrunkenen)* al umbe wiel.

-walzen *redv. sich drehen (rad, augen in der augenhöhle); sich herumwälzen.*

-wandern *swv. umherstreifen.*

-warten *swv. sich umschauen, umherschauen.*

-waschen *stv. circumluere, um und um waschen, abspülen.*

-waten *stv. umherwaten, -schreiten.*

-wegen *swv. umdrehen.*

-welben *redv. u. swv. in umlauf setzen (gott die planetenbahnen); von gefäßen: umstürzen, ausleeren.*

-welzen *swv. herumwälzen.*

umbe-wenden *swv. her-*
umdrehen, umwenden.
-werben *stv. refl. ein*
heer (rundum) anwerben.
-werfen *stv. tr. herum-*
werfen, umdrehen, -wen-
den (das schwert im
kampfe, das roß, diu ble-
ter buchseiten); refl. sich
rasch umwenden, von dp.
jemdm. abtrünnig werden.
-wîchen *stv. aus dem*
wege gehen; von seiner mei-
nung abgehen, andern sin-
nes werden.
-wispen *swv. sich hin*
und her bewegen (von
haferrispen).
-wüefen *swv. oder* **-wuo-**
fen *redv. sich heulend, rau-*
schend überschlagen (mee-
reswogen).
-zoten *swv. herumziehen.*
umbeborten *swv. ein-*
fassen.
umbebrechen *stv. übertr.*
mit sünden umbbrochen
niedergebrochen.
umbedraben *swv. um-*
reiten (das schlachtfeld).
umbedringen *stv. um-*
drängen, von allen seiten
andrängen gegen.
umbegâhen *swv. durch-*
eilen (ein heer, um es zu
inspizieren).
umbegegende *stf. gegend.*
umbegelegen *part. adj.*
umliegend; diu u. lant.
umbegiezen *stv. umflie-*
ßen, myst. vom feuer der
gottheit.
umbehouwen *stswv.*
(be)hacken, umhacken
(weinstöcke).
umbekleit *stn. übertr.:*
verhüllung, erscheinungs-
form, gestalt, manic u.
haben *vielerlei gestalten,*
formen; (Christus) der an
sich nam dîn (Mariä) u.
sich in dich einhüllte, in
dir wohnte.

umbeleiter *stm. ein um-*
betrîber und u. der liute
einer, der die leute an der
nase herumführt.
umbelûren *swv. ap. um-*
lauern.
umbemachen *swv. =*
umbevâhen.
umbemezzen *stv. (gott)*
hât die erde u. rundum
abgemessen; umgeben, um-
spannen.
umbenæjen *swv. um-*
nähen, einfassen, besetzen
(z. b. mit borte).
umbenemen *stv. =* um-
bevâhen, einfassen, um-
geben; ein anger umbe-
nomen mit einem rîchen
bouwe.
umbeplanken, -blanken
swv. mit planken *schützend*
umgeben.
umberede *stf. abschwei-*
fung.
umbereichen *swv. um-*
fassen, übergreifen, in sich
begreifen können; alliu
dinc u. (von gott).
umberunnen *part. adj.*
mit sweiz u. sîn *schwitzen.*
umbesehen *stv. refl. sich*
vorsehen: umbsehet iuch.
umbesehen *stn. das auf-*
sehen: sich huop ein grôz
ummesên; ein u. tuon
umschau halten, nach dem
rechten sehen.
umbeserten *swv. =* ser-
ten *stv.*
umbeslengen *swv. um-*
schlingen; mit geiseln u.
geißeln, peitschen.
umbesliezen *stv. erfas-*
sen; begreifen.
umbeslinge *stf. spira,*
spirale (astron.).
umbespannen *redv. um-*
spannen.
umbesticken *swv. =* um-
bestecken.
umbesunst, -sus, -sust
s. sus.

umbeswebende *part. adj.*
mit eim umbswebenden
kleit *in losem oder bauschi-*
gem gewand.
umbesweif *stm. um-*
laufbahn (der sonne, des
mondes).
umbetreten *stv. trans.*
zerknirschen: diu vorhte
sîn herze umbetrat.
umbevâhen *redv. subst.*
umarmung; myst. gotes u.
umbevart *stf. herum-*
treiberei.
umbevazzen *swv. um-*
fassen, umarmen.
umbewandeln *swv. um-*
wandeln; durchwandeln:
alle dise erde u.
umbewandern *swv. um-*
wandern; durchwandern.
umbewelben *swv. um-*
wölben.
umbewellen *stv. tr. und*
refl. = bewellen, besu-
deln (mit sünden); refl.
sich abgeben (mit wîben).
umbewüelen *swv. um-*
wühlen, durchwühlen (ert-
reich).
umbezimbern *swv. mit*
einem bau, einer umzäu-
nung umgeben.
umbezirge *stf. umge-*
gend.
umbezoc *stm. umschweif.*
unabscheidlich *adj. un-*
trennbar.
unabziehelich *adj. un-*
ablenkbar, unverrückbar,
sicher, fest.
unadelen *swv. des adels*
berauben.
unahtsamkeit *stf. un-*
achtsamkeit.
unanesihtic, -ansihtic
adj. unsichtbar.
unangestlîche(n) *adv.*
keine gefahr befürchtend;
ungescheut, frank und frei
(etwas sagen); ohne weiteres
(sich etwas nehmen).
unart *stf. entartung.*

unarticheit *stf. schlech-tigkeit.*

unæze *adj. ungenieß-bar.*

unbedâht *part. adj. undurchdacht;* niht u. lâzen *bedenken.*

unbedæhteclîche *adv. ohne überlegung, spontan, unbedenklich.*

unbedrungen *part. adj. freiwillig.*

unbegâbet *part. adj.* u. belîben *kein geschenk erhalten.*

unbegangen *part. adj. nicht begangen, vollzogen (gottesdienst).*

unbegriffen *part .adj. nicht begreifbar, nicht faßbar (menschliche seele).*

unbegriffic *adj. unbegreiflich (menschenherz, naturgeheimnis).*

unbehagen *swv. nicht behagen, zuwider sein.*

unbehilflich *adj. dp. nicht behilflich.*

unbehuot *part. adj. ohne deckung preisgegeben (wild); nicht eingehalten (eid).*

unbehuotheit *stf. unbehütetheit; unvorsichtigkeit.*

unbehuotlîche(n) *adv. unbewacht, unbehütet.*

unbekibelt *part. adj. unbescholten.*

unbeklecket *part. adj. unbefleckt, unbeschmutzt.*

unbekoselt *part. adj. dass.*

unbenant, **-benennet** *part. adj. unbekannt, nicht namentlich genannt.*

unbequâme *adv. unwillig.*

unbequæme *adj.*

unberâten *part. adj. unversorgt* (ros).

unbereit *adj. unsicher, ungewiß* (lôn).

unberuochet *part. adj.*

mit gs. wîsheit u. *unerfahren.*

unberuoret *part. adj. jungfräulich* (erde, maget).

unbesatzt, -besetzet *part. adj.* unbewohnt.

unbescheidenlich *adj. unvernünftig (die tiere).*

unbeschirmet *part. adj.* niht u. lân *ap.* (wider *as.*) *nicht schutzlos überlassen.*

unbeschœnet *part. adj. unbeschönigt; tatsächlich;* ez ist u. *ist leider wahr!*

unbeschorn *part. adj. bärtig, mit vollem bart.*

unbesezzen *part. adj.* u. mit *nicht befaßt mit, unabhängig von (z. b. irdischen bedürfnissen);* an vorhte u. *frei von furcht; subst.:* die u. *die asketisch lebenden, die genügsamen.*

unbeslozzen *part. adj. nicht verschlossen.*

unbesprochenlîche *adv. frei von übler nachrede (leben).*

unbestoben *part. adj. unbestaubt, übertr.: rein;* ir lop u. *ihr tadelloser ruf.*

unbeswæret *part. adj. unbehelligt, verschont:* u. belîben von *dp;* weise, wissend; lâz uns u. *mach uns nicht dumm.*

unbetôret, **-betœret** *part. adj. klug, weise.*

unbetoubet *part. adj. munter (vögel).*

unbetrahtlich, -betrehtlich *adj. incogitabilis; unfaßbar.*

unbetrüebet *part. adj. nicht betrübt, ungetrübt, heiter, klar, rein (gemüt, luft, licht der gottheit).*

unbetwagen *part. adj. ungewaschen, nicht gesäubert.*

unbevangen *part. adj.* u. sîn mit *ds. nichts gemeinsam haben mit.*

unbewaget *part. adj. unerschüttert;* stille und u. stân *(schlachtreihen).*

unbeweclich *adj.* got ist ein u. guot *der feststehende grund, das unverrückbare fundament.*

unbeworren *part. adj. unbehelligt;* u. mit *unbekümmert um.*

unbiltlich *adj. unbildlich, -körperlich, nicht im bilde dar-, vorstellbar.*

unbiltlîche(n) *adv. dass.*

unbliuclich, -blûclich *adj. u. adv. ohne scheu (sprechen, handeln).*

unbruoderlîche *adv. unbrüderlich;* u. begân *ap. behandeln.*

unbuozwirdec *adj. der besserung nicht bedürftig, untadelig;* u. sîn an *ds. (kleidung, benehmen).*

undanc *stm. der habe u. der sei verflucht.*

under *präp.* u. in zwein miteinander; u. sîne arme nemen *in die arme.*

under *adv. trennbar bei verben (trennbarkeit und untrennbarkeit nicht immer zu unterscheiden):*

-bocken *swv. sich ducken (z. b. vor der übermacht).*

-brechen *stv.* daz ich dise rede underbrach *(in mein gedicht) einschaltete.*

-bringen *swv. an. dp. unterwerfen (burgen).*

-drücken, **-gedrücken** *swv. unterdrücken; verschweigen.*

-gebrechen *stv. ap. niederwerfen.*

-geligen *stv. unterliegen.*

-kêren *swv. tr. umdrehen.*

-lâzen *redv. refl. von der sonne: untergehen.*

under-legen *swv. as. dp.*
jem. auf etwas betten;
triuwe u. *ein treueverhält-*
nis aufgeben.
-schieben *stv. part. prät.*
under geschuben *unter-*
füttert.
-senken *swv. versinken*
machen, zum sinken brin-
gen (schiff).
-setzen *swv. refl. sich*
weigern, widersetzen (mit
gen.).
-sîgen *stv. untersinken;*
untergehen (sonne).
-sinken *stv. hinunter-,*
untersinken, sich versen-
ken (myst.).
-slîchen *stv. dazwischen*
schleichen, sich einschlei-
chen; überhand nehmen.
-spreiten *swv. unter-,*
darunterbreiten.
-steigen *swv. hinunter-*
steigen, untergehen (sterne).
-stôzen *redv. zu sich*
stecken.
-ströuwen *swv. dp. as.*
(als lager) unterstreuen.
-treten *stv. (tr.) nieder-*
treten, darauftreten.
-tûchen *swv. tr. und*
refl. untertauchen.
-tuon *anv.* mit rede u.
ap. zum schweigen bringen.
-vallen *redv. herunter-*
fallen, entfallen; daz wort
viel im under *versagte sich*
ihm.
-wesen *stv. untertan sein*
(mit dat.).
-ziehen *stv. trans. her-*
unterziehen (in den ab-
grund); die sonne u. *ver-*
dunkeln (vom mond).
underbaneken *swv. sich*
untereinander, miteinander
erlustigen.
underben *swv.* sînen
(Christi) namen u. von
der werlde gehuht aus dem
bewußtsein der menschen
auslöschen.

underbilde *stn. eine*
spielkarte (bube).
underbilden *swv. unter-*
teilen, aufteilen in *(von der*
trinität).
underbint *stn. vermitt-*
ler (im kauf); wunder-
lîchiu u. *neuartige unter-*
weisungen.
underblæjen *swv. von*
unten anblasen (mit dem
blasebalg).
underblâsen *redv.* er liez
in u. *vom winde durch-*
wehen.
underblenket *part. adj.*
mit heller farbe vermengt,
aufgehellt, rœte wol u. *zart*
hellrot, rosa.
underbulzen *swv. ab-*
stützen; mit sparren under-
pulzt; *übertr. refl.* sich mit
einem u. *ein geheimes ab-*
kommen treffen mit jem.
underbûwen, under-
bûwet *part. adj. unter-*
mauert, mit festem funda-
ment versehen.
underdenken *swv. an.*
bedenken, erdenken.
underdingen *swv. ap.*
(durch preisdrückung) zu-
grunde richten; as. (des
hêrren zorn) *sich zuziehen.*
undergane *stm. unter-*
würfigkeit, unterordnung.
undergeben *stv. as. sich*
etwas gegenseitig geben;
refl. sich unterordnen,
unterstellen (dem dienst,
dem rîche).
undergesinde *stn. die-*
nerschaft (am hofe).
undergewant *stn. unter-*
zeug.
undergiezen *stv. tr. u.*
refl. benetzen, anfeuchten,
durchtränken, begießen
(refl.: gegenseitig).
underhanden *adv.* u.
geben *as. dp. jem. etwas*
zur verfügung stellen.
underhap *stm.* mit soli-

chem u. *unter der bedin-*
gung.
underhimel *stm. unter-*
himmel, empyreum (woh-
nung der engel).
underjunger *stm. unter-*
gebener junger knappe.
underkennen *swv. refl.*
sich gegenseitig erkennen.
underkêren *swv. tr.* um-
schlagen (schiff), zum
kentern bringen.
underklaffen *swv. da-*
zwischenreden.
underkleit *stn. kleid,*
das unterm mantel oder
roc *(überkleid) getragen*
wird.
underkôsen *swv. refl.*
sich vertraut unterreden
(mit gott im gebet).
underkünic *stm. dem*
kaiser untergebener könig.
underlâzen *redv. unter-*
lassen.
underlegen *swv. abstüt-*
zen (tisch); *dp.* sîn wort
u. *jem. widerlegen, zum*
schweigen bringen.
underlesen *stv. auslesen.*
underlibunge *stf. =*
underlîbe; *unterbrechung,*
pause.
underlôsunge *stf. er-*
frischung, erholung.
undermâze *stf. (gegens.*
übermâze); zu wenig, we-
niger als das übliche maß.
undermengen *swv. ver-*
mischen, versetzen (mit).
undermezzen *stv. im*
rechten maße versehen mit
(porten mit zinnen u.).
undermischen *swv. ver-*
mischen; refl. sich zusam-
menfügen: gotes majestât,
diu sich undermischet hât
mit drîn persônen vaste.
undermûren *swv. unter-*
mauern.
undernemen *stv.* ez u.
zwischen *unterscheiden*
zwischen.

underordinieren *swv.*
zweckmäßig einrichten,
ordnen.

underparieren *swv.*
gleichmäßig mischen.

underpfælen *swv. durch*
pfähle und faschinen be-
festigen.

underprîsen *swv. unter*
wert anschlagen, unter-
schätzen.

underrüsten *swv.* himel
und erde ist underrüstet
mit sînem *(gottes)* gewalt
von seiner kraft zusammen-
gehalten.

underschackieren *swv.*
buntscheckig machen.

underscharn *swv. unter-*
mischen.

underscheiden *redv. as.*
dp. den unterschied klar
machen zwischen; subst.
unterschied, unterschei-
dung.

underscheidenhaft *adj.*
unterschiedlich.

underscheit *stf.* die u.
sagen *dp.*, wie ... *genau*
berichten; ân u. *unbedingt.*

underschelten *stv. refl.*
sich gegenseitig beschimp-
fen.

underschenke *swm. un-*
terschenke (hofamt).

underschrenken *swv.*
verschränken (die füße);
eine schranke aufrichten,
eigentl. und bildl.

underschrîben *stv.*
niederschreiben, festsetzen;
got mit drîn persônen
underschriben *(von der*
trinität) in drei personen
manifestiert.

underschüten *swv.* eine
schar *(feindliche heer-*
schar) mit mannen u.
durchbrechen.

underselwen *swv. ver-*
unzieren.

undersitz *stm. zwischen-*
wand, stützfüllung.

undersiulen *swv. as.*
mit *ds. abstützen mit*
(z. b. einen saal mit
pfeilern).

underslac *stm. unter-*
brechung.

underslîchen *stv. tr.*
schleichen zwischen, schlei-
chend verhindern; mit ap.
von einer erkenntnis:
jemdm. plötzlich kommen,
einfallen, aufgehen.

underslîfen *stv. ver-*
hindern.

undersmücken *swv.*
niederdrücken, -beugen.

undersnîden *stv. ver-*
mischen der sîn êweclich
gotheit mit der mensch-
heit undersneit.

underspicken *swv. un-*
termischen (mit, von).

undersprâche *stf. ab-*
sprache, unterredung; ân
u. *im stillen für sich (etw.*
aussinnen).

undersprengen *swv.* mit
saphiren undersprenget
(hier und da) besetzt, ver-
ziert; rôt und wîz undersprenget *gemischt, rosa-*
farbig.

undersprinc *stm.* gelider und leib ân u. *ein-*
heitlich, als ganzheit.

undersprîten *stv. dazwi-*
schen ausbreiten.

underspriuzen *swv. un-*
terstützen.

understân *stv.* ez u.
sich ins mittel legen, aus-
gleichend vermitteln.

understat *stf. eine stadt,*
die der hauptstadt unter-
geordnet ist.

understecken *swv. be-*
stecken, schmücken: mîn
wine der understecket
mich mit bluomen.

understellen *swv.* alsô
ist ez understellet *das*
steht fest.

understrich *stm.* âne u.

ohne einschränkung, ab-
strich.

understricken *swv.*
(untereinander) verbin-
den, verstricken.

underströuwen *swv.*
durchsetzen mit, dazwi-
schenmengen; refl. mit dat.
von personen: sich mischen
unter.

understützen *swv. (ab)-*
stützen (bau); unter-
stützen.

undertân *part. adj.* u.
sîn *dp. jem. verpflichtet*
sein; jem. als frau ange-
hören; mit sachl. subj.: zur
verfügung stehen, dir wirt
mîn gâbe u.

underteil *stm. grund-*
lage, -fläche, untergrund.

underteil *stn. (gegens. zu*
oberteil) unterteil; untere
fläche (z. b. des würfels).

undertelben, -delben *stv.*
untergraben (vels).

undertragen *part. adj.*
von berlîn u. *mit perlen*
besetzt, bestickt.

undervar *stm. oder n.*
unterschied, besonderheit,
ausnahme.

undervazzen *swv. um-*
fassen, ergreifen.

undervlehten *stv. durch-*
flechten; as. dp. (argumen-
tierend widerlegen.

underwahsen *part. adj.*
durchwachsen.

underwæjen *swv. durch-*
wehen.

underweben *stv.* (mit)
mit einem einschlag ver-
sehen, durchsetzen, durch-
flechten, eigentl. und bildl.

underwegen *adv. s. wec.*

underwerfen *stv. refl. dp.*
sich jemdm. unterwerfen.

underwinden *stv. refl. gs.*
anspruch erheben auf; sich
der tôrheit u. sich der lä-
cherlichkeit aussetzen; gp.
sich jemds. annehmen.

underworfenheit *stf.* *freiwilliges sich unterwerfen, ergebenheit* (under gotes willen).

underzwischen *swv. refl. dazwischentreten.*

undöuwunge *stf.* = undöuwe; u. üeben *(als medizin. maßnahme).*

undulten *swv. unruhig sein;* sêre u. *sich aufbäumen (pferde); beben (erde).*

undurnehticheit *stf. unvollkommenheit, unzulänglichkeit.*

unehten *swv. geringschätzen.*

unendehafte, -haftî *stf. unendlichkeit;* diu u. sîner wîsheit.

untheltlich *adj. unaufhaltsam.*

unêrbære *adj. schändlich, verrucht (von personen), auch subst.*

unêrbæreclich *adj. unanständig, nicht ehrbar (kleidung).*

unêrbæreclîche *adv. dass.;* harte u. gân *(höchst unanständig gekleidet).*

unerbarmec, -bermic *adj. unbarmherzig; erbarmungslos.*

unerbarmeclîche *adv. dass.*

unerbouwen, -bûwen *part. adj. nicht bestellt, bebaut (acker);* u. strâze rîten *einen ungebahnten weg einschlagen.*

unêren *swv. in schlechten ruf bringen.*

unerkant *adj. heimlich;* mir ist u. *ich weiß nichts von.*

unerkantlich *adj. nicht zu begreifen.*

unerkantnisse *stfn. unwissenheit, uneinsichtigkeit.*

unerkomen *part. adj. unerschrocken.*

unerlôst *part. adj.* vor klage u. *nicht frei von schmerz.*

unerstorben *part. adj.* des lîbes u. leben *nur körperlich noch leben.*

unervarn *part. adj. unbescholten; nicht überführt, ertappt.*

unervirnet *part. adj. nicht alt geworden.*

unervolgec *adj. unerforschlich.*

unervolgenlich *adj. unerforschlich.*

unervollet *part. unerfüllt, unausgeführt.*

unervorht *part. adj. unbekümmert.*

unervüllec *adj. unersättlich:* diu unervüllige gîtecheit.

unervundec *adj. unerforschlich.*

unervunden *part. adj.* = unervarn.

unformelich *adj. gestaltlos (myst.).*

ungancheit *stf. ungeeignetheit.*

ungebant *part. adj. ungebahnt.*

ungebærde *stf. kummer; enttäuschung; zorn.*

ungebit *stm. ungeduld.*

ungeblâsen *part. nicht geblasen* (horn).

ungebrechlich *adj. fehlerlos.*

ungebrechlicheit *stf. integrität, unbescholtenheit.*

ungebresthaft *adj. makellos, vollkommen.*

ungebrestelich *adj. dass.*

ungebrievet *part. adj. unverbrieft, unverbucht.*

ungebrosten *part.* u. sîn dp. gs. *zur verfügung stehen.*

ungebrûch *adj. unbrauchbar, untauglich.*

ungebûwet *part. adj. unbestellt* (acker); unge-

bahnt, unbetreten, unbenutzt *(straße).*

ungedanc *stm. pl. dumme gedanken; sturm der gedanken.*

ungedenklich *adj. unerforschlich.*

ungedenklîche (n) *adv. unvorstellbar.*

ungedol(t) *stf.* = ungedult.

ungedöuwet *part. adj. unverdaut.*

ungedulticheit *stf. ungeduld.*

ungeêret *part. adj. schändlich; subst.* der u. *der ruchlose.*

ungeglôset *part. adj. unerklärt, unkommentiert:* die rede u. hie bestân lâzen.

ungehaft *part. adj.* u.-er muot *ungestümer tatendrang.*

ungehaltec *adj.* u. sîn ze ds. *ohne ausdauer sein bei.*

ungehalten *part. adj. unbeherrscht.*

ungeheilet *part. adj. heillos (seele); unheilbar verloren.*

ungehiure *adj.* des lîbes u. sîn *ungeheuer groß sein.*

ungehiurlich *adj. ungeheuerlich.*

ungehœrec *adj. ungehorsam:* u. wesen *dp.*

ungekloben *part. adj. ungespalten; ungebrochen* (muot).

ungekoufet *part. adj.* er belîbet u. *es gelingt ihm nicht, etwas zu kaufen.*

ungelabet *part. adj. unbefriedigt, ungelabt;* u. belîben *seinen durst nicht stillen können.*

ungelâz *stmn. unruhe.*

ungelâzenheit *stf. (vgl. myst.* gelâzenheit*) unruhe, selbstbezogenheit; mangeln-*

*de gottergebenheit, man-
gelndes gottvertrauen.*
ungelêret *part. adj. ungelehrt, ungebildet.*
ungeletzet *part. adj. unverletzt; oft übertr. phraseol. (mit gs. oder* ane*) z. b.
an* triegen u. *voller trug.*
ungelîch *stn. unrecht.*
ungelîchheit *stf. un-
regelmäßigkeit, unbestän-
digkeit.*
ungelimpfe *swm. un-
angemessenes benehmen.*
ungelimpfen *swv. mit dp.
auch: verübeln; subst. miß-
billigung:* sîn u. zeigen *dp.*
ungelogen *part. adj.
wahr.*
ungelônet *part. adj.
ohne lohn.*
ungeloupbære *adj. unglaublich.*
ungelücke *stn. unseliges
schicksal;* ein u.-s gruoz
grausamer schicksalschlag.
ungemach *stnm. unru-
higes treiben;* u. haben *gs.
angst haben vor, befürch-
ten; schwierigkeit;* hellisch
u. höllenqualen; *mit* u.-e
berâten *unfreundlich be-
handeln.*
ungemaht *stf. ohnmacht.*
ungemâlet *part. adj. ungeschminkt; ungezeichnet
(wäsche).*
ungemeiliget *part. adj.
unversehrt.*
ungemeine *adj. unso-
zial, ungesellig, unfreund-
schaftlich.*
ungemeinet *part. adj.
unerwartet.*
ungemist (et) *part. adj.
ungedüngt.*
ungemüete *stn. hoff-
nungslosigkeit;* in u. komen *seiner sinne nicht
mehr mächtig sein.*
ungemundert *part. adj.
ungeweckt;* sînes sinnes u.
unverständig, hirnlos.

ungemuot *adj.* u. werden *ergrimmen.*
ungenâde *stf. undank-
barkeit.*
ungenâdelich *adj. feindselig, grausam;* u.-en gewalt lîden.
ungenetzet *part. adj.
nicht naß gemacht, trocken
(z. b. rasieren).*
ungenge *adj. zwecklos,
vergeblich (gute werke
ohne gottesfurcht); gottlos;
subst.* die ungengen âne
zuht.
ungenôz *adj.* der gnâde
u. *der gnade nicht würdig.*
ungenüege *stf. unge-
nügsamkeit, unmäßigkeit.*
ungeoffenet *part. adj.
unausgesprochen;* dehein
dinc u. lâzen *nichts verschweigen (in der beichte).*
ungeraht *part. adj. un-
zubereitet.*
ungeranc *stn. unrecht,
unheil* (lîden, rihten).
ungerehte *adv.* u. teilen
*ap. jem. zu unrecht verur-
teilen.*
ungereizet *part. adj.* u.
lâzen *nicht herausfordern.*
ungerihte *adv.* u. gân
wider *ap. angreifen (mit
worten).*
ungerihtec *adj. unentschieden, unausgetragen.*
ungerne *adv. wider-
strebend; keineswegs ab-
sichtlich; allgemein um-
schreibend für stark ne-
giertes wünschen, wollen,
beabsichtigen (ersatz eines
übergeordneten verbums),
z. b.* gar u. ich dich betrüge
ich will dich keinesfalls
*(nie und nimmer, gewiß
nicht)* betrügen.
ungeruochheit *stf. nachlässigkeit.*
ungeruowet *part. adj.
kampfmüde; als adv. ge-
braucht: sogleich, eifrig.*

ungesalzen *part. adj. ungesalzen; übertr.* ein u. man
mann ohne feine sitten.
ungesamenet *part. adj.
nicht einhellig* (rât).
ungesât *part. adj. un-
ausgesät (unkraut); un-
bebaut, nicht angepflanzt
(acker).*
ungeschadehaft *adj. ungeschädigt.*
ungeschant *part. adj.
ohne schande, ohne makel.*
ungeschart, -geschertet
*part. adj. nicht schartig;
unversehrt, unverletzt, unbelästigt.*
ungescheiden *part. adj.*
er sach den strît u. *sah, daß
der kampf nicht zu schlichten war.*
ungeschendet *part. adj.
nicht entehrt, ohne schmach
und schande.*
ungeschic *stn. von un-
geschicke(n) unglücklicher-
weise.*
ungeschickelich *adj. ungehörig.*
ungeschicketheit *stf.* u.
ze allem guote *unfähig-
keit zu allem guten.*
ungeschîde *adj. schlimm.*
ungeschiht *stf. unge-
schickte äußerung, geste
(*u.*, die er gehœret oder
gesiht).*
ungeschriben *part. adj.*
iemer u. *nicht zu beschreiben.*
ungesehende *part. adj.
blind.*
ungeselwet *part. adj.*
an vrôuden u. *ungetrübt in
seinem glück.*
ungesinnet *part. adj. unverständig.*
ungestalteheit *stf. miß-
gestalt.*
ungestalthaft *adj. ohne
körper (vom teufel).*
ungestaltlich *adj. kör-
perlos.*

ungestaltlicheit *stf. deformitas, formlosigkeit.*

ungesunde *stf. krankheit.*

ungesundert *part. adj. nicht zu unterscheiden, völlig gleich.*

ungesunt *adj.* tödlich, die wunden *(der minne)* sîn u.; *dem tode verfallen; des wart ir rücke u. mußte leiden (bekam schläge).*

ungesunt *stm. schädlichkeit.*

ungetesche *adj. ungehörig.*

ungetougen *adv. (ganz) offen.*

ungetriuliche *adv. heimtückisch.*

ungetrunken *part. adj.* u. sîn *nichts trinken, nichts zu trinken haben, ohne getränk bleiben.*

ungetüeme *stn.* der minne u. *ungeheure gewalt.*

ungetürstic, -getorstic *adj. mutlos.*

ungeüebet *part. adj. nicht beansprucht, im natürlichen zustand.*

ungeurteilt *part. adj.* u. belîben *nicht verurteilt werden.*

ungevalt, -gevelt *adj. unzerstört.*

ungevalwet *part. adj. unverwelkt.*

ungevazzet *part. adj. unberührt.*

ungevellelich *adj. nicht gefallend, mißfallend.*

ungevellicheit *stf. gesundheitliche störung; unglück.*

ungevröuwet *part. adj. nicht erfreut, ohne freude.*

ungevüege *adj. ungeschickt* (hant); *ungereimt* (mære); *ungevüeger* uop *derber streich;* u.-r haz *wilde feindschaft.*

ungevuoge *stf. adverbiell:* mit u. *heftig.*

ungevuogen *swv. aufbegehren; an* dp. böses *antun.*

ungewanct ● *part. adj. unwandelbar, unerschütterlich:* u.-e stæte.

ungewant, ungcwendet *part. adj. unverändert.*

ungewarlich *adj.* = ungewerlich[1].

ungeweget *part. adj. unbewegt, unerschüttert, unwandelbar.*

ungewenket *part. adj.* s. ungewanct.

ungewilt *part. adj. nicht willig.*

ungewin *stm. schmerz; schmarotzer(tum);* u. geben *benachteiligen.*

ungewisliche(n) *adv.* u. werben, loufen, arbeiten *ein risiko eingehen.*

ungewitzet *part. adj. ohne verstand.*

ungewonde *stf.* in u. komen *ungewohnt werden.*

ungezalt *part. adj. unausgesprochen, unerwähnt.*

ungezert *part. adj.* u. belîben *unzerteilt (Christi rock).*

ungezoc *stnm.* mit ungezoge *ohne gefolge.*

ungezogenliche *adv.* roh, *ungebührlich.*

ungirde *stf. gehemmtes verlangen, abneigung (zu* beten*).*

ungiudeclichen *adv.* u. leben *unverschwenderisch leben.*

ungrüntlich *adj. unergründlich.*

ungruoz *stm. haß, abneigung.*

ungunst *stf. feindschaft.*

unguot *stn. unglück.*

unguotliche *adv. unfreundlich, heftig, übel.*

unhant *stf.* ze unhanden werden *verderben, zugrunde gehen.*

unhêre *adj. lieblos.*

unhêren *swv. in schande bringen.*

unhöveschheit *stf. ungeschliffenheit; ungehöriges benehmen; rohheit.*

unkec *adj. feige.*

unkleine *adj.* u. an guote *freigebig mit seinem besitz.*

unkreftige *stf. schwäche.*

unkünde *adj. unbekannt, unheimlich.*

unkunt *adj. unkunder* gast *fremder, der sich nicht auskennt.*

unlanc *adj.* in unlanger zîte *unlängst.*

unloben *swv. tadeln.*

unlustsam *adj. widerwärtig.*

unmanec *adj. beliebt (alem.).*

unmære *adj. nicht willkommen, nicht gern gesehen; unbekannt; lästig.*

unmâz *stn. unermeßlichkeit.*

unmilte *adj. karg;* u. sîn *geizen.*

unminnen *swv. hassen; schaden.*

unmittelich *adj. unmittelbar.*

unmittellichen *adv. dass.*

unmüezec *adj. geschäftig;* u. sîn lâzen *ap.* mit *nicht in ruhe lassen mit.*

unmüezecheit *stf. tätigkeit; geschäftigkeit, geschäfte; beschäftigung;* eine u. geben, vürlegen *dp. aufgabe stellen.*

unmüezecliche *adv. dringlich.*

unmügelich *adj. (präd.)* ,ein unding'.

unmugen *stn. unvermögen.*

unmuotecheit *stf.* = unmuot.

unmuoze *stf. umständlichkeiten; von der minne:* der werlde u. *die aufrührerin der welt.*

unnâhe(n) *adv. u.* ligen *dp. nicht ins innere dringen;* sîn drôwort *im u.* lac.

unnôt *adj. unnötig.*

unnütze *adj. nutzlos vertan.*

unordenlicheit *stf. ungehorsam.*

unpînlich *adj. unverletzlich.*

unprîslich *adj. tadelnswert.*

unrehte *adv. u.* sagen ûf *ap. falsche beschuldigungen erheben gegen;* u. wîsen *einen falschen weg weisen.*

unreinlich *adj. unrein.*

unrîche *adj.* in sinnen u. *kraftlos, hilflos.*

unrihten *swv.* reht u. *recht in unrecht verkehren.*

unritterlich *adj. einem ritter unangemessen.*

unriuwe *stf. reuelosigkeit.*

unruochescheit *stf. leichtsinn.*

unruochsam *adj. gs. gleichgültig gegen.*

unsagehaft *adj.* u.-er list *unaussprechliche weisheit.*

unsælde *stf. verhängnis.*

unsælden *swv. sich unselig machen.*

unsælec, -ic *adj.* diser unsaelige man *,diese traurige figur'.*

unsælicheit *stf. gottverlassenheit; böses schicksal.*

unsanfte *adv. schwerlich*

unschamheit *stf. rücksichtslosigkeit.*

unscheid(e)haft *adj. untrennbar.*

unscheidelich *adj. dass.*

unscheidenlichkeit *stf. untrennbarkeit.*

unschemel *stm. schamlosigkeit.*

unschic *stn.* von unschicke *ung* *cklicherweise.*

unschînbære *adj. unsichtbar.*

unschônende *part. adj. schonungslos.*

unschuldec *adj. nicht verpflichtet;* u. sîn *gs. nichts zu tun haben mit.*

unschult *stf. entschuldigung, rechtfertigung.*

unsenfte *adj. bitter, schmerzlich;* ein u.-z spil *eine schwere, grausame entscheidung.*

unserheit *stf. unser eigenes selbst; egoismus.*

unsihthaft *adj. unsichtbar.*

unsin *stm. unvernunft.*

unsinneclich *adj. ohne verstand;* daz tier u. *unvernünftig.*

unsinnelich *adj. unsinnig.*

unsite *stm.* in grôzen u.-n *aufgeregt.*

unsitecheit *stf. unsittlichkeit.*

unsitelich *adj. ungezogen.*

unsitelîche *adv. ungestüm; zornig.*

unsmachaft *adj. ungenießbar.*

unsmachaftic *adj. ohne sinneswahrnehmung, apathisch.*

unsperlîchen *adv. nicht karg, reichlich.*

unstate *stf.* z'unstaten stân *dp. feind sein.*

unstæte *adj. ungebunden, sich nicht gebunden (verpflichtet) fühlend.*

unstætecheit *stf. untreue, wankelmut.*

unsterbelich *adj. unsterblich.*

unstræflich *adj. nicht strafbar.*

unstrîtlîche *adv. unstreitig.*

unsüeze *adj. unsüeziu* wort *verfluchungen.*

unsüeze *stf. sündhaftigkeit, unheiligkeit.*

unsûr *adj. überaus bitter.*

untât *stf. irrtum; schmach; etwas ehrenrühriges.*

untæter *stm. der verbrecher (iniustus).*

untœdec, -tœtec *adj. unsterblich.*

untôtlichkeit *stf.* der sêle u. *unsterblichkeit.*

untougen *adv. offen, öffentlich, offenbar.*

untræge *adj. wacker, unverdrossen; ohne zögern.*

untriuwe *stf.* mit u.-n *in böser absicht;* âne u. *in aller redlichkeit;* u. anetragen *verrat anstiften;* u. in niht verbirt *er ist böse (teufel).*

unüebunge *stf. mangel an übung.*

unvalschlich *adj. redlich, wahr.*

unveraffet *part. adj. ungeschmäht.*

unverbannen *part. adj. unverboten.*

unverbelt *part. adj. unverletzt.*

unverbrâht *part. adj. unvollkommen;* mîn u. menscheit *meine (menschliche) unvollkommenheit, unzulänglichkeit.*

unverderbet *part. adj. unbeschädigt (vor von);* der was vil u. an manheit *war ein tapferer mann;* u. lâzen *as. die finger lassen von (z. b. der kunst);* u. belîben lâzen *ap. in frieden lassen (gegen mit).*

unverdienet *part. adj.*
unverdient; ohne anrecht,
ohne schuld.

unverdorben *part. adj.*
frisch, unversehrt, unange-
tastet, intakt (rôse, lop,
magetuom, vride); u. sîn,
belîben mit, von *ds. sich*
gut stehen, gut fahren mit
etwas; phraseol.: an êren,
an manheit, an milte u.
voll ehre, tapferkeit, frei-
gebigkeit.

unverdrozzen *part. adj.*
unverdrossen, unermüdlich,
ausdauernd, tapfer; unbe-
kümmert; rücksichtslos,
mit grausamer härte.

unverdrozzenheit *stf.*
unermüdlichkeit, unver-
drossenheit.

unverdrozzenlich *adj.*
dass.; u. sîn *dp. nicht über,*
nicht lästig sein; u. hân
as. unersättlich sein nach.

unverdrozzenlîche *adv.*
zum vorigen.

unverendet *part. adj.*
nicht vollendet, ohne erfolg,
ergebnis; immerwährend.

unvergellet *part. adj.*
unvergällt; honec u. *nicht*
mit galle versetzt.

unvergenclich *adj. un-*
vergänglich (gut, leben).

unvergenclicheit *stf. un-*
sterblichkeit.

unvergolten *part. adj.*
ungebüßt.

unverhalten *part. adj.*
u. werden *dp. nicht vor-*
enthalten werden.

unverhôrt *adj. unerhört,*
wunderbar; u.-e zeichen
wirken.

unverkêret *part. adj.*
unverändert; unwandelbar.

unvermezzen *part. adj.*
ungeschmälert; ruhig, fest,
wacker.

unvermezzen *adv. un-*
vermittelt; unbeirrt, über-
legt.

unvermügen *stn. un-*
vermögen, schwäche, ohn-
macht.

unvernünftic, -vernunf-
tic, -vernupftic *adj. un-*
vernünftig (tier); dp. un-
verständlich.

unverschraht *part. adj.*
unerschrocken.

unversehens, -verseins
adv. unversehens.

unversêret *part. adj.*
unversehrt, -verletzt, -be-
schädigt.

unversihteclîche *adv.*
unversehens; unvorsichti-
gerweise.

unversihtlich *adj. unvor-*
sichtig.

unverstœret *part. adj.*
unzerstört (das reich); un-
verletzt (an ds.).

unverswachet *part. adj.*
unverdorben, unverletzt;
unbeeinträchtigt.

unverswant *part. adj.*
unverzehrt (z.b. durch
feuer).

unvertragenlich *adj. =*
unvertragelich.

unvervlizzen *part. adj.*
nicht bedacht (ûf); *unbe-*
dacht.

unverwandelet *part. adj.*
unverändert; unwandel-
bar; beständig.

unverwandelich *adj. un-*
veränderlich.

unverwartenlich *adj.*
unzerstörbar, unvergäng-
lich (gut).

unverwegen *part. adj.*
ein helt des lîbes u. *ohne*
todesfurcht.

unverwert *part. adj. =*
unerwert.

unverwert(et) *part. adj.*
unbenutzt, unangetastet.

unverwintlich, -verwin-
lich *adj. unüberwindlich.*

unverwizzenheit *stf. das*
nicht wissenswerte; das
nicht zu wissen erlaubte.

unverwizzenlîche *adv.*
ungeschickt, taktlos.

unverworren *part. adj.*
u. lân *unbehelligt lassen.*

unverzaget *part. adj.*
kühn, mutig; des lîbes u.
furchtlos, ohne todesfurcht;
sîn helfe ist iemer u. *er ist*
immer zu hilfe bereit.

unverzilt *part. adj. ohne*
ende, ganz; unangefochten
(vor von).

unvlæticheit *stf. un-*
sauberkeit, unreinlichkeit;
sünde.

unvlîz *stm. mangelnde*
sorgfalt.

unvluot *stm. =* unvlât.

unvluotic *adj. nicht über-*
strömend, dürftig (lop).

unvolgic *adj. dp. unge-*
horsam.

unvolkomen *part. adj.*
unvollkommen.

unvolkumelîche *adv.*
dass.

unvram *adv.* u. sîn *zur*
stelle sein.

unvridesam *adj. un-*
friedfertig.

unvriuntlîche *adv. nicht*
in der art eines verwand-
ten.

unvundic *adj. unerfind-*
lich, unergründbar.

unvuoclîche *adv. unge-*
hörig; unvereinbar.

unvuoge *stf.* dû kanst
u. tuon! *beherrsche dich!*
(verdirb uns nicht die
stimmung).

unvürsihtic *adj. unvor-*
hergesehen.

unwacker *adj. müde;*
unlustig.

unwandelbære *adj. un-*
beirrbar, standhaft.

unwandelhaft *adj. ma-*
kellos.

unwâr *adj. unwahr*
(sage, rede).

unwegehaft *adj. unbe-*
weglich.

unwendeclîche *adv. un-
ablässig.*

unwer *stf. wehrlosig-
keit.*

unwerde *adv. peinlich,
unangenehm; unsanft (fal-
len); ärgerlich; dô* wart
ime u. *ärgerte er sich.*

unwerlich *adj. zeitlos,
dem zeitablauf entzogen
(v. d. seele).*

unwertecheit *stf. gefühl
der vergeblichkeit; gleichgültigkeit.*

unwertlicheit *stf.* ein u.
tuon *dp. unfreundlichkeit
erweisen.*

unwertsamecîche *adv.
ärgerlich, unfreundlich,
unwillig.*

unwertsamekeit *stf.
gleichgültigkeit, unwille.*

unwîben *swv. refl. sich
weiblicher art entschlagen,
unweiblich sein.*

unwigelich *adj. unwäg-
bar.*

unwirdeschlîche(n) *adv.
zornig.*

unwirdigisch *adj.* = un-
wirdesch.

unwirs *adj. dass.*

unwîslîche *adv. töricht.*

unwitziclich *adj.* = un-
witzic; niht u. *nicht sinnlos.*

unwizzen *stn. unwissen;
unglauben.*

unwizzende *part. adj.
wie im traum; ohne ab-
sicht, vorsatz.*

unwizzenhaft *adj. un-
verständig, töricht; ohne
absicht, unbewußt.*

unwonlich *adj. unbe-
wohnbar; ungewohnt.*

unzalhaftec *adj.* = un-
zalhaft *unerzählbar.*

unze *adv. bevor.*

unzemuote *adv.* u. sîn
*dp. nicht zu mute sein
(gs. nach etwas).*

unzerbrechelich *adj. un-*

zerstörbar (himmelreich,
ewiges leben).

unzergancîche *adv. un-
vergänglich.*

unzerlœset *part. adj.* u.
blîben *unaufgelöst, unauf-
lösbar (knoten).*

unzertrant *part. adj. unzerstört* (sterke).

unzühtec *adj. ungezogen,
undiszipliniert; unzüchtig;*
u. leben *unzucht.*

uober *adj. munter unde*
u. *tätig.*

uohaltec *adj. ds. ge-
neigt zu.*

uoplich *adj.* u.-er tac
feiertag.

uosaz *stm. flicken, lap-
pen, stück tuch.*

üppec *adj.* üppege sprü-
che *unverantwortliches gerede.*

üppecheit, üppescheit
*stf. ausschweifender lebens-
wandel.*

üppeclich *adj.* ich jage
ein ü.-en vart *jage übermütig einem unerreich-
baren ziel nach.*

üppeclîche *adv. präch-
tig; überflüssig; leichtfertig.*

urbor *stfn.* ze u.-n jehen
gs. etwas sein eigen nennen.

urbreit *adj. sehr ausge-
dehnt* (rîche).

urdriuzec, -drützec *adj.*
= urdriuze, -drütze.

urhaben *part. adj.* = erhaben; u. brot *gesäuertes
brot.*

urlôsede *stf. alem.* =
urlôse.

urloup *stmn.* ir sult uns
u. geben *wir möchten uns
verabschieden;* nâch ur-
loube gân *der einladung
folgen.*

urlouplich *adj. erlaubt.*

urpflîht *stn. gesetzlicher,
gerichtlicher anteil.*

urstentlich *adj.* u. van
auferstehungsfahne; den

u.-en van beziugen *das
österliche banner als wahrzeichen des christentums
entfalten.*

ursuoche *stf. mittel,
jem. hinterrücks auf die
probe zu stellen, falle:* u.
legen *dp.*

urteildære *stm.* = ur-
teilære *richter.*

urteillich *adj.* zem ur-
teillichen ende *beim jüngsten gericht.*

urvunt *stm. anstiftung,
ursache:* jene, die er weste
ein u. wesen Danielis nôt.

urwære *adj. wort-
brüchig.*

ûz *adv. trennbar bei verben (die entscheidung über
trennbarkeit nicht immer
sicher; die ge- komposita
z. t. beim einfachen kom-
positum):*

ûzarbeiten *swv. aus-
arbeiten.*

-bedingen *swv. ausbe-
dingen.*

-berihten *swv. abferti-
gen.*

-besliezen *stv. refl. sich
versagen, sich ausschließen.*

-besundern *swv. aus-
wählen.*

-beten *swv. zu ende be-
ten.*

-bezeichenen *swv. durch
ein zeichen kenntlich ma-
chen.*

-bieten *stv. abs. dp. auffordern;* den dienst û. *dp.
anbieten.*

-binden *stv. ausbedin-
gen.*

-bîzen *stv. herausbeißen.*

-blâsen *redv. durch hornblasen verkünden.*

-blîchen *stv. zum vor-
schein kommen.*

-blicken *swv. hervor-
blicken, -scheinen.*

-born *swv. aufbringen,
erheben (steuern).*

ûz-breiten *swv. verbrei-*
ten.
-brennen *swv. trans.*
ausbrennen; auch vom
branntweinbrennen.
-briezen *stv. hervor-*
sprießen.
-brüejen *swv. aus-*
brühen, -brennen.
-brüeten *swv. abs. zu*
ende brüten; trans. aus-
brüten; auch übertr.
-denen *swv. ausspannen*
(netz).
-diezen *stv. abs. über*
die ufer treten; trans. über-
fluten, überschwemmen.
-dingen *stv.* sîn reht û.
pflichtsumme auszahlen.
-draben *swv. ausreiten.*
-dræjen *swv. schleifen*
(edelsteine).
-dreschen *stv. ausdre-*
schen.
-drillen *stv. schwellen;*
part. prät. ûzgedrollen
fein ausgeformt.
-dringen *stv. hervor-*
sprießen.
-drücken *swv. ausdrük-*
ken; part. prät. ûzgedrük-
ket ausdrücklich.
-dunsten *swv. verdunsten.*
-ecken *swv. überprüfen.*
-entspringen *stv. sprin-*
gen (von den springern im
schachspiel).
-erdiezen *stv. ausströ-*
men.
-erdröuwen *swv. durch*
drohung abnötigen.
-ergân *redv.* ze vröuden
û. *dp. zum glück ausschla-*
gen, gereichen.
-erheben *stv. refl. sich*
auf den weg machen.
-erjeten *stv. auswählen.*
-erkiesen *stv. auswählen.*
-erkirnen *swv. auslegen,*
-deuten.
-erlesen *stv. sunder* û.
ap. jem. besonders ins herz
schließen.

ûz-erschellen *stv. kund*
werden.
-erstrîten *stv. übertreffen.*
-ertwingen *stv. abzwin-*
gen, abnötigen.
-erwegen *stv. trans. u.*
refl. in bewegung setzen;
loslösen.
-etzen *swv. wegätzen;*
übertr.: bœsez û.
-ezzen *stv. aufessen.*
-gân *redv. trans. erledi-*
gen, entscheiden (frage,
problem, urteil).
-geben *stv.* sich û. *sich*
verausgaben.
-gebern *stv. trans. ge-*
bären, zur welt bringen
(myst.).
-geborgen *swv. auf si-*
cherheit entlehnen.
-gebôzen *swv. ausdre-*
schen.
-gedingen *swv. ausbe-*
dingen; zusagen.
-gedrücken *swv. aus-*
drücken (mit worten).
-gegân *redv. hinaus-*
gehen.
-gegiezen *stv. mit wor-*
ten û. *ausdrücken.*
-gekriegen *swv. trans.*
mit krieg bezwingen.
-gelegen *swv. auslegen,*
ausdeuten.
-gelœsen *swv. (heraus)-*
lösen.
-gerachsenen *swv. aus-*
räuspern, -husten.
-gerihten *swv. ausglei-*
chen, schlichten; absolvie-
ren; auseinandersetzen, er-
klären; eine vrâge û. *be-*
antworten.
-geschellen *swv. verbrei-*
ten, verkünden.
-gestôzen *redv. intr.*
landen, vor anker gehen.
-gewegen *stv.* als mîn
muot glîche ûzgewigt *ins*
gleichgewicht kommt.
-gewenken *swv. ent-*
schlüpfen.

ûz-gewinnen *stv.* daz
mezzer û. *ziehen; ap. be-*
freien; as. dp. erwerben,
borgen.
-giezen *stv. trans. aus-*
gießen, vergießen; intr.
ausströmen, überfließen;
refl. sich ergießen.
-graben *stv. ausgraben;*
bildl. von dem ubelen û.
ap. befreien von.
-gründen *swv. ergrün-*
den.
-güeten *swv. ap. (wegen*
eines anspruchs) auf ein
gut) abfinden.
-haben *swv. as. beenden.*
-haften *swv. ap. aus der*
haft nehmen.
-halten *redv. in stand*
halten, ap. verpflegen.
-hangen *swv. aushän-*
gen (zum verkauf).
-herten *swv. mit be-*
harrlichkeit zu ende füh-
ren.
-hinken *stv. heraushüp-*
fen, -hinken (auf einem
bein).
-hîstiuren *swv. aussteu-*
ern.
-hiuten *swv. refl. die*
haut abstreifen, sich häu-
ten.
-holn *swv. herausholen,*
auswählen.
-houwen *redv. aus-*
hauen, ausschlachten
(tiere).
-hüeten *swv. abweiden.*
-hungern *swv. trans.*
aushungern (stadt).
-jagen *swv. herausjagen,*
-treiben.
-jeten *swv. ausjäten.*
-jungen *swv. refl. sich*
verjüngen, auferstehen
(phönix).
-kapfen *swv. ausschauen.*
-kêren *swv. herauskeh-*
ren, zutage fördern.
-kernen *swv. entkernen,*
herausschälen.

ûz-klingelen *swv. hervor-rauschen.*

-knopfen *swv. intr. ausschlagen (sträucher).*

-koufen *swv. abkaufen.*

-kratzen *swv. herauskratzen, -zerren.*

-krouwen *swv. auskratzen, -zupfen (haare).*

-künden *swv. verkünden, ausrufen lassen (neuigkeit).*

-künten *swv. trans. ausbrennen.*

-laden *stv. übertr. abladen* (vorht).

-lâzen *redv. auslassen; übergehen; freilassen.*

-leiten *swv. herausführen.*

-lenken *swv. (ein kleid) ausschneiden, dekolletieren; rât û. ersinnen.*

-lesen, gelesen *stv. zu ende lesen; auswählen; als vorzüglich hervorheben.*

-lîhen *stv. auf zinsen leihen.*

-liuten *swv. zu grabe läuten (dp.); bildl.: dem ist ûz geliutet der ist zugrunde gerichtet.*

-locken *swv. hervorlocken, -rufen (as. an dp. aus, bei jem.).*

-losen *swv. hinaushorchen.*

-loufen *redv. hinauslaufen; aus dem hause laufen; umherlaufen; entlaufen, aus dem kloster entweichen.*

-maln *stv. zu ende mahlen; ausmahlen.*

-merken *swv. auswählen, (heraus)finden; ap. dp. (eine frau für jem.).*

-mezzen, -gemezzen *stv. ausmessen; übertr. prüfend betrachten; überlegen, beraten;* îtele wort û. *unsinn vorbringen, schwatzen;* die reise û. *ausführen.*

ûz-nemen *stv. wahrnehmen.*

-ôsen *swv. ausschöpfen; ausrotten.*

-pflücken *swv. ausrupfen (federn).*

-pressen *swv. auspressen.*

-prüeven *swv. trans. offenbaren, bekanntmachen; refl. sich auszeichnen, sich schmücken.*

-quellen *stv. übertr.* niht û. noch ûzvliezen *herausquellen (myst. von dem besitz der göttl. gnade).*

-recken *swv. refl. sich ausdehnen.*

-reden *stv. aus-, durchsieben.*

-reden *swv. as. aussprechen; as.* mit dp. mit jem. *etwas verabreden, eine übereinkunft treffen;* sich û. gs. *sich reinigen von etwas (anklage, schuld).*

-regen *stv. ausstrecken.*

-reifen *swv. refl. sich abhaspeln.*

-reinen *swv. ausgrenzen, abgrenzen.*

-reisen *swv. ins feld ziehen.*

-reiten *swv. ausrechnen, berechnen; bezahlen; refl. sich ausrüsten.*

-rennen *swv. part. prät.* ûzgerennet *hervorgesprossen (laub).*

-rêren *swv. trans. herausfallen lassen, ausstreuen (z. b. samen).*

-rîben *stv. auswinden, ausdrücken.*

-rîden *stv. auswinden, -wringen.*

-rinnen *stv. entspringen; herausfließen.*

-rîsen *stv. ausfallen (haare).*

-rîten *stv. ausreiten, wegreiten.*

-riuten *swv. ausreuten.*

ûz-rîzen *stv. abreißen, -ziehen (haut).*

-roufen *swv. ausraufen, -rupfen (haare, federn).*

-rücken *swv. trans. herausreißen.*

-rûmen *swv. absol. dp. platz machen; trans. as. wegräumen.*

-rupfen *swv. ausrupfen (gefieder).*

-rüsten *swv. ausrüsten.*

-sagen *swv. aussprechen; aufsagen; rât û. rat erteilen.*

-schalten *redv. ap. fernhalten, wegschicken.*

-scharn *swv. aus der schar (der gefangenen) herausholen, herausgeben (dp.), freigeben.*

-scheiden *redv. fortgehen, abschied nehmen.*

-schellen *stv. bekannt werden* (mære, rede).

-schellen, geschellen *swv. trans. verbreiten, bekannt machen, verkündigen; ausschwatzen.*

-scheln *swv. herausschälen; übertr. auswählen.*

-schenken *swv. trans. ausschenken* (wîn).

-schîben *swv. die werlt* û. *sich von der welt abkehren.*

-schicken *swv. hinausschicken.*

-schieben *stv. herausschieben.*

-schiffen *swv. refl. an daz lant sich ausschiffen, an land gehen.*

-schînen *stv. durchschimmern, hervorsehen.*

-schrîten, geschrîten *stv. hinaus-, herausgehen; von dem schiffe* û.

-schuochen *swv. refl. seine schuhe ausziehen.*

-schüten *swv. ap. jem. des panzers entkleiden, ausziehen; übertr. redensartl.:*

*jem. den geldbeutel leeren,
ihn ,ausziehen'; ûzgeschüt-
tet lachen ausgelassenes
lachen.*

-sehen *stv. hinaussehen.*

-senden *stv. aussenden,
-schicken.*

-serwen *swv. ap. aus-
zehren, entkräften.*

-singen, gesingen *stv. zu
ende singen; ez ist ûz gesungen die messe ist be-
endet, übertr. auch allg.
es ist zu ende.*

-slahen, geslahen *stv.
intr. hervorbrechen; trans.
überwuchern; ausklopfen
(gewand).*

-sleifen *swv. (als strafe
aus der stadt zum galgen)
schleifen.*

-sliefen *stv. herausschlüpfen, ausschlüpfen.*

-sliezen, gesliezen *stv.
ausschließen; entfernen;
nihtes niht ûz geslozzen
nichts ausgenommen.*

-slîzen *stv. verschleißen.*

-sloufen *swv. trans. u.
refl. ausziehen, entkleiden.*

-smelzen *stv. intr. aus-
schmelzen, -fließen.*

-smücken, gesmücken
*swv. trans. u. refl. schmük-
ken, ausschmücken; über-
tr. näher ausführen.*

-snellen *swv. heraus-
sprießen.*

-snîden, gesnîden *stv.
herausschneiden; absol. dp.
kastrieren; gewant û. tuch
verkaufen; absol. mit der
ellen û. dass.; übertr. freimachen (vom übel).*

-speicheln *swv.ausspeien.*

-spitzen *swv. trans. u.
refl. zuspitzen.*

-spîwen, -spîen *stv. ausspeien, erbrechen.*

-sprechen, gesprechen
*stv. trans. aussprechen;
intr. zu ende sprechen; einen schiedsspruch fällen.*

ûz-spreiten *swv.ausbrei-
ten, -spreiten.*

-sprenzen *swv. refl. sich
putzen, ausschmücken.*

-spriezen *stv. ausschlagen, sprießen; übertr.:
neu wachsen.*

-springen, gespringen
*stv. sich verbreiten (mære);
aussatz bekommen.*

-sprützen *swv. heraus-
spritzen.*

-spürn *swv. auskund-
schaften, ermitteln; ap. jemandes spur finden.*

-stapfen *swv. langsam
hinausreiten.*

-stecken *swv. aufstek-
ken; (den turnierplatz)
markieren; -stellen; übertr.
sîn panier û.*

-steln *stv. refl. sich hin-
ausstehlen, -schleichen.*

-stieben *stv. als staub,
wie staub auffliegen.*

-stiften *swv. auslegen.*

-stiuren *swv. aussteuern,
ausstatten.*

-strîchen *stv. ausmalen;
fîn û. (augenbrauen).*

-strûben *stswv. hervor-
stehen, sich hervorsträuben
(haare).*

-sûfen *stv. austrinken,
-saufen.*

-sûgen *stswv. aussaugen.*

-sundern,gesundernswv.
*aussondern, auslesen; refl.
dp. sich für jem. entscheiden.*

-swern *stv.*[1]*herauseitern,
verfaulen; daz mir diu
zunge ûz swære.*

-swern *stv.*[2] *refl. sich
durch einen eid freima-
chen; abs. einen eid leisten,
nicht mehr in die stadt zu
kommen.*

-swingen *stv. trans. ausdreschen; refl. die flügel
breiten.*

-switzen *swv. ausschwit-
zen.*

ûz-teilen *swv. ap. aussteuern.*

-telben, -delben *stv. ausgraben.*

-tihten *swv. erdichten;
fertig schreiben, vollenden
(buch).*

-traben *swv. ausreiten.*

-tragen *stv. trans. as. dp.
eintragen, einbringen; absol.: keinen ertrag mehr
bringen (acker).*

-trecken *swv. ausziehen.*

-trîben, getrîben *stv. auf
die weide treiben (rin-
der); austreiben (z. b. den
teufel).*

-trinken, getrinken *stv.
austrinken; bildl.: der zorn
ûztrinket mînen geist verzehrt.*

-trotten *swv. intr. hinausziehen, ausziehen.*

-tuon *anv. refl. sich
anmaßen (mit gen. oder
abh. satz).*

-vâhen *redv. ap. gefangen hinausführen.*

-vallen *redv. intr. ausfallen; trans. ausrenken
(vuoz).*

-varn *stv. austreten: ûz
dem klôster û.*

-vehten *stv. herausdrin-
gen; überfließen (v. wein).*

-veilen *swv. feil halten.*

-vertigen *swv. abordnen, entsenden.*

-vliegen *stv. ausfliegen;
sich verbreiten (mære).*

-vliezen *stv. ausströmen;
oft übertr.*

-vriden *swv. ap. oder
dp. sich gegen jem. ab-
grenzen, jem. ausfrieden
(durch einen zaun).*

-vrumen *swv. ausschik-
ken, -senden.*

-vüeren *swv. as.: mit
sich führen, tragen (man-
tel, hut); ez û. ausführen,
durchführen; ap.: ent-
führen (ein mädchen); ge-*

fangen abführen; zu einem verbrechen anführen.

-wahsen *stv. ausschlagen (pflanze).*

-wallen *redv. aufwallen, heraussprudeln, überkochen.*

-wandern *swv. auswandern.*

-wegen *stv. trans. auswiegen; übertr. auswählen.*

-wegen, gewegen *swv. intr. u. refl. sich fortbewegen; sich aufmachen.*

-wehseln *swv. austauschen.*

-wellen *swv. herausfließen lassen.*

-weln *swv. auswählen.*

-werfen, -gewerfen *stv. trans. auswerfen (netze); austreiben (teufel); (menschen) verstoßen; die geburt û. abtreiben; übertr. herzeleit û. sich freimachen von; refl. sich verschwenden (von der liebe).*

-winden *stv. auspressen.*

-wirken, -würken *swv. ausführen, erledigen (gedanc, werc); annullieren, ‚erledigen' (sünde durch beichte); herausschneiden; refl. sich freimachen (von anklage).*

-wischen *swv. intr. hervorschießen (vom blut); aufwischen; trans. auswischen, löschen (geschriebenes); reinigen, polieren.*

-wurzeln *swv. mit der wurzel ausreißen; an der wurzel angreifen; entwurzeln, eigentl. u. bildl.*

-zeichenen *swv. auswählen.*

-zeln *swv. erklären.*

-zerren *swv. herausreißen.*

-ziln *swv. nâch topels reht û. auswürfeln.*

-zocken *swv. trans. (pfeil) u. intr. ausziehen.*

ûz-zogen *swv. ap. ausziehen.*

-zücken *swv. trans. herausziehen.*

ûz *adv. als präfix auch in steigernder bedeutung, z.b.* ûzgelenke.

ûzbunt *stm. beispiel, vorbild.*

ûzehalben *adv.* = ûzerhalben.

ûzen *adv. äußerlich.*

ûzenthalben, ûzernthalben *adv.* = ûzerhalben.

ûzer *adj.* ûzer trôst weltliche tröstung.

ûzerhalp *präp.* û. des herzen *nicht von herzen, nur zum schein.*

ûz-erkant *part. adj.* auserwählt, vorzüglich, berühmt.

ûz-erkorn *part. adj.* auserwählt, auserkoren.

ûz-erlesen *part. adj.* auserwählt, vortrefflich.

ûzerlich *adj.* ûzerliche minne *untreue, ehebruch.*

ûzerlîche *adv. schlicht, einfach, nicht symbolisch.*

ûz-erwelt *part. adj.* auserwählt, ausgezeichnet.

ûz-erwünschet *part. adj.* auserwählt.

ûzgâunge *stf. ausgang; entstehung.*

ûzgeblüemet *part. adj.* ausgelesen: der recke sunder û.

ûzgelenke *adj. außerordentlich gewandt.*

ûzgemâlet *part. adj. vor den andern* û. *(durch besonderes merkmal) ausgezeichnet.*

ûzgenomen *part. adj. abgemacht, ausbedungen;* mit û.-er rede *unter dieser bedingung.*

ûzgenomenheit *stf. besonderheit, auszeichnung; als persönliche kollektivbezeichnung: die andersgläubigen.*

ûzgenomenlîche *adv. ausgezeichnet, vortrefflich.*

ûzgescheiden *part. adj.* mit û.-en worten *ausdrücklich.*

ûzgescheidenlîchen *adv.* û. sagen *genau, ausführlich, ausdrücklich.*

ûzgeschœnet *part. adj.* diu ist û. vür alle wîp *übertrifft alle an schönheit.*

ûzgesundert *part. adj. außerordentlich; besonders gestellt, privilegiert; unterschieden, verschieden.*

ûzgewahsen *part. adj. (üppig) ins kraut geschossen.*

ûzhalp *adv.* = ûzerhalben.

ûzkündunge *stf. verkündigung;* û. der apostele.

ûzloufunge *stf. irrweg.*

ûzmerkic *adj. aussätzig.*

ûzrede *stf. ausrede.*

ûzropfunge *stf. aufstoßen.*

ûzsetzicheit *stf. aussatz.*

ûzstrackunge *stf.* û. der gelider *recken der glieder (beim aufstehen).*

ûzstreckunge *stf. ausdehnung.*

ûztrunc *stm. das leertrinken (als zeichen des aufhörens).*

ûzvliez *stm. offenbarung (myst.).*

ûzvluot *stf. s.* învluot.

ûzvundic *adj. nach außen gekehrt, äußerlich.*

V

vadem *stm. bildl. für das geringste.*

vâhâ *interj. hilfe! rettung!*

vâhen *redv. herberge v. wohnung nehmen.*

val *stm. sündenfall;*
guoter v. *glück (beim
würfeln); zufall, allg. angelegenheit; phraseol.* vröuden val *lebensfreude.*

val *stn.* tal (lat. *vallis).*

væle *stf.* sunder v. *un-
fehlbar.*

valieren *swv. ansprengen.*

valkenouge *swn. auch
bildl. falkenauge.*

vallen *redv. vom münden
der flüsse* (in den sê v.);
v. ûf *ap. zufallen (durch
erbschaft);* nâhen an sîn
herze v. *nahe gehen.*

valsch, velsch *adj.* v.-e
diet *falschheit der welt;*
durch v.-en muot *hinter-
rücks.*

valsch stm. allg. *böses,*
ân allen v.

valschec *adj. unredlich,
falsch.*

valte *swf. truhe.*

valten *redv.* ze sich v.
an sich nehmen.

valten *swv. teilen.*

vanentreger *stm. banner-
träger.*

var *adj.* jæmerlîche v.
von leidendem aussehen.

var *stf. s.* envar.

vâre *stf.* ze v. *zum ver-
derb;* niht ze v. stân *nützlich sein;* sîne v. legen *dp.
jem.* bedauern; *übertr.*
ein michel v. *eine völker-
wanderung.*

varel *stn. dem. zu* varch
ferkel.

vâren *swv.* zît unde
state v. *zeit und gelegenheit suchen.*

vârheit *stf.* = vâre.

vârîs *stn. (arab.) leichtes pferd.*

varn *stv. abschied nehmen;* rehte v. *richtig handeln;* vröude und angest
vert dâ bî *gehören dazu;*
swar ich var *wohin ich
auch schweife;* mit ge-

danken v. umbe *ap. krei-
sen um;* slâfen v. *schlafen
gehen;* nû lâ v.*! laß sein!;
phraseol.* mit zouber v.
zaubern.

varnde *part. adj.* v.
vröude *flüchtiges glück;*
ein v. leit *ein chronischer
schmerz.*

vart *stf. unternehmung,
raubzug;* ûf der verte
unterwegs; manic v. (vert)
*auf mancherlei art und
weise;* rehte v. *rechter weg;*
mit der verte *oder* vart
sogleich; phraseol. sælige v.
glück; veige v. *irrweg.*

vârunge *stf. illusio, verführung (des teufels).*

varwe *stf. gestalt;* ir v.
mêrte sich *sie errötete;*
walt in grüener v. *in
grünem kleid;* von v. ko-
men *erbleichen.*

vaschangtac *stm. fa-
schingtag.*

vaschangzît *stf. fa-
schingszeit.*

vasewîsen *swv. subst.
umschweife.*

vaste, vast *adv., beinahe;
md.* nie sô vast *um so mehr,
um so stärker.*

vastelman *stm. mann,
der fastet.*

vastmuotic *adj. beständig.*

vas(t)nahtbutz(e) *swm.
larve.*

vat *stn.* sunder v. *ohne
trug.*

vater *stm.* vater aller
tugende *inbegriff aller vollkommenheit.*

vaterschaft *stf. (gottes).*

vatzen *swv. fett werden.*

vau-vau *interj. (klage-
ruf).*

vaz *stn.* daz wenige v.
*das kleine kästchen; auch
sarg.*

vazzer *stm. der den wein
in gefäße tut.*

vechelîn *stn. schleier
der jungfrauen, nonnen
(lat. velum).*

vêchmarder *stm. bunter
marder.*

vederkil *stm. schreibfeder.*

vederklûben *swv. schmeicheln.*

vederklûber *stm.
schmeichler.*

vederspil *stn.* der minnen v. *(von einer person)
jagdfalke der minne.*

vederwât *stf. federbett.*

vegeviuren *swv.* geveg-
viuret werden *im fege-
feuer geläutert werden.*

vêhen *swv.*[1] *anklagen.*

vehteclîche *adv. kampfbereit.*

vehtunge *stf. streit,
kampf.*

veige *adj.* v. sagen *beleidigen; refl. sich ent-
ehren;* v. vart *irrweg.*

veile *adj. verfügbar.*

veilen *swv. refl. sich
ausgeben für; feilbieten;* ge-
veilet sîn *zur verfügung
stehen.*

feineclîchen *adv. auf
feenhafte weise.*

velle *stn. gefälle.*

velleclich *adj. minder-
wertig, hinfällig.*

vellen *swv. ins verderben stürzen; von tränen:
vergießen.*

vellunge *stf. verfehlung,
irreführung.*

velt *stn.* ze velde komen
*zum kampf, turnier an-
treten.*

veltgebûre *swm. (grober)
bauer.*

veltgelende *stn.* holz unt
v. *wald und feld.*

velthuon *stn. rebhuhn.*

veltkoch *stm. marketen-
der.*

veltlatuc(ke) *stm. wilder
lattich.*

venediger *stm. eine geld-*
münze.

venjenval *stm. kniefall.*

venster *stn. erker.*

venstererin *stf. nonne,*
die am redefenster auskunft
gibt.

verarbeiten, -erbeiten
swv. trans. verarbeiten; refl.
sich abplagen.

verarmet *part. adj. an*
kräften v. *kraftlos.*

verbarmen *swv.* lâz v.
dich *erbarmen.*

verbarrieren *swv. refl.*
sich verschanzen.

verbergen *stv.* diu schif
v. *in sicherheit bringen.*

verbern *stv. übergehen.*

verbezzern *swv. gegen*
besseres vertauschen.

verbieten *stv.* vröide v.
glück zerstören.

verbildunge *stf. abbild.*

verbizzen *part. adj.* gegen got v. sîn *verhärtet sein.*

verblindekeit *stf. ver-*
blendung.

verblint *adj. erblindet,*
blind.

verbliuwen *stv. zer-*
schlagen.

verbüezen *swv.* ab-
büßen, *verbüßen.*

verbunnen *anv. ver-*
bieten.

verbuntlicheit *stf. dienst-*
barkeit.

verch *stn.* ir herzen v.
ihr innerstes.

verchvîentlich *adj.* mit
verchvîentlichen slegen
mit tödlichen schlägen.

verdagen *swv.* daz möht
ir gerne hân verdaget *das*
solltet ihr wohl verschwei-
gen; das zu sagen, geht wohl
zu weit.

verdâht *part. adj.* an
die harpfen v. *dem harfen-*
spiel aufmerksam lau-
schend; ich bin v. *ich*
denke nicht richtig.

verdeckunge *stf.* got
muoz etwaz v. an sich
nemen *sich verhüllen (da-*
mit wir nicht geblendet
werden); âne v. sîn *nichts*
verschweigen (von der
beichte).

verdenen *swv. refl. sich*
vergeuden, sich ver-
schenken.

verdenken *swv. refl. sich*
vorsehen.

verderben *stv. zu schan-*
den werden; des kindes v.
bei der geburt umkommen.

verderben *swv.* verder-
bet sîn *erniedrigt sein.*

verderplich *adj. gefähr-*
lich.

verderplichkeit *stf. ver-*
derben, schaden.

verdieben *swv. heim-*
lich beobachten.

verdienen *swv. ver-*
schulden; as. sich erkennt-
lich zeigen für; haz v. *sich*
feindschaft zuziehen; etewaz v. umbe *ap. bei jem.*
verdienen.

verdigen *swv. überwäl-*
tigen.

verdinstern *swv. ver-*
dunkeln.

verdoln *swv. tr. aus-*
halten.

verdriez *stm.* v. han *gp.*
genug haben von.

verdriezen *stv. unpers.*
ap. leid tun; auch iron.
(aller schimphe si verdrôz
alle lust, freude war ihr ver-
gangen); traurig sein; *ûf*
dem mer v. seekrank wer-
den; niht v. *rein phraseol.*
umschreibung.

verdrücken *swv.* êre v.
ansehen herabsetzen, min-
dern.

verdrumen *swv. ver-*
urteilen, verfluchen.

verduldecheit *stf. geduld.*

verdult *stf. geduld.*

vereinecheit *stf. einheit.*

vereinen *swv. subst.*
einssein.

vereiner *stm. (von Chri-*
stus).

vereinerin *stf. (von der*
gott und die seele einenden
minne).

vereinschaft *stf. gemein-*
schaft (der heiligen).

verenden *swv. tr. zu*
einem guten ende bringen;
erfüllen.

vereschern *swv. ein-*
äschern.

vergâhen *swv. refl. sich*
vergehen an.

vergangenheit *stf. ver-*
gehen, vergänglichkeit; zît-
liche v. *irdisches hinschei-*
den.

vergeben *auch swv. ver-*
leihen; mit rede v. *dp. ver-*
wirren.

vergebens *adv. unbe-*
lastet; sinnlos.

vergeilen *swv. tr. er-*
freuen.

vergelimpfen *swv. ver-*
unglimpfen; subst. ver-
unglimpfung.

vergellen *swv.*[2] die nôten
v. *verklingen lassen.*

vergelten *stv. vergüten,*
ersetzen.

vergelter *stm.* v. der
schult *(von Christus).*

vergênis *stf. hinfällig-*
keit.

vergezzen *stv.* niht ze
guote v. *gp. gut behandeln,*
fördern; refl. v. an *dp. ein*
unrecht begehen an.

vergiezen *stv. auch intr.*
verschüttet werden (vom
wein).

vergiezunge *stf. (vom*
blut der heiligen).

vergiftlich *adj.* = ver-
giftic.

vergipnisse *stf.* = ver-
giftnisse.

vergîseln *swv.* als geisel versprechen.

vergiuden *swv. vergeu-*
den.

verglasen *swv. bildl.*
verschließen.

verglîten *stv. zu ende*
gehen.

vergouchen *swv. mit*
narreteien zubringen.

vergraben *stv. übertr.*
vergessen.

vergrîsen *swv. ergrauen.*

vergrôzen *swv. groß*
werden.

vergründen *swv. ergrün-*
den.

verguot *adj.* = vür guot;
v. haben an *dp. as. jem.*
das verdienst für etwas zu-
erkennen.

vergurren *swv. schlecht*
werden.

verhâhen *redv. übertr.*
dp. über jem. entscheiden
(von gott).

verhangen *part. adj.* v.
mit *bekleidet mit.*

verhegelen *swv. ver-*
sperren.

verheiset *part. adj.*
heiser geworden.

verhelfen *stv. dp. gs. ver-*
helfen zu.

verhenket *part. adj. ver-*
schleiert, verhüllt.

verherde *stf.* v. des tiuvels *verfolgung, knecht-*
schaft.

verhûren *swv. vermieten.*

verhützeln *swv. übertr.*
schrumpelig machen auch
bildl.: vröude v.

verirren *swv.* ir aller lop
v. *sie übertreffen.*

veriteniuwen *swv. über-*
drüssig werden.

verjærunge *stf.* v. der
gewonheit *abschaffung*
eines brauches.

verjehen *stv. gs. (jur.)*
anerkennen; prophezeien;
sich selbem v. *sich fest*
vornehmen; dp. gs. zu-
trauen; sîner sünden v.

ein *sündenbekenntnis ab-*
legen.

verjungest *adv. zuletzt.*

verkelken *swv. ein-*
mauern, übertünchen.

verkelten *swv. intrans.*
kalt werden.

verkêren *swv. as. dp.*
falsch auslegen; daz leben v. *sterben; refl. zu ende*
gehen.

verkiesen *stv. verlassen;*
verleugnen; schult v. *sich*
eines vergehens anklagen.

verkleiden *swv. refl. be-*
kleiden.

verkoufen *swv. ein-*
tauschen, opfern; übertr.:
dâmit verkouften si vil
gaben ihrem verhalten einen
unverfänglichen anstrich.

verkrenken *swv. ver-*
krenket sîn *zu kurz kom-*
men.

verkrîen *stv. durch zu-*
ruf abschrecken.

verlaffen *part. adj. be-*
trunken.

verlangen *swv. unpers.*
sich langweilen; sich verlangen lân *sich zu lang*
werden, verdrießen lassen.

verlasten *swv. belasten.*

verlâz *stf. verlassenheit*
(Christi am kreuz).

verlâzen *redv. verlang-*
samen; einbüßen; diu ors
in den walap v. *den pfer-*
den die zügel (zum galopp)
freigeben; den sîn v. an
sein herz verlieren an;
sîne arme v. an *jmd. um-*
armen; ez wart daran ver-
lân *man verblieb dabei;* sich
an den val v. *sich fallen*
lassen (müssen).

verleiben *swv. übrig-*
lassen.

verlemden *swv.* = ver-
liumunden.

verliesen *stv. vergessen;*
verlorn werden *sterben.*

verligen *stv. zögern; refl.*

sich der liebe hingeben; sich
aufs faulbett legen.

verlingen *stv. dp. ge-*
lingen.

verlogen *part. adj.* v.-ez
mære *wahnidee.*

verlor *stmn. untergang,*
tod.

verlorn *part. adj. um-*
sonst; er ist v. *er gilt nichts,*
ist verraten und verkauft.

verlornisse *stf. verkom-*
menheit.

verloufen *redv.* daz jâr
v. *vorübergehen lassen.*

verlougnis, -nus *stf. ver-*
leugnung.

verlust *stf.* unser v. *ver-*
dammnis (geistl.).

vermælen *swv. mit*
einem mal, zeichen ver-
sehen.

vermanunge *sf. schmä-*
hung.

vermærunge *stf. ver-*
leumdung.

vermeizen *redv. ab-*
schneiden, einschneiden.

ferment *stn.* brôt âne f.
sauerteig.

vermezzen *stv. refl. gs.*
sich aufraffen; fälschlich
glauben.

vermezzen *part. adj. allg.*
epith. ornans.

vermezzern *swv.* = ver-
schrôten; *auch übertr.*

vermîden *stv. phraseol.*
etlichez sterben wart ver-
miten *einige starben nicht;*
strîten niht v. *kämpfen;*
rede v. *ruhe geben.*

vermûchen *swv. ver-*
schweigen.

vermügen *anv. refl.* sich
v. an ds. *besitzen.*

vermüseln *swv. be-*
schmieren.

vermûten *swv. verlan-*
gen.

verne *adv.*[2] *ehedem.*

vernemelîche *adv. deut-*
lich.

vernemen *stv.* die rede v. *recht verstehen.*

vernewîn *stn. firnwein.*

verniuwen *swv. refl. sich verändern.*

vernozzen *part. adj. abgenutzt; s.* verniezen.

vernunst *stf.* v. verlân *ohnmächtig werden.*

vernünstic-, -nünfticheit *stf. seelengrund (die kraft der gotteserkenntnis; myst.).*

vernunstic-, -nunfticliche(n) *adv.* v. sagen *deutlich, genau.*

verœden *swv. zerstören.*

verpflocken *swv. (mit einem pflock) befestigen; fesseln; auch übertr.* in sünden v.

verpînen *swv. peinigen, quälen, strafen.*

verplengen *swv. md. durch verleumden erzürnen.*

verrâten *redv. ins gerede bringen.*

verrâtunge *stf. verrat.*

verre *adv. weitum, überall;* v. stân *dp. teuer zu stehen kommen.*

verre *swm. md. fremder.*

verreheit *stf. fernsein.*

verreiden *swv. refl. kraus, welk werden.*

verren(e) *f. abstand, entfernung.*

verrîben *stv.* mit strîte verriben sîn *abgekämpft sein.*

verrîdunge *stf. umdrehung (astronom.).*

verriht *stf. verrichtung.*

verrihten *swv.* den muot v. *den sinn belasten; refl. sich sein recht verschaffen.*

verrihtet *part. adj. unterrichtet.*

verrihticheit *stf. verständigkeit, fähigkeit.*

verrinnen *stv.* sich her v. *„hergelaufen kommen".*

verrüeren *swv. refl. sich bewegen.*

verrunge *stf. entfernung der tierkreiszeichen (astronom.).*

verruodern *swv. refl. auf abwege geraten.*

versagen *swv.*[2] *verheimlichen.*

versagunge *stf.* v. des willen *bändigung.*

verschamt *part. adj.* verschamter lîp ein *mensch, der das gefühl für gut und böse nicht besitzt.*

verscharten *md.* = verscherten.

verschelten *stv. intens. zu* schelten; *schmähen, lästern.*

verschemen *swv. refl.* s. verschamt.

verscherzen *swv. durch leichtfertigkeit verlieren, verscherzen.*

verschimeln *swv. übertr. verderben.*

versehen *stv. gp. verleugnen;* sich v. *gs. sich etwas einbilden; etwas fälschlich annehmen;* sich wol v. *fest überzeugt sein;* ich sol mich des v. ich *darf glauben.*

versellen, -verseln *swv. überantworten;* verselt tuon *null und nichtig machen.*

versengen *swv.* niht ein hâr v. *nicht ein haar krümmen.*

versetzen *swv. einsetzen (von edelsteinen).*

versinnen *stv. refl. gs. sich einbilden, sich vergegenwärtigen;* sich niht v. *nicht mehr wissen.*

verslahen *stv. aus dem umlauf ziehen (von münzen).*

verslegen *swv.* strazen v. *versperren.*

verslihten *swv. erklären;* in diutsche buoch (büe-

cher) v. *ins deutsche übersetzen.*

versmacken *swv. schmecken.*

versmæhen, -smâhen *swv. verhöhnen, beleidigen.*

versmâhet *part. adj.* derst der v.-e vor gote *der geringste.*

versmæhunge *stf. verachtung, verschmähung.*

versoln *swv. verdienen.*

verspannen *redv.* mit glas v. *verglasen (von fenstern).*

versparn *swv. dp. as. jem. etwas vorenthalten; refl. sich verhüllen.*

verspinneln *swv. mit spindelförmigen säulen versehen (gralstempel).*

versprechen *stv. verwünschen; refl. mit seinen worten zu weit gehen.*

versprochen *part. adj. übel beleumdet (jur.).*

verstân *anv. vorstehen, beherrschen;* den orden v. *vertreten, verwalten; refl.* hoffen; den wec v. *dp. jem. in den weg kommen.*

versterbnisse *stf. das sterben.*

verstocket *part. adj. hartnäckig.*

verstôzenunge *stf. verstoßung.*

versûm(e)de *stf. versäumnis, nachlässigkeit.*

versûmen *swv. trans. und refl. mit gen. oder präp. jem. von etwas abhalten:* ieman an vröude v. *jem. um sein glück bringen;* sich v. *sich zu lange aufhalten, zu lange warten lassen.*

verswachen *swv. tr. vernachlässigen, schmälern.*

verswæren *swv. beschweren.*

verswendunge *stf.* v. des bluotes *vergießen des blutes.*

verswern *stv. as. dp. jem. etwas versagen.*

vertân *part. adj. böse, sündig.*

vertîligen *swv. verwischen, auslöschen, auch übertr.*

vertôret *part. adj.* vertôret sîn *ein tor sein.*

vertracsam *adj. verträglich(?).*

vertracsamekeit *stf.* gotlichiu v. *frieden, verträglichkeit.*

vertragen *stv. vertragen, aushalten; sich über etwas zu trösten wissen.*

vertrunken *part. adj. betrunken.*

vertrûwen *swv.* sîn gerihte v. *das gottesgericht annehmen, sich dazu bereit erklären.*

vertumphen *swv. dumpf werden.*

vertuomnis (se) *stfn. verdammung.*

vertûren, -dûren *swv. unpers. gs. in sorge sein über.*

verunliutern *swv. verunreinigen.*

verüppegen *swv.* eit v. *den eid brechen.*

vervarn *stv. nicht wiederkehren.*

vervehten *stv. bekämpfen.*

ververgen *swv. zu weit führen.*

vervinstern *swv. verfinstern.*

vervliehen *stv. vergehen (von jahr und tag).*

vervlizzen *part. adj.* an minne v. sîn *der minne verfallen sein.*

vervlozzenheit *stf. vergänglichkeit der irdischen zeit.*

verwære *stm. umschreibung für den dichter.*

verwegen *stv.* sich tôdes v. *bereit sein zu;* sich lebenes v. *verzweifeln an, aufgeben.*

verwegen *swv.* slege v. *austeilen, zuteilen.*

verweisen *swv.* zer helle v. *verbannen.*

verweiset *part. adj.* an kräften v. *kraftlos (vom alter).*

verwelken *swv. verwelken.*

verwelschen *swv.* den namen v. *umformen.*

verwerfen *stv.* ein rint, daz ez hat verworfen *das sein kalb tot zur welt gebracht hat.*

verwerren *stv. verführen.*

verwertenlich *adj. verderblich, wertlos.*

verwertunge *stf. verderbnis, verfall.*

verwesen *stv. mißachten.*

verwideren *swv. vermeiden.*

verwindeln *swv.* muot v. *den sinn verwirren, auch refl.*

verwinden *stv. abwenden, zurückwenden.*

verwirren *swv. verdrehen (worte).*

verwitzet *part.* verwitzet sîn *ein narr sein.*

verwizzen *part. adj. bekannt.*

verworhte *swm. teufel.*

verwünschet *part. adj. erwünscht.*

verwurzelen *swv. bildl.* in daz herze verwurzelt sîn.

verzac *stm. verzicht.*

verzagelichkeit *stf. verzagtheit.*

verzagen *swv. verzweifeln;* an gote v. *untreu werden;* an etwaz v. *nicht an den erfolg glauben; etwas zu tun ablehnen;* râtes nicht verzagen *jem.*

hilfe nicht vorenthalten; verzaget sîn *mit pers. subjekt auch: nicht besitzen; mit sachl. subjekt: nicht vorhanden sein.*

verzart *part. adj. verschlissen (von kleidern).*

verzeichenen *swv. durch zeichen ankündigen.*

verzeisen *redv. swv. zerzausen.*

verzemen *stv.* aller vröuden v. *traurig werden.*

verzererinne *stf.* aller dinge ein v. *die alles wieder in sich aufnimmt (von der erde).*

verzerlichkeit *stf.* des lebenes ein v. *(von dem menschen, dessen leben nutzlos hinschwindet).*

verziben *swv. verkümmern, absterben.*

verziehen *stn. verzug, aufschub.*

verzîhen *stv. ap. mißachtend behandeln; vorenthalten.*

verzillen *swv. auf einer zille verfrachten.*

verzinsen *swv. abgelten.*

verzirken *swv. refl. sich einschließen.*

verzîsen *stv. erklären.*

verzücken *swv. intr. sich hinweg machen, fortstehlen (vom sterbenden gesagt).*

verzückunge *stf.* geistlichiu v., der sêle v. *verzückung, entrückung, auch von der himmelfahrt Christi.*

verzwîvelnisse *stf. verzweiflung.*

vesperîe *stf. spätnachmittag.*

vespersterne *swm. abendstern.*

veste *adj. starrköpfig.*

vestenunge *stf. himmelsfirmament.*

vestigen *swv. begründen, erbauen.*

vestmüetecheit *stf.* durch ein v. *festen mutes.*

vetach *stn. pl. von engelsflügeln.*

veterwîse *stf.* alte v. *dichtungsweise aus der väterzeit.*

vettekeit *stf. fettigkeit.*

vetzen *swv. zusammenraffen; sînen willen v. durchsetzen; refl. ds. oder gs. sich abgeben mit.*

vezzelîn *stn. kästchen.*

vîant *stm. teufel.*

videlære *stm. spielmann als bote.*

fidunge *stf. vertrauen.*

fieberhitze *stf. bildl.* f. der smerzen.

fiebersuht *stf. fieber.*

vîentschaftlich *adj.* v.-e verrætnisse *feindlicher verrat.*

fier *adj. mächtig, wirksam (von der kraft gottes).*

vieren *swv. part.* gevieret *rechteckig, auch bildl.*

vierleiartic *adj. vierfach;* der menscheit v. vluz *die vier verschiedenen temperamente des menschen.*

vierstrengic *adj.* v.-e geisel *(rute des todes).*

vierteil-, viertellôn *stn. ein viertellohn.*

viervalticlich *adj. vierfach.*

figieren *swv.* mit rede f. *mit klaren worten ausdrükken.*

vigilje *stf. nachtwache.*

figûrieren *swv. symbolisch darstellen, bedeuten.*

vihe, vich, vîe, viech *stn.*

vihebône *stswf. viehbohne, lupine.*

vihteclîche *adv.* nebenform von vehteclîche *kampfbereit.*

vilecket *adj. vieleckig (vom himmel).*

villen *stn.* der helle v. *strafe, züchtigung, plage.*

filosofîe *stf. s.* philosophie.

vilt, vilde *stn.* = gevilde.

vilz *stm.* nazzer v. *betrunkener lümmel.*

vindære *stm.* v. wilder mære *verfasser phantastischer geschichten.*

vinden *stv. sehen, erblicken, entdecken; aufsuchen, antreffen; jur. ertappen.*

vînec *adj.* = fîn.

vinger *stm. allgem. für das kleinste glied, den kleinsten teil, ein teilchen, ein quentchen.*

vingerbar *adj. splitternackt.*

vingerblôz *adj. dass.*

vingerhuot *stm. pflanze; fingerhut aus leder; bildl. für etwas kleines, geringes.*

vinkelvar *adj. glänzend oder rot (?).*

vinster(e) *stf. finsternis.*

vinsternissen *swv. finster werden.*

vîolchen *stn. veilchen.*

vîolette *f. veilchen.*

vîolisch *adj. veilchenfarben.*

vîolke *stn. md., s.* vîolchen.

vîr *stm.* = vîre.

vîretacgewant *stn. festkleid.*

vîretegelich *adj.* v.-e müezecheit *sonntägliche muße.*

vîrewoche *swf. österliche v. osterwoche.*

virne *swf.* mit v.-n *klug.*

virrec *adj. weitreichend;* lûter v. als ein valkensehe *(falkenauge).*

visamî, visonomîe *stf. physiognomie.*

vischbant *stn. fischernetz.*

vischelôs *adj. ohne fische.*

vischgruobe *swf. fischteich.*

vischlêhen *stn. fischabgabe.*

vischmarket *stm. fischmarkt.*

vischsac *stm. fischnetz.*

vischschiflîn *stn. fischerboot.*

vischtich *stm. fischteich.*

visitacîe *swf.* tac der v. *prüfung.*

viuht *stm. feuchtigkeit.*

viuhte *stf. pl. humores körpersäfte nach der säftelehre.*

viuhtekeit *stf. feuchtigkeit* der erden v.

viurblic *stm. feuerblick.*

viuren *swv.* herze unde muot v. *warm halten (von der minne gesagt).*

viurhâke *swm. feuerhaken.*

viurkugel *stf. ein belagerungswerkzeug.*

viurlîche *adv. feurig.*

viurlunder *stm. feuerbrand.*

viurmûre *stm. schornstein.*

viurram *stm. rauchfang.*

viurschober *stm. brennender schober.*

viurstein *stm. feuerstein.*

viurzeichen *stn. lichtzeichen, -signal.*

vîvel(e)n *swv.* mit der rede v. *herumreden.*

vlachrôr *stn. ein musikinstrument.*

vladerholz *stn.* = vlader².

vlêhticlich *adj. flehentlich.*

vleischgeborn *part. adj. menschlich.*

vleischhaft *adj. von fleisch und blut.*

vleischheit *stf.* = vleischlîcheit.

vleischlîchen *adv. fleischlich.*

vleischmetzige, -metzge *stf. schlachthaus.*

vleischoht *adj. fleisch-lich oder fleischig.*
vleschen *swv. lächeln.*
vlî *stn. md. haut; übertr. schleier vor den augen.*
vliche *swf. flügel.*
vliegennetze *stn. fliegen-netz.*
vliegenpîn *stmf. fliegen-plage.*
vliehen *stv. v. vor dp. jem. meiden; v.* unde jagen *übertr. hin- und hergerissen sein.*
vliehunge *stf. flucht.*
vlien *swv. putzen, ein-richten; auch refl.*
vliez *stmn. der wâr-heit v. lauterkeit.*
vlieze *stf. die v.* nemen *(vom schiff) flott werden.*
vliezen *stn. strömung, fluß.*
vlindern *swv. flimmern.*
vlinsîn *adj. steinhart.*
vlîz *stm. v.* kêren an *as. sich einer sache befleißigen; oft paraphrastisch;* an manheit v. kêren *tapfer sein;* ze v.-e anesehen *ge-nau ansehen.*
vlîzeclîche *adv. aufmerk-sam, intensiv, angelegent-lich.*
vloitenspil *stn. flöten-spiel.*
flôrette *f. kleine blume.*
vlôzbrücke *swf. brücke aus flößen.*
vlucengel *stm. geflügel-ter engel (von St. Michael).*
vlücken *swv. übertr. verstreichen, vorübergehen (von der zeit).*
vluges *adv. sogleich.*
vluht *stf. v.* hân aus-rücken.
vlühtegen *swv. in die flucht schlagen.*
vlühten *swv. fliehen, flüchten.*
vluorreht *stn. regelung der abgabe von naturalien.*

vluorschütze *stm. flur-schütze.*
vluoten *swv. (ziellos) da-hintreiben.*
vluz *stm. den v.* nemen *(vom schiff) flott werden;* übertr. guoten v. geben *guten fortgang versprechen;* der menscheit vierleiartic vluz *die vier temperamente.*
vogelbolz *stm. vogelbol-zen.*
vogelklâ *stf. vogelkralle, -klaue.*
vogelnetze *stn. vogelnetz, vogelgarn.*
vogelschrei *stm. vogel-gesang.*
vogelsingen *stn. dass.*
vogelspil *stn.* ein ieclich v. alle vogelarten.
vogelvanc *stm. vogel-fang.*
vogelzunge *swf. vogel-kehle; pflanzenname: vogel-wicke.*
voget *stm. herrscher.*
vol *stm. erfüllung, voll-endung.*
volbringen *anv. leisten; ausstatten.*
volbüezen *swv. volle buße leisten.*
volenden *swv. intr. ster-ben;* swan sich ir liep vol-endet *wenn ihrer liebe glück erfüllt ist.*
volêren *swv. ap. ange-messen ehren.*
volgâhen *swv. vorweg-eilen;* ez v. es übereilen.
volge *stf. der v.* verjehen *dp. jem. glauben.*
volgen *swv. begleiten;* volge dînen sachen *bleib bei der sache.*
volhelfen *stv. dp. jem. mit aller kraft helfen, nüt-zen.*
volhertec *adj. beharr-lich.*
volhertecheit *stf. beharr-lichkeit.*

volhertunge *stf. stand-haftigkeit.*
volkêren *swv. ganz um-wenden.*
volkreftic *adj. sehr wirk-sam (vom himmelserbe).*
volleclîche, vollenclî-che(n) *adv. vollkommen.*
volmerken *swv. ganz, voll ermessen.*
volmügen *anv. fertig-bringen.*
volreisen *swv.* den weg der sünde v. zu ende gehen.
volrîche *adj.* ein vol-rîchez leben *das leben im himmelreich.*
volrîfen *swv. ganz zur reife kommen.*
volschepfen *swv. bildl. ausschöpfen (gotes wîs-heit).*
volstæte *adj. ganz zu-verlässig.*
volstrîten *stv. zu ende kämpfen.*
voltætec *adj.* v. sîn *vollständig ausführen.*
voltragen *stv.* die nôt v. bis zu ende ertragen; *auch übertr.*
voltriuwen *dp.* sich jem. ganz anvertrauen.
volvüererinne *stf. voll-streckerin.*
volwerben *stv. etwas voll-bringen.*
von *präp.* v. des von da an; v. den kiel werfen *über bord werfen.*
vor *adv. vor hin zuvor; vor verben nicht immer eindeutig zu entscheiden, ob trennbar oder untrenn-bar:*
-brechen *stv. verkünden.*
-bringen *anv.* rede v. vortragen, sünde v. be-gehen; ap. jem. verführen.
-denken *swv. im voraus denken, planen.*
-gân *redv. zurhandgehen.*

vor-geloben *swv. vorher versprechen.*

-gesîn *anv. dp. jem. beschützen.*

-gesprengen *swv. dp. voranreiten, auch bildl. vorangehen.*

-haben *swv. dp. as. jem. etwas vorenthalten.*

-halten *redv. vorenthalten.*

-lâzen *redv. ap. jem. den vorrang überlassen.*

-legen *swv.* wort v. *vortragen, darlegen.*

-loufen *redv. vorhergehen.*

-pfaden *swv. dp. vorangehen.*

-sagen *swv. verkünden.*

-schrîben *stv.,* **vorgeschriben** *part. oben erwähnt.*

-sehen *stv. refl. sorgfältig, in acht nehmen.*

-setzen *swv. vor einem aufstellen, vorspannen (von pferden).*

-slîchen *stv. flüchten.*

-sparn *swv. dp. as. jem. etwas vorenthalten.*

-sprechen *stv.* vorgesprocheniu wort *vorhergesagte worte.*

-stân *stv. vorn angesetzt sein (zobelfell).*

-teilen *swv.* ein spil v. *dp. jem. vor die wahl stellen.*

-tragen *stv.* ein leben v. vorleben *(von Christus).*

-treten *stv.* die pfat v. den weg *vorangehen.*

-tuon *anv. dp. jem. mit etwas vorangehen.*

-varn *stv. voraneilen,* „aufkreuzen".

-zeln *swv. trans. ap. dp. jem. einem vorziehen.*

-ziln *swv. dp. zumessen.*

-zücken *swv. refl. sich vordrängen.*

voranger *stm.* v. des tempels *vorhof.*

vorbedâht *part. adj. vorausbedacht, vorsichtig;* oben erwähnt.

vorbedenken *swv. vorher (oben) erwähnen.*

vorbedunken *swv. subst. vorahnung.*

vorbedunkunge *stf. voraussicht, ahnung.*

vorbehalten *redv. vorenthalten, ersparen.*

vorbenant *part. adj. oben genannt.*

vorbenennen *swv. vorher sagen.*

vorbesehen *stv. im voraus sehen; subst. vorsehung.*

vorbewachen *swv. im voraus auf etwas achten.*

vorbilde *stn. vorbedeutung, vorzeichen.*

vorganc *stm.* aller pfaffen ein spiegel und ein v. *vorbild.*

vorgedâht *part. adj. im voraus bedacht.*

vorgenant *part. adj. vorher erwähnt; auch substantiviert.*

vorgeordenet *part. adj. vorausbestimmt.*

vorgesatzt *part. adj.* v.-e sicherheit *im voraus gegebenes versprechen;* v.-er orden *vorbestimmte regel.*

vorgesiht *stf. vorausicht.*

vorgesmackunge *stf. vorgeschmack.*

vorgesprochen *part. adj. zuvor erwähnt.*

vorhte *stf.* mit vorhten undertân sîn *in ehrfurcht dienen;* mit v.-n luogen *schüchtern blicken;* durch v. *aus vorsicht;* sîme lîbe v. tragen *um sein leben bangen.*

vorhteclîche(n) *adv. furchtsam, aus furcht.*

vorht(e)haft *adj. furchtsam.*

vorhtende *part. adj. voll scheu.*

vorhtlich *adj.* vorhtlîchez gebot *strenges gebot.*

vorhtnisse *stf. furcht.*

vorhtsam *adj. gefürchtet;* v. werden *autorität erwerben.*

vorklûben *swv. hervorsuchen.*

vorkünftec *adj.* als kommend *vorausgesagt.*

vorleiten *swv. vorführen, zuführen.*

vorliebcn *stv.* des goldes tiurede v. *an kostbarkeit übertreffen.*

vorliuhten *swv. voranleuchten (vom licht Christi).*

formenlust *stm. schönheit.*

vormûre *swf. (schützende) mauer.*

vorschiezen *stv. dp. bildl. jem. übertreffen.*

vorschunge *stf.* v. der nâture *erforschung.*

vorsehen *stv. rechtl. erkundigungen einziehen;* der mære v. *die lage auskundschaften.*

vorspan *stn. spange am gewand, auch symb. für reinheit.*

vorstân *stv. dp. jem. beschützen.*

vortan *adv. weiter.*

vorvater *anm. praedecessor, vorgänger.*

vorweserin *stf. advocata, anwältin.*

vorwerken *swv. etwas verdienen;* darzuo v. *darauf hinarbeiten.*

vrâge *stf. bitte, flehen, erkundigung;* vr. begân *frage stellen.*

vrâgenis *stf. frage.*

vrâgewort *stn. frage.*

vrahtliute *pl.* die eigentümer der schiffsfracht.

vrâl *stm. ritter.*

vram *auch adj.* michel unde vram *groß und weitläufig (von einer wüste);* wunder michel unde vram *große, herrliche wunder.*

vramspuot *stf. eile.*

vramspuote(c)lich *adj. gedeihlich, glücklich.*

vramspuotigen *swv. gedeihen.*

frank(en)wîn *stm.* vaz fr. *frankenwein.*

vransmuotecheit *stf. freude, glück* = vranspuotecheit.

vranspuot *stf. eile.*

vranspuotec *adj.* vranspuotiger wint *günstiger wind.*

vranzen *swv.* gefranzet gefältelt, zusammengehalten *(kleid).*

vrast *stf. kraft.*

vras(t)munt *(auch* vrastgemunt) *stf. zuversicht, kraft, seelenstärke, auch vermessenheit.*

vrastmuotec *adj.* vr. werden *wohl geraten.*

vrâz *stm. auch als schimpfwort.*

vræze *adj. überdrüssig.*

vrehter *stm. steuereinnehmer.*

vreise *stswf. ohnmacht.*

vreisen *swv. abschrecken.*

vreislîche *adv. üppig.*

vremede *adj.* in vr.-r gebâre *verwirrt;* in wære noch vr. der tôt *sie wären noch am leben;* vr. sîn *dp. sich fernhalten von.*

vremede *stf. zurückhaltung, scheu, befangenheit.*

vrêt *stn. lat. fretum, wasser als element.*

vrevelsünde *stf. vorsätzliche sünde.*

vrî *adj.* vrî tuon *ap. gs. jem. bewahren vor;* mir ist vrî mit *steht etwas zu gebote, ist etwas erlaubt.*

vride *stswm. freies geleit;* vride bern *dp. jem. schonen.*

vridebant *stn. übertr. von einer person gebraucht: der friedensstifter.*

vridelich *adj.* vr.-e hende zeigen *friedliche absicht kundtun.*

vridelichkeit *stf. friedfertigkeit.*

vrideliute *pl. männer des friedens.*

vriden *swv. schutz gewähren.*

vridesamkeit *stf. friedfertigkeit.*

vridevan(e) *stswf. friedensfahne, friedensbringer (von Christus).*

vrîgegeben *part. adj. freigelassen; auch subst.*

vrist *stf.* guotiu vr. *guter augenblick;* in einer vr. *gleichzeitig;* vr. bringen *retten;* vr. treffen *gelegenheit finden.*

vriunt *stm. mann eines fürsten;* mîne vriunde die meinen; vriundes wort *liebendes wort;* vr. wesen *sich aussöhnen.*

vriuntlich *adj. freundschaftlich;* vr.-e dinc *liebesangelegenheiten;* vr.-er muot *liebesgedanken;* vr.-e pfliht *liebe, verbundenheit.*

vriuntlîche *adv. liebevoll;* als verwandter oder freund; den schilt vr. vüeren *als freundesgabe tragen.*

vriuntschaft *stf.* vr. werben *verwandtschaft eingehen;* grôze vr. nahe verwandtschaftliche verbindung.

vrô *adj.* vrô werden *aufatmen.*

vrœlich *adj. beglückend;* vr.-en muot tragen *fröhlich sein.*

vrœlîche(n) *adv. gutes*

mutes; *(vom laub) üppig und frisch.*

vrœlichkeit *stf. götliche* vr., vr. in gote.

vrômüetecheit *stf. prosperitas, glück, gedeihen.*

vrôn *adj. göttlich (vom heiland);* der tisch vrône *altar.*

vrost *stm. schüttelfrost.*

vröude *stswf. genugtuung;* vr.-n schal *frohe feste;* vr. hân ûf *sich freuen auf;* mit vr.-n sîn *froh sein.*

vröudeclîche *adv.* vr. sprechen *begeistert reden.*

vröudenbraht *stmf. freudengeschrei.*

vröudenburc *stf. die fröhliche stadt (Damascus).*

vröudengesanc *stmn.* daz v. alleluja.

vröudenheil *stn.* der sêle vr. *höchstes glück.*

vröudenjâr *stn. jahr des glücks.*

vröudenkrône *stswf. freudenkrone (im himmelreich).*

vröudenkus *stm. kuß Christi beim empfang der seelenbraut.*

vröudenlieht *stn. licht ewiger freude (mystisch).*

vröudenlust *stm. freude.*

vröudenprîs *stm. bezeichnung für Maria.*

vröudenrîche *stn. das himmelreich.*

vröudenschal *stm.* mit vr. *unter lauter freude.*

vröudenschatz *stm. anrede an die geliebte.*

vröudenswende *stf. glücksverlust, unglück.*

vrouwenêre *stf. ehre der frau.*

vrouwengebende *stn. übertr.* ein hartes vr. *fessel für die frau.*

vrouwengunst *stf. neigung einer frau.*

vrouwenhulde *stf. dass.*

vrouwenkneht *stm.*
frauenheld (ein v. der
bœsen welt).

vrouwenlôn *stmn.*
frauenlohn.

vrouwenmantel *stm.*
frauenmantel.

vrouwenmære *stn. wei-*
bergeschwätz.

vrouwenritter *stm.*
frauenheld.

vrouwenschar *stf.* diu
minneclichste v. *die*
schönsten frauen.

vrouwenschender *stm.*
frauenschmäher.

vrouwenzimmer *stn. als*
coll. bezeichnung für frauen;
auch für die einzelne frau
(auf frou Aventiure *und*
frou Venus *angewandt).*

vruhtbærlîche *adv.* vr.
schrîben *ausführlich oder*
nutzbringend.

vruhtbluome *swmf.*
baumblüte, bildl. der minnen vr. *(von personen).*

vrühtelôs *adj. kinderlos*
(von der heil. Anna).

vrühterîche *adj. be-*
fruchtend, fruchtbar, auch
übertr. vr.-e tugende.

vruhtlich *adj. nutz-*
bringend.

vruhtrîche *adj. frucht-*
bar (vom saft der bäume).

vrumen *swv.*² *leisten,*
ausführen; mort, sünde
vr. *verüben,* ungemach vr.
unheil anrichten.

vruo *adv. morgen früh.*

vruot *adj. tapfer, reif im*
geist, sinn.

vüegen *swv. intr. genau*
ineinander passen.

vüelich *adj. fühlbar.*

vüelnisse *stf.* diu wâre
v. *das sichere gefühl.*

vüeren *swv. ap. jem. be-*
handeln.

vüerer *stm. astron. fach-*
ausdruck: einer der drei
planetenkreise.

vuhsvar *adj.* v.-wes hâr
rote haare.

vüleclîche *adv. träge,*
mühsam.

vülîn, vülhîn *adj. ledern*
(hautschuoch v.).

vûlen *stn. fäulnis.*

vüllemunden *swv. fun-*
dare, gründen.

vüllewîn *stm. wein zum*
nach- und auffüllen.

vulter *stn. lehnwort aus*
lat. fultrum filz; decke-
lachen âne v. *ohne eine*
rauhe stelle, übertr. herze
âne v. *ohne makel.*

vulterlôs *adj.* des v.-en
herzen schrîn *makellos.*

vunkeln *swv.* entvlam-
men unde v. *(von der min-*
neglut).

vunt *stm. zustand, be-*
fund.

vuoge *stf. feine bildung;*
vuoge hân *angebracht*
sein; ez hât guote v. *es ist*
alles in ordnung.

vuore *stf.* künecliche v.
erziehung eines königs-
sohnes; phraseol. armer v.
sîn *ärmlich aussehen.*

vuoren *swv. refl. oder*
pass. übertr. mit vleisch
und bluot Christi, mit
gotes wort, mit tugenden
v. *sich nähren oder genährt*
werden.

vuorunge *stf. spez. nah-*
rung des feuers, zündstoff.

vuoterbarn *stm. futter-*
krippe.

vuoterkruppe *swf. dass.*

vuotervaz *stn. futteral.*

vuoz *stm.* sich ze vüezen
bieten *zu füßen fallen;* under vüeze zücken *in seine*
gewalt zwingen; vür den v.
setzen *auf den boden setzen;*
nie v. treten ûz *nie abwei-*
chen von; siben vüeze lanc
umschreibung für das grab.

vuozholz *stn. fuß des*
kreuzes Christi.

vuozkus *stm. kuß auf*
den fuß.

vuozlôs *adj.* v. werden
seinen fuß verlieren.

vuozman *stm. fußgän-*
ger.

vuozspor *stnf. auch*
krankheitsname: fuß-
krampf.

vür *präp.* v. den tac
von dem tage an; vür lanc
vorlängst; vür sich lesen
in der silbenfolge lesen.

vür *adv.* vür und wider
sehen *nach allen seiten*
ausschauen; trennbar vor
verben:

-bescheiden *redv. vor-*
laden.

-besehen *stv. voraus-*
sehen.

-bieten *stv.* zuriegeln;
refl. sich zur schau stellen,
prunken.

-breiten *swv. ausbrei-*
ten, vorlegen.

-bringen *anv. beseitigen.*

-denken *swv. im voraus*
bedenken.

-draben *swv. voraus-*
eilen.

-dringen *stv. zum vor-*
schein kommen.

-gân *redv. aus den ge-*
mächern gehen; (in gro-
ßer prozession) aufziehen;
(von der sonne) unter-
gehen.

-geben *stv. vorgeben, für*
wirklich ausgeben; in vor-
schlag bringen; ezzen v.
vorsetzen.

-gebieten *stv. vorladen.*

-gedenken *swv. im vor-*
aus denken; subst. über-
legung, vorsatz.

-gehalten *redv. vorent-*
halten.

-getragen *stv. vorsetzen*
(von speise und trank);
refl. sich zutragen.

-gewinnen *stv. einen vor-*
sprung gewinnen.

vür-gezeln *swv.* kein bezzers v. *dp. nichts besseres für jem. finden.*

-grîfen *stv. vorausschauen, voreilig sein.*

-halten *redv. vorenthalten; auflauern.*

-heben *stv. vorsetzen; dp. jem. auseinandersetzen, darlegen.*

-heischen *redv. vorladen.*

-îlen *swv. vorauseilen.*

-kêren *swv. als fördernd anwenden, übertreffen.*

-komen *stv. dp. zustoßen.*

-laden *swv. vor gericht laden.*

-lâzen *redv. vor-, vorauslassen.*

-legen *swv. ap. dp. voranstellen; as. nahe legen, anbieten, ausliefern;* die rede v. *einen vorschlag machen;* valschheit v. *dp. jem. eine treulosigkeit zumuten.*

-lesen *stv. vorlesen.*

-loufen *redv. vorbeiziehen.*

-luogen *swv. nachsehen.*

-machen *swv. refl. sich fortbegeben, sich auf den weg machen.*

-nemen *stv. refl.* vor *dp. jem. vorauseilen.*

-rennen *swv. hervor-, vorbeirennen, angreifen.*

-rihten *swv. refl. sich auszeichnen.*

-rîten *stv. vorbeireiten.*

-rîzen *stv. an sich reißen.*

-rüeren *swv. intrans. voreilen.*

-ruofen *redv. dp. anrufen.*

-sagen *swv. vor-, voraussagen.*

-schalten *redv.* schilt v. *vor sich reißen.*

-schicken *swv. vorausschicken.*

-schieben *stv.* rigel v. *verriegeln.*

vür-schrîten *stv. vor-, vorangehen.*

-senden *swv. voraussenden.*

-snern *swv. dp. vorschwatzen.*

-spannen *redv. vorspannen.*

-spitzen *swv. vorne zuspitzen.*

-sprechen *stv. dp. zugunsten sprechen.*

-spreiten *swv. vorlegen, auseinanderspreiten.*

-sprengen *swv. vor-, voransprengen.*

-steln *stv. refl. sich vorbeistehlen.*

-strecken *swv.* guot v. geld *vorschießen.*

-suochen *swv. nachforschen, nachprüfen.*

-swingen *stv. refl. sich von selbst vorschieben (vom riegel).*

-tagen *swv. dp. oder ap. vor gericht laden.*

-tragen *stv. ap. gs. jem. einer sache beschuldigen.*

-trahten *swv. vorausdenken.*

-treffen *stv. die oberhand behalten.*

-treten *stv. vor- oder hervortreten.*

-vâhen *redv. wachsen, gedeihen.*

-vallen *redv.* v. vor *dp. vor jem. niederfallen.*

-varn *stv. vorbei-, vorüberfahren, vorbei-, vorübergehen.*

-vliegen *stv. vorausfliegen, auch übertr. vom ruhm.*

-wæjen *swv.* wint, der vür wæjet *rückenwind.*

-weln *swv. im voraus erwählen.*

-werfen *stv. heftig vorwerfen (riegel); as. dp. jem. etwas in vorschlag bringen.*

-wesen *stv. vorüber sein.*

vür-wizzen *anv. vorauswissen.*

-ziehen *stv. dp. vorführen (roß);* ein ebenmâz v. *ein beispiel geben;* ein spil v. *beginnen; intrans. vorübergehen.*

-zogen *swv. hervorkehren; subst. das hinauszögern.*

-zücken *swv.* sich selben v. *sich anmaßend benehmen.*

vürbaz *adv. in zukunft, später, anderswo, höher hinauf;* v. grîfen *vorgreifen, weitergehen.*

vürben *swv. refl. sich reinigen.*

vürbenant *part. adj. vorher genannt.*

vürbetrehtec *adj. im voraus überlegend, bedächtig.*

vürbunge *stf. purgativ.*

vürder *adv.; bei verben:*

-brechen *stv. aufbrechen (vom siegel); abbrechen.*

-gân *redv. weggehen.*

-komen *stv. lebendec v. lebend davonkommen.*

-machen *swv. fördern.*

-nemen *stv. fortnehmen.*

-rûmen *swv. ausräumen (den saal).*

-sagen *swv. fortfahren.*

-schalten *redv. wegtreiben.*

-slîchen *stv. vorbeigehen, auch übertr. von krankheit.*

-stân *stv. weggehen, verschwinden.*

-strîchen *stv. dass., auch von krankheiten.*

-tragen *stv. forttragen.*

-tuon *anv. ap. jem. wegschicken; as. etwas ablegen, beseitigen* (arcwân).

-varn *stv. weggehen.*

-vüeren *swv. wegführen.*

-wenken *swv. sich zurückziehen.*

vürder-wîchen *stv. weggehen, verschwinden, auch von krankheiten.*

-ziehen *stv. dass.*

vürdern *swv.* ze grabe v. *ins grab bringen.*

vürganc *stm.* unser vrouwen v. *die vorzüge, tugenden (Marias);* v. hân *erfolg haben.*

vürgespil *stn. vorspiel in der minne.*

vürhin *adv. vorher, zuvor;* sich v. drengen *nach vorn drängen.*

vürhten *swv. ehrfurcht erweisen.*

vurhtsam *adj. s.* vorhtsam.

vürkempfe *swm. vorkämpfer.*

vürkomenlich *adj.* dîn genâde v. *die im voraus gewährte gnade.*

vürmehtec *adj. hervorragend.*

vürmuotec *adj. vorsichtig, scheu.*

vürsagunge *stf. voraussage (prophezeiung) der propheten.*

vürsatzunge *stf. vorzeichen vor einer zahl.*

vürsetzunge *stf. festsetzung.*

vürsihtec *adj. auch: verdächtig.*

vürsihteclîchen *adv. vorsichtig, vorausschauend, vorsorglich.*

vürslac *stm.* v. gewinnen *übergewicht gewinnen (auf der waage).*

vürslehtes *adv. durchaus.*

vürsnîder *stm. der vorschneider (bei tisch).*

vürstenlêhen *stn. lehnswürde; übertr.:* got empfienc sîn v. von Jesu Christo.

vürstenschatz *stm. fürstlicher reichtum.*

vürtrager *stm. der die speisen bei tisch aufträgt.*

vürtrehteclich *adj.* v. vor *etwas übertreffend.*

vürwurflîchen *adv.* v. gekêrt sîn *aufwärts gerichtet sein.*

vürwurflichkeit *stf. verworfensein, gefährdung, verdamnis.*

vürzuc *stm. entschuldigung (als ausrede).*

W

wâ *pron. adv.* wâ (lît ez) hin? *wo ungefähr?* wâ von? *warum? auch modal:* wie.

wachalter *s.* queckolter.

wachalterboum *stm. wacholderbaum.*

wachegelt *stn. wachgeld, wachlohn.*

wadelen *swv. schweben.*

wâfen *stn.* sunder w. *ohne werkzeug (z. b. für die axt); auch* wâpen.

wâfengenôz(e) *stswm. waffenbruder; auch* wâpengenôz.

wâfengewant *stn. rüstung; auch* wâpengewant.

wâfengürtel *stm. gürtel an der rüstung; auch* wâpengürtel.

wâfenôt *interj. weheruf.*

wâge *stf. waagschale, gerechtes abwägen,* in maneger w. *von verschiedener art;* in solcher w. *in solcher weise;* nâch sîner w. *nach seinem gutdünken;* ze gelîcher w. *in derselben weise;* sîn leben an eine w. setzen *sein leben aufs spiel setzen.*

wæge *adj.* w. sîn *dp. dankbar sein.*

wâgen *swv. erwägen.*

wagenerkneht *stm. fuhrknecht.*

wagenkorp *stm. wagenkorb.*

wag(en)lîn, weg(en)lîn *stn. wägelchen.*

wagentuoch *stn. wagenplane;* lînwât zu w.

wagenvane *swm. fahnenwagen, kampfwagen.*

wæhe *adj. vornehm.*

wæhe *stf.* diu vremde w. *das fremdtun.*

wahsklôz *stm. wachsklumpen.*

wahstavellîn *stn. wachstafel als schreibtafel.*

wahsen *stv. zunehmen (vom mond).*

wæjen *swv. fliegen, sausen (von gegenständen); hervorschießen, -spritzen (vom blut).*

walheiz *adj. stark erhitzt (eig. siedend heiß).*

walhisch, welhisch *adj.* in welhischer stimme *in keltischer sprache (sprache des Artus).*

walken *redv.* ez w. *dreinschlagen, kämpfen.*

walle *stf. glut;* w. des blîes *flüssiges blei.*

walrât *fettstoff im leib der wale, ambra (auch heilmittel).*

walteclich *adj.* = gewalteclich.

walten *redv.* der krîe w. *schlachtrufe ausstoßen.*

waltende *part. adj.* der w. got *der allmächtige gott; auch subst.*

walzern *swv. rollen (vom apfel).*

wan *konj. mit folgendem konjunktiv: utinam, o daß doch!*

wân *stm. traum, illusion;* bester w. *einzige hoffnung;* tumber w. *törichte verblendung, kindische vermessenheit, frommer wunsch;* vester w. *feste überzeugung;* nâch

w.-e *nach gutdünken (auch
juristisch); ûf* den w. *vorsorglich;* w. hân *fürchten;*
w. tragen ûf *as. bedacht
sein auf;* in des tôdes w.-e
scheintot.

wanc *stm.* ân ew. *auch:
fehlerlos.*

wanczageln *swv. schweifwedeln.*

wandel *stm.* w. *der missetât erlösung von der sünde;* w. hân *recht zum rücktritt (juristisch) haben.*

wandelbære *adj. subst.
das böse.*

wandelhaft *adj. wankelmütig, unstät.*

wandelheit *stf. wankel-
mütigkeit.*

wandelieren *swv. vari-
ieren.*

wandeln *swv. dp. jem.
abhilfe schaffen.*

wandelunge *stf. veränderung;* wunder sô mani-
ger w. *die (wunder)fülle
der ausdrucksvariation
(von der dichtung).*

wandelvrî *adj. verläßlich, untadelig; auch subst.*

wanderer *stm. wanderer.*

wandererin(ne) *stf. wan-
derin (auch* wendererinne).

wænec *adj.* w. sîn *wähnen, glauben (gegensatz zu*
wizzen).

waneheil *adj. schwach,
kränklich.*

wænen *swv. träumen;
mit sachl. subjekt: scheinen;*
mînes tôdes wânde ich
baz ... *ich wünschte lieber zu sterben als ...;*
(ich) wæn(e) *auch bloßes
adv.: wohl, traun, fürwahr.*

wankelieren *swv. wankelmütig sein.*

wanken *swv. subst.* âne
argez w. *ohne treuloses
schwanken.*

wânlich *adj.* w.-ez kint
hoffnungsvoll.

want *stf.* ze beiden wenden *nach beiden seiten;
(beim saiteninstrument)
vom baß bis zum diskant.*

wânvater *stm. ver-
meintlicher vater.*

wânwîse *stf. gedicht ohne
realen hintergrund.*

wâpengewant *stn. s.*
wâfengewant.

wâpengürtel *stm. s.*
wâfengürtel.

wâpenhelt *stm.* der
minnekneht und w. *die-
ner der minne und held
im kampf.*

wâr *adj.* vür w. sagen
als wahrheit auftischen;
daz ist wâr *wirklich;* w.
verlâzen *as. etwas wahr
machen, als gültig bestehen
lassen.*

warâ *interj. aufgepaßt!*

wârbære *adj.* w. ma-
chen *beweisen.*

wârbæren *swv.* ir un-
wârheit w. *ihre lüge als
wahrheit deklarieren.*

wæren *swv. als wahr,
wirklich dartun.*

wârgeleite *stn. zeichen
(als ausweis).*

wârheit *stf. zeugnis, ge-
wißheit, tatsache;* eine w.
sagen *genauen bericht geben;* mit oder durch w.
*(adverbiell) ehrlich; heilige
schrift, evangelium;* êwige
w. *bezeichnung Christi;*
rehte w. *göttliches gesetz.*

warp *stm.* sibenzic warbe
siben stunt *70 mal 7 mal.*

wartâ *interj.* wartâ wâ
warte nur ab.

warten *swv. blicken, aus-
blick gewähren;* hôher êren
w. *hohe stellung einneh-
men.*

warthaft *adj.* w. sîn *dp.
verantwortlich, untertan
sein.*

warzuo *adv.* w. guot sîn
wofür, wozu geeignet sein.

waschelôn *stm. wäsche-
lohn.*

waschhûs *stn. bildlich
für die beichte: reinigung.*

wât *stf.* w. prüeven *dp.
einkleiden, ausrüsten.*

wæte *stn.* = gewæte.

wætlîche *adv. sicher,
unvermeidlich, strikt.*

waz *pron. adv. warum.*

wazzer *stn. auch regen.*

wazzerbluome *swm.
wasserpflanze.*

wazzerbrunne *swm.
quell.*

wazzergot *stm. meeres-
gott.*

wazzerpfant *stn. wasser-
steuer.*

wazzerseim *stm. eine
pflanze.*

wazzersiuche *stf. wassersucht.*

wazzertranc *stnm.* w.
geben *wasser zu trinken
geben.*

wê *adv. dp. unpers.* wê
sîn *krank sein;* in *sog.
ironie:* an ir hôhem vluge
wart ir *(der wildgans)*
wê *sie konnte nicht mehr
fliegen;* w. tuon *dp. auch
schlagen.*

weben *stv. subst. in
übertrag. sinne oft fast
synonym mit* leben: enge-
lischez w., tugentlichez
w.; geweben sîn *beschaf-
fen sein.*

wec *stm.* abe wege gân
sich verbergen; abe wege
varn *nach hause gehen;* after wege(n) *hinweg-* (varn,
rîten, sich heben); in
wege sîn *auf der fahrt sein;*
in al wege *in jeder hin-
sicht;* in manegen wegen,
in vil wege(n) *auf vielerlei
art;* ûf disen wegen *auf
diese weise;* under wegen
belîben *auch sterben;* ûzer
wege komen *aus dem ge-
leis geraten, verwirrt sein;*

von wec *abseits;* von wege
gân *bei seite gehen;* ze
wege komen *dp. begegnen;*
sich ze wege heben *sich
auf den weg machen;* spe-
ziell *der rechte weg:* wider
ze wege kêren, komen,
oder *zu wege helfen dp.*

weckern *swv. wackeln.*

weder *pron. auch: jeder
von beiden.*

wefsennest *stn. wespen-
nest.*

wegære *stm.³ der êrste
w. der alles bewegt (von
gott gesagt).*

wegesalunge *stf. (geistliche) wegzehrung.*

wegeschîn *stm. licht
(des mondes), das den weg
erleuchtet; augenlicht, soweit es zum finden des
weges nötig ist.*

wegeveste *stf. sicherung des vormarschs.*

wegevreise *stf. schreck-
nis (auf dem wege).*

wehsel *stm. das miteinander; der unterschied.*

wehseln *swv. unmuoze
w. sich abwechseln.*

wehselgelt *stn. wechsel-
geld.*

weichtac *stm. weichheit,
schwäche.*

weiden *swv. übertr.
schweifen.*

weid(e)ohse *swm. mast-
ochse.*

weigerlichen *adv. stolz
und aufgebläht.*

weinen *swv. tr. beklagen.*

weiner *stm.* w. sîn *umbe
as. etwas beklagen.*

wellelîn *stn. kleines bündel.*

wellen *anv. erfordern,
voraussetzen (sachl. sub-
ject).*

welschwîn *stn. italie-
nischer wein.*

wendec *adj.* w. sîn,
werden *mit sachl. subj.*

unterbleiben; aufgegeben
werden.

wenden *swv. mit wän-
den umgeben;* (gotes) ge-
bot w. *ins gegenteil verkehren;* vlühteclîchen w.
fliehen.

wênecheit *stf.* mîn w.
demutsformel; ein w. *ein
bißchen.*

wênege *stf. wenigkeit,
geringe zahl.*

wenen *swv.* ein zil w.
ds. maß bestimmen.

wenken *swv.* vürder w.
*sich zurückziehen, weg-
gehen; subst.* sunder w.
fortwährend, unablässig.

wer *stf.* zu w. komen
zum angriff antreten; ze w.
stân *sich verteidigen;* ûzer
w. bringen *ap. jemandes
gegenwehr brechen.*

werbære *adj. wider-
standsfähig.*

werben *stv. vorhaben,
im sinn haben;* w. an *oder*
gein *dp. wünschen; as. dp.
etwas für jem. ausführen,
durchsetzen;* wie habt ir
sô geworben *was habt ihr
angerichtet!;* schaden w.
böses im sinne haben;
vriuntschaft w. *verwandtschaft eingehen;* mit rossen w. *auf den pferde-
handel ausziehen; part.
praes.:* nâch werbender ê
*nach geltendem recht; han-
del und gewerbe treibend:*
ein w.-der man, werbende
liute.

werben *stn. das bemühen, betreiben;* mit willec-
lîchem w. *mit willen und
vorsatz.*

werc *stn. gewerk (im
bergwerk); das gewebe des
stoffes;* diu vil hêrlîchen
werc tuon *heldentaten vollbringen.*

wercbærkeit *stf. hand-
werkliche tätigkeit.*

wercmeister *stm. bau-
herr; auch übertr. auf
Christus.*

werden *swv.* an wert gewinnen.

werfen *stv.* diu ougen
danne w. *brüsk abwenden.*

werfunge *stf. das werfen,
richten (der gedanken auf
gott).*

werhorn *st. schutz- oder
verteidigungshorn des tieres.*

werkerin(ne) *stf.* ein w.
in den geloubigen *kraft-
spenderin der gläubigen
(von der gottesliebe).*

werlt *stf. die höfische
ritterliche gesellschaft;* diu
michel w. *die ‚große welt‘;*
zer werlde bringen *ge-
bären.*

werlthêrre *swm. weltlicher herr.*

werltvinstere *stf. bildl.
von der sündhaftigkeit der
menschen.*

werltzunge *swf. (die
schöpfung)* die kein w. mit
worten mac beschrîben
menschliche sprache.

**wermuot, wurmuot, wer-
muote** *stswf. bitteres getränk; übertr. auf die bitternis der welt.*

wern *swv.¹* wer(re) got
bei gott.

wern *swv.²,¹* dem jâmer
w. *die trauer abwehren.*

wern, werigen *swv.²,²
kleiden.*

wernvast *adj. wehrhaft.*

werp *stm. s.* warp *mal.*

wert *adj.* w. hân *ap.
jem. hochschätzen;* dem
riete ich sô, daz ez der
rede wære w. *erfolg hätte.*

wert *stm.* nâch werde
nach verdienst.

wert *stm. gefilde, land-
zunge, uferstreifen.*

werunge *stf. dauerhaf-
tigkeit.*

werwort *stn. ausrede (des Judas).*

weschestange *stf. stange eines walkers.*

weseht *adj. mit rasen (wase) bewachsen.*

wesen *anv.* der was da wol des hoves *war wohl gelitten am hofe;* wesen mit versehen sein mit, *besitzen, enthalten.*

wesen *stn.* ein heimlich w. bouwen *schlupfwinkel.*

wesenuste *stf. wesenheit.*

westenkünec *stm. könig im westen.*

westvælinc *stm. Westfale.*

westvælisch *adj. w.-ez* lant W*estfalen.*

wesunge *stf. befinden.*

wetergruoz *stm.* der süeze w. *der labende segen des regens.*

wetersturm *stm. orkan, unwetter.*

wetervar *adj. von wind und wetter gebräunt.*

wette *stnf. urkunde, mitteilung.*

wettevast *adj. gesetzestreu.*

wêwe *swm.* vallender w. *fallsucht.*

wîbesname *swm. weib.*

wîchtuom *stmn. ort für weihung; reliquien, spez. reichsinsignien und reichsheiligtümer.*

wickenblat *stn.* niht ein w. *bildhafte umschreibung für „nichts".*

wickenstrô *stn. in der gleichen bedeutung.*

wide *stf. strick.*

wider *präp.* w. baches *stromaufwärts;* sprechen wider *ap. zu jem. sagen;* gedingen wider *ap. mit jem. etwas ausmachen.*

wider *adv.* w. unde dan *stromauf und stromab; vor verben (nicht immer ein-*

deutig, ob trennbares oder untrennbares kompositum):

wider-antwurten *swv. zurückliefern.*

-böugen *swv.* ûf sich selber widergeböuget sîn *auf sich selbst bezogen sein.*

-bringen *anv. ap. jem.* wieder zu sich bringen, *zum bewußtsein bringen.*

-gâhen *swv. zurückeilen.*

-gân *redv. zurückgehen.*

-gebern *stv. wiedergebären.*

-gehaben *swv. ap. gs. jem. zurückhalten von, hindern an; refl. ds. sich zurückhalten von, widerstand leisten.*

-gereiten *swv. zurückzahlen, rechenschaft ablegen über.*

-gewinnen *stv. zurückgewinnen.*

-geziehen *stv. zurückziehen.*

-grisgen *swv. dp. stechen (von dornen).*

-haben *swv. intr.* zurückbleiben, steckenbleiben *(v. schwert); refl. sich behaupten gegen.*

-halten *redv. gegenstemmen.*

-helfen *stv. jem. abhilfe, entschädigung verschaffen.*

-holn *swv. zurückholen.*

-jehen *stv. erwidern.*

-laden *swv. zurückrufen.*

-lesen *stv. wieder zusammenholen.*

-luogen *swv. zurückschauen.*

-minnen *swv. jem. wiederlieben, ihm seine gegenliebe schenken.*

-nemen *stv. zurücknehmen.*

-prellen *swv. abprallen (pfeile).*

-reiten *swv. zurückzahlen.*

-rennen *stn. anstürmen.*

wider-rücken *swv. wieder hochkommen (pferd).*

-sagen *swv. zurückmelden;* ze mære w. *berichten.*

-sehen *stv. intr. und refl.* sich umsehen, zurückblikken; *intr. dp. jem.s blicke erwidern.*

-senden *swv. zurückschicken.*

-slahen *stv. intr. sich wehren; tr. zurückschieben.*

-slîchen *stv. zurückschleichen, -gehen.*

-springen *stv. zurückspringen.*

-stellen *swv. trans. wiederherstellen.*

-steln *stv. refl. sich zurückziehen.*

-stôzen *redv. dp. jem. entgegenziehen.*

-swingen *stv. intr. sich wiegen.*

-trecken *swv. sich zurückziehen.*

-triuten *swv. von neuem lieben; liebe erwidern.*

-trutzen *swv. sich widersetzen, trotz bieten.*

-tuon *anv. entgegenhandeln; ap. (einen angreifenden) zurückschlagen.*

-vallen *redv. wieder auseinanderfallen (vom mantel).*

-valten *redv.* ermel w. *ärmel aufkrempeln.*

-varn *stv. zurückgehen, zurückkehren.*

-vordern *swv. zurückfordern.*

-vüeren *swv. zurückführen.*

-wahsen *stv. wiederwachsen (auch von haaren).*

-wæjen *swv. (ein sneller wint) der widerwæt* unde vor wæt *vorwärts und zurückweht.*

-wenden *swv. umkehren; ap. jem. von seinem entschluß abbringen.*

wider-werden *stv. dp.* zurückgegeben werden.

-ziehen *stv. ap.* wieder hochziehen, aufheben.

-zücken *swv. ap.* aufrichten, aufheben; *refl.* wieder zurückzucken.

widerbâgen *redv. subst.* âne w. ohne widerrede.

widerbeiten *swv.* beiten unde w. *warten und wieder warten.*

widerbern *stv.* wiedererneuern; widerborn werden wiedergeboren werden.

widerbiegen *stv.* gerade biegen, übertr. ausgleichen.

widerbillen *swv. subst.* âne allez w. ohne widerstand.

widerbint *stmn.* auflehnung, widerspruch.

widerbitzen *stn.* widerspenstigkeit.

widerblæjen *swv. refl.* sich w. sich aufblähen, aufbäumen.

widerbliuwen *stv.* übertr. as. widerlegen.

widerbot *stn.* âne allez w. unwiderruflich.

widerböugec *adj.* w. machen *jem.* zurückführen.

widerböugen *swv.* si *(Maria)* widerbougete in *(ihr kind)* in die krippen legte nieder.

widerbringen *anv. ap. gs. jem. von etwas abbringen, hindern; ap. jem.* wieder zum bewußtsein bringen.

widerbrogen *swv. refl. dp.* sich vor jem. aufspielen.

widerbruch *stn.* wiederholter verlust der fährte auf der jagd.

widerbrüchec *adj.* gote w. sîn *widersetzlich, ungehorsam;* wirdecheit ist w. *das ansehen ist zerbrochen.*

widerdenken *swv.* überdenken.

widerdenkunge *stf.* wiedererkennung.

widerdraben *swv. jem.* übertreffen; *subst.* wiederkehr.

widerdram *stm.* âne allen w. *ohne gegenwehr.*

widereischen *redv.* zurückfordern.

widergeburt *stf.* wiedergeburt.

widergelt *stn.* w. geben *dp. jem. etwas heimzahlen.*

widergewihte *stn.* gegengewicht.

widerglenzen *swv. subst.* widerglanz (von der sonne).

widergleste *stf. dass.*

widergriner *stm.* ,mekkerer'.

widergrüezen *swv.* wiedergrüßen.

widergruoz *stm.* mit hübschem w. vergelten *mit einem gegengruß danken.*

widergult *stn.* gegenopfer.

widerhandeln *swv. refl.* sich umwandeln.

widerkretzen *swv.* sich mit kratzen wehren (vom löwen).

widerkriegec *adj.* die widerkriegegen *die widerstreitenden.*

widerküssen *stn.* mit w. gelten *dp. einen kuß zurückgeben.*

widerlachen *swv. dp.* entgegenlachen.

widerlaz *stm. feind.*

widerlesen *stv.* widerlegen.

widerlœsen *swv.* von pîne w. erlösen.

widerlouf *stm.* gegensatz, widerspruch.

widerlöuflichkeit *stf.* w. der mânde *vom mond als richtmaß der monatsabfolge.*

widermüete *stswf.* verdruß.

widermüetecheit *stf.* schwermut, trübsal.

widermuoten *swv.* zurückverlangen, subst. widersetzlichkeit.

widerneigen *swv. auch intrans.* = -nîgen: in den grunt w. (myst.) in den urgrund zurückverlangen.

widernieten *swv.* entgegenstreben, -kämpfen.

widerôstert *adv.* westwärts.

widerqual *stf.* schande ist in ein w. zuwider.

widerquülle *stf.* w. geben (vom blut) erneut hervorquellen.

widerredcn *swv.* abstreiten.

widerreder *stm.* w. sîn widersprechen.

widerrehtes *adv.* widerrechtlich, unerlaubt.

widerreisen *swv. subst.* rückreise.

widerriechen *stv.* duften (vom weihrauch auf das gebet übertragen).

widerrüste *stf.* widerhaken, riff.

widersache *swm.* feind, auch vom teufel gesagt.

widersaz *stm.*[2] ich enkan deheinen w. *ich verstehe mich auf keine ausflüchte.*

widerschrê *stm.* sunder allen w. unerbittlich.

widerschrenke *swm.* mann mit widerspruchsgeist, ein ,widersplar'.

widerspicken *swv.* = underspicken untermischen.

widersprechen *stv. subst.* gegenrede, einwand.

widerstænec *adj.* w. sîn widerstehen.

widerstellecheit *stf.* widersetzlichkeit.

widerstellunge *stf.* wi-

derspruchsgeist *(als perso-
nifizierte untugend)*.

widerstœren *stn.* âne w.
ohne störung.

widerstôz *stm.* w. geben
zurückstrahlen (glanz).

widerstôzen *redv. ap.* sînes hôchmuotes w. *von seinem hochmut herabstürzen.*

widerstric *stm.* âne w.
ungehindert.

widerstrît *stm.* vröude
âne allen w. *schrankenloses
glück.*

widerstrîten *stn.* âne w.
ohne widerstreben.

widerstürzen *swv. (von
der krankheit) verschwin-
den, weichen; refl. umkehren.*

widersüezen *swv.* mit
worten w. *mit ebenso süßen
worten sagen.*

widerunge *stf.* mit langer w. tuon *nach langem
sträuben.*

widervart *stf.* die w.
rîten *zurückreiten.*

widervehtecheit *stf. widerstandskraft.*

widervehten *stn. gegensatz.*

widervehtunge *stf. widerspruch, aufsässigkeit.*

widervlêhen *swv. durch
flehen zurücknehmen.*

widervliegen *stv. übertr.
in seinen ursprung zurückgehen (mystisch).*

widervliehen *stv.* w.-s
pflegen *zurückfliehen.*

widervliezen *stv. übertr.
(in gott) wieder eingehen
(mystisch).*

widervliezunge *stf. (mystisch) das zurückfließen
in gott.*

widervluochen *stn. gegenseitiges fluchen.*

widervluht *stf.* w. nemen
zurückfliehen.

widerwendec *adj.* w.
werden *sich verwandeln.*

widerwerteclîche *adv.
unangenehm.*

widerweten *swv. widerstreiten, kämpfen gegen.*

widerwîchen *stv. zu-
rückweichen, zurückkehren.*

widerwor(h)techeit *stf.
widerwärtigkeit.*

widerwurteclîchen *adv.
widerstrebend, gegen die
natürliche ordnung.*

widerwürken *swv.* sie
w.-t sîniu werc *hintertreiben, verteilen.*

widerzale *stf. widerrede.*

widerzæme *adj. wider-
sinnig.*

widerzillen *swv. nieder-
ringen.*

widerzimberen *swv. wie-
deraufbauen.*

widerzücken *swv.* vor
bôsheit w. *zurückzucken.*

wielicheit *stf.* diu w. der
liute von Adam unz an
den Antichrist *charakter,
lebensführung, handlungs-
weise, ,güte' der menschen.*

wîgant *stm.* der gotes
wîgant *gotteskämpfer, von
biblischen personen und
von heiligen.*

wîhen *swv.* sî wurden gewîhet *sie wurden getraut.*

wiht *stmn.* ein böse w.
eine niedrige kreatur.

wihtlich *adj. kreatür-
lich, dinglich.*

wîhunge *stf.* des tempels w. *weihung.*

wilde *adj. einsam, öde;
originell; von personen:
phantasiebegabt; außer-
halb der guten gesellschaft
stehend, auch kulturlos, ungezähmt, unerzogen.*

wildeclîche *adv. unstet.*

wildenære *stm. ,,origi-
nalgenie"; der mære w.
der die geschichte phanta-
sievoll ausbaut.*

wîle *stf.* in allen w.-n
während der ganzen zeit;

ze kurzen w.-n *für kurze
frist.*

wille *swstm. gute absicht;
einwilligung, zustimmung;*
ze willen dienen *gerne;*
durch dînen w.-n *aus liebe
zu dir;* in des strîtes w.-n
*in kampfbereiter stim-
mung;* mit dem w.-n mîn
freiwillig; mînen muot
nach mînem w.-n ·hân
*meine gesinnung nach mei-
ner wahren empfindung
offenbaren;* sînen w.-n
reden *seine wünsche
äußern, in seiner sprache
reden.*

willec *adj.* mit willeger
kür *mit einwilligung, ein-
verständnis;* w. sîn *dp. zu
einem dienstbereich ge-
hören; allgem. zu diensten
stehen, treu ergeben sein;*
willeger muot *gesammelte
willenskraft.*

willeclich *adj.* mit w.-em
gruoze *freundlich, herzlich.*

willeclîche *adv. mit hingabe, energisch.*

willelôsecheit *stf. ge-
löstheit vom eigenwillen
(myst.).*

willen *swv.*[1] *zulassen.*

willentwerbe *adv.* gerne
und w. *freiwillig.*

willevarer *stm.* er was
ein w. des künigs *dem
könig zu willen.*

wimmern *swv.* diu arche
veste w. *ganz dicht machen.*

winc *stm. adverbiell;*
winc unt wanc *hin und her.*

winde *swf. zeltbahn.*

windeln *swv. biegen, drehen.*

winden *stv.*[1] sich hinden-
ort w. *sich zurückziehen;*
die ougen neben sich w.
*seitwärts schielen; refl. sich
entwickeln.*

windesbrût *stf. s.* wint-
brût.

wîndrucke *swf. kelter.*

wîngeschirre *stn. weinglas, kelch.*

wînglas *stn. glas wein.*

winkelbredigen *swv. subst. das überreden, beschwatzen.*

winkelgâbe *stf. heimliche gabe.*

winkelganc *stm. geheimer gang (im palast).*

winkelman *anm. lichtscheuer oder abergläubischer mensch.*

winkelræze *adj. im sichern winkel kühn, d. h. kühn bei damen, feig im kampfe.*

winkelreht *stn. terminus des schachspiels.*

winkelreise *stf. pl. dunkle geschäfte.*

winkelscherz *stm. zweideutiger scherz.*

winkelsehen *stv. in einem winkel herumschnüfeln (von hunden); subst. scheel blicken (aus den augenwinkeln).*

winkelslîchen *stv. herumschleichen.*

winklûse *stf. =* wînhûs, *weinschenke.*

winne, winde, wint *adv.* ir wart nie sô winde noch sô wê; mir ist wint und wê *bange.*

winner *stm. md. gewinner, sieger.*

wînscheffel *stm. ein maß für getreide.*

wînschepfe *swf. weinumfüllung.*

winstere *swstf. die linke seite.*

wînstube *stswf. weinstube.*

wint *stm.* gein dem winde stân *sich in den windzug stellen.*

wintergalle *stf. bitternis des winters.*

wintergewant *stn. winterkleid.*

winterlanc *adj. diu winterlange naht lange winternacht.*

wintermâne *swm. wintermonat (november).*

winterregen *stm. regen im winter.*

winterstrô *stn. stroh des wintergetreides.*

wintertrolle *stf. pflanzenname (anemone).*

wintmül *stf. windmühle.*

wîntranc *stm.* myrreter w. *mit myrrhen durchsetzter wein.*

wîntrûbelîn, -triubelîn *stn. weintraube.*

wintschaffen *adj.* w. als ein ermel *schmiegsam, beweglich.*

wintstille *adj. windstill.*

wintvellic *adj.* wintvelliges holz *windfallholz.*

wîp *stn.* vür ein w. hân *ap. jem. für einen feigling halten.*

wîpheit *stf.* ez ist ir w. *es ist ihr wesen als frau;* ir kiusche w. *ihre reinheit.*

wîplich *adj.* vil w. wîp *inbegriff aller frauen.*

wirde *stf. rang.*

wirdecheit *stf. phraseol.* mit gen. des namens, anstelle des adj., *herrlich.*

wirdeclich *adj. angemessen, geziemend.*

wirdeclîche *adv. glänzend.*

wirden *swv. würdigen.*

wirdisch *adj. =* wirdec, *schön, herrlich.*

wirekeit *stf. lebensdauer.*

wirrewarren *swv. subst. hin und her schwanken.*

wirt *stm. auch: herr des zeltes.*

wirtinne *stf.* die niun w. *(des Helicon): bildhaft für die musen.*

wirtschaft w. hân *gespeist werden.*

wirtzal (1) *stm. volkstümliche eindeutschung von* fritschâl.

wirzel *stm. name eines wurmes.*

wîs *adj. kampferfahren, tapfer;* w. werden *erfahrung sammeln;* wîs(e) sîn an *ds. etwas zu würdigen wissen.*

wische *=* wise *(md.).*

wîse *swm. kenner.*

wîse *stf.* ez gêt ûz der w. *es ist unerhört, geht auf keinen fall;* in hundes wîs *wie ein hund;* in franzoiser w. sprechen *etwas auf französisch sagen;* mir kumt ze wîs(e) ich erkenne.

wîsen *swv.[1] hinführen;* daz gesinde w. die vorhut übernehmen; subst. hinweis, richtschnur.

wîsgemuot *adj. subst.* die wîsgemuoten die klugen, verständigen.

wîsheit *stf.* muot an w. kêren *vernunft annehmen; für Christus als person der trinität: diu êwige* w. *ohne geschlechtliches erkennen (hat Maria ihren sohn geboren).*

wîslîche *adv. sachkundig.*

wispeleht *adj. unstet, wankelmütig.*

wît *adj.* zen brusten w. *breitschultrig.*

witsweifecheit *stf. weitschweifigkeit.*

wîtsweifen *swv. unstæte* w. *umherschweifen (in seinen gedanken).*

wituwe *stswf. =* witewe.

witze *stf. in verb. mit gen. oder adj. oft nur zur umschreibung des darin enthaltenen begriffs:* mit jâmers witzen = mit jâmer; mit kiuschen witzen *aufrichtig;* mit siufze-

bæren witzen *im bewußt-sein seines leidens.*

witzelen *swv. (die selbst-erkenntnis)* ist dar in ge-witzelt *(in der seele ange-legt, in sie hineingeheim-nist).*

witzigen *swv. den geist schärfen.*

witzunge *stf. unterschei-dungsvermögen.*

wîz *adj. als schönheits-epitheton* (wîziu hant) *überwiegend von frauen, ganz selten auch von jünglingen;* w. machen *blankputzen (schwert, har-nisch).*

wîze *stfn. strafe (aus-sterbend, später durch* pîn, marter *u. a. ersetzt).*

wîzen *swv. säubern, rei-nigen.*

wizzec *adj. klug.*

wizzen *anv.* ich enweiz ob *vielleicht; auch noch öfter die alte urbedeu-tung: sehen bzw. gesehen haben.*

wizzenhaft *adj. wissend, kundig (von gott).*

wizzen-, wizzentlich *adj. wissentlich;* w.-er sin *be-wußtsein.*

wochenærinne *stf. die den wochendienst in der küche hat.*

wol *adv. mit recht; mit grund; durchaus; gut und gern;* w. hin *wohlan;* w. ge-wahsen *voll erwachsen;* w. tûsent marc *rund tausend mark;* wol mitter tac *gegen mittag.*

wolbescheidenheit *stf. enge vertrautheit.*

wolfinne *stf. wölfin.*

wolfshût *stf. wolfsfell.*

wolfvenger *stm. wolf-fänger.*

wolfvengerinne *stf.* otter- oder w. *(allegorisch von der trägheit).*

wolgemachet *part. adj. allgem. epith. ornans.*

wolgeminnet *part. adj.* dû bist mîn w.-er sun *(Marc. 1,11).*

wolgeraht *part. adj. wohlbeleumdet* als allgem. epith. ornans *(zu reche-nen).*

wolgeschehen *stn. wohl-ergehen, glück.*

wolgespræche *adj. be-redt, redegewandt.*

wolgespræchec *adj. dass.*

wolgetân *part. adj. schön:* bluomen, natûre.

wolgetât *stf. wohltat.*

wolgetihtet *part. adj.* w.-en sanc singen.

wolgevallunge *stf. des menschen* w. *wohlgefäl-ligkeit;* des schepfers w. *zufriedenheit, wohlgefal-len.*

wolgevellec *adj. wohl-gefällig.*

wolgevel(lec)lich *adj. dass.*

wolgevüeget *part. adj. (von einem mädchen) schön.*

wol(e)habe *adj. wohl-habend, reich.*

wolkenbrunst *stf.* = wol-kenbruch.

wolkenschîn *stm. wol-kenglanz.*

wollustlich *adj. wollust erregend.*

wolnus *stf. wollust.*

wolmugende *part. adj.* w. sîn *bei kräften sein.*

wolriechende *part. adj.* w. salbe *aromatisch.*

woltugende *part. adj.* woltugendez golt *echtes gold.*

wolsîn *stn. wohlleben.*

wolversuochet *part. adj.* als echt erkannt *(vom gold).*

wonen *swv. leben.*

wort *stn. logos;* um-

schreibend *als bezeichnung Christi; formelhaft:* an dem w. *aufs wort, sofort;* wunsch von w.-en *höchste wort-kunst.*

wortec *adj. mfr.* wordec; *wörtlich.*

wortswinde *adj. beredt.*

wortwîse *adj. subst. wortkünstler.*

woy *interj.*

wüeste *adj. roh, un-ordentlich.*

'**wüesten** *swv. tr. un-brauchbar machen, ver-derben.*

wüestenschaft *stf. ein-öde, wüste.*

wüestære, -er *stm. ver-schwender.*

wüeten *swv. unsinnig, von sinnen sein.*

wüeticlîchen *adv. wü-tend.*

wüetlich *adj. drohend.*

wüetunge *stf.* des tiuvels w. *wut;* des wazzers w. *ge-waltige flut;* der sünde w. *die gewalt der sünden.*

wundenmâl *stn. wund-mal.*

wunder *stn. unbegreif-liches, unglaubliches ge-schehen; ungeheuerlichkeit; etwas herrliches;* w. tuon, vrumen heldentaten ver-richten; w. sagen *etwas herrliches erzählen;* vür w. hân *für etwas besonderes halten;* gotes w. *gottes wun-dertaten;* ez ist niht w. *es ist selbstverständlich; ad-verbiell: wunder wieviel;* ze w. *bewundernswert;* ze w. anesehen *ap. jem. be-wundern, voll interesse be-trachten;* ze w. bekapfen *(wie ein wunder) immer-fort betrachten; auch als glimpfwort:* daz w. trîben *wer weiß was anstellen.*

in adj.- und adv.-kom-positis oft nur verstärkend:

(überaus, sehr): -balde, -balt, -blœde, -dicke, -drâte, -geil, -genædeclî-che, -gerne, -genôte, -grôz, -harte, -herte, -hôhe, -jæ-merlich, -karc, -kiusche, -kreftec, -kündec, -küene, -lanc, -lange, -leide, -leit, -lieht, -lîhte, -lob(e)lich, -lobesam, -lût, -minnec-lîche, -nütze, -rîche, -sanf-te, -scharpf, -schiere, -schœne, -selten, -sêre, -sieche, -snelle, -starke, -strenge, -süeze, -swære, -tief(e), -tiure, -var, -vaste, -vil, -vreise, -vrem(e)de, -vruo, -wæhe, -wê, -wert, -wilde, -wol.

wunderart *stf. wunder-bare art.*

wunderboum *stm. wun-derbaum.*

wunderbunt *stm. wun-derbares band.*

wunderbuoch *stn. apo-kalypse.*

wunderburc *stf. haus, in dem es spukt.*

wunderdinc *stn. wun-derding.*

wundergerne *stf. neu-gierde.*

wundergeschiht *stf. wun-derbares ereignis.*

wunderîn *adj. s.* wun-dern *adj.*

wunderkamer *stf. rum-pelkammer.*

wunderkrône *stf. wun-derbare krone.*

wunderlich *adj. viel be-wundert; grotesk;* der w. Alexander A. der große.

wunderlîche *adv. auf eigenartige, seltsame weise; (frau welt)* vert mir w. mite *spielt mir grausam mit.*

wunderlîn *stn. kleines wunder.*

wunderlist *stm. wunder-bare kunst.*

wundermensche *stm. monstrum.*

wundern *swv.; unpers.* mich wundert *ich möchte wissen (kann es mir nicht erklären); auch subst.: ver-wunderung.*

wundern *adj. oder adv. (als erster teil in kom-poss. wie* wunder *zur verstärkung des begriffes; vgl. dort)*: -balde, -drâte, -genôte, -hôhe, -kreftic, -schiere, -selten, -sêre, -starke, -tiefe, -vrô, -wê, -wert, -wol.

wunderruof *stm. lauter ruf.*

wundersache *stf. wun-derbare sache, wunder.*

wundersât *stf. wunder-bare saat.*

wunderschouwe *stf. wunderbarer anblick.*

wundersiune *stf. dass.*

wunderspil *stn. wunder-kraft.*

wunderswanz *stm. schö-nes schleppkleid.*

wundertal *stn.* gotes w. *(von der welt).*

wundertât *stf. wunder.*

wundertier *stn. wunder-bares tier, auch übertr.*

wundervindel *stf. erfin-dung außergewöhnlicher dinge.*

wunderwort *stn. wunder-bares wort.*

wünne *stf. genuß, vorteil.*

wünnebrunne *swm. (myst.)* w. dîner *(gottes)* substancie *urquell deines wesens.*

wunneclich *adj.* w.-e stæte treue *in der liebe.*

wunneclîche(n) *adv.* w. stân *(von blumen) in voller pracht.*

wünnegeschrî *stn. freu-dengesang (der vögel).*

wünnekranz *stm. sie-geskranz (am schwert);*

übertr. anrede an die ge-liebte.

wünneplân *stm. wiese, locus amoenus.*

wünnesæliclich *adj.* âder dîner w.-en süeze wonniglich *(myst.).*

wünnesamkeit *stf.* wonne.

wünnetrœstelich *adj.* w.-e ruowe *erquickenden trost spendend (myst.).*

wünscheclich *adj. des wunsches wert.*

wünscheclîche *adv. voll-kommen.*

wünschelkerne *stm. anrede an die geliebte.*

wünscheltocke *swf. be-zeichnung für schöne frauen.*

wunscherîche *adj. wün-schenswert.*

wunschgedanc *stm.* nâch w. *wie man es wünschen kann.*

wunschgewalt *stf. höch-ste kraft.*

wunschlant *stn. ersehn-tes, gelobtes land.*

wunschmuoter *stf. pflegemutter.*

wüntec *adj. verwundet.*

wuntkrût *stn. heilkraut.*

wuocher *stmn. erfolg, wirkung.*

wuocherbuoch *stn. schuldbuch.*

wuocherisch *adj.* w. schalc *wucherer.*

wuocherman *stm. dass.*

wuochersac *stm. geiz-hals.*

wuostnüsse *stf. einöde.*

würfelbret *stn. würfel-brett.*

würfelmacher *stm. wür-felhersteller.*

würfelspiler *stm. würfel-spieler.*

wurmkünne *stn. schlan-gengezüht.*

wurmstich *stm. schlan-genbiß.*

wurmvenster *stn. schlangenloch.*

wurzeclich *adj. mit gewürzkräutern versehen.*

wurzecliche *adv. mit der wurzel.*

wurzelgarte *swm. garten* s. wurzgarte.

wurzelkîde *stn. echter sproß (übertr. auf menschen).*

wurzenanger *stm. blumenwiese.*

würzetroc *stm. trog, in dem gewürze sind.*

würzgertelîn *stn. garten, in dem gewürzkräuter wachsen.*

Z

zadel *stm.* strenger z. *ernste hungersnot.*

zâfen *swv. absol. prunken, prahlen, etwas darstellen, zur schau stellen wollen; auch subst.:* durch, in z. *aus eitelkeit, prahlerei:* ob ein pfaff in törperlichem z. trüege ein swert.

zage *swm. zurückhaltender, friedfertiger mensch; drückeberger.*

zageheit *stf. unentschlossenheit.*

zagnisse, zagnis *stf. feige tat.*

zaheren *swv. s.* zeheren.

zaherlich *adj. s.* zeherlich.

zal *stf.* über z. *sehr viele;* der wochen z. *die reihe der wochen.*

zam *adj.* z. werden *in die schule genommen werden* (wilder muot).

zame *stf. (gegens.* zu wilde *stf.) zahmheit, gezähmtheit, zutraulichkeit.*

zanbîzen, zanebîzen *stn. auch: zähneklappern;* weinen und z.; z. unde schrîen.

zanen *swv. tr. mit den zähnen fassen; beißen.*

zannen *swv. subst.: geheul;* zornes z. *wutgeheul.*

zanruch *stm. zahn-, mundgeruch.*

zarteclich *adj. =* zartlich, zertlich.

zarten *swv. dp.* gote z. *gott preisen, ihm lobsingen.*

zartgarte *swm. etwa: paradiesgarten, lustgarten (z. b. des Hohenliedes).*

zartunge *stf. zärtlichkeit.*

ze, zuo *präp., adv.* dâ zen Burgonden sô was ir lant genant *Burgund hieß ihre heimat; als nimis-form meist:* al ze, gar ze, vil ze; *bloßes* ze *oft =* sehr.

zeckelich *adj.,* **zeckelîche** *adv. aufreizend, herausfordernd.*

zedelich *adj. armselig.*

zêder-ast *stm. ast der zeder.*

zêderboum *stm. zeder; auch übertr. (der minnen p.).*

zêhe *swstf. (neg.) übertr.: das geringste glied, der kleinste teil, (ähnl. dem gebrauch von* vinger).

zehenteil *auch stm.*

zehenvalticlîche *adv. zehnfältig; häufig, ständig.*

zeherîn *adj.* z. brôt *tränenbrot (panis lacrimarum).*

zeichenheit *stf. zeichen, wunder.*

zeichenen *swv. bezeichnen, im sinne von meinen.*

zeigen *swv. (jur.) zuweisen, übereignen, stiften.*

celidôn *stm. ein edelstein.*

zellîn *stn. orakelspruch;* göttlicher ausspruch; ein z. machen *dp. verkünden.*

zelten *swv. subst.* zelten(ne)s gân *im paßgang gehen.*

zemde *stf.* diu kiuscheit treget liuhtende z. *höchste selbstbeherrschung, tugend, ehrbarkeit.*

zemen *stv. im allg. mit dp.: von personen: ebenbürtig sein; unpers.: übele* z. *unehrenhaft sein; mir zimet auch: es ist mir eine ehrenpflicht, mit ap.: erkennen, klar werden:* dâ von, dar an zimt mich, daz . . .

zemitten *adv.* = iemitten.

zemôchratâ *stn. zebra.*

zenker *stm. zänker.*

zepelære *stm.* = gugelhuot, *spitze kapuze (mönchische kopfbedeckung).*

zerbochen, **zerpuchen** *swv. zerschlagen, zusammenschlagen (das feindliche heer).*

zerbrechen *stv. trans. aufbrechen,* erbrechen *(sarg);* einen rât niht z. *befolgen, beherzigen; s. auch* zerbrochen.

zerbrecher *stm. zerstörer; der etwas nicht bewahrt, beherzigt, heiligt:* ein z. der himlischen tougen.

zerbresten *stv. zerschmettert werden, zerschellen (auch von lebewesen).*

zerbringen *swv. an. passiv:* zerbrâht werden *sich zerschlagen (kaufvertrag).*

zerbrochen *part. adj. schadhaft, beschädigt, schlecht, abgenutzt* (lînwât, gewant, pfert); *unvollkommen, sündig* (herze).

zerdenen *swv. weit ausstrecken, -breiten:* sîne arme (von einanderen) z. in kriuzewîs.

zerdenunge *stf.* z. der lider *das strecken, ausrekken der glieder.*

zerdrollen *part. adj.* *zerquält:* z. und ûfgeswollen (mîn herze).

zerdrücken *swv. trans. fest drücken, zerdrücken.*

zere *stf. übertr.:* in des lîbes z. *in verzehrender sehnsucht* (nâch *dp.*).

cêremonîe *stf. gottesdienstordnung;* die juden heten ir c.

zerjagen *swv. auseinanderjagen oder zu tode hetzen (der wolf die schafe); übertr.:* as. *vollbringen, durchsetzen; as. dp. jem. etwas auseinandersetzen, klarlegen.*

zerlegen *swv. zerstükkeln.*

zerleiten *swv. refl. sich verzweigen (äste am stamm, bildl).*

zerlumpern *swv. zerstückeln.*

zern *swv.* den lîp z. nâch *dp. sich nach jem. verzehren.*

zerpfnürsen, zerpfnürschen *swv. zermalmen.*

zerpulvern *swv. zu pulver verarbeiten;* golt zupulvert kleine.

zerren *swv.* diu kleider in der nât z. *die kleidverschnürungen eilig aufziehen, -zerren.*

zerrinnen *stv.* in was des tages zerrunnen *der tag war ihnen vergangen, vorübergegangen.*

zerscheiden *redv. trans. u. refl. scheiden, trennen.*

zerschottern *swv.* die mûren sind zerschottert *zertrümmert.*

zersieden *stv. trans. zerkochen, verkochen.*

zersliezen *stv. absol. sich aufschließen,   auflösen*

(*schlachtgruppe*), *zersprengt werden.*

zersperren *swv.* an daz kriuze z. *ap. kreuzigen,* ans kreuz spannen.

zerstôrde *stf. zerstörung, schaden, untergang.*

zerstœrunge *stf. zerstörung, schaden, vernichtung, verfall, auflösung.*

zerstrecken *swv. ausstrecken.*

zerströufen *swv. verwirren;* den sin z. *dp.*

zerteclîche(n) *adv.* z. ziehen *ap. wohlbehütet aufwachsen lassen.*

zerunge *stf. lebenshaltung, -stil:* sîn z. was rîche.

zervallen *part. adj.* (*durch sturz*) *zerschmettert:* ein z. man.

zervladeren *swv. trans. zerfleddern.*

zervliehen *stv. dp. jemandem entfliehen; (von eigenschaften:) jem. verlassen, ihm vergehen (z. b. macht).*

zervlogen *part. adj. lose, locker (vom haar der dame).*

zervüllen *swv. trans. gänzlich überfluten:* daz mer zervüllet diu lant mit sînen unden.

zesamene *adv. trennbar bei verben:*

zesamenebinden *stv. zusammenbinden.*

-haben *swv. intr. (sich) zusammenhalten.*

-halten *redv. refl. zusammenhalten, -gehören.*

-komen *stv. zusammentreffen, aufeinanderstoßen.*

-legen *swv. zusammenlegen, eng zusammenfassen; aufhäufen.*

-loufen *redv. zusammenlaufen.*

-samenen *swv. zusammenlesen, sammeln.*

-slahen *stv. intr. aufeinanderstoßen, zusammenprallen; trans. zusammenraffen (vermögen, gewinn); absol. dp. für jem.* die glocken *läuten.*

-stôzen *redv. intr. aneinanderstoßen, -grenzen.*

-tragen *stv. miteinander ausmachen, vereinbaren.*

-treten *swv. aufeinandertreffen (zwei mauern).*

-vallen *redv. zusammenfallen, sich decken (stereometrische größen).*

-vüegen *swv. zusammenfügen.*

-vüeren *swv. ûf einander z. aufhäufen (erde).*

-werfen *stv. trans.:* über den haufen werfen, umwerfen: (*so heftiger sturm*) daz alle dinc z. geworfen werdent; *refl.: (von kaufleuten) sich zusammenschließen.*

zesamengêunge *stf. das zusammentreffen;* diu z. der urliuge *aggressio.*

zesamenlegunge *stf. zusammensetzung, -stellung (von arzneikräutern).*

zesamensetzunge *stf. zusammensetzung.*

zesamenvüegunge *stf. zusammenfügung, -setzung, verbindung* (diu êliche z.); (*astron.*) *konjunktion.*

zesamenwerfunge *stf. (von kaufleuten:) handelsgemeinschaft.*

zeswe *auch stf.*

zickîn *stm. zicklein, böcklein.*

ziehen *stv. intr.:* ze hûse z. *sich häuslich niederlassen, einzug halten.* — *refl.:* sich in ein klôsen z. *sich (in e. klause) zurückziehen;* under *as. sich einer sache aussetzen, ausliefern* (under den slac). — *trans.:*

an gemach z. *in den stall bringen (pferde); ap.* ziehen von *ds. abbringen von; ap.* ze herzen z. *ins herz schließen;* an sich z. *as. sich einer sache (endgültig) annehmen, sie in die hand nehmen; as.* ziehen ûf *as. etwas beziehen auf, von etwas schließen auf:* daz wort begunder z. ûf ir gunst; *as.* ziehen ze *ds. etwas heranziehen, aufbieten, sich seiner bedienen für etwas; redensartlich:* den halm durch den munt z. *dp. jemandem schmeicheln, ihn betrügen;* — falken z. *abrichten, zähmen;* süne z. bî *dp. mit jem. söhne haben, aufziehen; absol.: steuern.*

zieren *swv.* sîn leben z., den lîp z. *sich steigern, sich vervollkommnen; subst.: schmuck* (kostlich z. legen an *as.*).

zierheit *stf.* werltlîche, ritterliche z. *gesellschaftliche, ritterliche repräsentation, prachtaufwand.*

ziermacher *stm. schöpfer der schönheit.*

zige *swf. (ziege), als scheltwort.*

zigenvar *adj. ziegenartig, vom hcar der geliebten: weich, seidig.*

ziht *stf.* bœse z. *arges wesen; auch phraseol.*

zil *stn. abzeichen, leitbild, vorbild;* ein z. stôzen *ds. ein beispiel statuieren für etwas;* z. stôzen *dp. oder* vür *ap. jem. leiten, leitbilder, ideale aufstellen vor jem.;* des nemet iu ein z. *das laßt euch gesagt sein!* an daz z. *vollständig (etwas sagen).*

zilen *swv. refl. sich aufstellen, zusammenrotten.*

zille *f.* = zülle.

zimberambet *stn. handwerk, tätigkeit des zimmermanns; auch übertr.*

zimberîe *swf.* ambet der z.-n *zimmermannshandwerk, -beruf.*

zimme = zinemîn.

zimmol = zimbal.

zinaton *stm. ein edelstein.*

zinde *swm. ein fisch (vgl.* zint*).*

zingel *stn. ein augenleiden, weißer fleck im auge.*

zinshaft *adj.* sîne hêrschaft z. machen an *dp. übertr.: jem. ausbeuten.*

zinshûs *stn. mietshaus.*

zinskneht *stm. zinspflichtiger untertan.*

zinslîche *adv.* z. dingen müezen mit *dp. jem. zu tribut verpflichtet sein.*

zintiure *stf. (franz. ceinture) gürtel.*

zippelære *stm. schüler (vgl.* cippelærin*).*

zirkelgelt *stn. besoldung der stadtwache.*

zirkelmæzec *adj. kreisrund.*

zît *stf. n.* alsô vergie mich diu z. *ist die zeit an mir vorübergegangen;* die (lieben) z. geleben, daz ... *den (seligen) augenblick erleben;* jâmers z. doln *eine jammervolle zeit durchmachen;* ez ist zît gs. *ist rechte zeit für etwas, etwas ist fällig:* gerihtes über dich ist zît; bî mîner zît *rechtzeitig für mich, solange es für mich noch zeit ist;* in allen zîten immer wieder; zaller zît ununterbrochen; zallen zîten tuon *zu tun gewohnt sein;* ze disen zîten *jetzt;* unz an ir endes z. *zeitlebens;* heilecliche z. *feiertag;* des tages z. *jahrestag, feiertag.*

zîtec *adj. auch: überreif;* z. ze der minne *reif für die liebe;* z. ze lebenne sîn *nicht mehr viel zeit im leben haben; auf der höhe des lebens stehen oder sie überschritten haben.*

zîtlîche *adv. zu früh, sehr früh.*

zîtverlür *stm. zeitverlust.*

ziugen *swv. nähren, ernähren.*

ziugnisse, -nüsse, ziugnis, zugnis *stf. n. zeugnis, beweis.*

zô *interj. (liebkosend oder begütigend).*

zobel *stm.* minnen z. *anrede an die geliebte.*

zobelîn *adj.* z. anker *schwarzer anker (auf dem schild).*

zobelîn *stn.* = zobel.

zobelinvel *stn. zobelfell.*

zôdiac *stm. tierkreis.*

zogen *swv. intr.* sêre z. *mit mühe trotten; refl. gs. sich etwas angelegen sein lassen.*

zol *stmn. auch phraseol.:* âne lônes z. = âne lôn.

zoln *stm.* zoll.

zopfen *swv. auch: schmücken.*

zorn *stm. leidenschaft, aufregung* (in mînem z.-e aufwallend); *verstimmung; haß, mißgunst, feindschaft; kampfeslust; kränkung, schade;* angender z. *ungeduld, unwille;* mortlicher z. *mordgier;* âne z. *ohne widerspruch;* âne z. lâzen *auch: neidlos ansehen.*

zornelîn *stn. leichte verstimmung* (z. b. zwischen liebenden).

zornheit, zornecheit *stf.* = zorn.

zornisch *adj.* = zornec.

zornlicheit *stf. zornmütigkeit; (drei kräfte der*

seele:) verstentnisse, wille, z. *denken, wollen, fühlen (leidenschaft).*

zornmüetecheit *stf.* zornmütigkeit.

zornreizende *part. adj.* zornsprühend; *aufreizend.*

zoten, zotten *swv.* hin und her z. *wackelnd gehen.*

zouber *stmn.* mit z. varn *zaubern, etwas durch zauberei vollbringen.*

zouberhaft *adj. unter zauber stehend.*

zouberheit *stf.* zauberei.

zoubersite *stm. zauberbrauch, -gewohnheit, -tradition.*

zuc *stm.*² einen z. tuon *ds. heftig reißen, zerren an* (der türe, der vröude).

zuckerbluome *swmf. kosewort;* ir z.-n güete.

zuckermuos *stn. süße speise, leckerei; bildl.* der minnen z.

zuckerstengel *stm. (kosename für die geliebte).*

zuckertrûbe *swstf. dass.*

zuht *stf. ritterlichkeit; innerer halt; großmut;* grôze zühte *hohe tugenden, vorzüge;* ze kleine z. erbieten *dp. es an der gebührenden ehrerbietung mangeln lassen; in,* mit zühten *friedlich;* durch wârheit und umbe zuht *ebenso ehrlich wie auch höflich (sprechen); (bei aufforderung:)* durch z. *gefälligst, bitte!*

zuhtswîn *stn. hausschwein;* sie kurren (quiekten) *als diu* z. *wie schlachtschweine.*

zühtunge *stf.* gotes z. *gottesstrafe.*

zünde *stf. glut.*

zunge *swf.* vor ir z.-n slage (sich hüeten) *vor ihrer bösen zunge, nachrede.*

züngec *adj.* der züngige man *das lästermaul.*

züngeln *swv.* küssen unde z.

zûnrîte *swmf. zaunreiter, -in (ein gespenst).*

zuo *adv.* geschlossen *(prädikativ, als gegens.* zu offen*); trennbar bei verben (die ge-komposita z.t. beim simplex).*

-behœren *swv. dp.* gehören, zustehen.

-bereiten *swv.* zubereiten, vorbereiten *(tr., absol. u. refl.).*

-bescheiden *redv. as. dp.* zukommen lassen, zuteilen.

-beschicken *swv.* schikken; zuteilen.

-besliezen *stv. fest zusperren, verschließen.*

-bieten *stv. refl.* sich ze iemannes gebote z. *sich jemandem erbötig machen, ihm seine ergebenheit versichern (als abschiedsansprache).*

-binden *stv.* zusammenbinden: wider z. *as. (zerschlagenes);* mit zuogebunden henden *gefesselten händen.*

-brechen *stv. intr.* anbrechen *(zeit); aufgehen (gestirn); eintreten, sich ereignen (naturkatastrophe, wunder).*

-bringen *anv.* unnutzlich z. *as. nicht nützlich anwenden, verschleudern;* getranc z. *dp.* jemandem zutrinken.

-büezen *swv. (trans. oder absol.)* zuzahlen, ergänzen, vervollständigen.

-decken *swv.* zudecken.

-denken, gedenken *swv. an. dp. gs. oder as.:* jem. etwas zumuten, zutrauen, ansinnen; jem. etwas gestehen, verraten; zuegedâht haben *dp. gs. jem. etwas*

zugedacht haben, ihm etwas in aussicht stellen.

-dienen *swv.* hilfsdienste leisten; ein z.-de kneht sîn *(bildl., von der vernunft) beitragen zu, mithelfen.*

-drengen *swv. intr. auch* nebenform von zuo dringen.

-drücken *swv. intr.:* vestlich z. *fest zupacken (adlerklauen); trans.:* zudrücken (deckel, dose).

-eigenen *swv. intr.* gehören; *passiv:* zûgeeigent und zûgelênt sîn *ds.* zu eigen sein.

-gâhen *swv. sich schnell nähern, herbeieilen;* der tac begunde z. *nahte schon, kam schon herauf.*

-gân *redv. (mit abh. satz:)* daran gehen, *beginnen* zu . . .; *unpers.* mir gêt zuo an der maht *meine stärke mehrt sich.*

-geben *stv. dp.* jemandem zusetzen, auf ihn eindringen *(mit adv.:* starke, manlîchen).

-gebürn *swv.* mit dat. gebühren, zukommen.

-gedenken *s.* zuo-denken.

-geheilen *swv. intr.* zuheilen, verheilen.

-gehœren *swv. dat.* angehören, zukommen, gebühren.

-gekêren *swv. refl.* sich hinwenden.

-gelangen *swv. intr.* heranreichen, begreifen: ein lieht, dô enkein verstentnisse zuogelangen enmac.

-gelegen *swv. as. dp.* beilegen z.b. got einen namen z.

-gelîchen *swv.* vergleichen.

-geliegen *stv. as. dp.* vorlügen, einflüstern.

zuo-geligen *stv. anlegen, landen:* ir kiel dâ zuogelac.

-gelouchen *swv.* ern mac den munt niht zuo g. kriegt das maul nicht wieder zu.

-gemehelen *swv. ap. dp. vermählen.*

-gemodelen *swv. as. dp. etwas für jem. passend entwerfen, formen.*

-genôzen *swv. refl. dp. sich (zu)gesellen.*

-gesellen *swv. trans. u. refl., mit dat. zugesellen, zuzählen; verbinden, vereinen mit; zuteilen, beigeben, mitgeben (eigenschaft);* dem leben zugeselt *am leben.*

-gesinden *swv. part.:* zuo gesindet *dp. aus nächster nähe vertraut, bekannt* (minne).

-geslahen *stv.* zuschlagen: ê ich zuogeslüege die brâ *in einem einzigen augenblick.*

-gesprechen *stv. dp. sprechen zu; etwas sagen zu* (ein wort z. *dp.*).

-gestân, gestên *anv. dp. zu jem. treten, jem. beistehen; ds. einer sache beitreten, sie einhalten:* dem lantvride z.

-getuon *anv. abs. die tür zumachen; refl. dp. sich einschmeicheln.*

-gevâhen *redv. empfangen, concipere (auch bildl.).*

-gevallen *redv. mit dat. zukommen, zustehen, gehören:* regalien, die dem rîche zugevallen *die reichsinsignien.*

-gevarn *stv. dp. zu jem. hereingestürmt kommen.*

-gevüegen *swv. ap. dp. als zeugen zur seite stellen.*

-gewehenen *stv. dp. gs. innewerden lassen, vernehmen lassen.*

zuo-grîfen *stv.* grîfet balde zuo *haltet euch bereit;* wie beginnen oft *phraseologisch.*

-haften *swv. dp., ds. anhaften; sich anschließen.*

-halten *redv. trans.:* zuhalten; *abs.: dp. es mit jem. halten, treiben; intr.: sich aufhalten, wohnen.*

-heften *swv.* dar ûf ein holz mit einem nagel zugehaft *befestigt.*

-heilen *swv. trans.* heilen: die wunden z. *dp.; auch bildl., z. b.* der sünde wunden z.

-hellen, gehellen *stv. mit dat. oder ze: zustimmen, beistimmen.*

-henken *swv. intr., mit dat. anhaften.*

-hüllen *swv. zudecken.*

-hurten *swv. daher stürmen (zu pferde);* zuo gehurtet komen.

-jehen *stv. überreden, zureden:* lockende und zuo jehendiu rede.

-kêren *swv. intr.: ankommen, einkehren:* si ist rehte zuo gekêret *ist uns willkommen!; trans.: mit dat. zukehren (den rücken).*

-kippen *swv. mit worten* z. *dp.* anreden.

-kleben *swv. übertr. dp. anhaften (z. b.* untugent*); von personen: sich jemandem eng anschließen, ihm treulich beistehen.*

-knöpfeln *swv.* zuknöpfen.

-komen *stv. eintreffen* (ze *in*); subst. sîn z. *sein kommen, erscheinen (hl. geist); vgl.* zuokunft.

-condewieren *swv. refl. dp. sich abgeben mit.*

-koufen *stv. refl. gegen* dp. *sich einschmeicheln bei.*

-kriegen *swv. dp. feindlich andringen gegen;* im

kriege zu hilfe kommen: uns krieget helfe zuo.

-lachen *swv. dp. zulachen, anlachen.*

-lâzen *redv. zulassen; von haustieren: decken lassen.*

-leinen *swv. eng verbinden;* zwô natûre in ein persôn zugeleint *vereint.*

-lêhenen *swv. as. dp. verleihen (eigenschaft).*

-liebeln *swv. (mit dat.) liebäugeln mit:* den rôsen z.

-lieben *swv. refl. dp. sich einschmeicheln bei.*

-lispen *swv. as. dp. zuflüstern.*

-locken *swv. ap. verführen.*

-loufen *redv. herzulaufen.*

-lûchen *stv. trans. schließen (das maul); vgl.* zuo gelouchen.

-luogen *swv. zuschauen; aufpassen.*

-lusemen, lusenen, lusen *swv.* = zuo-losen.

-machen *swv. tr. zurechtmachen, rüsten, schmücken.*

-mezzen *stv. trans. dp. zumessen (z. b.* der magd *futtermittel);* hie zuo m. *hiermit vergleichen.*

-mischen *swv. as. ds. beimengen, hinzufügen; übertr.:* dem ruofe zeher (tränen) z. *laut klagen und auch weinen.*

-muoten *swv. as. dp. etwas von jem. wünschen, fordern.*

-neigen *swv. refl.: sich vorbeugen (z. b.* im sattel*); intr.: mit dp., übertr. zugeneigt sein.*

-nemen, genemen *stv. intr. zunehmen (an ds.); gedeihen, sich gut entwickeln, heranwachsen.*

-râten *redv.* rätet zuo! ratet mir!

zuo-reden *swv. dp. zureden; zurechtweisen.*

-rennen *swv. hinzueilen, zu hilfe eilen.*

-riechen *stv. dp. stinken, anstinken gegen.*

-rigelen *swv. abs. zuriegeln, -schließen.*

-rihten *swv. trans. u. refl. bereitmachen, rüsten; zubereiten, herrichten.*

-rinnen *stv. hinzulaufen, herbeilaufen, -eilen.*

-risen *stv. mit dat. zufallen.*

-rîten *stv. herreiten, hinzureiten, zu jem. reiten (mit dp.).*

-rüeren *swv. intr. hinzueilen.*

-rûnen *swv. dp. trans. u. absol. zuflüstern.*

-rüsten *swv. refl. sich bereit machen.*

-schaffen *stv. u. swv. ap. dp. zuordnen, zugesellen.*

-scharn *swv. mit dat. (eine eigenschaft,) der innern natûr zugeschart zugehörig, naturbedingt.*

-scherren *stv. zuscharren, zusammenkratzen.*

-schiben *stv. absol. dp. hilfe, beistand leisten; beistehen.*

-schicken *swv. trans.: zubereiten, einrichten; mit dp. zuschicken, senden an; refl.: ds. sich richten nach.*

-schopfen *swv. as. zustopfen, verbinden (wunde).*

-schrîben *stv. ein geleite z. dp. einen geleitbrief ausstellen.*

-schrîten *stv. allmählich, unaufhaltsam herannahen; der tac zuo schrît.*

-schünden *swv. antreiben, anreizen.*

-schürn *swv. mit dat. feuer schüren, anfachen; übertr. antreiben zu.*

zuo-setzen *swv. intr.: dp. zusetzen, feindlich eindringen auf, verfolgen; trans.: as. aufs feuer setzen (zum kochen); ap. auf die schule schicken (zuogesetzet eingeschult).*

-sinnen *stv. allenthalben z. von allen seiten herbeikommen.*

-slahen *stv. mit zupakken, mitwirken.*

-slîchen *stv. hinzuschleichen; sich unbemerkt nähern (mit dp.).*

-sliezen *stv. trans. zuschließen, versperren.*

-smücken *swv. dat. anschmiegen.*

-snallen *swv. dp. as. (oder direkte rede): zuflüstern, vorschwatzen.*

-snellen *swv. trans. (einen ausspruch:) abzielen, münzen, beziehen auf (ûf).*

-sparn *swv. as. ds. vorbehalten, bestimmen für: ditz ist dem gelouben zugespart ist glaubenssache.*

-sperren *swv. zusperren, schließen (trans. oder absol.); ap. einsperren.*

-spiln *swv. dp. entgegenspringen.*

-sprengen *swv. intr. herbeisprengen; dp. eindringen auf.*

-springen, gespringen *stv. herzuspringen; dp. zuspringen auf.*

-stapfen *swv. mit und ohne dat. hinzureiten, heranreiten.*

-staten *swv. dp. erlauben; nû sprich balde, ich state dir zuo gebe dir die gelegenheit, erlaubnis.*

-stellen *swv. abs. (mit belagerungsgeräten) vorkehrungen treffen, spez. angreifen.*

-stœren *swv. übertr. hetzen.*

zuo-stôzen *redv. absol. u. trans. (daz schif o. ä.): landen; intr.: hinzukommen; anderhalben z. sich zur gegenseite schlagen, zum gegenteil bekennen.*

-streben *swv. dp. eindringen auf.*

-stürmen *swv. dp. angreifen.*

-suochen *swv. as. dp. beimessen (schuld); vorwerfen.*

-teilen *swv. as. anordnen, einteilen; as. dp. zusprechen, erteilen.*

-tragen, getragen *stv. trans.: herbeitragen; absol.: ernte einbringen; übertr.: allez daz den sinnen zuo getragen wirt alle sinneswahrnehmungen.*

-trechen *stv. as. dp. verschaffen (z. b. vröude).*

-trecken *swv. intr. allenthalben zuo getrecket komen von allen seiten herbeiziehen, -strömen (heereszüge).*

-treten, getreten *stv. intr. ankommen; mit dat. treten zu, kommen zu, treffen; übertr. überkommen (angst, müdigkeit).*

-trîben *stv. einen spruch ab beider der prophêten buoch z. und samenen vereinen, kontaminieren; as. dp. auferlegen, aufhalsen (arbeit, müeje, joch).*

-trinken *stv. einander z.*

-tuon *anv. hinzutun; schließen.*

-twingen *stv. trans. zupressen, -schnüren (hals).*

-vallen *redv. dp. zustoßen (leid); zufallen (los, erbe); zustehen (lôn); part. präs. zuovallende zufällig; subst. ein unvormîdelich z. unvermeidliches ereignis.*

zuo-vermachen *swv. aş.* zumachen, verschließen.

-versnüeren *swv. as. ds.* etwas binden an; niden z. unterbinden.

-versperren *swv. trans.* einschließen, verschließen.

-vliegen *stv.* zuogevlogen komen *(zu pferde:) daher-*geflogen, -gestürmt kommen.

-vliezen *stv. intr. her-*beifließen, -schwimmen; mit dp. übertr.: zufließen (segnungen).

-vüegen, gevüegen *swv.* ap. dp. beigesellen, -geben, unterstellen (dienerschaft).

-vüeren *swv. as. dp. zu-*führen, übertr.: einbringen (etwas erstrebtes).

-wahsen *stv. heran-*wachsen; zunehmen; subst.: zunahme.

-wæjen *swv. md.* zû wên; abs. luft zufächeln.

-warten *swv.* aufpassen; aufwarten.

-wegen *stv. as. dp. zu-*teilen.

-werben *stv. intr. ds.* oder dp. zustreben, hin-streben zu.

-werfen, gewerfen *stv. (trans.)* zuwerfen, -schla-gen (tür); as. dp. jem. etwas dazugeben (z. b. buchstaben zu seinem namen); zuteil werden las-sen; passiv: in den schoß fallen, zufallen.

-weten, wetten *stv.* dâ muoz ich z. ich bin ver-pflichtet, dabei zugegen zu sein; muß mich in eigner person darum kümmern.

-wirken *swv.* zusammen-fügen, herstellen; subst.: mitwirkung.

-wîsen *swv.* die sælde z. dp. das glück gewähren, zuteil werden lassen.

-wispeln *swv.* suoze z. scheinheilig zuflüstern.

zuo-zemen *swv. trans.* zähmen, fügsam machen.

-ziehen *stv. intr. bei, zu* jem. einziehen, einkehren; dp. entgegenziehen; zu-setzen, peinigen; trans. zusammenziehen, zuziehen (z. b. mit einer schnur); ds. angreifen (erbe, besitz); as. dp. zufügen (schaden).

-zogen *swv. intr. (mit* heeresmacht) heranziehen; mit dp. mehr und mehr zuteil werden, sich mehren (wirde und êre im zû zogt).

-zücken *swv. dp. as.* jem. einer sache bezichti-gen.

zuobehaft *part. adj. dp.* eingeboren, eingefleischt, naturgegeben.

zuogâbunge *stf.* ergän-zung.

zuogeborn *part. adj. an-*verwandt; vaterhalp z. väterlicherseits verwandt.

zuogegen *adv.* entgegen, gegenüber; z. treten dp. gegenübertreten.

zuogehœrec *adj.* z. sîn dp. oder ds. angehören (der werlt).

zuogehœrer *stm.* zuhö-rer.

zuogekêrtheit *stf.* hin-wendung; z. des gemüetes (myst.).

zuogeselt *part. adj.* subst.: der ander z. der andre genosse, geselle (von den gekreuzigten schä-chern).

zuogesezzen *part. adj.* ein mitezzel z. gewohnter teilnehmer am mahl.

zuogewahsen *part. adj.* geschwollen: z. vleisch.

zuohalt *stm.* aufenthalt.

zuoladunge *stf.* übers. von ‚Ecclesiastes' (ein-lader).

zuoschundære *stm.* an-treiber.

zuoteilec *adj.* z. sîn dp. bewohnt, besessen werden von, gehören (das himmel-reich den engeln).

zuoteilerinne *stf.* zuteile-rin, einteilerin: diu sonne, der stunde ein z.

zuotreffende *part. adj.* zufällig; den menschen schuldlos von außen tref-fend: z.-diu dinc, z. übel, z. sache unfälle, mißge-schick; ein z. zeichen der phisionomi ein unwesent-liches, zufälliges physio-gnomisches merkmal.

zuotrîp *stm.* mîn vröu-denrîch z. buhlschatz (an-rede an die geliebte).

zuovart *stf.* beistand (des kriuzes z.).

zuoversihtecliche *adv.* vertrauensvoll, getrost, voll zuversicht (beten).

zuowesen *stn. myst.* ter-minus, neben wesen und înwesen.

zuowirken *stn.* mitwir-kung (der vernunft), (myst.).

züpfel = zipfel.

zwecken *swv.* her ûz z. herausziehen (pfeil aus der wunde).

zweien *swv.* verdoppeln.

zweinamic *adj.* zwei namen tragend.

zweiselen *swv. intr.* mit den zungen z. doppel-züngig reden.

zweisinc *adj.* zweifach.

zweitragende *part. adj.* z. mit gedanken wanken auf zwietracht sinnen.

zweiverten, zwiverten *swv.* auf zwei wegen gehen, übertr.

zweizunge *adj.* doppel-züngig.

zweizungeht, zwizun-geht *adj. dass.*

zweizungic *adj. dass.*

zwelc *stm.* = zwelch.

zwelfbotinne, -în *stf.*
weiblicher apostel (Martha,
Maria Magdalena).

zwelfsternec *adj.* z.
krône *(Mariä).*

zwiel, zwîl *stn. zweig-*
lein.

zwischendrunder *subst.*
adv. kein z. lîden *kein*
dazwischen, nichts tren-
nendes dulden.

zwivaltlicliche(n), -vel-
ticliche(n) *adv. doppelt,*
zweifach, zwiefältig; guot
z. wider teilen *zurücker-*
statten dp.

zwivar *adj. zweifarbig.*

zwîvel *stm. entzweiung*
(z. b. mit gott); unsicher-
heit; z. hân *im zwiespalt*

(mit sich selbst) sein; zwî-
vels pflegen *ratlos sein;*
mit z. varn *aufs gerate-*
wohl.

zwîvelhaft *adj. mit hal-*
bem herzen.

zwîvelheit *stf.* = zwîvel;
z. benemen *dp.*

zwîvelic *adj.* ein z. man
ein zweifelnder mensch.

zwîvelknode, -knote
swm. zweifelsknoten, (zwei-
fel, frage): den z.-n mir
enbint!

zwîvel(e)n *swv. es auf-*
geben (zu kämpfen, sich zu
wehren); resignieren; un-
pers. refl.: ez zwîvelt sich
umbe den lîp *geht um*
leben oder sterben.

zwîvelnis(se) *stfn. zu-*
stand des zweifelns, der
ungewißheit: und wart
ein z. *man zweifelte all-*
gemein; ân z. *ohne un-*
sicherheit, ängstlichkeit
(z. b. auf dem wasser wan-
deln).

zwîvelunge *stf. ent-*
zweiung, spaltung, zwie-
tracht (zwischen volke und
volke).

zwîvelvar *adj. voll zwei-*
fel, argwöhnisch.

zwivertic *adj. auf zweier-*
lei wegen; vgl. zweiverten,
zwiverten.

zwôsît *adv. auf zweierlei*
art, in zweierlei hinsicht.

cynomyn = zinemîn.

über-brücken: l. '*einem (fluß)*'.

überbreit und **überlanc** sind hier *advv.:* '*unumschränkt*'; (fragl., ob komp.).

umbe-sehen: erg. '*intr. u. (refl.)*'; str. '*sehen*'.

unsaelden: *refl.!*

unverdrozzenlich: '*dass.*' bezieht s. auf **unverdrozzen.**

ûz-diezen: l. nur: '*intr. hervorquellen; über die ufer treten*'.

ûz-serwen: st. des Angeg. l. '*ausstatten, -rüsten*'.

ûz-stecken: l. '*aufstecken, -stellen*'.

ûzgelenke: streichen; (auch unter **ûz** *adv.*).

val *stm.:* str. '*phraseol.*', erg. '*zerstörung der (lebensfreude)*'.

vâre: st. '*bedauern*' l. '*belauern*'.

l. **vasevîsen** st. **-wîsen.**

velle: st. '*gefälle*' l. '=gevelle'.

l. **vergebene** st. **vergebens.**

vermîden: l. '*etelîches*'.

verriht: st. '*verrichtung*' l. '*verhalten*'.

verruodern: *intr.!* st. **versparn** l. **versperren.**

versûmen: erg. 'sich v. an *ds.: s. zu lange auf-* | *halten mit;* an *dp.: jem. zu lange warten lassen*'.

verswaeren: streichen.

verswern: str. '*dp.*'.

verwerren: st. '*verführen*' l. '*ins verderben bringen*'.

verwindeln: zu '*refl.*' erg. '*sich verwickeln*'.

verwirren: st. '*verdrehen*' l. '*einwickeln (worte in melodie)*'.

vetzen: l. nur: '*eigensüchtig hegen, pflegen (geld,* willen, hôchvart); *refl. sich überheben, vermessen*'.

vliehen: st. '*vor*' l. '*von (dp.)*'.

vliez: st. '*lauterkeit*' l. '*unverfälschte wahrheit*'.

volreisen: st. '*den weg...*' l. '*ûf dem wege der sünden*'.

von: '*v.* den kiel...' gehört unter **vor** *präp.*

vorganc: erg. '=vürganc'.

vorhteclîche(n): st. '*aus furcht*' l. '*mit skrupeln, scheu*'.

st. **vorsehen** l. **vorschen.**

vreislîche: st. '*üppig*' l. '*mit waffen behängt, einschüchternd*'.

vridelichkeit: l. '*einfriedung, schonung*'.

vrîgegeben: l. nur: '*v.-e kür freier wille*'.

vrœlich: st. '*fröhlich*' l. '*glücklich*'.

vuhsvar: l. '*v.-wez*'.

vürganc: st. des Angegebenen l. '=vorganc; *reinigungsopfer, darstellung im tempel*'.

vürhin: st. '*vorher*' l. '*voraus*'.

wâge: st. '*setzen*' l. '*geben*'.

wânlich: st. '*hoffnungsvoll*' l. '*vermeintlicher sohn*'.

warthaft: l. '*verpflichtet, wartend bereitzustehen; abhängig*'.

wesunge: st. '*befinden*' l. '*beschaffenheit*'.

widerbillen: *stv.* (usw.) l. '*widerschrenken swv. subst. hartnäckiges widersetzen*'.

wille: Z. 9 l. 'sagen' st. '*hân*'.

willen: st. '*zulassen*' l. '*vorsätzlich tun, begehn*'.

winden: str. '*refl. ....*'. st. **winkelbredigen** (usw.) l. '*winkelbredige stswf. winkelpredigt*'.

wolkenbrunst: l. '=wolkenbrust'.

zellîn: st. des Angeg. l. '*dem. zu* zelle'.

zerbringen: str.; es handelt sich um **zuobringen** *zustandebringen*.

zogen: st. '*refl.*' l. 'sich zogen lâzen'.

zuo-tragen: Z. 4 f. l. 'mit den sinnen'.

st. **zwelc** (usw.) l. '**zwelc(h)** *stm.* =zelch'.

MATTHIAS LEXERS
MITTELHOCHDEUTSCHES TASCHENWÖRTERBUCH

BERICHTIGUNGEN

abe-gewenken: statt ‚*abborgen*‘ lies ‘*abbringen*’; *swv.*[1] mit [2] zusammenziehen.

st. **abepfundec** l. **abepfendec.**

st. **abeturne** (361 a) l. **abturne.**

ahselnote ist *stswf.*

ane-werden: st.‘*hinzufügen*’ l. ‘*dazu kommen (lassen)*’.

anhellic: l. ‘*sîn*’.

antlâzwoche ist *swf.*

art ist *stmf.*

besan: st. des Angegebenen l. ‘=*besamen*’.

st. **besehen** l. **beseben.**

besliezen ist *stv.*

st. **blîelîn** l. **blîenîn.**

st. **blindelingen** l. **blindeslingen, blinzlingen.**

boumwolle: erg. ‘*watte*’.

boumwollîn: streichen.

l. **dar-schieben** st. bloßem -**schieben** (378 c).

eben ‘*deutlich*’ ist *adv.*, nicht *adj.*

enstlich: l. ‘=*enstec*, -*lich*’.

entheln ist *swv.*

entlîben: str. ‘*schonen gs.*’

entlôsen: streichen.

entvürhten: streichen.

êwe, ê: st. ‘*halten*’ l. ‘*beweisen*’.

êworhte: streichen.

gampel: l. ‘*spielzeug*’.

gast: vor ‘*fehlen*’ erg. ‘g. sîn’.

gebere ist *swm.*

gegenswanc: st. ‘*gp.*’ l. ‘*dp.*’.

gehûfen: st. ‘=hûfen’ l. ‘*sich drängen*’.

gelogen: l. ‘*erlogen*’.

gelouben: st. ‘*von…jem.*’ l. ‘*dp. zutrauen*’.

gerîben: st. ‘=rîben’ l. ‘*confricare, zerreiben*’.

gerîchesen: streichen.

geschrocke ist *swm.*

geswîchen: st. ‘*daz*’ l. ‘*des*’.

getranc: st. ‘lîren’ l. ‘lêren’.

gevallen: ‘*dp.*’ aus der 2. Z. in die 3. rücken!

gewilde ist *stn.*

gewizzen: str. ‘*gs.*’.

gief: l. ‘*sterke*’.

st. **ginnunge** l. **ginunge;** st. ‘*grund*’ l. ‘*abgrund*’.

gîraffe: *stswf.*

girlande: *swf.*

grasewec: st. ‘dem’ l. ‘den’.

hecken *swv.*[1]: l. ‘*zwikken*’ st. ‘*zwischen*’.

hindergesaeze: st. des Angeg. l. ‘*hintersattel, -sitz*’.

l. **horngeblâse** st. -**geblâse.**

houbetpîn: l. ‘*hauptplage(n) (der hölle)*’.

l. **karakterbuochstap** st. **karakter.**

l. **leitinc** st. **leiting.**

liut: st. ‘der’ l. ‘den’.

market: *stm.*

minnelast: *stm.*

st. **nider-bersten** l. **nider-bresten.**

nuofer: st. ‘uover’ l. ‘uober, *munter*’.

rôsenbusch: Z. 4 l. ‘*rôsbuschen*’.

roten: erg. ‘*(intr.) u. refl.*’.

schiltreht: st. des Angeg. l. ‘*rechte u. pflichten der schildknechte*’.

schimpfheit: st. ‘*schande*’ l. ‘*scherz*’.

site: erg. ‘*stf.*’

slam, slamme: *stswm.*

slegel: erg. ‘*dp.*’.

l. **sliunec** st. **slinnec.**

smeichenhaft: l. ‘*schmeichlerisch*’.

snîden: l. ‘wol *oder* wît’.

spiln: l. ‘kintheit’ st. ‘jugent’.

stat *stmn.:* l. ‘vâren’ st. ‘varn’.

swingen ist *stv.*

tac: Z. 9 l. ‘ez’ st. ‘etewaz’.

tûsentleie: st. ‘*tausendfach*’ l. ‘*von tausenderlei farben*’.